에듀윌
합격자 모임
에듀윌과
현실이 됩니다
기적에서 전설로

에듀윌을 선택한 이유는 분명합니다

합격자 수 수직 상승

1,495%

명품 강의 만족도

99%

베스트셀러 1위

36개월 (3년)

3년 연속 경찰공무원 교육

1위

에듀윌 경찰공무원을 선택하면
합격은 현실이 됩니다.

* 2017/2020 공무원 온라인 과정 환급자 수 비교
* 경찰공무원 대표 교수진 2020년 11월 강의 만족도 평균
* YES24 수험서 자격증 공무원 베스트셀러 1위 (2017년 3월, 2018년 4월~6월, 8월, 2019년 4월, 6월~12월, 2020년 1월~12월, 2021년 1월~11월 월별 베스트, 매월 1위 교재는 다름)
* 2021 대한민국 브랜드만족도 경찰공무원 교육 1위 (한경비즈니스) / 2020, 2019 한국브랜드만족지수 경찰공무원 교육 1위 (주간동아, G밸리뉴스)

합격자 수 1,495%* 수직 상승! 매년 놀라운 성장

에듀윌 공무원은 '합격자 수'라는 확실한 결과로 증명하며
지금도 기록을 만들어 가고 있습니다.

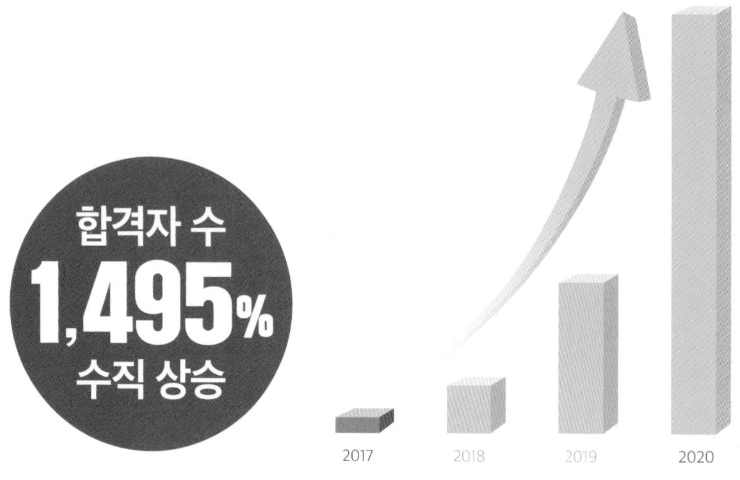

합격자 수를 폭발적으로 증가시킨 독한 경찰 평생패스

합격 시 0원
최대 100% 환급

\+

합격할 때까지
전 강좌 무제한 수강

\+

전문 학습매니저의
1:1 코칭 시스템

※ 환급내용은 상품페이지 참고. 상품은 변경될 수 있음.

상품
페이지

* 2017/2020 공무원 온라인 과정 환급자 수 비교

누적 판매량 200만 부* 돌파!
36개월* 베스트셀러 1위 교재

합격비법이 담겨있는 교재!
합격의 차이를 직접 경험해 보세요

베스트셀러 1위 에듀윌 공무원 교재 라인업

9급공무원

7급공무원

경찰공무원

소방공무원

계리직공무원

군무원

* 에듀윌 공무원 교재 누적 판매량 합산 기준 (2012년 5월 14일~2021년 9월 30일)
* YES24 수험서 자격증 공무원 베스트셀러 1위 (2017년 3월, 2018년 4월~6월, 8월, 2019년 4월, 6월~12월, 2020년 1월~12월, 2021년 1월~11월 월별 베스트, 매월 1위 교재는 다름)
* YES24 국내도서 해당분야 월별, 주별 베스트 기준 (좌측부터 순서대로 2021년 11월, 2021년 8월 2주, 2021년 11월)

eduwill

에듀윌에서 꿈을 이룬 합격생들의 진짜 합격스토리

에듀윌 커리큘럼을 따라가며 기출 분석을 반복한 결과 7.5개월 만에 합격

권○혁 지방직 9급 일반행정직 최종 합격

샘플 강의를 듣고 맘에 들었는데, 가성비도 좋아 에듀윌을 선택하게 되었습니다. 특히, 공부에 집중하기 좋은 깔끔한 시설과 교수님께 바로 질문할 수 있는 환경이 좋았습니다. 학원을 다니면서 에듀윌에서 무료로 제공하는 온라인 강의를 많이 활용했습니다. 늦게 시작했기 때문에 처음에는 진도를 따라가기 위해서 활용했고, 그 후에는 기출 분석을 복습하기 위해 활용했습니다. 마지막에 반복했던 기출 분석은 합격에 중요한 영향을 미쳤던 것 같습니다.

고민없이 에듀윌을 선택, 온라인 강의 반복 수강으로 합격 완성

박○은 국가직 9급 일반농업직 최종 합격

공무원 시험은 빨리 준비할수록 더 좋다고 생각해서 상담 후 바로 고민 없이 에듀윌을 선택했습니다. 과목별 교재가 동일하기 때문에 한 과목당 세 교수님의 강의를 모두 들었습니다. 심지어 전년도 강의까지 포함하여 강의를 무제한으로 들었습니다. 덕분에 중요한 부분을 알게 되었고 그 부분을 집중적으로 먼저 외우며 공부할 수 있었습니다. 우울할 때에는 내용을 아는 활기찬 드라마를 틀어놓고 공부하며 위로를 받았는데 집중도 잘되어 좋았습니다.

체계가 잘 짜여진 에듀윌은 합격으로 가는 최고의 동반자

김○욱 국가직 9급 출입국관리직 최종 합격

에듀윌은 체계가 굉장히 잘 짜여져 있습니다. 만약, 공무원이 되고 싶은데 아무것도 모르는 초시생이라면 묻지 말고 에듀윌을 선택하시면 됩니다. 에듀윌은 기초·기본이론부터 심화이론, 기출문제, 단원별 문제, 모의고사, 그리고 면접까지 다 챙겨주는, 시작부터 필기합격 후 끝까지 전부 관리해 주는 최고의 동반자입니다. 저는 체계적인 에듀윌의 커리큘럼과 하루에 한 페이지라도 집중해서 디테일을 외우려고 노력하는 습관 덕분에 합격할 수 있었습니다.

다음 합격의 주인공은 당신입니다!

회원 가입하고 100% 무료 혜택 받기

가입 즉시, 공무원 공부에 필요한 모든 걸 드립니다!

혜택 1 초시생을 위한 3법교과서 제공

※ 에듀윌 홈페이지 → 직렬 사이트 선택 → 3법교과서 무료배포 선택 → 신청하기

혜택 2 초보 수험생 필수 기초강의 제공

※ 에듀윌 홈페이지 → 직렬 사이트 선택 → '처음오셨나요' 메뉴 선택 → 기초이론패스 신청 후 '나의 강의실'에서 확인 (7일 수강 가능)

혜택 3 전 과목 기출문제 해설강의 제공

※ 에듀윌 홈페이지 → 직렬 사이트 선택 → 상단 '학습자료' 메뉴를 통해 수강 (최신 3개년 주요 직렬 기출문제 해설강의 제공)

* 배송비 별도 / 비매품

합격의 시작은 잘 만든 입문서로부터

에듀윌 경찰 3법교과서

무료배포 선착순 100명

무료배포 이벤트

* 본 혜택과 경로는 예고 없이 변경되거나 대체될 수 있음.

1초 합격예측 모바일 성적분석표

1초 안에 '클릭' 한 번으로 성적을 확인하실 수 있습니다!

활용
GUIDE
실시간 성적분석 방법!
STEP 1
QR 코드 스캔
STEP 2
모바일 OMR 입력
STEP 3
자동채점 & 성적분석표 확인

STEP 1

QR 코드 스캔
2020
9월 26일 시행
국가직
• 교재의 QR 코드를 모바일로 스캔 후 에듀윌 회원 로그인
• QR 코드 하단의 바로가기 주소로도 접속 가능

STEP 2

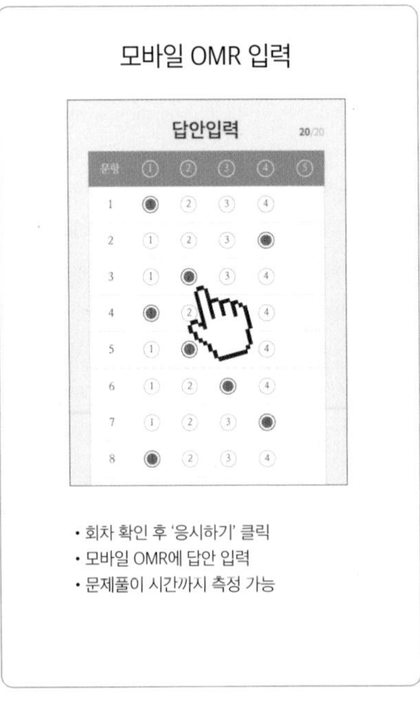
모바일 OMR 입력
답안입력
• 회차 확인 후 '응시하기' 클릭
• 모바일 OMR에 답안 입력
• 문제풀이 시간까지 측정 가능

STEP 3

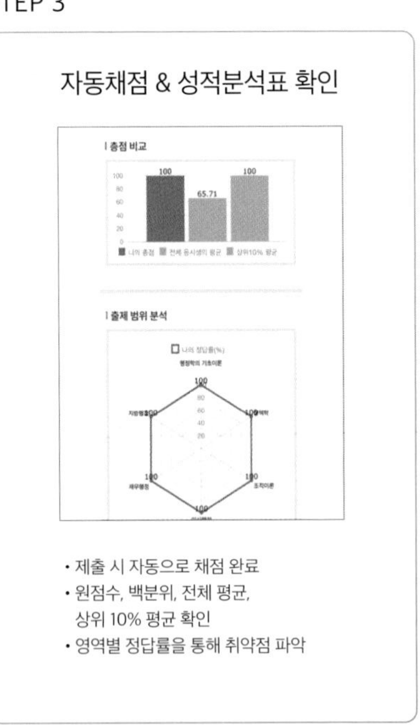
자동채점 & 성적분석표 확인
• 제출 시 자동으로 채점 완료
• 원점수, 백분위, 전체 평균, 상위 10% 평균 확인
• 영역별 정답률을 통해 취약점 파악

※ 본 서비스는 에듀윌 공무원 교재(연도별, 회차별 문항이 수록된 교재)를 구입하는 분에게 제공됨.

시작하는 방법은
말을 멈추고
즉시 행동하는 것이다.

– 월트 디즈니(Walt Disney)

2022

에듀윌 경찰공무원

단원별 기출문제집

형사법 1000제

INTRO

저자의 말

"고득점 확보의 첫 출발은 기출문제의 정복이다."

경찰공무원 시험은 2022년 상반기부터 변경된 과목으로 치러진다.

순경 공채는 경찰학, 형사법, 헌법 3과목을 필기시험으로 치르고 영어와 한국사는 검정제로 대체된다.

이 중 형사법은 기존의 형법과 형사소송법 수사와 증거가 출제범위에 속한다.
출제비중은 형법은 70%(총론 35%+각론 35%), 형사소송법 30%(수사 15%+증거 15%)이다.

경찰직 시험에서 고득점 확보의 맨 처음 출발은 기출문제의 정복이라 할 것이고, 형사법에서는 특히 그 중요성이 크다 하겠다.

이에 새롭게 시행되는 형사법의 출제범위와 내용에 가장 적합한 형사법 기출문제집을 출간하였다.

기출문제를 풀어 보면서 실제 시험에서 출제되는 중요 부분과 유형들을 알 수 있고, 앞으로의 출제 방향도 예측할 수 있다.

실제 매회 출제되는 시험을 분석하면 출제되었던 문제가 대부분을 차지하므로 기출문제의 정복은 곧 고득점의 지름길이라 하겠다.

다만 본 기출문제집으로 공부할 때 문제 그 자체만 풀고 답만을 확인할 것이 아니라 해당 문제의 해설 부분도 꼼꼼히 읽어보고, 다시 기본서로 확인하는 작업이 꼭 필요하다.
이것이 기출문제집을 제대로 활용하는 방법이라 하겠다.

본 기출문제집을 반복하여 정복한다면 형사법에 자신감을 갖게 될 것이고, 형사법 고득점의 목표가 실현 될 것을 확신한다.

아무쪼록 이 교재가 수험생 여러분의 형사법 정복에 큰 도움이 되기를 바라고, 여러분의 조속한 합격을 진심으로 기원한다.

마지막으로 본서의 출간에 도움을 주신 에듀윌 출판사에 감사의 말씀을 드린다.

편저자 강기주 (강산)

GUIDE

2022 개편 대비 학습가이드

2022 형사법 출제비중

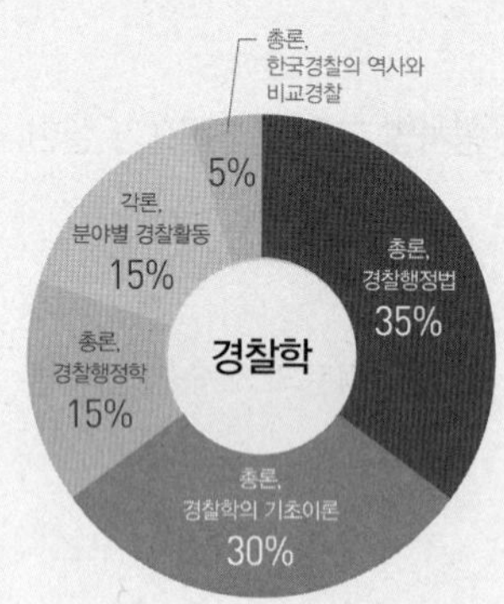

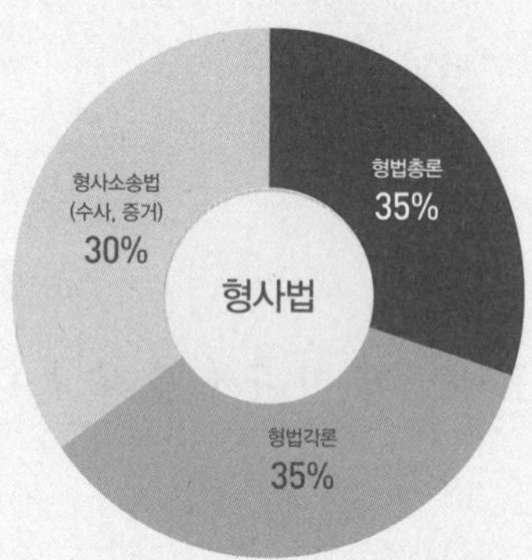

2022 형사법 출제예측

PART 01 | 형법총론

형법의 일반이론에서는 죄형법정주의 파트의 출제가 유력하고, 범죄론에서는 범죄의 종류, 특히 계속범, 위험범 등의 출제가 예상됩니다. 또한 구성요건론 파트 중 부작위범과 관련된 판례와 학설의 출제가 유력하고, 결과적가중범 중 '부진정결과적가중범'의 개념과 죄수에 대한 판례의 출제가 예측됩니다.

위법성론 파트에서는 우연방위에 관한 학설정리와 각 위법성조각사유에 관한 판례의 대비가 필요하며, 책임론 파트에서는 '위법성조각사유의 전제사실에 대한 착오'와 '원인에 있어서 자유로운 행위'와 관련된 학설을 대비해야 합니다. 형벌론에서는 몰수와 관련한 판례, 집행유예와 선고유예에 대한 조문과 판례의 출제가 예측됩니다.

PART 02 | 형법각론

개인적 법익에 대한 죄에서는 주거침입죄와 위계간음죄의 변경된 전원합의체 판례의 출제가 예측됩니다. 또한 횡령죄와 배임죄 판례, 특히 전원합의체 판례의 출제가 예측됩니다. 사회적 법익에 대한 죄에서는 공공의 신용에 대한 죄 중 문서에 대한 죄의 판례의 출제가 예측됩니다. 마지막으로 국가적 법익에 대한 죄에서는 공무원의 직무에 관한 죄 중 뇌물죄, 공무방해에 관한 죄의 판례 출제가 예측됩니다.

PART 03 | 형사소송법

형사소송법의 기초에서는 1문제 정도가 나올 것으로 보입니다. 이는 형사법 전체 40문제 중 1문제가 된다는 것입니다.

수사는 전체 40문제 중에서 15% 즉, 6문제 내외로 출제가 예상됩니다. 이는 형사소송법이 독자적으로 출제되어 총 20문제가 나왔던 시절의 수사파트 문제 수와 비교해보면 약간 줄어든 것이지만, 크게 줄어들지 않았으므로 중요도는 과거와 큰 차이가 없을 것입니다.

증거는 전체 40문제 중에서 15% 즉, 6문제 내외로 출제가 예상됩니다. 이는 형사소송법이 독자적으로 출제되었던 때의 증거파트 문제 수와 비교해 보면 약 2문제 정도가 더 출제되는 것입니다. 따라서 증거파트는 과거보다 더 중요한 영역이 되었다고 볼 수 있습니다.

단원별 학습전략

PART 01 | 형법총론

형법의 일반이론에서는 죄형법정주의와 형법의 적용범위가 중요하며, 죄형법정주의는 판례위주의 학습, 형법의 적용범위는 조문과 연계한 판례 학습이 필요합니다. 범죄론에서는 범죄가 성립하기 위한 3가지 요건과 관련하여 해당 판례가 무엇이 부정되어 범죄가 성립하지 않는지 체계적으로 정리하며 학습하는 것이 필요합니다. 형벌론에서는 조문 그 자체를 묻는 조문 문제가 자주 출제되므로 조문 정리가 꼭 필요합니다. 몰수의 경우에는 조문뿐만 아니라 판례의 정확한 이해가 필요하며, 집행유예, 선고유예, 가석방의 조문과 판례정리는 필수입니다.

PART 02 | 형법각론

출제비중이 높은 재산죄 판례는 깊이 있는 공부가 필요합니다. 수험생 모두가 어려워하는 파트이니 이 부분의 정복이 형법 고득점을 좌우하며, 변경된 전원합의체, 최신 판례의 숙지가 꼭 필요합니다. 공공의 신용에 대한 죄를 중점적으로 학습하여야 하며 특히 문서죄에 대한 이해와 판례 학습이 필요합니다. 공무를 방해하는 죄는 매회 출제되고 있으며 특히 공무집행방해죄와 위계에 의한 공무집행방해죄에 대한 판례 학습이 필요합니다.

PART 03 | 형사소송법

형사소송법의 법원과 적용범위 및 형사소송의 이념에 관한 부분은 정확한 개념을 알고 있어야 수사나 증거를 더욱 쉽고 명확하게 이해할 수 있습니다. 수사라는 것은 절차가 있기 때문에 그 절차를 정확히 이해하고 숙지해야 하며, 그러한 절차에 있는 중요판례를 학습하여 절차의 이해도를 높여야 고득점을 얻을 수 있습니다. 증거의 출제비중은 6문제 정도로, 과거보다 문제의 수가 늘어났습니다. 따라서 과거보다 더 꼼꼼하게 준비를 해야 합니다. 또한 최근 형사소송법 개정과 관련하여 증거에서도 조문의 변경이 있었기 때문에 그에 대한 해석론을 정확히 이해하여야 고득점을 얻을 수 있을 것입니다.

유형별 학습전략

유형 01 | 옳은/틀린 지문 고르기

'무엇에 대한 설명으로 옳은/틀린 것은?'과 같은 형식으로서 모든 시험에 가장 많이 출제되는 유형입니다. 이는 가장 전형적인 유형의 문제이지만, 어떠한 개념을 정확히 이해하지 못하면 틀릴 수 있는 문제이기 때문에 정확한 개념 이해가 필요합니다. 학습을 할 때에는 지문을 정확히 이해하고 개념과 비교하는 과정이 있어야 합니다.

유형 02 | 개수 찾기

'무엇에 대한 설명으로 옳은/틀린 것은 모두 몇 개인가?'와 같은 형식으로 문제 개수로는 몇 문제 되지 않지만 수험생들에게 가장 어렵게 느껴지는 문제라고 할 수 있습니다. 이 문제는 해당 지문 하나하나의 옳고 그름을 알아야만 문제를 풀 수 있기 때문에, 학습을 할 때에도 역시 지문 하나하나를 꼼꼼하게 이해하는 과정이 필요합니다.

유형 03 | 옳고 그름의 표시(O, X) 하기

'무엇에 대한 설명으로 옳고 그름의 표시가 정확한 것은 무엇인가?'라는 형식의 문제입니다. 이는 최근에 출제되는 유형의 문제라고 할 수 있습니다. 이 문제는 냉정하게 평가하면 수험생 입장에서는 오히려 쉽게 풀 수 있는 문제입니다. 조합을 통해서 정답을 가려내는 것이기 때문입니다. 하지만 학습을 할 때에는 역시 지문 하나하나를 이해하는 과정이 필요합니다.

STRUCTURE

이 책의 구성

2022 개편대비 형사법 필수기출

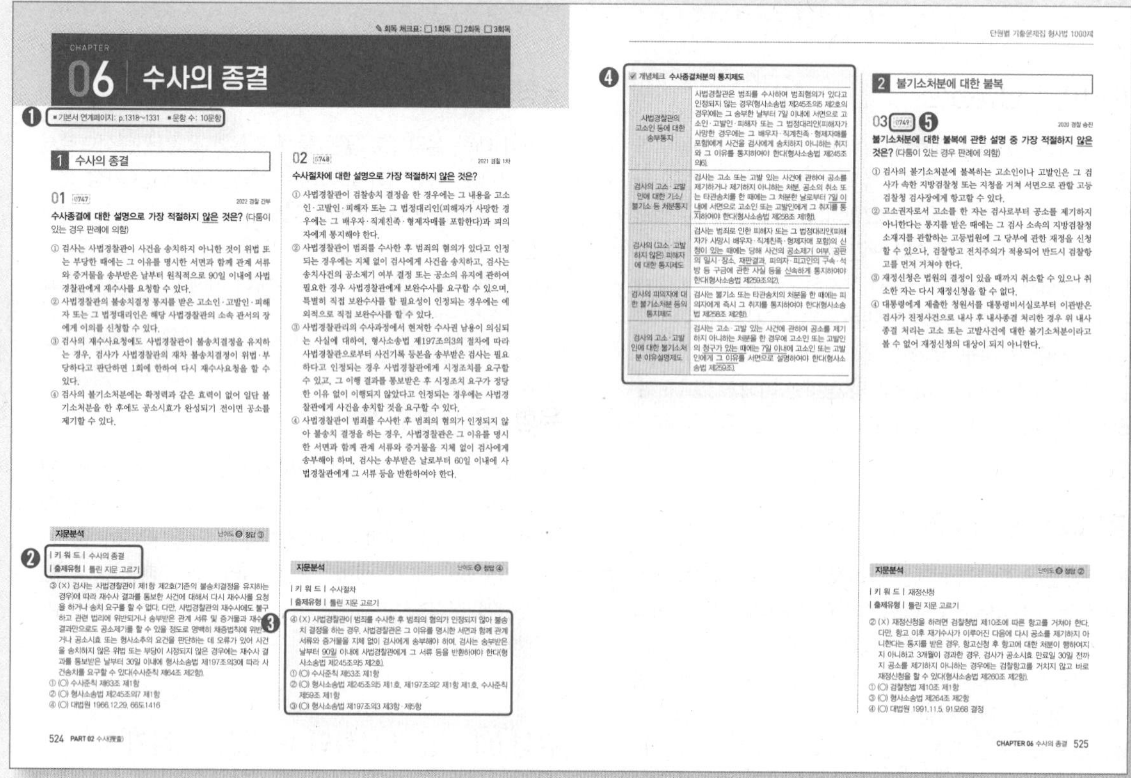

❶ 기본서 연계페이지
개념학습이 더 필요할 경우 에듀윌 경찰공무원 기본서의 해당 페이지로 돌아가 복습 가능

❷ 키워드 & 출제유형
틀린 문항에 대한 키워드와 출제유형을 파악하여 취약영역을 빠르게 체크 가능

❸ 지문분석
전체 선지에 대한 꼼꼼한 분석으로 기출문제 완벽 이해 가능

❹ 개념체크
기출문제에서 반드시 파악해야 하는 필수개념과 더 알아두면 좋을 심화개념으로 개념정리 가능

❺ 1000문항 번호
단원 구분없이 이어지는 문항 번호(1~1000)를 통해 학습 위치 파악 가능

단기 합격팩

단계별 약점을 보완하는 3회독 워크북

전체 문항 1회독 후
필수 기출개념

기출문제에서 다시 살펴보아야 할 필수 기출개념만을 정리하여 1회독 마무리

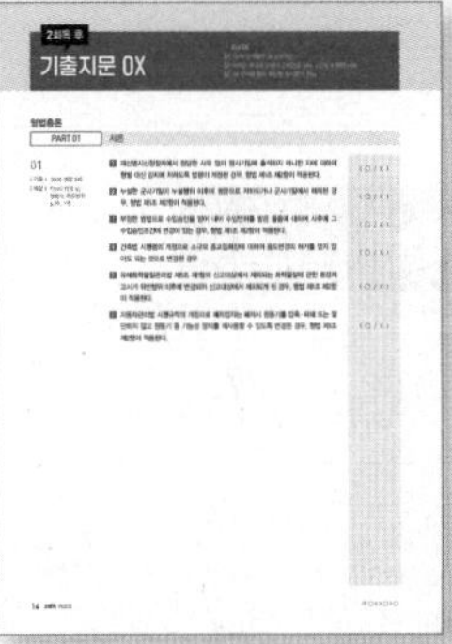

전체 문항 2회독 후
기출지문 OX

고난도 기출지문만을 뽑아 만든 OX 문제를 풀어보며 2회독 마무리

전체 문항 3회독 후
마무리 모의고사

전문 집필진이 만든 모의고사 총 3회분 120문항으로 3회독 마무리

⊕ 1초 합격예측 서비스 모바일 성적분석표
QR코드 스캔 후 모바일 OMR 입력을 통해 자동채점, 원점수, 백분위 등을 파악 가능

학습의 효율을 높이는 합격메이트

3회독 학습플래너 & Goal Tracker

- 스스로 학습 계획을 세워보는 학습플래너
- 공부 과정을 체크할 수 있는 Goal Tracker

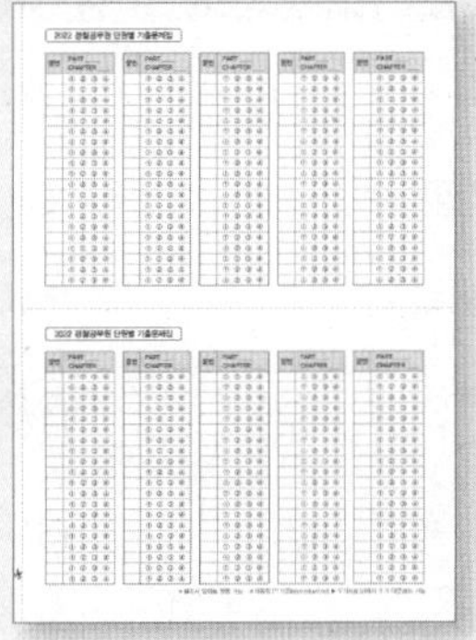

회독용 정답체크표

연필 자국을 지울 필요가 없어 다회독 시 편리하게 학습 가능한 정답체크표

※ 에듀윌 [도서몰 ▶ 도서자료실]에서 추가 다운로드 가능

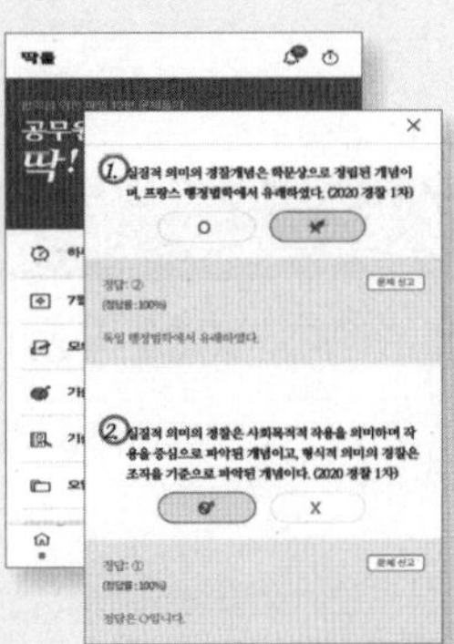

기출OX APP

에듀윌 합격앱으로 자투리 시간에 기출OX 문제풀이 가능

CONTENTS

차례

기출OX APP

1 에듀윌 합격앱 접속하기

QR코드 스캔하기

또는

에듀윌 합격앱 다운받기

2 기출OX 퀴즈 무료로 이용하기

하단 딱풀 메뉴에서 기출OX 선택 ▶ 과목과 PART 선택 ▶ 퀴즈 풀기

- 틀린 문제는 기출오답노트(기출 OX)에서 다시 확인할 수 있습니다.

3 교재 구매 인증하기

- 무료이용 후 7일이 지나면 교재 구매 인증을 해야 합니다(최초 1회 인증 필요).
- 교재 구매 인증화면에서 정답을 입력하면 기간 제한 없이 기출OX 퀴즈를 무료로 이용할 수 있습니다(정답은 교재에서 찾을 수 있음).

※에듀윌 합격앱 어플에서 회원 가입 후 이용하실 수 있는 서비스입니다.
※스마트폰에서만 이용 가능하며, 일부 단말기에서는 서비스가 지원되지 않을 수 있습니다.
※해당 서비스는 추후 다른 서비스로 변경될 수 있습니다.

합격응원 메시지

"제복을 입을 때까지 모두 지치지 마시고 자신이 원하는 자리에서
자신의 역량을 발휘할 수 있도록 끝없이 노력한다면
충분히 합격의 길을 걸어갈 수 있습니다."

국내 1호 프로파일러 권일용 박사

에듀윌 경찰공무원 전 시리즈 교재 추천사 제공

- 동국대학교 경찰사법대학원 겸임교수
- 광운대학교 일반대학원 범죄학과 겸임교수
- 융합사회안전연구교육센터 대표
- 경찰청 범죄심리 과학수사 자문위원
- 한국CSI학회 법심리분과 위원장
- 경찰청 법최면수사 전문가
- 경찰청 범죄행동분석팀장

◀ 응원영상 바로보기

형법총론

PART 01

서론

기출키워드

01 형법의 기본원리	• 법률주의 • 소급효금지의 원칙 • 명확성의 원칙 • 유추해석금지의 원칙
02 형법의 적용범위	• 시간적 적용범위 • 장소적 적용범위 • 인적 적용범위

CHAPTER 01 형법의 기본원리

CHAPTER 02 형법의 적용범위

문제풀이 전략

01 형법의 기본원리	• 형법의 기본원리에서는 죄형법정주의 관련 판례를 중심적으로 학습해야 합니다.
02 형법의 적용범위	• 형법의 적용범위도 형법의 기본원리와 마찬가지로 판례 중심의 학습이 중요한데, 판례를 조문과 연계하여 이해하는 것이 필요합니다.

CHAPTER

01 형법의 기본원리

■ 기본서 연계페이지: p.21~57 ■ 문항 수: 26문항

1 죄형법정주의

01 0001

2015 경찰 1차

죄형법정주의에 관한 다음 설명 중 옳고 그름의 표시(O, X)가 바르게 된 것은? (다툼이 있으면 판례에 의함)

> ㉠ 견인료납부를 요구하는 교통관리직원을 승용차 앞범퍼 부분으로 들이받아 폭행한 행위를 폭력행위 등 처벌에 관한 법률 제3조 제1항의 '위험한 물건을 휴대한' 행위로 처벌하는 것은 유추해석금지원칙에 반하지 않는다.
> ㉡ 행위 당시의 판례에 의하면 처벌대상이 되지 아니하는 것으로 해석되었던 행위를 재판시에 해석을 달리하여 처벌할 수 있다.
> ㉢ 폭력행위 등 처벌에 관한 법률 제4조 제1항에서 규정하고 있는 범죄단체 구성원으로서의 '활동'의 개념은 추상적이고 포괄적이므로 명확성의 원칙에 반한다.
> ㉣ 인터넷 화상채팅을 통하여 실시간으로 전송받은 피해자의 유방, 음부 등 신체부위 영상을 휴대전화의 카메라로 촬영하였다면 성폭력범죄의 처벌 등에 관한 특례법상 다른 사람의 신체를 촬영한 행위에 해당한다.
> ㉤ 가축분뇨 배출시설을 설치한 자가 설치 당시에 신고대상자가 아니었다면 그 후 법령의 개정에 따라 그 시설이 신고대상에 해당하게 되었더라도, 가축분뇨의 관리 및 이용에 관한 법률상 신고대상자인 '배출시설을 설치하고자 하는 자'에 해당한다고 볼 수 없다.

① ㉠ (O), ㉡ (O), ㉢ (X), ㉣ (X), ㉤ (O)
② ㉠ (O), ㉡ (O), ㉢ (O), ㉣ (X), ㉤ (O)
③ ㉠ (X), ㉡ (O), ㉢ (X), ㉣ (O), ㉤ (X)
④ ㉠ (O), ㉡ (X), ㉢ (X), ㉣ (X), ㉤ (O)

지문분석 난이도 ㊤ 정답 ①

| 키 워 드 | 죄형법정주의

| 출제유형 | 옳고 그름의 표시(O, X)하기

㉠ (O) '위험한 물건' 및 '휴대'의 의미
폭력행위 등 처벌에 관한 법률 제3조 제1항에 있어서 '위험한 물건'이라 함은 흉기는 아니라고 하더라도 널리 사람의 생명·신체에 해를 가하는 데 사용할 수 있는 일체의 물건을 포함한다고 풀이할 것이므로, 본래 살상용·파괴용으로 만들어진 것뿐만 아니라 다른 목적으로 만들어진 칼·가위·유리병·각종공구·자동차 등은 물론 화학약품 또는 사주된 동물 등도 그것이 사람의 생명·신체에 해를 가하는 데 사용되었다면 본조의 '위험한 물건'이라 할 것이며, 한편 이러한 물건을 '휴대하여'라는 말은 소지뿐만 아니라 널리 이용한다는 뜻도 포함하고 있다(대법원 1997.5.30. 97도597).
→ 위험한 물건인 자동차를 이용하여 폭행한 경우 승용차가 '위험한 물건'에 해당하고, 이용도 '휴대'라고 본 판결이다.

㉡ (O) 대법원 1999.9.17. 97도3349
→ 판례는 소급 적용이 가능하다.

㉢ (X) 폭력행위 등 처벌에 관한 법률 제4조 제1항에서 규정하고 있는 범죄단체 구성원으로서의 '활동'의 개념이 다소 추상적이고 포괄적인 측면이 있지만, 어떠한 행위가 위 '활동'에 해당할 수 있는지는 구체적인 사건에 있어서 위 규정의 입법 취지 및 처벌의 정도 등을 고려한 법관의 합리적인 해석과 조리에 의하여 보충될 수 있는 점 등을 종합적으로 판단하면, 이 사건 법률조항 중 '활동' 부분이 죄형법정주의의 명확성의 원칙에 위배된다고 할 수 없다(대법원 2008.5.29. 2008도1857).
→ 범죄단체활동죄는 범죄단체 구성·가입죄가 즉시범으로 공소시효가 완성된 경우에는 이들을 처벌할 수 없다는 불합리한 점을 감안하여 그 처벌의 근거를 마련한 것이므로, 범죄단체의 구성·가입죄와 별도로 범죄단체활동죄를 처벌할 필요성을 감안한 판결이다.

㉣ (X) 피고인이 피해자 甲(여, 14세)과 인터넷 화상채팅 등을 하면서 카메라 기능이 내재되어 있는 피고인의 휴대전화를 이용하여 甲의 유방, 음부 등 신체부위를 촬영한 경우 피고인이 촬영한 대상은 甲의 신체 이미지가 담긴 영상일 뿐 甲의 신체 그 자체는 아니라고 할 것이어서 다른 사람의 신체 이미지가 담긴 영상도 위 규정의 '다른 사람의 신체'에 포함된다고 해석하는 것은 법률문언의 통상적인 의미를 벗어나는 것이므로 죄형법정주의 원칙상 허용될 수 없다는 이유로 피고인에게 무죄를 인정한 원심판단을 정당하다고 한 사례(대법원 2013.6.27. 2013도4279)이다.

㉤ (O) 대법원 2011.7.28. 2009도7776
→ 신고대상자인 '배출시설을 설치하고자 하는 자'에 '이미 배출시설을 설치하고 그 설치 당시에 신고대상자가 아닌 자'는 해당되지 않는다는 판결이다.

✓ 개념체크 승용차에 대한 '위험한 물건' 부정(위험한 물건에 대한 비교 판례)

> 소형승용차(라노스)로 중형승용차(쏘나타)를 충격한 경우 충격할 당시 두 차량 모두 정차하여 있다가 막 출발하는 상태로서 차량 속도가 빠르지 않았으며 상대방 차량의 손괴 정도가 그다지 심하지 아니한 점, 이 사건 자동차의 충격으로 피해자들이 입은 상해의 정도가 비교적 경미한 점 등의 여러 사정을 종합하면, 피고인의 이 사건 자동차 운행으로 인하여 사회통념상 상대방이나 제3자가 생명 또는 신체에 위험을 느꼈다고 보기 어려워 피고인에 대한 폭력행위 등 처벌에 관한 법률 제3조 제1항 위반죄가 성립하지 아니한다(대법원 2009.3.26. 2007도3520).

02 [0002] 2015 경찰 2차

죄형법정주의에 관한 다음 설명 중 옳은 것은 모두 몇 개인가?
(다툼이 있으면 판례에 의함)

㉠ 자신의 뇌물수수 혐의에 대한 결백을 주장하기 위하여 제3자로부터 사건 관련자들이 주고받은 이메일 출력물을 교부받아 징계위원회에 제출한 행위를 '정보통신망에 의하여 처리·보관 또는 전송되는 타인의 비밀'인 이메일의 내용을 누설하는 행위에 해당한다고 보는 것은 죄형법정주의 원칙에 반하는 확장해석이라고 할 수 없다.
㉡ 군형법 제64조 제1항의 상관면전모욕죄의 구성요건의 해석에 있어 '전화통화'를 면전에서의 대화라고 해석하여 처벌하는 것은 유추해석에 해당되어 죄형법정주의에 반한다.
㉢ "약국 개설자가 아니면 의약품을 판매하거나 판매 목적으로 취득할 수 없다."고 규정한 구 약사법 제44조 제1항의 '판매'에 무상으로 의약품을 양도하는 '수여'를 포함시키는 해석은 죄형법정주의에 위배되지 아니한다.
㉣ 일반음식점 영업자인 피고인이 주로 술과 안주를 판매함으로써 구 식품위생법상 준수사항을 위반하였다는 내용으로 기소된 사안에서 위 준수사항 중 '주류만을 판매하는 행위'에 안주류와 함께 주로 주류를 판매하는 행위도 포함된다고 해석하는 것은 죄형법정주의에 위배되지 아니한다.
㉤ 식품 판매자가 식품을 판매하면서 특정 구매자에게 그 식품이 질병의 치료에 효능이 있다고 설명하고 상담한 행위는 구 식품위생법 제13조 제1항에서 금지하는 '식품에 관하여 의약품과 혼동할 우려가 있는 광고'에 해당한다고 보는 것은 죄형법정주의에 위배되지 아니한다.

① 2개 ② 3개
③ 4개 ④ 5개

지문분석 난이도 ㉯ 정답 ②

| 키 워 드 | 죄형법정주의
| 출제유형 | 개수 찾기

㉠ (○) **정보통신망 이용촉진 및 정보보호 등에 관한 법률의 타인의 비밀누설죄**
자신의 뇌물수수 혐의에 대한 결백을 주장하기 위하여 제3자로부터 사건 관련자들이 주고받은 이메일 출력물을 교부받아 징계위원회에 제출한 사안에서, 이메일 출력물 그 자체는 정보통신망 이용촉진 및 정보보호 등에 관한 법률에서 말하는 '정보통신망에 의하여 처리·보관 또는 전송되는' 타인의 비밀에 해당하지 않지만, 이를 징계위원회에 제출하는 행위는 '정보통신망에 의하여 처리·보관 또는 전송되는 타인의 비밀'인 이메일의 내용을 '누설하는 행위'에 해당한다(대법원 2008.4.24. 2006도8644).
→ 이메일 제출 행위가 정보통신망 이용촉진 및 정보보호 등에 관한 법률 제49조의 타인의 비밀을 누설한 행위에 해당한다는 판결이다.

㉡ (○) **전화를 통하여 상관을 모욕한 경우 상관면전모욕죄가 성립하는지 여부: 부정**
군형법 제64조 제1항의 상관면전모욕죄의 구성요건은 '상관을 그 면전에서 모욕하는' 것인데, 여기에서 '면전에서'라 함은 얼굴을 마주 대한 상태를 의미하는 것임이 분명하므로, 전화를 통하여 통화하는 것을 면전에서의 대화라고는 할 수 없다(대법원 2002.12.27. 2002도2539).

㉢ (○) **"약국 개설자가 아니면 의약품을 판매하거나 판매 목적으로 취득할 수 없다."고 규정한 구 약사법 제44조 제1항의 '판매'에 무상으로 의약품을 양도하는 '수여'를 포함시키는 해석이 죄형법정주의에 위배되는지 여부: 부정**
국내에 있는 불특정 또는 다수인에게 무상으로 의약품을 양도하는 수여 행위도 구 약사법 제44조 제1항의 '판매'에 포함된다고 보는 것이 체계적이고 논리적인 해석이라 할 것이고, 그와 같은 해석이 죄형법정주의에 위배된다고 볼 수 없다(대법원 2011.10.13. 2011도6287).
→ 의약품은 국민의 보건과 직결되는 것인 만큼 엄격한 의약품 관리를 통하여 의약품이 남용 내지 오용되는 것을 막고 의약품이 비정상적으로 유통되는 것을 막고자 구 약사법 제44조 제1항에서 약국 개설자가 아니면 의약품을 판매하거나 또는 판매 목적으로 취득할 수 없다고 규정한 것인데, 국내에 있는 불특정 또는 다수인에게 무상으로 의약품을 양도하는 수여의 경우를 처벌대상에서 제외한다면 약사법의 위와 같은 입법목적을 달성하기 어렵기 때문이다.

㉣ (×) **안주류와 함께 주로 주류의 조리·판매를 목적으로 하는 형태로 영업한 행위를 '주류만을 판매하는 행위'를 금지한 구 식품위생법상 준수사항을 위반한 것으로 볼 수 있는지 여부: 부정**
일반음식점 영업자인 피고인이 바텐더 형태의 영업장에서 주로 술과 안주를 판매함으로써 구 식품위생법(2010.1.18. 법률 제9932호로 개정되기 전의 것)상 준수사항을 위반하였다는 내용으로 기소된 사안에서, 위 준수사항 중 '주류만을 판매하는 행위'에는 일반음식점영업 허가를 받고 안주류와 함께 주로 주류를 판매하는 행위도 포함된다고 해석하여 유죄를 인정한 원심판결에 관계 법령의 해석 및 죄형법정주의에 관한 법리오해의 위법이 있다(대법원 2012.6.28. 2011도15097).

㉤ (×) **구 식품위생법 제13조 제1항에서 금지하는 '식품에 관하여 의약품과 혼동할 우려가 있는 광고'에 식품 판매자가 식품을 판매하면서 특정 구매자에게 그 식품이 질병 치료에 효능이 있다고 설명하고 상담한 행위가 이에 해당하는지 여부: 부정**
구 식품위생법(2011.6.7. 법률 제10787호로 개정되기 전의 것, 이하 '법'이라고 한다) 제97조 제1호, 제13조 제1항, 제2항, 구 식품위생법 시행규칙(2011.8.19. 보건복지부령 제73호로 개정되기 전의 것) 제8조의 내용을 종합하면, 법 제13조 제1항에서 금지하는 '식품에 관하여 의약품과 혼동할 우려가 있는 광고'란 라디오·텔레비전·신문·잡지·음악·영상·인쇄물·간판·인터넷, 그 밖의 방법으로 식품 등의 품질·영양가·원재료·성분 등에 대하여 질병의 치료에 효능이 있다는 정보를 나타내거나 알리는 행위를 의미한다고 보아야 한다. 따라서 식품 판매자가 식품을 판매하면서 특정 구매자에게 그 식품이 질병의 치료에 효능이 있다고 설명하고 상담하였다고 하더라도 이를 가리켜 법 제13조 제1항에서 금지하는 '광고'를 하였다고 볼 수 없고, 그와 같은 행위를 반복하였다고 하여 달리 볼 것은 아니다(대법원 2014.4.30. 2013도15002).

03 0003

2015 경찰 3차

죄형법정주의에 대한 설명이다. 다음 중 옳은 것은 모두 몇 개인가? (다툼이 있으면 판례에 의함)

㉠ '블로그', '미니 홈페이지', '카페' 등의 이름으로 개설된 사적(私的) 인터넷 게시공간의 운영자가 게시공간에 게시된 타인의 글을 삭제할 권한이 있는데도 이를 삭제하지 아니하고 그대로 둔 경우를 국가보안법 제7조 제5항의 '소지'행위로 보는 것은 죄형법정주의에 위배된다.

㉡ 국내 특정 지역의 수삼과 다른 지역의 수삼으로 만든 홍삼을 주원료로 하여 특정 지역에서 제조한 홍삼 절편의 제품명이나 제조·판매자명에 특정 지역의 명칭을 사용한 행위를 '원산지를 혼동하게 할 우려가 있는 표시를 하는 행위'라고 해석하는 것은 죄형법정주의에 위배된다.

㉢ 도로교통법 제43조 '운전면허를 받지 아니하고'라는 법률 문언의 의미에 '운전면허를 받았으나 그 후 운전면허의 효력이 정지된 경우'가 포함된다고 해석하는 것은 죄형법정주의에 위배된다.

㉣ 정보통신망에 의하여 처리·보관 또는 전송되는 타인의 정보를 훼손하거나 타인의 비밀을 침해·도용 또는 누설하는 행위를 금지·처벌하는 규정인 구 정보통신망 이용촉진 및 정보보호 등에 관한 법률 제49조 및 제62조 제6호의 '타인'에는 생존하는 개인뿐만 아니라 이미 사망한 자도 포함된다고 해석하는 것은 죄형법정주의에 위배되지 아니한다.

① 1개 ② 2개
③ 3개 ④ 4개

지문분석

난이도 ㊤ 정답 ④

| 키 워 드 | 죄형법정주의

| 출제유형 | 개수 찾기

㉠ (O) 대법원 2012.1.27. 2010도8336
→ '소지'의 문언적 의미는 물건을 사실적으로 지배하고 있는 상태로서, 형법상 전시폭발물 소지죄(형법 제121조), 아편 등의 소지죄(형법 제205조), 음화제조 등 소지죄(형법 제244조) 등에서 알 수 있듯이 그 대상은 '물건'이고, 그중에서도 사실적·물리적 지배가 가능한 '유체물'에 한한다고 봄이 상당하다. 그러므로 피고인이 다음(Daum) 카페 내 이적표현물인 13건의 글을 각 소지하였다는 부분에 대하여 범죄로 보지 아니한다.

㉡ (O) 대법원 2015.4.9. 2014도14191
→ 강화인삼협동조합이 강화산 수삼과 다른 지역의 수삼을 혼합해 인삼산지의 이름인 '강화홍삼절편'이라는 제품을 만들어 팔았더라도, 이를 '농수산물의 원산지 표시에 관한 법률' 위반으로 처벌할 수 없다는 판례이다. 인삼류는 농산물 품질관리법에서 명성·품질 등이 본질적으로 국내 특정 지역의 지리적 특성에 기인하는 농산물로는 취급되지 않기 때문이다. 한편, 홍삼절편과 같은 농산물 가공품은 제조·가공한 지역의 명칭을 제품명에 사용하는 것도 법령상 허용된다.

㉢ (O) 대법원 2011.8.25. 2011도7725
→ 자동차의 무면허운전과 관련하여서는 ⓐ '운전면허를 처음부터 받지 아니한 경우'와 ⓑ '운전면허를 받았으나 운전면허의 효력이 정지된 경우'를 명문으로 정하고 있는 반면, 원동기장치자전거의 무면허운전에 대하여는 ⓐ '운전면허를 처음부터 받지 아니한 경우'를 정하고 있을 뿐이고, ⓑ '운전면허를 받았으나 운전면허의 효력이 정지된 상태'에서 원동기장치자전거를 운전한 경우에 대하여는 아무런 언급이 없다. 이 사건은 원동기장치자전거의 경우 ⓑ의 경우에는 무면허운전으로 처벌할 수 없다는 판례이다.

㉣ (O) [1] 형벌법규는 문언에 따라 엄격하게 해석·적용하여야 하고 피고인에게 불리한 방향으로 지나치게 확장해석하거나 유추해석하여서는 아니 되나, 형벌법규의 해석에 있어서도 가능한 문언의 의미 내에서 당해 규정의 입법 취지와 목적 등을 고려한 법률체계적 연관성에 따라 그 문언의 논리적 의미를 분명히 밝히는 체계적·논리적 해석방법은 그 규정의 본질적 내용에 가장 접근한 해석을 위한 것으로서 죄형법정주의의 원칙에 부합한다.
[2] 정보통신망에 의하여 처리·보관 또는 전송되는 타인의 정보를 훼손하거나 타인의 비밀을 침해·도용 또는 누설하는 행위를 금지·처벌하는 규정인 정보통신망 이용촉진 및 정보보호 등에 관한 법률 제49조 및 제62조 제6호의 '타인'에는 생존하는 개인뿐만 아니라 이미 사망한 자도 포함된다(대법원 2007.6.14. 2007도2162).

04 0004 2016 경찰 1차

죄형법정주의에 관한 다음 설명 중 옳은 것은 모두 몇 개인가? (다툼이 있으면 판례에 의함)

㉠ 가정폭력범죄의 처벌 등에 관한 특례법상 사회봉사명령을 부과하면서, 행위시법상 사회봉사명령 부과시간의 상한인 100시간을 초과하여 상한을 200시간으로 올린 신법을 적용한 것은 위법하다.

㉡ 군사기밀 보호법 제11조가 군사기밀 탐지·수집행위의 법정형을 10년 이하의 징역으로 규정하고 있는 것과 달리 국가보안법 제4조 제1항 제2호 (나)목의 법정형이 사형·무기 또는 7년 이상의 징역으로 규정되어 있다는 등의 사정만으로 위 조항이 지나치게 무거운 형벌을 규정하여 책임주의 원칙에 반한다거나 법정형이 형벌체계상 균형을 상실하여 평등원칙에 위배되는 조항이라고 할 수 없으며, 법관의 양형 판단 및 결정권을 중대하게 침해하는 것이라고 볼 수도 없다.

㉢ 대법원 양형위원회가 설정한 '양형기준'이 발효하기 전에 공소가 제기된 범죄에 대하여 위 '양형기준'을 참고하여 형을 양정한 사안에서, 피고인에게 불리한 법률을 소급하여 적용한 위법이 있다고 할 수 없다.

㉣ 형벌법규의 해석에서 위법성 및 책임의 조각사유나 소추조건 또는 처벌조각사유인 형면제 사유에 관하여 그 범위를 제한적으로 유추적용하게 되면 행위자의 가벌성의 범위는 축소된다.

① 1개 ② 2개
③ 3개 ④ 4개

지문분석

난이도 ㊤ 정답 ③

| 키 워 드 | 죄형법정주의

| 출제유형 | 개수 찾기

㉠ (O) **가정폭력범죄의 처벌 등에 관한 특례법상 사회봉사명령**

[1] 가정폭력범죄의 처벌 등에 관한 특례법이 정한 보호처분 중의 하나인 사회봉사명령은 가정폭력범죄를 범한 자에 대하여 환경의 조정과 성행의 교정을 목적으로 하는 것으로서 형벌 그 자체가 아니라 보안처분의 성격을 가지는 것이 사실이다. 그러나 한편으로 이는 가정폭력범죄행위에 대하여 형사처벌 대신 부과되는 것으로서, 가정폭력범죄를 범한 자에게 의무적 노동을 부과하고 여가시간을 박탈하여 실질적으로는 신체적 자유를 제한하게 되므로, 이에 대하여는 원칙적으로 형벌불소급의 원칙에 따라 행위시법을 적용함이 상당하다.

[2] 가정폭력범죄의 처벌 등에 관한 특례법상 사회봉사명령을 부과하면서, 행위시법상 사회봉사명령 부과시간의 상한인 100시간을 초과하여 상한을 200시간으로 올린 신법을 적용한 것은 위법하다(대법원 2008.7.24. 2008어4 결정).

㉡ (O) 대법원 2013.7.26. 2013도2511

→ 국가보안법 제4조 제1항 제2호 (나)목(국가기밀 탐지·수집)에서 정한 '국가기밀'이 명확성의 원칙 위반이 아니고 이 규정은 책임주의 원칙, 평등원칙 등에도 위배되지 않는다는 판결이다.

㉢ (O) 대법원 양형위원회가 설정한 '양형기준'이 발효하기 전에 공소가 제기된 범죄에 대하여 위 '양형기준'을 참고하여 형을 양정한 사안에서, 피고인에게 불리한 법률을 소급하여 적용한 위법이 있다고 할 수 없다(대법원 2009.12.10. 2009도11448).

㉣ (X) **제한적 유추적용이 유추해석금지의 원칙 위반이 되는 경우**

[1] 유추해석금지의 원칙은 모든 형벌법규의 구성요건과 가벌성에 관한 규정에 준용되는데, 위법성 및 책임의 조각사유나 소추조건, 또는 처벌조각사유인 형면제 사유에 관하여 그 범위를 제한적으로 유추적용하게 되면 행위자의 가벌성의 범위는 확대되어 행위자에게 불리하게 되는바, 이는 가능한 문언의 의미를 넘어 범죄구성요건을 유추적용하는 것과 같은 결과가 초래되므로 죄형법정주의의 파생원칙인 유추해석금지의 원칙에 위반하여 허용될 수 없다.

[2] 공직선거법 제262조의 '자수'를 '범행발각 전에 자수한 경우'로 한정하는 풀이는 '자수'라는 단어가 통상 관용적으로 사용되는 용례에서 갖는 개념 외에 '범행발각 전'이라는 또 다른 개념을 추가하는 것으로서 결국은 '언어의 가능한 의미'를 넘어 공직선거법 제262조의 '자수'의 범위를 그 문언보다 제한함으로써 공직선거법 제230조 제1항 등의 처벌범위를 실정법 이상으로 확대한 것이 되고, 따라서 이는 단순한 목적론적 축소해석에 그치는 것이 아니라, 형면제 사유에 대한 제한적 유추를 통하여 처벌범위를 실정법 이상으로 확대한 것으로서 죄형법정주의의 파생원칙인 유추해석금지의 원칙에 위반된다(대법원 1997.3.20. 96도1167 전원합의체).

→ 발각 후 자수 사건

05 0005

2016 경찰 2차

죄형법정주의에 대한 다음 설명 중 옳은 것은 모두 몇 개인가? (다툼이 있으면 판례에 의함)

㉠ 의사가 환자와 대면하지 아니하고 전화나 화상 등을 이용하여 환자의 용태를 스스로 듣고 판단하여 처방전 등을 발급한 행위는 구 의료법상 '직접 진찰한 의사'가 아닌 자가 처방전 등을 발급한 경우에 해당한다.

㉡ 특정 범죄자에 대한 보호관찰 및 위치추적 전자장치 부착 등에 관한 법률 제5조 제1항 제3호는 검사가 전자장치 부착명령을 법원에 청구할 수 있는 경우 중의 하나로 '성폭력범죄를 2회 이상 범하여(유죄의 확정판결을 받은 경우를 포함한다) 그 습벽이 인정된 때'라고 규정하고 있는데, 피부착명령청구자가 2회 이상 성폭력범죄를 범하였는지를 판단할 때 소년보호처분을 받은 전력을 고려하는 것은 죄형법정주의에 위반되므로 허용되지 아니한다.

㉢ 형법(1953.9.18. 법률 제293호로 제정된 것) 제125조(폭행, 가혹행위) 중 '경찰에 관한 직무를 행하는 자 또는 이를 보조하는 자가 그 직무를 행함에 당하여 형사피의자 또는 기타 사람에 대하여 폭행을 가한 때'와 관련된 부분은 죄형법정주의의 명확성의 원칙에 위반된다.

㉣ '아동의 덕성을 심히 해할 우려가 있는 도서, 간행물, 광고물, 기타의 내용물의 제작 등의 행위'를 금지하고 이를 위반하는 자를 처벌하는 구 아동복지법 제18조 제11호, 제34조 제4호는 명확성의 원칙에 반한다.

① 1개 ② 2개
③ 3개 ④ 4개

지문분석

난이도 ㊤ 정답 ②

| 키 워 드 | 죄형법정주의

| 출제유형 | 개수 찾기

㉡ (O) 대법원 2012.3.22. 2011도15057 전원합의체
→ 소년보호처분을 받은 전력은 유죄의 확정판결에 포함시킬 수 없으므로 피부착명령청구자가 2회 이상 성폭력범죄를 범하였는지를 판단할 때 이를 고려할 수 없다는 판결이다.

㉣ (O) **미성년자보호법 제2조의2(불량만화 등의 판매금지 등)와 아동복지법 제18조(금지행위) 위헌 여부: 인정**
[1] '아동의 덕성을 심히 해할 우려'가 있는 도서, 간행물, 광고물, 기타의 내용물의 제작 등 행위를 금지하고 이를 위반하는 자를 처벌하는 이 사건 아동복지법 조항이 명확성의 원칙에 위배되는지 여부: 명확성의 원칙 위반 인정
[2] 미성년자에게 '음란성 또는 잔인성을 조장할 우려'가 있거나 기타 미성년자로 하여금 '범죄의 충동을 일으킬 수 있게' 하는 만화(불량만화)의 반포 등 행위를 금지하고 이를 위반하는 자를 처벌하는 이 사건 미성년자보호법 조항이 명확성의 원칙에 위배되는지 여부: 명확성의 원칙 위반 인정(헌법재판소 2002.2.28. 99헌가8 결정)

㉠ (X) 의사가 환자와 대면하지 아니하고 전화나 화상 등을 이용하여 환자의 용태를 스스로 듣고 판단하여 처방전 등을 발급한 행위는 구 의료법 제18조 제1항에서 정한 '자신이 진찰한 의사' 또는 구 의료법 제17조 제1항에서 정한 '직접 진찰한 의사'가 아닌 자가 처방전 등을 발급한 경우에 해당하지 않는다(대법원 2013.4.11. 2010도1388).
→ 위 조항은 스스로 진찰을 하지 않고 처방전을 발급하는 행위를 금지하는 규정일 뿐 대면진찰을 하지 않았거나 충분한 진찰을 하지 않은 상태에서 처방전을 발급하는 행위 일반을 금지하는 조항이 아니다. 따라서 전화진찰을 하였다는 사정만으로 '자신이 진찰'하지 않은 것도 아니고 '직접진찰'을 하지 않은 것도 아니다. 대상 판결은 '직접진찰'의 의미는 환자와 '직접대면'이 아니라는 판결이다.

㉢ (X) 형법 제125조의 구성요건 중 '경찰에 관한 직무를 행하는 자 또는 이를 보조하는 자'에 형사소송법상의 사법경찰관과 사법경찰리가 포함되고, '폭행'은 사람의 신체에 대한 물리적 유형력의 행사를 뜻하는 것으로 명확하게 해석된다. 또한 '형사피의자'는 형사소송법상의 피의자를 뜻하는 것임이 분명하고, 형법 제125조의 입법목적과 내용 등을 종합하면, '기타 사람'도 형사피의자를 제외한 피고인과 참고인, 증인 등과 같이 수사 또는 재판에서 심문이나 조사의 대상이 되는 모든 사람을 뜻한다고 충분히 이해된다. 이 사건 법률조항의 입법목적과 보호법익 그리고 법문의 전체 내용 등을 종합적으로 볼 때 '그 직무를 행함에 당하여'라 함은 '경찰 등이 그 직무를 행하는 기회'라는 뜻으로 해석되는바, 이런 해석이 다소 포괄적이라도 경찰 등의 직무와 폭행 사이에 객관적 관련성을 요구하는 것으로 해석되므로 그 내용이 불명확하여 처벌범위를 자의적으로 확장시킨다고 볼 수도 없다. 따라서 이 사건 법률조항은 죄형법정주의의 명확성원칙에 위반되지 않는다(헌법재판소 2015.3.26. 2013헌바140 결정).
→ 형법 제125조 중 '경찰에 관한 직무를 행하는 자 또는 이를 보조하는 자가 그 직무를 행함에 당하여 형사피의자 또는 기타 사람에 대하여 폭행을 가한 때'와 관련된 부분이 죄형법정주의의 명확성원칙에 위반되지 않는다는 판결이다.

✔ 개념체크 대면하지 아니하고 처방전 등을 발부한 경우의 최신 판례

[1] 현대 의학 측면에서 보아 신뢰할 만한 환자의 상태를 토대로 특정 진단이나 처방 등을 내릴 수 있을 정도의 행위가 있어야 '진찰'이 이루어졌다고 볼 수 있고, 그러한 행위가 전화 통화만으로 이루어지는 경우에는 최소한 그 이전에 의사가 환자를 대면하고 진찰하여 환자의 특성이나 상태 등에 대해 이미 알고 있다는 사정 등이 전제되어야 한다.
[2] 원심판결 이유와 적법하게 채택된 증거에 의하면, 피고인은 2011.2.8.경 전화 통화만으로 공소외인에게 플루틴캡슐 등 전문의약품을 처방한 처방전을 작성하여 교부한 사실, 피고인은 위 전화 통화 이전에 공소외인을 대면하여 진찰한 적이 단 한 번도 없고, 전화 통화 당시 공소외인의 특성 등에 대해 알고 있지도 않았던 사실을 인정할 수 있다. 이러한 사실을 앞서 본 법리에 비추어 살펴보면, 위와 같은 피고인의 행위는 신뢰할 만한 공소외인의 상태를 토대로 한 것이라고 볼 수 없어 결과적으로 피고인이 공소외인에 대하여 진찰을 하였다고 할 수 없다(대법원 2020.5.14. 2014도9607).
→ 의사가 단 한 차례 대면진찰도 없이 환자와 전화만 하고 처방전을 교부한 것은 의료법 위반으로 처벌대상이라는 대법원 판결이다.

✔ 개념체크 대면하지 아니하고 처방전 등을 발부한 경우의 비교판례

의사인 피고인이 전화진찰을 요양급여대상으로 되어 있던 내원진찰인 것으로 하여 요양급여비용을 청구한 것은 기망행위로서 사기죄를 구성하고, 피고인의 불법이득의 의사 또한 인정된다(대법원 2013.4.26. 2011도10797).

06 0006

2017 경찰 1차

죄형법정주의에 대한 설명으로 가장 적절한 것은? (다툼이 있는 경우 판례에 의함)

① 공개명령 제도가 시행되기 전에 범한 범죄에도 공개명령 제도를 적용하도록 아동·청소년의 성보호에 관한 법률이 개정되었다면, 이는 소급입법금지의 원칙에 반한다.
② 위법성 및 책임의 조각사유나 소추조건, 또는 처벌조각사유인 형면제 사유에 관하여 그 범위를 제한적으로 유추적용하는 것은 유추해석금지의 원칙에 반하지 않는다.
③ "약국 개설자가 아니면 의약품을 판매하거나 판매 목적으로 취득할 수 없다."고 규정한 구 약사법 제44조 제1항의 '판매'에 무상으로 의약품을 양도하는 '수여'를 포함시키는 해석은 죄형법정주의에 위배된다고 볼 수 없다.
④ 폭력행위 등 처벌에 관한 법률 제4조 제1항에서 규정하고 있는 범죄단체 구성원으로서의 '활동'의 개념은 추상적이고 포괄적이므로 명확성의 원칙에 위배된다.

지문분석 난이도 중 정답 ③

| 키 워 드 | 죄형법정주의
| 출제유형 | 옳은 지문 고르기

③ (O) 대법원 2011.10.13. 2011도6287
① (X) 공개명령 제도는 범죄행위를 한 자에 대한 응보 등을 목적으로 그 책임을 추궁하는 사후적 처분인 형벌과 구별되어 그 본질을 달리하는 것으로서 형벌에 관한 소급입법금지의 원칙이 그대로 적용되지 않으므로, 공개명령 제도가 시행된 2010.1.1. 이전에 범한 범죄에도 공개명령 제도를 적용하도록 아동·청소년의 성보호에 관한 법률이 2010.7.23. 법률 제10391호로 개정되었다고 하더라도 그것이 소급입법금지의 원칙에 반한다고 볼 수 없다(대법원 2011.3.24. 2010도14393).
② (X) 위법성 및 책임의 조각사유나 소추조건, 또는 처벌조각사유인 형면제 사유에 관하여 그 범위를 제한적으로 유추적용하게 되면 행위자의 가벌성의 범위는 확대되어 행위자에게 불리하게 되는바, 이는 가능한 문언의 의미를 넘어 범죄구성요건을 유추적용하는 것과 같은 결과가 초래되므로 죄형법정주의의 파생원칙인 유추해석금지의 원칙에 위반하여 허용될 수 없다(대법원 1997.3.20. 96도1167 전원합의체).
④ (X) 폭력행위 등 처벌에 관한 법률 제4조 제1항에서 규정하고 있는 범죄단체 구성원으로서의 '활동'의 개념이 다소 추상적이고 포괄적인 측면이 있지만, 어떠한 행위가 위 '활동'에 해당할 수 있는지는 구체적인 사건에 있어서 위 규정의 입법 취지 및 처벌의 정도 등을 고려한 법관의 합리적인 해석과 조리에 의하여 보충될 수 있는 점 등을 종합적으로 판단하면, 이 사건 법률조항 중 '활동' 부분이 죄형법정주의의 명확성의 원칙에 위배된다고 할 수 없다(대법원 2008.5.29. 2008도1857).

✓ 개념체크 아동·청소년의 성보호에 관한 법률에 정한 공개명령 제도

아동·청소년대상 성범죄자의 성명, 나이, 주소 및 실제거주지(도로명주소법에 따른 도로명 및 건물번호까지로 한다), 신체정보(키와 몸무게), 사진, 등록대상 성범죄 요지(판결일자, 죄명, 선고형량을 포함한다), 성폭력범죄 전과사실(죄명 및 횟수) 및 전자장치 부착 여부를 일정기간 정보통신망을 이용하여 공개하도록 하는 조치를 취하여 실명인증 및 본인 확인을 거친 사람은 누구든지 인터넷을 통해 공개명령 대상자의 공개정보를 열람할 수 있도록 함으로써 아동·청소년대상 성범죄를 효과적으로 예방하고 성범죄로부터 아동·청소년을 보호함을 목적으로 하는 일종의 보안처분이다.

07 0007

2017 경찰 2차

죄형법정주의에 대한 설명으로 가장 적절하지 않은 것은? (다툼이 있는 경우 판례에 의함)

① 구성요건이 신설된 상습강제추행죄가 시행되기 이전의 범행은 상습강제추행죄로는 처벌할 수 없고 행위시법에 기초하여 강제추행죄로 처벌할 수 있을 뿐이며, 이 경우 그 소추요건도 상습강제추행죄에 관한 것이 아니라 강제추행죄에 관한 것이 구비되어야 한다.

② 허위로 신고한 사실이 무고행위 당시 형사처분의 대상이 될 수 있었던 경우에는 무고죄는 기수에 이르고, 이후 그러한 사실이 형사범죄가 되지 않는 것으로 판례가 변경되었더라도 특별한 사정이 없는 한 이미 성립한 무고죄에는 영향을 미치지 않는다.

③ 가정폭력범죄의 처벌 등에 관한 특례법상 사회봉사명령을 부과하면서, 행위시법상 사회봉사명령 부과시간의 상한인 100시간을 초과하여 상한을 200시간으로 올린 신법을 적용한 것은 위법하다.

④ 외국환거래법 제30조가 규정하는 몰수·추징의 대상은 법인이 해당 행위로 인하여 취득한 외국환 기타 지급수단 등을 뜻하고, 이는 법인이 외국환거래법에서 규제하는 행위로 인하여 취득한 외국환 등이 있을 때 이를 몰수하거나 추징한다는 취지이나, 여기서 취득이란 해당 범죄행위로 인하여 결과적으로 이를 취득한 때를 말한다고 제한적으로 해석할 필요는 없다.

지문분석

난이도 중 정답 ④

| 키 워 드 | 죄형법정주의

| 출제유형 | 틀린 지문 고르기

④ (X) [1] 형벌법규의 해석은 엄격하여야 하고 명문규정의 의미를 피고인에게 불리한 방향으로 지나치게 확장해석하거나 유추해석하는 것은 죄형법정주의의 원칙에 어긋나는 것으로서 허용되지 아니한다.

[2] 외국환거래법 제30조가 규정하는 몰수·추징의 대상은 법인이 해당 행위로 인하여 취득한 외국환 기타 지급수단 등을 뜻하고, 이는 법인이 외국환거래법에서 규제하는 행위로 인하여 취득한 외국환 등이 있을 때 이를 몰수하거나 추징한다는 취지로서, 여기서 취득이란 해당 범죄행위로 인하여 결과적으로 이를 취득한 때를 말한다고 제한적으로 해석함이 타당하다.

[3] 甲재단법인의 이사 겸 사무총장으로서 자금관리 업무를 총괄하는 피고인이, 거주자인 甲재단법인이 비거주자인 乙회사로부터 원화자금 및 외화자금을 차입하는 자본거래를 할 때 신고의무를 위반하였다는 내용으로 외국환거래법 위반죄가 인정된 사안에서, 금전대차계약의 차용 당사자는 甲재단법인으로서, 피고인이 위 계약에 의하여 결과적으로 외국환거래법에서 규제하는 차입금을 취득하였다고 인정하기 어려워 피고인으로부터 차입금을 몰수하거나 그 가액을 추징할 수 없다고 한 사례(대법원 2017.5.31. 2013도8389).

→ 외국환거래법 제30조가 규정하는 몰수·추징의 대상은 법인이 해당 행위로 인하여 취득한 외국환 기타 지급수단 등을 뜻하고, 여기서 취득이란 해당 범죄행위로 인하여 결과적으로 이를 취득한 때를 말한다고 제한적으로 해석함이 타당하다.

① (O) 포괄일죄에 관한 기존 처벌법규에 대하여 그 표현이나 형량과 관련한 개정을 하는 경우가 아니라 애초에 죄가 되지 아니하던 행위를 구성요건의 신설로 포괄일죄의 처벌대상으로 삼는 경우에는 신설된 포괄일죄 처벌법규가 시행되기 이전의 행위에 대하여는 신설된 법규를 적용하여 처벌할 수 없다(형법 제1조 제1항). 이는 신설된 처벌법규가 상습범을 처벌하는 구성요건인 경우에도 마찬가지라고 할 것이므로, 구성요건이 신설된 상습강제추행죄가 시행되기 이전의 범행은 상습강제추행죄로는 처벌할 수 없고 행위시법에 기초하여 강제추행죄로 처벌할 수 있을 뿐이며, 이 경우 그 소추요건도 상습강제추행죄에 관한 것이 아니라 강제추행죄에 관한 것이 구비되어야 한다(대법원 2016.1.28. 2015도15669).

→ 甲은 상습강제추행죄(형법 제305조의2)가 시행(본조신설 2010.4.15. 시행 2010.10.16.)되기 이전 시점에 공소사실인 피해자 乙에 대하여 상습적으로 강제추행하였다. 검사는 乙의 고소가 없음에도 甲을 상습강제추행죄로 공소제기하였다.

→ 처벌법규가 신설된 상습강제추행죄(형법 제305조의2)가 시행되기 이전 시점의 상습강제추행의 점은 죄가 되지 아니하는 경우에 해당한다고 보아 이유 무죄로 판단하면서, 그 상습강제추행죄의 공소사실에 포함된 강제추행의 점에 대하여는 위 피해자의 적법한 고소가 없어 공소제기의 절차가 법률의 규정에 위반하여 무효인 때에 해당한다고 보아 공소기각판결을 하여야 한다는 판결이다.

② (O) [1] 타인에게 형사처분을 받게 할 목적으로 '허위의 사실'을 신고한 행위가 무고죄를 구성하기 위해서는 신고된 사실 자체가 형사처분의 대상이 될 수 있어야 하므로, 가령 허위의 사실을 신고하였더라도 신고 당시 그 사실 자체가 형사범죄를 구성하지 않으면 무고죄는 성립하지 않는다.

[2] 그러나 허위로 신고한 사실이 무고행위 당시 형사처분의 대상이 될 수 있었던 경우에는 국가의 형사사법권의 적정한 행사를 그르치게 할 위험과 부당하게 처벌받지 않을 개인의 법적 안정성이 침해될 위험이 이미 발생하였으므로 무고죄는 기수에 이르고, 이후 그러한 사실이 형사범죄가 되지 않는 것으로 판례가 변경되었더라도 특별한 사정이 없는 한 이미 성립한 무고죄에는 영향을 미치지 않는다(대법원 2017.5.30. 2015도15398).

③ (O) [1] 가정폭력범죄의 처벌 등에 관한 특례법이 정한 보호처분 중의 하나인 사회봉사명령은 가정폭력범죄를 범한 자에 대하여 환경의 조정과 성행의 교정을 목적으로 하는 것으로서 형벌 그 자체가 아니라 보안처분의 성격을 가지는 것이 사실이다. 그러나 한편으로 이는 가정폭력범죄행위에 대하여 형사처벌 대신 부과되는 것으로서, 가정폭력범죄를 범한 자에게 의무적 노동을 부과하고 여가시간을 박탈하여 실질적으로는 신체적 자유를 제한하게 되므로, 이에 대하여는 원칙적으로 형벌불소급의 원칙에 따라 행위시법을 적용함이 상당하다.

[2] 가정폭력범죄의 처벌 등에 관한 특례법상 사회봉사명령을 부과하면서, 행위시법상 사회봉사명령 부과시간의 상한인 100시간을 초과하여 상한을 200시간으로 올린 신법을 적용한 것은 위법하다(대법원 2008.7.24. 2008어4 결정).

08 0008

2018 경찰 1차

죄형법정주의에 대한 설명으로 가장 적절한 것은? (다툼이 있는 경우 판례에 의함)

① 행위 당시의 판례에 의하면 처벌대상이 되지 아니하는 것으로 해석되었던 행위를 재판시에 해석을 달리하여 처벌하는 것은 형벌불소급의 원칙에 반한다.

② 공직선거법 제262조의 '자수'를 통상 관용적으로 사용되는 용례와는 달리 범행발각 전에 자수한 경우로 한정하여 해석하여도 유추해석금지의 원칙에 위반되지 않는다.

③ "약국 개설자가 아니면 의약품을 판매하거나 판매 목적으로 취득할 수 없다"고 규정한 구 약사법 제44조 제1항의 '판매'에 무상으로 의약품을 양도하는 '수여'를 포함시키는 해석은 죄형법정주의에 위배된다.

④ 항공보안법 제42조(항공기 항로 변경죄)의 '항로'에 항공기가 지상에서 이동하는 경로도 포함된다고 해석하는 것은 죄형법정주의에 반한다.

지문분석

난이도 중 정답 ④

| 키 워 드 | 죄형법정주의

| 출제유형 | 옳은 지문 고르기

④ (○) **승객이 탑승한 후 항공기의 모든 문이 닫힌 때부터 내리기 위하여 문을 열 때까지 항공기가 지상에서 이동하는 경로가 위 '항로'에 포함되는지 여부: 부정**
甲항공사 부사장인 피고인이 외국 공항에서 국내로 출발 예정인 자사 여객기에 탑승하였다가, 담당 승무원의 객실서비스 방식에 화가 나 폭언하면서 승무원을 비행기에서 내리도록 하기 위해, 기장으로 하여금 계류장의 탑승교에서 분리되어 푸시백 중이던 비행기를 다시 탑승구 쪽으로 돌아가게 함으로써 위력으로 운항 중인 항공기의 항로를 변경하게 하였다고 하여 항공보안법 위반으로 기소된 사안에서, 피고인이 푸시백 중이던 비행기를 탑승구로 돌아가게 한 행위가 항공기의 항로를 변경하게 한 것에 해당하지 않는다(대법원 2017.12.21. 2015도8335 전원합의체).
→ 항공기 탑승구 복귀 사건(땅콩 회항 사건): 항공보안법 위반(항공기 항로 변경죄) 부정

① (X) **행위 당시의 판례에 의하면 처벌대상이 아니었던 행위를 판례의 변경에 따라 처벌하는 것이 평등의 원칙과 형벌불소급의 원칙에 반하는지 여부: 부정**
형사처벌의 근거가 되는 것은 법률이지 판례가 아니고, 형법 조항에 관한 판례의 변경은 그 법률조항의 내용을 확인하는 것에 지나지 아니하여 이로써 그 법률조항 자체가 변경된 것이라고 볼 수는 없으므로, 행위 당시의 판례에 의하면 처벌대상이 되지 아니하는 것으로 해석되었던 행위를 판례의 변경에 따라 확인된 내용의 형법 조항에 근거하여 처벌한다고 하여 그것이 헌법상 평등의 원칙과 형벌불소급의 원칙에 반한다고 할 수는 없다(대법원 1997.9.17. 97도3349).

② (X) **범행발각이나 지명수배 여부와 관계없이 체포 전에만 자수하면 공직선거및선거부정방지법 제262조의 자수에 해당하는지 여부: 인정**
공직선거법 제262조의 '자수'를 '범행발각 전에 자수한 경우'로 한정하는 풀이는 '자수'라는 단어가 통상 관용적으로 사용되는 용례에서 갖는 개념 외에 '범행발각 전'이라는 또 다른 개념을 추가하는 것으로서 결국은 '언어의 가능한 의미'를 넘어 공직선거법 제262조의 '자수'의 범위를 그 문언보다 제한함으로써 공직선거법 제230조 제1항 등의 처벌범위를 실정법 이상으로 확대한 것이 되고, 따라서 이는 단순한 목적론적 축소해석에 그치는 것이 아니라, 형면제 사유에 대한 제한적 유추를 통하여 처벌범위를 실정법 이상으로 확대한 것으로서 죄형법정주의의 파생원칙인 유추해석금지의 원칙에 위반된다(대법원 1997.3.20. 96도1167 전원합의체).
→ 공직선거법 제262조의 '자수'를 '범행발각 전에 자수한 경우'로 한정하는 풀이는 유추해석금지의 원칙에 반한다는 판결이다. 즉, 체포 전에만 자수하면 수사기관에 발각 전후를 불문하고 자수이다.

③ (X) **"약국 개설자가 아니면 의약품을 판매하거나 판매 목적으로 취득할 수 없다."고 규정한 구 약사법 제44조 제1항의 '판매'에 무상으로 의약품을 양도하는 '수여'를 포함시키는 해석이 죄형법정주의에 위배되는지 여부: 부정**
국내에 있는 불특정 또는 다수인에게 무상으로 의약품을 양도하는 수여행위도 구 약사법 제44조 제1항의 '판매'에 포함된다고 보는 것이 체계적이고 논리적인 해석이라 할 것이고, 그와 같은 해석이 죄형법정주의에 위배된다고 볼 수 없다(대법원 2011.10.13. 2011도6287).
→ 의약품은 국민의 보건과 직결되는 것인 만큼 엄격한 의약품 관리를 통하여 의약품이 남용 내지 오용되는 것을 막고 의약품이 비정상적으로 유통되는 것을 막고자 하는 약사법의 입법목적을 달성하기 위한 판결이다.

✓ **개념체크 항공보안법 제42조(항공기 항로 변경죄)**

> 위계 또는 위력으로써 운항 중인 항공기의 항로를 변경하게 하여 정상 운항을 방해한 사람은 1년 이상 10년 이하의 징역에 처한다.

09 0009

2019 경찰 2차

죄형법정주의에 관한 설명으로 가장 적절하지 않은 것은? (다툼이 있는 경우 판례에 의함)

① 의료법 제41조가 "환자의 진료 등에 필요한 당직의료인을 두어야 한다."라고 규정하고 있을 뿐인데도 의료법 시행령 제18조 제1항이 당직의료인의 수와 자격 등 배치기준을 규정하고 이를 위반하면 의료법 제90조에 의한 처벌의 대상이 되도록 함으로써 형사처벌의 대상을 신설 또는 확장한 경우, 본 시행령 조항은 위임입법의 한계를 벗어나 무효이다.

② 과거에 이미 행한 범죄에 대하여 공소시효를 정지시키는 법률이라 하더라도 그 사유만으로 형벌불소급의 원칙에 언제나 위배되는 것은 아니다.

③ 청소년보호법 제30조 제8호 소정의 '풍기를 문란하게 하는 영업행위를 하거나 그를 목적으로 장소를 제공하는 행위'라는 문구는 '청소년에 대하여 이성혼숙을 하게 하거나 그를 목적으로 장소를 제공하는 행위' 등이라고 볼 수 있으므로 명확성원칙에 반하지 않는다.

④ 도로교통법상 도로가 아닌 곳에서 운전면허 없이 운전한 행위를 무면허운전으로 처벌하는 것은 유추해석금지원칙에 반하지 않는다.

지문분석 난이도 중 정답 ④

| 키 워 드 | 죄형법정주의

| 출제유형 | 틀린 지문 고르기

④ (X) 도로가 아닌 곳에서 운전면허 없이 운전한 경우에는 무면허운전에 해당하지 않는다. 도로에서 운전하지 않았는데도 무면허운전으로 처벌하는 것은 유추해석이나 확장해석에 해당하여 죄형법정주의에 비추어 허용되지 않는다(대법원 2017.12.28. 2017도17762).

→ 피고인이 자동차운전면허를 받지 않고 아파트 단지 안에 있는 지하주차장 약 50m 구간에서 승용차를 운전하여 도로교통법 위반(무면허운전)으로 기소된 사안에서, 위 주차장이 아파트 주민이나 그와 관련된 용건이 있는 사람만 이용할 수 있고 경비원 등이 자체적으로 관리하는 곳이라면 도로에 해당하지 않을 수 있는데, 도로교통법 제2조 제1호에서 정한 도로에 해당하는지가 불분명하여 피고인의 자동차 운전행위가 도로교통법에서 금지하는 무면허운전에 해당하지 않는다고 볼 여지가 있는데도, 피고인의 자동차 운전행위가 무면허운전에 해당한다고 보아 유죄를 인정한 원심판결에 잘못이 있다고 한 판결이다.

① (O) 대법원 2017.2.16. 선고 2015도16014 전원합의체 판결

② (O) 헌법재판소 1996.2.16. 96헌가2 결정

→ 특단의 사정이 있는 경우, 즉 기존의 법을 변경하여야 할 공익적 필요는 심히 중대한 반면에 그 법적 지위에 대한 개인의 신뢰를 보호하여야 할 필요가 상대적으로 정당화될 수 없는 경우에는 예외적으로 허용될 수 있다(5·18민주화운동등에관한특별법 사건).

→ 진정소급입법이 허용되는 예외적 경우에 해당한다.

③ (O) 청소년보호법 제26조의2 제8호 소정의 '풍기를 문란하게 하는 영업행위를 하거나 그를 목적으로 장소를 제공하는 행위'의 의미는 '청소년이 건전한 인격체로 성장하는 것을 침해하는 영업행위 또는 그를 목적으로 장소를 제공하는 행위'를 의미하는 것으로 보아야 할 것이고, 그 구체적인 예가 바로 위 규정에 열거된 '청소년에 대하여 이성혼숙을 하게 하거나 그를 목적으로 장소를 제공하는 행위' 등이라고 보이는바, 이는 건전한 상식과 통상적인 법감정을 통하여 판단할 수 있고, 구체적인 사건에서는 법관의 보충적인 해석을 통하여 그 규범내용이 확정될 수 있는 개념이라 할 것이어서 위 법률조항은 명확성의 원칙에 반하지 아니하여 실질적 죄형법정주의에도 반하지 아니한다(대법원 2003.12.26. 2003도5980).

10 0010

2021 경찰 2차

죄형법정주의에 대한 설명으로 가장 적절하지 않은 것은? (다툼이 있는 경우 판례에 의함)

① 게임산업진흥에 관한 법률 제28조 제3호에서 게임물 관련 사업자에 대하여 '경품 등의 제공을 통한 사행성 조장'을 원칙적으로 금지하면서 제공이 허용되는 경품의 종류·지급기준·제공방법 등에 관한 구체적인 내용을 하위법령에 위임한 것은 경품의 환전이나 재매입 등의 우려가 없는 등 사행성을 제거할 수 있는 방법이 될 것이라는 예측이 불가능하여 포괄위임금지의 원칙에 반한다.

② 폭력행위 등 처벌에 관한 법률 제4조 제1항에서 규정하고 있는 범죄단체 구성원으로서의 '활동'은 명확성의 원칙에 반하지 아니한다.

③ 어떤 단체가 특정 후보자를 지지·추천하는지 여부를 공직선거법 제250조 제1항에서 규정한 허위사실공표죄의 '경력등'에 관한 사실에 해당한다고 해석하는 것은 죄형법정주의에 반한다.

④ 도로교통법(2018.12.24. 법률 제16037호로 개정되어 2019.6.25. 시행된 것) 제148조의2 제1항에서 정한 '제44조 제1항 또는 제2항을 2회 이상 위반한 사람'에 개정된 도로교통법이 시행된 2019.6.25. 이전에 구 도로교통법 제44조 제1항 또는 제2항을 위반한 전과가 포함된다고 해석하는 것은 형벌불소급의 원칙에 반하지 아니한다.

지문분석

난이도 중 정답 ①

| 키 워 드 | 죄형법정주의

| 출제유형 | 틀린 지문 고르기

① (X) [1] 현대 과학기술의 발달로 경품을 제공하는 방식으로 운영되는 게임물의 기능과 종류가 급속하게 발달·증가하고 있고, 이에 맞추어 게임이용자에게 제공되는 경품의 종류, 제공방법 등 또한 빠른 속도로 변모와 증가를 거듭하고 있다. 또한 어떤 종류의 경품을 어떠한 방식으로 어느 정도 제공하는 것이 사행성을 조장하지 않는다고 볼 것인지에 관하여는 경제규모와 물가수준, 게임산업진흥과 관련된 국가의 경제적·사회적 정책 등 여러 가지 요소를 고려하여 탄력적으로 규율할 필요성이 인정된다. 이러한 사정을 종합하면, 예외적으로 제공이 허용되는 경품의 종류·지급기준·제공방법 등에 관한 구체적인 내용을 하위법령에 위임할 필요성이 인정된다.
[2] 게임산업법 및 이 사건 의무조항의 입법목적, 관련 조항들을 유기적·체계적으로 종합하여 해석해보면, 대통령령으로 정해질 경품의 종류는 완구류·문구류 및 이와 유사한 것들이고, 현금을 비롯한 상품권 및 유가증권과 같은 환가성이 높은 물건, 청소년에게 유해한 영향을 끼치는 물건이 제외될 것이라는 점이 어렵지 않게 예측된다. 또한 이 사건 의무조항이 위임하는 '경품의 지급기준'에 관하여 대통령령으로 정하여질 내용은 게임물의 사행화는 억제하되 게임이용자의 흥미는 유발시킬 수 있는 정도의 최소한의 금액이 그 기준이 되고, '경품의 제공방법'은 경품의 환전이나 재매입 등의 우려가 없는 등 사행성을 제거할 수 있는 방법이 될 것이라는 점에 대한 대강의 예측이 가능하다. 따라서 이 사건 의무조항은 죄형법정주의 내지 포괄위임금지원칙에 위배되지 아니한다(헌법재판소 2020.12.23. 2017헌바463, 2018헌바151·386, 2019헌바81(병합) 결정).

② (O) 폭력행위 등 처벌에 관한 법률 제4조 제1항에서 규정하고 있는 범죄단체 구성원으로서의 '활동'의 개념이 다소 추상적이고 포괄적인 측면이 있지만, 폭력행위 등 처벌에 관한 법률이 집단적·상습적인 폭력범죄를 엄히 처벌하기 위하여 제정되었고, 특히 이 사건 법률조항은 범죄단체의 사회적 해악의 중대성에 비추어 범죄의 실행 여부를 불문하고 범죄의 예비·음모의 성격을 갖는 범죄단체의 생성 및 존속 자체를 막으려는 데 그 입법 취지가 있는 점, 범죄단체활동죄는 범죄단체 구성·가입죄가 즉시범으로 공소시효가 완성된 경우에는 이들을 처벌할 수 없다는 불합리한 점을 감안하여 그 처벌의 근거를 마련한 것이라는 점에서 범죄단체의 구성·가입죄와 별도로 범죄단체활동죄를 처벌할 필요성이 있는 점, 어떠한 행위가 위 '활동'에 해당할 수 있는지는 구체적인 사건에 있어서 위 규정의 입법 취지 및 처벌의 정도 등을 고려한 법관의 합리적인 해석과 조리에 의하여 보충될 수 있는 점 등을 종합적으로 판단하면, 이 사건 법률조항 중 '활동' 부분이 죄형법정주의의 명확성의 원칙에 위배된다고 할 수 없다(대법원 2008.5.29. 2008도1857).

③ (O) 피고인들이 지방자치단체장 선거에서 甲 후보자를 당선되게 할 목적으로 허위사실을 공표하였다는 내용으로 기소된 사안에서, 향우회를 구성하는 특정 지역 출신 유권자들이 甲 후보 지지를 선언하였다는 취지의 허위 보도자료를 배포하거나 블로그에 같은 내용의 글을 올린 행위가 공직선거법상 허위사실공표죄에 해당한다고 본 원심판단에 공직선거법 제250조 제1항 해석에 관한 법리오해의 위법이 있다(대법원 2011.6.9. 2011도3717).

④ (O) 대법원 2020.8.20. 2020도7154

✔ **개념체크 게임산업진흥에 관한 법률 제28조(게임물 관련 사업자의 준수사항)**

> 게임물 관련사업자는 다음 각 호의 사항을 지켜야 한다.
> 3. 경품 등을 제공하여 사행성을 조장하지 아니할 것. 다만, 청소년게임제공업의 전체이용가 게임물에 대하여 대통령령이 정하는 경품의 종류(완구류 및 문구류 등. 다만, 현금, 상품권 및 유가증권은 제외한다)·지급기준·제공방법 등에 의한 경우에는 그러하지 아니하다.

11 0011

2020 경찰 2차

죄형법정주의에 대한 설명으로 가장 적절하지 않은 것은? (다툼이 있는 경우 판례에 의함)

① 성폭력범죄의 처벌 등에 관한 특례법 제13조는 성적 수치심을 일으킬 수 있는 내용의 말, 글, 물건 등을 통신매체를 이용하여 상대방에게 전달하는 행위를 처벌하고자 함이 명백하므로, 성적 수치심 등을 일으키는 내용의 편지를 피고인이 직접 상대방 주거지 출입문에 끼워 넣음으로써 상대방에게 전달한 행위는 본 규정을 통해 처벌할 수 있다.

② 자동차관리법 제80조 제7호의2는 구체적 한정적으로 '자동차 이력 및 판매자 정보를 허위로 제공한 자'만을 처벌하는 것이며 제58조 제3항 위반을 일괄적으로 처벌하는 의미가 아니므로 '허위 제공'의 의미를 '단순 누락'의 경우도 포함하는 것으로 해석하는 것은 죄형법정주의 원칙에 어긋나서 허용되지 않는다.

③ 무면허운전 등을 금지한 도로교통법 제43조는 운전자의 금지 사항으로 운전면허를 받지 아니한 경우와 운전면허의 효력이 정지된 경우를 구별하여 대등하게 나열하고 있다. 그렇다면 '운전면허를 받지 아니하고'라는 법률문언의 통상적인 의미에 '운전면허를 받았으나 그 후 운전면허의 효력이 정지된 경우'가 당연히 포함된다고는 해석할 수 없다.

④ 형벌법규는 문언에 따라 엄격하게 해석 적용하여야 하고 피고인에게 불리한 방향으로 지나치게 확장해석하거나 유추해석하여서는 안 된다.

지문분석

난이도 중 정답 ①

| 키 워 드 | 죄형법정주의

| 출제유형 | 틀린 지문 고르기

① (X) 성폭력범죄의 처벌 등에 관한 특례법 제13조는 "자기 또는 다른 사람의 성적 욕망을 유발하거나 만족시킬 목적으로 전화, 우편, 컴퓨터, 그 밖의 통신매체를 통하여 성적 수치심이나 혐오감을 일으키는 말, 음향, 글, 그림, 영상 또는 물건을 상대방에게 도달하게 한 사람은 2년 이하의 징역 또는 500만원 이하의 벌금에 처한다."고 규정하고 있다. 위 규정은 자기 또는 다른 사람의 성적 욕망을 유발하는 등의 목적으로 '전화, 우편, 컴퓨터나 그 밖에 일반적으로 통신매체라고 인식되는 수단을 이용하여' 성적 수치심 등을 일으키는 말, 글, 물건 등을 상대방에게 전달하는 행위를 처벌하고자 하는 것임이 문언상 명백하므로, 위와 같은 통신매체를 이용하지 아니한 채 '직접' 상대방에게 말, 글, 물건 등을 도달하게 하는 행위까지 포함하여 위 규정으로 처벌할 수 있다고 보는 것은 법문의 가능한 의미의 범위를 벗어난 해석으로서 실정법 이상으로 그 처벌 범위를 확대하는 것이라 하지 않을 수 없다(대법원 2016.3.10. 2015도17847).

→ 피고인은 성적 수치심 등을 일으키는 내용의 이 사건 각 편지를 자신이 직접 피해자의 주거지 출입문에 끼워 넣음으로써 피해자에게 도달하게 한 사실을 알 수 있는바, 그렇다면 피고인이 '전화, 우편, 컴퓨터, 그 밖의 통신매체를 통하여' 이 사건 각 편지를 피해자에게 도달하게 한 것이라고 할 수 없으므로 피고인의 행위를 성폭력처벌법 제13조에 의하여 처벌할 수는 없다고 할 것이다.

② (O) 대법원 2017.11.4. 2017도13421

③ (O) 대법원 2011.8.25. 2011도7725

④ (O) 대법원 2017.12.7. 2017도10122

12 0012

2018 경찰 승진

죄형법정주의에 대한 설명으로 가장 적절하지 않은 것은? (다툼이 있는 경우 판례에 의함)

① 군형법 제64조 제1항의 상관면전모욕죄의 구성요건은 '상관을 그 면전에서 모욕하는' 것인데, 여기에서 '면전에서'라 함은 얼굴을 마주 대한 상태를 의미하는 것임이 분명하므로, 전화를 통하여 통화하는 것을 면전에서의 대화라고는 할 수 없다.

② 행위 당시의 판례에 의하면 처벌대상이 되지 아니하는 것으로 해석되었던 행위를 판례의 변경에 따라 확인된 내용의 형법 조항에 근거하여 처벌한다고 하여 그것이 헌법상 평등의 원칙과 형벌불소급의 원칙에 반한다고 할 수는 없다.

③ 개정 형사소송법 시행 당시 공소시효가 완성되지 아니한 범죄에 대한 공소시효가 위 법률이 개정되면서 신설된 제253조 제3항에 의하여 피고인이 외국에 있는 기간 동안 정지된 경우, 공소제기시에 공소시효의 기간은 경과되지 아니하였다.

④ 유해화학물질관리법 제35조 제1항에서 금지하는 환각물질을 구체적으로 명확하게 규정하지 아니하고 다만 그 성질에 관하여 '흥분·환각 또는 마취의 작용을 일으키는 유해화학물질로서 대통령령이 정하는 물질'로 그 한계를 설정하여 놓고 같은 법 시행령 제22조에서 이를 구체적으로 규정하게 하고, 같은 법 제35조 제1항의 '섭취 또는 흡입'이라고만 규정하고 그 섭취 기준을 따로 정하지 않은 것은 죄형법정주의에 반한다.

지문분석

난이도 중 정답 ④

| 키 워 드 | 죄형법정주의

| 출제유형 | 틀린 지문 고르기

④ (X) **유해화학물질관리법 제35조 제1항 및 유해화학물질관리법 시행령 제22조의 규정이 법치주의 및 죄형법정주의에 위반되는지 여부: 부정**

[1] 유해화학물질관리법 제35조 제1항에서 금지하는 환각물질을 구체적으로 명확하게 규정하지 아니하고 다만 그 성질에 관하여 '흥분·환각 또는 마취의 작용을 일으키는 유해화학물질로서 대통령령이 정하는 물질'로 그 한계를 설정하여 놓고, 같은 법 시행령 제22조에서 이를 구체적으로 규정하게 한 취지는 과학 기술의 급격한 발전으로 말미암아 흥분·환각 또는 마취의 작용을 일으키는 유해화학물질이 수시로 생겨나기 때문에 이에 신속하게 대처하려는 데에 있으므로, 위임의 한계를 벗어난 것으로 볼 수 없다.

[2] 한편, 그러한 환각물질은 누구에게나 그 섭취 또는 흡입행위 자체가 금지됨이 마땅하므로, 일반적으로 술을 마시는 행위 자체가 금지된 것이 아니라 주취상태에서의 자동차 운전행위만이 금지되는 도로교통법상의 주취상태를 판정하는 혈중알코올농도와 같이 그 섭취 기준을 따로 정할 필요가 있다고 할 수 없으므로, 같은 법 제35조 제1항의 '섭취 또는 흡입'의 개념이 추상적이고 불명확하다거나 지나치게 광범위하다고 볼 수도 없다(대법원 2000.10.27. 2000도4187).

① (O) 대법원 2002.12.27. 2002도2539

→ 전화를 통하여 상관을 모욕한 경우 상관면전모욕죄가 성립하는지 여부: 부정

② (O) 대법원 1999.9.17. 97도3349
→ 행위 당시의 판례에 의하면 처벌대상이 아니었던 행위를 판례의 변경에 따라 처벌하는 것이 평등의 원칙과 형벌불소급의 원칙에 반하는지 여부: 부정
③ (O) 개정 형사소송법(1995.12.29. 법률 제5054호로 개정된 것) 시행 당시 공소시효가 완성되지 아니한 범죄에 대한 공소시효는 위 법률이 개정되면서 신설된 제253조 제3항에 의하여 피고인이 외국에 있는 기간 동안 정지되었다고 보아 공소제기시에 공소시효의 기간이 경과되지 아니하였다(대법원 2003.11.27. 2003도4327).

✓ **개념체크 형사소송법 제253조(시효의 정지와 효력)**

① 시효는 공소의 제기로 진행이 정지되고 공소기각 또는 관할위반의 재판이 확정된 때로부터 진행한다.
② 공범의 1인에 대한 전항의 시효정지는 다른 공범자에게 대하여 효력이 미치고 당해 사건의 재판이 확정된 때로부터 진행한다.
③ 범인이 형사처분을 면할 목적으로 국외에 있는 경우 그 기간 동안 공소시효는 정지된다. 〈신설 1995.12.29.〉

✓ **개념체크 피고인의 국외 체류 기간 동안 공소시효가 정지된 경우의 판례**

- 피고인은 재정경제원장관의 허가를 받지 아니하고, 1996.3.경 미국 라스베가스 소재 미라지호텔 카지노에서 도박을 함에 있어서 그곳 마켓팅 책임자로부터 미화 20만 불을 차용하여 각 도금에 제공하고 1996.7.경 도박 차용금에 대한 변제 명목으로 1억 7,000만원을 송금하여 공소시효의 기간이 5년인 외국환관리법 위반죄를 범하였다.
- 피고인은 형사처분을 면할 목적으로 1997.12.28. 출국하였다가 2002.10.9. 입국하였다.
- 검사는 행위시로부터 5년이 경과한 후인 2002.10.28. 공소를 제기하였다.

→ 원심은 공소시효가 완성되었다고 보아 면소 판결을 하였으나, 대법원은 신설된 제253조 제3항은 그 시행일인 1997.1.1.부터 적용되는 것이어서 시행 당시 공소시효가 완성되지 아니한 범죄에 대한 공소시효는 피고인이 외국에 있는 기간 동안 정지되었다고 보아 공소제기시에 공소시효의 기간이 경과되지 아니하였다고 한 판결(대법원 2003.11.27. 2003도4327)이다.

13 0013

2019 경찰 승진

죄형법정주의에 대한 설명으로 가장 적절하지 않은 것은? (다툼이 있는 경우 판례에 의함)

① "약국 개설자가 아니면 의약품을 판매하거나 판매 목적으로 취득할 수 없다."고 규정한 구 약사법 제44조 제1항의 '판매'에 무상으로 의약품을 양도하는 '수여'를 포함시키는 해석은 죄형법정주의에 위배되지 아니한다.
② 공공기관의 운영에 관한 법률 제53조가 공기업의 임직원으로서 공무원이 아닌 사람은 형법 제129조의 적용에 있어서는 이를 공무원으로 본다고 규정하고 있을 뿐 구체적인 공기업의 지정에 관하여는 그 하위규범인 기획재정부장관의 고시에 의하도록 규정하였더라도 죄형법정주의에 위배되지 아니한다.
③ '블로그', '미니 홈페이지', '카페' 등의 이름으로 개설된 사적 인터넷 게시공간의 운영자가 게시공간에 게시된 타인의 글을 삭제할 권한이 있는데도 이를 삭제하지 아니하고 그대로 둔 경우를 국가보안법 제7조 제5항의 '소지'행위로 보는 것은 죄형법정주의에 위배되지 아니한다.
④ 의사가 환자와 대면하지 아니하고 전화나 화상 등을 이용하여 환자의 용태를 스스로 듣고 판단하여 처방전 등을 발급한 행위를 구 의료법상 '직접 진찰한 의사'가 아닌 자가 처방전 등을 발급한 경우에 해당한다고 해석하는 것은 죄형법정주의에 위배된다.

지문분석 난이도 중 정답 ③

| 키 워 드 | 죄형법정주의
| 출제유형 | 틀린 지문 고르기

③ (X) 죄형법정주의로부터 파생된 유추해석금지원칙과 국가보안법 제1조 제2항, 제7조 제1항, 제5항에 비추어 볼 때, '블로그', '미니 홈페이지', '카페' 등의 이름으로 개설된 사적 인터넷 게시공간의 운영자가 사적 인터넷 게시공간에 게시된 타인의 글을 삭제할 권한이 있는데도 이를 삭제하지 아니하고 그대로 두었다는 사정만으로 사적 인터넷 게시공간의 운영자가 타인의 글을 국가보안법 제7조 제5항에서 규정하는 바와 같이 '소지'하였다고 볼 수는 없다(대법원 2012.1.27. 2010도8336).
① (O) 대법원 2011.10.13. 2011도6287
② (O) 대법원 2013.6.13. 2013도1685
④ (O) 대법원 2013.4.11. 2010도1388

14 0014

2020 경찰 승진

죄형법정주의에 대한 설명 중 가장 적절한 것은? (다툼이 있는 경우 판례에 의함)

① 위법성 및 책임의 조각사유나 소추조건, 또는 처벌조각사유인 형면제 사유에 관하여 그 범위를 제한적으로 유추적용하게 되면 행위자의 가벌성의 범위는 확대되어 행위자에게 불리하게 되므로 유추해석금지의 원칙에 반한다.

② 대법원 양형위원회가 설정한 양형기준이 발효하기 전에 공소가 제기된 범죄에 대하여 위 양형기준을 참고하여 형을 양정한 경우 피고인에게 불리한 법률을 소급하여 적용하였으므로 소급효금지의 원칙에 반한다.

③ 가정폭력범죄의 처벌 등에 관한 특례법이 정한 보호처분 중의 하나인 사회봉사명령은 형벌 그 자체가 아니라 보안처분의 성격을 가지는 것이므로 형벌불소급의 원칙이 적용되지 않고 재판시법을 적용함이 상당하다.

④ 헌법재판소가 형벌조항에 대해 헌법불합치결정을 선고하면서 개정시한을 정하여 입법개선을 촉구하였는데도 위 시한까지 법률개정이 이루어지지 않은 경우 공소가 제기된 피고사건에 대하여 형사소송법 제326조 제4호에 따라 면소를 선고하여야 한다.

지문분석

난이도 중 정답 ①

| 키 워 드 | 죄형법정주의

| 출제유형 | 옳은 지문 고르기

① (O) 대법원 1997.3.20. 96도1167 전원합의체

② (X) 대법원 양형위원회가 설정한 '양형기준'이 발효하기 전에 공소가 제기된 범죄에 대하여 위 '양형기준'을 참고하여 형을 양정한 경우, 피고인에게 불리한 법률을 소급하여 적용한 위법이 있다고 할 수 없다(대법원 2009.12.10. 2009도11448).

→ 법원조직법 제81조의2 이하의 규정에 의하여 마련된 대법원 양형위원회의 양형기준은 법관이 합리적인 양형을 정하는 데 참고할 수 있는 구체적이고 객관적인 기준으로 마련된 것이다. 위 양형기준은 ㉠ 법적 구속력을 가지지 아니하고, 단지 위와 같은 취지로 마련되어 그 내용의 타당성에 의하여 일반적인 설득력을 가지는 것으로 예정되어 있으므로, ㉡ 법관의 양형에 있어서 그 존중이 요구되는 것일 뿐이다.

③ (X) [1] 가정폭력범죄의 처벌 등에 관한 특례법이 정한 보호처분 중의 하나인 사회봉사명령은 가정폭력범죄를 범한 자에 대하여 환경의 조정과 성행의 교정을 목적으로 하는 것으로서 형벌 그 자체가 아니라 보안처분의 성격을 가지는 것이 사실이다. 그러나 한편으로 이는 가정폭력범죄행위에 대하여 형사처벌 대신 부과되는 것으로서, 가정폭력범죄를 범한 자에게 의무적 노동을 부과하고 여가시간을 박탈하여 실질적으로는 신체적 자유를 제한하게 되므로, 이에 대하여는 원칙적으로 형벌불소급의 원칙에 따라 행위시법을 적용함이 상당하다.

[2] 가정폭력범죄의 처벌 등에 관한 특례법상 사회봉사명령을 부과하면서, 행위시법상 사회봉사명령 부과시간의 상한인 100시간을 초과하여 상한을 200시간으로 올린 신법을 적용한 것은 위법하다(대법원 2008.7.24. 2008어4 결정).

④ (X) 피고인이 야간옥외집회를 주최하였다는 취지의 공소사실에 대하여 원심이 집회 및 시위에 관한 법률 제23조 제1호, 제10조 본문을 적용하여 유죄를 인정하였는데, 원심판결 선고 후 헌법재판소가 위 법률조항에 대해 헌법불합치결정을 선고하면서 개정시한을 정하여 입법개선을 촉구하였는데도 위 시한까지 법률개정이 이루어지지 않은 사안에서, 위 법률조항은 소급하여 효력을 상실하므로 이를 적용하여 공소가 제기된 위 피고사건에 대하여 무죄를 선고하여야 한다(대법원 2011.6.23. 2008도7562 전원합의체).

✓ 개념체크 양형기준

법관이 형을 정함에 있어 참고하는 기준을 말한다. 양형기준은 원칙적으로 구속력이 없으나, 법관이 양형기준을 이탈하는 경우 판결문에 양형이유를 기재해야 하므로, 합리적 사유 없이 양형기준을 위반할 수는 없다.

예 강간죄(13세 이상 대상)의 양형기준

유형	구분	감경	기본	가중
1	일반강간	1년 6월~3년	2년 6월~5년	4~7년
2	친족관계에 의한 강간/ 주거침입 등 강간/ 특수강간	3년~5년 6월	5~8년	6~9년
3	강도강간	5~9년	8~12년	10~15년

15 0015

2019 경찰 간부

죄형법정주의에 관한 설명 중 가장 옳은 것은? (다툼이 있는 경우 판례에 의함)

① 성문법률주의란 범죄와 형벌은 성문의 법률로 규정되어야 한다는 원칙을 말하며 여기서의 법률은 형식적 의미의 법률을 의미한다.
② '기업구매전용카드'를 이용하여 물품의 판매 등 방법으로 자금을 융통한 경우에 여신전문금융업법상 '신용카드'의 이용에 해당한다.
③ 구 식품위생법 제11조 제2항이 과대광고 등의 범위 및 기타 필요한 사항을 보건복지부령에 위임하고 있는 것은 과대광고 등으로 인한 형사처벌에 관한 내용을 법률이 아닌 시행령에 규정하고 있다고 판단되므로 위임입법의 한계를 벗어난 것으로 죄형법정주의에 반한다.
④ 구 특정 범죄자에 대한 위치추적 전자장치 부착 등에 관한 법률(2012.12.18. 개정되기 전의 것) 제5조 제1항 제3호는, 검사가 전자장치 부착명령을 법원에 청구할 수 있는 경우 중의 하나로 '성폭력범죄를 2회 이상 범하여(유죄의 확정판결을 받은 경우를 포함한다) 그 습벽이 인정된 때'라고 규정하고 있는바, 피부착명령청구자가 소년법에 의한 보호처분을 받은 전력이 이에 해당한다고 보더라도 죄형법정주의에 위배되지 않는다.

지문분석

난이도 중 정답 ①

| 키 워 드 | 죄형법정주의

| 출제유형 | 옳은 지문 고르기

① (○) 죄형법정주의 원칙은, 범죄와 형벌을 입법부가 제정한 형식적 의미의 법률로 규정하는 것을 그 핵심적 내용으로 한다(대법원 2003.11.14. 2003도3600).

② (X) '기업구매전용카드'는 구 여신전문금융업법 제2조 제3호가 규정한 '신용카드'처럼 실물 형태의 '증표'가 발행되는 것이 아니라 단지 구매기업이 이용할 수 있는 카드번호만이 부여될 뿐이며, 그 거래방법도 구매기업이 판매기업에 기업구매전용카드를 '제시'할 것이 요구되지 않고, 구매기업이 카드회사에 인터넷 등을 통하여 구매 사실을 통보하면 카드회사가 판매기업에 물품대금을 지급하여 결제가 이루어지게 하는 온라인거래의 수단을 지칭하는 데 지나지 않는다. '기업구매전용카드'는 구 여신전문금융업법상으로도 일반 신용카드나 직불카드와는 달리 취급되어야 하므로 '기업구매전용카드'는 신용카드에 해당하지 않는다(대법원 2013.7.25. 2011도14687).

③ (X) 식품위생법 제11조 제2항이 과대광고 등의 범위 및 기타 필요한 사항을 보건복지부령에 위임하고 있는 것은 과대광고 등으로 인한 형사처벌에 관련된 법규의 내용을 빠짐없이 형식적 의미의 법률에 의하여 규정한다는 것은 사실상 불가능하다는 고려에서 비롯된 것이고, 또한 같은 법시행규칙 제6조 제1항은 처벌대상인 행위가 어떠한 것인지 예측할 수 있도록 구체적으로 규정되어 있다고 할 것이므로 식품위생법 제11조 및 같은법시행규칙 제6조 제1항의 규정이 위임입법의 한계나 죄형법정주의에 위반된 것이라고 볼 수는 없다(대법원 2002.11.26. 2002도2998).

④ (X) '특정 범죄자에 대한 위치추적 전자장치 부착 등에 관한 법률'(이하 '전자장치부착법'이라 한다) 제5조 제1항 제3호는 검사가 전자장치 부착명령을 법원에 청구할 수 있는 경우 중의 하나로 '성폭력범죄를 2회 이상 범하여(유죄의 확정판결을 받은 경우를 포함한다) 그 습벽이 인정된 때'라고 규정하고 있는데, 이 규정 전단은 문언상 '유죄의 확정판결을 받은 전과사실을 포함하여 성폭력범죄를 2회 이상 범한 경우'를 의미한다고 해석된다. 따라서 피부착명령청구자가 소년법에 의한 보호처분(이하 '소년보호처분'이라고 한다)을 받은 전력이 있다고 하더라도, 이는 유죄의 확정판결을 받은 경우에 해당하지 아니함이 명백하므로, 피부착명령청구자가 2회 이상 성폭력범죄를 범하였는지를 판단할 때 소년보호처분을 받은 전력을 고려할 것이 아니다(대법원 2012.3.22. 2011도15057, 2011전도249 전원합의체).

16 0016

2020 경찰 간부

죄형법정주의에 대한 설명으로 옳지 않은 것은 모두 몇 개인가? (다툼이 있는 경우 판례에 의함)

가. 항공보안법 제42조(항공기 항로 변경죄)의 '항로'에 항공기가 지상에서 이동하는 경로도 포함된다고 해석하는 것은 죄형법정주의에 반한다.
나. 보호관찰은 형벌이 아니라 보안처분의 성격을 갖는 것으로서, 과거의 불법에 대한 책임에 기초하고 있는 제재가 아니라 장래의 위험성으로부터 행위자를 보호하고 사회를 방위하기 위한 합목적적인 조치이므로, 소급효금지원칙이 적용되지 아니한다.
다. 형벌법규에 대한 체계적·논리적 해석방법은 그 규정의 본질적 내용에 가장 접근한 해석을 위한 것으로서 죄형법정주의의 원칙에 부합한다.
라. 약사법 제5조 제3항에서 면허증의 대여를 금지한 취지는 약사자격이 없는 자가 타인의 면허증을 빌려 영업을 하게 될 경우 국민의 건강에 위험이 초래된다는 데 있다 할 것이므로, 약사자격이 있는 자에게 빌려주는 행위까지 금지되는 것으로 보는 것은 유추해석에 해당한다.
마. 의료법 제41조는 "각종 병원에는 응급환자와 입원환자의 진료 등에 필요한 당직의료인을 두어야 한다."라고 규정하고 있을 뿐인데도 시행령에 당직의료인의 수와 자격 등 배치기준을 규정하고 이를 위반하면 의료법 제90조에 의한 처벌의 대상이 되도록 한 것은 위임입법의 한계를 벗어난 것으로 죄형법정주의에 반한다.
바. 노역장유치는 그 실질이 신체의 자유를 박탈하는 것으로서 징역형과 유사한 형벌적 성격을 가지므로 형벌불소급원칙의 적용대상이 된다.

① 1개　② 2개
③ 3개　④ 4개

지문분석

난이도 상 정답 ①

| 키 워 드 | 죄형법정주의
| 출제유형 | 개수 찾기

라. (X) 면허증 대여의 상대방, 즉 차용인이 ㉠ 무자격자인 경우는 물론, ㉡ 자격 있는 약사인 경우에도 그 대여 이후 면허증 차용인에 의하여 대여인 명의로 개설된 약국 등 업소에서 대여인이 직접 약사로서의 업무를 행하지 아니한 채 차용인에게 약국의 운영을 일임하였다면 약사면허증을 대여한 데 해당한다(대법원 2003.6.24. 2002도6829).
→ 약사법의 입법 취지와 약사면허증에 관한 규정내용을 종합하여 보면, 구 약사법 제5조 제3항에서 금지하는 '면허증의 대여'라 함은, 다른 사람이 그 면허증을 이용하여 그 면허증의 명의자인 약사인 것처럼 행세하면서 약사에 관한 업무를 하려는 것을 알면서도 면허증 그 자체를 빌려 주는 것을 의미한다고 해석함이 상당하다.
가. (○) 대법원 2017.12.21. 2015도8335 전원합의체
나. (○) 대법원 1997.6.13. 97도703
다. (○) 대법원 2007.6.14. 2007도2162
마. (○) 대법원 2017.2.16. 2015도16014 전원합의체
바. (○) 헌법재판소 2017.10.26. 2015헌바239, 2016헌바177(병합)

17 0017

2021 경찰 간부

죄형법정주의에 대한 설명으로 옳은 것은? (다툼이 있는 경우 판례에 의함)

① 외국환거래법 제30조가 규정하는 몰수·추징의 대상은 범인이 해당 행위로 인하여 취득한 외국환 기타 지급수단 등을 뜻하고, 여기서 취득이란 해당 범죄행위로 인하여 결과적으로 이를 취득한 때를 말한다고 제한적으로 해석할 필요는 없다.

② 국가보안법 제7조 제5항에서 규정하고 있는 '소지'에 블로그 등의 운영자가 그 사적(私的) 인터넷 게시공간에 게시된 타인의 글을 삭제할 권한이 있는데도 이를 삭제하지 아니하고 그대로 둔 경우를 포함하여 위 규정으로 처벌할 수 있다고 보는 것은 죄형법정주의 원칙 위반이라 할 수 없다.

③ 공공기관의 운영에 관한 법률 제53조가 공공기관의 임직원으로서 공무원이 아닌 사람은 형법 제129조의 적용에서는 이를 공무원으로 본다고 규정하고, 동법 제4조 제1항에서 구체적인 공공기관은 기획재정부장관의 고시에 의하도록 한 것은 죄형법정주의에 위반되지 않는다.

④ 성폭력범죄의 처벌 등에 관한 특례법 제13조는 '성적 수치심이나 혐오감을 일으키는 말, 음향, 글, 그림, 영상 또는 물건을 상대방에게 도달'하게 하는 경우를 처벌하고 있는바, 상대방에게 성적 수치심을 일으키는 그림 등이 담겨 있는 웹페이지의 인터넷 링크를 보내는 행위가 이에 해당된다고 해석하는 것은 죄형법정주의 원칙에 위반된다.

지문분석

난이도 중 정답 ③

| 키 워 드 | 죄형법정주의

| 출제유형 | 옳은 지문 고르기

③ (O) 대법원 2013.6.13. 2013도1685

① (X) [1] 외국환거래법 제30조가 규정하는 몰수·추징의 대상은 범인이 해당 행위로 인하여 취득한 외국환 기타 지급수단 등을 뜻하고, 이는 범인이 외국환거래법에서 규제하는 행위로 인하여 취득한 외국환 등이 있을 때 이를 몰수하거나 추징한다는 취지로서, 여기서 취득이란 해당 범죄행위로 인하여 결과적으로 이를 취득한 때를 말한다고 제한적으로 해석함이 타당하다.

[2] 甲재단법인의 이사 겸 사무총장으로서 자금관리 업무를 총괄하는 피고인이, 거주자인 甲재단법인이 비거주자인 乙회사로부터 원화자금 및 외화자금을 차입하는 자본거래를 할 때 신고의무를 위반하였다는 내용으로 외국환거래법 위반죄가 인정된 사안에서, 금전대차계약의 차용 당사자는 甲재단법인으로서, 피고인이 위 계약에 의하여 결과적으로 외국환거래법에서 규제하는 차입금을 취득하였다고 인정하기 어려워 피고인으로부터 차입금을 몰수하거나 그 가액을 추징할 수 없다고 한 사례(대법원 2017.5.31. 2013도8389)

→ 외국환거래법 제30조가 규정하는 몰수·추징의 대상은 범인이 해당 행위로 인하여 취득한 외국환 기타 지급수단 등을 뜻하고, 여기서 취득이란 해당 범죄행위로 인하여 결과적으로 이를 취득한 때를 말한다고 제한적으로 해석함이 타당하다.

② (X) 죄형법정주의로부터 파생된 유추해석금지원칙과 국가보안법 제1조 제2항, 제7조 제1항, 제5항에 비추어 볼 때, '블로그', '미니 홈페이지', '카페' 등의 이름으로 개설된 사적 인터넷 게시공간의 운영자가 사적 인터넷 게시공간에 게시된 타인의 글을 삭제할 권한이 있는데도 이를 삭제하지 아니하고 그대로 두었다는 사정만으로 사적 인터넷 게시공간의 운영자가 타인의 글을 국가보안법 제7조 제5항에서 규정하는 바와 같이 '소지'하였다고 볼 수는 없다(대법원 2012.1.27. 2010도8336).

④ (X) 성폭력범죄의 처벌 등에 관한 특례법 제13조에서 "성적 수치심이나 혐오감을 일으키는 말, 음향, 글, 그림, 영상 또는 물건(이하 '성적 수치심을 일으키는 그림 등'이라 한다)을 상대방에게 도달하게 한다."는 것은 '상대방이 성적 수치심을 일으키는 그림 등을 직접 접하는 경우뿐만 아니라 상대방이 실제로 이를 인식할 수 있는 상태에 두는 것'을 의미한다. 따라서 행위자의 의사와 그 내용, 웹페이지의 성격과 사용된 링크기술의 구체적인 방식 등 모든 사정을 종합하여 볼 때 상대방에게 성적 수치심을 일으키는 그림 등이 담겨 있는 웹페이지 등에 대한 인터넷 링크(internet link)를 보내는 행위를 통해 그와 같은 그림 등이 상대방에 의하여 인식될 수 있는 상태에 놓이고 실질에 있어서 이를 직접 전달하는 것과 다를 바 없다고 평가되고, 이에 따라 상대방이 이러한 링크를 이용하여 별다른 제한 없이 성적 수치심을 일으키는 그림 등에 바로 접할 수 있는 상태가 실제로 조성되었다면, 그러한 행위는 전체로 보아 성적 수치심을 일으키는 그림 등을 상대방에게 도달하게 한다는 구성요건을 충족한다(대법원 2017.6.8. 2016도21389).

18 0018

2021 경찰 승진

소급효금지의 원칙에 대한 설명으로 가장 적절한 것은? (다툼이 있는 경우 판례에 의함)

① 특정 범죄자에 대한 위치추적 전자장치 부착 등에 관한 법률에 의한 전자감시제도는 보안처분이지만, 실질적으로 행동의 자유를 지극히 제한하므로 형벌에 관한 소급입법금지원칙이 적용된다.
② 소급효금지의 원칙은 죄형법정주의의 파생원칙으로서 행위자에게 유리한 사후법의 소급효도 인정되지 않는다.
③ 공소시효가 이미 완성된 경우, 그 공소시효를 연장하는 법률은 진정소급입법으로서 예외 없이 소급효금지의 원칙이 적용된다.
④ 행위 당시의 판례에 의하면 처벌대상이 되지 아니하는 것으로 해석되었던 행위를 판례의 변경에 따라 확인된 내용의 형법 조항에 근거하여 처벌한다고 하여 그것이 소급효금지의 원칙에 반한다고 할 수는 없다.

지문분석 난이도 중 정답 ④

| 키 워 드 | 죄형법정주의

| 출제유형 | 옳은 지문 고르기

④ (O) 형사처벌의 근거가 되는 것은 법률이지 판례가 아니고, 형법 조항에 관한 판례의 변경은 그 법률조항의 내용을 확인하는 것에 지나지 아니하여 이로써 그 법률조항 자체가 변경된 것이라고 볼 수는 없으므로, 행위 당시의 판례에 의하면 처벌대상이 되지 아니하는 것으로 해석되었던 행위를 판례의 변경에 따라 확인된 내용의 형법 조항에 근거하여 처벌한다고 하여 그것이 헌법상 평등의 원칙과 형벌불소급의 원칙에 반한다고 할 수는 없다(대법원 1999.9.17. 97도3349).

① (X) 전자장치 부착명령은 전통적 의미의 형벌이 아닐 뿐 아니라, 성폭력범죄자의 성행교정과 재범방지를 도모하고 국민을 성폭력범죄로부터 보호한다고 하는 공익을 목적으로 하며, 의무적 노동의 부과나 여가시간의 박탈을 내용으로 하지 않고 전자장치의 부착을 통해서 피부착자의 행동 자체를 통제하는 것도 아니라는 점에서 처벌적인 효과를 나타낸다고 보기 어렵다. 또한 부착명령에 따른 피부착자의 기본권 침해를 최소화하기 위하여 피부착자에 관한 수신자료의 이용을 엄격하게 제한하고, 재범의 위험성이 없다고 인정되는 경우에는 부착명령을 가해제할 수 있도록 하고 있다. 그러므로 이 사건 부착명령은 형벌과 구별되는 비형벌적 보안처분으로서 소급효금지원칙이 적용되지 아니한다(헌법재판소 2012.12.27. 2010헌가82 결정).

② (X) 행위자에게 유리한 사후법의 소급효도 인정된다(형법 제1조 제2항 참조).

③ (X) 공소시효가 이미 완성된 경우, 그 공소시효를 연장하는 법률은 진정소급입법도 특단의 사정이 있는 경우, 즉 기존의 법을 변경하여야 할 공익적 필요는 심히 중대한 반면에 그 법적 지위에 대한 개인의 신뢰를 보호하여야 할 필요가 상대적으로 정당화될 수 없는 경우에는 예외적으로 허용될 수 있다(헌법재판소 1996.2.16. 96헌가2 결정).

19 0019

2018 국가직 9급

죄형법정주의에 대한 설명으로 옳지 않은 것은? (다툼이 있는 경우 판례에 의함)

① 법률의 시행령이 형사처벌에 관한 사항을 규정하면서 법률의 명시적인 위임 범위를 벗어나 그 처벌대상을 확장하는 것은 죄형법정주의의 원칙에 어긋난다.
② 구 가정폭력범죄의 처벌 등에 관한 특례법의 사회봉사명령은 그 성질이 보안처분이지만 소급효금지의 원칙이 적용된다.
③ 반의사불벌죄에서 처벌을 희망하지 않는다는 의사표시 또는 처벌희망 의사표시의 철회는 이른바 소극적 소송조건에 해당하고, 소송조건에는 유추해석금지의 원칙이 적용되지 않는다.
④ 성폭력범죄의 처벌 등에 관한 특례법 제13조의 통신매체 이용음란죄에서 통신매체를 이용하지 아니한 채 '직접' 상대방에게 물건 등을 도달하게 하는 행위까지 포함하여 위 규정으로 처벌할 수 있다고 보는 것은 유추해석금지의 원칙에 위반된다.

지문분석 난이도 중 정답 ③

| 키 워 드 | 죄형법정주의

| 출제유형 | 틀린 지문 고르기

③ (X) 만약 반의사불벌죄에 있어서 피해자에게 의사능력이 있음에도 불구하고 그 처벌을 희망하지 않는다는 의사표시 또는 처벌희망 의사표시의 철회에 법정대리인의 동의가 있어야 하는 것으로 본다면, 이는 피고인 또는 피의자에 대한 처벌희망 여부를 결정할 수 있는 권한을 명문의 근거 없이 새롭게 창설하여 법정대리인에게 부여하는 셈이 되어 부당하며, 형사소송법 또는 청소년성보호법의 해석론을 넘어서는 입론이라고 할 것이다. 뿐만 아니라, 처벌을 희망하지 않는다는 의사표시 또는 처벌희망 의사표시의 철회는 이른바 소극적 소송조건에 해당하고, 소송조건에는 죄형법정주의의 파생원칙인 유추해석금지의 원칙이 적용된다고 할 것인데, 명문의 근거 없이 그 의사표시에 법정대리인의 동의가 필요하다고 보는 것은 유추해석에 의하여 소극적 소송조건의 요건을 제한하고 피고인 또는 피의자에 대한 처벌가능성의 범위를 확대하는 결과가 되어 죄형법정주의 내지 거기에서 파생된 유추해석금지의 원칙에도 반한다(대법원 2009.11.19. 2009도6058 전원합의체).

→ 반의사불벌죄라고 하더라도 피해자에게 의사능력이 있는 이상, 단독으로 피고인 또는 피의자의 처벌을 희망하지 않는다는 의사표시 또는 처벌희망 의사표시의 철회를 할 수 있고, 거기에 법정대리인의 동의가 있어야 하는 것으로 볼 것은 아니다.

① (O) 대법원 2017.2.21. 2015도14966
② (O) 대법원 2008.7.24. 2008어4 결정
④ (O) 대법원 2016.3.10. 2015도17847

20 0020

2021 국가직 9급

죄형법정주의에 대한 설명으로 옳은 것만을 모두 고르면? (다툼이 있는 경우 판례에 의함)

ㄱ. 형법상 내란선동죄에서 '선동'은 단지 언어적인 표현행위일 뿐이므로 그 행위에 대한 평가 여하에 따라서는 적용범위가 무한히 확장될 가능성이 있어 죄형법정주의 원칙에 반한다.
ㄴ. 형사처벌에 관련된 모든 법규를 예외 없이 형식적 의미의 법률에 의하여 규정한다는 것은 사실상 불가능할 뿐만 아니라 실제에 적합하지도 않다.
ㄷ. 위임명령에 규정될 내용 및 범위의 기본사항은 구체적이고 분명하게 규정되어 있어야 하므로, 법률이나 상위명령으로부터 위임명령에 규정될 내용의 대강만을 예측할 수 있는 경우에는 죄형법정주의의 원칙에 반한다.
ㄹ. 형벌법규의 의미를 피고인에게 불리한 방향으로 지나치게 확장해석하거나 유추해석하는 것은 죄형법정주의의 원칙에 반한다.

① ㄱ, ㄴ ② ㄱ, ㄷ
③ ㄴ, ㄹ ④ ㄷ, ㄹ

지문분석 난이도 상 정답 ③

| 키 워 드 | 죄형법정주의
| 출제유형 | 조합하기

ㄴ. (○) 사회현상의 복잡다기화와 국회의 전문적·기술적 능력의 한계 및 시간적 적응능력의 한계로 인하여 형사처벌에 관련된 모든 법규를 예외 없이 형식적 의미의 법률에 의하여 규정한다는 것은 사실상 불가능할 뿐만 아니라 실제에 적합하지도 아니하다. 그로 인하여 특히 긴급한 필요가 있거나 미리 법률로써 자세히 정할 수 없는 부득이한 사정이 있는 경우에 한하여 위임법률이 구성요건의 점에서는 처벌대상인 행위가 어떠한 것인지 이를 예측할 수 있을 정도로 구체적으로 정하고, 형벌의 점에서는 형벌의 종류 및 그 상한과 폭을 명확히 규정하는 것을 전제로 위임입법이 허용되며, 이러한 위임입법은 죄형법정주의에 반하지 않는다(대법원 2020.3.12. 2019도11381).

ㄹ. (○) 죄형법정주의는 국가형벌권의 자의적인 행사로부터 개인의 자유와 권리를 보호하기 위하여 범죄와 형벌을 법률로 정할 것을 요구한다. 그러한 취지에 비추어 보면 형벌법규의 해석은 엄격하여야 하고, 명문의 형벌법규의 의미를 피고인에게 불리한 방향으로 지나치게 확장해석하거나 유추해석하는 것은 죄형법정주의의 원칙에 어긋나는 것으로서 허용되지 아니한다(대법원 2011.8.25. 2011도7725).

ㄱ. (X) 대법원 2015.1.22. 2014도10978 전원합의체에서 다수의견이 아니라 [대법관 이인복, 대법관 이상훈, 대법관 김신의 반대의견]이다. 그러므로 틀린 지문이다.
[다수의견] 내란을 실행시킬 목표를 가지고 있다 하여도 단순히 특정한 정치적 사상이나 추상적인 원리를 옹호하거나 교시하는 것만으로는 내란선동이 될 수 없고, 그 내용이 내란에 이를 수 있을 정도의 폭력적인 행위를 선동하는 것이어야 하고, 나아가 피선동자의 구성 및 성향, 선동자와 피선동자의 관계 등에 비추어 피선동자에게 내란 결의를 유발하거나 증대시킬 위험성이 인정되어야만 내란선동으로 볼 수 있다(대법원 2015.1.22. 2014도10978 전원합의체).

ㄷ. (X) 구체적인 위임의 범위는 위임명령에 규정될 내용 및 범위의 기본사항이 구체적으로 규정되어 있어서 누구라도 당해 법률이나 상위명령으로부터 위임명령에 규정될 내용의 대강을 예측할 수 있어야 한다. 이 경우 그 예측가능성의 유무는 당해 위임조항 하나만을 가지고 판단할 것이 아니라 그 위임조항이 속한 법률이나 상위명령의 전반적인 체계와 취지·목적, 당해 위임조항의 규정형식과 내용 및 관련 법규를 유기적·체계적으로 종합 판단하여야 하고, 나아가 각 규제대상의 성질에 따라 구체적·개별적으로 검토하여야 한다(대법원 2020.3.12. 2019도11381).
→ 위임명령은 법률이나 상위명령에서 구체적으로 범위를 정한 개별적인 위임이 있을 때에 가능하다.

21 0021

2020 국가직 9급

죄형법정주의에 대한 설명으로 옳지 <u>않은</u> 것은? (다툼이 있는 경우 판례에 의함)

① 위임입법은 수권법률이 처벌대상 행위가 어떠한 것인지를 예측할 수 있을 정도로 구체적으로 정하고, 형벌의 종류 및 그 상한과 폭을 명확히 규정하는 것을 전제로 한다.

② 법규범의 문언은 어느 정도 가치개념을 포함할 수밖에 없지만 가급적 일반적·규범적 개념을 사용하지 않는 것이 바람직하다는 의미에서, 명확성의 원칙이란 기본적으로 최대한의 명확성을 요구하는 것으로 볼 수 있다.

③ 법관의 보충적인 해석을 필요로 하더라도 통상의 해석방법에 의하여 당해 처벌법규의 보호법익과 금지된 행위 및 처벌의 종류와 정도를 알 수 있다면 명확성의 요구에 배치된다고 보기 어렵다.

④ 법률의 시행령이 형사처벌에 관한 사항을 규정하면서 법률의 명시적인 위임 범위를 벗어나 그 처벌의 대상을 확장하는 것은 죄형법정주의의 원칙에 어긋난다.

지문분석

난이도 중 정답 ②

| 키 워 드 | 죄형법정주의

| 출제유형 | 틀린 지문 고르기

② (X) 명확성의 원칙은 법치국가원리의 한 표현으로서 기본권을 제한하는 법규범의 내용은 명확하여야 한다는 헌법상의 원칙이며, 그 근거는 법규범의 의미내용이 불확실하면 법적 안정성과 예측가능성을 확보할 수 없고, 법집행 당국의 자의적인 법해석과 집행을 가능하게 할 것이기 때문이다. 그러나 법규범의 문언은 어느 정도 가치개념을 포함한 일반적·규범적 개념을 사용하지 않을 수 없는 것이기 때문에 <u>명확성의 원칙이란 기본적으로 최대한이 아닌 최소한의 명확성을 요구하는 것으로서</u>, 그 문언이 법관의 보충적인 가치판단을 통해서 그 의미내용을 확인할 수 있고, 그러한 보충적 해석이 해석자의 개인적인 취향에 따라 좌우될 가능성이 없다면 명확성의 원칙에 반한다고 할 수 없다(대법원 2008.10.23. 2008초기264 결정).

① (O) 대법원 2020.3.12. 2019도11381

③ (O) 대법원 2014.1.29. 2013도12939

④ (O) 대법원 2017.2.21. 2015도14966

22 0022

2017 국가직 7급

죄형법정주의에 대한 설명으로 옳은 것만을 모두 고른 것은? (다툼이 있으면 판례에 의함)

> ㉠ 위치추적 전자장치의 부착명령은 보안처분적 성격을 가지므로 구 특정 범죄자에 대한 위치추적 전자장치 부착 등에 관한 법률을 개정하여 부착명령 기간을 연장하면서 개정법 시행 전에 저지른 범죄에 대하여도 적용하도록 한 것은 소급입법금지의 원칙에 위반되지 아니한다.
>
> ㉡ 공공기관의 운영에 관한 법률 제53조가 공공기관의 임직원으로서 공무원이 아닌 사람은 형법 제129조의 적용에서는 이를 공무원으로 본다고 규정하고, 동법 제4조 제1항에서 구체적인 공공기관은 기획재정부장관이 지정할 수 있도록 규정한 것은 죄형법정주의에 위반되지 아니한다.
>
> ㉢ 국가공무원법 제66조(집단행위의 금지) 제1항에서 '공무 외의 일을 위한 집단행위'로 포괄적이고 광범위하게 규정하고 있는 것은 명확성의 원칙에 반한다.
>
> ㉣ 형법이나 국가보안법의 '자수'에는 범행이 발각되고 지명수배된 후의 자진출두도 포함되는 것으로 해석하고 있으므로 공직선거법의 '자수'를 '범행발각 전에 자수한 경우'로 한정하는 해석은 유추해석금지의 원칙에 위반된다.

① ㉠, ㉣ ② ㉡, ㉢
③ ㉠, ㉡, ㉣ ④ ㉠, ㉡, ㉢, ㉣

지문분석

난이도 상 정답 ③

| 키 워 드 | 죄형법정주의

| 출제유형 | 조합하기

㉠ (O) 헌법재판소 2012.12.27. 2010헌가82 결정

㉡ (O) 대법원 2013.6.13. 2013도1685

㉣ (O) 대법원 2017.2.16. 2015도16014 전원합의체

㉢ (X) 위 법률조항 중 '노동운동'과 <u>'공무 이외의 일을 위한 집단행위'</u>는 적어도 건전한 상식과 통상적인 법감정을 가진 사람에게는 그 적용대상자들이 누구이며 구체적으로 어떠한 행위들이 금지되고 있는가를 미리 알려주고 그들이 불이익처분을 받는 일을 하지 않도록 상당한 주의·경고를 하고 있는 것으로 볼 수 있으므로 일반적인 명확성의 원칙은 물론 적법절차나 <u>죄형법정주의의 원칙에서 요구되는 보다 엄격한 의미의 명확성의 원칙에 의한 판단기준에도 위배된다고 할 수 없다</u>(헌법재판소 2007.8.30. 2003헌바5 결정).

→ '사실상 노무에 종사하는 공무원': 공무원의 주된 직무를 정신활동으로 보고 이에 대비되는 신체활동에 종사하는 공무원

→ '공무 이외의 일을 위한 집단행위': 모든 집단행위를 의미하는 것이 아니라 공무 이외의 일을 위한 집단행위 중 공익에 반하는 행위

23 0023

2021 국가직 7급

죄형법정주의와 형법의 적용범위에 대한 설명으로 옳은 것만을 모두 고르면? (다툼이 있는 경우 판례에 의함)

ㄱ. 구 의료법 제87조 제1항 제2호, 제27조 제1항은 대한민국 영역 외에서 의료행위를 하려는 사람에게까지 보건복지부장관의 면허를 받을 의무를 부과하고 나아가 이를 위반한 자를 처벌하는 규정이라고 보기 어려우므로 내국인이 대한민국 영역 외에서 의료행위를 하는 경우에는 구 의료법 제87조 제1항 제2호, 제27조 제1항의 구성요건해당성이 없다.

ㄴ. 형법 제125조의 구성요건 중 '그 직무를 행함에 당하여'라 함을 '경찰 등이 그 직무를 행하는 기회'라는 뜻으로 해석한다면, 이런 해석은 다소 포괄적이며 불명확하여 처벌범위를 자의적으로 확장시킨다고 볼 여지가 있어 죄형법정주의의 명확성원칙에 위반된다.

ㄷ. 한국환경공단법 등이 한국환경공단 임직원을 형법 제129조(수뢰·사전수뢰) 내지 제132조(알선수뢰)의 적용에 있어 공무원으로 본다고 규정하고 있으므로 그들 또는 그들이 직무를 행하는 한국환경공단을 형법 제227조의2(공전자기록위작·변작)에 정한 공무원 또는 공무소에 해당한다고 보는 것은 죄형법정주의의 원칙에 반하지 않는다.

ㄹ. 의료법 제41조가 "환자의 진료 등에 필요한 당직의료인을 두어야 한다."라고 규정하고 있을 뿐인데도, 이 사건 시행령 조항은 그 당직의료인의 수와 자격 등 배치기준을 규정하고 이를 위반하면 의료법 제90조에 의한 처벌의 대상이 되도록 함으로써 법률의 명시적인 위임 범위를 벗어나 처벌의 대상을 확장했으므로 죄형법정주의의 원칙에 어긋난다.

① ㄱ, ㄴ　　② ㄱ, ㄹ
③ ㄴ, ㄷ　　④ ㄱ, ㄷ, ㄹ

지문분석

난이도 ㊤ 정답 ②

| 키 워 드 | 죄형법정주의
| 출제유형 | 조합하기

ㄱ. (O) 의료법의 목적, 우리나라 보건복지부장관으로부터 면허를 받은 의료인에게만 의료행위 독점을 허용하는 입법 취지 및 관련 조항들의 내용 등을 종합하면, 의료법상 의료제도는 대한민국 영역 내에서 이루어지는 의료행위를 규율하기 위하여 체계화된 것으로 이해된다. 그렇다면 구 의료법 제87조 제1항 제2호, 제27조 제1항이 대한민국 영역 외에서 의료행위를 하려는 사람에게까지 보건복지부장관의 면허를 받을 의무를 부과하고 나아가 이를 위반한 자를 처벌하는 규정이라고 보기는 어렵다. 따라서 내국인이 대한민국 영역 외에서 의료행위를 하는 경우에는 구 의료법 제87조 제1항 제2호, 제27조 제1항의 구성요건해당성이 없다(대법원 2020.4.29. 2019도19130).

ㄹ. (O) 대법원 2017.2.16. 2015도16014 전원합의체

ㄴ. (X) 이 사건 법률조항(형법 제125조)의 입법목적과 보호법익 그리고 법문의 전체 내용 등을 종합적으로 볼 때 '그 직무를 행함에 당하여'라 함은 '경찰 등이 그 직무를 행하는 기회'라는 뜻으로 해석되는바, 이런 해석이 다소 포괄적이라도 경찰 등의 직무와 폭행 사이에 객관적 관련성을 요구하는 것으로 해석되므로 그 내용이 불명확하여 처벌범위를 자의적으로 확장시킨다고 볼 수도 없다. 경찰관직무집행법 및 관련 법령에 따른 정당한 유형력 행사는 정당행위가 되어 처벌받지 아니하고, 판례도 축적되어 있어 이 사건 법률조항에 따라 처벌되는 행위와 정당한 유형력 행사의 구별이 가능하다. 따라서 이 사건 법률조항은 죄형법정주의의 명확성원칙에 위반되지 않는다(헌법재판소 2015.3.26. 2013헌바140 결정).

ㄷ. (X) [1] 한국환경공단은 한국환경공단법에 의해 설립된 법인으로서, 그 임직원은 공무원이 아니고 단지 같은 법 제11조, 건설폐기물법 제61조, 폐기물관리법 제62조의2 등에 의하여 형법 제129조부터 제132조까지의 규정을 적용할 때 공무원으로 의제될 뿐이며, 한국환경공단 임직원을 공전자기록 등 위작죄에서 공전자기록 작성권한자인 공무원으로 의제하거나 한국환경공단이 작성하는 전자기록을 공전자기록으로 의제하는 취지의 명문규정은 없다.

[2] 이러한 관련 법령을 앞서 본 법리에 비추어 살펴보면, 한국환경공단이 환경부장관의 위탁을 받아 건설폐기물 인계·인수에 관한 내용 등의 전산처리를 위한 전자정보처리프로그램인 올바로시스템을 구축·운영하고 있다고 하더라도, 그 업무를 수행하는 한국환경공단 임직원을 공전자기록의 작성권한자인 공무원으로 보거나 한국환경공단을 공무소로 볼 수는 없다. 그리고 한국환경공단법 등이 한국환경공단 임직원을 형법 제129조 내지 제132조의 적용에 있어 공무원으로 본다고 규정한다고 하여 그들 또는 그들이 직무를 행하는 한국환경공단을 형법 제227조의2에 정한 공무원 또는 공무소에 해당한다고 보는 것은 형벌법규를 피고인에게 불리하게 확장해석하거나 유추해석하는 것이어서 죄형법정주의 원칙에 반한다. 이는 한국환경공단 또는 그 임직원이 환경부장관으로부터 위탁받은 업무와 관련하여 직무상 작성한 문서를 공문서로 볼 수 없는 것과 마찬가지이다(대법원 2020.3.12. 2016도19170).

24 0024

2020 해경 간부

다음 중 형법상 유추해석금지원칙에 관한 설명으로 옳은 것은 모두 몇 개인가? (다툼이 있는 경우 판례에 의함)

가. 공무원에 대해 허위신고를 하여 공정증서원본에 부실의 사실을 기재하게 하고 그 문서를 행사하는 것을 처벌하는 형법 제229조를 부실의 사실이 기재된 공정증서정본을 그 정을 모르는 법원 직원에게 교부한 행위에 적용하는 것은 유추해석금지원칙에 반하지 않는다.
나. 형법 제170조 제2항의 '자기의 소유에 속하는 제166조 또는 제167조에 기재한 물건'에 '타인의 소유에 속하는 제167조에 기재한 물건'을 포함시키는 것은 법규정의 가능한 의미를 벗어난 것으로 유추해석금지원칙에 반한다.
다. 군형법 제74조에서 규정하는 군용물분실죄는 과실범에 적용되는 것으로, 행위자가 자신의 의사에 의한 재산적 처분행위를 함으로써 군용물의 소지를 상실한 경우에도 동(同) 규정을 적용하는 것은 유추해석금지원칙에 반한다.
라. 원동기장치자전거의 무면허운전죄와 관련한 도로교통법 제154조 제2호, 제43조의 해석상 '운전면허를 받지 아니하거나'라는 법률문언의 통상적인 의미에 '운전면허를 받았으나 그 후 운전면허의 효력이 정지된 경우'를 당연히 포함하여 해석하는 것은 유추해석금지원칙에 반하지 않는다.

① 없음　　② 1개
③ 2개　　④ 3개

지문분석 난이도 ㊤ 정답 ②

| 키 워 드 | 죄형법정주의
| 출제유형 | 개수 찾기

다. (○) **군용물을 편취당한 경우, 군형법 제74조 소정의 군용물분실죄의 성립 여부: 부정**
군형법 제74조 소정의 군용물분실죄라 함은 같은 조 소정의 군용에 공하는 물건을 보관할 책임이 있는 자가 선량한 보관자로서의 주의의무를 게을리하여 그의 '의사에 의하지 아니하고 물건의 소지를 상실'하는 소위 과실범을 말한다 할 것이므로, 군용물분실죄에서의 분실은 행위자의 의사에 의하지 아니하고 물건의 소지를 상실한 것을 의미한다고 할 것이며, 이 점에서 하자가 있기는 하지만 행위자의 의사에 기해 재산적 처분행위를 하여 재물의 점유를 상실함으로써 편취당한 것과는 구별된다고 할 것이고, 분실의 개념을 군용물의 소지 상실시 행위자의 의사가 개입되었는지의 여부에 관계없이 군용물의 보관책임이 있는 자가 결과적으로 군용물의 소지를 상실하는 모든 경우로 확장해석하거나 유추해석할 수는 없다(대법원 1999.7.9. 98도1719).

가. (X) 형법 제229조, 제228조 제1항의 규정과 형벌법규는 문언에 따라 엄격하게 해석하여야 하고 피고인에게 불리한 방향으로 지나치게 확장해석하거나 유추해석하여서는 아니 되는 원칙에 비추어 볼 때, 위 각 조항에서 규정한 '공정증서원본'에는 공정증서의 정본이 포함된다고 볼 수 없으므로 불실의 사실이 기재된 공정증서의 정본을 그 정을 모르는 법원 직원에게 교부한 행위는 형법 제229조의 불실기재공정증서원본행사죄에 해당하지 아니한다(대법원 2002.3.26. 2001도6503).

나. (X) 형법 제170조 제2항에서 말하는 '자기의 소유에 속하는 제166조 또는 제167조에 기재한 물건'이라 함은 '자기의 소유에 속하는 제166조에 기재한 물건 또는 자기의 소유에 속하든, 타인의 소유에 속하든 불문하고 제167조에 기재한 물건'을 의미하는 것이라고 해석하여야 하며, 제170조 제1항과 제2항의 관계로 보아서도 제166조에 기재한 물건(일반건조물 등) 중 타인의 소유에 속하는 것에 관하여는 제1항에서 규정하고 있기 때문에 제2항에서는 그중 자기의 소유에 속하는 것에 관하여 규정하고, 제167조에 기재한 물건에 관하여는 소유의 귀속을 불문하고 그 대상으로 삼아 규정하고 있는 것이라고 봄이 관련 조문을 전체적·종합적으로 해석하는 방법일 것이고, 이렇게 해석한다고 하더라도 그것이 법규정의 가능한 의미를 벗어나 법형성이나 법창조행위에 이른 것이라고는 할 수 없어 죄형법정주의의 원칙상 금지되는 유추해석이나 확장해석에 해당한다고 볼 수는 없을 것이다(대법원 1994.12.20. 94모32 전원합의체).
→ 피고인이 과실로 인하여 피해자의 사과나무를 소훼한 경우 '타인소유 일반물건실화죄'로 처벌할 수 있다는 판례이다.

라. (X) 도로교통법 제43조는 무면허운전 등을 금지하면서 "누구든지 제80조의 규정에 의하여 지방경찰청장으로부터 운전면허를 받지 아니하거나 운전면허의 효력이 정지된 경우에는 자동차 등을 운전하여서는 아니된다"고 정하여, 운전자의 금지사항으로 운전면허를 받지 아니한 경우와 운전면허의 효력이 정지된 경우를 구별하여 대등하게 나열하고 있다. 그렇다면 '운전면허를 받지 아니하고'라는 법률문언의 통상적인 의미에 '운전면허를 받았으나 그 후 운전면허의 효력이 정지된 경우'가 당연히 포함된다고는 해석할 수 없다(대법원 2011.8.25. 2011도7725).

25 0025

2019 해경 간부

다음은 죄형법정주의를 설명한 것이다. 옳은 것은 모두 몇 개인가? (다툼이 있으면 판례에 의함)

> ㉠ 일반음식점 영업자인 피고인이 주로 술과 안주를 판매함으로써 구 식품위생법상 준수사항을 위반하였다는 내용으로 기소된 사안에서 위 준수사항 중 '주류만을 판매하는 행위'에 안주류와 함께 주로 주류를 판매하는 행위도 포함된다고 해석하는 것은 죄형법정주의에 위배되지 아니한다.
> ㉡ 국가보안법 제7조 제5항에서 규정하고 있는 '소지'에 블로그, 미니 홈페이지, 카페 등의 이름으로 개설된 사적 인터넷 게시공간의 운영자가 사적 인터넷 게시공간에 게시된 타인의 글을 삭제할 권한이 있는데도 이를 삭제하지 아니하고 그대로 둔 경우를 포함하여 위 규정으로 처벌할 수 있다고 보는 것은 죄형법정주의 원칙상 금지되는 확장해석이나 유추해석이라고 할 수 없다.
> ㉢ 화물자동차로 형식승인을 받고 등록된 밴형 자동차를 구 자동차관리법 시행규칙에서 정한 승용 또는 승합자동차에 해당한다고 보는 것은 죄형법정주의에 반한다.
> ㉣ 총포·도검·화학류 등 단속법 시행령 제23조 제2항에서 정한 '쏘아 올리는 꽃불류의 사용'에 '설치행위'도 포함된다고 해석하는 것은 유추해석금지원칙에 어긋난다.

① 0개　② 1개
③ 2개　④ 3개

지문분석　난이도 ㊤ 정답 ②

| 키 워 드 | 죄형법정주의
| 출제유형 | 개수 찾기

㉢ (O) [1] 여객자동차 운수사업법 제81조 제1호에서 면허를 받지 아니하거나 등록을 하지 아니하고 경영하였을 때 처벌하는 '여객자동차운송사업'이라 함은 자동차관리법 제3조의 규정에 의한 승용자동차 및 승합자동차를 사용하여 유상으로 여객을 운송하는 사업을 말하고, 여객자동차에 해당하지 않는 자동차인 화물자동차, 특수자동차 또는 이륜자동차 등을 사용하여 유상으로 여객을 운송하는 행위는 위 여객자동차 운수사업법 관련 규정의 해석상 여객자동차운송사업에 포함되지 않는다.
[2] 화물자동차로 형식승인을 받고 등록된 밴형 자동차가 구 자동차관리법 시행규칙에서 정한 승용 또는 승합자동차에 해당하지 않는다(대법원 2004.11.18. 2004도1228 전원합의체).
→ 피고인이 승용 또는 승합자동차로 볼 수 없는 위 카니발 6밴 화물자동차를 사용하여 면허를 받지 아니하고 유상으로 여객을 운송하였다고 하더라도, 그와 같은 행위는 여객자동차 운수사업법 제81조 제1호 소정의 여객자동차운송사업에 해당한다고 볼 수 없다는 판례이다.

㉠ (X) 일반음식점 영업자인 피고인이 바텐더 형태의 영업장에서 주로 술과 안주를 판매함으로써 구 식품위생법(2010.1.18. 법률 제9932호로 개정되기 전의 것)상 준수사항을 위반하였다는 내용으로 기소된 사안에서, 위 준수사항 중 '주류만을 판매하는 행위'에는 일반음식점영업 허가를 받고 안주류와 함께 주로 주류를 판매하는 행위도 포함된다고 해석하여 유죄를 인정한 원심판결에 관계 법령의 해석 및 죄형법정주의에 관한 법리오해의 위법이 있다(대법원 2012.6.28. 2011도15097).
→ '주류만을 판매하는 행위'에는 '안주류와 함께 주로 주류를 판매하는 행위'는 포함되지 않는다는 판례이다.

㉡ (X) 죄형법정주의로부터 파생된 유추해석금지원칙과 국가보안법 제1조 제2항, 제7조 제1항, 제5항에 비추어 볼 때, '블로그', '미니 홈페이지', '카페' 등의 이름으로 개설된 사적 인터넷 게시공간의 운영자가 사적 인터넷 게시공간에 게시된 타인의 글을 삭제할 권한이 있는데도 이를 삭제하지 아니하고 그대로 두었다는 사정만으로 사적 인터넷 게시공간의 운영자가 타인의 글을 국가보안법 제7조 제5항에서 규정하는 바와 같이 '소지'하였다고 볼 수는 없다(대법원 2012.1.27. 2010도8336).

㉣ (X) 총포·도검·화약류 등 단속법 제72조 제6호, 제18조 제4항 및 같은 법 시행령 제23조의 입법목적이 꽃불류의 설치 및 사용과정에서의 안전관리상의 주의의무 위반으로 인한 위험과 재해를 방지하고자 하는 것으로, 다른 꽃불류에 비하여 위험성의 정도가 높은 쏘아 올리는 꽃불류의 경우에는 같은 법 시행령 제23조 제1항 각 호에서 정한 기준을 준수하는 것만으로는 위와 같은 입법목적을 달성하기 어렵다고 보아 제2항에서 그 사용을 화약류관리보안책임자의 책임하에 하여야 한다고 별도로 규정하고 있는 것으로 보이는 점 등에 비추어, 위 법 시행령 제23조 제2항에서의 '사용'에는 쏘아 올리는 꽃불류의 '설치행위'도 포함되는 것으로 해석되고, 이러한 해석이 형벌법규의 명확성의 원칙에 반하는 것이거나 죄형법정주의에 의하여 금지되는 확장해석이나 유추해석에 해당하는 것으로 볼 수는 없다(대법원 2010.5.13. 2009도13332).

26 0026

2017 해경 간부

다음 죄형법정주의에 대한 설명 중 가장 옳지 않은 것은? (다툼이 있는 경우 판례에 의함)

① 형벌불소급 원칙은 '행위의 가벌성', 즉 형사소추가 '언제부터 어떠한 조건하에서' 가능한가의 문제에 관한 것이고, '얼마 동안' 가능한가의 문제에 관한 것은 아니다.
② "약국 개설자가 아니면 의약품을 판매하거나 판매 목적으로 취득할 수 없다."고 규정한 구 약사법 제44조 제1항의 '판매'에 무상으로 의약품을 양도하는 '수여'를 포함시키는 해석은 죄형법정주의에 위배되지 아니한다.
③ 공익을 해할 목적으로 전기통신설비에 의하여 공연히 허위의 통신을 한 자를 형사처벌하는 전기통신기본법 제47조 제1항은 죄형법정주의의 명확성원칙에 위반되지 않는다.
④ 외국환관리규정에 규정된 '도박 기타 범죄 등 선량한 풍속 및 사회질서에 반하는 행위'는 그 구성요건 요소에 해당하는 행위유형을 정형화하거나 한정할 합리적 해석기준을 찾기 어려우므로, 형벌법규의 명확성의 원칙에 반한다.

지문분석 난이도 중 정답 ③

| 키 워 드 | 죄형법정주의

| 출제유형 | 틀린 지문 고르기

③ (X) 이 사건 법률조항(전기통신기본법 제47조 제1항)은 수범자인 국민에 대하여 일반적으로 허용되는 '허위의 통신' 가운데 어떤 목적의 통신이 금지되는 것인지 고지하여 주지 못하고 있으므로 표현의 자유에서 요구하는 명확성의 요청 및 죄형법정주의의 명확성원칙에 위배하여 헌법에 위반된다(헌법재판소 2010.12.28. 2008헌바157 결정).
① (○) 헌법재판소 1996.2.16. 96헌가2 결정
② (○) 대법원 2011.10.13. 2011도6287
④ (○) 대법원 1998.6.18. 97도2231 전원합의체

✓ 개념체크 **구 전기통신기본법 제47조(벌칙)**

① 공익을 해할 목적으로 전기통신설비에 의하여 공연히 허위의 통신을 한 자는 5년 이하의 징역 또는 5천만원 이하의 벌금에 처한다.

CHAPTER 02 형법의 적용범위

■ 기본서 연계페이지: p.68~85 ■ 문항 수: 18문항

01 0027 2008 경찰 2차

다음 중 판례에 의할 때 형법 제1조 제2항이 적용되는 경우는?

㉠ 재산명시신청절차에서 정당한 사유 없이 명시기일에 출석하지 아니한 자에 대하여 형벌 대신 감치에 처하도록 법령이 개정된 경우
㉡ 누설한 군사기밀이 누설행위 이후에 평문으로 저하되거나 군사기밀에서 해제된 경우
㉢ 부정한 방법으로 수입승인을 얻어 내어 수입면허를 받은 물품에 대하여 사후에 그 수입승인조건에 변경이 있는 경우
㉣ 건축법 시행령의 개정으로 소규모 종교집회장에 대하여 용도변경의 허가를 받지 않아도 되는 것으로 변경된 경우
㉤ 유해화학물질관리법 제6조 제1항의 신고대상에서 제외되는 화학물질에 관한 환경처 고시가 위반행위 이후에 변경되어 신고대상에서 제외되게 된 경우
㉥ 자동차관리법 시행규칙의 개정으로 폐차업자는 폐차시 원동기를 압축·파쇄 또는 절단하지 않고 원동기 등 기능성 장치를 재사용할 수 있도록 변경된 경우

① 1개 ② 2개
③ 3개 ④ 4개

지문분석 난이도 ㊤ 정답 ③

| 키 워 드 | 형법의 적용범위
| 출제유형 | 개수 찾기

형법 제1조 제2항이 적용되는 경우란 추급효를 부정하는 경우(가벌성 소멸 ○ = 반성적 조치), 즉 재판시법이 적용되는 것을 의미한다. ㉡, ㉢, ㉤은 모두 제1조 제1항이 적용되는 경우이다.

㉠ (○) 정당한 사유 없이 명시기일에 출석하지 아니한 자에 대하여, 구 민사소송법(2002.1.26. 법률 제6626호로 개정되기 전의 것) 제524조의8 제1항은 3년 이하의 징역 또는 500만원 이하의 벌금에 처하도록 규정하고 있었으나, 2002.7.1.부터 시행된 민사집행법(2002.1.26. 법률 제6627호로 제정)은 민사채무불이행에 대한 간접강제수단으로서의 성격을 가지고 있는 재산명시신청에 성실히 응하지 아니한 채무자에 대하여 바로 형벌을 과하는 것이 부당하다는 반성적 고려에서 위와 같은 형벌조항 대신에 민사집행법상의 특수한 처벌인 감치규정을 신설하여 그 법 제68조 제1항 제1호에서 법원의 결정으로 20일 이내의 감치에 처하도록 규정하였는바, 민사집행법 부칙 등 어디에도 그 법 시행 전의 행위에 대한 벌칙의 적용에 있어서는 종전의 규정에 의한다는 명시적 규정을 두지 아니한 이상, 위와 같은 법률의 변경은 형사소송법 제326조 제4호의 범죄 후의 법령개폐로 형이 폐지되었을 때에 해당한다(대법원 2002.8.27. 2002도2086).

㉣ (○) 피고인의 건축법위반행위가 범행 당시에는 구 건축법(1991.5.31. 법률 제4381호로 개정되기 전의 것) 제55조 제3호, 제7조의3 제1항에 해당되어 처벌받도록 규정되어 있었으나, 그 후 재판 당시에는 같은 법률의 개정된 시행령에 의하여 당해 용도에 쓰이는 바닥면적 300m² 미만의 종교집회장과 대중음식점은 허가를 받아야 하는 용도변경이 아닌 것으로 변경되었다면, 이는 소규모 종교집회장에 대하여 특별히 용도변경의 허가를 받지 않아도 되는데 이를 처벌대상으로 삼은 종전의 조치가 부당하다는 데서 나온 반성적 조치라고 보아야 할 것이므로 범죄 후 법령의 개정으로 형이 폐지된 경우에 해당한다(대법원 1992.11.27. 92도2106).

㉥ (○) 구 자동차관리법 시행규칙(2003.1.2. 건설교통부령 제346호로 개정되기 전의 것) 제138조 제1항 제1호가 삭제되면서 제138조 제3항, 제4항이 신설되어 폐차 과정에서 회수되어 자동차 수리용으로 재사용되는 중고 부품은 자동차안전기준 등에 저촉되지 아니하여야 하고, 폐차업자는 재사용되는 원동기 등 기능성장치 또는 부품에 업체명, 전화번호, 사용된 차종, 그 형식 및 연식, 부품의 명칭, 주행거리 등이 기재된 표지를 부착하도록 하였는데, 그 취지는 자동차 생산기술의 발달로 그 부품의 성능과 품질이 향상됨에 따라 폐차되는 자동차의 원동기를 재사용할 필요가 있고 이를 일정한 조건 아래에서 허용하더라도 별다른 문제가 발생할 여지가 많지 않음에도 불구하고 폐차시 원동기를 압축·파쇄 또는 절단하도록 한 종전의 조치가 부당하다는 데에서 나온 반성적 조치라고 보아야 한다(대법원 2003.10.10. 2003도2770).

㉡ (X) 군사기밀보호법 제13조 제1항 소정의 '업무'라 함은 직업 또는 직무로서 계속적으로 행하는 일정한 사무를 통칭하고 그 직업, 직무는 법령에 의하든, 관례에 의하든, 계약에 의하든 관계없고, '업무로 인하여 알게 되거나'의 의미는 업무에 기인하여 당연히 알고 있는 것으로, 알고 있는 이유가 반드시 군사기밀인 사항을 주재하는 것을 요하지 않으며 그 일에 참여하고 또는 상관의 명령에 의해 조사에 종사하는 등으로 인해 알게 된 것도 모두 업무로 인하여 알게 된 것으로 볼 수 있으며, '업무로 인하여 점유한'의 의미는 업무에 기인하여 입수하고 있는 것으로 군사상의 비밀인 물건의 보관을 직무 또는 영업으로 하는 경우에 한하지 않고 또 반드시 주재할 필요도 없으며, 단지 그 일에 참여한 경우도 포함된다. 누설한 군사기밀사항이 누설행위 이후 평문으로 저하되었거나 군사기밀이 해제되었다고 하더라도 이를 법률의 변경으로 볼 수 없으므로 재판시법적용 여부가 문제될 여지는 없다(대법원 2000.1.28. 99도4022).

㉢ (X) 형을 종전보다 가볍게 형벌법규를 개정하면서 그 부칙으로 개정 전의 범죄에 대하여는 종전의 형벌법규를 추급하여 적용하도록 규정한다 하여 죄형법정주의에 반하거나 범죄 후 형의 변경이 있는 경우라 할 수 없으므로 형법 제1조 제2항 소정의 신법우선주의가 적용될 여지가 없다. 이미 부정한 방법으로 수입승인을 얻어 내어 수입면허를 받은 물품에 대하여 사후에 그 수입승인조건에 변경이 있다 하여 범죄 후 형의 폐지나 변경에 해당한다고 볼 수 없다(대법원 1995.1.24. 94도2787).

㉤ (X) 유해화학물질관리법 제6조 제1항의 신고대상에서 제외되는 화학물질에 관한 환경처 고시의 변경이, 법률이념의 변천으로 종래의 규정에 따른 처벌 자체가 부당하다는 반성적 고려에서 비롯된 것이라기보다는 통관절차의 간소화와 통관업무부담의 경감 등 그때그때의 특수한 필요에 대처하기 위한 조치에 따른 것이므로, 고시가 변경되기 이전에 범하여진 위반행위에 대한 가벌성이 소멸되는 것은 아니다(대법원 1994.4.12. 94도221).

02 0028

2011 경찰 2차

형법의 시간적 적용범위와 관련된 내용으로 가장 적절하지 않은 것은? (다툼이 있으면 판례에 의함)

① 대법원은 한시법의 추급효를 부정하고 있다.
② 소급효금지의 원칙은 행위자를 위한 보호규범이다.
③ 한시법의 추급효에 관하여 우리 형법에서는 명문 규정을 두고 있지 않다.
④ 형의 경중의 비교는 원칙적으로 법정형을 표준으로 할 것이고 법정형의 경중을 비교함에 있어서 법정형 중 병과형 또는 선택형이 있을 때에는 이 중 가장 중한 형을 기준으로 하여 다른 형과 경중을 정하는 것이 원칙이다.

지문분석

난이도 ㉻ 정답 ①

| 키 워 드 | 형법의 적용범위
| 출제유형 | 틀린 지문 고르기

① (X) 계엄이 선포되었다가 해제되어 계엄포고문이 그 효력을 상실하게 되는 것과 같이 법률 이념의 변경에 의한 것이 아니고 계엄의 목적수행 등 사정의 변천에 따라 그때의 특수한 필요에 대처하기 위하여 계엄령이 해제되어 계엄포고문이 개폐되는 결과를 초래하게 되는 데 불과한 경우에 있어서는 계엄선포 당시의 상황에서 범해진 위반행위에 대한 가벌성을 소멸시키거나 축소시킬 아무런 이유가 없다고 할 것이므로 비록 계엄령의 해제로 계엄포고문이 개폐되었다고 하더라도 행위 당시의 계엄법 및 계엄선포문에 따라 그 위반 행위는 처벌되어야 한다(대법원 1982.10.26. 82도1861).
→ 대법원은 한시법의 추급효 인정 여부에 대하여 '법률이념과 변천에 따른 반성적 고려'에 의한 것인지를 기준으로 한다. 또한 우리 판례는 한시법뿐만 아니라 형법 제1조 제2항, 제3항의 적용에서도 동기설에 입각하고 있다.
② (O) 소급효금지의 원칙은 행위자(피고인)를 보호하기 위한 원칙이다(형법 제1조 제1항). 단, 행위자에게 유리한 경우는 예외적으로 소급효가 인정된다(형법 제1조 제2항·제3항).
③ (O) 한시법의 추급효에 관하여 우리 형법에서는 명문 규정을 두고 있지 않다. 명문 규정이 있으면 당연히 추급효가 인정되므로, 명문 규정이 없을 때 추급효 인정 여부가 문제된다.
④ (O) 형의 경중의 비교는 ㉠ 원칙적으로 법정형을 표준으로 할 것이고, ㉡ 처단형이나 선고형에 의할 것이 아니며, ㉢ 법정형의 경중을 비교함에 있어서 법정형 중 병과형 또는 선택형이 있을 때에는 이 중 가장 중한 형을 기준으로 하여 다른 형과 경중을 정하는 것이 원칙이다(대법원 1992.11.13. 92도2194).

03 0029

2012 경찰 2차

법률의 변경에 의해 구법과 신법의 형의 경중에 차이가 있는 경우에 관한 다음 설명 중 가장 옳은 것은? (다툼이 있는 경우 판례에 의함)

① 사람을 불법하게 감금하고 있는 중에 감금죄의 법정형을 무겁게 하는 법개정이 행해져서 시행된 경우에는 구법이 적용된다.
② 강도죄를 범한 후 강도죄의 법정형을 가볍게 하는 법개정이 행해져서 시행된 후에 다시 그 법정형을 무겁게 하는 법개정이 행해져서 시행된 경우, 두 번째 법개정에 의한 법정형이 행위시의 법정형보다도 가벼운 때에는 최신법인 두 번째 개정법이 적용된다.
③ 강간죄를 범한 후 강간죄에 관해서 징역형 자체는 변경되지 않고 벌금형이 선택형으로 추가되는 법개정이 행해져서 시행된 경우에는 신법이 적용된다.
④ 甲과 乙이 피해자 A로부터 금원을 사취할 것을 공모한 다음 우선 甲이 A를 기망한 후에 사기죄의 법정형을 가볍게 하는 법개정이 행해져서 시행되었고, 그 후에 계속해서 乙이 甲의 기망행위에 의해 착오에 빠진 A로부터 금원을 교부받은 경우에 甲에게는 구법이 적용되고 乙에게는 신법이 적용된다.

지문분석

난이도 ㉪ 정답 ③

| 키 워 드 | 형법의 적용범위
| 출제유형 | 옳은 지문 고르기

③ (O) 범죄 후 법개정으로 징역형 자체는 변경되지 않고 벌금형이 선택형으로 추가되는 경우 형이 가볍게 변경된 것이므로 신법이 적용된다.
① (X) 감금죄는 계속범으로 포괄일죄이며 범죄실행 중 법률의 변경의 경우 제1조 제1항이 적용된다.
② (X) 행위시와 재판시 사이에 수차 법령의 변경이 있는 경우에는 이 점에 관한 당사자의 주장이 없더라도 본조 제2항에 의하여 직권으로 행위시법과 제1, 2 심판시법의 세 가지 규정에 의한 형의 경중을 비교하여 그중 가장 형이 경한 법규정을 적용하여 심판하여야 한다(대법원 1968.12.17. 68도1324).
→ 사안은 행위시법, 첫 번째 개정법, 두 번째 개정법 세 가지가 있고, 이 중 첫 번째 개정법의 형이 가장 경하므로 첫 번째 개정법이 적용된다.
④ (X) 제1조 제2항의 '범죄 후 법률의 변경'에서 '범죄 후'란 실행행위 종료 후를 의미하고 결과 발생 이후일 필요는 없다. 사안에서 甲과 乙은 사기죄의 공동정범이고 공범자 중 1인인 甲의 실행행위 종료로 공범자들의 실행행위는 종료되었다(일부실행, 전부책임). 즉, 甲의 실행행위(기망행위) 종료 후 법정형을 가볍게 하는 법개정이 행해졌고 乙의 결과 발생(금원을 교부받은 경우)이 있었으므로 이는 제1조 제2항의 요건을 충족하여 甲과 乙 모두에게 유리한 신법을 적용한다.

04 0030 2014 경찰 1차

다음 중 옳은 것(O)과 옳지 않은 것(X)을 바르게 연결한 것은?
(다툼이 있으면 판례에 의함)

> ㉠ 카지노의 외국인 출입이 허용된 필리핀에서 카지노에 들어가 도박을 한 대한민국 국적자에게는 대한민국 형법이 적용될 수 없다.
> ㉡ 캐나다 시민권자가 캐나다에서 위조사문서를 행사하였다는 내용으로 기소된 경우 대한민국 법원은 그에 대해 재판권이 없다.
> ㉢ 중국 국적자가 중국에서 대한민국 국적 주식회사의 인장을 위조한 경우에는 외국인의 국외범으로 대한민국 법원은 그에 대해 재판권이 없다.
> ㉣ 외국인이 대한민국 공무원에게 알선한다는 명목으로 금품을 수수하는 행위가 대한민국 영역 내에서 이루어진 이상, 비록 금품수수의 명목이 된 알선행위를 하는 장소가 대한민국 영역 외라 하더라도 대한민국 영역 내에서 죄를 범한 것이라고 하여야 할 것이므로, 구 변호사법(2000.1.28. 법률 제6207호로 전문개정되기 전의 것) 제90조 제1호가 적용되어야 한다.

① ㉠ (O), ㉡ (O), ㉢ (O), ㉣ (O)
② ㉠ (X), ㉡ (O), ㉢ (O), ㉣ (O)
③ ㉠ (X), ㉡ (X), ㉢ (O), ㉣ (X)
④ ㉠ (X), ㉡ (O), ㉢ (X), ㉣ (X)

지문분석

난이도 중 정답 ②

| 키 워 드 | 형법의 적용범위
| 출제유형 | 옳고 그름의 표시(O, X)하기

㉠ (X) 형법 제3조는 "본법은 대한민국 영역 외에서 죄를 범한 내국인에게 적용한다."라고 하여 형법의 적용범위에 관한 속인주의를 규정하고 있는 바, 필리핀국에서 카지노의 외국인 출입이 허용되어 있다 하여도, 형법 제3조에 따라, 필리핀국에서 도박을 한 피고인에게 우리나라 형법이 당연히 적용된다(대법원 2001.9.25. 99도3337).

㉡ (O) [1] 캐나다 시민권자인 피고인이 캐나다에서 위조사문서를 행사하였다는 내용으로 기소된 사안에서, 외국인 국외범으로서 우리나라에 재판권이 있다고 보아 유죄를 인정한 원심판결에 재판권 인정에 관한 법리오해의 위법이 있다.
[2] 형법 제6조의 '대한민국 또는 대한민국 국민에 대하여 죄를 범한 때'란 대한민국 또는 대한민국 국민의 법익이 직접적으로 침해되는 결과를 야기하는 죄를 범한 경우를 의미한다(대법원 2011.8.25. 2011도6507).
→ 위조사문서행사를 형법 제6조의 대한민국 또는 대한민국 국민의 법익을 직접적으로 침해하는 행위라고 볼 수 없으므로 우리나라에 재판권이 없다는 판결이다.

㉢ (O) 형법 제239조 제1항의 사인위조죄는 형법 제6조의 대한민국 또는 대한민국 국민에 대하여 범한 죄에 해당하지 아니하므로 중국 국적자가 중국에서 대한민국 국적 주식회사의 인장을 위조한 경우에는 외국인의 국외범으로서 그에 대하여 재판권이 없다(대법원 2002.11.26. 2002도4929).

㉣ (O) 외국인이 대한민국 공무원에게 알선한다는 명목으로 금품을 수수하는 행위가 대한민국 영역 내에서 이루어진 이상, 비록 금품수수의 명목이 된 알선행위를 하는 장소가 대한민국 영역 외라 하더라도 대한민국 영역 내에서 죄를 범한 것이라고 하여야 할 것이므로, 형법 제2조에 의하여 대한민국의 형벌법규인 구 변호사법 제90조 제1호가 적용되어야 한다(대법원 2000.4.21. 99도3403).

05 0031

2014 경찰 2차

형벌규정의 적용에 관한 다음 설명 중 가장 적절하지 않은 것은? (다툼이 있으면 판례에 의함)

① 포괄일죄로 되는 개개의 범죄행위가 법률 개정의 전·후에 걸쳐서 행하여진 경우에는 신·구법의 법정형에 대한 경중을 비교하여 볼 필요도 없이 범죄실행 종료시의 법이라고 할 수 있는 신법을 적용하여 포괄일죄로 처단하여야 한다.

② 범죄 후 법률의 변경에 의하여 형이 구법보다 경한 때에는 신법에 의한다고 규정하고 있으나 신법에 경과규정을 두어 이러한 신법의 적용을 배제하는 것도 허용된다.

③ 범죄 후 법률의 변경에 의하여 신법의 형이 구법보다 경한 경우에도 공소시효기간의 기준은 행위시법인 구법의 법정형이 된다.

④ 대법원 양형위원회가 설정한 '양형기준'이 발효하기 전에 공소가 제기된 범죄에 대하여 위 양형기준을 참고하여 형을 양정한 경우에도 피고인에게 불리한 법률을 소급적용한 위법이 있는 것은 아니다.

지문분석

난이도 중 정답 ③

| 키 워 드 | 형법의 적용범위

| 출제유형 | 틀린 지문 고르기

③ (X) 범죄 후 법률의 개정에 의하여 법정형이 가벼워진 경우에는 형법 제1조 제2항에 의하여 당해 범죄사실에 적용될 가벼운 법정형(신법의 법정형)이 공소시효기간의 기준이 된다(대법원 2008.12.11. 2008도4376).

① (O) 대법원 1998.2.24. 97도183

② (O) 대법원 1999.7.9. 99도1695

④ (O) 대법원 양형위원회가 설정한 '양형기준'이 발효하기 전에 공소가 제기된 범죄에 대하여 위 '양형기준'을 참고하여 형을 양정한 사안에서, 피고인에게 불리한 법률을 소급하여 적용한 위법이 있다고 할 수 없다(대법원 2009.12.10. 2009도11448).

06 0032

2017 경찰 1차

다음 중 형법 제1조 제2항에 의하여 신법이 적용되는 경우가 아닌 것은? (다툼이 있는 경우 판례에 의함)

① 구 정보통신망 이용촉진 및 정보보호 등에 관한 법률 제66조의 양벌규정은 법인에 대한 면책규정을 두지 아니하였는데, 같은 법률이 개정되면서 면책규정이 추가된 경우

② 후원회의 연간 모금한도액에 전년도 이월금을 포함시키지 않는 것으로 정치자금법 규정을 개정한 경우

③ '납세의무자가 정당한 사유 없이 1회계연도에 3회 이상 체납하는 경우'를 처벌하는 구 조세범 처벌법 제10조가 삭제된 경우

④ 형법 제257조 제1항(상해)의 가중적 구성요건을 규정하고 있던 구 폭력행위 등 처벌에 관한 법률 제3조 제1항을 삭제하는 대신 같은 구성요건을 형법 제258조의2 제1항(특수상해)에 신설하면서 법정형을 구 폭력행위 등 처벌에 관한 법률 제3조 제1항보다 낮게 규정한 경우

지문분석

난이도 중 정답 ③

| 키 워 드 | 형법의 적용범위

| 출제유형 | 틀린 지문 고르기

③ (X) '납세의무자가 정당한 사유 없이 1회계연도에 3회 이상 체납하는 경우'를 처벌하는 구 조세범 처벌법 제10조의 삭제는 경제·사회적 여건 변화를 반영한 정책적 조치에 따른 것으로 보일 뿐 법률이념의 변천에 따른 반성적 고려에서 비롯된 것이라고 보기 어려우므로, 위 규정 삭제 이전에 범한 위반행위의 가벌성이 소멸되지 않는다(대법원 2011.7.14. 2011도1303).

→ 형법 제1조 제1항, 즉 구법(행위시법)이 적용된다.

① (O) **구 정보통신망 이용촉진 및 정보보호 등에 관한 법률의 양벌규정이 개정되어 법인에 대한 면책규정이 추가된 것이 형법 제1조 제2항에서 정한 '범죄 후 법률의 변경에 의하여 그 행위가 범죄를 구성하지 아니하거나 형이 구법보다 경한 경우'에 해당하는지 여부: 인정**

구 정보통신망 이용촉진 및 정보보호 등에 관한 법률 제66조의 양벌규정은 법인에 대한 면책규정을 두지 아니하였는데, 2010.3.17. 법률 제10138호로 개정되면서 같은 조 단서에 법인이 그 대리인, 사용인, 그 밖의 종업원의 위반행위를 방지하기 위하여 해당 업무에 관하여 상당한 주의와 감독을 게을리하지 아니한 경우에는 법인을 처벌하지 아니하도록 하는 면책규정이 추가되었는바, 이는 범죄 후 법률의 변경에 의하여 그 행위가 범죄를 구성하지 아니하거나 형이 구법보다 경한 경우에 해당한다고 할 것이어서 형법 제1조 제2항에 따라 피고인에게는 위와 같이 개정된 정보통신망 이용촉진 및 정보보호 등에 관한 법률의 양벌규정이 적용되어야 할 것이다(대법원 2012.5.9. 2011도11264).

② (O) **후원회의 연간 모금한도액에 전년도 이월금을 포함시키지 않는 것으로 정치자금법 규정을 개정한 취지가 구법의 처벌규정이 부당하다는 데에서 나온 반성적 조치인지 여부: 인정**

행위시법인 구 정치자금법 제12조 제1항에 따라 2004년도 이월금을 포함한 연간 모금한도액 1억 5천만원을 초과한 이후의 모금행위가 구 정치자금법에 따른 범죄구성요건에 해당된다고 하더라도, 그 후 2006.3.2. 개정된 정치자금법이 전년도 이월금을 연간 모금한도액에서 제외하는 것으로 규정하면서 경과규정을 별도로 두지 않고 있는 점에 비추어 볼 때, 그 개정 취지는 범죄구성요건인 연간 모금한도액을 규정함에 있어 전년도 이월금을 포함하도록 하고 있는 구법의 처벌규정이 부당하다는

데에서 나온 반성적 조치라고 봄이 상당하므로, 이 사건 공소사실 중 2004년도 이월금에 해당하는 한도초과 모금행위 부분은 형법 제1조 제2항의 '범죄 후 법령의 변경에 의하여 그 행위가 범죄를 구성하지 아니한 때'에 해당한다고 보아야 할 것이다(대법원 2010.7.15. 2007도7523).

④ (○) **형법 제257조 제1항의 가중적 구성요건을 규정하고 있던 구 폭력행위 등 처벌에 관한 법률 제3조 제1항을 삭제하는 대신 같은 구성요건을 형법 제258조의2 제1항에 신설하면서 법정형을 구 폭력행위 등 처벌에 관한 법률 제3조 제1항보다 낮게 규정한 것이 종전의 형벌규정이 과중하다는 데에서 나온 반성적 조치로서 형법 제1조 제2항의 '범죄 후 법률의 변경에 의하여 형이 구법보다 경한 때'에 해당하는지 여부: 인정**
형법 제257조 제1항의 가중적 구성요건을 규정하고 있던 구 폭력행위처벌법 제3조 제1항을 삭제하는 대신에 같은 구성요건을 형법 제258조의2 제1항에 신설하면서 법정형을 구 폭력행위처벌법 제3조 제1항보다 낮게 규정한 것은, 가중적 구성요건의 표지가 가지는 일반적인 위험성을 고려하더라도 개별 범죄의 범행경위, 구체적인 행위태양과 법익침해의 정도 등이 매우 다양함에도 일률적으로 3년 이상의 유기징역으로 가중처벌하도록 한 종전의 형벌규정이 과중하다는 데에서 나온 반성적 조치라고 보아야 하므로, 이는 형법 제1조 제2항의 '범죄 후 법률의 변경에 의하여 형이 구법보다 경한 때'에 해당한다(대법원 2016.1.28. 2015도17907).

✓ 개념체크 **흉기나 그 밖의 위험한 물건을 휴대하여 상해한 경우 구법, 신법 비교**

- 구법
  폭력행위 등 처벌에 관한 법률 제3조 제1항(흉기휴대 등 상해): 3년 이상의 유기징역
- 신법
  형법 제258조의2(특수상해): 1년 이상 10년 이하의 징역

07 0033

2018 경찰 2차

형법의 적용범위에 대한 설명으로 가장 적절하지 않은 것은?
(다툼이 있는 경우 판례에 의함)

① 범죄 후 형벌법령이 개정되어 형이 기존보다 가볍게 변경되더라도 그것이 법률이념의 변천에 따라 과형이 과중하였다고 하는 반성적 고려에 기한 개정이 아닌 때에는 형법 제1조 제1항에 따라 행위 당시의 법령을 적용하여야 한다.
② 헌법재판소의 위헌결정으로 인하여 형벌에 관한 법률 또는 법률조항이 소급하여 그 효력을 상실한 경우에는 당해 법조를 적용하여 기소한 피고사건에 대해서는 면소판결이 아닌 무죄판결을 선고하여야 한다.
③ 미국인이 행사할 목적으로 미국에서 일본화폐인 엔화를 위조한 경우에는 대한민국 형법을 적용하여 처벌할 수 없다.
④ 한국인이 외국에서 죄를 지어 현지 법률에 따라 형의 전부 또는 일부의 집행을 받은 때에는 대한민국 법원은 그 집행된 형의 전부 또는 일부를 선고하는 형에 반드시 산입하여야 한다.

지문분석 난이도 중 정답 ③

| 키 워 드 | 형법의 적용범위
| 출제유형 | 틀린 지문 고르기

③ (X) 형법 제5조(외국인의 국외범) 제4호(통화에 관한 죄)에 의해 대한민국 형법을 적용하여 처벌할 수 있다.
① (○) 대법원 1997.12.9. 97도2682
② (○) 대법원 1992.5.8. 91도2825
④ (○) 형법 제7조

✓ 개념체크 **형법 제5조(외국인의 국외범)**

본법은 대한민국 영역 외에서 다음에 기재한 죄를 범한 외국인에게 적용한다.
1. 내란의 죄
2. 외환의 죄
3. 국기에 관한 죄
4. 통화에 관한 죄
5. 유가증권, 우표와 인지에 관한 죄
6. 문서에 관한 죄 중 제225조 내지 제230조
7. 인장에 관한 죄 중 제238조

08 0034

2018 경찰 3차

형법의 적용범위에 대한 설명으로 가장 적절하지 않은 것은? (다툼이 있는 경우 판례에 의함)

① 죄를 지어 외국에서 형의 전부 또는 일부가 집행된 사람에 대해서는 그 집행된 형의 전부 또는 일부를 선고하는 형에 산입한다.
② 포괄일죄로 되는 개개의 범죄행위가 법 개정의 전후에 걸쳐서 행하여진 경우에는 신·구법의 법정형에 대한 경중을 비교하여 볼 필요도 없이 범죄 실행 종료시의 법이라고 할 수 있는 신법을 적용하여 포괄일죄로 처단하여야 한다.
③ 형벌에 관한 법률조항에 대하여 위헌결정이 선고된 경우 당해 조항을 적용하여 공소가 제기된 피고사건은 '범죄 후 법령 개폐로 형이 폐지되었을 때'에 해당한다고 볼 수 있으므로, 형사소송법 제326조 제4호에 따라 면소를 선고하여야 한다.
④ 형법 제1조 제2항의 규정은 형벌법령 제정의 이유가 된 법률이념의 변천에 따라 과거에 범죄로 보던 행위에 대하여 그 평가가 달라져 이를 범죄로 인정하고 처벌한 그 자체가 부당하였다거나 또는 과형이 과중하였다는 반성적 고려에서 법령을 개폐하였을 경우에 적용하여야 한다.

09 0035

2019 경찰 1차

형법의 해석과 적용에 관한 설명 중 옳지 않은 것은? (다툼이 있는 경우 판례에 의함)

① 형법의 총칙은 다른 법령에 정한 죄에 적용되지만, 그 법령에 특별한 규정이 있는 때에는 예외로 한다.
② 재판확정 후 법률의 변경에 의하여 그 행위가 범죄를 구성하지 아니하는 때에는 형의 집행을 면제한다.
③ 외국에서 미결구금되었다가 무죄판결을 받은 사람은 형법 제7조의 '외국에서 형의 전부 또는 일부가 집행된 사람'에 해당한다.
④ 특수폭행치상죄의 경우 형법 제258조의2의 특수상해죄의 신설에도 불구하고 종전과 같이 형법 제257조 제1항의 상해죄의 예에 의하여 처벌하는 것으로 해석하여야 한다.

지문분석 (08)

난이도 중 정답 ③

| 키 워 드 | 형법의 적용범위
| 출제유형 | 틀린 지문 고르기

③ (X) 법원은, 형벌에 관한 법령이 헌법재판소의 위헌결정으로 인하여 소급하여 그 효력을 상실하였거나 법원에서 위헌·무효로 선언된 경우, 당해 법령을 적용하여 공소가 제기된 피고사건에 대하여 같은 법 제325조에 따라 '무죄'를 선고하여야 한다(대법원 2010.12.16. 2010도5986 전원합의체).
① (O) 형법 제7조
② (O) 대법원 1998.2.24. 97도183
④ (O) 형법 제1조 제2항의 규정은 ㉠ 형벌법령 제정의 이유가 된 법률이념의 변천에 따라 과거에 범죄로 보던 행위에 대하여 그 평가가 달라져 이를 범죄로 인정하고 처벌한 그 자체가 부당하였다거나 또는 과형이 과중하였다는 반성적 고려에서 법령을 개폐하였을 경우에 적용하여야 할 것이고, ㉡ 이와 같은 법률이념의 변경에 의한 것이 아닌 다른 사정의 변천에 따라 그때그때의 특수한 필요에 대처하기 위하여 법령을 개폐하는 경우에는 이미 그 전에 성립한 위법행위는 현재에 관찰하여서도 여전히 가벌성이 있는 것이어서 그 법령이 개폐되었다 하더라도 그에 대한 형이 폐지된 것이라고 할 수는 없다(대법원 2005.12.23. 2005도747).

지문분석 (09)

난이도 하 정답 ③

| 키 워 드 | 형법의 적용범위
| 출제유형 | 틀린 지문 고르기

③ (X) [1] '외국에서 형의 전부 또는 일부가 집행된 사람'이란 문언과 취지에 비추어 '외국 법원의 유죄판결에 의하여 자유형이나 벌금형 등 형의 전부 또는 일부가 실제로 집행된 사람'을 말한다고 해석하여야 한다.
[2] 형사사건으로 외국 법원에 기소되었다가 무죄판결을 받은 사람은, 설령 그가 무죄판결을 받기까지 상당 기간 '미결구금되었더라도' 이를 유죄판결에 의하여 형이 실제로 집행된 것으로 볼 수는 없으므로, '외국에서 형의 전부 또는 일부가 집행된 사람'에 해당한다고 볼 수 없고, 그 미결구금 기간은 형법 제7조에 의한 산입의 대상이 될 수 없다(대법원 2017.8.24. 2017도5977 전원합의체).
① (O) 형법 제8조
② (O) 형법 제1조 제3항
④ (O) 대법원 2018.7.24. 2018도3443
→ 특수상해죄가 신설되었지만, 특수폭행치상의 경우 특수상해죄가 아니라 상해죄의 예에 의하여 처벌해야 한다는 판결이다.

✔ 개념체크 형법 제1조(범죄의 성립과 처벌)

① 범죄의 성립과 처벌은 행위 시의 법률에 따른다.
② 범죄 후 법률이 변경되어 그 행위가 범죄를 구성하지 아니하게 되거나 형이 구법보다 가벼워진 경우에는 신법에 따른다.
③ 재판이 확정된 후 법률이 변경되어 그 행위가 범죄를 구성하지 아니하게 된 경우에는 형의 집행을 면제한다.

10 0036

2019 경찰 2차

형법의 적용범위에 관한 설명으로 가장 적절하지 않은 것은? (다툼이 있는 경우 판례에 의함)

① 행위시와 재판시 사이에 법률이 수차례 변경된 때에는 언제나 가장 최근의 신법을 적용해야 한다.
② 죄를 지어 외국에서 형의 전부 또는 일부가 집행된 사람에 대해서는 그 집행된 형의 전부 또는 일부를 선고하는 형에 산입한다.
③ 피고인이 뉴질랜드 시민권을 취득함으로써 우리나라 국적을 상실한 후 뉴질랜드에서 대한민국 국민에 대해 사기죄를 범한 경우, 행위지의 법률에 의하여 범죄를 구성하고 그에 대한 소추나 형의 집행이 면제되지 않은 경우에 한하여 형법 제6조(보호주의)에 따라 우리 형법을 적용할 수 있다.
④ 형법은 세계주의에 관한 규정을 두고 있다.

지문분석 난이도 중 정답 ①

| 키 워 드 | 형법의 적용범위
| 출제유형 | 틀린 지문 고르기

① (X) 행위시와 재판시 사이에 수차 법령의 변경이 있는 경우에는 이 점에 관한 당사자의 주장이 없더라도 형사소송법 제364조 제2항에 의하여 직권으로 행위시법과 위 제1심 재판 당시의 법, 그리고 원심재판 당시의 법, 이 세 가지 규정에 의한 형의 경중을 비교하여 그중 가장 형이 경한 법규정을 적용하여 심판하여야 한다(대법원 1968.12.17. 68도1324).
② (O) 형법 제7조
③ (O) 대법원 2008.7.24. 2008도4085
④ (O) 형법 제296조의2
→ 약취, 유인 및 인신매매의 죄에 세계주의 적용(단, 예비·음모는 제외)

11 0037

2020 경찰 1차

형법의 적용범위에 관한 설명으로 적절한 것은 모두 몇 개인가? (다툼이 있는 경우 판례에 의함)

㉠ 형법 제7조에서 규정하고 있는 '외국에서 형의 전부 또는 일부가 집행된 사람'이란 '외국 법원의 유죄판결에 의하여 자유형이나 벌금형 등의 전부 또는 일부가 실제로 집행된 사람'을 말한다.
㉡ 형법의 적용에 관하여 같은 법 제2조는 대한민국 영역 내에서 죄를 범한 내국인과 외국인에게 적용한다고 규정하고 있으며, 같은 법 제6조 본문은 대한민국 영역 외에서 대한민국 또는 대한민국 국민에 대하여 같은 법 제5조에 기재한 이외의 죄를 범한 외국인에게 적용한다고 규정하고 있는바, 중국 북경시에 소재한 대한민국 영사관 내부는 여전히 중국의 영토에 속할 뿐 이를 대한민국의 영토로서 그 영역에 해당한다고 볼 수 없다.
㉢ 독일인이 독일 내에서 북한의 지령을 받아 베를린 주재 북한이익대표부를 방문하고 그곳에서 북한공작원을 만난 행위는 외국인의 국외범에 해당하여, 형법 제5조와 제6조에서 정한 요건에 해당하지 않는 이상 우리 형법으로 처벌할 수 없다.
㉣ 형사사건으로 외국 법원에 기소되었다가 무죄판결을 받은 사람은, 설령 그가 무죄판결을 받기까지 상당 기간 미결구금되었더라도 이를 유죄판결에 의하여 형이 실제로 집행된 것으로 볼 수는 없으므로, '외국에서 형의 전부 또는 일부가 집행된 사람'에 해당한다고 볼 수 없다.

① 1개 ② 2개
③ 3개 ④ 4개

지문분석 난이도 상 정답 ④

| 키 워 드 | 형법의 적용범위
| 출제유형 | 개수 찾기

㉠ (O) 대법원 2017.8.24. 2017도5977 전원합의체
㉡ (O) 대법원 2006.9.22. 2006도5010
㉢ (O) **국가보안법 제6조 제2항 위반(잠입·탈출)·국가보안법 제8조 제1항 위반(회합·통신 등): 부정**
국가보안법 제6조 제2항의 '반국가단체나 그 구성원의 지령을 받거나 받기 위하여 또는 그 목적수행을 협의하거나 협의하기 위하여 잠입하거나 탈출한 자' 및 같은 법 제8조 제1항의 '국가의 존립·안전이나 자유민주적 기본질서를 위태롭게 한다는 정을 알면서 반국가단체의 구성원 또는 그 지령을 받은 자와 회합·통신 기타의 방법으로 연락을 한 자'의 적용과 관련하여, 독일인이 독일 내에서 북한의 지령을 받아 베를린 주재 북한이익대표부를 방문하고 그곳에서 북한공작원을 만났다면 위 각 구성요건상 범죄지는 모두 독일이므로 이는 외국인의 국외범에 해당하여, 형법 제5조와 제6조에서 정한 요건에 해당하지 않는 이상 위 각 조항을 적용하여 처벌할 수 없다(대법원 2008.4.17. 2004도4899 전원합의체).
㉣ (O) 대법원 2017.8.24. 2017도5977 전원합의체

12 0038

2021 경찰 1차

형법의 적용범위에 대한 설명으로 가장 적절하지 않은 것은? (다툼이 있는 경우 판례에 의함)

① 외국인이 대한민국 공무원에게 알선한다는 명목으로 금품을 수수하는 행위가 대한민국 영역 내에서 이루어진 이상, 비록 금품수수의 명목이 된 알선행위를 하는 장소가 대한민국 영역 외라 하더라도 대한민국 영역 내에서 죄를 범한 것이라고 하여야 한다.

② 대한민국 영역 외에서 외국인이 우리나라의 공문서를 위조한 경우, 그 행위가 행위지의 법률에 의하여 범죄를 구성하지 않는다면 우리나라 형법을 적용할 수 없다.

③ 내국 법인의 대표자인 외국인이 내국 법인이 외국에 설립한 특수목적법인에 위탁해 둔 자금을 정해진 목적과 용도 외에 임의로 사용하여 횡령한 경우, 그 행위가 외국에서 이루어졌다고 하더라도 행위지의 법률에 의하여 범죄를 구성하지 아니하거나 소추 또는 형의 집행을 면제할 경우가 아니라면 그 외국인에 대해서도 우리나라 형법이 적용된다.

④ 형사사건으로 외국 법원에 기소되었다가 무죄판결을 받은 사람은, 설령 그가 무죄판결을 받기까지 상당 기간 미결구금되었더라도 이를 유죄판결에 의하여 형이 실제로 집행된 것으로 볼 수는 없으므로, '외국에서 형의 전부 또는 일부가 집행된 사람'에 해당한다고 볼 수 없고, 그 미결구금 기간은 형법 제7조에 의한 산입의 대상이 될 수 없다.

지문분석 난이도 중 정답 ②

| 키 워 드 | 형법의 적용범위

| 출제유형 | 틀린 지문 고르기

② (X) 제5조 제6호에 의하여 우리나라 형법이 적용된다.

① (O) 대법원 2000.4.21. 99도3403
→ 속지주의 적용

③ (O) 내국 법인의 대표자인 외국인이 내국 법인이 외국에 설립한 특수목적법인에 위탁해 둔 자금을 정해진 목적과 용도 외에 임의로 사용한 데 따른 횡령죄의 피해자는 당해 금전을 위탁한 내국 법인이다. 따라서 그 행위가 외국에서 이루어진 경우에도 행위지의 법률에 의하여 범죄를 구성하지 아니하거나 소추 또는 형의 집행을 면제할 경우가 아니라면 그 외국인에 대해서도 우리 형법이 적용되어(형법 제6조), 우리 법원에 재판권이 있다(대법원 2017.3.22. 2016도17465).

④ (O) 대법원 2017.8.24. 2017도5977 전원합의체

13 0039

2018 경찰 승진

형법의 적용범위에 대한 설명으로 가장 적절하지 않은 것은? (다툼이 있는 경우 판례에 의함)

① 형의 경중의 비교는 원칙적으로 법정형을 표준으로 할 것이고 처단형이나 선고형에 의할 것이 아니며, 법정형의 경중을 비교함에 있어서 법정형 중 병과형 또는 선택형이 있을 때에는 이 중 가장 중한 형을 기준으로 하여 다른 형과 경중을 정하는 것이 원칙이다.

② 식품위생법에 의하여 단란주점의 영업시간을 제한하고 있던 보건복지부 고시가 실효되어 그 영업시간 제한이 해제됨으로써 처벌할 수 없게 된 경우 처벌 자체가 부당하다는 반성적 고려에서 비롯된 것이라 보기 어렵다.

③ 범죄에 의하여 외국에서 형의 전부 또는 일부의 집행을 받은 자에 대하여는 형을 감경 또는 면제할 수 있다.

④ 포괄일죄로 되는 개개의 범죄행위가 법개정의 전후에 걸쳐서 행하여진 경우에는 신·구법의 법정형에 대한 경중을 비교하여 볼 필요도 없이 범죄 실행 종료시의 법이라고 할 수 있는 신법을 적용하여 포괄일죄로 처단하여야 한다.

지문분석 난이도 중 정답 ③

| 키 워 드 | 형법의 적용범위

| 출제유형 | 틀린 지문 고르기

③ (X) 제시문은 2016년 12월 20일 형법 개정 전의 조문이다. 2015.5.28. 헌법재판소에서 헌법불합치 결정된 이 조를 다음과 같이 개정하였다.

> **형법 제7조(외국에서 집행된 형의 산입)** 죄를 지어 외국에서 형의 전부 또는 일부가 집행된 사람에 대해서는 그 집행된 형의 전부 또는 일부를 선고하는 형에 산입한다. 〈개정 2016.12.20.〉

① (O) 대법원 1992.11.13. 92도2194

② (O) 대법원 2000.6.9. 2000도764
→ 단란주점에 대한 영업시간 제한규정의 폐지로 그 전에 범한 위반행위의 가벌성이 소멸되는지 여부: 부정(추급효 인정)

④ (O) 대법원 1994.10.28. 93도1166

14 0040

2019 경찰 승진

형법의 적용범위에 대한 설명으로 가장 적절하지 않은 것은? (다툼이 있는 경우 판례에 의함)

① 외국인 甲이 대한민국 영역 외에서 대한민국 국민의 법익이 직접적으로 침해되는 결과를 야기하는 범죄를 범한 경우에도 대한민국 형법을 적용할 수 있다.
② 한국인 乙이 외국에서 미결구금되었다가 무죄판결을 받은 경우 그 미결구금일수는 국내에서 동일한 행위로 인하여 선고받은 형에 산입하여야 한다.
③ 한국인 丙이 도박죄를 처벌하지 않는 외국 카지노에서 도박을 한 경우에도 대한민국 형법을 적용할 수 있다.
④ 외국인 丁이 외국에서 서울지방경찰청장 명의의 운전면허증을 위조한 경우에도 대한민국 형법을 적용할 수 있다.

지문분석 난이도 중 정답 ②

| 키 워 드 | 형법의 적용범위
| 출제유형 | 틀린 지문 고르기

② (X) 형사사건으로 외국 법원에 기소되었다가 무죄판결을 받은 사람은, 설령 그가 무죄판결을 받기까지 상당 기간 미결구금되었더라도 이를 유죄판결에 의하여 형이 실제로 집행된 것으로 볼 수는 없으므로, '외국에서 형의 전부 또는 일부가 집행된 사람'에 해당한다고 볼 수 없고, 그 미결구금 기간은 형법 제7조에 의한 산입의 대상이 될 수 없다(대법원 2017.8.24. 2017도5977 전원합의체).
① (O) 대법원 2011.8.25. 2011도6507
→ 형법 제6조 본문에서 정한 '대한민국 또는 대한민국 국민에 대하여 죄를 범한 때'의 의미
③ (O) 대법원 2004.4.23. 2002도2518
→ 제3조 속인주의 적용
④ (O) 형법 제5조 제6호에 의하여 우리나라 형법이 적용된다.
→ 서울지방경찰청장 명의의 운전면허증: 공문서

15 0041

2020 경찰 승진

형법의 적용범위에 대한 설명 중 가장 적절하지 않은 것은? (다툼이 있는 경우 판례에 의함)

① 형법 제1조 제1항에서 범죄의 성립과 처벌은 행위시의 법률에 의한다고 할 때의 '행위시'라 함은 범죄행위의 종료시를 의미한다.
② 죄를 지어 외국에서 형의 전부 또는 일부가 집행된 사람에 대해서는 그 집행된 형의 전부 또는 일부를 선고하는 형에 산입한다.
③ 형을 종전보다 가볍게 형벌법규를 개정하면서 그 부칙에서 개정된 법의 시행 전의 범죄에 대하여는 종전의 형벌법규를 적용하도록 규정한 경우 형벌불소급의 원칙이나 신법우선의 원칙에 반한다.
④ 외국인이 대한민국 공무원에게 알선한다는 명목으로 금품을 수수하는 행위가 대한민국 영역 내에서 이루어진 이상, 비록 금품수수의 명목이 된 알선행위를 하는 장소가 대한민국 영역 외라 하더라도 대한민국의 형벌법규인 구 변호사법이 적용되어야 한다.

지문분석 난이도 하 정답 ③

| 키 워 드 | 형법의 적용범위
| 출제유형 | 틀린 지문 고르기

③ (X) 형법 제1조 제2항 및 제8조에 의하면 범죄 후 법률의 변경에 의하여 형이 구법보다 가벼운 때에는 원칙적으로 신법에 따라야 하지만, 신법에 경과규정을 두어 이러한 신법의 적용을 배제하는 것도 허용되는 것으로서, 형을 종전보다 가볍게 형벌법규를 개정하면서 그 부칙에서 개정된 법의 시행 전의 범죄에 대하여는 종전의 형벌법규를 적용하도록 규정한다 하여 형벌불소급의 원칙이나 신법우선의 원칙에 반한다고 할 수 없다(대법원 2011.7.14. 2011도1303).
① (O) 대법원 1994.5.10. 94도563
② (O) 형법 제7조
④ (O) 대법원 2000.4.21. 99도3403

16 0042

2021 경찰 승진

형법의 적용범위에 대한 설명으로 가장 적절하지 않은 것은? (다툼이 있는 경우 판례에 의함)

① 한국인이 외국에서 죄를 지어 현지 법률에 따라 형의 전부 또는 일부의 집행을 받은 때에는 대한민국 법원은 그 집행된 형의 전부 또는 일부를 선고하는 형에 반드시 산입하여야 한다.
② 범죄행위시와 재판시 사이에 여러 차례 법령이 개정되어 형의 변경이 있는 경우에는 그 전부의 법령을 비교하여 그중 가장 형이 가벼운 법령을 적용하여야 한다.
③ 범죄행위는 범죄의사가 외부적으로 표현된 상태로서 주관적·내부적인 의사와 객관적·외부적인 표현(동작)을 그 요소로 하는 것이므로, 공모공동정범의 공모지는 형법 제2조(국내범)가 적용되는 범죄지로 볼 수 없다.
④ 형법총칙은 다른 법령에 정한 죄에 적용되지만, 그 법령에 특별한 규정이 있는 때에는 예외로 한다.

지문분석 난이도 중 정답 ③

| 키 워 드 | 형법의 적용범위
| 출제유형 | 틀린 지문 고르기

③ (X) 형법 제2조(속지주의)를 적용함에 있어서 공모공동정범의 경우 공모지도 범죄지로 보아야 한다(대법원 1998.11.27. 98도2734).
→ 제시문은 파기환송된 2심 판결의 내용이다.
① (O) 형법 제7조
② (O) 대법원 2012.9.13. 2012도7760
④ (O) 형법 제8조

17 0043

2019 경찰 간부

형법의 적용범위에 대한 설명으로 가장 옳지 않은 것은? (다툼이 있는 경우 판례에 의함)

① 구 형법의 같은 조항의 법정형이 '5년 이하의 징역'이었던 것이 '5년 이하의 징역 또는 1천만원 이하의 벌금'이 되어 벌금형이 추가된 것은 형이 무겁게 변경되었음이 분명하다.
② 포괄일죄인 뇌물수수범행이 특정범죄 가중처벌 등에 관한 법률(이하 '특가법') 제2조 제2항의 시행 전후에 걸쳐 행하여진 경우 특가법 제2조 제2항에 규정된 벌금형 산정 기준이 되는 수뢰액은 위 규정이 신설된 이후에 수수한 금액으로 한정된다.
③ 종전에 허가를 받거나 신고를 하여야만 할 수 있던 행위의 일부를 허가나 신고 없이 할 수 있도록 개발제한구역의 지정 및 관리에 관한 특별조치법이 개정되었다 하더라도, 위의 개정된 법령이 시행되기 전에 이미 범한 무허가 비닐하우스 설치행위에 대한 가벌성이 소멸되지 않는다.
④ 한국인이 한국 내에 있는 미국 문화원에서 방화죄를 범한 경우, 미국 문화원이 국제협정이나 관행에 의하여 치외법권 지역이고 미국 본토의 연장으로 본다고 하더라도 대한민국의 형법이 적용된다.

지문분석 난이도 중 정답 ①

| 키 워 드 | 형법의 적용범위
| 출제유형 | 틀린 지문 고르기

① (X) 1995.12.29. 법률 제5057호로 개정되어 1996.7.1.부터 시행되는 형법 제231조(사문서위조죄), 제234조(위조사문서행사죄)에 의하면 구 형법의 같은 조항의 법정형이 '5년 이하의 징역'이었던 것이 '5년 이하의 징역 또는 1천만원 이하의 벌금'이 되어 벌금형이 추가됨으로써 원심판결 후에 형이 가볍게 변경되었음이 분명하다(대법원 1996.7.26. 96도1158).
② (O) 2008.12.26. 법률 제9169호로 개정·시행된 특정범죄 가중처벌 등에 관한 법률(이하 '특가법'이라 한다)은 제2조 제2항에서 "형법 제129조, 제130조 또는 제132조에 규정된 죄를 범한 자는 그 죄에 대하여 정한 형(제1항의 경우를 포함한다)에 수뢰액의 2배 이상 5배 이하의 벌금을 병과한다."라고 규정하여 뇌물수수죄 등에 대하여 종전에 없던 벌금형을 필요적으로 병과하도록 하고 있는데, 헌법 제13조 제1항의 형벌법규 불소급원칙과 형법 제1조 제1항의 "범죄의 성립과 처벌은 행위시의 법률에 의한다."는 규정에 비추어 보면, 포괄일죄인 뇌물수수범행이 위 신설 규정의 시행 전후에 걸쳐 행하여진 경우 특가법 제2조 제2항에 규정된 벌금형 산정 기준이 되는 수뢰액은 위 규정이 신설된 2008.12. 26. 이후에 수수한 금액으로 한정된다고 보아야 한다(대법원 2011.6.10. 2011도4260).
③ (O) 대법원 2007.9.6. 2007도4197
④ (O) 대법원 1986.6.24 86도403

18 0044

2020 국가직 7급

형법의 적용범위에 대한 설명으로 옳은 것은? (다툼이 있는 경우 판례에 의함)

① 형사사건으로 외국 법원에 기소되었다가 무죄판결을 받은 사람이 무죄판결을 받기까지 일정 기간 미결구금되었던 경우, 그 미결구금 기간에 대하여는 외국에서 집행된 형의 산입 규정인 형법 제7조가 적용되어야 한다.

② 대한민국 영역 외에서 형법상 공문서에 관한 죄를 범한 외국인에게는 대한민국 형법을 적용한다. 다만, 행위지의 법률에 의하여 범죄를 구성하지 아니하거나 소추 또는 형의 집행을 면제할 경우에는 예외로 한다.

③ 애초에 죄가 되지 아니하던 행위를 구성요건을 신설하여 포괄일죄의 처벌대상으로 삼는 경우, 신설된 포괄일죄 처벌법규가 시행되기 이전의 행위에 대하여는 신설된 법규를 적용하여 처벌할 수 없다.

④ 형벌에 관한 법률조항에 대하여 헌법불합치결정이 선고된 경우, 당해 조항을 적용하여 공소가 제기된 피고사건에 대하여 법원은 공소기각판결을 선고하여야 한다.

지문분석

난이도 중 정답 ③

| 키 워 드 | 형법의 적용범위

| 출제유형 | 옳은 지문 고르기

③ (O) 포괄일죄에 관한 기존 처벌법규에 대하여 그 표현이나 형량과 관련한 개정을 하는 경우가 아니라 애초에 죄가 되지 아니하던 행위를 구성요건의 신설로 포괄일죄의 처벌대상으로 삼는 경우에는 신설된 포괄일죄 처벌법규가 시행되기 이전의 행위에 대하여는 신설된 법규를 적용하여 처벌할 수 없다(형법 제1조 제1항). 이는 신설된 처벌법규가 상습범을 처벌하는 구성요건인 경우에도 마찬가지라고 할 것이므로, 구성요건이 신설된 상습강제추행죄가 시행되기 이전의 범행은 상습강제추행죄로는 처벌할 수 없고 행위시법에 기초하여 강제추행죄로 처벌할 수 있을 뿐이며, 이 경우 그 소추요건도 상습강제추행죄에 관한 것이 아니라 강제추행죄에 관한 것이 구비되어야 한다(대법원 2016.1.28. 2015도15669).

① (X) 형사사건으로 외국 법원에 기소되었다가 무죄판결을 받은 사람은, 설령 그가 무죄판결을 받기까지 상당 기간 '미결구금되었더라도' 이를 유죄판결에 의하여 형이 실제로 집행된 것으로 볼 수는 없으므로, '외국에서 형의 전부 또는 일부가 집행된 사람'에 해당한다고 볼 수 없고, 그 미결구금 기간은 형법 제7조에 의한 산입의 대상이 될 수 없다(대법원 2017.8.24. 2017도5977 전원합의체).

② (X) 대한민국 영역 외에서 형법상 공문서에 관한 죄를 범한 외국인에게는 '행위지의 법률에 의하여 범죄를 구성하지 아니하거나 소추 또는 형의 집행을 면제할 경우를 불문하고' 대한민국 형법을 적용한다(형법 제5조 제6호).
→ 형법 제6조의 보호주의와 구별

④ (X) 헌법재판소의 헌법불합치결정은 헌법과 헌법재판소법이 규정하고 있지 않은 변형된 형태이지만 법률조항에 대한 위헌결정에 해당한다. 그리고 헌법재판소법 제47조 제3항 본문에 따라 형벌에 관한 법률조항에 대하여 위헌결정이 선고된 경우 그 조항은 소급하여 효력을 상실하므로, 법원은 해당 조항이 적용되어 공소가 제기된 피고사건에 대하여 형사소송법 제325조 전단에 따라 무죄를 선고하여야 한다(대법원 2020.5.28. 2017도8610).

잘 시작하는 것은 중요합니다.
잘 마무리하는 것은 더 중요합니다.

– 조정민, 『인생은 선물이다』, 두란노

형법총론

PART 02

범죄론

기출키워드

01 범죄론의 기초	• 친고죄와 반의사불벌죄 • 법인의 범죄능력 및 양벌규정 • 범죄의 분류
02 구성요건론	• 부작위범 • 인과관계 • 구성요건적 고의 및 착오 • 과실범과 신뢰의 원칙 • 결과적 가중범
03 위법성론	• 정당방위 • 긴급피난 • 자구행위 • 피해자의 승낙 • 정당행위
04 책임론	• 책임능력 • 원인에 있어서 자유로운 행위 • 위법성의 인식과 금지의 착오 • 기대가능성 및 강요된 행위
05 미수론	• 장애미수 • 중지미수 • 불능미수 • 예비죄
06 정범 및 공범론	• 간접정범 • 공동정범 • 교사범 • 방조범 • 공범과 신분
07 죄수론	• 법조경합(불가벌적 수반행위, 불가벌적 사후행위) • 상상적 경합 • 실체적 경합 • 포괄일죄

문제풀이 전략

01 범죄론의 기초	• 범죄가 성립하기 위한 3가지 요건을 정확하게 알고 있어야 합니다. • 판례의 내용 안에서 어떤 부분이 부정되어 범죄가 성립하지 않는지를 이해해야 합니다.
02 구성요건론	• 범죄의 유형과 종류를 정확하게 이해해야 합니다. • 부작위범과 관련된 판례의 출제 가능성이 있으므로 꼼꼼하게 학습해야 합니다.
03 위법성론	• 우연방위에 관한 학설을 정리하는 것이 필요하고, 각 위법성조각사유에 관한 판례들을 학습하여 대비하는 것을 추천합니다.
04 책임론	• 원인에 있어서 자유로운 행위 및 그와 관련된 학설의 내용을 정확하게 파악하고 이해해야 합니다.
05 미수론	• 미수처벌의 규정을 정확하게 파악하고, 판례와 함께 이해할 수 있어야 합니다.
06 정범 및 공범론	• 정범과 공범의 기초이론뿐만 아니라 간접정범과 공동정범, 교사범, 방조범 등 모든 유형에 대한 개념을 체계적으로 정리해야 합니다.
07 죄수론	• 학설에 따른 죄수 판단의 기준을 정리해야 합니다. • 일죄 · 수죄 관련 판례들을 꼼꼼하게 이해해야 합니다.

CHAPTER

01 범죄론의 기초

■ 기본서 연계페이지: p.96~113 ■ 문항 수: 2문항

01 0045

2020 경찰 1차

범죄의 성립요건 중 조각되는 사유가 다른 것은? (다툼이 있는 경우 판례에 의함)

① 피고인이 동거 중인 피해자의 지갑에서 현금을 꺼내 가는 것을 피해자가 현장에서 목격하고도 만류하지 아니한 경우(형법상 절도죄)

② 중대장의 지시에 따라 관사를 지키고 있던 당번병인 피고인이 중대장의 처가 마중 나오라는 지시를 정당한 명령으로 오인하고 관사를 무단이탈하였는데 당번병으로서의 그 임무범위 내에 속하는 일로 오인하고, 그 오인에 정당한 이유가 있는 경우(군형법상 무단이탈죄)

③ 병역법 제88조 제1항은 국방의 의무를 실현하기 위하여 현역입영 또는 소집통지서를 받고도 정당한 사유 없이 이에 응하지 않은 사람을 처벌하는데, 피고인에게 정당한 사유가 있는 경우(병역법상 입영 등 기피죄)

④ 사용자의 직장폐쇄가 정당한 쟁의행위로 인정되지 아니하고 다른 특별한 사정이 없어 근로자가 평소 출입이 허용되는 사업장 안에 들어가는 경우(형법상 주거침입죄)

지문분석 난이도 ㊤ 정답 ②

| 키 워 드 | 범죄의 성립요건

| 출제유형 | 틀린 지문 고르기

② (X) **위법성이 조각되는 경우**
소속 중대장의 당번병이 근무시간 중은 물론 근무시간 후에도 밤늦게까지 수시로 영외에 있는 중대장의 관사에 머물면서 집안일을 도와주고 그 자녀들을 보살피며 중대장 또는 그 처의 심부름을 관사를 떠나서까지 시키는 일을 해오던 중 사건 당일 중대장의 지시에 따라 관사를 지키고 있던중 중대장과 함께 외출나간 그 처로부터 24:00경 비가 오고 밤이 늦어 혼자 귀가할 수 없으니 관사로부터 1.5킬로미터가량 떨어진 지점까지 우산을 들고 마중을 나오라는 연락을 받고 당번병으로서 당연히 해야 할 일로 생각하고 그 지점까지 나가 동인을 마중하여 그 다음 날 01:00경 귀가하였다면 위와 같은 당번병의 관사이탈 행위는 중대장의 직접적인 허가를 받지 아니하였다 하더라도 당번병으로서의 그 임무범위 내에 속하는 일로 오인하고 한 행위로서 그 오인에 정당한 이유가 있어 위법성이 없다고 볼 것이다(대법원 1986.10.28. 86도1406).

① (○) **구성요건해당성이 조각되는 경우(양해)**
피고인이 동거 중인 피해자의 지갑에서 현금을 꺼내 가는 것을 피해자가 현장에서 목격하고도 만류하지 아니하였다면 피해자가 이를 허용하는 묵시적 의사가 있었다고 봄이 상당하여 이는 절도죄를 구성하지 않는다(대법원 1985.11.26. 85도1487).

③ (○) **구성요건해당성이 조각되는 경우(양해)**
병역법 제88조 제1항은 국방의 의무를 실현하기 위하여 현역입영 또는 소집통지서를 받고도 정당한 사유 없이 이에 응하지 않은 사람을 처벌함으로써 입영기피를 억제하고 병력구성을 확보하기 위한 규정이다. 위 조항에 따르면 정당한 사유가 있는 경우에는 피고인을 벌할 수 없는데, 여기에서 정당한 사유는 구성요건해당성을 조각하는 사유이다. 이는 형법상 위법성조각사유인 정당행위나 책임조각사유인 기대불가능성과는 구별된다(대법원 2018.11.1. 2016도10912 전원합의체).

④ (○) **구성요건해당성이 조각되는 경우(양해)**
사용자의 직장폐쇄가 정당한 쟁의행위로 인정되지 아니하는 때에는 다른 특별한 사정이 없는 한 근로자가 평소 출입이 허용되는 사업장 안에 들어가는 행위가 주거침입죄를 구성하지 아니한다(대법원 2002.9.24. 2002도2243).

02 0046

2018 경찰 승진

범죄의 종류에 대한 설명으로 가장 적절하지 않은 것은? (다툼이 있는 경우 다수설에 의함)

① 구체적 위험범은 법익침해의 현실적 위험이 야기된 경우에 구성요건이 충족되는 범죄를 말한다.
② 부진정신분범은 신분으로 인하여 형이 가중·감경되는 범죄이다.
③ 상태범은 기수와 범죄행위의 종료시, 범죄행위의 종료시와 위법상태의 종료시가 모두 일치한다.
④ 거동범의 예로는 폭행죄, 주거침입죄가 있다.

지문분석 난이도 중 정답 ③

| 키 워 드 | 범죄의 종류
| 출제유형 | 틀린 지문 고르기

③ (X) 상태범은 기수와 범죄행위의 종료시는 일치하나, 범죄행위의 종료시와 위법상태의 종료시는 일치하지 않는다.
예 甲이 乙의 시계를 절취한 경우 乙의 시계를 취득시 乙 시계 절도죄는 기수가 되고 종료가 되지만, 기수가 된 이후에도 피해자 乙의 소유권 침해라는 위법상태는 계속된다.
① (O) 구체적 위험범은 법익침해의 현실적(구체적) 위험이 야기된 경우에 구성요건이 충족되는 범죄를 말한다.
예 자기소유 일반건조물방화죄, 타인·자기소유 일반물건방화죄
② (O) 부진정신분범은 신분 있는 자가 죄를 범한 때에는 형이 가중되거나 감경되는 범죄를 말한다. 여기서의 신분은 가감적 신분이다.
예 존속살해죄, 존속상해죄, 존속폭행죄, 존속협박죄, 존속유기죄, 업무상 횡령죄, 업무상배임죄, 영아살해죄, 영아유기죄, 상습도박죄 등
④ (O) 거동범은 결과의 발생을 요하지 않고 일정한 행위만 있으면 구성요건이 충족되는 범죄이다. 참고로 인과관계는 결과범에만 필요하며, 미수범의 성립은 형식범에는 있을 수 없다(통설).
예 위증죄, 폭행죄, 명예훼손죄, 주거침입죄

CHAPTER

02 구성요건론

■ 기본서 연계페이지: p.122~182 ■ 문항 수: 74문항

1 구성요건의 일반이론

01 0047

2009 경찰 3차

다음 중 목적범이 아닌 것은?

㉠ 음행매개죄
㉡ 허위진단서작성죄
㉢ 도박개장죄
㉣ 범죄단체조직죄
㉤ 공정증서원본부실기재죄
㉥ 내란죄

① 1개 ② 2개
③ 3개 ④ 4개

지문분석 난이도 중 정답 ②

| 키 워 드 | 목적범

| 출제유형 | 개수 찾기

㉡ (X) 허위진단서작성죄: 목적범이 아니다. 문서에 관한 죄 중 허위진단서작성죄와 공정증서원본부실기재죄 그리고 '~(부정)행사죄'로 끝나는 범죄 역시 목적범이 아니다.

㉤ (X) 공정증서원본부실기재죄: 목적범이 아니다.

㉠ (O) 목적범 – 음행매개죄(형법 제242조): 영리의 목적으로 사람을 매개하여 간음하게 한 자는 3년 이하의 징역 또는 1천500만원 이하의 벌금에 처한다.

㉢ (O) 목적범 – 도박개장죄(형법 제247조): 영리의 목적으로 도박을 하는 장소나 공간을 개설한 사람은 5년 이하의 징역 또는 3천만원 이하의 벌금에 처한다. 다만, 단순도박죄와 상습도박죄는 목적범이 아니다.

㉣ (O) 목적범 – 범죄단체조직죄(형법 제114조): 사형, 무기 또는 장기 4년 이상의 징역에 해당하는 범죄를 목적으로 하는 단체 또는 집단을 조직하거나 이에 가입 또는 그 구성원으로 활동한 사람은 그 목적한 죄에 정한 형으로 처벌한다. 다만, 형을 감경할 수 있다.

㉥ (O) 목적범 – 내란죄(형법 제87조): 대한민국 영토의 전부 또는 일부에서 국가권력을 배제하거나 국헌을 문란하게 할 목적으로 폭동을 일으킨 자는 처벌한다.

02 0048

2010 경찰 1차

다음 중 계속범에 대한 설명으로 가장 타당하지 않은 것은? (다툼이 있으면 다수설에 의함)

① 기수 이후에도 정당방위 성립이 가능하다.
② 기수시부터 공소시효가 진행된다.
③ 기수 이후에도 공범가담이 가능하다.
④ 체포·감금죄(형법 제276조), 주거침입·퇴거불응죄(형법 제319조) 등이 대표적인 예에 속한다.

지문분석 난이도 중 정답 ②

| 키 워 드 | 계속범

| 출제유형 | 틀린 지문 고르기

② (X) 계속범의 공소시효 기산점은 기수시가 아니라 종료시이다.
①, ③, ④ (O) 올바른 설명이다.

✓ **개념체크 즉시범과 계속범의 비교**

구분	즉시범	계속범
정당방위의 가능시기	기수시까지 가능	종료시까지 가능
공범의 성립시기	기수시까지 가능	종료시까지 가능
공소시효의 기산점	기수시	종료시

03 0049
2019 경찰 1차

범죄형태에 관한 설명 중 옳지 않은 것은? (다툼이 있는 경우 판례에 의함)

① 형법의 중손괴죄는 구성요건의 충족을 위해 구체적 위험의 발생을 요구하는 범죄이다.
② 형법의 중감금죄는 구성요건의 충족을 위해 구체적 위험의 발생을 요구하는 범죄이다.
③ 형법의 체포죄는 계속범으로서 체포행위에 시간적 계속이 있어야 한다.
④ 형법의 일반교통방해죄는 계속범의 성질을 갖는다.

지문분석 난이도 중 정답 ②

| 키 워 드 | 범죄의 종류
| 출제유형 | 틀린 지문 고르기

② (X) 중감금죄는 사람을 감금하여 '가혹한 행위'를 가한 때 성립하는 것으로, 구체적 위험범이 아니다.
①, ③, ④ (O) 올바른 설명이다.

✓ 개념체크 **체포죄**

- **체포죄가 계속범인지 여부**: 인정
- **체포죄의 실행의 착수시기**: 체포의 고의로써 타인의 신체적 활동의 자유를 현실적으로 침해하는 행위를 개시한 때
- **체포죄의 기수시기**: 체포의 행위에 확실히 사람의 신체의 자유를 구속한다고 인정할 수 있을 정도의 시간적 계속이 있을 때

✓ 개념체크 **일반교통방해죄**

[1] 일반교통방해죄는 이른바 추상적 위험범으로서 교통이 불가능하거나 또는 현저히 곤란한 상태가 발생하면 바로 기수가 되고 교통방해의 결과가 현실적으로 발생하여야 하는 것은 아니다.
[2] 일반교통방해죄에서 교통방해행위는 계속범의 성질을 가지는 것이어서 교통방해의 상태가 계속되는 한 위법상태는 계속 존재한다.
[3] 따라서 교통방해를 유발한 집회에 참가한 경우 참가 당시 이미 다른 참가자들에 의해 교통의 흐름이 차단된 상태였더라도 교통방해를 유발한 다른 참가자들과 암묵적·순차적으로 공모하여 교통방해의 위법상태를 지속시켰다고 평가할 수 있다면 일반교통방해죄가 성립한다(대법원 2018.5.11. 2017도9146).

04 0050
2010 경찰 1차

다음 중 타당하지 않은 것은?

① 범죄단체조직죄는 목적범이다.
② 연소죄는 결과적 가중범이다.
③ 도박장소등개설죄는 목적범이다.
④ 외국사절모욕죄는 친고죄이다.

지문분석 난이도 중 정답 ④

| 키 워 드 | 범죄의 종류
| 출제유형 | 틀린 지문 고르기

④ (X) 외국사절모욕죄는 반의사불벌죄이다.
① (O) 범죄단체조직죄는 목적범이다(형법 제114조).
② (O) 연소죄는 결과적 가중범이다(형법 제168조).
③ (O) 도박장소 등 개설죄(형법 제247조)는 목적범이다(미수와 상습범은 처벌하지 않음).

✓ 개념체크 **친고죄와 반의사불벌죄**

범죄	모욕죄 (형법 제311조)	외국원수·외국사절에 대한 폭행·협박·모욕·명예훼손죄 (형법 제107조, 제108조)
친고죄	○ (형법 제312조)	X
반의사불벌죄	X	○ (형법 제110조)

05 0051

2012 경찰 1차(변형)

다음 중 형법상 부진정신분범에 해당하는 것은 모두 몇 개인가?

> ㉠ 업무상비밀누설죄
> ㉡ 영아살해죄
> ㉢ 공무상비밀누설죄
> ㉣ 위증죄
> ㉤ 공정증서원본부실기재죄
> ㉥ 불법체포·감금죄
> ㉦ 업무상과실치사죄

① 2개　② 3개
③ 4개　④ 5개

지문분석

난이도 중 정답 ②

| 키 워 드 | 부진정신분범

| 출제유형 | 개수 찾기

㉡ (O) 영아살해죄 – 부진정신분범
㉥ (O) 불법체포·감금죄 – 부진정신분범(다수설)
㉦ (O) 업무상과실치사죄 – 부진정신분범
㉠ (X) 업무상비밀누설죄 – 진정신분범
㉢ (X) 공무상비밀누설죄 – 진정신분범
㉣ (X) 위증죄 – 진정신분범
㉤ (X) 공정증서원본등부실기재죄 – 일반범죄(공정증서원본등부실기재죄는 주체의 제한이 없음)

✓ 개념체크 진정신분범과 부진정신분범

진정신분범	부진정신분범
• 직무유기죄 등 공무원범죄 • 수뢰죄(단, 뇌물공여죄는 제외), 인권옹호직무방해죄 • 공무상보관물무효죄 • 도주죄, 집합명령위반죄 • 위증죄, 허위감정·통역·번역죄, 허위공문서작성죄 • 허위진단서작성죄 • 유기죄, 횡령죄, 업무상비밀누설죄, 배임죄, 배임수재죄	• 불법체포·감금죄, 간수자도주원조죄 • 존속살해죄 등 존속~죄(존속에 대한 범죄 전부) • 영아살해죄 등 영아~죄 • 업무상과실치사상죄 등 업무상~죄(단, 업무상과실장물죄, 업무상비밀누설죄는 진정신분범) • 상습도박죄 등 상습범 전부

06 0052

2020 경찰 승진

범죄의 종류에 대한 설명 중 가장 적절한 것은? (다툼이 있는 경우 판례에 의함)

① 협박죄는 사람의 의사결정의 자유를 침해하는 침해범으로서 해악의 고지가 상대방에게 도달하여 상대방이 그 의미를 인식하고 나아가 현실적으로 공포심을 일으켰을 때에 비로소 기수가 된다.
② 배임죄의 '손해를 가한 때'란 그 문언상 '손해를 현실적으로 발생하게 한 때'만을 의미하고 실해발생의 위험은 이에 해당하지 않으므로 침해범으로 보아야 한다.
③ 일반교통방해죄는 추상적 위험범으로서 교통이 불가능하거나 또는 현저히 곤란한 상태가 발생하면 바로 기수가 되고 교통방해의 결과가 현실적으로 발생하여야 하는 것은 아니다.
④ 일정한 신분을 가진 자만이 행위주체가 되는 신분범으로 허위공문서작성죄, 공문서위조죄 등이 있다.

지문분석

난이도 중 정답 ③

| 키 워 드 | 범죄의 종류

| 출제유형 | 옳은 지문 고르기

③ (O) 대법원 2018.1.24. 2017도11408
① (X) [1] 협박죄가 성립하려면 고지된 해악의 내용이 일반적으로 사람으로 하여금 공포심을 일으키게 하기에 충분한 것이어야 하지만, 상대방이 그에 의하여 현실적으로 공포심을 일으킬 것까지 요구하는 것은 아니며, 그와 같은 정도의 해악을 고지함으로써 상대방이 그 의미를 인식한 이상, 상대방이 현실적으로 공포심을 일으켰는지 여부와 관계없이 그로써 구성요건은 충족되어 협박죄의 기수에 이르는 것으로 해석하여야 한다.
[2] 결국, 협박죄는 사람의 의사결정의 자유를 보호법익으로 하는 위험범이라 봄이 상당하고, 협박죄의 미수범 처벌조항은 해악의 고지가 현실적으로 상대방에게 도달하지 아니한 경우나, 도달은 하였으나 상대방이 이를 지각하지 못하였거나 고지된 해악의 의미를 인식하지 못한 경우 등에 적용될 뿐이다(대법원 2007.9.28. 2007도606 전원합의체).
② (X) 다수의견은 배임죄는 위험범이고, 배임죄의 '손해를 가한 때'에 현실적인 손해 외에 실해발생의 위험을 초래한 경우도 포함된다고 해석한다.
④ (X) 허위공문서작성죄는 진정신분범이지만, 공문서위조죄는 신분범이 아니다.

07 0053

2020 경찰 승진

계속범에 대한 설명으로 가장 적절한 것은? (다툼이 있는 경우 판례에 의함)

① 형법 제276조 제1항의 체포죄는 일시적으로 신체의 자유를 박탈하는 것으로서 계속범이 아니다.
② 계속범에 있어 공소시효의 기산점은 범행의 종료시점이 아니라 기수시점이다.
③ 일반적으로 계속범의 경우 실행행위가 종료되는 시점에서의 법률이 적용되어야 할 것이나, 법률이 개정되면서 그 부칙에서 "개정된 법 시행 전의 행위에 대한 벌칙의 적용에 있어서는 종전의 규정에 의한다."는 경과규정을 두고 있는 경우 개정된 법이 시행되기 전의 행위에 대해서는 개정 전의 법을, 그 이후의 행위에 대해서는 개정된 법을 각각 적용하여야 한다.
④ 형법 제185조의 일반교통방해죄에 있어 교통방해행위는 계속범이 아닌 즉시범의 성질을 가진다.

지문분석

난이도 중 정답 ③

| 키 워 드 | 계속범
| 출제유형 | 옳은 지문 고르기

③ (O) [1] 일반적으로 계속범의 경우 실행행위가 종료되는 시점에서의 법률이 적용되어야 할 것이나, 법률이 개정되면서 그 부칙에서 "개정된 법 시행 전의 행위에 대한 벌칙의 적용에 있어서는 종전의 규정에 의한다."는 경과규정을 두고 있는 경우 개정된 법이 시행되기 전의 행위에 대해서는 개정 전의 법을, 그 이후의 행위에 대해서는 개정된 법을 각각 적용하여야 한다.
[2] 계속범의 성질을 갖는 건축법상 무단 용도변경 및 사용의 공소사실을, 그 행위기간 사이의 건축법에 대한 위헌결정 및 건축법 개정에 기인한 처벌규정의 효력상실과 경과규정 등으로 인하여, 시기별로 각각의 독립된 행위로 평가하여 적용 법률을 특정하고 그에 따라 유·무죄의 판단을 달리하여야 한다(대법원 2001.9.25. 2001도3990).

① (X) 체포죄는 계속범으로서 체포의 행위에 확실히 사람의 신체의 자유를 구속한다고 인정할 수 있을 정도의 시간적 계속이 있어야 하나, 체포의 고의로써 타인의 신체적 활동의 자유를 현실적으로 침해하는 행위를 개시한 때 체포죄의 실행에 착수하였다고 볼 것이다(대법원 2018.2.28. 2017도21249).

② (X) 건축법상 허가를 받지 아니하거나 또는 신고를 하지 아니한 경우 처벌의 대상이 되는 건축물의 용도변경행위(1999.2.8. 법률 제5895호로 건축법이 개정되면서 건축물의 용도변경에 관하여 허가제에서 신고제로 전환되었다)는 유형적으로 용도를 변경하는 행위뿐만 아니라 다른 용도로 사용하는 것까지를 포함하며, 이와 같이 허가를 받지 아니하거나 신고를 하지 아니한 채 건축물을 다른 용도로 사용하는 행위는 계속범의 성질을 가지는 것이어서 허가 또는 신고 없이 다른 용도로 계속 사용하는 한 가벌적 위법상태는 계속 존재하고 있다고 할 것이므로, 그러한 용도변경행위에 대하여는 공소시효가 진행하지 아니하는 것으로 보아야 한다(대법원 2001.9.25. 2001도3990).
→ 계속범에 있어 공소시효의 기산점은 범행의 종료시점이다.

④ (X) 일반교통방해죄에서 교통방해행위는 계속범의 성질을 가지는 것이어서 교통방해의 상태가 계속되는 한 위법상태는 계속 존재한다(대법원 2018.5.11. 2017도9146).

08 0054

2020 국가직 9급

범죄유형에 대한 설명으로 옳지 않은 것은? (다툼이 있는 경우 판례에 의함)

① 내란죄는 다수인이 한 지방의 평온을 해할 정도의 폭동을 하였을 때 이미 그 구성요건이 완전히 충족된다고 할 것이어서 상태범으로 봄이 상당하다.
② 폭력행위 등 처벌에 관한 법률 제4조 소정의 '단체 등의 조직'죄는 같은 법에 규정된 범죄를 목적으로 한 단체 또는 집단을 구성함으로써 즉시 성립하고 그와 동시에 완성되는 즉시범이지 계속범이 아니다.
③ 직무유기죄는 직무를 수행하지 아니하는 위법한 부작위상태가 계속되는 한 가벌적 위법상태가 계속 존재한다고 할 것이므로 즉시범이라고 할 수 없다.
④ 군형법 제79조에 규정된 무단이탈죄는 허가 없이 근무장소 또는 지정장소를 일시 이탈한 기간 동안 행위가 지속된다는 점에서 계속범에 해당한다.

지문분석

난이도 중 정답 ④

| 키 워 드 | 범죄의 종류
| 출제유형 | 틀린 지문 고르기

④ (X) 군형법 제79조에 규정된 무단이탈죄는 즉시범으로서 허가 없이 근무장소 또는 지정장소를 일시 이탈함과 동시에 완성되고 그 후의 사정인 이탈기간의 장단 등은 무단이탈죄의 성립에 아무런 영향이 없다(대법원 1983.11.8. 83도2450).

① (O) 내란죄는 국토를 참절하거나 국헌을 문란할 목적으로 폭동한 행위로서, 다수인이 결합하여 위와 같은 목적으로 한 지방의 평온을 해할 정도의 폭행·협박행위를 하면 기수가 되고, 그 목적의 달성 여부는 이와 무관한 것으로 해석되므로, 다수인이 한 지방의 평온을 해할 정도의 폭동을 하였을 때 이미 내란의 구성요건은 완전히 충족된다고 할 것이어서 상태범으로 봄이 상당하다(대법원 1997.4.17. 선고 96도3376 전원합의체 판결).

② (O) 대법원 2005.9.9. 2005도3857

③ (O) 직무유기죄는 그 직무를 수행하여야 하는 작위의무의 존재와 그에 대한 위반을 전제로 하고 있는바, 그 작위의무를 수행하지 아니함으로써 구성요건에 해당하는 사실이 있었고 그 후에도 계속하여 그 작위의무를 수행하지 아니하는 위법한 부작위상태가 계속되는 한 가벌적 위법상태는 계속 존재하고 있다고 할 것이며 형법 제122조 후단은 이를 전체적으로 보아 1죄로 처벌하는 취지로 해석되므로 이를 즉시범이라고 할 수 없다(대법원 1997.8.29. 97도675).

09 0055

2021 국가직 9급

형법상 범죄와 그 범죄의 유형을 바르게 연결한 것은? (다툼이 있는 경우 판례에 의함)

① 배임죄 – 침해범
② 범인도피죄 – 즉시범
③ 모해위증죄 – 부진정신분범
④ 일반교통방해죄 – 구체적 위험범

지문분석 난이도 중 정답 ③

| 키 워 드 | 범죄의 종류
| 출제유형 | 옳은 지문 고르기

③ (○) 형법 제152조 제1항(위증죄)과 제2항(모해위증죄)은 위증을 한 범인이 형사사건의 피고인 등을 '모해할 목적'을 가지고 있었는가 아니면 그러한 목적이 없었는가 하는 범인의 특수한 상태의 차이에 따라 범인에게 과할 형의 경중을 구별하고 있으므로, 이는 바로 형법 제33조 단서 소정의 '신분관계로 인하여 형의 경중이 있는 경우'에 해당한다고 봄이 상당하다(대법원 1994.12.23. 93도1002).
→ 판례는 모해위증죄를 부진정신분범으로 본다.

① (X) 현행 형법상의 배임죄가 위태범이라는 법리를 부인할 수 없다 할지라도, 문제된 경영상의 판단에 이르게 된 경위와 동기, 판단대상인 사업의 내용, 기업이 처한 경제적 상황, 손실발생의 개연성과 이익획득의 개연성 등 제반 사정에 비추어 자기 또는 제3자가 재산상 이익을 취득한다는 인식과 본인에게 손해를 가한다는 인식(미필적 인식을 포함)하의 의도적 행위임이 인정되는 경우에 한하여 배임죄의 고의를 인정하는 엄격한 해석기준은 유지되어야 할 것이고, 그러한 인식이 없는데 단순히 본인에게 손해가 발생하였다는 결과만으로 책임을 묻거나 주의의무를 소홀히 한 과실이 있다는 이유로 책임을 물을 수는 없다(대법원 2019.6.13. 2018도20655).
→ 배임죄는 위험범(위태범)이다.

② (X) 범인도피죄는 범인을 도피하게 함으로써 기수에 이르지만 범인도피행위가 계속되는 동안에는 범죄행위도 계속되고 행위가 끝날 때 비로소 범죄행위가 종료되고, 공범자의 범인도피행위의 도중에 그 범행을 인식하면서 그와 공동의 범의를 가지고 기왕의 범인도피상태를 이용하여 스스로 범인도피행위를 계속한 자에 대하여는 범인도피죄의 공동정범이 성립한다(대법원 1995.9.5. 95도577).
→ 범인도피죄는 계속범이다.

④ (X) 일반교통방해죄는 추상적 위험범이다. 한편, 일반교통방해죄에서 교통방해행위는 계속범의 성질을 가지고 있다(대법원 2018.5.11. 2017도9146).

10 0056

2019 경찰 간부

다음 중 현행법상 반의사불벌죄로 규정되어 있는 것은 모두 몇 개인가?

가. 업무방해죄
나. 비밀침해죄
다. 업무상과실치상죄
라. 특수폭행죄
마. 출판물 등에 의한 명예훼손죄
바. 외국국기·국장모독죄

① 1개　② 2개
③ 3개　④ 4개

지문분석 난이도 하 정답 ②

| 키 워 드 | 반의사불벌죄
| 출제유형 | 개수 찾기

마. (○) 출판물 등에 의한 명예훼손죄는 반의사불벌죄이다(형법 제312조 제2항).
바. (○) 외국국기·국장모독죄는 반의사불벌죄이다(형법 제110조).
가. (X) 업무방해죄는 반의사불벌죄도, 친고죄도 아니다.
나. (X) 비밀침해죄는 친고죄이다(형법 제318조).
다. (X) 업무상과실치상죄는 반의사불벌죄도, 친고죄도 아니다.
라. (X) 특수폭행죄는 반의사불벌죄도, 친고죄도 아니다.

11 0057

2021 경찰 간부

형법상 구성요건에 대한 설명으로 옳은 것은? (다툼이 있는 경우 판례에 의함)

① 특수상해죄(형법 제258조의2)는 흉기를 휴대하거나 2인 이상이 합동하여 상해 또는 존속상해의 죄를 범한 경우를 처벌하는 규정이다.
② 중체포·감금죄(형법 제277조)는 사람을 체포 또는 감금하여 생명에 대한 위험을 발생하게 한 경우를 처벌하는 규정으로, 결과적 가중범이자 구체적 위험범이다.
③ 준사기죄(형법 제348조)는 미성년자의 심신상실 또는 항거불능 상태를 이용하여 재물의 교부를 받거나 재산상의 이익을 취득한 경우를 처벌하는 규정이다.
④ 업무상과실장물취득죄(형법 제364조)는 '업무'가 신분요소로 작용하는 경우로서, 업무자의 신분이 있는 경우에만 범죄가 성립하는 진정신분범이다.

지문분석 난이도 중 정답 ④

| 키 워 드 | 범죄의 종류

| 출제유형 | 옳은 지문 고르기

④ (O) 장물죄는 단순(일반)과실장물죄는 없으므로 업무상과실장물취득죄는 진정신분범이다. 참고로 업무상과실장물죄와 업무상비밀누설죄는 진정신분범이다.
① (X) 특수상해죄(형법 제258조의2)는 '단체 또는 다중의 위력을 보이거나 위험한 물건을 휴대'하여 상해 또는 존속상해의 죄를 범한 경우를 처벌하는 규정이다.
② (X) 중체포·감금죄(형법 제277조)는 사람을 체포 또는 감금하여 '가혹한 행위'를 한 경우를 처벌하는 규정으로, 결과적 가중범도 아니고, 구체적 위험범도 아니다.
③ (X) 준사기죄(형법 제348조)는 '미성년자의 사리분별력 부족 또는 사람의 심신장애를 이용'하여 재물을 교부받거나 재산상 이익을 취득한 경우를 처벌하는 규정이다.

12 0058

2015 경찰 1차

법인의 범죄능력과 양벌규정에 관한 다음 설명 중 가장 적절하지 않은 것은? (다툼이 있으면 판례에 의함)

① 형사범에 대해서는 법인의 범죄능력을 부정하고, 행정범에 대해서는 법인의 범죄능력을 긍정하는 견해는 법인의 범죄능력에 관한 부분적 긍정설(절충설)의 입장이다.
② 법인이 처리할 의무를 지는 타인의 사무에 관하여는 법인이 배임죄의 주체가 될 수는 없고 그 법인을 대표하여 사무를 처리하는 자연인인 대표기관이 바로 타인의 사무를 처리하는 자, 즉 배임죄의 주체가 된다.
③ 양벌규정이 있는 경우에는 당해 양벌규정에 법인격 없는 사단이나 재단이 명시되어 있지 않더라도 그 법인격 없는 사단이나 재단에 양벌규정을 적용할 수 있다.
④ 지방자치단체가 그 고유의 자치사무를 처리하는 경우 지방자치단체는 국가기관의 일부가 아니라 국가기관과는 별도의 독립한 공법인으로서 양벌규정에 의한 처벌대상이 되는 법인에 해당한다.

지문분석 난이도 중 정답 ③

| 키 워 드 | 법인의 범죄능력과 양벌규정

| 출제유형 | 틀린 지문 고르기

③ (X) 법인격 없는 사단에 대하여서도 위 양벌규정을 적용할 것인가에 관하여는 아무런 명문의 규정을 두고 있지 아니하므로, 죄형법정주의의 원칙상 법인격 없는 사단에 대하여는 자동차운수사업법 제74조 양벌규정에 의하여 처벌할 수 없다(대법원 1995.7.28. 94도3325).
① (O) 부분적 긍정설 중 형사범·행정범 구별설의 내용으로 타당하다.
② (O) 법인의 범죄능력을 부정한 대표적인 판결이다(상가 이중 분양 사건). 법인이 처리할 의무를 지는 타인의 사무에 관하여는 법인이 배임죄의 주체가 될 수는 없고 그 법인을 대표하여 사무를 처리하는 자연인인 대표기관이 바로 타인의 사무를 처리하는 자, 즉 배임죄의 주체가 된다(대법원 1984.10.10. 82도2595 전원합의체).
④ (O) 지방자치단체 소속 공무원이 압축트럭 청소차를 운전하여 고속도로를 운행하던 중 초과 적재 운행함으로써 도로관리청의 차량운행제한을 위반한 경우 이 사건 도로법 위반 당시 위 공무원이 수행하고 있던 업무는 지방자치단체 고유의 자치사무(주민의 복지증진에 관한 사무)에 해당하므로 지방자치단체가 도로법 제86조의 양벌규정에 따른 처벌대상이 된다고 한 판결이다(대법원 2005.11.10. 2004도2657).

✓ **개념체크 지방자치단체가 양벌규정에 의한 처벌대상이 되는 법인에 해당하는지 여부**

- 고유의 자치사무: 해당 O
- 기관위임사무: 해당 X

13 0059

2016 경찰 2차

양벌규정에 대한 다음 설명 중 가장 적절하지 않은 것은? (다툼이 있으면 판례에 의함)

① 합병으로 인하여 소멸한 법인이 그 종업원 등의 위법행위에 대해 양벌규정에 따라 부담하던 형사책임은 그 성질상 이전을 허용하지 않는 것으로서 합병으로 인하여 존속하는 법인에 승계되지 않는다.

② 회사 대표자의 위반행위에 대하여 징역형의 형량을 작량감경하고 병과하는 벌금형에 대하여 선고유예를 한 이상 양벌규정에 따라 그 회사를 처단함에 있어서도 같은 조치를 취하여야 한다.

③ 형벌의 자기책임원칙에 비추어 보면, 종업원의 위반행위가 발생한 그 업무와 관련하여 법인이 상당한 주의 또는 관리감독의무를 게을리한 때에 한하여 양벌규정을 적용한다.

④ 양벌규정에 의하여 법인이 처벌받는 경우, 법인에게 자수감경에 관한 형법 제52조 제1항의 규정을 적용하기 위해서는 법인의 이사 기타 대표자가 수사책임이 있는 관서에 자수한 경우에 한하고, 그 위반행위를 한 직원 또는 사용인이 자수한 것만으로는 위 규정에 의하여 형을 감경할 수 없다.

지문분석

난이도 중 정답 ②

| 키 워 드 | 양벌규정

| 출제유형 | 틀린 지문 고르기

② (X) 회사 대표자의 위반행위에 대하여 징역형의 형량을 작량감경하고 병과하는 벌금형에 대하여 선고유예를 한 이상 양벌규정에 따라 그 회사를 처단함에 있어서도 같은 조치를 취하여야 한다는 논지는 독자적인 견해에 지나지 아니하여 받아들일 수 없다(대법원 1995.12.12. 95도1893).

① (O) **합병으로 소멸한 법인이 양벌규정에 따라 부담하던 형사책임이 합병 후 존속회사에 승계되는지 여부: 부정**
회사합병이 있는 경우 피합병회사의 권리·의무는 사법상의 관계나 공법상의 관계를 불문하고 모두 합병으로 인하여 존속하는 회사에 승계되는 것이 원칙이지만, 그 성질상 이전을 허용하지 않는 것은 승계의 대상에서 제외되어야 할 것인바, 양벌규정에 의한 법인의 처벌은 어디까지나 형벌의 일종으로서 행정적 제재처분이나 민사상 불법행위책임과는 성격을 달리하는 점 등에 비추어 보면, 합병으로 인하여 소멸한 법인이 그 종업원 등의 위법행위에 대해 양벌규정에 따라 부담하던 형사책임은 그 성질상 이전을 허용하지 않는 것으로서 합병으로 인하여 존속하는 법인에 승계되지 않는다(대법원 2007.8.23. 2005도4471).

③ (O) **'양벌조항'이 적용되기 위한 요건**
형벌의 자기책임원칙에 비추어 보면 위반행위가 발생한 그 업무와 관련하여 법인이 상당한 주의 또는 관리감독의무를 게을리한 때에 한하여 위 양벌조항이 적용된다고 봄이 상당하며, 구체적인 사안에서 법인이 상당한 주의 또는 관리감독의무를 게을리하였는지 여부는 당해 위반행위와 관련된 모든 사정을 전체적으로 종합하여 판단하여야 한다(대법원 2010.2.25. 2009도5824).

④ (O) 법인의 책임은 법인 자신의 행위에 대한 형사책임으로 보아야 할 것이고, 법인의 행위는 기관인 이사 기타 그 대표자에 의하여 행하여지므로 법인의 자수는 이사 기타 대표자가 법인의 사용인에 대한 업무상감독을 다하지 못한 관계로 위반행위가 발생한 사실을 수사기관에 신고하여 소추를 구함으로써 비로소 자수의 효력이 발생한다고 할 것이고, 위반행위를 한 사용인이 자신의 범죄사실에 관하여 자수를 하였다고 하여 그 사실만으로 법인이 자수한 것으로 볼 수 없다(대법원 1995.7.25. 95도391).

14 0060

2018 경찰 3차

행위주체에 대한 설명으로 가장 적절하지 않은 것은? (다툼이 있는 경우 판례에 의함)

① 양벌규정에 의한 영업주의 처벌은 금지위반행위자인 종업원의 처벌에 종속하는 것이 아니라 독립하여 그 자신의 종업원에 대한 선임감독상의 과실로 인하여 처벌되는 것이므로 종업원의 범죄성립이나 처벌이 영업주 처벌의 전제조건이 될 필요는 없다.

② 법인격 없는 사단과 같은 단체는 법인과 마찬가지로 사법상의 권리의무의 주체가 될 수 있음은 별론으로 하더라도 법률에 명문의 규정이 없는 한 그 범죄능력은 없다.

③ 합병으로 인하여 소멸한 법인이 그 종업원 등의 위법행위에 대해 양벌규정에 따라 부담하던 형사책임은 합병으로 인하여 존속하는 법인에 승계된다.

④ 지방자치단체 소속 공무원이 지방자치단체 고유의 자치사무를 수행하던 중 구 도로법 제81조 내지 제85조의 규정에 의한 위반행위를 한 경우 지방자치단체는 구 도로법의 양벌규정에 따라 처벌대상이 되는 법인에 해당한다.

지문분석 난이도 ㊥ 정답 ③

| 키 워 드 | 법인의 범죄능력과 양벌규정

| 출제유형 | 틀린 지문 고르기

③ (X) 합병으로 인하여 소멸한 법인이 그 종업원 등의 위법행위에 대해 양벌규정에 따라 부담하던 형사책임은 그 성질상 이전을 허용하지 않는 것으로서 합병으로 인하여 존속하는 법인에 승계되지 않는다(대법원 2007.8.23. 2005도4471).

① (O) **양벌규정에 의한 영업주의 처벌에 있어서 종업원의 범죄성립이나 처벌을 요하는지 여부: 부정**
여행사 종업원이 여행사 홈페이지에 사진을 게시하여 저작권을 침해한 사건에서 영업주에 대하여만 공소가 제기된 경우 이를 유죄로 인정한 원심판결에는 위법이 없다(대법원 2006.2.24. 2005도7673).

② (O) 대법원 1997.1.24. 96도524

④ (O) 대법원 2005.11.10. 2004도2657

15 0061

2020 경찰 승진

법인의 범죄능력과 양벌규정에 대한 설명 중 가장 적절한 것은? (다툼이 있는 경우 판례에 의함)

① 합병으로 인하여 소멸한 법인이 그 종업원 등의 위법행위에 대해 양벌규정에 따라 부담하던 형사책임은 합병으로 인하여 존속하는 법인에 승계된다.

② 양벌규정에 의해서 법인 또는 영업주를 처벌하는 경우 그 처벌은 직접 법률을 위반한 행위자에 대한 처벌에 종속하므로 행위자에 대한 처벌은 법인 또는 개인에 대한 처벌의 전제조건이 된다.

③ 회사 대표자의 위반행위에 대하여 징역형의 형량을 작량감경하고 병과하는 벌금형에 대하여 선고유예를 하였다면 양벌규정에 따라 그 회사를 처단함에 있어서도 같은 조치를 취하여야 한다.

④ 지입차주가 세무관서에 독립된 사업자등록을 하고 지입된 차량을 직접 운행·관리하면서 그 명의로 운송계약을 체결하였다고 하더라도, 지입차주는 객관적으로나 외형상으로나 그 차량의 소유자인 지입회사와의 위탁계약에 의하여 그 위임을 받아 운행·관리를 대행하는 지위에 있는 자로서 구 도로법 제100조 제1항에서 정한 대리인·사용인 그 밖의 종업원에 해당한다.

지문분석 난이도 ㊥ 정답 ④

| 키 워 드 | 법인의 범죄능력과 양벌규정

| 출제유형 | 옳은 지문 고르기

④ (O) 지입차주가 고용한 운전자가 과적운행으로 구 도로법을 위반한 경우, 지입차주는 구 도로법(2008.3.21. 법률 제8976호로 전부 개정되기 전의 것) 제86조에 정한 '대리인·사용인 기타의 종업원'의 지위에 있을 뿐이고 지입차량의 소유자이자 대외적인 경영 주체는 지입회사이므로, 지입회사가 구 도로법상 사용자로서의 형사책임을 부담한다(대법원 2009.9.24. 2009도5302).

① (X) 합병으로 인하여 소멸한 법인이 그 종업원 등의 위법행위에 대해 양벌규정에 따라 부담하던 형사책임은 그 성질상 이전을 허용하지 않는 것으로서 합병으로 인하여 존속하는 법인에 승계되지 않는다(대법원 2007.8.23. 2005도4471).

② (X) 양벌규정에 의한 영업주의 처벌은 금지위반행위자인 종업원의 처벌에 종속하는 것이 아니라 독립하여 그 자신의 종업원에 대한 선임감독상의 과실로 인하여 처벌되는 것이므로 종업원의 범죄성립이나 처벌이 영업주 처벌의 전제조건이 될 필요는 없다(대법원 2006.2.24. 2005도7673).

③ (X) 회사 대표자의 위반행위에 대하여 징역형의 형량을 작량감경하고 병과하는 벌금형에 대하여 선고유예를 한 이상 양벌규정에 따라 그 회사를 처단함에 있어서도 같은 조치를 취하여야 한다는 논지는 독자적인 견해에 지나지 아니하여 받아들일 수 없다(대법원 1995.12.12. 95도1893).

2 부작위범

16 0062

2013 경찰 1차

다음 설명 중 가장 적절한 것은? (다툼이 있는 경우 판례에 의함)

① 진정부작위범의 경우 다수의 부작위범에게 부여된 작위의무가 각각 다르더라도 각각의 작위의무에 위반되는 행위를 공동으로 하였다면 부작위범의 공동정범이 성립할 수 있다.
② 일정한 기간 내에 잘못된 상태를 바로잡으라는 행정청의 지시를 이행하지 않았다는 것을 구성요건으로 하는 범죄는 이른바 진정부작위범으로서 그 의무이행기간의 경과에 의하여 범행이 기수에 이른다.
③ 공무원이 어떠한 위법사실을 발견하고도 직무상 의무에 따른 적절한 조치를 취하지 아니하고 위법사실을 적극적으로 은폐할 목적으로 허위공문서를 작성·행사한 경우에는 허위공문서작성죄와 허위작성공문서행사죄 외에 부작위범인 직무유기죄가 성립한다.
④ 부진정부작위범의 작위의무는 법적인 의무로서 법령, 법률행위 또는 선행행위로 인한 경우에 인정될 수 있으나, 단순한 도덕적 의무라든가 사회상규 혹은 조리에 의하여서는 인정될 수 없다.

지문분석 난이도 중 정답 ②

| 키 워 드 | 부작위범
| 출제유형 | 옳은 지문 고르기

② (○) 2개월 내에 작위의무를 이행하라는 행정청의 지시를 이행하지 아니한 행위는 그 기간 경과로 기수이다.
일정한 기간 내에 잘못된 상태를 바로잡으라는 행정청의 지시를 이행하지 않았다는 것을 구성요건으로 하는 범죄는 이른바 진정부작위범으로서 그 의무이행기간의 경과에 의하여 범행이 기수에 이름과 동시에 작위의무를 발생시킨 행정청의 지시 역시 그 기능을 다한 것으로 보아야 한다(대법원 1994.4.26. 93도1731).
① (X) 부작위범 사이의 공동정범은 ㉠ 다수의 부작위범에게 공통된 의무가 부여되어 있고, ㉡ 그 의무를 공통으로 이행할 수 있을 때에만 성립한다(대법원 2008.3.27. 2008도89).
③ (X) 공무원이 어떠한 위법사실을 발견하고도 직무상 의무에 따른 적절한 조치를 취하지 아니하고 위법사실을 적극적으로 은폐할 목적으로 허위공문서를 작성·행사한 경우에는 직무위배의 위법상태는 허위공문서 작성 당시부터 그 속에 포함되는 것으로 작위범인 허위공문서작성, 동행사죄만이 성립하고 부작위범인 직무유기죄는 따로 성립하지 아니한다(대법원 1993.12.24. 92도3334).
④ (X) 작위의무는 법적인 의무이어야 하므로 단순한 도덕상 또는 종교상의 의무는 포함되지 않으나 작위의무가 법적인 의무인 한 성문법이건 불문법이건 상관이 없고 또 공법이건 사법이건 불문하므로, 법령, 법률행위, 선행행위로 인한 경우는 물론이고 기타 신의성실의 원칙이나 사회상규 혹은 조리상 작위의무가 기대되는 경우에도 법적인 작위의무는 있다(대법원 1996.9.6. 95도2551).

17 0063

2014 경찰 2차

부작위범에 관한 다음 설명 중 가장 적절한 것은? (다툼이 있으면 판례에 의함)

① 진정부작위범과 부진정부작위범의 구별에 관한 학설 중 실질설은 거동범에 대하여는 부진정부작위범이 성립할 여지가 없다고 보는 반면에, 형식설은 결과범은 물론 거동범에 대하여도 부진정부작위범이 성립할 수 있다고 본다.
② 부작위에 의한 사기죄에서 작위의무의 발생근거는 유기죄에서 보호의무의 발생근거보다 그 범위가 좁다.
③ 어떠한 범죄가 적극적 작위 또는 소극적 부작위에 의하여도 실현될 수 있는 경우에, 행위자가 자신의 신체적 활동이나 물리적·화학적 작용을 통하여 적극적으로 타인의 법익 상황을 악화시킴으로써 결국 그 타인의 법익을 침해하기에 이르렀다면, 이는 부작위에 의한 범죄로 봄이 원칙이다.
④ 도로교통법 제54조의 교통사고운전자의 사상자구호조치의무는 위법한 선행행위의 경우에만 작위의무를 인정한 것이라고 할 수 있다.

지문분석 난이도 중 정답 ①

| 키 워 드 | 부작위범
| 출제유형 | 옳은 지문 고르기

① (○) 실질설은 거동범에 대하여는 부진정부작위범이 성립할 여지가 없다고 보는 반면에, 형식설은 결과범은 물론 거동범에 대하여도 부진정부작위범이 성립할 수 있다고 본다.
② (X) ㉠ 유기죄에서 보호의무는 법률, 계약에 한정되지만(대법원 1977.1.11. 76도3419), ㉡ 부작위에 의한 사기죄는 부진정부작위범이고, 부진정부작위범의 작위의무는 법령, 법률행위, 선행행위로 인한 경우는 물론이고 기타 신의성실의 원칙이나 사회상규 혹은 조리상 작위의무가 기대되는 경우에도 인정된다(대법원 1996.9.6. 95도255).
→ 부작위에 의한 사기죄에서 작위의무의 발생근거 > 유기죄에서 보호의무의 발생근거
③ (X) 부작위가 아니라 작위에 의한 범죄로 봄이 원칙이다(대법원 2004.6.24. 2002도995).
④ (X) 도로교통법이 규정한 교통사고발생시의 구호조치의무 및 신고의무는 교통사고를 발생시킨 당해 차량의 운전자에게 그 사고발생에 있어서 고의·과실 혹은 유책·위법의 유무에 관계없이 부과된 의무라고 해석함이 상당할 것이므로, 당해 사고에 있어 귀책사유가 없는 경우에도 위 의무가 없다 할 수 없다(대법원 2002.5.24. 2000도1731).

✓ 개념체크 **진정부작위범과 부진정부작위범의 구별**

구별	내용
형식설 (다수설)	• 형법이 부작위범의 구성요건을 두고 있는가 하는 형식적 기준에 의하여 구별하는 견해이다. • 진정부작위범은 구성요건의 규정형식이 부작위로 되어 있는 경우(~ 아니한 자)를 부작위로 범한 경우이고, 부진정부작위범은 구성요건의 규정형식이 작위로 되어 있는 경우(~한 자)를 부작위로 범한 경우이다.
실질설	• 범죄의 내용과 성질이라고 하는 실질적 기준에 의하여 구별하는 견해이다. • 진정부작위범은 단순한 부작위에 의하여 구성요건이 충족되는 범죄이고, 부진정부작위범은 부작위 이외에 결과의 발생을 필요로 하는 범죄이다. 따라서 진정부작위범은 순수한 거동범으로, 부진정부작위범은 결과범으로 본다.
결론	• 실질설은 거동범에 대하여는 부진정부작위범이 성립할 여지가 없다고 보는 반면에, 형식설은 결과범은 물론 거동범에 대하여도 부진정부작위범이 성립할 수 있다고 본다. • 진정부작위범은 대체로 거동범이기는 하지만 결과범에 대해서도 성립가능하고, 부진정부작위범은 결과범이 대부분이기는 하나 거동범에 대하여도 불가능한 것은 아니므로 실질설은 부당하고 형식설이 타당하다.

18 0064

2016 경찰 1차

부작위범에 관한 다음 설명 중 가장 적절하지 않은 것은? (다툼이 있으면 판례에 의함)

① 甲이 자신의 토지에 대하여 여객정류장시설 또는 유통업무설비시설을 설치하는 도시계획이 입안되어 있어 장차 위 토지가 수용될 것이라는 점을 알고 있으면서도, 이러한 사정을 모르고 위 토지를 매수하려는 乙에게 그 사정을 고지하지 아니하고 매도한 경우 甲에게는 乙에 대한 부작위에 의한 사기죄가 성립한다.

② 매수인이 매도인에게 매매잔금을 지급함에 있어 착오에 빠져 지급해야 할 금액을 초과하는 돈을 교부하는 경우, 매도인이 매매잔금을 받은 후 비로소 그 사실을 알게 되었음에도 불구하고 그 사실을 매수인에게 알리고 초과금액을 되돌려주지 않은 경우에는 부작위에 의한 사기죄가 성립한다.

③ 출판사 경영자가 출고현황표를 조작하는 방법으로 실제출판부수를 속여 작가에게 인세의 일부만을 지급한 사안에서, 작가가 나머지 인세에 대한 청구권의 존재 자체를 알지 못하는 착오에 빠져 이를 행사하지 아니한 것이 사기죄에 있어 부작위에 의한 처분행위에 해당한다.

④ 형법이 금지하고 있는 법익침해의 결과발생을 방지할 법적인 작위의무를 지고 있는 자가 그 의무를 이행함으로써 결과발생을 쉽게 방지할 수 있었음에도 불구하고 그 결과의 발생을 용인하고 이를 방관한 채 그 의무를 이행하지 아니한 경우에, 그 부작위가 작위에 의한 법익침해와 동등한 형법적 가치가 있는 것이어서 그 범죄의 실행행위로 평가될 만한 것이라면, 작위에 의한 실행행위와 동일하게 부작위범으로 처벌할 수 있다.

지문분석 난이도 ㊥ 정답 ②

| 키 워 드 | 부작위범

| 출제유형 | 틀린 지문 고르기

② (X) [1] 매도인이 매매잔금을 교부받기 전 또는 교부받던 중에 그 사실을 알게 되었을 경우에는 특별한 사정이 없는 한 매도인으로서는 매수인에게 사실대로 고지하여 매수인의 그 착오를 제거하여야 할 신의칙상 의무를 지므로 그 의무를 이행하지 아니하고 매수인이 건네주는 돈을 그대로 수령한 경우에는 사기죄에 해당될 것이지만,
[2] 그 사실을 미리 알지 못하고 매매잔금을 건네주고 받는 행위를 끝마친 후에야 비로소 알게 되었을 경우에는 주고받는 행위는 이미 종료되어 버린 후이므로 매수인의 착오 상태를 제거하기 위하여 그 사실을 고지하여야 할 법률상 의무의 불이행은 더 이상 그 초과된 금액 편취의 수단으로서의 의미는 없으므로, 교부하는 돈을 그대로 받은 그 행위는 점유이탈물횡령죄가 될 수 있음은 별론으로 하고 사기죄를 구성할 수는 없다(대법원 2004.5.27. 2003도4531).

① (O) 대법원 1993.7.13. 93도14
→ 부작위 사기죄에서의 고지의무 인정

③ (O) 부작위에 의한 처분행위 인정(대법원 2007.7.12. 2005도9221)

④ (O) 부진정부작위범의 동가치성(대법원 1996.9.6. 95도2551)

19 0065

2015 경찰 2차

부작위범에 관한 다음 설명 중 가장 적절하지 않은 것은? (다툼이 있으면 판례에 의함)

① 작위의무는 법령, 법률행위, 선행행위로 인한 경우는 물론, 기타 신의성실의 원칙이나 사회상규 또는 조리상 작위의무가 기대되는 경우에도 인정된다.
② 구 도로교통법 제50조 제1항, 제2항이 규정한 교통사고발생시의 구호조치의무 및 신고의무는 교통사고의 결과가 피해자의 구호 및 교통질서의 회복을 위한 조치가 필요한 상황인 이상 교통사고를 발생시킨 당해 차량의 운전자에게 그 사고발생에 있어서 고의, 과실 혹은 유책, 위법의 유무에 관계없이 부과된 의무라고 해석함이 상당할 것이므로, 당해 사고에 있어 귀책사유가 없는 경우에도 위 의무가 없다고 할 수 없다.
③ 일정한 기간 내에 잘못된 상태를 바로잡으라는 행정청의 지시를 이행하지 않았다는 것을 구성요건으로 하는 범죄는 이른바 진정부작위범으로서 그 의무이행기간의 경과에 의하여 범행이 기수에 이른다.
④ 판례에 의하면 부작위에 의한 유기죄의 작위의무는 법률 또는 계약뿐만 아니라 신의성실·조리에 의해서도 발생할 수 있다.

지문분석

난이도 ㊥ 정답 ④

| 키 워 드 | 부작위범
| 출제유형 | 틀린 지문 고르기

④ (X) 유기죄의 보호의무의 근거를 사무관리·관습·조리에까지 확대하는 것은 죄형법정주의에 반하므로 보호의무의 발생근거는 법률 또는 계약으로 제한해야 한다는 견해가 다수설·판례이다.
현행 형법은 유기죄에 있어서 법률상 또는 계약상의 의무 있는 자만을 그 유기죄의 주체로 규정하고 있어 명문상 사회상규상의 보호책임을 관념할 수 없다고 하겠으니 설혹 동행자가 구조를 요하게 되었다 하여도 일정거리를 동행한 사실만으로서는 피고인에게 법률상·계약상의 보호의무가 있다고 할 수 없으니 유기죄의 주체가 될 수 없다(대법원 1977.1.11. 76도3419).

① (O) 작위의무는 법적인 의무이어야 하므로 단순한 도덕상 또는 종교상의 의무는 포함되지 않으나 작위의무가 법적인 의무인 한 성문법이건 불문법이건 상관이 없고 또 공법이건 사법이건 불문하므로, 법령, 법률행위, 선행행위로 인한 경우는 물론이고 기타 신의성실의 원칙이나 사회상규 혹은 조리상 작위의무가 기대되는 경우에도 법적인 작위의무는 있다(대법원 1996.9.6. 95도2551).

② (O) 도로교통법 제50조 제1항, 제2항이 규정한 교통사고발생시의 구호조치의무 및 신고의무는 교통사고를 발생시킨 당해 차량의 운전자에게 그 사고발생에 있어서 고의·과실 혹은 유책·위법의 유무에 관계없이 부과된 의무라고 해석함이 상당할 것이므로, 당해 사고에 있어 귀책사유가 없는 경우에도 위 의무가 없다 할 수 없고, 또 위 의무는 신고의무에만 한정되는 것이 아니므로 타인에게 신고를 부탁하고 현장을 이탈하였다고 하여 위 의무를 다한 것이라고 말할 수는 없다(대법원 2002.5.24. 2000도1731).

③ (O) 일정한 기간 내에 잘못된 상태를 바로잡으라는 행정청의 지시를 이행하지 않았다는 것을 구성요건으로 하는 범죄는 이른바 진정부작위범으로서 그 의무이행기간의 경과에 의하여 범행이 기수에 이름과 동시에 작위의무를 발생시킨 행정청의 지시 역시 그 기능을 다한 것으로 보아야 한다(대법원 1994.4.26. 93도1731).

20 0066

2019 경찰 1차

부작위범에 관한 설명 중 옳은 것은? (다툼이 있는 경우 판례에 의함)

① 부작위에 의한 교사와 방조 모두 불가능하다.
② 형법 제319조 제2항의 퇴거불응죄는 부진정부작위범이다.
③ 파업은 그 자체로 부작위가 아니라 작위적 행위이다.
④ 작위의무는 법적 의무로서 사회상규 혹은 조리상 작위의무가 기대되는 경우에는 부정된다.

지문분석 난이도 [하] 정답 ③

| 키 워 드 | 부작위범

| 출제유형 | 옳은 지문 고르기

③ (O) 파업은 그 자체로 부작위가 아니라 작위적 행위라고 보아야 한다(대법원 2011.3.17. 2007도482 전원합의체).
① (X) 부작위에 의한 교사는 불가능하지만, 부작위에 의한 방조는 가능하다.
② (X) 퇴거불응죄는 진정부작위범(부작위에 의한 부작위범)이다.
④ (X) 작위의무는 법령, 법률행위, 선행행위로 인한 경우는 물론, 신의성실의 원칙이나 사회상규 혹은 조리상 작위의무가 기대되는 경우에도 인정된다(대법원 2015.11.12. 2015도6809 전원합의체).

21 0067

2018 경찰 1차

부작위범에 대한 설명으로 가장 적절하지 않은 것은? (다툼이 있는 경우 판례에 의함)

① 작위의무는 법적인 의무이어야 하므로 단순한 도덕상 또는 종교상의 의무는 포함되지 않으나 작위의무가 법적인 의무인 한 성문법이건 불문법이건 상관이 없고 또 공법이건 사법이건 불문하므로, 법령, 법률행위, 선행행위로 인한 경우는 물론이고 기타 신의성실의 원칙이나 사회상규 혹은 조리상 작위의무가 기대되는 경우에도 법적인 작위의무는 있다.
② 보호자가 의학적 권고에도 불구하고 치료를 요하는 환자의 퇴원을 간청하여 담당 전문의와 주치의가 치료중단 및 퇴원을 허용하는 조치를 취함으로써 환자를 사망에 이르게 한 경우, 담당 전문의와 주치의의 행위는 부작위에 의한 살인방조죄가 성립한다.
③ 부작위범 사이의 공동정범은 다수의 부작위범에게 공통된 의무가 부여되어 있고 그 의무를 공통으로 이행할 수 있을 때에만 성립한다.
④ 부진정부작위범의 고의는 반드시 구성요건적 결과발생에 대한 목적이나 계획적인 범행의도가 있어야 하는 것은 아니고 법익침해의 결과발생을 방지할 법적 작위의무를 가지고 있는 자가 그 의무를 이행함으로써 그 결과발생을 쉽게 방지할 수 있었음을 예견하고도 결과의 발생을 용인하고 이를 방관한 채 그 의무를 이행하지 아니한다는 인식을 하면 족하며, 이러한 작위의무자의 예견 또는 인식 등은 확정적인 것은 물론 불확정적인 것이라도 미필적 고의로 인정될 수 있다.

지문분석 난이도 [중] 정답 ②

| 키 워 드 | 부작위범

| 출제유형 | 틀린 지문 고르기

② (X) 보호자의 간청에 따라 치료를 요하는 환자에 대하여 치료중단 및 퇴원을 허용하는 조치를 취함으로써 환자를 사망에 이르게 한 담당 전문의와 주치의에게 작위에 의한 살인방조죄가 성립한다(대법원 2004.6.24. 2002도995).
① (O) 대법원 1996.9.6. 95도2551
③ (O) 대법원 2008.3.27. 2008도89
④ (O) **부진정부작위범의 고의의 내용(세월호 사건)**
부진정부작위범의 고의는 반드시 구성요건적 결과발생에 대한 목적이나 계획적인 범행의도가 있어야 하는 것은 아니고 법익침해의 결과발생을 방지할 법적 작위의무를 가지고 있는 자가 그 의무를 이행함으로써 그 결과발생을 쉽게 방지할 수 있었음을 예견하고도 결과발생을 용인하고 이를 방관한 채 그 의무를 이행하지 아니한다는 인식을 하면 족하며, 이러한 작위의무자의 예견 또는 인식 등은 확정적인 경우는 물론 불확정적인 경우이더라도 미필적 고의로 인정될 수 있다(대법원 2015.11.12. 2015도6809 전원합의체).

22 0068

2019 경찰 2차

부작위범에 관한 설명으로 옳은 것을 모두 고른 것은? (다툼이 있는 경우 판례에 의함)

㉠ 형법은 부작위범의 성립요건을 별도로 규정하고 있다.
㉡ 진정부작위범은 그 속성상 미수가 불가능하며, 형법도 진정부작위범의 미수에 대한 처벌규정을 두고 있지 않다.
㉢ 부진정부작위범의 구성요건인 보증인적 지위(작위의무)는 신의칙이나 조리에 의해서도 발생한다.
㉣ 부진정부작위범을 작위범과 동일하게 평가하기 위해서는 보증인적 지위 외에 부작위와 작위의 동가치성(상응성)을 요하며, 이는 형법이 명문으로 규정하고 있다.
㉤ 부작위범의 공동정범은 성립할 수 있으나, 부작위에 의한 교사범은 성립할 수 없다.

① ㉠, ㉡, ㉣　　② ㉠, ㉢, ㉤
③ ㉡, ㉢, ㉣　　④ ㉢, ㉣, ㉤

23 0069

2019 경찰 승진

부작위범에 대한 설명으로 가장 적절하지 않은 것은? (다툼이 있는 경우 판례에 의함)

① 부작위범에서 작위의무는 법령, 법률행위, 선행행위로 인한 경우여야 하므로 기타 신의성실의 원칙이나 사회상규 혹은 조리상 작위의무는 여기에 포함되지 않는다.
② 형법상 진정부작위범의 미수범을 처벌하는 규정이 있다.
③ 일반거래의 경험칙상 상대방이 그 사실을 알았다면 당해 법률행위를 하지 않았을 것이 명백한 경우에는 신의칙에 비추어 그 사실을 고지할 법률상 의무가 인정된다.
④ 부작위범 사이의 공동정범은 다수의 부작위범에게 공통된 의무가 부여되어 있고 그 의무를 공통으로 이행할 수 있을 때에만 성립한다.

지문분석 (22)

난이도 중 정답 ②

| 키 워 드 | 부작위범
| 출제유형 | 조합하기

㉠ (O) 형법 제18조는 "위험의 발생을 방지할 의무가 있거나 자기의 행위로 인하여 위험발생의 원인을 야기한 자가 그 위험발생을 방지하지 아니한 때에는 그 발생된 결과에 의하여 처벌한다."라고 하여 부작위범의 성립요건을 별도로 규정하고 있다(대법원 2015.11.12. 2015도6809 전원합의체).
㉢ (O) 작위의무는 법령, 법률행위, 선행행위로 인한 경우는 물론, 신의성실의 원칙이나 사회상규 혹은 조리상 작위의무가 기대되는 경우에도 인정된다(대법원 2015.11.12. 2015도6809 전원합의체).
㉤ (O) 부작위범의 공동정범은 성립할 수 있으나, 부작위에 의한 교사범은 성립할 수 없다(대법원 2008.3.27. 2008도89).
㉡ (X) 형법은 진정부작위범 중 퇴거불응죄(제322조), 집합명령위반죄(제149조)에 미수처벌규정을 두고 있다.
㉣ (X) 부진정부작위범을 작위범과 동일하게 평가하기 위해서는 보증인적 지위 외에 부작위와 작위의 동가치성(상응성)을 요한다. 이는 형법이 명문으로 규정하고 있지는 않으나, 판례에 의해 인정된다(대법원 2017.12.22. 2017도13211 참조).

지문분석 (23)

난이도 중 정답 ①

| 키 워 드 | 부작위범
| 출제유형 | 틀린 지문 고르기

① (X) 작위의무는 법적인 의무이어야 하므로 단순한 도덕상 또는 종교상의 의무는 포함되지 않으나 작위의무가 법적인 의무인 한 성문법이건 불문법이건 상관이 없고 또 공법이건 사법이건 불문하므로, 법령, 법률행위, 선행행위로 인한 경우는 물론이고 기타 신의성실의 원칙이나 사회상규 혹은 조리상 작위의무가 기대되는 경우에도 법적인 작위의무는 있다(대법원 1996.9.6. 95도2551).
② (O) 퇴거불응죄와 집합명령위반죄는 미수처벌규정이 있다.
③ (O) 대법원 2006.2.23. 2005도8645
④ (O) 대법원 2008.3.27. 2008도89

24 0070

2020 경찰 간부

부작위범에 대한 설명 중 가장 옳지 않은 것은? (다툼이 있는 경우 판례에 의함)

① 부작위범 사이의 공동정범은 다수의 부작위범에게 공통된 의무가 부여되어 있고 그 의무를 공통으로 이행할 수 있을 때에만 성립한다.
② 부작위범이 성립하기 위한 요건인 작위의무는 법령, 법률행위, 선행행위로 인한 경우는 물론 기타 신의성실의 원칙이나 사회상규 혹은 조리상 작위의무가 기대되는 경우에도 인정된다.
③ 신고의무 위반으로 인한 공중위생관리법 위반죄는 구성요건이 부작위에 의해서만 실현될 수 있는 진정부작위범에 해당한다.
④ 민법상 부부간의 부양의무에 근거한 법률상 보호의무인 작위의무는 법률상 부부의 경우에 한정되므로 사실혼 관계에서는 인정될 여지가 없다.

지문분석

난이도 중 정답 ④

| 키 워 드 | 부작위범

| 출제유형 | 틀린 지문 고르기

④ (X) 형법 제271조 제1항(유기죄)에서 말하는 법률상 보호의무 가운데는 민법 제826조 제1항에 근거한 부부간의 부양의무도 포함되며, 나아가 법률상 부부는 아니지만 사실혼 관계에 있는 경우에도 위 민법 규정의 취지 및 유기죄의 보호법익에 비추어 위와 같은 법률상 보호의무의 존재를 긍정하여야 하지만, 사실혼에 해당하여 법률혼에 준하는 보호를 받기 위하여는 단순한 동거 또는 간헐적인 정교관계를 맺고 있다는 사정만으로는 부족하고, 그 당사자 사이에 주관적으로 혼인의 의사가 있고 객관적으로도 사회관념상 가족질서적인 면에서 부부공동생활을 인정할 만한 혼인생활의 실체가 존재하여야 한다(대법원 2008.2.14. 2007도3952).
① (O) 대법원 2008.3.27. 2008도89
② (O) 대법원 1996.9.6. 95도2551
③ (O) 공중위생관리법(2008.2.29. 법률 제8852호로 개정되어 2008.6.15. 시행되기 전의 것) 제3조 제1항 전단은 "공중위생영업을 하고자 하는 자는 공중위생영업의 종류별로 보건복지부령이 정하는 시설 및 설비를 갖추고 시장·군수·구청장에게 신고하여야 한다."고 규정하고, 같은 법 제20조 제1항 제1호는 '제3조 제1항 전단의 규정에 의한 신고를 하지 아니한 자'를 처벌한다고 규정하고 있는바, 그 규정 형식 및 취지에 비추어 신고의무 위반으로 인한 공중위생관리법 위반죄는 구성요건이 부작위에 의하여서만 실현될 수 있는 진정부작위범에 해당한다(대법원 2008.3.27. 2008도89).

25 0071

2017 경찰 승진

부작위범에 관한 설명 중 가장 적절하지 않은 것은? (다툼이 있는 경우 판례에 의함)

① 진정부작위범과 부진정부작위범의 구별에 관한 학설 중 실질설은 거동범에 대하여는 부진정부작위범이 성립할 여지가 없다고 보는 반면에, 형식설은 결과범은 물론 거동범에 대하여도 부진정부작위범이 성립할 수 있다고 본다.
② 부작위에 의한 방조범이 보증인지위에 있는 자로 한정되는 반면, 부작위범에 대한 교사범은 보증인지위에 있는 자로 한정되지 않는다.
③ 보증인지위와 보증인의무를 모두 부진정부작위범의 구성요건요소로 이해하는 견해에 따르면 부진정부작위범의 구성요건해당성이 지나치게 확대된다.
④ 하나의 행위가 작위범과 부작위범의 구성요건을 동시에 충족하는 경우도 있다.

지문분석

난이도 중 정답 ③

| 키 워 드 | 부작위범

| 출제유형 | 틀린 지문 고르기

③ (X) 구성요건요소로 이해하는 견해가 아니라 위법성의 요소로 보는 견해이다. 즉, 보증인지위와 보증인의무를 위법성요소로 이해하는 견해에 대하여는 부진정부작위범의 구성요건해당성의 범위가 부당하게 확대될 우려가 있다는 비판이 제기된다.
① (O)

진정부작위범과 부진정부작위범의 구별	부진정부작위범
실질설	결과범 O + 거동범 X
형식설(다수설)	결과범 O + 거동범 O

② (O)

유형	보증인지위 필요한 자
부작위에 의한 방조	부작위범인 방조범
부작위범에 대한 교사·방조	부작위범인 정범

④ (O) 하나의 행위가 부작위범인 직무유기죄와 작위범인 범인도피죄의 구성요건을 동시에 충족하는 경우 공소제기권자는 재량에 의하여 작위범인 범인도피죄로 공소를 제기하지 않고 부작위범인 직무유기죄로만 공소를 제기할 수도 있다(대법원 1999.11.26. 99도1904).

26 0072 2016 경찰 승진

부작위범에 관한 설명 중 가장 적절한 것은? (다툼이 있으면 판례에 의함)

① 일정한 기간 내에 잘못된 상태를 바로잡으라는 행정청의 지시를 이행하지 않았다는 것을 구성요건으로 하는 범죄는 이른바 진정부작위범으로서 그 의무이행기간의 경과에 의하여 범행이 기수에 이른다.
② 구 도로교통법 제50조의 교통사고 운전자의 사상자 구호조치의무는 위법한 선행행위의 경우에만 작위의무를 인정한 것이라고 할 수 있다.
③ 부작위범에서의 작위의무는 법적인 의무이어야 하므로 신의성실의 원칙이나 사회상규 혹은 조리상 작위의무는 여기에 포함되지 않는다.
④ 은행지점장이 부하직원의 배임행위를 알면서도 이를 방치한 경우 묵시적인 공모에 의한 배임죄의 공모공동정범이 성립한다.

지문분석 난이도 중 정답 ①

| 키 워 드 | 부작위범
| 출제유형 | 옳은 지문 고르기

① (O) 대법원 1994.4.26. 93도1731
② (X) 도로교통법 제50조 제1항, 제2항이 규정한 교통사고 발생시의 구호조치의무 및 신고의무는 교통사고를 발생시킨 당해 차량의 운전자에게 그 사고발생에 있어서 고의·과실 혹은 유책·위법의 유무에 관계없이 부과된 의무라고 해석함이 상당할 것이다(대법원 2002.5.24. 2000도1731).
③ (X) 형법상 부작위범의 작위의무는 법적인 의무이어야 하므로 단순한 도덕상 또는 종교상의 의무는 포함되지 않으나 작위의무가 법적인 의무인 한 성문법이건 불문법이건 상관이 없고 또 공법이건 사법이건 불문하므로, 법령, 법률행위, 선행행위로 인한 경우는 물론이고 기타 신의성실의 원칙이나 사회상규 혹은 조리상 작위의무가 기대되는 경우에도 법적인 작위의무는 있다(대법원 1996.9.6. 95도2551).
④ (X) [1] 형법상 방조는 작위에 의하여 정범의 실행행위를 용이하게 하는 경우는 물론, 직무상의 의무가 있는 자가 정범의 범죄행위를 인식하면서도 그것을 방지하여야 할 제반조치를 취하지 아니하는 부작위로 인하여 정범의 실행행위를 용이하게 하는 경우에도 성립된다 할 것이다.
[2] 은행지점장이 정범인 부하직원들의 범행을 인식하면서도 그들의 은행에 대한 배임행위를 방치하였다면 배임죄의 방조범이 성립된다(대법원 1984.11.27. 84도1906).
→ 배임죄의 공동정범이 아니라 부작위에 의한 배임죄의 방조범이 된다.

27 0073 2021 경찰 1차

부작위범에 대한 다음 설명 중 적절한 것만을 모두 고른 것은? (다툼이 있는 경우 판례에 의함)

㉠ 작위는 물론 부작위에 의하여도 실현될 수 있는 범죄의 경우, 행위자가 자신의 신체적 활동이나 물리적·화학적 작용을 통하여 적극적으로 타인의 법익 상황을 악화시킴으로써 결국 그 타인의 법익을 침해하기에 이르렀다면 이는 작위에 의한 범죄로 봄이 원칙이다.
㉡ 부진정부작위범의 작위의무는 법령, 법률행위, 선행행위로 인한 경우에 발생하고 사회상규 혹은 조리로부터는 법적 작위의무가 발생하지 않는다.
㉢ 부진정부작위범에서의 고의는 자신의 부작위가 작위와 동가치하다는 점에 대한 인식을 필요로 하므로, 작위의무자의 예견 또는 인식 등이 불확정적인 미필적 고의로는 부진정부작위범의 고의가 인정되지 않는다.
㉣ 형법상 방조는 작위에 의하여 정범의 실행을 용이하게 하는 경우는 물론, 직무상의 의무가 있는 자가 정범의 범죄행위를 인식하면서도 그것을 방지하여야 할 제반 조치를 취하지 아니하는 부작위로 인하여 정범의 실행행위를 용이하게 하는 경우에도 성립된다.

① ㉠, ㉡ ② ㉠, ㉣
③ ㉡, ㉢ ④ ㉢, ㉣

지문분석 난이도 중 정답 ②

| 키 워 드 | 부작위범
| 출제유형 | 조합하기

㉠ (O) 대법원 2004.6.24. 2002도995
㉣ (O) 대법원 1996.9.6. 95도2551
㉡ (X) 작위의무는 법령, 법률행위, 선행행위로 인한 경우는 물론, 신의성실의 원칙이나 사회상규 혹은 조리상 작위의무가 기대되는 경우에도 인정된다(대법원 2015.11.12. 2015도6809 전원합의체).
㉢ (X) 부진정부작위범의 고의는 반드시 구성요건적 결과발생에 대한 목적이나 계획적인 범행 의도가 있어야 하는 것은 아니고 법익침해의 결과발생을 방지할 법적 작위의무를 가지고 있는 사람이 의무를 이행함으로써 결과발생을 쉽게 방지할 수 있었음을 예견하고도 결과발생을 용인하고 이를 방관한 채 의무를 이행하지 아니한다는 인식을 하면 족하며, 이러한 작위의무자의 예견 또는 인식 등은 확정적인 경우는 물론 불확정적인 경우이더라도 미필적 고의로 인정될 수 있다(대법원 2015.11.12. 2015도6809 전원합의체).

28 0074

2021 경찰 2차

부작위범에 대한 설명으로 가장 적절한 것은? (다툼이 있는 경우 판례에 의함)

① 임대인 甲은 자신의 여관건물에 대하여 임차인 A와 임대차계약을 체결하면서 A에게 당시 그 건물에 관하여 법원의 경매개시결정에 따른 경매절차가 진행 중인 사실을 알리지 아니한 경우, A가 등기부를 확인 또는 열람하는 것이 가능하였다면 기망행위가 있었다고 볼 수 없어 甲은 사기죄로 처벌되지 아니한다.

② 甲이 특정 시술을 받으면 아들을 낳을 수 있을 것이라는 착오에 빠져 있는 A에게 그 시술의 효과와 원리에 관하여 사실대로 고지하지 아니하고 아들을 낳을 수 있는 시술인 것처럼 가장하여 일련의 시술 등을 행하고 의료수가 및 약값의 명목으로 금원을 교부받은 경우, 甲은 사기죄로 처벌된다.

③ 甲이 A와 토지 지상에 창고를 신축하는 데 필요한 형틀공사 계약을 체결한 후 그 공사를 완료하였는데 A가 공사대금을 주지 않자 이를 받기 위해 토지에 쌓아 둔 건축자재를 치우지 않은 경우, 甲은 업무방해죄로 처벌된다.

④ 경찰공무원 甲이 지명수배 중인 범인 A를 발견하고도 직무상 의무에 따른 적절한 조치를 취하지 아니하고 오히려 A를 도피하게 하는 행위를 한 경우, 甲은 범인도피죄와 직무유기죄로 처벌된다.

지문분석 난이도 중 정답 ②

| 키 워 드 | 부작위범

| 출제유형 | 옳은 지문 고르기

② (O) 특정 시술을 받으면 아들을 낳을 수 있을 것이라는 착오에 빠져 있는 피해자들에게 그 시술의 효과와 원리에 관하여 사실대로 고지하지 아니한 채 아들을 낳을 수 있는 시술인 것처럼 가장하여 일련의 시술과 처방을 행한 의사에 대하여 사기죄가 성립한다(대법원 2000.1.28. 99도2884).
→ 부작위에 의한 사기죄 인정

① (X) 임대인이 임대차계약을 체결하면서 임차인에게 임대목적물이 경매 진행 중인 사실을 알리지 아니한 경우, 임차인이 등기부를 확인 또는 열람하는 것이 가능하더라도 사기죄가 성립한다(대법원 1998.12.8. 98도3263).
→ 부작위에 의한 사기죄 인정

③ (X) 피고인이 甲과 토지 지상에 창고를 신축하는 데 필요한 형틀공사 계약을 체결한 후 그 공사를 완료하였는데, 甲이 공사대금을 주지 않는다는 이유로 위 토지에 쌓아 둔 건축자재를 치우지 않고 공사현장을 막는 방법으로 위력으로써 甲의 창고 신축 공사 업무를 방해하였다는 내용으로 기소된 사안에서, 피고인이 일부러 건축자재를 甲의 토지 위에 쌓아 두어 공사현장을 막은 것이 아니라 당초 자신의 공사를 위해 쌓아 두었던 건축자재를 공사 완료 후 치우지 않은 것에 불과하므로, 비록 공사대금을 받을 목적으로 건축자재를 치우지 않았더라도, 피고인이 자신의 공사를 위하여 쌓아 두었던 건축자재를 공사 완료 후에 단순히 치우지 않은 행위가 위력으로써 甲의 추가 공사 업무를 방해하는 업무방해죄의 실행행위로서 甲의 업무에 대하여 하는 적극적인 방해행위와 동등한 형법적 가치를 가진다고 볼 수 없는데도, 이와 달리 보아 공소사실을 유죄로 인정한 원심판결에 부작위에 의한 업무방해죄의 성립에 관한 법리오해의 잘못이 있다(대법원 2017.12.22. 2017도13211).
→ 부작위에 의한 업무방해죄 부정

④ (X) 경찰공무원이 지명수배 중인 범인을 발견하고도 직무상 의무에 따른 적절한 조치를 취하지 아니하고 오히려 범인을 도피하게 하는 행위를 하였다면, 그 직무위배의 위법상태는 범인도피행위 속에 포함되어 있다고 보아야 할 것이므로, 이와 같은 경우에는 작위범인 범인도피죄만이 성립하고 부작위범인 직무유기죄는 따로 성립하지 아니한다(대법원 2017.3.15. 2015도1456).

29 0075

2021 국가직 7급

부작위범에 대한 설명으로 옳지 않은 것은? (다툼이 있는 경우 판례에 의함)

① 형법 제18조에서 말하는 부작위는 법적 기대라는 규범적 가치판단 요소에 의하여 사회적 중요성을 가지는 사람의 행태가 되어 법적 의미에서 작위와 함께 행위의 기본 형태를 이루게 된다.

② 형법 제18조 부작위범의 성립을 위한 작위의무의 발생근거와 형법 제271조 유기죄의 성립을 위한 보호의무의 발생근거는 그 범위가 동일하다.

③ 수사관이 검사로부터 범인을 검거하라는 지시를 받고서도 그 직무상의 의무에 따른 적절한 조치를 취하지 아니하고 오히려 범인에게 전화로 도피하라고 권유하여 범인을 도피케 한 경우, 작위범인 범인도피죄만이 성립하고 부작위범인 직무유기죄는 따로 성립하지 아니한다.

④ 부작위에 의한 기망은 법률상 고지의무 있는 자가 일정한 사실에 관하여 상대방이 착오에 빠져 있음을 알면서도 이를 고지하지 아니하는 것으로서, 거래의 경험칙상 상대방이 그 사실을 알았더라면 당해 법률행위를 하지 않았을 것이 명백한 경우에는 신의칙에 비추어 그 사실을 고지할 법률상 의무가 인정된다.

지문분석

난이도 중 정답 ②

| 키 워 드 | 부작위범

| 출제유형 | 틀린 지문 고르기

② (X) 형법 제18조 부작위범의 성립을 위한 작위의무의 발생근거(법령, 법률행위, 선행행위로 인한 경우는 물론 기타 신의성실의 원칙이나 사회상규 혹은 조리)가 형법 제271조 유기죄의 성립을 위한 보호의무의 발생근거(법률, 계약)보다 더 넓다.

① (O) 자연적 의미에서의 부작위는 거동성이 있는 작위와 본질적으로 구별되는 무(無)에 지나지 아니하지만, 위 규정(형법 제18조)에서 말하는 부작위는 법적 기대라는 규범적 가치판단 요소에 의하여 사회적 중요성을 가지는 사람의 행태가 되어 법적 의미에서 작위와 함께 행위의 기본 형태를 이루게 되는 것이므로, 특정한 행위를 하지 아니하는 부작위가 형법적으로 부작위로서의 의미를 가지기 위해서는, 보호법익의 주체에게 해당 구성요건적 결과발생의 위험이 있는 상황에서 행위자가 구성요건의 실현을 회피하기 위하여 요구되는 행위를 현실적·물리적으로 행할 수 있었음에도 하지 아니하였다고 평가될 수 있어야 한다(대법원 2015.11.12. 2015도6809 전원합의체).

③ (O) 대법원 1996.5.10. 96도51

④ (O) 대법원 2006.2.23. 2005도8645

30 0076

2021 국가직 9급

부작위범에 대한 설명으로 옳지 않은 것은? (다툼이 있는 경우 판례에 의함)

① 선행행위로 인한 부작위범의 경우 선행행위에 대한 고의·과실 혹은 유책·위법이 없는 경우에도 작위의무는 발생할 수 있다.

② 부작위범 사이의 공동정범은 다수의 부작위범에게 공통된 의무가 부여되어 있고, 그 의무를 공통으로 이행할 수 있을 때에만 성립한다.

③ 부진정부작위범의 성립요건으로서 작위의무는 법적 작위의무이어야 하므로, 사회상규 혹은 조리상 작위의무가 기대되는 경우에는 인정되지 않는다.

④ 사기죄에 있어서 부작위에 의한 기망은 법률상 고지의무 있는 자가 일정한 사실에 관하여 상대방이 착오에 빠져 있음을 알면서도 이를 고지하지 아니하는 것을 말한다.

지문분석

난이도 하 정답 ③

| 키 워 드 | 부작위범

| 출제유형 | 틀린 지문 고르기

③ (X) 형법상 부작위범의 작위의무는 법적인 의무이어야 하므로 단순한 도덕상 또는 종교상의 의무는 포함되지 않으나 작위의무가 법적인 의무인 한 성문법이건 불문법이건 상관이 없고 또 공법이건 사법이건 불문하므로, 법령, 법률행위, 선행행위로 인한 경우는 물론이고 기타 신의성실의 원칙이나 사회상규 혹은 조리상 작위의무가 기대되는 경우에도 법적인 작위의무는 있다(대법원 1996.9.6. 95도2551).

① (O) 선행행위로 인한 작위의무(자기의 행위로 위험발생의 원인을 야기한 자의 결과발생 방지의무)에서 선행행위는 원칙적으로 위법한 것이어야 하나, 법령상 명문의 규정이 있는 경우(도로교통법상의 사고운전자의 구호조치의무) 등에는 예외적으로 적법한 선행행위에 의해서도 작위의무가 발생한다.

② (O) 대법원 2008.3.27. 2008도89

④ (O) 사기죄의 요건으로서의 기망은 널리 재산상의 거래관계에 있어 서로 지켜야 할 신의와 성실의 의무를 저버리는 모든 적극적 또는 소극적 행위를 말하는 것이고, 그중 소극적 행위로서의 부작위에 의한 기망은 법률상 고지의무 있는 자가 일정한 사실에 관하여 상대방이 착오에 빠져 있음을 알면서도 그 사실을 고지하지 아니함을 말하는 것으로서, 일반거래의 경험칙상 상대방이 그 사실을 알았더라면 당해 법률행위를 하지 않았을 것이 명백한 경우에는 신의칙에 비추어 그 사실을 고지할 법률상 의무가 인정된다(대법원 2006.2.23. 2005도8645).

31 0077

2020 해경 간부

다음 중 부작위범에 대한 설명으로 가장 옳은 것은? (다툼이 있는 경우 판례에 의함)

① 부작위범 사이의 공동정범은 다수의 부작위범에게 공통된 의무가 부여되어 있고, 그 의무를 공통으로 이행할 수 있을 때에만 성립한다.
② 부작위에 의한 사기죄에서 작위의무의 발생근거는 유기죄에서 보호의무의 발생근거보다 그 범위가 좁다.
③ 보증인지위와 보증인의무의 체계적 지위를 구별하는 이분설에 따를 때 보증인지위와 보증인의무에 대한 착오는 구성요건적 착오에 해당한다.
④ 보증인지위의 발생근거에 대한 실질설(기능설)은 법령·계약·선행행위·조리 등을 주된 근거로 들며, 형식설(법원설)은 보호의무와 안전의무를 지도적 관점으로 채택한다.

지문분석 난이도 ㊤ 정답 ①

| 키 워 드 | 부작위범
| 출제유형 | 옳은 지문 고르기

① (○) 부작위범 사이의 공동정범은 다수의 부작위범에게 공통된 의무가 부여되어 있고 그 의무를 공통으로 이행할 수 있을 때에만 성립한다(대법원 2008.3.27. 2008도89).
② (X) 부작위에 의한 사기죄에서 작위의무의 발생근거는 유기죄에서 보호의무의 발생근거보다 그 범위가 넓다.
③ (X) 이분설에 따를 때 보증인지위에 대한 착오는 구성요건적 착오에 해당하고, 보증인의무에 대한 착오는 위법성의 착오에 해당한다.
④ (X) 보증인지위의 발생근거에 대한 형식설(법원설)은 법령·계약·선행행위·조리 등을 주된 근거로 들며, 실질설(기능설)은 보호의무와 안전의무를 지도적 관점으로 채택한다.

3 인과관계와 객관적 귀속

32 0078

2011 경찰 2차

다음은 인과관계에 관한 설명이다. 괄호 안에 들어갈 내용으로 가장 적절하게 구성된 것은?

> 형법에서 인과관계는 행위와 결과 간의 관계로서 (ㄱ) 구성요건요소에 해당한다. 그리고 행위가 있고 결과가 발생하였다고 해서 결과에 대한 책임을 행위자에게 모두 귀속시킬 수는 없으며 행위와 결과 사이에 인과관계가 인정되어야 한다. 만일 인과관계가 입증되지 않으면 미수범으로 처벌하여야 하는 것이 원칙이다. 그런데 인과관계에 관한 학설로는 조건설, 원인설, 판례가 지지하는 (ㄴ) 등이 있다. 한편 인과관계를 인정하는 문제와 형사책임의 범위를 정하는 문제를 분리하여 판단하는 입장이 있는데 이것이 (ㄷ)이론이다. 이 이론은 (ㄹ)에 의해 인과관계를 확정하고 형사책임의 귀속범위는 이 이론에 의해 결정한다.

① (ㄱ) 주관적 (ㄴ) 상당인과관계설
(ㄷ) 주관적 귀속 (ㄹ) 중요설
② (ㄱ) 객관적 (ㄴ) 상당인과관계설
(ㄷ) 객관적 귀속 (ㄹ) 합법칙적 조건설
③ (ㄱ) 객관적 (ㄴ) 중요설
(ㄷ) 객관적 귀속 (ㄹ) 합법칙적 조건설
④ (ㄱ) 객관적 (ㄴ) 중요설
(ㄷ) 주관적 귀속 (ㄹ) 합법칙적 조건설

지문분석 난이도 ㊤ 정답 ②

| 키 워 드 | 인과관계
| 출제유형 | 조합하기

(ㄱ) 객관적
(ㄴ) 상당인과관계설
(ㄷ) 객관적 귀속
(ㄹ) 합법칙적 조건설

33 0079

2013 경찰 1차

다음 설명 중 인과관계가 인정되지 않는 경우는 모두 몇 개인가? (다툼이 있는 경우 판례에 의함)

㉠ 피고인의 택시가 차량 신호등이 적색 등화임에도 횡단보도 앞 정지선 직전에 정지하지 않고 상당한 속도로 정지선을 넘어 횡단보도에 진입하였고, 횡단보도에 들어선 이후 차량 신호등이 녹색 등화로 바뀌자 교차로로 계속 직진하여 교차로에 진입하자마자 교차로를 거의 통과하였던 피해자의 승용차 오른쪽 뒤 문짝 부분을 피고인 택시 앞 범퍼 부분으로 충돌하여 피해자에게 상해를 입게 한 경우, 피고인의 신호위반행위와 피해자의 상해와의 관계

㉡ 한의사인 피고인이 피해자에게 문진할 때 과거 봉침을 맞고도 별다른 이상 반응이 없다는 답변을 듣고 알레르기 반응검사를 생략한 채 환부에 봉침시술을 하였는데, 피해자가 위 시술 직후 쇼크반응을 나타내는 등 상해를 입은 경우, 피고인이 알레르기 반응검사를 하지 않은 과실과 피해자의 상해와의 관계

㉢ 승용차로 피해자를 가로막아 승차하게 한 후 피해자의 하차 요구를 무시한 채 시속 약 60km 내지 70km의 속도로 진행하자, 피해자가 감금상태를 벗어날 목적으로 차량을 빠져나오려다가 길바닥에 떨어져 상해를 입고 그 결과 사망한 경우, 감금행위와 피해자의 사망과의 관계

㉣ 피고인이 제왕절개수술 후 대량출혈이 있었던 피해자를 전원 조치하였으나 전원받은 병원 의료진의 조치가 다소 미흡하여 도착 후 약 1시간 20분이 지나 수혈이 시작된 사안에서, 피고인의 전원지체 등의 과실로 신속한 수혈 등의 조치가 지연되어 피해자가 사망한 경우, 전원지체의 과실로 인한 수혈지연과 사망과의 관계

① 1개 ② 2개
③ 3개 ④ 4개

지문분석

난이도 중 정답 ①

| 키 워 드 | 인과관계
| 출제유형 | 개수 찾기

㉡ (X) 한의사인 피고인이 피해자에게 문진하여 과거 봉침을 맞고도 별다른 이상반응이 없었다는 답변을 듣고 알레르기 반응검사(skin test)를 생략한 채 환부인 목 부위에 봉침시술을 하였는데, 피해자가 위 시술 직후 아나필락시 쇼크반응을 나타내는 등 상해를 입은 사안에서, ⓐ 피고인에게 과거 알레르기 반응검사 및 약 12일 전 봉침시술에서도 이상 반응이 없었던 피해자를 상대로 다시 알레르기 반응검사를 실시할 의무가 있다고 보기는 어렵고, ⓑ 설령 그러한 의무가 있다고 하더라도 제반 사정에 비추어 알레르기 반응검사를 하지 않은 과실과 피해자의 상해 사이에 상당인과관계를 인정하기 어렵다는 이유로, 같은 취지의 원심판단을 수긍한 사례(대법원 2011.4.14. 2010도10104).

㉠ (O) [1] 교통사고처리 특례법 제3조 제2항 제1호, 제4조 제1항 제1호의 규정에 의하면, 신호기에 의한 신호에 위반하여 운전한 경우에는 같은 법 제4조 제1항에서 정한 보험 또는 공제에 가입한 경우에도 공소를 제기할 수 있으나, 여기서 '신호기에 의한 신호에 위반하여 운전한 경우'란 신호위반행위가 교통사고 발생의 직접적인 원인이 된 경우를 말한다.
[2] 택시 운전자인 피고인이 교통신호를 위반하여 4거리 교차로를 진행한 과실로 교차로 내에서 甲이 운전하는 승용차와 충돌하여 甲 등으로 하여금 상해를 입게 하였다고 하여 교통사고처리 특례법 위반으로 기소된 사안에서, 피고인의 택시가 차량 신호등이 적색 등화임에도 횡단보도 앞 정지선 직전에 정지하지 않고 상당한 속도로 정지선을 넘어 횡단보도에 진입하였고, 횡단보도에 들어선 이후 차량 신호등이 녹색 등화로 바뀌자 교차로로 계속 직진하여 교차로에 진입하자마자 교차로를 거의 통과하였던 甲의 승용차 오른쪽 뒤 문짝 부분을 피고인 택시 앞 범퍼 부분으로 충돌한 점 등을 종합할 때, 피고인이 적색 등화에 따라 정지선 직전에 정지하였더라면 교통사고는 발생하지 않았을 것임이 분명하여 피고인의 신호위반행위가 교통사고 발생의 직접적인 원인이 되었다고 보아야 하는데도, 이와 달리 보아 공소를 기각한 원심판결에 신호위반과 교통사고의 인과관계에 관한 법리오해의 위법이 있다(대법원 2012.3.15. 2011도17117).

㉢ (O) [1] 감금죄는 사람의 행동의 자유를 그 보호법익으로 하여 사람이 특정한 구역에서 나가는 것을 불가능하게 하거나 또는 심히 곤란하게 하는 죄로서 이와 같이 사람이 특정한 구역에서 나가는 것을 불가능하게 하거나 심히 곤란하게 하는 그 장해는 물리적·유형적 장해뿐만 아니라 심리적·무형적 장해에 의하여서도 가능하고, 또 감금의 본질은 사람의 행동의 자유를 구속하는 것으로 행동의 자유를 구속하는 그 수단과 방법에는 아무런 제한이 없어서 유형적인 것이거나 무형적인 것이거나를 가리지 아니하며, 감금에 있어서의 사람의 행동의 자유의 박탈은 반드시 전면적이어야 할 필요도 없다.
[2] 승용차로 피해자를 가로막아 승차하게 한 후 피해자의 하차 요구를 무시한 채 당초 목적지가 아닌 다른 장소를 향하여 시속 약 60km 내지 70km의 속도로 진행하여 피해자를 차량에서 내리지 못하게 한 행위는 감금죄에 해당하고, 피해자가 그와 같은 감금상태를 벗어날 목적으로 차량을 빠져나오려다가 길바닥에 떨어져 상해를 입고 그 결과 사망에 이르렀다면 감금행위와 피해자의 사망 사이에는 상당인과관계가 있다고 할 것이므로 감금치사죄에 해당한다(대법원 2000.2.11. 99도5286).

㉣ (O) [1] 피고인이 제왕절개수술을 시행 중 태반조기박리를 발견하고도 피해자의 출혈 여부 관찰을 간호사에게 지시하였다가 수술 후 약 45분이 지나 대량출혈을 확인하고 전원(轉院) 조치하였으나 그 후 피해자가 사망한 사안에서, 피고인에게 대량출혈 증상을 조기에 발견하지 못하고, 전원을 지체하여 피해자로 하여금 신속한 수혈 등의 조치를 받지 못하게 한 과실이 있다고 한 사례
[2] 피고인이 제왕절개수술 후 대량출혈이 있었던 피해자를 전원(轉院) 조치하였으나 전원받는 병원 의료진의 조치가 다소 미흡하여 도착 후 약 1시간 20분이 지나 수혈이 시작된 사안에서, 피고인의 전원지체 등의 과실로 신속한 수혈 등의 조치가 지연된 이상 피해자의 사망과 피고인의 과실 사이에 인과관계가 인정된다(대법원 2010.4.29. 2009도7070).

34 0080

2014 경찰 1차

다음 중 인과관계가 인정되는 경우가 아닌 것은? (다툼이 있으면 판례에 의함)

① 술을 마시고 찜질방에 들어온 甲이 찜질방 직원 몰래 후문으로 나가 술을 더 마신 다음 후문으로 다시 들어와 발한실에서 잠을 자다가 사망한 경우, 찜질방 직원 및 영업주가 통제·관리하지 않은 부분과 甲의 사망 간의 관계

② 운전자가 시동을 끄고 1단 기어가 들어가 있는 상태에서 시동열쇠를 꽂아둔 채 11세 정도의 어린이를 조수석에 남겨두고 차에서 내려온 동안 어린이가 시동열쇠를 돌리며 가속페달을 밟아 사고가 난 경우, 1단 기어를 넣고 열쇠를 꽂아둔 상태에서 차에서 떠난 과실과 사고발생 간의 관계

③ 임차인이 자신의 비용으로 설치·사용하던 가스설비의 휴즈콕크를 아무런 조치 없이 제거하고 이사를 간 후 주밸브가 열려져 가스가 유입되어 폭발사고가 발생한 경우, 임차인의 과실과 가스폭발사고 간의 관계

④ 피고인들로부터 폭행을 당하고 당구장 3층 화장실에 숨어 있던 피해자가 다시 피고인들로부터 폭행당하지 않으려고 창문 밖으로 숨으려다가 실족하여 사망한 경우, 피고인들의 폭행과 피해자의 사망 간의 관계

지문분석 난이도 중 정답 ①

| 키 워 드 | 인과관계

| 출제유형 | 틀린 지문 고르기

① (X) 술을 마시고 찜질방에 들어온 甲이 찜질방 직원 몰래 후문으로 나가 술을 더 마신 다음 후문으로 다시 들어와 발한실(發汗室)에서 잠을 자다가 사망한 사안에서, 甲이 처음 찜질방에 들어갈 당시 술에 만취하여 목욕장의 정상적 이용이 곤란한 상태였다고 단정하기 어렵고, 찜질방 직원 및 영업주에게 손님이 몰래 후문으로 나가 술을 더 마시고 들어올 경우까지 예상하여 직원을 추가로 배치하거나 후문으로 출입하는 모든 자를 통제·관리하여야 할 업무상 주의의무가 있다고 보기 어렵다는 이유로, 위 찜질방 직원 및 영업주가 공중위생영업자로서의 업무상 주의의무를 위반하였다고 본 원심판단에 법리오해 및 심리미진의 위법이 있다(대법원 2010.2.11. 2009도9807).

② (O) 인과관계를 인정한다(대법원 1986.7.8. 86도1048).

③ (O) 인과관계를 인정한다(대법원 2001.6.1. 99도5086).

④ (O) 인과관계를 인정한다(대법원 1990.10.16. 90도1786).

35 0081

2015 경찰 1차

인과관계에 관한 다음 설명 중 가장 적절하지 않은 것은? (다툼이 있으면 판례에 의함)

① 어떤 행위라도 죄의 요소되는 위험발생에 연결되지 아니한 때에는 그 결과로 인하여 벌하지 아니한다.

② 과실범에서는 미수가 성립될 여지가 없으므로 인과관계를 논할 실익이 없다.

③ 甲이 주먹으로 피해자의 복부를 1회 강타하였는데, 이로 인하여 피해자는 장파열이 되어 병원에 입원하였다. 그런데 의사 乙의 과실에 의한 수술지연이 공동원인이 되어 피해자가 사망한 경우 甲의 상해행위와 피해자의 사망 사이에는 인과관계가 인정된다.

④ 甲은 부동산 대지에 대한 전매사실을 숨기고 지주명의로 위장하여 학교법인 乙과 대지에 관한 매매계약을 체결하였으나 그 이행에 아무런 영향이 없었다. 이 경우 피고인들의 위기망행위와 위 법인의 처분행위 사이에는 인과관계가 없다.

지문분석 난이도 하 정답 ②

| 키 워 드 | 인과관계

| 출제유형 | 틀린 지문 고르기

② (X) 과실범은 결과발생이 있어야 성립하는 결과범이므로 당연히 인과관계를 논할 실익이 있다. 단, 과실범에서 ㉠ 결과 불발생 또는 ㉡ 인과관계가 부정되는 경우에는 미수가 문제되는바, 과실범에서는 미수는 처벌되지 않고 기수만 처벌한다.

① (O) 형법 제17조

③ (O) 피고인이 주먹으로 피해자의 복부를 1회 강타하여 장파열로 인한 복막염으로 사망케 하였다면, 비록 의사의 수술지연 등 과실이 피해자의 사망의 공동원인이 되었다 하더라도 피고인의 행위가 사망의 결과에 대한 유력한 원인이 된 이상 그 폭력행위와 치사의 결과 간에는 인과관계가 있다 할 것이어서 피고인은 피해자의 사망의 결과에 대해 폭행치사의 죄책을 면할 수 없다(대법원 1984.6.26. 84도831).

④ (O) 매매계약과 그 이행에 아무런 영향이 없었다면 위 학교법인은 피고인들의 위와 같은 방법에 의한 전매사실을 알았다 하여 그들과 그 매매계약을 체결하지 아니하였으리라고는 인정되지 아니하니 피고인들의 위기망행위와 위 법인의 처분행위 사이에 인과관계가 없다(대법원 1985.5.14. 84도2751).

✓ **개념체크 고의범과 과실범의 비교**

- **고의범**: 결과범 O (예 살인죄), 거동범 O (예 폭행죄)
- **과실범**: 결과범 O (예 과실치사죄), 거동범 X

36 0082

2015 경찰 2차

인과관계에 관한 다음 설명 중 가장 적절하지 않은 것은? (다툼이 있으면 판례에 의함)

① 피고인들이 공동으로 피해자를 폭행하여 당구장 3층에 있는 화장실에 숨어 있던 피해자를 다시 폭행하려고 피고인 甲은 화장실을 지키고, 피고인 乙은 당구큐대로 화장실 문을 내려쳐 부수자 위협을 느낀 피해자가 화장실 창문 밖으로 숨으려다가 실족하여 떨어짐으로써 사망한 경우 피고인들의 위 폭행행위와 피해자 사망 사이에는 인과관계가 인정된다.

② 초지조성공사를 도급받은 수급인 甲이 불경운작업(산불작업)의 하도급을 乙에게 준 이후에 계속하여 그 작업을 감독하지 아니하였는데 乙이 산림실화를 낸 경우, 수급인 甲이 감독하지 아니한 잘못과 산림실화 사이에는 인과관계가 인정된다.

③ 임산부를 강타한 것이 그 이후 낙태로 이어지고, 그에 따른 심근경색으로 임산부가 사망한 경우 피고인의 구타행위와 피해자의 사망 사이에는 인과관계가 인정된다.

④ 임차인이 자신의 비용으로 설치·사용하던 가스설비의 휴즈콕크를 아무런 조치 없이 제거하고 이사를 간 후 가스공급을 개별적으로 차단할 수 있는 주밸브가 열려져 가스가 유입되어 폭발사고가 발생한 경우 임차인의 과실과 가스폭발 사이에는 인과관계가 인정된다.

지문분석 난이도 하 정답 ②

| 키 워 드 | 인과관계

| 출제유형 | 틀린 지문 고르기

② (X) 초지조성공사를 도급받은 수급인이 불경운작업(산불작업)을 하도급을 준 이후에 계속하여 그 작업을 감독하지 아니한 잘못이 있다 하더라도 이는 도급자에 대한 도급계약상의 책임이지 위 하수급인의 과실로 인하여 발생한 산림실화에 상당인과관계가 있는 과실이라고는 할 수 없다(대법원 1987.4.28. 87도297).

① (O) 피고인들의 위 폭행행위와 피해자의 사망 사이에는 인과관계가 있다고 할 것이므로 폭행치사죄의 공동정범이 성립된다(대법원 1990.10.16. 90도1786).

③ (O) 피고인의 강타로 인하여 임신 7개월의 피해자가 지상에 넘어져서 4일 후에 낙태하고 위 낙태로 유발된 심근경색증으로 죽음에 이르게 된 경우 피고인의 구타행위와 피해자의 사망 간에는 인과관계가 있다(대법원 1972.3.28. 72도296).

④ (O) 구 액화석유가스의 안전 및 사업관리법상의 관련 규정 취지와 그 주밸브가 누군가에 의하여 개폐될 가능성을 배제할 수 없다는 점 등에 비추어 그 휴즈콕크를 제거하면서 그 제거부분에 아무런 조치를 하지 않고 방치하면 주밸브가 열리는 경우 유입되는 가스를 막을 아무런 안전장치가 없어 가스 유출로 인한 대형사고의 가능성이 있다는 것은 평균인의 관점에서 객관적으로 볼 때 충분히 예견할 수 있다는 이유로 임차인의 과실과 가스폭발사고 사이의 상당인과관계를 인정한 사례이다(대법원 2001.6.1. 99도5086).

37 0083

2015 경찰 3차

인과관계에 관한 설명이다. 다음 중 가장 적절하지 않은 것은? (다툼이 있으면 판례에 의함)

① 피해자가 계속되는 피고인의 폭행을 피하려고 도로를 건너 도주하다가 그 도로를 주행하던 차량에 치어 사망한 경우, 피고인의 상해행위와 피해자의 사망 사이에 상당인과관계가 있다.

② 피고인은 결혼을 전제로 교제하던 甲의 임신 사실을 알고 수회에 걸쳐 낙태를 권유하였다가 거절당하였음에도 계속 甲에게 "출산 여부는 알아서 하되 아이에 대한 친권을 행사할 의사가 없다."라고 하면서 낙태할 병원을 물색해 주기도 하였다. 그 후 甲은 피고인에게 알리지 않고 자신이 알아본 병원에서 낙태시술을 받았다면 피고인의 낙태교사행위와 甲의 낙태행위 사이에는 인과관계가 인정되지 않는다.

③ 승용차로 피해자를 가로막아 승차하게 한 후 피해자의 하차 요구를 무시한 채 당초 목적지가 아닌 다른 장소를 향하여 시속 약 60km 내지 70km의 속도로 진행하여 피해자를 차량에서 내리지 못하게 하자 피해자는 그와 같은 감금상태를 벗어나고자 차량을 빠져나오려다가 길바닥에 떨어져 상해를 입고 그 결과 사망하게 된 경우, 감금행위와 피해자의 사망 사이에 상당인과관계가 있다.

④ 피고인이 고속도로 2차로를 따라 자동차를 운전하다가 1차로를 진행하던 甲의 차량 앞에 급하게 끼어든 후 곧바로 정차하여, 甲의 차량 및 이를 뒤따르던 차량 두 대는 연이어 급제동하였으나, 그 뒤를 따라오던 乙의 차량이 앞의 차량들을 연쇄적으로 추돌케 하여 乙을 사망에 이르게 하고 나머지 차량 운전자 등 피해자들에게 상해를 입힌 경우, 피고인의 정차행위와 사상의 결과발생 사이에 상당인과관계가 있다.

지문분석 난이도 중 정답 ②

| 키 워 드 | 인과관계

| 출제유형 | 틀린 지문 고르기

② (X) 피고인은 甲에게 직접 낙태를 권유할 당시뿐만 아니라 출산 여부는 알아서 하라고 통보한 이후에도 계속 낙태를 교사하였고, 甲은 이로 인하여 낙태를 결의·실행하게 되었다고 보는 것이 타당하며, 甲이 당초 아이를 낳을 것처럼 말한 사실이 있다는 사정만으로 피고인의 낙태교사행위와 甲의 낙태결의 사이에 인과관계가 단절되는 것은 아니라는 이유로, 피고인에게 낙태교사죄를 인정한 원심판단은 정당하다(대법원 2013.9.12. 2012도2744).

→ 인과관계와 낙태교사죄를 모두 인정

① (O) 인과관계와 상해치사죄를 모두 인정(대법원 1996.5.10. 96도529).

③ (O) 인과관계와 감금치사죄를 모두 인정(대법원 2000.2.11. 99도5286).

④ (O) 인과관계와 일반교통방해치사상죄를 모두 인정(대법원 2014.7.24. 2014도6206).

38 0084

2018 경찰 2차

인과관계에 대한 설명 중 옳지 않은 것을 모두 고른 것은? (다툼이 있는 경우 판례에 의함)

㉠ 甲은 선단 책임선의 선장으로서 종선의 선장에게 조업상의 지시만 할 수 있을 뿐 선박의 안전관리는 각 선박의 선장이 책임지도록 되어 있었던 경우, 甲이 풍랑 중에 종선에 조업지시를 한 것과 종선의 풍랑으로 인한 매몰사고와의 사이에 인과관계를 인정할 수 있다.
㉡ 전문적으로 대출을 취급하면서 차용인에 대한 체계적인 신용조사를 행하는 금융기관이 금원을 대출한 경우에는, 비록 대출 신청 당시 차용인에게 변제기 안에 대출금을 변제할 능력이 없었고, 차용인에게 대출을 하게 되면 부실채권으로 될 것임이 예상됨에도, 자체 신용조사 결과에는 관계없이 "변제기 안에 대출금을 변제하겠다."는 취지의 차용인의 말만을 그대로 믿고 대출하였다고 하더라도, 차용인의 이러한 기망행위와 금융기관의 대출행위 사이에 인과관계를 인정할 수는 없다.
㉢ 甲은 부동산 대지에 대한 전매사실을 숨기고 지주명의로 위장하여 乙과 대지에 관한 매매계약을 체결하였으나 그 이행에 아무런 영향이 없었던 경우, 乙이 전매사실을 알았더라면 매매계약을 맺지 않았으리라는 등 특별한 사정이 없는 한 甲의 위 기망행위와 위 乙의 처분행위 사이에는 인과관계를 인정할 수 없다.
㉣ 초지조성공사를 도급받은 수급인 甲이 불경운작업(산불작업)의 하도급을 乙에게 준 이후에 계속하여 그 작업을 감독하지 아니하였는데 乙이 산림실화를 낸 경우, 수급인 甲이 감독하지 아니한 과실과 산림실화 사이에는 인과관계가 인정된다.
㉤ 살인의 실행행위가 피해자의 사망이라는 결과를 발생하게 한 유일한 원인이어야 하는 것은 아니나 직접적인 원인일 것을 요하므로 살인의 실행행위와 피해자의 사망과의 사이에 통상 예견할 수 있는 다른 사실이 개재되어 그 사실이 치사의 직접적인 원인이 되었다면 살인의 실행행위와 피해자의 사망과의 사이에 인과관계가 있는 것으로 볼 수 없다.

① ㉠, ㉡, ㉣　　② ㉠, ㉣, ㉤
③ ㉡, ㉢, ㉣　　④ ㉡, ㉢, ㉤

지문분석

난이도 중 정답 ②

| 키 워 드 | 인과관계
| 출제유형 | 조합하기

㉠ (X) 피고인이 선단의 책임선인 제1봉림호의 선장으로 조업 중이었다 하더라도 피고인으로서는 종선의 선장에게 조업상의 지시만 할 수 있을 뿐 선박의 안전관리는 각 선박의 선장이 책임지도록 되어 있었다면 그 같은 상황하에서 피고인이 풍랑 중에 종선에 조업지시를 하였다는 것만으로는 종선의 풍랑으로 인한 매몰사고와의 사이에 인과관계가 성립할 수 없다고 한 원심의 판단은 타당하다(대법원 1989.9.12. 89도1084).
→ 풍랑 중에 종선에 조업지시한 선단의 책임선의 선장에게 업무상과실 선박매몰죄의 성립을 부정한 판결이다.

㉣ (X) 초지조성공사를 도급받은 수급인이 불경운작업(산불작업)을 하도급을 준 이후에 계속하여 그 작업을 감독하지 아니한 잘못이 있다 하더라도 이는 도급자에 대한 도급계약상의 책임이지 위 하수급인의 과실로 인하여 발생한 산림실화에 상당인과관계가 있는 과실이라고는 할 수 없다(대법원 1987.4.28. 87도297).

㉤ (X) 살인의 실행행위가 피해자의 사망이라는 결과를 발생하게 한 유일한 원인이거나 직접적인 원인이어야만 되는 것은 아니므로, 살인의 실행행위와 피해자의 사망과의 사이에 다른 사실이 개재되어 그 사실이 치사의 직접적인 원인이 되었다고 하더라도 그와 같은 사실이 통상 예견할 수 있는 것에 지나지 않는다면 살인의 실행행위와 피해자의 사망과의 사이에 인과관계가 있는 것으로 보아야 한다(대법원 1994.3.22. 93도3612).
→ 김밥·콜라 사건

㉡ (O) 금융대출을 위한 차용인의 기망행위와 금융기관의 대출행위 사이에 인과관계를 인정할 수 없다(대법원 2000.6.27. 2000도1155).
→ 일반 사인이나 회사가 금원을 대여한 경우와는 달리 전문적으로 대출을 취급하면서 차용인에 대한 체계적인 신용조사를 행하는 금융기관(경기은행)이 금원을 대출한 경우로, 피고인에 대한 대출편의를 봐준 것이지, 피고인의 기망에 속아서 한 것은 아니라고 보아 사기죄를 인정한 원심을 파기한 판결이다.

㉢ (O) 대법원 1985.5.14. 84도2751
→ 전매사실을 숨기고 지주명의로 위장하여 대지에 관한 매매계약을 체결하였으나 그 이행에 아무런 영향이 없었다 하여 사기죄의 성립을 부정한 판결이다.

39 0085

2019 경찰 2차

인과관계에 관한 설명으로 가장 적절하지 않은 것은? (다툼이 있는 경우 판례에 의함)

① 조건설은 인과관계 판단의 출발점을 제시한다는 의의가 있으나, 인과관계의 범위가 무한히 확장될 우려가 있다는 비판을 받고 있다.

② 공장에서 동료 사이에 말다툼을 하던 중 피고인이 피해자에게 상당한 힘을 가하여 넘어뜨린 것이 아니라, 피고인의 삿대질을 피하려고 뒷걸음치던 피해자가 장애물에 걸려 넘어져 두개골절로 사망한 경우 피고인에게 폭행치사죄의 책임을 물을 수 없다.

③ 자동차가 횡단보도에 먼저 진입한 경우로서 그대로 진행하더라도 보행자의 횡단을 방해하거나 통행에 아무런 위험을 초래하지 아니할 상황이라면 보행자 신호가 녹색으로 바뀐 경우라도 그대로 진행할 수 있다고 보아야 하므로, 피고인이 운전하는 차량이 이미 횡단보도에 먼저 진입한 뒤에 보행자 신호가 녹색으로 바뀌었고, 바뀐 신호만을 보고 횡단보도에 진입한 피해자를 피고인이 그대로 충격하여 피해자에게 상해를 입힌 경우에는 피고인의 과실과 피해자가 입은 상해 사이에는 상당인과관계가 인정되지 않는다.

④ 피고인이 고속도로 2차로를 따라 자동차를 운전하다가 1차로를 진행하던 甲의 차량 앞에 급하게 끼어든 후 곧바로 정차하여, 甲의 차량 및 이를 뒤따르던 차량 두 대는 연이어 급제동하여 정차하였으나, 그 뒤를 따라오던 乙의 차량이 앞의 차량들을 연쇄적으로 추돌케 하여 乙이 사망하고 나머지 차량 운전자 등 피해자들이 상해를 입은 경우, 피고인의 정차행위와 사상의 결과발생 사이에 상당인과관계가 인정된다.

지문분석

난이도 상 정답 ③

| 키 워 드 | 인과관계

| 출제유형 | 틀린 지문 고르기

③ (X) **자동차 운전자의 횡단보도에서의 보행자 보호의무의 내용**

[1] 도로교통법 제27조 제1항의 입법 취지가 차를 운전하여 횡단보도를 지나는 운전자의 보행자에 대한 주의의무를 강화하여 횡단보도를 통행하는 보행자의 생명·신체의 안전을 두텁게 보호하려는 데 있는 것임을 감안하면, 모든 차의 운전자는 신호기의 지시에 따라 횡단보도를 횡단하는 보행자가 있을 때에는 횡단보도에의 진입 선후를 불문하고 일시정지하는 등의 조치를 취함으로써 보행자의 통행이 방해되지 아니하도록 하여야 한다. 다만, 자동차가 횡단보도에 먼저 진입한 경우로서 그대로 진행하더라도 보행자의 횡단을 방해하거나 통행에 아무런 위험을 초래하지 아니할 상황이라면 그대로 진행할 수 있다고 보아야 한다.

[2] 횡단보도의 보행자 신호가 녹색 등화로 바뀌었음에도 횡단보도 위에서 일시정지를 하지 아니한 업무상 과실로 피해자를 충격하여 피해자에게 상해를 입혔고, 위와 같은 피고인의 과실과 피해자가 입은 상해 사이에 상당인과관계도 인정된다(대법원 2017.3.15. 2016도17442).

① (O) 조건설은 일정한 선행사실이 없었다면 결과도 발생하지 아니하였다는 조건관계만 있으면 인과관계를 인정하므로 올바른 설명이다.

예 조건설에 의하면 살인범 母의 출산행위와 피해자의 사망 사이의 인과관계도 인정된다.

② (O) 대법원 1990.9.25. 90도1596

→ 사망에 대한 예견가능성 부정

④ (O) 대법원 2014.7.24. 2014도6206

→ 일반교통방해치사상죄 인정

40 0086

2019 경찰 승진

인과관계에 대한 설명 중 옳은 것을 모두 고른 것은? (다툼이 있는 경우 판례에 의함)

㉠ 피고인이 고속도로 2차로를 따라 자동차를 운전하다가 1차로를 진행하던 甲의 차량 앞에 급하게 끼어든 후 곧바로 정차하여, 甲의 차량 및 이를 뒤따르던 차량 두 대는 연이어 급정차하였으나, 그 뒤를 따라오던 乙의 차량이 앞의 차량들을 연쇄적으로 추돌케 하여 乙을 사망에 이르게 하고 나머지 차량 운전자 등 피해자들에게 상해를 입힌 경우, 피고인의 정차행위와 피해자 사상의 결과발생 사이에 상당인과관계가 있다.

㉡ 한의사인 피고인이 피해자에게 문진하여 과거 봉침(蜂針)을 맞고도 별다른 이상 반응이 없었다는 답변을 듣고 알레르기 반응검사를 생략한 채 환부에 봉침시술을 하였는데, 피해자가 위 시술 직후 쇼크반응을 나타내는 등 상해를 입은 경우, 피고인이 알레르기 반응검사를 하지 않은 과실과 피해자의 상해 사이에 상당인과관계를 인정하기 어렵다.

㉢ 피고인은 결혼을 전제로 교제하던 甲의 임신 사실을 알고 수회에 걸쳐 낙태를 권유하였다가 거절당하였음에도 계속 甲에게 출산 여부는 알아서 하되 아이에 대한 친권을 행사할 의사가 없다고 하면서 낙태할 병원을 물색해 주기도 하였는데, 그 후 甲은 피고인에게 알리지 않고 자신이 알아본 병원에서 낙태시술을 받은 경우, 피고인의 낙태교사행위와 甲의 낙태행위 사이에는 인과관계가 인정되지 않는다.

㉣ 의사인 피고인이 제왕절개수술 후 대량출혈이 있었던 피해자를 전원(轉院) 조치하였으나 전원받는 병원 의료진에게 피해자가 고혈압환자이고 제왕절개수술 후 대량출혈이 있었던 사정을 설명하지 않아 전원받는 병원 의료진의 조치가 다소 미흡하여 도착 후 약 1시간 20분이 지나 수혈이 시작된 경우, 피고인의 전원지체 등의 과실로 신속한 수혈 등의 조치가 지연된 이상 피해자의 사망과 피고인의 과실 사이에 인과관계가 인정된다.

㉤ 피고인이 자동차를 운전하다 횡단보도를 걷던 보행자 甲을 들이받아 그 충격으로 횡단보도 밖에서 甲과 동행하던 피해자 乙이 밀려 넘어져 상해를 입은 경우, 피고인의 구 도로교통법 제27조 제1항에 따른 주의의무를 위반하여 운전한 업무상 과실과 乙의 상해 사이에는 인과관계가 인정될 수 없다.

① ㉠, ㉡, ㉢ ② ㉠, ㉡, ㉣
③ ㉠, ㉢, ㉤ ④ ㉡, ㉣, ㉤

지문분석

난이도 상 정답 ②

| 키 워 드 | 인과관계
| 출제유형 | 조합하기

㉠ (O) 대법원 2014.7.24. 2014도6206
㉡ (O) 대법원 2011.4.14. 2010도10104
㉣ (O) 대법원 2010.4.29. 2009도7070
㉢ (X) 피고인은 甲에게 직접 낙태를 권유할 당시뿐만 아니라 출산 여부는 알아서 하라고 통보한 이후에도 계속 낙태를 교사하였고, 甲은 이로 인하여 낙태를 결의·실행하게 되었다고 보는 것이 타당하며, 甲이 당초 아이를 낳을 것처럼 말한 사실이 있다는 사정만으로 피고인의 낙태교사행위와 甲의 낙태결의 사이에 인과관계가 단절되는 것은 아니라는 이유로, 피고인에게 낙태교사죄를 인정한 원심판단은 정당하다(대법원 2013.9.12. 2012도2744).
㉤ (X) 피고인이 자동차를 운전하다 횡단보도를 걷던 보행자 甲을 들이받아 그 충격으로 횡단보도 밖에서 甲과 동행하던 피해자 乙이 밀려 넘어져 상해를 입은 사안에서, 위 사고는 피고인이 횡단보도 보행자 甲에 대하여 구 도로교통법 제27조 제1항에 따른 주의의무를 위반하여 운전한 업무상 과실로 야기되었고, 乙의 상해는 이를 직접적인 원인으로 하여 발생하였다는 이유로, 피고인의 행위가 구 교통사고처리 특례법(2010.1.25. 법률 제9941호로 개정되기 전의 것) 제3조 제2항 단서 제6호에서 정한 횡단보도 보행자 보호의무의 위반행위에 해당한다(대법원 2011.4.28. 2009도12671).

41 0087

2020 경찰 승진

다음 사례 중 인과관계가 인정되는 경우를 모두 고른 것은? (다툼이 있는 경우 판례에 의함)

> ㉠ 甲이 좌회전 금지구역에서 좌회전하는데 50여 미터 후방에서 따라오던 후행차량이 중앙선을 넘어 甲 운전차량의 좌측으로 돌진하여 사고가 발생한 경우 甲의 좌회전 금지구역에서 좌회전한 행위와 사고발생 사이
> ㉡ 甲의 살인행위와 피해자 A의 사망과의 사이에 다른 사실이 개재되어 그 사실이 치사의 직접적인 원인이 되었다고 하더라도 그와 같은 사실이 통상 예견할 수 있는 것에 지나지 않는 경우 甲의 살인행위와 A의 사망 사이
> ㉢ 甲이 계속 교제하기를 원하는 자신의 제의를 피해자 A가 거절한다는 이유로 A의 얼굴 등을 구타하는 등 폭행을 가하여 전치 10일간의 흉부피하출혈상 등을 가하였고, A가 계속되는 甲의 폭행을 피하려고 다시 도로를 건너 도주하다가 차량에 치여 사망한 경우 甲의 상해행위와 A의 사망 사이
> ㉣ 甲이 A의 뺨을 1회 때리고 오른손으로 목을 쳐 A로 하여금 뒤로 넘어지면서 머리를 땅바닥에 부딪치게 하여 두부 손상 등 상해를 가한 후, A가 병원에서 입원치료를 받다가 합병증인 폐렴으로 인한 패혈증 등으로 사망한 경우 甲의 상해행위와 A의 사망 사이

① ㉠, ㉢　　② ㉡, ㉣
③ ㉠, ㉡, ㉢　　④ ㉡, ㉢, ㉣

지문분석 난이도 ㊤ 정답 ④

| 키 워 드 | 인과관계
| 출제유형 | 조합하기

㉡ (O) 살인의 실행행위가 피해자의 사망이라는 결과를 발생하게 한 유일한 원인이거나 직접적인 원인이어야만 되는 것은 아니므로, 살인의 실행행위와 피해자의 사망과의 사이에 다른 사실이 개재되어 그 사실이 치사의 직접적인 원인이 되었다고 하더라도 그와 같은 사실이 통상 예견할 수 있는 것에 지나지 않는다면 살인의 실행행위와 피해자의 사망과의 사이에 인과관계가 있는 것으로 보아야 한다(대법원 1994.3.22. 93도3612).

㉢ (O) 상해행위를 피하려고 하다가 차량에 치어 사망한 경우 상해행위와 피해자의 사망 사이에 상당인과관계가 있다(대법원 1996.5.10. 96도529).

㉣ (O) 피고인이 甲의 뺨을 1회 때리고 오른손으로 목을 쳐 甲으로 하여금 뒤로 넘어지면서 머리를 땅바닥에 부딪치게 하여 상해를 가하고 그로 인해 사망에 이르게 한 경우, 甲이 두부 손상을 입은 후 병원에서 입원치료를 받다가 합병증으로 사망에 이르게 되어 피고인의 범행과 甲의 사망 사이에 인과관계를 부정할 수 없고, 사망 결과에 대한 예견가능성이 있다(대법원 2012.3.15. 2011도17648).

㉠ (X) 피고인이 좌회전 금지구역에서 좌회전한 것은 잘못이나 이러한 경우에도 피고인으로서는 50여 미터 후방에서 따라오던 후행차량이 중앙선을 넘어 피고인 운전차량의 좌측으로 돌진하는 등 극히 비정상적인 방법으로 진행할 것까지를 예상하여 사고발생 방지조치를 취하여야 할 업무상 주의의무가 있다고 할 수는 없고, 따라서 좌회전 금지구역에서 좌회전한 행위와 사고발생 사이에 상당인과관계가 인정되지 아니한다(대법원 1996.5.28. 95도1200).

42 0088 2021 경찰 승진

인과관계에 대한 설명이다. 아래 ㉠부터 ㉣까지의 설명 중 옳고 그름의 표시(O, X)가 바르게 된 것은? (다툼이 있는 경우 판례에 의함)

> ㉠ 행위가 결과를 발생하게 한 유일하거나 직접적인 원인이 된 경우만이 아니라, 그 행위와 결과 사이에 피해자나 제3자의 과실 등 다른 사실이 개재된 때에도 그와 같은 사실이 통상 예견될 수 있는 것이라면 상당인과관계를 인정할 수 있다.
> ㉡ 피고인이 자동차를 운전하다 횡단보도를 걷던 보행자 갑을 들이받아 그 충격으로 횡단보도 밖에서 갑과 동행하던 피해자 을이 밀려 넘어져 상해를 입은 경우, 피고인의 운전과 을의 상해 사이에는 인과관계가 부정된다.
> ㉢ 아동·청소년의 성보호에 관한 법률 제7조 제5항의 미성년자에 대한 위계간음죄에 있어 위계와 간음행위 사이의 인과관계를 판단함에 있어서는 일반적·평균적 판단능력을 갖춘 성인 또는 충분한 보호와 교육을 받은 또래의 시각에서 인과관계를 판단하여야 하며, 구체적인 범행상황에 놓인 피해자의 입장과 관점을 고려할 것은 아니다.
> ㉣ 강간을 당한 피해자가 집에 돌아가 음독자살하기에 이르른 원인이 강간을 당함으로 인하여 생긴 수치심과 장래에 대한 절망감 등에 있었다면 그 자살행위가 바로 강간행위로 인하여 생긴 당연의 결과라고 볼 수 있으므로 강간행위와 피해자의 자살행위 사이에 인과관계를 인정할 수 있다.

① ㉠ (O), ㉡ (O), ㉢ (X), ㉣ (O)
② ㉠ (O), ㉡ (X), ㉢ (O), ㉣ (X)
③ ㉠ (O), ㉡ (X), ㉢ (X), ㉣ (X)
④ ㉠ (X), ㉡ (O), ㉢ (O), ㉣ (O)

지문분석

난이도 중 정답 ③

| 키 워 드 | 인과관계
| 출제유형 | 옳고 그름의 표시(O, X)하기

㉠ (O) 대법원 1994.3.22. 93도3612
→ 김밥·콜라 사건

㉡ (X) 피고인이 자동차를 운전하다 횡단보도를 걷던 보행자 甲을 들이받아 그 충격으로 횡단보도 밖에서 甲과 동행하던 피해자 乙이 밀려 넘어져 상해를 입은 사안에서, 위 사고는 피고인이 횡단보도 보행자 甲에 대하여 구 도로교통법 제27조 제1항에 따른 주의의무를 위반하여 운전한 업무상 과실로 야기되었고, 乙의 상해는 이를 직접적인 원인으로 하여 발생하였다는 이유로, 피고인의 행위가 구 교통사고처리 특례법(2010.1.25. 법률 제9941호로 개정되기 전의 것) 제3조 제2항 단서 제6호에서 정한 횡단보도 보행자 보호의무의 위반행위에 해당한다(대법원 2011.4.28. 2009도12671).

㉢ (X) 위계에 의한 간음죄가 보호대상으로 삼는 아동·청소년, 미성년자, 심신미약자, 피보호자·피감독자, 장애인 등의 성적 자기결정 능력은 그 나이, 성장과정, 환경, 지능 내지 정신기능 장애의 정도 등에 따라 개인별로 차이가 있으므로 간음행위와 인과관계가 있는 위계에 해당하는지 여부를 판단할 때에는 구체적인 범행상황에 놓인 피해자의 입장과 관점이 충분히 고려되어야 하고, 일반적·평균적 판단능력을 갖춘 성인 또는 충분한 보호와 교육을 받은 또래의 시각에서 인과관계를 쉽사리 부정하여서는 안 된다(대법원 2020.8.27. 2015도9436 전원합의체).

㉣ (X) 강간을 당한 피해자가 집에 돌아가 음독자살하기에 이르른 원인이 강간을 당함으로 인하여 생긴 수치심과 장래에 대한 절망감 등에 있었다 하더라도 그 자살행위가 바로 강간행위로 인하여 생긴 당연의 결과라고 볼 수는 없으므로 강간행위와 피해자의 자살행위 사이에 인과관계를 인정할 수는 없다(대법원 1982.11.23. 82도1446).

43 0089

2021 경찰 간부

인과관계에 대한 설명으로 옳지 않은 것은? (다툼이 있는 경우 판례에 의함)

① 甲이 A의 뺨을 1회 때리고 오른손으로 목을 쳐 A가 뒤로 넘어지면서 머리 부분에 손상을 입은 후 병원에서 입원치료를 받다가 합병증으로 사망하였다면 甲의 범행과 A의 사망 사이에 인과관계가 인정된다.
② 수술 후 복막염에 대한 진단과 처치 지연 등 담당의사 甲의 과실이 있어 A가 제때 필요한 조치를 받지 못한 경우, A가 甲의 지시를 일부 따르지 않거나 퇴원한 사실은 A의 사망과 甲의 과실 사이의 인과관계를 단절한다.
③ 甲이 자동차를 운전하다 횡단보도를 걷던 보행자 A를 들이받아 그 충격으로 횡단보도 밖에서 A와 동행하던 B가 밀려 넘어져 상해를 입은 경우, 구 도로교통법 제27조 제1항에 따른 주의의무를 위반하여 운전한 甲의 업무상 과실과 B의 상해 사이에는 인과관계가 인정될 수 있다.
④ 한의사인 甲이 A를 문진하여 과거 봉침을 맞고도 별다른 이상반응이 없었다는 답변을 듣고 알레르기 반응검사를 생략한 채 환부에 봉침시술을 하였는데 A가 시술 후 상해를 입은 경우, 甲이 알레르기 반응검사를 하지 않은 과실과 A의 상해 사이에 상당인과관계를 인정하기 어렵다.

지문분석

난이도 중 정답 ②

| 키 워 드 | 인과관계
| 출제유형 | 틀린 지문 고르기

② (X) 피고인의 수술 후 복막염에 대한 진단과 처치 지연 등의 과실로 피해자가 제때 필요한 조치를 받지 못하였다면 피해자의 사망과 피고인의 과실 사이에는 인과관계가 인정된다. 비록 피해자가 피고인의 지시를 일부 따르지 않거나 퇴원한 적이 있더라도, 그러한 사정만으로는 피고인의 과실과 피해자의 사망 사이에 인과관계가 단절된다고 볼 수 없다(대법원 2018.5.11. 2018도2844).
→ 가수 신해철 사망사건. 업무상과실치사죄 인정
① (O) 대법원 2012.3.15. 2011도17648
③ (O) 대법원 2011.4.28. 2009도12671
④ (O) 대법원 2011.4.14. 2010도10104

44 0090

2021 국가직 7급

인과관계에 대한 설명으로 옳지 않은 것은? (다툼이 있는 경우 판례에 의함)

① 운전자 甲이 과실로 열차 건널목을 그대로 건너는 바람에 그 자동차가 열차 좌측 모서리와 충돌하여 20여 미터쯤 열차 진행방향으로 끌려가면서 튕겨 나갔고 A는 타고 가던 자전거에서 내려 자동차 왼쪽에서 열차가 지나가기를 기다리고 있다가 충돌사고로 놀라 넘어져 상처를 입었다면 비록 자동차와 A가 직접 충돌하지는 아니하였더라도 甲의 과실과 A의 상해 사이에는 인과관계가 인정된다.
② 甲이 승용차로 A를 가로막아 승차하게 한 후 A의 하차 요구를 무시한 채 당초 목적지가 아닌 다른 장소를 향해 시속 약 60km 내지 70km의 속도로 진행하자, A가 이를 벗어날 목적으로 차량을 빠져나오려다가 길바닥에 떨어져 사망한 경우, 甲의 행위와 A의 사망 사이에는 인과관계가 인정된다.
③ 한의사 甲이 A에게 문진하여 과거 봉침을 맞고도 별다른 이상반응이 없었다는 답변을 듣고 부작용에 대한 충분한 사전 설명 없이 환부인 목 부위에 봉침시술을 하였는데, A가 시술 직후 쇼크반응을 나타내는 등 상해를 입은 경우, 설명의무를 다하였더라도 피해자가 반드시 시술을 거부하였을 것이라고 볼 수 없다면 甲의 설명의무 위반과 A의 상해 사이에는 인과관계가 부정된다.
④ 산부인과 의사 甲이 환자 A를 다른 병원으로 전원하는 과정에서 전원을 지체하고, 전원받는 병원 의료진에게 A가 고혈압환자이고 제왕절개수술 후 대량출혈이 있었던 사정을 설명하지 않아 A가 사망한 경우, 전원받은 병원에서 의료진의 조치가 미흡하여 전원 후 약 1시간 20분이 지나 수혈이 시작된 사정이 있었다면, 甲의 과실과 A의 사망 사이에는 인과관계가 단절된다.

지문분석

난이도 중 정답 ④

| 키 워 드 | 인과관계
| 출제유형 | 틀린 지문 고르기

④ (X) 피고인의 전원지체 등의 과실로 피해자에 대한 신속한 수혈 등의 조치가 지연된 이상 피해자의 사망과 피고인의 과실 사이에는 인과관계를 부정하기 어렵고, ○○병원 의료진의 조치가 다소 미흡하여 피해자가 ○○병원 응급실에 도착한 지 약 1시간 20분이 지나 수혈이 시작되었다는 사정만으로 피고인의 과실과 피해자 사망 사이에 인과관계가 단절된다고 볼 수 없으므로, 피해자의 사망에 대한 피고인의 책임을 인정한 원심의 조치는 정당하고, 거기에 상고이유 주장과 같은 인과관계에 관한 법리오해, 판단누락 등의 위법이 있다고 할 수 없다(대법원 2010.4.29. 2009도7070).
① (O) 대법원 1989.9.12. 89도866
② (O) 대법원 2000.2.11. 99도5286
→ 감금치사죄 인정
③ (O) 대법원 2011.4.14. 2010도10104

45 0091 2021 국가직 9급

인과관계에 대한 설명으로 옳은 것만을 모두 고르면? (다툼이 있는 경우 판례에 의함)

> ㄱ. 부작위범에 있어서 작위의무를 이행하였다면 결과가 발생하지 않았을 것이라는 관계가 인정될 경우 부작위와 그 결과 사이에 인과관계가 있다.
> ㄴ. 사기죄는 타인을 기망하여 착오에 빠뜨리고 처분행위를 유발하여 재물을 교부받거나 재산상 이익을 얻음으로써 성립하는 것으로, 기망행위와 상대방의 착오 및 재물의 교부 또는 재산상 이익의 공여 사이에 순차적인 인과관계가 있어야 한다.
> ㄷ. 의사가 설명의무를 위반한 채 의료행위를 하였다가 환자에게 상해의 결과가 발생한 경우, 의사에게 업무상과실로 인한 형사책임을 지우기 위해서는 의사의 설명의무 위반과 환자의 상해 사이에 상당인과관계가 존재하여야 한다.
> ㄹ. 선행 교통사고와 후행 교통사고 중 어느 쪽이 원인이 되어 피해자가 사망에 이르게 되었는지 밝혀지지 않은 경우, 후행 교통사고를 일으킨 사람의 과실과 피해자의 사망 사이에 인과관계가 인정되기 위해서는 후행 교통사고를 일으킨 사람이 주의의무를 게을리하지 않았다면 피해자가 사망에 이르지 않았을 것이라는 사실이 입증되어야 한다.

① ㄱ, ㄷ ② ㄱ, ㄴ, ㄹ
③ ㄴ, ㄷ, ㄹ ④ ㄱ, ㄴ, ㄷ, ㄹ

지문분석 난이도 중 정답 ④

| 키 워 드 | 인과관계

| 출제유형 | 조합하기

ㄱ. (O) 대법원 2015.11.12. 2015도6809 전원합의체
ㄴ. (O) 대법원 2017.12.5. 2017도14423
ㄷ. (O) 대법원 2011.4.14. 2010도10104
ㄹ. (O) 대법원 2007.10.26. 2005도8822

4 구성요건적 고의

46 0092 2009 경찰 2차

다음 중 구성요건고의의 인식대상이 아닌 것은? (다툼이 있는 경우 통설에 의함)

① 결과범에서의 '인과관계'
② 진정신분범에서의 '신분'
③ 상습범에서의 '상습성'
④ 명예훼손죄에서의 '공연성'

지문분석 난이도 중 정답 ③

| 키 워 드 | 고의

| 출제유형 | 틀린 지문 고르기

③ (X) 고의의 인식대상은 모든 객관적 구성요건요소이다. 상습범에서의 '상습성'은 객관적 구성요건요소가 아니라 책임가중요소이므로 고의의 인식대상이 아니다.
① (O) 결과범에서의 '인과관계'는 구성요건고의의 인식대상이다.
② (O) 진정신분범에서의 '신분'은 구성요건고의의 인식대상이다.
④ (O) 명예훼손죄에서의 '공연성'은 구성요건고의의 인식대상이다.

✓ **개념체크 고의의 인식대상이 아닌 것으로 자주 출제되는 것**

- 상습범에서 '상습성'
- 목적범에서 '목적'
- 친족상도례에서 '친족'
- 부작위범에서 '보증인의무(작위의무)'

47 0093

2013 경찰 1차

다음 설명 중 가장 적절하지 않은 것은? (다툼이 있는 경우 판례에 의함)

① 살인죄의 성립에 필요한 고의는 살해의 목적이나 계획적인 살해의 의도가 있었던 경우뿐만 아니라 자기의 행위로 인해 타인의 사망의 결과를 발생시킬 만한 가능 또는 위험이 있음을 인식했거나 예견한 경우에도 인정된다.

② 방조범의 고의는 정범의 실행을 방조하는 것에 대한 인식으로써 족하며 정범의 행위가 구성요건에 해당하는 행위인 점에 대한 인식까지 필요로 하지는 않는다.

③ 미필적 고의가 인정되기 위해서는 범죄사실의 발생가능성에 대한 인식과 더불어 범죄사실이 발생할 위험을 용인하는 내심의 의사가 있어야 한다.

④ 협박죄에 있어서의 고의는 일반적으로 보아 사람으로 하여금 공포심을 일으킬 수 있는 정도의 해악을 고지하는 것에 대한 인식 내지 인용을 말하며, 고지한 해악을 실제로 실현할 의도나 욕구는 필요로 하지 않는다.

지문분석 난이도 중 정답 ②

| 키 워 드 | 고의

| 출제유형 | 틀린 지문 고르기

② (X) [1] 형법상 방조행위는 정범이 범행을 한다는 정을 알면서 그 실행행위를 용이하게 하는 직접·간접의 행위를 말하므로, 방조범은 ㉠ 정범의 실행을 방조한다는 이른바 방조의 고의와, ㉡ 정범의 행위가 구성요건에 해당하는 행위인 점에 대한 정범의 고의가 있어야 한다.

[2] 방조범에 있어서 정범의 고의는 정범에 의하여 실현되는 범죄의 구체적 내용을 인식할 것을 요하는 것은 아니고 미필적 인식 또는 예견으로 족하다(대법원 2005.4.29. 2003도6056).

① (O) [1] 살인죄에서 살인의 범의는 반드시 살해의 목적이나 계획적인 살해의 의도가 있어야 인정되는 것은 아니고, 자기의 행위로 인하여 타인의 사망이라는 결과를 발생시킬 만한 가능성 또는 위험이 있음을 인식하거나 예견하면 족한 것이며 그 인식이나 예견은 확정적인 것은 물론 불확정적인 것이라도 이른바 미필적 고의로 인정되는 것이다.

[2] 피고인이 범행 당시 살인의 범의는 없었고 단지 상해 또는 폭행의 범의만 있었을 뿐이라고 다투는 경우에 피고인에게 범행 당시 살인의 범의가 있었는지 여부는 피고인이 범행에 이르게 된 경위, 범행의 동기, 준비된 흉기의 유무·종류·용법, 공격의 부위와 반복성, 사망의 결과 발생가능성 정도 등 범행 전후의 객관적인 사정을 종합하여 판단할 수밖에 없다(대법원 2006.4.14. 2006도734).

③ (O) 범죄구성요건의 주관적 요소로서 미필적 고의라 함은 범죄사실의 발생가능성을 불확실한 것으로 표상하면서 이를 용인하고 있는 경우를 말하고, 미필적 고의가 있었다고 하려면 범죄사실의 발생가능성에 대한 인식이 있음은 물론 나아가 범죄사실이 발생할 위험을 용인하는 내심의 의사가 있어야 한다(대법원 2004.5.14. 2004도74).

④ (O) [1] 협박죄에 있어서의 협박이라 함은 일반적으로 보아 사람으로 하여금 공포심을 일으킬 수 있는 정도의 해악을 고지하는 것을 의미하므로 그 주관적 구성요건으로서의 고의는 행위자가 그러한 정도의 해악을 고지한다는 것을 인식, 인용하는 것을 그 내용으로 하고 고지한 해악을 실제로 실현할 의도나 욕구는 필요로 하지 아니하고, 다만 행위자의 언동이 단순한 감정적인 욕설 내지 일시적 분노의 표시에 불과하여 주위사정에 비추어 가해의 의사가 없음이 객관적으로 명백한 때에는 협박행위 내지 협박의 의사를 인정할 수 없으나 위와 같은 의미의 협박행위 내지 협박의사가 있었는지의 여부는 행위의 외형뿐만 아니라 그러한 행위에 이르게 된 경위, 피해자와의 관계 등 주위상황을 종합적으로 고려하여 판단해야 할 것이다.

[2] 피고인이 피해자인 누나의 집에서 갑자기 온몸에 연소성이 높은 고무놀을 바르고 라이타 불을 켜는 동작을 하면서 이를 말리려는 피해자 등에게 가위, 송곳을 휘두르면서 "방에 불을 지르겠다." "가족 전부를 죽여버리겠다."고 소리쳤고 피해자가 피고인의 행위를 약 1시간가량 말렸으나 듣지 아니하여 무섭고 두려워서 신고를 하였다면, 피고인의 행위는 피해자 등에게 공포심을 일으키기에 충분할 정도의 해악을 고지한 것이고, 나아가 피고인에게 실제로 피해자 등의 신체에 위해를 가할 의사나 불을 놓을 의사가 없었다고 할지라도 위와 같은 해악을 고지한다는 점에 대한 인식, 인용은 있었다고 봄이 상당하고, 피해자가 그 이상의 행동에 이르지 못하도록 막은 바 있다 해도 피고인의 행위가 단순한 감정적 언동에 불과하거나 가해의 의사가 없음이 객관적으로 명백한 경우에 해당한다고는 볼 수 없다(대법원 1991.5.10. 90도2102).

48 0094

2013 경찰 2차

다음은 고의에 대한 설명이다. 가장 적절하지 않은 것은? (다툼이 있는 경우 판례에 의함)

① 살인죄에 있어 범의는 자기의 행위로 인하여 타인의 사망의 결과를 발생시킬 만한 가능 또는 위험이 있음을 인식 또는 예견하면 족한 것이고 사망의 결과발생 또는 희망할 것은 필요치 않는다.
② 운전면허증 앞면에 적성검사기간이 기재되어 있고 뒷면 하단에 경고 문구가 있다는 점만으로 피고인이 정기적성검사 미필로 면허가 취소된 사실을 미필적으로나마 인식하였다고 추단하기 어렵다.
③ 상해죄의 성립에는 상해의 원인인 폭행에 대한 인식이 있으면 충분하고 상해를 가할 의사의 존재까지는 필요하지 않다.
④ 甲이 인터넷 사이트 내 자살관련 카페 게시판에 청산염 등 자살용 유독물의 판매광고를 한 행위가 금원의 편취목적으로 이루어지고, 변사자들이 다른 경로로 입수한 청산염을 이용하여 자살한 경우 甲은 자살방조죄에 해당한다.

지문분석 난이도 중 정답 ④

| 키 워 드 | 고의

| 출제유형 | 틀린 지문 고르기

④ (X) 피고인이 인터넷 사이트 내 자살관련 카페 게시판에 청산염 등 자살용 유독물의 판매광고를 한 행위가 단지 금원 편취목적의 사기행각의 일환으로 이루어졌고, 변사자들이 다른 경로로 입수한 청산염을 이용하여 자살한 사정 등에 비추어, 피고인의 행위는 자살방조에 해당하지 않는다(대법원 2005.6.10. 2005도1373).
① (O) 살인죄의 범의는 자기의 행위로 인하여 피해자가 사망할 수도 있다는 사실을 인식·예견하는 것으로 족하고 피해자의 사망을 희망하거나 목적으로 할 필요는 없고, 또 확정적인 고의가 아닌 미필적 고의로도 족한 것이다(대법원 1994.12.22. 94도2511).
② (O) [1] 관할 경찰당국이 운전면허취소처분의 통지에 갈음하는 적법한 공고를 거쳤다 하더라도, 그것만으로 운전자가 면허가 취소된 사실을 알게 되었다고 단정할 수는 없으며, 이 경우 운전자가 그러한 사정을 알았는지는 각각의 사안에서 면허취소의 사유와 취소사유가 된 위법행위의 경중, 같은 사유로 면허취소를 당한 전력의 유무 등을 두루 참작하여 구체적·개별적으로 판단하여야 한다.
[2] 운전면허증 앞면에 적성검사기간이 기재되어 있고, 뒷면 하단에 경고 문구가 있다는 점만으로 피고인이 정기적성검사 미필로 면허가 취소된 사실을 미필적으로나마 인식하였다고 추단하기 어렵다(대법원 2004.12.10. 2004도6480).
③ (O) 상해죄의 성립에는 상해의 원인인 폭행에 대한 인식이 있으면 충분하고 상해를 가할 의사의 존재까지는 필요하지 않다(대법원 2000.7.4. 99도4341).

49 0095

2015 경찰 2차

고의에 관한 다음 설명 중 가장 적절하지 않은 것은? (다툼이 있으면 판례에 의함)

① 유흥업소 업주가 고용대상자가 성인이라는 말만 믿고, 타인의 건강진단결과서만 확인한 채 청소년을 청소년유해업소에 고용한 경우 청소년 고용에 관한 미필적 고의가 있다.
② 공무집행방해죄에 있어서의 범의는 상대방이 직무를 집행하는 공무원이라는 사실, 그리고 이에 대하여 폭행 또는 협박을 한다는 사실을 인식하는 것을 그 내용으로 하며, 그 직무집행을 방해할 의사를 필요로 하지 아니한다.
③ 새로 목사로 부임한 자가 전임목사에 관한 교회 내의 불미스러운 소문의 진위를 확인하기 위하여 이를 교회집사들에게 물어본 경우 명예훼손에 대한 미필적 고의가 있다.
④ 제1종 운전면허 소지자인 피고인이 정기적성검사기간 내에 적성검사를 받지 아니한 경우 피고인이 적성검사기간 도래여부에 관한 확인을 게을리하여 기간이 도래되었음을 알지 못하였더라도 적성검사기간 내에 적성검사를 받지 않는 데 대한 고의가 있다.

지문분석 난이도 중 정답 ③

| 키 워 드 | 고의

| 출제유형 | 틀린 지문 고르기

③ (X) 명예훼손죄의 주관적 구성요건으로서의 범의는 행위자가 피해자의 명예가 훼손되는 결과를 발생케 하는 사실을 인식하므로 족하다 할 것이나 새로 목사로서 부임한 피고인이 전임목사에 관한 교회 내의 불미스러운 소문의 진위를 확인하기 위하여 이를 교회집사들에게 물어보았다면 이는 경험칙상 충분히 있을 수 있는 일로서 명예훼손의 고의 없는 단순한 확인에 지나지 아니하여 사실의 적시라고 할 수 없다 할 것이므로 이 점에서 피고인에게 명예훼손의 고의 또는 미필적 고의가 있을 수 없다고 할 수밖에 없다(대법원 1985.5.28. 85도588).
① (O) 대법원 2002.6.28. 2002도2425
② (O) 대법원 1995.1.24. 94도1949
④ (O) 제1종 운전면허 소지자인 피고인이 정기적성검사기간 내에 적성검사를 받지 아니하였다고 하여 구 도로교통법(2010.7.23. 법률 제10382호로 개정되기 전의 것) 위반으로 기소된 사안에서, 운전면허증 소지자가 운전면허증만 꺼내 보아도 쉽게 알 수 있는 정도의 노력조차 기울이지 않는 것은 적성검사기간 내에 적성검사를 받지 못하게 되는 결과에 대한 방임이나 용인의 의사가 존재한다고 봄이 타당한 점 등에 비추어 볼 때, 피고인이 적성검사기간 도래 여부에 관한 확인을 게을리하여 기간이 도래하였음을 알지 못하였더라도 적성검사기간 내에 적성검사를 받지 않는 데 대한 미필적 고의는 있었다고 봄이 타당한데도, 이와 달리 보아 무죄를 선고한 원심판결에 진정부작위범의 미필적 고의에 관한 법리오해 등으로 판단을 그르친 잘못이 있다(대법원 2014.4.10. 2012도8374).

50 0096

2016 경찰 1차

다음 설명 중 가장 적절하지 않은 것은? (다툼이 있으면 판례에 의함)

① 미필적 고의가 인정되기 위해서는 범죄사실의 발생가능성에 대한 인식이 있음은 물론 나아가 범죄사실이 발생할 위험을 용인하는 내심의 의사가 있어야 한다.

② 강도가 베개로 피해자의 머리부분을 약 3분간 누르던 중 피해자가 저항을 멈추고 사지가 늘어졌음에도 계속하여 누른 행위에 살해의 고의가 있다.

③ 범죄의 고의는 확정적 고의뿐만 아니라 결과발생에 대한 인식이 있고 그를 용인하는 의사인 이른바 미필적 고의도 포함하므로 형법 제307조 제2항의 허위사실 적시에 의한 명예훼손죄 역시 미필적 고의에 의하여도 성립하고, 위와 같은 법리는 형법 제308조의 사자명예훼손죄의 판단에서도 마찬가지로 적용된다.

④ 야간에 신체의 일부가 집 안으로 들어간다는 인식하에 타인의 집의 창문을 열고 집 안으로 얼굴을 들이미는 행위를 하였다면 주거침입죄의 범의는 인정되지 않는다.

지문분석

난이도 하 정답 ④

| 키 워 드 | 고의

| 출제유형 | 틀린 지문 고르기

④ (X) 야간에 타인의 집의 창문을 열고 집 안으로 얼굴을 들이미는 등의 행위를 하였다면 피고인이 자신의 신체의 일부가 집 안으로 들어간다는 인식하에 하였더라도 주거침입죄의 범의는 인정되고, 또한 비록 신체의 일부만이 집 안으로 들어갔다고 하더라도 사실상 주거의 평온을 해하였다면 주거침입죄는 기수에 이르렀다(대법원 1995.9.15. 94도2561).
→ 주거침입죄의 기수(얼굴만 들이민 사건)

① (O) 대법원 2004.5.14. 2004도74

② (O) 대법원 2002.2.8. 2001도6425
→ 강도살인죄를 인정한 판결이다.

③ (O) 대법원 2014.3.13. 2013도12430

51 0097

2017 경찰 2차

고의에 대한 설명으로 가장 적절하지 않은 것은? (다툼이 있는 경우 판례에 의함)

① 공무원이 여러 차례의 출장반복의 번거로움을 회피하고 민원사무를 신속히 처리한다는 방침에 따라 사전에 출장조사한 다음 출장조사 내용이 변동 없다는 확신하에 출장복명서를 작성하고 다만 그 출장일자를 작성일자로 기재한 것이라면 허위공문서 작성의 범의가 있었다고 볼 수 없다.

② 업무방해죄의 성립에 필요한 고의는 반드시 업무방해의 목적이나 계획적인 업무방해의 의도가 있어야만 하는 것은 아니고, 자신의 행위로 인하여 타인의 업무가 방해될 가능성 또는 위험에 대한 인식이나 예견으로 충분하다.

③ 새로 목사로서 부임한 피고인이 전임목사에 관한 교회 내의 불미스러운 소문의 진위를 확인하기 위하여 이를 교회집사들에게 물어보았다면, 이는 경험칙상 충분히 있을 수 있는 일로서 명예훼손의 고의 없는 단순한 확인에 지나지 아니하여 사실의 적시라고 할 수 없다.

④ 피고인이 인신구속에 관한 직무를 집행하는 사법경찰관으로서 체포 당시 상황을 고려하여 경험칙에 비추어 현저하게 합리성을 잃지 않은 채 판단하면 체포 요건이 충족되지 아니함을 충분히 알 수 있었는데도, 자신의 재량 범위를 벗어난다는 사실을 인식하고 그와 같은 결과를 용인한 채 사람을 체포하여 권리행사를 방해한 경우 직권남용체포죄와 직권남용권리행사방해죄의 고의는 인정되지 않는다.

지문분석

난이도 상 정답 ④

| 키 워 드 | 고의

| 출제유형 | 틀린 지문 고르기

④ (X) [1] 현행범인 체포의 요건을 갖추었는지에 관한 검사나 사법경찰관 등의 판단에는 상당한 재량의 여지가 있으나, 체포 당시 상황으로 보아도 요건 충족 여부에 관한 검사나 사법경찰관 등의 판단이 경험칙에 비추어 현저히 합리성을 잃은 경우 그 체포는 위법하다.
[2] 범죄의 고의는 확정적 고의뿐만 아니라 결과발생에 대한 인식이 있고 이를 용인하는 의사인 이른바 미필적 고의도 포함하므로, 피고인이 인신구속에 관한 직무를 집행하는 사법경찰관으로서 체포 당시 상황을 고려하여 경험칙에 비추어 현저하게 합리성을 잃지 않은 채 판단하면 체포 요건이 충족되지 아니함을 충분히 알 수 있었는데도, 자신의 재량 범위를 벗어난다는 사실을 인식하고 그와 같은 결과를 용인한 채 사람을 체포하여 권리행사를 방해하였다면, 직권남용체포죄와 직권남용권리행사방해죄가 성립한다(대법원 2017.3.9. 2013도16162).

① (O) 공무원이 여러 차례의 출장반복의 번거로움을 회피하고 민원사무를 신속히 처리한다는 방침에 따라 사전에 출장조사한 다음 출장조사 내용이 변동 없다는 확신하에 출장복명서를 작성하고 다만 그 출장일자를 작성일자로 기재한 경우, 허위공문서 작성의 범의를 인정할 수 없다(대법원 2001.1.5. 99도4101).

② (O) **업무방해죄 성립에 필요한 '고의'의 내용**
업무방해죄의 성립에 있어서 업무방해의 결과가 실제로 발생하여야만 하는 것은 아니고 업무방해의 결과를 초래할 위험이 있으면 충분하므로,

고의 또한 반드시 업무방해의 목적이나 계획적인 업무방해의 의도가 있어야만 하는 것은 아니고, 자신의 행위로 인하여 타인의 업무가 방해될 가능성 또는 위험에 대한 인식이나 예견으로 충분하며, 그 인식이나 예견은 확정적인 것은 물론 불확정적인 것이라도 이른바 미필적 고의로 인정된다(대법원 2012.5.24. 2009도4141).

③ (O) 명예훼손죄의 주관적 구성요건으로서의 범의는 행위자가 피해자의 명예가 훼손되는 결과를 발생케 하는 사실을 인식하므로 족하다 할 것이나 새로 목사로서 부임한 피고인이 전임목사에 관한 교회 내의 불미스러운 소문의 진위를 확인하기 위하여 이를 교회집사들에게 물어보았다면 이는 경험칙상 충분히 있을 수 있는 일로서 명예훼손의 고의 없는 단순한 확인에 지나지 아니하여 사실의 적시라고 할 수 없다 할 것이므로 이 점에서 피고인에게 명예훼손의 고의 또는 미필적 고의가 있을 수 없다고 할 수밖에 없다(대법원 1985.5.28. 85도588).

52 0098

2019 경찰 1차

고의와 과실 및 착오에 관한 설명 중 옳지 않은 것은? (다툼이 있는 경우 판례에 의함)

① 위법성을 조각하는 피해자의 승낙과 구성요건해당성을 조각하는 양해를 구별하는 입장에 따르면, 양해가 없음에도 불구하고 있다고 생각하고 행위한 경우 불능미수가 성립한다.

② 형법 제13조에 따르면 죄의 성립요소인 사실을 인식하지 못한 행위는 벌하지 아니하지만, 법률에 특별한 규정이 있는 경우에는 예외로 한다.

③ 골프경기를 하던 중 골프공을 쳐서 아무도 예상하지 못한 자신의 등 뒤편으로 보내어 경기보조원에게 상해를 입힌 행위는 주의의무를 현저히 위반하여 사회적 상당성의 범위를 벗어난 행위로서 과실치상죄가 성립한다.

④ 위법성은 구성요건해당성의 소극적 요소라고 보는 소극적 구성요건요소이론에 따르면, 위법성조각사유의 전제사실의 착오의 경우 고의가 부정된다.

지문분석 난이도 상 정답 ①

| 키 워 드 | 고의와 과실 및 착오

| 출제유형 | 틀린 지문 고르기

① (X) 양해란 구성요건이 피해자의 의사에 반하는 때에만 실현될 수 있도록 규정되어 있어서 피해자의 동의가 있으면 구성요건해당성 자체를 조각시키는 경우의 피해자의 동의를 말한다. 양해에 대한 행위자의 착오는 ㉠ 양해가 있으나 행위자가 모른 경우는 불능미수가 문제되고, ㉡ 반대로 양해가 없는데 행위자가 있다고 생각한 경우에는 구성요건적 착오로 고의를 조각한다.

② (O) 형법 제13조

③ (O) 대법원 2008.10.23. 2008도6940
→ 과실치상죄 인정(골프장캐디 치상 사건)

④ (O) 소극적 구성요건요소(표지)이론은 위법성조각사유의 전제사실에 관한 착오를 구성요건의 착오로 이해한다. 따라서 ㉠ 고의 조각(고의범 X), 착오에 과실이 있으면 과실범, 과실이 없으면 무죄가 되고, ㉡ 악의의 가담자는 공범이 성립하지 않는다.

53 0099 2021 경찰 2차

고의와 과실에 대한 설명으로 가장 적절하지 않은 것은? (다툼이 있는 경우 판례에 의함)

① 채권자 A가 채무자 甲의 신용상태를 인식하고 있어 장래의 변제지체 또는 변제불능에 대한 위험을 예상하고 있거나 예상할 수 있었다면, 甲이 구체적인 변제의사, 변제능력, 거래조건 등 거래 여부를 결정지을 수 있는 중요한 사항을 허위로 말하였다는 등의 사정이 없는 한, 그 후 제대로 변제하지 못했다는 사실만으로 甲에게 사기죄의 고의가 있다고 볼 수 없다.

② 방조범은 정범의 실행을 방조한다는 방조의 고의와 정범의 행위가 구성요건에 해당하는 행위인 점에 대한 정범의 고의가 있어야 하나, 이 경우 정범의 고의는 적어도 정범에 의하여 실현되는 범죄의 구체적 내용을 인식할 것을 필요로 한다.

③ 전기배선이 벽 내부에 매립 설치되어 건물 구조의 일부를 이루고 있다면 그에 관한 관리책임은 일반적으로 소유자에게 있다고 보아야 하나, 그 전기배선을 임차인이 직접 하였으며 그 이상을 미리 알았거나 알 수 있었다는 등의 특별한 사정이 있는 때에는 임차인에게도 그 부분의 하자로 인한 화재를 예방할 주의의무가 인정될 수 있다.

④ 甲은 A와 함께 술을 마시고 중앙선에 서서 도로횡단을 중단한 상황에서 지나가는 차량의 유무를 확인하지 아니하고 고개를 숙인 채 서 있는 A의 팔을 갑자기 잡아끌어 무단횡단을 하다가 지나가던 차량에 A가 충격당하여 사망한 경우, 甲이 술에 취해 있었다 하더라도 甲에게는 A의 안전을 위하여 차량의 통행 여부 및 횡단 가능 여부를 확인하여야 할 주의의무가 인정된다.

지문분석

난이도 중 정답 ②

| 키 워 드 | 고의와 과실

| 출제유형 | 틀린 지문 고르기

② (X) [1] 형법상 방조행위는 정범이 범행을 한다는 정을 알면서 그 실행행위를 용이하게 하는 직접·간접의 행위를 말하므로, 방조범은 ㉠ 정범의 실행을 방조한다는 이른바 방조의 고의와, ㉡ 정범의 행위가 구성요건에 해당하는 행위인 점에 대한 정범의 고의가 있어야 한다.
[2] 방조범에 있어서 정범의 고의는 정범에 의하여 실현되는 범죄의 구체적 내용을 인식할 것을 요하는 것은 아니고 미필적 인식 또는 예견으로 족하다(대법원 2005.4.29. 2003도6056).

① (O) 피해자가 피고인의 신용상태를 인식하고 있어 장래의 변제지체 또는 변제불능에 대한 위험을 예상하고 있거나 예상할 수 있었다면, 피고인이 구체적인 변제의사, 변제능력, 거래조건 등 거래 여부를 결정지을 수 있는 중요한 사항을 허위로 말하였다는 등의 사정이 없는 한, 피고인이 그 후 제대로 변제하지 못하였다는 사실만 가지고 변제능력에 관하여 피해자를 기망하였다거나 사기죄의 고의가 있었다고 단정할 수 없다(대법원 2016.6.9. 2015도18555).

③ (O) [1] 전기배선이 벽 내부에 매립 설치되어 건물 구조의 일부를 이루고 있다면 그에 관한 관리책임은 일반적으로 소유자에게 있다고 보아야 할 것이고, 다만 그 전기배선을 임차인이 직접 하였으며 그 이상을 미리 알았거나 알 수 있었다는 등의 특별한 사정이 있는 때에는 임차인에게도 그 부분의 하자로 인한 화재를 예방할 주의의무가 인정될 수 있다.
[2] 제1심이 채택한 증거에 의하면 이 사건 발화지점으로 지적된 분전반은 위 학원의 벽에 매립 설치되어 있고, 건물 3층과 4층에 이르는 전선은 벽체 내부의 통로를 따라 분전반 후면을 거쳐 배선되어 있음을 알 수 있는바, 배선구조가 그러하다면 원심으로서는 먼저 이 사건 화재의 원인으로 기재된 분전반이나 전선이 임차인의 지배관리영역 내에 있는지, 아니면 건물 구조의 일부로서 건물 소유자의 지배관리영역 내에 있는지 여부를 확정하여야 할 것이고, 만일 그 전선이나 분전반이 임차인의 지배관리영역 내에 있는 것이 아니라면, 임차인에게 위 분전반이나 그 내부 전선의 이상으로 인한 화재를 예방하여야 할 주의의무가 있다고 볼 특별한 사정이 있는지 여부, 나아가 그 주의의무가 '업무상'의 주의의무 위반에 속하는지 여부 등을 심리하여 그 유·무죄를 가려 보았어야 할 것이다(대법원 2009.5.28. 2009도1040).
→ 이 사건 분전반이나 이 사건 4층 건물의 3층과 4층에 이르는 전선이 화재원인이고, 10여 년간 그 2층에서 서예학원을 하면서 건물에 누수 및 누전이 자주 되어 건물의 안전에 이상이 있음을 알고 있었다는 이유만으로 피고인 1(임차인)에게 '업무상 주의의무' 위반이 있다고 판단한 원심판결이 위법하다는 판례이다.

④ (O) 대법원 2002.8.23. 2002도2800

54 0100

2020 경찰 승진

다음 중 고의의 인식대상을 모두 고른 것은?

> ㉠ 수뢰죄에 있어서 공무원이라는 신분
> ㉡ 사전수뢰죄에 있어서 공무원 또는 중재인이 된 사실
> ㉢ 친족상도례가 적용되는 범죄에 있어서 친족관계
> ㉣ 특수폭행죄에 있어서 위험한 물건을 휴대한다는 사실
> ㉤ 친고죄에 있어서 피해자의 고소

① ㉠, ㉣　　② ㉡, ㉢
③ ㉠, ㉣, ㉤　　④ ㉡, ㉢, ㉤

지문분석 난이도 ㉦ 정답 ①

| 키 워 드 | 고의의 인식대상
| 출제유형 | 조합하기

㉠ (O) 고의의 인식대상은 '객관적 구성요건요소'이며, 객관적 구성요건요소 중 '행위의 주체'이다.
㉣ (O) 고의의 인식대상은 '객관적 구성요건요소'이며, 객관적 구성요건요소 중 '행위'이다.
㉡ (X) 객관적 처벌조건에 해당하므로 고의의 인식대상이 아니다.
㉢ (X) 처벌조건(인적 처벌조각사유) 또는 소추조건(상대적 친고죄)에 해당하므로 고의의 인식대상이 아니다.
㉤ (X) 소추조건에 해당하므로 고의의 인식대상이 아니다.

55 0101

2019 경찰 간부

다음 설명 중 가장 옳지 않은 것은? (다툼이 있는 경우 판례에 의함)

① 공무원이 여러 차례의 출장반복의 번거로움을 회피하고 민원사무를 신속히 처리한다는 방침에 따라 사전에 출장조사를 한 다음 출장조사 내용이 변동 없다는 확신하에 출장복명서를 작성하고 다만 그 출장일자를 작성일자로 기재한 것이라면 허위공문서 작성의 범의가 있다고 볼 수 없다.
② 금성호의 선장 甲은 피조개양식장에 피해를 주지 않기 위해 양식장까지의 거리가 약 30미터가 되도록 선박의 닻줄을 7샤클(175미터)에서 5샤클(125미터)로 감아놓았는데, 태풍을 만나게 되면서 선박의 안전을 위하여 선박의 닻줄을 7샤클로 늘여 놓았다가 피조개양식장을 침범하여 물적 피해를 야기한 경우 손괴의 범의가 있다고 볼 수 있다.
③ 甲이 乙 등 3명과 싸우다가 힘이 달리자 식칼을 가지고 이들 3명을 상대로 휘두르다가 이를 말리면서 식칼을 빼앗으려던 피해자 丙에게 상해를 입혔다면 상해를 입은 사람이 목적한 사람이 아닌 다른 사람이라 하더라도 甲은 상해죄의 죄책을 진다.
④ 미필적 고의는 범죄사실의 발생가능성에 대한 인식이 있고 범죄사실이 발생할 위험을 용인하는 내심의 의사가 있어야 하는데, 범죄사실이 발생할 가능성을 용인하고 있었는지는 행위자의 진술에 의존하지 않고 외부에 나타난 행위의 형태와 행위의 상황 등 구체적인 사정을 기초로 일반인이라면 범죄사실이 발생할 가능성을 어떻게 평가할 것인지를 고려하면서 일반인의 입장에서 그 심리상태를 추인하여야 한다.

지문분석 난이도 ㉧ 정답 ④

| 키 워 드 | 고의
| 출제유형 | 틀린 지문 고르기

④ (X) 범죄구성요건의 주관적 요소로서 미필적 고의라 함은 범죄사실의 발생가능성을 불확실한 것으로 표상하면서 이를 용인하고 있는 경우를 말하고, 미필적 고의가 있었다고 하려면 범죄사실의 발생가능성에 대한 인식이 있음은 물론 나아가 범죄사실이 발생할 위험을 용인하는 내심의 의사가 있어야 하며, 그 행위자가 범죄사실이 발생할 가능성을 용인하고 있었는지의 여부는 행위자의 진술에 의존하지 아니하고 외부에 나타난 행위의 형태와 행위의 상황 등 구체적인 사정을 기초로 하여 일반인이라면 당해 범죄사실이 발생할 가능성을 어떻게 평가할 것인가를 고려하면서 행위자의 입장에서 그 심리상태를 추인하여야 한다(대법원 2004.5.14. 2004도74).
① (O) 대법원 2001.1.5. 99도4101
② (O) 대법원 1987.1.20. 85도221
→ 재물손괴에 관한 미필적 고의를 인정, 긴급피난으로 위법성이 조각된다고 본 판례이다.
③ (O) 대법원 1987.10.26. 87도1745

56 0102 2021 경찰 간부

고의와 목적에 대한 설명으로 옳은 것은? (다툼이 있는 경우 판례에 의함)

① 방조범의 경우에 정범의 고의는 정범에 의하여 실현되는 범죄의 구체적 내용을 인식할 것을 요하는 것은 아니고 미필적 인식 또는 예견으로 족하다.
② 공직선거법 제93조 제1항의 '선거에 영향을 미치게 하기 위하여'는 목적범 규정으로서, 그 목적에 대하여는 미필적 인식으로는 부족하고 적극적 의욕이나 확정적 인식을 필요로 한다.
③ 형법 제305조의 미성년자의제강제추행죄의 성립에 필요한 주관적 구성요건요소는 고의만으로는 부족하며, 성욕을 자극·흥분·만족시키려는 주관적 동기 혹은 목적이 존재해야 한다.
④ 미필적 고의를 판단함에 있어 범죄사실이 발생할 가능성을 용인하고 있었는지의 여부는 외부에 나타난 행위의 형태와 행위의 상황 등 구체적인 사정을 기초로 삼아 일반인이라면 범죄사실의 발생가능성을 어떻게 평가할 것인지를 고려하여 일반인의 입장에서 그 심리상태를 추인하여야 한다.

지문분석 난이도 중 정답 ①

| 키 워 드 | 고의와 목적
| 출제유형 | 옳은 지문 고르기

① (O) 대법원 2005.4.29. 2003도6056
② (X) 공직선거법 제93조 제1항(탈법방법에 의한 문서·도화의 배부·게시 등 금지)에서 '선거에 영향을 미치게 하기 위하여'라는 전제 아래 그에 정한 행위를 제한하고 있는 것은 고의 이외에 초과주관적 요소로서 '선거에 영향을 미치게 할 목적'을 범죄성립요건으로 하는 목적범으로 규정한 것이라 할 것인바, 그 목적에 대하여는 적극적 의욕이나 확정적 인식을 필요로 하는 것이 아니라 미필적 인식만으로도 족하다(대법원 2009.5.28. 2008도11857).
③ (X) 형법 제305조의 미성년자의제강제추행죄는 '13세 미만의 아동이 외부로부터의 부적절한 성적 자극이나 물리력의 행사가 없는 상태에서 심리적 장애 없이 성적 정체성 및 가치관을 형성할 권익'을 보호법익으로 하는 것으로서, 그 성립에 필요한 주관적 구성요건요소는 고의만으로 충분하고, 그 외에 성욕을 자극·흥분·만족시키려는 주관적 동기나 목적까지 있어야 하는 것은 아니다(대법원 2006.1.13. 2005도6791).
④ (X) 범죄구성요건의 주관적 요소로서 미필적 고의라 함은 범죄사실의 발생가능성을 불확실한 것으로 표상하면서 이를 용인하고 있는 경우를 말하고, 미필적 고의가 있었다고 하려면 범죄사실의 발생가능성에 대한 인식이 있음은 물론 나아가 범죄사실이 발생할 위험을 용인하는 내심의 의사가 있어야 하며, 그 행위자가 범죄사실이 발생할 가능성을 용인하고 있었는지의 여부는 행위자의 진술에 의존하지 아니하고 외부에 나타난 행위의 형태와 행위의 상황 등 구체적인 사정을 기초로 하여 일반인이라면 당해 범죄사실이 발생할 가능성을 어떻게 평가할 것인가를 고려하면서 행위자의 입장에서 그 심리상태를 추인하여야 한다(대법원 2004.5.14. 2004도74).

5 구성요건적 착오

57 0103 2022 경찰 간부

다음 중 가, 나, 다에 대한 설명으로 가장 적절한 것은?

가. 甲은 친구 A를 살해하기 위하여 집 앞에서 기다리던 중, A가 나타나자 A를 조준하여 총을 발사하였는데, 총알이 빗나가 전혀 인식하지 못했던 B에게 명중되어 B가 즉사하였다.
나. 乙은 친구 C를 살해하기 위하여 독이 든 케이크를 C의 집으로 배송하였다. C가 동생 D와 함께 살고 있었기 때문에 D가 먹고 사망할 수도 있다고 생각하였으나, 그래도 할 수 없다고 생각하였고 실제로 D가 배송된 케이크를 먹고 사망하였다.
다. 丙은 친구 E를 살해하기 위하여 E의 집 창가에서 기다리다가 E의 방에 불이 켜지고 창문에 비친 사람을 E라고 생각하고 총을 발사하였는데, 실제로 총에 맞은 사람은 E의 동생 F였고 그로 인해 F는 사망하였다.

① 甲의 죄책에서 구체적 부합설과 법정적 부합설의 결론이 같다.
② 乙의 죄책에서 어느 학설에 따르더라도 D에 대한 고의를 인정한다.
③ 丙의 죄책에서 법정적 부합설은 E에 대한 살인죄의 기수범을, 구체적 부합설은 살인죄의 미수범을 인정한다.
④ 법정적 부합설은 甲, 乙, 丙 모두에 대하여 살인죄 기수범을 인정하는 것은 아니다.

지문분석 난이도 상 정답 ②

| 키 워 드 | 구성요건적 착오
| 출제유형 | 옳은 지문 고르기

② (O) 乙은 C에 대해서는 확정적 고의, D에 대해서는 미필적 고의가 있는 경우로 D에 대한 살인은 사실의 착오가 아니다. D에 대한 고의가 이미 있었으므로 D에 대한 살인죄가 인정된다.
① (X) 甲은 구체적 사실의 착오 중 방법의 착오를 일으킨 경우이다. 구체적 부합설에 의하면 A에 대한 살인미수와 B에 대한 과실치사의 상상적 경합이 되고, 법정적 부합설에 의하면 B에 대한 살인죄가 된다.
③ (X) 丙은 구체적 사실의 착오 중 객체의 착오를 일으킨 경우이다. 구체적 부합설과 법정적 부합설 모두 F에 대한 살인죄의 기수범을 인정한다.
④ (X) 법정적 부합설은 甲, 乙, 丙 모두에 대하여 살인죄 기수범을 인정한다.

58 0104

2019 경찰 2차

사실의 착오(구성요건적 착오)에 관한 설명으로 옳은 것을 모두 고른 것은?

> ㉠ 형법에는 사실의 착오에 관한 규정이 없어, 사실의 착오 문제를 해결하는 것은 오롯이 학설에 위임되어 있다.
> ㉡ 乙을 살해할 의사로 乙을 향해 총을 쐈으나 빗나가 옆에 있던 丙에게 명중하여 丙이 사망한 경우 구체적 부합설과 법정적 부합설의 결론이 다르다.
> ㉢ 판례의 입장에 따르면 ㉡의 사례에서 乙에 대한 살인죄의 미수와 丙에 대한 과실치사죄의 상상적 경합이 성립한다.
> ㉣ 추상적 부합설에 따르면 ㉡의 사례에서 살인죄의 고의기수가 성립한다.
> ㉤ 법정적 부합설은 사람을 살해할 의사로 사람을 살해했음에도 불구하고 살인미수라고 하는 것은 일반인의 법감정에 반한다는 비판을 받는다.

① ㉠, ㉡　② ㉡, ㉣
③ ㉠, ㉢　④ ㉢, ㉤

지문분석 난이도 상 정답 ②

| 키 워 드 | 구성요건적 착오

| 출제유형 | 조합하기

㉡ (O) 구체적 사실의 착오 중 방법의 착오이다.

구체적 부합설	乙에 대한 살인미수와 丙에 대한 과실치사의 상상적 경합
법정적 부합설	丙에 대한 살인죄

㉣ (O) 추상적 부합설에 의하면 丙에 대한 살인죄가 성립한다.
㉠ (X) 형법에는 사실의 착오에 관한 규정이 있다(형법 제15조 제1항 참조).
㉢ (X) 판례의 입장인 법정적 부합설에 의하면 丙에 대한 살인죄가 성립한다.
㉤ (X) 법정적 부합설이 아니라 구체적 부합설에 대한 비판이다.

59 0105

2021 경찰 1차

구성요건적 착오에 대한 설명으로 가장 적절한 것은?

① 甲이 친구 A를 살해하려고 독약을 놓아 두었으나 친구 B가 이를 마시게 되어 사망한 경우, 구체적 부합설과 법정적 부합설 모두 B에 대한 살인죄를 인정한다.
② 甲이 친구 A를 친구 B로 착각하여 살해한 경우, 구체적 부합설의 입장에서는 B에 대한 살인미수와 A에 대한 과실치사죄의 상상적 경합이 된다고 본다.
③ 甲이 친구 A를 살해하려고 하였으나 주위가 어두워 자신의 장모 B를 A로 오인하여 살해한 경우, 판례는 보통살인죄의 형으로 처단하여야 한다고 본다.
④ 甲이 살인의 고의로 친구 A의 머리를 내리쳐 A가 실신하자(제1행위), 그가 죽은 것으로 오인하여 웅덩이에 파묻었는데(제2행위) 실제로는 질식사한 것으로 밝혀진 경우, 판례는 제1행위에 의한 살인미수와 제2행위에 의한 과실치사죄의 실체적 경합을 인정한다.

지문분석 난이도 중 정답 ③

| 키 워 드 | 구성요건적 착오

| 출제유형 | 옳은 지문 고르기

③ (O) 대법원 1960.10.31. 4293형상494
→ 직계존속(자신의 장모)임을 인식하지 못하고 살해한 경우는 형법 제15조 제1항이 직접 적용되어 특별히 무거운 죄가 되는 사실을 인식하지 못한 행위에 해당하여 보통살인죄가 성립한다.
① (X) 구체적 사실의 착오 중 방법의 착오이다.

구체적 부합설	A에 대한 살인미수와 B에 대한 과실치사죄의 상상적 경합
법정적 부합설	B에 대한 살인죄

② (X) 구체적 사실의 착오 중 객체의 착오로 발생사실인 A에 대한 살인죄가 인정된다.
④ (X) A에 대한 살인죄가 인정된다(대법원 1988.6.28. 88도650).

60 0106

2020 경찰 승진

사실의 착오에 대한 설명 중 가장 적절하지 않은 것은?

① 甲이 형 A를 살해하기 위하여 집에 들어가 칼로 찔렀는데, 아버지 B를 A로 오인하고 살해한 경우 판례에 따르면 A에 대한 살인미수죄와 B에 대한 존속살해죄의 상상적 경합이 된다.
② 甲이 A를 살해하기 위하여 A의 집 안에 독극물이 든 음료수를 두었는데, 예상과 달리 놀러 온 친구 B가 이를 마시고 사망한 경우 판례에 따르면 B에 대한 살인죄가 성립한다.
③ 甲이 상해의 고의로 A를 향해 돌을 던졌으나 빗나가는 바람에 옆에 있던 B가 맞아 상해를 입은 경우 구체적 부합설에 따르면 A에 대한 상해미수죄와 B에 대한 과실치상죄의 상상적 경합이 된다.
④ 甲은 자신을 괴롭히는 직장동료 A를 상해하기 위하여 늦은 밤 퇴근하는 A의 무릎을 몽둥이로 강타하였는데, 알고 보니 외모가 비슷한 B가 맞아 상해를 입은 경우 법정적 부합설에 따르면 B에 대한 상해죄가 성립한다.

지문분석 난이도 상 정답 ①

| 키 워 드 | 구성요건적 착오
| 출제유형 | 틀린 지문 고르기

① (X) 직계존속임을 인식하지 못하고 살인을 한 경우는 형법 제15조 소정의 특히 중한 죄가 되는 사실을 인식하지 못한 행위에 해당한다(대법원 1960.10.31. 4293형상494).
→ 판례에 따르면 보통살인죄가 성립한다.
②, ③ (O) 구체적 사실의 착오 중 방법의 착오이다.
④ (O) 구체적 사실의 착오 중 객체의 착오이다.

61 0107

2021 경찰 승진

다음 사례에 대한 설명으로 가장 적절하지 않은 것은? (형법 이외에 특별법의 적용은 고려하지 않음)

> 갑은 A가 키우는 강아지가 시끄럽게 짖자, A의 강아지를 죽이기 위해 소지하던 엽총을 발사하였다. 하지만 총알이 빗나가 강아지가 아닌 A가 맞아 현장에서 사망하였다.

① 사례는 구성요건적 착오(사실의 착오)의 문제로 추상적 사실의 착오 중 방법의 착오에 해당한다.
② 사례에 있어 법정적 부합설과 추상적 부합설의 결론은 동일하다.
③ 구체적 부합설에 의하면 강아지에 대한 손괴미수죄와 A에 대한 과실치사죄의 상상적 경합이 성립한다.
④ 만약 갑이 A의 부인을 쏘려고 하였으나 빗나가 A가 맞고 사망했다면, 판례는 갑에게 A에 대한 살인죄의 성립을 긍정한다.

지문분석 난이도 상 정답 ②

| 키 워 드 | 구성요건적 착오
| 출제유형 | 사례 풀기

② (X) 추상적 사실의 착오 사례에서 법정적 부합설과 추상적 부합설의 결론은 다르다.

법정적 부합설	손괴미수죄와 A에 대한 과실치사죄의 상상적 경합
추상적 부합설	손괴(기수)죄와 A에 대한 과실치사죄의 상상적 경합

① (O) 올바른 설명이다.
③ (O) 올바른 설명이다.
④ (O) 판례는 구체적 사실의 착오 중 방법의 착오는 물론 객체의 착오 모두 법정적 부합설에 따르므로 올바른 설명이다.

6 과실범

62 0108

2020 경찰 1차

과실범에 관한 설명 중 가장 적절하지 않은 것은? (다툼이 있는 경우 판례에 의함)

① 의료과오사건에서 의사의 과실을 인정하려면 결과발생을 예견할 수 있고 또 회피할 수 있었는데도 예견하거나 회피하지 못한 점을 인정할 수 있어야 하는데, 의사의 과실이 있는지는 같은 업무 또는 분야에 종사하는 평균적인 의사가 보통 갖추어야 할 통상의 주의의무를 기준으로 판단하여야 한다.

② 택시운전자인 피고인이 심야에 밀집된 주택 사이의 좁은 골목길이자 직각으로 구부러져 가파른 비탈길의 내리막에 누워 있던 피해자의 몸통 부위를 자동차 바퀴로 역과하여 사망에 이르게 하고 그 자리에서 도주한 경우, 위 사고 당시 시각과 사고 당시 도로상황 등에 비추어 자동차 운전업무에 종사하는 피고인으로서는 평소보다 더욱 속도를 줄이고 전방 좌우를 면밀히 주시하여 안전하게 운전함으로써 사고를 미연에 방지할 주의의무가 있다.

③ 야간에 고속도로에서 차량을 운전하는 자는 주간과는 달리 노면상태 및 가시거리상태 등에 따라 고속도로상의 제한 최고속도 이하의 속도로 감속·서행할 주의의무가 있으므로, 야간에 선행사고로 인하여 전방에 정차해 있던 승용차와 그 옆에 서 있던 피해자를 충돌한 경우 운전자에게 제한속도 이하로 감속 운전하지 않은 과실이 있다.

④ 안전배려 내지 안전관리사무에 계속적으로 종사하지 않았더라도 건물의 소유자로서 건물을 비정기적으로 수리하거나 건물의 일부분을 임대한 자는 건물의 화재가 발생하는 것을 미리 막아야 할 업무상 주의의무를 부담한다.

지문분석 난이도 ⓗ 정답 ④

| 키 워 드 | 과실범

| 출제유형 | 틀린 지문 고르기

④ (X) 업무상과실치상죄에 있어서의 '업무'란 사람의 사회생활 면에서 하나의 지위로서 계속적으로 종사하는 사무를 말하고, 여기에는 수행하는 직무 자체가 위험성을 갖기 때문에 안전배려를 의무의 내용으로 하는 경우는 물론 사람의 생명·신체의 위험을 방지하는 것을 의무내용으로 하는 업무도 포함되는데, 안전배려 내지 안전관리사무에 계속적으로 종사하여 위와 같은 지위로서의 계속성을 가지지 아니한 채 단지 건물의 소유자로서 건물을 비정기적으로 수리하거나 건물의 일부분을 임대하였다는 사정만으로는 업무상과실치상죄에 있어서의 '업무'로 보기 어렵다(대법원 2009.5.28. 2009도1040).

① (O) 대법원 2018.5.11. 2018도2844

② (O) 택시운전자인 피고인이 심야에 밀집된 주택 사이의 좁은 골목길이자 직각으로 구부러져 가파른 비탈길의 내리막에 누워 있던 피해자의 몸통 부위를 택시 바퀴로 역과하여 그 자리에서 사망에 이르게 하고 도주한 경우, 위 사고 당시 시각과 사고 당시 도로상황 등에 비추어 자동차 운전업무에 종사하는 피고인으로서는 평소보다 더욱 속도를 줄이고 전방 좌우를 면밀히 주시하여 안전하게 운전함으로써 사고를 미연에 방지할 주의의무가 있었는데도, 이를 게을리한 채 그다지 속도를 줄이지 아니한 상태로 만연히 진행하던 중 전방 도로에 누워 있던 피해자를 발견하지 못하여 위 사고를 일으켰으므로, 사고 당시 피고인에게는 이러한 업무상 주의의무를 위반한 잘못이 있었는데도, 이와 달리 판단하여 피고인에게 무죄를 선고한 원심판결에 업무상과실치사죄의 구성요건에 관한 법리오해의 위법이 있다(대법원 2011.5.26. 2010도17506).

③ (O) **야간에 고속도로에서 차량을 운전하는 자의 주의의무**

[1] 야간에 고속도로에서 차량을 운전하는 자는 주간에 정상적인 날씨 아래에서 고속도로를 운행하는 것과는 달리 노면상태 및 가시거리상태 등에 따라 고속도로상의 제한 최고속도 이하의 속도로 감속·서행할 주의의무가 있다.

[2] 야간에 선행사고로 인하여 전방에 정차해 있던 승용차와 그 옆에 서 있던 피해자를 충돌한 경우 운전자에게 고속도로상의 제한 최고 속도 이하의 속도로 감속 운전하지 아니한 과실이 있다(대법원 1999.1.15. 98도2605).

63 0109

2020 경찰 2차

과실범에 대한 설명으로 가장 적절하지 않은 것은? (다툼이 있는 경우 판례에 의함)

① 함께 술을 마신 후 만취된 피해자를 촛불이 켜져 있는 방 안에 혼자 눕혀 놓고 촛불을 끄지 않고 나오는 바람에 화재가 발생하여 피해자가 사망한 경우, 화재가 발생할 것은 예상할 수 없으므로 과실치사의 책임을 물을 수 없다.
② 육교 밑 차도를 주행하는 자동차 운전자가 전방 보도 위에 서 있는 피해자를 발견했다 하더라도 육교를 눈앞에 둔 피해자가 특히 차도로 뛰어들 거동이나 기색을 보이지 않는 한 일반적으로 차도로 뛰어들어 오리라고 예견하기 어렵다.
③ 고령의 간경변증 환자인 피해자에게 화상 치료를 위한 가피절제술과 피부이식수술을 실시하기 전에 출혈과 혈액량 감소로 신부전이 발생하여 생명이 위험할 수 있다는 점에 대해 피해자와 피해자의 보호자에게 설명을 하지 아니한 채 수술을 실시한 과실로 인하여 환자가 사망한 경우, 의사에게 업무상 과실로 인한 형사책임을 지우기 위해서는 의사의 설명의무 위반과 환자의 사망 사이에 상당인과관계가 존재하여야 한다.
④ 과실범의 불법은 객관적 주의의무 위반을 통한 행위반가치 및 구성요건적 결과발생을 통한 결과반가치에서 찾을 수 있다.

지문분석

난이도 중 정답 ①

| 키 워 드 | 과실범

| 출제유형 | 틀린 지문 고르기

① (X) 함께 술을 마신 후 만취된 피해자를 촛불이 켜져 있는 방 안에 혼자 눕혀 놓고 촛불을 끄지 않고 나오는 바람에 화재가 발생하여 피해자가 사망한 경우 과실치사책임이 인정된다(대법원 1994.8.26. 94도1291).
② (O) 각종 차량의 내왕이 번잡하고 보행자의 횡단이 금지되어 있는 육교 밑 차도를 주행하는 자동차 운전자가 전방 보도 위에 서 있는 피해자를 발견했다 하더라도 육교를 눈앞에 둔 동인이 특히 차도로 뛰어들 거동이나 기색을 보이지 않는 한 일반적으로 동인이 차도로 뛰어들어 오리라고 예견하기 어려운 것이므로 이러한 경우 운전자로서는 일반보행자들이 교통관계법규를 지켜 차도를 횡단하지 아니하고 육교를 이용하여 횡단할 것을 신뢰하여 운행하면 족하다 할 것이고 불의에 뛰어드는 보행자를 예상하여 이를 사전에 방지해야 할 조치를 취할 업무상 주의의무는 없다(대법원 1985.9.10. 84도1572).
③ (O) 대법원 2015.6.24. 2014도11315
④ (O) 올바른 설명이다.

64 0110

2021 경찰 1차

과실범에 대한 설명으로 가장 적절한 것은? (다툼이 있는 경우 판례에 의함)

① 의사가 설명의무를 위반한 채 의료행위를 하였다가 환자에게 사망의 결과가 발생한 경우, 의사에게 업무상 과실로 인한 형사책임을 지우기 위해서는 의사의 설명의무 위반과 환자의 사망 사이에 상당인과관계가 존재할 필요는 없다.
② 농배양을 하지 않은 의사의 과실과 피해자의 사망 사이에 인과관계를 인정하려면, 농배양을 하였더라면 피고인이 투약해 온 항생제와 다른 어떤 항생제를 사용하게 되었을 것이라거나 어떤 다른 조치를 취할 수 있었을 것이고, 따라서 피해자가 사망하지 않았을 것이라는 점이 인정되어야 한다.
③ 과실이 있는 경우, 결과가 발생하지 않거나 과실과 결과 사이에 인과관계가 부정될 때에는 과실미수범으로 처벌된다.
④ 의사들의 주의의무 위반과 처방체계상의 문제점으로 인하여 수술 후 회복과정에 있는 환자에게 인공호흡 준비를 갖추지 않은 상태에서는 사용할 수 없는 약제가 잘못 처방되었고, 종합병원의 간호사로서 환자에 대한 투약 과정 및 그 이후의 경과 관찰 등의 직무 수행을 위하여 처방 약제의 기본적인 약효나 부작용 및 주사 투약에 따르는 주의사항 등을 미리 확인·숙지하였다면 과실로 처방된 것임을 알 수 있었음에도 그대로 주사하여 환자가 의식불명 상태에 이르게 된 사안에서, 간호사에게는 업무상과실치상의 형사책임은 인정되지 않는다.

지문분석

난이도 중 정답 ②

| 키 워 드 | 과실범

| 출제유형 | 옳은 지문 고르기

② (O) 대법원 1996.11.8. 95도2710
① (X) 의사가 설명의무를 위반한 채 의료행위를 하였다가 환자에게 상해 또는 사망의 결과가 발생한 경우, 의사에게 업무상 과실로 인한 형사책임을 지우기 위해서는 의사의 설명의무 위반과 환자의 상해 또는 사망 사이에 상당인과관계가 존재하여야 한다(대법원 2015.6.24. 2014도11315).
③ (X) 과실이 있는 경우, 결과가 발생하지 않거나 과실과 결과 사이에 인과관계가 부정될 때에는 미수가 되나, 형법상 과실범은 기수만 처벌하고 미수처벌규정이 없다.
④ (X) 의사들의 주의의무 위반과 처방체계상의 문제점으로 인하여 수술 후 회복과정에 있는 환자에게 인공호흡 준비를 갖추지 않은 상태에서는 사용할 수 없는 약제가 잘못 처방되었고, 종합병원의 간호사로서 환자에 대한 투약 과정 및 그 이후의 경과 관찰 등의 직무 수행을 위하여 처방 약제의 기본적인 약효나 부작용 및 주사 투약에 따르는 주의사항 등을 미리 확인·숙지하였다면 과실로 처방된 것임을 알 수 있었음에도 그대로 주사하여 환자가 의식불명 상태에 이르게 된 사안에서, 간호사에게 업무상과실치상의 형사책임을 인정한 사례(대법원 2009.12.24. 2005도8980)

65 0111
2019 경찰 승진

과실범에 대한 설명으로 가장 적절하지 않은 것은? (다툼이 있는 경우 판례에 의함)

① 골프 카트 운전자는 골프 카트 출발 전에 승객들에게 안전 손잡이를 잡도록 고지하고 승객이 안전 손잡이를 잡은 것을 확인하고 출발하여야 할 업무상 주의의무가 있다.
② 의료사고에 있어서 의사의 과실 유무를 판단할 때에는 같은 업무와 직종에 종사하는 일반적 보통인의 주의 정도를 표준으로 하여야 하며, 이때 사고 당시의 일반적인 의학의 수준과 의료환경 및 조건, 의료행위의 특수성 등을 고려하여야 한다.
③ 도급인이 수급인에게 공사의 시공이나 개별 작업에 관하여 구체적으로 지시·감독하였더라도, 법령에 의하여 도급인에게 구체적인 관리·감독의무가 부여되어 있지 않다면 도급인에게는 수급인의 업무와 관련하여 사고방지에 필요한 안전조치를 해야 할 주의의무가 없다.
④ 교통이 빈번한 간선도로에서 횡단보도의 보행자 신호등이 적색으로 표시된 경우 운전자는 보행자가 동 적색신호를 무시하고 갑자기 뛰어나올 가능성에 대비하여 운전하여야 할 업무상 주의의무는 없다.

지문분석 난이도 하 정답 ③

| 키 워 드 | 과실범
| 출제유형 | 틀린 지문 고르기

③ (X) 도급계약의 경우 원칙적으로 도급인에게는 수급인의 업무와 관련하여 사고방지에 필요한 안전조치를 취할 주의의무가 없으나, ㉠ 법령에 의하여 도급인에게 수급인의 업무에 관하여 구체적인 관리·감독의무 등이 부여되어 있거나, ㉡ 도급인이 공사의 시공이나 개별 작업에 관하여 구체적으로 지시·감독하였다는 등의 특별한 사정이 있는 경우에는 도급인에게도 수급인의 업무와 관련하여 사고방지에 필요한 안전조치를 취할 주의의무가 있다고 할 것이다(대법원 2009.5.28. 2008도7030).
→ 위 ㉠ 또는 ㉡의 경우에는 예외적으로 도급인에게도 수급인의 업무와 관련하여 사고방지에 필요한 안전조치를 취할 주의의무가 있다.
① (O) 대법원 2010.7.22. 2010도1911
② (O) 대법원 2014.7.24. 2013도16101
④ (O) 대법원 1985.11.12. 85도1893

66 0112
2021 경찰 승진

과실에 대한 설명으로 가장 적절한 것은? (다툼이 있는 경우 판례에 의함)

① 의료사고에서 의사에게 과실이 있다고 하기 위하여는 의사가 결과발생을 예견할 수 있고 또 회피할 수 있었는데도 이를 예견하지 못하거나 회피하지 못하였음이 인정되어야 하며, 과실의 유무를 판단할 때에는 구체적인 경우 당해 행위자가 기울일 수 있었던 주의정도를 표준으로 한다.
② 과실범에 관한 이른바 신뢰의 원칙은 상대방이 이미 비정상적인 행태를 보이고 있는 경우에는 적용될 여지가 없는 것이고, 이는 행위자가 경계의무를 게을리하는 바람에 상대방의 비정상적인 행태를 미리 인식하지 못한 경우에도 마찬가지이다.
③ 고속국도에서는 보행으로 통행, 횡단하거나 출입하는 것이 금지되어 있지만, 도로 양측에 휴게소가 있는 경우에는 고속국도를 주행하는 차량의 운전자는 동 도로상에 보행자가 있음을 예상하여 감속 등 조치를 할 주의의무가 있다 할 것이다.
④ 피고인이 성냥불로 담배를 붙인 다음 그 성냥불이 꺼진 것을 확인하지 아니한 채 휴지가 들어 있는 플라스틱 휴지통에 던진 것으로는 형법 제171조 중실화죄에 있어 중대한 과실이 있는 경우에 해당한다고 할 수 없다.

지문분석 난이도 중 정답 ②

| 키 워 드 | 과실범
| 출제유형 | 옳은 지문 고르기

② (O) 대법원 2009.4.23. 2008도11921
① (X) 의료사고에서 의사에게 과실이 있다고 하기 위하여는 의사가 결과발생을 예견할 수 있고 또 회피할 수 있었는데도 이를 예견하지 못하거나 회피하지 못하였음이 인정되어야 하며, 과실의 유무를 판단할 때에는 같은 업무와 직종에 종사하는 일반적 보통인의 주의정도를 표준으로 하고, 사고 당시의 일반적인 의학의 수준과 의료환경 및 조건, 의료행위의 특수성 등을 고려하여야 한다. 이러한 법리는 한의사의 경우에도 마찬가지라고 할 것이다(대법원 2014.7.24. 2013도16101).
③ (X) 고속국도에서는 보행으로 통행, 횡단하거나 출입하는 것이 금지되어 있으므로 고속국도를 주행하는 차량의 운전자는 도로 양측에 휴게소가 있는 경우에도 동 도로상에 보행자가 있음을 예상하여 감속 등 조치를 할 주의의무가 있다 할 수 없다(대법원 1977.6.28. 77도403).
④ (X) 성냥불이 꺼진 것을 확인하지 아니한 채 플라스틱 휴지통에 던진 것이 중대한 과실에 해당한다(대법원 1993.7.27. 93도135).
→ 중실화죄 인정

67 0113

2020 경찰 간부

다음 설명 중 옳지 않은 것은 모두 몇 개인가? (다툼이 있는 경우 판례에 의함)

가. 정당한 사유 없이 입영에 불응하는 사람을 처벌하는 병역법 제88조의 범죄에서 정당한 사유는 위법성조각사유이다.
나. 공사현장 감독인이 공사의 발주자에 의하여 현장감독에 임명된 것이 아니고, 건설업법상 요구되는 현장건설기술자의 자격도 없다면 업무상과실책임을 물을 수 없다.
다. 의료사고에서 의사의 과실을 인정하기 위한 요건과 판단기준은 한의사의 그것과 다르다.
라. 행정상의 단속을 주안으로 하는 법규의 위반행위는 과실범 처벌규정은 없으나 해석상 과실범도 벌할 뜻이 명확한 경우에도 형법의 원칙에 따라 고의가 있어야 벌할 수 있다.

① 1개 ② 2개
③ 3개 ④ 4개

지문분석

난이도 상 정답 ④

| 키 워 드 | 과실범
| 출제유형 | 개수 찾기

가. (X) 병역법 제88조 제1항은 국방의 의무를 실현하기 위하여 현역입영 또는 소집통지서를 받고도 정당한 사유 없이 이에 응하지 않은 사람을 처벌함으로써 입영기피를 억제하고 병력구성을 확보하기 위한 규정이다. 위 조항에 따르면 정당한 사유가 있는 경우에는 피고인을 벌할 수 없는데, 여기에서 정당한 사유는 구성요건해당성을 조각하는 사유이다. 이는 형법상 위법성조각사유인 정당행위나 책임조각사유인 기대불가능성과는 구별된다(대법원 2018.11.1. 2016도10912 전원합의체).
나. (X) 피고인이 사업 당시 공사현장 감독인인 이상 그 공사의 원래의 발주자의 직원이 아니고 또 동 발주자에 의하여 현장감독에 임명된 것도 아니며, 건설업법상 요구되는 현장건설기술자의 자격도 없다는 등의 사유는 업무상과실책임을 물음에 아무런 영향도 미칠 수 없다(대법원 1983.6.14. 82도2713).
다. (X) 의료사고에서 의사의 과실을 인정하기 위해서는 의사가 결과발생을 예견할 수 있었음에도 이를 예견하지 못하였고 결과발생을 회피할 수 있었음에도 이를 회피하지 못한 과실이 검토되어야 하고, 과실의 유무를 판단할 때에는 같은 업무와 직무에 종사하는 보통인의 주의정도를 표준으로 하여야 하며, 여기에는 사고 당시의 일반적인 의학의 수준과 의료환경 및 조건, 의료행위의 특수성 등이 고려되어야 하고, 이러한 법리는 한의사의 경우에도 마찬가지이다(대법원 2011.4.14. 2010도10104).
라. (X) 행정상의 단속을 주안으로 하는 법규라 하더라도 ㉠ '명문규정이 있거나, ㉡ 해석상 과실범도 벌할 뜻이 명확한 경우'를 제외하고는 형법의 원칙에 따라 '고의'가 있어야 벌할 수 있다(대법원 2010.2.11. 2009도9807).

68 0114

2021 경찰 간부

과실에 대한 설명으로 옳지 않은 것은? (다툼이 있는 경우 판례에 의함)

① 간호사가 의사의 처방에 의한 정맥주사를 의사의 입회 없이 간호실습생에게 실시하도록 하여 발생한 의료사고에 대하여는 의사의 과실이 인정된다.
② 고속도로를 무단횡단하는 보행자를 충격하여 사고를 발생시킨 경우라도 운전자가 보행자의 무단횡단을 미리 예상할 수 있었고 필요한 조치를 취하였다면 보행자와의 충돌을 피할 수 있었던 경우, 자동차 운전자의 과실이 인정된다.
③ 차량의 운전자로서는 횡단보도의 신호가 적색인 상태에서 반대차선에 정지해 있는 차량의 뒤로 보행자가 건너오지 않을 것이라고 신뢰하는 것이 당연하고 그렇지 않은 사태까지 예상하여 그에 대한 주의의무를 다하여야 한다고는 할 수 없다.
④ 내과의사가 신경과 전문의와 협진 결과 신경과 영역에서 이상이 없다는 회신을 받았고, 진료 경과에 비추어 그 회신 내용에 의문을 품을 만한 사정이 있다고 보이지 않자 이를 신뢰하여 내과 영역의 진료를 계속하다 피해자의 지주막하출혈을 발견하지 못한 경우, 내과의사의 업무상과실이 인정되지 않는다.

지문분석

난이도 중 정답 ①

| 키 워 드 | 과실범
| 출제유형 | 틀린 지문 고르기

① (X) 간호사가 의사의 처방에 의한 정맥주사(Side Injection 방식)를 의사의 입회 없이 간호실습생(간호학과 대학생)에게 실시하도록 하여 발생한 의료사고에 대한 의사의 과실이 부정된다(대법원 2003.8.19. 2001도3667).
② (O) 고속도로를 운행하는 자동차의 운전자로서는 일반적인 경우에 고속도로를 횡단하는 보행자가 있을 것까지 예견하여 보행자와의 충돌사고를 예방하기 위하여 급정차 등의 조치를 취할 수 있도록 대비하면서 운전할 주의의무가 없고, 다만 고속도로를 무단횡단하는 보행자를 충격하여 사고를 발생시킨 경우라도 운전자가 상당한 거리에서 보행자의 무단횡단을 미리 예상할 수 있는 사정이 있었고, 그에 따라 즉시 감속하거나 급제동하는 등의 조치를 취하였다면 보행자와의 충돌을 피할 수 있었다는 등의 특별한 사정이 인정되는 경우에만 자동차 운전자의 과실이 인정될 수 있다(대법원 2000.9.5. 2000도2671).
③ (O) 대법원 1993.2.23. 92도2077
④ (O) 내과의사가 신경과 전문의에 대한 협의진료 결과와 환자에 대한 진료 경과 등을 신뢰하여 뇌혈관계통 질환의 가능성을 염두에 두지 않고 내과 영역의 진료 행위를 계속하다가 환자의 뇌지주막하출혈을 발견하지 못하여 식물인간 상태에 이르게 한 경우, 내과의사의 업무상과실을 부정한 사례(대법원 2003.1.10. 2001도3292)

7 결과적 가중범

69 0115

2018 경찰 1차

다음 설명 중 옳고 그름의 표시(O, X)가 바르게 된 것은? (다툼이 있는 경우 판례에 의하되, 주거침입죄는 논외로 함)

㉠ 甲이 乙에 대하여 상해를 교사하였는데 乙이 이를 넘어 살인을 실행한 경우에, 甲에게 피해자의 사망이라는 결과에 대하여 과실 내지 예견가능성이 있는 때에는 상해치사죄가 성립한다.
㉡ 甲은 乙을 살해하기 위하여 乙의 집으로 갔으나, 乙은 집에 없고 乙의 처 丙이 자신을 알아보자 丙을 야구방망이로 강타하여 실신시킨 후 이불을 뒤집어 씌우고 석유를 뿌려 방화함으로써 乙의 집을 전소케 하고 丙을 사망케 한 경우, 甲은 현주건조물방화치사죄가 성립한다.
㉢ 甲은 현주건조물에 방화를 한 후 불이 붙은 집에서 빠져나오려는 乙이 탈출하지 못하도록 방문 앞에 버티어 서서 지킨 결과 乙을 소사케 한 경우, 甲은 현주건조물방화죄와 살인죄의 실체적 경합이 성립한다.
㉣ 甲이 乙의 재물을 강취한 뒤 乙을 살해할 의사로 乙의 집에 방화하여 乙을 살해한 행위는 강도살인죄와 현주건조물방화치사죄의 실체적 경합이 성립한다.

① ㉠ (O), ㉡ (O), ㉢ (O), ㉣ (O)
② ㉠ (X), ㉡ (X), ㉢ (X), ㉣ (O)
③ ㉠ (O), ㉡ (X), ㉢ (X), ㉣ (X)
④ ㉠ (O), ㉡ (O), ㉢ (O), ㉣ (X)

지문분석 난이도 중 정답 ④

| 키 워 드 | 결과적 가중범
| 출제유형 | 옳고 그름의 표시(O, X)하기

㉠ (O) 대법원 2002.10.25. 2002도4089
㉡ (O) 현주건조물 내에 있는 사람을 강타하여 실신케 한 후 동 건조물에 방화하여 소사케 한 피고인을 현주건조물에의 방화죄와 살인죄의 상상적 경합으로 의율할 것은 아니다(대법원 1983.1.18. 82도2341).
→ 현주건조물방화치사죄만 성립한다.
㉢ (O) **현주건조물에 방화하여 동 건조물에서 탈출하려는 사람을 막아 소사케 한 경우, 현주건물방화죄와 살인죄와의 관계: 실체적 경합**
이 사건에서와 같이 불을 놓은 집에서 빠져나오려는 피해자들을 막아 소사케 한 행위는 1개의 행위가 수 개의 죄명에 해당하는 경우라고 볼 수 없고, 위 방화행위와 살인행위는 법률상 별개의 범의에 의하여 별개의 법익을 해하는 별개의 행위라고 할 것이니, 현주건조물방화죄와 살인죄는 실체적 경합관계에 있다(대법원 1983.1.18. 82도2341).
㉣ (X) 재물을 강취한 후 피해자를 살해할 목적으로 현주건조물에 방화하여 사망에 이르게 한 경우, 강도살인죄와 현주건조물방화치사죄의 상상적 경합범관계에 있다(대법원 1998.12.8. 98도3416).

✓ **개념체크 결과적 가중범 중 사형이 규정된 범죄**

- 현주건조물방화치사죄
- 해상강도치사죄

[참고] 치상죄에는 사형이 규정된 범죄가 없다.

70 0116

2020 경찰 1차

결과적 가중범에 관한 설명으로 가장 적절하지 않은 것은? (다툼이 있는 경우 판례에 의함)

① 부진정결과적 가중범이란 고의에 의한 기본범죄에 기하여 중한 결과를 과실뿐만 아니라 고의로 발생케 한 경우에도 성립하는 결과적 가중범을 말한다.

② 진정결과적 가중범만 인정하면 과실로 중한 결과를 발생시킨 경우가 고의로 중한 결과를 발생시킨 경우보다 형이 높아지는 경우가 있으므로 형량을 확보하여 형의 불균형을 시정하기 위해서 부진정결과적 가중범을 인정하고 있다.

③ 만약 부진정결과적 가중범의 개념을 인정하지 않는다면 현주건조물에 방화하여 사람을 살해할 고의가 있었던 경우 현주건조물방화죄와 살인죄의 상상적 경합범이 된다.

④ 자기의 존속을 살해할 목적으로 존속이 현존하는 건조물에 방화하여 사망에 이르게 한 경우는 현주건조물방화치사죄만 성립하고 고의범에 대하여는 별도로 죄를 구성하지 않는다.

지문분석

난이도 상 정답 ④

| 키 워 드 | 결과적 가중범

| 출제유형 | 틀린 지문 고르기

④ (X) 존속을 살해할 목적으로 현주건조물에 방화하여 사망에 이르게 한 경우에는 존속살인죄와 현주건조물방화치사죄는 상상적 경합범관계에 있다(대법원 1996.4.26. 96도485).

① (O) **부진정결과적 가중범**

- 특수공무집행방해치상죄는 원래 결과적 가중범이기는 하지만, 이는 중한 결과에 대하여 예견가능성이 있었음에 불구하고 예견하지 못한 경우에 벌하는 진정결과적 가중범이 아니라 ㉠ 그 결과에 대한 예견가능성이 있었음에도 불구하고 예견하지 못한 경우뿐만 아니라, ㉡ 고의가 있는 경우까지도 포함하는 부진정결과적 가중범이다(대법원 1995.1.20. 94도2842).
- 현주건조물방화치사상죄는 현주건조물방화죄에 대한 일종의 가중처벌규정으로서 ㉠ 과실이 있는 경우뿐만 아니라, ㉡ 고의가 있는 경우에도 포함된다(대법원 1996.4.26. 96도485).

결과적 가중범	개념
진정결과적 가중범	기본범죄(고의) + 중한 결과(과실 ○ 또는 고의 X)
부진정결과적 가중범	기본범죄(고의) + 중한 결과(과실 ○ 또는 고의 ○)

②, ③ (O) 만약 부진정결과적 가중범을 인정하지 않고, 진정결과적 가중범만 인정하면 ㉠ 과실로 중한 결과를 발생시킨 경우(예 현주건조물에 방화하여 과실로 사망을 야기한 경우: 현주건조물방화치사죄가 성립하고 법정형은 사형, 무기, 7년 이상 징역)가 ㉡ 고의로 중한 결과를 발생시킨 경우(예 현주건조물에 방화하여 고의로 사람을 살해한 경우: 현주건조물방화치사죄가 성립할 수 없고 현주건조물방화죄와 살인죄의 상상적 경합이 되며 이 경우 중한 살인죄의 형인 사형, 무기, 5년 이상의 징역으로 처벌)보다 형이 높아지는 경우가 있으므로 형량을 확보하여 형의 불균형을 시정하기 위해서 부진정결과적 가중범을 인정하고 있다.

71 0117

2021 경찰 승진

결과적 가중범에 대한 설명으로 가장 적절하지 않은 것은? (다툼이 있는 경우 판례에 의함)

① 강간이 미수에 그친 경우 그로 인하여 피해자가 상해를 입었다면, 강간치상죄의 기수범이 성립하는 것이 아니라 강간미수죄와 과실치상죄의 상상적 경합이 성립한다.

② 형법 제144조 제2항의 특수공무집행방해치상죄는 중한 결과에 대한 예견가능성이 있었음에도 불구하고 예견하지 못한 경우뿐만 아니라 고의가 있는 경우까지도 포함하는 부진정결과적 가중범이다.

③ 상해치사죄의 공동정범은 폭행 기타의 신체침해 행위를 공동으로 할 의사가 있으면 성립되고 결과를 공동으로 할 의사는 필요로 하지 않는다.

④ 교사자가 피교사자에 대하여 상해 또는 중상해를 교사하였는데 피교사자가 이를 넘어 살인을 실행한 경우에 교사자에게 피해자의 사망이라는 결과에 대하여 과실 내지 예견가능성이 있는 때에는 상해치사죄의 교사범의 죄책을 지울 수 있다.

지문분석

난이도 중 정답 ①

| 키 워 드 | 결과적 가중범

| 출제유형 | 틀린 지문 고르기

① (X) 강간이 미수에 그친 경우라도 그로 인하여 피해자가 상해를 입었으면 강간치상죄가 성립하는 것이고, 강간치상죄에 있어 상해의 결과는 강간의 수단으로 사용한 폭행으로부터 발생한 경우뿐만 아니라 간음행위 그 자체로부터 발생한 경우나 강간에 수반하는 행위에서 발생한 경우도 포함된다(대법원 2003.5.30. 2003도1256).

② (O) 대법원 1995.1.20. 94도2842

③ (O) 대법원 2000.5.12. 2000도745

④ (O) 대법원 2002.10.25. 2002도4089

72 0118

2019 경찰 간부

결과적 가중범에 대한 설명으로 가장 옳은 것은? (다툼이 있는 경우 판례에 의함)

① 중체포·감금죄는 사람을 체포·감금하여 생명에 위협을 야기한 경우 성립하는 결과적 가중범이다.
② 기본범죄를 통하여 고의로 중한 결과를 발생하게 한 경우에 가중처벌하는 부진정결과적 가중범에서, 고의로 중한 결과를 발생하게 한 행위가 별도의 구성요건에 해당하고 그 고의범에 대하여 결과적 가중범에 정한 형보다 더 무겁게 처벌하는 규정이 있는 경우에는 그 고의범과 결과적 가중범이 실체적 경합관계에 있다.
③ 형법 제15조 제2항 결과적 가중범은 기본범죄와 중한 결과 사이의 인과관계에 대해서만 규정하고 있을 뿐, 예견가능성을 명시적으로 요구하고 있지는 않다.
④ 해상강도치사상죄, 현주건조물일수치사상죄, 강도치사상죄, 인질치사상죄 모두 형법상 미수범 처벌규정이 있다.

지문분석 난이도 ⓢ 정답 ④

| 키 워 드 | 결과적 가중범
| 출제유형 | 옳은 지문 고르기

④ (O) 결과적 가중범 중 형법상 해상강도치사상죄, 현주건조물일수치사상죄, 강도치사상죄, 인질치사상죄 4가지 범죄에만 미수범 처벌규정이 있다.
① (X) 중체포·감금죄는 사람을 체포·감금하여 가혹한 행위를 한 경우에 성립하는 범죄이고, 결과적 가중범이 아니다.
② (X) 기본범죄를 통하여 고의로 중한 결과를 발생하게 한 경우에 가중 처벌하는 부진정결과적 가중범에서, ㉠ 고의로 중한 결과를 발생하게 한 행위가 별도의 구성요건에 해당하고 그 고의범에 대하여 결과적 가중범에 정한 형보다 더 무겁게 처벌하는 규정이 있는 경우에는 그 고의범과 결과적 가중범이 상상적 경합관계에 있지만, 위와 같이 ㉡ 고의범에 대하여 더 무겁게 처벌하는 규정이 없는 경우에는 결과적 가중범이 고의범에 대하여 특별관계에 있으므로 결과적 가중범만 성립하고 이와 법조경합의 관계에 있는 고의범에 대하여는 별도로 죄를 구성하지 않는다(대법원 2008.11.27. 2008도7311).
→ 실체적 경합관계가 아니라 상상적 경합관계이다.
③ (X) 형법 제15조 제2항 결과적 가중범은 예견가능성을 명시적으로 규정하고 있고, 인과관계를 명시적으로 규정하고 있지는 않다.

73 0119

2020 경찰 간부

결과적 가중범에 대한 설명 중 가장 옳은 것은? (다툼이 있는 경우 판례에 의함)

① 결과적 가중범은 행위자가 행위시에 중한 결과의 발생을 예견할 수 없을 때에도 그 행위와 중한 결과 사이에 상당인과관계가 인정되면 중한 죄로 벌하여야 한다.
② 부진정결과적 가중범에서 고의로 중한 결과를 발생하게 한 행위를 더 무겁게 처벌하는 규정이 없는 경우에는 결과적 가중범이 고의범에 대하여 특별관계에 있으므로 그 고의범과 결과적 가중범은 상상적 경합관계에 있다.
③ 피교사자가 교사의 범위를 초과하여 중한 결과를 실현한 경우 교사자가 그 결과를 예상할 수 있는 경우에도 교사자는 자신이 교사한 기본범죄에 대해서만 교사범으로서 책임을 진다.
④ 교통방해치사상죄에 있어서 교통방해 행위와 결과 사이에 피해자나 제3자의 과실 등 다른 사실이 개재된 때에도 그와 같은 사실이 통상 예견할 수 있는 것이라면 상당인과관계를 인정할 수 있다.

지문분석 난이도 ⓢ 정답 ④

| 키 워 드 | 결과적 가중범
| 출제유형 | 옳은 지문 고르기

④ (O) 대법원 2014.7.24. 2014도6206
① (X) 형법 제15조 제2항이 규정하고 있는 이른바 결과적 가중범은 행위자가 행위시에 그 결과의 발생을 예견할 수 없을 때는 비록 그 행위와 결과 사이에 인과관계가 있다 하더라도 중한 죄로 벌할 수 없는 것으로 풀이된다(대법원 1988.4.12. 88도178).
② (X) 기본범죄를 통하여 고의로 중한 결과를 발생하게 한 경우에 가중 처벌하는 부진정결과적 가중범에서, ㉠ 고의로 중한 결과를 발생하게 한 행위가 별도의 구성요건에 해당하고 그 고의범에 대하여 결과적 가중범에 정한 형보다 더 무겁게 처벌하는 규정이 있는 경우에는 그 고의범과 결과적 가중범이 상상적 경합관계에 있지만, 위와 같이 ㉡ 고의범에 대하여 더 무겁게 처벌하는 규정이 없는 경우에는 결과적 가중범이 고의범에 대하여 특별관계에 있으므로 결과적 가중범만 성립하고 이와 법조경합의 관계에 있는 고의범에 대하여는 별도로 죄를 구성하지 않는다(대법원 2008.11.27. 2008도7311).
③ (X) 피교사자가 교사의 범위를 초과하여 중한 결과를 실현한 경우 교사자가 그 결과를 예상할 수 있는 경우에는 교사자는 결과적 가중범의 교사범으로서 책임을 진다.

74 0120

2021 경찰 간부

결과적 가중범에 대한 설명으로 옳은 것은? (다툼이 있는 경우 판례에 의함)

① 상해치사죄의 공동정범은 폭행 기타의 신체침해 행위를 공동으로 할 의사뿐만 아니라 결과를 공동으로 할 의사가 있어야 성립한다.
② 결과적 가중범은 과실로 인한 중한 결과가 발생하여야 성립하는 범죄이므로 형법에는 결과적 가중범의 미수를 처벌하는 규정이 존재하지 않는다.
③ 상해를 교사하였는데 피교사자가 이를 넘어 살인을 한 경우 교사자에게 사망이라는 결과에 대하여 과실 내지 예견가능성이 있는 때에는 상해치사죄의 교사범이 성립할 수 있다.
④ 피고인들이 피해자들의 재물을 강취한 후 그들을 살해할 목적으로 현주건조물에 방화하여 사망에 이르게 한 경우, 피고인들의 행위는 강도살인죄와 현주건조물방화치사죄에 모두 해당하고 그 두 죄는 실체적 경합범관계에 있다.

지문분석 난이도 중 정답 ③

| 키 워 드 | 결과적 가중범
| 출제유형 | 옳은 지문 고르기

③ (O) 대법원 2002.10.25. 2002도4089
① (X) 결과적 가중범인 상해치사죄의 공동정범은 폭행 기타의 신체침해 행위를 공동으로 할 의사가 있으면 성립되고 결과를 공동으로 할 의사는 필요 없다(대법원 2000.5.12. 2000도745).
② (X) 결과적 가중범 중 형법상 해상강도치사상죄, 현주건조물일수치사상죄, 강도치사상죄, 인질치사상죄 4가지 범죄에는 미수범 처벌규정이 있다.
④ (X) 재물을 강취한 후 피해자를 살해할 목적으로 현주건조물에 방화하여 사망에 이르게 한 경우, 강도살인죄와 현주건조물방화치사죄의 상상적 경합범관계에 있다(대법원 1998.12.8. 98도3416).

CHAPTER

03 위법성론

■ 기본서 연계페이지: p.196~249 ■ 문항 수: 27문항

1 위법성의 기초이론

01 0121

2020 경찰 1차

위법성조각사유에 관한 설명으로 적절한 것을 모두 고른 것은? (다툼이 있는 경우 판례에 의함)

㉠ 재건축조합의 조합장이 조합탈퇴의 의사표시를 한 자를 상대로 "사업시행구역 안에 있는 그 소유의 건물을 명도하고 이를 재건축사업에 제공하여 행하는 업무를 방해하여서는 아니 된다."는 가처분의 판결을 받아 위 건물을 철거한 행위는 형법 제20조에 정한 업무로 인한 정당행위에 해당한다.

㉡ 인근 상가의 통행로로 이용되고 있는 토지의 사실상 지배권자가 위 토지에 철주와 철망을 설치하고 포장된 아스팔트를 걷어냄으로써 통행로로 이용하지 못하게 한 것은 자구행위로 위법성이 조각된다.

㉢ 피해자의 승낙에서의 사전적 승낙이 있었다 하더라도 행위 이전에 피해자는 언제든지 자유롭게 승낙을 철회할 수 있으며, 승낙을 철회한 경우에는 승낙은 더 이상 존재하지 않게 된다.

㉣ 사회상규에 반하지 않는 행위는 국가질서의 존중이라는 인식을 바탕으로 한 국민일반의 건전한 도의적 감정에 반하지 아니하는 행위를 가리키는 것으로, 초법규적인 기준에 의해 평가되어서는 안 된다.

① ㉠, ㉡ ② ㉠, ㉢
③ ㉡, ㉢ ④ ㉡, ㉣

지문분석 난이도 중 정답 ②

| 키 워 드 | 위법성조각사유

| 출제유형 | 조합하기

㉠ (O) 이 사건 재건축조합의 사무를 총괄하는 조합장인 피고인으로서는 위 법률 및 조합규약에 따라 사업시행구역 안의 조합원들 소유의 건물 등 지장물을 철거할 수 있는 것이므로 피고인이 위 조합탈퇴의 의사표시에도 불구하고 여전히 조합원의 지위에 있는 위 甲을 상대로 원심판시와 같이 위 사업시행구역 안에 있는 이 사건 건물을 명도하고 이를 재건축사업에 제공하여 행하는 업무를 방해하여서는 아니 된다는 가처분의 판결을 받아 이를 철거한 것은 형법 제20조에 정한 업무로 인한 정당행위라 할 것이니 이 사건 공소사실은 범죄로 되지 아니하는 경우에 해당한다 할 것이다(대법원 1998.2.13. 97도2877).

㉢ (O) 대법원 2011.5.13. 2010도9962

㉡ (X) 자구행위 부정

[1] 인근 상가의 통행로로 이용되고 있는 토지의 사실상 지배권자가 위 토지에 철주와 철망을 설치하고 포장된 아스팔트를 걷어냄으로써 통행로로 이용하지 못하게 한 경우, 이는 일반교통방해죄를 구성하고 자구행위에 해당하지 않는다.

[2] 설사 피고인의 주장대로 이 사건 토지에 인접하여 있는 공소외 2 소유의 광주 서구 화정동 1051 소재 건물에 건축법상 위법요소가 존재하고 공소외 2가 그와 같은 위법요소를 방치 내지 조장하고 있다거나, 위 건물의 건축허가 또는 이 사건 토지상의 가설건축물 허가 여부에 관한 관할관청의 행정행위에 하자가 존재한다고 가정하더라도, 그러한 사정만으로 이 사건에 있어서 피고인이 이 사건 토지의 소유자를 대위 또는 대리하여 법정절차에 의하여 이 사건 토지의 소유권을 방해하는 사람들에 대한 방해배제 등 청구권을 보전하는 것이 불가능하였거나 현저하게 곤란하였다고 볼 수 없을 뿐만 아니라, 피고인의 이 사건 행위가 그 청구권의 실행불능 또는 현저한 실행곤란을 피하기 위한 상당한 행위라고 볼 수도 없음을 알 수 있다(대법원 2007.12.28. 2007도7717).

㉣ (X) 사회상규에 반하지 않는 행위라 함은 국가질서의 존중이라는 인식을 바탕으로 한 국민일반의 건전한 도의적 감정에 반하지 아니한 행위로서 초법규적인 기준에 의하여 이를 평가할 것이다(대법원 1983.11.22. 83도2224).

02 0122

2020 경찰 2차

위법성조각사유에 대한 설명으로 가장 적절한 것은? (다툼이 있는 경우 판례에 의함)

① 형법 제252조 제1항 촉탁·승낙살인죄는 피해자 승낙을 배제하는 효과를 그 내용으로 하고 있으므로, 본죄의 위법성 조각은 불가능하다.

② 무수혈 인공고관절 수술의 위험성을 충분히 설명받았으나, 진지한 의사결정에 의한 수혈 거부 의사가 존재하여 무수혈 수술 동의 아래 수술을 진행하였는데 생명에 위험이 발생할 수 있는 응급상황이 발생하였음에도 환자의 자기결정권을 존중하여 수혈하지 않다가 환자가 과다출혈로 사망에 이른 경우 의사는 업무상과실치사의 죄책을 진다.

③ 위법성의 본질을 결과반가치에서만 구하는 입장은 우연방위에 대해 위법성을 탈락시킨다.

④ 주식회사 대표이사로서 회사의 계산으로 사전투표와 직접투표를 한 주주들에게 무상으로 20만원 상당의 상품교환권 등을 각 제공한 것은 주주총회 의결권 행사와 관련된 이익의 공여이지만 사회통념상 허용되는 범위를 넘지 않는 행위로서 위법성이 조각된다.

지문분석 난이도 상 정답 ③

| 키 워 드 | 위법성조각사유

| 출제유형 | 옳은 지문 고르기

③ (○) 위법성의 본질을 결과반가치에서만 구하는 입장은 우연방위는 결과반가치가 탈락하므로 위법성을 조각하여 무죄라고 본다.

① (X) 치료중단 등 소극적 안락사와 생명단축이 고통제거의 부수적 결과로 발생하는 간접적 안락사의 경우 촉탁·승낙살인죄의 구성요건에 해당하지만 일정한 요건하에 위법성이 조각된다는 것이 통설이다.

② (X) [1] 환자의 명시적인 수혈 거부 의사가 존재하여 수혈하지 아니함을 전제로 환자의 승낙(동의)을 받아 수술하였는데 수술 과정에서 수혈을 하지 않으면 생명에 위험이 발생할 수 있는 응급상태에 이른 경우에, 환자의 생명을 보존하기 위해 불가피한 수혈 방법의 선택을 고려함이 원칙이라 할 수 있지만, 한편으로 환자의 생명 보호에 못지않게 환자의 자기결정권을 존중하여야 할 의무가 대등한 가치를 가지는 것으로 평가되는 때에는 이를 고려하여 진료행위를 하여야 한다.
[2] 다만, 환자의 생명과 자기결정권을 비교형량하기 어려운 특별한 사정이 있다고 인정되는 경우에 의사가 자신의 직업적 양심에 따라 환자의 양립할 수 없는 두 개의 가치 중 어느 하나를 존중하는 방향으로 행위하였다면, 이러한 행위는 처벌할 수 없다고 할 것이다(대법원 2014.6.26. 2009도14407).
→ 이 사건에서 판례는 망인의 생명과 자기결정권을 비교형량하기 어려운 특별한 사정이 있으므로, 타가수혈하지 아니한 사정만을 가지고 피고인이 의사로서 진료상의 주의의무를 다하지 아니하였다고 할 수 없다. 따라서 피고인이 자신의 직업적 양심에 따라 망인의 자기결정권을 존중하여 망인에게 타가수혈하지 아니하고 이 사건 인공고관절 수술을 시행한 행위에 대하여 업무상과실치사에 관한 범죄의 증명이 없는 경우에 해당한다고 하였다.

④ (X) 甲주식회사 대표이사인 피고인이 주주총회 등에서 특정 의결권 행사방법을 독려하기 위한 방법으로 甲회사의 주주총회 등에 참석하여 사전투표 또는 직접투표 방식으로 의결권을 행사한 주주들에게 甲회사에서 발행한 상품교환권 등을 제공함으로써 상법을 위반하였다는 내용으로 기소된 사안에서, 피고인의 행위는 상법상 주주의 권리행사에 관한 이익공여의 죄에 해당한다(대법원 2018.2.8. 2015도7397).

✓ **개념체크 안락사가 위법성을 조각하기 위한 요건**

- 사기가 절박하고 현대의학상 치료가 불가능할 것
- 격렬한 육체적 고통에 시달릴 것
- 오로지 환자를 고통에서 해방시킬 목적일 것
- 본인 또는 보호자의 명시적이고 진지한 촉탁에 의할 것
- 원칙적으로 자격 있는 의사에 의할 것
- 윤리적으로 승인될 수 있는 방법에 의할 것

03 [0123] 2021 경찰 1차

위법성조각사유에 대한 아래 ㉠부터 ㉣까지의 설명 중 옳고 그름의 표시(O, X)가 모두 바르게 된 것은? (다툼이 있는 경우 판례에 의함)

> ㉠ 정당방위상황은 존재하지만 방위의사 없이 행위한 경우, 위법성조각사유의 요건에 있어 주관적 정당화요소가 필요없다고 보는 견해에서는 여전히 행위반가치는 존재하므로 이를 불능미수범으로 취급하여야 한다고 본다.
> ㉡ 위법하지 않은 정당한 침해에 대한 정당방위는 인정되지 않는다.
> ㉢ 수급인 소속 근로자의 쟁의행위가 도급인의 사업장에서 일어나 도급인의 형법상 보호되는 법익을 침해한 경우, 사용자인 수급인에 대한 관계에서 쟁의행위의 정당성을 갖추었다면 사용자가 아닌 도급인에 대한 관계에서도 법령에 의한 정당한 행위로서 위법성이 조각된다.
> ㉣ 사용자가 당해 사업과 관계없는 자를 쟁의행위로 중단된 업무의 수행을 위하여 채용 또는 대체하는 경우, 쟁의행위에 참가한 근로자들이 위법한 대체근로를 저지하기 위하여 상당한 정도의 실력을 행사하는 것은 정당행위로서 위법성이 조각된다.

① ㉠ (X), ㉡ (O), ㉢ (X), ㉣ (O)
② ㉠ (O), ㉡ (X), ㉢ (O), ㉣ (X)
③ ㉠ (X), ㉡ (O), ㉢ (O), ㉣ (O)
④ ㉠ (O), ㉡ (O), ㉢ (X), ㉣ (X)

지문분석 난이도 ㉭ 정답 ①

| 키 워 드 | 위법성조각사유

| 출제유형 | 옳고 그름의 표시(O, X)하기

㉠ (X) 정당방위상황은 존재하지만 방위의사 없이 행위한 경우(우연방위의 경우), 위법성조각사유의 요건에 있어 주관적 정당화요소가 필요 없다고 보는 견해에서는 결과반가치가 없으므로 위법성이 조각되어 무죄가 된다고 한다.

㉡ (O) 어떠한 행위가 정당방위로 인정되려면 그 행위가 자기 또는 타인의 법익에 대한 현재의 부당한 침해를 방어하기 위한 것으로서 상당성이 있어야 하므로, 위법하지 않은 정당한 침해에 대한 정당방위는 인정되지 않는다(대법원 2017.3.15. 2013도2168).

㉢ (X) [1] 도급인은 원칙적으로 수급인 소속 근로자의 사용자가 아니므로, 수급인 소속 근로자의 쟁의행위가 도급인의 사업장에서 일어나 도급인의 형법상 보호되는 법익을 침해한 경우에는 사용자인 수급인에 대한 관계에서 쟁의행위의 정당성을 갖추었다는 사정만으로 사용자가 아닌 도급인에 대한 관계에서까지 법령에 의한 정당한 행위로서 법익 침해의 위법성이 조각된다고 볼 수는 없다.

[2] 그러나 수급인 소속 근로자들이 집결하여 함께 근로를 제공하는 장소로서 도급인의 사업장은 수급인 소속 근로자들의 삶의 터전이 되는 곳이고, 쟁의행위의 주요 수단 중 하나인 파업이나 태업은 도급인의 사업장에서 이루어질 수밖에 없다. 또한 도급인은 비록 수급인 소속 근로자와 직접적인 근로계약관계를 맺고 있지는 않지만, 수급인 소속 근로자가 제공하는 근로에 의하여 일정한 이익을 누리고, 그러한 이익을 향수하기 위하여 수급인 소속 근로자에게 사업장을 근로의 장소로 제공하였으므로 그 사업장에서 발생하는 쟁의행위로 인하여 일정 부분 법익이 침해되더라도 사회통념상 이를 용인하여야 하는 경우가 있을 수 있다. 따라서 사용자인 수급인에 대한 정당성을 갖춘 쟁의행위가 도급인의 사업장에서 이루어져 형법상 보호되는 도급인의 법익을 침해한 경우, 그것이 항상 위법하다고 볼 것은 아니고, 법질서 전체의 정신이나 그 배후에 놓여 있는 사회윤리 내지 사회통념에 비추어 용인될 수 있는 행위에 해당하는 경우에는 형법 제20조의 '사회상규에 위배되지 아니하는 행위'로서 위법성이 조각된다(대법원 2020.9.3. 2015도1927).

㉣ (O) 사용자는 쟁의행위 기간 중 그 쟁의행위로 중단된 업무의 수행을 위하여 당해 사업과 관계없는 자를 채용 또는 대체할 수 없다(노동조합 및 노동관계조정법 제43조 제1항). 사용자가 당해 사업과 관계없는 자를 쟁의행위로 중단된 업무의 수행을 위하여 채용 또는 대체하는 경우, 쟁의행위에 참가한 근로자들이 위법한 대체근로를 저지하기 위하여 상당한 정도의 실력을 행사하는 것은 쟁의행위가 실효를 거둘 수 있도록 하기 위하여 마련된 위 규정의 취지에 비추어 정당행위로서 위법성이 조각된다(대법원 2020.9.3. 2015도1927).

04 0124

2022 경찰 간부

객관적 정당화 상황이 존재함에도 주관적 정당화요소 없이 구성요건을 실현한 경우 법적 판단에 대하여 각 학설이 대립하고 있다. 다음 중 가장 적절한 것은?

① 기수범설에 대해서는 불법(위법성)판단을 오로지 결과반가치에 의해서만 결정하려고 한다는 비판이 제기된다.
② 무죄설에 대해서는 객관적 정당화 상황이 존재함에도 그것이 행위자에게 유리한 요소로 작용하지 못한다는 비판이 제기된다.
③ 불능미수범설은 불법의 본질을 결과반가치로서 법익침해와 행위의 주관적, 객관적 측면을 포섭하는 행위반가치를 모두 고려하여 판단하여야 한다는 입장을 기초로 한다.
④ 판례는 정당화 사유에 해당하기 위해서 객관적 정당화상황 이외에 주관적 정당화요소를 필요로 하지 않는다는 입장을 취하고 있다.

지문분석

난이도 중 정답 ③

| 키 워 드 | 위법성조각사유
| 출제유형 | 옳은 지문 고르기

③ (O) 올바른 설명이다.
① (X) 기수범설에 대해서는 불법(위법성)판단을 오로지 행위반가치에 의해서만 결정하려고 한다는 비판이 제기된다.
② (X) 기수범설에 대해서는 객관적 정당화 상황이 존재함에도 그것이 행위자에게 유리한 요소로 작용하지 못한다는 비판이 제기된다.
④ (X) 판례는 정당화 사유에 해당하기 위해서 객관적 정당화상황 이외에 주관적 정당화요소를 필요로 한다는 입장을 취하고 있다.

05 0125

2021 경찰 승진

위법성조각사유에 대한 설명으로 가장 적절한 것은? (다툼이 있는 경우 판례에 의함)

① 정당방위는 부당한 침해에 대한 방어행위인 데 반해 긴급피난은 부당한 침해가 아닌 위난에 대해서도 가능하다.
② 형법 제23조에 의하면 과잉자구행위가 야간 기타 불안스러운 상태하에서 공포·경악·흥분 또는 당황으로 인한 때에는 벌하지 아니한다.
③ 형법 제23조 제1항은 타인의 청구권 보전을 위한 자구행위도 가능한 것으로 명시하고 있다.
④ 건물의 소유자라고 주장하는 피고인과 그것을 점유·관리하고 있는 피해자 사이에 건물의 소유권에 대한 분쟁이 계속되고 있는 상황이라면, 피고인이 그 건물에 침입하였다 하더라도 피해자의 추정적 승낙이 있었다거나 피고인의 행위가 사회상규에 위배되지 않는다고 볼 수 있다.

지문분석

난이도 중 정답 ①

| 키 워 드 | 위법성조각사유
| 출제유형 | 옳은 지문 고르기

① (O) 올바른 설명이다.
② (X) 자구행위가 그 정도를 초과한 경우에는 정황에 따라 그 형을 감경하거나 면제할 수 있다(형법 제23조 제2항). 그러나 자구행위는 정당방위나 긴급피난과 달리 '불가벌적 과잉자구행위'는 없다(형법 제21조 제3항을 준용하지 않음).
③ (X) 형법 제23조 제1항은 타인의 청구권 보전을 위한 자구행위가 가능한 것으로 명시하고 있지 않다.
④ (X) 건물의 소유자라고 주장하는 피고인과 그것을 점유·관리하고 있는 피해자 사이에 건물의 소유권에 대한 분쟁이 계속되고 있는 상황이라면 피고인이 그 건물에 침입하는 것에 대한 피해자의 추정적 승낙이 있었다거나 피고인의 이 사건 범행이 사회상규에 위배되지 않는다고 볼 수 없다(대법원 1989.9.12. 89도889).

06 0126

2020 경찰 간부

다음 설명 중 가장 옳은 것은? (다툼이 있는 경우 판례에 의함)

① 절도죄의 구성요건에서 재물의 타인성에 관하여 착오를 일으킨 경우 법률의 착오에 해당한다.
② 피해자의 승낙은 침해행위 이전에 자유롭게 철회할 수 있고, 그 철회의 방법에는 특별한 제한이 없다.
③ 관련 민사소송에서 쟁점이 된 제3자로부터 급여를 받은 사실을 숨기기 위해 통장의 입금자 부분을 화이트테이프로 지우고 복사하였을 뿐 입금자를 제3자로 변경하지 않았다면, 통장 명의자인 은행의 추정적 승낙이 있었다고 볼 수 있다.
④ 무고죄는 부수적으로 부당하게 처벌 또는 징계받지 아니할 개인의 이익을 보호하는 죄이므로 피무고인이 무고사실에 대하여 승낙한 경우 무고인을 처벌할 수 없다.

지문분석 난이도 중 정답 ②

| 키 워 드 | 위법성조각사유

| 출제유형 | 옳은 지문 고르기

② (O) 대법원 2011.5.13. 2010도9962
① (X) 절도죄의 구성요건에서 재물의 타인성에 관하여 착오를 일으킨 경우 사실의 착오에 해당한다.
③ (X) 피고인이 행사할 목적으로 권한 없이 甲은행 발행의 피고인 명의 예금통장 기장내용 중 특정 일자에 乙주식회사로부터 지급받은 월급여의 입금자 부분을 화이트테이프로 지우고 복사하여 통장 1매를 변조한 후 그 통장사본을 법원에 증거로 제출하여 행사하였다는 내용으로 기소된 경우, 관련 민사소송에서 피고인이 언제부터 乙회사에서 급여를 받았는지가 중요한 사항이었는데 2006.4.25.자 입금자 명의를 가리고 복사하여 이를 증거로 제출함으로써 2006.5.25.부터 乙회사에서 급여를 수령하였다는 새로운 증명력이 작출되었으므로 공공적 신용을 해할 위험성이 있었다고 볼 수 있고, 제반 사정을 종합할 때 통장 명의자인 甲은행장이 행위 당시 그러한 사실을 알았다면 이를 당연히 승낙했을 것으로 추정된다고 볼 수 없으며, 피고인이 쟁점이 되는 부분을 가리고 복사함으로써 문서내용에 변경을 가하고 증거자료로 제출한 이상 사문서변조 및 동행사의 고의가 없었다고 할 수 없는데도, 이와 달리 보아 피고인에게 무죄를 인정한 원심판결에 사문서변조 및 동행사죄에 관한 법리오해의 위법이 있다(대법원 2011.9.29. 2010도14587).
④ (X) 무고죄는 국가의 형사사법권 또는 징계권의 적정한 행사를 주된 보호법익으로 하고 다만, 개인의 부당하게 처벌 또는 징계받지 아니할 이익을 부수적으로 보호하는 죄이므로, 설사 무고에 있어서 피무고자의 승낙이 있었다고 하더라도 무고죄의 성립에는 영향을 미치지 못한다 할 것이다(대법원 2005.9.30. 2005도2712).

07 0127

2021 경찰 간부

위법성조각사유에 대한 설명으로 옳은 것은? (다툼이 있는 경우 판례에 의함)

① 甲이 자신의 아버지 乙에게서 乙 소유 부동산 매매에 관한 일체의 권한을 위임받아 이를 매도하였는데, 그 후 乙이 사망하자 부동산 소유권 이전에 사용할 목적으로 乙이 甲에게 인감증명서 발급을 위임한다는 취지의 인감증명 위임장을 작성한 후 주민센터 담당 직원에게 제출한 경우, 사망한 명의자 乙의 승낙이 추정되므로 위법성이 조각된다.
② 경찰관의 불심검문을 받게 된 甲이 운전면허증을 교부한 후 경찰관에게 큰 소리로 욕설을 하였고 이에 경찰관이 모욕죄의 현행범으로 체포하겠다고 고지한 후 甲의 어깨를 잡자, 甲이 이를 면하려고 반항하는 과정에서 경찰관에게 상해를 입힌 행위는 정당방위에 해당한다.
③ 운전자가 자신의 차를 가로막고 서서 통행을 방해하는 피해자를 향해 차를 조금씩 전진시키고 피해자가 뒤로 물러나면 다시 차를 전진시키는 방식의 운행을 반복한 경우, 정당방위에 해당하여 폭행죄가 성립하지 않는다.
④ 피해자의 승낙은 언제든지 자유롭게 철회될 수 있고 그 방법에는 제한이 없으며, 법익이 침해된 이후의 사후승낙도 위법성을 조각할 수 있다.

지문분석 난이도 중 정답 ②

| 키 워 드 | 위법성조각사유

| 출제유형 | 옳은 지문 고르기

② (O) 대법원 2011.5.26. 2011도3682
① (X) 乙의 사망으로 포괄적인 명의사용의 근거가 되는 위임관계 내지 포괄적인 대리관계는 종료된 것으로 보아야 하므로 특별한 사정이 없는 한 피고인은 더 이상 위임받은 사무처리와 관련하여 乙의 명의를 사용하는 것이 허용된다고 볼 수 없고, 피고인이 사망한 乙의 명의를 모용한 인감증명 위임장을 작성하여 인감증명서를 발급받아야 할 급박한 사정이 있었다고 볼 만한 사정도 없으며, 인감증명 위임장은 본래 생존한 사람이 타인에게 인감증명서 발급을 위임한다는 취지의 문서라는 점을 고려하면, 이미 사망한 乙이 '병안 중'이라는 사유로 피고인에게 인감증명서 발급을 위임한다는 취지의 인감증명 위임장이 작성됨으로써 문서에 관한 공공의 신용을 해할 위험성이 발생하였다 할 것이고, 피고인이 명의자 乙이 승낙하였을 것이라고 기대하거나 예측한 것만으로는 사망한 乙의 승낙이 추정된다고 단정할 수 없는데도, 이와 달리 피고인에게 무죄를 인정한 원심판결에 사망한 사람 명의의 사문서위조죄에서 승낙 내지 추정적 승낙에 관한 법리오해의 위법이 있다(대법원 2011.9.29. 2011도6223).
③ (X) 피고인이 자신의 차를 가로막고 서 있는 피해자를 향해 차를 조금씩 전진시키고 피해자가 뒤로 물러나면 다시 차를 전진시키는 방식의 운행을 반복하였는데, 이는 그 자체로 피해자에 대한 유형력의 행사에 해당하고 차 앞에 서 있는 사람을 향해 차를 전진시킨 행위가 정당방위나 정당행위에 해당하지 않는다(대법원 2016.10.27. 2016도9302).
④ (X) 위법성조각사유로서의 피해자의 승낙은 언제든지 자유롭게 철회할 수 있다고 할 것이고, 그 철회의 방법에는 아무런 제한이 없으나(대법원 2011.5.13. 2010도9962), 피해자의 사후승낙이 있는 경우에는 위법성을 조각할 수 없다(대법원 1991.3.27. 91도139).

2 정당방위

08 0128

2019 경찰 간부

다음 중 정당방위에 대한 설명으로 가장 옳은 것은? (다툼이 있는 경우 판례에 의함)

① 12살 때 의붓아버지의 강간행위에 의하여 정조를 유린당한 후 계속적으로 성관계를 강요받아 온 피고인이 그의 남자 친구와 범행을 준비하고 의붓아버지가 반항할 수 없는 잠든 틈에 식칼로 심장을 찔러 살해한 행위는 정당방위가 성립한다.

② 甲 소유의 밤나무 단지에서 乙이 밤 18개를 푸대에 주워 담는 것을 본 甲이 그 푸대를 빼앗으려다가 반항하는 乙의 뺨과 팔목을 때려 상처를 입힌 경우 甲의 그러한 행위는 乙의 절취행위를 방지하기 위한 것으로서 정당방위가 성립한다.

③ 싸움을 함에 있어서 격투를 하는 자 중의 한 사람의 공격이 그 격투에서 당연히 예상할 수 있는 정도를 초과하여 살인의 흉기 등을 사용하여 온 경우에는 이를 '부당한 침해'라고 아니할 수 없으므로 이에 대하여는 정당방위를 허용하여야 한다.

④ 이혼소송 중인 남편이 찾아와 가위로 폭행하고 변태적 성행위를 강요하는 데에 격분하여 처가 칼로 남편의 복부를 찔러 사망에 이르게 한 경우는 정당방위나 과잉방위에 해당한다.

지문분석

난이도 하 정답 ③

| 키 워 드 | 정당방위

| 출제유형 | 옳은 지문 고르기

③ (O) 대법원 1968.5.7. 68도370

① (X) 의붓아버지의 강간행위에 의하여 정조를 유린당한 후 계속적으로 성관계를 강요받아 온 피고인이 상 피고인과 사전에 공모하여 범행을 준비하고 의붓아버지가 제대로 반항할 수 없는 상태에서 식칼로 심장을 찔러 살해한 행위는 사회통념상 상당성을 결여하여 정당방위가 성립하지 아니한다(대법원 1992.12.22. 92도2540).

② (X) 피고인이 그 소유의 밤나무 단지에서 피해자가 밤 18개를 푸대에 주워 담는 것을 보고 푸대를 빼앗으려다 반항하는 피해자의 뺨과 팔목을 때려 상처를 입혔다면 위 행위가 비록 피해자의 절취행위를 방지하기 위한 것이었다 하여도 긴박성과 상당성을 결여하여 정당방위라고 볼 수 없다(대법원 1984.9.25. 84도1611).

④ (X) 이혼소송 중인 남편이 찾아와 가위로 폭행하고 변태적 성행위를 강요하는 데에 격분하여 처가 칼로 남편의 복부를 찔러 사망에 이르게 한 경우, 그 행위는 방위행위로서의 한도를 넘어선 것으로 사회통념상 용인될 수 없다는 이유로 정당방위나 과잉방위에 해당하지 않는다(대법원 2001.5.15. 2001도1089).

09 0129

2018 경찰 2차

정당방위에 대한 설명으로 가장 적절한 것은? (다툼이 있는 경우 판례에 의함)

① 가해자의 행위가 피해자의 부당한 공격을 방위하기 위한 것이라기보다는 서로 공격할 의사로 싸우다가 먼저 공격을 받고 이에 대항하여 가해하게 된 것인 경우에는 형법 제21조 제2항의 과잉방위가 성립한다.

② 피고인이 피해자로부터 먼저 폭행·협박을 당하다가 이를 피하기 위하여 피해자를 칼로 찔러 즉사케 한 경우, 그 행위가 피해자의 폭행·협박의 정도에 비추어 방위행위로서의 한도를 넘어선 것으로서 사회통념상 용인될 수 없다고 판단될 때에는 형법 제21조 제2항의 과잉방위가 성립한다.

③ 생명·신체에 대한 현재의 부당한 침해를 방위하기 위한 상당한 행위가 있고, 이어서 정당방위의 요건인 상당성을 결여한 행위가 연속적으로 이루어진 경우 극히 짧은 시간 내에 계속하여 행하여진 가해자의 이와 같은 일련의 행위는 이를 전체로서 하나의 행위라고 보아 형법 제21조 제2항의 과잉방위가 성립한다고 볼 여지가 있다.

④ 경찰관이 적법절차를 준수하지 않은 채 실력으로 현행범인을 연행하려 한 경우 이에 저항하는 과정에서 경찰관에게 상해를 입힌 행위는 그것이 자신의 신체에 대한 현재의 부당한 침해를 방위하기 위한 행위로서 상당한 이유가 있는 것이었다 하더라도 정당방위가 되지 못한다.

지문분석

난이도 상 정답 ③

| 키 워 드 | 정당방위

| 출제유형 | 옳은 지문 고르기

③ (O) 대법원 1986.11.11. 86도1862

① (X) 가해자의 행위가 피해자의 부당한 공격을 방위하기 위한 것이라기보다는 서로 공격할 의사로 싸우다가 먼저 공격을 받고 이에 대항하여 가해하게 된 것이라고 봄이 상당한 경우, 그 가해행위는 방어행위인 동시에 공격행위의 성격을 가지므로 정당방위 또는 과잉방위행위라고 볼 수 없다(대법원 2000.3.28. 2000도228).

② (X) 피해자로부터 먼저 폭행·협박을 당하다가 이를 피하기 위하여 피해자를 칼로 찔렀다고 하더라도, 피해자의 폭행·협박의 정도에 비추어 피고인이 칼로 피해자를 찔러 즉사하게 한 행위는 피해자의 폭력으로부터 자신을 보호하기 위한 방위행위로서의 한도를 넘어선 것이라고 하지 않을 수 없고, 따라서 이러한 방위행위는 사회통념상 용인될 수 없는 것이므로, 자기의 법익에 대한 현재의 부당한 침해를 방어하기 위한 행위로서 상당한 이유가 있는 경우라거나, 방위행위가 그 정도를 초과한 경우에 해당한다고 할 수 없다. 따라서 피고인의 이 사건 범행은 정당방위 또는 과잉방위에 해당하지 아니한다(대법원 2001.5.15. 2001도1089).

→ 이혼소송 중인 남편이 찾아와 가위로 폭행하고 변태적 성행위를 강요하는 데에 격분하여 처가 칼로 남편의 복부를 찔러 사망에 이르게 한 경우, 그 행위는 정당방위나 과잉방위에 해당하지 않는다고 보아

상해치사를 인정한 판결이다.

④ (X) 경찰관이 위 적법절차를 준수하지 아니한 채 실력으로 현행범인을 연행하려고 하였다면 적법한 공무집행이라고 할 수 없고, 경찰관의 현행범 체포행위가 적법한 공무집행을 벗어나 불법하게 체포한 것으로 볼 수밖에 없다면, 현행범이 그 체포를 면하려고 반항하는 과정에서 경찰관에게 상해를 가한 것은 불법체포로 인한 신체에 대한 현재의 부당한 침해에서 벗어나기 위한 행위로서 정당방위에 해당하여 위법성이 조각된다(대법원 2006.11.23. 2006도2732).

10 0130

2016 경찰 승진

정당방위에 관한 설명 중 가장 적절하지 않은 것은? (다툼이 있으면 판례에 의함)

① 거주지 연립주택 내 도로의 차량통제 문제로 시비가 되어 차량의 진행을 제지하려고 길을 막은 아버지 앞으로 운전자가 차를 그대로 진행시키자 이를 막으려고 운전자의 머리털을 잡아당겨 상해를 입힌 아들의 행위는 정당방위에 해당한다.

② 검사가 검찰청에 자진출석한 변호사사무실 사무장을 합리적 근거 없이 긴급체포하자 그 변호사가 이를 제지하는 과정에서 위 검사에게 상해를 가한 것은 정당방위에 해당한다.

③ 서로 공격할 의사로 싸우다가 먼저 공격을 받고 이에 대항하여 가해하게 된 경우 그 가해행위는 정당방위가 될 여지는 없으나 과잉방위가 될 수는 있다.

④ 절도범으로 오인받은 자가 야간에 군중들로부터 무차별 구타를 당하자 이를 방위하기 위하여 소지하고 있던 손톱깍기에 달린 줄칼을 휘둘러 상해를 입힌 행위는 정당방위에 해당한다.

지문분석 난이도 중 정답 ③

| 키 워 드 | 정당방위

| 출제유형 | 틀린 지문 고르기

③ (X) **싸움 중에 이루어진 가해행위가 정당방위 또는 과잉방위행위에 해당할 수 있는지 여부: 부정**
가해자의 행위가 피해자의 부당한 공격을 방위하기 위한 것이라기보다는 서로 공격할 의사로 싸우다가 먼저 공격을 받고 이에 대항하여 가해하게 된 것이라고 봄이 상당한 경우, 그 가해행위는 방어행위인 동시에 공격행위의 성격을 가지므로 정당방위 또는 과잉방위행위라고 볼 수 없다(대법원 2000.3.28. 2000도228).

① (O) 대법원 1986.10.14. 86도1091
→ 타인을 위한 정당방위에 해당한다.

② (O) 대법원 2006.9.8. 2006도148

④ (O) 대법원 1970.9.17. 70도1473

11 0131

2018 경찰 승진(변형)

위법성에 대한 설명으로 가장 적절하지 않은 것은? (다툼이 있는 경우 판례에 의함)

① 피난행위가 그 정도를 초과한 경우에 야간이나 그 밖의 불안한 상태에서 공포를 느끼거나 경악하거나 흥분하거나 당황하였기 때문에 그 행위를 하였을 때에는 벌하지 아니한다.
② 사문서위조죄는 사회적 법익에 관한 범죄이며 명의자의 명시적 또는 묵시적 승낙(위임)이 있으면 성립하지 않는다.
③ 회사의 대표이사인 甲이 "회사직원 A가 회사의 이익을 빼돌린다."는 소문을 확인할 목적으로, 비밀번호를 설정한 A의 '개인용 컴퓨터의 하드디스크'를 떼어내어 다른 컴퓨터에 연결한 다음, 의심이 드는 단어로 파일을 검색하여 메신저 대화 내용, 이메일 등을 출력한 행위는 정당행위에 해당한다.
④ 이혼소송 중인 남편이 찾아와 가위로 폭행하고 변태적 성행위를 강요하는 데에 격분하여 처가 칼로 남편의 복부를 찔러 사망에 이르게 한 경우, 그 행위는 정당방위에 해당한다.

지문분석 난이도 하 정답 ④

| 키 워 드 | 정당방위
| 출제유형 | 틀린 지문 고르기

④ (X) 이혼소송 중인 남편이 찾아와 가위로 폭행하고 변태적 성행위를 강요하는 데에 격분하여 처가 칼로 남편의 복부를 찔러 사망에 이르게 한 경우, 그 행위는 방위행위로서의 한도를 넘어선 것으로 사회통념상 용인될 수 없다는 이유로 정당방위나 과잉방위에 해당되지 않는다(대법원 2001.5.15. 2001도1089).
① (O) 불가벌적 과잉방위·과잉피난(형법 제21조 제3항, 제22조 제3항)
② (O) [1] 문서의 위조는 작성권한 없는 자가 타인 명의를 모용하여 문서를 작성하는 행위를 말하는 것이므로, 사문서를 작성함에 있어 그 명의자의 명시적이거나 묵시적인 승낙 또는 위임이 있었다면 사문서위조에 해당한다고 할 수 없다.
[2] 특히 문서명의인이 문서작성자에게 사전에 문서 작성과 관련한 사무처리의 권한을 포괄적으로 위임함으로써 문서작성자가 위임된 권한의 범위 내에서 그 사무처리를 위하여 문서명의인 명의의 문서를 작성·행사한 것이라면, 비록 문서작성자가 개개의 문서 작성에 관하여 문서명의인으로부터 승낙을 받지 않았다고 하더라도 특별한 사정이 없는 한 사문서위조 및 위조사문서행사죄는 성립하지 않는다고 할 것이다(대법원 2015.6.11. 2012도1352).
→ 문서위조죄의 보호법익은 '문서 자체의 가치'가 아니고 '문서에 대한 공공의 신용'(대법원 1993.7.27. 93도1435)이며, 사회적 법익에 대한 범죄이다.
③ (O) 대법원 2009.12.24. 2007도6243

12 0132

2019 경찰 승진

정당방위에 대한 설명으로 가장 적절하지 않은 것은? (다툼이 있는 경우 판례에 의함)

① 사용자가, 적법한 직장폐쇄 기간 중 일방적으로 업무에 복귀하겠다고 하면서 자신의 퇴거요구에 불응한 채 계속하여 사업장 내로 진입을 시도하는 해고 근로자를 폭행·협박한 행위는 사업장 내의 평온과 노동조합의 업무방해행위를 방지하기 위한 행위로서 정당방위 또는 정당행위에 해당한다.
② 불법체포에 대항하기 위하여 경찰관에게 상해를 가한 경우 이는 부당한 침해에서 벗어나기 위한 행위로서 정당방위에 해당한다.
③ 검사 甲이 검찰청에 자진출석한 乙변호사사무실 사무장 丙을 합리적 근거 없이 긴급체포하자 변호사 乙이 이를 제지하는 과정에서 검사 甲에게 상해를 가한 행위는 정당방위에 해당한다.
④ 공직선거 후보자 甲이 연설 중 유권자들의 적절한 투표권 행사를 위해 다른 후보자 乙의 과거 행적에 대한 신문에 게재된 자료를 제시하면서 후보자의 자질을 문제 삼자 乙이 물리력으로 甲의 연설을 중단시킨 것은 정당방위에 해당한다.

지문분석 난이도 중 정답 ④

| 키 워 드 | 정당방위
| 출제유형 | 틀린 지문 고르기

④ (X) 공직선거 후보자 합동연설회장에서 후보자 甲이 적시한 연설 내용이 다른 후보자 乙에 대한 명예훼손 또는 후보자비방의 요건에 해당되나 그 위법성이 조각되는 경우, 甲의 연설 도중에 乙이 마이크를 빼앗고 욕설을 하는 등 물리적으로 甲의 연설을 방해한 행위가 甲의 '위법하지 않은 정당한 침해'에 대하여 이루어진 것일 뿐만 아니라 '상당성'을 결여하여 정당방위의 요건을 갖추지 못하였다(대법원 2003.11.13. 2003도3606).
→ 적법한 침해에 대해서는 정당방위가 인정되지 않는다.
① (O) 대법원 2005.6.9. 2004도7218
② (O) 대법원 2011.5.26. 2011도3682
③ (O) 대법원 2006.9.8. 2006도148

13 0133

2021 경찰 승진

정당방위 및 과잉방위에 대한 설명으로 가장 적절하지 않은 것은? (다툼이 있는 경우 판례에 의함)

① 경찰관의 불법한 현행범체포에 대해 그 체포를 면하려고 반항하는 과정에서 그 경찰관에게 상해를 입힌 행위는 정당방위에 해당하여 위법성을 조각한다.
② 정당방위의 상당성 판단에는 상대적 최소침해의 원칙 이외에 보충성의 원칙이 필수적으로 요구된다.
③ 형법 제21조 제2항에 의하면 과잉방위의 경우에는 그 형을 감면할 수 있다.
④ 정당방위의 방어행위에는 순수한 수비적 방어뿐만 아니라 적극적 반격을 포함하는 반격방어의 형태도 포함된다.

지문분석 난이도 중 정답 ②

| 키 워 드 | 정당방위 및 과잉방위
| 출제유형 | 틀린 지문 고르기

② (X) 정당방위에 있어서는 반드시 방위행위에 보충의 원칙은 적용되지 않으나 방위에 필요한 한도 내의 행위로서 사회윤리에 위배되지 않는 상당성 있는 행위임을 요한다(대법원 1991.9.10. 91다19913).
① (O) 대법원 2011.5.26. 2011도3682
③ (O) 형법 제21조 제2항(임의적 감면 과잉방위)
④ (O) 대법원 1992.12.22. 92도2540

14 0134

2021 국가직 7급

정당방위에 대한 설명으로 옳지 않은 것은? (다툼이 있는 경우 판례에 의함)

① 정당방위는 자기 또는 타인의 법익에 대한 현재의 부당한 침해를 방어하기 위한 것으로서, 위법하지 않은 정당한 침해에 대한 정당방위는 인정되지 않는다.
② 제1방위행위는 상당성이 인정되는 방위행위이고 제2방위행위는 상당성을 결여한 방위행위인 경우, 제1행위와 제2행위가 극히 짧은 시간 내에 계속하여 행하여지면 이를 전체로서 하나의 행위로 보아야 한다.
③ 경찰관 甲과 乙이 "A가 사람을 칼로 위협한다."는 신고를 받고 출동한 상황에서, A가 乙을 지속적으로 폭행하며 그의 총기를 빼앗으려 하자, 甲은 A가 칼로 자신과 乙을 공격할 수 있다고 생각하고 乙을 구출하기 위하여 A에게 실탄을 발사하여 흉부관통상으로 A를 사망케 한 경우 정당방위의 상당성이 인정될 수 없다.
④ 불륜관계를 의심받아 집단폭행을 당하게 된 甲이 이를 벗어나기 위해 손을 휘저으며 발버둥치는 과정에서 A에게 약 14일간의 치료를 요하는 뇌진탕의 상해를 가한 경우 사회적 상당성이 인정되는 방어행위라고 할 수 있다.

지문분석 난이도 중 정답 ③

| 키 워 드 | 정당방위
| 출제유형 | 틀린 지문 고르기

③ (X) 경찰관의 권총 사용이 허용범위를 벗어난 위법행위로서 정당방위에 해당하지 않는다고 판단한 원심판결을 파기한 사례이다(대법원 2004.3.25. 2003도3842).
→ 정당방위에 해당하여 업무상과실치사죄가 부정된다는 취지의 판결이다.
① (O) 대법원 2003.11.13. 2003도3606
② (O) 대법원 1986.11.11. 86도1862
④ (O) 대법원 2010.2.11. 2009도12958

3 긴급피난

15 0135

2015 경찰 승진

긴급피난에 관한 설명 중 가장 적절하지 않은 것은? (다툼이 있는 경우 판례에 의함)

① 긴급피난은 타인의 법익을 위하여서도 할 수 있다.
② 피고인이 스스로 야기한 강간범행의 와중에서 피해자가 피고인의 손가락을 깨물며 반항하자, 물린 손가락을 비틀어 잡아 뽑다가 피해자에게 치아결손의 상해를 입힌 행위는 긴급피난에 해당하지 않는다.
③ 특정후보자에 대한 공직선거 및 선거부정방지법에 의한 선거운동 제한규정을 위반한 낙선운동은 시민불복종운동이므로 긴급피난의 요건을 갖춘 행위로 볼 수 있다.
④ 신고된 甲대학교에서의 집회가 집회장소 사용 승낙을 하지 아니한 甲대학교 측의 요청으로 경찰관들에 의하여 저지되자, 신고 없이 乙대학교로 옮겨 집회를 한 것은 긴급피난에 해당한다고 볼 수 없다.

지문분석 난이도 중 정답 ③

| 키 워 드 | 긴급피난
| 출제유형 | 틀린 지문 고르기

③ (X) 피고인들이 확성장치 사용, 연설회 개최, 불법행렬, 서명날인운동, 선거운동기간 전 집회 개최 등의 방법으로 특정후보자에 대한 낙선운동을 함으로써 공직선거및선거부정방지법(현행 공직선거법)에 의한 선거운동 제한규정을 위반한 피고인들의 같은 법 위반의 각 행위는 위법한 행위로서 허용될 수 없는 것이고, 피고인들의 위 각 행위가 피고인들이 주장하듯이 시민불복종운동으로서 헌법상의 기본권 행사 범위 내에 속하는 정당행위이거나 형법상 사회상규에 위반되지 아니하는 정당행위 또는 긴급피난의 요건을 갖춘 행위로 볼 수는 없다 할 것이다(대법원 2004.4.27. 2002도315).
① (O) '타인'을 위한 긴급피난은 인정된다(형법 제22조 제1항).

> **제22조(긴급피난)** ① 자기 또는 타인의 법익에 대한 현재의 위난을 피하기 위한 행위는 상당한 이유가 있는 때에는 벌하지 아니한다.

② (O) 피고인이 스스로 야기한 강간범행의 와중에서 피해자가 피고인의 손가락을 깨물며 반항하자 물린 손가락을 비틀며 잡아 뽑다가 피해자에게 치아결손의 상해를 입힌 소위를 가리켜 법에 의하여 용인되는 긴급피난행위라 할 수 없고 강간치상죄가 성립한다(대법원 1995.1.12. 94도2781).
④ (O) 대법원 1990.8.14. 90도870
→ 집회 및 시위에 관한 법률 위반 인정

16 0136

2019 경찰 1차

범죄성립을 조각하는 사유에 관한 설명 중 옳은 것은? (다툼이 있는 경우 판례에 의함)

① 긴급피난의 본질을 위법성조각사유라고 볼 경우, 긴급피난 행위에 대해서 정당방위는 인정되지 아니하나 긴급피난은 인정된다.
② '정당한 사유' 없이 입영에 불응하는 사람을 처벌하는 병역법 제88조의 범죄에서 '정당한 사유'는 위법성조각사유이다.
③ 자구행위가 야간이나 기타 불안스러운 상태하에서 공포, 경악, 흥분 또는 당황으로 인한 때에는 벌하지 아니한다.
④ 처분할 수 있는 자의 승낙에 의하여 그 법익을 훼손한 행위는 법률에 특별한 규정이 있는 경우에만 벌하지 아니한다.

지문분석 난이도 상 정답 ①

| 키 워 드 | 위법성조각사유
| 출제유형 | 옳은 지문 고르기

① (O) 긴급피난의 본질을 위법성조각사유라고 보는 다수설인 위법성조각설에 의하면 긴급피난은 위법성이 조각되어 적법한 행위가 되므로, 긴급피난에 대해서는 ㉠ 위법한 침해(부당한 침해)에 대하여서만 가능한 정당방위는 인정되지 않고, ㉡ 적법한 행위에 대해서도 인정되는 긴급피난은 인정된다.
② (X) **병역법 제88조 제1항에서 정한 '정당한 사유'의 법적 성격: 구성요건해당성 조각사유**
병역법 제88조 제1항은 국방의 의무를 실현하기 위하여 현역입영 또는 소집통지서를 받고도 정당한 사유 없이 이에 응하지 않은 사람을 처벌함으로써 입영기피를 억제하고 병력구성을 확보하기 위한 규정이다. 위 조항에 따르면 정당한 사유가 있는 경우에는 피고인을 벌할 수 없는데, 여기에서 정당한 사유는 구성요건해당성을 조각하는 사유이다. 이는 형법상 위법성조각사유인 정당행위나 책임조각사유인 기대불가능성과는 구별된다(대법원 2018.11.1. 2016도10912 전원합의체).
③ (X) 자구행위가 그 정도를 초과한 경우에는 정황에 따라 그 형을 감경하거나 면제할 수 있다(형법 제23조 제2항). 그러나 자구행위는 정당방위나 긴급피난과 달리 '불가벌적 과잉자구행위'는 없다(형법 제21조 제3항을 준용하지 않음).
④ (X) 처분할 수 있는 자의 승낙에 의하여 그 법익을 훼손한 행위는 법률에 특별한 규정이 없는 한 벌하지 아니한다(형법 제24조).

4 자구행위

17 0137 2017 경찰 승진(변형)

위법성조각사유에 관한 설명 중 가장 적절한 것은? (다툼이 있는 경우 판례에 의함)

① 정당방위에서의 방위행위란 순수한 수비적 방위를 말하는 것이고, 적극적 반격을 포함하는 반격방어의 형태는 포함되지 않는다.
② 명예훼손죄의 특별한 위법성조각사유를 규정한 형법 제310조의 요소 중 사실의 진실성에 대한 착오가 있는 경우에는 위법성조각사유의 전제사실에 관한 착오 또는 법률의 착오가 문제될 뿐이기 때문에 위법성 그 자체는 조각될 여지가 없다.
③ 방위행위, 피난행위 그리고 자구행위가 그 정도를 초과한 경우에는 정황에 따라 그 형을 감경하거나 면제할 수 있다.
④ 형법 제24조에 따르면 처분할 수 있는 자의 승낙에 의하여 그 법익을 훼손한 행위는 법률에 특별한 규정이 있는 경우에 한하여 벌하지 아니한다.

지문분석 난이도 ㊦ 정답 ③

| 키 워 드 | 위법성조각사유
| 출제유형 | 옳은 지문 고르기

③ (O) 과잉방위·과잉피난·과잉자구행위는 임의적 감면사유이다(형법 제21조 제2항, 제22조 제3항, 제23조 제2항).
→ 단, 자구행위는 제21조 제3항을 준용하지 않으므로 불가벌적 과잉자구행위는 없다.
① (X) 정당방위의 성립요건으로서의 방어행위에는 순수한 수비적 방어뿐 아니라 적극적 반격을 포함하는 반격방어의 형태도 포함되나, 그 방어행위는 자기 또는 타인의 법익침해를 방위하기 위한 행위로서 상당한 이유가 있어야 한다(대법원 1992.12.22. 92도2540).
② (X) 적시된 사실이 공공의 이익에 관한 것이면 진실한 것이라는 증명이 없다 할지라도 행위자가 진실한 것으로 믿었고 또 그렇게 믿을 만한 상당한 이유가 있는 경우에는 위법성이 없다고 보아야 할 것이다(대법원 1996.8.23. 94도3191).
→ 진실성에 대한 착오가 있는 경우(허위사실을 진실로 오인하고 공익을 위하여 적시한 경우) 판례는 그 착오에 '상당한 이유가 있는 경우'에는 '위법성'이 조각된다고 한다.
④ (X) 피해자의 승낙에 의한 행위는 원칙적으로 처벌하지 않고, 법률에 특별한 규정이 있는 경우(예 승낙살인죄)에 예외적으로 처벌한다.

5 피해자의 승낙

18 0138 2022 경찰 간부

다음 중 피해자 승낙에 대한 설명으로 가장 적절한 것은?

① 형법은 살인, 상해, 강간의 경우에 피해자의 승낙이 있더라도 처벌하는 특별한 규정을 두고 있다.
② 승낙의 주체는 승낙의 의미와 내용을 이해할 수 있는 능력을 가진 자를 의미하므로 승낙권자는 민법상 행위능력자여야 한다.
③ 승낙은 원칙적으로 자유롭게 철회할 수 있으므로, 철회 전에 이루어진 행위는 정당화되지 않는다.
④ 승낙이 있는 것으로 오인한 자의 행위는 객관적 정당화 상황에 관한 착오에 해당하고, 승낙이 없는 것으로 오인한 자의 행위는 주관적 정당화 요소를 결한 경우의 문제가 된다.

지문분석 난이도 ㊥ 정답 ④

| 키 워 드 | 피해자의 승낙
| 출제유형 | 옳은 지문 고르기

④ (O) 올바른 설명이다. 피해자의 승낙에서 피해자의 승낙은 객관적 정당화 상황이고, 승낙이 있었다는 사실의 인식은 주관적 정당화요소가 된다.
① (X) 살인, 상해, 강간 중 살인의 경우에만 '승낙살인죄'(제252조 제1항)를 두어 피해자의 승낙이 있더라도 처벌하는 특별한 규정을 두고 있다.
② (X) 승낙주체는 승낙의 의미·내용·효과와 법익침해의 의미와 결과를 이해할 수 있는 자연적 통찰능력과 판단력을 갖추고 있어야 한다. 민법에서의 행위능력과 반드시 일치하는 것은 아니므로 승낙능력이 있다면 민법상 행위무능력자도 승낙권자가 될 수 있다.
③ (X) 승낙은 원칙적으로 자유롭게 철회할 수 있으나, 철회 전에는 승낙이 유효하였으므로 철회 전에 이루어진 행위는 정당화된다.

19 0139

2021 경찰 2차

피해자의 승낙에 대한 설명으로 가장 적절하지 않은 것은? (다툼이 있는 경우 판례에 의함)

① 甲이 동거 중인 A의 지갑에서 현금을 꺼내 가는 것을 A가 현장에서 목격하고도 만류하지 아니한 경우에는 이를 허용하는 A의 묵시적 의사가 있었다고 볼 수 있다.
② 건물의 소유자라고 주장하는 甲과 그것을 점유·관리하고 있는 A 사이에 건물의 소유권에 대한 분쟁이 계속되고 있는 상황에서 甲이 그 건물에 침입하는 경우에는 그 침입에 대한 A의 승낙이 있었다고 볼 수 없다.
③ 甲이 乙과 공모하여 교통사고를 가장하여 보험금을 편취할 목적으로 乙에게 승낙을 받고 상해를 가한 경우에는 피해자의 승낙에 의하여 위법성이 조각된다고 할 수 없다.
④ 甲은 자신의 아버지 A 소유 부동산 매매에 관한 권한 일체를 위임받아 이를 매도한 후 갑자기 A가 사망하자 소유권 이전에 사용할 목적으로 A가 자신에게 인감증명서 발급을 위임한다는 취지의 위임장을 작성하여, 주민센터 담당직원에게 제출한 경우에는 甲이 A가 승낙하였을 것이라고 기대하거나 예측한 것만으로도 사망한 A의 승낙이 추정된다.

지문분석 난이도 중 정답 ④

| 키 워 드 | 피해자의 승낙

| 출제유형 | 틀린 지문 고르기

④ (X) A의 사망으로 포괄적인 명의사용의 근거가 되는 위임관계 내지 포괄적인 대리관계는 종료된 것으로 보아야 하므로 특별한 사정이 없는 한 피고인은 더 이상 위임받은 사무처리와 관련하여 A의 명의를 사용하는 것이 허용된다고 볼 수 없고, 피고인이 사망한 A의 명의를 모용한 인감증명 위임장을 작성하여 인감증명서를 발급받아야 할 급박한 사정이 있었다고 볼 만한 사정도 없으며, 인감증명 위임장은 본래 생존한 사람이 타인에게 인감증명서 발급을 위임한다는 취지의 문서라는 점을 고려하면, 이미 사망한 A가 '병안 중'이라는 사유로 피고인에게 인감증명서 발급을 위임한다는 취지의 인감증명 위임장이 작성됨으로써 문서에 관한 공공의 신용을 해할 위험성이 발생하였다 할 것이고, 피고인이 명의자 A가 승낙하였을 것이라고 기대하거나 예측한 것만으로는 사망한 A의 승낙이 추정된다고 단정할 수 없는데도, 이와 달리 피고인에게 무죄를 인정한 원심판결에 사망한 사람 명의의 사문서위조죄에서 승낙 내지 추정적 승낙에 관한 법리오해의 위법이 있다(대법원 2011.9.29. 2011도6223).
① (O) 피고인이 동거 중인 피해자의 지갑에서 현금을 꺼내 가는 것을 피해자가 현장에서 목격하고도 만류하지 아니하였다면 피해자가 이를 허용하는 묵시적 의사가 있었다고 봄이 상당하여 이는 절도죄를 구성하지 않는다(대법원 1985.11.26. 85도1487).
② (O) 건물의 소유자라고 주장하는 피고인과 그것을 점유관리하고 있는 피해자 사이에 건물의 소유권에 대한 분쟁이 계속되고 있는 상황이라면 피고인이 그 건물에 침입하는 것에 대한 피해자의 추정적 승낙이 있었다거나 피고인의 이 사건 범행이 사회상규에 위배되지 않는다고 볼 수 없다(대법원 1989.9.12. 89도889).
③ (O) 대법원 2008.12.11. 2008도9606

20 0140

2019 경찰 승진

피해자의 승낙에 대한 설명으로 가장 적절하지 않은 것은? (다툼이 있는 경우 판례에 의함)

① 사문서변조죄와 관련하여 행위 당시 명의자의 현실적인 승낙은 없었지만 명의자가 그 사실을 알았다면 당연히 승낙했을 것이라고 추정되는 경우에는 사문서변조죄가 성립하지 아니한다.
② 피고인이 피해자가 사용 중인 공중화장실의 용변칸에 노크하여 남편으로 오인한 피해자가 용변칸 문을 열자 강간할 의도로 용변칸에 들어갔다면, 피해자가 명시적 또는 묵시적으로 이를 승낙하였다고 볼 수 없다.
③ 무고죄는 부수적으로 부당하게 처벌 또는 징계받지 아니할 개인의 이익을 보호하는 죄이므로 피무고인이 무고사실에 대하여 승낙한 경우 무고인을 처벌할 수 없다.
④ 의사의 불충분한 설명을 근거로 환자가 수술에 동의한 경우, 피해자의 승낙으로 수술의 위법성이 조각되지 않는다.

지문분석 난이도 중 정답 ③

| 키 워 드 | 피해자의 승낙

| 출제유형 | 틀린 지문 고르기

③ (X) 무고죄는 국가의 형사사법권 또는 징계권의 적정한 행사를 주된 보호법익으로 하고 다만, 개인의 부당하게 처벌 또는 징계받지 아니할 이익을 부수적으로 보호하는 죄이므로, 설사 무고에 있어서 피무고자의 승낙이 있었다고 하더라도 무고죄의 성립에는 영향을 미치지 못한다 할 것이다(대법원 2005.9.30. 2005도2712).
→ 승낙무고: 무고죄 인정
① (O) 대법원 2015.11.26. 2014도781
② (O) 피고인이 피해자가 사용 중인 공중화장실의 용변칸에 노크하여 남편으로 오인한 피해자가 용변칸 문을 열자 강간할 의도로 용변칸에 들어간 것이라면 피해자가 명시적 또는 묵시적으로 이를 승낙하였다고 볼 수 없어 주거침입죄에 해당한다(대법원 2003.5.30. 2003도1256).
④ (O) 대법원 1993.7.27. 92도2345
→ 자궁적출 사건

21 [0141]

2020 경찰 승진

피해자의 승낙에 대한 설명 중 가장 적절하지 않은 것은? (다툼이 있는 경우 판례에 의함)

① 문서의 위조라고 하는 것은 작성권한 없는 자가 타인 명의를 모용하여 문서를 작성하는 것을 말하는 것이므로 사문서를 작성함에 있어 그 명의자의 명시적이거나 묵시적인 승낙(위임)이 있었다면 이는 사문서위조에 해당한다고 할 수 없다.
② 甲이 동거 중인 피해자의 지갑에서 현금을 꺼내 가는 것을 피해자가 현장에서 목격하고도 만류하지 아니하였다면 피해자가 이를 허용하는 묵시적 의사가 있었다고 볼 수 있으므로 절도죄가 성립하지 않는다.
③ 甲이 기관장들의 조찬모임에서의 대화내용을 도청하기 위한 도청장치를 설치할 목적으로 손님을 가장하여 그 조찬모임 장소인 음식점에 들어간 경우 영업주가 그 출입을 허용하지 않았을 것으로 보는 것이 경험칙에 부합하므로, 주거침입죄가 성립한다.
④ 甲이 피해자 A와 공모하여 교통사고를 가장하여 보험금을 편취할 목적으로 피해자에게 동의를 받아 상해를 가한 경우 피해자의 승낙으로 위법성이 조각된다.

지문분석 난이도 중 정답 ④

| 키 워 드 | 피해자의 승낙

| 출제유형 | 틀린 지문 고르기

④ (X) 피고인이 피해자와 공모하여 교통사고를 가장하여 보험금을 편취할 목적으로 피해자에게 상해를 가하였다면 피해자의 승낙이 있었다고 하더라도 이는 위법한 목적에 이용하기 위한 것이므로 피고인의 행위가 피해자의 승낙에 의하여 위법성이 조각된다고 할 수 없다(대법원 2008.12.11. 2008도9606).
① (O) 대법원 1998.2.24. 97도183
② (O) 대법원 1985.11.26. 85도1487
③ (O) 대법원 1997.3.28. 95도2674

6 정당행위

22 [0142]

2018 경찰 1차

위법성조각사유에 대한 설명으로 가장 적절하지 않은 것은? (다툼이 있는 경우 판례에 의함)

① 정당방위의 성립요건으로서의 방어행위에는 순수한 수비적 방어뿐 아니라 적극적 반격을 포함하는 반격방어의 형태도 포함되나, 그 방어행위는 자기 또는 타인의 법익침해를 방위하기 위한 행위로서 상당한 이유가 있어야 한다.
② 신문기자인 피고인이 고소인에게 2회에 걸쳐 증여세 포탈에 대한 취재를 요구하면서 이에 응하지 않으면 자신이 취재한 내용대로 보도하겠다고 말한 것은 정당행위에 해당한다.
③ 검사가 참고인 조사를 받는 줄 알고 검찰청에 자진출석한 변호사사무실 사무장을 합리적 근거 없이 긴급체포하자 그 변호사가 이를 제지하는 과정에서 위 검사에게 상해를 가한 것은 정당방위에 해당한다.
④ 국회의원인 피고인이, 구 국가안전기획부 내 정보수집팀이 대기업 고위관계자와 중앙일간지 사주 간의 사적 대화를 불법 녹음한 자료를 입수한 후 그 대화내용과 위 대기업으로부터 이른바 떡값 명목의 금품을 수수하였다는 검사들의 실명이 게재된 보도자료를 작성하여 자신의 인터넷 홈페이지에 게재한 경우에는 정당행위에 해당한다.

지문분석 난이도 하 정답 ④

| 키 워 드 | 정당행위

| 출제유형 | 틀린 지문 고르기

④ (X) 국회의원인 피고인이, 구 국가안전기획부 내 정보수집팀이 대기업 고위관계자와 중앙일간지 사주 간의 사적 대화를 불법 녹음한 자료를 입수한 후 그 대화내용과, 위 대기업으로부터 이른바 떡값 명목의 금품을 수수하였다는 검사들의 실명이 게재된 보도자료를 작성하여 자신의 인터넷 홈페이지에 게재하였다고 하여 통신비밀보호법 위반으로 기소된 사안에서, 위 행위가 형법 제20조의 정당행위에 해당한다고 볼 수 없다(대법원 2011.5.13. 2009도14442).
① (O) 대법원 1992.12.22. 92도2540
② (O) 대법원 2011.7.14. 2011도639
③ (O) 대법원 2006.9.8. 2006도148
→ 이 경우 적법한 공무집행이라고 할 수 없으므로 이를 거부하는 방법으로써 폭행을 하였다고 하여 공무집행방해죄가 성립하는 것도 아니다.

23 0143

2016 경찰 2차

다음 설명 중 가장 적절하지 않은 것은? (다툼이 있으면 판례에 의함)

① 甲이 점유자와 소유자가 다른 승용차를 점유자의 의사에 반하여 자신의 점유로 옮긴 경우, 이러한 甲의 행위가 결과적으로 소유자의 이익으로 된다는 사정 또는 소유자의 추정적 승낙이 있다고 볼 만한 사정이 있다고 하더라도, 다른 특별한 사정이 없는 한 그러한 사유만으로 불법영득의 의사가 없다고 할 수는 없다.

② 甲이 경찰관의 불심검문을 받아 운전면허증을 교부한 후 경찰관에게 큰 소리로 욕설을 하였는데, 경찰관이 모욕죄의 현행범으로 체포하겠다고 고지한 후 甲의 오른쪽 어깨를 붙잡자 반항하면서 경찰관에게 상해를 가한 사안에서 甲이 체포를 면하려고 반항하는 과정에서 상해를 가한 것은 정당방위에 해당한다.

③ 甲정당 당직자인 피고인들이 국회 외교통상 상임위원회 회의장 앞 복도에서 출입이 봉쇄된 회의장 출입구를 뚫을 목적으로 회의장 출입문 및 그 안쪽에 쌓여 있던 집기를 손상하거나, 국회 심의를 방해할 목적으로 회의장 내에 물을 분사한 경우, 국민의 대의기관인 국회에서의 행위인 이상 피고인들의 행위는 위법성이 조각되는 정당행위라고 볼 수 있다.

④ 쟁의행위에 대한 찬반투표 실시를 위하여 전체 조합원이 참석할 수 있도록 근무시간 중에 노동조합 임시총회를 개최하고 3시간에 걸친 투표 후 1시간의 여흥시간을 가졌더라도 그 임시총회 개최행위는 전체적으로 노동조합의 정당한 행위에 해당한다.

지문분석

난이도 상 정답 ③

| 키 워 드 | 정당행위

| 출제유형 | 틀린 지문 고르기

③ (X) 甲정당 당직자인 피고인들 등이 국회 외교통상 상임위원회 회의장 앞 복도에서 출입이 봉쇄된 회의장 출입구를 뚫을 목적으로 회의장 출입문 및 그 안쪽에 쌓여 있던 책상, 탁자 등 집기를 손상하거나, 국회의 심의를 방해할 목적으로 소방호스를 이용하여 회의장 내에 물을 분사한 경우 피고인들의 위와 같은 행위는 공용물건손상죄 및 국회회의장소동죄의 구성요건에 해당하고, 국민의 대의기관인 국회에서 서로의 의견을 경청하고 진지한 토론과 양보를 통하여 더욱 바람직한 결론을 도출하는 합법적 절차를 외면한 채 곧바로 폭력적 행동으로 나아가 방법이나 수단에 있어서도 상당성의 요건을 갖추지 못하여 이를 위법성이 조각되는 정당행위나 긴급피난의 요건을 갖춘 행위로 평가하기 어렵다(대법원 2013.6.13. 2010도13609).

① (O) [1] 형법상 절취란 타인이 점유하고 있는 자기 이외의 자의 소유물을 점유자의 의사에 반하여 점유를 배제하고 자기 또는 제3자의 점유로 옮기는 것을 말한다.

[2] 절도죄의 성립에 필요한 불법영득의 의사란 타인의 물건을 그 권리자를 배제하고 자기의 소유물과 같이 그 경제적 용법에 따라 이용·처분하고자 하는 의사를 말하는 것으로서, 단순히 타인의 점유만을 침해하였다고 하여 그로써 곧 절도죄가 성립하는 것은 아니나, 재물의 소유권 또는 이에 준하는 본권을 침해하는 의사가 있으면 되고 반드시 영구적으로 보유할 의사가 필요한 것은 아니며, 그것이 물건 자체를 영득할 의사인지 물건의 가치만을 영득할 의사인지를 불문한다.

[3] 어떠한 물건을 점유자의 의사에 반하여 취거하는 행위가 결과적으로 소유자의 이익으로 된다는 사정 또는 소유자의 추정적 승낙이 있다고 볼 만한 사정이 있다고 하더라도, 다른 특별한 사정이 없는 한 그러한 사유만으로 불법영득의 의사가 없다고 할 수는 없다(대법원 2014.2.21. 2013도14139).

② (O) 이 사건 피고인은 경찰관의 불심검문에 응하여 이미 운전면허증을 교부한 상태이고, 경찰관뿐 아니라 인근 주민도 욕설을 직접 들었으므로, 피고인이 도망하거나 증거를 인멸할 염려가 있다고 보기는 어렵고, 피고인의 모욕 범행은 불심검문에 항의하는 과정에서 저지른 일시적·우발적인 행위로서 사안 자체가 경미할 뿐 아니라, 피해자인 경찰관이 범행현장에서 즉시 범인을 체포할 급박한 사정이 있다고 보기도 어려우므로, 경찰관이 피고인을 체포한 행위는 적법한 공무집행이라고 볼 수 없고, 피고인이 체포를 면하려고 반항하는 과정에서 상해를 가한 것은 불법체포로 인한 신체에 대한 현재의 부당한 침해에서 벗어나기 위한 행위로서 정당방위에 해당한다는 이유로, 피고인에 대한 상해 및 공무집행방해의 공소사실을 무죄로 인정한 원심판단을 수긍한 사례(대법원 2011.5.26. 2011도3682)

④ (O) 대법원 1994.2.22. 93도613

24 0144

2019 경찰 2차

정당행위에 해당하여 위법성이 조각되는 것만을 모두 고른 것은? (다툼이 있는 경우 판례에 의함)

> ㉠ 의사가 모발이식시술을 하면서 이에 관하여 어느 정도 지식을 가지고 있는 간호조무사로 하여금 환자의 머리부위 진피층까지 찔러 넣는 방법으로 수여부에 모발을 삽입하는 행위 자체 중 일정 부분을 직접 하도록 맡겨둔 채 별반 관여하지 않은 경우
> ㉡ 공사업자가 이전 공사대금의 잔금을 지급받지 못하자 추가로 자동문의 번호키 설치공사를 도급받아 시공하면서 자동문이 수동으로만 여닫히게 설정하여 일시적으로 자동잠금장치로서 역할을 할 수 없게 한 경우
> ㉢ 신문기자인 피고인이 고소인에게 2회에 걸쳐 증여세 포탈에 대한 취재를 요구하면서 이에 응하지 않으면 자신이 취재한 내용대로 보도하겠다고 말하여 협박한 경우
> ㉣ 실내 어린이 놀이터에서 자신의 딸(4세)에게 피해자가 다가와 딸이 가지고 놀고 있는 블록을 발로 차고 손으로 집어 들면서 쌓아놓은 블록을 무너뜨리고, 이에 딸이 울자 피고인이 피해자에게 "하지 마, 그러면 안 되는 거야."라고 말하면서 몇 차례 피해자를 제지하자 피해자가 갑자기 딸의 눈 쪽을 향해 오른손을 뻗었고 이를 본 피고인이 왼손을 내밀어 피해자의 행동을 제지하여 피해자가 바닥에 넘어져 충격방지용 고무매트가 깔린 바닥에 엉덩방아를 찧게끔 한 경우
> ㉤ 건설업체 노조원들이 '임·단협 성실교섭 촉구 결의대회'를 개최하면서 신고하지 아니하고 700여 명이 이동하는 중에 앞선 100여 명이 30분간에 걸쳐 편도 2차로를 모두 차지하고 삼보일배 행진을 하여 차량의 통행을 다소간 방해한 경우

① ㉠, ㉡, ㉢　　② ㉡, ㉣, ㉤
③ ㉢, ㉣, ㉤　　④ ㉠, ㉢, ㉤

지문분석

난이도 중 정답 ③

| 키 워 드 | 정당행위
| 출제유형 | 조합하기

㉢ (○) 신문기자인 피고인이 고소인에게 2회에 걸쳐 증여세 포탈에 대한 취재를 요구하면서 이에 응하지 않으면 자신이 취재한 내용대로 보도하겠다고 말하여 협박하였다는 취지로 기소된 경우, 위 행위가 설령 협박죄에서 말하는 해악의 고지에 해당하더라도 특별한 사정이 없는 한 사회상규에 반하지 아니하는 행위라고 보는 것이 타당한데도, 이와 달리 본 원심판단에 정당행위에 관한 법리오해의 위법이 있다(대법원 2011.7.14. 2011도639).
→ 협박죄를 인정한 원심이 위법하다는 판결이다.

㉣ (○) 피고인의 이러한 행위는 피해자의 갑작스런 행동에 놀라서 자신의 어린 딸이 다시 얼굴에 상처를 입지 않도록 보호하기 위한 것으로 딸에 대한 피해자의 돌발적인 공격을 막기 위한 본능적이고 소극적인 방어행위라고 평가할 수 있고, 따라서 이를 사회상규에 위배되는 행위라고 보기는 어렵다고 할 것이다(대법원 2014.3.27. 2012도11204).
→ 피고인의 행위가 사회상규에 위배되어 폭행죄에 해당한다고 판단한 원심이 위법하다는 판결이다.

㉤ (○) 건설업체 노조원들이 '임·단협 성실교섭 촉구 결의대회'를 개최하면서 차도의 통행방법으로 신고하지 아니한 삼보일배 행진을 하여 차량의 통행을 방해한 경우, 그 시위방법이 장소, 태양, 내용, 방법과 결과 등에 비추어 사회통념상 용인될 수 있는 다소의 피해를 발생시킨 경우에 불과하고, 구 집회 및 시위에 관한 법률에 정한 신고제도의 목적 달성을 심히 곤란하게 하는 정도에 이른다고 볼 수 없어, 사회상규에 위배되지 않는 정당행위에 해당한다(대법원 2009.7.23. 2009도840).

㉠ (X) 간호조무사에 불과한 위 제1심 공동피고인 1이 모발이식시술에 관하여 어느 정도 지식을 가지고 있다고 하여도 의료 전반에 관한 체계적인 지식과 의사 자격을 가지고 있지는 못한 사실, 모발이식시술을 하면서 식모기를 환자의 머리부위 진피층까지 찔러 넣는 방법으로 수여부에 모발을 삽입하는 행위 자체 중 일정 부분에 대해서는 위 제1심 공동피고인 1에게만 맡겨둔 채 별반 관여를 하지 아니한 사실 등, 이러한 위 피고인의 행위는 의료법을 포함한 법질서 전체의 정신이나 사회통념에 비추어 용인될 수 있는 행위에 해당한다고 볼 수 없어 위법성이 조각되지 아니한다(대법원 2007.6.28. 2005도8317).

㉡ (X) 자동문을 자동으로 작동하지 않고 수동으로만 개폐가 가능하게 하여 자동잠금장치로서 역할을 할 수 없도록 한 경우에도 재물손괴죄가 성립한다(대법원 2016.11.25. 2016도9219).
→ 이 사건 자동문의 자동작동중지에 대하여 피해자의 승낙이 있다고 보기 어렵고 피고인의 행위가 정당행위에 해당하지 않는다는 판결이다.

25 0145

2019 경찰 간부

정당행위에 관한 다음 설명 중 가장 옳지 않은 것은? (다툼이 있는 경우 판례에 의함)

① 집행관 甲이 압류집행을 위하여 채무자의 주거에 들어가려고 하였으나 채무자의 아들 乙이 이를 방해하는 등 저항하므로 주거에 들어가는 과정에서 몸싸움을 하던 도중 乙에게 2주간의 상해를 가한 행위는 정당행위에 해당한다.

② 회사의 긴박한 경영상의 필요에 의하여 실시되는 정리해고 자체를 전혀 수용할 수 없다는 노동조합 측의 입장 관철을 주된 목적으로 하는 쟁의행위는 정당행위에 해당하지 않는다.

③ 국가정책적 견지에서 도박죄의 보호법익보다 좀 더 높은 국가이익을 위하여 예외적으로 내국인의 출입을 허용하는 폐광지역 개발 지원에 관한 특별법 등에 따라 카지노에 출입하는 것은 업무로 인한 행위로서 정당행위에 해당하여 위법성이 조각된다.

④ 비료를 매수하여 시비한 결과 사과나무묘목이 고사하자 그 비료를 생산한 회사에게 손해배상을 요구하면서 사장 이하 간부들에게 욕설을 하거나 응접탁자 등을 들었다 놓았다 하거나 현수막을 만들어 보이면서 시위를 할 듯한 태도를 보이는 경우 정당행위에 해당하여 위법성이 조각된다.

지문분석 난이도 중 정답 ③

| 키 워 드 | 정당행위

| 출제유형 | 틀린 지문 고르기

③ (X) 형법 제3조는 "본법은 대한민국 영역 외에서 죄를 범한 내국인에게 적용한다."고 하여 형법의 적용범위에 관한 속인주의를 규정하고 있고, 또한 국가정책적 견지에서 도박죄의 보호법익보다 좀 더 높은 국가이익을 위하여 예외적으로 내국인의 출입을 허용하는 폐광지역 개발 지원에 관한 특별법 등에 따라 카지노에 출입하는 것은 법령에 의한 행위로 위법성이 조각된다고 할 것이나, 도박죄를 처벌하지 않는 외국 카지노에서의 도박이라는 사정만으로 그 위법성이 조각된다고 할 수 없다(대법원 2004.4.23. 2002도2518).

① (O) 대법원 1993.10.12. 93도875

② (O) 대법원 2011.1.27. 2010도11030

④ (O) 대법원 1980.11.25. 79도2565

26 0146

2019 경찰 승진

정당행위에 대한 설명이다. 아래 ㉠부터 ㉣까지의 설명 중 옳고 그름의 표시(O, X)가 바르게 된 것은? (다툼이 있는 경우 판례에 의함)

㉠ 신문기자인 甲이 고소인에게 2회에 걸쳐 증여세 포탈에 대한 취재를 요구하면서 이에 응하지 않으면 자신이 취재한 내용대로 보도하겠다고 말한 경우 정당행위로서 위법성이 조각된다.

㉡ A주식회사 임원인 甲이 회사 직원들 및 그 가족들에게 수여할 목적으로 전문의약품인 타미플루 39,600정 등을 제약회사로부터 매수하여 취득한 행위는 사회상규에 위배되지 아니하는 정당행위로서 위법성이 조각된다.

㉢ 감정평가업자가 아닌 공인회계사가 타인의 의뢰에 의하여 일정한 보수를 받고 구 부동산 가격공시 및 감정평가에 관한 법률이 정한 토지에 대한 감정평가를 업으로 행하는 것은 특별한 사정이 없는 한 형법 제20조가 정한 '법령에 의한 행위'로서 정당행위에 해당한다고 볼 수 없다.

㉣ A회사 대표이사인 피고인 甲이 "회사직원이 회사의 이익을 빼돌린다."는 소문을 확인할 목적으로, 비밀번호를 설정함으로써 비밀장치를 한 전자기록인 피해자가 사용하던 '개인용 컴퓨터 하드디스크'를 떼어내어 다른 컴퓨터에 연결한 다음 의심 드는 단어로 파일을 검색하여 메신저 대화내용, 이메일 등을 출력한 경우라면 정당행위에 해당한다고 볼 수 없다.

① ㉠ (O), ㉡ (O), ㉢ (X), ㉣ (X)
② ㉠ (O), ㉡ (X), ㉢ (O), ㉣ (X)
③ ㉠ (O), ㉡ (X), ㉢ (X), ㉣ (O)
④ ㉠ (X), ㉡ (X), ㉢ (O), ㉣ (O)

지문분석 난이도 하 정답 ②

| 키 워 드 | 위법성조각사유

| 출제유형 | 옳고 그름의 표시(O, X)하기

㉠ (O) 대법원 2011.7.14. 2011도639

㉡ (X) 甲주식회사 임원인 피고인들이 회사 직원들 및 그 가족들에게 수여할 목적으로 전문의약품인 타미플루 39,600정 등을 제약회사로부터 매수하여 취득하였다고 하여 구 약사법(2007.10.17. 법률 제8643호로 개정되기 전의 것) 위반죄로 기소된 사안에서, 불특정 또는 다수인에게 무상으로 의약품을 양도하는 수여행위도 '판매'에 포함되므로 위와 같은 행위가 같은 법 제44조 제1항 위반행위에 해당한다는 전제에서, 사회상규에 위배되지 아니하는 정당행위로서 위법성이 조각된다는 취지의 피고인들 주장을 배척한 원심의 조치는 정당하다(대법원 2011.10.13. 2011도6287).

㉢ (O) 대법원 2015.11.27. 2014도191

㉣ (X) 회사의 이익을 빼돌린다는 소문을 확인할 목적으로, 피해자가 사용하면서 비밀번호를 설정하여 비밀장치를 한 전자기록인 개인용 컴퓨터의 하드디스크를 검색한 행위가, 형법 제20조의 '정당행위'에 해당된다(대법원 2009.12.24. 2007도6243).

27 0147 2021 경찰 간부

정당행위에 대한 설명 중 옳은 것은 모두 몇 개인가? (다툼이 있는 경우 판례에 의함)

가. 방송기자가 방송프로그램에서 약 8년 전에 이루어진 사적 대화의 불법녹음을 대화자의 실명과 구체적인 대화의 내용까지 공개한 것은, 그 내용이 공적 관심의 대상이 되기 어렵고 행위의 수단이나 방법이 상당성을 결여한 것으로 정당행위에 해당하지 않는다.
나. 기업의 구조조정 실시 여부는 원칙적으로 단체교섭의 대상이 될 수 없으나, 구조조정의 실시가 필연적으로 근로자들의 지위나 근로조건의 변경을 수반하기 때문에 이를 반대하기 위하여 진행한 노동조합의 쟁의행위는 목적의 정당성이 인정된다.
다. 1년 이상 관리비를 체납한 고액체납자의 점포에 대하여 이사회의 결의 및 시장번영회의 관리규정에 따라 행한 번영회장의 단전조치는 동기와 목적, 수단과 방법 등을 고려할 때 정당한 행위로 인정될 수 있다.
라. 노동조합이 쟁의행위의 일시·장소·참가인원 및 그 방법에 관한 서면신고를 하지 않고 쟁의를 한 경우에는 신고절차의 미준수로 인해 쟁의행위의 정당성이 부정된다.
마. 재건축조합 조합장이 조합탈퇴의 의사표시를 한 자를 상대로 "사업시행구역 안에 있는 그 소유의 건물을 명도하고 이를 재건축사업에 제공하여 행하는 업무를 방해하여서는 아니 된다."는 가처분의 판결을 받아 건물을 철거한 것은 형법 제20조의 업무로 인한 정당행위에 해당한다.

① 2개 ② 3개
③ 4개 ④ 5개

지문분석 난이도 상 정답 ②

| 키 워 드 | 정당행위
| 출제유형 | 개수 찾기

가. (○) 대법원 2011.3.17. 2006도8839 전원합의체
다. (○) 대법원 2004.8.20. 2003도4732
마. (○) 대법원 1998.2.13. 97도2877
나. (X) 정리해고나 사업조직의 통폐합 등 기업의 구조조정 실시 여부는 경영주체의 고도의 경영상 결단에 속하는 사항으로서 원칙적으로 단체교섭의 대상이 될 수 없어, 그것이 긴박한 경영상의 필요나 합리적 이유 없이 불순한 의도로 추진된다는 등의 특별한 사정이 없음에도 노동조합이 실질적으로 그 실시 자체를 반대하기 위하여 쟁의행위로 나아간다면, 비록 그러한 구조조정의 실시가 근로자들의 지위나 근로조건의 변경을 필연적으로 수반한다 하더라도, 그 쟁의행위는 목적의 정당성을 인정할 수 없다(대법원 2014.11.13. 2011도393).
라. (X) 쟁의행위의 일시·장소·참가인원 및 그 방법에 관한 서면신고의무는 쟁의행위를 함에 있어 그 세부적·형식적 절차를 규정한 것으로서 쟁의행위에 적법성을 부여하기 위하여 필요한 본질적인 요소는 아니므로, 신고절차의 미준수만을 이유로 쟁의행위의 정당성을 부정할 수는 없다(대법원 2007.12.28. 2007도5204).

CHAPTER

04 책임론

■ 기본서 연계페이지: p.264~292 ■ 문항 수: 32문항

1 책임 이론

01 0148

2009 경찰 2차

다음 중 옳지 않은 것은 모두 몇 개인가? (다툼이 있는 경우 통설·판례에 의함)

㉠ 순수한 규범적 책임론에 대해서는, 평가의 대상과 대상의 평가를 엄격히 구분하려 한 나머지 규범적 평가의 대상을 결하여 책임개념의 공허화를 초래한다는 비판이 제기된다.
㉡ 사회적 책임론은 행위자의 반사회적 성격에서 책임의 근거를 찾으며 책임능력을 형벌능력이라고 본다.
㉢ 행위 당시 행위자에게 책임능력이 있었는지 여부를 판단함에 있어 법관은 전문가의 정신감정결과에 반드시 구속될 필요는 없다.
㉣ 형법 제10조 제3항은 고의에 의한 원인에 있어서의 자유로운 행위뿐만 아니라 과실에 의한 원인에 있어서의 자유로운 행위에도 적용된다.
㉤ 정부공인 체육종목인 '활법'의 사회체육지도자 자격증 취득자가 기공원을 운영하면서 사람들에게 척추교정시술을 하는 것이 무면허의료행위에 해당하지 않는다고 오인하였다면 '정당한 이유' 있는 법률의 착오에 해당한다.

① 1개 ② 2개
③ 3개 ④ 4개

지문분석 난이도 중 정답 ①

| 키 워 드 | 책임 이론

| 출제유형 | 개수 찾기

㉤ (X) 기공원을 운영하면서 환자들을 대상으로 척추교정시술행위를 한 자가 정부공인의 체육종목인 '활법'의 사회체육지도자 자격증을 취득한 자라 하여도 자신의 행위가 무면허의료행위에 해당되지 아니하여 죄가 되지 않는다고 믿은 데에 정당한 사유가 있었다고 할 수 없다(대법원 2002.5.10. 2000도2807).

㉠ (O) 심리적 책임론과 규범적 책임론의 비판

책임의 본질	비판
심리적 책임론	ⓐ 책임의 본질적 요소를 간과하고 있다. ⓑ 고의가 있더라도 책임능력이 부정되거나 기대불가능성 때문에 책임이 조각되는 경우(강요된 행위)에 왜 책임이 조각되는지 설명할 수 없다. ⓒ 인식 없는 과실의 경우는 발생한 결과에 대하여 아무런 심리적 관계가 없음에도 왜 책임을 지게 되는지를 설명할 수 없다.
규범적 책임론	ⓐ 복합적 책임개념의 비판: 책임평가 그 자체에 책임평가의 대상인 고의·과실을 포함시킴으로써 '대상의 평가'와 '평가의 대상'을 혼동하였다. ⓑ 순수한 규범적 책임개념의 비판: 책임평가에서 고의·과실을 제거함으로써 책임판단은 그 대상을 상실하여 책임개념의 공허화를 초래한다. ⓒ 신복합적 책임개념의 비판: 가치판단의 대상에 불과한 고의는 책임요소가 될 수 없다.

㉡ (O) 책임능력을 도의적 책임론에서는 범죄능력, 사회적 책임론에서는 형벌능력으로 이해한다.

㉢ (O) 형법 제10조 제1항, 제2항에 규정된 심신장애의 유무 및 정도의 판단은 법률적 판단으로서 반드시 전문감정인의 의견에 기속되어야 하는 것은 아니고, 정신분열증의 종류와 정도, 범행의 동기, 경위, 수단과 태양, 범행 전후의 피고인의 행동, 반성의 정도 등 여러 사정을 종합하여 법원이 독자적으로 판단할 수 있다(대법원 1999.1.26. 98도3812).

㉣ (O) 형법 제10조 제3항은 "위험의 발생을 예견하고 자의로 심신장애를 야기한 자의 행위에는 전2항의 규정을 적용하지 아니한다."고 규정하고 있는바, 이 규정은 고의에 의한 원인에 있어서의 자유로운 행위만이 아니라 과실에 의한 원인에 있어서의 자유로운 행위까지도 포함하는 것으로서, 위험의 발생을 예견할 수 있었는데도 자의로 심신장애를 야기한 경우도 그 적용대상이 된다고 할 것이어서, 피고인이 음주운전을 할 의사를 가지고 음주만취한 후 운전을 결행하여 교통사고를 일으켰다면 피고인은 음주시에 교통사고를 일으킬 위험성을 예견하였는데도 자의로 심신장애를 야기한 경우에 해당하므로 위 법조항에 의하여 심신장애로 인한 감경 등을 할 수 없다(대법원 1992.7.28. 92도999).

02 0149

2009 경찰 3차

책임에 관한 설명으로 옳지 않은 것은?

① 심리적 책임론은 강요된 행위에 있어서 고의를 가지고 행위를 한 피강요자가 책임이 조각되는 이유를 설명하기 곤란하다.
② 순수한 규범적 책임론은 고의, 과실이 구성요건요소로 포함된다.
③ 도의적 책임론은 자유의사를 인정하기 때문에 비결정론에 근거한다.
④ 도의적 책임론은 책임능력을 형벌능력으로 파악하나, 사회적 책임론은 책임능력을 범죄능력으로 파악한다.

지문분석 난이도 중 정답 ④

| 키 워 드 | 책임 이론
| 출제유형 | 틀린 지문 고르기

④ (X) 도의적 책임론은 책임능력을 범죄능력으로 파악하나, 사회적 책임론은 책임능력을 형벌(수형)능력으로 파악한다.

도의적 책임론과 사회적 책임론

구분	도의적 책임론	사회적 책임론
이론적 배경	고전학파(구파), 객관주의, 응보형주의	근대학파(신파), 주관주의, 목적형주의
책임	도의적·윤리적 비난가능성	사회적 비난가능성
책임 근거	자유의사 (의사책임, 행위책임)	반사회적 성격 (성격책임, 행위자책임)
책임능력	범죄능력	형벌능력
형벌과 보안처분	이원론	일원론

①, ②, ③ (O) 모두 올바른 설명이다.

2 책임능력

03 0150

2014 경찰 2차

책임능력에 관한 다음 설명 중 옳지 않은 것은 모두 몇 개인가? (다툼이 있으면 판례에 의함)

> ㉠ 도의적 책임론은 책임능력을 형벌능력으로 파악하나, 사회적 책임론은 책임능력을 범죄능력이라고 한다.
> ㉡ 책임무능력자로 하기 위해서는 심신상실로 인하여 사물을 변별할 능력이 없으며 의사를 결정할 능력이 없어야 한다.
> ㉢ 심신장애로 인하여 사물을 변별할 능력이나 의사를 결정할 능력이 미약한 자의 행위는 형을 감면한다.
> ㉣ 법원이 심신장애 여부를 판단함에 있어서는 반드시 전문가의 감정을 거쳐야 한다.
> ㉤ 행위시 책임능력이 없는 자의 행위는 어떠한 경우에도 형벌을 부과할 수 없다.

① 2개 ② 3개
③ 4개 ④ 5개

지문분석 난이도 상 정답 ④

| 키 워 드 | 책임능력
| 출제유형 | 개수 찾기

㉠ (X) 도의적 책임론은 책임능력을 범죄능력으로 파악하나, 사회적 책임론은 책임능력을 형벌(수형)능력으로 파악한다.
㉡ (X) 사물을 변별할 능력과 의사를 결정할 능력 둘 중 하나만 없어도 책임무능력자이다.
㉢ (X) 심신미약자의 행위는 형을 감경할 수 있는 임의적 감경이다(형법 제10조 제2항).
㉣ (X) 심신장애의 여부는 기록에 나타난 제반자료와 공판정에서의 피고인의 태도 등을 종합하여 판단하여도 무방하다(대법원 1984.5.22. 84도545).
→ 법원이 심신장애 여부를 판단함에 있어서는 반드시 전문가의 감정을 거쳐야 하는 것이 아니다.
㉤ (X) 행위 당시에 책임능력이 없는 자의 행위는 원칙적으로 처벌할 수 없지만 예외적으로 '원인에 있어서 자유로운 행위(형법 제10조 제3항)'는 행위 당시에 책임능력이 없어도 처벌한다.

04 0151

2018 경찰 2차

다음 설명 중 가장 적절한 것은? (다툼이 있는 경우 판례에 의함)

① 14세 되지 아니한 자가 정상적인 사물변별능력과 의사결정능력을 갖추고 있다면 그에 대해 소년법에 따른 부정기형을 선고하여야 한다.
② 소년법상 부정기형의 선고대상이 되는 '소년'인지의 여부는 사실심판결 선고시를 기준으로 삼아야 하므로 피고인이 항소심판결 선고일에 이미 19세에 달하여 소년법상의 소년에 해당하지 않게 되었다면, 항소심법원은 피고인에 대하여 정기형을 선고하여야 한다.
③ 형법 제10조 제3항은 위험의 발생을 예견하고도 자의로 심신장애를 야기한 자의 행위에는 동조 제1항 및 제2항을 적용하지 못하도록 규정하고 있는데, 법문이 명백히 그 범위를 위험의 발생을 '예견'한 경우로 한정하고 있는 이상 위험발생에 대한 '예견가능성'이 있었음에도 자의로 심신장애를 야기한 경우는 이에 포함되지 아니한다.
④ 음주운전을 할 의사를 가지고 음주만취한 후 운전을 하다가 교통사고를 일으킨 경우라도 피고인이 음주 당시에 장차 교통사고를 일으킬 위험성까지 미리 예견하고 있었다고는 볼 수 없어 형법 제10조 제3항이 적용되지 아니한다.

지문분석

난이도 상 정답 ②

| 키 워 드 | 책임능력

| 출제유형 | 옳은 지문 고르기

② (○) 대법원 2008.10.23. 2008도8090
① (X) 형법 제9조 형사미성년자(14세 미만 자)는 사물변별능력과 의사결정능력 유무를 불문하고 언제나 책임무능력자이다(절대적 책임무능력자). 형사미성년자의 행위는 범죄가 성립하지 않으므로 형벌(정기형 또는 부정기형)을 부과할 수 없다.
③ (X) 형법 제10조 제3항은 "위험의 발생을 예견하고 자의로 심신장애를 야기한 자의 행위에는 전2항의 규정을 적용하지 아니한다."고 규정하고 있는바, 이 규정은 고의에 의한 원인에 있어서의 자유로운 행위만이 아니라 과실에 의한 원인에 있어서의 자유로운 행위까지도 포함하는 것으로서 위험의 발생을 예견할 수 있었는데도 자의로 심신장애를 야기한 경우도 그 적용대상이 된다(대법원 1992.7.28. 92도999).
→ 과실에 의한 원인에 있어서 자유로운 행위 인정
④ (X) 음주운전을 할 의사를 가지고 음주만취한 후 운전을 결행하다가 교통사고를 일으킨 경우에는 음주시에 교통사고를 일으킬 위험성을 예견하였는데도 자의로 심신장애를 야기한 경우에 해당하므로 형법 제10조 제3항에 의하여 심신장애로 인한 감경 등을 할 수 없다고 할 것이다(대법원 2007.7.27. 2007도4484).

05 0152

2019 경찰 2차

책임능력에 관한 설명으로 가장 적절하지 않은 것은? (다툼이 있는 경우 판례에 의함)

① 형법 제9조의 형사미성년자는 14세 미만의 자를 말한다.
② 10세인 형사미성년자에 대해서는 좁은 의미의 형벌뿐만 아니라 보안처분도 부과할 수 없다.
③ 정신적 장애가 있더라도 범행 당시 정상적인 사물변별능력이나 의사결정능력(행위통제능력)이 있었다고 판단되는 경우에는 책임이 조각되지 않는다.
④ 원인에 있어서 자유로운 행위에 대한 형법 제10조 제3항은 고의에 의한 원인에 있어서 자유로운 행위만이 아니라 과실에 의한 원인에 있어서 자유로운 행위까지도 포함한다.

지문분석

난이도 하 정답 ②

| 키 워 드 | 책임능력

| 출제유형 | 틀린 지문 고르기

② (X) 10세인 형사미성년자에 대해서는 형벌은 부과할 수 없으나, 보안처분(보호관찰)은 부과할 수 있다.
→ 14세 미만 자인 형사미성년자에게는 형벌은 부과할 수 없으나, 10세 이상인 경우 촉법소년, 우범소년에 대해서는 소년법상 보안처분을 부과할 수 있다.
① (○) 형법 제9조
③ (○) 형법 제10조에 규정된 심신장애는 정신병 또는 비정상적 정신상태와 같은 정신적 장애가 있는 외에 이와 같은 정신적 장애로 말미암아 사물에 대한 변별능력이나 그에 따른 행위통제능력이 결여 또는 감소되었음을 요하므로, 정신적 장애가 있는 자라고 하여도 범행 당시 정상적인 사물변별능력과 행위통제능력이 있었다면 심신장애로 볼 수 없다(대법원 2013.1.24. 2012도12689).
④ (○) 대법원 1992.7.28. 92도999

06 0153

2020 경찰 승진

책임능력에 대한 설명 중 가장 적절하지 않은 것은? (다툼이 있는 경우 판례에 의함)

① 정신적 장애가 있는 자는 범행 당시 정상적인 사물변별능력과 행위통제능력이 있었다고 하더라도 심신장애에 해당한다.
② 심신장애로 인하여 사물을 변별할 능력이나 의사를 결정할 능력이 미약한 자의 행위는 형을 감경할 수 있다.
③ 범행을 기억하고 있지 않다는 사실만으로 바로 범행 당시 심신상실 상태에 있었다고 단정할 수는 없다.
④ 피고인이 음주운전을 할 의사를 가지고 음주만취한 후 운전을 결행하여 교통사고를 일으켰다면 피고인은 음주시에 교통사고를 일으킬 위험성을 예견하였는데도 자의로 심신장애를 야기한 경우에 해당하므로 심신장애로 인한 감경 등을 할 수 없다.

지문분석 난이도 하 정답 ①

| 키 워 드 | 책임능력
| 출제유형 | 틀린 지문 고르기

① (X) 형법 제10조에 규정된 심신장애는 정신병 또는 비정상적 정신상태와 같은 정신적 장애가 있는 외에 이와 같은 정신적 장애로 말미암아 사물에 대한 변별능력이나 그에 따른 행위통제능력이 결여 또는 감소되었음을 요하므로, 정신적 장애가 있는 자라고 하여도 범행 당시 정상적인 사물변별능력과 행위통제능력이 있었다면 심신장애로 볼 수 없다(대법원 2013.1.24. 2012도12689).
② (O) 형법 제10조 제2항
③ (O) 대법원 1985.5.28. 85도361
④ (O) 대법원 1992.7.28. 92도999

07 0154

2021 경찰 승진

책임능력에 대한 설명으로 가장 적절한 것은? (다툼이 있는 경우 판례에 의함)

① 형법 제10조 제3항은 고의에 의한 원인에 있어 자유로운 행위만이 아니라 과실에 의한 원인에 있어 자유로운 행위까지도 적용된다.
② 형법 제10조 제2항에 의하면 심신미약자의 행위는 형을 감경하여야 한다.
③ 형법 제10조에서 말하는 사물을 판별할 능력 또는 의사를 결정할 능력은 자유의사를 전제로 한 의사결정의 능력에 관한 것으로서, '그 능력의 유무와 정도' 및 '그 능력에 관해 확정된 사실이 심신상실 또는 심신미약에 해당하는지 여부'는 모두 감정사항에 속하는 사실문제에 해당한다.
④ 법률상 감경을 규정한 소년법 제60조 제2항의 적용대상인 소년인지 여부를 판단하는 기준시점은 사실심판결 선고시가 아니라 행위시이다.

지문분석 난이도 중 정답 ①

| 키 워 드 | 책임능력
| 출제유형 | 옳은 지문 고르기

① (O) 대법원 1992.7.28. 92도999
② (X) 형법 제10조 제2항에 의하면 심신미약자의 행위는 형을 감경할 수 있다.
③ (X) 본조에서 말하는 사물을 판별할 능력 또는 의사를 결정할 능력은 자유의사를 전제로 한 의사결정의 능력에 관한 것으로서, 그 능력에 관한 확정된 사실이 심신상실 또는 심신미약에 해당하는 여부는 법률문제에 속하는 것이다(대법원 1968.4.30. 68도400).
④ (X) 소년법이 적용되는 '소년'이란 심판시에 19세 미만인 사람을 말하므로, 소년법의 적용을 받으려면 심판시에 19세 미만이어야 한다. 따라서 소년법 제60조 제2항의 적용대상인 '소년'인지의 여부도 심판시, 즉 사실심판결 선고시를 기준으로 판단되어야 한다(대법원 2009.5.28. 2009도2682).

✓ **개념체크 소년법 제60조(부정기형)**

② 소년의 특성에 비추어 상당하다고 인정되는 때에는 그 형을 감경할 수 있다.

08 0155

2019 경찰 승진(변형)

책임능력에 대한 설명으로 가장 적절하지 않은 것은? (다툼이 있는 경우 판례에 의함)

① 충동조절장애와 같은 성격적 결함은 원칙적으로 심신장애에 해당하지 않으나 그 정도가 매우 심각하여 원래의 의미의 정신병을 가진 사람과 동등하다고 평가할 수 있는 경우에는 심신장애를 인정할 수 있다.
② 행위자에게 정신적 장애가 있는 경우라고 하여도 범행 당시 정상적인 사물변별능력과 행위통제능력이 있었다면 심신장애로 볼 수 없다.
③ 형법 제10조에 규정된 심신장애의 유무 및 정도의 판단은 의학적 판단으로서 법원이 반드시 전문감정인의 의견에 기속되어야 하는 것은 아니다.
④ 형사미성년자의 행위는 벌하지 아니하고, 듣거나 말하는 데 모두 장애가 있는 사람의 행위는 형을 필요적으로 감경한다.

지문분석

난이도 하 정답 ③

| 키 워 드 | 책임능력
| 출제유형 | 틀린 지문 고르기

③ (X) 형법 제10조 제1항 및 제2항 소정의 심신장애의 유무 및 정도의 판단은 법률적 판단으로서 반드시 전문감정인의 의견에 기속되어야 하는 것은 아니고, 정신분열병의 종류 및 정도, 범행의 동기 및 원인, 범행의 경위 및 수단과 태양, 범행 전후의 피고인의 행동, 증거인멸 공작의 유무, 범행 및 그 전후의 상황에 관한 기억의 유무 및 정도, 반성의 빛 유무, 수사 및 공판정에서의 방어 및 변소의 방법과 태도, 정신병 발병 전의 피고인의 성격과 그 범죄와의 관련성 유무 및 정도 등을 종합하여 법원이 독자적으로 판단할 수 있다(대법원 1994.5.13. 94도581).
① (O) 대법원 2002.5.24. 2002도1541
→ 생리 도벽 사건
② (O) 대법원 2007.2.8. 2006도7900
④ (O) 형사미성년자의 행위는 벌하지 아니하고(형법 제9조), 듣거나 말하는 데 모두 장애가 있는 사람의 행위에 대해서는 형을 감경한다(형법 제11조).

09 0156

2019 경찰 간부

책임능력에 관련된 다음 설명 중 옳지 않은 것은 모두 몇 개인가?

가. 정신적 장애가 있는 자라고 하여도 범행 당시 정상적인 사물변별능력이나 행위통제능력이 있었다면 형법 제10조에 규정된 심신장애로 볼 수 없다.
나. 무생물인 옷 등을 성적 각성과 희열의 자극제로 믿고 이를 성적 흥분을 고취시키는 데 쓰는 성주물성애증이라는 정신 질환이 있다는 사정만으로는 형의 감면사유인 심신장애에 해당하는 것으로 볼 수 없다.
다. 심신장애로 인하여 사물을 변별할 능력이나 의사를 결정할 능력이 미약한 자의 행위는 형을 감경할 수 있다.
라. 음주운전을 할 의사를 가지고 음주만취 후 운전을 하다가 교통사고를 일으켰다면 음주시에 교통사고를 일으킬 위험성을 예견하였는데도 자의로 심신장애를 야기한 경우에 해당하므로 형법 제10조 제3항에 의하여 심신장애로 인한 감경 등을 할 수 없다.

① 1개
② 2개
③ 3개
④ 없다

지문분석

난이도 중 정답 ④

| 키 워 드 | 책임능력
| 출제유형 | 개수 찾기

가, 나. (O) 대법원 2013.1.24. 2012도12689
다. (O) 형법 제10조 제2항
라. (O) 대법원 1992.7.28. 92도999

3 원인에 있어서 자유로운 행위

10 0157

2020 경찰 1차

원인에 있어서 자유로운 행위에 관한 설명으로 가장 적절하지 않은 것은?

① 원인행위를 실행행위로 보는 견해에 따르면 행위와 책임의 동시 존재의 원칙에 부합하고, 책임무능력상태에서의 실행행위는 책임이 없거나 행위라고 할 수도 없기 때문에 원인행위 자체를 실행행위로 보지 않으면 원인에 있어서 자유로운 행위를 처벌할 수 없게 된다.
② 원인행위와 실행행위의 불가분적 연관에서 책임의 근거를 인정하는 견해에 따르면 원인설정행위는 실행행위 또는 그 착수행위가 될 수 없지만 책임능력 없는 상태에서의 실행행위와 불가분의 연관을 갖는 것이므로 원인설정행위에 책임비난의 근거가 있다.
③ 원인행위를 실행행위로 보는 견해에 따르면 원인설정행위를 실행행위로 파악하기 때문에 구성요건적 행위정형성을 중시하여 죄형법정주의의 보장적 기능에 부합한다.
④ 책임능력 결함상태에서의 실행행위를 책임의 근거로 인정하는 견해에 따르면 반무의식상태에서 실행행위가 이루어지는 한 그 주관적 요소를 인정할 수 있지만, 대부분의 경우에 책임능력이 인정되어 법적 안정성을 해하는 결과를 초래한다.

지문분석 난이도 ㊤ 정답 ③

| 키 워 드 | 원인에 있어서 자유로운 행위

| 출제유형 | 틀린 지문 고르기

③ (X) 원인행위를 실행행위로 보는 견해(원인설정행위설)에 따르면 원인설정행위를 실행행위로 파악하기 때문에 ㉠ 구성요건적 행위정형성을 무시하여 ㉡ 죄형법정주의의 보장적 기능에 부합하지 않는다.
① (O) 원인(설정)행위설의 장점과 가벌성의 근거에 대한 설명이다.
② (O) 불가분적 연관설은 심신장애상태하에서의 행위가 실행행위이나, 이 행위는 책임능력이 있었던 원인설정행위시에 예견 또는 예견가능했으므로 가벌성의 근거(책임비난의 근거)는 원인설정행위에 있다고 하여 두 행위가 불가분의 연관을 갖는 것으로 보는 견해이다.
④ (O) 실행행위를 책임의 근거로 인정하는 견해, 즉 반무의식상태설에 대한 설명이다.

11 0158

2021 경찰 1차

책임능력에 대한 다음 설명 중 적절한 것만을 고른 것은 모두 몇 개인가?

> ㉠ 심신장애로 인하여 사물을 변별할 능력 또는 의사를 결정할 능력이 미약한 자의 행위는 형을 감경한다.
> ㉡ 심신장애의 유무 및 정도에 관한 판단은 전문감정인의 의견에 구속되며, 법원이 독자적으로 이를 판단하여서는 안 된다는 것이 판례의 태도이다.
> ㉢ 원인에 있어서 자유로운 행위의 가벌성의 근거를 원인설정행위에서 찾아 원인행위시를 실행의 착수시기로 파악하는 견해에 대해서는, 책임능력과 행위의 동시존재의 원칙이 인정될 수 없다는 비판이 제기되고 있다.
> ㉣ 원인에 있어서 자유로운 행위의 가벌성의 근거를 원인행위와 실행행위의 불가분적 연관에서 찾아 실행행위를 심신장애 상태하에서의 행위로 파악하는 견해에 대해서는, 실행행위의 정형성을 무시하여 예비행위와의 구별이 곤란하다는 비판이 제기되고 있다.

① 1개 ② 2개
③ 3개 ④ 없음

지문분석 난이도 ㊥ 정답 ④

| 키 워 드 | 원인에 있어서 자유로운 행위

| 출제유형 | 개수 찾기

㉠ (X) 심신장애로 인하여 사물을 변별할 능력이 없거나 의사를 결정할 능력이 미약한 자의 행위는 형을 감경할 수 있다(형법 제10조 제2항).
㉡ (X) 형법 제10조 제1항 및 제2항 소정의 심신장애의 유무 및 정도의 판단은 법률적 판단으로서 반드시 전문감정인의 의견에 기속되어야 하는 것은 아니고, 정신분열병의 종류 및 정도, 범행의 동기 및 원인, 범행의 경위 및 수단과 태양, 범행 전후의 피고인의 행동, 증거인멸 공작의 유무, 범행 및 그 전후의 상황에 관한 기억의 유무 및 정도, 반성의 빛 유무, 수사 및 공판정에서의 방어 및 변소의 방법과 태도, 정신병 발병 전의 피고인의 성격과 그 범죄와의 관련성 유무 및 정도 등을 종합하여 법원이 독자적으로 판단할 수 있다(대법원 1994.5.13. 94도581).
㉢ (X) 책임능력과 행위의 동시존재의 원칙이 인정될 수 없다는 비판을 받는 견해는 원인행위와 실행행위의 불가분의 연관설이다.
㉣ (X) 실행행위의 정형성을 무시하여 예비행위와의 구별이 곤란하다는 비판을 받는 견해는 원인행위설이다.

12 0159

2019 경찰 승진

원인에 있어서 자유로운 행위에 대한 설명으로 가장 적절하지 않은 것은? (다툼이 있는 경우 판례에 의함)

① 원인에 있어서 자유로운 행위는 형법상 책임능력자의 행위와 동일하게 처벌된다.

② 판례는 형법 제10조 제3항이 고의에 의한 원인에 있어서의 자유로운 행위뿐만 아니라 과실에 의한 원인에 있어서의 자유로운 행위까지도 포함하는 것이라고 판시하였다.

③ 실행의 착수시기와 관련하여 원인행위를 실행행위로 보는 견해에 의하면 행위와 책임의 동시존재의 원칙을 유지할 수 있다.

④ 원인에 있어서 자유로운 행위의 가벌성 근거를 원인행위 자체에서 찾는 견해에 따르면 책임능력 결함상태에서 구성요건해당행위를 시작한 때에 실행의 착수가 있는 것으로 본다.

지문분석 난이도 중 정답 ④

| 키 워 드 | 원인에 있어서 자유로운 행위

| 출제유형 | 틀린 지문 고르기

④ (X) 원인에 있어서 자유로운 행위의 가벌성 근거를 원인행위 자체에서 찾는 견해에 따르면 책임능력 결함상태에서 원인행위를 시작한 때에 실행의 착수가 있는 것으로 본다.
① (O) 올바른 설명이다.
② (O) 대법원 1992.7.28. 92도999
③ (O) 원인행위설(구성요건모델)의 견해로 올바른 설명이다.

13 0160

2022 경찰 간부

다음 사례에 대한 설명으로 가장 적절한 것은?

> 甲과 乙은 A를 살해하기로 공모한 후에 범죄실행의 용기를 내기 위해 만취상태에 가까울 정도로 술을 마신 후에 심신미약 상태에서 A를 찾아갔다.

① 甲과 乙이 A를 살해하였다면, 甲과 乙의 행위는 심신미약 상태에서 이루어진 것이므로 형법 제10조 제2항에 따라 심신미약의 규정이 적용된다.

② 원인에서 자유로운 행위를 '행위와 책임 동시존재 원칙의 예외'로 파악하는 견해에 따르면 甲과 乙이 A의 집 앞까지 갔다가 후회하여 다시 돌아온 경우에 실행의 착수가 없으므로 불가벌이다.

③ 원인에서 자유로운 행위를 간접정범과 유사한 구조로 보고, 원인행위부터 실행행위로 보아 가벌성의 근거를 원인행위에 있다고 하는 견해에 따르면 甲과 乙이 A의 집 앞까지 갔다가 후회하여 다시 돌아온 경우에 살인죄의 예비, 음모로 처벌할 수 있다.

④ 원인에서 자유로운 행위의 실행의 착수시기를 심신장애상태에서 실행행위로 파악하는 견해에 따르면 위 사례에서 살인죄의 실행의 착수가 원인에서 자유로운 행위의 실행의 착수이므로, 甲과 乙이 A의 집 앞까지 갔다가 후회하여 다시 돌아온 경우에 甲과 乙의 실행의 착수를 인정하지 않는다.

지문분석 난이도 상 정답 ④

| 키 워 드 | 원인에 있어서 자유로운 행위

| 출제유형 | 사례 풀기

④ (O) 불가분적연관설의 설명으로, 이 견해에 따르면 甲과 乙의 실행의 착수가 인정되지 않는다. 단 살인예비·음모는 인정 된다.
① (X) 위 사안은 원인에 있어서 자유로운 행위로 형법 제10조 제3항에 의하여 심신미약의 규정이 적용되지 않는다.

> **제10조(심신장애인)** ① 심신장애로 인하여 사물을 변별할 능력이 없거나 의사를 결정할 능력이 없는 자의 행위는 벌하지 아니한다.
> ② 심신장애로 인하여 전항의 능력이 미약한 자의 행위는 형을 감경할 수 있다.<개정 2018.12.18.>
> ③ 위험의 발생을 예견하고 자의로 심신장애를 야기한 자의 행위에는 전2항의 규정을 적용하지 아니한다.

② (X) 불가분적연관설의 설명으로, 이 견해에 따르면 甲과 乙이 A의 집 앞까지 갔다가 후회하여 다시 돌아온 경우에 살인의 실행의 착수가 부정되지만 살인예비·음모로는 처벌된다.
③ (X) 원인설정행위설의 설명으로, 이 견해에 따르면 원인행위시에 실행의 착수를 인정하므로 실행의 착수를 인정할 수 있어, 甲과 乙은 살인죄의 미수로 처벌할 수 있다.

4 위법성의 인식과 금지의 착오

14 0161
2022 경찰 간부

다음 사례에 대한 설명으로 가장 적절하지 않은 것은?

> 회사원 甲은 부인에게 일이 밀려 밤샘 작업을 해야 한다고 거짓말을 하고 초등학교 동창을 만나 술을 마신 후 친구와 헤어져 집 앞에 도착하였다. 甲은 술기운 때문에 아파트 현관문 도어락 번호키를 누르다가 계속 오류가 났다. 잠귀가 밝은 甲의 부인 乙은 이미 남편으로부터 일 때문에 집에 오지 못한다는 연락을 받았던 터라 남편이라고는 생각하지 못했고, 더구나 도어락 번호가 계속 오류가 나는 것을 보고 남편이 아니라 도둑이라고 생각했다. 문 뒤에 골프채를 들고 서 있다가 들어오는 남편을 도둑이라고 생각하고 힘껏 내려쳤다. 甲은 피를 흘리며 쓰러졌고, 전치 4주의 상해를 입었다.

① 제한적책임설 중 법효과제한적책임설에 따르면 乙이 甲을 도둑으로 오인하였더라도 상해의 고의는 부정되지 않으므로 특수상해죄의 죄책을 진다.
② 엄격책임설에 따르면 乙이 甲을 도둑으로 오인하는데 정당한 이유가 인정되는 경우 특수상해죄의 구성요건해당성은 인정되나 책임이 부정되어 무죄이다.
③ 구성요건착오유추적용설에 따르면 상해에 대한 불법고의가 부정되므로 특수상해죄는 성립하지 않는다.
④ 엄격고의설에 따르면 상해의 고의가 부정되어 책임이 조각되므로 특수상해죄로 처벌할 수 없다.

지문분석 난이도 상 정답 ①

| 키 워 드 | 위법성의 인식과 금지의 착오
| 출제유형 | 틀린 지문 고르기

① (X) 제한적책임설 중 법효과제한적책임설에 따르면 乙이 甲을 도둑으로 오인한 경우 구성요건적 고의는 인정되지만 책임고의가 조각되어 상해의 고의는 부정되므로 고의범인 특수상해죄의 죄책을 지지 않고 과실이 있는 경우 과실범 즉 과실치상죄가 성립한다.
② (O) 엄격책임설에 따르면 정당한 이유가 있는 경우 책임이 조각된다.
③ (O) 올바른 설명이다.
④ (O) 올바른 설명이다.

15 0162
2009 경찰 3차

법률의 착오 및 위법성조각사유의 객관적 전제사실의 착오에 대한 학설과 그에 대해 제기되는 비판을 연결한 것으로 옳지 않은 것은?

① 엄격고의설 – 과실범을 처벌하지 않거나 과실범의 형벌이 고의범에 비해 현저히 낮기 때문에 처벌의 공백이 생길 수 있다.
② 엄격책임설 – 위법성조각사유의 객관적 전제사실의 착오에 빠진 자를 고의범으로 처벌하는 것은 법감정에 반할 수 있다.
③ 소극적 구성요건요소이론 – 위법성조각사유가 범죄론에서 가지는 독자적 기능을 무시한다.
④ 법효과제한책임설 – 위법성조각사유의 전제사실의 착오에 빠진 자를 교사하여 죄를 범하게 한 경우에도(공범의 제한적 종속형식설에 의할 때) 교사자를 교사범으로 처벌할 수 없다.

지문분석 난이도 중 정답 ④

| 키 워 드 | 위법성의 인식과 금지의 착오
| 출제유형 | 틀린 지문 고르기

④ (X) 위법성조각사유의 전제사실의 착오에 빠진 자의 행위는 법효과제한적 책임설에 따르면 '불법고의는 인정되지만 책임고의가 조각'되므로 구성요건과 위법은 구비하였으므로 위법성조각사유의 전제사실의 착오에 빠진 자를 교사하여 죄를 범하게 한 경우(공범의 제한적 종속형식설에 의할 때) 교사자를 교사범으로 처벌할 수 있다.
①, ②, ③ (O) 모두 올바른 설명이다.

16 0163

2011 경찰 2차

밤눈이 어두운 甲은 야간에 자기 집 앞에서 악수를 청하는 이웃집 사람인 乙을 흉기를 꺼내드는 강도로 오인하고 정당방위 의사로 乙을 밀어뜨려 4주간의 치료를 요하는 상해를 입혔다. 甲이 乙을 강도로 오인함에 있어서 정당한 이유가 없다고 판단되는 경우에 甲의 죄책에 관한 설명 중 가장 적절하지 않은 것은?

① 엄격고의설에 의하면 과실치상죄가 성립된다.
② 엄격책임설에 의하면 상해죄가 성립된다.
③ 법효과제한적 책임설에 의하면 과실치상죄가 성립된다.
④ 유추적용설에 의하면 상해죄가 성립된다.

17 0164

2016 경찰 2차

甲은 야간에 악수를 청하는 이웃집 사람을 강도로 오인하고 방어할 생각으로 그를 때려 상해를 입혔으나, 오인에 정당한 이유가 없는 경우 어떠한 학설에 따르면 甲의 죄책이 가장 무겁게 되는가?

① 유추적용설
② 소극적 구성요건표지이론
③ 엄격책임설
④ 법효과제한적 책임설

지문분석

난이도 중 정답 ④

| 키 워 드 | 위법성의 인식과 금지의 착오

| 출제유형 | 사례 풀기

④ (X) 위법성조각사유 전제사실에 대한 착오(오상방위)의 사례이다. 정당한 이유가 없다(과실이 있다)고 주어졌으므로 이 경우 고의범이 성립하는 경우는 엄격책임설과 제한적 고의설이며 그 외의 학설은 과실범이 성립한다. 유추적용설에 의하면 과실치상죄가 성립한다.
①, ②, ③ (O) 모두 올바른 설명이다.

지문분석

난이도 하 정답 ③

| 키 워 드 | 위법성의 인식과 금지의 착오

| 출제유형 | 사례 풀기

③ (O) 오상방위(위법성조각사유의 전제사실에 관한 착오)의 사례이고 오인에 정당한 이유가 없는 경우, 즉 과실이 있는 경우이다. 엄격책임설만 고의범인 상해죄가 성립한다.
①, ②, ④ (X) 과실범인 과실치상죄가 성립한다.

18 0165

2014 경찰 1차

다음 중 법률의 착오에 정당한 이유가 있는 것으로 가장 적절한 것은? (다툼이 있으면 판례에 의함)

① 식품위생법의 규정에 의하여 즉석판매제조가공 영업을 허가받은 자가 의약품의 일종인 '녹동달오리골드'를 제조하면서 무면허의약품제조행위가 아니라고 생각한 경우

② 한국간행물윤리위원회나 정보통신윤리위원회가 만화에 대하여 심의하여 음란성 등을 이유로 청소년유해매체물로 판정하였을 뿐 더 나아가 시정요구를 하거나 관계기관에 형사처벌 또는 행정처분을 요청하지 않았기 때문에 피고인들의 행위가 죄가 되지 아니하는 것으로 생각한 경우

③ "탐정업이 인·허가 또는 등록사항이 아니다."는 민원사무 담당공무원의 말을 듣고 신용조사업법이 금지하는 소재탐지나 사생활조사 등을 한 경우

④ 광역시의회 의원이 선거구민들에게 의정보고서를 배부하기 앞서 미리 관할 선거관리위원회 소속 공무원들에게 자문을 구하고 그들의 지적에 따라 수정한 의정보고서를 배부한 경우

지문분석 난이도 하 정답 ④

| 키 워 드 | 위법성의 인식과 금지의 착오

| 출제유형 | 옳은 지문 고르기

④ (O) 대법원 2005.6.10. 2005도835
① (X) 대법원 2004.1.15. 2001도1429
② (X) 대법원 2006.4.28. 2003도4128
③ (X) 대법원 1994.8.26. 94도780

19 0166

2015 경찰 2차

법률의 착오에 관한 다음 설명 중 가장 적절하지 않은 것은? (다툼이 있으면 판례에 의함)

① 정당한 이유가 있는지 여부는 행위자가 자기 행위의 위법성에 대해 심사숙고하거나 조회할 수 있는 계기가 있었는데도 자신의 지적 능력을 다하여 진지한 노력을 다하지 못한 결과 위법성을 인식하지 못한 것인지 여부에 따라 판단하여야 한다.

② 일본 영주권을 가진 재일교포가 영리를 목적으로 관세물품을 구입한 것이 아니라거나 국내 입국시 관세신고를 하지 않아도 되는 것으로 착오한 경우 정당한 이유가 있다.

③ "탐정업이 인·허가 또는 등록사항이 아니다."는 민원사무 담당공무원의 말을 듣고 신용조사업법이 금지하는 소재탐지나 사생활조사 등을 한 경우 위 행위가 죄가 되지 않는다고 믿은 데에 정당한 이유가 있었다고 할 수 없다.

④ 자기의 행위가 법령에 의하여 죄가 되지 아니하는 것으로 오인한 행위는 그 오인에 정당한 이유가 있는 때에 한하여 벌하지 아니한다.

지문분석 난이도 하 정답 ②

| 키 워 드 | 위법성의 인식과 금지의 착오

| 출제유형 | 틀린 지문 고르기

② (X) 일본 영주권을 가진 재일교포가 영리를 목적으로 관세물품을 구입한 것이 아니라거나 국내 입국시 관세신고를 하지 않아도 되는 것으로 착오하였다는 등의 사정만으로는 형법 제16조의 법률의 착오에 해당하지 않는다(대법원 2007.5.11. 2006도1993).

① (O) 형법 제16조에서 자기가 행한 행위가 법령에 의하여 죄가 되지 아니한 것으로 오인한 행위는 그 오인에 정당한 이유가 있는 때에 한하여 벌하지 아니한다고 규정하고 있는바, 여기에서 정당한 이유가 있는지 여부는 행위자에게 자기 행위의 위법의 가능성에 대해 심사숙고하거나 조회할 수 있는 계기가 있어 자신의 지적 능력을 다하여 이를 회피하기 위한 진지한 노력을 다하였더라면 스스로의 행위에 대하여 위법성을 인식할 수 있는 가능성이 있었음에도 이를 다하지 못한 결과 자기 행위의 위법성을 인식하지 못한 것인지 여부에 따라 판단하여야 할 것이다(대법원 2012.1.26. 2010도9717).

③ (O) 피고인이 경제기획원 발행의 서비스업통계조사지침서와 통계청 발행의 총사업체통계조사보고서에 탐지, 감시 등을 업으로 하는 탐정업이 적시되어 있는 것을 보고 민원사무 담당공무원에게 문의하여 탐정업이 인·허가 또는 등록사항이 아니라는 대답을 얻었으며 세무서에 탐정업 및 심부름 대행업에 관한 사업자등록을 하였다 하더라도, 신용조사사업법에서 금지하고 있는 특정인의 소재를 탐지하거나 사생활을 조사하는 행위 등을 제외하더라도 탐정업이 하나의 사업으로 존재할 수 있는 것이므로 탐정업이 정부기관에 의하여 하나의 업종으로 취급되고 있다거나 세무서에서 사업자등록을 받아 주었다고 하여 그것이 위 법률에서 금지하는 행위까지를 할 수 있다는 취지는 아님이 분명하고 그렇다면 피고인이 특정인 소재탐지, 사생활조사 등의 행위가 죄가 되지 않는다고 믿은 데에 정당한 이유가 있었다고는 할 수 없다(대법원 1994.8.26. 94도780).

④ (O) 형법 제16조(법률의 착오)

20 0167 2015 경찰 3차

법률의 착오에 '정당한 이유'가 없어 처벌되는 것은 다음 중 모두 몇 개인가? (다툼이 있으면 판례에 의함)

㉠ 부동산중개업자가 아파트 분양권의 매매를 중개하면서 중개수수료 산정에 관한 지방자치단체의 조례를 잘못 해석하여 법에서 허용하는 금액을 초과한 중개수수료를 수수한 경우
㉡ 유선비디오 방송 설비는 허가대상이 되지 않는다는 체신부장관의 회신을 믿고 당국의 허가 없이 유선비디오 방송 설비를 설치한 경우
㉢ 비디오물감상실업자가 개정된 법이 시행된 이후, 구청 문화관광과에서 실시한 교육과정에서 '만 18세 미만의 연소자' 출입금지 표시를 업소에 부착하라는 행정지도를 믿고 자신의 비디오감상실에 18세 이상 19세 미만의 청소년을 출입시킨 행위가 관련 법률에 의하여 허용된다고 믿은 경우
㉣ 중국 국적 선박을 구입한 피고인이 외환은행 담당자의 안내에 따라 매도인인 중국 해운회사에 선박을 임대하여 받기로 한 용선료를 재정경제부장관에게 미리 신고하지 아니하고 선박 매매대금과 상계함으로써 구 외국환거래법을 위반한 경우

① 1개 ② 2개
③ 3개 ④ 4개

지문분석 난이도 ㊥ 정답 ③

| 키 워 드 | 위법성의 인식과 금지의 착오
| 출제유형 | 개수 찾기

㉠ (O) 대법원 2005.5.27. 2004도62
→ 부동산중개업법 위반 인정

㉡ (O) 유선비디오 방송업자들의 질의에 대하여 체신부장관이 유선비디오 방송은 자가통신설비로 볼 수 없어 같은법 제15조 제1항 소정의 허가대상이 되지 않는다는 견해를 밝힌 바 있다 하더라도 그 견해가 법령의 해석에 관한 법원의 판단을 기속하는 것은 아니므로 그것만으로 피고인에게 범의가 없었다고 할 수 없다(대법원 1989.2.14. 87도1860).
→ 전기통신기본법 위반 인정

㉣ (O) 피고인이 한국은행에 이 사건 선박의 매매대금 지급을 신고하는 과정에서 주식회사 한국외환은행의 담당자에게 이 사건 선박의 매매대금 일부를 상계한다는 취지를 설명한 다음 한국외환은행의 담당자의 안내에 따라 그대로 한국은행에 신고하였다고 하더라도 그러한 사정만으로 이 사건 선박의 매매대금 지급의 신고에 관하여 피고인이 자신의 행위가 죄가 되지 아니하는 것으로 오인하였거나 그와 같은 오인에 정당한 이유가 있었다고 할 수 없다(대법원 2011.7.14. 2011도2136).
→ 외국환거래법 위반 인정

㉢ (X) 비디오물감상실의 관할 부서(대구 중구청 문화관광과)는 업주들을 상대로 실시한 교육과정을 통하여 '만 18세 미만의 연소자' 출입금지표시를 업소 출입구에 부착하라고 행정지도를 하였을 뿐 청소년보호법에서 금지하고 있는 '만 18세 이상 19세 미만'의 청소년 출입문제에 관하여는 특별한 언급을 하지 않았고, 이로 인하여 피고인을 비롯한 비디오물감상실 업주들은 여전히 출입금지대상이 음반등법 및 그 시행령에서 규정하고 있는 '18세 미만의 연소자'에 한정되는 것으로 인식하였던 것으로 보여지는바, 사정이 위와 같다면, 피고인이 자신의 비디오물감상실에 18세 이상 19세 미만의 청소년을 출입시킨 행위가 관련 법률에 의하여 허용된다고 믿었고, 그렇게 믿었던 것에 대하여 정당한 이유가 있는 경우에 해당한다(대법원 2002.5.17. 2001도4077).
→ 청소년보호법 위반 부정

21 0168

2021 경찰 1차

다음 사례에 대한 설명으로 가장 적절하지 않은 것은? (재물손괴죄는 논외로 함)

> 경찰관 甲은 가정폭력이 있다는 112 신고를 받고 현장에 출동하였다. 甲은 해당 주소를 확인하고 초인종을 수차례 눌렀으나 아무런 반응이 없었고, 집 안에서 '살려달라'는 비명소리가 크게 들렸으며 신고자와의 통화도 연결되지 않았다. 사태의 급박함을 감지한 甲은 피해자를 구조하기 위하여 경찰관 직무집행법 제7조 제1항 및 가정폭력범죄의 처벌 등에 관한 특례법 제5조에 따라 해당 주소의 집 출입문을 강제로 개방하고 집 안으로 진입하였다. 그런데 비명소리는 평소 귀가 어둡던 A가 즐겨보는 드라마에서 나오던 것으로 실제 가정폭력은 없었던 것으로 확인되었다.

① 甲에게 위법성의 인식이 없어 고의가 조각된다고 보는 견해에 따르면, 甲의 행위는 불가벌이다.
② 위의 사안을 법률의 착오(금지착오)의 문제로 파악하는 견해에 따르면, 甲의 오인에 정당한 이유가 있으면 벌하지 아니한다.
③ 고의의 이중적 지위를 인정하는 견해에 따르면, 甲에게 심정반가치적 요소가 없어 책임고의는 탈락되지만 구성요건적 고의는 인정되므로 주거침입죄가 성립한다고 본다.
④ 판례는 甲이 위와 같은 착오를 일으킨 경우, 그 오인에 정당한 이유가 있다면 위법성이 조각된다는 입장을 취하고 있다.

지문분석

난이도 중 정답 ③

| 키 워 드 | 위법성의 인식과 금지의 착오

| 출제유형 | 사례 풀기

③ (X) 다수설인 고의의 이중적 지위를 인정하는 견해에 따르면, 甲에게 구성요건적 고의는 인정되지만 심정반가치적 요소가 없어 책임고의는 탈락되므로 고의범으로 처벌할 수 없고, 과실이 있는 경우 과실범으로 처벌된다고 한다. 사안은 과실주거침입이 문제되지만 처벌규정이 없으므로 무죄가 된다.

①, ②, ④ (O) 모두 올바른 설명이다.

22 0169

2019 경찰 승진

법률의 착오에 대한 설명 중 옳은 것을 모두 고른 것은? (다툼이 있는 경우 판례에 의함)

> ㉠ 직장상사의 지시로 인하여 그 부하가 범법행위에 가담한 경우, 직무상 지휘·복종관계에 있다 하여 범법행위에 가담하지 않을 기대가능성이 부정된다고 할 수 없다.
> ㉡ 법률의 착오에 정당한 이유가 있는지 여부는 행위자가 위법한 행위를 하지 않으려는 진지한 노력을 했음에도 위법성을 인식하지 못한 것인지 여부를 기준으로 판단해야 하지만, 위법성 인식에 필요한 노력의 정도는 행위자 개인의 인식능력 및 행위자가 속한 사회집단에 따라 달리 평가되어서는 안 된다.
> ㉢ 광역시의회 의원 甲이 선거구민들에게 의정보고서를 배부하기에 앞서 미리 관할 선거관리위원회 소속 공무원들에게 자문을 구하고 그들의 지적에 따라 수정한 의정보고서를 배부한 경우, 甲의 행위는 형법 제16조의 정당한 이유가 인정된다.
> ㉣ 변호사 자격을 가진 국회의원이 낙천대상자로 선정된 사유에 대한 해명을 넘어 다른 동료 의원들이나 네티즌의 낙천대상자 선정이 부당하다는 취지의 반론을 담은 의정보고서를 발간하는 과정에서 보좌관을 통하여 선거관리위원회 직원에게 구두로 문의하여 답변받은 결과 선거법규에 저촉되지 않는다고 오인한 경우 정당한 이유가 있다고 볼 수 있다.

① ㉠, ㉢　② ㉠, ㉣
③ ㉡, ㉢　④ ㉡, ㉣

지문분석

난이도 중 정답 ①

| 키 워 드 | 위법성의 인식과 금지의 착오

| 출제유형 | 조합하기

㉠ (O) 대법원 1999.7.23. 99도1911

㉢ (O) 대법원 2005.6.10. 2005도835

㉡ (X) 형법 제16조(법률의 착오)의 정당한 이유가 있는지 여부는 행위자에게 자기 행위의 위법의 가능성에 대해 심사숙고하거나 조회할 수 있는 계기가 있어 자신의 지적 능력을 다하여 이를 회피하기 위한 진지한 노력을 다하였더라면 스스로의 행위에 대하여 위법성을 인식할 수 있는 가능성이 있었음에도 이를 다하지 못한 결과 자기 행위의 위법성을 인식하지 못한 것인지 여부에 따라 판단하여야 할 것이고, 이러한 위법성의 인식에 필요한 노력의 정도는 구체적인 행위정황과 행위자 개인의 인식능력 그리고 행위자가 속한 사회집단에 따라 달리 평가되어야 한다(대법원 2006.3.24. 2005도3717).

㉣ (X) 변호사 자격을 가진 국회의원이 의정보고서를 발간하는 과정에서 선거법규에 저촉되지 않는다고 오인한 것에 형법 제16조의 정당한 이유가 없다(대법원 2006.3.24. 2005도3717).

23 0170

2020 경찰 승진

금지착오에 대한 설명 중 가장 적절하지 않은 것은? (다툼이 있는 경우 판례에 의함)

① 행위자가 처벌되지 않는 행위를 처벌되는 행위로 오인하고 행위를 한 경우 금지착오에 해당하며 오인에 정당한 이유가 있으면 책임이 조각된다.
② 사인이 현행범인을 체포하면서 그 범인을 자기 집 안에 24시간까지 감금할 수 있다고 오인하고 감금한 경우 금지착오에 해당한다.
③ 단순한 법률의 부지의 경우는 형법 제16조의 적용대상이 되지 않는다는 것이 판례의 입장이다.
④ 약 23년간 경찰공무원으로 근무해 온 형사계 강력 1반장이 검사의 수사지휘대로만 하면 모두 적법한 것이라고 믿고 허위공문서를 작성한 경우 오인에 정당한 이유가 없다.

지문분석 난이도 중 정답 ①

| 키 워 드 | 위법성의 인식과 금지의 착오
| 출제유형 | 틀린 지문 고르기

① (X) 행위자가 처벌되지 않는 행위를 처벌되는 행위로 오인하고 행위를 한 경우 환각범(반전된 금지착오)에 해당하며, 환각범은 오인에 정당한 이유를 불문하고 언제나 처벌되지 않는다.
② (O) 금지의 착오 중 '위법성조각사유의 한계'에 대한 착오이다.
③ (O) 형법 제16조에서 "자기의 행위가 법령에 의하여 죄가 되지 아니하는 것으로 오인한 행위는 그 오인에 정당한 이유가 있는 때에 한하여 벌하지 아니한다."라고 규정하고 있는 것은 단순한 법률의 부지를 말하는 것이 아니고 일반적으로 범죄가 되는 경우이지만 자기의 특수한 경우에는 법령에 의하여 허용된 행위로서 죄가 되지 아니한다고 그릇 인식하고 그와 같이 그릇 인식함에 정당한 이유가 있는 경우에는 벌하지 않는다는 취지이다(대법원 2005.9.29. 2005도4592).
④ (O) 피고인은 1971.4.10. 순경으로 임용된 이래 이 사건 범행 당시까지 약 23년간 경찰공무원으로 근무하여 왔고, 이 사건 범행 당시에는 관악경찰서 형사과 형사계 강력 1반장으로 근무하고 있는 사람으로서 일반인들보다도 형벌법규를 잘 알고 있으리라 추단이 되고 이러한 피고인이 검사의 수사지휘만 받으면 허위로 공문서를 작성하여도 죄가 되지 아니하는 것으로 그릇 인식하였다는 것은 납득이 가지 아니하고, 가사 피고인이 그러한 그릇된 인식이 있었다 하여도 피고인의 직업 등에 비추어 그러한 그릇된 인식을 함에 있어 정당한 이유가 있다고 볼 수도 없다(대법원 1995.11.10. 95도2088).

24 0171

2021 경찰 승진

위법성조각사유의 전제사실에 대한 착오의 설명으로 가장 적절한 것은? (다툼이 있는 경우 판례에 의함)

① 엄격책임설에 의하면 위법성조각사유의 전제사실에 대한 착오의 경우 형법 제13조를 직접 적용함으로써 고의범의 성립이 부정되고 과실이 있는 경우 과실범으로 처벌한다.
② 위법성조각사유의 요건을 총체적 불법구성요건의 소극적 표지로 이해하는 소극적 구성요건표지이론에 의하면 위법성조각사유의 전제사실에 대한 착오를 고의범으로 처벌한다.
③ 고의설과 법효과제한책임설은 위법성조각사유의 전제사실에 대한 착오의 법적 효과에 있어 동일한 결론을 취한다.
④ 유추적용설에 의하면 위법성조각사유의 전제사실에 대한 착오의 경우 형법 제13조를 유추적용함으로써 구성요건적 고의는 인정되지만 책임고의를 부정하여 고의범의 성립을 부정한다.

지문분석 난이도 중 정답 ③

| 키 워 드 | 위법성의 인식과 금지의 착오
| 출제유형 | 옳은 지문 고르기

③ (O) 고의설과 법효과제한책임설은 위법성조각사유의 전제사실에 대한 착오의 법적 효과에 있어 고의범의 성립이 부정되고, 과실이 있는 경우 과실범으로 처벌하며, 과실이 없는 경우 무죄가 된다는 동일한 결론을 취한다.
① (X) 위법성조각사유의 전제사실에 대한 착오의 경우 형법 제13조를 직접 적용함으로써 고의범의 성립이 부정되고 과실이 있는 경우 과실범으로 처벌한다는 견해는 소극적 구성요건표지이론이다.
② (X) 위법성조각사유의 요건을 총체적 불법구성요건의 소극적 표지로 이해하는 소극적 구성요건표지이론에 의하면 위법성조각사유의 전제사실에 대한 착오는 고의범의 성립이 부정되고, 과실이 있는 경우 과실범으로 처벌하고 과실이 없는 경우 무죄가 된다.
④ (X) 유추적용설에 의하면 위법성조각사유의 전제사실에 대한 착오의 경우 형법 제13조를 유추적용함으로써 구성요건적 고의가 조각되어 고의범의 성립이 부정되고, 과실이 있는 경우 과실범으로 처벌하며, 과실이 없는 경우 무죄가 된다.

25 0172

2019 경찰 간부

형법 제16조(법률의 착오)에서 규정하는 '정당한 이유'가 있다고 인정되는 것은 모두 몇 개인가? (다툼이 있는 경우 판례에 의함)

가. 긴급명령이 시행된 지 오래되지 않아 비밀보장의무의 내용에 관해 확립된 규정이나 관계기관의 유권해석 및 금융관행이 확립되어 있지 아니하므로 금융거래의 내용을 공개한 경우
나. 법규해석을 잘못하여 공무원이 직무상 실시한 봉인 등의 표시가 법률상 효력이 없다고 믿고 손상, 은닉, 기타의 방법으로 그 효용을 해한 경우
다. 채권자가 관할 공무원과 변호사에게 문의·확인하여 자기의 채권이 신고해야 할 기업사채에 해당하지 않는다고 믿고 신고를 하지 않은 경우
라. 무선설비기기 수입업자가 무선설비의 납품처 직원으로부터 형식등록이 필요 없다는 취지의 답변을 듣고, 이미 무선설비의 형식승인을 받은 다른 수입업자가 있음을 이용하여 동일한 제품을 법에서 정한 형식승인 없이 수입·판매한 경우

① 1개 ② 2개
③ 3개 ④ 4개

지문분석

난이도 ㊤ 정답 ①

| 키 워 드 | 위법성의 인식과 금지의 착오

| 출제유형 | 개수 찾기

다. (O) 경제의 안정과 성장에 관한 긴급명령 공포 당시 기업사채의 정의에 대한 해석이 용이하지 않았던 사정하에서 겨우 국문정도 해득할 수 있는 60세의 부녀자가 채무자로부터 사채신고권유를 받았지만 지상에 보도된 내용을 참작하고 관할 공무원과 자기가 소송을 위임하였던 변호사에게 문의·확인한바, 본건 채권이 이미 소멸되었다고 믿고 또는 그렇지 않다고 하더라도 신고하여야 할 기업사채에 해당하지 않는다고 믿고 신고를 하지 아니한 경우에는 이를 벌할 수 없다고 할 것이다(대법원 1976.1.13. 74도3680).

가. (X) 긴급명령 위반행위 당시 긴급명령이 시행된 지 그리 오래되지 않아 금융거래의 실명전환 및 확인에만 관심이 집중되어 있었기 때문에 비밀보장의무의 내용에 관하여 확립된 규정이나 판례, 학설은 물론 관계기관의 유권해석이나 금융관행이 확립되어 있지 아니하였다는 사정은 단순한 법률의 부지에 불과하며, 그 위반행위가 형사재판 변호인들의 자료 요청에서 기인하였다고 하더라도 변호인들에게 구체적으로 긴급명령위반 여부에 관하여 자문을 받은 것은 아닌 데다가, 해당 은행에서는 긴급명령상의 비밀보장에 관하여 상당한 교육을 시행하였음을 알 수 있어 피고인들의 행위가 죄가 되지 않는다고 믿은 데에 정당한 이유가 있는 경우에 해당하지 않는다(대법원 1997.6.27. 95도1964).

나. (X) 공무원이 그 직무에 관하여 실시한 봉인 등의 표시를 손상 또는 은닉 기타의 방법으로 그 효용을 해함에 있어서 그 봉인 등의 표시가 법률상 효력이 없다고 믿은 것은 법규의 해석을 잘못하여 행위의 위법성을 인식하지 못한 것이라고 할 것이므로 그와 같이 믿은 데에 정당한 이유가 없는 이상, 그와 같이 믿었다는 사정만으로는 공무상표시무효죄의 죄책을 면할 수 없다고 할 것이다(대법원 2000.4.21. 99도5563).

라. (X) 이미 무선설비의 형식승인을 받은 다른 수입업자가 있음을 이용하여 동일한 제품을 형식승인 없이 수입·판매한 행위는 무선설비에 대한 관계 법령의 취지 및 내용에 비추어 볼 때 전파법 위반죄에 해당하고, 무선설비의 납품처 담당 직원으로부터 위 형식등록이 필요 없다는 취지의 답변을 들었다고 하는 등의 사유만으로 형법 제16조에서 정한 그 오인에 정당한 이유가 있는 법률의 착오에 해당한다고 볼 수 없다(대법원 2009.6.11. 2008도10373).

26 0173

2020 경찰 간부

위법성조각사유의 전제사실에 대한 착오에 관한 설명으로 가장 옳지 않은 것은?

① 오상방위, 오상피난, 오상자구행위 등이 이에 해당한다.
② 甲이 야간에 악수를 청하는 이웃집 사람을 강도로 오인하고 방어할 생각으로 그를 때려 상해를 입힌 경우, 정당한 이유가 없다면 소극적 구성요건표지이론에 의할 때 상해죄가 성립한다.
③ 엄격고의설에 의하면 위법성조각사유의 전제사실에 대한 착오가 있는 경우에는 위법성 인식이 없으므로 고의가 조각된다.
④ 정당방위 상황이 객관적으로 존재하지 않음에도 불구하고 행위자는 존재하는 것으로 잘못 알고 방위행위를 한 경우, 엄격책임설은 이를 법률의 착오로 보고 '오인에 정당한 이유'가 있으면 책임이 조각된다고 본다.

지문분석 난이도 상 정답 ②

| 키 워 드 | 위법성의 인식과 금지의 착오
| 출제유형 | 틀린 지문 고르기

② (X) 甲이 야간에 악수를 청하는 이웃집 사람을 강도로 오인하고 방어할 생각으로 그를 때려 상해를 입힌 경우, 정당한 이유가 없다면 소극적 구성요건표지이론에 의할 때 과실치상죄가 성립한다.
①, ③, ④ (O) 모두 올바른 설명이다.

27 0174

2021 경찰 간부

법률의 착오에 대한 설명 중 옳고 그름의 표시(O, X)가 바르게 된 것은? (다툼이 있는 경우 판례에 의함)

> 가. 위법성의 인식에 필요한 노력의 정도는 일반인의 입장에서 판단되어야 하며, 구체적인 행위정황과 행위자 개인의 의사능력 그리고 행위자가 속한 사회집단 등에 따라 다르게 평가될 수 없다.
> 나. 정기간행물의 등록을 강제하는 법률규정이 있다는 것을 몰랐고 또 간행물이 발행될 당시뿐만 아니라 그 발행이 중단되고 오랜 기간이 지난 다음에도 이에 대하여 문제가 제기된 바 없었다면, 자신의 간행물 발행행위가 죄가 되지 아니한다고 믿는 데 정당한 이유가 있다고 할 수 있다.
> 다. 甲이 변리사로부터 받은 A의 상표권을 침해하지 않는다는 취지의 회답과 감정결과 통보, 특허청의 상표출원등록 등을 근거로 자신의 행위가 상표권을 침해하는 것이 아니라고 믿은 데에는 정당한 이유가 인정되지 않는다.
> 라. 사립학교 운영자 甲이 A학교의 교비회계에 속하는 수입을 수회에 걸쳐 B외국인학교에 대여하는 과정에서 관할청의 소속 공무원들이 참석한 A학교 학교운영위원회에서 B학교에 대한 자금대여 안건을 보고하였기 때문에 대여행위가 법률상 죄가 되지 않는 것으로 오인하였다면 그와 같은 그릇된 인식에 정당한 이유가 있다.

① 가 (X), 나 (O), 다 (X), 라 (X)
② 가 (O), 나 (O), 다 (X), 라 (X)
③ 가 (X), 나 (X), 다 (O), 라 (X)
④ 가 (X), 나 (X), 다 (X), 라 (O)

지문분석 난이도 중 정답 ③

| 키 워 드 | 위법성의 인식과 금지의 착오
| 출제유형 | 옳고 그름의 표시(O, X)하기

가. (X) 형법 제16조(법률의 착오)의 정당한 이유가 있는지 여부는 행위자에게 자기 행위의 위법의 가능성에 대해 심사숙고하거나 조회할 수 있는 계기가 있어 자신의 지적 능력을 다하여 이를 회피하기 위한 진지한 노력을 다하였더라면 스스로의 행위에 대하여 위법성을 인식할 수 있는 가능성이 있었음에도 이를 다하지 못한 결과 자기 행위의 위법성을 인식하지 못한 것인지 여부에 따라 판단하여야 할 것이고, 이러한 위법성의 인식에 필요한 노력의 정도는 구체적인 행위정황과 행위자 개인의 인식능력 그리고 행위자가 속한 사회집단에 따라 달리 평가되어야 한다(대법원 2006.3.24. 2005도3717).
나. (X) 정기간행물을 등록하지 않고 발행한 피고인들이 정기간행물의 등록을 강제하는 법률규정이 있다는 것을 몰랐고 또 그 간행물이 발행될 당시뿐만 아니라 그 발행이 중단되고 오랜 기간이 지난 다음에도 이에 대하여 문제가 제기된 바 없었다는 사정만으로는 피고인들이 그 행위가 죄가 되지 아니한다고 믿은 데 정당한 이유가 있다고 할 수 없다(대법원 1994.12.9. 93도3223).

다. (○) 대법원 1998.10.13. 97도3337
→ 법률의 착오나 정당행위에 해당하지 않는다고 본 사례이다.

라. (X) 사립학교인 甲 외국인학교 경영자인 피고인이 甲학교의 교비회계에 속하는 수입을 수회에 걸쳐 乙 외국인학교에 대여하였다고 하여 사립학교법 위반으로 기소된 사안에서, 甲학교의 교비회계에 속하는 수입을 乙학교에 대여하는 것은 구 사립학교법 제29조 제6항에 따라 금지되며, 피고인이 위와 같은 대여행위가 법률상 허용되는 것으로서 죄가 되지 않는다고 그릇 인식하고 있었더라도 그와 같이 그릇된 인식에 정당한 이유가 없다(대법원 2017.3.15. 2014도12773).

5 기대가능성

28 0175 2020 경찰 2차

책임조각에 대한 설명으로 가장 적절하지 않은 것은? (다툼이 있는 경우 판례에 의함)

① 야간에 자신의 방에 들어오는 룸메이트를 강도로 오인하고 상해의 고의는 없이 방어할 의사로 그를 폭행하였는데 강도로 오인한 과실이 회피 가능하였을 경우, 법률효과제한적 책임설에 따르면 행위자는 무죄가 된다.
② 엄청난 체력과 힘의 소유자인 체육선생이 연약한 만 16세 여학생 甲의 손목을 잡고 휘둘러 甲의 손으로 옆에 앉아 있던 乙에게 상해를 입힌 경우, 甲의 상해행위는 형법 제12조 강요된 행위에 의해 책임이 조각된다.
③ 경기 불황 상황에서 임금 지급을 위한 모든 성의와 노력을 다했으나 경영부진으로 인한 자금사정 등 도저히 지급기일 안에 임금을 지급할 수 없었다는 등의 피할 수 없는 사정이 인정된다면 근로기준법 제36조 위반범죄의 책임이 조각된다.
④ 수학여행을 온 대학교 3학년생들 중 일부만의 학생증을 제시받아 성년임을 확인한 후 나이트클럽에 단체로 입장시켰으나 그들 중 1인이 미성년자인 경우, 미성년자가 섞여 있을지도 모른다는 것을 예상하여 그들의 증명서를 일일이 확인할 것을 요구하는 것은 사회통념상 기대가능성이 없으므로 책임이 조각된다.

지문분석 난이도 상 정답 ②

| 키 워 드 | 기대가능성
| 출제유형 | 틀린 지문 고르기

② (X) 형법 제12조 강요된 행위의 폭력에는 절대적 폭력은 포함되지 않는바, 甲의 상해행위는 체육선생의 절대적 폭력에 의한 행위로 형법 제12조 강요된 행위에 의해 책임이 조각되지 않는다. 사안에서 甲의 행위는 형법상 행위가 아니다.
① (○) 사안은 위법성조각사유의 전제사실에 대한 착오로 다수설인 법효과제한적 책임설에 따르면 착오에 과실이 있으면 과실범으로 처벌된다. 사안은 과실폭행이 문제되나, 과실폭행은 처벌규정이 없으므로 무죄가 된다.
③ (○) 대법원 2002.9.24. 2002도3666
→ 기대가능성 부정
④ (○) 대법원 1987.1.20. 86도874

29 0176

2021 경찰 승진

기대가능성에 대한 설명으로 가장 적절하지 않은 것은? (다툼이 있는 경우 판례에 의함)

① 피고인에게 적법행위를 기대할 가능성이 있는지 여부를 판단하기 위하여는 행위 당시의 구체적인 상황하에 행위자 대신에 사회적 평균인을 두고 이 평균인의 관점에서 그 기대가능성 유무를 판단하여야 한다.
② 형법 제12조 소정의 '저항할 수 없는 폭력'은 심리적인 의미에 있어서 육체적으로 어떤 행위를 절대적으로 할 수밖에 없게 하는 경우와 윤리적 의미에서 강압된 경우를 의미한다.
③ 이미 유죄의 확정판결을 받은 피고인이라도 자신의 형사사건에서 시종일관 범행을 부인하였다면, 그 피고인이 별건으로 기소된 공범의 형사사건에서 증인으로 진술하는 경우 자기부죄 거부의 권리에 입각하여 그 피고인에게 사실대로 진술할 것을 기대할 수는 없다.
④ 직장 상사의 지시로 인하여 그 부하가 범법행위에 가담한 경우, 비록 직무상 지휘·복종 관계가 인정된다고 하더라도 그것 때문에 범법행위에 가담하지 않을 기대가능성이 부정된다고 볼 수는 없다.

지문분석 난이도 중 정답 ③

| 키 워 드 | 기대가능성
| 출제유형 | 틀린 지문 고르기

③ (X) 이미 유죄의 확정판결을 받은 피고인은 공범의 형사사건에서 그 범행에 대한 증언을 거부할 수 없을 뿐만 아니라 나아가 사실대로 증언하여야 하고, 설사 피고인이 자신의 형사사건에서 시종일관 그 범행을 부인하였다 하더라도 이러한 사정은 위증죄에 관한 양형참작사유로 볼 수 있음은 별론으로 하고 이를 이유로 피고인에게 사실대로 진술할 것을 기대할 가능성이 없다고 볼 수는 없다(대법원 2008.10.23. 2005도10101).
① (O) 대법원 2018.2.28. 2017도16725
② (O) 대법원 1983.12.13. 83도2276
④ (O) 대법원 1999.7.23. 99도1911

30 0177

2019 경찰 간부

다음 중 기대가능성에 대한 설명으로 가장 옳지 않은 것은? (다툼이 있는 경우 판례에 의함)

① 통일원 장관의 접촉 승인 없이 북한 주민과 접촉한 행위는 적법행위에 대한 기대가능성이 없는 경우에 해당하지 아니한다.
② 입학시험에 응시한 수험생으로서 자기 자신이 부정한 방법으로 탐지한 것이 아니고 우연한 기회에 미리 출제될 시험문제를 알게 되어 그에 대한 답을 암기하였을 경우 그 암기한 답에 해당된 문제가 출제되었다 하여도 위와 같은 경위로서 암기한 답을 그 입학시험 답안지에 기재하여서는 아니 된다는 것을 그 일반수험생에게 기대한다는 것은 보통의 경우 도저히 불가능하다 할 것이므로 업무방해죄를 구성하지 않는다.
③ 직장의 상사가 범법행위를 하는 데 가담한 부하에게 직무상 지휘·복종관계에 있다 하여 범법행위에 가담하지 않을 기대가능성이 없다고 할 수 없다.
④ 자신의 강도상해 범행을 일관되게 부인하였으나 유죄판결이 확정된 피고인이 별건으로 기소된 공범의 형사사건에서 자신의 범행사실을 부인하는 증언을 한 경우에는 사실대로 진술할 기대가능성이 있다고 할 수 없다.

지문분석 난이도 하 정답 ④

| 키 워 드 | 기대가능성
| 출제유형 | 틀린 지문 고르기

④ (X) 자신의 강도상해 범행을 일관되게 부인하였으나 유죄판결이 확정된 피고인이 별건으로 기소된 공범의 형사사건에서 자신의 범행사실을 부인하는 증언을 한 사안에서, 피고인에게 사실대로 진술할 것이라는 기대가능성이 있으므로 위증죄가 성립한다(대법원 2008.10.23. 2005도10101).
① (O) 대법원 2003.12.26. 2001도6484
② (O) 대법원 1966.3.22. 65도1164
③ (O) 대법원 1999.7.23. 99도1911

31 0178

2021 경찰 간부

기대가능성에 대한 설명으로 옳지 않은 것은? (다툼이 있는 경우 판례에 의함)

① 영업정지처분에 대한 집행정지 신청이 잠정적으로 받아들여졌다는 사정만으로는 구 음반·비디오물 및 게임물에 관한 법률 위반으로 기소된 피고인에게 적법행위의 기대가능성이 없다고 볼 수는 없다.
② 사용자가 근로자에 대한 퇴직금의 지급을 위해 최선의 노력을 다하였으나 경영부진으로 인한 자금사정으로 도저히 지급기일 내에 퇴직금을 지급할 수 없었던 경우 적법행위에 대한 기대가능성이 없다.
③ 자신의 강도상해 범행을 일관되게 부인하였으나, 유죄판결이 확정된 자가 별건으로 기소된 공범의 형사사건에서 유죄가 확정된 자신의 강도상해 범행사실을 부인하는 증언을 한 경우에는 사실대로 진술할 기대가능성이 있다.
④ 교수가 출제교수들로부터 대학원입학전형시험문제를 제출받아 알게 된 것을 틈타서 수험생 등에게 그 시험문제를 알려주었고, 그렇게 알게 된 위 수험생이 답안쪽지를 작성한 다음 이를 답안지에 그대로 베껴 써서 그 정을 모르는 시험감독관에게 제출하였다면 기대가능성이 없는 경우에 해당한다.

지문분석 난이도 중 정답 ④

| 키 워 드 | 기대가능성
| 출제유형 | 틀린 지문 고르기

④ (X) 교수인 피고인 甲이 출제교수들로부터 대학원신입생전형시험문제를 제출받아 피고인 乙, 炳에게 그 시험문제를 알려주자 그들이 답안쪽지를 작성한 다음 이를 답안지에 그대로 베껴 써서 그 정을 모르는 시험감독관에게 제출한 경우, 위계로써 입시감독업무를 방해한 것이므로 업무방해죄에 해당한다(대법원 1991.11.12. 91도2211).
→ 기대가능성 인정
① (O) 행정법상 집행정지 제도는 처분에 대한 취소소송이 제기된 경우에 처분의 집행 또는 절차의 속행으로 인하여 생길 회복하기 어려운 손해를 예방하기 위하여 긴급한 필요가 있다고 인정될 때 예외적으로 인정되는 것으로서(행정소송법 제23조 제2항), 위와 같은 제도는 본안사건에 관한 신청의 당부 판단에 앞서 잠정적으로 권리구제를 도모하기 위한 것에 불과하다. 이 사건에서도 영업정지처분 집행정지 결정은 피고인이 제기한 영업정지처분 취소사건의 본안판결 선고시까지 그 처분의 효력을 정지한 것으로서 행정청의 처분의 위법성을 확정적으로 선언하지도 않았으므로, 원심이 집행정지 신청이 잠정적으로 받아들여졌다는 사정만으로는 피고인에게 적법행위의 기대가능성이 없다고 볼 수는 없다고 판단한 것은 정당하다(대법원 2010.11.11. 2007도8645).
② (O) 대법원 1992.7.28. 92도999
③ (O) 대법원 2008.10.23. 2005도10101

32 0179

2021 경찰 간부

강요된 행위에 대한 설명으로 옳은 것은? (다툼이 있는 경우 판례에 의함)

① 친족의 명예에 위해를 가하겠다는 협박을 받아 자유로운 의사결정을 하지 않은 경우에는 강요된 행위에 해당한다.
② 형법 제12조가 말하는 '저항할 수 없는 폭력'은 심리적 의미에 있어서 어떤 행위를 절대적으로 하지 아니할 수 없게 하는 경우와 윤리적 의미에 있어서 강압된 경우를 말한다.
③ 상관의 명령에 절대 복종하여야 한다는 것이 불문율로 되어 있다면 중대하고 명백하게 위법인 명령에 따르는 행위라도 이는 강요된 행위로 인정되어 적법행위에 대한 기대가능성이 없는 경우에 해당한다.
④ 형법 제12조에서 말하는 강요된 행위는 어떤 사람의 성장교육과정을 통하여 형성된 내재적인 관념 내지 확신으로 인하여 행위자 스스로의 의사결정이 사실상 강제되는 결과를 낳게 하는 경우도 포함한다.

지문분석 난이도 중 정답 ②

| 키 워 드 | 기대가능성
| 출제유형 | 옳은 지문 고르기

② (O) 대법원 1983.12.13. 83도2276
① (X) 형법 제12조의 강요된 행위의 협박은 자기 또는 친족의 '생명·신체'에 대한 협박이다. '명예'는 포함되지 않는다.
③ (X) 설령 대공수사단 직원은 상관의 명령에 절대 복종하여야 한다는 것이 불문율로 되어 있다 할지라도 국민의 기본권인 신체의 자유를 침해하는 고문행위 등이 금지되어 있는 우리의 국법질서에 비추어 볼 때 그와 같은 불문율이 있다는 것만으로는 고문치사와 같이 중대하고도 명백한 위법명령에 따른 행위가 정당한 행위에 해당하거나 강요된 행위로서 적법행위에 대한 기대가능성이 없는 경우에 해당하게 되는 것이라고는 볼 수 없다(대법원 1988.2.23. 87도2358).
④ (X) 형법 제12조에서 말하는 강요된 행위는 저항할 수 없는 폭력이나 생명·신체에 위해를 가하겠다는 협박 등 다른 사람의 강요행위에 의하여 이루어진 행위를 의미하는 것이지 어떤 사람의 성장교육과정을 통하여 형성된 내재적인 관념 내지 확신으로 인하여 행위자 스스로의 의사결정이 사실상 강제되는 결과를 낳게 하는 경우까지 의미한다고 볼 수 없다(대법원 1990.3.27. 89도1670).

✓ **개념체크 형법 제12조(강요된 행위)**

저항할 수 없는 폭력이나 자기 또는 친족의 생명, 신체에 대한 위해를 방어할 방법이 없는 협박에 의하여 강요된 행위는 벌하지 아니한다.

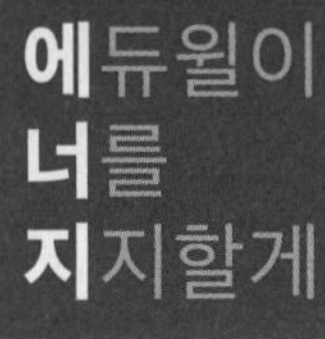

ENERGY

인생은 흘러가고 사라지는 것이 아니다.
성실로써 이루고 쌓아가는 것이다.

– 존 러스킨(John Ruskin)

CHAPTER

05 미수론

■ 기본서 연계페이지: p.300~328 ■ 문항 수: 40문항

1 미수범의 일반이론

01 0180

2015 경찰 3차

다음 중 현행 형법상 미수범 처벌규정이 있는 범죄는 모두 몇 개인가?

㉠ 강제집행면탈죄
㉡ 장물취득죄
㉢ 직무유기죄
㉣ 감금죄
㉤ 퇴거불응죄
㉥ 공무상보관물무효죄

① 2개 ② 3개
③ 4개 ④ 5개

지문분석 난이도 ㊥ 정답 ②

| 키 워 드 | 미수범의 일반이론
| 출제유형 | 개수 찾기

㉣, ㉤, ㉥ (○) 감금죄(형법 제280조), 퇴거불응죄(형법 제322조), 공무상보관물무효죄(형법 제143조)는 미수처벌규정이 있다.
㉠, ㉡, ㉢ (X) 강제집행면탈죄, 장물취득죄, 직무유기죄는 미수처벌규정이 없다.

02 0181

2017 경찰 1차

다음 중 형법상 미수범 처벌규정이 없는 범죄는 모두 몇 개인가?

㉠ 사인위조죄
㉡ 불법체포죄
㉢ 특수도주죄
㉣ 영아살해죄
㉤ 인질치사죄
㉥ 점유이탈물횡령죄
㉦ 사문서부정행사죄

① 1개 ② 2개
③ 3개 ④ 4개

지문분석 난이도 ㊥ 정답 ②

| 키 워 드 | 미수범의 일반이론
| 출제유형 | 개수 찾기

㉥, ㉦ (○) 점유이탈물횡령죄, 사문서부정행사죄는 미수범 처벌규정이 없다.
㉠ (X) 사인위조죄(형법 제240조)
㉡ (X) 불법체포죄(형법 제124조 제2항)
㉢ (X) 특수도주죄(형법 제149조)
㉣ (X) 영아살해죄(형법 제254조)
㉤ (X) 인질치사죄(형법 제324조의5)

03 0182

2012 경찰 승진

다음 중 미수범을 처벌하는 범죄는?

① 사문서부정행사죄(형법 제236조)
② 공무상비밀표시무효죄(형법 제140조)
③ 점유이탈물횡령죄(형법 제360조)
④ 타인소유 일반물건방화죄(형법 제167조 제1항)

지문분석

난이도 중 정답 ②

| 키 워 드 | 미수범의 일반이론

| 출제유형 | 옳은 지문 고르기

② (O) 공무상비밀표시무효죄는 미수를 처벌한다(형법 제143조).
→ 형법상 '~무효죄'는 미수를 처벌한다. 예 공무상비밀표시무효죄, 공용서류 등 무효죄, 공무상보관물무효죄

① (X) 문서죄 중 유일하게 미수처벌규정이 없는 죄가 사문서부정행사죄이다.

③ (X) 횡령죄는 미수를 처벌하나, 점유이탈물횡령죄는 미수를 처벌하지 않는다.

④ (X) 타인소유·자기소유 일반물건방화죄는 미수를 처벌하지 않는다.

✓ 개념체크 **방화죄 미수처벌규정**

현주건조물방화죄 공용건조물방화죄 타인소유 일반건조물방화죄	예비·음모·미수 처벌 ○
자기소유 일반건조물방화죄 타인소유 일반물건방화죄 자기소유 일반물건방화죄	예비·음모·미수 처벌 X 기수만 처벌 ○

04 0183

2020 경찰 2차

미수범에 대한 설명으로 가장 적절하지 <u>않은</u> 것은? (다툼이 있는 경우 판례에 의함)

① 소송비용을 편취할 의사로 소송비용의 지급을 구하는 손해배상청구의 소를 제기한 사안에서, 재산 침해의 위험성을 법률적 지식을 가진 일반인이 아닌 행위자의 인식을 기초로 판단하여 그 위험성은 인정되나, 소송비용 지급청구는 소송비용액 확정절차를 통해서만 가능하기 때문에 결과발생이 불가능하므로 소송사기죄의 불능범으로서 무죄가 된다.

② 위험한 물건인 전자충격기를 피해자의 허리에 대고 피해자를 폭행하여 강간하려다가 미수에 그치고 피해자에게 약 2주간의 치료를 요하는 안면부 좌상 등의 상해를 입힌 경우, 성폭력범죄의 처벌 등에 관한 특례법상 특수강간치상죄의 기수범이 성립한다.

③ 절도죄의 실행의 착수시기는 재물에 대한 타인의 사실상의 지배를 침해하는 데에 밀접한 행위를 개시한 때라고 보아야 하므로, 야간이 아닌 주간에 절도의 목적으로 타인의 주거에 침입하였다고 하여도 아직 절취할 물건의 물색행위를 시작하기 전이라면 주거침입죄만 성립할 뿐 절도죄의 실행에 착수한 것으로 볼 수 없다.

④ 피고인이 피해자를 살해하려고 목과 왼쪽 가슴 부위를 칼로 수회 찔렀으나 많은 피가 흘러나오는 것을 발견하고 겁을 먹고 그만두는 바람에 미수에 그쳤더라도 중지미수에 해당하지 않는다.

지문분석

난이도 하 정답 ①

| 키 워 드 | 미수범의 일반이론

| 출제유형 | 틀린 지문 고르기

① (X) 민사소송법상 소송비용의 청구는 소송비용액 확정절차에 의하도록 규정하고 있으므로, 위 절차에 의하지 아니하고 손해배상금 청구의 소 등으로 소송비용의 지급을 구하는 것은 소의 이익이 없는 부적법한 소로서 허용될 수 없다고 할 것이다. 따라서 소송비용을 편취할 의사로 소송비용의 지급을 구하는 손해배상청구의 소를 제기하였다고 하더라도 이는 객관적으로 소송비용의 청구방법에 관한 법률적 지식을 가진 일반인의 판단으로 보아 <u>결과발생의 가능성이 없어 위험성이 인정되지 않는다고 할 것이다</u>(대법원 2005.12.8. 2005도8105).
→ '위험성'이 인정되지 않아 사기죄의 '불능범'에 해당한다고 한 판례이다.

② (O) 대법원 2008.4.24. 2007도10058
→ 기본범죄가 미수이어도 중한 결과가 발생하면 결과적 가중범의 '기수'가 된다.

③ (O) 대법원 2003.6.24. 2003도1985

④ (O) 대법원 1999.4.13. 99도640

05 0184

2017 경찰 2차

기수와 미수에 대한 설명이다. 아래 ㉠부터 ㉣까지의 설명 중 옳고 그름의 표시(O, X)가 바르게 된 것은? (다툼이 있는 경우 판례에 의함)

> ㉠ 회사직원이 재직 중에 영업비밀 또는 영업상 주요한 자산을 경쟁업체에 유출하거나 스스로의 이익을 위하여 이용할 목적으로 무단으로 반출하였다면 유출 또는 반출시에 업무상배임죄의 기수가 된다.
> ㉡ 회사직원이 영업비밀 등을 적법하게 반출하여 반출행위가 업무상배임죄에 해당하지 않는 경우라도, 퇴사시에 영업비밀 등을 회사에 반환하거나 폐기할 의무가 있음에도 경쟁업체에 유출하거나 스스로의 이익을 위하여 이용할 목적으로 이를 반환하거나 폐기하지 아니하였다면, 이러한 행위 역시 퇴사시에 업무상배임죄의 기수가 된다.
> ㉢ 추행의 고의로 상대방의 의사에 반하는 유형력의 행사, 즉 폭행행위를 하여 실행행위에 착수하였으나 추행의 결과에 이르지 못한 때에는 강제추행미수죄가 성립하며, 이러한 법리는 폭행행위 자체가 추행행위라고 인정되는 이른바 '기습추행'의 경우에도 마찬가지로 적용된다.
> ㉣ 공무원이 뇌물로 투기적 사업에 참여할 기회를 제공받은 경우, 뇌물수수죄의 기수시기는 투기적 사업에 참여하는 행위가 종료된 때로 보아야 한다.

① ㉠ (O), ㉡ (X), ㉢ (O), ㉣ (O)
② ㉠ (O), ㉡ (X), ㉢ (O), ㉣ (X)
③ ㉠ (X), ㉡ (O), ㉢ (X), ㉣ (X)
④ ㉠ (O), ㉡ (O), ㉢ (O), ㉣ (O)

지문분석

난이도 상 정답 ④

| 키 워 드 | 미수범의 일반이론
| 출제유형 | 옳고 그름의 표시(O, X)하기

㉠ (O) **회사직원이 영업비밀 또는 영업상 주요한 자산을 경쟁업체에 유출하거나 스스로의 이익을 위하여 이용할 목적으로 무단으로 반출한 경우, 업무상배임죄의 기수시기(= 유출 또는 반출시)**
업무상배임죄의 주체는 타인의 사무를 처리하는 지위에 있어야 한다. 따라서 회사직원이 재직 중에 영업비밀 또는 영업상 주요한 자산을 경쟁업체에 유출하거나 스스로의 이익을 위하여 이용할 목적으로 무단으로 반출하였다면 타인의 사무를 처리하는 자로서 업무상의 임무에 위배하여 유출 또는 반출한 것이어서 유출 또는 반출시에 업무상배임죄의 기수가 된다(대법원 2017.6.29. 2017도3808).

㉡ (O) **회사직원이 영업비밀 등을 적법하게 반출하였으나 퇴사시에 회사에 반환하거나 폐기할 의무가 있음에도 반환하거나 폐기하지 아니한 경우, 업무상배임죄의 기수시기(= 퇴사시)**
회사직원이 영업비밀 등을 적법하게 반출하여 반출행위가 업무상배임죄에 해당하지 않는 경우라도, 퇴사시에 영업비밀 등을 회사에 반환하거나 폐기할 의무가 있음에도 경쟁업체에 유출하거나 스스로의 이익을 위하여 이용할 목적으로 이를 반환하거나 폐기하지 아니하였다면, 이러한 행위 역시 퇴사시에 업무상배임죄의 기수가 된다(대법원 2017.6.29. 2017도3808).

㉢ (O) [1] 추행은 객관적으로 일반인에게 성적 수치심이나 혐오감을 일으키게 하고 선량한 성적 도덕관념에 반하는 행위로서 피해자의 성적 자유를 침해하는 것을 말한다.
[2] 강제추행죄는 상대방에 대하여 폭행 또는 협박을 가하여 항거를 곤란하게 한 뒤에 추행행위를 하는 경우뿐만 아니라 폭행행위 자체가 추행행위라고 인정되는 경우도 포함되며, 이 경우의 폭행은 반드시 상대방의 의사를 억압할 정도의 것일 필요는 없다.
[3] 추행의 고의로 상대방의 의사에 반하는 유형력의 행사, 즉 폭행행위를 하여 실행행위에 착수하였으나 추행의 결과에 이르지 못한 때에는 강제추행미수죄가 성립하며, 이러한 법리는 폭행행위 자체가 추행행위라고 인정되는 이른바 '기습추행'의 경우에도 마찬가지로 적용된다(대법원 2015.9.10. 2015도6980).

㉣ (O) [1] 뇌물죄에서 뇌물의 내용인 이익이라 함은 ⓐ 금전, 물품 기타의 재산적 이익뿐만 아니라, ⓑ 사람의 수요 욕망을 충족시키기에 족한 일체의 유형·무형의 이익을 포함한다고 해석되고, 투기적 사업에 참여할 기회를 얻는 것도 이에 해당한다.
[2] 공무원이 뇌물로 투기적 사업에 참여할 기회를 제공받은 경우, 뇌물수수죄의 기수시기는 투기적 사업에 참여하는 행위가 종료된 때(이익을 얻은 때 X)로 보아야 하며, 그 행위가 종료된 후 경제사정의 변동 등으로 인하여 당초의 예상과는 달리 그 사업 참여로 아무런 이득을 얻지 못한 경우라도 뇌물수수죄의 성립에는 영향이 없다(대법원 2002.11.26. 2002도3539).

06 0185

2018 경찰 1차

실행의 착수시기 또는 기수에 대한 설명 중 가장 적절하지 않은 것은? (다툼이 있는 경우 판례에 의함)

① 위장결혼의 당사자 및 중국 측 브로커와의 공모하에 허위로 결혼사진을 찍고, 혼인신고에 필요한 서류를 준비하여 위장결혼의 당사자에게 건네준 것만으로는 아직 공전자기록등불실기재죄에 있어서 실행에 착수한 것으로 볼 수 없다.

② 피고인이 방화의 의사로 뿌린 휘발유가 인화성이 강한 상태로 주택 주변과 피해자의 몸에 적지 않게 살포되어 있는 사정을 알면서도 라이터를 켜 불꽃을 일으킴으로써 피해자의 몸에 불이 붙은 경우, 비록 외부적 사정에 의하여 불이 방화 목적물인 주택 자체에 옮겨붙지는 아니하였다 하더라도 현존건조물방화죄의 실행의 착수가 있었다고 볼 수 있다.

③ 금융기관 직원이 전산단말기를 이용하여 다른 공범들이 지정한 특정계좌에 돈이 입금된 것처럼 허위의 정보를 입력하는 방법으로 위 계좌로 입금되도록 한 경우, 그 후 그러한 입금이 취소되어 현실적으로 인출되지 못하였다면 컴퓨터 등 사용사기죄의 미수에 해당한다.

④ 피고인이 지하철 환승에스컬레이터 내에서 짧은 치마를 입고 있는 피해자의 뒤에 서서 카메라폰으로 성적 수치심을 느낄 수 있는 치마 속 신체 부위를 피해자 의사에 반하여 동영상 촬영 중 경찰관에게 발각되어 저장버튼을 누르지 않고 촬영을 종료하였더라도 동영상 촬영을 시작하여 일정한 시간이 경과하였다면 구 성폭력범죄의 처벌 및 피해자보호 등에 관한 법률상 '카메라 등 이용촬영죄'의 기수에 해당한다.

지문분석 난이도 하 정답 ③

| 키 워 드 | 미수범의 일반이론

| 출제유형 | 틀린 지문 고르기

③ (X) 금융기관 직원이 전산단말기를 이용하여 다른 공범들이 지정한 특정계좌에 돈이 입금된 것처럼 허위의 정보를 입력하는 방법으로 위 계좌로 입금되도록 한 경우, 이러한 입금절차를 완료함으로써 장차 그 계좌에서 이를 인출하여 갈 수 있는 재산상 이익을 취득하였으므로 형법 제347조의2에서 정하는 컴퓨터 등 사용사기죄는 '기수'에 이르렀고, 그 후 그러한 입금이 취소되어 현실적으로 인출되지 못하였다고 하더라도 이미 성립한 컴퓨터 등 사용사기죄에 어떤 영향이 있다고 할 수는 없다(대법원 2006.9.14. 2006도4127).

① (O) 대법원 2009.9.24. 2009도4998
→ 공전자기록등불실기재죄에 있어서의 실행의 착수시기는 공무원에 대하여 허위의 신고를 하는 때이다.

② (O) 대법원 2002.3.26. 2001도6641
→ 매개물인 휘발유에 불이 붙어 연소작용이 계속될 수 있는 상태에 이르렀으므로 실행의 착수가 인정된다.

④ (O) 대법원 2011.6.9. 2010도10677

07 0186

2021 경찰 1차

미수와 예비에 대한 설명으로 가장 적절한 것은? (다툼이 있는 경우 판례에 의함)

① 불능미수와 장애미수는 모두 형을 감경 또는 면제할 수 있다.

② 범행이 발각될 것이 두려워 범행을 중지한 경우, 자의에 의한 중지미수로 볼 수 없다.

③ 소송비용을 편취할 의사로 소송비용의 지급을 구하는 손해배상청구의 소를 제기한 경우, 이는 객관적으로 소송비용의 청구방법에 관한 법률적 지식을 가진 일반인의 판단으로 보아 결과발생의 가능성이 있어 위험성이 인정되므로 사기죄의 불능미수로 볼 수 있다.

④ 예비행위를 자의로 중지한 경우 중지미수의 규정을 준용하여 형을 감경 또는 면제한다.

지문분석 난이도 중 정답 ②

| 키 워 드 | 미수범의 일반이론

| 출제유형 | 옳은 지문 고르기

② (O) 피고인이 甲에게 위조한 예금통장 사본 등을 보여주면서 외국회사에서 투자금을 받았다고 거짓말하며 자금 대여를 요청하였으나, 甲과 함께 그 입금 여부를 확인하기 위해 은행에 가던 중 은행 입구에서 차용을 포기하고 돌아가 사기미수로 기소된 경우, 피고인이 범행이 발각될 것이 두려워 범행을 중지한 것으로서 일반 사회통념상 범죄를 완수함에 장애가 되는 사정에 해당하여 자의에 의한 중지미수로 볼 수 없다(대법원 2011.11.10. 2011도10539).

① (X) 장애미수는 형을 감경할 수 있고(형법 제25조), 불능미수는 형을 감경 또는 면제할 수 있다(형법 제27조).

③ (X) 민사소송법상 소송비용의 청구는 소송비용액 확정절차에 의하도록 규정하고 있으므로, 위 절차에 의하지 아니하고 손해배상금 청구의 소 등으로 소송비용의 지급을 구하는 것은 소의 이익이 없는 부적법한 소로서 허용될 수 없다고 할 것이다. 따라서 소송비용을 편취할 의사로 소송비용의 지급을 구하는 손해배상청구의 소를 제기하였다고 하더라도 이는 객관적으로 소송비용의 청구방법에 관한 법률적 지식을 가진 일반인의 판단으로 보아 결과발생의 가능성이 없어 위험성이 인정되지 않는다고 할 것이다(대법원 2005.12.8. 2005도8105).

④ (X) 중지범은 범죄의 실행에 착수한 후 자의로 그 행위를 중지한 때를 말하는 것이고 실행의 착수가 있기 전인 예비음모의 행위를 처벌하는 경우에 있어서 중지범의 관념은 이를 인정할 수 없다(대법원 1999.4.9. 99도424).
→ 판례는 예비의 중지를 부정한다.

08 0187

2014 경찰 승진

예비·음모 및 미수범에 관한 설명 중 가장 적절하지 않은 것은? (다툼이 있는 경우 판례에 의함)

① 상해죄, 퇴거불응죄, 재물손괴죄, 공무집행방해죄는 형법상 미수범 처벌규정이 있다.
② 기수범에 비하여 장애미수는 형을 감경할 수 있고 중지미수는 형을 감경 또는 면제하며 불능미수는 형을 감경 또는 면제할 수 있다.
③ 강도예비·음모죄가 성립하기 위해서는 예비·음모 행위자에게 미필적으로라도 '강도'를 할 목적이 있음이 인정되어야 하고 그에 이르지 않고 단순히 '준강도'할 목적이 있음에 그치는 경우에는 강도예비·음모죄로 처벌할 수 없다.
④ 정범이 실행의 착수에 이르지 아니한 예비단계에 그친 경우에는 이에 가공한다 하더라도 예비의 공동정범이 되는 때를 제외하고는 종범으로 처벌할 수 없다.

지문분석 난이도 중 정답 ①

| 키 워 드 | 미수범의 일반이론

| 출제유형 | 틀린 지문 고르기

① (X) 상해죄, 퇴거불응죄, 재물손괴죄는 미수범 처벌규정이 있으나, 공무집행방해죄는 미수범 처벌규정이 없다.
② (O)

미수범 처벌
• 장애미수: 임의적 감경(형법 제25조) • 중지미수: 필요적 감면(형법 제26조) • 불능미수: 임의적 감면(형법 제27조)

③ (O) 대법원 2006.9.14. 2004도6432
→ 강도를 할 목적에 이르지 않고 준강도할 목적이 있음에 그치는 경우에 강도예비·음모죄가 성립하는지 여부: 부정
④ (O) 대법원 1976.5.25. 75도1549

09 0188

2019 경찰 간부

실행의 착수시기 또는 기수시기에 대한 다음 설명 중 옳지 않은 것은 모두 몇 개인가? (다툼이 있는 경우 판례에 의함)

가. 위장결혼의 당사자 및 브로커와 공모한 피고인이 허위로 결혼사진을 찍고 혼인신고에 필요한 서류를 준비하여 위장결혼의 당사자에게 건네준 것만으로는 공전자기록 등 부실기재죄의 실행에 착수한 것으로 볼 수 없다.
나. 피해자의 해외도피를 방지하기 위하여 피해자를 협박하고 이에 피해자가 겁을 먹고 있는 상태를 이용하여 피해자 소유의 여권을 교부하게 함으로써 피해자가 그의 여권을 강제회수당하였다면 강요죄의 기수가 성립한다.
다. 피담보채권인 공사대금 채권을 실제와 달리 허위로 부풀려 유치권에 의한 경매를 신청한 경우 소송사기죄의 실행의 착수에 해당한다.
라. 소송사기의 고의로 소를 제기한 경우 아직 그 소장이 피고에게 송달되지 않아도 사기죄의 실행의 착수가 인정된다.

① 없음 ② 1개
③ 2개 ④ 3개

지문분석 난이도 상 정답 ①

| 키 워 드 | 미수범의 일반이론

| 출제유형 | 개수 찾기

가. (O) 대법원 2009.9.24. 2009도4998
나. (O) 대법원 1993.7.27. 93도901
다. (O) 대법원 2012.11.15. 2012도9603
라. (O) 대법원 2006.11.10. 2006도5811

10 0189

2020 경찰 간부

다음 설명 중 옳은 것은 모두 몇 개인가? (다툼이 있는 경우 판례에 의함)

> 가. 주체의 착오로 인해 결과발생이 불가능한 경우에도 불능미수가 성립될 수 있는지에 대해서는 형법상 명문의 규정이 없다.
> 나. 장애미수 또는 중지미수는 범죄의 실행에 착수할 당시 실행행위를 놓고 판단하였을 때 행위자가 의도한 범죄의 기수가 성립할 가능성이 있었으므로 처음부터 기수가 될 가능성이 객관적으로 배제되는 불능미수와 구별된다.
> 다. 임대인과 소액 임대차계약을 체결한 임차인이 임차건물에 거주하기는 하였으나 그의 처만이 전입신고를 마친 후에 경매절차에서 배당을 받기 위하여 임대차계약서상의 임차인 명의를 처로 변경하여 경매법원에 배당요구를 한 경우 불능범에 해당한다.
> 라. 피고인이 피해자가 심신상실 또는 항거불능의 상태에 있다고 인식하고 그러한 상태를 이용하여 간음할 의사로 피해자를 간음하였으나 피해자가 실제로는 심신상실 또는 항거불능의 상태에 있지 않은 경우, 준강간죄의 불능미수에 해당한다.
> 마. 일반적으로 공범이 자신의 행위를 중지한 것만으로는 중지미수가 성립하지 않지만, 다른 공범 또는 정범의 행위를 중단시키기 위하거나 결과발생을 저지하기 위한 진지한 노력이 있었을 경우에는 비록 결과가 발생하였다고 할지라도 그 공범에게는 예외적으로 중지미수가 성립될 수 있다.

① 1개 ② 2개
③ 3개 ④ 4개

지문분석 난이도 상 정답 ④

| 키 워 드 | 미수범의 일반이론
| 출제유형 | 개수 찾기

가. (O) 형법 제27조 불능미수에는 실행의 수단 또는 대상의 착오만 규정하고 있고, 주체의 착오에 대하여는 명문규정이 없다.
나, 라. (O) 대법원 2019.3.28. 2018도16002 전원합의체
다. (O) 임대인과 임대차계약을 체결한 임차인이 임차건물에 거주하기는 하였으나 그의 처만이 전입신고를 마친 후에 경매절차에서 배당을 받기 위하여 임대차계약서상의 임차인 명의를 처로 변경하여 경매법원에 배당요구를 한 경우, 실제의 임차인이 전세계약서상의 임차인 명의를 처의 명의로 변경하지 아니하였다 하더라도 소액임대차보증금에 대한 우선변제권 행사로서 배당금을 수령할 권리가 있다 할 것이어서, 경매법원이 실제의 임차인을 처로 오인하여 배당결정을 하였더라도 이로써 재물의 편취라는 결과의 발생은 불가능하다 할 것이고, 이러한 임차인의 행위를 객관적으로 결과발생의 가능성이 있는 행위라고 볼 수도 없으므로 형사소송법 제325조에 의하여 무죄를 선고하여야 한다(대법원 2002.2.8. 2001도6669).
→ 사기죄의 불능범에 해당한다.
마. (X) 다른 공범 또는 정범의 행위를 중단시키기 위하거나 결과발생을 저지하기 위한 진지한 노력이 있었을 경우라도 결과가 발생하였다면 그 공범에게는 중지미수가 성립될 수 없고, 기수가 된다.

11 0190

2021 경찰 간부

미수범에 대한 설명으로 옳은 것은? (다툼이 있는 경우 판례에 의함)

① 피고인이 피해자를 살해하려고 목 부위와 왼쪽 가슴 부위를 칼로 수회 찔렀으나 피해자의 가슴 부위에서 많은 피가 흘러나오는 것을 발견하고 겁을 먹고 그만두는 바람에 미수에 그친 것이라면 자의로 인한 중지미수로 인정할 수 있다.
② 일반적으로 사람으로 하여금 공포심을 갖도록 하기에 충분한 내용의 해악을 고지하였고 상대방이 그 의미를 인식한 경우라도 현실적으로 공포심을 일으키지 않은 경우에는 협박죄의 미수에 해당한다.
③ 불능범의 판단기준인 위험성을 판단할 때에는 피고인이 행위 당시 인식한 사정을 놓고 구체적으로 피고인의 판단으로 볼 때 결과발생의 가능성이 있는지를 살펴야 한다.
④ 특수강간이 미수에 그친 경우에도 그로 인하여 피해자가 상해를 입었으면 특수강간치상죄가 성립한다.

지문분석 난이도 중 정답 ④

| 키 워 드 | 미수범의 일반이론
| 출제유형 | 옳은 지문 고르기

④ (O) 위험한 물건인 전자충격기를 사용하여 강간을 시도하다가 미수에 그치고, 피해자에게 약 2주간의 치료를 요하는 안면부 좌상 등의 상해를 입힌 경우, 성폭력범죄의 처벌 및 피해자보호 등에 관한 법률에 의한 특수강간치상죄가 성립한다(대법원 2008.4.24. 2007도10058).
① (X) 범죄의 실행행위에 착수하고 그 범죄가 완수되기 전에 자기의 자유로운 의사에 따라 범죄의 실행행위를 중지한 경우에 그 중지가 일반 사회통념상 범죄를 완수함에 장애가 되는 사정에 의한 것이 아니라면 이는 중지미수에 해당한다고 할 것이지만, 피고인이 피해자를 살해하려고 그의 목 부위와 왼쪽 가슴 부위를 칼로 수회 찔렀으나 피해자의 가슴 부위에서 많은 피가 흘러나오는 것을 발견하고 겁을 먹고 그만두는 바람에 미수에 그친 것이라면, 위와 같은 경우 많은 피가 흘러나오는 것에 놀라거나 두려움을 느끼는 것은 일반 사회통념상 범죄를 완수함에 장애가 되는 사정에 해당한다고 보아야 할 것이므로, 이를 자의에 의한 중지미수라고 볼 수 없다(대법원 1999.4.19. 99도640).
② (X) 협박죄가 성립하려면 고지된 해악의 내용이 일반적으로 사람으로 하여금 공포심을 일으키게 하기에 충분한 것이어야 하지만, 상대방이 그에 의하여 현실적으로 공포심을 일으킬 것까지 요구하는 것은 아니며, 그와 같은 정도의 해악을 고지함으로써 상대방이 그 의미를 인식한 이상, 상대방이 현실적으로 공포심을 일으켰는지 여부와 관계없이 그로써 구성요건은 충족되어 협박죄의 기수에 이르는 것으로 해석하여야 한다(대법원 2007.9.28. 2007도606 전원합의체).
→ 협박죄의 기수(정보과 경찰관 협박 사건)
③ (X) 불능범과 구별되는 불능미수의 성립요건인 '위험성'은 피고인이 행위 당시에 인식한 사정을 놓고 일반인이 객관적으로 판단하여 결과발생의 가능성이 있는지 여부를 따져야 한다(대법원 2019.3.28. 2018도16002 전원합의체).

12 0191

2021 경찰 간부

범죄 실현단계에 대한 설명으로 옳지 않은 것은? (다툼이 있는 경우 판례에 의함)

① 부동산 이중양도에 있어서 매도인이 제2차 매수인으로부터 계약금만을 지급받고 중도금을 수령한 바 없다면 배임죄의 실행의 착수가 있었다고 볼 수 없다.
② 절도를 준비하면서 뜻하지 않게 절도범행이 발각되었을 때 체포를 면탈하는 데 도움이 될 수 있을 것이라고 생각하며 칼을 휴대하고 있었더라도 강도예비죄가 성립하지 않는다.
③ 중지범은 범죄의 실행에 착수한 후 자의로 그 행위를 중지한 때를 말하는 것이고 실행의 착수가 있기 전인 예비·음모의 행위를 처벌하는 경우에 있어서 중지범의 관념은 이를 인정할 수 없다.
④ 살인예비죄가 성립하기 위하여는 살인죄를 범할 목적과 살인의 준비에 관한 고의가 있어야 할 뿐만 아니라 나아가 실행의 착수까지에는 이르지 아니하는 살인죄의 실현을 위한 준비행위가 있어야 하는데, 이 준비행위는 물적인 것에 한정되지 않고 특별한 정형이 있는 것이 아니므로 준비행위는 단순한 범행의 의사 또는 계획만으로도 인정된다.

지문분석 난이도 중 정답 ④

| 키 워 드 | 미수범의 일반이론
| 출제유형 | 틀린 지문 고르기

④ (X) 형법 제255조, 제250조의 살인예비죄가 성립하기 위하여는 형법 제255조에서 명문으로 요구하는 살인죄를 범할 목적 외에도 살인의 준비에 관한 고의가 있어야 하며, 나아가 실행의 착수까지에는 이르지 아니하는 살인죄의 실현을 위한 준비행위가 있어야 한다. 여기서의 준비행위는 물적인 것에 한정되지 아니하며 특별한 정형이 있는 것도 아니지만, 단순히 범행의 의사 또는 계획만으로는 그것이 있다고 할 수 없고 객관적으로 보아서 살인죄의 실현에 실질적으로 기여할 수 있는 외적 행위를 필요로 한다(대법원 2009.10.29. 2009도7150).
① (O) 대법원 2010.4.29. 2009도14427
② (O) 대법원 2006.9.14. 2004도6432
③ (O) 대법원 1999.4.9. 99도424

2 장애미수

13 0192

2016 경찰 1차

다음 설명 중 옳은 것은 모두 몇 개인가? (다툼이 있으면 판례에 의함)

㉠ 준강도의 주체는 절도, 즉 절도범인으로, 절도의 실행에 착수한 이상 미수이거나 기수이거나 불문하고, 야간에 타인의 재물을 절취할 목적으로 사람의 주거에 침입한 경우에는 주거에 침입한 단계에서 이미 형법 제330조에서 규정한 야간주거침입절도죄라는 범죄행위의 실행에 착수한 것이라고 보아야 한다.

㉡ 주거침입죄의 경우 주거침입의 범의로써 예컨대, 주거로 들어가는 문의 시정장치를 부수거나 문을 여는 등 침입을 위한 구체적 행위를 시작하였다면 주거침입죄의 실행의 착수는 있었다고 보아야 한다.

㉢ 주거침입죄의 실행의 착수는 주거자, 관리자, 점유자 등의 의사에 반하여 주거나 관리하는 건조물 등에 들어가는 행위, 즉 구성요건의 일부를 실현하는 행위까지 요구하는 것은 아니고, 범죄구성요건의 실현에 이르는 현실적 위험성을 포함하는 행위를 개시하는 것으로 족하다.

㉣ 야간에 아파트에 침입하여 물건을 훔칠 의도하에 아파트의 베란다 철제난간까지 올라가 유리창문을 열려고 시도하였다면 야간주거침입절도죄의 실행에 착수한 것으로 보아야 한다.

① 1개 ② 2개 ③ 3개 ④ 4개

지문분석 난이도 상 정답 ④

| 키 워 드 | 장애미수

| 출제유형 | 개수 찾기

㉠, ㉡, ㉢, ㉣ (O) [1] ㉠ 준강도의 주체는 절도, 즉 절도범인으로, 절도의 실행에 착수한 이상 미수인지 기수인지를 불문하고, 야간에 타인의 재물을 절취할 목적으로 사람의 주거에 침입한 경우에는 주거에 침입한 단계에서 이미 형법 제330조에서 규정한 야간주거침입절도죄라는 범죄행위의 실행에 착수한 것이라고 보아야 하며, ㉡ 주거침입죄의 경우 주거침입의 범의로써 예컨대, 주거로 들어가는 문의 시정장치를 부수거나 문을 여는 등 침입을 위한 구체적 행위를 시작하였다면 주거침입죄의 실행의 착수는 있었다고 보아야 한다.

[2] ㉢ 주거침입죄의 실행의 착수는 주거자, 관리자, 점유자 등의 의사에 반하여 주거나 관리하는 건조물 등에 들어가는 행위, 즉 구성요건의 일부를 실현하는 행위까지 요구하는 것은 아니고, 범죄구성요건의 실현에 이르는 현실적 위험성을 포함하는 행위를 개시하는 것으로 족하다.

[3] ㉣ 야간에 아파트에 침입하여 물건을 훔칠 의도하에 아파트의 베란다 철제난간까지 올라가 유리창문을 열려고 시도하였다면 야간주거침입절도죄의 실행에 착수한 것으로 보아야 한다(대법원 2003.10.24. 2003도4417).

14 0193

2016 경찰 2차

다음 설명 중 가장 적절하지 않은 것은? (다툼이 있으면 판례에 의함)

① 주간에 사람의 주거 등에 침입하여 야간에 타인의 재물을 절취한 경우 형법 제330조의 야간주거침입절도죄가 성립한다.

② 위장결혼의 당사자 및 브로커와 공모한 피고인이 허위로 결혼사진을 찍고 혼인신고에 필요한 서류를 준비하여 위장결혼의 당사자에게 건네준 것만으로는 공전자기록등불실기재죄의 실행에 착수한 것으로 볼 수 없다.

③ 본안 소송을 제기하지 아니한 채 허위채권에 기하여 가압류를 한 것만으로는 사기죄의 실행에 착수하였다고 할 수 없다.

④ 피해자에게 위조한 예금통장 사본 등을 보여주면서 외국회사에서 투자금을 받았다고 거짓말하며 자금 대여를 요청하였으나, 피해자와 함께 그 입금 여부를 확인하기 위해 은행에 가던 중 은행 입구에서 차용을 포기하고 돌아간 경우, 사기죄의 중지미수로 볼 수 없다.

지문분석 난이도 하 정답 ①

| 키 워 드 | 장애미수

| 출제유형 | 틀린 지문 고르기

① (X) 형법은 제329조에서 절도죄를 규정하고 곧바로 제330조에서 야간주거침입절도죄를 규정하고 있을 뿐, 야간절도죄에 관하여는 처벌규정을 별도로 두고 있지 아니하다. 이러한 형법 제330조의 규정형식과 그 구성요건의 문언에 비추어 보면, 형법은 야간에 이루어지는 주거침입행위의 위험성에 주목하여 그러한 행위를 수반한 절도를 야간주거침입절도죄로 중하게 처벌하고 있는 것으로 보아야 하고, 따라서 주거침입이 주간에 이루어진 경우에는 야간주거침입절도죄가 성립하지 않는다고 해석하는 것이 타당하다(대법원 2011.4.14. 2011도300, 2011감도5).

② (O) [1] 공전자기록등불실기재죄에 있어서의 실행의 착수시기는 공무원에 대하여 허위의 신고를 하는 때라고 보아야 할 것이다.

[2] 이 사건 피고인이 위장결혼의 당사자 및 중국 측 브로커와의 공모하에 허위로 결혼사진을 찍고, 혼인신고에 필요한 서류를 준비하여 위장결혼의 당사자에게 건네준 것만으로는 아직 공전자기록등불실기재죄에 있어서 실행에 착수한 것으로 보기 어렵다(대법원 2009.9.24. 2009도4998).

③ (O) 대법원 1988.9.13. 88도55

→ 가압류는 강제집행의 보전방법에 불과한 것이어서 허위의 채권을 피보전권리로 삼아 가압류를 하였다고 하더라도 그 채권에 관하여 현실적으로 청구의 의사표시를 한 것이라고는 볼 수 없기 때문이다.

④ (O) 대법원 2011.11.10. 2011도10539

→ 피고인이 범행이 발각될 것이 두려워 범행을 중지한 것으로서, 일반 사회통념상 범죄를 완수함에 장애가 되는 사정에 해당한다고 보아야 할 것이므로, 이를 자의에 의한 중지미수라고는 볼 수 없다(사기죄의 장애미수).

15 0194

2017 경찰 1차

실행의 착수에 대한 설명으로 가장 적절하지 않은 것은? (다툼이 있는 경우 판례에 의함)

① 가압류는 강제집행의 보전방법에 불과하고 그 기초가 되는 허위의 채권에 의하여 실제로 청구의 의사표시를 한 것이라고 할 수 없으므로 소의 제기 없이 가압류신청을 한 것만으로는 사기죄의 실행에 착수한 것이라고 할 수 없다.
② 부동산 경매절차에서 피고인들이 허위의 공사대금 채권을 근거로 유치권 신고를 한 경우, 소송사기의 실행의 착수가 인정된다.
③ 피고인이 히로뽕 제조원료 구입비로 금 3,000,000원을 제1심 공동피고인에게 제공하였는데 공동피고인이 그로써 구입할 원료를 물색 중 적발되었다면 피고인의 행위는 히로뽕 제조에 착수하였다고 볼 수 없다.
④ 부정경쟁방지 및 영업비밀보호에 관한 법률 제18조 제2항에서 정하고 있는 영업비밀부정사용죄에 있어서는, 행위자가 당해 영업비밀과 관계된 영업활동에 이용 혹은 활용할 의사 아래 그 영업활동에 근접한 시기에 영업비밀을 열람하는 행위를 하였다면 그 실행의 착수가 있다.

지문분석 난이도 중 정답 ②

| 키 워 드 | 장애미수
| 출제유형 | 틀린 지문 고르기

② (X) 부동산 경매절차에서 피고인들이 허위의 공사대금 채권을 근거로 유치권 신고를 한 경우, 소송사기의 실행의 착수가 있다고 볼 수 없다(대법원 2009.9.24. 2009도5900).
→ 유치권자가 경매절차에서 유치권을 신고하는 경우 법원은 이를 매각물건명세서에 기재하고 그 내용을 매각기일공고에 적시하나, 이는 경매목적물에 대하여 유치권 신고가 있음을 입찰예정자들에게 고지하는 것에 불과할 뿐 처분행위로 볼 수는 없고, 또한 유치권자는 권리신고 후 이해관계인으로서 경매절차에서 이의신청권 등 몇 가지 권리를 얻게 되지만 이는 법률의 규정에 따른 것으로서 재물 또는 재산상 이득을 취득하는 것으로 볼 수도 없기 때문이다.
① (O) 대법원 1982.10.26. 82도1529
③ (O) 대법원 1983.11.22. 83도2590
④ (O) 대법원 2009.10.15. 2008도9433

16 0195

2018 경찰 2차

미수범에 대한 설명으로 가장 적절한 것은? (다툼이 있는 경우 판례에 의함)

① 형법 제25조의 미수범(장애미수)의 경우 이를 기수범의 형과 동일하게 처벌하는 것은 불가능하다.
② 일반 사회통념상 범죄를 완수함에 장애가 되는 사정이 없음에도 공모자 중의 1인이 자의로 범죄의 실행행위를 중지한 경우라면, 그 후 다른 공모자의 실행으로 인해 범죄의 결과가 발생하여도 자의로 중지한 공모자에 한해서는 형법 제26조의 중지범(중지미수)이 성립한다.
③ 실행의 착수가 있기 전인 예비·음모 단계에서 예비·음모행위를 자의로 중지한 경우에는 중지범(중지미수)에 관한 형법 제26조가 적용된다.
④ 소송사기의 목적으로 법원에 소장을 제출한 경우, 아직 피고에게 소장부본이 송달되지 않아도 사기죄의 실행의 착수가 있다.

지문분석 난이도 하 정답 ④

| 키 워 드 | 장애미수
| 출제유형 | 옳은 지문 고르기

④ (O) 소송사기는 소송에서 주장하는 권리가 존재하지 않는 사실을 알고 있으면서도 법원을 기망한다는 인식을 가지고 소를 제기하면 이로써 실행의 착수가 있고 소장의 유효한 송달을 요하지 아니한다고 할 것인바, 이러한 법리는 제소자가 상대방의 주소를 허위로 기재함으로써 그 허위 주소로 소송서류가 송달되어 그로 인하여 상대방 아닌 다른 사람이 그 서류를 받아 소송이 진행된 경우에도 마찬가지로 적용된다(대법원 2006.11.10. 2006도5811).
① (X) 장애미수는 기수범보다 임의적 감경(형법 제25조 제2항)하므로, 감경하지 않은 경우에는 기수범과 동일하게 처벌될 수 있다.
② (X) 1인이 중지하였더라도 다른 자에 의해 결과가 발생하면 중지한 자에게도 중지미수범이 성립되지 않고, 모두 기수범으로 처벌된다.
③ (X) 중지범은 범죄의 실행에 착수한 후 자의로 그 행위를 중지한 때를 말하는 것이고, 실행의 착수가 있기 전인 예비음모의 행위를 처벌하는 경우에 있어서는 중지범의 관념은 이를 인정할 수 없다(대법원 1991.6.25. 91도436).

17 0196

2017 경찰 승진

실행의 착수시기에 관한 설명 중 가장 적절하지 않은 것은?
(다툼이 있는 경우 판례에 의함)

① 주거침입의 실행의 착수는 주거자, 관리자, 점유자 등의 의사에 반하여 주거나 관리하는 건조물 등에 들어가는 행위, 즉 구성요건의 일부를 실현하는 행위까지 요구하는 것은 아니고, 범죄구성요건의 실현에 이르는 현실적 위험성을 포함하는 행위를 개시하는 것으로 족하다.

② 입영대상자가 병역면제처분을 받을 목적으로 병원으로부터 허위의 병사용진단서를 발급받은 행위만으로는 사위행위에 의한 병역기피를 이유로 한 병역법위반죄의 실행에 착수한 것이 아니다.

③ 피담보채권인 공사대금 채권을 실제와 달리 허위로 부풀려 유치권에 의한 경매를 신청한 경우 소송사기죄의 실행의 착수가 인정되지 않는다.

④ 위조사문서행사죄는 상대방이 위조된 문서의 내용을 실제로 인식할 필요 없이 상대방으로 하여금 위조된 문서를 인식할 수 있는 상태에 둠으로써 기수가 된다.

지문분석

난이도 중 정답 ③

| 키 워 드 | 장애미수

| 출제유형 | 틀린 지문 고르기

③ (X) 유치권에 의한 경매를 신청한 유치권자는 일반채권자와 마찬가지로 피담보채권액에 기초하여 배당을 받게 되는 결과 피담보채권인 공사대금 채권을 실제와 달리 허위로 크게 부풀려 유치권에 의한 경매를 신청할 경우 정당한 채권액에 의하여 경매를 신청한 경우보다 더 많은 배당금을 받을 수도 있으므로, 이는 법원을 기망하여 배당이라는 법원의 처분행위에 의하여 재산상 이익을 취득하려는 행위로서, 불능범에 해당한다고 볼 수 없고, 소송사기죄의 실행의 착수에 해당한다(대법원 2012.11.15. 2012도9603).

→ 유치권자가 경매절차에서 유치권을 신고하는 경우 법원은 이를 매각물건명세서에 기재하고 그 내용을 매각기일공고에 적시하나, 이는 경매목적물에 대하여 유치권 신고가 있음을 입찰예정자들에게 고지하는 것에 불과할 뿐 처분행위로 볼 수는 없고, 또한 유치권자는 권리신고 후 이해관계인으로서 경매절차에서 이의신청권 등 몇 가지 권리를 얻게 되지만 이는 법률의 규정에 따른 것으로서 재물 또는 재산상 이득을 취득하는 것으로 볼 수도 없기 때문이다.

① (O) 주거침입죄의 실행의 착수는 주거자, 관리자, 점유자 등의 의사에 반하여 주거나 관리하는 건조물 등에 들어가는 행위, 즉 구성요건의 일부를 실현하는 행위까지 요구하는 것은 아니고 범죄구성요건의 실현에 이르는 현실적 위험성을 포함하는 행위를 개시하는 것으로 족하므로, 출입문이 열려 있으면 안으로 들어가겠다는 의사 아래 출입문을 당겨보는 행위는 바로 주거의 사실상의 평온을 침해할 객관적인 위험성을 포함하는 행위를 한 것으로 볼 수 있어 그것으로 주거침입의 실행에 착수한 것으로 보아야 한다(대법원 2006.9.14. 2006도2824).

② (O) 대법원 2005.9.28. 2005도3065

→ 병역법 제86조에 정한 '사위행위'라 함은 병역의무를 감면받을 조건에 해당하지 않거나 그러한 신체적 상태가 아님에도 불구하고 병무행정당국을 기망하여 병역의무를 감면받으려고 시도하는 행위를 가리키는 것으로 적어도 사위의 방법으로 발급받은 허위 병사용진단서를 첨부한 병역처분변경원서를 지방병무청장에게 제출할 때 실행의 착수가 인정된다.

④ (O) [1] 위조사문서의 행사는 상대방으로 하여금 위조된 문서를 인식할 수 있는 상태에 둠으로써 기수가 되고 상대방이 실제로 그 내용을 인식하여야 하는 것은 아니다.

[2] 위조된 문서를 우송한 경우에는 그 문서가 상대방에게 도달한 때에 기수가 되고 상대방이 실제로 그 문서를 보아야 하는 것은 아니다(대법원 2005.1.28. 2004도4663).

18 0197

2018 경찰 승진

실행의 착수시기 및 미수에 대한 설명으로 가장 적절한 것은? (다툼이 있는 경우 판례에 의함)

① 피고인이 임야를 편취할 목적으로 소송을 제기하였으나 소제기시 이미 소송의 상대방이 사망하였을 경우에는 소송에서 승소판결을 받는다고 하더라도 판결의 효력이 해당 임야의 재산상속인에게 미칠 수 없으므로 이는 사기죄의 불능미수에 해당한다.

② 행위자가 처음부터 미수에 그치겠다는 고의를 가진 경우라도 미수범이 성립할 수 있다.

③ 금융기관 직원이 전산단말기를 이용하여 다른 공범들이 지정한 특정계좌에 돈이 입금된 것처럼 허위의 정보를 입력하는 방법으로 위 계좌로 입금되도록 한 경우, 그 후 그러한 입금이 취소되어 현실적으로 인출되지 못한 경우는 컴퓨터등사용사기미수죄에 해당한다.

④ 甲이 부동산 경매절차에서 피담보채권인 공사대금 채권을 실제와 달리 허위로 부풀려 유치권에 의한 경매를 신청한 경우 소송사기죄의 실행의 착수에 해당한다.

지문분석 난이도 하 정답 ④

| 키 워 드 | 장애미수

| 출제유형 | 옳은 지문 고르기

④ (○) 유치권에 의한 경매를 신청한 유치권자는 일반채권자와 마찬가지로 피담보채권액에 기초하여 배당을 받게 되는 결과 피담보채권인 공사대금 채권을 실제와 달리 허위로 크게 부풀려 유치권에 의한 경매를 신청할 경우 정당한 채권액에 의하여 경매를 신청한 경우보다 더 많은 배당금을 받을 수도 있으므로, 이는 법원을 기망하여 배당이라는 법원의 처분행위에 의하여 재산상 이익을 취득하려는 행위로서, 불능범에 해당한다고 볼 수 없고, 소송사기죄의 실행의 착수에 해당한다(대법원 2012.11.15. 2012도9603).

① (X) [1] 소송사기에 있어서 피기망자인 법원의 재판은 피해자의 처분행위에 갈음하는 내용과 효력이 있는 것이어야 하고, 그렇지 아니하는 경우에는 착오에 의한 재물의 교부행위가 있다고 할 수 없어서 사기죄는 성립되지 아니한다고 할 것이므로, 피고인의 제소가 사망한 자를 상대로 한 것이라면 이와 같은 사망한 자에 대한 판결은 그 내용에 따른 효력이 생기지 아니하여 상속인에게 그 효력이 미치지 아니하고 따라서 사기죄를 구성한다고 할 수 없다.

[2] 무죄를 선고한 원심의 판단은 정당하고, 나아가 이 사건에서의 피고인의 행위가 소송사기죄의 불능미수에 해당한다고 볼 수도 없다(대법원 2002.1.11. 2000도1881).

② (X) 미수범의 고의는 기수의 의사이어야 하고, 처음부터 미수에 그치겠다는 미수의 고의는 고의로 인정되지 않는다.
→ 이 점에서 미수범의 고의도 기수범의 고의와 전혀 다르지 않다.

③ (X) 금융기관 직원이 전산단말기를 이용하여 다른 공범들이 지정한 특정계좌에 돈이 입금된 것처럼 허위의 정보를 입력하는 방법으로 위 계좌로 입금되도록 한 경우, 이러한 입금절차를 완료함으로써 장차 그 계좌에서 이를 인출하여 갈 수 있는 재산상 이익을 취득하였으므로 형법 제347조의2에서 정하는 컴퓨터 등 사용사기죄는 기수에 이르렀고, 그 후 그러한 입금이 취소되어 현실적으로 인출되지 못하였다고 하더라도 이미 성립한 컴퓨터 등 사용사기죄에 어떤 영향이 있다고 할 수는 없다(대법원 2006.9.14. 2006도4127).

19 0198

2019 경찰 승진

실행의 착수에 대한 설명으로 가장 적절하지 않은 것은? (다툼이 있는 경우 판례에 의함)

① 유치권자가 피담보채권인 공사대금 채권을 실제와 달리 허위로 부풀려 유치권에 의한 경매를 신청한 경우 소송사기죄의 실행의 착수가 인정된다.

② 2인 이상이 합동하여 주간에 절도의 목적으로 타인의 주거에 침입하였으나 아직 절취할 물건의 물색행위를 시작하기 전이라면 형법 제331조 제2항의 특수절도죄의 실행에 착수한 것은 아니다.

③ 법원을 기망하여 자기에게 유리한 판결을 얻고자 소송을 제기한 자가 상대방의 주소를 허위로 기재하여 소송을 제기함으로써 그 허위주소로 소송서류가 송달되어 그로 인하여 상대방 아닌 다른 사람이 그 서류를 받아 소송을 진행한 경우에는 소송사기죄의 실행의 착수가 인정되지 않는다.

④ 필로폰을 매수하려는 자에게서 필로폰을 구해 달라는 부탁과 함께 돈을 지급받았다고 하더라도, 당시 필로폰을 소지 또는 입수한 상태에 있었다는 등 매매행위에 근접·밀착한 상태에서 대금을 지급받은 것이 아니라 단순히 필로폰을 구해 달라는 부탁과 함께 대금 명목으로 돈을 지급받은 것에 불과한 경우에는 필로폰 매매행위의 실행의 착수에 이른 것이라고 볼 수 없다.

지문분석 난이도 하 정답 ③

| 키 워 드 | 장애미수

| 출제유형 | 틀린 지문 고르기

③ (X) 소송사기는 법원을 기망하여 자기에게 유리한 판결을 얻고 이에 터잡아 상대방으로부터 재물의 교부를 받거나 재산상 이익을 취득하는 것을 말하는 것으로서 소송에서 주장하는 권리가 존재하지 않는 사실을 알고 있으면서도 법원을 기망한다는 인식을 가지고 소를 제기하면 이로써 실행의 착수가 있고 소장의 유효한 송달을 요하지 아니한다고 할 것인바, 이러한 법리는 제소자가 상대방의 주소를 허위로 기재함으로써 그 허위주소로 소송서류가 송달되어 그로 인하여 상대방 아닌 다른 사람이 그 서류를 받아 소송이 진행된 경우에도 마찬가지로 적용된다(대법원 2006.11.10. 2006도5811).

① (○) 대법원 2012.11.15. 2012도9603

② (○) 대법원 2009.12.24. 2009도9667

④ (○) 대법원 2015.3.20. 2014도16920

20 0199

2020 경찰 승진

실행의 착수시기에 대한 설명 중 가장 적절한 것은? (다툼이 있는 경우 판례에 의함)

① 침입대상인 아파트에 사람이 있는지를 확인하기 위해 그 집의 초인종을 누른 경우 주거의 사실상의 평온을 침해할 객관적인 위험성이 있으므로 주거침입죄의 실행의 착수가 인정된다.

② 야간에 다세대주택 2층의 불이 꺼져 있는 것을 보고 물건을 절취하기 위하여 가스배관을 타고 올라가다가, 발은 1층 방범창을 딛고 두 손은 1층과 2층 사이에 있는 가스배관을 잡고 있던 상태에서 순찰 중이던 경찰관에게 발각되자 그대로 뛰어내린 경우 야간주거침입절도죄의 실행의 착수가 인정되지 않는다.

③ 야간에 아파트에 침입하여 물건을 훔칠 의도하에 아파트의 베란다 철제난간까지 올라가 유리창문을 열려고 시도하고 실제로 집 안에 들어가지는 못한 경우 야간주거침입절도죄의 실행의 착수가 인정되지 않는다.

④ 노상에 세워 놓은 자동차 안에 있는 물건을 훔칠 생각으로 자동차의 유리창을 통하여 그 내부를 손전등으로 비추어 본 경우 유리창을 따기 위해 면장갑을 끼고 있었고 칼을 소지하고 있었다면 절도죄의 실행의 착수가 인정된다.

지문분석 난이도 하 정답 ②

| 키 워 드 | 장애미수

| 출제유형 | 옳은 지문 고르기

② (O) 대법원 2008.3.27. 2008도917

① (X) 침입대상인 아파트에 사람이 있는지 확인하기 위해 초인종을 누른 행위는 주거침입죄의 실행의 착수에 해당하지 않는다(대법원 2008.4.10. 2008도1464).

③ (X) 야간에 아파트에 침입하여 물건을 훔칠 의도하에 아파트의 베란다 철제난간까지 올라가 유리창문을 열려고 시도하였다면 야간주거침입절도죄의 실행에 착수한 것으로 보아야 한다(대법원 2003.10.24. 2003도4417).

④ (X) 노상에 세워 놓은 자동차 안에 있는 물건을 훔칠 생각으로 자동차의 유리창을 통하여 그 내부를 손전등으로 비추어 본 것에 불과하다면 비록 유리창을 따기 위해 면장갑을 끼고 있었고 칼을 소지하고 있었다 하더라도 절도의 예비행위로 볼 수는 있겠으나 타인의 재물에 대한 지배를 침해하는 데 밀접한 행위를 한 것이라고는 볼 수 없어 절취행위의 착수에 이른 것이었다고 볼 수 없다(대법원 1985.4.23. 85도464).

21 0200

2020 경찰 간부

실행의 착수에 관한 설명으로 가장 옳은 것은? (다툼이 있는 경우 판례에 의함)

① 예비·음모 후 실행의 착수로 나아가기를 자의로 포기한 경우 중지범 규정을 유추적용할 수 있다.

② 2인 이상이 합동하여 주간에 피해자의 아파트 출입문 시정장치를 손괴하다가 발각되어 도주한 경우 형법 제331조 제2항 특수절도죄의 실행의 착수가 인정된다.

③ 이른바 '기습추행'의 경우 피고인의 팔이 피해자의 몸에 닿지 않았더라도 양팔을 높이 들어 갑자기 뒤에서 껴안으려고 한 경우 강제추행죄의 실행의 착수가 인정된다.

④ 범죄수익은닉의 규제 및 처벌 등에 관한 법률상 범죄수익 등의 은닉에 관한 죄의 경우, 강도범행을 통해 강취할 돈을 송금받기 위해 계좌를 개설한 때 실행의 착수가 인정된다.

지문분석 난이도 하 정답 ③

| 키 워 드 | 장애미수

| 출제유형 | 옳은 지문 고르기

③ (O) 대법원 2015.9.10. 2015도6980

① (X) 중지범은 범죄의 실행에 착수한 후 자의로 그 행위를 중지한 때를 말하는 것이고 실행의 착수가 있기 전인 예비음모의 행위를 처벌하는 경우에 있어서 중지범의 관념은 이를 인정할 수 없다(대법원 1999.4.9. 99도424).

② (X) 2인 이상이 합동하여 야간이 아닌 주간에 절도의 목적으로 타인의 주거에 침입하였다 하여도 아직 절취할 물건의 물색행위를 시작하기 전이라면 특수절도죄의 실행에는 착수한 것으로 볼 수 없는 것이어서 그 미수죄가 성립하지 않는다(대법원 2009.12.24. 2009도9667).

④ (X) 은행강도 범행으로 강취할 돈을 송금받을 계좌를 개설한 것만으로는 범죄수익 등의 은닉에 관한 죄의 실행에 착수한 것으로 볼 수 없다(대법원 2007.1.11. 2006도5288).

→ 범죄수익 은닉행위의 실행에 착수하는 것은 범죄수익 등이 생겼을 때 비로소 가능하다 할 것이므로, 아직 범죄수익 등이 생기지 않은 상태에서는 범죄수익 등의 은닉에 관한 죄에 대한 실행의 착수가 있다고 인정하기 어렵다.

22 0201

2021 경찰 간부

실행의 착수 또는 기수시기에 대한 설명으로 옳은 것은? (다툼이 있는 경우 판례에 의함)

① 장애인단체의 지회장이 지방자치단체로부터 다음 해의 보조금을 더 많이 지원받기 위하여 지원금 지원결정의 참고자료로 이용되는 허위의 보조금 정산보고서를 제출한 경우에는 보조금 편취범행의 실행에 착수한 것으로 보기 어렵다.
② 금융기관 직원이 전산단말기를 이용하여 다른 공범들이 지정한 특정계좌에 돈이 입금된 것처럼 허위의 정보를 입력하는 방법으로 위 계좌로 입금되도록 한 경우, 그 후 그러한 입금이 취소되어 현실적으로 인출하지 못한 경우에는 컴퓨터등사용사기미수죄에 해당한다.
③ 진정한 임차권자가 아니면서 허위의 임대차계약서를 법원에 제출하여 임차권등기명령을 신청한 것만으로는 소송사기의 실행행위에 착수한 것으로 볼 수 없고, 나아가 그 임차보증금반환채권에 관하여 현실적으로 청구의 의사표시를 하여야 사기죄의 실행의 착수가 있다고 볼 것이다.
④ 법원을 기망하여 자기에게 유리한 판결을 얻고자 소송을 제기한 자가 상대방의 주소를 허위로 기재하여 소송을 제기함으로써 그 허위주소로 소송서류가 송달되어 그로 인하여 상대방 아닌 다른 사람이 그 서류를 받아 소송을 진행한 경우 소송사기죄의 실행의 착수가 인정되지 않는다.

지문분석 난이도 중 정답 ①

| 키 워 드 | 장애미수

| 출제유형 | 옳은 지문 고르기

① (○) 대법원 2003.6.13. 2003도1279
→ 보조금 정산보고서는 보조금의 지원 여부 및 금액을 결정하기 위한 참고자료에 불과하고 직접적인 서류라고 할 수 없다는 이유로 보조금 편취범행(기망)의 실행에 착수한 것으로 보기 어렵다고 한 판례이다.

② (X) 금융기관 직원이 전산단말기를 이용하여 다른 공범들이 지정한 특정계좌에 돈이 입금된 것처럼 허위의 정보를 입력하는 방법으로 위 계좌로 입금되도록 한 경우, 이러한 입금절차를 완료함으로써 장차 그 계좌에서 이를 인출하여 갈 수 있는 재산상 이익을 취득하였으므로 형법 제347조의2에서 정하는 컴퓨터 등 사용사기죄는 기수에 이르렀고, 그 후 그러한 입금이 취소되어 현실적으로 인출되지 못하였다고 하더라도 이미 성립한 컴퓨터 등 사용사기죄에 어떤 영향이 있다고 할 수는 없다(대법원 2006.9.14. 2006도4127).

③ (X) 법원의 임차권등기명령을 피해자의 재산적 처분행위에 갈음하는 내용과 효력이 있는 것으로 보고 그 집행에 의한 임차권등기가 마쳐짐으로써 신청인이 재산상 이익을 취득하였다고 보는 이상, 진정한 임차권자가 아니면서 허위의 임대차계약서를 법원에 제출하여 임차권등기명령을 신청하면 그로써 소송사기의 실행행위에 착수한 것으로 보아야 하고, 나아가 그 임차보증금반환채권에 관하여 현실적으로 청구의 의사표시를 하여야만 사기죄의 실행의 착수가 있다고 볼 것은 아니다(대법원 2012.5.24. 2010도12732).

④ (X) 소송사기는 법원을 기망하여 자기에게 유리한 판결을 얻고 이에 터잡아 상대방으로부터 재물의 교부를 받거나 재산상 이익을 취득하는 것을 말하는 것으로서 소송에서 주장하는 권리가 존재하지 않는 사실을 알고 있으면서도 법원을 기망한다는 인식을 가지고 소를 제기하면 이로써 실행의 착수가 있고 소장의 유효한 송달을 요하지 아니한다고 할 것인바, 이러한 법리는 제소자가 상대방의 주소를 허위로 기재함으로써 그 허위주소로 소송서류가 송달되어 그로 인하여 상대방 아닌 다른 사람이 그 서류를 받아 소송이 진행된 경우에도 마찬가지로 적용된다(대법원 2006.11.10. 2006도5811).

3 중지미수

23 0202

2011 경찰 2차

중지미수에 대한 다음 설명 중 가장 적절하지 않은 것은? (다툼이 있으면 판례에 의함)

① 범죄의 실행행위에 착수하고 그 범죄가 완수되기 전에 자기의 자유로운 의사에 따라 범죄의 실행행위를 중지한 경우에 그 중지가 일반 사회통념상 범죄를 완수함에 장애가 되는 사정에 의한 것이 아니라면 이는 중지미수에 해당한다.

② 결과의 불발생과 중지행위 사이에는 원칙적으로 인과관계가 있어야 중지미수가 인정된다. 따라서 결과발생을 방지하기 위한 진지한 노력이 있었으나 결과가 발생한 경우에는 이미 기수에 이른 것이므로 중지미수의 관념을 인정할 수 없다.

③ 공범의 경우 중지미수는 자신의 중지만으로는 성립할 수 없고 다른 가담자의 범행까지도 중지시켜야 중지미수가 성립한다. 이 경우 자의에 의한 중지자만 중지미수가 되고, 다른 가담자는 장애미수에 해당한다.

④ 예비의 중지에 중지미수의 규정을 준용하지 않은 경우에는 예비행위 이후에 자의로 중지한 경우에는 처벌되지만, 실행착수 이후에 중지한 경우에는 불처벌까지 될 수 있어 처벌상의 불합리가 나타날 수도 있다. 따라서 이 경우에는 예비죄에 중지미수의 규정을 준용한다.

지문분석 난이도 중 정답 ④

| 키 워 드 | 중지미수

| 출제유형 | 틀린 지문 고르기

④ (X) 중지범은 범죄의 실행에 착수한 후 자의로 그 행위를 중지한 때를 말하는 것이고 실행의 착수가 있기 전인 예비음모의 행위를 처벌하는 경우에 있어서 '중지범의 관념'은 이를 인정할 수 없다(대법원 1999.4.9. 99도424).

→ 지문은 다수설의 내용이다. 판례에 의하면 예비의 경우 중지범의 개념을 부정한다.

① (O) 중지미수라 함은 범죄의 실행행위에 착수하고 그 범죄가 완수되기 전에 자기의 자유로운 의사에 따라 범죄의 실행행위를 중지하는 것으로서 장애미수와 대칭되는 개념이나 중지미수와 장애미수를 구분하는 데 있어서는 범죄의 미수가 자의에 의한 중지이냐 또는 어떤 장애에 의한 미수이냐에 따라 가려야 하고 특히 자의에 의한 중지 중에서도 일반 사회통념상 장애에 의한 미수라고 보여지는 경우를 제외한 것을 중지미수라고 풀이함이 일반이다(대법원 1985.11.12. 85도2002).

② (O) 대마관리법 제19조 제1항 제2호, 제4조 제3호 위반죄는 대마를 매매함으로써 성립하는 것이므로 설사 피고인이 대마 2상자를 사가지고 돌아오다 이 장사를 다시 하게 되면 내 인생을 망치게 된다는 생각이 들어 이를 불태웠다고 하더라도 이는 양형에 참작되는 사유는 될 수 있을지언정 이미 성립한 죄에는 아무 소장이 없어 이를 중지미수에 해당된다 할 수 없다(대법원 1983.12.27. 83도2629, 83감도446).

→ 대마매매죄의 기수

③ (O) 다른 공범의 범행을 중지하게 하지 아니한 이상 자기만의 범의를 철회, 포기하여도 중지미수로는 인정될 수 없다(대법원 2005.2.25. 2004도8259). 한편, 중지미수의 효과는 개별적으로 적용되므로 중지자만 중지미수가 되고, 다른 가담자는 장애미수가 된다.

24 0203

2014 경찰 2차

중지미수범에 관한 다음 설명 중 옳지 않은 것을 모두 고른 것은? (다툼이 있으면 판례에 의함)

㉠ 甲과 乙은 피해자를 텐트 안으로 끌고 가 차례로 성관계를 하기로 하고, 甲이 텐트 밖에서 망을 보는 사이 乙은 피해자의 반항을 억압한 후 강간하였고, 이어 甲이 텐트 안으로 들어가 피해자를 강간하려 하였으나 피해자가 반항을 하며 강간을 하지 말아 달라고 사정을 하여 강간을 하지 않았다면 甲은 중지미수에 해당한다.
㉡ 장롱 안에 있는 옷가지에 불을 놓아 건물을 소훼하려 하였으나 불길이 치솟는 것을 보고 겁이 나서 물을 부어 불을 끈 것이라면 자의에 의한 중지미수라고는 볼 수 없다.
㉢ 피고인이 甲에게 위조한 예금통장 사본 등을 보여주면서 외국회사에서 투자금을 받았다고 거짓말하며 자금 대여를 요청하였으나, 甲과 함께 그 입금 여부를 확인하기 위해 은행에 가던 중 은행 입구에서 차용을 포기하고 돌아갔다면 중지미수로 볼 수 없다.
㉣ 강도가 강간하려고 하였으나 잠자던 피해자의 어린 딸이 잠에서 깨어 울고 있고, 또 피해자가 시장에 간 남편이 곧 돌아온다고 하면서 임신 중이라고 말하자 강간을 중지한 경우에는 중지미수에 해당한다.
㉤ 甲이 乙을 살해하려고 그의 목 부위와 왼쪽 가슴 부위를 칼로 수회 찔러 乙의 가슴 부위에서 많은 피가 흘러나오는 것을 발견하고 겁을 먹고 그만두었다면 중지미수에 해당한다.

① ㉠, ㉡, ㉢, ㉤　② ㉠, ㉣, ㉤
③ ㉡, ㉣, ㉤　④ ㉠, ㉢, ㉣

지문분석

난이도 하 정답 ②

| 키 워 드 | 중지미수
| 출제유형 | 조합하기

㉠ (X) 乙이 甲과의 공모하에 강간행위에 나아간 이상 비록 甲이 강간행위에 나아가지 않았다 하더라도 중지미수에 해당하지는 않는다(대법원 2005.2.25. 2004도8259).
→ 甲은 (특수)강간죄의 기수
㉣ (X) 강도가 강간하려고 하였으나 잠자던 피해자의 어린 딸이 잠에서 깨어 우는 바람에 도주하였고, 또 피해자가 시장에 간 남편이 곧 돌아온다고 하면서 임신 중이라고 말하자 도주한 경우에는 자의로 강간행위를 중지하였다고 볼 수 없다(대법원 1993.4.13. 93도347).
→ 강간죄의 장애미수
㉤ (X) 대법원 1999.4.13. 99도640
→ 살인죄의 장애미수
㉡ (O) 대법원 1997.6.13. 97도957
→ 현주건조물방화죄의 장애미수
㉢ (O) 대법원 2011.11.10. 2011도10539
→ 사기죄의 장애미수

25 0204

2018 경찰 1차

미수에 대한 설명 중 옳은 것을 모두 고른 것은? (다툼이 있는 경우 판례에 의함)

㉠ 甲은 乙과 합동하여 피해자를 텐트 안으로 끌고 간 후 甲, 乙 순으로 성관계를 하기로 하고 乙은 위 텐트 밖으로 나와 주변에서 망을 보고 甲은 피해자의 옷을 모두 벗기고 피해자의 반항을 억압한 후 피해자를 1회 간음하여 강간하고, 이어 乙이 위 텐트 안으로 들어가 피해자를 강간하려 하였으나 피해자가 반항을 하며 강간을 하지 말아 달라고 사정을 하여 강간을 하지 않았다면 乙에 대하여는 중지미수가 인정된다.
㉡ 피고인이 장롱 안에 있는 옷가지에 불을 놓아 건물을 소훼하려 하였으나 불길이 치솟는 것을 보고 겁이 나서 물을 부어 불을 끈 것이라면 중지미수라고 볼 수 없다.
㉢ 실행의 수단 또는 대상의 착오로 인하여 결과의 발생이 불가능하더라도 위험성이 있는 때에는 처벌한다. 단, 형을 감경 또는 면제한다.
㉣ 필로폰을 매수하려는 자에게서 필로폰을 구해 달라는 부탁과 함께 돈을 지급받았다고 하더라도, 당시 필로폰을 소지 또는 입수한 상태에 있었거나 그것이 가능하였다는 등 매매행위에 근접·밀착한 상태에서 대금을 지급받은 것이 아니라 단순히 필로폰을 구해 달라는 부탁과 함께 대금 명목으로 돈을 지급받은 것에 불과한 경우에는 필로폰 매매행위의 실행의 착수에 이른 것으로 볼 수 없다.

① ㉠, ㉡　② ㉠, ㉢
③ ㉡, ㉣　④ ㉢, ㉣

지문분석

난이도 상 정답 ③

| 키 워 드 | 중지미수
| 출제유형 | 조합하기

㉡ (O) 대법원 1997.6.13. 97도957
→ 현주건조물방화죄의 장애미수를 인정한 판결이다.
㉣ (O) 대법원 2015.3.20. 2014도16920
㉠ (X) 甲이 피고인 乙과의 공모하에 강간행위에 나아간 이상 비록 피고인 乙이 강간행위에 나아가지 않았다 하더라도 중지미수에 해당하지는 않고 기수가 된다(대법원 2005.2.25. 2004도8259).
→ 다른 공범의 범행을 중지하게 하지 아니한 채 자기만의 범의를 철회·포기한 경우, 중지미수의 인정 여부: 부정
㉢ (X) 불능미수는 임의적 감면사유이다(형법 제27조).

26 0205

2010 경찰 승진

다음 판례 중에서 자의에 의한 범행중지가 인정되어 중지미수로 처벌된 경우는?

① 장롱 안에 있는 옷가지에 불을 놓아 건물을 소훼하려 했으나 불길이 치솟자 겁이 나서 불을 끈 경우
② 피해자를 살해하려고 목 부위와 가슴 부위를 칼로 수회 찔렀으나 많은 피가 흘러나오자 겁을 먹고 그만둔 경우
③ 피해자의 어린 딸이 옆에서 울고 피해자가 남편이 돌아올 시간이 되었다고 하면서 더구나 임신 중이라고 사정하자 강간행위를 그만둔 경우
④ 피고인이 피해자를 강간하려다가 피해자가 다음번에 만나 친해지면 응해주겠다는 취지의 간곡한 부탁을 하자 강간행위를 그만둔 경우

지문분석 난이도 중 정답 ④

| 키 워 드 | 중지미수
| 출제유형 | 옳은 지문 고르기

④ (O) 피고인이 피해자를 강간하려다가 피해자의 다음번에 만나 친해지면 응해주겠다는 취지의 간곡한 부탁으로 인하여 그 목적을 이루지 못한 후 피해자를 자신의 차에 태워 집에까지 데려다 주었다면 피고인은 자의로 피해자에 대한 강간행위를 중지한 것이고 피해자의 다음에 만나 친해지면 응해주겠다는 취지의 간곡한 부탁은 사회통념상 범죄실행에 대한 장애라고 여겨지지는 아니하므로 피고인의 행위는 중지미수에 해당한다(대법원 1993.10.12. 93도1851).
→ 범죄의 실행행위에 착수하고 그 범죄가 완수되기 전에 자기의 자유로운 의사에 따라 범죄의 실행행위를 중지한 경우, 자의에 의한 중지가 일반 사회통념상 장애에 의한 미수라고 보여지는 경우가 아니면 이는 중지미수에 해당한다.
① (X) 피고인이 장롱 안에 있는 옷가지에 불을 놓아 건물을 소훼하려 하였으나 불길이 치솟는 것을 보고 겁이 나서 물을 부어 불을 끈 것이라면, 위와 같은 경우 치솟는 불길에 놀라거나 자신의 신체안전에 대한 위해 또는 범행 발각시의 처벌 등에 두려움을 느끼는 것은 일반 사회통념상 범죄를 완수함에 장애가 되는 사정에 해당한다고 보아야 할 것이므로, 이를 자의에 의한 중지미수라고는 볼 수 없다(대법원 1997.6.13. 97도957).
② (X) 피고인이 피해자를 살해하려고 그의 목 부위와 왼쪽 가슴 부위를 칼로 수회 찔렀으나 피해자의 가슴 부위에서 많은 피가 흘러나오는 것을 발견하고 겁을 먹고 그만두는 바람에 미수에 그친 것이라면, 위와 같은 경우 많은 피가 흘러나오는 것에 놀라거나 두려움을 느끼는 것은 일반 사회통념상 범죄를 완수함에 장애가 되는 사정에 해당한다고 보아야 할 것이므로, 이를 자의에 의한 중지미수라고 볼 수 없다(대법원 1999.4.13. 99도640).
③ (X) 강도가 강간하려고 하였으나 ㉠ 잠자던 피해자의 어린 딸이 잠에서 깨어 우는 바람에 도주하였고, 또 ㉡ 피해자가 시장에 간 남편이 곧 돌아온다고 하면서 임신 중이라고 말하자 도주한 경우에는 자의로 강간행위를 중지하였다고 볼 수 없다(대법원 1993.4.13. 93도347).
→ 이 사건은 피고인이 2회에 걸쳐 강도죄를 범한 후 강간죄를 범하려다가 미수에 그친 사건이다.

27 0206

2019 경찰 간부

다음 설명 중 가장 옳은 것은? (다툼이 있는 경우 판례에 의함)

① 장롱 안에 있는 옷가지에 불을 놓아 건물을 소훼하려 하였으나 불길이 치솟는 것을 보고 겁이 나서 자의로 물을 가져다 불을 끈 경우 중지미수에 해당한다.
② 피해자를 강간하려다가 피해자의 다음번에 만나 친해지면 응해주겠다는 취지의 간곡한 부탁으로 인하여 그 목적을 이루지 못한 후 피해자를 자신의 차에 태워 집에까지 데려다 주었다면 중지미수에 해당한다.
③ 피고인이 임야를 편취할 목적으로 소송을 제기하였으나 소제기시 이미 소송의 상대방이 사망하였을 경우에는 소송에서 승소판결을 받는다고 하더라도 판결의 효력이 해당 임야의 재산상속인에게 미칠 수 없으므로 이는 사기죄의 불능미수에 해당한다.
④ 제3자가 피보험자 본인인 것처럼 가장하여 타인의 사망을 보험사고로 하는 생명보험계약을 체결한 행위는 원칙적으로 사기죄의 실행에 착수한 것으로 볼 수 있다.

지문분석 난이도 중 정답 ②

| 키 워 드 | 중지미수
| 출제유형 | 옳은 지문 고르기

② (O) 대법원 1993.10.12. 93도1851
① (X) 피고인이 장롱 안에 있는 옷가지에 불을 놓아 건물을 소훼하려 하였으나 불길이 치솟는 것을 보고 겁이 나서 물을 부어 불을 끈 것이라면, 위와 같은 경우 치솟는 불길에 놀라거나 자신의 신체안전에 대한 위해 또는 범행 발각시의 처벌 등에 두려움을 느끼는 것은 일반 사회통념상 범죄를 완수함에 장애가 되는 사정에 해당한다고 보아야 할 것이므로, 이를 자의에 의한 중지미수라고는 볼 수 없다(대법원 1997.6.13. 97도957).
③ (X) 소송사기에 있어서 피기망자인 법원의 재판은 피해자의 처분행위에 갈음하는 내용과 효력이 있는 것이어야 하고, 그렇지 아니하는 경우에는 착오에 의한 재물의 교부행위가 있다고 할 수 없어서 사기죄는 성립되지 아니한다고 할 것이므로, 피고인의 제소가 사망한 자를 상대로 한 것이라면 이와 같은 사망한 자에 대한 판결은 그 내용에 따른 효력이 생기지 아니하여 상속인에게 그 효력이 미치지 아니하고 따라서 사기죄를 구성한다고 할 수 없다(대법원 2002.1.11. 2000도1881).
→ 피고인의 행위가 소송사기죄의 불능미수로 볼 수 없다고 보아 무죄를 선고한 판례이다.
④ (X) 타인의 사망을 보험사고로 하는 생명보험계약을 체결함에 있어 제3자가 피보험자인 것처럼 가장하여 체결하는 등으로 그 유효요건이 갖추어지지 못한 경우에도, 보험계약 체결 당시에 이미 보험사고가 발생하였음에도 이를 숨겼다거나 보험사고의 구체적 발생가능성을 예견할 만한 사정을 인식하고 있었던 경우 또는 고의로 보험사고를 일으키려는 의도를 가지고 보험계약을 체결한 경우와 같이 보험사고의 우연성과 같은 보험의 본질을 해칠 정도라고 볼 수 있는 특별한 사정이 없는 한, 그와 같이 하자 있는 보험계약을 체결한 행위만으로는 미필적으로라도 보험금을 편취하려는 의사에 의한 기망행위의 실행에 착수한 것으로 볼 것은 아니다. 그러므로 그와 같이 기망행위의 실행의 착수로 인정할 수 없는 경우에 피보험자 본인임을 가장하는 등으로 보험계약을 체결한 행위는 단지 장차의 보험금 편취를 위한 예비행위에 지나지 않는다(대법원 2013.11.14. 2013도7494).

4 불능미수

28 0207

2019 경찰 2차

불능미수에 관한 설명으로 가장 적절하지 않은 것은? (다툼이 있는 경우 판례에 의함)

① 불능미수는 행위자가 실제로 존재하지 않는 사실을 존재한다고 오인하였다는 측면에서 존재하는 사실을 인식하지 못한 사실의 착오와 다르다.
② 장애미수 또는 중지미수는 범죄의 실행에 착수할 당시 실행행위를 놓고 판단하였을 때 행위자가 의도한 범죄의 기수가 성립할 가능성이 있었으므로 처음부터 기수가 될 가능성이 객관적으로 배제되는 불능미수와 구별된다.
③ '결과발생의 불가능'은 실행의 수단 또는 대상의 원시적 불가능성으로 인하여 범죄가 기수에 이를 수 없는 것을 의미한다.
④ 준강간죄가 성립하기 위해서는 피해자의 '심신상실 또는 항거불능의 상태를 현실적으로 이용'할 필요는 없고, 피해자가 사실상 심신상실 또는 항거불능 상태에 있기만 하면 족하며 피고인이 이를 알고 있을 필요도 없다.

지문분석 난이도 중 정답 ④

| 키 워 드 | 불능미수
| 출제유형 | 틀린 지문 고르기

④ (X) [1] 형법은 폭행 또는 협박의 방법이 아닌 심신상실 또는 항거불능의 상태를 이용하여 간음한 행위를 강간죄에 준하여 처벌하고 있으므로, 준강간의 고의는 피해자가 심신상실 또는 항거불능의 상태에 있다는 것과 그러한 상태를 이용하여 간음한다는 구성요건적 결과발생의 가능성을 인식하고 그러한 위험을 용인하는 내심의 의사를 말한다.
[2] 피고인이 피해자가 심신상실 또는 항거불능의 상태에 있다고 인식하고 그러한 상태를 이용하여 간음할 의사로 피해자를 간음하였으나 피해자가 실제로는 심신상실 또는 항거불능의 상태에 있지 않은 경우에는, 준강간죄의 불능미수가 성립한다(대법원 2019.3.28. 2018도16002 전원합의체).
① (O) 대법원 2019.3.28. 2018도16002 전원합의체
→ 불능미수는 반전된 사실의 착오이다.
② (O) 대법원 2019.3.28. 2018도16002 전원합의체
→ 장애미수와 중지미수는 가능미수이고, 불능미수는 불가능미수이다.
③ (O) 대법원 2019.3.28. 2018도16002 전원합의체

29 0208

2020 경찰 1차

다음 사례에서 불능미수의 학설에 관한 설명으로 가장 적절하지 않은 것은?

> 甲은 평소 맘에 들지 않던 乙이 동네 벤치에 누워 있는 것을 발견하고 살해하기 위해 총을 발사하였다. 그러나 乙은 甲이 총을 발사하기 전에 이미 심장마비로 사망한 상태였다.

① 구객관설(절대적 불능·상대적 불능 구별설)에 의하면 결과발생이 어떠한 경우에도 개념적으로 불가능하여 위험성이 인정되지 않는다.
② 구체적 위험설에 의하면 일반인이 乙을 살아 있는 것으로 오인한 경우뿐만 아니라 乙을 사망한 것으로 인식한 경우에도 행위자 甲의 인식이 우선시되므로 위험성이 인정된다.
③ 추상적 위험설에 의하면 甲은 乙을 살아 있는 사람으로 인식하고 있었으므로 위험성이 인정된다.
④ 주관설에 의하면 위 사례의 경우 위험성이 인정된다.

지문분석 난이도 상 정답 ②

| 키 워 드 | 불능미수
| 출제유형 | 사례 풀기

② (X) 구체적 위험설은 행위 당시에 '행위자가 인식한 사정 및 일반인이 인식할 수 있었던 사정'을 기초로 일반적 경험법칙에 따라 사후적으로 판단하여 구체적 위험성이 있다고 인정되면 불능미수가 된다는 견해로 이 사안에서 행위자는 물론 일반인도 乙을 살아 있는 것으로 오인한 경우만 위험성이 인정된다.
①, ③, ④ (O) 올바른 설명이다.

✓ 개념체크 **불능범과 불능미수의 구별 학설**

구분	내용
구객관설	• 불능을 결과발생이 개념적으로 불가능한 절대적 불능과 구체적이고 특수한 경우에만 불가능한 상대적 불능으로 구별하여, 후자만이 불능미수범이 된다는 견해(절대적 불능·상대적 불능설) • 불능범을 가장 넓게 인정함 • 법률적 불능은 불능범이지만, 사실적 불능은 불능미수범이라는 법률적 불능·사실적 불능설도 같은 의미로 이해됨 예 • 절대적 불능: 사체에 대한 살해행위, 독살의사로 설탕을 먹인 경우 • 상대적 불능: 방탄복을 입은 자에 대한 발포, 치사량 미달의 독약을 먹인 경우
법률적·사실적 불능설	결과발생의 불능을 법률적 불능과 사실적 불능으로 나누어 법률적 불능은 불능범, 사실적 불능은 불능미수범이 된다는 견해
구체적 위험설	행위 당시에 '행위자가 인식한 사정 및 일반인이 인식할 수 있었던 사정'을 기초로 일반적 경험법칙에 따라 사후적으로 판단하여 구체적 위험성이 있다고 인정되면 불능미수가 된다는 견해(신객관설) 예 • 불능미수: 일반인이 임신하였다고 생각하는 부녀에 대한 낙태, 실탄이 있는 것으로 생각하고 발사하였지만 탄환이 없는 경우, 치사량 미달의 독약으로 살해한 경우, 일반인이 시체임을 알 수 없는 자에 대한 발포 • 불능범: 수영선수를 수영 못하는 사람으로 알고 익사시키려고 한 경우, 일반인이 사정거리 밖에 있음을 알 수 있는 사람에 대한 저격, 일반인이 시체임을 알 수 있는 자에 대한 발포
추상적 위험설	행위시에 '행위자가 인식한 사실'을 기초로 행위자가 생각한 대로의 사정이 존재하였다면 일반인의 판단에서 추상적으로 결과발생의 위험성이 있다고 인정될 때 불능미수가 된다는 견해(주관적 위험설) 예 • 불능미수: 독약으로 알고 설탕을 먹인 경우, 음식물에 유황분말을 넣어 살해하려고 한 경우, 수영선수를 수영 못하는 사람으로 알고 익사시키려 한 경우, 살아 있는 것으로 오인하고 행한 사체에 대한 살해행위 • 불능범: 설탕에 살인력이 있는 줄 알고 설탕을 먹인 경우, 소화제로 낙태가 된다고 믿고 복용시킨 경우
인상설	행위자의 법적대적 의사가 일반인의 법적 안정감이나 사회적 평온상태를 교란하는 인상을 줄 경우에 위험성이 인정된다고 하는 견해
주관설	• 주관적으로 범죄의사가 확실하게 표현된 이상 그것이 객관적으로 절대 불능인 때에도 미수범으로 처벌해야 한다는 견해 • 원칙적으로 불능범의 개념을 인정하지 않는다. 다만, 미신범만은 실행행위의 정형성이 없기 때문에 가벌적 미수에서 제외된다고 봄

30 0209

2012 경찰 승진

미수에 관한 설명으로 가장 적절하지 않은 것은? (다툼이 있으면 판례에 의함)

① 원료불량으로 인한 제조상의 애로, 제품의 판로문제, 범행탄로시의 처벌공포, 원심 상피고인의 포악성 등으로 인하여 히로뽕 제조를 단념한 경우, 그와 같은 사정이 있었다는 것만으로서는 이를 중지미수라 할 수 없다.

② 가압류는 강제집행의 보전방법에 불과한 것이어서 허위의 채권을 피보전권리로 삼아 가압류를 하였다고 하더라도 그 채권에 관하여 현실적으로 청구의 의사표시를 한 것이라고는 볼 수 없으므로, 본안소송을 제기하지 아니한 채 가압류를 한 것만으로는 사기죄의 실행에 착수하였다고 할 수 없다.

③ 불능미수의 위험성 판단과 관련하여 행위자가 인식한 사정과 일반인이 인식할 수 있었던 사정이 일치하지 않는 경우에 어느 사정을 기초로 판단할 것인지가 명확하지 않다는 비판을 받고 있는 견해에 의하면, 명백히 사정거리 밖에 있는 자에 대해 사정거리 안에 있는 것으로 오인하고 총격한 경우에 위험성이 부정된다.

④ 히로뽕 제조를 공모하고 그 제조원료인 염산에페트린과 파라디움, 에테르 등 수종의 화공약품을 사용하여 히로뽕 제조를 시도하였으나 그 제조기술의 부족으로 히로뽕 완제품을 제조하지 못하였고 미완성품에서도 히로뽕 성분이 검출되지 아니하였다면 향정신성의약품제조미수죄가 성립한다고 할 수 없다.

지문분석 난이도 중 정답 ④

| 키 워 드 | 미수

| 출제유형 | 틀린 지문 고르기

④ (X) 히로뽕제조를 공모하고 그 제조원료인 염산에페트린과 파라디움, 에테르 등 수종의 화공약품을 사용하여 히로뽕제조를 시도하였으나 그 제조기술의 부족으로 히로뽕완제품을 제조하지 못하였다면 비록 미완성품에서 히로뽕성분이 검출되지 아니하였다고 하여도 향정신성의약품제조미수죄의 성립에 소장이 있다고 할 수 없다(대법원 1984.10.10. 84도1793).
→ 이 사건에 대해 장애미수설과 불능미수설의 대립은 있으나, 미수가 되는 것이지 불능범은 아니다.

① (O) 대법원 1985.11.12. 85도2002
→ 중지미수 부정, 장애미수 인정

② (O) 대법원 1988.9.13. 88도55

③ (O) 불능미수의 위험성 판단과 관련한 학설 중 행위자가 인식한 사정과 일반인이 인식할 수 있었던 사정이 일치하지 않는 경우에 어느 사정을 기초로 판단할 것인지가 명확하지 않다는 비판을 받고 있는 견해는 구체적 위험설이다. 이 견해에 의하면 '명백히 사정거리 밖'에 있는 자에 대해 사정거리 안에 있는 것으로 오인하고 총격한 경우에 일반인은 사정거리 밖에 있는 것으로 알 수 있으므로 위험성이 부정되어 불능범이 된다.
→ 구체적 위험설(신객관설): 행위 당시에 '행위자가 인식한 사정 및 일반인이 인식할 수 있었던 사정'을 기초로 일반적 경험법칙에 따라 사후적으로 판단하여 구체적 위험성이 있다고 인정되면 불능미수가 된다는 견해이다.

31 0210

2020 경찰 승진

불능미수에 대한 설명 중 가장 적절하지 않은 것은? (다툼이 있는 경우 판례에 의함)

① 불능미수는 실행의 수단이나 대상의 착오로 처음부터 구성요건이 충족될 가능성이 없는 경우로, 결과적으로 구성요건의 충족은 불가능하지만 그 행위의 위험성이 있으면 불능미수로 처벌한다.
② 불능미수는 행위자가 실제로 존재하지 않는 사실을 존재한다고 오인하였다는 측면에서 존재하는 사실을 인식하지 못한 사실의 착오와 다르다.
③ '결과발생의 불가능'은 실행의 수단 또는 대상의 원시적 불가능성으로 인하여 범죄가 기수에 이를 수 없는 것을 의미한다고 보아야 한다.
④ 불능범과 구별되는 불능미수의 성립요건인 '위험성'은 행위 당시에 행위자가 인식한 사정과 일반인이 인식할 수 있는 사정을 기초로 일반적 경험법칙에 따라 판단해야 한다.

지문분석 난이도 상 정답 ④

| 키 워 드 | 불능미수
| 출제유형 | 틀린 지문 고르기

④ (X) 불능범과 구별되는 불능미수의 성립요건인 '위험성'은 피고인이 행위 당시에 인식한 사정을 놓고 일반인이 객관적으로 판단하여 결과발생의 가능성이 있는지 여부를 따져야 한다(대법원 2019.3.28. 2018도16002 전원합의체).
①, ②, ③ (O) 대법원 2019.3.28. 2018도16002 전원합의체

32 0211

2021 경찰 승진

다음 중 갑의 행위와 미수(불가벌적 불능범 포함)의 연결이 바르게 된 것을 모두 고른 것은? (다툼이 있는 경우 판례에 의함)

㉠ 소송비용을 편취할 의사로 민사소송법상 소송비용의 지급을 구하는 손해배상청구의 소를 제기한 갑의 행위 – 형법 제347조 사기죄의 불능미수
㉡ 갑은 피해자가 심신상실 또는 항거불능의 상태에 있다고 인식하고 그러한 상태를 이용하여 간음할 의사로 피해자를 간음하였으나 피해자가 실제로는 심신상실 또는 항거불능의 상태에 있지 않은 경우, 갑의 행위 – 형법 제299조 준강간죄의 불가벌적 불능범
㉢ 피해자를 살해하기 위해 그의 목 부위와 왼쪽 가슴 부위를 칼로 수회 찔렀으나 피해자의 가슴 부위에서 많은 피가 흘러나오는 것을 발견하고 겁을 먹고 범행을 그만둔 갑의 행위 – 형법 제250조 살인죄의 중지미수
㉣ 강도행위 중에 피해자를 강간하려고 작은 방으로 끌고가 팬티를 강제로 벗기고 음부를 만지자 피해자가 수술한 지 얼마 안 되어 배가 아프다면서 애원하는 바람에 강간을 그만둔 갑의 행위 – 형법 제339조 강도강간죄의 장애미수

① ㉠, ㉡, ㉣　　② ㉠, ㉢
③ ㉡, ㉢　　④ ㉣

지문분석 난이도 중 정답 ④

| 키 워 드 | 미수
| 출제유형 | 조합하기

㉣ (O) 대법원 1992.7.28. 92도917
㉠ (X) 민사소송법상 소송비용의 청구는 소송비용액 확정절차에 의하도록 규정하고 있으므로, 위 절차에 의하지 아니하고 손해배상금 청구의 소 등으로 소송비용의 지급을 구하는 것은 소의 이익이 없는 부적법한 소로서 허용될 수 없다고 할 것이다. 따라서 소송비용을 편취할 의사로 소송비용의 지급을 구하는 손해배상청구의 소를 제기하였다고 하더라도 이는 객관적으로 소송비용의 청구방법에 관한 법률적 지식을 가진 일반인의 판단으로 보아 결과발생의 가능성이 없어 위험성이 인정되지 않는다고 할 것이다(대법원 2005.12.8. 2005도8105).
㉡ (X) 피고인이 피해자가 심신상실 또는 항거불능의 상태에 있다고 인식하고 그러한 상태를 이용하여 간음할 의사로 피해자를 간음하였으나 피해자가 실제로는 심신상실 또는 항거불능의 상태에 있지 않은 경우에는, 준강간죄의 불능미수가 성립한다(대법원 2019.3.28. 2018도16002 전원합의체).
㉢ (X) 범죄의 실행행위에 착수하고 그 범죄가 완수되기 전에 자기의 자유로운 의사에 따라 범죄의 실행행위를 중지한 경우에 그 중지가 일반 사회통념상 범죄를 완수함에 장애가 되는 사정에 의한 것이 아니라면 이는 중지미수에 해당한다고 할 것이지만, 피고인이 피해자를 살해하려고 그의 목 부위와 왼쪽 가슴 부위를 칼로 수회 찔렀으나 피해자의 가슴 부위에서 많은 피가 흘러나오는 것을 발견하고 겁을 먹고 그만두는 바람에 미수에 그친 것이라면, 위와 같은 경우 많은 피가 흘러나오는 것에 놀라거나 두려움을 느끼는 것은 일반 사회통념상 범죄를 완수함에 장애가

되는 사정에 해당한다고 보아야 할 것이므로, 이를 자의에 의한 중지미수라고 볼 수 없다(대법원 1999.4.19. 99도640).
→ 장애미수에 해당한다.

5 예비죄

33 0212

2012 경찰 2차

다음 중 예비죄 처벌규정이 있는 것은 모두 몇 개인가?

㉠ 도주원조죄
㉡ 현주건조물방화죄
㉢ 유가증권위조죄
㉣ 소인말소죄
㉤ 수도불통죄
㉥ 촉탁승낙살인죄

① 2개 ② 3개
③ 4개 ④ 5개

지문분석 난이도 ⓢ 정답 ③

| 키 워 드 | 예비죄
| 출제유형 | 개수 찾기

㉠ (O) 형법 제150조 참조
㉡ (O) 형법 제175조 참조
㉢ (O) 형법 제224조 참조
㉤ (O) 형법 제197조 참조

34 0213

2017 경찰 승진

형법상 예비·음모의 처벌규정이 없는 것을 모두 고른 것은?

㉠ 영아살해죄
㉡ 미성년자약취·유인죄
㉢ 통화유사물제조죄
㉣ 도주원조죄
㉤ 허위유가증권작성죄
㉥ 수도불통죄
㉦ 폭발물사용죄
㉧ 일반교통방해죄

① ㉠, ㉡, ㉤, ㉥　　② ㉠, ㉢, ㉤, ㉧
③ ㉢, ㉣, ㉥, ㉧　　④ ㉣, ㉤, ㉥, ㉦

지문분석 난이도 중 정답 ②

| 키 워 드 | 예비·음모
| 출제유형 | 조합하기

㉠, ㉢, ㉤, ㉧ (O) 영아살해죄, 통화유사물제조죄, 허위유가증권작성죄, 일반교통방해죄는 예비·음모의 처벌규정이 없다.
㉡, ㉣, ㉥, ㉦ (X) 미성년자약취·유인죄, 도주원조죄, 수도불통죄, 폭발물사용죄는 예비·음모의 처벌규정이 있다.

35 0214

2016 경찰 2차

예비·음모에 대한 다음 설명 중 옳지 않은 것은 모두 몇 개인가? (다툼이 있으면 판례에 의함)

㉠ 정범이 실행의 착수에 이르지 아니한 예비단계에 그친 경우에는 이에 가공한다 하더라도 예비의 공동정범이 되는 때를 제외하고는 종범으로 처벌할 수 없다.
㉡ 예비·음모의 행위를 처벌하는 경우에 있어서 예비행위를 자의로 중지했을 때에는 중지범에 관한 규정을 준용한다.
㉢ 강도예비·음모죄가 성립하기 위해서는 예비·음모 행위자에게 미필적으로라도 강도를 할 목적이 있음이 인정되어야 하고 그에 이르지 않고 단순히 준강도할 목적이 있음에 그치는 경우에는 강도예비·음모죄로 처벌할 수 없다.
㉣ 형법 제147조 도주원조죄와 제185조 일반교통방해죄는 예비·음모의 처벌규정이 있다.
㉤ 내란음모죄에 해당하는 합의가 있다고 하기 위해서는 단순히 내란에 관한 범죄결심을 외부에 표시·전달하는 것만으로는 부족하고 객관적으로 내란범죄의 실행을 위한 합의라는 것이 명백히 인정되고, 그러한 합의에 실질적인 위험성이 인정되어야 한다.

① 1개　　② 2개
③ 3개　　④ 4개

지문분석 난이도 중 정답 ②

| 키 워 드 | 예비·음모
| 출제유형 | 개수 찾기

㉡ (X) 중지범은 범죄의 실행에 착수한 후 자의로 그 행위를 중지한 때를 말하는 것이고 실행의 착수가 있기 전인 예비음모의 행위를 처벌하는 경우에 있어서 중지범의 관념은 이를 인정할 수 없다(대법원 1999.4.9. 99도424).
→ 판례는 예비의 중지를 부정한다.
㉣ (X) 형법 제147조 도주원조죄는 예비·음모 처벌규정(형법 제150조)이 있으나, 형법 제185조 일반교통방해죄는 예비·음모 처벌규정이 없고 미수처벌규정만 있다.
㉠ (O) 대법원 1976.5.25. 75도1549
→ 예비의 공동정범 인정, 종범 부정
㉢ (O) 대법원 2006.9.14. 2004도6432
㉤ (O) 대법원 2015.1.22. 2014도10978
→ 통합진보당 이석기 의원 사건: 내란음모 부정, 내란선동 인정

36 0215

2017 경찰 2차

예비·음모에 대한 설명으로 가장 적절하지 않은 것은? (다툼이 있는 경우 판례에 의함)

① 강도예비·음모죄가 성립하기 위해서는 예비·음모 행위자에게 미필적으로라도 '강도'를 할 목적이 있음이 인정되어야 하고, 그에 이르지 않고 단순히 '준강도'할 목적이 있음에 그치는 경우에는 강도예비·음모죄로 처벌할 수 없다.
② 형법상 폭발물사용죄와 미성년자약취·유인죄는 예비·음모의 처벌규정을 두고 있다.
③ 피고인이 본범이 절취한 차량이라는 정을 알면서도 본범 등으로부터 그들이 위 차량을 이용하여 강도를 하려 함에 있어 차량을 운전해 달라는 부탁을 받고 위 차량을 운전해 준 경우, 피고인은 강도예비와 아울러 장물운반의 고의를 가지고 위와 같은 행위를 하였다고는 볼 수 없다.
④ 피고인이 행사할 목적으로 미리 준비한 물건들과 옵세트인쇄기를 사용하여 한국은행권 100원권을 사진찍어 그 필름 원판 7매와 이를 확대하여 현상한 인화지 7매를 만들었음에 그쳤다면 아직 통화위조의 착수에는 이르지 아니하였고 그 준비단계에 불과하다.

지문분석 난이도 중 정답 ③

| 키 워 드 | 예비·음모
| 출제유형 | 틀린 지문 고르기

③ (X) **본범 이외의 자가 본범이 절취한 차량이라는 정을 알면서 본범의 강도행위를 위해 그 차량을 운전해 준 경우, 강도예비죄와 아울러 장물운반죄가 성립하는지 여부: 인정**
본범자와 공동하여 장물을 운반한 경우에 본범자는 장물죄에 해당하지 않으나 그 외의 자의 행위는 장물운반죄를 구성하므로, 피고인이 본범이 절취한 차량이라는 정을 알면서도 본범 등으로부터 그들이 위 차량을 이용하여 강도를 하려 함에 있어 차량을 운전해 달라는 부탁을 받고 위 차량을 운전해 준 경우, 피고인은 강도예비와 아울러 장물운반의 고의를 가지고 위와 같은 행위를 하였다고 봄이 상당하다(대법원 1999.3.26. 98도3030).
→ 강도예비죄와 장물운반죄의 상상적 경합
① (O) 대법원 2006.9.14. 2004도6432
② (O) 폭발물사용죄는 예비·음모·선동을 처벌하는 규정이 있고(형법 제120조), 미성년자약취·유인죄는 예비·음모의 처벌규정을 두고 있다(형법 제296조).
④ (O) 대법원 1966.12.6. 66도1317

37 0216

2019 경찰 1차

불능범과 예비죄에 관한 설명 중 옳지 않은 것은? (다툼이 있는 경우 판례에 의함)

① 불능범은 범죄행위의 성질상 결과발생 또는 법익침해의 가능성이 절대로 있을 수 없는 경우를 말한다.
② 불능범의 판단기준으로서 위험성 판단은 피고인이 행위 당시에 인식한 사정을 놓고 이것이 객관적으로 일반인의 판단으로 보아 결과발생의 가능성이 있느냐를 따지는 것이다.
③ 예비죄에 대해서는 방조범을 인정할 수 없으므로 예비죄의 공동정범도 성립할 수 없다.
④ 중지범은 범죄의 실행에 착수한 후 자의로 그 행위를 중지한 때를 말하는 것이므로 예비죄에 대해서는 중지범의 관념을 인정할 수 없다.

지문분석 난이도 하 정답 ③

| 키 워 드 | 불능범과 예비죄
| 출제유형 | 틀린 지문 고르기

③ (X) 정범이 실행의 착수에 이르지 아니한 예비의 단계에 그친 경우에는 이에 가공하는 행위가 예비의 공동정범이 되는 경우를 제외하고는 종범의 성립을 부정하고 있다고 보는 것이 타당하다(대법원 1976.5.25. 75도1549).
→ 예비죄에 대해서는 방조범을 인정할 수 없지만, 예비죄의 공동정범은 성립할 수 있다.
① (O) 대법원 2019.3.28. 2018도16002 전원합의체
② (O) 불능범과 구별되는 불능미수의 성립요건인 '위험성'은 피고인이 행위 당시에 인식한 사정을 놓고 일반인이 객관적으로 판단하여 결과발생의 가능성이 있는지 여부를 따져야 한다(대법원 2019.3.28. 2018도16002 전원합의체).
④ (O) 대법원 1999.4.9. 99도424

38 0217

2019 경찰 승진

예비·음모에 대한 설명으로 가장 적절하지 않은 것은? (다툼이 있는 경우 판례에 의함)

① 실행의 착수가 있기 전인 예비·음모를 처벌하는 경우에는 행위자가 자의로 실행의 착수를 포기하였더라도 중지범 규정을 적용할 수 없다.
② 절도를 준비하면서 뜻하지 않게 절도범행이 발각될 경우에 대비하여 체포를 면탈할 목적으로 칼을 휴대하고 있었다면 강도예비죄가 성립한다.
③ 甲이 乙을 살해하기 위하여 丙, 丁 등을 고용하면서 그들에게 대가의 지급을 약속한 경우, 甲에게는 살인예비죄가 성립한다.
④ 내란음모죄에 해당하는 합의가 있다고 하기 위해서는 단순히 내란에 관한 범죄결심을 외부에 표시·전달하는 것만으로는 부족하고 객관적으로 내란범죄의 실행을 위한 합의라는 것이 명백히 인정되고, 그러한 합의에 실질적인 위험성이 인정되어야 한다.

지문분석 난이도 하 정답 ②

| 키 워 드 | 예비·음모
| 출제유형 | 틀린 지문 고르기

② (X) 강도예비·음모죄가 성립하기 위해서는 예비·음모 행위자에게 미필적으로라도 '강도'를 할 목적이 있음이 인정되어야 하고 그에 이르지 않고 단순히 '준강도'할 목적이 있음에 그치는 경우에는 강도예비·음모죄로 처벌할 수 없다(대법원 2006.9.14. 2004도6432).
→ 예비의 중지 부정
① (O) 대법원 1999.4.9. 99도424
③ (O) 대법원 2009.10.29. 2009도7150
④ (O) 대법원 2015.1.22. 2014도10978

39 0218

2018 경찰 승진

예비죄에 대한 설명으로 가장 적절한 것은? (다툼이 있는 경우 판례에 의함)

① 예비음모의 행위를 처벌하는 경우에 있어서 중지범의 관념을 인정할 수 있다.
② 甲이 행사할 목적으로 미리 준비한 물건들과 옵세트인쇄기를 사용하여 한국은행권 100원권을 사진찍어 그 필름 원판 7매와 이를 확대하여 현상한 인화지 7매를 만들었다면 통화위조의 착수에 이른 것이다.
③ 살인예비죄가 성립하기 위해서는 살인죄를 범할 목적 외에 살인의 준비에 관한 고의가 있어야 하고, 실행의 착수에 이르지 아니하는 살인죄 실현을 위한 준비행위가 있어야 하는데, 여기서의 준비행위는 단순한 범행의 의사 또는 계획만으로 족하다.
④ 절도를 준비하면서 뜻하지 않게 절도범행이 발각될 경우에 대비하여 체포를 면탈할 목적으로 칼을 휴대하고 있었더라도 강도예비죄가 성립하지 않는다.

지문분석 난이도 하 정답 ④

| 키 워 드 | 예비죄
| 출제유형 | 옳은 지문 고르기

④ (O) 강도예비·음모죄가 성립하기 위해서는 예비·음모 행위자에게 미필적으로라도 '강도'를 할 목적이 있음이 인정되어야 하고 그에 이르지 않고 단순히 '준강도'할 목적이 있음에 그치는 경우에는 강도예비·음모죄로 처벌할 수 없다(대법원 2006.9.14. 2004도6432).
→ 피고인의 전력 등에 의하면, 피고인이 휴대 중이던 등산용 칼을 그 주장하는 바와 같이 뜻하지 않게 절도범행이 발각되었을 경우 체포를 면탈하는 데 도움이 될 수 있을 것이라는 정도의 생각, 즉 준강도할 목적이 인정되는 정도에 그치는 이상 피고인에게 강도할 목적이 있었다고 볼 수 없으므로 강도예비죄의 죄책을 인정할 수는 없다는 판결이다.
① (X) 중지범은 범죄의 실행에 착수한 후 자의로 그 행위를 중지한 때를 말하는 것이고, 실행의 착수가 있기 전인 예비음모의 행위를 처벌하는 경우에 있어서는 중지범의 관념은 이를 인정할 수 없다(대법원 1991.6.25. 91도436).
② (X) 피고인이 행사할 목적으로 미리 준비한 물건들과 옵세트인쇄기를 사용하여 한국은행권 100원권을 사진찍어 그 필름 원판 7매와 이를 확대하여 현상한 인화지 7매를 만들었음에 그쳤다면 아직 통화위조의 착수에는 이르지 아니하였고 그 준비단계에 불과하다(대법원 1966.12.6. 66도1317).
③ (X) 형법 제255조, 제250조의 살인예비죄가 성립하기 위하여는 형법 제255조에서 명문으로 요구하는 살인죄를 범할 목적 외에도 살인의 준비에 관한 고의가 있어야 하며, 나아가 실행의 착수까지에는 이르지 아니하는 살인죄의 실현을 위한 준비행위가 있어야 한다. 여기서의 준비행위는 물적인 것에 한정되지 아니하며 특별한 정형이 있는 것도 아니지만, 단순히 범행의 의사 또는 계획만으로는 그것이 있다고 할 수 없고 객관적으로 보아서 살인죄의 실현에 실질적으로 기여할 수 있는 외적 행위를 필요로 한다(대법원 2009.10.29. 2009도7150).

40 0219 2021 경찰 승진

예비·음모죄에 대한 설명으로 가장 적절하지 않은 것은? (다툼이 있는 경우 판례에 의함)

① 예비행위를 자의로 중지한 경우 중지미수에 관한 형법 제26조가 준용된다.
② 형법 제28조는 예비죄의 처벌이 가져올 범죄의 구성요건을 부당하게 유추 내지 확장해석하는 것을 금지하고 있기 때문에 형법각칙의 예비죄를 처단하는 규정을 바로 독립된 구성요건 개념에 포함시킬 수는 없다.
③ 판례는 예비죄의 공동정범 성립이 가능하다는 입장이다.
④ 내란음모죄에 해당하는 합의가 있다고 하기 위해서는 단순히 내란에 관한 범죄결심을 외부에 표시·전달하는 것만으로는 부족하고 객관적으로 내란범죄의 실행을 위한 합의라는 것이 명백히 인정되고, 그러한 합의에 실질적인 위험성이 인정되어야 한다.

지문분석 난이도 중 정답 ①

| 키 워 드 | 예비·음모
| 출제유형 | 틀린 지문 고르기

① (X) 중지범은 범죄의 실행에 착수한 후 자의로 그 행위를 중지한 때를 말하는 것이고 실행의 착수가 있기 전인 예비음모의 행위를 처벌하는 경우에 있어서 중지범의 관념은 이를 인정할 수 없다(대법원 1999.4.9. 99도424).
② (O) 대법원 1976.5.25. 75도1549
③ (O) 정범이 실행의 착수에 이르지 아니한 예비의 단계에 그친 경우에는 이에 가공하는 행위가 예비의 공동정범이 되는 경우를 제외하고는 종범의 성립을 부정하고 있다고 보는 것이 타당하다(대법원 1976.5.25. 75도1549).
→ 예비죄에 대해서는 방조범을 인정할 수 없지만, 예비죄의 공동정범은 성립할 수 있다.
④ (O) 대법원 2015.1.22. 2014도10978
→ 통합진보당 이석기 의원 사건: 내란음모 부정, 내란선동 인정

CHAPTER

06 정범 및 공범론

■ 기본서 연계페이지: p.340~391 ■ 문항 수: 48문항

1 정범과 공범의 기초이론

01 0220

2019 경찰 2차

범죄관여(가담)형태에 관한 설명으로 가장 적절한 것은? (다툼이 있는 경우 판례에 의함)

① 극단적 종속형식에 따르면 정범의 행위가 구성요건에 해당하고 위법하면 유책하지 않은 때에도 공범은 성립할 수 있다.

② 사기의 공모공동정범은 순차적·암묵적으로 상통하여 그 의사의 결합이 이루어지면 공모관계가 성립하지만, 이러한 공모가 이루어졌다 하더라도 실행행위에 직접 관여하지 아니하여 기망방법을 구체적으로 몰랐다면 공모관계는 부정된다.

③ 업무상의 임무라는 신분관계가 없는 자가 신분관계 있는 자와 공모하여 업무상배임죄를 범한 경우, 신분관계가 없는 공범도 업무상배임죄에 정한 형으로 처벌한다.

④ 강제추행에 관한 간접정범의 의사를 실현하는 도구로서의 타인에는 피해자도 포함될 수 있으므로 피해자를 도구로 삼아 피해자의 신체를 이용하여 추행행위를 한 경우에도 강제추행죄의 간접정범이 성립할 수 있다.

지문분석 난이도 ㊤ 정답 ④

| 키 워 드 | 정범과 공범의 기초이론

| 출제유형 | 옳은 지문 고르기

④ (○) 대법원 2018.2.8. 2016도17733

① (X) 극단적 종속형식에 따르면 정범의 행위가 구성요건에 해당하고 위법하여도 유책하지 않은 때에는 공범은 성립할 수 없다.

② (X) 2인 이상이 범죄에 공동가공하는 공범관계에 있어 공모는 법률상 어떤 정형을 요구하는 것이 아니고 2인 이상이 공모하여 범죄에 공동가공하여 범죄를 실현하려는 의사의 결합만 있으면 되는 것으로서, 순차적으로 또는 암묵적으로 상통하여 그 의사의 결합이 이루어지면 공모관계가 성립하고, 이러한 공모가 이루어진 이상 실행행위에 직접 관여하지 아니한 사람이라도 다른 공범자의 행위에 대하여 공동정범으로서의 형사책임을 진다. 따라서 사기의 공모공동정범이 그 기망방법을 구체적으로 몰랐다고 하더라도 공모관계를 부정할 수 없다(대법원 2013.8.23. 2013도5080).

③ (X) 신분관계가 없는 자가 그러한 신분관계가 있는 자와 공모하여 업무상배임죄를 저질렀다면 그러한 신분관계가 없는 자에 대하여는 형법 제33조 단서에 의하여 단순배임죄에 정한 형으로 처단하여야 할 것이다(대법원 1999.4.27. 99도883).
→ 신분관계 없는 자: 업무상배임죄의 공동정범 성립, 단순배임죄로 처벌(처단)

✓ 개념체크 **종속성의 정도**

1. 논의의 초점
종속성의 정도는 공범의 종속성을 인정할 경우 정범이 어느 정도의 범죄성립요건을 갖추어야 이에 종속하여 공범이 성립된다고 볼 것인가도 문제된다.

2. 종속형식

구분	내용
최소한 종속형식	• 정범의 행위가 구성요건에 해당하기만 하면, 위법·유책하지 않은 경우에도 공범이 성립한다는 종속형식 • 가장 넓게 공범의 성립을 인정
제한적 종속형식	• 정범의 행위가 구성요건에 해당하고 위법하면, 유책하지 않은 경우에도 공범이 성립한다는 종속형식(통설·판례) • 책임무능력자를 교사한 경우 교사자는 공범(교사범)이 됨 예 12세 어린이를 교사하여 타인의 물건을 절취하게 한 경우 → 절도죄의 교사범
극단적 종속형식	• 정범의 행위가 구성요건에 해당하고 위법·유책할 경우에 공범이 성립한다는 종속형식 • 책임무능력자를 교사한 경우 교사자는 공범이 될 수 없고 간접정범이 됨 예 12세 어린이를 교사하여 타인의 물건을 절취하게 한 경우 → 절도죄의 교사범 ×, 절도죄의 간접정범 ○
최극단적 종속형식 (확장적 종속형식)	정범의 행위가 구성요건에 해당하고 위법·유책할 뿐만 아니라 더 나아가 가벌성의 모든 조건까지 완전히 갖춘 경우에 공범이 성립한다는 종속형식

02 0221

2020 경찰 1차

다음 사례에 관한 설명으로 가장 적절하지 않은 것은? (다툼이 있는 경우 판례에 의함)

> 변호사가 아닌 甲은 변호사를 고용하여 법률사무소를 개설·운영하기 위해 평소 친분이 있는 회사원 丙을 찾아가 변호사를 소개해 달라고 부탁하였다. 이에 丙은 변호사 乙을 추천해 주었고, 변호사 乙은 甲의 제안을 승낙한 후 甲에게 고용되어 법률사무소를 개설하여 운영하는 데 참여하였다.

① 변호사법 제109조 제2호, 제34조 제4항은 변호사 아닌 자가 변호사를 고용하여 법률사무소를 개설·운영하는 행위를 처벌하도록 규정하고 있다.
② 甲이 변호사 乙을 고용하여 법률사무소를 개설·운영하는 행위에 있어서는 甲은 변호사 乙을 고용하고 乙은 甲에게 고용된다는 서로 대향적인 행위의 존재가 반드시 필요하다.
③ 甲에게 고용되어 법률사무소의 개설·운영에 관여한 변호사 乙의 행위가 일반적인 형법 총칙상의 공범에 해당된다고 하더라도 乙을 甲의 변호사법위반죄의 공범으로 처벌할 수는 없다.
④ 丙이 변호사 아닌 甲을 교사·방조한 경우에도 丙은 형법 총칙상의 공범규정이 적용될 여지가 없다.

지문분석

난이도 상 정답 ④

| 키 워 드 | 정범과 공범의 기초이론

| 출제유형 | 사례 풀기

④ (X) 외부관여자인 丙이 변호사 아닌 甲을 교사·방조한 경우에는 丙은 처벌규정이 있는 자(甲)에게 가담한 경우이므로 형법 총칙상의 공범규정이 적용되어 교사범·방조범이 성립한다. 물론 처벌규정이 없는 변호사 乙에게 가담한 경우에는 교사범·방조범이 성립하지 않는다.

① (O) 올바른 설명이다.

②, ③ (O) **변호사 아닌 자에게 고용된 변호사를, 변호사 아닌 자가 변호사를 고용하여 법률사무소를 개설·운영하는 행위를 처벌하도록 규정하고 있는 변호사법 제109조 제2호, 제34조 제4항 위반죄의 공범으로 처벌할 수 있는지 여부: 부정**

변호사 아닌 자가 변호사를 고용하여 법률사무소를 개설·운영하는 행위에 있어서는 변호사 아닌 자는 변호사를 고용하고 변호사는 변호사 아닌 자에게 고용된다는 서로 대향적인 행위의 존재가 반드시 필요하고, 나아가 변호사 아닌 자에게 고용된 변호사가 고용의 취지에 따라 법률사무소의 개설·운영에 어느 정도 관여할 것도 당연히 예상되는바, 이와 같이 변호사가 변호사 아닌 자에게 고용되어 법률사무소의 개설·운영에 관여하는 행위는 위 범죄가 성립하는 데 당연히 예상될 뿐만 아니라 범죄의 성립에 없어서는 아니 되는 것인데도 이를 처벌하는 규정이 없는 이상, 그 입법 취지에 비추어 볼 때 변호사 아닌 자에게 고용되어 법률사무소의 개설·운영에 관여한 변호사의 행위가 일반적인 형법 총칙상의 공모, 교사 또는 방조에 해당된다고 하더라도 변호사를 변호사 아닌 자의 공범으로서 처벌할 수는 없다(대법원 2004.10.28. 2004도3994).

→ 2인 이상의 서로 대향된 행위의 존재를 필요로 하는 범죄에 있어서는 (내부참가자에게는) 공범에 관한 형법 총칙 규정의 적용이 있을 수 없고 따라서 상대방의 범행에 대하여 공범관계도 성립되지 않는다.

✓ 개념체크 **변호사법 제34조(변호사가 아닌 자와의 동업 금지 등)**

> ④ 변호사가 아닌 자는 변호사를 고용하여 법률사무소를 개설·운영하여서는 아니 된다.

✓ 개념체크 **변호사법 제109조(벌칙)**

> 다음 각 호의 어느 하나에 해당하는 자는 7년 이하의 징역 또는 5천만원 이하의 벌금에 처한다. 이 경우 벌금과 징역은 병과할 수 있다.
> 2. 제33조 또는 제34조(제57조, 제58조의16 또는 제58조의30에 따라 준용되는 경우를 포함한다)를 위반한 자

03 0222

2021 경찰 2차

㉠부터 ㉤까지는 정범과 공범의 구별에 관한 학설에 대한 설명이다. 옳고 그름의 표시(O, X)가 바르게 된 것은?

㉠ '구성요건상의 실행행위의 전부 또는 일부를 스스로 하는 자'를 정범, '구성요건적 행위 이외의 행위로써 구성요건실현에 기여하는 자'를 공범으로 보는 형식적 객관설에 따르면, 간접정범을 정범으로 인정하기 어렵다.
㉡ '스스로 구성요건상의 정형적 행위를 한 자'만을 정범으로 이해하는 제한적 정범개념에 따르면, 형법 제31조, 제32조는 형벌확장사유로서 정범 이외에 특별히 공범의 처벌을 인정하는 규정이다.
㉢ '정범자의 의사로 행위한 자'는 정범, '공범자의 의사로 행위한 자'는 공범이라는 의사설에 따르면, 청부살인업자는 구성요건적 행위를 스스로 모두 수행하기에 항상 정범이 된다.
㉣ '자기 자신의 이익을 위한 목적으로 행위한 자'는 정범, '타인의 이익을 위한 목적으로 행위한 자'는 공범이라는 이익설에 따르면, 제3자를 위하여 강도행위를 한 자는 공범이 된다.
㉤ 행위지배설에 따르면, 이용자가 자신의 우월한 지위에 의하여 피이용자를 수중에 두고 도구처럼 그의 의사를 조종(지배)하여 그로 하여금 범죄를 행하게 하면 행위지배가 인정되어 정범이 된다.

① ㉠ (X), ㉡ (O), ㉢ (X), ㉣ (O), ㉤ (X)
② ㉠ (O), ㉡ (X), ㉢ (O), ㉣ (O), ㉤ (O)
③ ㉠ (O), ㉡ (O), ㉢ (X), ㉣ (O), ㉤ (O)
④ ㉠ (O), ㉡ (O), ㉢ (X), ㉣ (X), ㉤ (O)

지문분석

난이도 중 정답 ③

| 키 워 드 | 정범과 공범의 기초이론
| 출제유형 | 옳고 그름의 표시(O, X)하기

㉠ (O) '구성요건상의 실행행위를 스스로 하는 자'만 정범으로 보는 형식적 객관설에 따르면, 구성요건상의 실행행위를 스스로 하지 않은 간접정범은 정범으로 보기 어렵게 된다.
㉡ (O) 제한적 정범개념에 따르면, 교사범(형법 제31조), 방조범(형법 제32조)은 형벌확장사유가 된다.
→ 확장적 정범개념에 따르면, 교사범(형법 제31조), 방조범(형법 제32조)은 형벌축소사유가 된다.
㉢ (X) 의사설에 따르면, 청부살인업자는 공범자의 의사로 행위를 한 자로 볼 수 있으므로 공범이 된다.
㉣ (O) 이익설에 따르면 제3자를 위하여 강도행위를 한 자는 타인의 이익을 위하여 행위를 한 자이므로 공범이 된다.
㉤ (O) 행위지배설에 따르면 간접정범은 '의사지배'가 인정되어 정범이 된다.

04 0223

2020 경찰 승진

필요적 공범에 대한 설명 중 가장 적절한 것은? (다툼이 있는 경우 판례에 의함)

① 필요적 공범인 뇌물공여죄와 뇌물수수죄가 성립하기 위해서는 반드시 관여된 자 모두의 행위가 범죄로 성립되어야 하므로 일방에게 뇌물공여죄가 성립하려면 상대방 측에서 뇌물수수죄가 성립되어야 한다.
② 공무원이 직무상 비밀을 누설한 경우 형법 제127조의 공무상비밀누설죄로 처벌이 되며, 그 대향범인 비밀누설을 받은 자는 형법총칙의 공범규정이 적용되어 공무상비밀누설죄의 공범이 된다.
③ 변호사 甲이 변호사 아닌 자에게 고용되어 법률사무소를 개설·운영하는 행위에 관여한 행위가 형법총칙의 교사·방조에 해당할 경우 변호사 甲을 구 변호사법 제109조 제2호, 제34조 제4항 위반죄의 공범으로 처벌할 수 있다.
④ 甲이 세무사의 사무직원으로부터 그가 직무상 보관하고 있던 임대사업자 등의 인적사항, 사업자소재지가 기재된 서면을 교부받은 경우 구 세무사법상 직무상비밀누설죄의 공동정범에 해당하지 않는다.

지문분석

난이도 중 정답 ④

| 키 워 드 | 정범과 공범의 기초이론
| 출제유형 | 옳은 지문 고르기

④ (O) 2인 이상의 서로 대향된 행위의 존재를 필요로 하는 대향범에 대하여는 공범에 관한 형법총칙 규정을 적용할 수 없는바, 세무사법은 제22조 제1항 제2호, 제11조에서 세무사와 세무사였던 자 또는 그 사무직원과 사무직원이었던 자가 그 직무상 지득한 비밀을 누설하는 행위를 처벌하고 있을 뿐 비밀을 누설받는 상대방을 처벌하는 규정이 없고, 세무사의 사무직원이 직무상 지득한 비밀을 누설한 행위와 그로부터 그 비밀을 누설받은 행위는 대향범 관계에 있으므로 이에 공범에 관한 형법총칙 규정을 적용할 수 없다(대법원 2007.10.25. 2007도6712).
① (X) 뇌물공여죄가 성립하기 위하여는 뇌물을 공여하는 행위와 상대방 측에서 금전적으로 가치가 있는 그 물품 등을 받아들이는 행위가 필요할 뿐 반드시 상대방 측에서 뇌물수수죄가 성립하여야 함을 뜻하는 것은 아니다(대법원 2006.2.24. 2005도4737).
② (X) 2인 이상 서로 대향된 행위의 존재를 필요로 하는 대향범에 대하여는 공범에 관한 형법총칙 규정이 적용될 수 없는데, 형법 제127조는 공무원 또는 공무원이었던 자가 법령에 의한 직무상 비밀을 누설하는 행위만을 처벌하고 있을 뿐 직무상 비밀을 누설받은 상대방을 처벌하는 규정이 없는 점에 비추어, 직무상 비밀을 누설받은 자에 대하여는 공범에 관한 형법총칙 규정이 적용될 수 없다고 보는 것이 타당하다(대법원 2011.4.28. 2009도3642).
→ 대향범에 대하여는 공범에 관한 형법총칙 규정(공동정범, 교사범, 방조범)이 적용될 수 없다.
③ (X) 변호사 아닌 자에게 고용되어 법률사무소의 개설·운영에 관여한 변호사의 행위가 일반적인 형법총칙상의 공모, 교사 또는 방조에 해당된다고 하더라도 변호사를 변호사 아닌 자의 공범으로서 처벌할 수는 없다(대법원 2004.10.28. 2004도3994).

05 0224

2019 경찰 간부

공범에 관한 설명 중 가장 옳지 않은 것은? (다툼이 있는 경우 판례에 의함)

① 공범종속성설에 따르면, 기도된 교사(제31조 제2항 효과 없는 교사와 제31조 제3항 실패한 교사)는 공범의 미수를 처벌하는 것으로서 당연규정(원칙규정)으로 본다.

② 극단적 종속형식에 따르면, 甲이 乙(만 13세)을 부추겨 교회에 있는 시계를 절취해 오도록 한 경우 甲은 절도죄의 간접정범이 된다.

③ 거래상대방의 대향적 행위의 존재를 필요로 하는 유형의 배임죄에 있어서 거래상대방이 배임행위를 교사하거나 그 배임행위의 전 과정에 관여하는 등으로 배임행위에 적극 가담함으로써 그 실행행위자와의 계약이 반사회적 법률행위에 해당하여 무효로 되는 경우라면 그 상대방은 배임죄의 교사범 또는 공동정범이 될 수 있다.

④ 형법 제127조는 공무원 또는 공무원이었던 자가 법령에 의한 직무상 비밀을 누설하는 행위만을 처벌하고 있으므로 직무상 비밀을 누설받은 자에 대하여는 공범에 관한 형법총칙 규정이 적용될 수 없다.

지문분석

난이도 ㊤ 정답 ①

| 키 워 드 | 정범과 공범의 기초이론

| 출제유형 | 틀린 지문 고르기

① (X) 공범종속성설에 따르면, 기도된 교사(형법 제31조 제2항 효과 없는 교사와 제31조 제3항 실패한 교사)는 공범의 미수를 처벌하는 것으로서 특별규정(예외규정)으로 본다.
→ 공범독립성설에 따르면, 기도된 교사를 처벌하는 것은 당연규정(원칙규정)으로 본다.

② (O) 공범이 성립하기 위해서는 정범의 행위가 구성요건에 해당하고 위법하며 책임이 있을 것을 요하는 극단적 종속형식에 따르면, 甲이 乙(만 13세)을 부추겨 교회에 있는 시계를 절취해 오도록 한 경우, 甲은 공범(교사범)이 성립하지 않고 절도죄의 간접정범이 된다.

③ (O) 거래상대방의 대향적 행위의 존재를 필요로 하는 유형의 배임죄에 있어서 거래상대방으로서는 기본적으로 배임행위의 실행행위자와는 별개의 이해관계를 가지고 반대편에서 독자적으로 거래에 임한다는 점을 감안할 때, 거래상대방이 배임행위를 교사하거나 그 배임행위의 전 과정에 관여하는 등으로 배임행위에 적극 가담함으로써 그 실행행위자와의 계약이 반사회적 법률행위에 해당하여 무효로 되는 경우 배임죄의 교사범 또는 공동정범이 될 수 있음은 별론으로 하고, 관여의 정도가 거기에까지 이르지 아니하여 법질서 전체적인 관점에서 살펴볼 때 사회적 상당성을 갖춘 경우에 있어서는 비록 정범의 행위가 배임행위에 해당한다는 점을 알고 거래에 임하였다는 사정이 있어 외견상 방조행위로 평가될 수 있는 행위가 있었다 할지라도 범죄를 구성할 정도의 위법성은 없다고 봄이 상당하다 할 것이다(대법원 2005.10.28. 2005도4915).

④ (O) 대법원 2011.4.28. 2009도3642

✔ 개념체크 공범종속성설과 공범독립성설의 비교

구분	공범종속성설(통설·판례)	공범독립성설
의의	• 객관주의 범죄론 • 공범의 성립은 정범의 실행행위에 종속	• 주관주의 범죄론 • 정범의 실행행위와 무관하게 공범 성립
간접정범	• 공범과 간접정범의 구별 필요성 인정 • 간접정범의 개념 인정 • 간접정범은 정범	• 공범과 간접정범의 구별 필요성 부정 • 간접정범의 개념 부정 • 간접정범은 공범
공범의 미수(기도된 교사, 형법 제31조 제2항·제3항)	종범은 적어도 정범의 실행의 착수를 요하므로 동 규정은 특별규정	정범의 실행의 착수가 없어도 공범의 미수를 인정하므로 동 규정은 당연규정이자 공범독립성설의 근거규정
공범과 신분(형법 제33조)	신분의 연대성을 규정한 형법 제33조 본문이 원칙, 당연규정(제33조 단서는 예외규정)	신분의 개별성을 규정한 형법 제33조 단서가 원칙, 당연규정(제33조 본문은 예외규정)
자살관여죄(형법 제252조 제2항)	자살이 범죄가 아님에도 그에 대한 교사·방조를 처벌하는 동 규정은 특별규정	당연규정이자 공범독립성설의 근거규정

06 0225

2021 경찰 1차

정범과 공범에 대한 아래 ㉠부터 ㉤까지의 설명 중 옳고 그름의 표시(O, X)가 모두 바르게 된 것은? (다툼이 있는 경우 판례에 의함)

> ㉠ 제한적 종속형식의 입장을 취하게 되면, 정범의 책임이 조각되는 경우 공범이 성립할 수 없다는 결론에 이른다.
> ㉡ 교사자가 피교사자에 대하여 상해 또는 중상해를 교사하였는데 피교사자가 이를 넘어 살인을 한 경우, 교사자에게 피해자의 사망이라는 결과에 대하여 고의가 없더라도 살인죄의 교사범이 된다.
> ㉢ 공범관계에 있어 공모는 공범자 상호간에 직접 또는 간접으로 범죄의 공동실행에 관한 암묵적인 의사의 연락이 있으면 족하고, 비록 전체의 모의과정이 없었다고 하더라도 수인 사이에 의사의 연락이 있으면 공동정범이 성립될 수 있다.
> ㉣ 실행의 착수 전에 장래의 실행행위를 예상하고 이를 용이하게 하는 행위를 하여 방조한 경우, 정범이 그 실행행위에 나아갔다면 종범이 성립할 수 있다.
> ㉤ 목적범에 있어서 목적 없는 고의 있는 도구를 이용한 경우, 피이용자에 대한 의사지배가 인정되지 않으므로 간접정범이 성립할 수 없다.

① ㉠ (O), ㉡ (X), ㉢ (X), ㉣ (X), ㉤ (X)
② ㉠ (X), ㉡ (O), ㉢ (O), ㉣ (O), ㉤ (X)
③ ㉠ (X), ㉡ (X), ㉢ (O), ㉣ (O), ㉤ (X)
④ ㉠ (X), ㉡ (X), ㉢ (O), ㉣ (O), ㉤ (O)

지문분석 난이도 중 정답 ③

| 키 워 드 | 정범과 공범의 기초이론
| 출제유형 | 옳고 그름의 표시(O, X)하기

㉠ (X) 제한적 종속형식의 입장을 취하게 되면, 실행행위를 한 자가 구성요건에 해당하고 위법하면 되므로 정범의 책임이 조각되는 경우 공범이 성립할 수 있다.
㉡ (X) 교사자에게 살인의 고의가 없는 경우 살인죄는 성립할 수 없고, 교사자에게 피해자의 사망이라는 결과에 대하여 과실 내지 예견가능성이 있는 때에는 상해치사죄의 죄책을 지울 수 있다.
㉢ (O) 대법원 2006.8.25. 2006도3631
㉣ (O) 종범은 정범이 실행행위에 착수하여 범행을 하는 과정에서 이를 방조한 경우뿐 아니라, 정범의 실행의 착수 이전에 장래의 실행행위를 미필적으로나마 예상하고 이를 용이하게 하기 위하여 방조한 경우에도 그 후 정범이 실행행위에 나아갔다면 성립할 수 있다(대법원 2013.11.14. 2013도7494).
㉤ (X) 목적범에 있어서 목적이 있는 자가 '목적 없는 고의 있는 도구'를 이용한 경우, 간접정범이 성립한다.

2 간접정범

07 0226

2019 경찰 1차

정범 및 공범에 관한 설명 중 옳은 것은? (다툼이 있는 경우 판례에 의함)

① 모해할 목적으로 위증을 교사하였더라도 위증한 정범에게 모해의 목적이 없다면 공범종속성원칙에 따라 교사자를 모해위증죄의 교사범으로 처벌할 수 없다.
② 교사를 받은 자가 범죄의 실행을 승낙하고 실행의 착수에 이르지 아니한 때에는 교사자만 음모 또는 예비에 준하여 처벌한다.
③ 자기의 지휘, 감독을 받는 자를 방조하여 범죄의 결과를 발생하게 한 자는 정범에 정한 형의 장기에 그 2분의 1까지 가중한 형으로 처벌한다.
④ 피해자를 도구로 삼아 피해자의 신체를 이용하여 추행행위를 한 경우에도 강제추행죄의 간접정범에 해당할 수 있다.

지문분석 난이도 중 정답 ④

| 키 워 드 | 간접정범
| 출제유형 | 옳은 지문 고르기

④ (O) 강제추행죄의 간접정범
[1] 강제추행죄는 사람의 성적 자유 내지 성적 자기결정의 자유를 보호하기 위한 죄로서 정범 자신이 직접 범죄를 실행하여야 성립하는 자수범이라고 볼 수 없으므로, 처벌되지 아니하는 타인을 도구로 삼아 피해자를 강제로 추행하는 간접정범의 형태로도 범할 수 있다.
[2] 여기서 강제추행에 관한 간접정범의 의사를 실현하는 도구로서의 타인에는 피해자도 포함될 수 있으므로, 피해자를 도구로 삼아 피해자의 신체를 이용하여 추행행위를 한 경우에도 강제추행죄의 간접정범에 해당할 수 있다(대법원 2018.2.8. 2016도17733).
① (X) 피고인이 甲을 모해할 목적으로 乙에게 위증을 교사한 이상, 가사 정범인 乙에게 모해의 목적이 없었다고 하더라도, 형법 제33조 단서의 규정에 의하여 피고인을 모해위증교사죄로 처단할 수 있다(대법원 1994.12.23. 93도1002).
② (X) '효과 없는 교사'로 형법 제31조 제2항에 의하여 '교사자와 피교사자'를 모두 음모 또는 예비에 준하여 처벌한다.
③ (X) '특수방조'로 형법 제34조 제2항에 의하여 '정범의 형'으로 처벌한다.

✔ 개념체크 모해의 목적과 신분 정리

- **형법 제33조 소정의 '신분관계'의 의미**
  형법 제33조 소정의 이른바 신분관계라 함은 남녀의 성별, 내·외국인의 구별, 친족관계, 공무원인 자격과 같은 관계뿐만 아니라 널리 일정한 범죄행위에 관련된 범인의 인적 관계인 특수한 지위 또는 상태를 지칭하는 것이다.
- **위증죄와 모해위증죄가 형법 제33조 단서 소정의 '신분관계로 인하여 형의 경중이 있는 경우'에 해당하는지 여부: 인정**
  형법 제152조 제1항과 제2항은 위증을 한 범인이 형사사건의 피고인 등을 '모해할 목적'을 가지고 있었는가 아니면 그러한 목적이 없었는가 하는 범인의 특수한 상태의 차이에 따라 범인에게 과할 형의 경중을 구별하고 있으므로, 이는 바로 형법 제33조 단서 소정의 '신분관계로 인하여 형의 경중이 있는 경우'에 해당한다고 봄이 상당하다.
- **모해할 목적으로 위증을 교사하였다면 그 정범에게 모해의 목적이 없다 하더라도 모해위증교사죄로 처단할 수 있는지 여부: 인정**
- **형법 제33조 단서가 형법 제31조 제1항에 우선 적용되어 신분이 있는 교사범이 신분이 없는 정범보다 중하게 처벌되는지 여부: 인정**
  형법 제31조 제1항은 협의의 공범의 일종인 교사범이 그 성립과 처벌에 있어서 정범에 종속한다는 일반적인 원칙을 선언한 것에 불과하고, 신분관계로 인하여 형의 경중이 있는 경우에 신분이 있는 자가 신분이 없는 자를 교사하여 죄를 범하게 한 때에는 형법 제33조 단서가 형법 제31조 제1항에 우선하여 적용됨으로써 신분이 있는 교사범이 신분이 없는 정범보다 중하게 처벌된다.

08 0227

2018 경찰 1차

간접정범에 대한 설명으로 가장 적절하지 않은 것은? (다툼이 있는 경우 판례에 의함)

① 인신구속에 관한 직무를 행하는 자 또는 이를 보조하는 자가 피해자를 구속하기 위하여 진술조서 등을 허위로 작성한 후 이를 기록에 첨부하여 구속영장을 신청하고, 진술조서 등이 허위로 작성된 정을 모르는 검사와 영장전담판사를 기망하여 구속영장을 발부받은 후 그 영장에 의하여 피해자를 구금하였다면 직권남용감금죄가 성립한다.

② 공무원 아닌 자가 관공서에 허위 내용의 증명원을 제출하여 그 내용이 허위인 정을 모르는 담당공무원으로부터 그 증명원 내용과 같은 증명서를 발급받은 경우, 공문서위조죄의 간접정범이 성립한다.

③ 범죄는 '어느 행위로 인하여 처벌되지 아니하는 자'를 이용하여서도 이를 실행할 수 있으므로, 내란죄의 경우에도 '국헌문란의 목적'을 가진 자가 그러한 목적이 없는 자를 이용하여 이를 실행할 수 있다.

④ 신용카드를 제시받은 상점점원이 그 카드의 금액란을 정정기재하였다 하더라도 그것이 카드소지인이 위 점원에게 자신이 위 금액을 정정기재할 수 있는 권리가 있는 양 기망하여 이루어졌다면 이는 간접정범에 의한 유가증권변조죄가 성립한다.

지문분석 난이도 하 정답 ②

| 키 워 드 | 간접정범

| 출제유형 | 틀린 지문 고르기

② (X) [1] 어느 문서의 작성권한을 갖는 공무원이 그 문서의 기재사항을 인식하고 그 문서를 작성할 의사로써 이에 서명날인하였다면, 설령 그 서명날인이 타인의 기망으로 착오에 빠진 결과 그 문서의 기재사항이 진실에 반함을 알지 못한 데 기인한다고 하여도, 그 문서의 성립은 진정하며 여기에 하등 작성명의를 모용한 사실이 있다고 할 수는 없다.
[2] 공무원 아닌 자가 관공서에 허위 내용의 증명원을 제출하여 그 내용이 허위인 정을 모르는 담당공무원으로부터 그 증명원 내용과 같은 증명서를 발급받은 경우 공문서위조죄의 간접정범으로 의율할 수는 없다(대법원 2001.3.9. 2000도938).

① (O) 대법원 2006.5.25. 2003도3945

③ (O) 대법원 1997.4.17. 96도3376 전원합의체
→ 비상계엄의 전국확대조치가 국헌문란의 목적을 가진 자에 의하여 그 목적을 달성하기 위한 수단으로 이용되는 경우에는 내란죄의 폭동에 해당한다.

④ (O) 대법원 1984.11.27. 84도1862

09 0228 2017 경찰 2차

정범과 공범에 대한 설명으로 가장 적절하지 않은 것은? (다툼이 있는 경우 판례에 의함)

① 우연히 만난 자리에서 서로 협력하여 공동의 범의를 실현하려는 의사가 암묵적으로 상통하여 범행에 공동가공하더라도 공동정범은 성립된다.

② 보조 직무에 종사하는 공무원이 허위공문서를 기안하여 허위임을 모르는 작성권자의 결재를 받아 공문서를 완성한 때에는 허위공문서작성죄의 간접정범이 될 것이지만, 이러한 결재를 거치지 않고 임의로 작성권자의 직인 등을 부정 사용함으로써 공문서를 완성한 때에는 공문서위조죄는 성립하지 않는다.

③ 배임증재의 공모공동정범이 다른 공모공동정범에 의하여 수재자에게 재물 또는 재산상 이익이 제공되는 방법을 구체적으로 몰랐다고 하더라도 공모관계를 부정할 수 없다.

④ 형법 제127조는 공무원 또는 공무원이었던 자가 법령에 의한 직무상 비밀을 누설하는 행위만을 처벌하고 있을 뿐 직무상 비밀을 누설받은 상대방을 처벌하는 규정이 없는 점에 비추어, 직무상 비밀을 누설받은 자에 대하여는 공범에 관한 형법총칙 규정이 적용될 수 없다.

지문분석 난이도 ㊤ 정답 ②

| 키 워 드 | 간접정범

| 출제유형 | 틀린 지문 고르기

② (X) 보조 직무에 종사하는 공무원이 허위공문서를 기안하여 허위임을 모르는 작성권자의 결재를 받아 공문서를 완성한 때에는 허위공문서작성죄의 간접정범이 될 것이지만, 이러한 결재를 거치지 않고 임의로 작성권자의 직인 등을 부정 사용함으로써 공문서를 완성한 때에는 공문서위조죄가 성립한다(대법원 2017.5.17. 2016도13912).

① (O) 대법원 1984.12.26. 82도1373

③ (O) **배임증재의 공모공동정범이 수재자에게 재물 또는 재산상 이익이 제공되는 방법을 구체적으로 몰랐더라도 공모관계가 인정되는지 여부: 인정**
배임증재의 공모공동정범이 다른 공모공동정범에 의하여 수재자에게 재물 또는 재산상 이익이 제공되는 방법을 구체적으로 몰랐다고 하더라도 공모관계를 부정할 수 없다(대법원 2015.7.23. 2015도3080).

④ (O) **공무원 등의 직무상 비밀누설행위와 대향범 관계에 있는 '비밀을 누설받은 행위'에 대하여 공범에 관한 형법총칙 규정을 적용할 수 있는지 여부: 부정**

[1] 2인 이상 서로 대향된 행위의 존재를 필요로 하는 대향범에 대하여는 공범에 관한 형법총칙 규정이 적용될 수 없는데, 형법 제127조는 공무원 또는 공무원이었던 자가 법령에 의한 직무상 비밀을 누설하는 행위만을 처벌하고 있을 뿐 직무상 비밀을 누설받은 상대방을 처벌하는 규정이 없는 점에 비추어, 직무상 비밀을 누설받은 자에 대하여는 공범에 관한 형법총칙 규정이 적용될 수 없다고 보는 것이 타당하다.

[2] 변호사 사무실 직원인 피고인 甲이 법원공무원인 피고인 乙에게 부탁하여, 수사 중인 사건의 체포영장 발부자 53명의 명단을 누설받은 사안에서, 피고인 乙이 직무상 비밀을 누설한 행위와 피고인 甲이 이를 누설받은 행위는 대향범 관계에 있으므로 공범에 관한 형법총칙 규정이 적용될 수 없는데도, 피고인 甲의 행위가 공무상비밀누설교사죄에 해당한다고 본 원심판단에 법리오해의 위법이 있다(대법원 2011.4.28. 2009도3642).

→ 대향범에 대하여는 공범에 관한 형법총칙 규정이 적용될 수 없다.

✔ **개념체크 보조공무원과 문서죄**

- **보조 직무에 종사하는 공무원이 허위공문서를 기안하여 허위임을 모르는 작성권자의 결재를 받아 공문서를 완성한 경우:** 허위공문서작성죄의 간접정범 성립
- **공무원의 문서작성을 보조하는 직무에 종사하는 공무원(보조 직무에 종사하는 공무원)이 허위공문서를 기안하여 결재를 거치지 않고 임의로 작성권자의 직인 등을 부정 사용함으로써 공문서를 완성한 경우:** 공문서위조죄 성립
- **공문서의 작성권한 없는 사람이 허위공문서를 기안하여 작성권자의 결재를 받지 않고 공문서를 완성한 경우:** 공문서위조죄 성립
- **공문서의 작성권한 없는 공무원 등이 작성권자의 결재를 받지 않고 직인 등을 보관하는 담당자를 기망하여 작성권자의 직인을 날인하도록 하여 공문서를 완성한 경우:** 공문서위조죄 성립

10 0229

2018 경찰 승진

간접정범에 대한 설명으로 가장 적절하지 않은 것은? (다툼이 있는 경우 판례에 의함)

① 정유회사 경영자인 甲의 청탁으로, A지역구 국회의원 乙이 甲과 A지역구 지방자치단체장 사이에 정유공장의 지역구 유치를 위한 간담회를 주선하고, 甲은 위와 같은 사실을 알지 못하는 자신의 회사 직원들로 하여금 乙이 사실상 지배·장악하고 있던 후원회에 후원금을 기부하게 한 경우, 乙은 정치자금법 위반죄가, 甲은 정치자금법 위반죄의 간접정범이 성립한다.

② 공무원이 아닌 甲이 관공서에 허위내용의 증명원을 제출하여 그러한 사실을 모르는 공무원인 A로부터 그 증명원 내용과 같은 증명서를 발급받은 경우, 甲은 공문서위조죄의 간접정범에 해당하지 아니한다.

③ 甲이 채권의 존재에 관하여 乙과 다툼이 있는 상황에서 존재하지 않는 약정이자에 관한 내용을 부가하여 위조한 乙 명의 차용증을 바탕으로 乙에 대한 차용금채권을 丙에게 양도하고, 이러한 사정을 모르는 丙으로 하여금 乙을 상대로 양수금 청구소송을 제기하게 한 경우, 甲은 소송 당사자가 아니므로 甲의 위와 같은 행위는 사기죄에 해당하지 아니한다.

④ 경찰서 보안과장인 甲이 A의 음주운전을 눈감아주기 위하여 그에 대한 음주운전 적발보고서를 찢어버리고, 부하인 B로 하여금 일련번호가 동일한 가짜 음주운전 적발보고서에 乙에 대한 음주운전 사실을 기재케 하여 그 정을 모르는 담당 경찰관으로 하여금 주취운전자 음주측정처리부에 乙에 대한 음주운전 사실을 기재하도록 한 경우, 甲은 허위공문서작성 및 동 행사죄의 간접정범에 해당한다.

지문분석 난이도 중 정답 ③

| 키 워 드 | 간접정범

| 출제유형 | 틀린 지문 고르기

③ (X) 甲이 존재하지 않는 약정이자에 관한 내용을 부가하여 위조한 乙 명의 차용증을 바탕으로 乙에 대한 차용금채권을 丙에게 양도하고, 이러한 사정을 모르는 丙으로 하여금 乙을 상대로 양수금 청구소송을 제기하게 한 경우, 甲의 행위는 丙을 도구로 이용한 간접정범 형태의 소송사기죄를 구성한다(대법원 2007.9.6. 2006도3591).

① (O) 대법원 2008.9.11. 2007도7204
→ 처벌되지 아니하는 타인의 행위를 적극적으로 유발하고 이를 이용하여 자신의 범죄를 실현한 자는 형법 제34조 제1항이 정하는 간접정범의 죄책을 지게 되고, 그 과정에서 타인의 의사를 부당하게 억압하여야만 간접정범에 해당하는 것은 아니다.

② (O) 어느 문서의 작성권한을 갖는 공무원이 그 문서의 기재사항을 인식하고 그 문서를 작성할 의사로써 이에 서명 날인하였다면, 설령 그 서명날인이 타인의 기망으로 착오에 빠진 결과 그 문서의 기재사항이 진실에 반함을 알지 못한 데 기인한다고 하여도, 그 문서의 성립은 진정하며 여기에 하등 작성명의를 모용한 사실이 있다고 할 수는 없으므로, 공무원 아닌 자가 관공서에 허위내용의 증명원을 제출하여 그 내용이 허위인 정을 모르는 담당공무원으로부터 그 증명원 내용과 같은 증명서를 발급받은 경우 공문서위조죄의 간접정범으로 의율할 수는 없다 할 것이다(대법원 2001.3.9. 2000도938).

④ (O) 대법원 1996.10.11. 95도1706
→ 피고인(경찰서 보안과장)은 주취운전자 음주측정처리부의 작성권자인 담당경찰관을 도구로 이용한 허위공문서작성 및 동 행사죄의 간접정범이 된다. 한편, 음주운전자 적발보고서를 찢어버린 것은 공용서류손상죄가 된다.

11 0230

2010 경찰 승진

다음 중 옳은 것은? (판례에 의함)

① 공무원이 아닌 甲이 행사할 목적으로 관공서에 허위내용의 증명원을 제출하여 그 내용이 허위인 정을 모르는 담당공무원으로부터 그 증명원의 내용과 같은 증명서를 발급받은 경우 공문서위조죄의 간접정범이 성립한다.

② 공문서의 작성권한이 있는 공무원의 직무를 보좌하는 甲이 행사할 목적으로 그 직위를 이용하여 허위의 내용이 기재된 문서초안을 그 정을 모르는 상사에게 제출하여 결재하도록 하는 등의 방법으로 작성권한이 있는 공무원으로 하여금 허위의 공문서를 작성하게 한 경우 허위공문서작성죄의 간접정범이 성립하지 않는다.

③ 공무원이 아닌 자가 행사할 목적으로 공문서 작성을 보좌하는 공무원과 공모하여 허위의 문서초안을 상사에게 제출하여 결재케 함으로써 허위공문서를 작성케 한 경우 허위공문서작성죄의 간접정범의 공범으로서의 죄책을 진다.

④ 호적계장인 甲이 행사할 목적으로 A의 부탁을 받고 면장 모르게 호적계에 보관 중인 면장의 고무인과 직인을 이용하여 인감증명서 용지에 날인하여 A의 인감증명서를 작성한 경우 허위공문서작성죄의 간접정범이 성립한다.

지문분석 난이도 중 정답 ③

| 키 워 드 | 간접정범

| 출제유형 | 옳은 지문 고르기

③ (○) 공문서의 작성권한이 있는 공무원의 직무를 보좌하는 자가 그 직위를 이용하여 행사할 목적으로 허위의 내용이 기재된 문서초안을 그 정을 모르는 상사에게 제출하여 결재하도록 하는 등의 방법으로 작성권한이 있는 공무원으로 하여금 허위의 공문서를 작성하게 한 경우에는 간접정범이 성립되고 이와 공모한 자 역시 그 간접정범의 공범으로서의 죄책을 면할 수 없다. 여기서 말하는 공범은 반드시 공무원의 신분이 있는 자로 한정되는 것은 아니라고 할 것이다(대법원 1992.1.17. 91도2837).

① (X) 공무원 아닌 자가 관공서에 허위내용의 증명원을 제출하여 그 내용이 허위인 정을 모르는 담당공무원으로부터 그 증명원 내용과 같은 증명서를 발급받은 경우 공문서위조죄의 간접정범으로 의율할 수는 없다 할 것이다(대법원 2001.3.9. 2000도938).

② (X) 허위공문서작성의 주체는 직무상 그 문서를 작성할 권한이 있는 공무원에 한하고 작성권자를 보조하는 직무에 종사하는 공무원은 허위공문서작성죄의 주체가 되지 못한다. 다만, 공문서의 작성권한이 있는 공무원의 직무를 보좌하는 사람이 그 직위를 이용하여 행사할 목적으로 허위의 내용이 기재된 문서초안을 그 정을 모르는 상사에게 제출하여 결재하도록 하는 등의 방법으로 작성권한이 있는 공무원으로 하여금 허위의 공문서를 작성하게 한 경우에는 허위공문서작성죄의 간접정범이 성립한다(대법원 2011.5.13. 2011도1415).

④ (X) **면사무소 호적계장이 면장의 결재 없이 허위내용의 호적정정 기재를 한 경우의 허위공문서작성죄의 성부: 부정**

[1] 문서를 작성할 권한이 있는 공무원을 보조하는 직무에 종사하는 공무원이 작성권한을 가진 공무원의 결재도 받지 아니하고 임의로 허위내용의 공문서를 작성권한자 명의로 작성한 때에는 공문서위조죄가 성립한다.

[2] 면사무소 호적계장이 면장의 결재 없이 호적의 출생년란, 주민등록번호란에 허위내용의 호적정정 기재를 한 경우에는 공문서위조 및 동행사죄를 구성하는 것은 별론으로 하고 형법 제227조가 규정한 허위공문서작성죄에 해당할 수는 없다(대법원 1990.10.12. 90도1790).

3 공동정범

12 0231 2016 경찰 2차

공동정범에 대한 다음 설명 중 가장 적절하지 않은 것은? (다툼이 있으면 판례에 의함)

① 포괄일죄의 범행 도중에 공동정범으로 범행에 가담한 자는 비록 그가 그 범행에 가담할 때에 이미 이루어진 종전의 범행을 알았다 하더라도 그 가담 이후의 범행에 대하여만 공동정범으로 책임을 진다.
② 공모에 의한 범죄의 공동실행은 모든 공범자가 스스로 범죄의 구성요건을 실현하는 것을 전제로 하지 아니하고, 그 실현행위를 하는 공범자에게 그 행위결정을 강화하도록 협력하는 것으로도 가능하다.
③ 피해자 일행을 한 사람씩 나누어 강간하자는 피고인 일행의 제의에 아무런 대답도 하지 않고 따라다니다가 자신의 강간 상대방으로 남겨진 甲에게 일체의 신체적 접촉도 시도하지 않은 채 다른 일행이 인근 숲속에서 강간을 마칠 때까지 甲과 함께 이야기만 나누었더라도, 다른 일행이 甲 외 피해자들을 강간하려는 것을 보고도 이를 제지하지 아니하고 용인하였다면, 공모공동정범으로서의 죄책을 면할 수 없다.
④ 공모자가 공모에 주도적으로 참여하여 다른 공모자의 실행에 영향을 미친 때에는 범행을 저지하기 위하여 적극적으로 노력하는 등 실행에 미친 영향력을 제거하지 아니하는 한 공모자가 구속되었다는 등의 사유만으로 공모관계에서 이탈하였다고 할 수 없다.

지문분석 난이도 중 정답 ③

| 키 워 드 | 공동정범

| 출제유형 | 틀린 지문 고르기

③ (X) [1] 형법 제30조의 공동정범은 2인 이상이 공동하여 죄를 범하는 것으로서, 공동정범이 성립하기 위하여는 주관적 요건으로서 공동가공의 의사와 객관적 요건으로서 공동의사에 기한 기능적 행위지배를 통한 범죄의 실행사실이 필요하고, 공동가공의 의사는 타인의 범행을 인식하면서도 이를 제지하지 아니하고 용인하는 것만으로는 부족하고 공동의 의사로 특정한 범죄행위를 하기 위하여 일체가 되어 서로 다른 사람의 행위를 이용하여 자기의 의사를 실행에 옮기는 것을 내용으로 하는 것이어야 한다.
[2] 피해자 일행을 한 사람씩 나누어 강간하자는 피고인 일행의 제의에 아무런 대답도 하지 않고 따라다니다가 자신의 강간 상대방으로 남겨진 공소외인에게 일체의 신체적 접촉도 시도하지 않은 채 다른 일행이 인근 숲속에서 강간을 마칠 때까지 공소외인과 함께 이야기만 나눈 경우, 피고인에게 다른 일행의 강간범행에 공동으로 가공할 의사가 있었다고 볼 수 없다(대법원 2003.3.28. 2002도7477).

① (O) 대법원 2007.11.15. 2007도6336
→ • 포괄일죄의 범행 도중에 공동정범으로 범행에 가담한 자의 형사책임의 범위: 가담 이후 범행
• 승계적 공동정범에서 후행자의 귀책범위에 대해 판례는 소극설을 취한다.

② (O) 대법원 2006.12.22. 2006도1623

④ (O) 甲이 乙과 공모하여 가출 청소년 丙(여, 16세)에게 낙태수술비를 벌도록 해 주겠다고 유인하였고, 乙로 하여금 丙의 성매매 홍보용 나체사진을 찍도록 하였으며, 丙이 중도에 약속을 어길 경우 민·형사상 책임을 진다는 각서를 작성하도록 한 후, 자신이 별건으로 체포되어 구치소에 수감 중인 동안 丙이 乙의 관리 아래 12회에 걸쳐 불특정 다수 남성의 성매수 행위의 상대방이 된 대가로 받은 돈을 丙, 乙 및 甲의 처 등이 나누어 사용한 경우 丙의 성매매 기간 동안 甲이 수감되어 있었다 하더라도 위 甲은 乙과 함께 미성년자유인죄, 구 청소년의 성보호에 관한 법률 위반죄의 책임을 진다(대법원 2010.9.9. 2010도6924).
→ 구속되었다는 등의 사유만으로 공모관계에서 이탈하였다고 할 수 없다는 판결이다.

13 0232

2017 경찰 1차

공동정범에 대한 설명으로 가장 적절한 것은? (다툼이 있는 경우 판례에 의함)

① 우연히 만난 자리에서 서로 협력하여 공동의 범의를 실현하려는 의사가 암묵적으로 상통하여 범행에 공동가공한 것이라면 공동정범은 성립하지 않는다.

② 타인의 범행을 인식하면서도 이를 제지하지 아니하고 용인하는 심리상태만으로 공동정범의 공동가공의 의사가 인정될 수 있다.

③ 딱지어음을 발행하여 매매하였더라도, 딱지어음의 전전유통경로나 중간 소지인들 및 그 기망방법을 구체적으로 몰랐던 경우라면 사기죄의 공모관계를 인정할 수 없다.

④ 업무상배임죄로 이익을 얻는 수익자 또는 그와 밀접한 관련이 있는 제3자를 배임의 실행행위자와 공동정범으로 인정하기 위해서는 실행행위자의 행위가 피해자 본인에 대한 배임행위에 해당한다는 것을 알면서도 소극적으로 배임행위에 편승하여 이익을 취득한 것만으로는 부족하고, 실행행위자의 배임행위를 교사하거나 또는 배임행위의 전 과정에 관여하는 등으로 배임행위에 적극 가담할 것이 필요하다.

지문분석 난이도 하 정답 ④

| 키 워 드 | 공동정범

| 출제유형 | 옳은 지문 고르기

④ (O) 대법원 2012.6.28. 2012도3643
→ 업무상배임죄로 이익을 얻는 수익자 또는 그와 밀접한 관련이 있는 제3자를 배임의 실행행위자와 공동정범으로 인정하기 위한 요건이다.

① (X) 공동정범이 성립하기 위하여는 반드시 공범자 간에 사전에 모의가 있어야 하는 것은 아니며, 우연히 만난 자리에서 서로 협력하여 공동의 범의를 실현하려는 의사가 암묵적으로 상통하여 범행에 공동가공하더라도 공동정범은 성립된다고 할 것이다(대법원 1984.12.26. 82도1373).
→ 우연적 공동정범 인정

② (X) 공동가공의 의사는 타인의 범행을 인식하면서도 이를 제지하지 아니하고 용인하는 것만으로는 부족하고 공동의 의사로 특정한 범죄행위를 하기 위하여 일체가 되어 서로 다른 사람의 행위를 이용하여 자기의 의사를 실행에 옮기는 것을 내용으로 하는 것이어야 한다(대법원 2003.3.28. 2002도7477).
→ 피해자 일행을 한 사람씩 나누어 강간하자는 피고인 일행의 제의에 아무런 대답도 하지 않고 따라다니다가 자신의 강간 상대방으로 남겨진 공소외인에게 일체의 신체적 접촉도 시도하지 않은 채 다른 일행이 인근 숲속에서 강간을 마칠 때까지 공소외인과 함께 이야기만 나눈 경우, 피고인에게 다른 일행의 강간범행에 공동으로 가공할 의사가 있었다고 볼 수 없다고 한 사례

③ (X) 이른바 딱지어음을 발행하여 매매한 이상 사기의 실행행위에 직접 관여하지 아니하였다고 하더라도 공동정범으로서의 책임을 면하지 못하고, 딱지어음의 전전유통경로나 중간 소지인들 및 그 기망방법을 구체적으로 몰랐다고 하더라도 공모관계를 부정할 수는 없다(대법원 1997.9.12. 97도1706).
→ 딱지어음: 고의적으로 부도를 낼 계획을 세우고 발행하는 어음

14 0233

2018 경찰 2차

공동정범에 대한 설명으로 가장 적절한 것은? (다툼이 있는 경우 판례에 의함)

① 甲, 乙, 丙 세 사람이 한자리에 모여 절도범행을 공모한 후, 공모한 바대로 甲과 乙 두 사람이 직접 A의 집에 들어가 안에 있는 물건을 훔쳐오고 丙은 A의 집에서 한참 떨어진 현장에서 트럭을 준비하고 대기하다 甲과 乙이 물건을 가져오자 트럭에 싣고 함께 도주한 사안에서, 丙이 甲과 乙의 행위를 자기 의사의 수단으로 하여 위의 범행을 저질렀다고 평가할 수 있는 정범성의 표지를 갖추고 있는 한 공동정범의 일반이론에 비추어 丙에게는 일반절도죄의 공동정범이 성립한다.

② 甲이 한 달여에 걸쳐 연속적으로 마약류를 제조하고 있었는데, 뒤늦게 乙이 甲의 그 같은 제조행위를 알고 도중에 공동정범으로 범행에 가담하여 甲과 함께 마약류 제조행위를 계속하였다고 하는 사안에서 乙이 범행에 가담할 당시에 이미 이루어진 종전의 범행을 알고 있었던 이상, 乙은 가담 이전의 제조행위에 대해서까지 공동정범으로 책임을 져야 한다.

③ 공모공동정범에 있어서 공모자 중의 1인이 다른 공모자가 실행행위에 이르기 전에 그 공모관계에서 이탈한 때에는 그 이후의 다른 공모자의 행위에 관하여 공동정범으로서의 책임은 지지 않는다 할 것이고 그 이탈의 표시는 명시적이어야 한다.

④ 포괄일죄의 범행 도중에 공동정범으로 가담한 자는 비록 그가 그 범행에 가담할 때에 이미 이루어진 종전의 범행을 알았다 하더라도 그 가담 이후의 범행에 대해서만 공동정범으로 책임을 진다.

지문분석 난이도 중 정답 ④

| 키 워 드 | 공동정범

| 출제유형 | 옳은 지문 고르기

④ (O) 대법원 1997.6.27. 97도163

① (X) 대법원 1998.5.21. 98도321 전원합의체
→ 합동절도(특수절도죄)의 공동정범으로 인정할 수 있다.

② (X) 연속된 제조행위 도중에 공동정범으로 범행에 가담한 자는 비록 그가 그 범행에 가담할 때에 이미 이루어진 종전의 범행을 알았다 하더라도 그 가담 이후의 범행에 대하여만 공동정범으로 책임을 지는 것이라고 할 것이다(대법원 1982.6.8. 82도884).

③ (X) 공모공동정범에 있어서 그 공모자 중의 1인이 다른 공모자가 실행행위에 이르기 전에 그 공모관계에서 이탈한 때에는 그 이후의 다른 공모자의 행위에 관하여 공동정범으로서의 책임은 지지 않는다고 할 것이고 그 이탈의 표시는 반드시 명시적임을 요하지 않는다(대법원 1986.1.21. 85도2371).

15 0234

2020 경찰 2차

다음 설명 중 가장 적절하지 않은 것은? (다툼이 있는 경우 판례에 의함)

① 甲, 乙, 丙은 사전 모의에 따라 피해자들을 야산으로 유인한 다음 암묵적인 합의에 따라 각자 마음에 드는 피해자들을 데리고 불과 100m 이내의 거리에 있는 곳으로 흩어져 동시 또는 순차적으로 피해자들을 각각 강간하였다면, 각 강간의 실행행위도 시간적으로나 장소적으로 협동관계에 있었다고 보아 특수강간죄가 성립한다.

② 자기에게 유리한 판결을 얻기 위하여 증거가 조작되어 있다는 사실을 인식하지 못하는 제3자를 이용하여 그로 하여금 소송의 당사자가 되게 하고 법원을 기망하여 소송 상대방의 재물 또는 재산상 이익을 취득하려 하였다면 간접정범의 형태에 의한 소송사기죄가 성립한다.

③ 간접정범의 피이용자가 甲을 乙로 오인하여 살해하였을 경우, 법정적 부합설에 따르면 간접정범은 살인의 고의기수범에 해당한다.

④ 甲과 乙은 술집으로 가던 도중 앞서가던 甲과 피해자가 부딪혀 시비가 붙고, 이에 甲은 피해자를 뒤로 밀어 피해자가 바닥에 뒷머리를 부딪치게 하고 술집을 향해 떠났다. 이에 뒤따라 오던 乙이 이 장면을 보고 달려와 피해자를 또다시 가격하여 피해자가 뇌저부경화동맥파열상으로 사망에 이른 경우, 甲과 乙은 상해치사의 공동정범으로 처벌된다.

지문분석

난이도 상 정답 ④

| 키 워 드 | 공동정범

| 출제유형 | 틀린 지문 고르기

④ (X) 사안은 甲과 乙이 의사의 연락이 없으므로 공동정범은 성립하지 않는다.

→ 이 경우 공동정범이 아니라 동시범이 문제되고, 피해자 사망의 원인된 행위가 판명되지 않은 경우에는 상해치사죄의 '공동정범의 예에 의하여' 처벌된다.

① (O) 피고인 등이 비록 특정한 1명씩의 피해자만 강간하거나 강간하려고 하였다 하더라도, 사전의 모의에 따라 강간할 목적으로 심야에 인가에서 멀리 떨어져 있어 쉽게 도망할 수 없는 야산으로 피해자들을 유인한 다음 곧바로 암묵적인 합의에 따라 각자 마음에 드는 피해자들을 데리고 불과 100m 이내의 거리에 있는 곳으로 흩어져 동시 또는 순차적으로 피해자들을 각각 강간하였다면, 그 각 강간의 실행행위도 시간적으로나 장소적으로 협동관계에 있었다고 보아야 할 것이므로, 피해자 3명 모두에 대한 특수강간죄 등이 성립된다(대법원 2004.8.20. 2004도2870).

→ 흉기나 그 밖의 위험한 물건을 지닌 채 또는 2명 이상이 합동하여 형법 제297조(강간)의 죄를 범한 경우, 성폭력범죄의 처벌 등에 관한 특례법상 특수강간죄가 성립한다.

② (O) 대법원 2007.9.6. 2006도3591

③ (O) 사안처럼 피이용자가 구체적 사실의 착오 중 객체의 착오를 일으킨 경우, 피이용자의 착오가 이용자에 대하여는 구체적 사실의 착오 중 객체의 착오가 된다는 견해나 방법의 착오가 된다는 견해 모두 법정적 부합설에 의하면 발생사실의 고의·기수를 인정할 수 있다.

16 0235

2021 경찰 2차

공동정범에 대한 설명으로 가장 적절하지 않은 것은? (다툼이 있는 경우 판례에 의함)

① 甲이 A를 살해하고자 A의 음료수 잔에 치사량의 독약을 넣고 사라진 후 그 사실을 알고 있는 乙이 독자적으로 A를 확실히 살해하고자 한 번 더 치사량의 독약을 넣어 A가 이를 마시고 사망한 경우, 甲과 乙은 상호 간에 의사의 연락이 없어 공동정범이 성립되지 아니한다.

② 甲이 강도살인의 의사로 먼저 A를 살해한 직후 마침 그곳을 지나가던 乙이 이를 보고 甲의 양해하에 절취의 의사로 참가하여 甲은 A의 지갑과 현금을, 乙은 A의 시계와 금반지를 가져간 경우, 승계적 공동정범을 인정하더라도 乙은 살인에 대한 책임은 지지 아니한다.

③ 행동대원 甲, 乙, 丙은 조직의 두목으로부터 지시를 받고 상대조직 행동대장 A를 살해하기로 공모하였으나, 甲은 쇠파이프 등을 들고 차량에 탑승하던 중 사태의 심각성을 실감하고 범행에 휘말리기 싫어서 조용히 혼자 빠져나와 택시를 타고 집으로 갔다. 이후 乙과 丙이 공모한 대로 A의 사무실로 가서 A를 살해한 경우, 甲에게는 살인죄의 공동정범이 성립한다.

④ 조직의 보스 甲은 부하인 乙과 반대조직의 보스 A를 살해하기로 공모하고, 甲은 자신의 사무실에서 진행 상황을 실시간으로 보고받고 乙이 A의 사무실로 가서 A를 살해한 경우, 공모공동정범을 인정하는 견해에 따르면 甲에게는 살인죄의 공동정범이 성립한다.

지문분석

난이도 중 정답 ③

| 키 워 드 | 공동정범

| 출제유형 | 틀린 지문 고르기

③ (X) 피고인은 술을 마시고 있다가 같은 조직원으로부터 연락을 받고 무심천 로울러스케이트장에 가서 '파라다이스'파에게 보복을 하러 간다는 말을 듣고 다른 조직원들이 여러 대의 차에 분승하여 출발하려고 할 때 사태의 심각성을 실감하고 범행에 휘말리기 싫어서 그곳에서 택시를 타고 집에 왔으므로 피해자 A에 대한 폭력행위 등 처벌에 관한 법률 위반 및 피해자 B에 대한 살인의 점에 대하여 다른 조직원들과의 사이에 '파라다이스'파 조직원들을 공격하여 상해를 가하거나 살해하기로 하는 모의가 있었다고 보기 어렵고, 가사 피고인에게도 그 범행에 가담하려는 의사가 있어 공모 관계가 인정된다 하더라도 다른 조직원들이 각 이 사건 범행에 이르기 전에 그 공모 관계에서 이탈한 것이라 할 것이므로 피고인은 위 공모 관계에서 이탈한 이후의 행위에 대하여는 공동정범으로의 책임을 지지 않는다(대법원 1996.1.26. 94도2654).

→ 피고인(시라소니파 조직원)에게 범행에 가담하려는 의사가 있었다고 보기 어렵고, 가사 공모관계가 인정된다 하더라도 다른 조직원들이 범행에 이르기 전에 그 공모관계에서 이탈한 것으로 본 판례이다.

① (O) 편면적 공동정범 사례로 공동정범이 성립하지 않는다.

② (O) 승계적 공동정범을 인정한다 하여도 후행자인 乙은 가담 이전의 행위(살인)에 대해서는 책임을 지지 않는다.

④ (O) 공모공동정범을 인정하는 견해에 따르면, 甲에게는 살인죄의 공동정범이 성립한다.

17 0236

2016 경찰 승진

공동정범에 관한 설명 중 가장 적절하지 않은 것은? (다툼이 있으면 판례에 의함)

① 포괄일죄의 범행 도중에 공동정범으로 범행에 가담한 자는 비록 그가 그 범행에 가담할 때에 이미 이루어진 종전의 범행을 알았다 하더라도 그 가담 이후의 범행에 대하여만 공동정범으로 책임을 진다.
② 부하들이 흉기를 들고 싸움을 하고 있는 도중에 폭력단체의 두목급 수괴 甲이 사건 현장에서 "전부 죽이라"고 고함을 치자, 그 부하들이 피해자들을 난자하여 사망케 한 경우에 甲도 살인죄의 공동정범의 죄책을 진다.
③ 다른 3명의 공모자들과 강도 모의를 주도한 甲이, 다른 공모자들이 피해자를 뒤쫓아 가자 단지 '어?'라고만 하고 더 이상 만류하지 아니하여 공모자들이 강도상해의 범행을 한 경우, 甲은 그 공모관계에서 이탈하였다고 볼 수 없다.
④ 우연히 만난 자리에서 서로 협력하여 공동의 범의를 실현하려는 의사가 암묵적으로 상통하여 범행에 공동가공한 것이라면 공동정범은 성립하지 않는다.

지문분석 난이도 중 정답 ④

| 키 워 드 | 공동정범
| 출제유형 | 틀린 지문 고르기

④ (X) 공동정범이 성립하기 위하여는 반드시 공범자 간에 사전에 모의가 있어야 하는 것은 아니며, 우연히 만난 자리에서 서로 협력하여 공동의 범의를 실현하려는 의사가 암묵적으로 상통하여 범행에 공동가공하더라도 공동정범은 성립된다(대법원 1984.12.26. 82도1373).
① (O) 대법원 2007.11.15. 2007도6336
→ 승계적 공동정범에서 후행자는 가담 이후의 범행에 대하여만 공동정범으로 책임을 진다.
② (O) 부하들이 흉기를 들고 싸움을 하고 있는 도중에 폭력단체의 두목급 수괴의 지위에 있는 甲이 그 현장에 모습을 나타내고 더욱이나 부하들이 흉기들을 소지하고 있어 살상의 결과를 초래할 것을 예견하면서도 "전부 죽이라"는 고함을 친 행위는 부하들의 행위에 큰 영향을 미치는 것으로서 甲은 이로써 위 싸움에 가세한 것이라고 보지 아니할 수 없고, 나아가 부하들이 칼, 야구방망이 등으로 피해자들을 난타, 난자하여 사망케 한 것이라면 甲은 살인죄의 공동정범으로서의 죄책을 면할 수 없다(대법원 1987.10.13. 87도1240).
③ (O) 대법원 2008.4.10. 2008도1274
→ 공모자가 공모에 주도적으로 참여하여 다른 공모자의 실행에 영향을 미친 때에는 범행을 저지하기 위하여 적극적으로 노력하는 등 실행에 미친 영향력을 제거하지 아니하는 한 공모관계에서 이탈하였다고 할 수 없다. 강도상해죄의 공동정범이 성립한다.

18 0237

2015 경찰 승진

공동정범에 관한 설명 중 가장 적절하지 않은 것은? (다툼이 있는 경우 판례에 의함)

① 공동정범은 각자를 그 죄의 정범으로 처벌한다.
② 편면적 공동정범도 인정된다.
③ 공모에 주도적으로 참여한 공모자가 공모관계에서 이탈하여 공동정범으로서 책임을 지지 않기 위해서는 공모자는 공모에 의하여 담당한 기능적 행위지배를 해소하여야 한다.
④ 포괄일죄의 범행 도중에 공동정범으로 범행에 가담한 자는 비록 그가 그 범행에 가담할 때에 이미 이루어진 종전의 범행을 알았다 하더라도 그 가담 이후의 범행에 대하여만 공동정범으로 책임을 진다.

지문분석 난이도 중 정답 ②

| 키 워 드 | 공동정범
| 출제유형 | 틀린 지문 고르기

② (X) 공동정범은 행위자 상호간에 범죄행위를 공동으로 한다는 공동가공의 의사를 가지고 범죄를 공동실행하는 경우에 성립하는 것으로서, 여기에서의 공동가공의 의사는 공동행위자 상호간에 있어야 하며 행위자 일방의 가공의사만으로는 공동정범관계가 성립할 수 없다(대법원 1985.5.14. 84도2118).
→ 판례는 편면적 공동정범을 부정한다.
① (O) 형법 제30조(공동정범): 2인 이상이 공동하여 죄를 범한 때에는 각자를 그 죄의 정범으로 처벌한다.
③ (O) 대법원 2008.4.10. 2008도1274
→ 공모관계 이탈의 요건: 공모자가 공모에 주도적으로 참여하여 다른 공모자의 실행에 영향을 미친 때에는 범행을 저지하기 위하여 적극적으로 노력하는 등 실행에 미친 영향력을 제거하지 아니하는 한 공모관계에서 이탈하였다고 할 수 없다(= 공모에 의하여 담당한 기능적 행위지배를 해소할 것).
④ (O) 대법원 1982.6.8. 82도884
→ 승계적 공동정범에서 후행자의 귀책범위: 가담 이후 부분만 책임 O

19 0238

2018 경찰 승진

공동정범에 대한 설명으로 가장 적절하지 않은 것은? (다툼이 있는 경우 판례에 의함)

① 甲이 부녀를 유인하여 성매매를 통해 수익을 얻을 것을 乙과 공모한 후, 乙로 하여금 유인된 A녀(16세)의 성매매 홍보용 나체사진을 찍도록 하고, A가 중도에 약속을 어길 경우 민·형사상 책임을 진다는 각서를 작성하도록 하였지만, 甲이 별건으로 체포되어 구치소에 수감 중인 동안 A가 乙의 관리 아래 성매수의 대가로 받은 돈을 A, 乙 및 甲의 처 등이 나누어 사용한 경우, 甲은 공모관계에서 이탈한 것으로 인정된다.

② 甲이 피해자 일행을 한 사람씩 나누어 강간하자는 乙의 제의에 아무런 대답도 하지 않고 따라다니다가 자신의 강간 상대방으로 남겨진 A에게 일체의 신체적 접촉도 시도하지 않은 채 乙이 인근 숲속에서 강간을 마칠 때까지 A와 함께 이야기만 나눈 경우, 甲에게 乙의 강간범행에 공동으로 가공할 의사가 있었다고 볼 수 없다.

③ 2인 이상이 범죄에 공동가공하는 공범관계에서 공모는 법률상 어떤 정형을 요구하는 것이 아니고, 2인 이상이 공모하여 어느 범죄에 공동가공하여 그 범죄를 실현하려는 의사의 결합만 있으면 되는 것으로서, 비록 전체의 모의과정이 없었다고 하더라도 수인 사이에 순차적으로 또는 암묵적으로 상통하여 그 의사의 결합이 이루어지면 공모관계가 성립한다.

④ 건설 관련 회사의 유일한 지배자인 甲이 회사 대표의 지위에서 장기간에 걸쳐 건설공사 현장소장들의 뇌물공여행위를 보고받고 이를 확인·결재하는 등의 방법으로 위 행위에 관여하였다면, 비록 사전에 구체적인 대상 및 액수를 정하여 뇌물공여를 지시하지 않았다고 하더라도 공모공동정범의 죄책이 인정된다.

지문분석 난이도 중 정답 ①

| 키 워 드 | 공동정범

| 출제유형 | 틀린 지문 고르기

① (X) **공모에 주도적으로 참여한 공모자가 공모관계에서 이탈하여 공동정범으로서 책임을 지지 않기 위한 요건**

[1] 공모공동정범에 있어서 공모자 중의 1인이 다른 공모자가 실행행위에 이르기 전에 그 공모관계에서 이탈한 때에는 그 이후의 다른 공모자의 행위에 관하여는 공동정범으로서의 책임은 지지 않는다 할 것이나, 공모관계에서의 이탈은 공모자가 공모에 의하여 담당한 기능적 행위지배를 해소하는 것이 필요하므로 공모자가 공모에 주도적으로 참여하여 다른 공모자의 실행에 영향을 미친 때에는 범행을 저지하기 위하여 적극적으로 노력하는 등 실행에 미친 영향력을 제거하지 아니하는 한 공모자가 구속되었다는 등의 사유만으로 공모관계에서 이탈하였다고 할 수 없다.

[2] 甲이 乙과 공모하여 가출 청소년 A(여, 16세)에게 낙태수술비를 벌도록 해 주겠다고 유인하였고, 乙로 하여금 A의 성매매 홍보용 나체사진을 찍도록 하였으며, A가 중도에 약속을 어길 경우 민·형사상 책임을 진다는 각서를 작성하도록 한 후, 자신이 별건으로 체포되어 구치소에 수감 중인 동안 A가 乙의 관리 아래 12회에 걸쳐 불특정 다수 남성의 성매수 행위의 상대방이 된 대가로 받은 돈을 A, 乙 및 甲의 처 등이 나누어 사용한 경우 A의 성매매 기간 동안 甲이 수감되어 있었다 하더라도 위 甲은 乙과 함께 미성년자유인죄, 구 청소년의 성보호에 관한 법률 위반죄의 책임을 진다(대법원 2010.9.9. 2010도6924).

→ 구속되었다는 등의 사유만으로 공모관계에서 이탈하였다고 할 수 없다는 판결이다.

② (O) 공동가공의 의사는 타인의 범행을 인식하면서도 이를 제지하지 아니하고 용인하는 것만으로는 부족하고 공동의 의사로 특정한 범죄행위를 하기 위하여 일체가 되어 서로 다른 사람의 행위를 이용하여 자기의 의사를 실행에 옮기는 것을 내용으로 하는 것이어야 한다(대법원 2003.3.28. 2002도7477).

③ (O) 대법원 2006.2.23. 2005도8645

→ 공모공동정범에 있어서 공모관계의 성립요건

④ (O) 대법원 2010.7.15. 2010도3544

→ 건설 관련 회사의 유일한 지배자에 대하여 뇌물공여죄의 공모공동정범을 인정하여야 한다는 판결이다.

20 0239

2018 경찰 승진

합동범에 대한 설명으로 가장 적절하지 않은 것은? (다툼이 있는 경우 판례에 의함)

① 합동범의 공동정범은 가능하다.
② 합동범에 대한 교사·방조는 불가능하다.
③ 합동범이 성립하기 위해서는 주관적 요건으로서의 공모와 객관적 요건으로서의 실행행위의 분담이 필요하고 그 공모는 법률상 어떠한 정형을 요구하는 것은 아니어서, 공범자 상호간에 직접 또는 간접으로 범죄의 공동가공의사가 암묵리에 서로 상통하여도 합동범의 공모에 포함된다.
④ 乙, 丙과 A회사의 사무실 금고에서 현금을 절취할 것을 공모한 甲이 乙과 丙에게 범행도구를 구입하여 제공해주었을 뿐만 아니라 乙과 丙이 사무실에서 현금을 절취하는 동안 범행장소에서 100m 떨어진 곳에서 기다렸다가 절취한 현금을 운반한 경우, 甲은 乙과 丙의 합동절도의 공동정범의 죄책을 진다.

지문분석 난이도 하 정답 ②

| 키 워 드 | 합동범
| 출제유형 | 틀린 지문 고르기

② (X) 합동절도에서도 공동정범과 교사범·종범의 구별기준은 일반원칙에 따라야 하고, 그 결과 범행현장에 존재하지 아니한 범인도 공동정범이 될 수 있으며, 반대로 상황에 따라서는 장소적으로 협동한 범인도 방조만 한 경우에는 종범으로 처벌될 수도 있다(대법원 1998.5.21. 98도321 전원합의체).
→ 합동범에 대한 공동정범·교사·방조는 모두 가능하다.
① (O) 대법원 1998.5.21. 98도321 전원합의체
③ (O) 2인 이상이 합동하여 형법 제297조의 죄를 범한 경우에 특수강간죄가 성립하기 위하여는 주관적 요건으로서의 공모와 객관적 요건으로서의 실행행위의 분담이 있어야 하는데, 그 공모는 법률상 어떠한 정형을 요구하는 것이 아니어서 공범자 상호간에 직접 또는 간접으로 범죄의 공동가공의사가 암묵리에 서로 상통하여도 되고, 사전에 반드시 어떠한 모의과정이 있어야 하는 것도 아니어서 범의 내용에 대하여 포괄적 또는 개별적인 의사연락이나 인식이 있었다면 공모관계가 성립하며, 그 실행행위는 시간적으로나 장소적으로 협동관계에 있다고 볼 수 있는 사정에 있으면 된다(대법원 1996.7.12. 95도2655).
④ (O) 대법원 2011.5.13. 2011도2021

21 0240

2019 경찰 승진

공동정범에 대한 설명이다. 아래 ㉠부터 ㉣까지의 설명 중 옳고 그름의 표시(O, X)가 바르게 된 것은? (다툼이 있는 경우 판례에 의함)

㉠ 甲은 乙과 공모하여 가출 청소년 丙(여, 16세)에게 낙태수술비를 벌도록 해 주겠다고 유인하였고, 乙로 하여금 丙의 성매매 홍보용 나체사진을 찍도록 하였으며, 丙이 중도에 약속을 어길 경우 민·형사상 책임을 진다는 각서를 작성하도록 한 후, 甲이 별건으로 체포되어 구치소에 수감 중인 동안 丙이 乙의 관리 아래 성매매를 계속한 경우, 丙의 성매매 기간 동안 甲은 수감되어 있었으므로 甲은 공모관계에서 이탈하였다고 할 수 있다.
㉡ 공동가공의 의사는 타인의 범행을 인식하면서도 이를 제지하지 아니하고 용인하는 것만으로는 부족하고 공동의 의사로 특정한 범죄행위를 하기 위하여 일체가 되어 서로 다른 사람의 행위를 이용하여 자기의 의사를 실행에 옮기는 것을 내용으로 하는 것이어야 한다.
㉢ 업무상배임죄로 이익을 얻는 수익자 또는 그와 밀접한 관련이 있는 제3자를 배임의 실행행위자와 공동정범으로 인정하기 위해서는 실행행위자의 행위가 피해자 본인에 대한 배임행위에 해당한다는 것을 알면서 소극적으로 배임행위에 편승하여 이익을 취득한 것으로 족하며, 실행행위자의 배임행위를 교사하거나 또는 배임행위의 전체 과정에 관여하는 등으로 배임행위에 적극 가담할 것을 요하지 않는다.
㉣ 전국노점상연합회가 주관한 도로행진시위에 단순 가담자인 甲이 다른 시위 참가자들과 시위 중 경찰관 등에 대한 특수공무집행방해 행위로 체포된 경우 체포된 이후에 이루어진 다른 시위 참가자들의 범행에 대해서는 공모공동정범의 죄책을 인정할 수 없다.

① ㉠ (X), ㉡ (O), ㉢ (X), ㉣ (O)
② ㉠ (O), ㉡ (X), ㉢ (O), ㉣ (X)
③ ㉠ (X), ㉡ (O), ㉢ (O), ㉣ (X)
④ ㉠ (O), ㉡ (X), ㉢ (X), ㉣ (O)

지문분석 난이도 중 정답 ①

| 키 워 드 | 공동정범
| 출제유형 | 옳고 그름의 표시(O, X)하기

㉠ (X) 甲이 乙과 공모하여 가출 청소년 丙(여, 16세)에게 낙태수술비를 벌도록 해 주겠다고 유인하였고, 乙로 하여금 丙의 성매매 홍보용 나체사진을 찍도록 하였으며, 丙이 중도에 약속을 어길 경우 민·형사상 책임을 진다는 각서를 작성하도록 한 후, 자신이 별건으로 체포되어 구치소에 수감 중인 동안 丙이 乙의 관리 아래 12회에 걸쳐 불특정 다수 남성의 성매수 행위의 상대방이 된 대가로 받은 돈을 丙, 乙 및 甲의 처 등이 나누어 사용한 경우, 丙의 성매매 기간 동안 甲이 수감되어 있었다 하더라도 위 甲은 乙과 함께 미성년자유인죄, 구 청소년의 성보호에 관한 법

률(2009.6.9. 법률 제9765호 아동·청소년의 성보호에 관한 법률로 전부 개정되기 전의 것) 위반죄의 책임을 진다(대법원 2010.9.9. 2010도6924).
→ 구속(수감)되었다는 등의 사유만으로 공모관계에서 이탈하였다고 볼 수 없어 공동정범을 인정한 판례이다.

ⓛ (○) 대법원 2004.6.24. 2002도995

ⓒ (X) 업무상배임죄의 실행으로 인하여 이익을 얻게 되는 수익자 또는 그와 밀접한 관련이 있는 제3자를 배임의 실행행위자와 공동정범으로 인정하기 위해서는 실행행위자의 행위가 피해자인 본인에 대한 배임행위에 해당한다는 것을 알면서도 소극적으로 그 배임행위에 편승하여 이익을 취득한 것만으로는 부족하고, 실행행위자의 배임행위를 교사하거나 또는 배임행위의 전 과정에 관여하는 등으로 배임행위에 적극 가담할 것을 필요로 한다(대법원 1999.7.23. 99도1911).

ⓔ (○) 대법원 2009.6.23. 2009도2994

22 0241

2020 경찰 승진

공동정범에 대한 설명 중 가장 적절하지 않은 것은? (다툼이 있는 경우 판례에 의함)

① 포괄일죄의 범행 도중에 공동정범으로 범행에 가담한 자는 그가 그 범행에 가담할 때에 이미 이루어진 종전의 범행을 알았다면 그 가담 이후의 범행뿐만 아니라 가담 이전의 범행에 대해서도 공동정범으로 책임을 진다.

② 공모공동정범에서 공모자 중 1인이 공모에 주도적으로 참여하여 다른 공모자의 실행에 영향을 미친 주도적 공모자인 경우에는 범행을 저지하기 위하여 적극적으로 노력하는 등 실행에 미친 영향력을 제거하여야 공모관계에서 이탈하였다고 볼 수 있다.

③ 공모공동정범에 있어서 주관적 요건인 공모가 이루어졌다면 실행행위에 관여하지 않았더라도 다른 공범자의 행위에 대하여 형사책임을 진다.

④ 공모자 중 어떤 사람이 다른 공모자가 실행행위에 이르기 전에 그 공모관계에서 이탈한 때에는 그 이후의 다른 공모자의 행위에 관하여 원칙적으로 공동정범으로서의 책임은 지지 않는다고 할 것이고 그 이탈의 표시는 반드시 명시적일 필요는 없다.

지문분석 난이도 하 정답 ①

| 키 워 드 | 공동정범

| 출제유형 | 틀린 지문 고르기

① (X) 포괄일죄의 범행 도중에 공동정범으로 범행에 가담한 자는 비록 그가 그 범행에 가담할 때에 이미 이루어진 종전의 범행을 알았다 하더라도 그 가담 이후의 범행에 대하여만 공동정범으로 책임을 진다(대법원 1997.6.27. 97도163).

② (○) 대법원 2008.4.10. 2008도1274

③ (○) 대법원 2008.11.13. 2006도755

④ (○) 대법원 1986.1.21. 85도2371, 85감도347

23 0242

2020 경찰 간부

다음 설명 중 가장 옳지 않은 것은? (다툼이 있는 경우 판례에 의함)

① 해적 甲, 乙이 두목의 사전지시에 따라 선원들을 윙브리지로 세워 해군의 위협사격을 받게 함으로써 '인간방패'로 사용한 경우, 甲이 사전모의는 하였지만 선원들을 윙브리지로 내몰았을 당시 총을 버리고 도망갔다면 공모관계에서 이탈한 것에 해당한다.

② 대향범은 대립적 범죄로서 2인 이상의 서로 대향된 행위의 존재를 필요로 하는 필요적 공범관계에 있는 범죄로, 대향범 간에는 공범에 관한 형법총칙 규정이 적용되지 않는다.

③ 시간적 차이가 있는 독립된 폭행행위가 경합하여 사망의 결과가 일어나고 그 사망의 원인된 행위가 판명되지 않은 경우 공동정범의 예에 의하여 처벌한다.

④ 자기 자신을 무고하기로 제3자와 공모하고 이에 따라 무고행위에 가담하였더라도 무고죄의 공동정범으로 처벌할 수 없다.

지문분석 난이도 중 정답 ①

| 키 워 드 | 공동정범

| 출제유형 | 틀린 지문 고르기

① (X) 해적들 사이에는 해군이 다시 구출작전에 나설 경우 선원들을 '인간방패'로 사용하는 것에 관하여 사전공모가 있었고, 해군의 총격이 있는 상황에서 선원들을 윙브리지로 내몰 경우 선원들이 사망할 수 있다는 점을 당연히 예견하고 나아가 이를 용인하였다고 할 것이므로 살인의 미필적 고의 또한 인정되며, 나아가 선원들을 윙브리지로 내몰았을 때 살해행위의 실행에 착수한 것이다. 그리고 위와 같은 행위는 사전공모에 따른 것으로서 피고인들이 당시 총을 버리고 도망갔다고 하더라도 그것만으로는 공모관계에서 이탈한 것으로 볼 수 없다(대법원 2011.12.22. 2011도12927).

② (O) 대법원 2007.10.25. 2007도6712

③ (O) 대법원 2000.7.28. 2000도2466

④ (O) 대법원 2017.4.26. 2013도12592

24 0243

2021 경찰 간부

공동정범과 합동범에 대한 설명으로 옳지 않은 것은? (다툼이 있는 경우 판례에 의함)

① 공동정범에서 공모나 모의는 순차적·암묵적으로 상통하여 이루어질 수 있다.

② 포괄일죄의 일부에 공동정범으로 가담하면서 종전에 이루어진 범행을 알았다면, 가담 이후의 범행은 물론 전체 범죄에 대해 공동정범으로서의 책임을 진다.

③ 합동범이 성립하기 위하여는 주관적 요건으로서의 공모와 객관적 요건으로서의 실행행위의 분담이 있어야 하고, 그 실행행위에 있어서는 시간적·장소적 협동관계에 있어야 한다.

④ 공범자의 범인도피행위 도중에 그 범행을 인식하면서 그와 공동의 범의를 가지고 기왕의 범인도피상태를 이용하여 스스로 범인도피행위를 계속한 자에 대하여는 범인도피죄의 공동정범이 성립한다.

지문분석 난이도 중 정답 ②

| 키 워 드 | 공동정범과 합동범

| 출제유형 | 틀린 지문 고르기

② (X) 포괄일죄의 범행 도중에 공동정범으로 범행에 가담한 자는 비록 그가 그 범행에 가담할 때에 이미 이루어진 종전의 범행을 알았다 하더라도 그 가담 이후의 범행에 대하여만 공동정범으로 책임을 진다(대법원 1997.6.27. 97도163).

→ 승계적 공동정범에서 후행자의 귀책범위에 대해 판례는 소극설을 취한다.

① (O) 대법원 2006.2.23. 2005도8645

③ (O) 대법원 1994.11.25. 94도1622

④ (O) 대법원 2012.8.30. 2012도6027

4 교사범

25 0244 2015 경찰 1차

교사범에 관한 다음 설명 중 가장 적절하지 않은 것은? (다툼이 있으면 판례에 의함)

① 교사자의 교사행위에도 불구하고 피교사자가 범행을 승낙하지 아니하거나 피교사자의 범행결의가 교사자의 교사행위에 의하여 생긴 것으로 보기 어려운 경우에는 이른바 실패한 교사로서 형법 제31조 제3항에 의하여 교사자를 음모 또는 예비에 준하여 처벌할 수 있을 뿐이다.

② 교사범이 공범관계로부터 이탈하기 위해서는 피교사자가 범죄의 실행행위에 나아가기 전에 교사범에 의하여 형성된 피교사자의 범죄 실행의 결의를 해소하는 것이 필요하다.

③ 당초의 교사행위에 의하여 형성된 피교사자의 범죄 실행의 결의가 더 이상 유지되지 않는 것으로 평가할 수 있다면, 설사 그 후 피교사자가 범죄를 저지르더라도 이는 당초의 교사행위에 의한 것이 아니라 새로운 범죄 실행의 결의에 따른 것이므로 교사자는 형법 제31조 제2항에 의한 죄책을 부담함은 별론으로 하고 형법 제31조 제1항의 교사범으로서의 죄책을 부담하지는 않는다.

④ 교사범이 성립하기 위해서는 교사자가 피교사자에게 범행의 일시, 장소, 방법 등의 세부적인 사항까지를 특정하여 교사하여야 한다.

지문분석 난이도 상 정답 ④

| 키 워 드 | 교사범

| 출제유형 | 틀린 지문 고르기

④ (X) 교사범이 성립하기 위하여는 범행의 일시, 장소, 방법 등의 세부적인 사항까지를 특정하여 교사할 필요는 없는 것이고, 정범으로 하여금 일정한 범죄의 실행을 결의할 정도에 이르게 하면 교사범이 성립된다.(대법원 1991.5.14. 91도542).

① (O) [1] **교사자의 교사행위에도 불구하고 피교사자가 범행을 승낙하지 아니하거나 피교사자의 범행결의가 교사자의 교사행위에 의하여 생긴 것으로 보기 어려운 경우, 교사자의 죄책**

교사범이란 정범인 피교사자로 하여금 범죄를 결의하게 하여 그 죄를 범하게 한 때에 성립하므로, 교사자의 교사행위에도 불구하고 ㉠ 피교사자가 범행을 승낙하지 아니하거나, ㉡ 피교사자의 범행결의가 교사자의 교사행위에 의하여 생긴 것으로 보기 어려운 경우에는 이른바 실패한 교사로서 형법 제31조 제3항에 의하여 교사자를 음모 또는 예비에 준하여 처벌할 수 있을 뿐이다.

[2] **피교사자가 교사자의 교사행위 당시에는 범행을 승낙하지 않았으나 이후 그 교사행위에 의하여 범행을 결의한 것으로 인정되는 경우, 교사범이 성립하는지 여부: 인정**

피교사자가 교사자의 교사행위 당시에는 일응 범행을 승낙하지 아니한 것으로 보여진다 하더라도 이후 그 교사행위에 의하여 범행을 결의한 것으로 인정되는 이상 교사범의 성립에는 영향이 없다.

[3] 피고인이 결혼을 전제로 교제하던 여성 甲의 임신 사실을 알고 수회에 걸쳐 낙태를 권유하였다가 거부당하자, 甲에게 출산 여부는 알아서 하되 더 이상 결혼을 진행하지 않겠다고 통보하고, 이후에도 아이에 대한 친권을 행사할 의사가 없다고 하면서 낙태할 병원을 물색해 주기도 하였는데, 그 후 甲이 피고인에게 알리지 아니한 채 자신이 알아본 병원에서 낙태시술을 받은 사안에서, 피고인은 甲에게 직접 낙태를 권유할 당시뿐만 아니라 출산 여부는 알아서 하라고 통보한 이후에도 계속 낙태를 교사하였고, 甲은 이로 인하여 낙태를 결의·실행하게 되었다고 보는 것이 타당하며, 甲이 당초 아이를 낳을 것처럼 말한 사실이 있다는 사정만으로 피고인의 낙태교사행위와 甲의 낙태결의 사이에 인과관계가 단절되는 것은 아니라는 이유로, 피고인에게 낙태교사죄를 인정한 원심판단은 정당하다(대법원 2013.9.12. 2012도2744).

②, ③ (O) **교사자가 공범관계로부터 이탈하여 교사범의 죄책을 부담하지 않기 위한 요건**

교사범이란 정범인 피교사자로 하여금 범죄를 결의하게 하여 그 죄를 범하게 한 때에 성립하는 것이고, 교사범을 처벌하는 이유는 이와 같이 교사범이 피교사자로 하여금 범죄 실행을 결의하게 하였다는 데에 있다. 따라서 교사범이 그 공범관계로부터 이탈하기 위해서는 피교사자가 범죄의 실행행위에 나아가기 전에 교사범에 의하여 형성된 피교사자의 범죄 실행의 결의를 해소하는 것이 필요하고, 이때 교사범이 피교사자에게 교사행위를 철회한다는 의사를 표시하고 이에 피교사자도 그 의사에 따르기로 하거나 또는 교사범이 명시적으로 교사행위를 철회함과 아울러 피교사자의 범죄 실행을 방지하기 위한 진지한 노력을 다하여 당초 피교사자가 범죄를 결의하게 된 사정을 제거하는 등 제반 사정에 비추어 객관적·실질적으로 보아 교사범에게 교사의 고의가 계속 존재한다고 보기 어렵고 당초의 교사행위에 의하여 형성된 피교사자의 범죄 실행의 결의가 더 이상 유지되지 않는 것으로 평가할 수 있다면, 설사 그 후 피교사자가 범죄를 저지르더라도 이는 당초의 교사행위에 의한 것이 아니라 새로운 범죄 실행의 결의에 따른 것이므로 교사자는 형법 제31조 제2항에 의한 죄책을 부담함은 별론으로 하고 형법 제31조 제1항에 의한 교사범으로서의 죄책을 부담하지는 않는다고 할 수 있다(대법원 2012.11.15. 2012도7407).

26 0245

2016 경찰 1차

공범에 관한 다음 설명 중 틀린 것은 모두 몇 개인가? (다툼이 있으면 판례에 의함)

> ㉠ 우연히 만난 자리에서 서로 협력하여 공동의 범의를 실현하려는 의사가 암묵적으로 상통하여 범행에 공동가공하더라도 공동정범은 성립된다.
> ㉡ 결과적 가중범인 상해치사죄의 공동정범은 폭행 기타의 신체침해행위를 공동으로 할 의사가 있으면 성립되고 결과를 공동으로 할 의사는 필요 없다.
> ㉢ 타인을 교사하여 죄를 범하게 한 자는 죄를 실행한 자와 동일한 형으로 처벌한다.
> ㉣ 교사를 받은 자가 범죄의 실행을 승낙하고 실행의 착수에 이르지 아니한 때에는 교사자와 피교사자를 음모 또는 예비에 준하여 처벌한다.

① 0개　② 1개
③ 2개　④ 3개

27 0246

2017 경찰 1차

교사범에 대한 설명으로 가장 적절하지 않은 것은? (다툼이 있는 경우 판례에 의함)

① 교사자가 피교사자에게 피해자를 "정신차릴 정도로 때려주라"고 교사하였다면 이는 상해에 대한 교사로 봄이 상당하다.
② 교사범이 성립하기 위해서는 교사자가 피교사자에게 범행의 일시, 장소, 방법 등의 세부적인 사항까지를 특정하여 교사하여야 한다.
③ 피무고자의 교사·방조하에 제3자가 피무고자에 대한 허위의 사실을 신고한 경우에는 제3자의 행위는 무고죄의 구성요건에 해당하여 무고죄를 구성하므로, 제3자를 교사·방조한 피무고자도 교사·방조범으로서의 죄책을 부담한다.
④ 형법 제127조는 공무원 또는 공무원이었던 자가 법령에 의한 직무상 비밀을 누설하는 행위만을 처벌하고 있을 뿐, 직무상 비밀을 누설받은 상대방을 처벌하는 규정이 없는 점에 비추어 볼 때, 직무상 비밀을 누설받은 자에 대하여는 공범에 관한 형법총칙 규정이 적용될 수 없다.

지문분석 (26)

난이도 ㉻ 정답 ①

| 키 워 드 | 공범
| 출제유형 | 개수 찾기

㉠ (O) 대법원 1984.12.26. 82도1373
㉡ (O) 대법원 2000.5.12. 2000도745
㉢ (O) 형법 제31조 제1항
㉣ (O) 형법 제31조 제2항
→ 효과 없는 교사이다.

지문분석 (27)

난이도 ㉻ 정답 ②

| 키 워 드 | 교사범
| 출제유형 | 틀린 지문 고르기

② (X) 교사범이 성립하기 위하여는 범행의 일시, 장소, 방법 등의 세부적인 사항까지를 특정하여 교사할 필요는 없는 것이고, 정범으로 하여금 일정한 범죄의 실행을 결의할 정도에 이르게 하면 교사범이 성립된다(대법원 1991.5.14. 91도542).
→ 교사의 범행의 특정 정도
① (O) 대법원 1997.6.24. 97도1075
③ (O) 대법원 2008.10.23. 2008도4852
→ 자기 무고의 교사(방조) 인정
④ (O) 대법원 2011.4.28. 2009도3642
→ 대향범에 대하여는 공범에 관한 형법총칙 규정이 적용될 수 없다.

28 0247

2014 경찰 승진

교사·방조에 관한 설명 중 가장 적절하지 않은 것은? (다툼이 있는 경우 판례에 의함)

① 교사범이 성립하기 위해서는 교사자의 교사행위와 정범의 실행행위가 있어야 하는 것이므로 정범의 성립은 교사범의 구성요건의 일부를 형성하고 교사범이 성립함에는 정범의 범죄행위가 인정되는 것이 그 전제요건이 된다.
② 교사를 받은 자가 범죄의 실행을 승낙하지 아니한 때에는 교사한 자는 교사한 범죄의 미수범으로 처벌한다.
③ 방조범에 있어서 정범의 고의는 정범에 의하여 실현되는 범죄의 구체적인 내용을 인식할 것을 요하는 것은 아니고 미필적 인식 또는 예견으로 충분하다.
④ 방조자의 인식과 정범의 실행 간에 착오가 있고 양자의 구성요건을 달리한 경우에는 원칙적으로 방조자의 고의는 조각되는 것이나 그 구성요건이 중첩되는 부분이 있는 경우에는 그 중복되는 한도 내에서는 방조자의 죄책을 인정하여야 할 것이다.

지문분석 난이도 중 정답 ②

| 키 워 드 | 교사와 방조
| 출제유형 | 틀린 지문 고르기

② (X) 교사를 받은 자가 범죄의 실행을 승낙하지 아니한 때에는 교사한 자는 교사한 범죄의 음모 또는 예비에 준하여 처벌한다(형법 제31조 제3항).
→ 실패한 교사이다.
① (O) 대법원 2000.2.25. 99도1252
→ 교사범이 성립하기 위하여는 정범의 범죄행위가 인정되는 것이 전제요건인지 여부: 인정(교사범의 정범종속성)
③ (O) [1] 형법상 방조행위는 정범이 범행을 한다는 정을 알면서 그 실행행위를 용이하게 하는 직접·간접의 행위를 말하므로, 방조범은 ㉠ 정범의 실행을 방조한다는 이른바 방조의 고의와, ㉡ 정범의 행위가 구성요건에 해당하는 행위인 점에 대한 정범의 고의가 있어야 한다.
[2] 방조범에 있어서 정범의 고의는 정범에 의하여 실현되는 범죄의 구체적 내용을 인식할 것을 요하는 것은 아니고 미필적 인식 또는 예견으로 족하다(대법원 2005.4.29. 2003도6056).
④ (O) 대법원 1985.2.26. 84도2987

29 0248

2018 경찰 승진

교사범에 대한 설명으로 가장 적절하지 않은 것은? (다툼이 있는 경우 판례에 의함)

① 피교사자가 교사자의 교사행위 당시에는 범행을 승낙하지 않았으나, 이후 그 교사행위에 의하여 범행을 결의한 것으로 인정되는 경우에는 교사범이 성립한다.
② 甲이 A를 모해할 목적으로 乙에게 위증을 교사한 이상, 가사 정범인 乙에게 모해의 목적이 없었다고 하더라도, 형법 제33조 단서의 규정에 의하여 甲을 모해위증교사죄로 처단할 수 있다.
③ 자기의 형사사건에 관한 증거를 위조하기 위하여 甲이 타인인 乙을 교사하여 죄를 범하게 한 경우, 증거위조교사죄가 성립한다.
④ 교사행위에 의하여 피교사자가 범죄 실행을 결의하였다 하더라도 피교사자에게 다른 원인이 있어 범죄를 실행한 경우에는 교사범이 성립하지 아니한다.

지문분석 난이도 하 정답 ④

| 키 워 드 | 교사범
| 출제유형 | 틀린 지문 고르기

④ (X) 교사범이 성립하기 위해 교사범의 교사가 정범의 범행에 대한 유일한 조건일 필요는 없으므로, 교사행위에 의하여 피교사자가 범죄 실행을 결의하게 된 이상 피교사자에게 다른 원인이 있어 범죄를 실행한 경우에도 교사범의 성립에는 영향이 없다(대법원 2012.11.15. 2012도7407).
① (O) [1] 피교사자가 교사자의 교사행위 당시에는 일응 범행을 승낙하지 아니한 것으로 보여진다 하더라도 이후 그 교사행위에 의하여 범행을 결의한 것으로 인정되는 이상 교사범의 성립에는 영향이 없다고 할 것이다.
[2] 피고인이 결혼을 전제로 교제하던 여성 甲의 임신 사실을 알고 수회에 걸쳐 낙태를 권유하였다가 거부당하자, 甲에게 출산 여부는 알아서 하되 더 이상 결혼을 진행하지 않겠다고 통보하고, 이후에도 아이에 대한 친권을 행사할 의사가 없다고 하면서 낙태할 병원을 물색해 주기도 하였는데, 그 후 甲이 피고인에게 알리지 아니한 채 자신이 알아본 병원에서 낙태시술을 받은 사안에서, 피고인은 甲에게 직접 낙태를 권유할 당시뿐만 아니라 출산 여부는 알아서 하라고 통보한 이후에도 계속 낙태를 교사하였고, 甲은 이로 인하여 낙태를 결의·실행하게 되었다고 보는 것이 타당하며, 甲이 당초 아이를 낳을 것처럼 말한 사실이 있다는 사정만으로 피고인의 낙태교사행위와 甲의 낙태결의 사이에 인과관계가 단절되는 것은 아니라는 이유로, 피고인에게 낙태교사죄를 인정한 원심판단은 정당하다(대법원 2013.9.12. 2012도2744).
② (O) 대법원 1994.12.23. 93도1002
③ (O) 대법원 2011.2.10. 2010도15986

30 0249

2021 경찰 간부

교사와 방조에 대한 설명 중 옳은 것은 모두 몇 개인가? (다툼이 있는 경우 판례에 의함)

가. 간호보조원이 무면허 진료를 했다고 하더라도 그 내용을 의사가 진료부에 기재하는 행위는 정범의 실행행위 종료 후의 사후행위에 불과하여 의사는 무면허 진료행위의 방조책임을 지지 않는다.
나. 교사자의 교사행위에도 불구하고 피교사자가 범행을 승낙하지 아니하거나 피교사자의 범행결의가 교사자의 교사행위에 의하여 생긴 것으로 보기 어려운 경우에는 교사자를 음모 또는 예비에 준하여 처벌한다.
다. 甲이 무면허 운전을 하던 중 교통사고를 내자 동거하던 동생 乙을 경찰서에 대신 출석시키고 자신을 위하여 허위자백을 하게 한 경우, 甲에게 범인도피죄의 교사범의 죄책을 물을 수 없다.
라. 백화점 직원이 자신이 관리하는 점포에 가짜 상표가 새겨진 상품이 진열·판매되는 사실을 발견하고도 적절한 조치를 취하지 않아 계속 판매되도록 방치한 행위는 상표법 위반 및 부정경쟁방지법 위반행위를 방조한 것에 해당한다.
마. 甲이 고발을 당하자 乙에게 증거를 변조하도록 교사하였는데 乙이 甲과 공범관계에 있는 형사사건의 증거를 변조한 것에 해당하여 乙이 증거변조로 처벌되지 않는 경우, 甲도 증거변조죄의 교사범으로 처벌받지 않는다.

① 1개　　② 2개
③ 3개　　④ 4개

지문분석

난이도 중 정답 ③

| 키 워 드 | 교사와 방조

| 출제유형 | 개수 찾기

나. (O) 대법원 2013.9.12. 2012도2744
→ 실패한 교사가 되는 경우이다.

라. (O) 대법원 1997.3.14. 96도1639
→ 부작위에 의한 방조를 인정한 판례이다.

마. (O) 노동조합 지부장인 피고인 甲이 업무상횡령 혐의로 조합원들로부터 고발을 당하자 피고인 乙과 공동하여 조합 회계서류를 무단 폐기한 후 폐기에 정당한 근거가 있는 것처럼 피고인 乙로 하여금 조합 회의록을 조작하여 수사기관에 제출하도록 교사한 경우, 회의록의 변조·사용은 피고인들이 공범관계에 있는 문서손괴죄 형사사건에 관한 증거를 변조·사용한 것으로 볼 수 있어 피고인 乙에 대한 증거변조죄 및 변조증거사용죄가 성립하지 않으며, 피교사자인 피고인 乙이 증거변조죄 및 변조증거사용죄로 처벌되지 않은 이상 피고인 甲에 대하여 공범인 교사범은 물론 그 간접정범도 성립하지 않는다(대법원 2011.7.14. 2009도13151).

가. (X) 진료부는 환자의 계속적인 진료에 참고로 공하여지는 진료상황부이므로 간호보조원의 무면허 진료행위가 있은 후에 이를 의사가 진료부에다 기재하는 행위는 정범의 실행행위 종료 후의 단순한 사후행위에 불과하다고 볼 수 없고 무면허 의료행위의 방조에 해당한다(대법원 1982.4.27. 82도122).

다. (X) [1] 범인이 자신을 위하여 타인으로 하여금 허위의 자백을 하게 하여 범인도피죄를 범하게 하는 행위는 방어권의 남용으로 범인도피교사죄에 해당하는바, 이 경우 그 타인이 형법 제151조 제2항에 의하여 처벌을 받지 아니하는 친족, 동거 가족에 해당한다 하여 달리 볼 것은 아니라 할 것이다.
[2] 무면허 운전으로 사고를 낸 사람이 동생을 경찰서에 대신 출두시켜 피의자로 조사받도록 한 행위는 범인도피교사죄를 구성한다(대법원 2006.12.7. 2005도3707).

31 0250

2020 경찰 승진

교사범에 대한 설명 중 가장 적절한 것은? (다툼이 있는 경우 판례에 의함)

① 고의에 의한 교사행위뿐만 아니라 과실에 의한 교사행위도 가능하다.
② 피교사자가 이미 범죄의 결의를 가지고 있는 경우에도 교사범이 성립할 수 있다.
③ 교사를 받은 자가 범죄의 실행을 승낙조차 하지 않은 이른바 실패한 교사의 경우, 교사자와 피교사자를 음모 또는 예비에 준하여 처벌한다.
④ 교사범이 공범관계로부터 이탈하기 위해서는 피교사자가 범죄의 실행행위에 나아가기 전에 교사범에 의하여 형성된 피교사자의 범죄 실행의 결의를 해소하여야 한다.

지문분석 난이도 하 정답 ④

| 키 워 드 | 교사범

| 출제유형 | 옳은 지문 고르기

④ (O) 대법원 2012.11.15. 2012도7407
① (X) 교사범은 고의에 의한 교사행위만 인정되고, 과실에 의한 교사행위는 인정되지 않는다.
② (X) 범죄를 결의하게 하여 그 죄를 범하게 한 때에 성립하는 것이고 피교사자는 교사범의 교사에 의하여 범죄 실행을 결의하여야 하는 것이므로, 피교사자가 이미 범죄의 결의를 가지고 있을 때에는 교사범이 성립할 여지가 없다(대법원 1991.5.14. 91도542).
③ (X) 실패한 교사의 경우 교사자만을 음모 또는 예비에 준하여 처벌한다(형법 제31조 제3항).

32 0251

2020 경찰 간부

교사·방조에 대한 설명 중 가장 옳은 것은? (다툼이 있는 경우 판례에 의함)

① 정범의 강도예비행위를 방조하였으나 정범이 실행의 착수에 이르지 못한 경우 방조자는 강도예비죄의 종범으로 처벌할 수 있다.
② 자기의 지휘·감독을 받는 자를 방조하여 범죄의 결과를 발생하게 한 자는 정범에 정한 형의 장기 또는 다액에 그 2분의 1까지 가중한 형으로 처벌한다.
③ 피교사자가 범죄의 실행을 승낙하고 실행의 착수에 이르지 아니한 경우 교사자와 피교사자를 예비·음모에 준하여 처벌한다.
④ 자기의 형사사건에 관한 증거를 인멸하기 위하여 타인을 교사하여 죄를 범하게 한 자에 대하여는 증거인멸교사죄가 성립하지 않는다.

지문분석 난이도 하 정답 ③

| 키 워 드 | 교사와 방조

| 출제유형 | 옳은 지문 고르기

③ (O) 효과없는 교사이다(형법 제31조 제2항).
① (X) 정범이 실행의 착수에 이르지 아니한 예비단계에 그친 경우에는 이에 가공한다 하더라도 예비의 공동정범이 되는 때를 제외하고는 종범으로 처벌할 수 없다(대법원 1976.5.25. 75도1549).
② (X) 특수방조의 처벌

> **형법 제34조(특수한 교사, 방조에 대한 형의 가중)** ② 자기의 지휘, 감독을 받는 자를 교사 또는 방조하여 전항의 결과를 발생하게 한 자는 교사인 때에는 정범에 정한 형의 장기 또는 다액에 그 2분의 1까지 가중하고 방조인 때에는 정범의 형으로 처벌한다.

④ (X) 타인이 타인의 형사사건에 관한 증거를 그 이익을 위하여 인멸하는 행위를 하면 증거인멸죄가 성립되므로 자기의 형사사건에 관한 증거를 인멸하기 위하여 타인을 교사하여 죄를 범하게 한 자에 대하여도 교사범의 죄책을 부담케 함이 상당할 것이다(대법원 1965.12.10. 65도826 전원합의체).

5 방조범

33 0252

2010 경찰 1차

다음 설명 중 타당하지 않은 것은? (다툼이 있으면 판례에 의함)

① 방조범에 있어서 정범의 고의는 정범에 의하여 실현되는 범죄의 구체적 내용을 인식할 것을 요하는 것은 아니고 미필적 인식 또는 예견으로 족하다고 할 것이다.

② 상해를 교사한 자에게 피해자의 사망이라는 결과에 대하여 과실 내지 예견가능성이 있는 때에는 상해치사죄의 교사범으로서의 죄책을 지울 수 있다.

③ 정범이 실행에 착수하기 전에 장래의 실행행위를 예상하고 이를 용이하게 하는 행위를 하여 방조한 경우에는 정범이 그 실행행위에 나아갔다고 하더라도 종범이 성립할 수 없다.

④ 부작위범 사이의 공동정범은 다수의 부작위범에게 공통된 의무가 부여되어 있고 그 의무를 공통으로 이행할 수 있을 때에만 성립한다.

지문분석 난이도 중 정답 ③

| 키 워 드 | 방조범

| 출제유형 | 틀린 지문 고르기

③ (X) 종범은 정범의 실행행위 중에 이를 방조하는 경우뿐만 아니라, 실행 착수 전에 장래의 실행행위를 예상하고 이를 용이하게 하는 행위를 하여 방조한 경우에도 정범이 실행행위를 한 경우에 성립한다(대법원 1996.9.6. 95도2551).

① (O) 형법상 방조행위는 정범이 범행을 한다는 정을 알면서 그 실행행위를 용이하게 하는 직접·간접의 행위를 말하므로, 방조범은 정범의 실행을 방조한다는 이른바 방조의 고의와 정범의 행위가 구성요건에 해당하는 행위인 점에 대한 정범의 고의가 있어야 하나, 이와 같은 고의는 내심적 사실이므로 피고인이 이를 부정하는 경우에는 사물의 성질상 고의와 상당한 관련성이 있는 간접사실을 증명하는 방법에 의하여 입증할 수밖에 없고, 이때 무엇이 상당한 관련성이 있는 간접사실에 해당할 것인가는 정상적인 경험칙에 바탕을 두고 치밀한 관찰력이나 분석력에 의하여 사실의 연결상태를 합리적으로 판단하는 외에 다른 방법이 없다고 할 것이며, 또한 방조범에 있어서 정범의 고의는 정범에 의하여 실현되는 범죄의 구체적 내용을 인식할 것을 요하는 것은 아니고 미필적 인식 또는 예견으로 족하다(대법원 2005.4.29. 2003도6056).

② (O) 교사자가 피교사자에 대하여 상해 또는 중상해를 교사하였는데 피교사자가 이를 넘어 살인을 실행한 경우에, 일반적으로 교사자는 상해죄 또는 중상해죄의 죄책을 지게 되는 것이지만 이 경우에 교사자에게(피교사자 X) 피해자의 사망이라는 결과에 대하여 과실 내지 예견가능성이 있는 때에는 상해치사죄의 죄책을 지울 수 있다(대법원 2002.10.25. 2002도4089).

④ (O) 공중위생관리법 제3조 제1항 전단은 "공중위생영업을 하고자 하는 자는 공중위생영업의 종류별로 보건복지부령이 정하는 시설 및 설비를 갖추고 시장·군수·구청장에게 신고하여야 한다."고 규정하고 있고, 공중위생관리법 제20조 제1항 제1호는 '제3조 제1항 전단의 규정에 의한 신고를 하지 아니한 자'를 처벌한다고 규정하고 있는바, 그 규정 형식 및 취지에 비추어 신고의무 위반으로 인한 공중위생관리법위반죄는 구성요건이 부작위에 의하여서만 실현될 수 있는 진정부작위범에 해당한다고 할 것이고, 한편 부작위범 사이의 공동정범은 다수의 부작위범에게 공통된 의무가 부여되어 있고 그 의무를 공통으로 이행할 수 있을 때에만 성립한다고 할 것이다. 그리고 공중위생영업의 신고의무는 '공중위생영업을 하고자 하는 자'에게 부여되어 있고, 여기서 '영업을 하는 자'라 함은 영업으로 인한 권리의무의 귀속주체가 되는 자를 의미하므로, 영업자의 직원이나 보조자의 경우에는 영업을 하는 자에 포함되지 않는다고 해석함이 상당하다(대법원 2008.3.27. 2008도89).

34 0253

2017 경찰 2차

교사와 방조에 대한 설명으로 가장 적절하지 않은 것은? (다툼이 있는 경우 판례에 의함)

① 종범은 정범이 실행행위에 착수하여 범행을 하는 과정에서 이를 방조한 경우뿐 아니라, 정범의 실행의 착수 이전에 장래의 실행행위를 미필적으로나마 예상하고 이를 용이하게 하기 위하여 방조한 경우에도 그 후 정범이 실행행위에 나아갔다면 성립할 수 있다.

② 공무원 또는 중재인이 부정한 청탁을 받고 제3자에게 뇌물을 제공하게 하고 제3자가 그러한 공무원 또는 중재인의 범죄행위를 알면서 방조한 경우에는 그에 대한 별도의 처벌규정이 없더라도 방조범에 관한 형법총칙의 규정이 적용되어 제3자뇌물수수방조죄가 인정될 수 있다.

③ 피교사자가 교사자의 교사행위 당시에는 일응 범행을 승낙하지 아니한 것으로 보여진다 하더라도 이후 그 교사행위에 의하여 범행을 결의한 것으로 인정되는 이상 교사범의 성립에는 영향이 없다.

④ 피무고자의 교사·방조하에 제3자가 피무고자에 대한 허위의 사실을 신고한 경우에는 제3자의 행위는 무고죄의 구성요건에 해당하지 않아 무고죄를 구성하지 않고, 제3자를 교사·방조한 피무고자도 교사·방조범으로서의 죄책을 부담하지 않는다.

지문분석

난이도 상 정답 ④

| 키 워 드 | 교사와 방조

| 출제유형 | 틀린 지문 고르기

④ (X) [1] 형법 제156조의 무고죄는 국가의 형사사법권 또는 징계권의 적정한 행사를 주된 보호법익으로 하는 죄이나, 스스로 본인을 무고하는 자기무고는 무고죄의 구성요건에 해당하지 아니하여 무고죄를 구성하지 않는다.

[2] 그러나 피무고자의 교사·방조하에 제3자가 피무고자에 대한 허위의 사실을 신고한 경우에는 제3자의 행위는 무고죄의 구성요건에 해당하여 무고죄를 구성하므로, 제3자를 교사·방조한 피무고자도 교사·방조범으로서의 죄책을 부담한다(대법원 2008.10.23. 2008도4852).

→ 자기무고는 성립하지 아니하나, 자기무고의 교사·방조범은 인정된다.

① (O) 대법원 2013.11.14. 2013도7494

② (O) 제3자뇌물수수죄에서 제3자란 행위자와 공동정범 이외의 사람을 말하고, 교사자나 방조자도 포함될 수 있다. 그러므로 공무원 또는 중재인이 부정한 청탁을 받고 제3자에게 뇌물을 제공하게 하고 그 제3자가 그러한 공무원 또는 중재인의 범죄행위를 알면서 방조한 경우에는 그에 대한 별도의 처벌규정이 없더라도 방조범에 관한 형법총칙의 규정이 적용되어 제3자뇌물수수방조죄가 인정될 수 있다(대법원 2017.3.15. 2016도19659).

③ (O) **피교사자가 교사자의 교사행위 당시에는 범행을 승낙하지 않았으나 이후 그 교사행위에 의하여 범행을 결의한 것으로 인정되는 경우, 교사범이 성립하는지 여부: 인정**

[1] 피교사자가 교사자의 교사행위 당시에는 일응 범행을 승낙하지 아니한 것으로 보여진다 하더라도 이후 그 교사행위에 의하여 범행을 결의한 것으로 인정되는 이상 교사범의 성립에는 영향이 없다.

[2] 피고인은 甲에게 직접 낙태를 권유할 당시뿐만 아니라 출산 여부는 알아서 하라고 통보한 이후에도 계속 낙태를 교사하였고, 甲은 이로 인하여 낙태를 결의·실행하게 되었다고 보는 것이 타당하며, 甲이 당초 아이를 낳을 것처럼 말한 사실이 있다는 사정만으로 피고인의 낙태교사행위와 甲의 낙태결의 사이에 인과관계가 단절되는 것은 아니라는 이유로, 피고인에게 낙태교사죄를 인정한 원심판단은 정당하다(대법원 2013.9.12. 2012도2744).

35 0254

2016 경찰 승진

교사·방조에 관한 설명 중 가장 적절하지 않은 것은? (다툼이 있으면 판례에 의함)

① 입영기피를 결심한 자에게 "잘 되겠지, 몸조심하라"고 하고 악수를 나눈 행위는 입영기피의 방조행위에 해당한다.
② 절도범들로부터 지속적으로 장물을 취득하여 온 자가 절도범들에게 드라이버 1개를 사주면서 "열심히 일을 하라"라고 말한 것은 절도의 교사가 된다.
③ 교사자가 피교사자에게 피해자를 "정신 차릴 정도로 때려 주라"고 교사하였다면 이는 상해에 대한 교사로 봄이 상당하다.
④ 종범이 처벌되기 위하여는 정범의 실행의 착수가 있는 경우에만 가능하고 정범이 예비의 단계에 그친 경우에는 이를 종범으로 처벌할 수 없다.

지문분석

난이도 중 정답 ①

| 키 워 드 | 교사와 방조
| 출제유형 | 틀린 지문 고르기

① (X) 이미 스스로 입영기피를 결심하고 집을 나서는 자에게 피고인이 이별을 안타까워하는 뜻에서 "잘 되겠지, 몸조심하라" 하고 악수를 나눈 행위는 입영기피의 범죄의사를 강화시킨 방조행위에 해당한다고 볼 수 없다(대법원 1983.4.12. 82도43).
→ 병역법위반등의 범죄처벌에관한특별조치법 위반의 방조 부정
② (O) 대법원 1991.5.14. 91도542
→ 정범의 범죄습벽과 함께 교사행위가 원인이 되어 정범이 범죄를 실행한 경우의 교사범의 성립 여부: 인정
③ (O) 대법원 1997.6.24. 97도1075
→ 교사자에게 피해자의 사망이라는 결과에 대하여 과실(예견가능성)이 있었다고 인정하기 어렵다고 본 판결이다.
④ (O) 대법원 1976.5.25. 75도1549
→ 예비의 공동정범 인정, 예비의 종범 부정

36 0255

2017 경찰 승진

교사범 및 방조범에 관한 설명 중 가장 적절하지 않은 것은? (다툼이 있는 경우 판례에 의함)

① 형법 제127조는 공무원 또는 공무원이었던 자가 법령에 의한 직무상 비밀을 누설하는 행위만을 처벌하고 있을 뿐 직무상 비밀을 누설받은 상대방을 처벌하는 규정이 없으므로, 직무상 비밀을 누설받은 자를 공무상비밀누설죄의 교사범 또는 방조범으로 처벌할 수 없다.
② 자기의 지휘, 감독을 받는 자를 방조하여 범죄의 결과를 발생하게 한 자는 정범에 정한 형의 장기 또는 다액에 그 2분의 1까지 가중한 형으로 처벌한다.
③ 무면허 운전으로 사고를 낸 자가 동생을 경찰서에 대신 출두시켜 허위의 자백을 하게 하여 범인도피죄를 범하게 한 경우 동생이 친족 간의 특례규정(형법 제151조 제2항)에 의하여 처벌을 받지 않더라도 범인도피죄의 교사범이 성립한다.
④ 효과 없는 교사는 교사자와 피교사자 모두 예비·음모에 준하여 처벌되지만, 효과 없는 방조는 처벌되지 않는다.

지문분석

난이도 하 정답 ②

| 키 워 드 | 교사범 및 방조범
| 출제유형 | 틀린 지문 고르기

② (X) 특수교사·방조

> **형법 제34조(특수한 교사, 방조에 대한 형의 가중)** ② 자기의 지휘, 감독을 받는 자를 교사 또는 방조하여 전항의 결과를 발생하게 한 자는 교사인 때에는 정범에 정한 형의 장기 또는 다액에 그 2분의 1까지 가중하고 방조인 때에는 정범의 형으로 처벌한다.

① (O) 대법원 2009.6.23. 2009도544
→ 대향범에 대하여는 공범에 관한 형법총칙 규정이 적용될 수 없다.
③ (O) [1] 범인이 자신을 위하여 타인으로 하여금 허위의 자백을 하게 하여 범인도피죄를 범하게 하는 행위는 방어권의 남용으로 범인도피교사죄에 해당하는바, 이 경우 그 타인이 형법 제151조 제2항에 의하여 처벌을 받지 아니하는 친족, 동거 가족에 해당한다 하여 달리 볼 것은 아니다.
[2] 무면허 운전으로 사고를 낸 사람이 동생을 경찰서에 대신 출두시켜 피의자로 조사받도록 한 행위는 범인도피교사죄를 구성한다(대법원 2006.12.7. 2005도3707).
④ (O) 올바른 설명이다.

37 [0256]

2019 경찰 승진

종범에 대한 설명으로 가장 적절하지 않은 것은? (다툼이 있는 경우 판례에 의함)

① 종범은 정범이 실행행위에 착수하여 범행을 하는 과정에서 이를 방조한 경우뿐 아니라, 정범의 실행의 착수 이전에 장래의 실행행위를 미필적으로나마 예상하고 이를 용이하게 하기 위하여 방조한 경우에도 그 후 정범이 실행행위에 나아갔다면 성립할 수 있다.
② 의사인 피고인이 입원치료를 받을 필요가 없는 환자들이 보험금 수령을 위하여 입원치료를 받으려고 하는 사실을 알면서도 입원을 허가하여 형식상으로 입원치료를 받도록 한 후 입원확인서를 발급하여 준 경우, 사기방조죄가 성립한다.
③ 피고인들이, 자신들이 개설한 인터넷 사이트를 통해 회원들로 하여금 음란한 동영상을 게시하도록 하고, 다른 회원들로 하여금 이를 다운받을 수 있도록 하는 방법으로 정보통신망을 통한 음란한 영상의 배포·전시를 방조한 행위가 단일하고 계속된 범의 아래 일정기간 계속하여 이루어졌고 피해법익도 동일한 경우, 방조행위는 포괄일죄의 관계에 있다.
④ 과실범에 대한 교사범은 성립할 수 있으나 과실범에 대한 방조범은 성립할 수 없다.

지문분석 난이도 하 정답 ④

| 키 워 드 | 종범
| 출제유형 | 틀린 지문 고르기

④ (X) 과실범에 대한 교사범·방조범은 성립할 수 없다. 이 경우 간접정범이 성립한다(형법 제34조 제1항).
① (O) 대법원 2013.11.14. 2013도7494
② (O) 대법원 2006.1.12. 2004도6557
③ (O) 대법원 2010.11.5. 2010도1588

38 [0257]

2019 경찰 간부

교사·방조에 대한 다음 설명 중 옳지 않은 것은 몇 개인가? (다툼이 있는 경우 판례에 의함)

가. 정범의 강도예비행위를 방조하였으나 정범이 실행의 착수에 이르지 못한 경우 방조자는 강도예비죄의 종범으로 처벌할 수 있다.
나. 피교사자가 교사자의 교사행위 당시에는 일응 범행을 승낙하지 아니한 것으로 보여진다 하더라도 이후 그 교사행위에 의하여 범행을 결의한 것으로 인정되는 이상 교사범의 성립에는 영향이 없다.
다. 자기의 지휘, 감독을 받는 자를 방조하여 범죄의 결과를 발생하게 한 자는 정범에 정한 형의 장기 또는 다액에 그 2분의 1까지 가중한 형으로 처벌한다.
라. 인터넷 카페의 대표 甲이 기자회견을 열어 A회사에 대하여 불매운동을 하겠다고 하면서 공갈행위를 하였는데, 위 카페의 회원 乙이 그러한 사정을 알면서도 그 자리에서 지지의 의사로 공감을 표시하거나 甲의 부탁을 받고 사진을 찍어 주는 행위는 공갈죄의 방조에 해당한다.

① 1개 ② 2개
③ 3개 ④ 4개

지문분석 난이도 상 정답 ②

| 키 워 드 | 교사와 방조
| 출제유형 | 개수 찾기

가. (X) 정범이 실행의 착수에 이르지 아니한 예비단계에 그친 경우에는 이에 가공한다 하더라도 예비의 공동정범이 되는 때를 제외하고는 종범으로 처벌할 수 없다(대법원 1976.5.25. 75도1549).
다. (X) 자기의 지휘, 감독을 받는 자를 방조하여 범죄의 결과를 발생하게 한 자는 정범의 형으로 처벌한다(형법 제34조 제2항).
나. (O) 대법원 2013.9.12. 2012도2744
라. (O) 대법원 2013.4.11. 2010도13774

6 공범과 신분

39 0258

2011 경찰 1차

공범에 관한 다음 설명 중 가장 적절하지 않은 것은? (다툼이 있으면 판례에 의함)

① 변호사가 변호사 아닌 자에게 고용되어 법률사무소를 개설·운영하는 행위에 관여한 행위가 형법총칙상의 교사, 방조에 해당될 경우, 변호사를 변호사법위반죄의 공범으로 처벌할 수 있다.

② 뇌물공여죄가 성립되기 위하여는 뇌물을 공여하는 행위와 상대방이 뇌물을 받아들이는 행위가 필요할 뿐이지 반드시 상대방 측에서 뇌물수수죄가 성립되어야만 하는 것은 아니다.

③ 배임수재죄와 배임증재죄는 필요적 공범의 관계에 있기는 하나 반드시 수재자와 증재자가 같이 처벌받아야 하는 것은 아니고, 증재자에게는 정당한 업무에 속하는 청탁이라도 수재자에게는 부정한 청탁이 될 수 있다.

④ 오로지 공무원을 함정에 빠지게 할 의사로 직무와 관련되었다는 형식을 빌려 그 공무원에게 금품을 공여한 경우에도, 공무원이 그 금품을 직무와 관련하여 수수한다는 의사를 가지고 받아들였다면 뇌물수수죄가 성립한다.

지문분석 난이도 중 정답 ①

| 키 워 드 | 공범과 신분

| 출제유형 | 틀린 지문 고르기

① (X) 변호사 아닌 자가 변호사를 고용하여 법률사무소를 개설·운영하는 행위에 있어서는 변호사 아닌 자는 변호사를 고용하고 변호사는 변호사 아닌 자에게 고용된다는 서로 대향적인 행위의 존재가 반드시 필요하고, 나아가 변호사 아닌 자에게 고용된 변호사가 고용의 취지에 따라 법률사무소의 개설·운영에 어느 정도 관여할 것도 당연히 예상되는바, 이와 같이 변호사가 변호사 아닌 자에게 고용되어 법률사무소의 개설·운영에 관여하는 행위는 위 범죄가 성립하는 데 당연히 예상될 뿐만 아니라 범죄의 성립에 없어서는 아니 되는 것인데도 이를 처벌하는 규정이 없는 이상, 그 입법 취지에 비추어 볼 때 변호사 아닌 자에게 고용되어 법률사무소의 개설·운영에 관여한 변호사의 행위가 일반적인 형법총칙상의 공모, 교사 또는 방조에 해당된다고 하더라도 변호사를 변호사 아닌 자의 공범으로서 처벌할 수는 없다(대법원 2004.10.28. 2004도3994).

② (O) 뇌물공여죄가 성립하기 위하여는 뇌물을 공여하는 행위와 상대방 측에서 금전적으로 가치가 있는 그 물품 등을 받아들이는 행위가 필요할 뿐 반드시 상대방 측에서 뇌물수수죄가 성립하여야 함을 뜻하는 것은 아니다(대법원 2006.2.24. 2005도4737).

③ (O) 형법 제357조 제1항의 배임수재죄와 같은 조 제2항의 배임증재죄는 통상 필요적 공범의 관계에 있기는 하나 이것은 반드시 수재자와 증재자가 같이 처벌받아야 하는 것을 의미하는 것은 아니고 ㉠ 증재자에게는 정당한 업무에 속하는 청탁이라도 ㉡ 수재자에게는 부정한 청탁이 될 수도 있는 것이다(대법원 1991.1.15. 90도2257).

④ (O) 뇌물공여죄와 뇌물수수죄는 필요적 공범관계에 있다고 할 것이나, 필요적 공범이라는 것은 법률상 범죄의 실행이 다수인의 협력을 필요로 하는 것을 가리키는 것으로서 이러한 범죄의 성립에는 행위의 공동을 필요로 하는 것에 불과하고 반드시 협력자 전부가 책임이 있음을 필요로 하는 것은 아니므로, 오로지 공무원을 함정에 빠뜨릴 의사로 직무와 관련되었다는 형식을 빌려 그 공무원에게 금품을 공여한 경우에도 공무원이 그 금품을 직무와 관련하여 수수한다는 의사를 가지고 받아들이면 뇌물수수죄가 성립한다(대법원 2008.3.13. 2007도10804).

40 0259 2020 경찰 1차

공범과 신분에 관한 설명으로 가장 적절하지 않은 것은? (다툼이 있는 경우 판례에 의함)

① 甲이 증인 乙을 사주하여 법정에서 위증하게 한 경우 甲은 위증죄의 교사범이 성립한다.
② 공무원 甲이 뇌물공여자로 하여금 뇌물수수죄의 공동정범 관계에 있는 생계를 같이하는 아내 乙에게 뇌물을 공여하게 한 경우 甲은 뇌물수수죄의 공동정범이 성립한다.
③ 비신분자인 아내 甲과 신분자인 아들 乙이 공동하여 남편을 살해한 경우 아내 甲과 아들 乙에게는 존속살해죄의 공동정범이 성립하고, 아내 甲은 보통살인죄의 형으로 처벌된다.
④ 도박의 습벽이 있는 甲이 도박을 하고 또 상습성 없는 乙의 도박을 방조한 경우 甲은 도박죄로 처벌된다.

지문분석 난이도 중 정답 ④

| 키 워 드 | 공범과 신분
| 출제유형 | 틀린 지문 고르기

④ (X) ㉠ 도박의 습벽이 있는 자가 타인의 도박을 방조하면 상습도박방조의 죄에 해당하는 것이며, ㉡ 도박의 습벽이 있는 자가 도박을 하고 또 도박방조를 하였을 경우 상습도박방조의 죄는 무거운 상습도박의 죄에 포괄시켜 1죄로서 처단하여야 한다(대법원 1984.4.24. 84도195).
① (O) ㉠ 피고인이 자기의 형사사건에 관하여 허위의 진술을 하는 행위는 피고인의 형사소송에 있어서의 방어권을 인정하는 취지에서 처벌의 대상이 되지 않으나, ㉡ 법률에 의하여 선서한 증인이 타인의 형사사건에 관하여 위증을 하면 형법 제152조 제1항의 위증죄가 성립되므로 자기의 형사사건에 관하여 타인을 교사하여 위증죄를 범하게 하는 것은 이러한 방어권을 남용하는 것이라고 할 것이어서 교사범의 죄책을 부담케 함이 상당하다(대법원 2004.1.27. 2003도5114).
② (O) 공무원이 뇌물공여자로 하여금 공무원과 뇌물수수죄의 공동정범 관계에 있는 비공무원에게 뇌물을 공여하게 한 경우에는 공동정범의 성질상 공무원 자신에게 뇌물을 공여하게 한 것으로 볼 수 있다. 공무원과 공동정범 관계에 있는 비공무원은 제3자뇌물수수죄에서 말하는 제3자가 될 수 없고, 공무원과 공동정범 관계에 있는 비공무원이 뇌물을 받은 경우에는 공무원과 함께 뇌물수수죄의 공동정범이 성립하고 제3자뇌물수수죄는 성립하지 않는다(대법원 2019.8.29. 2018도13792 전원합의체).
→ 공무원이 뇌물공여자로 하여금 공무원과 뇌물수수죄의 공동정범 관계에 있는 비공무원에게 뇌물을 공여하게 한 경우: 뇌물수수죄의 공동정범 O, 제3자뇌물수수죄 X
③ (O) 대법원 1961.8.2. 4294형상284

41 0260 2012 경찰 3차

공범과 신분에 관한 다음 설명 중 가장 적절하지 않은 것은? (다툼이 있는 경우 판례에 의함)

① 의사 甲이 의사가 아닌 乙의 병원 개설행위에 공모하여 가공한 경우, 의료법위반죄의 공동정범에 해당된다.
② 공직선거법 제257조 제1항 제1호에서 규정하는 각 기부행위제한위반의 죄와 관련하여, 각 기부행위의 주체로 인정되지 아니하는 자가 기부행위의 주체자 등과 공모하여 기부행위를 한 경우, 기부행위 주체자에 해당하는 법조 위반의 공동정범으로 처벌할 수 있다.
③ 비신분자가 신분자와 공동으로 업무상 배임행위를 한 경우, 비신분자에게도 업무상배임죄가 성립하고 처벌에 있어 단순배임죄로 처벌한다는 것이 판례의 입장이다.
④ 형법 제33조 소정의 이른바 신분관계라 함은 남녀의 성별, 내·외국인의 구별, 친족관계, 공무원인 자격과 같은 관계뿐만 아니라 널리 일정한 범죄행위에 관련된 범인의 인적 관계인 특수한 지위 또는 상태를 지칭하는 것이다.

지문분석 난이도 중 정답 ②

| 키 워 드 | 공범과 신분
| 출제유형 | 틀린 지문 고르기

② (X) 공직선거법 제257조 제1항 제1호에서 규정하는 각 기부행위의 주체로 인정되지 아니하는 자는 기부행위 주체자에 해당하는 법조 위반의 공동정범으로 처벌할 수는 없다(대법원 2008.3.13. 2007도9507).
① (O) 의료인일지라도 의료인 아닌 자의 의료행위에 공모하여 가공하면 의료법 제25조 제1항이 규정하는 무면허의료행위의 공동정범으로서의 책임을 진다(대법원 1986.2.11. 85도448).
③ (O) 대법원 1999.4.27. 99도883
④ (O) 대법원 1994.12.23. 93도1002

✓ 개념체크 공직선거법 제257조(기부행위의 금지제한 등 위반죄)

① 다음 각 호의 1에 해당하는 자는 5년 이하의 징역 또는 1천만원 이하의 벌금에 처한다.
1. 제113조(후보자 등의 기부행위제한)·제114조(정당 및 후보자의 가족 등의 기부행위제한) 제1항 또는 제115조(제3자의 기부행위제한)의 규정에 위반한 자

42 0261

2014 경찰 2차

공범과 신분에 관한 다음 설명 중 옳지 않은 것은 모두 몇 개인가? (다툼이 있으면 판례에 의함)

> ㉠ 판례는 형법 제33조의 해석과 관련하여 본문은 진정신분범과 부진정신분범에 대한 공범성립의 문제를, 단서는 부진정신분범에 한하여 과형의 문제를 각각 규정한 것으로 이해한다.
> ㉡ 치과의사가 환자의 대량유치를 위해 치과기공사들로 하여금 내원환자들에게 진료행위를 하도록 지시하여 동인들이 각 단독으로 진료행위를 하였다면 무면허의료행위의 교사범에 해당한다.
> ㉢ 의료인일지라도 의료인 아닌 자의 의료행위에 공모하여 가공하면 의료법상의 무면허의료행위의 공동정범에 해당된다.
> ㉣ 공직선거법 제257조 제1항 제1호에서 규정하는 각 기부행위제한위반의 죄와 관련하여, 각 기부행위의 주체로 인정되지 아니하는 자가 기부행위의 주체자 등과 공모하여 기부행위를 한 경우, 기부행위 주체자에 해당하는 법조 위반의 공동정범으로 처벌할 수 있다.

① 없음 ② 1개
③ 2개 ④ 3개

지문분석

난이도 중 정답 ②

| 키 워 드 | 공범과 신분
| 출제유형 | 개수 찾기

㉣ (X) 공직선거법 제257조 제1항 제1호에서 규정하는 각 기부행위제한위반의 죄는 공직선거법 제113조(후보자 등의 기부행위제한), 제114조(정당 및 후보자의 가족 등의 기부행위제한), 제115조(제3자의 기부행위 제한)에 각기 한정적으로 열거되어 규정하고 있는 신분관계가 있어야만 성립하는 범죄이고, 죄형법정주의의 원칙상 유추해석은 할 수 없으므로, 위 각 해당 신분관계가 없는 자의 기부행위는 위 각 해당 법조항 위반의 범죄로는 되지 않는다. 또한, 각 법조항을 구분하여 기부행위의 주체 및 그 주체에 따라 기부행위제한의 요건을 각기 달리 규정한 취지는 각 기부행위의 주체자에 대하여 그 신분에 따라 각 해당 법조로 처벌하려는 것이므로, 각 기부행위의 주체로 인정되지 아니하는 자가 기부행위의 주체자 등과 공모하여 기부행위를 하였다 하더라도 그 신분에 따라 각 해당 법조로 처벌하여야지 기부행위 주체자에 해당하는 법조 위반의 공동정범으로 처벌할 수는 없다(대법원 2008.3.13. 2007도9507).

㉠ (O) 형법 제33조 본문과 단서의 관계

구분	본문	단서
통설	진정신분범의 성립·과형의 근거	부진정신분범의 성립·과형의 근거
소수설 (판례)	진정·부진정신분범의 성립 근거	부진정신분범의 과형의 근거

㉡ (O) 대법원 1986.7.8. 86도749
㉢ (O) 대법원 1986.2.11. 85도448

43 0262

2018 경찰 1차

공범과 신분에 대한 설명으로 가장 적절하지 않은 것은? (다툼이 있는 경우 판례에 의함)

① 업무상 타인의 사무를 처리하는 자가 그러한 신분관계가 없는 자와 공모하여 업무상배임죄를 저질렀다면 그러한 신분관계가 없는 자에 대하여는 형법 제33조 단서에 의하여 단순배임죄가 성립한다.
② 공직선거법에서 규정하는 각 기부행위제한 위반죄의 주체 및 각 기부행위의 주체로 인정되지 아니하는 자가 주체자 등과 공모하여 기부행위를 한 경우, 주체자에 해당하는 법조 위반죄의 공동정범으로 처벌할 수 없다.
③ 의료인일지라도 의료인 아닌 자의 의료행위에 공모하여 가공하면 의료법상 무면허의료행위의 공동정범으로서의 책임을 진다.
④ 도박의 습벽이 있는 자가 도박의 습벽이 없는 타인의 도박을 방조하면 상습도박방조의 죄가 성립한다.

지문분석

난이도 중 정답 ①

| 키 워 드 | 공범과 신분
| 출제유형 | 틀린 지문 고르기

① (X) 신분관계가 없는 자가 그러한 신분관계가 있는 자와 공모하여 업무상배임죄를 저질렀다면 그러한 신분관계가 없는 자에 대하여는 형법 제33조 단서에 의하여 단순배임죄에 정한 형으로 처단하여야 할 것이다(대법원 1999.4.27. 99도883).
→ 판례에 의하면 업무자 아닌 자는 제33조 본문에 의하여 업무상배임죄의 공동정범이 성립하고, 제33조 단서에 의하여 단순배임죄로 처벌된다.

② (O) 대법원 2008.3.13. 2007도9507
→ 각 기부행위의 주체로 인정되지 아니하는 자가 기부행위의 주체자 등과 공모하여 기부행위를 하였다 하더라도 그 신분에 따라 각 해당 법조로 처벌하여야지 기부행위 주체자에 해당하는 법조 위반의 공동정범으로 처벌할 수는 없다.

③ (O) 대법원 1986.2.11. 85도448

④ (O) 상습도박의 죄나 상습도박방조의 죄에 있어서의 상습성은 행위의 속성이 아니라 행위자의 속성으로서 도박을 반복해서 거듭하는 습벽을 말하는 것인바, ㉠ 도박의 습벽이 있는 자가 타인의 도박을 방조하면 상습도박방조의 죄에 해당하는 것이며, ㉡ 도박의 습벽이 있는 자가 도박을 하고 또 도박방조를 하였을 경우 상습도박방조의 죄는 무거운 상습도박의 죄에 포괄시켜 1죄로서 처단하여야 한다(대법원 1984.4.24. 84도195).

44 0263

2021 경찰 1차

공범과 신분에 대한 설명으로 가장 적절하지 않은 것은? (다툼이 있는 경우 판례에 의함)

① 비공무원이 공무원과 공동가공의 의사와 이를 기초로 한 기능적 행위지배를 통하여 공무원의 직무에 관하여 뇌물을 수수한 경우, 공무원과 비공무원에게 뇌물수수죄의 공동정범이 성립한다.
② 업무상배임죄에서의 업무상의 임무라는 신분관계가 없는 자가 신분관계 있는 자와 공모한 경우, 신분관계가 없는 공범에 대하여는 형법 제33조 단서에 따라 단순배임죄에서 정한 형으로 처단하여야 한다.
③ 의사가 의사 면허 없는 일반인의 무면허의료행위에 공모하여 가공하는 등 기능적 행위지배가 인정된다면, 의사도 의료법상 무면허의료행위의 공동정범으로서의 죄책을 진다.
④ 도박의 습벽이 있는 자가 타인의 도박을 방조하면 상습도박방조의 죄에 해당하는 것이며, 도박의 습벽이 있는 자가 도박을 하고 또 도박방조를 하였을 경우, 상습도박죄와는 별도로 상습도박방조의 죄가 성립하고 양자는 실체적 경합관계에 있다.

지문분석

난이도 중 정답 ④

| 키 워 드 | 공범과 신분
| 출제유형 | 틀린 지문 고르기

④ (X) 상습도박의 죄나 상습도박방조의 죄에 있어서의 상습성은 행위의 속성이 아니라 행위자의 속성으로서 도박을 반복해서 거듭하는 습벽을 말하는 것인바, 도박의 습벽이 있는 자가 타인의 도박을 방조하면 상습도박방조의 죄에 해당하는 것이며, 도박의 습벽이 있는 자가 도박을 하고 또 도박방조를 하였을 경우 상습도박방조의 죄는 무거운 상습도박의 죄에 포괄시켜 1죄로서 처단하여야 한다(대법원 1984.4.24. 84도195).
→ 도박의 습벽 있는 자가 도박을 하고 또 도박방조를 한 경우의 죄수관계: 포괄일죄
① (O) 대법원 2019.8.29. 2018도13792 전원합의체
→ 국정농단 사건
② (O) 대법원 1999.4.27. 99도883
③ (O) 대법원 1986.2.11. 85도448

45 0264

2017 경찰 승진

공범과 신분에 관한 설명 중 가장 적절한 것은? (다툼이 있는 경우 판례에 의함)

① 공무원이 아닌 자는 형법 제228조의 경우를 제외하고는 허위공문서작성죄의 간접정범으로 처벌할 수 없으므로, 공무원이 아닌 자가 공무원과 공동하여 허위공문서작성죄를 범한 때에도 허위공문서작성죄의 공동정범으로 처벌할 수 없다.
② 공직선거법 제257조 제1항 제1호에서 규정하는 각 기부행위제한위반의 죄와 관련하여 각 기부행위의 주체로 인정되지 아니하는 자가 기부행위의 주체자 등과 공모하여 기부행위를 한 경우, 기부행위 주체자에 해당하는 법조 위반의 공동정범으로 처벌할 수 있다.
③ 신분관계로 인하여 형의 경중이 있는 경우에 신분이 있는 자가 신분이 없는 자를 교사하여 죄를 범하게 한 때에는 형법 제33조 단서가 형법 제31조 제1항에 우선하여 적용된다.
④ 업무상 타인의 사무를 처리하는 자가 그러한 신분관계가 없는 자와 공모하여 업무상배임죄를 저질렀다면 그러한 신분관계가 없는 자에 대하여는 형법 제33조 단서에 의하여 업무상배임죄의 정한 형으로 처벌한다.

지문분석

난이도 중 정답 ③

| 키 워 드 | 공범과 신분
| 출제유형 | 옳은 지문 고르기

③ (O) 형법 제31조 제1항은 협의의 공범의 일종인 교사범이 그 성립과 처벌에 있어서 정범에 종속한다는 일반적인 원칙을 선언한 것에 불과하고, 신분관계로 인하여 형의 경중이 있는 경우에 신분이 있는 자가 신분이 없는 자를 교사하여 죄를 범하게 한 때에는 형법 제33조 단서가 형법 제31조 제1항에 우선하여 적용됨으로써 신분이 있는 교사범이 신분이 없는 정범보다 중하게 처벌된다(대법원 1994.12.23. 93도1002).
→ 피고인이 甲을 모해할 목적으로 乙에게 위증을 교사한 이상, 정범인 乙에게 모해의 목적이 없었다고 하더라도, 제31조 제1항이 아니라 제33조 단서의 규정에 의하여 피고인을 모해위증교사죄로 처단할 수 있다.
① (X) 공무원이 아닌 자가 공무원과 공동하여 허위공문서작성죄를 범한 때에는 공무원이 아닌 자도 형법 제33조, 제30조에 의하여 허위공문서작성죄의 공동정범이 된다(대법원 2006.5.11. 2006도1663).
② (X) 공직선거법 제257조 제1항 제1호에서 규정하는 각 기부행위의 주체로 인정되지 아니하는 자는 기부행위 주체자에 해당하는 법조 위반의 공동정범으로 처벌할 수는 없다(대법원 2008.3.13. 2007도9507).
→ 제3자가 선거 후보자가 되려는 자(제113조 위반죄의 주체)와 공모하여 기부물품을 제공한 경우에는, 제3자는 공직선거법 제113조 위반죄의 공동정범이 아니라 제115조 위반죄(제3자의 기부행위제한)의 주체에 해당하므로 제115조 위반죄로 처벌하여야 한다는 판결이다.
④ (X) 신분관계가 없는 자가 그러한 신분관계가 있는 자와 공모하여 업무상배임죄를 저질렀다면 그러한 신분관계가 없는 자에 대하여는 형법 제33조 단서에 의하여 단순배임죄에 정한 형으로 처단하여야 할 것이다(대법원 1999.4.27. 99도883).
→ 판례에 의하면 업무상 배임죄가 성립하고, 단순배임죄로 처벌(처단)한다.

46 0265

2013 경찰 승진

공범과 신분에 관한 다음 설명 중 가장 적절하지 않은 것은? (다툼이 있는 경우 판례에 의함)

① 신분관계로 인하여 범죄가 성립하는 경우를 진정신분범, 신분관계로 형이 가중되거나 감경되는 경우를 부진정신분범이라 한다.
② 통설은 형법 제33조의 해석과 관련하여 본문은 진정신분범의 공범성립과 과형의 문제를, 단서는 부진정신분범의 공범성립과 과형의 문제를 규정한 것으로 이해한다.
③ 甲이 자신의 아버지인 줄 모르고 아버지 A를 친구 乙과 함께 살해하였을 경우, 甲은 존속살인죄로 처벌되나 乙은 보통살인죄로 처벌된다.
④ 의사가 간호사와 함께 공모하여 그 공동의사에 의한 기능적 행위지배가 있었다면, 의사도 간호사의 무면허의료행위의 공동정범으로서의 죄책을 진다.

지문분석 난이도 중 정답 ③

| 키 워 드 | 공범과 신분
| 출제유형 | 틀린 지문 고르기

③ (X) 甲이 자신의 아버지인 줄 모르고 아버지 A를 친구 乙과 함께 살해하였을 경우, 甲이 자신의 아버지인 줄 알았다면 존속살인죄로 처벌되나 아버지인 줄 몰랐으므로 형법 제15조 제1항에 의해 보통살인죄로 처벌되고, 乙은 판례에 의하면 존속살해죄가 성립하지만 처벌은 보통살인죄로 처벌된다.
① (O) 올바른 설명이다. 진정신분범의 신분은 구성적 신분, 부진정신분범의 신분은 가감적 신분이다.
② (O) 올바른 설명이다.
④ (O) 의료인일지라도 의료인 아닌 자의 의료행위에 공모하여 가공하면 의료법 제25조 제1항이 규정하는 무면허의료행위의 공동정범으로서의 책임을 진다(대법원 1986.2.11, 85도448).

47 0266

2020 경찰 승진

공범과 신분에 대한 설명 중 가장 적절하지 않은 것은? (다툼이 있는 경우 판례에 의함)

① 형법 제33조 본문의 신분관계로 인하여 성립될 범죄에는 진정신분범뿐만 아니라 부진정신분범도 포함되며, 단서는 비신분자와 신분자의 과형의 개별화에 관한 규정으로 본다.
② 비신분자인 아내와 신분자인 아들이 공동하여 아버지를 살해한 경우, 비신분자인 아내는 존속살해죄가 아닌 보통살인죄로 성립·처벌된다.
③ 공무원이 뇌물공여자로 하여금 공무원과 뇌물수수죄의 공동정범 관계에 있는 비공무원에게 뇌물을 공여하게 하여 비공무원이 뇌물을 받은 경우 비공무원은 공무원과 함께 뇌물수수죄의 공동정범이 성립하고 제3자뇌물수수죄는 성립하지 않는다.
④ 지방공무원의 신분을 가지지 아니하는 사람이 구 지방공무원법에 따라 처벌되는 지방공무원의 범행에 가공한다면 형법 제33조 본문에 의해서 공범으로 처벌받을 수 있다.

지문분석 난이도 상 정답 ②

| 키 워 드 | 공범과 신분
| 출제유형 | 틀린 지문 고르기

② (X) 비신분자인 아내와 신분자인 아들이 공동하여 아버지를 살해한 경우, 비신분자인 아내는 존속살해죄가 성립하고 보통살인죄로 처벌된다(대법원 1961.8.2, 4294형상284).
① (O) 판례의 입장으로 올바른 설명이다.
③ (O) 대법원 2019.8.29, 2018도13792 전원합의체
④ (O) 지방공무원의 신분을 가지지 아니하는 사람도 구 지방공무원법 제58조 제1항을 위반하여 같은 법 제82조에 따라 처벌되는 지방공무원의 범행에 가공한다면 형법 제33조 본문에 의해서 공범으로 처벌받을 수 있다. 위 법리에 비추어 보면, 구 지방공무원법 제82조가 적용되지 않는 구 지방공무원법상 특수경력직공무원의 경우에도 위 법조항을 위반한 경력직공무원의 범행에 가공한다면 역시 형법 제33조 본문에 의해서 공범으로 처벌받을 수 있다고 보아야 하고, 특수경력직공무원에 대하여 구 지방공무원법 제82조가 직접 적용되지 않는다는 이유만으로 달리 볼 것은 아니다(대법원 2012.6.14, 2010도14409).

48 0267 2020 경찰 간부

공범과 신분에 관한 설명 중 옳은 것은 모두 몇 개인가? (다툼이 있는 경우 판례에 의함)

가. 신분관계로 인하여 형의 경중이 있는 경우에 신분이 있는 자가 신분이 없는 자를 교사하여 죄를 범하게 한 때에는 형법 제33조 단서가 형법 제31조 제1항에 우선하여 적용된다.

나. 변호사가 변호사 아닌 자에게 고용되어 법률사무소의 개설·운영에 관여하는 행위는 변호사법위반죄의 방조범으로 처벌할 수 없다.

다. 업무상의 임무라는 신분관계가 없는 자가 신분관계 있는 자와 공모하여 업무상배임죄를 범한 경우, 신분관계가 없는 공범에 대하여는 업무상배임죄가 성립한다.

라. 형법 제33조 소정의 이른바 신분관계라 함은 남녀의 성별, 내·외국인의 구별, 친족관계, 공무원인 자격과 같은 관계뿐만 아니라 널리 일정한 범죄행위에 관련된 범인의 인적 관계인 특수한 지위 또는 상태를 지칭하는 것이다.

마. 물건의 소유자가 아닌 사람은 형법 제33조 본문에 따라 소유자의 권리행사방해죄의 범행에 가담한 경우에 한하여 그의 공범이 될 수 있을 뿐이다. 그러나 권리행사방해죄의 공범으로 기소된 물건의 소유자에게 고의가 없는 등으로 범죄가 성립하지 않는다면 공동정범이 성립할 여지가 없다.

① 2개 ② 3개
③ 4개 ④ 5개

지문분석 난이도 ㊤ 정답 ④

| 키 워 드 | 공범과 신분

| 출제유형 | 개수 찾기

가, 라. (O) 대법원 1994.12.23. 93도1002
나. (O) 대법원 2004.10.28. 2004도3994
다. (O) 대법원 1999.4.27. 99도883
마. (O) 대법원 2017.5.30. 2017도4578

CHAPTER
07 죄수론

■ 기본서 연계페이지: p.406~439 ■ 문항 수: 23문항

1 서설

01 0268 2020 경찰 1차

죄수(罪數)결정 기준에 관한 설명으로 가장 적절한 것은? (다툼이 있는 경우 판례에 의함)

① 행위표준설은 죄수의 판단을 위한 기본요소를 행위자의 행위에서 구하여 행위가 하나일 때 하나의 죄를, 행위가 다수일 때 수개의 죄를 인정하는 견해로 판례는 연속범의 경우 이 견해를 취하고 있다.

② 법익표준설은 한 사람의 행위자가 실현시킨 범죄실현의 과정에서 몇 개의 보호법익이 침해 또는 위태롭게 되었는가를 기준으로 죄의 개수를 인정하는 견해로 판례는 강간, 공갈죄의 경우 이 견해를 취하고 있다.

③ 의사표준설은 행위자가 실현하려는 범죄의사의 개수에 따라서 죄의 개수를 결정하려는 견해로 행위자에게 1개의 범죄의사가 있으면 1죄를, 수개의 범죄의사가 있으면 수개의 죄를 각각 인정하게 되며, 판례는 연속범의 경우를 제외하고는 원칙적으로 이 견해를 취하고 있다.

④ 구성요건표준설은 구성요건에 해당하는 횟수를 기준으로 죄수를 결정하는 견해로 죄수의 결정은 법률적인 구성요건 충족의 문제로 해석하여 구성요건을 1회 충족하면 일죄이고, 수개의 구성요건에 해당하면 수죄를 인정하게 되며, 판례는 조세포탈범의 죄수는 위반사실의 구성요건 충족 횟수를 기준으로 1죄가 성립하는 것이 원칙이라고 하여 이 견해를 따르는 경우도 있다.

지문분석 난이도 상 정답 ④

| 키 워 드 | 죄수결정의 기준
| 출제유형 | 옳은 지문 고르기

④ (○) 판례는 조세포탈의 죄수는 위반사실의 구성요건 충족 횟수를 기준으로 성립한다고 하여 조세포탈범의 죄수는 구성요건표준설을 취한다.
① (X) 행위표준설은 행위의 수에 따라 범죄의 수를 결정하는 견해로 연속범의 경우 수죄가 되나, 판례는 연속범에 대하여는 '의사표준설'을 취하여 포괄일죄로 본다.
② (X) 판례는 강간, 공갈죄의 경우 법익표준설이 아니라, 원칙적으로 행위표준설을 취한다.
③ (X) 판례는 연속범의 경우 이외에는 원칙적으로 법익표준설을 취한다.

✓ 개념체크 연속범

- **연속범**
  연속한 수개의 행위가 동종의 범죄에 해당하는 것을 말한다.
  예 상점점원 甲이 주인 乙의 상품을 수일 동안 계속하여 절취하는 경우, 동일한 창고에서 수일에 걸쳐 매일 밤 쌀가마를 절취한 경우 등
  → 구 형법은 제55조에서 "연속한 수개의 행위가 동일한 죄명에 걸릴 때에는 일죄로 처벌한다."라는 연속범의 명문의 규정을 두고 있었으나, 현행 형법은 명문의 규정을 두고 있지 않아 이를 어떻게 취급하여야 하는가에 대하여 견해가 대립하는바, 판례는 연속범을 포괄일죄로 본다.
- **연속범에 대하여 의사표준설을 취한 판례**
  피고인이 1977.4.15.경 사무실에서 동일인으로부터 아파트보존등기신청사건을 접수처리함에 있어서 신속히 처리해 달라는 부탁조로 금원을 교부받은 것을 비롯하여 같은 해 9.10.경까지 전후 7회에 걸쳐 각종 등기사건을 접수처리하면서 같은 공동피고인으로부터 같은 명목으로 도합 금 828,000원을 교부받아 그 직무에 관하여 뇌물을 수수한 것이라면, 이는 피고인이 뇌물수수의 단일한 범의의 계속하에 일정기간 동종행위를 같은 장소에서 반복한 것이 분명하므로 피고인의 수회에 걸친 뇌물수수행위는 포괄일죄를 구성한다고 해석함이 상당하다(대법원 1982.10.26. 81도1409).

✓ 개념체크 죄수 판단의 기준

학설	내용
행위 표준설	• 자연적 의미의 행위의 수에 따라 범죄의 수를 결정하는 견해 • 객관주의 범죄이론에서 주장 • 연속범은 수죄이나, 상상적 경합은 일죄임 • 판례는 강간죄·공갈죄의 경우에 이 견해를 취함
법익 표준설	• 범죄행위로 인하여 침해되는 보호법익의 수 또는 결과의 수를 기준으로 죄수를 결정하는 견해 • 생명·신체·자유·명예 등의 전속적 법익은 법익주체마다 1개의 죄가 성립하지만, 공공의 안전·재산권 등의 비전속적 법익은 포괄적으로 결정함 • 상상적 경합은 실질상 수죄이지만 처벌상 일죄임 • 판례는 연속범의 경우 이외에는 원칙적으로 이 견해를 취함
의사 표준설	• 범죄의사의 수를 기준으로 죄수를 결정하는 견해 • 주관주의 범죄이론에서 주장 • 상상적 경합은 물론 연속범도 의사의 단일성이 인정되면 일죄가 됨 • 판례는 연속범의 경우에 이 견해를 취함
구성요건 표준설	• 구성요건에 해당하는 횟수를 표준으로 죄수를 결정하는 견해(다수설) • 상상적 경합은 원래 수죄이지만 과형상 일죄로 취급됨 • 판례는 조세포탈의 죄수는 위반사실의 구성요건 충족 횟수를 기준으로 성립한다고 봄

02 0269

2017 경찰 승진

죄수관계에 관한 설명 중 적절한 것을 모두 고른 것은? (다툼이 있는 경우 판례에 의함)

> ㉠ 채권자들에 의한 복수의 강제집행이 예상되는 경우 재산을 은닉 또는 허위양도함으로써 채권자들을 해하였다면 채권자별로 각각 강제집행면탈죄가 성립하고, 상호 상상적 경합범의 관계에 있다.
> ㉡ 타인의 사무를 처리하는 자가 여러 사람으로부터 각각 같은 종류의 부정한 청탁을 받고 그들로부터 각각 금품을 수수한 경우, 이는 단일하고 계속된 범의 아래 이루어진 것이고 그 피해법익도 동일하므로 포괄일죄로 보아야 한다.
> ㉢ 甲이 A주식회사로부터 렌탈(임대차)하여 컴퓨터 본체, 모니터 등을 받아 보관하였고, B주식회사로부터 리스(임대차)하여 컴퓨터 본체, 모니터, 그래픽카드, 마우스 등을 보관하다가, 같은 날 성명불상의 업체에 한꺼번에 처분하여 횡령한 경우, 피해자들에 대한 각 횡령죄는 상상적 경합관계에 있다.
> ㉣ 경찰서 생활질서계에 근무하는 피고인 甲이 피고인 乙로부터 뇌물을 수수하면서, 피고인 乙의 자녀 명의 은행 계좌에 관한 현금카드를 받은 뒤 피고인 乙이 위 계좌에 돈을 입금하면 피고인 甲이 현금카드로 돈을 인출하는 방법으로 범죄수익의 취득에 관한 사실을 가장한 경우, '범죄수익은닉의 규제 및 처벌 등에 관한 법률' 위반죄와 '특정범죄 가중처벌 등에 관한 법률' 위반(뇌물)죄가 성립하고 두 죄가 상상적 경합범 관계에 있다.

① ㉠, ㉡　　② ㉠, ㉢
③ ㉠, ㉣　　④ ㉡, ㉣

지문분석

난이도 중 정답 ②

| 키 워 드 | 죄수관계

| 출제유형 | 조합하기

㉠ (O) 대법원 2011.12.8. 2010도4129
→ 피고인이 이 사건 건물을 A회사 앞으로 허위양도함으로써 채권자들을 해한 경우 일죄로 본 원심을 파기하고 허위양도로 인한 강제집행면탈죄는 각 채권자별로 성립하여 상상적 경합범의 관계에 있다고 한 판결이다.

㉢ (O) 대법원 2013.10.31. 2013도10020
→ 여러 개의 위탁관계에 의하여 보관하던 여러 개의 재물을 1개의 행위에 의하여 횡령한 경우, 횡령죄의 죄수 관계: 상상적 경합범

㉡ (X) ⓐ 타인의 사무를 처리하는 자가 동일인으로부터 그 직무에 관하여 부정한 청탁을 받고 여러 차례에 걸쳐 금품을 수수한 경우에, 그것이 단일하고도 계속된 범의 아래 일정기간 반복하여 이루어진 것이고 그 피해법익도 동일한 때에는 이를 포괄일죄로 볼 것이지만, ⓑ 여러 사람으로부터 각각 부정한 청탁을 받고 그들로부터 각각 금품을 수수한 경우에는 비록 그 청탁이 동종의 것이라고 하더라도 단일하고 계속된 범의 아래 이루어진 범행으로 보기 어려워 그 전체를 포괄일죄로 볼 수 없다(대법원 2008.12.11. 2008도6987).

㉣ (X) 피고인 甲에게 범죄수익은닉의 규제 및 처벌 등에 관한 법률 위반죄와 특정범죄 가중처벌 등에 관한 법률 위반(뇌물)죄가 성립하고 두 죄는 실체적 경합범 관계에 있다(대법원 2012.9.27. 2012도6079).

03 0270

2018 경찰 승진

죄수에 대한 설명으로 가장 적절한 것은? (다툼이 있는 경우 판례에 의함)

① 甲이 치료받은 다음 날 오전 병원 앞에서 허위사실이 기재된 현수막을 설치하고 허위사실을 기재한 유인물을 불특정 다수에게 배포한 경우, 판례는 허위사실 유포에 의한 업무방해죄와 허위사실적시에 의한 명예훼손죄를 실체적 경합관계로 본다.
② 피해자에 대한 폭행행위가 동일한 피해자에 대한 업무방해죄의 수단이 되는 경우, 업무방해죄가 성립하기 위해서는 일반적으로 사람에 대한 폭행행위를 수반하므로 폭행행위는 업무방해죄의 불가벌적 수반행위에 해당한다.
③ 피고인이 당초부터 피해자를 기망하여 약속어음을 교부받은 경우에는 그 교부받은 즉시 사기죄가 성립하고 그 후 이를 피해자에 대한 피고인의 채권의 변제에 충당하였다 하더라도 불가벌적 사후행위가 됨에 그칠 뿐, 별도로 횡령죄를 구성하지 않는다.
④ 업무상 과실로 장물을 보관하다가 임의로 처분한 행위는 별도의 횡령죄를 구성한다.

지문분석 난이도 중 정답 ③

| 키 워 드 | 죄수
| 출제유형 | 옳은 지문 고르기

③ (O) 대법원 1983.4.26. 82도3079
① (X) 허위사실을 유포한 1개의 행위가 형법 제314조 제1항의 허위사실 유포에 의한 업무방해죄뿐 아니라 형법 제307조 제2항의 허위사실적시에 의한 명예훼손죄에도 해당하는 경우 그 2개의 죄는 상상적 경합관계에 있다(대법원 2007.11.15. 2007도7140).
→ 허위사실 유포에 의한 업무방해죄와 명예훼손죄의 죄수관계: 상상적 경합관계
② (X) 피해자에 대한 폭행행위가 동일한 피해자에 대한 업무방해죄의 수단이 되었다고 하더라도 그러한 폭행행위가 이른바 '불가벌적 수반행위'에 해당하여 업무방해죄에 대하여 흡수관계에 있다고 볼 수는 없다(대법원 2012.10.11. 2012도1895).
→ 업무방해죄의 성립에 일반적·전형적으로 사람에 대한 폭행행위를 수반하는 것은 아니며, 폭행행위가 업무방해죄에 비하여 별도로 고려되지 않을 만큼 경미한 것이라고 할 수도 없기 때문이다. 폭행죄와 업무방해죄의 상상적 경합의 관계가 된다(대법원 2012.10.11. 2012도1895).
④ (X) 피고인이 업무상 과실로 장물을 보관하고 있다가 처분한 행위는 업무상과실장물보관죄의 가벌적 평가에 포함되고 별도로 횡령죄를 구성하지 않는다(대법원 2004.4.9. 2003도8219).

2 일죄

04 0271

2014 경찰 1차

다음 중 불가벌적 사후행위에 해당하는 것으로 가장 적절한 것은? (다툼이 있으면 판례에 의함)

① 절취한 자기앞수표를 음식대금으로 교부하고 거스름돈을 환불받은 행위
② 사람을 살해한 다음 그 범죄의 흔적을 은폐하기 위하여 그 시체를 다른 장소로 옮겨 유기한 행위
③ 절취한 전당표를 제3자에게 교부하면서 자기 누님의 것이니 찾아 달라고 거짓말을 하여 이를 믿은 제3자가 전당포에 이르러 그 종업원에게 전당표를 제시하여 기망케 하고 전당물을 교부받은 행위
④ 부정한 이익을 얻을 목적으로 타인의 영업비밀이 담긴 CD를 절취하여 그 영업비밀을 부정사용한 행위

지문분석 난이도 중 정답 ①

| 키 워 드 | 불가벌적 사후행위
| 출제유형 | 옳은 지문 고르기

① (O) 절도의 불가벌적 사후행위로서 사기죄가 되지 아니한다(대법원 1987.1.20. 86도1728).
② (X) 살인죄와 사체유기죄의 경합범이 성립한다(대법원 1984.11.27. 84도2263).
③ (X) 절도죄와 사기죄의 경합범이 성립한다(대법원 1980.10.14. 80도2155).
④ (X) 절도죄와 별도로 부정경쟁방지 및 영업비밀보호에 관한 법률상 영업비밀부정사용죄가 성립하여 경합범이다(대법원 2008.9.11. 2008도5364).

05 0272
2016 경찰 2차

다음 설명 중 가장 적절하지 않은 것은? (다툼이 있으면 판례에 의함)

① 불가벌적 수반행위란 법조경합의 한 형태인 흡수관계에 속하는 것으로서, 행위자가 특정한 죄를 범하면 비록 논리 필연적인 것은 아니지만 일반적·전형적으로 다른 구성요건을 충족하고 이때 그 구성요건의 불법이나 책임 내용이 주된 범죄에 비하여 경미하기 때문에 처벌이 별도로 고려되지 않는 경우를 말한다.
② 피해자에 대한 폭행행위가 동일한 피해자에 대한 업무방해죄의 수단이 되었다면, 그러한 폭행행위는 이른바 불가벌적 수반행위에 해당하여 업무방해죄에 대하여 흡수관계에 있다.
③ 수수한 메스암페타민을 장소를 이동하여 투약하고서 잔량을 은닉하는 방법으로 소지한 행위는 사회통념상 수수행위와는 독립한 별개의 행위를 구성한다고 보아야 한다.
④ 국회의원 선거에서 정당의 공천을 받게 하여 줄 의사나 능력이 없음에도 이를 해줄 수 있는 것처럼 기망하여 공천과 관련하여 금품을 받은 경우, 공직선거법상 공천 관련 금품수수죄와 사기죄가 모두 성립하고 양자는 상상적 경합의 관계에 있다.

지문분석
난이도 중 정답 ②

| 키 워 드 | 일죄
| 출제유형 | 틀린 지문 고르기

② (X) 업무방해죄와 폭행죄는 구성요건과 보호법익을 달리하고 있고, 업무방해죄의 성립에 일반적·전형적으로 사람에 대한 폭행행위를 수반하는 것은 아니며, 폭행행위가 업무방해죄에 비하여 별도로 고려되지 않을 만큼 경미한 것이라고 할 수도 없으므로, 설령 피해자에 대한 폭행행위가 동일한 피해자에 대한 업무방해죄의 수단이 되었다고 하더라도 그러한 폭행행위가 이른바 '불가벌적 수반행위'에 해당하여 업무방해죄에 대하여 흡수관계에 있다고 볼 수는 없다(대법원 2012.10.11. 2012도1895).
→ 양죄를 흡수관계에 있다고 보아 업무방해죄만 인정하고 폭력행위 등 처벌에 관한 법률 위반(공동폭행)의 점에 관한 공소사실을 무죄로 본 원심의 판단에는 업무방해죄와 폭력행위 등 처벌에 관한 법률 위반(공동폭행)죄의 죄수에 관한 법리를 오해하여 법률 적용을 그르친 잘못이 있다고 한 판례이다. 즉, 피고인들의 공동폭행이라는 1개의 행위가 폭력행위 등 처벌에 관한 법률 위반(공동폭행)죄와 업무방해죄의 구성요건을 충족하는 경우에 해당한다 할 것이어서 양죄는 상상적 경합의 관계에 있다.
① (O) 대법원 2012.10.11. 2012도1895
③ (O) 대법원 1999.8.20. 99도1744
→ 소지한 행위는 당초의 수수행위에 수반되는 필연적 결과로 볼 수는 없기 때문이다(수수죄, 투약죄, 소지죄의 실체적 경합범).
④ (O) 대법원 2009.4.23. 2009도834

06 0273
2017 경찰 1차

불가벌적 사후행위에 해당하는 것으로 가장 적절한 것은? (다툼이 있는 경우 판례에 의함)

① 흡연할 목적으로 대마를 매입한 후 흡연할 기회를 포착하기 위하여 2일 이상 하의주머니에 넣고 다님으로써 매입한 대마를 소지한 행위
② 부정한 이익을 얻을 목적으로 타인의 영업비밀이 담긴 CD를 절취하여 그 영업비밀을 부정사용한 행위
③ 절도범인으로부터 장물보관의뢰를 받은 자가 그 정을 알면서 이를 인도받아 보관하고 있다가 임의처분한 행위
④ 자동차를 절취한 후 절취한 자동차에서 자동차등록번호판을 떼어 내는 행위

지문분석
난이도 중 정답 ③

| 키 워 드 | 불가벌적 사후행위
| 출제유형 | 옳은 지문 고르기

③ (O) 절도범인으로부터 장물보관의뢰를 받은 자가 그 정을 알면서 이를 인도받아 보관하고 있다가 임의처분하였다 하여도 장물보관죄가 성립되는 때에는 이미 그 소유자의 소유물추구권을 침해하였으므로 그 후의 횡령행위는 불가벌적 사후행위에 불과하여 별도로 횡령죄가 성립하지 않는다(대법원 1976.11.23. 76도3067).
① (X) 대마취급자가 아닌 자가 절취한 대마를 흡입할 목적으로 소지하는 행위는 절도죄의 보호법익과는 다른 새로운 법익을 침해하는 행위이므로 절도죄의 불가벌적 사후행위로서 절도죄에 포괄 흡수된다고 할 수 없고 절도죄 외에 별개의 죄를 구성한다고 할 것이며, 절도죄와 무허가 대마소지죄는 경합범의 관계에 있다(대법원 1999.4.13. 98도3619).
② (X) 부정한 이익을 얻거나 기업에 손해를 가할 목적으로 그 기업에 유용한 영업비밀이 담겨 있는 타인의 재물(CD)을 절취한 후 그 영업비밀을 사용하는 경우, 영업비밀의 부정사용행위는 새로운 법익의 침해로 보아야 하므로 위와 같은 부정사용행위가 절도범행의 불가벌적 사후행위가 되는 것은 아니다(대법원 2008.9.11. 2008도5364).
→ 절도죄와 영업비밀부정사용죄(부정경쟁방지 및 영업비밀보호에 관한 법률)의 실체적 경합
④ (X) 자동차를 절취한 후 자동차등록번호판을 떼어 내는 행위는 절도범행의 불가벌적 사후행위에 해당하지 않는다(대법원 2007.9.6. 2007도4739).
→ 절도죄와 자동차관리법 위반의 실체적 경합

07 0274

2017 경찰 2차

죄수에 대한 설명으로 적절한 것을 모두 고른 것은? (다툼이 있는 경우 판례에 의함)

㉠ 피고인이 수개의 선거비용 항목을 허위기재한 하나의 선거비용 보전청구서를 제출하여 대한민국으로부터 선거비용을 과다 보전받아 이를 편취하였다면 이는 일죄로 평가되어야 하고, 각 선거비용 항목에 따라 별개의 사기죄가 성립하는 것은 아니다.

㉡ 회사에 대한 관계에서 타인의 사무를 처리하는 자가 임무에 위배하는 행위로써 회사로 하여금 회사가 펀드 운영사에 지급하여야 할 펀드출자금을 정해진 시점보다 선지급하도록 하여 배임죄를 범한 다음, 그와 같이 선지급된 펀드출자금을 보관하는 자와 공모하여 펀드출자금을 임의로 인출한 후 자신의 투자금으로 사용하기 위하여 임의로 송금하도록 한 행위는 펀드출자금 선지급으로 인한 배임죄와는 다른 새로운 보호법익을 침해하지 않는 행위로서 배임범행의 불가벌적 사후행위가 되는 것이므로, 별죄로서 횡령죄를 구성한다고 볼 수 없다.

㉢ 피해자에 대한 폭행행위가 동일한 피해자에 대한 업무방해죄의 수단이 되었다고 하더라도, 그러한 폭행행위가 이른바 '불가벌적 수반행위'에 해당하여 업무방해죄에 대하여 흡수관계에 있다고 볼 수는 없다.

① ㉠　② ㉡, ㉢
③ ㉠, ㉢　④ ㉢

지문분석 난이도 중 정답 ③

| 키 워 드 | 일죄
| 출제유형 | 조합하기

㉠ (O) 대법원 2017.5.30. 2016도21713
㉢ (O) 대법원 2012.10.11. 2012도1895
→ 양 죄를 흡수관계에 있다고 보아 업무방해죄만 인정하고 폭력행위 등 처벌에 관한 법률 위반(공동폭행)의 점에 관한 공소사실을 무죄로 본 원심의 판단에는 업무방해죄와 폭력행위 등 처벌에 관한 법률 위반(공동폭행)죄의 죄수에 관한 법리를 오해하여 법률 적용을 그르친 잘못이 있다고 한 판례이다. 즉, 피고인들의 공동폭행이라는 1개의 행위가 폭력행위 등 처벌에 관한 법률 위반(공동폭행)죄와 업무방해죄의 구성요건을 충족하는 경우에 해당한다 할 것이어서 양 죄는 상상적 경합의 관계에 있다.
㉡ (X) 회사에 대한 관계에서 타인의 사무를 처리하는 자가 임무에 위배하는 행위로써 회사로 하여금 회사가 펀드 운영사에 지급하여야 할 펀드출자금을 정해진 시점보다 선지급하도록 하여 배임죄를 범한 다음, 그와 같이 선지급된 펀드출자금을 보관하는 자와 공모하여 펀드출자금을 임의로 인출한 후 자신의 투자금으로 사용하기 위하여 임의로 송금하도록 한 행위는 펀드출자금 선지급으로 인한 배임죄와는 다른 새로운 보호법익을 침해하는 행위로서 배임범행의 불가벌적 사후행위가 되는 것이 아니라 별죄로서 횡령죄를 구성한다고 보아야 한다(대법원 2014.12.11. 2014도10036).

08 0275

2018 경찰 1차

죄수에 대한 설명으로 옳은 것을 모두 고른 것은? (다툼이 있는 경우 판례에 의함)

㉠ 피고인이 강취한 현금카드를 사용하여 현금자동지급기에서 현금을 인출한 행위는 강도죄와는 별도로 절도죄가 성립한다.

㉡ 열차승차권을 절취한 자가 역직원에게 자기의 소유인 양 속여 현금과 교환한 경우에 절도죄 외에 사기죄가 성립한다.

㉢ 전기통신금융사기(이른바 보이스피싱 범죄)의 범인이 피해자를 기망하여 피해자의 자금을 사기이용계좌로 송금·이체받은 후 사기이용계좌에서 현금을 인출한 행위는 사기의 피해자에 대하여 별도의 횡령죄를 구성한다.

㉣ 乙종중으로부터 토지를 명의신탁받아 보관 중이던 甲이 개인 채무 변제에 사용할 목적으로 위 토지에 근저당권을 설정한 후에 다시 위 토지를 丙에게 매도한 경우, 甲의 토지 매도행위는 별도의 횡령죄를 구성한다.

① ㉠, ㉡　② ㉡, ㉢
③ ㉠, ㉣　④ ㉢, ㉣

지문분석 난이도 중 정답 ③

| 키 워 드 | 일죄
| 출제유형 | 조합하기

㉠ (O) **'강취한' 현금카드를 사용하여 현금자동지급기에서 예금을 인출한 행위가 강도죄와 별도로 절도죄를 구성하는지 여부: 인정**
강취한 현금카드를 사용하여 현금자동지급기에서 예금을 인출한 행위는 피해자의 승낙에 기한 것이라고 할 수 없으므로, 현금자동지급기 관리자의 의사에 반하여 그의 지배를 배제하고 그 현금을 자기의 지배하에 옮겨 놓는 것이 되어서 강도죄와는 별도로 절도죄를 구성한다(대법원 2007.5.10. 2007도1375).
㉣ (O) 타인의 부동산을 보관 중인 자가 그 부동산에 근저당권설정등기를 마침으로써 횡령행위가 기수에 이른 후 ⓐ 같은 부동산에 별개의 근저당권을 설정하거나, ⓑ 해당 부동산을 매각한 행위는 특별한 사정이 없는 한 별도로 횡령죄를 구성한다(대법원 2013.2.21. 2010도10500 전원합의체).
㉡ (X) 열차승차권을 절취한 자가 환불을 받음에 있어 비록 기망행위가 수반한다 하더라도 절도죄 외에 따로이 사기죄가 성립하지 아니한다(대법원 1975.8.29. 75도1996).
→ 열차승차권은 이를 곧 사용하여 승차하거나 금액의 환불을 받을 수 있는 것이므로 새로운 법익의 침해가 있다고 할 실질을 가진 것으로 볼 수 없어 절도의 불가벌적 사후행위이다.
㉢ (X) **전기통신금융사기(이른바 보이스피싱 범죄)의 범인이 피해자를 기망하여 피해자의 자금을 사기이용계좌로 송금·이체받은 후 사기이용계좌에서 현금을 인출한 행위가 사기의 피해자에 대하여 별도의 횡령죄를 구성하는지 여부: 부정**
전기통신금융사기(이른바 보이스피싱 범죄)의 범인이 피해자를 기망하여 피해자의 자금을 사기이용계좌로 송금·이체받으면 사기죄는 기수에 이르고, 범인이 피해자의 자금을 점유하고 있다고 하여 피해자와의 어떠한 위탁관계나 신임관계가 존재한다고 볼 수 없을 뿐만 아니라, 그 후 범

인이 사기이용계좌에서 현금을 인출하였더라도 이는 이미 성립한 사기범행이 예정하고 있던 행위에 지나지 아니하여 새로운 법익을 침해한다고 보기도 어려우므로, 위와 같은 인출행위는 사기의 피해자에 대하여 별도의 횡령죄를 구성하지 아니한다(대법원 2017.5.31. 2017도3894).

09 0276

2018 경찰 3차

죄수에 대한 설명으로 가장 적절하지 않은 것은? (다툼이 있는 경우 판례에 의함)

① 저작권자가 같더라도 각각의 저작물에 대한 저작재산권 침해행위는 원칙적으로 각 별개의 죄를 구성하지만 단일하고도 계속된 범의 아래 동일한 저작물에 대한 침해행위가 일정기간 반복하여 행하여진 경우에는 포괄하여 하나의 범죄가 성립한다고 볼 수 있다.

② 강도범인이 체포를 면탈할 목적으로 경찰관에게 폭행을 가한 때에는 강도죄와 공무집행방해죄는 실체적 경합관계에 있다.

③ 피해자에 대한 폭행행위가 동일한 피해자에 대한 업무방해죄의 수단이 된 경우 그러한 폭행행위는 이른바 '불가벌적 수반행위'에 해당하여 업무방해죄에 대하여 흡수관계에 있다고 볼 수는 없다.

④ 경찰공무원이 지명수배 중인 범인을 발견하고도 직무상 의무에 따른 적절한 조치를 취하지 아니하고 오히려 범인을 도피하게 하는 행위를 한 경우 범인도피죄와 직무유기죄는 상상적 경합관계에 있다.

지문분석 난이도 중 정답 ④

| 키 워 드 | 일죄

| 출제유형 | 틀린 지문 고르기

④ (X) 경찰공무원이 지명수배 중인 범인을 발견하고도 직무상 의무에 따른 적절한 조치를 취하지 아니하고 오히려 범인을 도피하게 하는 행위를 하였다면, 그 직무위배의 위법상태는 범인도피행위 속에 포함되어 있다고 보아야 할 것이므로, 이와 같은 경우에는 작위범인 범인도피죄만이 성립하고 부작위범인 직무유기죄는 따로 성립하지 아니한다(대법원 2017.3.15. 2015도1456).

① (O) 대법원 2012.5.10. 2011도12131

→ • 수개의 저작물에 대한 저작재산권 침해행위의 죄수관계: 실체적 경합범

• 단일하고도 계속된 범의 아래 동일한 저작물에 대한 침해행위가 일정기간 반복하여 행하여진 경우: 포괄일죄

② (O) 대법원 1992.7.28. 92도917

③ (O) 대법원 2012.10.11. 2012도1895

10 0277

2020 경찰 승진

다음 사례 중 포괄일죄에 해당하는 경우를 모두 고른 것은? (다툼이 있는 경우 판례에 의함)

> ㉠ 甲이 컴퓨터로 음란 동영상을 제공하는 행위를 하였다가 동영상이 저장되어 있던 서버 컴퓨터 2대를 압수당한 이후 다시 장비를 갖추어 영업을 재개한 경우
> ㉡ 하나의 사건에 관하여 한 번 선서한 증인 甲이 같은 기일에 여러 가지 사실에 관하여 기억에 반하는 허위의 진술을 한 경우
> ㉢ 甲이 1개의 기망행위에 의하여 다수의 피해자로부터 각각 재산상 이익을 편취한 경우
> ㉣ 은행장 甲이 乙로부터 정식이사가 될 수 있도록 도와달라는 부탁을 받고 1년 동안 12회에 걸쳐 그 사례금 명목으로 합계 1억 2,000만원을 교부받은 경우

① ㉠, ㉡
② ㉠, ㉢
③ ㉡, ㉣
④ ㉢, ㉣

지문분석 난이도 중 정답 ③

| 키 워 드 | 포괄일죄

| 출제유형 | 조합하기

㉡ (○) 하나의 사건에 관하여 한 번 선서한 증인이 같은 기일에 여러 가지 사실에 관하여 기억에 반하는 허위의 진술을 한 경우 이는 하나의 범죄의사에 의하여 계속하여 허위의 진술을 한 것으로서 포괄하여 1개의 위증죄를 구성하는 것이고 각 진술마다 수개의 위증죄를 구성하는 것이 아니다(대법원 1998.4.14. 97도3340).

㉣ (○) 금융기관 임직원이 그 직무에 관하여 여러 차례 금품을 수수한 경우에 그것이 단일하고도 계속된 범의 아래 일정기간 반복하여 이루어진 것이고 그 피해법익도 동일한 경우에는 각 범행을 통틀어 포괄일죄로 볼 것이다(대법원 1996.7.12. 96도1181).

㉠ (X) 컴퓨터로 음란 동영상을 제공한 제1범죄행위로 서버 컴퓨터가 압수된 이후 다시 장비를 갖추어 동종의 제2범죄행위를 하고 제2범죄행위로 인하여 약식명령을 받아 확정된 사안에서, 피고인에게 범의의 갱신이 있어 제1범죄행위는 약식명령이 확정된 제2범죄행위와 실체적 경합관계에 있다(대법원 2005.9.30. 2005도4051).

㉢ (X) 1개의 기망행위에 의하여 다수의 피해자로부터 각각 재산상 이익을 편취한 경우에는 피해자별로 수개의 사기죄가 성립하고, 그 사이에는 상상적 경합의 관계에 있는 것으로 보아야 한다(대법원 2015.4.23. 2014도16980).

11 0278

2021 경찰 승진

사례와 죄수판단을 연결한 것으로 가장 적절한 것은? (다툼이 있는 경우 판례에 의함)

① 계속적으로 무면허운전을 할 의사를 가지고 여러 날에 걸쳐 무면허운전행위를 반복적으로 한 경우 – 도로교통법위반죄의 포괄일죄
② 강도가 체포면탈의 목적으로 경찰관에게 폭행을 가한 경우 – 강도죄와 공무집행방해죄의 상상적 경합
③ 동일한 공무를 집행하는 두 명의 경찰관에 대하여 동일한 장소에서 동일한 기회에 각각 폭행을 가한 경우 – 공무집행방해죄의 포괄일죄
④ 주취상태에서 운전을 하여 사람을 사상하게 함으로써 도로교통법상의 음주운전죄와 특정범죄 가중처벌 등에 관한 법률상의 위험운전치사상죄를 범한 경우 – 도로교통법위반죄와 특정범죄 가중 처벌 등에 관한 법률 위반죄의 실체적 경합

지문분석 난이도 중 정답 ④

| 키 워 드 | 일죄

| 출제유형 | 옳은 지문 고르기

④ (○) 대법원 1995.7.28. 95도997

① (X) 무면허운전으로 인한 도로교통법위반죄에 있어서는 어느 날에 운전을 시작하여 다음 날까지 동일한 기회에 일련의 과정에서 계속 운전을 한 경우 등 특별한 경우를 제외하고는 사회통념상 운전한 날을 기준으로 운전한 날마다 1개의 운전행위가 있다고 보는 것이 상당하므로 운전한 날마다 무면허운전으로 인한 도로교통법 위반의 1죄가 성립한다고 보아야 할 것이고, 비록 계속적으로 무면허운전을 할 의사를 가지고 여러 날에 걸쳐 무면허운전행위를 반복하였다 하더라도 이를 포괄하여 일죄로 볼 수는 없다(대법원 2002.7.23. 2001도6281).
→ 실체적 경합관계

② (X) 절도범인이 체포를 면탈할 목적으로 경찰관에게 폭행·협박을 가한 때에는 준강도죄와 공무집행방해죄를 구성하고 양 죄는 상상적 경합관계에 있으나, 강도범인이 체포를 면탈할 목적으로 경찰관에게 폭행을 가한 때에는 강도죄와 공무집행방해죄는 실체적 경합관계에 있고 상상적 경합관계에 있는 것이 아니다(대법원 1992.7.28. 92도917).

③ (X) 동일한 공무를 집행하는 여럿의 공무원에 대하여 폭행·협박행위를 한 경우에는 공무를 집행하는 공무원의 수에 따라 여럿의 공무집행방해죄가 성립하고, 위와 같은 폭행·협박행위가 동일한 장소에서 동일한 기회에 이루어진 것으로서 사회관념상 1개의 행위로 평가되는 경우에는 여럿의 공무집행방해죄는 상상적 경합의 관계에 있다(대법원 2009.6.25. 2009도3505).

12 0279

2021 경찰 간부

죄수에 대한 설명으로 옳은 것은? (다툼이 있는 경우 판례에 의함)

① 포괄일죄의 관계에 있는 범행의 일부에 대하여 약식명령이 확정된 경우, 그 약식명령 발령시를 기준으로 그 이전에 이루어진 범행에 대해서는 면소판결을 선고해야 한다.
② 경합범 중 판결을 받지 아니한 죄가 있는 때에는 그 죄와 판결이 확정된 죄를 동시에 판결할 경우와 형평을 고려하여 그 죄에 대하여 형을 선고한다. 이 경우 그 형을 감경 또는 면제한다.
③ 경찰공무원이 지명수배 중인 범인을 발견하고도 직무상 의무에 따른 적절한 조치를 취하지 아니하고 오히려 범인을 도피하게 한 경우, 범인도피죄와 직무유기죄가 모두 성립하고 양 죄는 상상적 경합관계에 있다.
④ 건물제공행위와 성매매알선행위의 경우 성매매알선행위가 건물제공행위의 결과에 해당하고 반대로 건물제공행위는 성매매알선행위에 수반되는 수단으로 볼 수 있으므로 별개의 죄를 구성하지 않고 위 각 행위를 통틀어 법정형이 더 무거운 성매매알선행위의 포괄일죄를 구성한다.

지문분석 난이도 중 정답 ①

| 키 워 드 | 일죄
| 출제유형 | 옳은 지문 고르기

① (O) 대법원 2013.6.13. 2013도4737
② (X) 경합범 중 판결을 받지 아니한 죄가 있는 때에는 그 죄와 판결이 확정된 죄를 동시에 판결할 경우와 형평을 고려하여 그 죄에 대하여 형을 선고한다. 이 경우 그 형을 감경 또는 면제할 수 있다(형법 제39조 제1항).
→ 사후적 경합범
③ (X) 경찰공무원이 지명수배 중인 범인을 발견하고도 직무상 의무에 따른 적절한 조치를 취하지 아니하고 오히려 범인을 도피하게 하는 행위를 하였다면, 그 직무위배의 위법상태는 범인도피행위 속에 포함되어 있다고 보아야 할 것이므로, 이와 같은 경우에는 작위범인 범인도피죄만이 성립하고 부작위범인 직무유기죄는 따로 성립하지 아니한다(대법원 2017.3.15. 2015도1456).
④ (X) '영업으로 성매매를 알선한 행위'와 '영업으로 성매매에 제공되는 건물을 제공하는 행위'는 실체적 경합관계이다(대법원 1984.4.24. 84도195).

13 0280

2021 경찰 간부

포괄일죄에 대한 설명으로 옳은 것은? (다툼이 있는 경우 판례에 의함)

① 공직선거법 제106호 제1항이 규정하고 있는 호별방문죄는 집집을 중단 없이 방문하거나 동일한 일시 및 기회에 방문할 것을 요하지 않으므로, 선거운동이라는 단일한 범의하에 수인의 집을 방문한 경우 시간적 근접성 및 연속성에 대한 판단 없이 포괄일죄가 성립한다.
② 단일한 범의하에 동일한 방법으로 수인의 피해자에 대하여 각 피해자별로 기망행위를 하여 재물을 편취한 경우, 사기죄의 포괄일죄가 성립한다.
③ 같은 심급에서 1회 선서한 이후 그 선서의 효력이 유지된 상태에서 변론기일을 달리하여 수차 증인으로 출석하여 수개의 허위진술을 한 경우 1개의 위증죄가 성립한다.
④ 수개의 등록상표에 대하여 상표권 침해행위가 계속된 경우 등록상표를 달리하는 수개의 상표권 침해행위는 포괄하여 하나의 죄가 성립한다.

지문분석 난이도 중 정답 ③

| 키 워 드 | 포괄일죄
| 출제유형 | 옳은 지문 고르기

③ (O) 대법원 2007.3.15. 2006도9463
① (X) [1] 공직선거법 제106조 제1항 소정의 호별방문죄는 연속적으로 두 집 이상을 방문함으로써 성립하고, 또 타인과 면담하기 위하여 그 거택 등에 들어간 경우는 물론 타인을 면담하기 위하여 방문하였으나 피방문자가 부재중이어서 들어가지 못한 경우에도 성립한다.
[2] 공직선거법 제106조 제1항 소정의 호별방문죄에 있어서 각 집의 방문이 '연속적'인 것으로 인정되기 위해서는 반드시 집집을 중단 없이 방문하여야 하거나 동일한 일시 및 기회에 각 집을 방문하여야 하는 것은 아니지만, 각 방문행위 사이에는 어느 정도의 시간적 근접성이 있어야 할 것이고, 이러한 시간적 근접성이 없다면 '연속적'인 것으로 인정될 수는 없다(대법원 2007.3.15. 2006도9042).
② (X) [1] 사기죄에서 수인의 피해자에 대하여 각 피해자별로 기망행위를 하여 각각 재물을 편취한 경우에 그 범의가 단일하고 범행방법이 동일하다고 하더라도 포괄일죄가 성립하는 것이 아니라 피해자별로 1개씩의 죄가 성립하는 것으로 보아야 한다.
[2] 다만, 피해자들이 하나의 동업체를 구성하는 등으로 피해법익이 동일하다고 볼 수 있는 사정이 있는 경우에는 피해자가 복수이더라도 이들에 대한 사기죄를 포괄하여 일죄로 볼 수도 있다(대법원 2011.4.14. 2011도769).
④ (X) 수개의 등록상표에 대하여 상표법 제93조 소정의 상표권 침해행위가 계속하여 행하여진 경우에는 각 등록상표 1개마다 포괄하여 1개의 범죄가 성립하므로, 특별한 사정이 없는 한 상표권자 및 표장이 동일하다는 이유로 등록상표를 달리하는 수개의 상표권 침해행위를 포괄하여 하나의 죄가 성립하는 것으로 볼 수 없다(대법원 2013.7.25. 2011도12482).
→ 실체적 경합범 관계

3 수죄

14 0281

2016 경찰 1차

다음 설명 중 가장 적절한 것은? (다툼이 있으면 판례에 의함)

① 甲이 승용차를 운전하던 중 음주단속을 피하기 위하여 위험한 물건인 승용차로 단속 경찰관을 들이받아 위 경찰관의 공무집행을 방해하고 위 경찰관에게 상해를 입게 하였다면 甲의 행위는 폭력행위 등 처벌에 관한 법률 위반(집단·흉기 등 상해)죄와 특수공무집행방해치상죄를 구성하고 두 죄는 상상적 경합관계에 해당한다.

② 계속적으로 무면허운전을 할 의사를 가지고 여러 날에 걸쳐 무면허운전행위를 반복하였다면 이를 포괄일죄로 보아야 한다.

③ 부정한 이익을 얻을 목적으로 타인의 영업비밀이 담긴 CD를 절취하여 그 영업비밀을 부정사용한 경우, 영업비밀의 부정사용행위는 절도죄의 불가벌적 사후행위에 해당한다.

④ 저작권법은 상습으로 동법 제136조 제1항의 죄를 저지른 경우를 가중처벌한다는 규정은 따로 두고 있지 않다. 따라서 수회에 걸쳐 저작권법 제136조 제1항의 죄를 범한 것이 상습성의 발현에 따른 것이라고 하더라도, 이는 원칙적으로 경합범으로 보아야 하는 것이지 하나의 죄로 처단되는 상습범으로 볼 것은 아니다.

지문분석 난이도 중 정답 ④

| 키 워 드 | 수죄

| 출제유형 | 옳은 지문 고르기

④ (O) 대법원 2012.5.10. 2011도12131
→ 상습범을 별도의 범죄유형으로 처벌하는 규정이 없는 한 각 죄는 원칙적으로 별개의 범죄로서 경합범으로 처단한다.

① (X) 직무를 집행하는 공무원에 대하여 위험한 물건을 휴대하여 고의로 상해를 가한 경우에는 특수공무집행방해치상죄만 성립할 뿐, 이와는 별도로 폭력행위 등 처벌에 관한 법률 위반(집단·흉기 등 상해)죄를 구성하지 않는다(대법원 2008.11.27. 2008도7311).

② (X) 무면허운전으로 인한 도로교통법위반죄에 있어서는 어느 날에 운전을 시작하여 다음 날까지 동일한 기회에 일련의 과정에서 계속 운전을 한 경우 등 특별한 경우를 제외하고는 사회통념상 운전한 날을 기준으로 운전한 날마다 1개의 운전행위가 있다고 보는 것이 상당하므로 운전한 날마다 무면허운전으로 인한 도로교통법 위반의 1죄가 성립한다고 보아야 할 것이고, 비록 계속적으로 무면허운전을 할 의사를 가지고 여러 날에 걸쳐 무면허운전행위를 반복하였다 하더라도 이를 포괄하여 일죄로 볼 수는 없다(대법원 2002.7.23. 2001도6281).
→ 실체적 경합관계

③ (X) 절도죄와 별도로 부정경쟁방지 및 영업비밀보호에 관한 법률상 영업비밀부정사용죄가 성립하여 경합범이다(대법원 2008.9.11. 2008도5364).

15 0282

2017 경찰 1차

죄수에 대한 설명으로 가장 적절한 것은? (다툼이 있는 경우 판례에 의함)

① 경찰관이 검사로부터 범인을 검거하라는 지시를 받고서도 그 직무상의 의무에 따른 적절한 조치를 취하지 아니하고 오히려 범인에게 전화로 도피하라고 권유하여 그를 도피케 한 경우, 범인도피죄와 직무유기죄의 상상적 경합이다.

② 상습성이 있는 자가 같은 종류의 죄를 반복하여 저질렀다 하더라도 상습범을 별도의 범죄유형으로 처벌하는 규정이 없는 한, 각 죄는 원칙적으로 별개의 범죄로서 경합범으로 처단하여야 한다.

③ 사기의 수단으로 발행한 수표가 지급거절된 경우, 부정수표단속법위반죄와 사기죄는 그 행위의 태양과 보호법익을 달리하므로 상상적 경합범의 관계에 있다.

④ 편취한 약속어음을 그와 같은 사실을 모르는 제3자에게 편취사실을 숨기고 할인받은 경우, 그 약속어음을 취득한 제3자가 선의이고 약속어음의 발행인이나 배서인이 어음금을 지급할 의사와 능력이 있었다면 제3자에 대한 별도의 사기죄는 성립하지 않는다.

지문분석 난이도 중 정답 ②

| 키 워 드 | 수죄

| 출제유형 | 옳은 지문 고르기

② (O) 대법원 2012.5.10. 2011도12131
→ 저작권법은 상습으로 제136조 제1항의 죄를 저지른 경우를 가중처벌한다는 규정은 따로 두고 있지 않다. 따라서 수회에 걸쳐 저작권법 제136조 제1항의 죄를 범한 것이 상습성의 발현에 따른 것이라고 하더라도, 이는 원칙적으로 경합범으로 보아야 하는 것이지 하나의 죄로 처단되는 상습범으로 볼 것은 아니다.

① (X) 피고인이 검사로부터 범인을 검거하라는 지시를 받고서도 그 직무상의 의무에 따른 적절한 조치를 취하지 아니하고 오히려 범인에게 전화로 도피하라고 권유하여 그를 도피케 하였다는 범죄 사실만으로는 직무위배의 위법상태가 범인도피행위 속에 포함되어 있는 것으로 보아야 할 것이므로, 이와 같은 경우에는 작위범인 범인도피죄만이 성립하고 부작위범인 직무유기죄는 따로 성립하지 아니한다(대법원 1996.5.10. 96도51).

③ (X) 사기의 수단으로 발행한 수표가 지급거절된 경우 부정수표단속법위반죄와 사기죄는 그 행위의 태양과 보호법익을 달리하므로 실체적 경합범의 관계에 있다(대법원 2004.6.25. 2004도1751).

④ (X) 편취한 약속어음을 그와 같은 사실을 모르는 제3자에게 편취사실을 숨기고 할인받는 행위는 당초의 어음 편취와는 별개의 새로운 법익을 침해하는 행위로서 기망행위와 할인금의 교부행위 사이에 상당인과관계가 있어 새로운 사기죄를 구성한다 할 것이고, 설령 그 약속어음을 취득한 제3자가 선의이고 약속어음의 발행인이나 배서인이 어음금을 지급할 의사와 능력이 있었다 하더라도 이러한 사정은 사기죄의 성립에 영향이 없다(대법원 2005.9.30. 2005도5236).
→ 원심은 약속어음이 편취한 어음이라는 사정만으로는 위 약속어음을 할인받는 행위가 새로운 사기죄를 구성하는 것으로 볼 수 없다는 취지로 판단하고 말았으니, 이러한 원심판결에는 사기죄에 관한 법리를 오해함으로써 판결 결과에 영향을 미친 위법이 있다 할 것이다.

16 0283

2019 경찰 1차

죄수 및 경합에 관한 설명 중 옳은 것은? (다툼이 있는 경우 판례에 의함)

① 허위공문서작성죄와 동행사죄가 수뢰후부정처사죄와 각각 상상적 경합관계에 있을지라도 허위공문서작성죄와 동행사죄 상호 간은 실체적 경합범 관계에 있으므로 따로이 경합가중을 해야 한다.
② 감금행위가 단순히 강도상해 범행의 수단이 되는 데 그치지 아니하고 강도상해의 범행이 끝난 뒤에도 계속된 경우에는 1개의 행위가 감금죄와 강도상해죄에 해당하는 경우라고 볼 수 있다.
③ 건물관리인이 건물주로부터 월세임대차계약 체결업무를 위임받고도 임차인들을 속여 전세임대차계약을 체결하고 그 보증금을 편취한 경우, 사기죄와 업무상배임죄의 상상적 경합관계에 해당한다.
④ 신용협동조합의 전무가 그 조합의 담당직원을 기망하여 예금인출금 또는 대출금 명목으로 금원을 교부받은 경우, 사기죄와 업무상배임죄의 상상적 경합관계에 해당한다.

지문분석 난이도 중 정답 ④

| 키 워 드 | 죄수 및 경합
| 출제유형 | 옳은 지문 고르기

④ (○) **1개의 행위에 관하여 사기죄와 업무상배임죄 또는 단순배임죄의 각 구성요건이 모두 구비된 경우의 죄수관계: 상상적 경합관계**
[1] 타인의 사무를 처리하는 자가 그 사무처리상 임무에 위배하여 본인을 기망하고 착오에 빠진 본인으로부터 재물을 교부받은 경우, 즉 1개의 행위에 관하여 사기죄와 업무상배임죄의 각 구성요건이 모두 구비된 때에는 양 죄를 법조경합 관계로 볼 것이 아니라 상상적 경합관계로 봄이 상당하다 할 것이고, 나아가 업무상배임죄가 아닌 단순배임죄라고 하여 양 죄의 관계를 달리 보아야 할 이유도 없다.
[2] 신용협동조합의 전무가 그 조합의 담당직원을 기망하여 예금인출금 또는 대출금 명목으로 금원을 교부받은 경우, 사기죄와 업무상배임죄의 상상적 경합관계에 해당한다(대법원 2002.7.18. 2002도669 전원합의체).
→ 업무상배임행위에 사기행위가 수반된 때의 죄수관계

① (X) 허위공문서작성죄와 동행사죄가 수뢰후부정처사죄와 각각 상상적 경합관계에 있을 때에는 허위공문서작성죄와 동행사죄 상호 간은 실체적 경합범 관계에 있다고 할지라도 상상적 경합범 관계에 있는 수뢰후부정처사죄와 대비하여 가장 중한 죄에 정한 형으로 처단하면 족한 것이고 따로이 경합가중을 할 필요가 없다(대법원 1983.7.26. 83도1378).
→ 예비군 중대장이 그 소속 예비군으로부터 금원을 교부받고 그 예비군이 예비군훈련에 불참하였음에도 불구하고 참석한 것처럼 허위내용의 중대학급편성명부를 작성, 행사한 경우

② (X) 감금행위가 단순히 강도상해 범행의 수단이 되는 데 그치지 아니하고 강도상해의 범행이 끝난 뒤에도 계속된 경우에는 1개의 행위가 감금죄와 강도상해죄에 해당하는 경우라고 볼 수 없고, 이 경우 감금죄와 강도상해죄는 형법 제37조의 경합범 관계에 있다(대법원 2003.1.10. 2002도4380).

③ (X) 건물관리인이 건물주로부터 월세임대차계약 체결업무를 위임받고도 임차인들을 속여 전세임대차계약을 체결하고 그 보증금을 편취한 경우, 사기죄와 별도로 업무상배임죄가 성립하고 두 죄가 실체적 경합범의 관계에 있다(대법원 2010.11.11. 2010도10690).
→ • 배임행위가 본인 이외의 제3자에 대한 '사기죄'를 구성하는 경우 별도로 '배임죄'의 성립 여부: 인정
• 이 경우 사기죄와 업무상배임죄의 죄수관계: 실체적 경합

17 0284

2019 경찰 2차(변형)

죄수(罪數)에 관한 설명으로 가장 적절하지 않은 것은? (다툼이 있는 경우 판례에 의함)

① 한 개의 행위가 여러 개의 죄에 해당하는 경우에는 가장 무거운 죄에 정한 형의 장기 또는 다액의 2분의 1까지 가중한다.
② 판결이 확정되지 아니한 수개의 죄 또는 금고 이상의 형에 처한 판결이 확정된 죄와 그 판결확정 전에 범한 죄를 경합범으로 한다.
③ 전기통신금융사기의 범인이 피해자를 기망하여 피해자의 돈을 사기이용계좌로 송금·이체받은 후에 사기이용계좌에서 현금을 인출한 행위는 불가벌적 사후행위로서 따로 횡령죄를 구성하지 않는다.
④ 피해자에 대한 폭행행위가 동일한 피해자에 대한 업무방해죄의 수단이 된 경우, 폭행행위가 이른바 불가벌적 수반행위에 해당하여 업무방해죄에 흡수된다고 볼 수 없다.

지문분석

난이도 중 정답 ①

| 키 워 드 | 수죄
| 출제유형 | 틀린 지문 고르기

① (X) 형법 제40조(상상적 경합) 한 개의 행위가 여러 개의 죄에 해당하는 경우에는 가장 무거운 죄에 대하여 정한 형으로 처벌한다.
→ ~~흡수주의~~
② (O) 형법 제37조(경합범)
③ (O) 전기통신금융사기(이른바 보이스피싱 범죄)의 범인이 피해자를 기망하여 피해자의 돈을 사기이용계좌로 송금·이체받았다면 이로써 편취행위는 기수에 이른다. 따라서 범인이 피해자의 돈을 보유하게 되었더라도 이로 인하여 피해자와 사이에 어떠한 위탁 또는 신임관계가 존재한다고 할 수 없는 이상 피해자의 돈을 보관하는 지위에 있다고 볼 수 없으며, 나아가 그 후에 범인이 사기이용계좌에서 현금을 인출하였더라도 이는 이미 성립한 사기범행의 실행행위에 지나지 아니하여 새로운 법익을 침해한다고 보기도 어려우므로, 위와 같은 인출행위는 사기의 피해자에 대하여 따로 횡령죄를 구성하지 아니한다(대법원 2017.5.31. 2017도3045).
④ (O) 대법원 2012.10.11. 2012도1895

18 0285

2020 경찰 2차

죄수(罪數)에 대한 다음 설명 중 적절한 것만을 모두 고른 것은? (다툼이 있는 경우 판례에 의함)

㉠ 피고인이 강취한 현금카드를 사용하여 현금자동지급기에서 현금을 인출한 행위는 강도죄와는 별도로 절도죄가 성립한다.
㉡ 전기통신금융사기(이른바 보이스피싱 범죄)의 범인이 피해자를 기망하여 피해자의 돈을 사기이용계좌로 송금·이체받은 후 그 계좌에서 현금을 인출하였다면, 송금·이체 행위에 대해서는 사기죄가, 현금을 인출한 행위에 대해서는 횡령죄가 성립하며 양 죄는 실체적 경합관계에 있다.
㉢ 음주로 인한 특정범죄 가중처벌 등에 관한 법률 위반(위험운전치사상)죄와 도로교통법위반(음주운전)죄가 모두 성립하는 경우 두 죄는 실체적 경합관계에 있다.
㉣ 신용카드를 절취한 후 이를 사용한 경우 신용카드의 부정사용행위는 선행 절도범행의 불가벌적 사후행위에 해당한다.

① ㉠, ㉡　② ㉡, ㉢　③ ㉠, ㉢　④ ㉢, ㉣

지문분석

난이도 중 정답 ③

| 키 워 드 | 수죄
| 출제유형 | 조합하기

㉠ (O) 강도죄는 공갈죄와는 달리 피해자의 반항을 억압할 정도로 강력한 정도의 폭행·협박을 수단으로 재물을 탈취하여야 성립하므로, 피해자로부터 현금카드를 강취하였다고 인정되는 경우에는 피해자로부터 현금카드의 사용에 관한 승낙의 의사표시가 있었다고 볼 여지가 없다. 따라서 강취한 현금카드를 사용하여 현금자동지급기에서 예금을 인출한 행위는 피해자의 승낙에 기한 것이라고 할 수 없으므로, 현금자동지급기 관리자의 의사에 반하여 그의 지배를 배제하고 그 현금을 자기의 지배하에 옮겨 놓는 것이 되어서 강도죄와는 별도로 절도죄를 구성한다(대법원 2007.5.10. 2007도1375).
㉢ (O) 음주로 인한 특정범죄 가중처벌 등에 관한 법률 위반(위험운전치사상)죄와 도로교통법 위반(음주운전)죄는 입법 취지와 보호법익 및 적용영역을 달리하는 별개의 범죄이므로, 양 죄가 모두 성립하는 경우 두 죄는 실체적 경합관계에 있다(대법원 2008.11.13. 2008도7143).
㉡ (X) 전기통신금융사기(이른바 보이스피싱 범죄)의 범인이 피해자를 기망하여 피해자의 자금을 사기이용계좌로 송금·이체받으면 사기죄는 기수에 이르고, 범인이 피해자의 자금을 점유하고 있다고 하여 피해자와의 어떠한 위탁관계나 신임관계가 존재한다고 볼 수 없을 뿐만 아니라, 그 후 범인이 사기이용계좌에서 현금을 인출하였더라도 이는 이미 성립한 사기범행이 예정하고 있던 행위에 지나지 아니하여 새로운 법익을 침해한다고 보기도 어려우므로, 위와 같은 인출행위는 사기의 피해자에 대하여 별도의 횡령죄를 구성하지 아니한다. 이러한 법리는 사기범행에 이용되리라는 사정을 알고서 자신 명의 계좌의 접근매체를 양도함으로써 사기범행을 방조한 종범이 사기이용계좌로 송금된 피해자의 자금을 임의로 인출한 경우에도 마찬가지로 적용된다(대법원 2017.5.31. 2017도3894).

㉣ (X) 신용카드를 절취한 후 이를 사용한 경우 신용카드의 부정사용행위는 새로운 법익의 침해로 보아야 하고 그 법익침해가 절도범행보다 큰 것이 대부분이므로 위와 같은 부정사용행위가 절도범행의 불가벌적 사후행위가 되는 것은 아니다(대법원 1996.7.12. 96도1181).

19 0286

2021 경찰 2차

죄수에 대한 설명으로 가장 적절하지 않은 것은? (다툼이 있는 경우 판례에 의함)

① 형법 제131조 제1항 수뢰후부정처사죄에 있어서 단일하고도 계속된 범의 아래 일정기간 반복하여 일련의 뇌물수수행위와 부정한 행위가 행하여졌고 뇌물수수행위와 부정한 행위 사이에 인과관계가 인정되며 피해법익도 동일한 경우에는 최후의 부정한 행위 이후에 저질러진 뇌물수수행위도 최후의 부정한 행위 이전의 뇌물수수행위 및 부정한 행위와 함께 수뢰후부정처사죄의 포괄일죄가 된다.

② 미성년자를 약취한 후 강간 목적으로 가혹한 행위 및 상해를 가하고 나아가 강간 및 살인미수를 범한 경우에는 약취한 미성년자에 대한 상해 등으로 인한 특정범죄 가중처벌 등에 관한 법률 위반죄와 미성년자에 대한 강간 및 살인미수행위로 인한 성폭력범죄의 처벌 등에 관한 특례법 위반죄가 성립하고, 상해의 결과가 피해자에 대한 강간 및 살인미수행위 과정에서 발생한 것이라면 각 죄는 상상적 경합관계에 있다.

③ 공무원이 직무관련자에게 제3자와 계약을 체결하도록 요구하여 계약을 체결하게 한 행위가 제3자뇌물수수죄와 직권남용권리행사방해죄의 구성요건에 모두 해당하는 경우에 제3자뇌물수수죄와 직권남용권리행사방해죄는 상상적 경합관계에 있다.

④ 택시운전을 방해하는 과정에서 택시운전사를 폭행한 경우에는 피해자에 대한 폭행행위가 동일한 피해자에 대한 업무방해죄의 수단이 되었다 하더라도 그 폭행행위를 불가벌적 수반행위라 볼 수 없다.

지문분석 난이도 중 정답 ②

| 키 워 드 | 수죄

| 출제유형 | 틀린 지문 고르기

② (X) 미성년자인 피해자를 약취한 후에 강간을 목적으로 피해자에게 가혹한 행위 및 상해를 가하고 나아가 그 피해자에 대한 강간 및 살인미수를 범하였다면, 이에 대하여는 약취한 미성년자에 대한 상해 등으로 인한 특정범죄 가중처벌 등에 관한 법률 위반죄 및 미성년자인 피해자에 대한 강간 및 살인미수행위로 인한 성폭력범죄의 처벌 등에 관한 특례법 위반죄가 각 성립하고, 설령 상해의 결과가 피해자에 대한 강간 및 살인미수행위 과정에서 발생한 것이라 하더라도 위 각 죄는 서로 형법 제37조 전단의 실체적 경합범 관계에 있다(대법원 2014.2.27. 2013도12301).

① (O) 대법원 2021.2.4. 2020도12103

③ (O) 대법원 2017.3.15. 2016도19659

④ (O) 대법원 2012.10.11. 2012도1895

20 0287

2019 경찰 승진

죄수(罪數)에 대한 설명으로 가장 적절하지 않은 것은? (다툼이 있는 경우 판례에 의함)

① 채권자들에 의한 복수의 강제집행이 예상되는 경우 재산을 은닉 또는 허위양도함으로써 채권자들을 해하였다면 채권자별로 각각 강제집행면탈죄가 성립하고, 상호 상상적 경합범의 관계에 있다.
② 경찰관이 압수물을 범죄 혐의의 입증에 사용하도록 하는 등의 적절한 조치를 취하지 않은 채 부하직원에게 지시하여 피압수자에게 돌려준 경우, 작위범인 증거인멸죄만이 성립하고 부작위범인 직무유기죄는 따로 성립하지 아니한다.
③ 범죄 피해 신고를 받고 출동한 두 명의 경찰관에게 욕설을 하면서 순차로 폭행을 하여 신고처리 및 수사업무에 관한 정당한 직무집행을 방해한 경우, 두 경찰관에 대한 공무집행방해죄는 상상적 경합관계에 있다.
④ 편취한 약속어음을 그와 같은 사실을 모르는 제3자에게 편취사실을 숨기고 할인받은 경우, 그 약속어음을 취득한 제3자가 선의이고 약속어음의 발행인이나 배서인이 어음금을 지급할 의사와 능력이 있었다면 제3자에 대한 별도의 사기죄는 성립하지 않는다.

지문분석 난이도 중 정답 ④

| 키 워 드 | 수죄

| 출제유형 | 틀린 지문 고르기

④ (X) 편취한 약속어음을 그와 같은 사실을 모르는 제3자에게 편취사실을 숨기고 할인받는 행위는 당초의 어음 편취와는 별개의 새로운 법익을 침해하는 행위로서 기망행위와 할인금의 교부행위 사이에 상당인과관계가 있어 새로운 사기죄를 구성한다 할 것이고, 설령 그 약속어음을 취득한 제3자가 선의이고 약속어음의 발행인이나 배서인이 어음금을 지급할 의사와 능력이 있었다 하더라도 이러한 사정은 사기죄의 성립에 영향이 없다(대법원 2005.9.30. 2005도5236).
① (O) 대법원 2011.12.8. 2010도4129
② (O) 대법원 2006.10.19. 2005도3909 전원합의체
③ (O) 대법원 2009.6.25. 2009도3505

21 0288

2019 경찰 간부

죄수에 대한 설명 중 가장 옳지 않은 것은? (다툼이 있는 경우 판례에 의함)

① 1개의 행위에 관하여 사기죄와 업무상배임죄의 각 구성요건이 모두 구비된 경우 양 죄는 상상적 경합관계에 있다.
② 강도범이 체포를 면탈할 목적으로 경찰관에게 폭행을 가한 경우 강도죄와 공무집행방해죄는 실체적 경합관계에 있다.
③ 수수한 메스암페타민을 장소를 이동하여 투약하고서 잔량을 은닉하는 방법으로 소지한 경우 구 향정신성의약품관리법의 향정신성의약품수수죄 외에 별도로 그 소지죄가 성립한다.
④ 물품을 수입하는 무역업자가 그 물품을 같은 해에 3차례에 걸쳐 수입하면서 그때마다 과세가격 또는 관세율을 허위로 신고하여 관세를 포탈하였다면 포괄하여 1개의 관세포탈죄를 구성한다.

지문분석 난이도 중 정답 ④

| 키 워 드 | 수죄

| 출제유형 | 틀린 지문 고르기

④ (X) [1] 조세포탈의 죄수는 위반사실의 구성요건 충족 횟수를 기준으로 하여 정하는 것이다.
[2] 그런데 관세법 제180조 제1항 제1호 소정의 관세포탈죄는 수입물품에 대한 정당한 관세의 확보를 그 보호법익으로 하는 것이므로, 수입물품의 수입신고를 하면서 과세가격 또는 관세율 등을 허위로 신고하여 수입하는 경우에는 그 수입신고시마다 당해 수입물품에 대한 정당한 관세의 확보라는 법익이 침해되어 별도로 구성요건이 충족되는 것이므로 각각의 허위 수입신고시마다 1개의 죄가 성립한다 할 것이다(대법원 2000.11.10. 99도782).
① (O) 1개의 행위에 관하여 사기죄와 업무상배임죄의 각 구성요건이 모두 구비된 때에는 양 죄를 법조경합 관계로 볼 것이 아니라 상상적 경합관계로 봄이 상당하다 할 것이고, 나아가 업무상배임죄가 아닌 단순배임죄라고 하여 양 죄의 관계를 달리 보아야 할 이유도 없다(대법원 2002.7.18. 2002도669 전원합의체).
② (O) 대법원 1992.7.28. 92도917
③ (O) 수수한 메스암페타민을 장소를 이동하여 투약하고서 잔량을 은닉하는 방법으로 소지한 행위는 그 소지의 경위나 태양에 비추어 볼 때 당초의 수수행위에 수반되는 필연적 결과로 볼 수는 없고, 사회통념상 수수행위와는 독립한 별개의 행위를 구성한다고 보아야 한다(대법원 1999.8.20. 99도1744).
→ 원심은 피고인의 메스암페타민 0.21g 소지행위가 별도의 소지죄를 구성하지 아니한다는 이유로 이 부분 공소사실에 대하여 무죄를 선고하였으니, 원심판결에는 향정신성의약품소지죄에 관한 법리를 오해함으로써 판결에 영향을 미친 위법이 있다는 판례이다.

22 0289

2019 경찰 간부

다음 설명 중 옳지 않은 것은 모두 몇 개인가? (다툼이 있는 경우 판례에 의함)

가. 미성년자의제강간죄 또는 미성년자의제강제추행죄는 행위시마다 1개의 범죄가 성립한다.

나. 음주 또는 약물의 영향으로 정상적인 운전이 곤란한 상태에서 자동차를 운전하여 사람을 상해에 이르게 함과 동시에 다른 사람의 재물을 손괴한 때에는 특정범죄 가중처벌 등에 관한 법률 위반(위험운전치사상)죄 외에 업무상 과실 재물 손괴로 인한 도로교통법 위반죄가 성립하고, 위 두 죄는 1개의 운전행위로 인한 것으로서 상상적 경합관계에 있다.

다. 금고 이상의 형에 처한 판결확정 전에 저질러진 것으로서 아직 판결을 받지 아니한 죄가 이미 판결이 확정된 죄와 동시에 판결할 수 없었던 경우, 형법 제39조 제1항에 따라 동시에 판결한 경우와 형평을 고려하여 형을 선고하거나 형을 감경 또는 면제할 수 있다.

라. 피해자에 대한 폭행행위가 동일한 피해자에 대한 업무방해죄의 수단이 되었다면, 그러한 폭행행위는 이른바 불가벌적 수반행위에 해당하여 업무방해죄에 대하여 흡수관계에 있다.

① 1개 ② 2개 ③ 3개 ④ 4개

지문분석 난이도 중 정답 ②

| 키 워 드 | 수죄

| 출제유형 | 개수 찾기

다. (X) '금고 이상의 형에 처한 판결이 확정된 죄와 그 판결확정 전에 범한 죄'는 형법 제37조 후단에서 정하는 경합범에 해당하고, 이 경우 형법 제39조 제1항에 의하여 경합범 중 판결을 받지 아니한 죄와 판결이 확정된 죄를 동시에 판결할 경우와 형평을 고려하여 그 죄에 대하여 형을 선고하여야 하는바, 아직 판결을 받지 아니한 죄가 이미 판결이 확정된 죄와 동시에 판결할 수 없었던 경우에는 형법 제39조 제1항에 따라 동시에 판결할 경우와 형평을 고려하여 형을 선고하거나 그 형을 감경 또는 면제할 수 없다고 해석함이 상당하다(대법원 2014.5.16. 2013도12003).

라. (X) 업무방해죄와 폭행죄는 구성요건과 보호법익을 달리하고 있고, 업무방해죄의 성립에 일반적·전형적으로 사람에 대한 폭행행위를 수반하는 것은 아니며, 폭행행위가 업무방해죄에 비하여 별도로 고려되지 않을 만큼 경미한 것이라고 할 수도 없으므로, 설령 피해자에 대한 폭행행위가 동일한 피해자에 대한 업무방해죄의 수단이 되었다고 하더라도 그러한 폭행행위가 이른바 '불가벌적 수반행위'에 해당하여 업무방해죄에 대하여 흡수관계에 있다고 볼 수는 없다(대법원 2012.10.11. 2012도1895).

가. (O) 대법원 1982.12.14. 82도2442

나. (O) 특정범죄 가중처벌 등에 관한 법률상 '위험운전치사상죄'와 도로교통법상 '업무상과실재물손괴죄'의 죄수관계: 상상적 경합(대법원 2010.1.14. 2009도10845)

23 0290

2020 경찰 간부

다음 설명 중 가장 옳지 않은 것은? (다툼이 있는 경우 판례에 의함)

① 비의료인이 의료기관을 개설하여 운영하는 도중 개설자 명의를 다른 의료인 등으로 변경한 경우에는 그 범의가 단일하다거나 범행방법이 종전과 동일하다고 보기 어렵다. 따라서 개설자 명의별로 별개의 범죄가 성립하고 각 죄는 실체적 경합관계에 있다고 보아야 한다.

② 피고인들이, 자신들이 개설한 인터넷 사이트를 통해 회원들로 하여금 음란한 동영상을 게시하도록 하고, 다른 회원들로 하여금 이를 다운받을 수 있도록 하는 방법으로 정보통신망을 통한 음란한 영상의 배포·전시를 방조한 행위가 단일하고 계속된 범의 아래 일정기간 계속하여 이루어졌고 피해법익도 동일한 경우 방조행위는 포괄일죄 관계에 있다.

③ 동시적 경합범에서 각 죄에 정한 형이 징역과 금고인 때에는 금고의 형기만큼 징역형으로 처벌할 수 없다.

④ 형법 제37조 후단 경합범에 대하여 형법 제39조 제1항에 의하여 형을 감경할 때에도 법률상 감경에 관한 형법 제55조 제1항이 적용되어 유기징역을 감경할 때에는 그 형기의 2분의 1 미만으로는 감경할 수 없다.

지문분석 난이도 중 정답 ③

| 키 워 드 | 수죄

| 출제유형 | 틀린 지문 고르기

③ (X) 경합범을 동시에 판결할 때에는 징역과 금고는 같은 종류의 형으로 보아 징역형으로 처벌한다(형법 제38조 제2항).

① (O) 대법원 2018.11.29. 2018도10779

② (O) 대법원 2010.11.25. 2010도1588

④ (O) 대법원 2019.4.18. 2017도14609 전원합의체

형법총론

PART 03

형벌론

기출키워드

01 형벌론	• 형벌의 종류 • 몰수 · 추징 • 형의 가중 · 감경 · 면제 • 집행유예 · 선고유예 • 형의 시효 · 소멸

CHAPTER 01 형벌론

문제풀이 전략

01 형벌론	• 몰수와 관련된 판례를 반드시 알고 있어야 합니다. • 집행유예와 선고유예의 출제가 예측되므로, 이와 관련된 조문과 판례를 학습해야 합니다.

CHAPTER

01 형벌론

■ 기본서 연계페이지: p.450~488 ■ 문항 수: 18문항

1 형벌의 종류

01 0291

2018 경찰 3차

몰수와 추징에 대한 설명으로 가장 적절하지 않은 것은? (다툼이 있는 경우 판례에 의함)

① 행위자에게 유죄의 재판을 아니할 때에도 몰수의 요건이 있는 때에는 몰수만을 선고할 수 있다.
② 마약류 관리에 관한 법률 제67조의 몰수나 추징을 선고하기 위하여는 몰수나 추징의 요건이 공소가 제기된 범죄사실과 관련되어 있어야 하므로, 법원으로서는 범죄사실에서 인정되지 아니한 사실에 관하여는 몰수나 추징을 선고할 수 없다.
③ 형법 제134조에 의한 필요적 몰수의 경우 뇌물에 공할 금품이 특정되지 않았던 것은 몰수할 수 없고 그 가액을 추징할 수도 없다.
④ 형법 제357조에 의한 필요적 몰수의 경우 배임수재자가 배임증재자로부터 받은 재물을 그대로 가지고 있다가 증재자에게 반환하였더라도 수재자로부터 이를 몰수하거나 그 가액을 추징하여야 한다.

지문분석 난이도 중 정답 ④

| 키 워 드 | 몰수와 추징
| 출제유형 | 틀린 지문 고르기

④ (X) 수재자가 증재자로부터 받은 재물을 그대로 가지고 있다가 증재자에게 반환하였다면 증재자로부터 이를 몰수하거나 그 가액을 추징하여야 한다(대법원 2017.4.7. 2016도18104).
① (O) 형법 제49조(몰수의 부가성)
② (O) 대법원 2016.12.15. 2016도16170
③ (O) 대법원 1996.5.8. 96도221

02 0292

2019 경찰 승진

몰수·추징에 대한 설명으로 가장 적절하지 않은 것은? (다툼이 있는 경우 판례에 의함)

① 변호사법 위반의 범행으로 금품을 취득한 경우 그 범행과정에서 지출한 비용은 그 금품을 취득하기 위하여 지출한 부수적 비용이고, 몰수하여야 할 것은 변호사법 위반의 범행으로 취득한 금품 그 자체이므로, 취득한 금품이 이미 처분되어 추징할 금원을 산정할 때 그 금품의 가액에서 그 지출 비용을 공제하여야 한다.
② 금품의 무상대여를 통하여 위법한 재산상 이익을 취득한 경우 범인이 받은 부정한 이익은 그로 인한 금융이익 상당액이므로 추징의 대상이 되는 것은 무상으로 대여받은 금품 그 자체가 아니라 그 금융이익 상당액이다.
③ 히로뽕을 수수하여 그중 일부를 직접 투약한 경우에는 수수한 히로뽕의 가액만을 추징할 수 있고 직접 투약한 부분에 대한 가액을 별도로 추징할 수 없다.
④ 몰수의 대상이 되는 물건은 반드시 압수되어 있는 물건에 대하여서만 하는 것이 아니므로, 몰수대상물건이 압수되어 있는가 하는 점 및 적법한 절차에 의하여 압수되었는가 하는 점은 몰수의 요건이 아니다.

지문분석 난이도 중 정답 ①

| 키 워 드 | 몰수와 추징
| 출제유형 | 틀린 지문 고르기

① (X) 변호사법 위반의 범행으로 금품을 취득한 경우 그 범행과정에서 지출한 비용은 그 금품을 취득하기 위하여 지출한 부수적 비용에 불과하고, 몰수하여야 할 것은 변호사법 위반의 범행으로 취득한 금품 그 자체이므로, 취득한 금품이 이미 처분되어 추징할 금원을 산정할 때 그 금품의 가액에서 위 지출 비용을 공제할 수는 없다(대법원 2008.10.9. 2008도6944).
② (O) 대법원 2014.5.16. 2014도1547
③ (O) 대법원 2000.9.8. 2000도546
④ (O) 대법원 2003.5.30. 2003도705

03 0293

2021 경찰 간부

몰수와 추징에 대한 설명으로 옳은 것은? (다툼이 있는 경우 판례에 의함)

① 甲주식회사 대표이사가 금융기관에 청탁하여 乙주식회사의 대출을 알선하고 그 대가로 용역대금 명목의 수수료를 받아 특정경제범죄 가중처벌 등에 관한 법률 위반죄를 범한 경우, 수수료에 대한 권리는 甲회사에 귀속되기 때문에 수수료로 받은 금품을 몰수 또는 그 가액을 추징할 수 없다.
② 몰수는 범죄에 의한 이득을 박탈하는 데 그 취지가 있고 추징도 이러한 몰수의 취지를 관철하기 위한 것이라는 점에서 추징가액의 산정은 재판선고시의 가격이 기준이 된다.
③ 형법 제48조 제1항의 '범인'에 해당하는 공범자는 유죄의 죄책을 지는 자에 국한되므로, 유죄의 죄책을 지지 않는 공범자의 물건은 몰수할 수 없다.
④ 효력을 상실한 압수·수색영장에 기하여 다시 압수를 실시하여 압수해 온 물건을 몰수하였다면, 해당 몰수는 위법한 것으로 효력이 없다.

지문분석 난이도 중 정답 ②

| 키 워 드 | 몰수와 추징
| 출제유형 | 옳은 지문 고르기

② (O) 몰수할 수 없는 때 추징하여야 할 가액은 범인이 그 물건을 보유하고 있다가 몰수의 선고를 받았더라면 잃었을 이득상당액을 의미한다고 보아야 하므로 그 가액산정은 재판선고시의 가격을 기준으로 하여야 한다(대법원 2007.3.15. 2006도9314).
① (X) 甲주식회사 대표이사인 피고인이 금융기관에 청탁하여 乙주식회사가 대출을 받을 수 있도록 알선행위를 하고 그 대가로 용역대금 명목의 수수료를 甲회사 계좌를 통해 송금받아 특정경제범죄 가중처벌 등에 관한 법률 위반(알선수재)죄가 인정된 사안에서, 피고인이 甲회사의 대표이사로서 같은 법 제7조에 해당하는 행위를 하고 당해 행위로 인한 대가로 수수료를 받았다면, 수수료에 대한 권리가 甲회사에 귀속된다 하더라도 행위자인 피고인으로부터 수수료로 받은 금품을 몰수 또는 그 가액을 추징할 수 있으므로, 피고인이 개인적으로 실제 사용한 금품이 없더라도 마찬가지라고 본 원심판단은 정당하다(대법원 2015.1.15. 2012도7571).
③ (X) 형법 제48조 제1항의 '범인'에 해당하는 공범자는 반드시 유죄의 죄책을 지는 자에 국한된다고 볼 수 없고 공범에 해당하는 행위를 한 자이면 족하므로 이러한 자의 소유물도 형법 제48조 제1항의 '범인 이외의 자의 소유에 속하지 아니하는 물건'으로서 이를 피고인으로부터 몰수할 수 있다(대법원 2006.11.23. 2006도5586).
④ (X) [1] 범죄행위에 제공하려고 한 물건은 범인 이외의 자의 소유에 속하지 아니하거나 범죄 후 범인 이외의 자가 정을 알면서 취득한 경우 이를 몰수할 수 있고, 한편 법원이나 수사기관은 필요한 때에는 증거물 또는 몰수할 것으로 사료하는 물건을 압수할 수 있으나, 몰수는 반드시 압수되어 있는 물건에 대하여서만 하는 것이 아니므로, 몰수대상물건이 압수되어 있는가 하는 점 및 적법한 절차에 의하여 압수되었는가 하는 점은 몰수의 요건이 아니다.
[2] 이미 그 집행을 종료함으로써 효력을 상실한 압수·수색영장에 기하여 다시 압수·수색을 실시하면서 몰수대상물건을 압수한 경우, 압수 자체가 위법하게 됨은 별론으로 하더라도 그것이 위 물건의 몰수의 효력에는 영향을 미칠 수 없다(대법원 2003.5.30. 2003도705).

2 형의 양정과 누범

04 0294

2012 경찰 3차(변형)

다음 형법상 형의 감경·면제사유 중 임의적 감면사유는 모두 몇 개인가?

㉠ 장애미수(제25조 제2항)
㉡ 듣거나 말하는 데 모두 장애가 있는 사람(제11조)
㉢ 외국에서 받은 형의 집행(제7조)
㉣ 중지미수(제26조)
㉤ 심신미약자(제10조 제2항)
㉥ 과잉자구행위(제23조 제2항)

① 1개 ② 2개
③ 3개 ④ 4개

지문분석 난이도 중 정답 ①

| 키 워 드 | 형의 감경·면제사유
| 출제유형 | 개수 찾기

㉥ (O) 과잉자구행위는 임의적 감면사유에 해당한다.
㉠, ㉤ (X) 장애미수와 심신미약자는 임의적 감경에 해당한다.
㉡ (X) 듣거나 말하는 데 모두 장애가 있는 사람은 필요적 감경에 해당한다.
㉢ (X) 외국에서 받은 형의 집행은 필요적 산입에 해당한다.
㉣ (X) 중지미수는 필요적 감면에 해당한다.

05 0295

2008 경찰 2차(변형)

법정형이 5년 이상의 유기징역으로 되어 있는 죄가 누범인 경우 그 처단형의 범위는?

① 5년 이상 50년 이하의 징역
② 5년 이상 30년 이하의 징역
③ 10년 이상 30년 이하의 징역
④ 10년 이상 50년 이하의 징역

지문분석 난이도 중 정답 ①

| 키 워 드 | 누범
| 출제유형 | 옳은 지문 고르기

① (O) 법정형이 5년 이상의 유기징역인 경우 법정형은 형법 제42조 본문에 의해 5년 이상 30년 이하의 징역이 된다. 형법은 누범 가중시 장기만을 가중하고 있으므로, 제35조 제2항에 따라 누범 가중한 경우 5년 이상 60년 이하의 징역이 되지만, 제42조 단서에 의하여 50년을 초과하지 못하기 때문에, 누범 가중된 처단형의 범위는 5년 이상 50년 이하의 징역이 된다.

✔ 개념체크 **형법 제35조, 제42조**

제35조(누범) ① 금고 이상의 형을 선고받아 그 집행이 종료되거나 면제된 후 3년 내에 금고 이상에 해당하는 죄를 지은 사람은 누범으로 처벌한다.
② 누범의 형은 그 죄에 대하여 정한 형의 장기의 2배까지 가중한다.

제42조(징역 또는 금고의 기간) 징역 또는 금고는 무기 또는 유기로 하고 유기는 1개월 이상 30년 이하로 한다. 단, 유기징역 또는 유기금고에 대하여 형을 가중하는 때에는 50년까지로 한다.

06 0296

2020 경찰 2차

다음 설명 중 가장 적절하지 않은 것은? (다툼이 있는 경우 판례에 의함)

① 형사사건으로 외국 법원에 기소되었다가 무죄판결을 받은 사람은, 설령 그가 무죄판결을 받기까지 상당 기간 미결구금되었더라도 이를 유죄판결에 의하여 형이 실제로 집행된 것으로 볼 수는 없으므로, '외국에서 형의 전부 또는 일부가 집행된 사람'에 해당한다고 볼 수 없고, 그 미결구금 기간은 형법 제7조에 의한 산입의 대상이 될 수 없다.
② 피고인이 수사기관에 자진 출석하여 처음 조사를 받으면서는 돈을 차용하였을 뿐이라며 범죄사실을 부인하다가 제2회 조사를 받으면서 비로소 업무와 관련하여 돈을 수수하였다고 자백한 행위를 자수라고 할 수 없다.
③ 법관은 양형을 함에 있어 법정형에서 형의 가중·감면 등을 거쳐 형성된 처단형의 범위 내에서 양형의 조건을 참작하여 선고형을 정하여야 한다.
④ 작량감경이란 법률상 특별한 감경사유가 없는 경우에도 피고인에게 정상참작의 여지가 있을 때 법원이 재량으로 하는 형의 감경이고, 법률상 감경사유가 있을 때에는 항상 작량감경이 우선해야 한다.

지문분석 난이도 중 정답 ④

| 키 워 드 | 형의 양정
| 출제유형 | 틀린 지문 고르기

④ (X) 작량감경이란 법률상 특별한 감경사유가 없는 경우에도 피고인에게 정상참작의 여지가 있을 때 법원이 재량으로 하는 형의 감경이나, 법률상 감경사유가 있을 때에는 작량감경보다 법률상 감경을 우선하여 하여야 한다(형법 제56조 참조).
① (O) 대법원 2017.8.24. 2017도5977 전원합의체
② (O) 대법원 2011.12.22. 2011도12041
③ (O) 형의 양정은 법정형 확인, 처단형 확정, 선고형 결정 등 단계로 구분된다. 법관은 형의 양정을 할 때 법정형에서 형의 가중·감경 등을 거쳐 형성된 처단형의 범위 내에서만 양형의 조건을 참작하여 선고형을 결정하여야 하고, 이는 형법 제37조 후단 경합범의 경우에도 마찬가지이다(대법원 2019.4.18. 2017도14609 전원합의체).

07 0297 2021 경찰 2차

형의 가중·감경에 대한 설명으로 옳지 않은 것은 모두 몇 개인가? (다툼이 있는 경우 판례에 의함)

㉠ 임의적 감경사유의 존재가 인정되고 법관이 그에 따라 징역형에 대해 법률상 감경을 하는 경우에는 법정형의 하한만 2분의 1로 감경한다.
㉡ 경합범에 대하여 형법 제38조 제1항 제3호에 의하여 징역형과 벌금형을 병과하는 경우 징역형에만 작량감경을 하고 벌금형에는 작량감경을 하지 아니하는 것은 위법하다.
㉢ 법정형에 하한이 설정된 형법 제37조 후단 경합범에 대하여 형법 제39조 제1항 후문에 따라 형을 감경할 때에는 형법 제55조 제1항이 적용되지 아니하여 유기징역의 경우에는 그 형기의 2분의 1 미만으로도 감경할 수 있다.
㉣ 절도죄로 3차례에 걸쳐 징역형을 선고받고 그 형의 집행을 종료한 후, 누범기간 내에 수회의 절도범행을 저지른 경우에는 반복적으로 범행을 저지르는 절도 사범에 관한 법정형을 강화한 특정범죄 가중처벌 등에 관한 법률(2016.1.6. 법률 제13717호로 개정·시행) 제5조의4 제5항 제1호가 적용되므로 별도로 형법 제35조의 누범가중한 형기범위 내에서 처단형을 정할 필요는 없다.
㉤ 반복된 음주운전행위에 대해 도로교통법(2011.6.8. 법률 제10790호로 개정) 제148조의2 제1항 제1호를 적용하고 다시 형법 제35조에 의한 누범가중을 하는 것은 헌법상 일사부재리나 이중처벌금지에 반하지 아니한다.

① 1개 ② 2개
③ 3개 ④ 4개

지문분석 난이도 중 정답 ④

| 키 워 드 | 형의 가중·감경
| 출제유형 | 개수 찾기

㉠ (X) 필요적 감경의 경우에는 감경사유의 존재가 인정되면 반드시 형법 제55조 제1항에 따른 법률상 감경을 하여야 함에 반해, 임의적 감경의 경우에는 감경사유의 존재가 인정되더라도 법관이 형법 제55조 제1항에 따른 법률상 감경을 할 수도 있고 하지 않을 수도 있다. 나아가 임의적 감경사유의 존재가 인정되고 법관이 그에 따라 징역형에 대해 법률상 감경을 하는 이상 형법 제55조 제1항 제3호에 따라 상한과 하한을 모두 2분의 1로 감경한다(대법원 2021.1.21. 2018도5475 전원합의체).
㉡ (X) 형법 제38조 제1항 제3호에 의하여 징역형과 벌금형을 병과하는 경우에는 각 형에 대한 범죄의 정상에 차이가 있을 수 있으므로 징역형에만 작량감경을 하고 벌금형에는 작량감경을 하지 아니하였다고 하여 이를 위법하다고 할 수 없다(대법원 2006.3.23. 2006도1076).
㉢ (X) 형법 제37조 후단 경합범에 대하여 형법 제39조 제1항에 의하여 형을 감경할 때에도 법률상 감경에 관한 형법 제55조 제1항이 적용되어 유기징역을 감경할 때에는 그 형기의 2분의 1 미만으로는 감경할 수 없다(대법원 2019.4.18. 2017도14609 전원합의체).
㉣ (X) 2016.1.6. 법률 제13717호로 개정·시행된 특정범죄 가중처벌 등에 관한 법률 제5조의4 제5항은 "형법 제329조부터 제331조까지, 제333조부터 제336조까지 및 제340조·제362조의 죄 또는 그 미수죄로 세 번 이상 징역형을 받은 사람이 다시 이들 죄를 범하여 누범으로 처벌하는 경우에는 다음 각호의 구분에 따라 가중처벌한다."라고 규정하면서, 같은 항 제1호(이하 '처벌 규정'이라고 한다)는 "형법 제329조부터 제331조까지의 죄(미수범을 포함한다)를 범한 경우에는 2년 이상 20년 이하의 징역에 처한다."고 규정하고 있다. 처벌 규정은 입법 취지가 반복적으로 범행을 저지르는 절도 사범에 관한 법정형을 강화하기 위한 데 있고, 조문의 체계가 일정한 구성요건을 규정하는 형식으로 되어 있으며, 적용요건이나 효과도 형법 제35조와 달리 규정되어 있다. 이러한 처벌 규정의 입법 취지, 형식 및 형법 제35조와의 차이점 등에 비추어 보면, 처벌 규정은 형법 제35조(누범) 규정과는 별개로 "형법 제329조부터 제331조까지의 죄(미수범 포함)를 범하여 세 번 이상 징역형을 받은 사람이 그 누범 기간 중에 다시 해당 범죄를 저지른 경우에 형법보다 무거운 법정형으로 처벌한다."는 내용의 새로운 구성요건을 창설한 것으로 해석해야 한다. 따라서 처벌 규정에 정한 형에 다시 형법 제35조의 누범가중한 형기범위 내에서 처단형을 정하여야 한다(대법원 2020.5.14. 2019도18947).
㉤ (O) 도로교통법 제148조의2 제1항 제1호(이하 '이 사건 법률조항'이라고 한다)는 입법취지가 반복적 음주운전행위에 대한 법정형을 강화하기 위한 데 있다고 보이고, 조문의 체계가 일정한 구성요건을 규정하는 형식으로 되어 있으며, 적용요건이나 효과도 형법 제35조와 달리 규정되어 있는 점, 누범을 가중처벌하는 이유는 전범에 대한 형벌에 의하여 주어진 기왕의 경고를 무시하고 다시 범죄를 저질렀다는 점에서 비난가능성 및 책임이 높기 때문이지 전범에 대하여 처벌을 받았음에도 다시 범행을 하는 경우에 전범도 후범과 일괄하여 다시 처벌한다는 것은 아닌 점 등에 비추어 보면, 이 사건 법률조항을 적용하고 다시 형법 제35조에 의한 누범가중을 허용한다고 하더라도 헌법상의 일사부재리나 이중처벌금지에 반한다고 볼 수 없다(대법원 2014.7.10. 2014도5868).

08 0298

2018 경찰 승진

형법상 양형의 조건으로 가장 적절하지 않은 것은?

① 피해자에 대한 관계
② 범행 전의 정황
③ 범인의 연령, 성행, 지능과 환경
④ 범행의 동기, 수단과 결과

지문분석 난이도 중 정답 ②

| 키 워 드 | 양형의 조건
| 출제유형 | 틀린 지문 고르기

② (X) 범행 '전'의 정황이 아니라, 범행 '후'의 정황이다.
①, ③, ④ (O) 올바른 양형의 조건이다.

✓ 개념체크 **형법 제51조(양형의 조건)**

형을 정함에 있어서는 다음 사항을 참작하여야 한다.
1. 범인의 연령, 성행, 지능과 환경
2. 피해자에 대한 관계
3. 범행의 동기, 수단과 결과
4. 범행 후의 정황

3 집행유예 · 선고유예 · 가석방

09 0299

2018 경찰 1차

선고유예제도에 대한 설명으로 옳은 것을 모두 고른 것은? (다툼이 있는 경우 판례에 의함)

㉠ 선고유예는 집행유예와 마찬가지로 법원이 유예기간을 정하여야 한다.
㉡ 주형에 대하여 선고를 유예하는 경우에는 그 부가할 몰수 추징에 대하여도 선고를 유예할 수 있으나, 그 주형에 대하여 선고를 유예하지 아니하면서 이에 부가할 몰수 추징에 대하여서만 선고를 유예할 수는 없다.
㉢ 피고인이 범죄사실을 자백하지 않고 부인한 경우에는 선고유예의 요건 중 '개전의 정상이 현저한 때'에 해당하지 않으므로 언제나 선고유예를 할 수 없다.
㉣ 선고유예의 실효사유인 '형의 선고유예를 받은 자가 자격정지 이상의 형에 처한 전과가 발견된 때'란 형의 선고유예의 판결이 확정된 후에 전과가 발견된 경우를 말한다.

① ㉠, ㉡　　② ㉡, ㉣
③ ㉠, ㉢　　④ ㉢, ㉣

지문분석 난이도 중 정답 ②

| 키 워 드 | 선고유예
| 출제유형 | 조합하기

㉡ (O) 대법원 1979.4.10. 78도3098
㉣ (O) **선고유예의 실효를 규정한 형법 제61조 제1항에서 말하는 '형의 선고유예를 받은 자가 자격정지 이상의 형에 처한 전과가 발견된 때'의 의미**
형법 제61조 제1항에서 말하는 '형의 선고유예를 받은 자가 자격정지 이상의 형에 처한 전과가 발견된 때'란 형의 선고유예의 판결이 확정된 후에 비로소 위와 같은 전과가 발견된 경우를 말하고 그 판결확정 전에 이러한 전과가 발견된 경우에는 이를 취소할 수 없으며, 이때 판결확정 전에 발견되었다고 함은 검사가 명확하게 그 결격사유를 안 경우만을 말하는 것이 아니라 당연히 그 결격사유를 알 수 있는 객관적 상황이 존재함에도 부주의로 알지 못한 경우도 포함한다(대법원 2008.2.14. 2007모845 결정).
→ 검사는 선고유예의 판결확정 전에 이미 피고인에 대한 선고유예의 결격사유를 알았다(또는 부주의로 알지 못하였다)는 이유로 대법원이 선고유예실효청구를 기각한 결정이다.
㉠ (X) 선고유예기간은 2년으로 법정화되어 있어 집행유예와 달리 법원이 별도로 정하지는 않는다.

구분	선고유예	집행유예
유예기간	2년 (법원이 별도로 정하지 않음)	1년 이상 5년 이하 (법원이 이 기간 내에서 정함)

㉢ (X) **선고유예의 요건 중 '개전의 정상이 현저한 때'의 의미**
선고유예의 요건 중 '개전의 정상이 현저한 때'라고 함은, 반성의 정도를

포함하여 널리 형법 제51조가 규정하는 양형의 조건을 종합적으로 참작하여 볼 때 형을 선고하지 않더라도 피고인이 다시 범행을 저지르지 않으리라는 사정이 현저하게 기대되는 경우를 가리킨다고 해석할 것이고, 이와 달리 여기서의 '개전의 정상이 현저한 때'가 반드시 피고인이 죄를 깊이 뉘우치는 경우만을 뜻하는 것으로 제한하여 해석하거나, 피고인이 범죄사실을 자백하지 않고 부인할 경우에는 언제나 선고유예를 할 수 없다고 해석할 것은 아니다(대법원 2003.2.20. 2001도6138 전원합의체).

10 0300 2019 경찰 1차(변형)

형벌에 관한 설명 중 옳지 않은 것은? (다툼이 있는 경우 판례에 의함)

① 형법 제55조 제1항 제6호에서 벌금을 감경할 때의 다액의 2분의 1이라는 문구는 그 상한과 함께 하한도 2분의 1로 내려가는 것으로 해석하여야 한다.
② 무죄의 판결을 선고하는 경우, 피고인이 무죄판결공시 취지의 선고에 동의하지 아니하거나 피고인의 동의를 받을 수 없는 경우를 제외하고 무죄판결공시의 취지를 선고하여야 한다.
③ 500만원의 벌금형을 선고할 경우, 금고 이상의 형을 선고한 판결이 확정된 때부터 그 집행을 종료한 후 3년까지의 기간에 범한 죄가 아니고 형법 제51조의 사항을 참작하여 그 범죄의 정상에 참작할 만한 사유가 있더라도 그 형의 집행을 유예할 수 없다.
④ 1천만원의 벌금형을 선고할 경우, 형법 제51조의 사항을 고려하여 뉘우치는 정상이 뚜렷하고 자격정지 이상의 형을 받은 전과가 없다면, 그 형의 선고를 유예할 수 있다.

지문분석 난이도 중 정답 ③

| 키 워 드 | 형벌
| 출제유형 | 틀린 지문 고르기

③ (X) 형법 제62조 제1항
→ 500만원 이하의 벌금의 형에 대한 집행유예는 2016.1.6. 개정되어 2018.1.7.부터 시행되고 있다.
① (O) 형법 제55조 제1항 제6호의 벌금을 감경할 때의 다액의 2분의 1이라는 문구는 금액의 2분의 1이라고 해석하여 그 상한과 함께 하한도 2분의 1로 내려가는 것으로 해석하여야 한다(대법원 1978.4.25. 78도246 전원합의체).
② (O) 형법 제58조 제2항
④ (O) 형법 제59조 제1항

✓ 개념체크 **형법 제58조(판결의 공시)**

① 피해자의 이익을 위하여 필요하다고 인정할 때에는 피해자의 청구가 있는 경우에 한하여 피고인의 부담으로 판결공시의 취지를 선고할 수 있다.
② 피고사건에 대하여 무죄의 판결을 선고하는 경우에는 무죄판결공시의 취지를 선고하여야 한다. 다만, 무죄판결을 받은 피고인이 ㉠ 무죄판결공시 취지의 선고에 동의하지 아니하거나 ㉡ 피고인의 동의를 받을 수 없는 경우에는 그러하지 아니하다.
③ 피고사건에 대하여 면소의 판결을 선고하는 경우에는 면소판결공시의 취지를 선고할 수 있다.

11 0301

2019 경찰 승진

형의 선고유예·집행유예에 대한 설명으로 가장 적절하지 않은 것은? (다툼이 있는 경우 판례에 의함)

① 형의 선고유예를 받은 날로부터 2년을 경과한 때에는 면소된 것으로 간주한다.
② 형의 선고를 유예하는 판결을 할 경우에는 유예되는 선고형에 대한 판단이 있어야 한다.
③ 하나의 자유형 중 일부에 대해서는 실형을, 나머지에 대해서는 집행유예를 선고하는 것은 허용되지 않는다.
④ 집행유예를 선고하면서 피고인에게 유죄로 인정된 범죄행위를 뉘우치거나 그 범죄행위를 공개하는 취지의 말이나 글을 발표하도록 하는 내용의 사회봉사를 명하는 것은 허용될 수 있다.

지문분석 난이도 중 정답 ④

| 키 워 드 | 선고유예와 집행유예
| 출제유형 | 틀린 지문 고르기

④ (X) [1] 일정한 금원의 출연을 내용으로 하는 사회봉사명령이 허용되지 않는다.
[2] 피고인에게 자신의 범죄행위와 관련하여 어떤 말이나 글을 공개적으로 발표하도록 명하는 내용의 사회봉사명령이 허용되지 않는다.
[3] 재벌그룹 회장의 횡령행위 등에 대하여 집행유예를 선고하면서 사회봉사명령으로서 금전출연을 주된 내용으로 하는 사회공헌계획의 성실한 이행, 준법경영을 주제로 하는 강연과 기고를 명하는 것은 허용될 수 없다(대법원 2008.4.11. 2007도8373).
→ 정몽구 사회봉사명령 사건
① (O) 형법 제60조(선고유예의 효과)
② (O) 형법 제59조에 의하여 형의 선고를 유예하는 판결을 할 경우에도 선고가 유예된 형에 대한 판단을 하여야 하므로, 선고유예 판결에서도 그 판결 이유에서는 선고형을 정해 놓아야 하고 그 형이 벌금형일 경우에는 벌금액뿐만 아니라 환형유치처분까지 해 두어야 한다(대법원 2015.1.29. 2014도15120).
③ (O) 대법원 2007.2.22. 2006도8555

12 0302

2018 경찰 승진

선고유예와 집행유예에 대한 설명으로 가장 적절한 것은? (다툼이 있는 경우 판례에 의함)

① 형의 선고를 유예하는 경우 재범방지를 위하여 필요한 때에는 보호관찰을 받을 것을 명할 수 있고 그 기간은 법원이 형법 제51조의 사항을 참작하여 재량으로 한다.
② 집행유예의 선고를 받은 후 그 선고의 실효 또는 취소됨이 없이 유예기간을 경과한 때에는 형의 선고는 효력을 잃는다.
③ 집행유예의 선고를 받은 자가 유예기간 중 고의 또는 과실로 범한 죄로 금고 이상의 실형을 선고받아 그 판결이 확정된 때에는 집행유예의 선고는 효력을 잃는다.
④ 주형에 대해 선고유예하지 않으면서 부가형에 대하여만 선고유예할 수 있다.

지문분석 난이도 중 정답 ②

| 키 워 드 | 선고유예와 집행유예
| 출제유형 | 옳은 지문 고르기

② (O) 형법 제65조(집행유예의 효과)
① (X) 선고유예시 보호관찰기간은 1년이다(형법 제59조의2).

> **제59조의2(보호관찰)** ① 형의 선고를 유예하는 경우에 재범방지를 위하여 지도 및 원호가 필요한 때에는 보호관찰을 받을 것을 명할 수 있다.
> ② 제1항의 규정에 의한 보호관찰의 기간은 1년으로 한다.

③ (X) '고의 또는 과실로 범한 죄'가 아니라, '고의로 범한 죄'이다(형법 제63조).

> **제63조(집행유예의 실효)** 집행유예의 선고를 받은 자가 유예기간 중 고의로 범한 죄로 금고 이상의 실형을 선고받아 그 판결이 확정된 때에는 집행유예의 선고는 효력을 잃는다.

④ (X) **주형에 대하여 선고를 유예하지 않으면서 이에 부가할 몰수·추징에 대해서만 선고를 유예할 수 있는지 여부: 부정**
형법 제59조에 의하더라도 몰수는 선고유예의 대상으로 규정되어 있지 아니하고 다만 몰수 또는 이에 갈음하는 추징은 부가형적 성질을 띠고 있어 그 주형에 대하여 선고를 유예하는 경우에는 그 부가할 몰수·추징에 대하여도 선고를 유예할 수 있으나, 그 주형에 대하여 선고를 유예하지 아니하면서 이에 부가할 몰수·추징에 대하여서만 선고를 유예할 수는 없다(대법원 1988.6.21. 88도551).

✔ 개념체크 보호관찰기간

구분	선고유예	집행유예	가석방
보호관찰기간	1년	집행유예기간 (다만, 법원은 유예기간의 범위 내에서 보호관찰기간을 정할 수 있음)	가석방기간 (다만, 가석방을 허가한 행정관청이 필요가 없다고 인정한 때에는 그러하지 아니함)

13 0303 2017 경찰 승진

집행유예와 선고유예에 관한 설명 중 가장 적절하지 않은 것은? (다툼이 있는 경우 판례에 의함)

① 집행유예 시 받은 사회봉사명령 또는 수강명령은 집행유예 기간 내에 이를 집행한다.

② 형의 집행을 유예하면서 피고인에게 유죄로 인정된 범죄행위를 뉘우치거나 그 범죄행위를 공개하는 취지의 말이나 글을 발표하도록 하는 내용의 사회봉사명령은 위법하다.

③ 주형과 부가형이 있는 경우 주형을 선고유예하면서 부가형도 선고유예할 수 있지만, 주형을 선고유예하지 않으면서 부가형만을 선고유예할 수는 없다.

④ 형법 제37조 후단 경합범 중 판결을 받지 아니한 죄에 대하여 형을 선고하는 경우에, 형법 제37조 후단에 규정된 '금고 이상의 형에 처한 판결이 확정된 죄'의 형은 형법 제59조 제1항 단서에서 정한 선고유예의 예외사유인 '자격정지 이상의 형을 받은 전과'에 포함되지 않는다.

지문분석

난이도 중 정답 ④

| 키 워 드 | 선고유예와 집행유예

| 출제유형 | 틀린 지문 고르기

④ (X) 형법 제37조 후단 경합범 중 판결을 받지 아니한 죄에 대하여 형을 선고하는 경우에, 형법 제37조 후단에 규정된 '금고 이상의 형에 처한 판결이 확정된 죄'의 형도 형법 제59조 제1항 단서에서 정한 선고유예의 예외사유인 '자격정지 이상의 형을 받은 전과'에 포함된다(대법원 2010.7.8. 2010도931).

① (O) 형법 제62조의2 제3항

② (O) 대법원 2008.4.11. 2007도8373 <정몽구 사회봉사명령 사건>
→ 사회봉사는 일 또는 근로활동을 의미하는 것이기 때문이다.

③ (O) 대법원 1979.4.10. 78도3098

✔ **개념체크 보호관찰·사회봉사·수강명령**

<table>
<tr><th colspan="2">구분</th><th colspan="2">집행유예</th><th>선고유예</th><th>가석방</th></tr>
<tr><td rowspan="2">보안처분</td><td>내용</td><td>보호관찰
(임의적)</td><td>사회봉사,
수강명령
(임의적)</td><td>보호관찰
(임의적)</td><td>보호관찰(필요적).
단, 필요 없다고
인정한 때에는
부과 X</td></tr>
<tr><td>기간</td><td>집행유예
기간. 단,
감축 가능</td><td>집행유예
기간 내</td><td>1년</td><td>가석방기간</td></tr>
</table>

14 0304 2020 경찰 승진

집행유예·선고유예에 대한 설명 중 가장 적절하지 않은 것은? (다툼이 있는 경우 판례에 의함)

① 집행유예의 선고를 받은 자가 유예기간 중 고의로 범한 죄로 금고 이상의 실형을 선고받아 그 판결이 확정된 때에는 집행유예의 선고는 효력을 잃는다.

② 집행유예기간의 시기(始期)에 관하여 명문의 규정을 두고 있지는 않으므로 법원은 그 시기를 집행유예를 선고한 판결 확정일 이후의 시점으로 임의로 선택할 수 있다.

③ 형의 선고를 유예하는 경우에 재범방지를 위하여 지도 및 원호가 필요한 때에는 1년의 보호관찰을 받을 것을 명할 수 있다.

④ 형의 선고유예를 받은 날로부터 2년을 경과한 때에는 면소된 것으로 간주한다.

지문분석

난이도 중 정답 ②

| 키 워 드 | 선고유예와 집행유예

| 출제유형 | 틀린 지문 고르기

② (X) [1] 우리 형법이 집행유예기간의 시기(始期)에 관하여 명문의 규정을 두고 있지는 않지만 형사소송법 제459조가 "재판은 이 법률에 특별한 규정이 없으면 확정한 후에 집행한다."고 규정한 취지나 집행유예제도의 본질 등에 비추어 보면 집행유예를 함에 있어 그 집행유예기간의 시기는 집행유예를 선고한 판결 확정일로 하여야 하고 법원이 판결 확정일 이후의 시점을 임의로 선택할 수는 없다.
[2] 형법 제37조 후단의 경합범 관계에 있는 죄에 대하여 두 개의 징역형을 선고하면서 하나의 징역형에 대하여만 집행유예를 선고하고 그 집행유예기간의 시기를 다른 하나의 징역형의 집행종료일로 한 것은 위법하다(대법원 2002.2.26. 2000도4637).

① (O) 형법 제63조(집행유예의 실효)

③ (O) 형법 제59조의2(보호관찰)

④ (O) 형법 제60조(선고유예의 효과)

15 0305

2019 경찰 간부

형의 유예제도에 관한 설명 중 가장 옳지 않은 것은? (다툼이 있는 경우 판례에 의함)

① 형의 선고를 유예하는 경우 보호관찰이나 사회봉사를 명할 수 있다.
② 500만원의 벌금형을 선고할 경우에도 그 형의 집행을 유예할 수 있다.
③ 형의 집행을 유예하는 경우 보호관찰과 사회봉사를 명령할 수 있다.
④ 2,000만원의 벌금형을 선고할 경우에도 그 형의 선고를 유예할 수 있다.

지문분석 난이도 중 정답 ①

| 키 워 드 | 선고유예와 집행유예
| 출제유형 | 틀린 지문 고르기

① (X) 형의 선고를 유예하는 경우에 보호관찰을 받을 것을 명할 수 있지만, 사회봉사명령은 부과할 수 없다(형법 제59조의2 참조).
② (O) 3년 이하의 징역이나 금고 또는 500만원 이하의 벌금의 형을 선고할 경우에 그 형의 집행을 유예할 수 있다(형법 제62조 제1항).
③ (O) 형의 집행을 유예하는 경우에는 보호관찰을 받을 것을 명하거나 사회봉사 또는 수강을 명할 수 있다(형법 제62조의2 제1항).
④ (O) 1년 이하의 징역이나 금고, 자격정지 또는 벌금의 형을 선고할 경우에 그 형의 선고를 유예할 수 있다(형법 제59조 제1항).

16 0306

2020 경찰 간부(변형)

다음 설명 중 가장 옳지 않은 것은? (다툼이 있는 경우 판례에 의함)

① 유죄의 확정판결에 대하여 재심개시결정이 확정되어 법원이 그 사건에 대하여 다시 심판을 한 후 재심의 판결을 선고하고 그 재심판결이 확정된 때에는 종전의 확정판결은 당연히 효력을 상실하므로, 누범전과가 될 수 없다.
② 형의 집행유예를 선고받은 후 형법 제65조에 의하여 그 선고가 실효 또는 취소됨이 없이 정해진 유예기간을 무사히 경과하여 형의 선고가 효력을 잃게 되는 경우에는 선고유예의 판결을 할 수 있다.
③ 집행유예의 선고를 받은 후에 그 선고가 실효 또는 취소됨이 없이 유예기간이 경과하더라도 형의 선고가 있었다는 사실 자체가 없어지는 것은 아니다.
④ 징역이나 금고의 집행 중에 있는 사람이 행상(行狀)이 양호하여 뉘우침이 뚜렷한 때에는 무기형은 20년, 유기형은 형기의 3분의 1이 지난 후 행정처분으로 가석방을 할 수 있다.

지문분석 난이도 중 정답 ②

| 키 워 드 | 선고유예 · 집행유예 · 가석방
| 출제유형 | 틀린 지문 고르기

② (X) 형법 제59조 제1항 단행에서 정한 '자격정지 이상의 형을 받은 전과'라 함은 자격정지 이상의 형을 선고받은 범죄경력 자체를 의미하는 것이고, 그 형의 효력이 상실된 여부는 묻지 않는 것으로 해석함이 상당하다고 할 것이고, 따라서 형의 집행유예를 선고받은 자는 형법 제65조에 의하여 그 선고가 실효 또는 취소됨이 없이 정해진 유예기간을 무사히 경과하여 형의 선고가 효력을 잃게 되었다고 하더라도 형의 선고의 법률적 효과가 없어진다는 것일 뿐, 형의 선고가 있었다는 기왕의 사실 자체까지 없어지는 것은 아니므로, 형법 제59조 제1항 단행에서 정한 선고유예 결격사유인 '자격정지 이상의 형을 받은 전과가 있는 자'에 해당한다고 보아야 한다(대법원 2003.12.26. 2003도3768).
① (O) 대법원 2017.9.21. 2017도4019
③ (O) 대법원 2003.12.26. 2003도3768
④ (O) 형법 제72조 제1항

17 0307

2021 경찰 간부

선고유예와 집행유예에 대한 설명으로 옳은 것은? (다툼이 있는 경우 판례에 의함)

① 형의 선고를 유예하는 경우 보호관찰을 명할 수 있고, 보호관찰의 기간은 법원이 형법 제51조의 사항을 참작하여 정할 수 있다.

② 형의 선고를 유예하는 판결을 할 경우에도 선고가 유예된 형에 대한 판단을 해야 하기 때문에 그 선고형을 정해 놓아야 하고, 벌금의 경우에는 벌금액을 정해야 하지만 환형유치처분까지 할 필요는 없다.

③ 형법 제62조 제1항은 '형'의 집행을 유예할 수 있다고 규정하고 있는데 이는 하나의 형의 전부에 대한 집행유예에 관한 규정으로 해석하여야 하고, 따라서 하나의 형의 일부에 대한 집행유예는 불가능하다.

④ 형의 집행유예를 선고받은 자가 유예기간을 무사히 경과하여 형의 선고가 효력을 잃게 되는 경우, 형의 선고가 있었다는 사실 자체까지 없어지므로 선고유예 결격사유인 '자격정지 이상의 형을 받은 전과가 있는 자'에 해당되지 않는다.

지문분석 난이도 중 정답 ③

| 키 워 드 | 선고유예와 집행유예

| 출제유형 | 옳은 지문 고르기

③ (O) 대법원 2007.2.22. 2006도8555

① (X) 형의 선고를 유예하는 경우에 재범방지를 위하여 지도 및 원호가 필요한 때에는 보호관찰을 받을 것을 명할 수 있고, 보호관찰의 기간은 1년으로 한다(형법 제59조의2).

② (X) 형법 제59조에 의하여 형의 선고를 유예하는 판결을 할 경우에도 선고가 유예된 형에 대한 판단을 하여야 하므로, 선고유예 판결에서도 그 판결 이유에서는 선고형을 정해 놓아야 하고 그 형이 벌금형일 경우에는 벌금액뿐만 아니라 환형유치처분까지 해 두어야 한다(대법원 2015.1.29. 2014도15120).

④ (X) 형법 제59조 제1항 단행에서 정한 '자격정지 이상의 형을 받은 전과'라 함은 자격정지 이상의 형을 선고받은 범죄경력 자체를 의미하는 것이고, 그 형의 효력이 상실된 여부는 묻지 않는 것으로 해석함이 상당하다고 할 것이고, 따라서 형의 집행유예를 선고받은 자는 형법 제65조에 의하여 그 선고가 실효 또는 취소됨이 없이 정해진 유예기간을 무사히 경과하여 형의 선고가 효력을 잃게 되었다고 하더라도 형의 선고의 법률적 효과가 없어진다는 것일 뿐, 형의 선고가 있었다는 기왕의 사실 자체까지 없어지는 것은 아니므로, 형법 제59조 제1항 단행에서 정한 선고유예 결격사유인 '자격정지 이상의 형을 받은 전과가 있는 자'에 해당한다고 보아야 한다(대법원 2003.12.26. 2003도3768).

4 형의 시효와 소멸 · 보안처분

18 0308

2017 경찰 2차

형법상 형의 시효·소멸에 대한 설명으로 가장 적절하지 않은 것은?

① 징역 또는 금고의 집행을 종료하거나 집행이 면제된 자가 피해자의 손해를 보상하고 자격정지 이상의 형을 받음이 없이 5년을 경과한 때에는 본인 또는 검사의 신청에 의하여 그 재판의 실효를 선고할 수 있다.

② 자격정지의 선고를 받은 자가 피해자의 손해를 보상하고 자격정지 이상의 형을 받음이 없이 정지기간의 2분의 1을 경과한 때에는 본인 또는 검사의 신청에 의하여 자격의 회복을 선고할 수 있다.

③ 시효는 형이 확정된 후 그 형의 집행을 받지 아니한 자가 형의 집행을 면할 목적으로 국외에 있는 기간 동안은 진행되지 아니한다.

④ 시효는 사형, 징역, 금고와 구류에 있어서는 수형자를 체포함으로, 벌금, 과료, 몰수와 추징에 있어서는 강제처분을 개시함으로 인하여 중단된다.

지문분석 난이도 중 정답 ①

| 키 워 드 | 형의 시효와 소멸

| 출제유형 | 틀린 지문 고르기

① (X) 징역 또는 금고의 집행을 종료하거나 집행이 면제된 자가 피해자의 손해를 보상하고 자격정지 이상의 형을 받음이 없이 7년을 경과한 때에는 본인 또는 검사의 신청에 의하여 그 재판의 실효를 선고할 수 있다(형법 제81조).

② (O) 형법 제82조(복권)

③ (O) 형법 제79조(시효의 정지) 제2항

④ (O) 형법 제80조(시효의 중단)

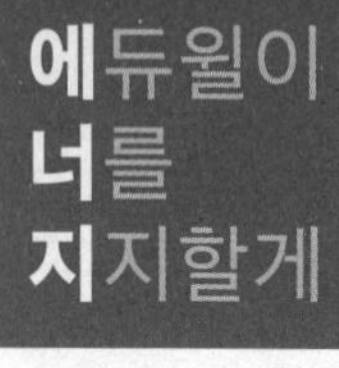

ENERGY

뜨거운 가마 속에서 구워낸 도자기는
결코 빛이 바래는 일이 없다.

이와 마찬가지로 고난의 아픔에 단련된 사람의 인격은
영원히 변하지 않는다.

고난은 사람을 만드는 법이다.

– 쿠노 피셔(Kuno Fischer)

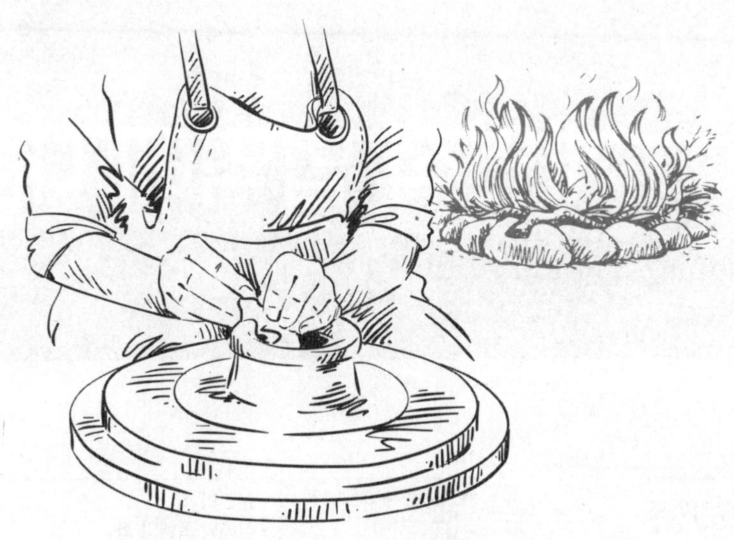

형법각론

PART 01

개인적 법익에 대한 죄

기출키워드

01 생명과 신체에 대한 죄	• 살인의 죄 • 상해와 폭행의 죄 • 과실치사상의 죄 • 유기와 학대의 죄
02 자유에 대한 죄	• 협박의 죄 • 체포와 감금의 죄 • 약취 · 유인 및 인신매매의 죄 • 강요의 죄 • 강간과 추행의 죄
03 명예와 신용에 대한 죄	• 명예에 관한 죄 • 신용 · 업무와 경매에 관한 죄
04 사생활의 평온에 대한 죄	• 비밀침해의 죄 • 주거침입의 죄 • 체포 · 구속적부심
05 재산에 대한 죄	• 재산죄의 기본개념 • 절도의 죄 • 강도의 죄 • 사기의 죄 • 공갈의 죄 • 횡령의 죄 • 배임의 죄 • 장물의 죄 • 손괴의 죄 • 권리행사를 방해하는 죄

문제풀이 전략

01 생명과 신체에 대한 죄	• 살인과 상해, 폭행과 관련된 기본개념들을 구별할 수 있어야 합니다. • 유기, 학대의 관련 판례들을 이해해야 합니다.
02 자유에 대한 죄	• 협박의 개념을 이해하고, 협박죄의 인정 여부를 구분할 수 있어야 합니다. • 체포 · 감금죄의 인정 여부와 감금죄 죄수에 관한 판례를 숙지해야 합니다.
03 명예와 신용에 대한 죄	• 명예훼손죄에 있어서 공연성 · 사실의 적시 · 위법성조각 · 공공의 이익 인정 여부와 모욕죄의 인정 여부를 구분할 수 있어야 하며, 관련 판례를 이해해야 합니다.
04 사생활의 평온에 대한 죄	• 주거침입죄와 위계간음죄의 변경된 전원합의체 판례를 파악해야 합니다.
05 재산에 대한 죄	• 출제비중이 가장 높은 부분이므로, 재산에 대한 죄와 관련된 내용을 집중적으로 학습해야 합니다. • 전원합의체 판례 및 최신 판례 경향을 반드시 숙지해야 합니다.

CHAPTER

01 생명과 신체에 대한 죄

■ 기본서 연계페이지: p.508~551 ■ 문항 수: 23문항

1 살인의 죄

01 0309

2016 경찰 2차

다음 설명 중 가장 적절하지 않은 것은? (다툼이 있으면 판례에 의함)

① 피고인이 범행 당시 살인의 범의는 없었고 단지 상해 또는 폭행의 범의만 있었을 뿐이라고 다투는 경우에 범행 당시 살인의 범의가 있었는지 여부는 피고인이 범행에 이르게 된 경위, 범행의 동기, 준비된 흉기의 유무·종류·용법, 공격의 부위와 반복성, 사망의 결과발생 가능성 정도 등 범행 전후의 객관적인 사정을 종합하여 판단할 수밖에 없다.

② 형법 제251조 영아살해죄의 객체는 분만 중 또는 분만 직후의 영아(嬰兒)이다.

③ 위계 또는 위력으로써 자살을 결의하게 한 때에는 형법 제252조 제2항 자살교사죄의 예에 의하여 처벌한다.

④ 혼인 외의 출생자가 인지하지 않은 생모를 살해하면 존속살해죄가 성립한다.

지문분석 난이도 하 정답 ③

| 키 워 드 | 살인의 죄

| 출제유형 | 틀린 지문 고르기

③ (X) 위계 또는 위력으로써 자살을 결의하게 한 때에는 형법 제253조 위계·위력에 의한 살인죄가 성립하고, 그 처벌은 형법 제250조(살인, 존속살해)의 예에 의하여 한다.

① (O) 대법원 2000.8.18. 2000도2231

② (O) 형법 제251조 영아살해죄의 객체는 '분만 중 또는 분만 직후의 영아'이고, 제272조 영아유기죄의 객체는 '영아'이다.

④ (O) 혼인 외의 출생자와 생모 간에는 생모의 인지나 출생신고를 기다리지 않고 子의 출생으로 당연히 법률상의 친족관계가 생기는 것이다(대법원 1980.9.9. 80도1731).

✓ 개념체크 **형법 제253조(위계 등에 의한 촉탁살인 등)**

> 전조의 경우에 위계 또는 위력으로써 촉탁 또는 승낙하게 하거나 자살을 결의하게 한 때에는 제250조의 예에 의한다.

02 0310

2017 경찰 1차

다음 설명 중 가장 적절한 것은? (다툼이 있는 경우 판례에 의함)

① 甲이 乙을 살해하기 위하여 丙, 丁 등을 고용하면서 그들에게 대가의 지급을 약속한 경우, 甲에게 살인예비죄가 성립하지 않는다.

② 상해를 입힌 행위가 동일한 일시, 장소에서 동일한 목적으로 저질러진 것이라면 피해자를 달리하고 있더라도 포괄하여 일죄를 구성한다.

③ 피해자(여)가 버려진 영아인 피고인을 주어다 기르고 그 부와의 친생자인 것처럼 출생신고를 하였으나 입양요건을 갖추지 아니하였다면 피고인이 동녀를 살해하였더라도 존속살인죄로 처벌할 수 없다.

④ 상해죄와 폭행죄는 피해자의 명시한 의사에 반하여 공소를 제기할 수 없다.

지문분석 난이도 하 정답 ③

| 키 워 드 | 살인의 죄

| 출제유형 | 옳은 지문 고르기

③ (O) 대법원 1981.10.13. 81도2466

① (X) 甲이 乙을 살해하기 위하여 丙, 丁 등을 고용하면서 그들에게 대가의 지급을 약속한 경우, 甲에게는 살인죄를 범할 목적 및 살인의 준비에 관한 고의뿐만 아니라 살인죄의 실현을 위한 준비행위를 하였음을 인정할 수 있다는 이유로 살인예비죄의 성립을 인정한 사례(대법원 2009.10.29. 2009도7150)

② (X) 상해를 입힌 행위가 동일한 일시, 장소에서 동일한 목적으로 저질러진 것이라 하더라도 피해자를 달리하고 있으면 피해자별로 각각 별개의 상해죄를 구성한다고 보아야 할 것이고 1개의 행위가 수개의 죄에 해당하는 경우라고 볼 수 없다(대법원 1983.4.26. 83도524).
→ 실체적 경합범의 관계

④ (X) 폭행죄는 반의사불벌죄(형법 제260조 제3항)이지만, 상해죄는 반의사불벌죄가 아니다.

03 0311

2018 경찰 3차

살인의 죄에 대한 설명이다. 아래 ㉠부터 ㉣까지의 설명 중 옳고 그름의 표시(O, X)가 바르게 된 것은? (다툼이 있는 경우 판례에 의함)

> ㉠ 살인죄에 있어 고의는 반드시 살해의 목적이나 계획적인 의도가 있어야 하며, 사망의 결과에 대한 예견 또는 인식이 불확정적이라면 살인의 범의를 인정할 수 없다.
> ㉡ 피고인이 피해자를 살해하기 위하여 사람들을 고용하면서 그들에게 대가지급을 약속한 행위만으로는 살인죄의 실현을 위한 준비행위에 이르렀다고 볼 수 없으므로 살인예비죄의 성립을 인정할 수 없다.
> ㉢ 직계존비속관계는 법률상의 관계를 의미하므로 혼인 외의 출생자가 인지하지 않은 생모를 살해하더라도 존속살해죄가 성립하지 않는다.
> ㉣ 남녀가 사실상 동거한 관계가 있고, 그 사이에 영아가 분만되었다면 그 남자와 영아와의 사이에 법률상의 직계존비속 관계가 없으므로 그 남자는 영아살해죄의 주체인 직계존속에 해당하지 않는다.

① ㉠ (O), ㉡ (O), ㉢ (X), ㉣ (X)
② ㉠ (X), ㉡ (X), ㉢ (O), ㉣ (O)
③ ㉠ (X), ㉡ (X), ㉢ (X), ㉣ (O)
④ ㉠ (X), ㉡ (O), ㉢ (X), ㉣ (X)

지문분석

난이도 하 정답 ③

| 키 워 드 | 살인의 죄
| 출제유형 | 옳고 그름의 표시(O, X)하기

㉠ (X) 살인죄에 있어서의 고의는 반드시 살해의 목적이나 계획적인 살해의 의도가 있어야 하는 것은 아니고 자기의 행위로 인하여 타인의 사망의 결과를 발생시킬 만한 가능 또는 위험이 있음을 인식하거나 예견하면 족한 것이고 그 인식 또는 예견은 확정적인 것은 물론 불확정적인 것이더라도 소위 미필적 고의로서 살인의 범의가 인정된다(대법원 2004.6.24. 2002도995).

㉡ (X) 甲이 乙을 살해하기 위하여 丙, 丁 등을 고용하면서 그들에게 대가의 지급을 약속한 경우, 甲에게는 살인죄를 범할 목적 및 살인의 준비에 관한 고의뿐만 아니라 살인죄의 실현을 위한 준비행위를 하였음을 인정할 수 있다는 이유로 살인예비죄의 성립을 인정하였다(대법원 2009.10.29. 2009도7150).

㉢ (X) 혼인 외의 출생자와 생모 간에는 생모의 인지나 출생신고를 기다리지 않고 자의 출생으로 당연히 법률상의 친족관계가 생기는 것이다(대법원 1980.9.9. 80도1731).
→ 혼인 외의 출생자가 인지하지 않은 생모를 살해하면 존속살해죄가 성립한다.

㉣ (O) 남녀가 사실상 동거한 관계가 있고 그 사이에 영아가 분만되었다 하여도 그 남자와 영아와의 사이에 법률상 직계존속·비속의 관계가 있다 할 수 없으므로 그 남자가 영아를 살해한 경우에는 보통살인죄에 해당한다(대법원 1970.3.10. 69도2285).

04 0312

2019 경찰 승진

살인의 죄에 대한 설명으로 가장 적절하지 않은 것은? (다툼이 있는 경우 판례에 의함)

① 피고인이 7세, 3세 남짓 된 어린 자식들에 대하여 함께 죽자고 권유하여 물속에 따라 들어오게 하여 결국 익사하게 하였다면 비록 피해자들을 물속에 직접 밀어서 빠뜨리지 않았다고 하더라도 자살의 의미를 이해할 능력이 없고, 피고인의 말이라면 무엇이나 복종하는 어린 자식들을 권유하여 익사하게 한 이상 살인죄가 성립한다.

② 살인예비죄가 성립하기 위해서는 살인죄의 실현을 위한 준비행위가 있어야 하는데, 여기서 준비행위는 객관적으로 보아 살인죄의 실현에 실질적으로 기여할 수 있는 외적 행위임을 요하지 아니하고 단순히 범행의 의사 또는 계획만으로도 족하다.

③ 자살방조죄는 자살하려는 사람의 자살행위를 도와주어 용이하게 실행하도록 함으로써 성립되는 것으로서, 그 방법에는 자살도구인 총, 칼 등을 빌려주거나 독약을 만들어 주거나 조언 또는 격려를 한다거나 기타 적극적, 소극적, 물질적, 정신적 방법이 모두 포함될 수 있다.

④ 사람을 살해한 후에 그 사체를 다른 장소로 옮겨 유기하였다면 살인죄 외에 사체유기죄가 성립하고, 이와 같은 사체유기를 불가벌적 사후행위로 볼 수는 없다.

지문분석

난이도 하 정답 ②

| 키 워 드 | 살인의 죄
| 출제유형 | 틀린 지문 고르기

② (X) 형법 제255조, 제250조의 살인예비죄가 성립하기 위하여는 형법 제255조에서 명문으로 요구하는 살인죄를 범할 목적 외에도 살인의 준비에 관한 고의가 있어야 하며, 나아가 실행의 착수까지에는 이르지 아니하는 살인죄의 실현을 위한 준비행위가 있어야 한다. 여기서의 준비행위는 물적인 것에 한정되지 아니하며 특별한 정형이 있는 것도 아니지만, 단순히 범행의 의사 또는 계획만으로는 그것이 있다고 할 수 없고 객관적으로 보아서 살인죄의 실현에 실질적으로 기여할 수 있는 외적 행위를 필요로 한다(대법원 2009.10.29. 2009도7150).
① (O) 대법원 1987.1.20. 86도2395
③ (O) 대법원 2005.6.10. 2005도1373
④ (O) 대법원 1997.7.25. 97도1142

2 상해와 폭행의 죄

05 0313

2015 경찰 2차

상해와 폭행의 죄에 관한 다음 설명 중 가장 적절한 것은? (다툼이 있으면 판례에 의함)

① 상해죄의 성립에는 상해의 원인인 폭행에 대한 인식만으로는 부족하고 상해를 가할 의사의 존재까지 필요하다.
② 1~2개월간 입원할 정도로 다리가 부러진 상해 또는 3주간의 치료를 요하는 우측흉부자상은 중상해에 해당하지 않는다.
③ 피고인의 구타행위로 상해를 입은 피해자가 정신을 잃고 빈사상태에 빠지자 사망한 것으로 오인하고 자신의 행위를 은폐하고 피해자가 자살한 것처럼 가장하기 위하여 피해자를 베란다 아래의 바닥으로 떨어뜨려 사망케 한 경우 포괄하여 단일의 살인죄에 해당한다.
④ 난소의 제거로 이미 임신불능 상태에 있는 피해자의 자궁을 적출했다 하더라도 그 경우 자궁을 제거한 것이 신체의 완전성을 해한 것이거나 생활기능에 아무런 장애를 주는 것이 아니고 건강상태를 불량하게 변경한 것도 아니라고 할 것이므로 상해에 해당한다고 볼 수 없다.

지문분석 난이도 하 정답 ②

| 키 워 드 | 상해와 폭행의 죄
| 출제유형 | 옳은 지문 고르기

② (O) ㉠ 1~2개월간 입원할 정도로 다리가 부러진 상해 또는 ㉡ 3주간의 치료를 요하는 우측흉부자상이 중상해에 해당하지 않는다(대법원 2005.12.9. 2005도7527).
① (X) 상해죄의 성립에는 상해의 원인인 폭행에 대한 인식이 있으면 충분하고 상해를 가할 의사의 존재까지는 필요하지 않다(대법원 2000.7.4. 99도4341).
③ (X) 피고인이 피해자에게 우측 흉골골절 및 늑골골절상과 이로 인한 우측 심장벽좌상과 심낭내출혈 등의 상해를 가함으로써, 피해자가 바닥에 쓰러진 채 정신을 잃고 빈사상태에 빠지자, 피해자가 사망한 것으로 오인하고, 피고인의 행위를 은폐하고 피해자가 자살한 것처럼 가장하기 위하여 피해자를 베란다로 옮긴 후 베란다 밑 약 13m 아래의 바닥으로 떨어뜨려 피해자로 하여금 현장에서 좌측 측두부 분쇄함몰골절에 의한 뇌손상 및 뇌출혈 등으로 사망에 이르게 하였다면, 피고인의 행위는 포괄하여 단일의 상해치사죄에 해당한다(대법원 1994.11.4. 94도2361).
④ (X) [1] 산부인과 전문의 수련과정 2년차인 의사가 자신의 시진, 촉진결과 등을 과신한 나머지 초음파검사 등 피해자의 병증이 자궁 외 임신인지, 자궁근종인지를 판별하기 위한 정밀한 진단방법을 실시하지 아니한 채 피해자의 병명을 자궁근종으로 오진하고 이에 근거하여 의학에 대한 전문지식이 없는 피해자에게 자궁적출술의 불가피성만을 강조하였을 뿐 위와 같은 진단상의 과오가 없었으면 당연히 설명받았을 자궁 외 임신에 관한 내용을 설명받지 못한 피해자로부터 수술승낙을 받았다면 위 승낙은 부정확 또는 불충분한 설명을 근거로 이루어진 것으로서 수술의 위법성을 조각할 유효한 승낙이라고 볼 수 없다.
[2] 난소의 제거로 이미 임신불능 상태에 있는 피해자의 자궁을 적출했다 하더라도 그 경우 자궁을 제거한 것이 신체의 완전성을 해한 것이 아니라거나 생활기능에 아무런 장애를 주는 것이 아니라거나 건강상태를 불량하게 변경한 것이 아니라고 할 수 없고 이는 업무상과실치상죄에 있어서의 상해에 해당한다(대법원 1993.7.27. 92도2345).

06 0314
2021 경찰 1차

상해와 폭행의 죄에 대한 설명으로 가장 적절하지 않은 것은? (다툼이 있는 경우 판례에 의함)

① 태아를 사망에 이르게 하는 행위가 곧바로 임산부에 대한 상해죄를 구성하는 것은 아니다.
② 甲이 길이 140cm, 지름 4cm의 대나무로 A의 머리를 여러 차례 때려 그 대나무가 부러지고, A의 두피에 표재성 손상을 입혀 사건 당일 병원에서 봉합술을 받은 경우, 甲이 사용한 대나무는 특수상해죄에서의 '위험한 물건'에 해당한다.
③ 상해에 관한 동시범 규정은 가해행위를 한 것 자체가 분명하지 않은 사람에게도 적용되므로 상해에 대한 인과관계를 개별적으로 판단할 필요는 없다.
④ 어떤 물건이 구 폭력행위 등 처벌에 관한 법률 제3조 제1항에 정한 '위험한 물건'에 해당하는지 여부는 구체적인 사안에서 사회통념에 비추어 그 물건을 사용하면 상대방이나 제3자가 생명 또는 신체에 위험을 느낄 수 있는지 여부에 따라 판단하여야 한다.

지문분석 난이도 중 정답 ③

| 키 워 드 | 상해와 폭행의 죄
| 출제유형 | 틀린 지문 고르기

③ (X) 상해죄에 있어서의 동시범은 두사람 이상이 가해행위를 하여 상해의 결과를 가져올 경우에 그 상해가 어느 사람의 가해행위로 인한 것인지가 분명치 않다면 가해자 모두를 공동정범으로 본다는 것이므로 가해행위를 한 것 자체가 분명치 않은 사람에 대하여는 동시범으로 다스릴 수 없다(대법원 1984.5.15. 84도488).
① (O) 대법원 2007.6.29. 2005도3832
② (O) 피고인이 길이 140cm, 지름 4cm인 대나무를 휴대하여 피해자 甲, 乙에게 상해를 입혔다는 내용으로 기소된 사안에서, 피고인이 위 대나무로 甲의 머리를 여러 차례 때려 대나무가 부러졌고, 甲은 두피에 표재성 손상을 입어 사건 당일 병원에서 봉합술을 받은 점 등에 비추어 피고인이 사용한 위 대나무가 '위험한 물건'에 해당한다고 본 원심판단이 정당하다(대법원 2017.12.28. 2015도5854).
④ (O) 대법원 2008.1.17. 2007도9624

07 0315
2020 경찰 2차

폭행죄에 대한 설명으로 가장 적절하지 않은 것은? (다툼이 있는 경우 판례에 의함)

① 흉기 기타 위험한 물건을 휴대하여 폭행을 저지르는 경우 그 범죄와 전혀 무관하게 우연히 이를 소지하게 된 경우까지를 포함하는 것은 아니지만, 범행현장에서 범행에 사용하려는 의도 아래 흉기 등 위험한 물건을 소지하거나 몸에 지닌 이상 그 사실을 피해자가 인식하거나 실제로 범행에 사용하였을 것까지 요구되지 않는다.
② 특수폭행죄에서 다중의 위력을 보인다는 것은 위력을 상대방에게 인식시키는 것을 말하고 상대방의 의사가 현실적으로 제압될 것을 요하지 않으며 상대방의 의사를 제압할 만한 세력을 인식시킬 정도에 이르지 않아도 족하다.
③ 단순폭행, 존속폭행의 범행이 동일한 폭행 습벽의 발현에 의한 것으로 인정되는 경우, 그중 법정형이 더 중한 상습존속폭행죄에 나머지 행위를 포괄하여 하나의 죄만 성립한다.
④ 甲은 경륜장 사무실에서 소화기들을 던지며 소란을 피웠는데 특정인을 겨냥하여 던진 것으로는 보이지 아니하는 점, 피해자들이 상해를 입지 않은 점 등의 여러 사정을 종합하면, 이때 '소화기'는 '위험한 물건'에 해당하지 않는다.

지문분석 난이도 상 정답 ②

| 키 워 드 | 폭행죄
| 출제유형 | 틀린 지문 고르기

② (X) '다중'이라 함은 단체를 이루지 못한 다수인의 집합을 말하는 것으로, 이는 결국 집단적 위력을 보일 정도의 다수 혹은 그에 의해 압력을 느끼게 해 불안을 줄 정도의 다수를 의미한다 할 것이고, 다중의 '위력'이라 함은 다중의 형태로 집결한 다수 인원으로 사람의 의사를 제압하기에 족한 세력을 지칭하는 것으로서 그 인원수가 다수에 해당하는가는 행위 당시의 여러 사정을 참작하여 결정하여야 할 것이며, 이 경우 상대방의 의사가 현실적으로 제압될 것을 요하지는 않는다고 할 것이지만 상대방의 의사를 제압할 만한 세력을 인식시킬 정도는 되어야 한다(대법원 2006.2.10. 2005도174).
① (O) 대법원 1984.4.10. 84도353
③ (O) 대법원 2003.2.28. 2002도7335
④ (O) 대법원 2010.4.29. 2010도930

08 0316

2020 경찰 1차

폭행죄에 관한 설명으로 가장 적절하지 않은 것은? (다툼이 있는 경우 판례에 의함)

① 폭행죄는 반의사불벌죄로서 개인적 법익에 관한 죄이고 피해자가 사망한 후 그 상속인이 피해자를 대신하여 처벌불원의 의사표시를 할 수 있다.
② 형법 제260조에 규정된 폭행죄의 폭행이란 소위 사람의 신체에 대한 유형력의 행사를 가리키며, 그 유형력의 행사는 신체적 고통을 주는 물리력의 작용을 의미하므로 신체의 청각기관을 직접적으로 자극하는 음향도 경우에 따라서는 유형력에 포함될 수 있다.
③ 거리상 멀리 떨어져 있는 사람에게 전화기를 이용하여 전화하면서 고성을 내거나 그 전화 대화를 녹음 후 듣게 하는 경우에 특수한 방법으로 수화자의 청각기관을 자극하여 그 수화자로 하여금 고통을 느끼게 할 정도의 음향을 이용했다면 신체에 대한 유형력의 행사로 볼 수 있다.
④ 피해자에게 근접하여 욕설을 하면서 때릴 듯이 손발이나 물건을 휘두르거나 던지는 행위는 직접 피해자의 신체에 접촉하지 않았다고 하여도 폭행에 해당한다.

지문분석

난이도 하 정답 ①

| 키 워 드 | 폭행죄
| 출제유형 | 틀린 지문 고르기

① (X) 폭행죄는 피해자의 명시한 의사에 반하여 공소를 제기할 수 없는 반의사불벌죄로서 ㉠ 처벌불원의 의사표시는 의사능력이 있는 피해자가 단독으로 할 수 있는 것이고, ㉡ 피해자가 사망한 후 그 상속인이 피해자를 대신하여 처벌불원의 의사표시를 할 수는 없다고 보아야 한다(대법원 2010.5.27. 2010도2680).
② (O) 대법원 2003.1.10. 2000도5716
③ (O) 거리상 멀리 떨어져 있는 사람에게 전화기를 이용하여 전화하면서 고성을 내거나 그 전화 대화를 녹음 후 듣게 하는 경우에는 특수한 방법으로 수화자의 청각기관을 자극하여 그 수화자로 하여금 고통스럽게 느끼게 할 정도의 음향을 이용하였다는 등의 특별한 사정이 없는 한 신체에 대한 유형력의 행사를 한 것으로 보기 어렵다 할 것이다(대법원 2003.1.10. 2000도5716).
→ 대법원은 전화 대화를 폭행으로 단정하기 위하여는 사람의 청각기관이 통상적으로 고통을 느끼게 되는 정도의 고음이나 성량에 의한 전화 대화였다는 특별한 사정을 밝혀내는 등의 심리가 선행될 필요가 있다고 하면서 이러한 심리를 거치지 않고 폭행이라고 인정한 것은 위법하다는 판결이다.
④ (O) 대법원 1990.2.13. 89도1406

09 0317

2019 경찰 2차

상해와 폭행의 죄에 관한 설명으로 가장 적절한 것은? (다툼이 있는 경우 판례에 의함)

① 피해자의 신체에 대한 접촉이 없다 하더라도 부딪칠 듯이 자동차를 조금씩 반복적으로 전진시키는 행위는 폭행죄의 폭행에 해당한다.
② 상해죄의 동시범 특례(형법 제263조)는 상해의 결과가 발생하였으나 그 상해가 어느 사람의 가해행위로 인한 것인지가 분명치 않은 경우뿐만 아니라 가해행위를 한 것 자체가 분명치 않은 경우에도 적용된다.
③ 상해는 신체의 완전성을 훼손하거나 생리적 기능에 장애를 초래하는 것을 의미하므로, 피고인의 협박과 폭행으로 피해자가 실신하였더라도 외부적으로 어떤 상처가 발생하지 않았다면 상해가 있다고 볼 수 없다.
④ 피고인이 폭력행위 당시 과도를 범행현장에서 호주머니 속에 지니고 있었더라도 그 사실을 피해자가 몰랐다거나 실제로 범행에 사용하지 않았다면 '위험한 물건의 휴대'에 해당하지 않는다.

지문분석

난이도 하 정답 ①

| 키 워 드 | 상해와 폭행의 죄
| 출제유형 | 옳은 지문 고르기

① (O) 자신의 차를 가로막는 피해자를 부딪칠 듯이 차를 조금씩 전진시키는 것을 반복하는 행위가 '폭행'에 해당하는지 여부: 인정
[1] 자신의 차를 가로막는 피해자를 부딪친 것은 아니라고 하더라도, 피해자를 부딪칠 듯이 차를 조금씩 전진시키는 것을 반복하는 행위 역시 피해자에 대해 위법한 유형력을 행사한 것이라고 보아야 한다.
[2] 피고인이 자신의 차를 가로막고 서 있는 피해자를 향해 차를 조금씩 전진시키고 피해자가 뒤로 물러나면 다시 차를 전진시키는 방식의 운행을 반복하였는데, 이는 그 자체로 피해자에 대한 유형력의 행사에 해당하고, 차 앞에 서 있는 사람을 향해 차를 전진시킨 행위는 정당방위나 정당행위에 해당하지 않는다(대법원 2016.10.27. 2016도9302).
→ 폭행죄에서 말하는 폭행이란 사람의 신체에 대하여 육체적·정신적으로 고통을 주는 유형력을 행사함을 뜻하는 것으로서 반드시 피해자의 신체에 접촉함을 필요로 하는 것은 아니다.
② (X) 상해죄에 있어서의 동시범은 ㉠ 두 사람 이상이 가해행위를 하여 ㉡ 상해의 결과를 가져올 경우에 ㉢ 그 상해가 어느 사람의 가해행위로 인한 것인지가 분명치 않다면 가해자 모두를 공동정범으로 본다는 것이므로 가해행위를 한 것 자체가 분명치 않은 사람에 대하여는 동시범으로 다스릴 수 없다(대법원 1984.5.15. 84도488).
→ 피고인은 술에 취하여 쓰러지려고 하는 것을 피해자가 부축하여 서 있는 상태였음이 엿보이는데, 이와 같이 술에 취하여 몸을 잘 가누지 못할 정도의 위 피고인이 피고인 1의 가해행위에 가세하여 자기를 부축하고 있는 피해자의 얼굴을 7, 8회 때리는 등 폭행에 가담하였다고 함은 선뜻 납득하기 어려워 형법 제263조 동시범으로 다스릴 수 없다.
③ (X) 오랜 시간 동안의 협박과 폭행을 이기지 못하고 실신하여 범인들이 불러온 구급차 안에서야 정신을 차리게 되었다면, 외부적으로 어떤 상처가 발생하지 않았다고 하더라도 생리적 기능에 훼손을 입어 신체에 대

한 상해가 있었다고 볼 수 있다(대법원 1996.12.10. 96도2529).

④ (X) 피고인이 이 사건 폭력행위 당시 판시 과도를 범행현장에서 호주머니 속에 지니고 있었던 이상 이는 위험한 물건을 휴대한 경우에 해당한다(대법원 1984.4.10. 84도353).

→ 위험한 물건의 휴대를 상대방에게 인식하게 할 필요는 없다. 또한 위험한 물건을 실제로 범행에 사용하였을 것까지 요구되는 것은 아니다.

10 0318

2021 경찰 승진

상해와 폭행의 죄에 대한 설명으로 가장 적절하지 않은 것은?
(다툼이 있는 경우 판례에 의함)

① 상해죄의 성립에는 상해의 원인인 폭행에 대한 인식이 있으면 충분하고 상해를 가할 의사의 존재까지는 필요하지 않다.

② 폭행죄의 폭행이란 소위 사람의 신체에 대한 유형력의 행사를 가리키며, 그 유형력의 행사는 신체적 고통을 주는 물리력의 작용을 의미하므로 신체의 청각기관을 직접적으로 자극하는 음향도 경우에 따라서는 유형력에 포함될 수 있다.

③ 폭행죄는 피해자의 명시한 의사에 반하여 공소를 제기할 수 없는 반의사불벌죄로서 처벌불원의 의사표시는 의사능력이 있는 피해자가 단독으로 할 수 있는 것이고, 피해자가 사망한 후 그 상속인이 피해자를 대신하여 처벌불원의 의사표시를 할 수는 없다고 보아야 한다.

④ 형법 제263조(동시범)는 '독립행위가 경합하여 상해의 결과를 발생하게 한 경우 공동정범의 예에 의한다'고 규정하고 있다.

지문분석 난이도 중 정답 ④

| 키 워 드 | 상해와 폭행의 죄

| 출제유형 | 틀린 지문 고르기

④ (X) 독립행위가 경합하여 상해의 결과를 발생하게 한 경우에 있어서 원인된 행위가 판명되지 아니한 때에는 공동정범의 예에 의한다(형법 제263조).

① (O) 대법원 2000.7.4. 99도4341

② (O) 대법원 2003.1.10. 2000도5716

③ (O) 대법원 2010.5.27. 2010도2680

11 0319

2020 경찰 승진

상해와 폭행의 죄에 대한 설명 중 가장 적절한 것은? (다툼이 있는 경우 판례에 의함)

① 형법의 폭행죄, 존속폭행죄, 특수폭행죄는 모두 미수범 처벌규정이 없으며, 피해자의 명시한 의사에 반하여 공소를 제기할 수 없다.
② 甲과 乙이 독립하여 A를 살해하고자 총을 쏘아 탄환 하나가 A의 다리에 적중하여 A가 상해를 입었는데, 甲과 乙 중 누구의 탄환인지 밝혀지지 않은 경우 甲과 乙에게 형법 제263조의 동시범이 성립하지 않는다.
③ 甲은 A와 어머니 B 사이에서 태어난 친생자로 호적부상 등재되어 있으나 사실은 A가 수년간 집을 떠나 있는 사이에 B가 C와 정교관계를 맺어 甲을 출산한 경우 甲이 A에게 상해를 가하면 甲에게 존속상해죄가 성립한다.
④ 甲이 "방문을 열어주지 않으면 죽여버린다"고 방 안에 있는 A에게 폭언을 하면서 잠긴 방문을 발로 차는 경우 폭행죄가 성립한다.

지문분석

난이도 ㊥ 정답 ②

| 키 워 드 | 상해와 폭행의 죄
| 출제유형 | 옳은 지문 고르기

② (O) 甲과 乙이 독립하여 A를 살해하고자 총을 쏘아 A가 상해를 입은 경우 형법 제19조(독립행위의 경합) 규정에 의하여 각자 살인미수가 된다.
① (X) 폭행죄, 존속폭행죄, 특수폭행죄는 모두 미수범 처벌규정은 없으나, 특수폭행죄는 반의사불벌죄가 아니다.
③ (X) 친자관계라는 사실은 호적상의 기재 여하에 의하여 좌우되는 것은 아니며 호적상 친권자라고 등재되어 있다 하더라도 사실에 있어서 그렇지 않은 경우에는 법률상 친자관계가 생길 수 없다 할 것인바, 피고인은 호적부상 피해자와 모 사이에 태어난 친생자로 등재되어 있으나 피해자가 집을 떠난 사이 모가 타인과 정교관계를 맺어 피고인을 출산하였다면 피고인과 피해자 사이에는 친자관계가 없으므로 존속상해죄는 성립될 수 없다(대법원 1983.6.28. 83도996).
④ (X) 형법 제260조 제1항에서 말하는 폭행죄에 있어서의 폭행이라 함은 사람의 신체에 대한 위법한 일체의 유형력의 행사를 의미하는 것인바, 피고인은 녹원다방 종업원 숙소에 이르러 여러 종업원들 중 공소외 2가 피고인을 만나주지 않는다는 이유로 시정된 탁구장문과 주방문을 부수고 주방으로 들어가 방문을 열어주지 않으면 모두 죽여버린다고 폭언하면서 시정된 방문을 수회 발로 차는 등 폭행을 가한 것이라 하여 원심은 이에 대하여 형법 제260조 제1항을 적용하고 있는바, 단순히 방문을 발로 몇 번 찼다고 하여 그것이 피해자들의 신체에 대한 유형력의 행사로는 볼 수 없어 폭행죄에 해당한다 할 수 없을 것이다(대법원 1984.2.14. 83도3186, 83감도535).

12 0320

2019 경찰 승진

상해와 폭행의 죄에 대한 설명으로 가장 적절하지 않은 것은? (다툼이 있는 경우 판례에 의함)

① 독립행위가 경합하여 상해의 결과를 발생하게 한 경우에 있어서 원인된 행위가 판명되지 아니한 때에는 공동정범의 예에 의한다.
② 피해자에게 상해가 발생하였는지는 객관적·일률적으로 판단할 것이 아니라 피해자의 신체·정신상의 구체적인 상태나 신체·정신상의 변화와 내용 및 정도를 종합적으로 고려하여 판단하여야 한다.
③ 직계존속인 피해자를 폭행하고, 상해를 가한 것이 존속에 대한 동일한 폭력 습벽의 발현에 의한 것으로 인정되는 경우, 법정형이 더 중한 상습존속상해죄에 상습존속폭행죄를 포괄시켜 하나의 죄만이 성립한다.
④ 피해자로부터 신용카드를 강취하고 비밀번호를 알아내는 과정에서 피해자에게 입힌 상처가 극히 경미하고 일상생활에 지장을 초래하지 않았고, 그 회복을 위하여 치료행위가 특별히 필요하지 않은 경우에도 강도상해죄의 상해에 해당된다.

지문분석

난이도 ㊦ 정답 ④

| 키 워 드 | 상해와 폭행의 죄
| 출제유형 | 틀린 지문 고르기

④ (X) 피고인들이 2002.9.15. 02:00경 피해자의 집에 들어가 피해자의 반항을 억압하고 강취한 신용카드의 비밀번호를 알아내는 과정에서 피해자를 수회 폭행하여 피해자의 얼굴과 팔다리 부분에 멍이 생긴 사실, 피해자는 간호사로서 이 사건 범행 다음 날인 16. 직장이 휴무였으므로 출근하지 않았고 그 다음 날인 같은 달 17.부터는 정상적으로 근무하였으며, 위 상처로 인하여 병원에서 치료를 받지도 않았고, 같은 달 18.에는 몸 상태가 호전되어 진단서도 발급받지 않았던 사실을 인정한 다음, 피해자가 입은 상처는 일상생활에 지장을 초래하지 않았고 나아가 그 회복을 위하여 치료행위가 특별히 필요하지 않은 정도로서 강도상해죄에 있어서의 상해에 해당된다고 할 수 없다고 판단하였는바, 앞에서 본 법리와 기록에 비추어 살펴보면, 원심의 판단은 정당한 것으로 수긍되고, 거기에 강도상해죄에 있어서의 상해에 관한 법리를 오해한 위법이 있다고 할 수 없다(대법원 2003.7.11. 2003도2313).
① (O) 형법 제263조
② (O) 대법원 2017.6.29. 2017도3196
③ (O) 대법원 2003.2.28. 2002도7335

13 0321

2018 경찰 승진

'상해와 폭행의 죄'에 대한 설명으로 가장 적절한 것은? (다툼이 있는 경우 판례에 의함)

① 지하철 공사구간 현장안전업무 담당자인 甲이 공사현장에 인접한 기존의 횡단보도 표시선 안쪽으로 돌출된 강철빔 주위에 라바콘 3개를 설치하고 신호수 1명을 배치하였는데, 피해자가 위 횡단보도를 건너면서 강철빔에 부딪혀 상해를 입은 경우 업무상과실치상죄가 성립한다.

② 속칭 '생일빵'을 한다는 명목으로 甲이 A를 폭행하였다면 폭행죄에 해당하나, '생일빵'은 사회상규에 위배되지 아니하는 정당행위에 해당하므로, 폭행죄에 대한 위법성이 조각된다.

③ 甲이 자신의 차를 가로막고 서 있는 A를 향해 차를 조금씩 전진시키고 A가 뒤로 물러나면 다시 차를 전진시키는 방식의 운행을 반복하였다면 甲은 특수폭행죄에 해당한다.

④ 상해죄의 성립에는 상해의 원인인 폭행에 관한 인식 및 상해를 가할 의사가 필요하다.

지문분석 난이도 하 정답 ③

| 키 워 드 | 상해와 폭행의 죄

| 출제유형 | 옳은 지문 고르기

③ (O) **자신의 차를 가로막는 피해자를 부딪칠 듯이 차를 조금씩 전진시키는 것을 반복하는 행위가 '폭행'에 해당하는지 여부: 인정**

[1] 폭행죄에서 말하는 폭행이란 사람의 신체에 대하여 육체적·정신적으로 고통을 주는 유형력을 행사함을 뜻하는 것으로서 반드시 피해자의 신체에 접촉함을 필요로 하는 것은 아니고, 그 불법성은 행위의 목적과 의도, 행위 당시의 정황, 행위의 태양과 종류, 피해자에게 주는 고통의 유무와 정도 등을 종합하여 판단하여야 한다.

[2] 자신의 차를 가로막는 피해자를 부딪친 것은 아니라고 하더라도, 피해자를 부딪칠 듯이 차를 조금씩 전진시키는 것을 반복하는 행위 역시 피해자에 대해 위법한 유형력을 행사한 것이라고 보아야 한다(대법원 2016.10.27. 2016도9302).

→ 폭행죄 인정, 정당방위나 정당행위 부정

① (X) 지하철 공사구간 현장안전업무 담당자인 피고인이 공사현장에 인접한 기존의 횡단보도 표시선 안쪽으로 돌출된 강철빔 주위에 라바콘 3개를 설치하고 신호수 1명을 배치하였는데, 피해자가 위 횡단보도를 건너면서 강철빔에 부딪혀 상해를 입은 사안에서, 제반 사정에 비추어 피고인이 안전조치를 취하여야 할 업무상 주의의무를 위반하였다고 보기 어려운데도, 이와 달리 보아 업무상과실치상죄를 인정한 원심판결에 법리오해 등의 잘못이 있다(대법원 2014.4.10. 2012도11361).

→ 업무상과실치상죄 부정

② (X) 속칭 '생일빵'을 한다는 명목하에 피해자를 가격하였다면 폭행죄가 성립하고, 가격행위의 동기, 방법, 횟수 등 제반 사정에 비추어 사회상규에 위배되지 아니하는 정당행위에 해당하지 않는다(대법원 2010.5.27. 2010도2680).

• '생일빵' 사건

> ㉠ 속칭 '생일빵'을 한다는 명목하에 피해자를 가격하여 사망에 이르게 한 사안: 폭행과 사망 간에 인과관계는 인정되지만 폭행 당시 피해자의 사망을 예견할 수 없었다는 이유로 폭행치사죄는 부정, 폭행죄 인정
> ㉡ 폭행죄 등 반의사불벌죄에서 처벌불원의 의사표시는 의사능력 있는 피해자가 단독으로 할 수 있는지 여부: 인정
> ㉢ 피해자 사망 후 상속인이 그 의사표시를 대신할 수 있는지 여부: 부정

④ (X) 상해죄의 성립에는 상해의 원인인 폭행에 대한 인식이 있으면 충분하고 상해를 가할 의사의 존재까지는 필요하지 않다(대법원 2000.7.4. 99도4341).

14 0322

2020 경찰 간부

다음 설명 중 가장 옳지 않은 것은? (다툼이 있는 경우 판례에 의함)

① 존속살해죄와 촉탁·승낙살인죄는 예비·음모를 처벌하는 규정이 없다.

② 상해죄 및 폭행죄의 상습범에 관한 형법 제264조는 "상습으로 제257조, 제258조, 제258조의2, 제260조 또는 제261조의 죄를 범한 때에는 그 죄에 정한 형의 2분의 1까지 가중한다."라고 규정하고 있다. 형법 제264조에서 말하는 '상습'이란 위 규정에 열거된 상해 내지 폭행행위의 습벽을 말하는 것이므로, 위 규정에 열거되지 아니한 다른 유형의 범죄까지 고려하여 상습성의 유무를 결정해서는 아니 된다.

③ 상해는 피해자의 신체의 완전성을 훼손하거나 생리적 기능에 장애를 초래하는 것으로 반드시 외부적인 상처가 있어야만 하는 것이 아니고, 여기서의 생리적 기능에는 육체적 기능뿐만 아니라 정신적 기능도 포함한다.

④ 폭행죄는 피해자의 명시한 의사에 반하여 공소를 제기할 수 없는 반의사불벌죄로서 피해자가 사망한 후에는 그 상속인이 피해자를 대신하여 처벌불원의 의사표시를 할 수 없다.

지문분석

난이도 ㉻ 정답 ①

| 키 워 드 | 상해와 폭행의 죄

| 출제유형 | 틀린 지문 고르기

① (X) 촉탁·승낙살인죄는 예비·음모를 처벌하는 규정이 없지만, 존속살해죄는 예비·음모를 처벌하는 규정이 있다(형법 제255조).
② (O) 대법원 2018.4.24. 2017도21663
③ (O) 대법원 1999.1.26. 98도3732
④ (O) 대법원 2010.5.27. 2010도2680

15 0323

2019 경찰 간부

폭행과 관련된 설명으로 옳은 것은 모두 몇 개인가? (다툼이 있는 경우 판례에 의함)

가. 폭행죄는 피해자의 명시한 의사에 반하여 공소를 제기할 수 없는 반의사불벌죄로서 피해자가 사망한 후에는 그 상속인이 피해자를 대신하여 처벌불원의 의사표시를 할 수 없다.
나. 피해자의 신체에 공간적으로 근접하여 손발이나 물건을 휘두르거나 던지는 행위는 직접 피해자의 신체에 접촉하지 아니하였다고 하여도 폭행죄에 해당할 수 있다.
다. 상대방의 시비를 만류하면서 조용히 얘기나 하자며 그의 팔을 2, 3회 끈 행위는 폭행죄의 폭행에 해당한다.
라. 甲이 먼저 乙에게 덤벼들고 뺨을 꼬집고 주먹으로 쥐어박았기 때문에 乙이 甲을 부둥켜안은 행위는 유형력의 행사인 폭행에 해당하지 않는다.

① 1개 ② 2개
③ 3개 ④ 4개

지문분석

난이도 ㊥ 정답 ③

| 키 워 드 | 폭행죄

| 출제유형 | 개수 찾기

가. (O) 대법원 2010.5.27. 2010도2680
나. (O) 대법원 1990.2.13. 89도1406
라. (O) 대법원 1977.2.8. 76도3758
다. (X) 상대방의 시비를 만류하면서 조용히 얘기나 하자며 그의 팔을 2, 3회 끈 사실만 가지고는 사람의 신체에 대한 불법한 공격이라고 볼 수 없어 형법 제260조 제1항 소정의 폭행죄에 해당한다고 볼 수 없다(대법원 1986.10.14. 86도1796).

3 과실치사상의 죄

16 0324

2012 경찰 3차

업무상과실치사상죄에 관한 다음 설명 중 가장 적절하지 않은 것은? (다툼이 있는 경우 판례에 의함)

① 골프장의 경기보조원이 골프 카트에 승객을 태우고 진행하기 전에 안전 손잡이를 잡도록 고지하지도 않고, 또한 승객들이 안전 손잡이를 잡았는지 확인하지도 않은 상태에서 만연히 출발하였으며, 각도 70°가 넘는 우로 굽은 길을 속도를 충분히 줄이지 않고 급하게 우회전하여 상해를 입게 한 경우 업무상과실이 인정된다.

② 시공회사의 상무이사인 현장소장이 현장에서 공사감독을 전담하였고 사장은 그와 같은 감독을 하게 되어 있지 않았더라도, 사장으로서는 그 공사의 진행에 관하여 직접적인 지휘·감독을 받지 않는 회사직원 혹은 고용한 노무자들이 공사시행상의 안전수칙을 위반하여 사고를 저지를 경우에 대비하여 각개의 개별작업에 대하여 세부적인 안전대책을 강구하여야 하는 구체적이고 직접적인 주의의무가 있다.

③ 화물차를 주차하고 적재함에 적재된 토마토 상자를 운반하던 중 적재된 상자 일부가 떨어지면서 지나가던 피해자에게 상해를 입힌 경우, 교통사고처리특례법에 정한 '교통사고'에 해당하지 않아 업무상과실치상죄가 성립한다.

④ 단지 건물의 소유자로서 건물을 비정기적으로 수리하거나 건물의 일부분을 임대하였다는 사정만으로는 업무상과실치상죄에 있어서의 '업무'로 보기 어렵다.

지문분석 난이도 중 정답 ②

| 키 워 드 | 업무상과실치사상죄

| 출제유형 | 틀린 지문 고르기

② (X) 시공회사의 상무이사인 현장소장이 현장에서의 공사감독을 전담하였고 사장은 그와 같은 감독을 하게 되어 있지 않았다면 사장으로서는 그 공사의 진행에 관하여 직접적인 지휘·감독을 받지 않는 회사직원 혹은 고용한 노무자들이 공사시행상의 안전수칙을 위반하여 사고를 저지를지 모른다고 하여 이에 대비하여 각개의 개별작업에 대하여 일일이 세부적인 안전대책을 강구하여야 하는 구체적이고 직접적인 주의의무가 있다고 하기 어렵다(대법원 1989.11.24. 89도1618).

① (O) 골프장의 경기보조원인 피고인이 골프 카트에 피해자 등 승객들을 태우고 진행하기 전에 안전 손잡이를 잡도록 고지하지도 않고, 또한 승객들이 안전 손잡이를 잡았는지 확인하지도 않은 상태에서 만연히 출발하였으며, 각도 70°가 넘는 우로 굽은 길을 속도를 충분히 줄이지 않고 급하게 우회전한 업무상과실로, 피해자를 골프 카트에서 떨어지게 하여 두개골골절, 지주막하출혈 등의 상해를 입게 하였다고 본 원심판단을 수긍한 사례(대법원 2010.7.22. 2010도1911)
→ 업무상과실치상죄 인정

③ (O) 대법원 2009.7.9. 2009도2390

④ (O) [1] 업무상과실치상죄에 있어서의 '업무'란 사람의 사회생활면에서 하나의 지위로서 계속적으로 종사하는 사무를 말하고, 여기에는 수행하는 직무 자체가 위험성을 갖기 때문에 안전배려를 의무의 내용으로 하는 경우는 물론 사람의 생명·신체의 위험을 방지하는 것을 의무내용으로 하는 업무도 포함되는데, 안전배려 내지 안전관리 사무에 계속적으로 종사하여 위와 같은 지위로서의 계속성을 가지지 아니한 채 단지 건물의 소유자로서 건물을 비정기적으로 수리하거나 건물의 일부분을 임대하였다는 사정만으로는 업무상과실치상죄에 있어서의 '업무'로 보기 어렵다.

[2] 4층 건물의 2층 내부 벽면에 설치된 분전반을 통해 3층과 4층으로 가설된 전선이 합선으로 단락되어 화재가 나 상해가 발생한 사안에서, 4층 건물의 소유자로서 위 건물 2층을 임대하였다는 사정만으로 업무상과실치상죄에 있어서의 '업무'에 관한 증명이 있다고 본 원심판결을 심리미진 등을 이유로 파기한 사례

[3] 발화지점으로 지적된 분전반이 건물의 2층 내부 벽면에 매립·설치되어 있고, 건물 3층과 4층에 이르는 전선은 벽체 내부의 통로를 따라 분전반 후면을 거쳐 배선되어 있는 건물의 화재와 관련하여, 분전반이나 전선이 임차인의 지배관리영역에 속하는 것인지 여부, 임차인에게 위 분전반이나 그 내부 전선의 이상으로 인한 화재를 예방하여야 할 주의의무가 있다고 볼 특별한 사정이 있는지 여부, 나아가 그 주의의무가 '업무상'의 주의에 속하는지 여부 등을 심리하지 않은 채, 분전반이나 건물의 3층과 4층에 이르는 전선이 화재원인이고 10여 년간 건물 2층을 임차해 오면서 당해 건물의 안전에 이상이 있음을 알고 있었다는 이유만으로, 임차인에게 '업무상 주의의무' 위반이 있다고 본 원심판결을 심리미진 등을 이유로 파기한 사례(대법원 2009.5.28. 2009도1040)

✓ **개념체크 골프장의 경기보조원(caddie) 관련 판례**

- 골프장의 경기보조원인 피고인이 골프 카트에 피해자 등 승객들을 태우고 진행하기 전에 안전 손잡이를 잡도록 고지하지도 않고, 또한 승객들이 안전 손잡이를 잡았는지 확인하지도 않은 상태에서 만연히 출발하였으며, 각도 70°가 넘는 우로 굽은 길을 속도를 충분히 줄이지 않고 급하게 우회전한 업무상과실로, 피해자를 골프 카트에서 떨어지게 하여 두개골골절, 지주막하출혈 등의 상해를 입게 한 경우 업무상과실치상죄가 성립한다(대법원 2010.7.22. 2010도1911).
- 피고인은 골프장에서 경기보조원(caddie)으로 근무하던 자인바, 강제 해고된 이후 근무 당시 선임조장이었던 피해자로부터 부당한 대우를 받았다는 이유로 앙심을 품고 있던 중, 골프클럽 경기보조원들의 구직편의를 위해 제작된 인터넷 사이트 내 회원 게시판에 특정 골프클럽의 운영상 불합리성을 비난하는 글을 게시하면서 위 클럽담당자에 대하여 한심하고 불쌍한 인간이라는 등 경멸적 표현을 한 경우 게시의 동기와 경위, 모욕적 표현의 정도와 비중 등에 비추어 사회상규에 위배되지 않아 모욕죄의 성립이 부정된다(대법원 2008.7.10. 2008도1433).
- 골프장 여종업원들이 거부의사를 밝혔음에도, 골프장 사장과의 친분관계를 내세워 함께 술을 마시지 않을 경우 신분상의 불이익을 가할 것처럼 협박하여 이른바 러브샷의 방법으로 술을 마시게 한 사안에서 강제추행죄를 인정할 수 있다(대법원 2008.3.13. 2007도10050).
- 골프경기를 하던 중 골프공을 쳐서 아무도 예상하지 못한 자신의 등 뒤편으로 보내어 등 뒤에 있던 경기보조원(캐디)에게 상해를 입힌 경우에는 주의의무를 현저히 위반하여 사회적 상당성의 범위를 벗어난 행위로서 과실치상죄가 성립한다(대법원 2008.10.23. 2008도6940).

17 0325

2012 경찰 승진

업무상과실치사상의 죄에 관한 설명 중 가장 적절하지 않은 것은? (다툼이 있으면 판례에 의함)

① 업무상과실치사상죄에 있어서의 업무란 사람의 사회생활면에 있어서의 하나의 지위로서 계속적으로 종사하는 사무를 말하고, 여기에는 수행하는 직무 자체가 위험성을 갖기 때문에 안전배려를 의무의 내용으로 하는 경우는 물론 사람의 생명·신체의 위험을 방지하는 것을 의무의 내용으로 하는 업무도 포함된다.

② 공사감리자가 관계 법령과 계약에 따른 감리업무를 소홀히 하여 건축물 붕괴 등으로 인하여 사상의 결과가 발생한 경우에는 업무상과실치사상의 죄책을 면할 수 없다.

③ 화물차를 주차하고 적재함에 적재된 토마토 상자를 운반하던 중 적재된 상자 일부가 떨어지면서 지나가던 피해자에게 상해를 입힌 경우, 교통사고처리 특례법에 정한 '교통사고'에 해당하지 않아 업무상과실치상죄(형법 제268조)가 성립하지 않는다.

④ 버스 운전사에게는 전날 밤에 주차해 둔 버스를 그 다음날 아침에 출발하기에 앞서 차체 밑에 장애물이 있는지 여부를 확인하여야 할 주의의무가 있다.

지문분석

난이도 중 정답 ③

| 키 워 드 | 업무상과실치사상죄

| 출제유형 | 틀린 지문 고르기

③ (X) 화물차를 주차하고 적재함에 적재된 토마토 상자를 운반하던 중 적재된 상자 일부가 떨어지면서 지나가던 피해자에게 상해를 입힌 경우, 교통사고처리 특례법에 정한 '교통사고'에 해당하지 않아 업무상과실치상죄가 성립한다(대법원 2009.7.9. 2009도2390).

→ 이 사건 사고가 위 화물차의 운행으로 인하여 발생한 사고이고 위 화물차가 자동차종합보험에 가입되어 있으므로 교통사고처리 특례법이 적용되어 이 사건 공소를 기각하여야 한다는 피고인의 주장에 대하여, 이 사건 사고는 피고인이 위 화물차를 피고인의 가게 입구 앞 노상에 주차하고 하역작업을 시작한 후 약 1시간이 지나서야 발생한 점, 이 사건 사고 발생 당시 위 화물차의 운전석은 비어 있었고 시동이 꺼져 있었던 점 등에 비추어 이 사건 사고가 위 화물차의 교통으로 인하여 발생한 것이라고 볼 수 없다고 판단하여 피고인의 주장을 배척하고 형법 제268조 업무상과실치상죄를 인정한 판결이다.

① (O) 대법원 2009.5.28. 2009도1040

② (O) 대법원 2010.6.24. 2010도2615

④ (O) 대법원 1988.9.27. 88도833

4 유기와 학대의 죄

18 0326

2021 경찰 승진

다음의 설명 중 가장 적절하지 않은 것은? (다툼이 있는 경우 판례에 의함)

① 학대죄의 학대는 육체적으로 고통을 주거나 정신적으로 차별대우를 하는 행위를 가리키고, 이러한 학대행위는 단순히 상대방의 인격에 대한 반인륜적 침해만으로는 부족하고 적어도 유기에 준할 정도에 이르러야 한다.

② 유기죄의 보호의무는 법률이나 계약뿐만 아니라 사무관리·관습·조리에 의해서도 발생할 수 있다.

③ 헌법재판소는 임신한 여성의 자기낙태를 처벌하는 형법 제269조 제1항(자기낙태죄 조항)과 의사가 임신한 여성의 촉탁 또는 승낙을 받아 낙태하게 한 경우를 처벌하는 같은 법 제270조 제1항 중 '의사'에 관한 부분(의사낙태죄 조항)이 각각 임신한 여성의 자기결정권을 침해하는지 여부와 관련하여 헌법에 합치되지 아니한다고 선언하되, 2020.12.31.을 시한으로 입법자가 개선입법을 할 때까지 계속적용을 명하였다.

④ 태아를 사망에 이르게 하는 행위가 임산부 신체의 일부를 훼손하는 것이라거나 태아의 사망으로 인하여 그 태아를 양육, 출산하는 임산부의 생리적 기능이 침해되어 임산부에 대한 상해가 된다고 볼 수는 없다.

지문분석

난이도 중 정답 ②

| 키 워 드 | 유기와 학대의 죄

| 출제유형 | 틀린 지문 고르기

② (X) 현행 형법은 유기죄에 있어서 법률상 또는 계약상의 의무 있는 자만을 그 유기죄의 주체로 규정하고 있어 명문상 사회상규상의 보호책임을 관념할 수 없다(대법원 1977.1.11. 76도3419).

→ 유기죄의 보호의무의 근거를 사무관리·관습·조리에까지 확대하는 것은 죄형법정주의에 반하므로 보호의무의 발생근거는 법률 또는 계약으로 제한해야 한다는 견해가 다수설·판례이다.

① (O) 대법원 2000.4.25. 2000도223

③ (O) 헌법재판소 2019.4.11. 2017헌바127 결정

④ (O) 대법원 2007.6.29. 2005도3832

19 0327

2019 경찰 승진

유기와 학대의 죄에 대한 설명 중 옳지 않은 것을 모두 고른 것은? (다툼이 있는 경우 판례에 의함)

㉠ 자기의 보호 또는 감독을 받는 16세 미만의 자를 그 생명 또는 신체에 위험한 업무에 사용할 영업자 또는 그 종업자에게 인도한 자는 형법 제274조 아동혹사죄에 해당한다.
㉡ 학대죄는 자기의 보호 또는 감독을 받는 사람에게 육체적으로 고통을 주거나 정신적으로 차별대우를 하는 행위가 있음과 동시에 범죄가 완성되는 상태범 또는 즉시범이라 할 것이다.
㉢ 학대행위는 단순히 상대방의 인격에 대한 반인륜적 침해만으로는 부족하고 적어도 유기에 준할 정도에 이르러야 한다.
㉣ 계약상 부수의무로서의 민사적 부조의무 또는 보호의무가 인정되는 경우 형법상 유기죄의 '계약상 의무'는 당연히 긍정된다고 할 것이다.

① ㉠, ㉡　　② ㉠, ㉣
③ ㉡, ㉢　　④ ㉣

20 0328

2016 경찰 승진

유기와 학대의 죄에 관한 설명 중 가장 적절하지 않은 것은? (다툼이 있으면 판례에 의함)

① 유기죄는 행위자가 요부조자에 대한 보호책임의 발생 원인이 된 사실이 존재한다는 것을 인식하고 이에 기한 부조의무를 해태한다는 의식이 있음을 요한다.
② 甲이 乙에게 강간치상의 범행을 저지르고 그 범행으로 인하여 실신상태에 있는 乙을 구호하지 않고 방치하였다고 하더라도 유기죄가 성립하지 않는다.
③ 유기죄의 보호의무는 법률이나 계약에 제한되지 않고 사무관리·관습·조리에 의해서도 가능하다는 것이 판례의 태도이다.
④ 술에 취한 甲과 乙이 우연히 같은 길을 가다가 개울에 떨어져 甲은 가까스로 귀가하고 乙은 머리를 다쳐 앓다가 추운 날씨에 심장마비로 사망한 경우 甲은 무죄이다.

지문분석 (19)

난이도 상 정답 ④

| 키 워 드 | 유기와 학대의 죄
| 출제유형 | 조합하기

㉣ (X) 단지 위와 같은 부수의무로서의 민사적 부조의무 또는 보호의무가 인정된다고 해서 형법 제271조 소정의 '계약상 의무'가 당연히 긍정된다고는 말할 수 없다(대법원 2011.11.24. 2011도12302).
㉠ (O) 형법 제274조
㉡ (O) 대법원 1986.7.8. 84도2922
㉢ (O) 학대행위는 형법의 규정체제상 학대와 유기의 죄가 같은 장에 위치하고 있는 점 등에 비추어 단순히 상대방의 인격에 대한 반인륜적 침해만으로는 부족하고 적어도 유기에 준할 정도에 이르러야 한다고 풀이함이 상당한바, 피고인이 피해자와 성관계를 가진 행위를 가리켜 위와 같은 의미의 학대행위에 해당한다고 보기는 어렵다 하겠으므로, 피고인과 피해자 간의 비정상적 관계가 단순 일과성에 그친 것이 아니라 장장 8년간에 걸쳐 지속되어 왔다는 등 상고이유에서 들고 있는 사정들이 이 부분 공소사실에 관한 위 판단을 좌우할 만한 결정적인 것은 되지 못한다(대법원 2000.4.25. 2000도223).

지문분석 (20)

난이도 중 정답 ③

| 키 워 드 | 유기와 학대의 죄
| 출제유형 | 틀린 지문 고르기

③ (X) 현행 형법은 유기죄에 있어서 법률상 또는 계약상의 의무 있는 자만을 유기죄의 주체로 규정하고 있어 명문상 사회상규상의 보호책임을 관념할 수 없다(대법원 1977.1.11. 76도3419).
→ 유기죄의 작위의무(보호의무)는 법률이나 계약에 제한되지 사회상규나 사무관리·관습·조리에 의해서는 인정되지 않는다는 것이 판례의 입장이다.
① (O) 대법원 1988.8.9. 86도255
→ 유기죄의 주관적 요건(유기죄의 고의)에 대한 판례이다.
② (O) 강간치상의 범행을 저지른 자가 그 범행으로 인하여 실신형태에 있는 피해자를 구호하지 아니하고 방치하였다 하더라도 그 행위는 포괄적으로 단일의 강간치상죄만을 구성한다고 봄이 상당하다(대법원 1980.6.24. 80도726).
→ 강간치상죄만이 성립하고 별도로 유기죄는 성립하지 아니한다.
④ (O) 설혹 동행자가 구조를 요하게 되었다 하여도 일정거리를 동행한 사실만으로서는 피고인에게 법률상·계약상의 보호의무가 있다고 할 수 없으니 유기죄의 주체가 될 수 없다(대법원 1977.1.11. 76도3419).

21 0329

2015 경찰 승진

유기와 학대의 죄에 관한 설명 중 가장 적절하지 않은 것은? (다툼이 있는 경우 판례에 의함)

① 현행 형법은 부조를 요하는 자를 보호할 법률상 또는 계약상의 의무 있는 자만을 유기죄의 주체로 규정하고 있다.
② 특정 종교의 신도인 甲이 교리에 어긋난다는 이유로 최선의 치료방법인 수혈을 요하는 수술을 거부하여 자신의 딸인 乙을 사망하게 한 경우에는 유기치사죄가 성립한다.
③ 甲은 호텔 객실에서 애인인 乙女에게 성관계를 요구하였는데, 乙女는 그 순간을 모면하기 위하여 甲이 모르는 사이에 7층 창문에서 뛰어내리다가 중상을 입었다. 그러나 이 사실을 모르는 甲이 빈사상태의 乙女를 방치하고 혼자서 호텔을 나온 경우 甲에게 유기죄가 성립한다.
④ 4세인 아들이 대소변을 가리지 못한다고 닭장에 가두고 전신을 구타한 사안에서 판례는 학대죄를 인정하였다.

지문분석 난이도 중 정답 ③

| 키 워 드 | 유기와 학대의 죄
| 출제유형 | 틀린 지문 고르기

③ (X) [1] 유기죄에 있어서는 행위자가 요부조자에 대한 보호책임의 발생원인이 된 사실이 존재한다는 것을 인식하고 이에 기한 부조의무를 해태한다는 의식이 있음을 요하는 것이다.
[2] 위 피해자가 뛰어내린 여부를 피고인이 알았다고 인정할 만한 아무런 증거가 없으므로(위 피해자 자신도 1심에서 피고인은 위 피해자가 뛰어내린 사실을 알지 못했을 것이라고 증언하고 있다), 피고인에게 무죄를 선고한 원심판결은 정당하다(대법원 1988.8.9. 86도225).
① (O) 대법원 1977.1.11. 76도3419
② (O) 대법원 1980.9.24. 79도1387
④ (O) 대법원 1969.2.4. 68도1793
→ 징계행위 부정, 학대죄 인정

22 0330

2017 경찰 승진(변형)

유기와 학대의 죄에 관한 설명 중 가장 적절한 것은? (다툼이 있는 경우 판례에 의함)

① 현행 형법은 부조를 요하는 자를 보호할 법률상 또는 계약상 의무 있는 자만을 유기죄의 주체로 규정하고 있다.
② 甲은 호텔 객실에서 애인인 乙女에게 성관계를 요구하였는데 乙女는 그 순간을 모면하기 위하여 甲이 모르는 사이에 7층 창문으로 뛰어내리다가 중상을 입었다. 그러나 이 사실을 모르는 甲이 빈사상태의 乙女를 방치하고 혼자서 호텔을 나온 경우 甲에게 유기죄가 성립한다.
③ 형법 제271조 제1항의 죄를 지어 사람의 생명·신체에 대한 위험을 발생하게 한 때에는 중유기죄로서 가중처벌된다.
④ 유기죄는 형법상 상습범에 관한 가중처벌 규정이 있다.

지문분석 난이도 하 정답 ①

| 키 워 드 | 유기와 학대의 죄
| 출제유형 | 옳은 지문 고르기

① (O) 나이가 많거나 어림, 질병 그 밖의 사정으로 도움이 필요한 사람을 법률상 또는 계약상 보호할 의무가 있는 자가 유기한 경우에는 3년 이하의 징역 또는 500만원 이하의 벌금에 처한다(형법 제271조 제1항).
② (X) 위 피해자가 뛰어내린 여부를 피고인이 알았다고 인정할 만한 아무런 증거가 없으므로(위 피해자 자신도 1심에서 피고인은 위 피해자가 뛰어내린 사실을 알지 못했을 것이라고 증언하고 있다), 같은 취지로 판단하여 피고인에게 무죄를 선고한 원심판결은 정당하다(대법원 1988.8.9. 86도225).
→ 유기의 고의를 부정한 판결이다.
③ (X) 중유기죄(형법 제271조 제3항)는 유기죄를 지어 사람의 생명에 위험을 발생하게 한 경우에 성립하는 범죄이다.
④ (X) 유기죄는 형법상 상습범에 관한 가중처벌 규정이 없다.

✓ **개념체크 형법 제271조(유기, 존속유기)**

① 나이가 많거나 어림, 질병 그 밖의 사정으로 도움이 필요한 사람을 법률상 또는 계약상 보호할 의무가 있는 자가 유기한 경우에는 3년 이하의 징역 또는 500만원 이하의 벌금에 처한다.
② 자기 또는 배우자의 직계존속에 대하여 제1항의 죄를 지은 경우에는 10년 이하의 징역 또는 1천500만원 이하의 벌금에 처한다.
③ 제1항의 죄를 지어 사람의 생명에 위험을 발생하게 한 경우에는 7년 이하의 징역에 처한다.
④ 제2항의 죄를 지어 사람의 생명에 위험을 발생하게 한 경우에는 2년 이상의 유기징역에 처한다.

✓ 개념체크 **형법상 '중'의 의미**

구분	구성요건	죄
중	생명에 대한 위험발생	• 중유기죄(제271조 제3항·제4항) • 중권리행사방해죄(제326조)
	• 생명에 대한 위험발생 • 불구 • 불치나 난치의 질병	중상해죄(제258조 제1항·제2항)
	사람의 생명·신체에 대한 위험발생	중손괴죄(제368조)
	가혹한 행위	중체포·감금죄(제277조 제1항)

23 0331 2021 경찰 간부

유기죄에 대한 설명으로 옳지 않은 것은? (다툼이 있는 경우 판례에 의함)

① 유기죄에서의 '계약상 의무'는 반드시 계약에 기한 주된 급부의무에 한정되지 아니하며, 계약 상대방의 신체 또는 생명에 대한 주의와 배려라는 부수적 의무의 한 내용으로 상대방을 부조하여야 하는 경우를 배제하는 것은 아니다.
② 강간치상의 범행을 저지른 자가 그 범행으로 인하여 실신상태에 있는 피해자를 구호하지 아니하고 방치한 경우, 강간치상죄만 성립하고 유기죄는 성립하지 아니한다.
③ 유기죄의 법률상 보호의무 가운데는 민법상 부부간의 부양의무도 포함되며, 법률상 부부는 아니지만 사실혼 관계에 있는 경우에도 당사자 사이에 주관적 혼인의사와 객관적 혼인생활의 실체가 존재한다면 보호의무가 인정될 수 있다.
④ 유기죄를 범하여 사람의 생명 또는 신체에 대하여 위험을 발생하게 한 때에는 중유기죄로 가중처벌된다.

지문분석 난이도 중 정답 ④

| **키 워 드** | 유기죄
| **출제유형** | 틀린 지문 고르기

④ (X) 중유기죄는 유기죄를 지어 사람의 '생명에 위험'을 발생하게 한 경우에 성립한다(형법 제271조 제3항).
① (O) 대법원 2011.11.24. 2011도12302
② (O) 강간치상의 범행을 저지른 자가 그 범행으로 인하여 실신상태에 있는 피해자를 구호하지 아니하고 방치하였다고 하더라도 그 행위는 포괄적으로 단일의 강간치상죄만을 구성한다(대법원 1980.6.24. 80도726).
③ (O) 형법 제271조 제1항에서 말하는 법률상 보호의무 가운데는 민법 제826조 제1항에 근거한 부부간의 부양의무도 포함되며, 나아가 법률상 부부는 아니지만 사실혼 관계에 있는 경우에도 위 민법 규정의 취지 및 유기죄의 보호법익에 비추어 위와 같은 법률상 보호의무의 존재를 긍정하여야 하지만, 사실혼에 해당하여 법률혼에 준하는 보호를 받기 위하여는 단순한 동거 또는 간헐적인 정교관계를 맺고 있다는 사정만으로는 부족하고, 그 당사자 사이에 주관적으로 혼인의 의사가 있고 객관적으로도 사회관념상 가족질서적인 면에서 부부공동생활을 인정할 만한 혼인생활의 실체가 존재하여야 한다(대법원 2008.2.14. 2007도3952).

CHAPTER
02 자유에 대한 죄

■ 기본서 연계페이지: p.566~612 ■ 문항 수: 31문항

1 협박의 죄

01 0332 2016 경찰 1차

다음 설명 중 가장 적절하지 않은 것은? (다툼이 있으면 판례에 의함)

① 조상천도제를 지내지 아니하면 좋지 않은 일이 생긴다는 취지의 해악의 고지는 길흉화복이나 천재지변의 예고로서 행위자에 의하여 직접·간접적으로 좌우될 수 없는 것이고 가해자가 현실적으로 특정되어 있지도 않으며 해악의 발생가능성이 합리적으로 예견될 수 있는 것이 아니므로 협박으로 평가될 수 없다.
② 폭행죄는 미수범 처벌규정이 없으나, 협박죄의 미수범은 처벌된다.
③ 甲정당의 국회 예산안 강행처리에 화가 나서 경찰서에 전화를 걸어 전화를 받은 경찰관에게 관할구역에 있는 甲정당의 당사를 폭파하겠다고 말한 행위는 공무집행방해죄뿐만 아니라 그 경찰관에 대한 협박죄를 구성한다.
④ "앞으로 수박이 없어지면 네 책임으로 한다"고 말한 것은 해악의 고지라고 보기 어렵고, 가사 다소간의 해악의 고지에 해당한다고 가정하더라도 위법성이 없다.

지문분석 난이도 하 정답 ③

| 키 워 드 | 협박죄
| 출제유형 | 틀린 지문 고르기

③ (X) [1] 피고인이 혼자 술을 마시던 중 甲정당이 국회에서 예산안을 강행처리하였다는 것에 화가 나서 공중전화를 이용하여 경찰서에 여러 차례 전화를 걸어 전화를 받은 각 경찰관에게 경찰서 관할구역 내에 있는 甲정당의 당사를 폭파하겠다는 말을 한 사안에서, 피고인은 甲정당에 관한 해악을 고지한 것이므로 각 경찰관 개인에 관한 해악을 고지하였다고 할 수 없고, 다른 특별한 사정이 없는 한 일반적으로 甲정당에 대한 해악의 고지가 각 경찰관 개인에게 공포심을 일으킬 만큼 서로 밀접한 관계에 있다고 보기 어려운데도, 이와 달리 피고인의 행위가 각 경찰관에 대한 협박죄를 구성한다고 본 원심판결에 협박죄에 관한 법리오해의 위법이 있다.
[2] 피고인은 공소외 정당에 관한 해악을 고지한 것으로서 이 사건 공소사실에서 피해자로 일컫고 있는 각 경찰관 개인에 관한 해악을 고지하였다고 할 수 없다. 그리고 이들 경찰관은 수원중부경찰서 지령실에서 근무하던 공무원으로서, 그들이 공공의 안녕과 질서유지의 임무를 수행하고 있어서 피고인의 행위가 직무상 그에 따른 경비조치 등을 불필요하게 취하도록 하는 결과를 초래한다고 하더라도, 그것이 사안에 따라 공무집행방해 등의 죄책에 해당하는 경우가 있을 수 있음은 별론으로 하고, 다른 특별한 사정이 없는 한 일반적으로 공소외 정당에 대한 해악의 고지가 그들 개인에게 공포심을 일으킬 만큼 그와 밀접한 관계에 있다고 보기는 어렵다(대법원 2012.8.17. 2011도10451).
→ 한나라당 경기도 당사 폭파 협박 사건
① (O) 대법원 2002.2.8. 2000도3245
② (O) 형법 제286조
④ (O) 대법원 1991.5.10. 90도2102

02 0333

2018 경찰 1차

협박죄에 대한 설명 중 가장 적절하지 않은 것은? (다툼이 있는 경우 판례에 의함)

① 협박죄는 자연인만을 그 대상으로 예정하고 있을 뿐 법인은 협박죄의 객체가 될 수 없다.

② 협박죄의 미수범 처벌조항은 해악의 고지가 현실적으로 상대방에게 도달하지 아니한 경우나, 도달은 하였으나 상대방이 이를 지각하지 못하였거나 고지된 해악의 의미를 인식하지 못한 경우 등에 적용될 뿐이다.

③ 피고인이 혼자 술을 마시던 중 甲정당이 국회에서 예산안을 강행처리하였다는 것에 화가 나서 공중전화를 이용하여 경찰서에 여러 차례 전화를 걸어 전화를 받은 각 경찰관에게 경찰서 관할구역 내에 있는 甲정당의 당사를 폭파하겠다는 말을 한 경우, 피고인의 행위는 각 경찰관에 대한 협박죄를 구성한다.

④ 피해자 본인이나 그 친족뿐만 아니라 그 밖의 제3자에 대한 법익침해를 내용으로 하는 해악을 고지하는 것이라고 하더라도 피해자 본인과 제3자가 밀접한 관계에 있어 그 해악의 내용이 피해자 본인에게 공포심을 일으킬 만한 정도의 것이라면 협박죄가 성립할 수 있다. 이때 제3자에는 자연인뿐만 아니라 법인도 포함된다.

지문분석 난이도 하 정답 ③

| 키 워 드 | 협박죄

| 출제유형 | 틀린 지문 고르기

③ (X) 피고인은 甲정당에 관한 해악을 고지한 것이므로 각 경찰관 개인에 관한 해악을 고지하였다고 할 수 없고, 다른 특별한 사정이 없는 한 일반적으로 甲정당에 대한 해악의 고지가 각 경찰관 개인에게 공포심을 일으킬 만큼 서로 밀접한 관계에 있다고 보기 어려운데도, 이와 달리 피고인의 행위가 각 경찰관에 대한 협박죄를 구성한다고 본 원심판결에 협박죄에 관한 법리오해의 위법이 있다(대법원 2012.8.17. 2011도10451).
→ 경찰관에 대한 협박죄를 구성하지 않는다.

① (O) 대법원 2010.7.15. 2010도1017
→ 협박죄는 '사람의 의사결정의 자유'를 보호법익으로 하는 범죄이다.

② (O) 대법원 2007.9.28. 2007도606 전원합의체

④ (O) 대법원 2010.7.15. 2010도1017

03 0334

2019 경찰 2차

자유에 대한 죄에 관한 설명으로 가장 적절하지 않은 것은? (다툼이 있는 경우 판례에 의함)

① 협박죄를 위험범으로 이해하는 입장에 따르면 해악을 고지하고 상대방이 이를 인식했음에도 불구하고 상대방이 전혀 공포심을 느끼지 않은 경우에 협박죄의 미수가 성립한다.

② 골프시설의 운영자가 골프회원에게 불리하게 변경된 내용의 회칙에 대하여 동의한다는 내용의 등록신청서를 제출하지 아니하면 회원으로 대우하지 아니하겠다고 통지한 경우 강요죄가 성립한다.

③ 감금행위가 강도상해 범행의 수단이 되는 데 그치지 아니하고 강도상해의 범행이 끝난 뒤에도 계속된 경우에는 1개의 행위가 감금죄와 강도상해죄에 해당하는 경우라고 볼 수 없고, 이 경우 감금죄와 강도상해죄는 형법 제37조의 경합범 관계에 있다.

④ 미성년자가 혼자 머무는 주거에 침입하여 그를 감금한 뒤 폭행 또는 협박에 의하여 부모의 출입을 봉쇄하거나, 미성년자와 부모가 거주하는 주거에 침입하여 부모만을 강제로 퇴거시키고 독자적인 생활관계를 형성하기에 이르렀다면 비록 장소적 이전이 없었다 할지라도 형법 제287조의 미성년자약취죄가 성립한다.

지문분석 난이도 하 정답 ①

| 키 워 드 | 자유에 대한 죄

| 출제유형 | 틀린 지문 고르기

① (X) **협박죄의 기수에 이르기 위하여 상대방이 현실적으로 공포심을 일으킬 것을 요하는지 여부: 부정**

[1] 협박죄가 성립하려면 고지된 해악의 내용이 일반적으로 사람으로 하여금 공포심을 일으키게 하기에 충분한 것이어야 하지만, 상대방이 그에 의하여 현실적으로 공포심을 일으킬 것까지 요구하는 것은 아니며, 그와 같은 정도의 해악을 고지함으로써 상대방이 그 의미를 인식한 이상, 상대방이 현실적으로 공포심을 일으켰는지 여부와 관계없이 그로써 구성요건은 충족되어 협박죄의 기수에 이르는 것으로 해석하여야 한다.

[2] 결국, 협박죄는 사람의 의사결정의 자유를 보호법익으로 하는 위험범이라 봄이 상당하다(대법원 2007.9.28. 2007도606 전원합의체).
→ 협박죄에 대하여 판례는 위험범으로 본다.

② (O) 대법원 2003.9.26. 2003도763

③ (O) 대법원 2003.1.10. 2002도4380

④ (O) 대법원 2008.1.17. 2007도8485

04 0335

2020 경찰 2차

협박죄에 대한 설명으로 가장 적절한 것은? (다툼이 있는 경우 판례에 의함)

① 권리행사나 직무집행의 일환으로 상대방에게 일정한 해악을 고지한 경우, 그 해악의 고지가 정당한 권리행사나 직무집행으로서 사회상규에 반하지 아니하는 때에도 협박죄가 성립한다.

② 공군 중사가 상관인 피해자에게 그의 비위 등을 기록한 내용을 제시하면서 자신에게 폭언한 사실을 인정하지 않으면 그 내용을 상부기관에 제출하겠다는 취지로 말한 사안에서 공군 중사에게는 군형법상 상관협박죄가 성립하지 않는다.

③ 甲이 슈퍼마켓 사무실에서 식칼을 들고 피해자를 협박한 행위와 식칼을 들고 매장을 돌아다니며 손님을 내쫓아 그의 영업을 방해한 행위는 협박죄와 업무방해죄의 상상적 경합관계에 있다.

④ 협박죄에 있어서의 협박이라 함은 사람으로 하여금 공포심을 일으킬 수 있을 정도의 해악을 고지하는 것을 의미하고, 협박죄가 성립하기 위하여는 적어도 발생 가능한 것으로 생각될 수 있는 정도의 구체적인 해악의 고지가 있어야 한다.

지문분석 난이도 중 정답 ④

| 키 워 드 | 협박죄

| 출제유형 | 옳은 지문 고르기

④ (O) 대법원 1998.3.10. 98도70

① (X) 권리행사나 직무집행의 일환으로 상대방에게 일정한 해악을 고지한 경우, 그 해악의 고지가 정당한 권리행사나 직무집행으로서 사회상규에 반하지 아니하는 때에는 협박죄가 성립하지 아니하나, 외관상 권리행사나 직무집행으로 보이더라도 실질적으로 권리나 직무권한의 남용이 되어 사회상규에 반하는 때에는 협박죄가 성립한다고 보아야 할 것인바, 구체적으로는 그 해악의 고지가 정당한 목적을 위한 상당한 수단이라고 볼 수 있으면 위법성이 조각되지만, 위와 같은 관련성이 인정되지 아니하는 경우에는 그 위법성이 조각되지 아니한다(대법원 2007.9.28. 2007도606 전원합의체).

② (X) 피고인이 피해자의 비위 등을 기록한 내용을 피해자에게 제시하면서 피해자가 피고인에게 폭언한 사실을 인정하지 아니하면 그 내용을 상부기관에 제출하겠다고 한 행위는 객관적으로 보아 사람으로 하여금 공포심을 일으키게 하기에 충분한 정도의 해악의 고지에 해당한다고 할 것이므로, 피해자가 그 취지를 인식하였음이 명백한 이상 설령 피해자가 현실적으로 공포심을 느끼지 못하였다 하더라도 그와는 무관하게 상관협박죄의 기수에 이르렀다고 보아야 한다(대법원 2008.12.11. 2008도8922).

③ (X) 피고인이 슈퍼마켓 사무실에서 식칼을 들고 피해자를 협박한 행위와 식칼을 들고 매장을 돌아다니며 손님을 내쫓아 그의 영업을 방해한 행위는 별개의 행위이므로 협박죄와 업무방해죄는 실체적 경합관계에 있다(대법원 1991.1.29. 90도2445).

05 0336

2021 경찰 승진

협박의 죄에 대한 설명으로 가장 적절하지 않은 것은? (다툼이 있는 경우 판례에 의함)

① 정보보안과 소속 경찰관이 자신의 지위를 내세우면서 타인의 민사분쟁에 개입하여 빨리 채무를 변제하지 않으면 상부에 보고하여 문제를 삼겠다고 말한 것은 객관적으로 상대방이 공포심을 일으키기에 충분한 정도의 해악의 고지에 해당하므로 상대방이 그 의미를 인식한 이상 현실적으로 피해자가 공포심을 일으키지 않았다 하더라도 협박죄는 기수에 이른다.

② 협박죄의 미수범 처벌조항은 해악의 고지가 현실적으로 상대방에게 도달하지 아니한 경우나, 도달은 하였으나 상대방이 이를 지각하지 못하였거나 고지된 해악의 의미를 인식하지 못한 경우 등에 적용될 뿐이다.

③ 협박죄는 피해자의 명시한 의사에 반하여 공소를 제기할 수 없는 범죄이나, 존속협박죄는 그러하지 아니하다.

④ 조상천도제를 지내지 아니하면 좋지 않은 일이 생긴다는 취지의 해악의 고지는 협박으로 평가될 수 없다.

지문분석 난이도 중 정답 ③

| 키 워 드 | 협박죄

| 출제유형 | 틀린 지문 고르기

③ (X) 협박죄와 존속협박죄는 모두 반의사불벌죄이다(형법 제283조 제3항).

①, ② (O) 대법원 2007.9.28. 2007도606 전원합의체

④ (O) 대법원 2002.2.8. 2000도3245

06 0337

2020 경찰 승진

협박의 죄에 대한 설명 중 가장 적절하지 않은 것은? (다툼이 있는 경우 판례에 의함)

① 특수협박죄와 상습협박죄는 피해자의 명시한 의사에 반하여 공소를 제기할 수 있다.

② 협박죄에서 고의는 행위자가 해악을 고지한다는 것을 인식, 인용하는 것을 그 내용으로 하고, 고지한 해악을 실제로 실현할 의도나 욕구는 필요하지 않다.

③ 해악의 고지는 적어도 발생 가능한 것으로 생각될 수 있는 정도로 구체적이어야 하며, 행위 전후의 여러 사정을 종합하여 볼 때 일반적으로 사람으로 하여금 공포심을 일으키게 하기에 충분한 것이어야 한다.

④ 채권추심회사의 지사장이 자신의 횡령행위에 대한 민·형사상 책임을 모면하기 위하여 회사 본사에 '회사의 내부비리 등을 관계 기관에 고발하겠다'는 취지의 서면을 보내는 한편, 위 회사 대표이사의 처남으로서 경영지원본부장인 피해자 A에게 전화를 걸어 위 서면의 내용과 같은 취지로 발언한 경우 회사 본사와 A 모두에 대해서 협박죄가 성립한다.

지문분석 난이도 하 정답 ④

| 키 워 드 | 협박죄

| 출제유형 | 틀린 지문 고르기

④ (X) 채권추심회사의 지사장이 자신의 횡령행위에 대한 민·형사상 책임을 모면하기 위하여 회사 본사에 "회사의 내부비리 등을 관계 기관에 고발하겠다."는 취지의 서면을 보내는 한편, 위 회사 대표이사의 처남으로서 경영지원본부장인 피해자 A에게 전화를 걸어 위 서면의 내용과 같은 취지로 발언한 경우, 법인은 협박죄의 객체가 될 수 없으므로 A에 대해서만 협박죄가 성립한다(대법원 2010.7.15. 2010도1017).

① (O) 특수협박죄와 상습협박죄는 반의사불벌죄가 아니므로 올바른 설명이다.

② (O) 대법원 1991.5.10. 90도2102

③ (O) 대법원 1998.3.10. 98도70

07 0338

2019 경찰 승진

협박의 죄에 대한 설명으로 가장 적절하지 않은 것은? (다툼이 있는 경우 판례에 의함)

① 조상천도제를 지내지 아니하면 좋지 않은 일이 생긴다는 취지의 해악의 고지는 길흉화복이나 천재지변의 예고로서 행위자에 의하여 직접·간접적으로 좌우될 수 없는 것이고 가해자가 현실적으로 특정되어 있지도 않으며 해악의 발생가능성이 합리적으로 예견될 수 있는 것이 아니므로 협박으로 평가될 수 없다.

② 피해자 본인이나 그 친족뿐만 아니라 그 밖의 제3자에 대한 법익침해를 내용으로 하는 해악을 고지하는 것이라고 하더라도 피해자 본인과 제3자가 밀접한 관계에 있어 그 해악의 내용이 피해자 본인에게 공포심을 일으킬 만한 정도의 것이라면 협박죄가 성립할 수 있다. 이때 제3자에는 자연인뿐만 아니라 법인도 포함된다.

③ 협박죄는 사람의 의사결정의 자유를 보호법익으로 하는 위험범이라 봄이 상당하므로, 해악의 고지가 상대방에 도달은 하였으나 상대방이 이를 지각하지 못하였거나 고지된 해악의 의미를 인식하지 못한 경우라도 협박죄의 기수를 인정할 수 있다.

④ 사채업자인 피고인이 채무자 甲에게 채무를 변제하지 않으면 甲이 숨기고 싶어하는 과거 행적과 사채를 쓴 사실 등을 남편과 시댁에 알리겠다는 등의 문자메시지를 발송한 행위는 정당행위에 해당하지 않아 협박죄가 성립한다.

지문분석 난이도 중 정답 ③

| 키 워 드 | 협박죄

| 출제유형 | 틀린 지문 고르기

③ (X) [1] 협박죄가 성립하려면 고지된 해악의 내용이 일반적으로 사람으로 하여금 공포심을 일으키게 하기에 충분한 것이어야 하지만, 상대방이 그에 의하여 현실적으로 공포심을 일으킬 것까지 요구하는 것은 아니며, 그와 같은 정도의 해악을 고지함으로써 상대방이 그 의미를 인식한 이상, 상대방이 현실적으로 공포심을 일으켰는지 여부와 관계없이 그로써 구성요건은 충족되어 협박죄의 기수에 이르는 것으로 해석하여야 한다.
[2] 협박죄는 사람의 의사결정의 자유를 보호법익으로 하는 위험범이라 봄이 상당하고, 위 미수범 처벌조항은 해악의 고지가 현실적으로 상대방에게 도달하지 아니한 경우나, 도달은 하였으나 전혀 지각하지 못한 경우, 혹은 고지된 해악의 의미를 상대방이 인식하지 못한 경우 등에 적용될 뿐이라 할 것이다(대법원 2007.9.28. 2007도606 전원합의체).

① (O) 대법원 2002.2.8. 2000도3245

② (O) 대법원 2010.7.15. 2010도1017

④ (O) 대법원 2011.5.26. 2011도2412

08 0339

2017 경찰 승진

협박죄에 관한 설명 중 가장 적절하지 않은 것은? (다툼이 있는 경우 판례에 의함)

① 협박죄가 성립하기 위해서는 적어도 발생 가능한 것으로 생각될 수 있는 정도의 구체적인 해악의 고지가 있어야 한다.
② 피고인이 혼자 술을 마시던 중 甲정당이 국회에서 예산안을 강행처리하였다는 것에 화가 나서 공중전화를 이용하여 경찰서에 여러 차례 전화를 걸어 전화를 받은 각 경찰관에게 경찰서 관할구역 내에 있는 甲정당의 당사를 폭파하겠다는 말을 한 경우, 피고인의 행위는 각 경찰관에 대한 협박죄를 구성한다.
③ 정보보안과 소속 경찰관이 자신의 지위를 내세우면서 타인의 민사분쟁에 개입하여 빨리 채무를 변제하지 않으면 상부에 보고하여 문제를 삼겠다고 말한 경우, 객관적으로 상대방이 공포심을 일으키기에 충분한 정도의 해악의 고지에 해당하므로 현실적으로 피해자가 공포심을 일으키지 않았다 하더라도 협박죄의 기수에 이르렀다고 할 수 있다.
④ 甲은 乙女에게 "자동차에 타라. 타지 않으면 가만있지 않겠다"고 협박하면서 乙女를 자동차 뒷자석에 강제로 밀어 넣고 20여 분간 자동차를 운전한 경우 감금죄 외에 협박죄는 성립되지 아니한다.

지문분석

난이도 하 정답 ②

| 키 워 드 | 협박죄
| 출제유형 | 틀린 지문 고르기

② (X) **'제3자'의 법익을 침해하겠다는 내용의 해악고지**
피고인은 甲정당에 관한 해악을 고지한 것이므로 각 경찰관 개인에 관한 해악을 고지하였다고 할 수 없고, 다른 특별한 사정이 없는 한 일반적으로 甲정당에 대한 해악의 고지가 각 경찰관 개인에게 공포심을 일으킬 만큼 서로 밀접한 관계에 있다고 보기 어려운데도, 이와 달리 피고인의 행위가 각 경찰관에 대한 협박죄를 구성한다고 본 원심판결에 협박죄에 관한 법리오해의 위법이 있다(대법원 2012.8.17. 2011도10451).
→ 협박죄 부정
① (O) 대법원 1998.3.10. 98도70
③ (O) 대법원 2007.9.28. 2007도606 전원합의체
→ 협박죄는 위험범이다.
④ (O) 감금을 하기 위한 수단으로서 행사된 단순한 협박행위는 감금죄에 흡수되어 따로 협박죄를 구성하지 아니한다(대법원 1982.6.22. 82도705).

09 0340

2020 경찰 간부

협박죄에 대한 설명 중 가장 옳지 않은 것은? (다툼이 있는 경우 판례에 의함)

① 해악의 고지가 있다 하더라도 그것이 사회의 관습이나 윤리관념 등에 비추어 볼 때 사회통념상 용인할 수 있을 정도의 것이라면 협박죄는 성립하지 않는다.
② 제3자에 대한 법익침해를 내용으로 하는 해악을 고지하더라도 피해자 본인과 제3자가 밀접한 관계에 있어 그 해악의 내용이 피해자 본인에게 공포심을 일으킬 만한 정도의 것이라면 협박에 해당한다.
③ 협박죄는 사람의 의사결정의 자유를 보호법익으로 하는 위험범이라 봄이 상당하므로, 해악의 고지가 상대방에게 도달은 하였으나 상대방이 이를 지각하지 못하였거나 고지된 해악의 의미를 인식하지 못한 경우라도 협박죄의 기수를 인정할 수 있다.
④ 형법 제284조(특수협박죄)에 대하여는 형법 제283조 제3항(반의사불벌규정)이 적용되지 않는다.

지문분석

난이도 하 정답 ③

| 키 워 드 | 협박죄
| 출제유형 | 틀린 지문 고르기

③ (X) 협박죄는 사람의 의사결정의 자유를 보호법익으로 하는 위험범이라 봄이 상당하고, 위 미수범 처벌조항은 해악의 고지가 현실적으로 상대방에게 도달하지 아니한 경우나, 도달은 하였으나 전혀 지각하지 못한 경우, 혹은 고지된 해악의 의미를 상대방이 인식하지 못한 경우 등에 적용될 뿐이라 할 것이다(대법원 2007.9.28. 2007도606 전원합의체).
① (O) 대법원 1998.3.10. 98도70
② (O) 대법원 2010.7.15. 2010도1017
④ (O) 특수협박죄는 반의사불벌죄가 아니다.

2 체포와 감금의 죄

10 0341

2016 경찰 1차

다음 설명 중 가장 적절하지 않은 것은? (다툼이 있으면 판례에 의함)

① 감금죄는 사람의 행동의 자유를 그 보호법익으로 하여 사람이 특정한 구역에서 나가는 것을 불가능하게 하거나 또는 심히 곤란하게 하는 그 장해는 물리적, 유형적 장해뿐만 아니라 심리적, 무형적 장해에 의하여서도 가능하다.
② 피해자를 강제로 승용차에 태우고 가면서 피해자의 금품을 강취하기 위해 상해를 가한 후 금품을 강취한 다음 피해자를 태운 채 계속하여 상당한 거리를 운전하여 간 경우 강도상해죄와 감금죄의 상상적 경합이 된다.
③ 피해자가 만약 도피하는 경우에는 생명, 신체에 심한 해를 당할지도 모른다는 공포감에서 도피하기를 단념하고 있는 상태하에서 호텔로 데리고 가서 함께 유숙한 후 함께 항공기로 국외에 나간 행위는 감금죄를 구성한다.
④ 감금행위가 강간죄나 강도죄의 수단이 된 경우에도 감금죄는 강간죄나 강도죄에 흡수되지 아니하고 별죄를 구성한다.

지문분석 난이도 하 정답 ②

| 키 워 드 | 감금죄
| 출제유형 | 틀린 지문 고르기

② (X) 감금행위가 단순히 강도상해 범행의 수단이 되는 데 그치지 아니하고 강도상해의 범행이 끝난 뒤에도 계속된 경우에는 1개의 행위가 감금죄와 강도상해죄에 해당하는 경우라고 볼 수 없고, 이 경우 감금죄와 강도상해죄는 형법 제37조의 경합범 관계에 있다(대법원 2003.1.10. 2002도4380).
① (O) 대법원 1984.5.15. 84도655
③ (O) 대법원 1991.8.27. 91도1604
④ (O) 대법원 1997.1.21. 96도2715

11 0342

2018 경찰 2차

감금죄에 대한 설명으로 가장 적절한 것은? (다툼이 있는 경우 판례에 의함)

① 감금을 하기 위한 수단으로서 행사된 단순한 협박행위는 감금죄에 흡수되지 아니하고 따로 협박죄를 구성한다.
② 감금행위가 강간죄의 수단이 된 경우라면 그 감금행위는 강간죄에 흡수되어 별죄를 구성하지 아니하므로 감금죄와 강간죄의 상상적 경합이 성립할 여지는 없다.
③ 감금행위가 단순히 강도상해 범행의 수단이 되는 데 그치지 아니하고 강도상해의 범행이 끝난 뒤에도 계속된 경우 그 감금행위는 강도상해죄에 흡수되지 아니하고 별죄를 구성하며 양 죄는 실체적 경합의 관계에 있다.
④ 중감금죄가 성립하려면 사람을 감금하여 생명에 대한 위험을 발생시켜야 한다.

지문분석 난이도 하 정답 ③

| 키 워 드 | 감금죄
| 출제유형 | 옳은 지문 고르기

③ (O) 대법원 2003.1.10. 2002도4380
① (X) 감금을 하기 위한 수단으로서 행사된 단순한 협박행위는 감금죄에 흡수되어 따로 협박죄를 구성하지 아니한다(대법원 1982.6.22. 82도705).
② (X) 감금행위가 강간미수죄의 수단이 되었다 하여 감금행위는 강간미수죄에 흡수되어 범죄를 구성하지 않는다고 할 수는 없는 것이고, 그때에는 감금죄와 강간미수죄는 일개의 행위에 의하여 실현된 경우로서 형법 제40조의 상상적 경합관계에 있다(대법원 1983.4.26. 83도323).
④ (X) 사람을 체포 또는 감금하여 가혹한 행위를 가한 자는 7년 이하의 징역에 처한다(형법 제277조 제1항).

12 0343

2016 경찰 승진

체포와 감금죄에 관한 설명 중 가장 적절하지 않은 것은? (다툼이 있으면 판례에 의함)

① 체포·감금죄는 행동의 자유와 의사를 가질 수 있는 자연인을 대상으로 하므로 정신병자나 영아는 본죄의 객체가 되지 못한다.
② 감금을 하기 위한 수단으로서 행사된 단순한 협박은 감금죄에 흡수되어 따로 협박죄를 구성하지 않는다.
③ 감금의 방법은 물리적·유형적 장해뿐만 아니라 심리적·무형적 장해에 의해서도 가능하고 행동의 자유의 박탈은 반드시 전면적이어야 할 필요가 없다.
④ 수용시설에 수용 중인 부랑인들의 야간도주 방지를 위해 취침시간 중 출입문을 안에서 잠근 경우 감금죄가 성립하지 않는다.

지문분석 난이도 중 정답 ①

| 키 워 드 | 체포와 감금죄
| 출제유형 | 틀린 지문 고르기

① (X) 정신병자도 감금죄의 객체가 될 수 있다(대법원 2002.10.11. 2002도4315).
→ 출산 직후의 영아는 잠재적인 신체활동의 자유를 가진 자도 없으므로 감금죄의 객체가 될 수 없다.
② (O) 대법원 1982.6.22. 82도705
③ (O) 대법원 2011.9.29. 2010도5962
④ (O) 대법원 1988.11.8. 88도1580

13 0344

2015 경찰 승진

감금죄에 관한 설명 중 가장 적절하지 않은 것은? (다툼이 있는 경우 판례에 의함)

① 차량 내에서 피해자의 하차요구를 무시하고 빠른 속도로 진행하여 피해자를 내리지 못하게 하는 행위는 감금죄에 해당하지 않는다.
② 정신병자의 어머니의 의뢰 및 승낙하에 그 감호를 위하여 그 보호실 문을 야간에 한해서 3일간 시정하여 출입을 못하게 한 감금행위는 그 병자의 신체의 안정과 보호를 위하여 사회통념상 부득이한 조처로서 수긍될 수 있는 것이면 위법성이 없다.
③ 피해자가 만약 도피하는 경우에는 생명·신체에 심한 해를 당할지도 모른다는 공포감에서 도피하기를 단념하고 있는 상태하에서 호텔로 데리고 가서 함께 유숙한 후 함께 항공기로 국외로 나간 행위는 감금죄를 구성한다.
④ 피고인들이 대한상이군경회원 80여 명과 공동으로 호텔출입문을 봉쇄하며 피해자들의 출입을 방해하였다면 감금죄에 해당한다.

지문분석 난이도 중 정답 ①

| 키 워 드 | 감금죄
| 출제유형 | 틀린 지문 고르기

① (X) 승용차로 피해자를 가로막아 승차하게 한 후 피해자의 하차요구를 무시한 채 당초 목적지가 아닌 다른 장소를 향하여 시속 약 60km 내지 70km의 속도로 진행하여 피해자를 차량에서 내리지 못하게 한 행위는 감금죄에 해당하고, 피해자가 그와 같은 감금상태를 벗어날 목적으로 차량을 빠져나오려다가 길바닥에 떨어져 상해를 입고 그 결과 사망에 이르렀다면 감금행위와 피해자의 사망 사이에는 상당인과관계가 있다고 할 것이므로 감금치사죄에 해당한다(대법원 2000.2.11. 99도5286).
② (O) 대법원 1980.2.12. 79도1349
→ 모(母)가 승낙한 정신병자에 대한 감금행위는 위법성이 없다.
③ (O) 대법원 1991.8.27. 91도1604
→ 감금죄에 있어서의 감금행위는 무형적인 수단으로서 공포심에 의하여 나갈 수 없게 한 경우도 포함된다.
④ (O) 대법원 1983.9.13. 80도277

14 0345 2020 경찰 승진

체포 감금의 죄에 대한 설명 중 옳고 그름의 표시(O, X)가 바르게 된 것은? (다툼이 있는 경우 판례에 의함)

> ㉠ 감금행위가 강간죄나 강도죄의 수단이 된 경우에도 감금죄는 강간죄나 강도죄에 흡수되지 아니하고 별죄를 구성한다.
> ㉡ 감금하기 위한 수단으로 협박한 경우 협박행위는 감금죄에 흡수되어 별도의 죄를 구성하지 아니한다.
> ㉢ 중감금죄가 성립하기 위해서는 사람을 감금한 후 가혹행위를 하여 생명·신체에 대한 구체적 위험이 발생해야 한다.
> ㉣ 미성년자를 유인한 자가 계속하여 미성년자를 불법하게 감금한 경우 미성년자유인죄 외에 감금죄가 별도로 성립한다.

① ㉠ (O), ㉡ (O), ㉢ (X), ㉣ (O)
② ㉠ (O), ㉡ (X), ㉢ (O), ㉣ (X)
③ ㉠ (O), ㉡ (O), ㉢ (O), ㉣ (O)
④ ㉠ (X), ㉡ (O), ㉢ (X), ㉣ (O)

지문분석 난이도 상 정답 ①

| 키 워 드 | 체포와 감금의 죄
| 출제유형 | 옳고 그름의 표시(O, X)하기

㉠ (O) 대법원 1997.1.21. 96도2715
㉡ (O) 대법원 1982.6.22. 82도705
㉢ (X) 사람을 감금하여 가혹한 행위를 가한 경우 중감금죄가 성립한다(형법 제277조). 중감금죄는 구체적 위험범이 아니므로 생명·신체에 대한 구체적 위험이 발생해야 하는 것은 아니다.
㉣ (O) 대법원 1998.5.26. 98도1036

3 약취·유인 및 인신매매의 죄

15 0346 2021 경찰 승진

약취, 유인 및 인신매매의 죄에 대한 설명으로 적절한 것을 모두 고른 것은? (다툼이 있는 경우 판례에 의함)

> ㉠ 생후 약 13개월 된 자녀를 친부모가 함께 동거하면서 보호·양육하여 오던 중 친모가 어떠한 폭행, 협박이나 불법적인 사실상의 힘을 행사함이 없이 친부의 의사에 반하여 그 자녀를 주거지에서 데리고 나와 국외에 이송한 경우 보호·양육권의 남용에 해당하는 등 특별한 사정이 없다 하더라도 친모의 행위를 약취행위로 볼 수 있다.
> ㉡ 형법 제289조의 인신매매죄를 범할 목적으로 예비 또는 음모한 사람은 처벌한다.
> ㉢ 미성년자가 혼자 머무는 주거에 침입하여 그를 감금한 뒤 폭행 또는 협박에 의하여 부모의 출입을 봉쇄하거나, 미성년자와 부모가 거주하는 주거에 침입하여 부모만을 강제로 퇴거시키고 독자적인 생활관계를 형성하기에 이르렀다면 비록 장소적 이전이 없었다 할지라도 미성년자약취죄에 해당한다.
> ㉣ 형법 제287조 미성년자약취·유인죄는 대한민국 영역 밖에서 죄를 범한 외국인에게 적용되지 않는다.

① ㉠, ㉡ ② ㉠, ㉣
③ ㉡, ㉢ ④ ㉡, ㉣

지문분석 난이도 중 정답 ③

| 키 워 드 | 약취·유인 및 인신매매의 죄
| 출제유형 | 조합하기

㉡ (O) 형법 제296조
㉢ (O) 대법원 2008.1.17. 2007도8485
㉠ (X) 미성년의 자녀를 부모가 함께 동거하면서 보호·양육하여 오던 중 부모의 일방이 상대방 부모나 그 자녀에게 어떠한 폭행, 협박이나 불법적인 사실상의 힘을 행사함이 없이 그 자녀를 데리고 종전의 거소를 벗어나 다른 곳으로 옮겨 자녀에 대한 보호·양육을 계속하였다면, 그 행위가 보호·양육권의 남용에 해당한다는 등 특별한 사정이 없는 한 설령 이에 관하여 법원의 결정이나 상대방 부모의 동의를 얻지 아니하였다고 하더라도 그러한 행위에 대하여 곧바로 형법상 미성년자에 대한 약취죄의 성립을 인정할 수는 없다(대법원 2013.6.20. 2010도14328 전원합의체).
㉣ (X) 형법 제287조 미성년자약취·유인죄는 세계주의에 의하여 대한민국 영역 밖에서 죄를 범한 외국인에게도 적용된다(형법 제296조의2).

16 0347 2021 경찰 2차

약취와 유인의 죄에 대한 설명으로 가장 적절한 것은? (다툼이 있는 경우 판례에 의함)

① 미성년의 자녀를 부모가 함께 동거하면서 보호·양육하여 오던 중 부모의 일방이 어떠한 폭행, 협박이나 불법적인 사실상의 힘을 행사함이 없이 그 자녀를 데리고 종전의 거소를 벗어나 양육환경이 더 나은 곳으로 옮겨 자녀에 대한 보호·양육을 계속한 경우에 상대방 부모의 동의가 없었다면 미성년자약취죄가 성립한다.

② 미성년자 혼자 머무는 주거에 침입하여 강도범행을 하는 과정에서 미성년자와 그 부모에게 폭행·협박을 가하여 일시적으로 부모와의 보호관계가 사실상 침해·배제된 경우에는 미성년자약취죄가 성립한다.

③ 약취행위는 피해자를 그 의사에 반하여 자유로운 생활관계 또는 보호관계로부터 범인이나 제3자의 사실상 지배하에 옮기는 행위를 말하며, 폭행 또는 협박을 수단으로 사용하는 경우에 그 폭행 또는 협박의 정도는 상대방을 실력적 지배하에 둘 수 있을 정도이면 족하고 반드시 상대방의 반항을 억압할 정도의 것임을 요하지는 아니한다.

④ 미성년자의 어머니가 교통사고로 사망하여 아버지가 미성년자의 양육을 외조부에게 맡겼으나, 교통사고 배상금 문제로 분쟁이 발생하자 아버지가 학교에서 귀가하는 미성년자를 그의 의사에 반하여 강제로 사실상 자신의 지배하에 옮긴 경우에는 미성년자약취죄가 성립하지 아니한다.

지문분석 난이도 중 정답 ③

| 키 워 드 | 약취와 유인의 죄

| 출제유형 | 옳은 지문 고르기

③ (O) 대법원 1991.8.13. 91도1184

① (X) 미성년의 자녀를 부모가 함께 동거하면서 보호·양육하여 오던 중 부모의 일방이 상대방 부모나 그 자녀에게 어떠한 폭행, 협박이나 불법적인 사실상의 힘을 행사함이 없이 그 자녀를 데리고 종전의 거소를 벗어나 다른 곳으로 옮겨 자녀에 대한 보호·양육을 계속하였다면, 그 행위가 보호·양육권의 남용에 해당한다는 등 특별한 사정이 없는 한 설령 이에 관하여 법원의 결정이나 상대방 부모의 동의를 얻지 아니하였다고 하더라도 그러한 행위에 대하여 곧바로 형법상 미성년자에 대한 약취죄의 성립을 인정할 수는 없다(대법원 2013.6.20. 2010도14328 전원합의체).

② (X) [1] ㉠ 미성년자가 혼자 머무는 주거에 침입하여 그를 감금한 뒤 폭행 또는 협박에 의하여 부모의 출입을 봉쇄하거나, ㉡ 미성년자와 부모가 거주하는 주거에 침입하여 부모만을 강제로 퇴거시키고 독자적인 생활관계를 형성하기에 이르렀다면 비록 장소적 이전이 없었다 할지라도 형법 제287조의 미성년자약취죄에 해당한다.

[2] 미성년자 혼자 머무는 주거에 침입하여 강도범행을 하는 과정에서 미성년자와 그 부모에게 폭행·협박을 가하여 일시적으로 부모와의 보호관계가 사실상 침해·배제되었더라도, 미성년자가 기존의 생활관계로부터 완전히 이탈되었다거나 새로운 생활관계가 형성되었다고 볼 수 없고 범인의 의도도 위와 같은 생활관계의 이탈이 아니라 단지 금품 강취를 위한 반항 억압에 있었으므로, 형법 제287조의 미성년자약취죄가 성립하지 않는다(대법원 2008.1.17. 2007도8485).

④ (X) 외조부가 맡아서 양육해 오던 미성년인 자(子)를 자의 의사에 반하여 사실상 자신의 지배하에 옮긴 친권자에 대하여 미성년자약취·유인죄가 성립한다(대법원 2008.1.31. 2007도8011).

17 0348

2018 경찰 3차

범죄와 그 보호법익에 대한 설명으로 가장 적절한 것은? (다툼이 있는 경우 판례에 의함)

① 형법 제287조의 미성년자약취유인죄는 미성년자의 자유 외에 보호감독자의 감호권도 보호법익으로 한다.

② 형법 제127조의 공무상비밀누설죄는 비밀누설에 의하여 위협받는 국가의 기능이 아니라 비밀 그 자체를 보호법익으로 한다.

③ 성폭력범죄의 처벌 등에 관한 특례법 제13조의 통신매체이용음란죄는 성적 자기결정권에 반하여 성적 수치심을 일으키는 그림 등을 개인의 의사에 반하여 접하지 않을 권리를 보장하기 위한 것으로 개인의 성적 자유를 보호하기 위한 것이며, 사회적 법익으로서 건전한 성풍속을 보호하기 위한 구성요건이 아니다.

④ 형법 제156조의 무고죄는 국가의 형사사법권 또는 징계권의 적정한 행사를 보호법익으로 하며, 부당하게 처벌 또는 징계받지 않을 개인적 이익을 보호하기 위한 구성요건이 아니다.

지문분석 난이도 상 정답 ①

| 키 워 드 | 범죄와 보호법익

| 출제유형 | 옳은 지문 고르기

① (O) 형법 제287조에 규정된 미성년자약취죄의 입법 취지는 심신의 발육이 불충분하고 지려와 경험이 풍부하지 못한 미성년자를 특별히 보호하기 위하여 그를 약취하는 행위를 처벌하려는 데 그 입법의 취지가 있으며, 미성년자의 자유 외에 보호감독자의 감호권도 그 보호법익으로 하고 있다(대법원 2003.2.11. 2002도7115).

→ 피고인과 공범들이 미성년자를 보호·감독하고 있던 그 아버지의 감호권을 침해하여 그녀를 자신들의 사실상 지배하로 옮긴 이상 미성년자약취죄가 성립한다 할 것이고, 약취행위에 미성년자의 동의가 있었다 하더라도 미성년자약취죄가 성립한다.

② (X) 공무상비밀누설죄는 기밀 그 자체를 보호하는 것이 아니라 공무원의 비밀엄수의무의 침해에 의하여 위험하게 되는 이익, 즉 비밀의 누설에 의하여 위협받는 국가의 기능을 보호하기 위한 것이다(대법원 2007.6.14. 2004도5561).

③ (X) 성폭력처벌법 제13조에서 정한 '통신매체이용음란죄'는 '성적 자기결정권에 반하여 성적 수치심을 일으키는 그림 등을 개인의 의사에 반하여 접하지 않을 권리'를 보장하기 위한 것으로 성적 자기결정권과 일반적 인격권의 보호, 사회의 건전한 성풍속 확립을 보호법익으로 한다(대법원 2017.6.8. 2016도21389).

④ (X) 무고죄는 국가의 형사사법권 또는 징계권의 적정한 행사를 주된 보호법익으로 하고 다만, 개인의 부당하게 처벌 또는 징계받지 아니할 이익을 부수적으로 보호하는 죄이다(대법원 2005.9.30. 2005도2712).

18 0349

2021 경찰 간부

약취와 유인의 죄에 대한 설명 중 옳지 않은 것은 모두 몇 개인가? (다툼이 있는 경우 판례에 의함)

가. 형법은 추행·간음·영리목적의 약취·유인과 결혼목적 약취·유인의 법정형을 상이하게 규정하고 있다.
나. 형법상 약취·유인의 죄는 모두 일정한 목적이 있는 경우에만 성립하는 목적범의 형태로 규정되어 있다.
다. 미성년자를 약취·유인한 자가 그 미성년자를 안전한 장소로 풀어준 때에는 그 형을 감경하거나 면제할 수 있다.
라. 미성년자약취·유인죄를 범할 목적으로 예비·음모한 경우, 세계주의 원칙에 따라 대한민국 영역 밖에서 이 죄를 범한 외국인에게도 대한민국 형법을 적용한다.

① 1개 ② 2개
③ 3개 ④ 4개

지문분석 난이도 중 정답 ④

| 키 워 드 | 약취·유인의 죄

| 출제유형 | 개수 찾기

가. (X) 추행·간음·영리목적의 약취·유인과 결혼목적 약취·유인의 법정형은 1년 이상 10년 이하의 징역으로 동일하게 규정하고 있다(형법 제288조 제1항).

나. (X) 형법상 약취·유인의 죄 중 미성년자약취·유인죄는 목적범이 아니다.

다. (X) 미성년자를 약취·유인한 자가 그 미성년자를 안전한 장소로 풀어준 때에는 그 형을 감경할 수 있다(형법 제295조의2).

라. (X) 예비·음모죄는 세계주의가 적용되지 않는다. 기수와 미수만 세계주의가 적용된다(형법 제296조의2).

19 0350

2019 경찰 간부

다음 중 甲에게 미성년자약취·유인죄가 성립하는 것은 모두 몇 개인가? (다툼이 있는 경우 판례에 의함)

> 가. 미성년자의 어머니가 교통사고로 사망하여 아버지 甲이 미성년자의 양육을 외조부에게 맡겼으나 교통사고 배상금 등으로 분쟁이 발생하자, 학교에서 귀가하는 미성년자를 甲이 본인의 의사에 반하여 강제로 차에 태우고 데려갔다.
> 나. 甲은 미성년자 혼자 머무는 주거에 침입하여 강도범행을 하는 과정에서 미성년자와 그 부모에게 폭행·협박을 가하여 일시적으로 부모와의 보호관계가 사실상 침해·배제되었다.
> 다. 甲은 자신의 교리설교에 속아 스스로 가출한 15세의 피해자를 보살피면서 '주의 일'(껌팔이) 등 행상을 시켰다.
> 라. 甲이 자신의 4촌 매형의 가게에서 일하면서 숙식을 해결하는 미성년인 저능아를 제주도로 데리고 간 후 이 사실을 매형에게 숨기고 몇 개월 후 다시 데려왔다.

① 1개 ② 2개
③ 3개 ④ 4개

20 0351

2015 경찰 승진

약취와 유인의 죄에 관한 설명 중 가장 적절하지 않은 것은? (다툼이 있는 경우 판례에 의함)

① 미성년자 혼자 머무는 주거에 침입하여 강도범행을 하는 과정에서 미성년자와 그 부모에게 폭행·협박을 가하여 일시적으로 부모와의 보호관계가 사실상 침해·배제된 경우 형법상 미성년자약취죄가 성립하지 않는다.
② 미성년자를 보호·감독하는 자라 하더라도 다른 보호감독자의 감호권을 침해하거나 자신의 감호권을 남용하여 미성년자 본인의 이익을 침해하는 경우에는 미성년자약취·유인죄의 주체가 될 수 있다.
③ 15세 된 가출소녀를 유혹하여 단란주점에 팔 생각으로 피해자에게 접근하여 취직자리를 찾아 주겠다고 속여 자신의 원룸 아파트에 유인하였다가 단란주점 주인과 약속장소로 가는 도중에 검거되었다면 미성년자유인죄의 미수에 해당한다.
④ 간음의 목적으로 11세에 불과한 어린 나이의 피해자를 유혹하여 위 모텔 앞길에서부터 위 모텔 301호실까지 데리고 간 이상, 간음목적유인죄의 기수에 이른 것이다.

지문분석 (19)

난이도 상 정답 ③

| 키 워 드 | 미성년자약취·유인죄
| 출제유형 | 개수 찾기

가. (○) 외조부가 맡아서 양육해 오던 미성년인 자(子)를 자의 의사에 반하여 사실상 자신의 지배하에 옮긴 친권자에 대하여 미성년자약취·유인죄가 성립한다(대법원 2008.1.31. 2007도8011).

다. (○) 위 피해자가 스스로 가출하여 피고인 등의 ○○○○전도회 부산 및 마산 지관에 입관할 것을 호소하였다고 하더라도 피고인들의 독자적인 교리설교에 의하여 하자 있는 의사로 가출하게 된 것이고, 동 피해자의 보호감독권자의 보호관계로부터 이탈시키고 피고인들의 지배하에서 그들 교리에서 말하는 소위 '주의 일'(껌팔이 등 행상)을 하도록 도모한 이상 미성년자유인죄의 성립에 소장이 없다(대법원 1982.4.27. 82도186).

라. (○) 피해자는 사고능력이 현저하게 떨어지는 미성년의 저능아로서 자신의 4촌 매형인 공소외인이 경영하는 청소대행업체에서 일하면서 숙식을 해결하는 등 위 공소외인의 보호하에 있었는데, 피고인들은 피해자의 위와 같은 사정을 알면서도 그로부터 약 8개월 후 피해자가 다시 서울로 돌아올 때까지도 위 공소외인에게 피고인들이 피해자를 제주도로 데려간 사실을 한 번도 이야기하지 아니한 채 숨긴 사실을 인정할 수 있는바, 피고인들이 피해자를 제주도로 데려간 행위는 미성년자를 유인한 행위에 해당됨이 명백하다(대법원 1996.2.27. 95도2980).

나. (X) 미성년자 혼자 머무는 주거에 침입하여 강도범행을 하는 과정에서 미성년자와 그 부모에게 폭행·협박을 가하여 일시적으로 부모와의 보호관계가 사실상 침해·배제되었더라도, 미성년자가 기존의 생활관계로부터 완전히 이탈되었다거나 새로운 생활관계가 형성되었다고 볼 수 없고 범인의 의도도 위와 같은 생활관계의 이탈이 아니라 단지 금품 강취를 위한 반항 억압에 있었으므로, 형법 제287조의 미성년자약취죄가 성립하지 않는다(대법원 2008.1.17. 2007도8485).

지문분석 (20)

난이도 중 정답 ③

| 키 워 드 | 약취와 유인의 죄
| 출제유형 | 틀린 지문 고르기

③ (X) 미성년자를 약취·유인한 경우에도 목적(추행·간음·영리·노동력 착취·성매매와 성적 착취·장기적출·국외이송)을 가지고 약취·유인한 경우에는 추행 등 '~ 목적 약취·유인죄'가 성립한다. 사안의 경우 피해자가 15세인 미성년자라 하더라도 '단란주점에 팔 생각'으로 유혹하였으므로 '영리목적'유인죄가 문제되고 피고인이 피해자를 자신의 사실상 지배하에 두었다 할 것이므로 '기수'가 된다. 즉, '영리목적유인죄의 기수'가 된다.

① (○) [1] ㉠ 미성년자가 혼자 머무는 주거에 침입하여 그를 감금한 뒤 폭행 또는 협박에 의하여 부모의 출입을 봉쇄하거나, ㉡ 미성년자와 부모가 거주하는 주거에 침입하여 부모만을 강제로 퇴거시키고 독자적인 생활관계를 형성하기에 이르렀다면 비록 장소적 이전이 없었다 할지라도 형법 제287조의 미성년자약취죄에 해당한다.
[2] 미성년자 혼자 머무는 주거에 침입하여 강도범행을 하는 과정에서 미성년자와 그 부모에게 폭행·협박을 가하여 일시적으로 부모와의 보호관계가 사실상 침해·배제되었더라도, 미성년자가 기존의 생활관계로부터 완전히 이탈되었다거나 새로운 생활관계가 형성되었다고 볼 수 없고 범인의 의도도 위와 같은 생활관계의 이탈이 아니라 단지 금품 강취를 위한 반항 억압에 있었으므로, 형법 제287조의 미성년자약취죄가 성립하지 않는다(대법원 2008.1.17. 2007도8485).

② (○) 대법원 2008.1.31. 2007도8011
→ 외조부가 맡아서 양육해 오던 미성년인 子를 子의 의사에 반하여 사실상 자신의 지배하에 옮긴 친권자에 대하여 미성년자약취·유인죄를 인정한 판결이다.

④ (○) 대법원 2007.5.11. 2007도2318

4 강요의 죄

21 0352 2020 경찰 승진

강요의 죄에 대한 설명 중 가장 적절한 것은? (다툼이 있는 경우 판례에 의함)

① 인질강요죄에서 강요의 상대방에 '인질'은 포함되지 않으며, 인질강요죄를 범한 자가 인질을 안전한 장소에 풀어준 때에는 그 형을 감경한다.
② 폭행 또는 협박으로 '법률상 의무 없는 일'뿐만 아니라, '법률상 의무 있는 일'을 하게 한 경우에도 강요죄가 성립한다.
③ 환경단체 소속 회원들이 마치 단속의 권한이 있는 것처럼 축산 농가들의 폐수배출 단속활동을 벌이면서, 폐수배출 현장을 사진 촬영하거나 폐수배출 사실확인서를 징구하는 과정에서 이에 서명하지 아니하면 법에 저촉된다고 겁을 주는 등의 행위를 한 경우 강요죄에 해당한다.
④ 투자금 회수를 위해 피해자를 강요하여 물품대금을 횡령하였다는 자인서를 받아낸 뒤 이를 근거로 돈을 갈취한 경우에는 강요죄와 공갈죄의 실체적 경합이 된다.

지문분석 난이도 하 정답 ③

| 키 워 드 | 강요죄
| 출제유형 | 옳은 지문 고르기

③ (O) 대법원 2010.4.29. 2007도7064
① (X) 인질강요죄에서 강요의 상대방에 '인질'은 포함되지 않으나(형법 제324조의2), 인질강요죄를 범한 자가 인질을 안전한 장소에 풀어준 때에는 그 형을 감경할 수 있다(형법 제324조의6).
② (X) 강요죄는 폭행 또는 협박으로 사람의 권리행사를 방해하거나 의무 없는 일을 하게 하는 것을 말하고, 여기에서 '의무 없는 일'이란 법령, 계약 등에 기하여 발생하는 법률상 의무 없는 일을 말하므로, 법률상 의무 있는 일을 하게 한 경우에는 강요죄가 성립할 여지가 없다(대법원 2012.11.29. 2010도1233).
④ (X) 피고인이 투자금의 회수를 위해 피해자를 강요하여 물품대금을 횡령하였다는 자인서를 받아낸 뒤 이를 근거로 돈을 갈취한 경우, 피고인의 주된 범의가 피해자로부터 돈을 갈취하는 데에 있었던 것이라면 피고인은 단일한 공갈의 범의하에 갈취의 방법으로 일단 자인서를 작성케 한 후 이를 근거로 계속하여 갈취행위를 한 것으로 보아야 할 것이므로 위 행위는 포함하여 공갈죄 일죄만을 구성한다고 보아야 한다(대법원 1985.6.25. 84도2083).

5 강간과 추행의 죄

22 0353 2020 경찰 2차

강간과 추행의 죄에 대한 설명으로 가장 적절하지 않은 것은? (다툼이 있는 경우 판례에 의함)

① 강간죄는 피해자의 항거를 불능하게 하거나 현저히 곤란하게 할 정도의 폭행 또는 협박을 개시한 때에 그 실행의 착수가 있다고 보아야 할 것이고, 실제로 그와 같은 폭행 또는 협박에 의하여 피해자의 항거가 불능하게 되거나 현저히 곤란하게 되어야만 실행의 착수가 있다고 볼 것은 아니다.
② 폭행 또는 협박으로 사람의 구강에 신체(성기는 제외한다)의 일부를 넣는 행위는 유사강간죄로 처벌한다.
③ 甲이 피해자가 심신상실 또는 항거불능의 상태에 있다고 인식하고 그러한 상태를 이용하여 간음할 의사로 피해자를 간음하였으나 피해자가 실제로는 심신상실 또는 항거불능의 상태에 있지 않은 경우에는 준강간죄의 불능미수가 성립한다.
④ 강간죄에서의 폭행·협박과 간음 사이에는 인과관계가 있어야 하나, 폭행·협박이 반드시 간음행위보다 선행되어야 하는 것은 아니다.

지문분석 난이도 하 정답 ②

| 키 워 드 | 강간과 추행의 죄
| 출제유형 | 틀린 지문 고르기

② (X) 폭행 또는 협박으로 사람에 대하여 구강, 항문 등 신체(성기는 제외한다)의 내부에 성기를 넣거나 성기, 항문에 손가락 등 신체(성기는 제외한다)의 일부 또는 도구를 넣는 행위를 한 사람은 2년 이상의 유기징역에 처한다(형법 제297조의2).
① (O) 대법원 2000.6.9. 2000도1253
③ (O) 대법원 2019.3.28. 2018도16002 전원합의체
④ (O) 대법원 2017.10.12. 2016도16948

23 0354

2021 경찰 2차

강간과 추행의 죄에 대한 설명으로 옳은 것을 모두 고른 것은?
(다툼이 있는 경우 판례에 의함)

㉠ 성인 甲은 스마트폰 채팅을 통하여 알게 된 A(14세)에게 자신을 '고등학생 乙'이라고 속여 채팅을 통해 교제하던 중 스토킹하는 여성 때문에 힘들다며 그 여성을 떼어내려면 자신의 선배와 성관계를 하여야 한다는 취지로 A에게 이야기하고, 甲과 헤어지는 것이 두려워 이를 승낙한 A를 마치 자신이 乙의 선배인 것처럼 행세하여 간음한 경우, A가 간음 행위와 불가분적 관련성이 인정되지 않는 다른 조건에 관하여 甲에게 속았던 것이기에 甲은 아동·청소년의 성보호에 관한 법률 위반죄(위계 등 간음)로 처벌되지 아니한다.
㉡ 피해자가 깊은 잠에 빠져 있거나 술·약물 등에 의해 일시적으로 의식을 잃은 상태 또는 완전히 의식을 잃지는 않았더라도 그와 같은 사유로 정상적인 판단능력과 대응·조절 능력을 행사할 수 없는 상태에 있었다면 이는 준강간죄 또는 준강제추행죄에서의 심신상실 또는 항거불능 상태에 해당한다.
㉢ 성폭력범죄의 처벌 등에 관한 특례법 제10조 제1항에서 정한 '업무, 고용이나 그 밖의 관계로 인하여 자기의 보호, 감독을 받는 사람'에는 직장 안에서 보호 또는 감독을 받거나 사실상 보호 또는 감독을 받는 상황에 있는 사람뿐만 아니라 채용 절차에서 영향력의 범위 안에 있는 사람도 포함된다.
㉣ 형법 제302조의 미성년자는 '13세 이상 19세 미만의 사람'을 의미하고, 심신미약자는 '정신기능의 장애로 인하여 사물을 변별하거나 의사를 결정할 능력이 미약한 사람'을 의미한다.
㉤ 甲이 A를 강간할 목적으로 자고 있는 A의 가슴과 엉덩이를 만지다가 A가 깨어 소리치자 도망간 경우에는 강간의 실행의 착수가 인정되지 않아 甲의 행위는 현행 형법상 범죄로 처벌할 수 없다.

① ㉠, ㉡, ㉢ ② ㉡, ㉢, ㉣
③ ㉡, ㉣, ㉤ ④ ㉢, ㉣, ㉤

지문분석 난이도 중 정답 ②

| 키 워 드 | 강간과 추행의 죄
| 출제유형 | 조합하기

㉡ (O) 대법원 2021.2.4. 2018도9781
㉢ (O) 편의점 업주인 피고인이 아르바이트 구인 광고를 보고 연락한 甲을 채용을 빌미로 불러내 면접을 한 후 자신의 집으로 유인하여 甲의 성기를 만지고 甲에게 피고인의 성기를 만지게 하였다고 하여 성폭력범죄의 처벌 등에 관한 특례법 위반(업무상위력 등에 의한 추행)으로 기소된 사안에서, 피고인이 채용 권한을 가지고 있는 지위를 이용하여 甲의 자유의사를 제압하여 甲을 추행하였다고 본 원심판단은 정당하다(대법원 2020.7.9. 2020도5646).
㉣ (O) 형법 제302조(미성년자 등에 대한 간음)는 "미성년자 또는 심신미약자에 대하여 위계 또는 위력으로써 간음 또는 추행을 한 자는 5년 이하의 징역에 처한다."라고 규정하고 있다. 이 죄에서 '미성년자'는 형법 제305조 및 성폭력범죄의 처벌 등에 관한 특례법 제7조 제5항의 관계를 살펴볼 때 '13세 이상 19세 미만의 사람'을 가리키는 것으로 보아야 하고, '심신미약자'라 함은 정신기능의 장애로 인하여 사물을 변별하거나 의사를 결정할 능력이 미약한 사람을 말한다. 그리고 '추행'이란 객관적으로 피해자와 같은 처지에 있는 일반적·평균적인 사람으로 하여금 성적 수치심이나 혐오감을 일으키게 하고 선량한 성적 도덕관념에 반하는 행위로서 구체적인 피해자를 대상으로 하여 피해자의 성적 자유를 침해하는 것을 의미한다(대법원 2019.6.13. 2019도3341).
㉠ (X) 피고인이 스마트폰 채팅 애플리케이션을 통하여 알게 된 14세의 피해자에게 자신을 '고등학교 2학년인 甲'이라고 거짓으로 소개하고 채팅을 통해 교제하던 중 자신을 스토킹하는 여성 때문에 힘들다며 그 여성을 떼어내려면 자신의 선배와 성관계를 하여야 한다는 취지로 피해자에게 이야기하고, 피고인과 헤어지는 것이 두려워 피고인의 제안을 승낙한 피해자를 마치 자신이 甲의 선배인 것처럼 행세하여 간음한 경우, 14세에 불과한 아동·청소년인 피해자는 36세 피고인에게 속아 자신이 甲의 선배와 성관계를 하는 것만이 甲을 스토킹하는 여성을 떼어내고 甲과 연인관계를 지속할 수 있는 방법이라고 오인하여 甲의 선배로 가장한 피고인과 성관계를 하였고, 피해자가 위와 같은 오인에 빠지지 않았다면 피고인과의 성행위에 응하지 않았을 것인데, 피해자가 오인한 상황은 피해자가 피고인과의 성행위를 결심하게 된 중요한 동기가 된 것으로 보이고, 이를 자발적이고 진지한 성적 자기결정권의 행사에 따른 것이라고 보기 어렵다는 이유로, 피고인은 간음의 목적으로 피해자에게 오인, 착각, 부지를 일으키고 피해자의 그러한 심적 상태를 이용하여 피해자를 간음한 것이므로 이러한 피고인의 간음행위는 위계에 의한 것이라고 평가할 수 있다(대법원 2020.8.27. 2015도9436 전원합의체).
㉤ (X) 강간죄의 실행의 착수가 있었다고 하려면 강간의 수단으로서 폭행이나 협박을 한 사실이 있어야 할 터인데 피고인이 강간할 목적으로 피해자의 집에 침입하였다 하더라도 안방에 들어가 누워 자고 있는 피해자의 가슴과 엉덩이를 만지면서 간음을 기도하였다는 사실만으로는 강간의 수단으로 피해자에게 폭행이나 협박을 개시하였다고 하기는 어렵다(대법원 1990.5.25. 90도607).

24 0355

2021 경찰 1차

강간과 추행의 죄에 대한 아래 ㉠부터 ㉣까지의 설명 중 옳고 그름의 표시(O, X)가 모두 바르게 된 것은? (다툼이 있는 경우 판례에 의함)

> ㉠ 강간과 추행의 죄에서 말하는 '성적 자유'는 적극적으로 성행위를 할 수 있는 자유가 아니라 소극적으로 원치 않는 성행위를 하지 않을 자유를 말하고, '성적 자기결정권'은 성행위를 할 것인가 여부, 성행위를 할 때 그 상대방을 누구로 할 것인가 여부, 성행위의 방법 등을 스스로 결정할 수 있는 권리를 의미한다.
> ㉡ 강제추행죄는 자수범이라고 볼 수 없으므로 처벌되지 아니하는 타인을 도구로 삼아 피해자를 강제로 추행하는 간접정범의 형태로도 범할 수 있으나, 여기에서의 강제추행에 관한 간접정범의 의사를 실현하는 도구로서의 타인에는 피해자가 포함되지 않는다.
> ㉢ 위계에 의한 간음죄에서 행위자의 위계적 언동이 존재하였다는 사정만으로 위계에 의한 간음죄가 성립하는 것은 아니고, 위계적 언동의 내용 중에 피해자가 성행위를 결심하게 된 중요한 동기를 이룰 만한 사정이 포함되어 있어 피해자의 자발적인 성적 자기결정권의 행사가 없었다고 평가할 수 있어야 한다.
> ㉣ '미성년자 또는 심신미약자에 대하여 위계 또는 위력으로써 간음 또는 추행'한 자를 처벌하는 형법 제302조는, 미성년자나 심신미약자와 같이 판단능력이나 대처능력이 일반인에 비하여 낮은 사람은 낮은 정도의 유·무형력의 행사에 의해서도 저항을 제대로 하지 못하고 피해를 입을 가능성이 있기 때문에 그 범죄의 성립요건을 강간죄나 강제추행죄보다 완화된 형태로 규정한 것이다.

① ㉠ (O), ㉡ (X), ㉢ (O), ㉣ (O)
② ㉠ (O), ㉡ (X), ㉢ (O), ㉣ (X)
③ ㉠ (O), ㉡ (O), ㉢ (X), ㉣ (O)
④ ㉠ (X), ㉡ (O), ㉢ (X), ㉣ (X)

지문분석 난이도 ㊥ 정답 ①

| 키 워 드 | 강간과 추행의 죄
| 출제유형 | 옳고 그름의 표시(O, X)하기

㉠ (O) 대법원 2019.6.13. 2019도3341
㉡ (X) 강제추행죄는 사람의 성적 자유 내지 성적 자기결정의 자유를 보호하기 위한 죄로서 정범 자신이 직접 범죄를 실행하여야 성립하는 자수범이라고 볼 수 없으므로, 처벌되지 아니하는 타인을 도구로 삼아 피해자를 강제로 추행하는 간접정범의 형태로도 범할 수 있다. 여기서 강제추행에 관한 간접정범의 의사를 실현하는 도구로서의 타인에는 피해자도 포함될 수 있으므로, 피해자를 도구로 삼아 피해자의 신체를 이용하여 추행행위를 한 경우에도 강제추행죄의 간접정범에 해당할 수 있다(대법원 2018.2.8. 2016도17733).
㉢ (O) 대법원 2020.8.27. 2015도9436 전원합의체
㉣ (O) 대법원 2019.6.13. 2019도3341

25 0356

2019 경찰 1차

강간과 추행의 죄에 대한 다음 설명 중 가장 적절하지 않은 것은? (다툼이 있는 경우 판례에 의함)

① 강간죄가 성립하기 위한 가해자의 폭행·협박이 있었는지 여부는 그 폭행·협박의 내용과 정도는 물론 유형력을 행사하게 된 경위, 피해자와의 관계, 성교 당시와 그 후의 정황 등 모든 사정을 종합하여 피해자가 성교 당시 처하였던 구체적인 상황을 기준으로 판단하여야 한다.

② 여성에 대한 추행에 있어 신체 부위에 따라 본질적인 차이가 있다고 볼 수는 없다.

③ 수면제와 같은 약물을 투약하여 피해자를 일시적으로 수면 또는 의식불명 상태에 이르게 한 경우에도 약물로 인하여 피해자의 건강상태가 불량하게 변경되고 생활기능에 장애가 초래되었다면 자연적으로 의식을 회복하거나 외부적으로 드러난 상처가 없더라도 이는 강간치상죄나 강제추행치상죄에서 말하는 상해에 해당한다.

④ 형법 제305조의 미성년자의제강제추행죄의 성립에 필요한 주관적 구성요건요소는 고의 외에 성욕을 자극·흥분·만족시키려는 주관적 동기나 목적까지 있어야 한다.

지문분석

난이도 ㉻ 정답 ④

| 키 워 드 | 강간과 추행의 죄

| 출제유형 | 틀린 지문 고르기

④ (X) **미성년자의제강제추행죄의 주관적 구성요건요소**

[1] 형법 제305조의 미성년자의제강제추행죄의 성립에 필요한 주관적 구성요건요소는 고의만으로 충분하고, 그 외에 성욕을 자극·흥분·만족시키려는 주관적 동기나 목적까지 있어야 하는 것은 아니다.

[2] 초등학교 4학년 담임교사(남자)가 교실에서 자신이 담당하는 반의 남학생의 성기를 만진 행위가 미성년자의제강제추행죄에서 말하는 '추행'에 해당한다(대법원 2006.1.13. 2005도6791).

① (O) 강간죄가 성립하기 위한 가해자의 폭행·협박이 있었는지 여부는 그 폭행·협박의 내용과 정도는 물론 유형력을 행사하게 된 경위, 피해자와의 관계, 성교 당시와 그 후의 정황 등 모든 사정을 종합하여 피해자가 성교 당시 처하였던 구체적인 상황을 기준으로 판단하여야 하며, 사후적으로 보아 피해자가 성교 이전에 범행현장을 벗어날 수 있었다거나 피해자가 사력을 다하여 반항하지 않았다는 사정만으로 가해자의 폭행·협박이 피해자의 항거를 현저히 곤란하게 할 정도에 이르지 않았다고 섣불리 단정하여서는 안 된다(대법원 2005.7.28. 2005도3071).

② (O) 직장 상사가 등 뒤에서 피해자의 의사에 명백히 반하여 어깨를 주무른 경우, 여성에 대한 추행에 있어 신체 부위에 따라 본질적인 차이가 있다고 볼 수 없으므로 추행에 해당한다(대법원 2004.4.16. 2004도52).

③ (O) 대법원 2017.6.29. 2017도3196

26 0357

2018 경찰 2차

다음 사안에서 甲의 형사책임에 대한 설명으로 가장 적절한 것은? (다툼이 있는 경우 판례에 의함)

> 甲은 피해자 A를 강간하려다 미수에 그치고 의도치 않게 동 행위로 인하여 A에게 상해를 입혔다. 甲은 자신의 범행으로 인해 의식을 잃고 쓰러진 A를 구호하지 아니하고 그 자리를 떠났다. A는 의식불명인 상태로 범행현장에 방치되어 있다가 몇 시간 뒤 행인에게 구조되었다.

① 甲의 강간범행이 미수에 그치고 그로 인해 상해의 결과가 발생하였으므로 甲은 강간치상죄의 미수범으로 처벌된다.

② 甲이 의식불명이 된 피해자 A를 구호하지 아니하고 방치한 행위에 대해서는 별도로 유기죄가 성립한다.

③ 만일 A가 집에 돌아가서 수치심과 절망감에 휩싸여 몇 주 뒤 자살을 하기에 이르렀다면 甲을 강간치사죄로 처벌할 수 있다.

④ 사안을 달리하여, A가 입은 상해가 사람의 반항을 억압할 만한 폭행 또는 협박이 없어도 일상생활 중 발생할 수 있는 것이거나 합의에 따른 성교행위에서도 통상 발생할 수 있는 상해와 같은 정도의 것이라고 가정한다면, 이는 강간치상죄의 상해에 해당되지 아니한다고 할 수 있다.

지문분석

난이도 ㉧ 정답 ④

| 키 워 드 | 강간죄

| 출제유형 | 사례 풀기

④ (O) 강간행위에 수반하여 생긴 상해가 극히 경미한 것으로서 굳이 치료할 필요가 없어서 자연적으로 치유되며 일상생활을 하는 데 아무런 지장이 없는 경우에는 강간치상죄의 상해에 해당되지 아니한다고 할 수 있을 터이나, 그러한 논거는 피해자의 반항을 억압할 만한 폭행 또는 협박이 없어도 일상생활 중 발생할 수 있는 것이거나 합의에 따른 성교행위에서도 통상 발생할 수 있는 상해와 같은 정도임을 전제로 하는 것이므로 그러한 정도를 넘는 상해가 그 폭행 또는 협박에 의하여 생긴 경우라면 상해에 해당된다고 할 것이다(대법원 2005.5.26. 2005도1039).

① (X) 강간이 미수에 그친 경우라도 그로 인하여 피해자가 상해를 입었으면, 강간치상죄가 성립하는 것이다(대법원 2003.5.30. 2003도1256).
→ 강간치상죄의 기수범으로 처벌된다.

② (X) 강간치상의 범행을 저지른 자가 그 범행으로 인하여 실신형태에 있는 피해자를 구호하지 아니하고 방치하였다 하더라도 그 행위는 포괄적으로 단일의 강간치상죄만을 구성한다고 봄이 상당하다 할 것인바, 피고인의 강간미수행위로 인하여 상해를 입고 의식불명이 된 피해자를 그곳에 그대로 방치한 피고인의 소위에 대하여 강간치상죄만이 성립하고 별도로 유기죄는 성립하지 아니한다(대법원 1980.6.24. 80도726).

③ (X) 강간을 당한 피해자가 집에 돌아가 음독자살하기에 이르른 원인이 강간을 당함으로 인하여 생긴 수치심과 장래에 대한 절망감 등에 있었다 하더라도 그 자살행위가 바로 강간행위로 인하여 생긴 당연의 결과라고 볼 수는 없으므로 강간행위와 피해자의 자살행위 사이에 인과관계를 인정할 수는 없다(대법원 1982.11.23. 82도1446).
→ 강간치사죄 부정, 강간죄 인정

27 0358

2019 경찰 승진

강간과 추행의 죄에 대한 설명으로 가장 적절한 것은? (다툼이 있는 경우 판례에 의함)

① 피고인이 알고 지내던 여성인 피해자가 자신의 머리채를 잡아 폭행을 가하자 보복의 의미에서 피해자의 입술, 귀, 유두, 가슴 등을 입으로 깨무는 등의 행위를 한 것이라면 강제추행죄가 성립하지 않는다.

② 강제추행죄는 사람의 성적 자유 내지 성적 자기결정의 자유를 보호하기 위한 죄로서 정범 자신이 직접 범죄를 실행하여야 성립하는 자수범이라고 볼 수 없으므로, 처벌되지 아니하는 타인을 도구로 삼아 피해자를 강제로 추행하는 간접정범의 형태로도 범할 수 있다.

③ 강간할 목적으로 피해자의 집 안방에 침입하여 자고 있는 피해자의 가슴과 엉덩이를 만지면서 간음을 기도한 경우, 이 행위만으로도 강간의 수단으로서의 폭행이나 협박을 개시하였다고 할 수 있다.

④ 형법 제305조의 미성년자의제강제추행죄는 그 성립에 필요한 주관적 구성요건요소는 고의 이외에도 성욕을 자극·흥분·만족시키려는 주관적 동기나 목적이 있을 것을 요한다.

지문분석

난이도 하 정답 ②

| 키 워 드 | 강간과 추행의 죄

| 출제유형 | 옳은 지문 고르기

② (O) 대법원 2018.2.8. 2016도17733

① (X) 피고인이, 알고 지내던 여성인 피해자 甲이 자신의 머리채를 잡아 폭행을 가하자 보복의 의미에서 甲의 입술, 귀, 유두, 가슴 등을 입으로 깨무는 등의 행위를 한 경우, 객관적으로 여성인 피해자의 입술, 귀, 유두, 가슴을 입으로 깨무는 행위는 일반적이고 평균적인 사람으로 하여금 성적 수치심이나 혐오감을 일으키게 하고 선량한 성적 도덕관념에 반하는 행위로서, 甲의 성적 자유를 침해하였다고 보는 것이 타당하므로, 피고인의 행위는 강제추행죄의 '추행'에 해당한다(대법원 2013.9.26. 2013도5856).

③ (X) 강간죄의 실행의 착수가 있었다고 하려면 강간의 수단으로서 폭행이나 협박을 한 사실이 있어야 할 터인데 피고인이 강간할 목적으로 피해자의 집에 침입하였다 하더라고 안방에 들어가 누워 자고 있는 피해자의 가슴과 엉덩이를 만지면서 간음을 기도하였다는 사실만으로는 강간의 수단으로 피해자에게 폭행이나 협박을 개시하였다고 하기는 어렵다(대법원 1990.5.25. 90도607).

④ (X) 형법 제305조의 미성년자의제강제추행죄는 '13세 미만의 아동이 외부로부터의 부적절한 성적 자극이나 물리력의 행사가 없는 상태에서 심리적 장애 없이 성적 정체성 및 가치관을 형성할 권익'을 보호법익으로 하는 것으로서, 그 성립에 필요한 주관적 구성요건요소는 고의만으로 충분하고, 그 외에 성욕을 자극·흥분·만족시키려는 주관적 동기나 목적까지 있어야 하는 것은 아니다(대법원 2006.1.13. 2005도6791).

28 0359

2020 경찰 승진

강간과 추행의 죄에 대한 설명 중 가장 적절한 것은? (다툼이 있는 경우 판례에 의함)

① 채팅으로 만난 16세의 여자 청소년에게 "성교를 해주면 그 대가로 돈을 주겠다"고 거짓말하고 성교한 경우 형법 제302조의 미성년자 위계간음죄가 성립하지 않는다.

② 사람 및 차량의 왕래가 빈번한 도로에서 甲이 자신의 말을 무시한 피해자에게 성적이지 않은 욕설을 하면서 단순히 바지를 내리고 자신의 성기를 피해자에게 보여준 경우 강제추행죄가 성립한다.

③ 피고인이 엘리베이터 안에서 피해자를 칼로 위협하는 등의 방법으로 꼼짝하지 못하도록 하여 자신의 실력적인 지배하에 둔 다음 자위행위 모습을 보여주고 피할 수 없게 한 경우 성폭력범죄의 처벌 등에 관한 특례법의 특수강제추행죄가 성립한다.

④ 야간에 강간을 목적으로 피해자의 집에 담을 넘어 침입한 후, 안방에서 자고 있던 피해자의 가슴과 엉덩이를 만지면서 강간하려고 하였으나, 피해자가 '야' 하고 비명을 지르는 바람에 도망한 경우 강간죄의 장애미수에 해당한다.

지문분석

난이도 하 정답 ③

| 키 워 드 | 강간과 추행의 죄

| 출제유형 | 옳은 지문 고르기

③ (O) 대법원 2010.2.25. 2009도13716

① (X) 변경된 전원합의체 판결에 의하면 위계간음죄가 성립한다. 위계에 의한 간음죄에서 피해자가 오인, 착각, 부지에 빠지게 되는 대상은 간음행위 자체일 수도 있고, 간음행위에 이르게 된 동기이거나 간음행위와 결부된 금전적·비금전적 대가와 같은 요소일 수도 있다(대법원 2020.8.27. 2015도9436 전원합의체).

② (X) 단순히 피고인이 바지를 벗어 자신의 성기를 보여준 것만으로는 폭행 또는 협박으로 '추행'을 하였다고 볼 수 없다(대법원 2012.7.26. 2011도8805).

④ (X) 강간죄의 실행의 착수가 있었다고 하려면 강간의 수단으로서 폭행이나 협박을 한 사실이 있어야 할 터인데 피고인이 강간할 목적으로 피해자의 집에 침입하였다 하더라도 안방에 들어가 누워 자고 있는 피해자의 가슴과 엉덩이를 만지면서 간음을 기도하였다는 사실만으로는 강간의 수단으로 피해자에게 폭행이나 협박을 개시하였다고 하기는 어렵다(대법원 1990.5.25. 90도607).

29 0360

2020 경찰 간부

다음 설명 중 가장 옳은 것은? (다툼이 있는 경우 판례에 의함)

① 甲이 A와 교제하면서 촬영한 성관계 동영상, 나체사진 등의 촬영물을 A와 교제하던 다른 남성에게 A와 헤어지게 할 의도로 전송한 행위는 성폭력범죄의 처벌 등에 관한 특례법 제14조 제2항의 카메라 이용 촬영물의 '반포'에 해당한다.

② 甲이 A를 협박하여 겁을 먹은 A로 하여금 어쩔 수 없이 나체나 속옷만 입은 상태가 되게 하여 스스로를 촬영하게 하고, 또 성기에 이물질을 삽입하는 등의 행위를 하게 한 경우 강제추행죄의 간접정범에 해당한다.

③ 甲이 제작한 영상물이 객관적으로 아동·청소년이 등장하여 성적 행위를 하는 내용을 표현한 영상물에 해당하더라도 대상이 된 아동·청소년의 동의하에 촬영한 것이라면, 甲의 행위는 아동·청소년의 성보호에 관한 법률상 아동·청소년이용음란물을 제작한 것에 해당하지 아니한다.

④ 성폭력범죄의 처벌 등에 관한 특례법 제13조의 통신매체이용음란죄는 성적 자기결정권에 반하여 성적 수치심을 일으키는 그림 등을 개인의 의사에 반하여 접하지 않을 권리를 보장하기 위한 것으로 개인의 성적 자유를 보호하기 위한 것이며, 사회적 법익으로서 건전한 성풍속을 보호하기 위한 구성요건이 아니다.

지문분석

난이도 상 정답 ②

| 키 워 드 | 강간과 추행의 죄

| 출제유형 | 옳은 지문 고르기

② (O) 대법원 2018.2.8. 2016도17733

① (X) 피고인의 행위는 성폭력처벌법 제14조 제2항에서 정한 촬영물의 '제공'에 해당할 수는 있어도 그 촬영물의 '반포'에는 해당하지 아니한다(대법원 2016.12.27. 2016도16676).

③ (X) 청소년성보호법 제11조 제1항은 아동·청소년이용음란물을 제작·수입 또는 수출한 자를 처벌하고 있는데, 객관적으로 아동·청소년이 등장하여 성적 행위를 하는 내용을 표현한 영상물을 제작하는 한, 대상이 된 아동·청소년의 동의하에 촬영한 것이라거나 사적인 소지·보관을 1차적 목적으로 제작한 것이라고 하여 위 조항의 '아동·청소년이용음란물'에 해당하지 아니한다거나 이를 '제작'한 것이 아니라고 할 수 없다(대법원 2015.3.20. 2014도17346).

④ (X) 성폭력범죄의 처벌 등에 관한 특례법 제13조에서 정한 '통신매체이용음란죄'는 '성적 자기결정권에 반하여 성적 수치심을 일으키는 그림 등을 개인의 의사에 반하여 접하지 않을 권리'를 보장하기 위한 것으로 성적 자기결정권과 일반적 인격권의 보호, 사회의 건전한 성풍속 확립을 보호법익으로 한다(대법원 2018.9.13. 2018도9775).

30 0361

2019 경찰 간부(변형)

강간과 추행죄에 대한 다음 설명 중 가장 옳은 것은? (다툼이 있는 경우 판례에 의함)

① 甲이 피해자들을 협박하여 겁을 먹은 피해자들로 하여금 스스로 가슴 사진, 성기 사진, 가슴을 만지는 동영상 등을 촬영하게 하고 촬영된 사진과 동영상을 전송받은 경우 甲의 행위는 피해자들의 신체에 대한 접촉이 있는 경우와 동등한 정도로 성적 자기결정권을 침해했다고 볼 수 없다.

② 甲이 밤에 술을 마시고 배회하던 중 버스에서 내려 혼자 걸어가는 17세의 피해자를 발견하고 마스크를 착용한 채 뒤따라가다가 인적이 없고 외진 곳에서 가까이 접근하여 껴안으려 하였으나 피해자가 뒤돌아보면서 소리치자 그 상태로 몇 초 동안 쳐다보다가 다시 오던 길로 되돌아간 경우 甲의 행위만으로는 피해자의 항거를 곤란하게 하는 정도의 폭행이나 협박이라고 보기 어려워 강제추행의 실행의 착수가 있었다고 볼 수 없다.

③ 강제추행죄는 자수범이 아니므로 피고인이 피해자를 도구로 삼아 피해자의 신체를 이용하여 추행행위를 한 경우 강제추행죄의 간접정범에 해당할 수 있다.

④ 피고인이 심신미약자인 피해자를 여관으로 유인하기 위하여 인터넷 쪽지로 남자를 소개해 주겠다고 거짓말을 하여 피해자가 이에 속아 여관으로 오게 되었고, 그곳에서 성관계를 하게 되었다면 거짓말로 여관으로 유인한 행위는 위계에 의한 심신미약자간음죄의 위계에 해당하지 않는다.

지문분석

난이도 하 정답 ③

| 키 워 드 | 강간과 추행의 죄

| 출제유형 | 옳은 지문 고르기

③ (O) 대법원 2018.2.8. 2016도17733

① (X) 강제추행죄는 사람의 성적 자유 내지 성적 자기결정의 자유를 보호하기 위한 죄로서 피고인이 피해자들을 협박하여 겁을 먹은 피해자들로 하여금 어쩔 수 없이 나체나 속옷만 입은 상태가 되게 하여 스스로를 촬영하게 하거나, 성기에 이물질을 삽입하거나 자위를 하는 등의 행위를 하게 하였다면, 이러한 행위는 피해자들을 도구로 삼아 피해자들의 신체를 이용하여 그 성적 자유를 침해한 행위로서, 그 행위의 내용과 경위에 비추어 일반적이고도 평균적인 사람으로 하여금 성적 수치심이나 혐오감을 일으키게 하고 선량한 성적 도덕관념에 반하는 행위라고 볼 여지가 충분하다(대법원 2018.2.8. 2016도17733).

② (X) 피고인의 팔이 피해자의 몸에 닿지 않았더라도 양팔을 높이 들어 갑자기 뒤에서 껴안으려는 행위는 피해자의 의사에 반하는 유형력의 행사로서 폭행행위에 해당하며, 그때 '기습추행'에 관한 실행의 착수가 있는데, 마침 피해자가 뒤돌아보면서 소리치는 바람에 몸을 껴안는 추행의 결과에 이르지 못하고 미수에 그쳤으므로, 피고인의 행위는 아동·청소년에 대한 강제추행미수죄에 해당한다(대법원 2015.9.10. 2015도6980, 2015모2524).

④ (X) 변경된 전원합의체 판결에 의하면 위계간음죄가 성립한다. 위계에 의한 간음죄에서 피해자가 오인, 착각, 부지에 빠지게 되는 대상은 간음행위 자체일 수도 있고, 간음행위에 이르게 된 동기이거나 간음행위와 결부된 금전적·비금전적 대가와 같은 요소일 수도 있다(대법원 2020.8.27. 2015도9436 전원합의체).

31 0362 2021 경찰 승진

강간과 추행의 죄에 대한 설명으로 적절하지 않은 것을 모두 고른 것은? (다툼이 있는 경우 판례에 의함)

㉠ 폭행 또는 협박으로 사람에 대하여 구강, 항문에 손가락 등 신체(성기는 제외한다)의 일부 또는 도구를 넣는 행위를 한 사람은 형법 제297조의2 유사강간죄로 처벌한다.
㉡ 폭행에 대한 보복의 의미에서 피해자의 입술, 귀, 유두, 가슴 등을 입으로 깨문 피고인의 행위는 강제추행죄의 '추행'에 해당한다.
㉢ 강간죄에서의 폭행·협박과 간음 사이에는 인과관계가 있어야 하나, 폭행·협박이 반드시 간음행위보다 선행되어야 하는 것은 아니다.
㉣ 강제추행죄는 사람의 성적 자유 내지 성적 자기결정의 자유를 보호하기 위한 죄로서 정범 자신이 직접 범죄를 실행하여야 성립하는 자수범이라고 볼 수는 없으나, 강제추행에 관한 간접정범의 의사를 실현하는 도구로서의 타인에 피해자 본인은 포함될 수 없다.

① ㉠, ㉡ ② ㉠, ㉣
③ ㉡, ㉢ ④ ㉡, ㉣

지문분석 난이도 중 정답 ②

| 키 워 드 | 강간과 추행의 죄
| 출제유형 | 조합하기

㉠ (X) 폭행 또는 협박으로 사람에 대하여 구강, 항문 등 신체(성기는 제외한다)의 내부에 성기를 넣거나 성기, 항문에 손가락 등 신체(성기는 제외한다)의 일부 또는 도구를 넣는 행위를 한 사람은 형법 제297조의2 유사강간죄로 처벌한다.
㉣ (X) 강제추행죄는 사람의 성적 자유 내지 성적 자기결정의 자유를 보호하기 위한 죄로서 정범 자신이 직접 범죄를 실행하여야 성립하는 자수범이라고 볼 수 없으므로, 처벌되지 아니하는 타인을 도구로 삼아 피해자를 강제로 추행하는 간접정범의 형태로도 범할 수 있다. 여기서 강제추행에 관한 간접정범의 의사를 실현하는 도구로서의 타인에는 피해자도 포함될 수 있으므로, 피해자를 도구로 삼아 피해자의 신체를 이용하여 추행행위를 한 경우에도 강제추행죄의 간접정범에 해당할 수 있다(대법원 2018.2.8. 2016도17733).
㉡ (O) 대법원 2013.9.26. 2013도5856
㉢ (O) 대법원 2017.10.12. 2016도16948

CHAPTER

03 명예와 신용에 대한 죄

■ 기본서 연계페이지: p.626~661 ■ 문항 수: 31문항

1 명예에 관한 죄

01 0363

2021 경찰 2차

명예에 관한 죄에 대한 설명으로 옳은 것은 모두 몇 개인가?
(다툼이 있는 경우 판례에 의함)

㉠ 甲이 명예훼손 사실을 발설한 것이 정말이냐는 A의 질문에 대답하는 과정에서 타인의 명예를 훼손하는 사실을 발설하게 된 경우, 명예훼손의 고의가 인정되지 아니한다.

㉡ 甲이 집 뒷길에서 자신의 남편과 A의 친척이 듣는 가운데 다른 사람들이 들을 수 있을 정도의 큰 소리로 A에게 "저것이 징역 살다온 전과자다."고 말한 경우, 자신의 남편과 A의 친척에게 말한 것이라 할지라도 명예훼손죄의 구성요건 요소인 '공연성'이 인정된다.

㉢ 사이버대학교 학생 甲이 학과 학생들만 가입할 수 있는 네이버밴드 게시판에 A의 "총학생회장 출마자격에 관하여 조언을 구한다."는 글에 대한 댓글로 직전 회장 선거에 입후보하였다가 중도 사퇴한 친구 B의 실명을 거론하며, 객관적 사실에 부합하는 "B학우가 학생회비도 내지 않고 총학생회장 선거에 출마하려 했다가 상대방 후보를 비방하고 이래저래 학과를 분열시키고 개인적인 감정을 표한 사례가 있다."고 언급한 다음 "그러한 부분은 지양했으면 한다."는 의견을 덧붙인 경우, 甲의 주요한 동기와 목적은 공공의 이익을 위한 것으로서 甲에게 B를 비방할 목적이 있다고 보기 어렵다.

㉣ 제품의 안정성에 논란이 많은 가운데 인터넷 신문사 소속 기자 A가 인터넷 포탈 사이트의 '핫이슈'난에 제품을 옹호하는 기사를 게재하자 그 기사를 읽은 상당수의 독자들이 '네티즌 댓글'난에 A를 비판하는 댓글을 달고 있는 상황에서 甲이 "이런 걸 기레기라고 하죠?"라는 댓글을 게시한 경우, 이는 모욕적 표현에 해당하나 사회상규에 위배되지 않는 행위로서 형법 제20조에 의하여 위법성이 조각된다.

① 1개 ② 2개
③ 3개 ④ 4개

지문분석 난이도 중 정답 ④

| 키 워 드 | 명예에 관한 죄
| 출제유형 | 개수 찾기

㉠ (O) 대법원 2010.10.28. 2010도2877
㉡ (O) 대법원 2020.11.19. 2020도5813 전원합의체
㉢ (O) 대법원 2020.3.2. 2018도15868
㉣ (O) 대법원 2021.3.25. 2017도17643

02 0364

2021 경찰 1차

명예에 관한 죄에 대한 설명으로 가장 적절하지 않은 것은? (다툼이 있는 경우 판례에 의함)

① 국가나 지방자치단체는 명예훼손죄나 모욕죄의 피해자가 될 수 없다.
② 적시된 사실이 허위의 사실이라 하더라도 행위자에게 허위성에 대한 인식이 없는 경우에는 형법 제307조 제2항의 명예훼손죄가 아닌 형법 제307조 제1항의 명예훼손죄가 성립될 수 있다.
③ 평균적인 독자의 관점에서 문제된 부분이 실제로는 비평자의 주관적 의견에 해당하고, 다만 비평자가 자신의 의견을 강조하기 위한 수단으로 겉으로 보기에 증거에 의해 입증 가능한 구체적인 사실관계를 서술하는 형태의 표현을 사용한 것이라고 이해된다면 명예훼손죄에서 말하는 사실의 적시에 해당한다고 볼 수 있다.
④ 공연히 사실을 적시하여 사람의 명예를 훼손한 경우, 그것이 진실한 사실이고 행위자의 주요한 동기 내지 목적이 공공의 이익을 위한 것이라면 부수적으로 다른 사익적 목적이나 동기가 내포되어 있더라도 형법 제310조의 적용을 배제할 수 없다.

지문분석

난이도 중 정답 ③

| 키 워 드 | 명예에 관한 죄
| 출제유형 | 틀린 지문 고르기

③ (X) [1] 명예훼손죄에서의 사실의 적시란 가치판단이나 평가를 내용으로 하는 의견표현에 대치되는 개념으로서 시간과 공간적으로 구체적인 과거 또는 현재의 사실관계에 관한 보고 내지 진술을 의미하며, 그 표현내용이 증거에 의한 입증이 가능한 것을 말하고, 판단할 진술이 사실인가 또는 의견인가를 구별할 때에는 언어의 통상적 의미와 용법, 입증가능성, 문제된 말이 사용된 문맥, 그 표현이 행하여진 사회적 상황 등 전체적 정황을 고려하여 판단하여야 한다.
[2] 다른 사람의 말이나 글을 비평하면서 사용한 표현이 겉으로 보기에 증거에 의해 입증 가능한 구체적인 사실관계를 서술하는 형태를 취하고 있더라도, 글의 집필의도, 논리적 흐름, 서술체계 및 전개방식, 해당 글과 비평의 대상이 된 말 또는 글의 전체적인 내용 등을 종합하여 볼 때, 평균적인 독자의 관점에서 문제된 부분이 실제로는 비평자의 주관적 의견에 해당하고, 다만 비평자가 자신의 의견을 강조하기 위한 수단으로 그와 같은 표현을 사용한 것이라고 이해된다면 명예훼손죄에서 말하는 사실의 적시에 해당한다고 볼 수 없다(대법원 2017.5.11. 2016도19255).
① (O) 대법원 2016.12.27. 2014도15290
② (O) 대법원 2017.4.26. 2016도18024
④ (O) 대법원 1996.10.25. 95도1473

03 0365

2020 경찰 2차

다음 명예에 대한 죄의 설명 중 적절한 것만을 고른 것은 모두 몇 개인가? (다툼이 있는 경우 판례에 의함)

㉠ 허위사실 적시에 의한 명예훼손죄에 해당하는 행위에 대하여는 위법성조각에 관한 형법 제310조는 적용될 여지가 없다.
㉡ 사람의 성명을 명시하지 않은 허위사실의 적시행위도 그 표현의 내용을 주위사정과 종합 판단하여 그것이 어느 특정인을 지목하는 것인가를 알아차릴 수 있는 경우에는 그 특정인에 대한 명예훼손죄를 구성한다.
㉢ 학교운영의 공공성, 투명성의 보장을 요구하여 학교가 합리적이고 정상적으로 운영되게 할 목적으로 피해자들의 거주지 앞에서 그들의 주소까지 명시하여 명예를 훼손하였더라도 공익성이 인정되어 명예훼손죄가 성립하지 않는다.
㉣ 어떠한 표현이 상대방의 인격적 가치에 대한 사회적 평가를 저하시킬 만한 것이 아니라면 표현이 다소 무례한 방법으로 표시되었다 하더라도 모욕죄의 구성요건에 해당한다고 볼 수 없다.

① 1개　　② 2개
③ 3개　　④ 4개

지문분석

난이도 상 정답 ③

| 키 워 드 | 명예에 관한 죄
| 출제유형 | 개수 찾기

㉠ (O) 대법원 2015.7.9. 2013도4786
㉡ (O) 대법원 1982.11.9. 82도1256
㉣ (O) 대법원 2015.9.10. 2015도2229
㉢ (X) [1] 학교운영의 공공성, 투명성의 보장을 요구하여 학교가 합리적이고 정상적으로 운영되게 할 목적으로 공연히 사실을 적시하였더라도, 피해자들의 거주지 앞에서 그들의 주소까지 명시하여 명예를 훼손하였다면, 이는 공공의 이익을 위한 사실의 적시로 볼 수 없어 위법성이 조각되지 아니한다.
[2] 피고인들이 적시한 사실이 피해자들이 거주하는 아파트 주민들과 관련이 있다고 볼 수 없고, 달리 피고인들이 피해자들의 주소까지 명시하여야 할 사정이 보이지 아니하는 점 등에 비추어, 피고인들이 피해자들이 거주하는 아파트 앞에서 피해자들의 주소까지 명시하여 피해자들의 명예를 훼손한 것을 두고 오로지 공공의 이익에 관한 것이라고 보기는 어렵다고 할 것이다(대법원 2008.3.14. 2006도6049).

04 0366

2019 경찰 2차

명예훼손죄에 관한 설명으로 가장 적절하지 않은 것은? (다툼이 있는 경우 판례에 의함)

① 집합적 명칭을 사용하여 명예훼손행위를 한 경우, 그 명칭의 사용에 의하여 그 범위에 속하는 특정인을 가리키는 것이 명백하면 집합구성원 각자에 대한 명예훼손죄가 성립한다.

② 甲이 고발의 동기나 경위에 관한 언급 없이 제3자에게 "乙이 丙을 선거법 위반으로 고발하였다"는 말만 하였다면, 乙의 사회적 가치나 평가를 침해하기에 충분한 구체적 사실이 적시되었다고 보기 어렵다.

③ 이미 사회의 일부에 잘 알려진 공지의 사실은 명예훼손의 객체에 해당하지 않으므로, 이를 적시하여 사람의 사회적 평가를 저하시킬 만한 행위를 하더라도 명예훼손죄가 성립하지 않는다.

④ 허위사실을 진실한 사실로 오인하여 공공의 이익을 위해 공연히 적시한 경우, 적시된 사실이 공공의 이익에 관한 것이고 행위자가 진실한 것으로 믿었고 또 그렇게 믿을 만한 상당한 이유가 있다면 형법 제310조에 의하여 위법성이 조각된다.

지문분석

난이도 중 정답 ③

| 키 워 드 | 명예훼손죄

| 출제유형 | 틀린 지문 고르기

③ (X) 명예훼손죄가 성립하기 위하여는 반드시 숨겨진 사실을 적발하는 행위만에 한하지 아니하고 이미 사회의 일부에 잘 알려진 사실이라고 하더라도 이를 적시하여 사람의 사회적 평가를 저하시킬 만한 행위를 한 때에는 명예훼손죄를 구성한다(대법원 1994.4.12. 93도3535).

① (O) 명예훼손죄는 어떤 특정한 사람 또는 인격을 보유하는 단체에 대하여 그 명예를 훼손함으로써 성립하는 것이므로 그 피해자는 특정한 것임을 요하고, 다만 서울시민 또는 경기도민이라 함과 같은 막연한 표시에 의해서는 명예훼손죄를 구성하지 아니한다 할 것이지만, 집합적 명사를 쓴 경우에도 그것에 의하여 그 범위에 속하는 특정인을 가리키는 것이 명백하면, 이를 각자의 명예를 훼손하는 행위라고 볼 수 있다(대법원 2000.10.10. 99도5407).

② (O) 甲이 제3자에게 乙이 丙을 선거법 위반으로 고발하였다는 말만 하고 그 고발의 동기나 경위에 관하여 언급하지 않았다면, 그 자체만으로는 乙의 사회적 가치나 평가를 침해하기에 충분한 구체적 사실이 적시되었다고 보기 어렵다(대법원 2009.9.24. 2009도6687).

→ ㉠ 누구든지 범죄가 있다고 생각하는 때에는 고발할 수 있는 것이므로 어떤 사람이 범죄를 고발하였다는 사실이 주위에 알려졌다고 하여 그 고발사실 자체만으로 고발인의 사회적 가치나 평가가 침해될 가능성이 있다고 볼 수는 없다. ㉡ 다만, 그 고발의 동기나 경위가 불순하다거나 온당하지 못하다는 등의 사정이 함께 알려진 경우에는 고발인의 명예가 침해될 가능성이 있다.

④ (O) 명예훼손죄에 있어서는 개인의 명예보호와 정당한 표현의 자유보장이라는 상충되는 두 법익의 조화를 꾀하기 위하여 형법 제310조를 규정하고 있으므로 적시된 사실이 공공의 이익에 관한 것이면 진실한 것이라는 증명이 없다 할지라도 ㉠ 행위자가 진실한 것으로 믿었고, ㉡ 또 그렇게 믿을 만한 상당한 이유가 있는 경우에는 위법성이 없다고 보아야 할 것이다(대법원 1996.8.23. 94도3191).

05 0367

2020 경찰 1차

모욕죄에 관한 설명으로 적절한 것을 모두 고른 것은? (다툼이 있는 경우 판례에 의함)

㉠ 피고인이 방송국 홈페이지의 시청자 의견란에 작성·게시한 글 중 일부의 표현이 모욕적 언사에 해당될지라도 게시판에 올린 글을 전체적인 맥락에서 파악했을 때, 이로써 곧 사회통념상 피해자의 사회적 평가를 저하시키는 내용의 경멸적 판단을 표시한 것으로 인정하기 어렵다면 형법 제20조의 사회상규에 위배되지 아니하는 행위로 봄이 상당하다.

㉡ 골프클럽 경기보조원들의 구직편의를 위해 제작된 인터넷 사이트 내 회원 게시판에 특정 골프클럽의 운영상 불합리성을 비난하는 글을 게시하면서 위 클럽담당자에 대하여 '한심하고 불쌍한 인간'이라는 등 경멸적 표현을 한 경우 모욕죄에 해당된다.

㉢ 모욕이란 사실을 적시하지 아니하고 사람의 사회적 평가를 저하시킬 만한 추상적 판단이나 경멸적 감정을 표현하는 것을 의미한다. 따라서 어떠한 표현이 상대방의 인격적 가치에 대한 사회적 평가를 저하시킬 만한 것이 아니라면 설령 그 표현이 다소 무례한 방법으로 표시되었다 하더라도 이를 두고 모욕죄의 구성요건에 해당한다고 볼 수 없다.

㉣ 임대아파트의 분양전환과 관련하여 임차인이 아파트 관리사무소의 방송시설을 이용하여 임차인대표회의의 전임회장을 비판하며 "전 회장의 개인적인 의사에 의하여 주택공사의 일방적인 견해에 놀아나고 있기 때문에"라고 한 표현은 '모욕'에 해당한다.

① ㉠, ㉡ ② ㉠, ㉢
③ ㉡, ㉢ ④ ㉢, ㉣

지문분석

난이도 중 정답 ②

| 키 워 드 | 모욕죄

| 출제유형 | 조합하기

㉠ (O) 대법원 2003.11.28. 2003도3972

㉢ (O) 대법원 2015.9.10. 2015도2229

㉡ (X) 골프클럽 경기보조원들의 구직편의를 위해 제작된 인터넷 사이트 내 회원 게시판에 특정 골프클럽의 운영상 불합리성을 비난하는 글을 게시하면서 위 클럽담당자에 대하여 한심하고 불쌍한 인간이라는 등 경멸적 표현을 한 사안에서, 게시의 동기와 경위, 모욕적 표현의 정도와 비중 등에 비추어 사회상규에 위배되지 않는다고 보아 모욕죄의 성립을 부정한다(대법원 2008.7.10. 2008도1433).

㉣ (X) 임대아파트의 분양전환과 관련하여 임차인이 아파트 관리사무소의 방송시설을 이용하여 임차인대표회의의 전임회장을 비판하며 "전 회장의 개인적인 의사에 의하여 주택공사의 일방적인 견해에 놀아나고 있기 때문에"라고 한 표현은 전체 문언상 모욕죄의 '모욕'에 해당하지 않는다(대법원 2008.12.11. 2008도8917).

→ 이 사건 공소사실이 모욕적 표현으로 적시한 "전 회장의 개인적인 의사에 의하여 주택공사의 일방적인 견해에 놀아나고 있기 때문에"의

중심적 의미는, 임차인대표회의의 회장이었던 피해자가 개인적 판단에만 기울어서 주택공사와의 관계에서 주민들의 의견을 관철시키지 못하고 주택공사의 견해에만 일방적으로 끌려다닌다는 취지로 해석함이 상당하다. 이는 피해자의 사회적 평가를 저하시킬 만한 추상적 판단이나 그에 대한 경멸적 감정을 표현한 것으로 보기 어렵다.

06 0368

2018 경찰 2차

명예에 관한 죄에 대한 설명으로 가장 적절한 것은? (다툼이 있는 경우 판례에 의함)

① 형법 제307조 제1항의 명예훼손죄는 적시된 사실이 진실한 사실인 경우이든 허위의 사실인 경우이든 모두 성립될 수 있다.
② 국가나 지방자치단체도 국민에 대한 관계에서는 형벌의 수단을 통해 보호되는 외부적 명예의 주체가 될 수 있고, 따라서 명예훼손죄나 모욕죄의 피해자가 될 수 있다.
③ 일반적으로 범죄의 고의는 확정적 고의뿐만 아니라 결과발생에 대한 인식이 있고 그를 용인하는 미필적 고의도 포함하나, 형법 제308조의 사자명예훼손죄의 판단에서는 미필적 고의에 의하여 죄가 성립하지 아니한다.
④ 형법 제311조의 모욕죄의 피해자는 특정되어야 하므로 이른바 집단표시에 의한 모욕은 그 비난의 정도가 희석되지 않아 구성원 개개인의 사회적 평가를 저하시킬 만한 것으로 평가될 경우라도 구성원 개개인에 대한 모욕죄를 구성하지 않는다.

지문분석 난이도 하 정답 ①

| 키 워 드 | 명예에 관한 죄
| 출제유형 | 옳은 지문 고르기

① (○) 형법 제307조 제1항의 '사실'은 제2항의 '허위의 사실'과 반대되는 '진실한 사실'을 말하는 것이 아니라 가치판단이나 평가를 내용으로 하는 '의견'에 대치되는 개념이다. 따라서 제307조 제1항의 명예훼손죄는 적시된 사실이 진실한 사실인 경우이든 허위의 사실인 경우이든 모두 성립될 수 있고, 특히 적시된 사실이 허위의 사실이라고 하더라도 행위자에게 허위성에 대한 인식이 없는 경우에는 제307조 제2항의 명예훼손죄가 아니라 제307조 제1항의 명예훼손죄가 성립될 수 있다(대법원 2017.4.26. 2016도18024).
② (X) 국가나 지방자치단체는 국민에 대한 관계에서 형벌의 수단을 통해 보호되는 외부적 명예의 주체가 될 수는 없고, 따라서 명예훼손죄나 모욕죄의 피해자가 될 수 없다(대법원 2016.12.27. 2014도15290).
③ (X) 범죄의 고의는 확정적 고의뿐만 아니라 결과발생에 대한 인식이 있고 그를 용인하는 의사인 이른바 미필적 고의도 포함하므로 허위사실 적시에 의한 명예훼손죄 역시 미필적 고의에 의하여도 성립하고, 위와 같은 법리는 형법 제308조의 사자명예훼손죄의 판단에서도 마찬가지로 적용된다(대법원 2014.3.13. 2013도12430).
④ (X) 이른바 집단표시에 의한 모욕은, 모욕의 내용이 집단에 속한 특정인에 대한 것이라고는 해석되기 힘들고, 집단표시에 의한 비난이 개별구성원에 이르러서는 비난의 정도가 희석되어 구성원 개개인의 사회적 평가에 영향을 미칠 정도에 이르지 아니한 경우에는 구성원 개개인에 대한 모욕이 성립되지 않는다고 봄이 원칙이고, 비난의 정도가 희석되지 않아 구성원 개개인의 사회적 평가를 저하시킬 만한 것으로 평가될 경우에는 예외적으로 구성원 개개인에 대한 모욕이 성립할 수 있다(대법원 2014.3.27. 2011도15631).

07 0369

2018 경찰 1차

명예훼손죄에 대한 설명 중 가장 적절하지 않은 것은? (다툼이 있는 경우 판례에 의함)

① 개인 블로그의 비공개 대화방에서 상대방으로부터 비밀을 지키겠다는 말을 듣고 일대일로 대화하였다고 하더라도, 그 사정만으로 대화 상대방이 대화내용을 불특정 또는 다수에게 전파할 가능성이 없다고 할 수 없으므로 공연성을 인정할 여지가 있다.

② 전국교직원노동조합 소속 교사가 작성·배포한 보도자료가 전체적으로 그 기재 내용이 진실하고 공공의 이익을 위한 것이라도 보도자료의 일부에 사실과 다른 기재가 있으면 명예훼손죄의 위법성이 조각되지 않는다.

③ 기자를 통해 사실을 적시하는 경우에는 기사화되어 보도되어야만 적시된 사실이 외부에 공표된다고 보아야 할 것이므로 기자가 취재를 한 상태에서 아직 기사화하여 보도하지 아니한 경우에는 공연성이 없다.

④ 명예훼손죄가 성립하기 위하여는 사실의 적시가 있어야 하는데, 여기에서 적시의 대상이 되는 사실이란 현실적으로 발생하고 증명할 수 있는 과거 또는 현재의 사실을 말하며, 장래의 일을 적시하더라도 그것이 과거 또는 현재의 사실을 기초로 하거나 이에 대한 주장을 포함하는 경우에는 명예훼손죄가 성립한다.

지문분석

난이도 하 정답 ②

| 키 워 드 | 명예훼손죄

| 출제유형 | 틀린 지문 고르기

② (X) 전국교직원노동조합 소속 교사가 작성·배포한 보도자료의 일부에 사실과 다른 기재가 있으나 전체적으로 그 기재 내용이 진실하고, 공공의 이익을 위한 것인 경우 명예훼손죄의 위법성이 조각된다(대법원 2001.10.9. 2001도3594).
→ 형법 제310조에 따라 처벌할 수 없는데, 여기에서 '진실한 사실'이란 그 내용 전체의 취지를 살펴볼 때 중요한 부분이 객관적 사실과 합치되는 사실이라는 의미로서 일부 자세한 부분이 진실과 약간 차이가 나거나 다소 과장된 표현이 있다고 하더라도 무방하고, '공공의 이익'이라 함은 널리 국가·사회 기타 일반 다수인의 이익에 관한 것뿐만 아니라 특정한 사회집단이나 그 구성원의 관심과 이익에 관한 것도 포함한다(대법원 2001.10.9. 2001도3594).

① (O) 대법원 2008.2.14. 2007도8155

③ (O) 대법원 2000.5.16. 99도5622

④ (O) 대법원 2003.5.13. 2002도7420

08 0370

2015 경찰 1차

명예훼손죄에 관한 다음 설명 중 가장 적절한 것은? (다툼이 있으면 판례에 의함)

① 신문기자에게 경쟁자의 명예를 훼손하는 내용의 사실을 알려주었으나 신문기자는 기사거리가 넘쳐 이를 기사화하지 않은 경우 출판물에 의한 명예훼손죄의 미수범이 성립한다.

② 개인 블로그의 비공개 대화방에서 상대방으로부터 비밀을 지키겠다는 말을 듣고 일대일로 대화하였다고 하더라도, 그 사정만으로 대화 상대방이 대화내용을 불특정 또는 다수에게 전파할 가능성이 없다고 할 수 없으므로 공연성을 인정할 여지가 있다.

③ 진실인 사실을 공연히 유포하여 타인의 신용을 훼손한 경우 명예훼손죄와 신용훼손죄의 상상적 경합범이 성립한다.

④ 지방의회 선거를 앞두고 현역 시의회의원이 후보자가 되려는 자에 대해서 특별한 친분관계도 없는 한 사람 한 사람에게 비방의 말을 한 경우라면 공연성이 없다.

지문분석

난이도 하 정답 ②

| 키 워 드 | 명예훼손죄

| 출제유형 | 옳은 지문 고르기

② (O) 대법원 2008.2.14. 2007도8155
→ 공연성 인정(블로그 비공개 대화방 사건)

① (X) 통상 기자가 아닌 보통 사람에게 사실을 적시할 경우에는 그 자체로서 적시된 사실이 외부에 공표되는 것이므로 그때부터 곧 전파가능성을 따져 공연성 여부를 판단하여야 할 것이지만, 그와는 달리 기자를 통해 사실을 적시하는 경우에는 기사화되어 보도되어야만 적시된 사실이 외부에 공표된다고 보아야 할 것이므로 기자가 취재를 한 상태에서 아직 기사화하여 보도하지 아니한 경우에는 전파가능성이 없다고 할 것이어서 공연성이 없다고 봄이 상당하다(대법원 2000.5.16. 99도5622).

③ (X) 신용훼손죄는 '허위의 사실'로만 가능하므로 '진실한 사실'을 공연히 유포하여 타인의 신용을 훼손한 경우에는 명예훼손죄(형법 제307조 제1항)만 성립한다.

④ (X) 피고인의 말을 들은 사람은 한 사람씩에 불과하였으나 그들은 피고인과 특별한 친분관계가 있는 자가 아니며, 그 범행의 내용도 지방의회 의원선거를 앞둔 시점에 현역 시의회 의원이면서 다시 그 후보자가 되고자 하는 자를 비방한 것이어서 피고인의 범행은 행위 당시에 이미 공연성을 갖추었다(대법원 1996.7.12. 96도1007).

✔ 개념체크 **형법 제313조(신용훼손)**

> 허위의 사실을 유포하거나 기타 위계로써 사람의 신용을 훼손한 자는 5년 이하의 징역 또는 1천500만원 이하의 벌금에 처한다.

09 0371

2016 경찰 1차

다음 설명 중 옳은 것은 모두 몇 개인가? (다툼이 있으면 판례에 의함)

㉠ 전국교직원노동조합 소속 교사가 작성·배포한 보도자료의 일부에 사실과 다른 기재가 있으나 전체적으로 그 기재 내용이 진실하고 공공의 이익을 위한 것이라도 명예훼손죄의 위법성이 조각되지 않는다.
㉡ 객관적으로 피해자의 사회적 평가를 저하시키는 사실에 관한 보도내용이 소문이나 제3자의 말, 보도를 인용하는 방법으로 단정적인 표현이 아닌 전문 또는 추측한 것을 기사화한 형태로 표현하였지만, 그 표현 전체의 취지로 보아 그 사실이 존재할 수 있다는 것을 암시하는 방식으로 이루어진 경우에는 사실을 적시한 것이라고 보아야 한다.
㉢ 통상 기자가 아닌 보통 사람에게 사실을 적시할 경우에는 그 자체로서 적시된 사실이 외부에 공표되는 것이므로 그 때부터 곧 전파가능성을 따져 공연성 여부를 판단하여야 할 것이고, 이는 기자를 통해 사실을 적시하는 경우라고 하여 달리 볼 것이 아니다.
㉣ 명예훼손죄가 성립하기 위하여는 사실의 적시가 있어야 하는데, 여기에서 적시의 대상이 되는 사실이란 현실적으로 발생하고 증명할 수 있는 과거 또는 현재의 사실을 말하며, 장래의 일을 적시하는 경우에는 그것이 과거 또는 현재의 사실을 기초로 하거나 이에 대한 주장을 포함하는 경우라도 명예훼손죄가 성립한다고 할 수는 없다.

① 1개　　② 2개
③ 3개　　④ 4개

지문분석　난이도 ㊤ 정답 ①

| 키 워 드 | 명예훼손죄
| 출제유형 | 개수 찾기

㉡ (O) 대법원 2008.11.27. 2007도5312
㉠ (X) [1] 공연히 사실을 적시하여 사람의 명예를 훼손하는 행위가 진실한 사실로서 오로지 공공의 이익에 관한 때에는 형법 제310조에 따라 처벌할 수 없는데, 여기에서 '진실한 사실'이란 그 내용 전체의 취지를 살펴볼 때 중요한 부분이 객관적 사실과 합치되는 사실이라는 의미로서 일부 자세한 부분이 진실과 약간 차이가 나거나 다소 과장된 표현이 있다고 하더라도 무방하고, '공공의 이익'이라 함은 널리 국가·사회 기타 일반 다수인의 이익에 관한 것뿐만 아니라 특정한 사회집단이나 그 구성원의 관심과 이익에 관한 것도 포함한다.
[2] 전국교직원노동조합 소속 교사가 작성·배포한 보도자료의 일부에 사실과 다른 기재가 있으나 전체적으로 그 기재 내용이 진실하고 공공의 이익을 위한 것이라고 보아 명예훼손죄의 위법성이 조각된다(대법원 2001.10.9. 2001도3594).
㉢ (X) 통상 기자가 아닌 보통 사람에게 사실을 적시할 경우에는 그 자체로서 적시된 사실이 외부에 공표되는 것이므로 그때부터 곧 전파가능성을 따져 공연성 여부를 판단하여야 할 것이지만, 그와는 달리 기자를 통해 사실을 적시하는 경우에는 기사화되어 보도되어야만 적시된 사실이 외부에 공표된다고 보아야 할 것이므로 기자가 취재를 한 상태에서 아직 기사화하여 보도하지 아니한 경우에는 전파가능성이 없다고 할 것이어서 공연성이 없다고 봄이 상당하다(대법원 2000.5.16. 99도5622).
㉣ (X) 명예훼손죄가 성립하기 위하여는 사실의 적시가 있어야 하는데, 여기에서 적시의 대상이 되는 사실이란 현실적으로 발생하고 증명할 수 있는 ⓐ 과거 또는 현재의 사실을 말하며, ⓑ 장래의 일을 적시하더라도 그것이 과거 또는 현재의 사실을 기초로 하거나 이에 대한 주장을 포함하는 경우에는 명예훼손죄가 성립한다고 할 것이고, 장래의 일을 적시하는 것이 과거 또는 현재의 사실을 기초로 하거나 이에 대한 주장을 포함하는지 여부는 그 적시된 표현 자체는 물론 전체적인 취지나 내용, 적시에 이르게 된 경위 및 전후 상황, 기타 제반 사정을 종합적으로 참작하여 판단하여야 한다(대법원 2003.5.13. 2002도7420).

10 0372

2017 경찰 2차

명예에 관한 죄에 대한 설명으로 가장 적절하지 않은 것은? (다툼이 있는 경우 판례에 의함)

① 형법상 사자의 명예훼손죄와 모욕죄는 고소가 있어야 공소를 제기할 수 있다.

② 명예훼손죄에 있어서의 사실의 적시는 가치판단이나 평가를 내용으로 하는 의견표현에 대치되는 개념이 아니다.

③ 형법 제307조 제2항의 공연히 허위의 사실을 적시하여 사람의 명예를 훼손한 죄는 피해자의 명시한 의사에 반하여 공소를 제기할 수 없다.

④ 피고인이 경찰관을 상대로 진정한 사건이 혐의인정되지 않아 내사종결 처리되었음에도 불구하고 공연히 "사건을 조사한 경찰관이 내일부로 검찰청에서 구속영장이 떨어진다."고 말한 것은 현재의 사실을 기초로 하거나 이에 대한 주장을 포함하여 장래의 일을 적시한 것으로 볼 수 있어 명예훼손죄에 있어서의 사실의 적시에 해당한다.

지문분석 난이도 상 정답 ②

| 키 워 드 | 명예에 관한 죄

| 출제유형 | 틀린 지문 고르기

② (X) 명예훼손죄에 있어서의 '사실의 적시'란 가치판단이나 평가를 내용으로 하는 의견표현에 대치되는 개념으로서 시간과 공간적으로 구체적인 과거 또는 현재의 사실관계에 관한 보고 내지 진술을 의미하는 것이며, 그 표현내용이 증거에 의한 입증이 가능한 것을 말한다(대법원 1998.3.24. 97도2956).

① (O) 사자명예훼손죄와 모욕죄는 친고죄이다(형법 제312조 제1항).

③ (O) 형법 제307조 제2항의 허위사실적시 명예훼손죄는 반의사불벌죄이다.

④ (O) **과거 또는 현재의 사실을 기초로 하거나 이에 대한 주장을 포함하여 장래의 일을 적시하는 경우, 명예훼손죄의 성립 여부: 인정**

[1] 명예훼손죄가 성립하기 위하여는 사실의 적시가 있어야 하는데, 여기에서 적시의 대상이 되는 사실이란 현실적으로 발생하고 증명할 수 있는 ㉠ 과거 또는 현재의 사실을 말하며, ㉡ 장래의 일을 적시하더라도 그것이 과거 또는 현재의 사실을 기초로 하거나 이에 대한 주장을 포함하는 경우에는 명예훼손죄가 성립한다고 할 것이다.

[2] 피고인이 경찰관을 상대로 진정한 사건이 혐의인정되지 않아 내사종결 처리되었음에도 불구하고 공연히 "사건을 조사한 경찰관이 내일부로 검찰청에서 구속영장이 떨어진다."고 말한 것은 현재의 사실을 기초로 하거나 이에 대한 주장을 포함하여 장래의 일을 적시한 것으로 볼 수 있어 명예훼손죄에 있어서의 사실의 적시에 해당한다(대법원 2003.5.13. 2002도7420).

11 0373

2020 경찰 승진

명예에 관한 죄에 대한 설명 중 가장 적절하지 않은 것은? (다툼이 있는 경우 판례에 의함)

① 적시된 사실이 허위의 사실이라고 하더라도 행위자에게 허위성에 대한 인식이 없는 경우에는 제307조 제2항의 명예훼손죄가 아니라 제307조 제1항의 명예훼손죄가 성립될 수 있다.

② 진실인 사실을 공연히 유포하여 타인의 신용을 훼손한 경우 명예훼손죄는 성립할 수 있으나 신용훼손죄는 성립하지 않는다.

③ 통상 사람에게 사실을 적시할 경우 그 자체로서 적시된 사실이 외부에 공표되는 것이므로 그때부터 곧 전파가능성을 따져 공연성 여부를 판단하여야 할 것이고, 이는 기자를 통해 사실을 적시하는 경우라고 하여 달리 볼 것은 아니다.

④ 사실을 발설하였는지 확인하는 질문에 답하는 과정에서 명예훼손 사실을 발설하게 된 것이라면, 명예훼손의 범의를 인정할 수 없다.

지문분석 난이도 하 정답 ③

| 키 워 드 | 명예에 관한 죄

| 출제유형 | 틀린 지문 고르기

③ (X) 통상 기자가 아닌 보통 사람에게 사실을 적시할 경우에는 그 자체로서 적시된 사실이 외부에 공표되는 것이므로 그때부터 곧 전파가능성을 따져 공연성 여부를 판단하여야 할 것이지만, 그와는 달리 기자를 통해 사실을 적시하는 경우에는 기사화되어 보도되어야만 적시된 사실이 외부에 공표된다고 보아야 할 것이므로 기자가 취재를 한 상태에서 아직 기사화하여 보도하지 아니한 경우에는 전파가능성이 없다고 할 것이어서 공연성이 없다고 봄이 상당하다(대법원 2000.5.16. 99도5622).

① (O) 대법원 2017.4.26. 2016도18024

② (O) 진실한 사실로 명예훼손죄는 가능하나(형법 제307조 제1항), 신용훼손죄는 성립하지 않기 때문이다(형법 제313조).

④ (O) 대법원 2008.10.23. 2008도6515

12 0374

2018 경찰 승진

'명예에 관한 죄'에 대한 설명으로 가장 적절하지 않은 것은? (다툼이 있는 경우 판례에 의함)

① 甲이 개인 블로그의 비공개 대화방에서 乙로부터 비밀을 지키겠다는 말을 듣고 일대일 비밀대화로 A에 대한 사실을 적시한 경우, 명예훼손죄의 요건인 공연성을 인정할 수 있다.
② 甲이 진정서 사본과 고소장 사본을 특정사람들에게만 개별적으로 우송하였더라도, 그 수가 200명에 이른 경우에는 명예훼손의 공연성이 인정된다.
③ 피고인이 자신의 아들 등에게 폭행을 당하여 입원한 피해자의 병실로 찾아가 그의 모(母) 甲과 대화 중 甲의 이웃 乙 및 피고인의 일행 丙 등이 있는 자리에서 "학교에 알아보니 피해자에게 원래 정신병이 있었다고 하더라."라고 허위사실을 말한 경우, 그 자리에 있던 사람들의 관계 등 여러 사정에 비추어 공연성이 인정된다.
④ 정부 또는 국가기관은 형법상 명예훼손죄의 피해자가 될 수 없으나, 언론보도의 내용이 공직자 개인에 대한 악의적이거나 심히 경솔한 공격으로서 현저히 상당성을 잃은 것으로 평가된다면 공직자 개인에 대한 명예훼손에 해당할 수 있다.

지문분석 난이도 하 정답 ③

| 키 워 드 | 명예에 관한 죄
| 출제유형 | 틀린 지문 고르기

③ (X) 피고인이 丙과 함께 피해자의 병문안을 가서, 피고인·甲·乙·丙 등 4명이 있는 자리에서 피해자에 대한 폭행사건에 관하여 대화를 나누던 중 발언을 한 것이라면 불특정 또는 다수인이 인식할 수 있는 상태라고 할 수 없고, 또 그 자리에 있던 사람들의 관계 등 앞서 본 여러 사정에 비추어 피고인의 발언이 불특정 또는 다수인에게 전파될 가능성이 있다고 보기도 어려우므로, 공연성이 없다고 할 것이다(대법원 2011.9.8. 2010도7497).
→ 이 사건 현장에는 피고인과 피해자의 어머니인 甲 이외에 乙과 丙이 있었을 뿐인데, 乙은 甲과 같은 건물에 나란히 있는 점포에서 영업을 하면서 5~6년간 알고 지내는 사이로서 乙의 아들이 입원한 사실을 알고 병문안을 갈 정도로 가까운 관계이고, 또한 丙은 피고인과 같은 가해학생의 부모로서 합의 여부 등에 관하여 대화를 하기 위해 찾아간 사람이므로 전파가능성이 없다고 하여 명예훼손죄를 인정한 원심을 파기한 판결이다.
① (O) 대법원 2008.2.14. 2007도8155
→ 전파될 가능성이 있으므로 공연성의 요건을 충족한다.
② (O) 대법원 1991.6.25. 91도347
→ 명예훼손죄의 요건인 공연성은 불특정 또는 다수인이 인식할 수 있는 상태를 말하는 것이므로 특정된 사람에게 하였어도 다수라면 공연성을 구비한 것이다.
④ (O) 대법원 2011.9.2. 2010도17237

13 0375

2019 경찰 승진

명예에 관한 죄에 대한 설명으로 가장 적절한 것은? (다툼이 있는 경우 판례에 의함)

① 장래의 희망이 아나운서라고 한 여학생들에게 "다 줄 생각을 해야 하는데, 그래도 아나운서 할 수 있겠느냐. OO여대 이상은 자존심 때문에 그렇게 못하더라."라는 등의 말을 한 경우, 이른바 집단 표시에 의한 모욕으로서 여성 아나운서 개개인에 대한 모욕죄가 그 자체로 성립된다.
② 명예훼손죄에 있어서 피고인의 행위에 피해자를 비방할 목적이 함께 숨어 있었다면 그 주요한 동기가 공공의 이익을 위한 것이라도 형법 제310조의 적용이 배제된다.
③ 아파트 입주자대표회의 감사가 업무처리에 항의하며 연장자인 관리소장에게 공연히 "야, 이따위로 일할래.", "나이 처먹은 게 무슨 자랑이냐."라고 말한 경우는 모욕죄가 성립한다.
④ 영화가 허위의 사실을 표현하여 개인의 명예를 훼손한 경우에도 행위자가 그것을 진실이라고 믿었고 또 그렇게 믿을 만한 상당한 이유가 있어 그 행위자에게 명예훼손으로 인한 불법행위책임을 물을 수 없다면 특별한 사정이 없는 한 그 광고·홍보행위가 별도로 명예훼손의 불법행위를 구성한다고 볼 수 없다.

지문분석 난이도 중 정답 ④

| 키 워 드 | 명예에 관한 죄
| 출제유형 | 옳은 지문 고르기

④ (O) 대법원 2010.7.15. 2007다3483
→ 영화 '실미도' 사건
① (X) 피고인의 이 사건 발언은 여성 아나운서 일반을 대상으로 한 것으로서 그 개별구성원인 피해자들에 이르러서는 비난의 정도가 희석되어 피해자 개개인의 사회적 평가에 영향을 미칠 정도에까지는 이르지 아니하므로 형법상 모욕죄에 해당한다고 보기는 어렵다고 볼 여지가 충분하다(대법원 2014.3.27. 2011도15631).
② (X) 피고인들의 소행에 피해자를 비방할 목적이 함께 숨어 있었다고 하더라도 그 주요한 동기가 공공의 이익을 위한 것이라면 형법 제310조의 적용을 배제할 수 없다(대법원 1989.2.14. 88도899).
③ (X) 대법원 2015.9.10. 2015도2229

14 0376

2020 경찰 간부

명예훼손죄와 관련된 다음 설명 중 옳지 않은 것은 모두 몇 개인가? (다툼이 있는 경우 판례에 의함)

가. 전파가능성을 이유로 명예훼손죄의 공연성을 인정하는 경우에는 범죄구성요건의 객관적 요소로서 미필적 고의가 필요하므로 전파가능성에 대한 인식은 물론 그 위험을 용인하는 내심의 의사까지 있어야 한다.
나. 명예훼손죄에 있어서 사실의 적시는 그 표현의 전(全) 취지에 비추어 그와 같은 사실의 존재를 암시할 수 있고 이로써 특정인의 사회적 가치 내지 평가가 침해될 수 있다고 하여도 간접적이고 우회적인 표현만으로는 인정될 수 없다.
다. 가치중립적인 표현을 사용하였다 할지라도 사회통념상 그로 인하여 특정인의 사회적 평가가 저하되었다고 판단된다면 명예훼손죄가 성립할 수 있다.
라. 명예훼손죄에서 말하는 사실의 적시란 가치판단이나 평가를 내용으로 하는 의견표현에 대치되는 개념으로서 시간과 공간적으로 구체적인 과거 또는 현재의 사실관계에 관한 보고 내지 진술을 의미하며 그 표현내용이 증거에 의해 입증이 가능한 것을 의미한다.

① 1개　　② 2개
③ 3개　　④ 4개

지문분석

난이도 상 정답 ②

| 키 워 드 | 명예훼손죄
| 출제유형 | 개수 찾기

가. (X) 전파가능성을 이유로 명예훼손죄의 공연성을 인정하는 경우에는 적어도 범죄구성요건의 주관적 요소로서 미필적 고의가 필요하므로 전파가능성에 대한 인식이 있음은 물론 나아가 그 위험을 용인하는 내심의 의사가 있어야 한다. 행위자가 전파가능성을 용인하고 있었는지 여부는 외부에 나타난 행위의 형태와 상황 등 구체적인 사정을 기초로 일반인이라면 그 전파가능성을 어떻게 평가할 것인가를 고려하면서 행위자의 입장에서 그 심리상태를 추인하여야 한다(대법원 2018.6.15. 2018도4200).
나. (X) 명예훼손죄에 있어서의 사실의 적시는 사실을 직접적으로 표현한 경우에 한정될 것은 아니고, 간접적이고 우회적인 표현에 의하더라도 그 표현의 전 취지에 비추어 그와 같은 사실의 존재를 암시하고, 또 이로써 특정인의 사회적 가치 내지 평가가 침해될 가능성이 있을 정도의 구체성이 있으면 족한 것이다(대법원 1991.5.14. 91도420).
다. (O) 대법원 2007.10.25. 2007도5077
라. (O) 대법원 2006.9.28. 2004도6371

15 0377

2020 경찰 간부

형법 제310조에 대한 다음 설명 중 가장 옳지 않은 것은? (다툼이 있는 경우 판례에 의함)

① 형법 제310조가 규정한 '공공의 이익에 관한 것'에는 널리 국가·사회 기타 일반 다수인의 이익에 관한 것뿐만 아니라 특정한 사회집단이나 그 구성원 전체의 관심과 이익에 관한 것도 포함된다.
② 재단법인 이사장 A가 전임 이사장 B에 대하여 재임 기간 중 재단법인의 재산을 횡령하였다고 고소하였다가 무고죄로 유죄판결을 받자 甲이 A의 퇴진을 요구하는 시위를 하면서 A가 유죄판결 받은 사실을 적시한 경우에 甲의 행위는 위법성이 조각되지 않는다.
③ 교회담임목사를 출교처분한다는 취지의 교단산하 재판위원회의 판결문을 복사하여 소속 신자들에게 배포한 경우 피해자를 비방할 목적이 함께 숨어 있었다고 하더라도 그 주요한 동기가 공공의 이익을 위한 것이라면 형법 제310조의 적용을 배제할 수 없다.
④ 개인택시운송조합 전임 이사장이 새로 취임한 이사장의 비리에 관한 사실을 적시하여 조합원들에게 유인물을 배포하였어도 그 내용이 진실한 사실로서 공공의 이익에 관한 것이라면 위법성이 조각된다.

지문분석

난이도 상 정답 ②

| 키 워 드 | 위법성의 조각
| 출제유형 | 틀린 지문 고르기

② (X) 재단법인 이사장 甲이 전임 이사장 乙에 대하여 재임 기간 중 재단법인의 재산을 횡령하였다고 고소하였다가 무고죄로 유죄판결을 받자, 피고인들이 甲의 퇴진을 요구하는 시위를 하면서 甲이 유죄판결을 받은 사실 등을 적시하여 명예훼손으로 기소된 사안에서, 피고인들이 甲의 범행전력을 적시함으로써 사회적 평가를 저하시키는 행위를 하였지만, 적시된 주된 사실이 진실에 부합하고 오로지 공공의 이익에 관한 것으로 위법성이 조각된다고 볼 여지가 충분하다(대법원 2017.6.15. 2016도8557).
① (O) 대법원 1999.6.8. 99도1543
③ (O) 대법원 1989.2.14. 88도899
④ (O) 대법원 2007.12.14. 2006도2074

16 0378

2021 경찰 간부

다음 사례 중 모욕죄의 구성요건에 해당하지 않는 사례(A)와 모욕죄의 구성요건에 해당하지만 위법성이 조각된 사례(B)를 옳게 묶은 것은? (다툼이 있는 경우 판례에 의함)

가. 택시 기사와 요금 문제로 시비가 벌어져 112 신고를 한 후, 신고를 받고 출동한 경찰관에게 늦게 도착한 데 대하여 항의하는 과정에서 "아이 씨발!"이라고 말한 경우
나. 피고인이 방송국 시사프로그램을 시청한 후 방송국 홈페이지의 시청자 의견란에 작성·게시한 글에서 "그렇게 소중한 자식을 범법행위 변명의 방패로 쓰시다니 정말 대단하십니다."라고 말한 경우
다. 골프클럽 경기보조원들의 인터넷 구직사이트 내 회원 게시판에 특정 골프클럽의 운영상 불합리성을 비난하는 글을 게시하면서 위 클럽 담당자에 대하여 '한심하고 불쌍한 인간'이라는 표현을 한 경우
라. 아파트 입주자대표회의 감사인 피고인이 아파트 관리소장의 업무처리에 항의하기 위해 관리소장실을 방문한 자리에서 언쟁을 하다가 "야, 이따위로 일할래", "나이 처먹은 게 무슨 자랑이냐"라고 말한 경우
마. 노동조합 사무장인 피고인이 노사 관계자 140여 명이 있는 가운데 피고인보다 15세 연장자인 회사 부사장에게 "야 ○○아, 니 이름이 ○○이잖아, ○○아 나오니까 좋지?" 등 반말로 여러 차례 이름을 부른 경우

	A	B
①	가, 다, 마	나, 라
②	가, 라, 마	나, 다
③	나, 다, 라	가, 마
④	다, 라, 마	가, 나

지문분석 난이도 중 정답 ②

| 키 워 드 | 모욕죄
| 출제유형 | 조합하기

가. (X) 피고인이 택시 기사와 요금 문제로 시비가 벌어져 112 신고를 한 후, 신고를 받고 출동한 경찰관 甲에게 늦게 도착한 데 대하여 항의하는 과정에서 "아이 씨발!"이라고 말한 사안에서, 제반 사정에 비추어 피고인의 발언은 직접적으로 피해자를 특정하여 그의 인격적 가치에 대한 사회적 평가를 저하시킬 만한 경멸적 감정을 표현한 모욕적 언사에 해당한다고 단정하기 어렵다(대법원 2015.12.24. 2015도6622).
라. (X) 아파트 입주자대표회의 감사인 피고인이 관리소장 甲의 업무처리에 항의하기 위해 관리소장실을 방문한 자리에서 甲과 언쟁을 하다가 "야, 이따위로 일할래.", "나이 처먹은 게 무슨 자랑이냐."라고 말한 사안에서, 피고인의 발언은 상대방을 불쾌하게 할 수 있는 무례하고 저속한 표현이기는 하지만 객관적으로 甲의 인격적 가치에 대한 사회적 평가를 저하시킬 만한 모욕적 언사에 해당하지 않는다(대법원 2015.9.10. 2015도2229).
마. (X) 甲주식회사 해고자 신분으로 노동조합 사무장직을 맡아 노조활동을 하는 피고인이 노사 관계자 140여 명이 있는 가운데 큰 소리로 피고인보다 15세 연장자로서 甲회사 부사장인 乙을 향해 "야 ○○아, ○○이 여기 있네, 니 이름이 ○○이잖아, ○○아 나오니까 좋지?" 등으로 여러 차례 乙의 이름을 불러 乙을 모욕하였다는 내용으로 기소된 사안에서, 제반 사정을 종합하면, 피고인의 위 발언은 상대방을 불쾌하게 할 수 있는 무례하고 예의에 벗어난 표현이기는 하지만 객관적으로 乙의 인격적 가치에 대한 사회적 평가를 저하시킬 만한 모욕적 언사에 해당하지 않는다(대법원 2018.11.29. 2017도2661).
나. (○) 피고인이 방송국 홈페이지의 시청자 의견란에 작성·게시한 글 중 일부의 표현은 이미 방송된 프로그램에 나타난 기본적인 사실을 전제로 한 뒤, 그 사실관계나 이를 둘러싼 문제에 관한 자신의 판단과 나아가 이러한 경우에 피해자가 취한 태도와 주장한 내용이 합당한가 하는 점에 대하여 자신의 의견을 개진하고, 피해자에게 자신의 의견에 대한 반박이나 반론을 구하면서, 자신의 판단과 의견의 타당함을 강조하는 과정에서 부분적으로 그와 같은 표현을 사용한 것으로서 사회상규에 위배되지 않는다고 봄이 상당하다(대법원 2003.11.28. 2003도3972).
다. (○) 골프클럽 경기보조원들의 구직편의를 위해 제작된 인터넷 사이트 내 회원 게시판에 특정 골프클럽의 운영상 불합리성을 비난하는 글을 게시하면서 위 클럽담당자에 대하여 한심하고 불쌍한 인간이라는 등 경멸적 표현을 한 사안에서, 게시의 동기와 경위, 모욕적 표현의 정도와 비중 등에 비추어 사회상규에 위배되지 않는다고 보아 모욕죄의 성립을 부정한다(대법원 2008.7.10. 2008도1433).

2 신용 · 업무와 경매에 관한 죄

17 0379

2021 경찰 2차

업무방해죄에 대한 설명으로 가장 적절하지 않은 것은? (다툼이 있는 경우 판례에 의함)

① 다른 사람이 작성한 논문을 자신의 단독 혹은 공동으로 작성한 논문인 것처럼 학술지에 제출하여 발표한 논문연구실적을 부교수 승진심사 서류에 포함하여 제출하였지만, 당해 논문을 제외한 다른 논문만으로도 부교수 승진 요건을 월등히 충족하고 있었다면 위계에 의한 업무방해죄가 성립하지 아니한다.

② 주한외국영사관에 비자발급을 신청함에 있어 신청인이 제출한 허위의 자료 등에 대하여 업무담당자가 충분히 심사하였으나 신청사유 및 소명자료가 허위임을 발견하지 못하여 그 신청을 수리하게 된 경우에는 위계에 의한 업무방해죄가 성립한다.

③ 석사학위 논문작성자가 지도교수의 지도에 따라 논문의 제목, 주제, 목차 등을 직접 작성하였다고 하더라도, 타인에게 전체 논문의 초안작성을 의뢰하고, 그에 따라 작성된 논문의 내용에 약간의 수정만을 가하여 제출한 경우에는 위계에 의한 업무방해죄가 성립한다.

④ 시험의 출제위원이 문제를 선정하여 시험실시자에게 제출하기 전에 이를 유출하였다고 하더라도 이는 위계를 사용하여 시험실시자의 업무를 방해하는 행위가 아니라 그 준비단계에 불과하고, 그 후 유출된 문제가 시험실시자에게 제출되지도 아니하였다면 시험실시 업무가 방해될 추상적인 위험조차도 없어 위계에 의한 업무방해죄가 성립하지 아니한다.

지문분석 난이도 중 정답 ①

| 키 워 드 | 업무방해죄

| 출제유형 | 틀린 지문 고르기

① (X) 다른 사람이 작성한 논문을 피고인 단독 혹은 공동으로 작성한 논문인 것처럼 학술지에 제출하여 발표한 논문연구실적을 부교수 승진심사 서류에 포함하여 제출한 사안에서, 당해 논문을 제외한 다른 논문만으로도 부교수 승진 요건을 월등히 충족하고 있었다는 등의 사정만으로는 승진심사 업무의 적정성이나 공정성을 해할 위험성이 없었다고 단정할 수 없으므로, 위계에 의한 업무방해죄를 구성한다(대법원 2009.9.10. 2009도4772).

② (O) 대법원 2004.3.26. 2003도7927

③ (O) 대법원 1996.7.30. 94도2708

④ (O) 대법원 1999.12.10. 99도3487

18 0380

2017 경찰 2차

업무방해죄에 대한 설명으로 가장 적절한 것은? (다툼이 있는 경우 판례에 의함)

① 쟁의행위로서 파업이 언제나 업무방해죄에 해당하는 것으로 볼 것은 아니고, 전후 사정과 경위 등에 비추어 사용자가 예측할 수 없는 시기에 전격적으로 이루어져 사용자의 사업운영에 심대한 혼란 내지 막대한 손해를 초래하는 등으로 사용자의 사업계속에 관한 자유의사가 제압·혼란될 수 있다고 평가할 수 있는 경우에 비로소 집단적 노무제공의 거부가 위력에 해당하여 업무방해죄가 성립한다.

② 업무방해죄에 있어 업무를 '방해한다' 함은 업무의 집행 자체를 방해하는 것을 의미하고, 널리 업무의 경영을 저해하는 것을 포함하지는 않는다.

③ 형법 제314조 제1항의 업무방해죄에서의 '위력'이라 함은 사람의 자유의사를 제압·혼란케 할 만한 유형적인 세력만을 의미하므로 무형적인 정치적 지위와 권세에 의한 압박은 이에 포함되지 아니한다.

④ 특정 회사가 제공하는 게임사이트에서 정상적인 포커게임을 하고 있는 것처럼 가장하면서 통상적인 업무처리 과정에서 적발해 내기 어려운 사설 프로그램을 이용하여 약관상 양도가 금지되는 포커머니를 약속된 상대방에게 이전해 준 행위는 형법 제314조 제2항에 정한 '부정한 명령의 입력'에 해당하지만, 회사의 정상적인 게임사이트 운영 업무를 방해한 것이 아니므로 위계에 의한 업무방해죄는 구성하지 않는다.

지문분석 난이도 상 정답 ①

| 키 워 드 | 업무방해죄

| 출제유형 | 옳은 지문 고르기

① (O) 대법원 2011.3.17. 2007도482 전원합의체

② (X) **업무방해죄의 '방해'의 의미**

[1] 업무방해죄에 있어 업무를 '방해한다' 함은 업무의 집행 자체를 방해하는 것은 물론이고 널리 업무의 경영을 저해하는 것도 포함한다.

[2] 피고인이 서류배달업 회사가 고객으로부터 배달을 의뢰받은 서류의 포장 안에 특정종교를 비방하는 내용의 전단을 집어넣어 함께 배달되게 한 경우, 위 회사의 서류배달 업무를 방해한 것으로 업무방해죄가 성립한다(대법원 1999.5.14. 98도3767).

③ (X) **업무방해죄의 '위력'의 의미**

[1] 업무방해죄의 '위력'이란 사람의 자유의사를 제압·혼란케 할 만한 일체의 세력으로서 유형적이든 무형적이든 묻지 아니하므로, 폭력·협박은 물론 사회적·경제적·정치적 지위와 권세에 의한 압박 등도 이에 포함되고, 현실적으로 피해자의 자유의사가 제압될 필요는 없으나 피해자의 자유의사를 제압하기에 충분한 세력이어야 한다.

[2] 반드시 업무에 종사 중인 사람에게 직접 가해지는 세력이어야만 하는 것은 아니고, 사람의 자유의사를 제압하기에 충분한 상태를 조성하여 사람으로 하여금 자유로운 행동을 불가능하게 하거나 현저히 곤란하게 하는 행위도 이에 포함될 수 있다(대법원 2011.10.13. 2009도5698).

④ (X) 특정 회사가 제공하는 게임사이트에서 정상적인 포커게임을 하고 있는 것처럼 가장하면서 통상적인 업무처리 과정에서 적발해 내기 어려운 사설 프로그램('한도우미 프로그램')을 이용하여 약관상 양도가 금지되는 포커머니를 약속된 상대방에게 이전해 준 경우, 이는 구 정보통신망 이용촉진 및 정보보호 등에 관한 법률 제48조 제2항에서 정한 '악성프로그램'이나 형법 제314조 제2항에 정한 '부정한 명령의 입력'에 해당하지는 않지만, 회사의 정상적인 게임사이트 운영 업무를 방해한 것이므로 위계에 의한 업무방해죄를 구성한다(대법원 2009.10.15. 2007도9334).

19 0381

2020 경찰 승진

업무방해죄에 대한 설명 중 옳은 것을 모두 고른 것은? (다툼이 있는 경우 판례에 의함)

> ㉠ 폭력조직 간부가 조직원들과 공모하여 타인이 운영하는 성매매 업소 앞에 속칭 '병풍'을 치거나 차량을 주차해 놓는 등 위력으로써 성매매업을 방해한 경우 업무방해죄에 해당한다.
> ㉡ 업무방해죄의 성립에는 업무방해의 결과가 실제로 발생함을 요하지 않고, 업무방해의 결과를 초래할 위험이 발생하는 것이면 족하다.
> ㉢ 신규직원 채용권한을 가지고 있는 지방공사 사장인 피고인이 시험업무 담당자들에게 부정한 지시를 하여 상호 공모 내지 양해하에 시험성적조작 등의 부정행위를 한 경우 위계에 의한 업무방해죄에 해당하지 않는다.
> ㉣ 선착장에 대한 공유수면점용허가를 받음이 없이 고흥군의 지시에 따라 선착장점용허가권자인 마을주민 대표들과 임대차계약을 체결하고 선박으로 폐석을 운반하는 업무는 업무방해죄의 보호대상이 되는 업무에 해당하지 않는다.

① ㉠, ㉡　　② ㉠, ㉣
③ ㉡, ㉢　　④ ㉡, ㉣

지문분석　　난이도 상 정답 ③

| 키 워 드 | 업무방해죄
| 출제유형 | 조합하기

㉡ (O) 대법원 2004.3.26. 2003도7927
㉢ (O) 대법원 2007.12.27. 2005도6404
㉠ (X) 폭력조직 간부인 피고인이 조직원들과 공모하여 甲이 운영하는 성매매 업소 앞에 속칭 '병풍'을 치거나 차량을 주차해 놓는 등 위력으로써 업무를 방해하였다는 내용으로 기소된 사안에서, 성매매 업소 운영업무는 업무방해죄의 보호대상인 업무라고 볼 수 없다(대법원 2011.10.13. 2011도7081).
㉣ (X) 공유수면관리법 제4조에 의하면 공유수면을 점용하려는 자는 관리청으로부터 점용허가를 받도록 규정되어 있고, 이 사건에 있어서 위 회사는 관리청으로부터 위 선착장에 대한 공유수면점용허가를 받지 아니하기는 하였으나, 한편 위 법 제8조, 동 시행령 제5조에 의하면 위 점용허가를 받은 자는 관리청의 허가를 받아 허가받은 권리를 이전할 수 있도록 규정하고 있고, 기록에 의하면 위 회사는 관리청인 고흥군으로부터 따로 선착장에 대한 점용허가를 받음이 없이 고흥군의 지시에 따라 선착장점용허가권자인 마을주민 대표들과 임대차계약을 체결하고 위 선착장을 이용하여 왔던 사실을 알 수 있음에 비추어, 위 회사의 폐석운반 업무를 업무방해죄에 의하여 보호하여야 할 대상이 되지 못하는 업무라고 단정하기는 어렵다고 할 것이다(대법원 1996.11.12. 96도2214).

20 0382

2019 경찰 승진

업무방해죄에 대한 설명이다. 아래 ㉠부터 ㉣까지의 설명 중 옳고 그름의 표시(O, X)가 바르게 된 것은? (다툼이 있는 경우 판례에 의함)

㉠ 업무방해죄의 성립에는 업무방해의 결과가 실제로 발생함을 요하지 않고 업무방해의 결과를 초래할 위험이 발생하는 것이면 족하며, 업무수행 자체가 아니라 업무의 적정성 내지 공정성이 방해된 경우에도 업무방해죄가 성립한다.
㉡ 임대인 甲으로부터 건물을 임차하여 학원을 운영하던 피고인이 건물을 인도한 이후에도 자신 명의로 된 학원설립등록을 말소하지 않고 휴원신고를 연장함으로써 새로운 임차인 乙이 그 건물에서 학원설립등록을 하지 못하도록 한 경우, 위력에 의한 업무방해죄가 성립하지 아니한다.
㉢ 컴퓨터 등 정보처리장치에 정보를 입력하는 등의 행위가 그 입력된 정보 등을 바탕으로 업무를 담당하는 사람의 오인, 착각 또는 부지를 일으킬 목적으로 행해진 경우 그 행위가 업무를 담당하는 사람을 직접적인 대상으로 이루어진 것이 아니라면 위계에 의한 업무방해죄가 성립하지 아니한다.
㉣ 인터넷 자유게시판 등에 실제의 객관적인 사실을 게시하더라도 그로 인하여 피해자의 업무가 방해된 경우에는 형법 제314조 제1항 소정의 위계에 의한 업무방해죄에 있어서의 '위계'에 해당한다.

① ㉠ (X), ㉡ (X), ㉢ (O), ㉣ (O)
② ㉠ (O), ㉡ (X), ㉢ (O), ㉣ (X)
③ ㉠ (O), ㉡ (O), ㉢ (X), ㉣ (O)
④ ㉠ (O), ㉡ (O), ㉢ (X), ㉣ (X)

지문분석 난이도 ㊤ 정답 ④

| 키 워 드 | 업무방해죄
| 출제유형 | 옳고 그름의 표시(O, X)하기

㉠ (O) 대법원 2008.1.17. 2006도1721
㉡ (O) 대법원 2010.11.25. 2010도9186
㉢ (X) 컴퓨터 등 정보처리장치에 정보를 입력하는 등의 행위가 그 입력된 정보 등을 바탕으로 업무를 담당하는 사람의 오인, 착각 또는 부지를 일으킬 목적으로 행해진 경우에는 그 행위가 업무를 담당하는 사람을 직접적인 대상으로 이루어진 것이 아니라고 하여 위계가 아니라고 할 수는 없다(대법원 2013.11.28. 2013도5117).
㉣ (X) 인터넷 자유게시판 등에 실제의 객관적인 사실을 게시하는 행위는, 설령 그로 인하여 피해자의 업무가 방해된다고 하더라도, 위 법조항 소정의 '위계'에 해당하지 않는다(대법원 2007.6.29. 2006도3839).

21 0383

2017 경찰 승진

업무방해죄에 관한 설명 중 적절한 것을 모두 고른 것은? (다툼이 있는 경우 판례에 의함)

㉠ 피고인이 자신의 명의로 등록되어 있는 피해자 운영의 학원에 대하여 피해자에게 사전에 통고를 하였으나 피해자의 승낙을 받지 아니한 상태에서 폐원신고를 한 경우에는 위계에 의한 업무방해죄는 성립하지 않는다.
㉡ 주식회사의 대표이사가 회사의 직원들과 공모하여 위 회사의 주주총회에서 위력으로 개인 주주들이 발언권과 의결권을 행사하지 못하도록 한 경우에는 업무방해죄가 성립하지 않는다.
㉢ 종중 정기총회를 주재하는 종중 회장의 의사진행업무는 업무방해죄의 보호대상이 되는 업무에 해당한다.
㉣ 법원으로부터 직무집행정지 가처분결정을 받아 그 직무집행이 정지된 자가 법원의 가처분결정에 반하여 계속 수행하는 업무도 업무방해죄의 보호대상이 되는 업무에 해당한다.

① ㉠ ② ㉡, ㉢
③ ㉢, ㉣ ④ ㉠, ㉡, ㉢

지문분석 난이도 ㊤ 정답 ④

| 키 워 드 | 업무방해죄
| 출제유형 | 조합하기

㉠ (O) 피고인이 자신의 명의로 등록되어 있는 피해자 운영의 미술학원에 대하여 피해자의 승낙을 받지 아니하고 폐원신고를 한 행위가 위력에 의한(위계에 의한 X) 업무방해죄에 해당한다(대법원 2005.3.25. 2003도5004).
→ 원심은 '위계'에 의한 업무방해죄로 보았으나, 대법원은 '위력'에 의한 업무방해죄를 인정하였다.
㉡ (O) 대법원 2004.10.28. 2004도1256
→ 주주로서 주주총회에서 의결권 등을 행사하는 것은 계속적으로 종사하는 사무, 즉 업무에 해당한다고 할 수 없다.
㉢ (O) 대법원 1995.10.12. 95도1589
→ 종중 정기총회를 주재하는 종중 회장의 의사진행업무 자체는 1회성을 갖는 것이라고 하더라도 그것은 종중 회장으로서의 사회적인 지위에서 계속적으로 행하여 온 종중 업무수행의 일환으로 행하여진 것이다.
㉣ (X) 법원의 직무집행정지 가처분결정에 의하여 그 직무집행이 정지된 자가 법원의 결정에 반하여 직무를 수행함으로써 업무를 계속 행하는 경우, 그 업무는 업무방해죄의 보호대상이 되는 업무에 해당하지 않는다(대법원 2002.8.23. 2001도5592).

22 0384

2016 경찰 승진

업무방해죄에 관한 설명 중 가장 적절하지 않은 것은? (다툼이 있으면 판례에 의함)

① 형법상 업무방해죄의 보호대상이 되는 '업무'라 함은 직업 또는 계속적으로 종사하는 사무나 사업을 말하는 것으로서 타인의 위법한 행위에 의한 침해로부터 보호할 가치가 있어야 하는 것이므로 그 업무의 기초가 된 계약 또는 행정행위는 적법하여야 한다.

② 초등학생들이 학교에 등교하여 교실에서 수업을 듣는 것은 형법상 업무방해죄의 보호대상이 되는 업무에 해당한다고 할 수 없다.

③ 주주로서 주주총회에서 의결권 등을 행사하는 것은 형법상 업무방해죄의 보호대상이 되는 '업무'에 해당하지 않는다.

④ 대학의 컴퓨터시스템 서버를 관리하던 직원이 전보발령을 받아 더 이상 웹서버를 관리운영할 권한이 없는 상태에서, 웹서버에 접속하여 홈페이지 관리자의 아이디와 비밀번호를 무단으로 변경한 행위는 컴퓨터 등 장애 업무방해죄에 해당한다.

지문분석

난이도 중 정답 ①

| 키 워 드 | 업무방해죄

| 출제유형 | 틀린 지문 고르기

① (X) 형법상 업무방해죄의 보호대상이 되는 '업무'라 함은 타인의 위법한 행위에 의한 침해로부터 보호할 가치가 있는 것이면 되고, 그 업무의 기초가 된 계약 또는 행정행위 등이 반드시 적법하여야 하는 것은 아니다(대법원 1996.11.12. 96도2214).

② (O) 초등학생들이 학교에 등교하여 교실에서 수업을 듣는 것은 '직업 기타 사회생활상의 지위에 기하여 계속적으로 종사하는 사무 또는 사업'에 해당한다고 할 수 없다(대법원 2013.6.14. 2013도3829).

→ 초등학생들이 학교에 등교하여 교실에서 수업을 듣는 것은 헌법 제31조가 정하고 있는 무상으로 초등교육을 받을 권리 및 초·중등교육법 제12, 13조가 정하고 있는 국가의 의무교육 실시의무와 부모들의 취학의무 등에 기하여 학생들 본인의 권리를 행사하는 것이거나 국가 내지 부모들의 의무를 이행하는 것에 불과할 뿐이다.

③ (O) 대법원 2004.10.28. 2004도1256

→ 주주로서 주주총회에서 의결권 등을 행사하는 것은 주식의 보유자로서 그 자격에서 권리를 행사하는 것에 불과할 뿐 계속적으로 종사하는 사무에 해당한다고 할 수 없다.

④ (O) 대법원 2006.3.10. 2005도382

23 0385

2013 경찰 승진

다음 중 죄명과 행위태양의 연결이 가장 적절하지 않은 것은?

① 신용훼손죄: 허위사실유포, 기타 위계, 위력

② 업무방해죄: 허위사실유포, 기타 위계, 위력

③ 컴퓨터 등 업무방해죄: 손괴, 허위정보·부정명령 입력, 기타 방법

④ 경매방해죄: 위계, 위력, 기타 방법

지문분석

난이도 중 정답 ①

| 키 워 드 | 신용·업무와 경매에 관한 죄

| 출제유형 | 틀린 지문 고르기

① (X) 허위의 사실을 유포하거나 기타 위계로써 사람의 신용을 훼손한 자는 5년 이하의 징역 또는 1천500만원 이하의 벌금에 처한다(형법 제313조).

→ 신용훼손죄: 허위사실유포, 기타 위계

② (O) 제313조의 방법 또는 위력으로써 사람의 업무를 방해한 자는 5년 이하의 징역 또는 1천500만원 이하의 벌금에 처한다(형법 제314조 제1항).

③ (O) 컴퓨터 등 정보처리장치 또는 전자기록 등 특수매체기록을 손괴하거나 정보처리장치에 허위의 정보 또는 부정한 명령을 입력하거나 기타 방법으로 정보처리에 장애를 발생하게 하여 사람의 업무를 방해한 자도 제1항의 형과 같다(형법 제314조 제2항).

④ (O) 위계 또는 위력 기타 방법으로 경매 또는 입찰의 공정을 해한 자는 2년 이하의 징역 또는 700만원 이하의 벌금에 처한다(형법 제315조).

24 0386
2020 경찰 간부

업무방해죄와 관련된 다음 설명 중 가장 옳지 않은 것은? (다툼이 있는 경우 판례에 의함)

① 업무방해의 고의는 반드시 업무방해의 목적이나 계획적인 업무방해의 의도가 있어야만 하는 것은 아니고 자신의 행위로 인해 타인의 업무가 방해될 가능성 또는 위험에 대한 인식이나 예견으로도 충분하다.
② 업무방해죄의 보호대상이 되는 업무는 타인의 위법한 침해로부터 보호할 가치가 있으면 되고 그 업무의 기초가 된 계약 또는 행정행위 등이 반드시 적법해야 하는 것은 아니다.
③ 업무방해죄에 있어서 행위의 객체는 타인의 업무이고 여기서 타인이라 함은 범인 이외의 자연인과 법인 및 법인격 없는 단체를 가리키므로 법적 성질이 영조물에 불과한 대학교 자체는 업무의 주체가 될 수 없다.
④ 업무방해죄는 설령 업무방해의 결과가 실제로 발생하지 않았다 해도 업무방해의 결과가 초래될 위험이 발생하면 성립하지만 업무수행 자체가 아니라 단지 업무의 적정성만이 방해된 경우에는 성립할 수 없다.

지문분석 난이도 중 정답 ④

| 키 워 드 | 업무방해죄
| 출제유형 | 틀린 지문 고르기

④ (X) 위계에 의한 업무방해죄에 있어서 위계란 행위자가 행위목적을 달성하기 위하여 상대방에게 오인, 착각 또는 부지를 일으키게 하여 이를 이용하는 것을 말하고, 업무방해죄의 성립에는 업무방해의 결과가 실제로 발생함을 요하지 않고 업무방해의 결과를 초래할 위험이 발생하면 족하며, 업무수행 자체가 아니라 업무의 적정성 내지 공정성이 방해된 경우에도 업무방해죄가 성립한다(대법원 2018.7.24. 2015도12094).
① (O) 대법원 2018.7.24. 2015도12094
② (O) 대법원 2007.8.23. 2006도3687
③ (O) 대법원 1999.1.15. 98도663

25 0387
2019 경찰 간부

다음 설명 중 옳은 것은 모두 몇 개인가? (다툼이 있는 경우 판례에 의함)

가. 어장의 대표자가 후임자에게 어장에 대한 허위채권을 주장하면서 인장의 인도를 거절한 경우 위계에 의한 업무방해죄를 구성한다.
나. 피해자가 시장번영회를 상대로 잦은 진정을 하고 협조를 하지 않는다는 이유로 시장번영회의 총회결의에 의하여 피해자 소유점포에 대하여 정당한 권한 없이 단전조치를 한 경우 위력에 의한 업무방해죄를 구성한다.
다. 인터넷카페의 운영진인 피고인들이 카페 회원들과 공모하여, 특정 신문들에 광고를 게재하는 광고주들에게 불매운동의 일환으로 지속적·집단적 항의전화를 하거나 항의글을 게시하는 등의 방법으로 광고 중단을 압박한 경우, 신문사들에 대한 위력에 의한 업무방해죄를 구성한다.
라. 포털사이트 운영회사의 통계집계시스템 서버에 허위의 클릭정보를 전송하여 검색순위 결정 과정에서 위와 같이 전송된 허위의 클릭정보가 실제로 통계에 반영됨으로써 정보처리에 장애가 현실적으로 발생하였다면, 그로 인하여 실제로 검색순위의 변동을 초래하지는 않았다고 하더라도 컴퓨터 등 장애 업무방해죄가 성립한다.

① 1개 ② 2개
③ 3개 ④ 4개

지문분석 난이도 상 정답 ②

| 키 워 드 | 업무방해죄
| 출제유형 | 개수 찾기

나. (O) 대법원 1983.11.8. 83도1798
라. (O) 대법원 2009.4.9. 2008도11978
가. (X) 어장의 대표자였던 피고인이 어장 측에 대한 허위의 채권을 주장하면서 후임대표자에게 그 인장을 인도하기를 거절함으로써 후임대표자가 만기도래한 어장소유의 수산업협동조합 예탁금을 인출하지 못하였고 어장소유 선박의 검사를 받지 못한 결과를 초래하였다 하여, 피고인의 위 허위주장을 가리켜 허위사실을 유포하거나 기타 위계로써 타인의 업무를 방해한 경우에 해당한다고는 할 수 없다(대법원 1984.7.10. 84도638).
다. (X) 피고인들의 행위가 광고주들에 대하여는 업무방해죄의 위력에 해당하지만, 신문사들에 대하여는 직접적인 위력의 행사가 있었다고 보기에 부족하다(대법원 2013.3.14. 2010도410).
→ 광고주들에 대한 업무방해죄만 성립하고, 신문사들에 대한 업무방해죄는 부정한다.

26 0388

2021 경찰 승진

다음의 설명 중 가장 적절한 것은? (다툼이 있는 경우 판례에 의함)

① 형법 제313조 신용훼손죄의 행위태양은 허위사실유포, 위력, 기타 위계이다.
② 퀵서비스 운영자인 피고인이 허위사실을 유포하여 손님들로 하여금 불친절하고 배달을 지연시킨 사업체가 경쟁관계에 있는 피해자 운영의 퀵서비스인 것처럼 인식하게 한 행위는 신용훼손죄에 해당한다.
③ 인터넷카페의 운영진인 피고인들이 카페 회원들과 공모하여, 특정 신문들에 광고를 게재하는 광고주들에게 불매운동의 일환으로 지속적·집단적으로 항의전화를 하거나 항의글을 게시하는 등의 방법으로 광고중단을 압박한 행위는 광고주들에 대하여는 업무방해죄에 해당하지만, 신문사들에 대하여는 업무방해죄를 구성하지 않는다.
④ 공무원이 직무상 수행하는 공무를 방해하는 행위에 대해서도 업무방해죄로 의율할 수 있다.

지문분석 난이도 중 정답 ③

| 키 워 드 | 신용훼손죄·업무방해죄

| 출제유형 | 옳은 지문 고르기

③ (O) 대법원 2013.3.14. 2010도410
① (X) 형법 제313조 신용훼손죄의 행위태양은 허위의 사실을 유포, 기타 위계이다. 위력은 포함되지 않는다.
② (X) 퀵서비스 운영자인 피고인이 배달업무를 하면서, 손님의 불만이 예상되는 경우에는 평소 경쟁관계에 있는 피해자 운영의 퀵서비스 명의로 된 영수증을 작성·교부함으로써 손님들로 하여금 불친절하고 배달을 지연시킨 사업체가 피해자 운영의 퀵서비스인 것처럼 인식하게 한 경우, 퀵서비스의 주된 계약내용이 신속하고 친절한 배달이라 하더라도, 그와 같은 사정만으로 위 행위가 피해자의 경제적 신용, 즉 지급능력이나 지급의사에 대한 사회적 신뢰를 저해하는 행위에 해당한다고 보기는 어렵다(대법원 2011.5.13. 2009도5549).
④ (X) 공무원이 직무상 수행하는 공무를 방해하는 행위에 대해서는 업무방해죄로 의율할 수는 없다(대법원 2009.11.19. 2009도4166 전원합의체).

27 0389

2021 경찰 간부

업무방해죄에 대한 설명으로 옳지 않은 것은? (다툼이 있는 경우 판례에 의함)

① 업무방해죄에 있어서 그 보호대상이 되는 '업무'라 함은 타인의 위법한 행위에 의한 침해로부터 보호할 가치가 있는 것이면 되고, 그 업무의 기초가 된 계약 또는 행정행위 등이 반드시 적법하여야 하는 것은 아니다.
② 업무방해죄의 보호대상이 되는 '업무'란 타인의 위법한 침해로부터 형법상 보호할 가치가 있는 것이어야 하므로, 어떤 사무나 활동 자체가 위법의 정도가 중하여 사회생활상 용인될 수 없는 정도로 반사회성을 띠는 경우에는 업무방해죄의 보호대상이 되는 '업무'에 해당한다고 볼 수 없다.
③ 업무방해죄의 성립에는 업무방해의 결과가 실제로 발생함을 요하지 않고 업무방해의 결과를 초래할 위험이 발생하면 족하며, 업무수행 자체가 아니라 업무의 적정성 내지 공정성이 방해된 경우에는 업무방해죄가 성립한다고 볼 수 없다.
④ 업무방해죄에 있어서의 '위계'라 함은 행위자의 행위목적을 달성하기 위하여 상대방에게 오인·착각 또는 부지를 일으키게 하여 이를 이용하는 것을 말하므로, 인터넷 자유게시판 등에 실제의 객관적인 사실을 게시하는 행위는 설령 그로 인하여 피해자의 업무가 방해된다고 하더라도 업무방해죄의 '위계'에 해당하지 않는다.

지문분석 난이도 중 정답 ③

| 키 워 드 | 업무방해죄

| 출제유형 | 틀린 지문 고르기

③ (X) 업무방해죄의 성립에는 업무방해의 결과가 실제로 발생함을 요하지 않고 업무방해의 결과를 초래할 위험이 발생하면 족하며, 업무수행 자체가 아니라 업무의 적정성 내지 공정성이 방해된 경우에도 업무방해죄가 성립한다고 할 것이다(대법원 2013.11.28. 2013도5814).
① (O) 대법원 1996.11.12. 96도2214
② (O) 대법원 2001.11.30. 2001도2015
④ (O) [1] 인터넷 자유게시판 등에 실제의 객관적인 사실을 게시하는 행위는, 설령 그로 인하여 피해자의 업무가 방해된다고 하더라도, 위 법조항 소정의 '위계'에 해당하지 않는다.
[2] 원심은 그 판시와 같은 사정을 들어 피고인이 인터넷 다음카페 전국 감리원모임 자유게시판에 게시한 글은 '사실'을 적시한 것이므로 '위계'에 해당하지 아니하고, 달리 피고인이 위계로써 피해자가 운영하는 건축사사무실의 업무를 방해하였음을 인정할 증거가 없다는 이유로 이 사건 공소사실 중 업무방해의 점을 무죄로 판단하였다. 앞서 본 법리와 기록에 비추어 살펴보면, 원심의 이와 같은 판단은 정당한 것으로 수긍이 가고, 거기에 검사가 상고이유에서 주장하는 바와 같은 업무방해죄에 관한 법리 오해 등의 위법이 없다(대법원 2007.6.29. 2006도3839).

28 0390

2015 경찰 2차

업무방해죄에 관한 다음 설명 중 옳은 것은 모두 몇 개인가?
(다툼이 있으면 판례에 의함)

> ㉠ 욕설을 하고 소란을 피우는 등 위력을 행사하여 공무원의 직무집행을 방해하였다면 업무방해죄가 성립한다.
> ㉡ 업무방해죄의 성립에는 업무방해의 결과가 실제로 발생함을 요하지 않고 업무방해의 결과를 초래할 위험이 발생하면 족하며, 업무수행 자체가 아니라 업무의 적정성 내지 공정성이 방해된 경우에도 업무방해죄가 성립한다.
> ㉢ 종중 정기총회를 주재하는 종중 회장의 의사진행업무는 업무방해죄에 의하여 보호되는 업무에 해당하지 않는다.
> ㉣ 甲정당의 국회의원 비례대표 후보자 추천을 위한 당내 경선과정에서 피고인들이 선거권자들로부터 인증번호만을 전달받은 뒤 그들 명의로 특정 후보자에게 전자투표를 하였다면 업무방해죄가 성립한다.

① 1개 ② 2개
③ 3개 ④ 4개

지문분석 난이도 ㊥ 정답 ②

| 키 워 드 | 업무방해죄
| 출제유형 | 개수 찾기

㉡ (O) 업무방해죄의 성립에는 업무방해의 결과가 실제로 발생함을 요하지 않고 업무방해의 결과를 초래할 위험이 발생하는 것이면 족하며, 업무수행 자체가 아니라 업무의 적정성 내지 공정성이 방해된 경우에도 업무방해죄가 성립한다(대법원 2009.9.10. 2009도4772).

㉣ (O) **통합진보당 국회의원 비례대표 당내 경선 대리투표 사건: 업무방해죄 인정**
[1] 컴퓨터 등 정보처리장치에 정보를 입력하는 등의 행위가 그 입력된 정보 등을 바탕으로 업무를 담당하는 사람의 오인, 착각 또는 부지를 일으킬 목적으로 행해진 경우에는 그 행위가 업무를 담당하는 사람을 직접적인 대상으로 이루어진 것이 아니라고 하여 위계가 아니라고 할 수는 없다.
[2] 甲정당의 제19대 국회의원 비례대표 후보자 추천을 위한 당내 경선 과정에서 피고인들이 선거권자들로부터 인증번호만을 전달받은 뒤 그들 명의로 특정 후보자에게 전자투표를 함으로써 위계로써 甲정당의 경선관리 업무를 방해하였다는 내용으로 기소된 사안에서, 국회의원 비례대표 후보자 명단을 확정하기 위한 당내 경선은 정당의 대표자나 대의원을 선출하는 절차와 달리 국회의원 당선으로 연결될 수 있는 중요한 절차로서 직접투표의 원칙이 그러한 경선절차의 민주성을 확보하기 위한 최소한의 기준이 된다고 할 수 있는 점 등 제반 사정을 종합할 때, 당내 경선에도 직접·평등·비밀투표 등 일반적인 선거원칙이 그대로 적용되고 대리투표는 허용되지 않는다는 이유로 피고인들에게 유죄를 인정한 사례이다(대법원 2013.11.28. 2013도5117).
→ 정당의 경선관리업무를 방해한 행위로서 위계에 의한 업무방해죄(형법 제314조 제1항)를 인정한 판결이다. 컴퓨터장애업무방해죄(형법 제314조 제2항)를 적용한 것이 아님을 주의하여야 한다.

㉠ (X) 공무원이 직무상 수행하는 공무를 방해하는 행위에 대해서는 업무방해죄로 의율할 수는 없다(대법원 2009.11.19. 2009도4166 전원합의체).

㉢ (X) [1] 형법 제314조 소정의 업무방해죄에 있어서의 업무라 함은, 직업 또는 사회생활상의 지위에 기하여 계속적으로 종사하는 사무 또는 사업을 말하는 것인바, 여기에서 말하는 사무 또는 사업은 그것이 사회생활적인 지위에 기한 것이면 족하고 경제적인 것이어야 할 필요는 없으며, 또 그 행위 자체는 1회성을 갖는 것이라고 하더라도 계속성을 갖는 본래의 업무수행의 일환으로서 행하여지는 것이라면, 업무방해죄에 의하여 보호되는 업무에 해당된다.
[2] 종중 정기총회를 주재하는 종중 회장의 의사진행업무 자체는 1회성을 갖는 것이라고 하더라도 그것이 종중 회장으로서의 사회적인 지위에서 계속적으로 행하여 온 종중 업무수행의 일환으로 행하여진 것이라면, 그와 같은 의사진행업무도 형법 제314조 소정의 업무방해죄에 의하여 보호되는 업무에 해당되고, 또 종중 회장의 위와 같은 업무는 종중원들에 대한 관계에서는 타인의 업무라고 한 사례이다(대법원 1995.10.12. 95도1589).
→ 종중의 종중원들인 피고인들이 위력으로 종중 회장의 의사진행업무를 방해한 사건에서 위력에 의한 업무방해죄를 인정한 판결이다.

29 0391

2013 경찰 2차

다음은 업무방해죄에 대한 설명이다. 가장 적절하지 않은 것은? (다툼이 있는 경우 판례에 의함)

① 초등학생들이 학교에 등교하여 교실에서 수업을 듣는 것은 형법상 업무방해죄의 보호대상이 되는 업무에 해당한다고 할 수 없다.

② 인터넷카페의 운영진인 피고인들이 카페 회원들과 공모하여, 특정 신문들에 광고를 게재하는 광고주들에게 불매운동의 일환으로 지속적·집단적으로 항의전화를 하거나 항의글을 게시하는 등의 방법으로 광고중단을 압박한 경우, 광고주들과 신문사들에 대한 업무방해죄가 성립한다.

③ 대학의 컴퓨터시스템 서버를 관리하던 직원이 전보발령을 받아 더 이상 웹서버를 관리 운영할 권한이 없는 상태에서, 웹서버에 접속하여 홈페이지 관리자의 아이디와 비밀번호를 무단으로 변경한 행위는 컴퓨터 등 장애 업무방해죄에 해당한다.

④ 포털사이트 운영회사의 통계집계시스템 서버에 허위의 클릭정보를 전송하여 검색순위 결정 과정에서 위와 같이 전송된 허위의 클릭정보가 실제로 통계에 반영됨으로써 정보처리에 장애가 현실적으로 발생하였다면, 그로 인하여 실제로 검색순위의 변동을 초래하지는 않았다 하더라도 컴퓨터 등 장애 업무방해죄가 성립한다.

지문분석

난이도 중 정답 ②

| 키 워 드 | 업무방해죄
| 출제유형 | 틀린 지문 고르기

② (X) 피고인들의 행위가 광고주들에 대하여는 업무방해죄의 위력에 해당하지만, 신문사들에 대하여는 직접적인 위력의 행사가 있었다고 보기에 부족하다(대법원 2013.3.14. 2010도410).
→ 광고주들에 대한 업무방해죄만 성립한다.

① (O) 형법상 업무방해죄의 보호대상이 되는 '업무'라 함은 직업 기타 사회생활상의 지위에 기하여 계속적으로 종사하는 사무 또는 사업을 말하는 것인데, 초등학생들이 학교에 등교하여 교실에서 수업을 듣는 것은 '직업 기타 사회생활상의 지위에 기하여 계속적으로 종사하는 사무 또는 사업'에 해당한다고 할 수 없다(대법원 2013.6.14. 2013도3829).
→ 학생들이 학교에 등교하여 교실에서 수업을 듣는 것이 형법상 업무방해죄의 보호대상이 되는 '업무'에 해당하지 않는다는 판례이다.

③ (O) 대학 교직원이 전보발령으로 인하여 웹서버를 관리, 운영할 권한이 없는 상태에서 웹서버에 접속하여 홈페이지 관리자의 비밀번호를 무단으로 변경한 행위가 컴퓨터 등 장애 업무방해죄를 구성한다(대법원 2007.3.16. 2006도6663).

④ (O) [1] 형법 제314조 제2항의 '컴퓨터 등 장애 업무방해죄'가 성립하기 위해서는 가해행위 결과 정보처리장치가 그 사용목적에 부합하는 기능을 하지 못하거나 사용목적과 다른 기능을 하는 등 정보처리에 장애가 현실적으로 발생하였을 것을 요하나, 정보처리에 장애를 발생하게 하여 업무방해의 결과를 초래할 위험이 발생한 이상, 나아가 업무방해의 결과가 실제로 발생하지 않더라도 위 죄가 성립한다.
[2] 포털사이트 운영회사의 통계집계시스템 서버에 허위의 클릭정보를 전송하여 검색순위 결정 과정에서 위와 같이 전송된 허위의 클릭정보가 실제로 통계에 반영됨으로써 정보처리에 장애가 현실적으로 발생하였다면, 그로 인하여 실제로 검색순위의 변동을 초래하지는 않았다 하더라도 '컴퓨터 등 장애 업무방해죄'가 성립한다(대법원 2009.4.9. 2008도11978).

30 0392

2020 경찰 1차

경매·입찰방해죄에 관한 설명으로 가장 적절하지 않은 것은? (다툼이 있는 경우 판례에 의함)

① 경매·입찰방해죄는 최소한 적법하고 유효한 입찰절차의 존재가 전제되어야 하지만, 처음부터 입찰절차가 존재하였다 할 수 없는 경우에도 입찰방해죄는 성립할 수 있다.

② 입찰자 일부와 담합이 있고 그에 따른 담합금이 수수되었다 하더라도 입찰시행자의 이익을 해함이 없이 자유로운 경쟁을 한 것과 동일한 결과로 되는 경우에는 입찰의 공정을 해할 위험이 없다.

③ 입찰방해죄는 위계 또는 위력 기타의 방법으로 입찰의 공정을 해하는 경우에 성립하는 위태범으로서, 입찰의 공정을 해할 행위를 하면 그것으로 족하고 현실적으로 입찰의 공정을 해한 결과가 발생할 필요는 없다.

④ 담합행위가 가장경쟁자를 조작하여 실시자의 이익을 해하는 것이 아니라도 실질적으로 단독입찰을 하면서 경쟁입찰인 것처럼 가장하여 그 입찰가격으로 낙찰을 받았다면 입찰방해죄가 성립한다.

지문분석

난이도 하 정답 ①

| 키 워 드 | 경매·입찰방해죄

| 출제유형 | 틀린 지문 고르기

① (X) 입찰방해죄가 성립하려면 최소한 적법하고 유효한 입찰절차의 존재가 전제되어야 하는 것인데, 이 사건의 경우 처음부터 무슨 (재)입찰절차가 존재하였다 할 수 없어 결국 입찰방해죄는 성립할 수 없게 된다(대법원 2005.9.9. 2005도3857).

② (O) 대법원 1983.1.18. 81도824

③ (O) 대법원 1994.5.24. 94도600

④ (O) 가장경쟁자를 조작하거나 입찰의 경쟁에 참가하는 자가 서로 통모하여 그중의 특정한 자를 낙찰자로 하기 위하여 기타의 자는 일정한 가격 이하 또는 이상으로 입찰하지 않을 것을 협정하는 소위 담합행위는 입찰가격에 있어서 실시자의 이익을 해하는 것이 아니라도 실질적인 단독입찰을 경쟁입찰인 것처럼 가장하여 그 입찰가격으로 낙찰되게 한 경우에는 담합자 간에 금품의 수수에 관계없이 일응 입찰의 공정을 해할 위험성이 있다(대법원 1983.1.18. 81도824).

31 0393

2012 경찰 3차

경매·입찰방해죄에 관한 다음 설명 중 가장 적절하지 않은 것은? (다툼이 있는 경우 판례에 의함)

① 담합행위가 입찰방해죄로 되기 위해서는 반드시 입찰참가자 전원과의 사이에 담합이 이루어져야 하는 것은 아니고, 입찰참가자들 중 일부와의 사이에만 담합이 이루어진 경우에도 성립할 수 있다.

② 유찰방지를 위한 수단에 불과하여 이익을 해치지 않았더라도 실질적으로 단독입찰하면서 경쟁입찰인 것처럼 가장하였다면, 그 입찰가격으로 낙찰하게 한 점에서 경쟁입찰 방법을 해한 것이므로 입찰의 공정을 해친 것이다.

③ 입찰자 일부와 담합이 있고 담합금이 수수되었다 하더라도 타입찰자와는 담합이 이루어지지 않아, 입찰시행자의 이익을 해함이 없이 자유로운 경쟁을 한 것과 동일한 결과로 되는 경우 입찰의 공정을 해할 위험성이 없다.

④ 법원경매업무를 담당하는 집행관의 구체적인 직무집행을 저지하거나 현실적으로 곤란하게 하는 데까지는 이르지 않고 입찰의 공정을 해하는 정도의 범죄행위라면 위계에 의한 공무집행방해죄에만 해당될 뿐 경매·입찰방해죄에는 해당되지 않는다.

지문분석

난이도 중 정답 ④

| 키 워 드 | 경매·입찰방해죄

| 출제유형 | 틀린 지문 고르기

④ (X) 범죄행위가 법원경매업무를 담당하는 집행관의 구체적인 직무집행을 저지하거나 현실적으로 곤란하게 하는 데까지는 이르지 않고 입찰의 공정을 해하는 정도의 행위라면 형법 제315조의 경매·입찰방해죄에만 해당될 뿐, 형법 제137조의 위계에 의한 공무집행방해죄에는 해당되지 않는다(대법원 2000.3.24. 2000도102).

① (O) 가장경쟁자를 조작하거나 입찰의 경쟁에 참가하는 자가 서로 통모하여 그중의 특정한 자를 낙찰자로 하기 위하여 일정한 가격 이하 또는 이상으로 입찰하지 않을 것을 협정하거나 입찰을 포기하게 하는 등의 소위 담합행위가 입찰방해죄로 되기 위하여는 반드시 입찰참가자 전원과의 사이에 담합이 이루어져야 하는 것은 아니고, 입찰참가자들 중 일부와의 사이에만 담합이 이루어진 경우라고 하더라도 그것이 입찰의 공정을 해하는 것으로 평가되는 이상 입찰방해죄는 성립한다(대법원 2006.6.9. 2005도8498).

→ '입찰의 공정을 해하는 행위'에는 가격을 결정하는 데 있어서뿐 아니라, 적법하고 공정한 경쟁방법을 해하는 행위도 포함된다.

② (O) 이 죄는 위태범으로서 그 행위가 설사 유찰방지를 위한 수단에 불과하여 입찰가격에 있어서 국가의 이익을 해하거나 입찰자에게 부당한 이익을 얻게 하는 것이 아니었고 그 낙찰가격도 사정가격보다 높은 것이었다 하여도 실질적으로는 단독입찰을 경쟁입찰인 것같이 가장하여 그 입찰가격으로서 낙찰되게 한 점에서 경쟁입찰의 방법을 해한 것이어서 입찰의 공정을 해하였다 할 것이다(대법원 1971.4.30. 71도519).

③ (O) 담합이 있고 그에 따른 담합금이 수수되었다 하더라도 입찰시행자의 이익을 해함이 없이 자유로운 경쟁을 한 것과 동일한 결과로 되는 경우에는 입찰의 공정을 해할 위험성이 없다고 할 것인바, 이 사건 입찰방해죄가 성립한다고 볼 수 없다(대법원 1983.1.18. 81도824).

CHAPTER

04 사생활의 평온에 대한 죄

■ 기본서 연계페이지: p.675~688 ■ 문항 수: 12문항

1 주거침입의 죄

01 0394

2020 경찰 2차

다음 설명 중 가장 적절한 것은? (다툼이 있는 경우 판례에 의함)

① 주거침입죄에서 그 주거자 또는 간수자가 일단 적법하게 거주 또는 간수를 개시한 후에 그 권한을 상실하여 사법상 불법점유가 될 경우, 권리자가 이를 배제하기 위하여 정당한 절차에 의하지 아니하고 그 주거 또는 건조물에 침입하더라도 주거침입죄는 성립하지 않는다.

② 이미 수일 전에 2차례에 걸쳐 피해자를 강간하였던 피고인이 대문을 몰래 열고 들어와 담장과 피해자가 거주하던 방 사이의 좁은 통로에서 창문을 통하여 방 안을 엿본 경우, 피해자의 사실상의 평온을 침해한 것이 아니기 때문에 주거침입죄가 성립되지 않는다.

③ 甲은 야간에 물건을 절취하기 위하여 다세대주택의 가스배관을 타고 오르다가 순찰 중이던 경찰관에게 발각되어 그냥 뛰어내렸다면, 야간주거침입절도죄의 실행에 착수한 것이다.

④ 피고인이 정당한 퇴거요구를 받고 나가면서 해당 건물에 가재도구 등을 남겨두었다 하더라도 퇴거불응죄가 성립하지 않는다.

지문분석 난이도 하 정답 ④

| 키 워 드 | 주거침입죄

| 출제유형 | 옳은 지문 고르기

④ (O) 주거침입죄와 퇴거불응죄는 모두 사실상의 주거의 평온을 그 보호법익으로 하고, 주거침입죄에서의 침입이 신체적 침해로서 행위자의 신체가 주거에 들어가야 함을 의미하는 것과 마찬가지로 퇴거불응죄의 퇴거 역시 행위자의 신체가 주거에서 나감을 의미하므로, 피고인이 이 사건 건물에 가재도구 등을 남겨두었다는 사정은 퇴거불응죄를 구성하지 않는다(대법원 2007.11.15. 2007도6990).

① (X) [1] 주거침입죄는 사실상의 주거의 평온을 보호법익으로 하는 것이므로 그 거주자 또는 간수자가 건조물 등에 거주 또는 간수할 법률상 권한을 가지고 있는 여부는 범죄의 성립을 좌우하는 것이 아니며 일단 적법하게 거주 또는 간수를 개시한 후에 그 권한을 상실하여 사법상 불법점유가 되더라도 권리자가 이를 배제하기 위하여 정당한 절차에 의하지 아니하고 그 주거 또는 건조물을 침입한 경우에는 주거침입죄가 성립한다.
[2] 약 270명의 승려 및 신도들이 피고인의 주지취임을 반대하면서 사찰 경내를 굳게 지키고 있는 상황을 알면서, 피고인이 약 37명가량의 일반승려들을 규합하여 이들과 함께 날이 채 새기도 전에 잠겨진 뒷문을 넘어 들어가거나 정문에 설치된 철조망을 걷어 내고 정문을 통과하는 방법으로 사찰 경내로 난입했다면, 그러한 피고인 등의 행위는 종법에 따른 검수절차를 통한 주지직 취임의 한계를 일탈한 것이고, 전임 주지 측의 사찰 경내에 대한 사실상 점유의 평온을 침해한 것으로 주거침입죄가 성립한다(대법원 1983.3.8. 82도1363).

② (X) 주거침입죄에 있어서 주거라 함은 단순히 가옥 자체만을 말하는 것이 아니라 그 위요지를 포함한다 할 것이므로, 이미 수일 전에 2차례에 걸쳐 피해자를 강간하였던 피고인이 대문을 몰래 열고 들어와 담장과 피해자가 거주하던 방 사이의 좁은 통로에서 창문을 통하여 방 안을 엿보던 상황이라면 피해자의 주거에 대한 사실상 평온상태가 침해된 것으로, 원심이 같은 취지에서 피고인의 위와 같은 행위를 주거침입죄에 해당한다고 본 것은 정당하다(대법원 2001.4.24. 2001도1092).

③ (X) 피고인이 이 사건 다세대주택 2층의 불이 꺼져 있는 것을 보고 물건을 절취하기 위하여 가스배관을 타고 올라가다가, 발은 1층 방범창을 딛고 두 손은 1층과 2층 사이에 있는 가스배관을 잡고 있던 상태에서 순찰 중이던 경찰관에게 발각되자 그대로 뛰어내린 경우, 이러한 피고인의 행위만으로는 주거의 사실상의 평온을 침해할 현실적 위험성이 있는 행위를 개시한 때에 해당한다고 보기 어려워 야간주거침입절도죄의 실행의 착수에 이르지 못했다(대법원 2008.3.27. 2008도917).

02 0395

2019 경찰 2차

주거침입죄에 관한 설명으로 가장 적절하지 않은 것은? (다툼이 있는 경우 판례에 의함)

① 다가구용 단독주택이나 다세대주택·연립주택·아파트 등 공동주택의 내부에 있는 엘리베이터, 공용 계단과 복도는 특별한 사정이 없는 한 주거침입죄의 객체인 사람의 주거에 해당한다.
② 일반적으로 출입이 허가된 건물이라 하여도 피고인이 출입이 금지된 시간에 화장실 유리창문을 통해 들어간 것이라면 건조물침입죄가 성립한다.
③ 열려 있으면 들어갈 의사로 출입문을 당겨보는 행위나 빈집인지 확인하기 위해 초인종을 누르는 행위는 주거의 사실상의 평온을 침해할 객관적인 위험성을 포함하는 행위를 한 것으로 볼 수 있어 주거침입죄의 실행의 착수가 인정된다.
④ 신체의 극히 일부만 들어갔지만 사실상 주거의 평온을 해할 수 있는 정도에 이르지 않은 경우, 신체일부침입설과 신체전부침입설 모두 주거침입죄의 미수를 인정한다.

지문분석 난이도 ⓗ 정답 ③

| 키 워 드 | 주거침입죄
| 출제유형 | 틀린 지문 고르기

③ (X) ㉠ 출입문을 당겨보는 행위는 실행의 착수가 인정되나, ㉡ 초인종을 누르는 행위는 실행의 착수가 부정된다.
- 출입문이 열려 있으면 안으로 들어가겠다는 의사 아래 출입문을 당겨 보는 행위는 바로 주거의 사실상의 평온을 침해할 객관적인 위험성을 포함하는 행위를 한 것으로 볼 수 있어 그것으로 주거침입의 실행에 착수한 것으로 보아야 한다(대법원 2006.9.14. 2006도2824).
- 침입대상인 아파트에 사람이 있는지를 확인하기 위해 그 집의 초인종을 누른 행위만으로는 침입의 현실적 위험성을 포함하는 행위를 시작하였다거나, 주거의 사실상의 평온을 침해할 객관적인 위험성을 포함하는 행위를 한 것으로 볼 수 없다 할 것이다(대법원 2008.4.10. 2008도1464).
  → 주거침입죄의 실행의 착수 부정

① (O) 대법원 2009.9.10. 2009도4335
② (O) 피고인이 침입했다는 인천의 주식회사 연안여객터미널 건물이 일반적으로 출입이 허가된 것이라 하여도 출입이 금지된 시간에 그 건물담벽에 있던 드럼통을 딛고 담벽을 넘어 들어간 후 그곳 터미널 마당에 있던 아이스박스통과 삽을 같은 건물 화장실 유리창문 아래에 놓고 올라가 위 유리창문을 연 후 이를 통해 들어간 것과 같은 경우에는 그 침입방법 자체가 일반적인 허가에 해당되지 않는 것이 분명하게 나타난 것이라 할 것이므로 이와 같은 경우에는 건조물침입죄가 성립되는 것이다(대법원 1990.3.13. 90도173).
  → 일반적으로 출입이 허가된 건물에 비정상적인 방법으로 들어간 것은 건조물침입에 해당한다.
④ (O) 신체의 극히 일부만 들어갔지만 사실상 주거의 평온을 해할 수 있는 정도에 이르지 않은 경우, ㉠ 판례의 입장인 신체일부침입설에 의하면 사실상의 주거의 평온을 해하는 정도에 이르러야 기수이므로 주거침입죄의 미수에 해당하고, ㉡ 다수설인 신체전부침입설에 의하면 신체의 전부가 침입해야 기수이므로 신체의 일부만 침입한 경우 주거침입죄의 미수가 인정된다.

03 0396

2019 경찰 1차

주거침입의 죄에 대한 다음 설명 중 가장 적절하지 않은 것은? (다툼이 있는 경우 판례에 의함)

① 권리자가 자신의 권리를 실현함에 있어 법에 정하여진 절차에 의하지 아니하고 타인의 주거 또는 건조물에 침입한 경우에는 주거침입죄가 성립한다.
② 주거침입죄는 반드시 행위자의 신체의 전부가 범행의 목적인 타인의 주거 안으로 들어가야만 성립한다.
③ 일반인의 출입이 허용된 음식점이라 하더라도, 영업주의 명시적 또는 추정적 의사에 반하여 들어간 것이라면 주거침입죄가 성립된다.
④ 주거침입죄에 있어서 주거라 함은 단순히 가옥 자체만을 말하는 것이 아니라 그 위요지를 포함한다.

지문분석 난이도 ⓗ 정답 ②

| 키 워 드 | 주거침입죄
| 출제유형 | 틀린 지문 고르기

② (X) 주거침입죄는 사실상의 주거의 평온을 보호법익으로 하는 것이므로, 반드시 행위자의 신체의 전부가 범행의 목적인 타인의 주거 안으로 들어가야만 성립하는 것이 아니라 신체의 일부만 타인의 주거 안으로 들어갔다고 하더라도 거주자가 누리는 사실상의 주거의 평온을 해할 수 있는 정도에 이르렀다면 범죄구성요건을 충족하는 것이라고 보아야 하고, 따라서 주거침입죄의 범의는 반드시 신체의 전부가 타인의 주거 안으로 들어간다는 인식이 있어야만 하는 것이 아니라 신체의 일부라도 타인의 주거 안으로 들어간다는 인식이 있으면 족하다(대법원 1995.9.15. 94도2561).
  → 야간에 타인의 집의 창문을 열고 집 안으로 얼굴을 들이미는 등의 행위를 하였다면 피고인이 자신의 신체의 일부가 집 안으로 들어간다는 인식하에 하였더라도 주거침입죄의 범의는 인정되고, 또한 비록 신체의 일부만이 집 안으로 들어갔다고 하더라도 사실상 주거의 평온을 해하였다면 주거침입죄는 기수이다.

① (O) 대법원 1984.4.24. 83도1429
③ (O) **불법선거운동 적발 목적으로 도청기를 설치하기 위하여 타인의 주거에 침입한 행위의 정당행위 성부: 부정**(대법원 1997.3.28. 95도2674)
  → 초원복집 사건
④ (O) 대법원 2001.4.24. 2001도1092

04 0397

2018 경찰 3차(변형)

주거침입의 죄에 대한 설명으로 가장 적절한 것은? (다툼이 있는 경우 판례에 의함)

① 건물의 소유자라고 주장하는 피고인과 그것을 점유관리하는 피해자 사이에 건물의 소유권에 대한 분쟁이 계속되고 있는 상황이라면 피고인이 피해자의 허락 없이 그 건물에 침입하는 행위를 주거침입죄로 처벌할 수 없다.
② 퇴거불응죄는 실행행위의 소극적 성격으로 인해 주거침입죄에 비해 법정형이 경하게 규정되어 있다.
③ 주거침입죄의 실행의 착수가 인정되기 위해서는 주거자의 의사에 반하여 주거나 관리하는 건조물 등에 들어가는 행위까지 요구하는 것은 아니고, 범죄구성요건의 실현에 이르는 현실적 위험성을 포함하는 행위를 개시하는 것으로 족하다.
④ 외부인이 공동거주자의 일부가 부재중에 주거 내에 현재하는 거주자의 현실적인 승낙을 받아 통상적인 출입방법에 따라 공동주거에 들어갔으나 부재중인 다른 거주자의 추정적 의사에 반하는 경우 주거침입죄가 성립한다.

지문분석 난이도 하 정답 ③

| 키 워 드 | 주거침입죄
| 출제유형 | 옳은 지문 고르기

③ (O) 대법원 2003.10.24. 2003도4417
① (X) 건물의 소유자라고 주장하는 피고인과 그것을 점유관리하고 있는 피해자 사이에 건물의 소유권에 대한 분쟁이 계속되고 있는 상황이라면 피고인이 그 건물에 침입하는 것에 대한 피해자의 추정적 승낙이 있었다거나 피고인의 이 사건 범행이 사회상규에 위배되지 않는다고 볼 수 없다(대법원 1989.9.12. 89도889).
② (X) 퇴거불응죄는 주거침입죄의 법정형과 동일하게 규정되어 있다.
④ (X) 외부인이 공동거주자의 일부가 부재중에 주거 내에 현재하는 거주자의 현실적인 승낙을 받아 통상적인 출입방법에 따라 공동주거에 들어갔으나 부재중인 다른 거주자의 추정적 의사에 반하는 경우에도 주거침입죄는 성립하지 않는다(대법원 2021.9.9 2020도12630 전원합의체).

✔ **개념체크 형법 제319조(주거침입, 퇴거불응)**

① 사람의 주거, 관리하는 건조물, 선박이나 항공기 또는 점유하는 방실에 침입한 자는 3년 이하의 징역 또는 500만원 이하의 벌금에 처한다.
② 전항의 장소에서 퇴거요구를 받고 응하지 아니한 자도 전항의 형과 같다.

05 0398

2010 경찰 1차

다음 중 주거침입죄에 관한 판례의 입장과 일치하지 않는 것을 모두 조합한 것은?

㉠ 일반인에게 출입이 허용된 건조물일지라도 범죄의 목적으로 들어가는 경우에는 건조물침입죄가 성립할 수 있다.
㉡ 건물신축 공사현장에 무단으로 들어간 뒤 타워크레인에 올라가 이를 점거한 경우에는 건조물침입죄가 성립한다.
㉢ 침입대상인 아파트에 사람이 있는지를 확인하기 위해 그 집의 초인종을 누른 행위라든가, 출입문이 열려 있으면 안으로 들어가겠다는 의사 아래 출입문을 당겨보는 행위로는 주거침입죄의 실행의 착수가 인정되지 않는다.
㉣ 다가구용 단독주택이나 다세대주택·연립주택·아파트 등 공동주택 안에서 공용으로 사용하는 계단과 복도는 특별한 사정이 없는 한 주거침입죄의 객체인 '사람의 주거'에 해당한다.

① ㉠, ㉡　　② ㉡, ㉢
③ ㉢, ㉣　　④ ㉡, ㉣

지문분석 난이도 중 정답 ②

| 키 워 드 | 주거침입죄
| 출제유형 | 조합하기

㉡ (X) 건물신축 공사현장에 무단으로 들어간 뒤 타워크레인에 올라가 이를 점거한 경우에는 건조물침입죄가 성립하지 아니한다(대법원 2005.10.7. 2005도5351).
→ 시공회사의 건물신축 업무에 대한 업무방해죄는 인정한 판례이다.
㉢ (X) • 침입대상인 아파트에 사람이 있는지를 확인하기 위해 그 집의 초인종을 누른 행위는 주거침입에 해당하지 아니한다(대법원 2008.4.10. 2008도1464).
• 출입문이 열려 있으면 안으로 들어가겠다는 의사 아래 출입문을 당겨보는 행위는 주거침입죄의 실행의 착수가 인정된다(대법원 2006.9.14. 2006도2824).
㉠ (O) 일반인의 출입이 허용된 건조물이라고 하더라도 관리자의 명시적 또는 추정적 의사에 반하여 그곳에 들어간 것이라면 건조물침입죄가 성립하는 것이므로, 일반인의 출입이 허용된 건조물에 그 시설을 손괴하는 등 범죄의 목적으로 들어간 경우에는 건조물침입죄가 성립된다(대법원 2007.3.15. 2006도7079).
㉣ (O) 다가구용 단독주택이나 다세대주택·연립주택·아파트 등 공동주택 안에서 공용으로 사용하는 계단과 복도는 주거로 사용하는 각 가구 또는 세대의 전용 부분에 필수적으로 부속하는 부분으로서 그 거주자들에 의하여 일상생활에서 감시·관리가 예정되어 있고 사실상의 주거의 평온을 보호할 필요성이 있는 부분이므로, 다가구용 단독주택이나 공동주택의 내부에 있는 공용 계단과 복도는 특별한 사정이 없는 한 주거침입죄의 객체인 '사람의 주거'에 해당한다고 보아야 한다(대법원 2009.8.20. 2009도3452).

06 0399

2015 경찰 1차

주거침입죄에 관한 다음 설명 중 옳은 것은 모두 몇 개인가? (다툼이 있으면 판례에 의함)

> ㉠ 다가구용 단독주택인 빌라의 잠기지 않은 대문을 열고 들어가 공용 계단으로 빌라 3층까지 올라갔다가 1층으로 내려온 경우 주거침입죄를 구성한다.
> ㉡ 불법선거운동 적발 목적으로 도청기를 설치하기 위하여 타인의 주거에 들어간 행위는 주거침입죄에 해당하지 않는다.
> ㉢ 피고인이 피해자와 이웃 사이어서 평소 그 주거에 무상출입하던 관계에 있었다 하더라도 범죄의 목적으로 피해자의 승낙 없이 그 주거에 들어간 경우에는 주거침입죄가 성립된다.
> ㉣ 피고인들이 건물신축 공사현장에 무단으로 들어간 뒤 타워크레인에 올라가 이를 점거한 경우 주거침입죄가 성립하지 않는다.

① 1개　② 2개
③ 3개　④ 4개

지문분석 난이도 중 정답 ③

| 키 워 드 | 주거침입죄
| 출제유형 | 개수 찾기

㉠ (O) 대법원 2009.8.20. 2009도3452
→ 다가구용 단독주택이나 다세대주택·연립주택·아파트 등 공동주택의 내부에 있는 엘리베이터, 공용 계단과 복도는 주거침입죄의 객체인 '사람의 주거'에 해당하고, 위 장소에 거주자의 명시적·묵시적 의사에 반하여 침입하는 행위는 주거침입죄를 구성한다.

㉢ (O) 대법원 1983.7.12. 83도1394
→ 범죄의 목적으로 주거에 들어간 경우에는 주거침입죄가 성립한다.

㉣ (O) 대법원 2005.10.7. 2005도5351
→ 타워크레인은 건설기계의 일종으로서 작업을 위하여 토지에 고정되었을 뿐이고 운전실은 기계를 운전하기 위한 작업공간 그 자체이지 건조물침입죄의 객체인 건조물에 해당하지 아니한다.

㉡ (X) 기관장들의 조찬모임에서의 대화내용을 도청하기 위한 도청장치를 설치할 목적으로 손님을 가장하여 그 조찬모임 장소인 음식점에 들어간 경우에는 영업주가 그 출입을 허용하지 않았을 것으로 보는 것이 경험칙에 부합하므로, 그와 같은 행위는 주거침입죄가 성립한다(대법원 1997.3.28. 95도2674).
→ 음식점(초원복집) 도청 사건

07 0400

2015 경찰 2차

주거침입죄에 관한 다음 설명 중 가장 적절한 것은? (다툼이 있으면 판례에 의함)

① 비록 사실상 주거의 평온을 해하였다고 하더라도 신체의 일부만이 집 안으로 들어가는 데 그쳤다면 주거침입죄는 기수에 이르지 않았다.
② 출입문이 열려 있으면 안으로 들어가겠다는 의사 아래 출입문을 당겨보았다고 하더라도 그것만으로는 주거침입의 실행에 착수한 것이라고 할 수 없다.
③ 사용자의 직장폐쇄가 정당한 쟁의행위로 인정되지 아니하는 때에는 다른 특별한 사정이 없는 한 근로자가 평소 출입이 허용되는 사업장 안에 들어가는 행위는 주거침입죄를 구성하지 아니한다.
④ 다른 사람의 주택에 무단 침입한 범죄사실로 이미 유죄판결을 받은 사람이 그 판결이 확정된 후에도 퇴거하지 않은 채 계속하여 당해 주택에 거주한 경우 위 판결 확정 이후의 행위는 별도의 주거침입죄를 구성하지 아니한다.

지문분석 난이도 하 정답 ③

| 키 워 드 | 주거침입죄
| 출제유형 | 옳은 지문 고르기

③ (O) 사용자의 직장폐쇄가 정당한 쟁의행위로 인정되지 아니하는 때에는 다른 특별한 사정이 없는 한 근로자가 평소 출입이 허용되는 사업장 안에 들어가는 행위가 주거침입죄를 구성하지 아니한다(대법원 2002.9.24. 2002도2243).

① (X) [1] 주거침입의 범의로써 예컨대 주거로 들어가는 문의 시정장치를 부수거나 문을 여는 등 침입을 위한 구체적 행위를 시작하였다면 주거침입죄의 실행의 착수는 있었다고 보아야 하고, 신체의 극히 일부분이 주거 안으로 들어갔지만 사실상 주거의 평온을 해하는 정도에 이르지 아니하였다면 주거침입죄의 미수에 그친다.
[2] 야간에 타인의 집의 창문을 열고 집 안으로 얼굴을 들이미는 등의 행위를 하였다면 피고인이 자신의 신체의 일부가 집 안으로 들어간다는 인식하에 하였더라도 주거침입죄의 범의는 인정되고, 또한 비록 신체의 일부만이 집 안으로 들어갔다고 하더라도 사실상 주거의 평온을 해하였다면 주거침입죄는 기수에 이르렀다(대법원 1995.9.15. 94도2561).

② (X) 주거침입죄의 실행의 착수는 주거자, 관리자, 점유자 등의 의사에 반하여 주거나 관리하는 건조물 등에 들어가는 행위, 즉 구성요건의 일부를 실현하는 행위까지 요구하는 것은 아니고 범죄구성요건의 실현에 이르는 현실적 위험성을 포함하는 행위를 개시하는 것으로 족하므로, 출입문이 열려 있으면 안으로 들어가겠다는 의사 아래 출입문을 당겨보는 행위는 바로 주거의 사실상의 평온을 침해할 객관적인 위험성을 포함하는 행위를 한 것으로 볼 수 있어 그것으로 주거침입의 실행에 착수한 것으로 보아야 한다(대법원 2006.9.14. 2006도2824).

④ (X) 다른 사람의 주택에 무단 침입한 범죄사실로 이미 유죄판결을 받은 사람이 그 판결이 확정된 후에도 퇴거하지 않은 채 계속하여 당해 주택에 거주한 사안에서, 위 판결 확정 이후의 행위는 별도의 주거침입죄를 구성한다(대법원 2008.5.8. 2007도11322).

08 0401

2020 경찰 승진

주거침입의 죄에 대한 설명 중 가장 적절하지 않은 것은? (다툼이 있는 경우 판례에 의함)

① 형법의 주거침입죄와 퇴거불응죄는 미수범 처벌규정이 있다.
② 주거침입죄가 계속범이라는 견해에 따르면 불법하게 주거에 침입한 자가 퇴거요구를 받고 불응한 때에는 퇴거불응죄가 별도로 성립하지 아니한다.
③ 사용자의 직장폐쇄가 정당한 쟁의행위로 인정되지 아니하는 때에는 다른 특별한 사정이 없는 한 근로자가 평소 출입이 허용되는 사업장 안에 들어가는 행위는 주거침입죄를 구성하지 아니한다.
④ 다른 사람의 주택에 무단 침입한 범죄사실로 이미 유죄판결을 받은 사람이 그 판결이 확정된 후에도 퇴거하지 아니하고 계속하여 당해 주택에 거주한 경우 위 판결 확정 이후의 행위는 별도의 주거침입죄를 구성하지 않는다.

지문분석 난이도 하 정답 ④

| 키 워 드 | 주거침입죄

| 출제유형 | 틀린 지문 고르기

④ (X) 다른 사람의 주택에 무단 침입한 범죄사실로 이미 유죄판결을 받은 사람이 그 판결이 확정된 후에도 퇴거하지 않은 채 계속하여 당해 주택에 거주한 경우, 위 판결 확정 이후의 행위는 별도의 주거침입죄(퇴거불응죄 X)를 구성한다(대법원 2008.5.8. 2007도11322).
① (O) 형법 제322조
② (O) 다수설로 올바른 설명이다.
③ (O) 대법원 2002.9.24. 2002도2243

09 0402

2019 경찰 승진

주거침입의 죄에 대한 설명으로 가장 적절하지 않은 것은? (다툼이 있는 경우 판례에 의함)

① 퇴거불응죄의 법정형은 주거침입죄와 동일하다.
② 야간에 타인의 집의 창문을 열고 집 안으로 얼굴을 들이미는 등의 행위를 한 경우, 피고인이 자신의 신체의 일부가 집 안으로 들어간다는 인식하에 하였다면 주거침입죄의 범의는 인정된다.
③ 건조물의 이용에 기여하는 인접의 부속 토지라고 하더라도 인적 또는 물적 설비 등에 의한 구획 내지 통제가 없어 통상의 보행으로 그 경계를 쉽사리 넘을 수 있는 정도라고 한다면 일반적으로 외부인의 출입이 제한된다는 사정이 객관적으로 명확하게 드러났다고 보기 어려우므로, 이는 다른 특별한 사정이 없는 한 주거침입죄의 객체에 속하지 않는다.
④ 근로자들이 사용자와 제3자가 공동으로 관리·사용하는 공간을 사용자에 대한 정당한 쟁의행위를 이유로 관리자의 의사에 반하여 침입·점거한 경우, 제3자에 대하여는 정당행위로서 주거침입의 위법성이 조각된다.

지문분석 난이도 하 정답 ④

| 키 워 드 | 주거침입죄

| 출제유형 | 틀린 지문 고르기

④ (X) 2인 이상이 하나의 공간에서 공동생활을 하고 있는 경우에는 각자 주거의 평온을 누릴 권리가 있으므로, 사용자가 제3자와 공동으로 관리·사용하는 공간을 사용자에 대한 쟁의행위를 이유로 관리자의 의사에 반하여 침입·점거한 경우, 비록 그 공간의 점거가 사용자에 대한 관계에서 정당한 쟁의행위로 평가될 여지가 있다 하여도 이를 공동으로 관리·사용하는 제3자의 명시적 또는 추정적인 승낙이 없는 이상 위 제3자에 대하여서까지 이를 정당행위라고 하여 주거침입의 위법성이 조각된다고 볼 수는 없다(대법원 2010.3.11. 2009도5008).
① (O) 형법 제319조
② (O) 대법원 1995.9.15. 94도2561
③ (O) 대법원 2010.4.29. 2009도14643

10 0403

2021 경찰 승진

아래 ㉠부터 ㉣까지의 설명 중 옳고 그름의 표시(O, X)가 바르게 된 것은? (다툼이 있는 경우 판례에 의함)

㉠ 피고인이 피해자가 아직 집에 돌아오기 전에 간통의 목적으로 피해자의 처의 의사에 반함이 없이 피해자의 주거에 들어간 이상 주거의 평온을 해치는 것이 아니므로 주거침입죄가 성립하지 않는다.
㉡ 야간에 다세대주택에 침입하여 물건을 절취하기 위하여 가스배관을 타고 오르다가 순찰 중이던 경찰관에게 발각되어 그냥 뛰어내렸다면, 야간주거침입절도죄의 실행의 착수에 이르지 못했다.
㉢ 다가구용 단독주택이나 다세대주택·연립주택·아파트 등 공동주택의 내부에 있는 엘리베이터, 공용 계단과 복도는 특별한 사정이 없는 한 주거침입죄의 객체인 '사람의 주거'에 해당하지 않는다.
㉣ 진정부작위범인 형법 제319조 퇴거불응죄의 미수범은 처벌한다.

① ㉠ (O), ㉡ (O), ㉢ (O), ㉣ (O)
② ㉠ (O), ㉡ (O), ㉢ (X), ㉣ (O)
③ ㉠ (O), ㉡ (X), ㉢ (O), ㉣ (X)
④ ㉠ (X), ㉡ (O), ㉢ (X), ㉣ (X)

11 0404

2020 경찰 간부

주거침입죄와 관련된 다음 설명 중 옳은 것은 모두 몇 개인가? (다툼이 있는 경우 판례에 의함)

가. 다른 사람의 주택에 무단 침입하여 이미 유죄판결을 받은 사람이 판결 확정 후에도 퇴거하지 않은 채 계속하여 당해 주택에 거주하였다면 퇴거불응죄가 성립할 뿐 다시 주거침입죄를 구성하는 것은 아니다.
나. 침입대상인 아파트에 사람이 있는지를 확인하기 위해 그 집의 초인종을 누른 것만으로는 침입의 현실적 위험성을 포함하는 행위를 시작하였다거나 주거의 사실상의 평온을 침해할 객관적인 위험성을 포함하는 행위를 한 것으로 볼 수 없다.
다. 건물의 소유자라고 주장하는 사람과 그것을 점유관리하고 있는 사람 사이에 건물의 소유권에 대한 분쟁이 계속되고 있는 상황이라면 소유자라고 주장하는 사람이 그 건물에 침입하는 것에 대하여 점유자의 추정적 승낙이 있었다거나 침입행위가 사회상규에 위배되지 않는다고 볼 수 없다.
라. 연립주택 아래층에 사는 피해자가 위층 피고인의 집으로 통하는 상수도관의 밸브를 임의로 잠근 후 이를 피고인에게 알리지 않아 하루 동안 수돗물이 나오지 않은 고통을 겪었던 피고인이 상수도관의 밸브를 확인하고 이를 열기 위하여 부득이 피해자의 집에 들어간 것이라면 이는 정당행위에 해당한다.

① 1개 ② 2개
③ 3개 ④ 4개

지문분석 (10)

난이도 중 정답 ②

| 키 워 드 | 주거침입죄
| 출제유형 | 옳고 그름의 표시(O, X)하기

㉠ (O) 대법원 2021.9.9 2020도6085 전원합의체
㉡ (O) 대법원 2008.3.27. 2008도917
㉢ (X) 다가구용 단독주택이나 다세대주택·연립주택·아파트 등 공동주택의 내부에 있는 엘리베이터, 공용 계단과 복도는 특별한 사정이 없는 한 주거침입죄의 객체인 '사람의 주거'에 해당하고, 위 장소에 거주자의 명시적·묵시적 의사에 반하여 침입하는 행위는 주거침입죄를 구성한다(대법원 2009.9.10. 2009도4335).
㉣ (O) 형법 제322조

지문분석 (11)

난이도 상 정답 ③

| 키 워 드 | 주거침입죄
| 출제유형 | 개수 찾기

나. (O) 대법원 2008.4.10. 2008도1464
다. (O) 대법원 1989.9.12. 89도889
라. (O) 대법원 2004.2.13. 2003도7393
가. (X) 다른 사람의 주택에 무단 침입한 범죄사실로 이미 유죄판결을 받은 사람이 그 판결이 확정된 후에도 퇴거하지 않은 채 계속하여 당해 주택에 거주한 경우, 위 판결 확정 이후의 행위는 별도의 주거침입죄를 구성한다(대법원 2008.5.8. 2007도11322).

12 0405

2019 경찰 간부

다음 중 주거침입의 죄에 관한 설명으로 가장 옳은 것은? (다툼이 있는 경우 판례에 의함)

① 주거침입죄에 있어서 주거 또는 건조물이라 함은 단순히 가옥만을 말하는 것이 아니고 그 위요지를 포함한다 할 것이나, 사찰의 정문에 설치된 철조망을 걷어내고 무단으로 사찰의 경내로 진입한 행위만으로는 주거침입죄를 구성한다고 볼 수 없다.
② 주거침입죄는 사실상의 주거의 평온을 보호법익으로 하는 것이므로 남의 집 대문을 몰래 열고 들어와 담장과 건물 사이의 좁은 통로에서 창문을 통하여 방 안을 엿본 행위만으로는 주거의 사실상 평온상태가 침해되지 않아 주거침입죄가 성립하지 않는다.
③ 다가구용 단독주택인 빌라의 시정되지 않은 대문을 열고 들어가 계단으로 빌라 3층까지 올라가서 그곳의 문을 두드려 본 후 다시 1층으로 내려온 것만으로는 주거침입죄의 객체인 '사람의 주거'에 침입하였다고 할 수 없어 주거침입죄가 성립하지 않는다.
④ 건조물의 이용에 기여하는 인접의 부속 토지라고 하더라도 인적 또는 물적 설비 등에 의한 구획 내지 통제가 없어 통상의 보행으로 그 경계를 쉽사리 넘을 수 있는 정도라고 한다면 일반적으로 외부인의 출입이 제한된다는 사정이 객관적으로 명확하게 드러났다고 보기 어려우므로, 이는 다른 특별한 사정이 없는 한 주거침입죄의 객체에 속하지 않는다.

지문분석 난이도 하 정답 ④

| 키 워 드 | 주거침입죄

| 출제유형 | 옳은 지문 고르기

④ (O) 대법원 2010.4.29. 2009도14643
① (X) 대법원 1983.3.8. 82도1363
② (X) 주거침입죄에 있어서 주거라 함은 단순히 가옥 자체만을 말하는 것이 아니라 그 위요지를 포함한다 할 것이므로, 이미 수일 전에 2차례에 걸쳐 피해자를 강간하였던 피고인이 대문을 몰래 열고 들어와 담장과 피해자가 거주하던 방 사이의 좁은 통로에서 창문을 통하여 방 안을 엿보던 상황이라면 피해자의 주거에 대한 사실상 평온상태가 침해된 것으로, 원심이 같은 취지에서 피고인의 위와 같은 행위를 주거침입죄에 해당한다고 본 것은 정당하다(대법원 2001.4.24. 2001도1092).
③ (X) 다가구용 단독주택인 빌라의 잠기지 않은 대문을 열고 들어가 공용 계단으로 빌라 3층까지 올라갔다가 1층으로 내려온 경우, 주거침입죄를 구성한다(대법원 2009.8.20. 2009도3452).

성공으로 가는 엘리베이터는 고장입니다.
당신은 계단을 이용해야만 합니다.

한 계단, 한 계단씩.

– 조 지라드(Joe Girard)

CHAPTER

05 재산에 대한 죄

■ 기본서 연계페이지: p.698~873 ■ 문항 수: 130문항

1 재산죄의 기본 개념

01 0406

2019 경찰 2차

친족상도례에 관한 설명으로 가장 적절한 것은? (다툼이 있는 경우 판례에 의함)

① 가출 후 오랫동안 연락 없이 지내던 甲이 자신의 딸과 결혼한 사위 乙을 기망하여 백화점 입점비 명목으로 돈을 편취한 경우, 친족상도례가 적용되지 않는다.
② 장물죄에 있어서 장물범과 피해자 간에 동거친족의 신분관계가 있는 때에는 형이 면제되지만, 장물범과 본범 간에 동거친족의 신분관계가 있는 때에는 형을 감경 또는 면제한다.
③ 타인소유의 물건을 자기 아버지의 소유물로 오인하여 절취한 경우, 친족관계에 대한 착오가 인정되고 형법상 절도죄의 과실범 처벌규정이 없으므로 불가벌이 된다.
④ 절도피해자인 아버지가 체포된 절도범인이 자신의 혼외자임을 알고 비로소 인지(認知)를 하더라도 친족관계는 원칙적으로 범행 당시에 존재하여야 하기 때문에 친족상도례는 적용되지 않는다.

지문분석 난이도 ㊤ 정답 ②

| 키 워 드 | 친족상도례
| 출제유형 | 옳은 지문 고르기

② (O) 형법 제365조
① (X) 사기범인과 피해자인 사위는 친족 간이므로 친족상도례가 적용된다.
③ (X) 친족관계는 객관적으로 존재하면 족하고 행위자가 그 존재를 인식할 필요가 없다. 친족관계는 객관적 구성요건요소가 아니므로 이에 대한 착오는 고의를 조각하지 않고 범죄가 성립한다.
→ 타인소유의 물건을 자기 아버지의 소유물로 오인하여 절취한 경우, 절도죄가 성립하고 절도죄로 처벌된다.
④ (X) 형법 제344조, 제328조 제1항 소정의 친족 간의 범행에 관한 규정이 적용되기 위한 친족관계는 원칙적으로 범행 당시에 존재하여야 하는 것이지만, 부가 혼인 외의 출생자를 인지하는 경우에 있어서는 민법 제860조에 의하여 그 자의 출생시에 소급하여 인지의 효력이 생기는 것이며, 이와 같은 인지의 소급효는 친족상도례에 관한 규정의 적용에도 미친다고 보아야 할 것이므로, 인지가 범행 후에 이루어진 경우라고 하더라도 그 소급효에 따라 형성되는 친족관계를 기초로 하여 친족상도례의 규정이 적용된다(대법원 1997.1.24. 96도1731).

✓ 개념체크 **형법 제365조, 제328조**

제365조(친족 간의 범행) ① 전3조의 죄를 범한 자(장물죄를 범한 자)와 피해자 간에 제328조 제1항, 제2항의 신분관계가 있는 때에는 동조의 규정을 준용한다.
② 전3조의 죄를 범한 자와 본범 간에 제328조제1항의 신분관계가 있는 때에는 그 형을 감경 또는 면제한다. 단, 신분관계가 없는 공범에 대하여는 예외로 한다.

제328조(친족 간의 범행과 고소) ① 직계혈족, 배우자, 동거친족, 동거가족 또는 그 배우자 간의 제323조의 죄(권리행사방해죄)는 그 형을 면제한다.
② 제1항 이외의 친족 간에 제323조의 죄를 범한 때에는 고소가 있어야 공소를 제기할 수 있다.

02 0407

2019 경찰 1차

친족상도례에 대한 설명 중 가장 적절하지 않은 것은? (다툼이 있는 경우 판례에 의함)

① 형법 제328조 제1항은 "직계혈족, 배우자, 동거친족, 동거가족 또는 그 배우자 간의 제323조의 죄는 그 형을 면제한다."라고 규정하고 있는바, 여기서 '그 배우자'는 동거가족의 배우자만을 의미하는 것이 아니라, 직계혈족, 동거친족, 동거가족 모두의 배우자를 의미한다.

② 甲이 위탁자가 소유자를 위해 보관하고 있는 물건을 위탁자로부터 보관받아 이를 횡령한 경우 甲과 피해물건의 소유자 간에만 친족관계가 있거나 甲과 피해물건의 위탁자 간에만 친족관계가 있는 경우에도 친족상도례가 적용된다.

③ 사기죄를 범하는 자가 금원을 편취하기 위한 수단으로 사기죄의 피해자와 혼인신고를 한 것이어서 그 혼인이 무효인 경우라면, 그 피해자에 대한 사기죄에서는 친족상도례를 적용할 수 없다.

④ 친족상도례가 적용되기 위한 친족관계는 원칙적으로 범행 당시에 존재하여야 한다.

지문분석

난이도 하 정답 ②

| 키 워 드 | 친족상도례

| 출제유형 | 틀린 지문 고르기

② (X) **횡령범인이 피해물건의 소유자와 위탁자 중 한쪽과 친족관계가 있는 경우, 친족상도례의 적용 여부: 부정**
횡령범인이 위탁자가 소유자를 위해 보관하고 있는 물건을 위탁자로부터 보관받아 이를 횡령한 경우에 형법 제361조에 의하여 준용되는 제328조 제2항의 친족 간의 범행에 관한 조문은 ㉠ 범인과 피해물건의 소유자 및 위탁자 쌍방 사이에 같은 조문에 정한 친족관계가 있는 경우에만 적용되고, ㉡ 단지 횡령범인과 피해물건의 소유자 간에만 친족관계가 있거나 횡령범인과 피해물건의 위탁자 간에만 친족관계가 있는 경우에는 적용되지 않는다(대법원 2008.7.24. 2008도3438).

① (O) 대법원 2011.5.13. 2011도1765
→ 피고인이 피해자의 '직계혈족의 배우자'임을 이유로 형법 제354조, 제328조 제1항에 따라 피해자에 대한 상습사기의 점에 관한 공소사실에 대하여 형을 면제한 것은 정당하다는 판결이다.

③ (O) 대법원 2015.12.10. 2014도11533

④ (O) 형법 제344조, 제328조 제1항 소정의 친족 간의 범행에 관한 규정이 적용되기 위한 친족관계는 원칙적으로 범행 당시에 존재하여야 하는 것이지만, 부가 혼인 외의 출생자를 인지하는 경우에 있어서는 민법 제860조에 의하여 그 자의 출생시에 소급하여 인지의 효력이 생기는 것이며, 이와 같은 인지의 소급효는 친족상도례에 관한 규정의 적용에도 미친다고 보아야 할 것이므로, 인지가 범행 후에 이루어진 경우라고 하더라도 그 소급효에 따라 형성되는 친족관계를 기초로 하여 친족상도례의 규정이 적용된다(대법원 1997.1.24. 96도1731).

03 0408

2021 경찰 1차

재산죄에 대한 다음 설명 중 적절한 것만을 모두 고른 것은? (다툼이 있는 경우 판례에 의함)

㉠ 절도죄의 성립에 필요한 '불법영득의 의사'는 그것이 물건 자체를 영득할 의사인지 물건의 가치만을 영득할 의사인지를 불문한다.

㉡ 형법 제332조에 규정된 상습절도죄를 범한 범인이 범행의 수단으로 주간에 주거침입을 한 경우, 주거침입행위는 다른 상습절도죄에 흡수되어 1죄만을 구성하고 상습절도죄와 별개로 주거침입죄를 구성하지 않는다.

㉢ 공갈죄의 수단인 협박에 있어서의 해악의 고지가 비록 정당한 권리의 실현 수단으로 사용된 경우라도 그 권리실현의 수단·방법이 사회통념상 허용되는 정도나 범위를 넘는다면 공갈죄의 실행에 착수한 것으로 보아야 한다.

㉣ 당사자 사이에 혼인신고가 있었다면, 그 혼인신고가 단지 다른 목적을 달성하기 위한 방편에 불과한 것으로 그들 사이에 참다운 부부관계의 설정을 바라는 효과의사가 없다 하더라도 친족상도례를 적용할 수 있다.

① ㉠, ㉢ ② ㉠, ㉣
③ ㉡, ㉢ ④ ㉡, ㉣

지문분석

난이도 중 정답 ①

| 키 워 드 | 재산죄

| 출제유형 | 조합하기

㉠ (O) 대법원 2014.2.21. 2013도14139

㉢ (O) 대법원 2019.2.14. 2018도19493

㉡ (X) 형법 제332조에 규정된 상습절도죄를 범한 범인이 범행의 수단으로 주간에 주거침입을 한 경우 주간 주거침입행위는 상습절도죄와 별개로 주거침입죄를 구성한다. 또 형법 제332조에 규정된 상습절도죄를 범한 범인이 그 범행 외에 상습적인 절도의 목적으로 주간에 주거침입을 하였다가 절도에 이르지 아니하고 주거침입에 그친 경우에도 주간 주거침입행위는 상습절도죄와 별개로 주거침입죄를 구성한다(대법원 2015.10.15. 2015도8169).

㉣ (X) [1] 비록 당사자 사이에 혼인의 신고가 있었더라도, 그것이 단지 다른 목적을 달성하기 위한 방편에 불과한 것으로서 그들 사이에 참다운 부부관계의 설정을 바라는 효과의사가 없을 때에는 그 혼인은 무효라고 할 것이다.
[2] 형법 제354조, 제328조 제1항에 의하면 배우자 사이의 사기죄는 이른바 친족상도례에 의하여 형을 면제하도록 되어 있으나, 사기죄를 범하는 자가 금원을 편취하기 위한 수단으로 피해자와 혼인신고를 한 것이어서 그 혼인이 무효인 경우라면, 그러한 피해자에 대한 사기죄에서는 친족상도례를 적용할 수 없다(대법원 2015.12.10. 2014도11533).

04 0409

2020 경찰 2차

재산범죄에 대한 아래 ㉠부터 ㉤까지의 설명 중 옳고 그름의 표시(O, X)가 모두 바르게 된 것은? (다툼이 있는 경우 판례에 의함)

> ㉠ 피고인이 자신의 명의로 등록된 자동차를 사실혼 관계에 있던 甲에게 증여하여 甲만이 이를 운행·관리하여 오다가 서로 별거하면서 재산분할 내지 위자료 명목으로 甲이 소유하기로 하였는데, 피고인이 이를 임의로 운전해 간 경우 자동차 등록명의와 관계없이 피고인의 행위는 절도죄가 성립한다.
> ㉡ 절도범인이 일단 체포되었으나 아직 신병확보가 확실하지 않은 단계에서 체포 상태를 면하기 위해 폭행하여 상해를 가한 경우, 그 행위는 절도의 기회에 체포를 면탈할 목적으로 폭행하여 상해를 가한 것으로서 강도상해죄가 성립한다.
> ㉢ 피고인이 부동산에 대해 甲과 신탁금지약정을 체결한 사실을 A은행에 알리지 아니한 채 위 부동산을 담보신탁하고 A은행에서 대출을 받은 경우 A은행에 대한 사기죄가 성립한다.
> ㉣ A회사의 경영자인 피고인이, A회사와 B회사 사이에 허위로 작성된 물품공급계약서에 따른 공급을 한 사실이 없음에도 완료하였음을 전제로 B회사를 상대로 물품대금 청구소송을 제기하면서 증거자료로 위 물품공급계약서를 제출하였다가 그 후 소송을 취하하였다면 사기미수죄가 성립한다.
> ㉤ 甲, 乙이 공모하여 甲 명의로 개설된 예금계좌의 접근매체를 보이스피싱 조직원 丙에게 양도하고, 丁이 丙에게 속아 위 계좌로 송금한 사기피해금 중 일부를 甲, 乙이 임의로 인출한 경우, 甲, 乙에게 사기죄가 성립하지 않는 이상 丙에 대한 횡령죄를 구성한다.

① ㉠ (O), ㉡ (O), ㉢ (O), ㉣ (X), ㉤ (X)
② ㉠ (O), ㉡ (O), ㉢ (X), ㉣ (O), ㉤ (X)
③ ㉠ (X), ㉡ (X), ㉢ (X), ㉣ (O), ㉤ (O)
④ ㉠ (O), ㉡ (O), ㉢ (X), ㉣ (O), ㉤ (O)

지문분석

난이도 상 정답 ②

| 키 워 드 | 재산범죄
| 출제유형 | 옳고 그름의 표시(O, X)하기

㉠ (O) 피고인이 자신의 명의로 등록된 자동차를 사실혼 관계에 있던 甲에게 증여하여 甲만이 이를 운행·관리하여 오다가 서로 별거하면서 재산분할 내지 위자료 명목으로 甲이 소유하기로 하였는데, 피고인이 이를 임의로 운전해 간 사안에서, 자동차 등록명의와 관계없이 피고인과 甲 사이에서는 甲을 소유자로 보아야 한다는 이유로 절도죄를 인정한 원심 판단은 정당하다(대법원 2013.2.28. 2012도15303).

㉡ (O) 절도범인이 일단 체포되었으나 아직 신병확보가 확실하지 않은 단계에서 체포 상태를 면하기 위해 폭행하여 상해를 가한 경우, 그 행위는 절도의 기회에 체포를 면탈할 목적으로 폭행하여 상해를 가한 것으로서 강도상해죄에 해당한다(대법원 2001.10.23. 2001도4142, 2001감도100).

㉢ (X) 피고인이 부동산에 대해 甲과 신탁금지약정을 체결한 사실을 乙은행에 알리지 아니한 채 위 부동산을 담보신탁하고 乙은행에서 대출을 받아 대출금을 편취하였다고 하여 구 특정경제범죄 가중처벌 등에 관한 법률 위반(사기)으로 기소된 사안에서, 신탁금지약정 사실을 고지하지 아니하였다고 하여 乙은행을 기망하였다고 평가할 수 없는데도, 이와 달리 보아 유죄를 인정한 원심판결에 법리오해의 위법이 있다(대법원 2012.4.13. 2011도2989).

㉣ (O) 대법원 2011.9.8. 2011도7262

㉤ (X) 피고인 甲, 乙이 공모하여, 피고인 甲 명의로 개설된 예금계좌의 접근매체를 보이스피싱 조직원 丙에게 양도함으로써 丙의 丁에 대한 전기통신금융사기 범행을 방조하고, 사기피해자 丁이 丙에게 속아 위 계좌로 송금한 사기피해금 중 일부를 별도의 접근매체를 이용하여 임의로 인출함으로써 주위적으로는 丙의 재물을, 예비적으로는 丁의 재물을 횡령하였다는 내용으로 기소되었는데, 원심이 피고인들에 대한 사기방조 및 횡령의 공소사실을 모두 무죄로 판단한 사안에서, 피고인들에게 사기방조죄가 성립하지 않는 이상 사기피해금 중 일부를 임의로 인출한 행위는 사기피해자 丁에 대한 횡령죄가 성립한다(대법원 2018.7.19. 2017도17494 전원합의체).

05 0410

2011 경찰 2차

다음 설명 중 가장 적절하지 않은 것은? (다툼이 있으면 판례에 의함)

① 훔친 신용카드를 용도대로 사용한 다음 바로 이를 다시 권리자에게 반환한 경우에 불법영득의사가 없다는 이유로 신용카드에 대한 절도죄는 성립하지 않는다.

② 손자가 할아버지 소유 은행 예금통장을 훔쳐서 이를 현금자동지급기에 넣고 57만원을 자신의 예금계좌로 이체한 경우 할아버지와 손자 간의 사건이므로 친족 간의 범행특례규정(친족상도례)이 적용된다.

③ 자기가 강취한 신용카드를 자신의 것처럼 카드가맹점에 제시하여 100만원 상당의 등산용품을 구입한 경우 신용카드에 대한 강도죄 이외에 사기죄가 성립하며 양 죄는 경합범에 해당한다.

④ 2만원을 인출하여 오라는 부탁과 함께 현금카드를 건네받은 甲이 5만원을 인출하여 3만원을 자기가 가진 경우 컴퓨터 등 사용사기죄에 해당한다.

지문분석 난이도 중 정답 ②

| 키 워 드 | 재산죄

| 출제유형 | 틀린 지문 고르기

② (X) 손자가 할아버지 소유 농업협동조합 예금통장을 절취하여 이를 현금자동지급기에 넣고 조작하는 방법으로 예금 잔고를 자신의 거래 은행 계좌로 이체한 경우, 위 농업협동조합이 컴퓨터 등 사용사기 범행 부분의 피해자라는 이유로 친족상도례를 적용할 수 없다(대법원 2007.3.15. 2006도2704).

① (O) 타인의 재물을 점유자의 승낙 없이 무단사용하는 경우에 있어서 그 사용으로 인하여 물건 자체가 가지는 경제적 가치가 상당한 정도로 소모되거나 또는 사용 후 그 재물을 본래 있었던 장소가 아닌 다른 장소에 버리거나 곧 반환하지 아니하고 장시간 점유하고 있는 것과 같은 때에는 그 소유권 또는 본권을 침해할 의사가 있다고 보아 불법영득의 의사를 인정할 수 있을 것이나, 그렇지 않고 그 사용으로 인한 가치의 소모가 무시할 수 있을 정도로 경미하고, 또한 사용 후 곧 반환한 것과 같은 때에는 그 소유권 또는 본권을 침해할 의사가 있다고 할 수 없어 불법영득의 의사가 있다고 인정할 수 없다(대법원 1999.7.9. 99도857).

→ 따라서 훔친 신용카드를 용도대로 사용한 다음 바로 이를 다시 권리자에게 반환한 경우에 불법영득의사가 없다는 이유로 신용카드에 대한 절도죄는 성립하지 않는다.

③ (O) 강취한 신용카드를 가지고 자신이 그 신용카드의 정당한 소지인인 양 가맹점의 점주를 속이고 그에 속은 점주로부터 주류 등을 제공받아 이를 취득한 것이라면 신용카드부정사용죄와 별도로 사기죄가 성립한다(대법원 1997.1.21. 96도2715).

④ (O) 예금주인 현금카드 소유자로부터 일정한 금액의 현금을 인출해 오라는 부탁을 받으면서 이와 함께 현금카드를 건네받은 것을 기화로 그 위임을 받은 금액을 초과하여 현금을 인출하는 방법으로 그 차액 상당을 위법하게 이득할 의사로 현금자동지급기에 그 초과된 금액이 인출되도록 입력하여 그 초과된 금액의 현금을 인출한 경우에는 그 인출된 현금에 대한 점유를 취득함으로써 이때에 그 인출한 현금 총액 중 인출을 위임받은 금액을 넘는 부분의 비율에 상당하는 재산상 이익을 취득한 것으로 볼 수 있으므로 이러한 행위는 그 차액 상당액에 관하여 형법 제347조의2(컴퓨터 등 사용사기)에 규정된 '컴퓨터 등 정보처리장치에 권한 없이 정보를 입력하여 정보처리를 하게 함으로써 재산상의 이익을 취득'하는 행위로서 컴퓨터 등 사용사기죄(횡령죄 X)에 해당된다(대법원 2006.3.24. 2005도3516).

06 0411
2013 경찰 1차

다음 설명 중 가장 적절하지 않은 것은? (다툼이 있는 경우 판례에 의함)

① 횡령범인과 피해물건의 소유자 및 위탁자 쌍방 사이에 친족관계가 있는 경우에만 친족상도례가 적용되고, 단지 횡령범인과 피해물건의 소유자 간에만 친족관계가 있거나 횡령범인과 피해물건의 위탁자 간에만 친족관계가 있는 경우에는 적용되지 않는다.
② 친족상도례가 적용되기 위한 친족관계는 원칙적으로 범행 당시에 존재하여야 하는 것이지만, 부의 인지가 범행 후에 이루어진 경우에는 그 소급효에 따라 형성되는 친족관계를 기초로 하여 친족상도례의 규정이 적용된다.
③ 손자가 할아버지 소유 농업협동조합 예금통장을 절취하여 이를 현금자동지급기에 넣고 조작하는 방법으로 예금 잔고를 자신의 거래은행 계좌로 이체한 경우에는 농업협동조합이 컴퓨터 등 사용사기 범행 부분의 피해자이므로 친족상도례를 적용할 수 없다.
④ 법원을 기망하여 제3자로부터 재물을 편취한 경우에는 피해자인 제3자와 사기죄를 범한 자가 직계혈족의 관계에 있더라도 친족상도례를 적용할 수 없다.

지문분석
난이도 중 정답 ④

| 키 워 드 | 친족상도례
| 출제유형 | 틀린 지문 고르기

④ (X) 법원을 기망하여 제3자로부터 재물을 편취한 경우에 피기망자인 법원은 피해자가 될 수 없고 재물을 편취당한 제3자가 피해자라고 할 것이므로 피해자인 제3자와 사기죄를 범한 자가 직계혈족의 관계에 있을 때에는 그 범인에 대하여 형법 제328조 제1항을 준용하여 형을 면제하여야 한다(대법원 1976.4.13. 75도781).
→ 사기죄의 보호법익은 재산권이라고 할 것이므로 사기죄에 있어서는 재산상의 권리를 가지는 자가 아니면 피해자가 될 수 없어 피기망자는 피해자가 아니다. 기망자는 재물의 소유자와 친족관계가 있으면 된다.
① (O) 횡령범인이 위탁자가 소유자를 위해 보관하고 있는 물건을 위탁자로부터 보관받아 이를 횡령한 경우에 형법 제361조에 의하여 준용되는 제328조 제2항의 친족 간의 범행에 관한 조문은 범인과 피해물건의 소유자 및 위탁자 쌍방 사이에 같은 조문에 정한 친족관계가 있는 경우에만 적용되고, 단지 횡령범인과 피해물건의 소유자 간에만 친족관계가 있거나 횡령범인과 피해물건의 위탁자 간에만 친족관계가 있는 경우에는 적용되지 않는다(대법원 2008.7.24. 2008도3438).
② (O) 형법 제344조, 제328조 제1항 소정의 친족 간의 범행에 관한 규정이 적용되기 위한 친족관계는 원칙적으로 범행 당시에 존재하여야 하는 것이지만, 부가 혼인 외의 출생자를 인지하는 경우에 있어서는 민법 제860조에 의하여 그 자의 출생시에 소급하여 인지의 효력이 생기는 것이며, 이와 같은 인지의 소급효는 친족상도례에 관한 규정의 적용에도 미친다고 보아야 할 것이므로, 인지가 범행 후에 이루어진 경우라고 하더라도 그 소급효에 따라 형성되는 친족관계를 기초로 하여 친족상도례의 규정이 적용된다(대법원 1997.1.24. 96도1731).
③ (O) 농업협동조합이 컴퓨터 등 사용사기 범행 부분의 피해자라는 이유로 친족상도례를 적용할 수 없다(대법원 2007.3.15. 2006도2704).

07 0412
2016 경찰 1차

친족상도례에 관한 다음 설명 중 옳은 것은 모두 몇 개인가? (다툼이 있으면 판례에 의함)

㉠ 강도죄, 손괴죄, 경계침범죄, 강제집행면탈죄에 대해서는 친족상도례가 적용되지 아니한다.
㉡ 피고인이 백화점 내 점포에 입점시켜 주겠다고 속여 피해자로부터 입점비 명목으로 돈을 편취하였다며 사기로 기소된 경우, 피고인의 딸과 피해자의 아들이 혼인하여 피고인과 피해자가 사돈지간이라고 하더라도 민법상 친족으로 볼 수 없으므로 위 범죄를 친족상도례가 적용되는 친고죄라고 할 수 없다.
㉢ 횡령죄에서 친족상도례는 횡령범인과 피해물건의 소유자 또는 보관자 중 어느 한쪽과의 사이에만 친족관계가 있더라도 적용된다.
㉣ 장물범이 피해자와 동거하지 않는 직계혈족인 경우에는 그 동거 여부를 불문하고 형을 면제한다.

① 1개 ② 2개
③ 3개 ④ 4개

지문분석
난이도 상 정답 ③

| 키 워 드 | 친족상도례
| 출제유형 | 개수 찾기

㉠ (O) 재산죄 중 친족상도례가 적용되지 않는 범죄는 강도죄, 손괴죄, 강제집행면탈죄, (준)점유강취죄, 경계침범죄, 중권리행사방해죄가 있다.
㉡ (O) 대법원 2011.4.28. 2011도2170
→ 사돈지간이라고 하더라도 민법상 친족으로 볼 수 없어 친족상도례가 적용되지 않는다.
㉣ (O) 장물범이 피해자와 직계혈족의 신분관계가 있는 이상 동거 여부와 관계없이 형법 제328조 제1항에 따라서 그 형을 면제한다(형법 제365조 제1항, 제328조 제1항 참조).
㉢ (X) 횡령범인이 위탁자가 소유자를 위해 보관하고 있는 물건을 위탁자로부터 보관받아 이를 횡령한 경우에 형법 제361조에 의하여 준용되는 제328조 제2항의 친족 간의 범행에 관한 조문은 횡령범인과 피해물건의 소유자 및 위탁자 쌍방 사이에 같은 조문에 정한 친족관계가 있는 경우에만 적용되고, 단지 ⓐ 횡령범인과 피해물건의 소유자 간에만 친족관계가 있거나, ⓑ 횡령범인과 피해물건의 위탁자 간에만 친족관계가 있는 경우에는 적용되지 않는다(대법원 2008.7.24. 2008도3438).

08 0413

2017 경찰 1차

형법상 친족상도례에 대한 설명 중 가장 적절하지 않은 것은? (다툼이 있는 경우 판례에 의함)

① 친족상도례 규정은 강도죄, 경계침범죄, 강제집행면탈죄에는 적용되지 않으나 특수절도죄 및 상습절도죄에는 적용된다.
② 법원을 기망하여 제3자로부터 재물을 편취한 경우 피해자인 제3자와 사기죄를 범한 자가 직계혈족 관계에 있을 때에는 그 범인에 대하여 형을 면제하여야 한다.
③ 형법 제354조에 의하여 준용되는 제328조 제1항에서 "직계혈족, 배우자, 동거친족, 동거가족 또는 그 배우자 간의 제323조의 죄는 그 형을 면제한다."고 규정하고 있는바, 여기서 '그 배우자'는 동거가족의 배우자만을 의미하는 것이 아니라, 직계혈족, 동거친족, 동거가족 모두의 배우자를 의미하는 것으로 볼 것이다.
④ 장물죄를 범한 자와 본범 간에 형법 제328조 제2항의 신분관계가 있는 때에는 형을 감경 또는 면제한다. 단, 신분관계가 없는 공범에 대하여는 예외로 한다.

지문분석

난이도 중 정답 ④

| 키 워 드 | 친족상도례
| 출제유형 | 틀린 지문 고르기

④ (X) 형법 제328조 제2항이 아니라, 제328조 제1항이다.

> **제365조(친족 간의 범행)**
> ② 전3조의 죄(장물죄)를 범한 자와 본범 간에 제328조 제1항의 신분관계가 있는 때에는 그 형을 감경 또는 면제한다. 단, 신분관계가 없는 공범에 대하여는 예외로 한다.

① (O) 친족상도례 규정은 재산죄 중 강도죄, 손괴죄, 강제집행면탈죄, (준)점유강취죄, 경계침범죄, 중권리행사방해죄에는 적용되지 않는다.
② (O) 법원을 기망하여 제3자로부터 재물을 편취한 경우에 피기망자인 법원은 피해자가 될 수 없고 재물을 편취당한 제3자가 피해자라고 할 것이므로 피해자인 제3자와 사기죄를 범한 자가 직계혈족의 관계에 있을 때에는 그 범인에 대하여는 형법 제354조에 의하여 준용되는 형법 제328조 제1항에 의하여 그 형을 면제하여야 할 것이다(대법원 2014.9.26. 2014도8076).
→ 사기죄의 보호법익은 재산권이라고 할 것이므로 사기죄에 있어서는 재산상의 권리를 가지는 자가 아니면 피해자가 될 수 없다.
③ (O) 대법원 2011.5.13. 2011도1765
→ 피고인 甲이 피해자 乙에 대하여 상습사기죄를 범하였으나, 甲이 乙의 '직계혈족의 배우자'임을 이유로 친족상도례를 적용하여 형을 면제한 판결이다.

09 0414

2018 경찰 1차

친족상도례에 대한 설명 중 옳고 그름의 표시(O, X)가 바르게 된 것은? (다툼이 있는 경우 판례에 의함)

> ㉠ 사돈지간인 자를 기망하여 재물을 편취한 경우에는 친족상도례가 적용된다.
> ㉡ 법원을 기망하여 제3자로부터 재물을 편취한 경우에 피해자인 제3자와 사기죄를 범한 자가 직계혈족 관계에 있을 때에는 그 범인에 대하여 형을 면제하여야 한다.
> ㉢ 횡령범인이 위탁자가 소유자를 위해 보관하고 있는 물건을 위탁자로부터 보관받아 이를 횡령한 경우에 횡령범인이 피해물건의 소유자와는 친족관계가 있으나 피해물건의 위탁자와는 친족관계가 없다면 친족상도례 규정이 적용되지 않는다.
> ㉣ 손자가 할아버지 소유의 농업협동조합 예금통장을 절취하여 이를 현금자동지급기에 넣고 조작하는 방법으로 예금 잔고를 자신의 거래 은행계좌로 이체한 경우에 컴퓨터 등 사용사기죄는 친족 간의 범행에 해당하여 친족상도례가 적용된다.

① ㉠ (X), ㉡ (O), ㉢ (O), ㉣ (X)
② ㉠ (X), ㉡ (X), ㉢ (O), ㉣ (X)
③ ㉠ (O), ㉡ (X), ㉢ (X), ㉣ (O)
④ ㉠ (X), ㉡ (O), ㉢ (X), ㉣ (X)

지문분석

난이도 중 정답 ①

| 키 워 드 | 친족상도례
| 출제유형 | 옳고 그름의 표시(O, X)하기

㉠ (X) 사기죄의 피고인과 피해자가 사돈지간이라고 하더라도 이를 민법상 친족으로 볼 수 없다(대법원 2011.4.28. 2011도2170).
→ 사돈은 친족이 아니므로 친족상도례를 적용할 수 없다.
㉡ (O) 대법원 1976.4.13. 75도781
→ 법원을 기망하여 제3자로부터 재물을 편취한 경우에 피기망자인 법원은 피해자가 될 수 없고 재물을 편취당한 제3자가 피해자이다.
㉢ (O) 대법원 2008.7.24. 2008도3438
→ 횡령범인과 피해물건의 소유자 및 위탁자 쌍방 사이에 친족관계가 있는 경우에만 적용된다.
㉣ (X) 손자가 할아버지 소유 농업협동조합 예금통장을 절취하여 이를 현금자동지급기에 넣고 조작하는 방법으로 예금 잔고를 자신의 거래 은행계좌로 이체한 경우, 위 농업협동조합이 컴퓨터 등 사용사기 범행 부분의 피해자이므로 친족상도례를 적용할 수 없다(대법원 2007.3.15. 2006도2704).

10 0415

2020 경찰 1차

재산죄에 관한 설명으로 가장 적절하지 않은 것은? (다툼이 있는 경우 판례에 의함)

① 형법상의 점유란 현실적으로 어떠한 재물을 지배하는 순수한 사실상의 관계를 말하는 것으로서 민법상의 점유와 동일하다.

② 절도죄에서의 절취는 폭행·협박에 의하지 않고 타인점유의 재물을 점유자의 의사에 반하여 그 점유를 배제하고 자기 또는 제3자의 점유하에 옮기는 것을 말한다.

③ 동업자, 조합원, 부부 사이와 같이 수인이 대등하게 재물을 점유하는 공유물, 합유물 그리고 총유물의 경우에도 공동점유자 상호 간에 점유의 타인성이 인정되므로 그중 1인이 다른 공동점유자의 점유를 배제하고 단독점유로 옮긴 때에는 절도죄가 성립한다.

④ 절도죄의 성립에 필요한 불법영득의 의사라 함은 타인의 재물에 대해서 소유자와 유사한 지배력을 행사하여 이용·처분하려는 의사를 말하는 것으로, 영구적으로 그 물건의 경제적 이익을 보유할 의사는 필요 없고, 일시적이어도 무방하다.

지문분석

난이도 하 정답 ①

| 키 워 드 | 재산죄

| 출제유형 | 틀린 지문 고르기

① (X) 절도죄란 재물에 대한 타인의 점유를 침해함으로써 성립하는 것이다. 여기서의 '점유'라고 함은 현실적으로 어떠한 재물을 지배하는 순수한 사실상의 관계를 말하는 것으로서, 민법상의 점유와 반드시 일치하는 것이 아니다(대법원 2012.4.26. 2010도6334).

② (O) 대법원 2010.2.25. 2009도5064

③ (O) 공동소유(공유, 합유, 총유)의 재물이 공동점유하에 있는 경우 자기 단독의 점유로 옮겼을 때는 절도죄가 성립한다(대법원 1982.4.27. 81도2956).

→ 공동소유의 재물이라도 공동점유하에 있지 않고 공동소유자 중 1인이 단독으로 보관하고 있는 경우에는 그 보관자의 영득행위는 절도가 아니라 횡령에 해당한다.

④ (O) 대법원 1988.9.13. 88도917

11 0416

2020 경찰 간부

불법영득의사에 관한 설명 중 옳은 것과 옳지 않은 것이 바르게 표시된 것은? (다툼이 있는 경우 판례에 의함)

가. 불법영득의사는 권리자를 배제하고 타인의 물건을 자기의 소유물과 같이 그 경제적 용법에 따라 이용·처분할 의사를 말한다.

나. 사용절도는 권리자를 계속적으로 배제한다는 불법영득의사의 적극적 요소를 결하여 원칙적으로 불가벌이다.

다. 甲이 A의 인감도장을 그의 책상에서 몰래 꺼낸 후 차용금증서의 연대보증인란에 찍고 다시 제자리에 넣어두었다면 甲에게는 위 도장에 대한 불법영득의사가 있었다고 보기 어렵다.

라. 사격장에서 총기를 휴대한 채 군무를 이탈하였다면 설령 총기를 휴대하고 있는지조차 인식할 수 없는 정신 상태에 있었다 할지라도 묵시적이나마 총기에 대한 불법영득의사가 있었다고 보아야 한다.

마. 어떠한 물건을 점유자의 의사에 반하여 취거하는 행위가 결과적으로 소유자의 이익으로 된다는 사정 또는 소유자의 추정적 승낙이 있다고 볼 만한 사정이 있다고 하더라도, 다른 특별한 사정이 없는 한 그러한 사유만으로 불법영득의 의사가 없다고 할 수 없다.

① 가 (O), 나 (O), 다 (O), 라 (O), 마 (O)
② 가 (O), 나 (X), 다 (O), 라 (O), 마 (X)
③ 가 (X), 나 (O), 다 (X), 라 (X), 마 (O)
④ 가 (O), 나 (X), 다 (O), 라 (X), 마 (O)

지문분석

난이도 상 정답 ④

| 키 워 드 | 불법영득의사

| 출제유형 | 옳고 그름의 표시(O, X)하기

가. (O) 대법원 1986.7.22. 86도230

나. (X) 사용절도는 권리자를 계속적으로 배제한다는 불법영득의사의 소극적 요소를 결하여 원칙적으로 불가벌이다.

다. (O) 그 사용으로 인한 가치의 소모가 무시할 수 있을 정도로 경미하고 또 사용 후 곧 반환하였다면 그 소유권 또는 본권을 침해할 의사가 있다고 할 수 없어 불법영득의 의사를 인정할 수 없다(대법원 1987.12.8. 87도1959).

라. (X) [1] 사격장에서 군무를 이탈하면서 총기를 휴대하였다는 것만 가지고는 피고인에게 총기에 대한 불법영득의 의사가 있었다고 할 수 없다.
[2] 피고인이 군무를 이탈할 때 총기를 휴대하고 있는지조차 인식할 수 없는 정신 상태에 있었고 총기는 어떤 경우라도 몸을 떠나서는 안 된다는 교육을 지속적으로 받아왔다면 사격장에서 군무를 이탈하면서 총기를 휴대하였다는 것만 가지고는 피고인에게 총기에 대한 불법영득의 의사가 있었다고 할 수 없다(대법원 1992.9.8. 91도3149).

마. (O) 대법원 2014.2.21. 2013도14139

12 0417

2021 경찰 간부

친족상도례에 대한 설명으로 옳은 것은? (다툼이 있는 경우 판례에 의함)

① 장물죄를 범한 자와 본범 간에 형법 제328조 제2항의 신분관계가 있는 때에는 고소가 있어야 공소를 제기할 수 있다.
② 친족상도례 규정은 권리행사방해죄에 대하여 규정되어 있고, 의사자유 침해의 성격을 가진 강도의 죄를 제외한 모든 재산범죄에 준용된다.
③ 사기죄를 범하는 자가 금원 편취의 수단으로 피해자와 혼인신고를 한 것이어서 그 혼인이 무효인 경우라면, 그러한 피해자에 대한 사기죄에서는 친족상도례를 적용할 수 없다.
④ 형법 제328조 제1항은 "직계혈족, 배우자, 동거친족, 동거가족 또는 그 배우자 간의 제323조의 죄는 그 형을 면제한다."라고 규정하고 있는바, 여기서 '그 배우자'는 앞에서 언급된 '배우자'와의 관계로 볼 때 동거가족의 배우자만을 의미하는 것으로 볼 것이다.

지문분석 난이도 중 정답 ③

| 키 워 드 | 친족상도례
| 출제유형 | 옳은 지문 고르기

③ (O) 대법원 2015.12.10. 2014도11533
① (X) 장물죄를 범한 자와 '본범'이 아니라 '피해자' 간에 형법 제328조 제2항의 신분관계가 있는 때에는 고소가 있어야 공소를 제기할 수 있다(형법 제365조 제1항).
② (X) 친족상도례 규정은 권리행사방해죄에 대하여 규정되어 있으나, 강도의 죄뿐만 아니라 손괴죄, 강제집행면탈죄, 점유강취죄, 경계침범죄,중권리행사방해죄 등을 제외한 재산범죄에 준용된다.
④ (X) 형법 제328조 제1항은 "직계혈족, 배우자, 동거친족, 동거가족 또는 그 배우자 간의 제323조의 죄는 그 형을 면제한다."라고 규정하고 있는바, 여기서 '그 배우자'는 동거가족의 배우자만을 의미하는 것이 아니라, 직계혈족, 동거친족, 동거가족 모두의 배우자를 의미한다(대법원 2011.5.13. 2011도1765).

13 0418

2014 경찰 승진

친족상도례에 관한 설명 중 가장 적절하지 않은 것은? (다툼이 있는 경우 판례에 의함)

① 횡령범인이 위탁자가 소유자를 위해 보관하고 있는 물건을 위탁자로부터 보관받아 이를 횡령한 경우 횡령범인이 피해물건의 소유자와는 친족관계가 있으나 피해물건의 위탁자와는 친족관계가 없다면 친족상도례 규정이 적용되지 않는다.
② 형법 제354조에 의하여 준용되는 제328조 제1항에서 "직계혈족, 배우자, 동거친족, 동거가족 또는 그 배우자 간의 제323조의 죄는 그 형을 면제한다."고 규정하고 있는바 여기서 '그 배우자'는 동거가족의 배우자만을 의미하는 것이 아니라 직계혈족, 동거친족, 동거가족 모두의 배우자를 의미하는 것으로 볼 것이다.
③ 흉기 기타 위험한 물건을 휴대하고 공갈죄를 범하여 폭력행위 등 처벌에 관한 법률 제3조 제1항에 의해 가중처벌되는 경우에도 친족상도례의 규정이 적용된다.
④ 손자가 할아버지 소유의 농업협동조합 예금통장을 절취하여 이를 현금자동지급기에 넣고 조작하는 방법으로 예금 잔고를 자신의 거래 은행계좌로 이체한 경우 컴퓨터등사용사기죄는 친족 간의 범행에 해당하여 친족상도례가 적용된다.

지문분석 난이도 중 정답 ④

| 키 워 드 | 친족상도례
| 출제유형 | 틀린 지문 고르기

④ (X) 손자가 할아버지 소유 농업협동조합 예금통장을 절취하여 이를 현금자동지급기에 넣고 조작하는 방법으로 예금 잔고를 자신의 거래 은행계좌로 이체한 경우, 위 농업협동조합이 컴퓨터 등 사용사기 범행 부분의 피해자라는 이유로 친족상도례를 적용할 수 없다(대법원 2007.3.15. 2006도2704).
① (O) 대법원 2008.7.24. 2008도3438
→ 횡령범인과 피해물건의 소유자 및 위탁자 쌍방 사이에 친족관계가 있는 경우에만 적용된다.
② (O) 대법원 2011.5.13. 2011도1765
→ 피고인이 피해자의 직계혈족의 배우자임을 이유로 형법 제354조, 제328조 제1항에 따라 피해자에 대한 상습사기의 점에 관한 공소사실에 대하여 형을 면제한 것은 정당하다는 판결이다.
③ (O) 대법원 2010.7.29. 2010도5795

2 절도의 죄

14 0419

2020 경찰 2차

절도죄에 대한 설명으로 가장 적절한 것은? (다툼이 있는 경우 판례에 의함)

① 甲은 자신이 종업원으로 종사하고 있는 점포에서 점포 주인이 부재중임을 틈타 점포 금고 안에 든 20만원과 점포 내에 있던 오토바이 1대를 타고 도주한 경우, 甲은 절도죄의 죄책을 진다.
② 甲은 사무실에서 회사 명의의 통장을 몰래 가지고 나와 예금 1,000만원을 인출한 후 다시 그 통장을 제자리에 가져다 놓은 경우, 통장 자체가 가지는 경제적 가치가 그 인출된 예금액만큼 소모되었다고 할 수 없고 또한 통장을 사용하고 곧 반환한 이상 甲의 불법영득의사는 없었으므로 절도죄가 성립하지 않는다.
③ 절취한 자기앞수표를 음식대금으로 교부하고 거스름돈을 환불받은 행위는 별도의 사기죄를 구성하지 않고 선행한 절도죄의 불가벌적 사후행위가 성립한다.
④ 임차인이 임대계약 종료 후 식당건물에서 퇴거하면서 종전부터 사용하던 냉장고의 전원을 켜 둔 채 그대로 두었다가 약 1개월 후 철거해 가는 바람에 그 기간 동안 전기가 소비된 경우, 절도죄가 성립한다.

지문분석 난이도 하 정답 ③

| 키 워 드 | 절도죄
| 출제유형 | 옳은 지문 고르기

③ (O) 대법원 1987.1.20. 86도1728
① (X) [1] 피해자는 당일 피고인에게 금고 열쇠와 오토바이 열쇠를 맡기고 금고 안의 돈은 배달될 깨스대금으로 지급할 것을 지시한 후 외출하였던바, 피고인은 혼자서 점포를 지키다가 금고 안에서 현금을 꺼내어 오토바이를 타고 도주한 사실이 인정된다.
[2] 위와 같은 인정 사실에 비추어 보면 피고인은 점원으로서는 평소는 점포 주인인 위 피해자의 점유를 보조하는 자에 지나지 않으나 위 범행 당시는 위 피해자의 위탁을 받아 금고 안의 현금과 오토바이를 사실상 지배하에 두고 보관한 것이라고 보겠으니, 피고인의 위 범행은 자기의 보관하에 있는 타인의 재물을 영득한 것으로서 횡령죄에 해당한다고 보아야 할 것이다(대법원 1982.3.9. 81도3396).
② (X) 타인의 예금통장을 무단사용하여 예금을 인출한 후 바로 예금통장을 반환하였다 하더라도 그 사용으로 인한 위와 같은 경제적 가치의 소모가 무시할 수 있을 정도로 경미한 경우가 아닌 이상, 예금통장 자체가 가지는 예금액 증명기능의 경제적 가치에 대한 불법영득의 의사를 인정할 수 있으므로 절도죄가 성립한다(대법원 2010.5.27. 2009도9008).
④ (X) 임차인이 퇴거 후에도 냉장고에 관한 점유·관리를 그대로 보유하고 있었다고 보아야 하므로, 냉장고를 통하여 전기를 계속 사용하였다고 하더라도 이는 당초부터 자기의 점유·관리하에 있던 전기를 사용한 것일 뿐 타인의 점유·관리하에 있던 전기가 아니어서 절도죄가 성립하지 않는다(대법원 2008.7.10. 2008도3252).

15 0420

2021 경찰 1차

절도와 강도의 죄에 대한 설명으로 가장 적절하지 않은 것은? (다툼이 있는 경우 판례에 의함)

① 타인에 대하여 반항을 억압함에 충분한 정도의 폭행 또는 협박을 가한 사실이 있다 해도 그 타인이 재물 취거의 사실을 알지 못하는 사이에 그 틈을 이용하여 우발적으로 타인의 재물을 취거한 경우, 강도죄가 성립하지 않는다.
② 채무를 면탈할 의사로 채권자를 살해하였더라도 채무의 존재가 명백하고 채권자의 상속인이 존재하며 그 상속인에게 채권의 존재를 확인할 방법이 확보되어 있다면 강도살인죄는 성립하지 않는다.
③ 甲이 자신의 명의로 등록된 자동차를 A에게 증여하여 A만이 이를 운행·관리하여 오다가 A가 이를 소유하기로 당사자 사이에 약정한 경우, 甲이 불법영득의사를 가지고 그 자동차를 임의로 운전해 갔다면 자동차 등록명의와 관계없이 절도죄가 성립한다.
④ 어떠한 물건을 점유자의 의사에 반하여 취거하는 행위가 결과적으로 소유자의 이익으로 된다는 사정 또는 소유자의 추정적 승낙이 있다고 볼 만한 사정이 있으면, 불법영득의 의사는 인정되지 않는다.

지문분석 난이도 중 정답 ④

| 키 워 드 | 절도와 강도의 죄
| 출제유형 | 틀린 지문 고르기

④ (X) 어떠한 물건을 점유자의 의사에 반하여 취거하는 행위가 결과적으로 소유자의 이익으로 된다는 사정 또는 소유자의 추정적 승낙이 있다고 볼 만한 사정이 있다고 하더라도, 다른 특별한 사정이 없는 한 그러한 사유만으로 불법영득의 의사가 없다고 할 수는 없다(대법원 2014.2.21. 2013도14139).
① (O) [1] 형법 제333조의 강도죄는 사람의 반항을 억압함에 충분한 폭행 또는 협박을 사용하여 타인의 재물을 강취하거나 재산상의 이익을 취득함으로써 성립하는 범죄이므로, 피고인이 타인에 대하여 반항을 억압함에 충분한 정도의 폭행 또는 협박을 가한 사실이 있다 해도 그 타인이 재물 취거의 사실을 알지 못하는 사이에 그 틈을 이용하여 피고인이 우발적으로 타인의 재물을 취거한 경우에는 위 폭행이나 협박이 재물 탈취의 방법으로 사용된 것이 아님은 물론, 그 폭행 또는 협박으로 조성된 피해자의 반항억압의 상태를 이용하여 재물을 취득하는 경우에도 해당하지 아니하여 양자 사이에 인과관계가 존재하지 아니한다 할 것이므로, 위 폭행 또는 협박에 의한 반항억압의 상태가 처음부터 재물 탈취의 계획하에 이루어졌다거나 양자가 시간적으로 극히 밀접되어 있는 등 전체적·실질적으로 단일한 재물 탈취의 범의의 실현행위로 평가할 수 있는 경우에 해당하지 아니하는 한 강도죄의 성립을 인정하여서는 안 될 것이다.
[2] 주점 도우미인 피해자와의 윤락행위 도중 시비 끝에 피해자를 이불로 덮어씌우고 폭행한 후 이불 속에 들어 있는 피해자를 두고 나가다가 탁자 위의 피해자 손가방 안에서 현금을 가져간 사안에서, 폭행에 의한 강도죄의 성립을 인정한 원심을 파기한 사례(대법원 2009.1.30. 2008도10308)

② (○) 채무의 존재가 명백할 뿐만 아니라 채권자의 상속인이 존재하고 그 상속인에게 채권의 존재를 확인할 방법이 확보되어 있는 경우에는 비록 그 채무를 면탈할 의사로 채권자를 살해하더라도 일시적으로 채권자 측의 추급을 면한 것에 불과하여 재산상 이익의 지배가 채권자 측으로부터 범인 앞으로 이전되었다고 보기는 어려우므로, 이러한 경우에는 강도살인죄가 성립할 수 없다(대법원 2004.6.24. 2004도1098).

③ (○) 피고인이 자신의 명의로 등록된 자동차를 사실혼 관계에 있던 甲에게 증여하여 甲만이 이를 운행·관리하여 오다가 서로 별거하면서 재산분할 내지 위자료 명목으로 甲이 소유하기로 하였는데, 피고인이 이를 임의로 운전해 간 사안에서, 자동차 등록명의와 관계없이 피고인과 甲 사이에서는 甲을 소유자로 보아야 한다는 이유로 절도죄를 인정한 원심판단은 정당하다(대법원 2013.2.28. 2012도15303).

16 0421

2018 경찰 3차

형법 제331조의 특수절도죄에 대한 설명으로 가장 적절한 것은? (다툼이 있는 경우 판례에 의함)

① 피고인이 야간에 식당에 침입하여 현금을 절취한 사안에서, 피고인이 피해자들이 운영하는 식당의 창문과 방충망을 창틀에서 분리하였을 뿐 물리적으로 훼손하여 효용을 상실하게 한 것이 아니라면, 형법 제331조 제1항의 특수절도죄의 손괴에는 해당한다고 할 수 없다.

② 피고인이 혼자 영산홍 1그루를 땅에서 완전히 캐낸 후에 비로소 제3자를 전화로 불러 함께 해당 입목을 운반하였다면 형법 제331조 제2항의 특수절도죄가 성립한다.

③ 형법 제331조 제2항의 특수절도죄에서의 합동은 공동정범의 공동과 동일한 의미로 사용되며, 반드시 시간적·장소적 협동을 필요로 하지 않는다.

④ 피고인들이 합동하여 재물을 절취하기 위해 주간에 아파트 출입문 잠금장치를 손괴하다가 발각되어 도주하였다면, 아직 절취할 물건의 물색행위를 시작하기 전이라 하더라도 형법 제331조 제2항의 특수절도죄의 실행의 착수를 인정할 수 있다.

지문분석 난이도 중 정답 ①

| 키 워 드 | 특수절도죄

| 출제유형 | 옳은 지문 고르기

① (○) 대법원 2015.10.29. 2015도7559
→ 형법 제331조 제1항에 정한 '손괴'는 물리적으로 문호 또는 장벽 기타 건조물의 일부를 훼손하여 그 효용을 상실시키는 것을 말한다.

② (X) [1] 입목을 절취하기 위하여 캐낸 때에 소유자의 입목에 대한 점유가 침해되어 범인의 사실적 지배하에 놓이게 되므로 범인이 그 점유를 취득하고 절도죄는 기수에 이른다. 이를 운반하거나 반출하는 등의 행위는 필요하지 않다.
[2] 절도범인이 혼자 입목을 땅에서 완전히 캐낸 후에 비로소 제3자가 가담하여 함께 입목을 운반한 경우, 특수절도죄의 성립이 부정된다(대법원 2008.10.23. 2008도6080).
→ ㉠ 절도범: 단순절도죄, ㉡ 제3자: 장물운반죄

③ (X) 형법 제331조 제2항 후단의 2명 이상이 합동하여 타인의 재물을 절취한 경우의 특수절도죄가 성립하기 위하여는 주관적 요건으로서의 공모와 객관적 요건으로서의 실행행위의 분담이 있어야 하고 그 실행행위에 있어서는 시간적으로나 장소적으로 협동관계에 있음을 요한다(대법원 1996.3.22. 96도313).
→ 피고인이 피해자의 형과 범행을 모의하고 피해자의 형이 피해자의 집에서 절취행위를 하는 동안 피고인은 그 집 안의 가까운 곳에 대기하고 있다가 절취품을 가지고 같이 나온 경우 시간적·장소적으로 협동관계가 있었으므로 특수절도죄(합동절도)가 인정된다.

④ (X) 2명 이상이 합동하여 야간이 아닌 주간에 절도의 목적으로 타인의 주거에 침입하였다 하여도 아직 절취할 물건의 물색행위를 시작하기 전이라면 특수절도죄의 실행에는 착수한 것으로 볼 수 없는 것이어서 그 미수죄가 성립하지 않는다(대법원 2009.12.24. 2009도9667).
→ 주간에 피해자의 아파트 출입문 시정장치를 손괴하다가 마침 귀가하던 피해자에게 발각되어 도주한 피고인들에 대하여 형법 제331조 제2항에 정한 특수절도죄의 실행의 착수가 없었다는 이유로 무죄를 선고한 판결이다.

17 0422

2019 경찰 2차

절도죄의 객체에 관한 설명으로 가장 적절한 것은? (다툼이 있는 경우 판례에 의함)

① 고속버스 운전기사가 발견한 버스 내 유실물을 타인이 가져간 경우, 절도죄가 아니라 점유이탈물횡령죄가 성립한다.

② 종전 점유자의 점유가 그의 사망으로 인한 상속에 의하여 당연히 그 상속인에게 이전된다는 민법 제193조는 절도죄의 '점유'에도 적용된다.

③ 임차인이 임대계약 종료 후 식당건물에서 퇴거하면서 종전부터 사용하던 냉장고의 전원을 켜 둔 채 그대로 두었다가 약 1개월 후 철거해 가는 바람에 그 기간 동안 전기가 소비된 경우, 타인의 점유·관리하에 있던 전기이므로 절도죄가 성립한다.

④ 자동차등록명의자가 등록명의는 그대로 두고 자동차의 소유권은 상대방이 보유하도록 하는 약정을 체결한 이후 약정상대방이 점유하던 그 자동차를 임의로 가져간 경우, 자동차등록명의와 관계없이 약정상대방이 소유자이므로 절도죄가 성립한다.

지문분석

난이도 상 정답 ④

| 키 워 드 | 절도죄의 객체

| 출제유형 | 옳은 지문 고르기

④ (○) **자동차 명의신탁과 절도죄**

[1] 이른바 명의신탁 자동차의 소유권 귀속관계
자동차에 대한 소유권의 득실변경은 등록을 함으로써 그 효력이 생기고 등록이 없는 한 대외적 관계에서는 물론 당사자의 대내적 관계에서도 소유권을 취득할 수 없는 것이 원칙이지만, 당사자 사이에 소유권을 등록명의자 아닌 자가 보유하기로 약정하였다는 등의 특별한 사정이 있는 경우에는 그 내부관계에 있어서는 등록명의자 아닌 자가 소유권을 보유하게 된다고 할 것이다.

[2] 피고인이 자신의 명의로 등록된 자동차를 사실혼 관계에 있던 甲에게 증여하여 甲만이 이를 운행·관리하여 오다가 서로 별거하면서 재산분할 내지 위자료 명목으로 甲이 소유하기로 하였는데, 피고인이 이를 임의로 운전해 간 경우, 자동차 등록명의와 관계없이 피고인과 甲 사이에서는 甲을 소유자로 보아야 한다는 이유로 절도죄를 인정한 원심판단은 정당하다(대법원 2013.2.28. 2012도15303).

① (X) 고속버스 운전사는 고속버스의 관수자로서 차내에 있는 승객의 물건을 점유하는 것이 아니고 승객이 잊고 내린 유실물을 교부받을 권능을 가질 뿐이므로 유실물을 현실적으로 발견하지 않는 한 이에 대한 점유를 개시하였다고 할 수 없고, 그 사이에 다른 승객이 유실물을 발견하고 이를 가져 갔다면 절도에 해당하지 아니하고 점유이탈물횡령에 해당한다(대법원 1993.3.16. 92도3170).

→ 고속버스 운전기사가 발견한 버스 내 유실물을 타인이 가져간 경우: 고속버스 운전기사의 점유, 유실물 소유자의 소유이므로 타인점유, 타인소유로 절도죄가 성립한다.

② (X) **점유의 상속이 인정되는지 여부**

[1] 종전 점유자의 점유가 그의 사망으로 인한 상속에 의하여 당연히 그 상속인에게 이전된다는 민법 제193조는 절도죄의 요건으로서의 '타인의 점유'와 관련하여서는 적용의 여지가 없고, 재물을 점유하는 소유자로부터 이를 상속받아 그 소유권을 취득하였다고 하더라도 상속인이 그 재물에 관하여 위에서 본 의미에서의 사실상의 지배를 가지게 되어야만 이를 점유하는 것으로서 그때부터 비로소 상속인에 대한 절도죄가 성립할 수 있다.

[2] 피고인이 내연관계에 있는 甲과 아파트에서 동거하다가, 甲의 사망으로 상속인인 乙 및 丙 소유에 속하게 된 부동산 등기권리증 등이 들어 있는 가방을 위 아파트에서 가지고 가 절취하였다는 내용으로 기소된 경우, 피고인이 가방을 들고 나온 시점에 乙 등이 아파트에 있던 가방을 사실상 지배하여 점유하였다고 볼 수 없어 피고인의 행위가 절도죄를 구성한다고 할 수 없는데도, 이와 달리 보아 절도죄를 인정한 원심판결에 법리오해 등의 위법이 있다(대법원 2012.4.26. 2010도6334).

③ (X) 임차인이 임대계약 종료 후 식당건물에서 퇴거하면서 종전부터 사용하던 냉장고의 전원을 켜 둔 채 그대로 두었다가 약 1개월 후 철거해 가는 바람에 그 기간 동안 전기가 소비된 경우, 임차인이 퇴거 후에도 냉장고에 관한 점유·관리를 그대로 보유하고 있었다고 보아야 하므로, 냉장고를 통하여 전기를 계속 사용하였다고 하더라도 이는 당초부터 자기의 점유·관리하에 있던 전기를 사용한 것일 뿐 타인의 점유·관리하에 있던 전기가 아니어서 절도죄가 성립하지 않는다(대법원 2008.7.10. 2008도3252).

18 0423 2015 경찰 2차

절도죄에 관한 다음 설명 중 가장 적절하지 않은 것은? (다툼이 있으면 판례에 의함)

① 피고인이 甲의 영업점 내에 있는 甲 소유의 휴대전화를 허락 없이 가지고 나와 이를 이용하여 통화를 하고 문자메시지를 주고받은 다음 약 1~2시간 후 甲에게 아무런 말을 하지 않고 위 영업점 정문 옆 화분에 놓아두고 간 경우 절도죄를 구성한다.
② 피고인이 자신의 모(母)인 甲의 명의로 구입·등록하여 甲에게 명의신탁한 자동차를 乙에게 담보로 제공한 후 乙 몰래 가져간 경우 乙에 대한 관계에서 자동차의 소유자는 甲이고 피고인은 소유자가 아니므로 乙이 점유하고 있는 자동차를 임의로 가져간 이상 절도죄가 성립한다.
③ 임차인이 임대계약 종료 후 식당건물에서 퇴거하면서 종전부터 사용하던 냉장고의 전원을 켜 둔 채 그대로 두었다가 약 1개월 후 철거해 가는 바람에 그 기간 동안 전기가 소비된 경우 임차인의 행위는 전기에 대한 절도죄가 성립한다.
④ 결혼예식장에서 신부측 축의금 접수인인 것처럼 행세하여 축의금을 교부받아 가로챈 행위는 절도죄에 해당한다.

지문분석 난이도 ㉻ 정답 ③

| 키 워 드 | 절도죄

| 출제유형 | 틀린 지문 고르기

③ (X) 임차인이 임대계약 종료 후 식당건물에서 퇴거하면서 종전부터 사용하던 냉장고의 전원을 켜 둔 채 그대로 두었다가 약 1개월 후 철거해 가는 바람에 그 기간 동안 전기가 소비된 사안에서, 임차인이 퇴거 후에도 냉장고에 관한 점유·관리를 그대로 보유하고 있었다고 보아야 하므로, 냉장고를 통하여 전기를 계속 사용하였다고 하더라도 이는 당초부터 자기의 점유·관리하에 있던 전기를 사용한 것일 뿐 타인의 점유·관리하에 있던 전기가 아니어서 절도죄가 성립하지 않는다(대법원 2008.7.10. 2008도3252).

① (O) [1] 일시 사용의 목적으로 타인의 점유를 침탈한 경우에도 사용으로 인하여 물건 자체가 가지는 경제적 가치가 상당한 정도로 소모되거나 또는 상당한 장시간 점유하고 있거나 본래의 장소와 다른 곳에 유기하는 경우에는 이를 일시 사용하는 경우라고는 볼 수 없으므로 영득의 의사가 없다고 할 수 없다.
[2] 피고인이 甲의 영업점 내에 있는 甲 소유의 휴대전화를 허락 없이 가지고 나와 이를 이용하여 통화를 하고 문자메시지를 주고받은 다음 약 1~2시간 후 甲에게 아무런 말을 하지 않고 위 영업점 정문 옆 화분에 놓아두고 감으로써 이를 절취하였다는 내용으로 기소된 사안에서, 피고인이 甲의 휴대전화를 자신의 소유물과 같이 경제적 용법에 따라 이용하다가 본래의 장소와 다른 곳에 유기한 것이므로 피고인에게 불법영득의사가 있었다고 할 것인데도, 이와 달리 보아 무죄를 선고한 원심판결에 절도죄의 불법영득의사에 관한 법리오해의 위법이 있다(대법원 2012.7.12. 2012도1132).

② (O) [1] 당사자 사이에 자동차의 소유권을 등록명의자 아닌 자가 보유하기로 약정한 경우, 약정 당사자 사이의 내부관계에서는 등록명의자 아닌 자가 소유권을 보유하게 된다고 하더라도 제3자에 대한 관계에서는 어디까지나 등록명의자가 자동차의 소유자라고 할 것이다.
[2] 피고인이 자신의 모(母) 甲 명의로 구입·등록하여 甲에게 명의신탁한 자동차를 乙에게 담보로 제공한 후 乙 몰래 가져가 절취하였다는 내용으로 기소된 사안에서, 乙에 대한 관계에서 자동차의 소유자는 甲이고 피고인은 소유자가 아니므로 乙이 점유하고 있는 자동차를 임의로 가져간 이상 절도죄가 성립한다(대법원 2012.4.26. 2010도11771).

④ (O) 피해자가 결혼예식장에서 신부측 축의금 접수인인 것처럼 행세하는 피고인에게 축의금을 내어놓자 이를 교부받아 가로챈 사안에서, 피해자의 교부행위의 취지는 신부측에 전달하는 것일 뿐 피고인에게 그 처분권을 주는 것이 아니므로, 이를 피고인에게 교부한 것이라고 볼 수 없고 단지 신부측 접수대에 교부하는 취지에 불과하므로 피고인이 그 돈을 가져간 것은 신부측 접수처의 점유를 침탈하여 범한 절취행위라고 보는 것이 정당하다(대법원 1996.10.15. 96도2227).

19 0424

2015 경찰 3차

절도죄에 관한 설명이다. 다음 중 옳은 것은 모두 몇 개인가? (다툼이 있으면 판례에 의함)

㉠ 甲과 乙이 주간에 절도의 의사로 아파트 출입문 시정장치를 손괴하다가 발각되어 도주한 경우 특수절도의 미수에 해당한다.
㉡ 甲이 상사와의 의견 충돌 끝에 항의의 표시로 사표를 제출한 다음 평소 자신이 전적으로 보관·관리해 오던 이른바 비자금 관계 서류 및 금품이 든 가방을 들고 나온 경우 불법영득의사가 인정되어 절도죄가 성립한다.
㉢ 절도죄에서 친족상도례에 관한 규정이 적용되려면 범인과 피해물건의 소유자나 점유자 어느 일방과 사이에서만 친족관계가 있으면 된다.
㉣ 甲이 타인의 신용카드를 이용하여 현금지급기에서 자신의 계좌로 돈을 이체한 후 현금지급기에서 甲 자신의 신용카드나 현금카드를 이용하여 현금을 인출한 행위는 절도죄를 구성하지 않는다.

① 1개 ② 2개
③ 3개 ④ 4개

지문분석 난이도 중 정답 ①

| 키 워 드 | 절도죄
| 출제유형 | 개수 찾기

㉣ (O) 절취한 타인의 신용카드를 이용하여 현금지급기에서 계좌이체를 한 행위는 컴퓨터등사용사기죄에서 컴퓨터 등 정보처리장치에 권한 없이 정보를 입력하여 정보처리를 하게 한 행위에 해당함은 별론으로 하고 이를 절취행위라고 볼 수는 없고, 한편 위 계좌이체 후 현금지급기에서 현금을 인출한 행위는 자신의 신용카드나 현금카드를 이용한 것이어서 이러한 현금인출이 현금지급기 관리자의 의사에 반한다고 볼 수 없어 절취행위에 해당하지 않으므로 절도죄를 구성하지 않는다(대법원 2008.6.12. 2008도2440).

㉠ (X) [1] 형법 제331조 제2항의 특수절도에 있어서 2명 이상이 합동하여 야간이 아닌 주간에 절도의 목적으로 타인의 주거에 침입하였다 하여도 아직 절취할 물건의 물색행위를 시작하기 전이라면 특수절도죄의 실행에는 착수한 것으로 볼 수 없는 것이어서 그 미수죄가 성립하지 않는다.
[2] '주간에' 아파트 출입문 시정장치를 손괴하다가 발각되어 도주한 피고인들이 특수절도미수죄로 기소된 사안에서, '실행의 착수'가 없었다는 이유로 형법 제331조 제2항의 특수절도죄의 점에 대해 무죄를 선고한 원심 판단을 수긍한 사례(대법원 2009.12.24. 2009도9667)

㉡ (X) 상사와의 의견 충돌 끝에 항의의 표시로 사표를 제출한 다음 평소 피고인이 전적으로 보관·관리해 오던 이른바 비자금 관계 서류 및 금품이 든 가방을 들고 나온 경우, 불법영득의 의사가 있다고 할 수 없을 뿐만 아니라, 그 서류 및 금품이 타인의 점유하에 있던 물건이라고도 볼 수 없다(대법원 1995.9.5. 94도3033).

㉢ (X) 친족상도례에 관한 규정은 범인과 피해물건의 소유자 및 점유자 모두 사이에 친족관계가 있는 경우에만 적용되는 것이고 절도범인이 피해물건의 소유자나 점유자의 어느 일방과 사이에서만 친족관계가 있는 경우에는 그 적용이 없다(대법원 1980.11.11. 80도131).

20 0425

2016 경찰 1차

절도의 죄에 관한 다음 설명 중 가장 적절하지 않은 것은? (다툼이 있으면 판례에 의함)

① 타인의 명의를 모용하여 발급받은 신용카드를 사용하여 현금자동지급기에서 현금대출을 받는 행위는 카드회사에 의하여 미리 포괄적으로 허용된 행위가 아니라, 현금자동지급기의 관리자의 의사에 반하여 그의 지배를 배제한 채 그 현금을 자기의 지배하에 옮겨 놓는 행위로서 절도죄에 해당한다.
② 타인의 연구소에 식재된 연산홍을 절취하기 위하여 땅에서 캐낸 것만으로 절도죄는 기수에 이르는 것이 아니라, 이를 피고인의 승용차에 운반하거나 반출하는 등의 행위를 함으로써 절도죄가 기수에 이른다.
③ 피고인 甲이 자신의 모(母) 乙명의로 구입·등록하여 乙에게 명의신탁한 자동차를 丙에게 담보로 제공한 후, 丙 몰래 가져가 절취하였다는 내용으로 기소된 사안에서, 丙에 대한 관계에서 자동차의 소유자는 乙 이고 피고인 甲은 소유자가 아니므로 丙이 점유하고 있는 자동차를 임의로 가져간 이상 절도죄가 성립한다.
④ 타인의 예금통장을 무단 사용하여 예금을 인출한 후 바로 예금통장을 반환하였다 하더라도 그 사용으로 인한 위와 같은 경제적 가치의 소모가 무시할 수 있을 정도로 경미한 경우가 아닌 이상, 예금통장 자체가 가지는 예금액 증명기능의 경제적 가치에 대한 불법영득의 의사를 인정할 수 있으므로 절도죄가 성립한다.

지문분석 난이도 중 정답 ②

| 키 워 드 | 절도죄
| 출제유형 | 틀린 지문 고르기

② (X) [1] 입목(영산홍)을 절취하기 위하여 캐낸 때에 소유자의 입목에 대한 점유가 침해되어 범인의 사실적 지배하에 놓이게 되므로 범인이 그 점유를 취득하고 절도죄는 기수에 이른다. 이를 운반하거나 반출하는 등의 행위는 필요하지 않다.
[2] 절도범인이 혼자 입목(영산홍)을 땅에서 완전히 캐낸 후에 비로소 제3자가 가담하여 함께 입목을 운반한 사안에서, 특수절도죄의 성립을 부정한다(대법원 2008.10.23. 2008도6080).

① (O) 대법원 2006.7.27. 2006도3126

③ (O) 대법원 2012.4.26. 2010도11771
→ 자동차 명의신탁도 부동산 명의신탁의 경우와 같이 내부관계에서는 등록명의자 아닌 자가 소유권을 보유하게 된다고 하더라도 제3자에 대한 관계에서는 어디까지나 등록명의자가 자동차의 소유자라고 할 것이다. 이 사건에서 자동차는 甲 입장에서는 丙의 점유, 乙의 소유이다. 즉, 절도죄가 성립한다.

④ (O) 대법원 2010.5.27. 2009도9008

21 0426

2017 경찰 2차

절도의 죄에 대한 설명으로 가장 적절하지 않은 것은? (다툼이 있는 경우 판례에 의함)

① 절도범인이 체포를 면탈할 목적으로 경찰관에게 폭행 협박을 가한 때에는 준강도죄와 공무집행방해죄를 구성하고 양죄는 상상적 경합관계에 있으나, 강도범인이 체포를 면탈할 목적으로 경찰관에게 폭행을 가한 때에는 강도죄와 공무집행방해죄는 실체적 경합관계에 있다.
② 타인과 공동소유관계에 있는 물건은 절도죄의 객체가 되는 타인의 재물에 속하지 아니한다.
③ 주간에 사람의 주거 등에 침입하여 야간에 타인의 재물을 절취한 행위는 형법 제330조의 야간주거침입절도죄를 구성하지 않는다.
④ 피고인이 피해자 경영의 금방에서 마치 귀금속을 구입할 것처럼 가장하여 피해자로부터 순금목걸이 등을 건네받은 다음 화장실에 갔다 오겠다는 핑계를 대고 도주한 것이라면 위 순금목걸이 등은 도주하기 전까지는 아직 피해자의 점유하에 있었다고 할 것이므로 이를 절도죄로 의율 처단한 것은 정당하다.

지문분석 난이도 ㊤ 정답 ②

| 키 워 드 | 절도죄
| 출제유형 | 틀린 지문 고르기

② (X) 타인과 공유관계에 있는 물건도 절도죄의 객체가 되는 타인의 재물에 속한다(대법원 1994.11.25. 94도2432).
① (O) 대법원 1992.7.28. 92도917
③ (O) 대법원 2011.4.14. 2011도300
④ (O) 대법원 1994.8.12. 94도1487

✓ **개념체크 공동점유 재산 절도죄 성립 여부의 유사판례**

동업자의 공동점유에 속하는 동업재산을 다른 동업자의 승낙 없이 그 점유를 배제하고 단독으로 자기의 지배로 옮겼다면 절도죄가 성립된다(대법원 1987.12.8. 87도1831).

22 0427

2020 경찰 승진

절도의 죄에 대한 설명 중 가장 적절하지 않은 것은? (다툼이 있는 경우 판례에 의함)

① 甲이 자신의 모(母) A 명의로 구입·등록하여 A에게 명의신탁한 자동차를 B에게 담보로 제공한 후 B 몰래 가져간 경우 甲은 절도죄로 처벌된다.
② 채권자 甲이 채무자가 점유하고 있는 양도담보 목적물인 동산을 제3자인 乙에게 매각하여 그 목적물의 소유권을 취득하게 한 다음 乙로 하여금 甲으로부터 목적물반환청구권을 양도받는 방법으로 그 목적물을 취거하게 한 경우 乙의 취거행위는 절도죄로 처벌되지 않지만 甲의 목적물 처분행위는 절도죄로 처벌된다.
③ 甲이 A 소유 토지에 권원 없이 식재한 감나무에서 감을 수확한 경우 甲은 절도죄로 처벌된다.
④ 甲과 乙이 합동하여 야간이 아닌 주간에 절도의 목적으로 타인의 주거에 침입하였다 하여도 아직 절취할 물건의 물색행위를 시작하기 전이라면 특수절도죄의 실행에 착수가 인정되지 않는다.

지문분석 난이도 ㊥ 정답 ②

| 키 워 드 | 절도죄
| 출제유형 | 틀린 지문 고르기

② (X) 양도담보권자인 채권자가 제3자에게 담보목적물인 동산을 매각한 경우, 제3자는 채권자와 채무자 사이의 정산절차 종결 여부와 관계없이 양도담보 목적물을 인도받음으로써 소유권을 취득하게 되고, 양도담보의 설정자가 담보목적물을 점유하고 있는 경우에는 그 목적물의 인도는 채권자로부터 목적물반환청구권을 양도받는 방법으로도 가능하다. 채권자가 양도담보 목적물을 위와 같은 방법으로 제3자에게 처분하여 그 목적물의 소유권을 취득하게 한 다음 그 제3자로 하여금 그 목적물을 취거하게 한 경우, 그 제3자로서는 자기의 소유물을 취거한 것에 불과하므로, 사안에 따라 권리행사방해죄를 구성할 여지가 있음은 별론으로 하고, 절도죄를 구성할 여지는 없는 것이고, 채권자의 이 같은 행위는 절도죄를 구성하지 않는다(대법원 2008.11.27. 2006도4263).
① (O) 피고인이 자신의 모(母) 甲 명의로 구입·등록하여 甲에게 명의신탁한 자동차를 乙에게 담보로 제공한 후 乙 몰래 가져가 절취하였다는 내용으로 기소된 경우, 乙에 대한 관계에서 자동차의 소유자는 甲이고 피고인은 소유자가 아니므로 乙이 점유하고 있는 자동차를 임의로 가져간 이상 절도죄가 성립한다(대법원 2012.4.26. 2010도11771).
③ (O) 대법원 1998.4.24. 97도3425
④ (O) 대법원 2009.12.24. 2009도9667

23 0428

2018 경찰 승진

절도죄에 대한 설명 중 옳은 것을 모두 고른 것은? (다툼이 있는 경우 판례에 의함)

> ㉠ 사실상 퇴사하면서 회사의 승낙 없이 가지고 간 부동산매매계약서 사본들은 절도죄의 객체인 재물에 해당하지 않는다.
> ㉡ 묘는 이장하고 망부석만 30년 방치된 상태에서 임야의 관리인으로서 망부석을 사실상 점유하여 온 자가 이를 처분한 경우 절도죄가 성립하지 않는다.
> ㉢ 피해품인 민화가 피고인의 오빠가 매수한 것이라면 이는 동인의 특유재산으로서 이에 대한 점유·관리권은 동인에게 있다 할 것이고 범행 당시 비록 동인이 집에 없었다 하더라도 그것이 동인 소유의 집 벽에 걸려 있었던 이상 동인의 지배력이 미치는 범위 안에 있는 것이라 할 것이므로 동인의 소지에 속하고 그 부부의 공동점유하에 있다고 볼 수는 없어 이를 절취한 행위에 대하여는 친족상도례가 적용된다.
> ㉣ 甲이 부정행위를 한 A를 꾸짖어 줄 목적으로 A의 소유물건을 가져와 보관하고 있으면 A가 이를 찾으러 올 것이고 그 때에 그 물건을 반환하면서 A를 꾸짖어 줄 생각으로 그 물건을 가져온 것이라면 절도죄가 성립한다.

① ㉠, ㉡　　② ㉡, ㉢
③ ㉡, ㉣　　④ ㉢, ㉣

지문분석 난이도 중 정답 ②

| 키 워 드 | 절도죄

| 출제유형 | 조합하기

㉡ (O) **임야 내에 버려진 망부석을 임야관리인이 타에 처분한 행위와 절도죄의 성부: 부정**

[1] 절도죄란 재물에 대한 타인의 사실상의 지배, 즉 소지를 침해함으로써 성립하는 것이다.

[2] 망부석이 묘의 장구로서 묘주의 소유에 속하였는데 묘는 이장하고 망부석만이 30여 년간 방치된 상태에 있어 외형상 그 소유자가 방기한 것으로 되어 그 물건은 산주의 추상적·포괄적 소지에 속하게 되었어도 그 산주가 망부석을 사실상 지배할 의사가 없음을 표시한 경우에는 그의 소지하에 있다고 볼 수 없고, 이는 임야의 관리인으로서 사실상 점유하여 온 자의 소지하에 있다고 볼 것이므로 동 관리인이나 그와 함께 위 망부석을 처분한 자를 절도죄로 의율할 수 없다(대법원 1981.8.25. 80도509).

→ 타인점유 부정, 절도죄 부정

㉢ (O) **결혼한 오빠가 부재중 그 집에서 그 소유의 민화를 절취한 경우 친족상도례의 적용 여부: 인정**(대법원 1985.3.26. 84도365)

→ 절도죄에서의 친족관계는 행위자와 소유자 사이뿐만 아니라 점유자와의 사이에도 있어야 하는바, 소유자와 점유자를 친족관계에 있는 오빠로 보아 친족상도례(형법 제328조 제2항)를 적용한 판결이다.

㉠ (X) 사실상 퇴사하면서 회사의 승낙 없이 가지고 간 부동산매매계약서 사본들은 절도죄의 객체인 재물에 해당한다(대법원 2007.8.23. 2007도2595).

→ 피고인이 퇴사하면서 피해 회사의 승낙 없이 위 서류들을 가지고 간 이상 절도죄가 성립된다.

㉣ (X) 부정행위를 한 타인을 꾸짖어 줄 목적으로 그 타인의 소유물건을 가져와 보관하고 있으면 그가 이를 찾으러 올 것이고 그때에 그 물건을 반환하면서 그를 꾸짖어 줄 생각으로 그 물건을 가져온 것이라면 절도죄가 성립되지 아니한다(대법원 1973.2.28. 72도2812).

→ 불륜한 관계가 있는 A를 꾸짖어 주고 반환할 의사로 가져온 것이므로 불법영득의사가 부정된다.

24 0429

2019 경찰 간부

절도죄에 대한 다음 설명 중 옳지 않은 것은 몇 개인가? (다툼이 있는 경우 판례에 의함)

가. 피고인이 자신의 어머니 甲 명의로 구입·등록하여 甲에게 명의신탁한 자동차를 乙에게 담보로 제공한 후 乙 몰래 가져간 경우 절도죄가 성립한다.
나. 종전 점유자의 점유가 그의 사망으로 인한 상속에 의하여 당연히 그 상속인에게 이전된다는 민법 제193조는 절도죄의 요건으로서의 '타인의 점유' 관련하여서는 적용의 여지가 없고, 재물을 점유하는 소유자로부터 이를 상속받아 그 소유권을 취득하였다고 하더라도 상속인이 그 재물에 관하여 사실상의 지배를 가지게 되어야만 이를 점유하는 것으로서 그때부터 비로소 상속인에 대한 절도죄가 성립할 수 있다.
다. 결혼예식장에서 신부 측 축의금 접수인인 것처럼 행세하면서 축의금을 교부받아 가로챈 것은 사기죄가 아니라 절도죄에 해당한다.
라. 甲이 밍크 45마리에 관하여 자기에게 그 권리가 있다고 주장하면서 이를 가져간 데 대해 밍크 소유자인 乙의 묵시적 동의가 있었다면 그 주장이 후에 허위임이 밝혀졌더라도 위법성이 조각되어 甲은 절도죄의 죄책을 지지 않는다.

① 없음 ② 1개
③ 2개 ④ 3개

지문분석 난이도 상 정답 ②

| 키 워 드 | 절도죄
| 출제유형 | 개수 찾기

라. (X) 피고인이 피해자에게 이 사건 밍크 45마리에 관하여, 자기에게 그 권리가 있다고 주장하면서 이를 가져간 데 대하여 피해자의 묵시적인 동의가 있었다면 피고인의 주장이 후에 허위임이 밝혀졌더라도 피고인의 행위는 절도죄의 절취행위에는 해당하지 않는다(대법원 1990.8.10. 90도1211).
→ 이 경우 위법성조각이 아니라 양해로 '구성요건해당성'이 조각된다.
가. (O) 대법원 2012.4.26. 2010도11771
나. (O) 대법원 2012.4.26. 2010도6334
다. (O) 대법원 1996.10.15. 96도2227

25 0430

2021 경찰 승진

절도의 죄에 대한 설명으로 가장 적절하지 않은 것은? (다툼이 있는 경우 판례에 의함)

① 피해자를 살해한 방에서 사망한 피해자 곁에 4시간 30분쯤 있다가 그곳 피해자의 자취방 벽에 걸려 있던 피해자가 소지하는 물건들을 영득의 의사로 가지고 나온 경우 절도죄가 성립한다.
② 입목을 절취하기 위하여 캐낸 때에 소유자의 입목에 대한 점유가 침해되어 범인의 사실적 지배하에 놓이게 되므로 범인이 그 점유를 취득하고 절도죄는 기수에 이른다.
③ 임차인이 임대계약 종료 후 식당건물에서 퇴거하면서 종전부터 사용하던 냉장고의 전원을 켜 둔 채 그대로 두었다가 약 1개월 후 철거해 가는 바람에 그 기간 동안 전기가 소비된 경우 타인의 전기에 대한 절도죄가 성립한다.
④ 종전 점유자의 점유가 그의 사망으로 인한 상속에 의하여 당연히 그 상속인에게 이전된다는 민법 제193조는 절도죄의 요건으로서의 '타인의 점유'와 관련하여서는 적용의 여지가 없고, 재물을 점유하는 소유자로부터 이를 상속받아 그 소유권을 취득하였다고 하더라도 상속인이 그 재물에 관하여 사실상의 지배를 가지게 되어야만 이를 점유하는 것으로서 그때부터 비로소 상속인에 대한 절도죄가 성립할 수 있다.

지문분석 난이도 중 정답 ③

| 키 워 드 | 절도죄
| 출제유형 | 틀린 지문 고르기

③ (X) 임차인이 임대계약 종료 후 식당건물에서 퇴거하면서 종전부터 사용하던 냉장고의 전원을 켜 둔 채 그대로 두었다가 약 1개월 후 철거해 가는 바람에 그 기간 동안 전기가 소비된 사안에서, 임차인이 퇴거 후에도 냉장고에 관한 점유·관리를 그대로 보유하고 있었다고 보아야 하므로, 냉장고를 통하여 전기를 계속 사용하였다고 하더라도 이는 당초부터 자기의 점유·관리하에 있던 전기를 사용한 것일 뿐 타인의 점유·관리하에 있던 전기가 아니어서 절도죄가 성립하지 않는다(대법원 2008.7.10. 2008도3252).
① (O) 피고인이 피해자를 살해한 방에서 사망한 피해자 곁에 4시간 30분쯤 있다가 그곳 피해자의 자취방 벽에 걸려 있던 피해자가 소지하는 원심판시 물건들을 영득의 의사로 가지고 나온 사실이 인정되는바, 이와 같은 경우에 피해자가 생전에 가진 점유는 사망 후에도 여전히 계속되는 것으로 보아 이를 보호함이 법의 목적에 맞는 것이라고 할 것이고, 따라서 피고인의 위 행위는 피해자의 점유를 침탈한 것으로서 절도죄에 해당한다(대법원 1993.9.28. 93도2143).
② (O) 대법원 2008.10.23. 2008도6080
④ (O) 대법원 2012.4.26. 2010도6334

26 0431

2021 경찰 간부

절도죄에 대한 설명으로 옳은 것은? (다툼이 있는 경우 판례에 의함)

① 산지기로서 종중 소유의 분묘를 간수하고 있는 자라고 하여도 그 분묘에 설치된 석등이나 문관석 등을 점유하고 있다고는 할 수 없으므로, 그가 이러한 물건 등을 반출하여 가는 행위는 절도죄를 구성한다.

② 임차인이 임대계약 종료 후 식당건물에서 퇴거하면서 종전부터 사용하던 냉장고의 전원을 켜 둔 채 그대로 두었다가 약 1개월 후 철거해 가는 바람에 그 기간 동안 전기가 소비된 경우, 임차인에게는 전기에 대한 절도죄가 성립한다.

③ 타인의 토지상에 권원 없이 식재한 수목의 소유권은 토지소유자에게 귀속하고 권원에 의하여 식재한 경우에는 그 소유권이 식재한 자에게 있으므로, 타인이 권원 없이 자신의 토지에 식재한 감나무에서 토지소유자가 감을 수확한 것은 절도죄에 해당한다.

④ 피고인이 절도의 습벽으로 자동차등불법사용의 범행을 하였으나 검사가 자동차등불법사용의 점을 제외한 나머지 범행에 대하여만 상습절도 등의 죄로 기소하였다면, 자동차등불법사용의 범행은 상습절도 등 죄의 위법성 평가에 포함되어 있지 않다고 봄이 상당하다.

지문분석 난이도 중 정답 ①

| 키 워 드 | 절도죄

| 출제유형 | 옳은 지문 고르기

① (O) 대법원 1985.3.26. 84도3024, 84감도474

② (X) 임차인이 임대계약 종료 후 식당건물에서 퇴거하면서 종전부터 사용하던 냉장고의 전원을 켜 둔 채 그대로 두었다가 약 1개월 후 철거해 가는 바람에 그 기간 동안 전기가 소비된 경우, 임차인이 퇴거 후에도 냉장고에 관한 점유·관리를 그대로 보유하고 있었다고 보아야 하므로, 냉장고를 통하여 전기를 계속 사용하였다고 하더라도 이는 당초부터 자기의 점유·관리하에 있던 전기를 사용한 것일 뿐 타인의 점유·관리하에 있던 전기가 아니어서 절도죄가 성립하지 않는다(대법원 2008.7.10. 2008도3252).

③ (X) 타인의 토지상에 권원 없이 식재한 수목의 소유권은 토지소유자에게 귀속하므로, 권원 없이 식재한 자가 감나무에서 감을 수확한 것은 절도죄에 해당하지만(대법원 1998.4.24. 97도3425 참조), 사안처럼 토지소유자가 감을 수확한 것은 절도죄에 해당하지 않는다.

④ (X) 상습절도 등의 범행을 한 자가 추가로 자동차등불법사용의 범행을 한 경우에 그것이 절도 습벽의 발현이라고 보이는 이상 자동차등불법사용의 범행은 상습절도 등의 죄에 흡수되어 1죄만이 성립하고 이와 별개로 자동차등불법사용죄는 성립하지 않는다(대법원 2002.4.26. 2002도429).

3 강도의 죄

27 0432

2021 경찰 2차

준강도죄에 대한 설명으로 가장 적절한 것은? (다툼이 있는 경우 판례에 의함)

① 단순절도범인이 처음에는 흉기를 휴대하지 아니하였으나, 체포를 면탈할 목적으로 폭행 또는 협박을 가할 때에 비로소 흉기를 휴대 사용하게 된 경우에는 단순강도의 준강도가 된다.

② 가방 날치기 수법의 점유탈취 과정에서 재물을 뺏기지 않으려고 바닥에 넘어진 상태로 가방끈을 놓지 않은 채 "내 가방, 사람 살려!!!"라고 소리치며 끌려가는 피해자를 5m가량 끌고 가면서 무릎에 상해를 입힌 경우는 절도죄와 상해죄의 경합범으로 처벌된다.

③ 절도범이 체포를 면탈할 목적으로 자신을 체포하려는 여러 명의 피해자에게 같은 기회에 폭행을 가하여 그중 1인에게만 상해를 가한 경우에는 포괄하여 하나의 강도상해죄만 성립한다.

④ 양주를 절취할 목적으로 주점에 들어가 양주를 담고 있던 중 피해자가 들어오는 소리에 이를 두고 도망가려다가 피해자에게 붙잡혀 체포를 면탈하기 위해 폭행을 가한 경우는 준강도죄의 기수범으로 처벌된다.

지문분석 난이도 중 정답 ③

| 키 워 드 | 준강도죄

| 출제유형 | 옳은 지문 고르기

③ (O) 원심판결이 인용한 제1심은 피고인에 대한 이 사건 공소사실을 유죄로 인정하면서 공소외 1에 대하여는 준강도죄를, 공소외 2에 대하여는 강도상해죄의 죄책을 따로 인정한 후 이를 실체적 경합범으로 보고, 형이 더 무거운 강도상해죄에 경합범 가중을 하여 피고인을 처벌하고 있으며, 원심은 이를 유지하였다. 그러나 절도범이 체포를 면탈할 목적으로 체포하려는 여러 명의 피해자에게 같은 기회에 폭행을 가하여 그중 1인에게만 상해를 가하였다면 피고인의 이러한 행위는 포괄하여 하나의 강도상해죄만 성립한다고 할 것이므로, 이 점에서 원심판결은 위법을 면하지 못한다고 할 것이다(대법원 2001.8.21. 2001도3447).

① (X) 절도범인이 처음에는 흉기를 휴대하지 아니하였으나, 체포를 면탈할 목적으로 폭행 또는 협박을 가할 때에 비로소 흉기를 휴대 사용하게 된 경우에는 형법 제334조의 예에 의한 준강도(특수강도의 준강도)가 된다(대법원 1973.11.13. 73도1553 전원합의체).

② (X) 날치기 수법으로 피해자가 들고 있던 가방을 탈취하면서 가방을 놓지 않고 버티는 피해자를 5m가량 끌고 감으로써 피해자의 무릎 등에 상해를 입힌 경우, 반항을 억압하기 위한 목적으로 가해진 강제력으로서 그 반항을 억압할 정도에 해당한다고 보아 강도치상죄의 성립을 인정한다(대법원 2007.12.13. 2007도7601).

④ (X) [1] 준강도죄의 기수 여부는 절도행위의 기수 여부를 기준으로 하여 판단하여야 한다.

[2] 절도미수범이 체포를 면탈할 목적으로 폭행한 행위에 대하여 준강도미수죄로 의율한 원심판결을 수긍한 사례(대법원 2004.11.18. 2004도5074 전원합의체)

28 0433

2018 경찰 3차

강도의 죄에 대한 설명으로 가장 적절한 것은? (다툼이 있는 경우 판례에 의함)

① 강도죄는 재물죄이며, 재산상의 이익은 강도죄의 객체가 될 수 없다.
② 피고인이 강도하기로 모의를 한 후 남성피해자의 금품을 빼앗고, 그 기회에 이어서 여성피해자를 강간하였다면 강도죄와 강간죄의 경합범이 성립한다.
③ 강도상해죄가 성립하기 위해서는 강도의 수단인 폭행에 의하여 상해를 입힐 것을 요하므로, 피고인의 상해행위는 강도가 기수에 이르기 전에 행하여져야만 한다.
④ 절도미수범이 체포를 면탈할 목적으로 피해자를 폭행한 경우에는 준강도죄의 미수범이 성립한다.

지문분석 난이도 하 정답 ④

| 키 워 드 | 강도죄

| 출제유형 | 옳은 지문 고르기

④ (O) 준강도죄의 기수 여부는 절도행위의 기수 여부를 기준으로 판단하여야 한다(대법원 2004.11.18. 2004도5074 전원합의체).
→ 절도미수범이 체포를 면탈할 목적으로 폭행한 행위에 대하여 준강도미수죄로 의율한 원심판결을 수긍한 사례
① (X) 강도죄의 객체는 재물과 재산상의 이익이다(형법 제333조).
② (X) 피고인이 강도하기로 모의를 한 후 피해자 甲남으로부터 금품을 빼앗고 이어서 피해자 乙녀를 강간하였다면 강도강간죄를 구성한다(대법원 1991.11.12. 91도2241).
③ (X) 형법 제337조의 강도상해죄는 강도범인이 그 강도의 기회에 상해행위를 함으로써 성립하는 것이므로 강도범행의 실행 중이거나 그 실행 직후 또는 실행의 범의를 포기한 직후로서 사회통념상 범죄행위가 완료되지 아니하였다고 볼 수 있는 단계에서 상해가 행하여짐을 요건으로 한다. 그러나 반드시 강도범행의 수단으로 한 폭행에 의하여 상해를 입힐 것을 요하는 것은 아니고 상해행위가 강도가 기수에 이르기 전에 행하여져야만 하는 것은 아니므로, 강도범행 이후에도 피해자를 계속 끌고 다니거나 차량에 태우고 함께 이동하는 등으로 강도범행으로 인한 피해자의 심리적 저항불능 상태가 해소되지 않은 상태에서 강도범인의 상해행위가 있었다면 강취행위와 상해행위 사이에 다소의 시간적·공간적 간격이 있었다는 것만으로는 강도상해죄의 성립에 영향이 없다(대법원 2014.9.26. 2014도9567).

29 0434

2008 경찰 1차

준강도에 대하여 다음 설명 중 옳지 않은 것은?

① 준강도의 기수·미수의 판단은 폭행·협박의 기수·미수로 판단된다.
② 준강도죄에 있어서의 폭행이나 협박은 현실적으로 반항을 억압하였음을 필요로 하는 것은 아니다.
③ 절도가 경찰관을 폭행한 경우에는 공무집행방해죄와 준강도죄의 상상적 경합이 된다.
④ 절도죄의 미수범이라도 준강도죄의 주체가 될 수 있다.

지문분석 난이도 중 정답 ①

| 키 워 드 | 준강도죄

| 출제유형 | 틀린 지문 고르기

① (X) 형법 제335조에서 절도가 재물의 탈환을 항거하거나 체포를 면탈하거나 죄적을 인멸할 목적으로 폭행 또는 협박을 가한 때에 준강도로서 강도죄의 예에 따라 처벌하는 취지는, 강도죄와 준강도죄의 구성요건인 재물탈취와 폭행·협박 사이에 시간적 순서상 전후의 차이가 있을 뿐 실질적으로 위법성이 같다고 보기 때문인바, 이와 같은 준강도죄의 입법 취지, 강도죄와의 균형 등을 종합적으로 고려해 보면, 준강도죄의 기수 여부는 절도행위의 기수 여부를 기준으로 하여 판단하여야 한다(대법원 2004.11.18. 2004도5074 전원합의체).
→ 준강도죄의 기수와 미수의 구별기준은 '절취행위 기준설'이 다수설·판례이다.
→ 준강도의 처벌과 관련하여 단순강도의 준강도이냐 또는 특수강도의 준강도이냐는 '폭행·협박행위 기준설'이 다수설·판례이다.
② (O) 준강도죄에 있어서의 폭행이나 협박은 상대방의 반항을 억압하는 수단으로서 일반적 객관적으로 가능하다고 인정하는 정도의 것이면 되고 반드시 현실적으로 반항을 억압하였음을 필요로 하는 것은 아니다(대법원 1981.3.24. 81도409).
③ (O) 절도범인이 체포를 면탈할 목적으로 경찰관에게 폭행 협박을 가한 때에는 준강도죄와 공무집행방해죄를 구성하고 양 죄는 상상적 경합관계에 있으나, 강도범인이 체포를 면탈할 목적으로 경찰관에게 폭행을 가한 때에는 강도죄와 공무집행방해죄는 실체적 경합관계에 있고 상상적 경합관계에 있는 것이 아니다(대법원 1992.7.28. 92도917).
④ (O) 절도미수범이 준강도 내지 강도상해죄의 주체가 될 수 있다. 형법 제335조의 조문 가운데 '절도' 운운함은 절도기수범과 절도미수범을 모두 포함하는 것이고, 준강도가 사람을 상해했을 때에는 형법 제337조의 강도상해죄가 성립된다(대법원 1990.2.27. 89도2532).

30 0435

2015 경찰 1차

강도죄에 관한 다음 설명 중 가장 적절한 것은? (다툼이 있으면 판례에 의함)

① 甲과 乙, 丙이 타인의 재물을 절취하기로 공모한 다음 甲은 망을 보고 乙과 丙이 재물을 절취한 다음 달아나려다가 피해자에게 발각되자 체포를 면탈할 목적으로 피해자를 때려 상해를 입혔다면 甲도 이를 전혀 예견하지 못했다고 볼 수 없어 강도치상죄의 죄책을 면할 수 없다.

② 피고인이 술집 운영자 甲으로부터 술값의 지급을 요구받자 술값의 지급을 면하기로 마음먹고 甲을 유인·폭행하고 도주함으로써 술값의 지급을 면하여 재산상 이득을 취득한 경우 준강도죄가 성립하지 아니한다.

③ 피고인들이 피해자들의 재물을 강취한 후 그들을 살해할 목적으로 현주건조물에 방화하여 사망에 이르게 한 경우, 피고인들의 행위는 강도살인죄와 현주건조물방화치사죄에 모두 해당하고 그 두 죄는 실체적 경합범 관계에 있다.

④ 피고인 甲, 乙이 공모하여 채무를 면탈할 의사로 채권자 丙을 살해한 사안에서, 甲의 丙에 대한 채무의 존재가 명백할 뿐만 아니라 丙의 상속인이 존재하고 그 상속인에게 채권의 존재를 확인할 방법이 확보되어 있지만 재산상 이익이 채권자 측으로부터 甲 앞으로 이전되었다고 볼 수 있으므로 강도살인죄가 성립한다.

지문분석

난이도 중 정답 ②

| 키 워 드 | 강도죄

| 출제유형 | 옳은 지문 고르기

② (O) [1] 형법 제335조는 '절도'가 재물의 탈환을 항거하거나 체포를 면탈하거나 죄적을 인멸할 목적으로 폭행 또는 협박을 가한 때에 준강도가 성립한다고 규정하고 있으므로, 준강도죄의 주체는 절도범인이고, 절도죄의 객체는 재물이다.

[2] 피고인이 술집 운영자 甲으로부터 술값의 지급을 요구받자 甲을 유인·폭행하고 도주함으로써 술값의 지급을 면하여 재산상 이익을 취득한 범죄사실에는 그 자체로 절도의 실행에 착수하였다는 내용이 포함되어 있지 않음에도 준강도죄를 적용하여 유죄로 인정한 원심판결에 준강도죄의 주체에 관한 법리오해의 잘못이 있다(대법원 2014.5.16. 2014도2521).

→ 준강도죄의 주체는 절도범인이므로 절도의 실행에 착수하지 않은 자는 준강도죄를 범할 수 없다. 이 사건에서 피고인은 재산상 이익(술값 지급을 면하려고 한 것)을 취득하려고 한 것인바, 절도죄의 객체는 재물이고 재산상 이익은 객체가 될 수 없으므로 피고인에게 절도를 위한 실행의 착수를 인정할 수 없어 준강도죄가 부정된 판결이다(술값 지급 면탈 폭행 사건).

① (X) 2인 이상이 합동하여 절도를 한 경우, 범인 중의 1인이 체포를 면할 목적으로 폭행을 하여 상해를 가한 때에는 나머지 범인도 이를 예기하지 못한 것으로 볼 수 없으면 강도상해죄의 죄책을 면할 수 없다(대법원 1984.12.26. 84도2552).

③ (X) 재물을 강취한 후 피해자를 살해할 목적으로 현주건조물에 방화하여 사망에 이르게 한 경우, 강도살인죄와 현주건조물방화치사죄의 관계(= 상상적 경합)(대법원 1998.12.8. 98도3416)

④ (X) 채무의 존재가 명백할 뿐만 아니라 채권자의 상속인이 존재하고 그 상속인에게 채권의 존재를 확인할 방법이 확보되어 있는 경우에는 비록 그 채무를 면탈할 의사로 채권자를 살해하더라도 일시적으로 채권자 측의 추급을 면한 것에 불과하여 재산상 이익의 지배가 채권자 측으로부터 범인 앞으로 이전되었다고 보기는 어려우므로, 이러한 경우에는 강도살인죄가 성립할 수 없다(대법원 2004.6.24. 2004도1098).

→ 이 경우에는 보통살인죄가 성립한다.

31 0436

2015 경찰 2차

강도죄에 관한 다음 설명 중 가장 적절한 것은? (다툼이 있으면 판례에 의함)

① 날치기 수법의 점유탈취 과정에서 이를 알아채고 재물을 빼앗기지 않으려는 상대방의 반항에 부딪혔음에도 계속하여 피해자를 끌고 가면서 억지로 재물을 빼앗은 행위는 피해자의 반항을 억압하지 못한 경우이므로 강도에 해당하지 않는다.

② 준강도죄의 기수 여부는 절도행위의 기수 여부를 기준으로 하여 판단할 것이 아니라 폭행 또는 협박이 종료되었는가 하는 점에 따라 결정되어야 한다.

③ 피고인이 술집 운영자 甲으로부터 술값의 지급을 요구받자 甲을 유인·폭행하고 도주하였다면, 甲에게 지급해야 할 술값의 지급을 면하여 재산상 이익을 취득하였으므로 준강도죄가 성립한다.

④ 절도범인이 처음에는 흉기를 휴대하지 아니하였으나, 체포를 면탈할 목적으로 폭행 또는 협박을 가할 때에 비로소 흉기를 휴대 사용하게 된 경우에는 형법 제334조의 예에 의한 준강도(특수강도의 준강도)가 된다.

지문분석 난이도 하 정답 ④

| 키 워 드 | 강도죄

| 출제유형 | 옳은 지문 고르기

④ (O) [1] 단순강도의 준강도이냐 또는 특수강도의 준강도이냐는 행위의 주체인 절도의 태양이 아니라 폭행·협박의 태양에 따라 구별지어야 한다.
[2] 절도범인이 처음에는 흉기를 휴대하지 아니하였으나, 체포를 면탈할 목적으로 폭행 또는 협박을 가할 때에 비로소 흉기를 휴대 사용하게 된 경우에는 형법 제334조의 예에 의한 준강도(특수강도의 준강도)가 된다(대법원 1973.11.13. 73도1553 전원합의체).
→ 준강도의 처벌과 관련하여 단순강도의 준강도이냐 또는 특수강도의 준강도이냐는 '폭행·협박행위 기준설'이 다수설·판례이다.

① (X) [1] 날치기 수법의 점유탈취 과정에서 이를 알아채고 재물을 빼앗기지 않으려는 상대방의 반항에 부딪혔음에도 계속하여 피해자를 끌고 가면서 억지로 재물을 빼앗은 행위는 피해자의 반항을 억압한 후 재물을 강취한 것으로서 강도에 해당한다.
[2] 날치기 수법으로 피해자가 들고 있던 가방을 탈취하면서 가방을 놓지 않고 버티는 피해자를 5m가량 끌고 감으로써 피해자의 무릎 등에 상해를 입힌 경우, 반항을 억압하기 위한 목적으로 가해진 강제력으로서 그 반항을 억압할 정도에 해당한다고 보아 강도치상죄의 성립을 인정한다(대법원 2007.12.13. 2007도7601).

② (X) 형법 제335조에서 절도가 재물의 탈환을 항거하거나 체포를 면탈하거나 죄적을 인멸할 목적으로 폭행 또는 협박을 가한 때에 준강도로서 강도죄의 예에 따라 처벌하는 취지는, 강도죄와 준강도죄의 구성요건인 재물탈취와 폭행·협박 사이에 시간적 순서상 전후의 차이가 있을 뿐 실질적으로 위법성이 같다고 보기 때문인바, 이와 같은 준강도죄의 입법취지, 강도죄와의 균형 등을 종합적으로 고려해 보면, 준강도죄의 기수 여부는 절도행위의 기수 여부를 기준으로 하여 판단하여야 한다(대법원 2004.11.18. 2004도5074 전원합의체).
→ 준강도죄의 기수와 미수의 구별기준은 '절도행위 기준설'이 다수설·판례이다.

③ (X) [1] 형법 제335조는 '절도'가 재물의 탈환을 항거하거나 체포를 면탈하거나 죄적을 인멸할 목적으로 폭행 또는 협박을 가한 때에 준강도가 성립한다고 규정하고 있으므로, 준강도죄의 주체는 절도범인이고, 절도죄의 객체는 재물이다.
[2] 피고인이 술집 운영자 甲으로부터 술값의 지급을 요구받자 甲을 유인·폭행하고 도주함으로써 술값의 지급을 면하여 재산상 이익을 취득한 범죄사실에는 그 자체로 절도의 실행에 착수하였다는 내용이 포함되어 있지 않음에도 준강도죄를 적용하여 유죄로 인정한 원심판결에 준강도죄의 주체에 관한 법리오해의 잘못이 있다(대법원 2014.5.16. 2014도2521).
→ 준강도죄의 주체는 절도범인이므로 절도의 실행에 착수하지 않은 자는 준강도죄를 범할 수 없다. 이 사건에서 피고인은 재산상 이익(술값 지급을 면하려고 한 것)을 취득하려고 한 것인바, 절도죄의 객체는 재물이고 재산상 이익은 객체가 될 수 없으므로 피고인에게 절도를 위한 실행의 착수를 인정할 수 없어 준강도죄가 부정된 판결이다(술값 지급 면탈 폭행 사건).

32 0437

2016 경찰 2차

강도죄에 대한 다음 설명 중 옳지 않은 것은 모두 몇 개인가? (다툼이 있으면 판례에 의함)

> ㉠ 甲과 乙은 야간에 丙의 집에 이르러 재물을 강취할 의도로 甲은 출입문 옆의 창살을 통하여 침입하고, 乙은 부엌 방충망을 뜯고 들어가다가 丙의 시아버지의 헛기침에 발각된 것으로 알고 도주한 경우 甲과 乙의 죄책은 특수강도미수죄이다.
> ㉡ 甲은 강도의 범의로 야간에 칼을 휴대한 채 타인의 주거에 침입하여 동정을 살피다가 피해자 乙을 발견하고 갑자기 욕정을 일으켜 칼로 협박하고 강간하였다. 甲의 죄책은 특수강도강간죄이다.
> ㉢ 형법 제334조 제1항(특수강도)은 야간에 사람의 주거, 관리하는 건조물, 선박이나 항공기 또는 자동차에 침입하여 제333조(강도)의 죄를 범한 자를 처벌한다고 규정하고 있다.
> ㉣ 형법 제336조(인질강도)의 죄를 범한 자가 인질을 안전한 장소로 풀어준 경우 형법 각칙에 해방감경 규정이 있다.

① 1개 ② 2개
③ 3개 ④ 4개

지문분석 난이도 ㊤ 정답 ③

| 키 워 드 | 강도죄

| 출제유형 | 개수 찾기

㉡ (X) 대법원 1991.11.22. 91도2296
→ 주거침입죄, 강도예비죄, 특수강간죄 인정

㉢ (X) 제334조 제1항의 특수강도(야간주거침입강도)의 장소에 '자동차'는 포함되지 않는다.

㉣ (X) 제336조(인질강도)의 죄에는 해방감경 규정이 없다.

㉠ (O) 대법원 1992.7.28. 92도917
→ 특수강도죄의 미수 인정

✔ 개념체크 **형법 제334조(특수강도)**

> ① 야간에 사람의 주거, 관리하는 건조물, 선박이나 항공기 또는 점유하는 방실에 침입하여 제333조의 죄를 범한 자는 무기 또는 5년 이상의 징역에 처한다.

33 0438

2020 경찰 승진

강도의 죄에 대한 설명 중 가장 적절한 것은? (다툼이 있는 경우 판례에 의함)

① 甲이 A의 집에 침입하여 TV를 훔쳐 나오다가 A와 A의 아내 B가 소리를 지르며 쫓아오자 체포면탈 목적으로 A의 얼굴을 팔꿈치로 1회 가격하여 폭행하고, 곧바로 B의 정강이를 발로 걷어차 B에게만 약 3주간의 치료가 필요한 상해를 가한 경우 甲은 포괄하여 하나의 강도상해죄만 성립한다.

② 甲이 절취품을 물색하던 중 피해자가 잠에서 깨어 '도둑이야'라고 고함치자 체포면탈 목적으로 이불을 덮어씌우고 목을 졸라 상해를 입힌 경우 절도의 목적달성 여부에 따라 강도상해죄의 성립 여부가 결정된다.

③ 甲과 乙이 합동하여 강도를 하던 중 乙이 사람을 살해한 경우 살해행위에 대해 甲과 乙이 공모한 바 없더라도 甲에게 강도살인죄가 성립한다.

④ 甲이 피해자의 재물을 강취하려 했으나 피해자가 가진 것이 없어 미수에 그쳤고, 그 자리에서 피해자를 강간하려고 했으나 역시 미수에 그치고 반항을 억압하기 위한 폭행으로 피해자에게 상해를 입힌 경우 강도강간미수죄와 강도치상죄의 실체적 경합범이 성립한다.

지문분석 난이도 ㊤ 정답 ①

| 키 워 드 | 강도죄

| 출제유형 | 옳은 지문 고르기

① (O) 절도범이 체포를 면탈할 목적으로 체포하려는 여러 명의 피해자에게 같은 기회에 폭행을 가하여 그중 1인에게만 상해를 가하였다면 이러한 행위는 포괄하여 하나의 강도상해죄만 성립한다(대법원 2001.8.21. 2001도3447).

② (X) 피고인이 절취품을 물색 중 피해자가 잠에서 깨어나 "도둑이야"고 고함치자 체포를 면탈할 목적으로 그녀에게 이불을 덮어씌우고 입과 목을 졸라 상해를 입혔다면 절도의 목적달성 여부에 관계없이 강도상해죄가 성립한다(대법원 1985.5.28. 85도682).

③ (X) 강도살인죄는 고의범이고 강도치사죄는 이른바 결과적 가중범으로서 살인의 고의까지 요하는 것이 아니므로, 수인이 합동하여 강도를 한 경우 그중 1인이 사람을 살해하는 행위를 하였다면 그 범인은 강도살인죄의 기수 또는 미수의 죄책을 지는 것이고 다른 공범자도 살해행위에 관한 고의의 공동이 있었으면 그 또한 강도살인죄의 기수 또는 미수의 죄책을 지는 것이 당연하다 하겠으나, 고의의 공동이 없었으면 피해자가 사망한 경우에는 강도치사의, 강도살인이 미수에 그치고 피해자가 상해만 입은 경우에는 강도상해 또는 치상의, 피해자가 아무런 상해를 입지 아니한 경우에는 강도의 죄책만 진다고 보아야 할 것이다(대법원 1991.11.12. 91도2156).

④ (X) 강도가 재물강취의 뜻을 재물의 부재로 이루지 못한 채 미수에 그쳤으나 그 자리에서 항거불능의 상태에 빠진 피해자를 간음할 것을 결의하고 실행에 착수했으나 역시 미수에 그쳤더라도 반항을 억압하기 위한 폭행으로 피해자에게 상해를 입힌 경우에는 강도강간미수죄와 강도치상죄가 성립되고 이는 1개의 행위가 2개의 죄명에 해당되어 상상적 경합관계가 성립된다(대법원 1988.6.28. 88도820).

34 0439

2017 경찰 승진

강도의 죄에 관한 설명 중 가장 적절하지 않은 것은? (다툼이 있는 경우 판례에 의함)

① 강도죄와 준강도죄는 그 취지와 본질을 달리한다고 보아야 하며, 준강도죄의 주체는 절도이고 여기에는 기수는 물론 형법상 처벌규정이 있는 미수도 포함되는 것이지만, 준강도죄의 기수·미수의 구별은 구성요건적 행위인 폭행 또는 협박이 종료되었는가 하는 점에 따라 결정된다.
② 강도 실행의 범의를 포기한 직후로서 사회통념상 범죄행위가 완료되지 않았다고 볼 수 있는 단계에서 살인이 행해진 경우는 강도살인죄를 구성한다.
③ 채무자가 채무를 면탈할 의사로 채권자를 살해하였더라도 채무의 존재가 명백할 뿐만 아니라 채권자의 상속인이 존재하고 그 상속인에게 채권의 존재를 확인할 방법이 확보되어 있는 경우 강도살인죄가 성립할 수 없다.
④ 절도범인이 체포를 면탈할 목적으로 체포하려는 여러 사람에게 같은 기회에 폭행을 가하여 그중 1인에게만 상해를 가하였다면 포괄하여 하나의 강도상해죄만 성립한다.

지문분석 난이도 하 정답 ①

| 키 워 드 | 강도죄

| 출제유형 | 틀린 지문 고르기

① (X) 준강도죄의 기수 여부는 절도행위의 기수 여부를 기준으로 하여 판단하여야 한다(대법원 2004.11.18. 2004도5074 전원합의체).
② (O) 강도살인죄는 강도범인이 강도의 기회에 살인행위를 함으로써 성립하는 것이므로, 강도범행의 실행 중이거나 그 실행 직후 또는 실행의 범의를 포기한 직후로서 사회통념상 범죄행위가 완료되지 아니하였다고 볼 수 있는 단계에서 살인이 행하여짐을 요건으로 한다(대법원 2004.6.24. 2004도1098).
③ (O) 대법원 2010.9.30. 2010도7405
④ (O) 대법원 2001.8.21. 2001도3447

35 0440

2016 경찰 승진

강도의 죄에 관한 설명 중 가장 적절하지 않은 것은? (다툼이 있으면 판례에 의함)

① 피고인이 술집 운영자 甲으로부터 술값의 지급을 요구받자 甲을 유인·폭행하고 도주하였다면, 甲에게 지급해야 할 술값의 지급을 면하여 재산상 이익을 취득하였으므로 준강도죄가 성립한다.
② 강도죄에 있어서 폭행과 협박의 정도는 사회통념상 객관적으로 상대방의 반항을 억압하거나 항거불능하게 할 정도의 것이라야 한다.
③ 강도가 체포를 면탈할 목적으로 경찰관에게 폭행을 가한 때에는 강도죄와 공무집행방해죄는 실체적 경합관계에 있다.
④ 甲이 날치기 수법으로 乙이 들고 있던 가방을 탈취하면서 가방을 놓지 않고 버티는 乙을 5m가량 끌고 감으로써 乙의 무릎 등에 상해를 입힌 경우 甲은 강도치상죄의 죄책을 진다.

지문분석 난이도 중 정답 ①

| 키 워 드 | 강도죄

| 출제유형 | 틀린 지문 고르기

① (X) [1] 형법 제335조는 '절도'가 재물의 탈환을 항거하거나 체포를 면탈하거나 죄적을 인멸할 목적으로 폭행 또는 협박을 가한 때에 준강도가 성립한다고 규정하고 있으므로, 준강도죄의 주체는 절도범인이고, 절도죄의 객체는 재물이다.
[2] 피고인이 술집 운영자 甲으로부터 술값의 지급을 요구받자 甲을 유인·폭행하고 도주함으로써 술값의 지급을 면하여 재산상 이익을 취득한 범죄사실에는 그 자체로 절도의 실행에 착수하였다는 내용이 포함되어 있지 않음에도 준강도죄를 적용하여 유죄로 인정한 원심판결에 준강도죄의 주체에 관한 법리오해의 잘못이 있다(대법원 2014.5.16. 2014도2521).
→ 준강도죄의 주체는 절도범인이므로 절도의 실행에 착수하지 않은 자는 준강도죄를 범할 수 없다. 이 사건에서 피고인은 재산상 이익(술값 지급을 면하려고 한 것)을 취득하려고 한 것인바, 절도죄의 객체는 재물이고 재산상 이익은 객체가 될 수 없으므로 피고인에게 절도를 위한 실행의 착수를 인정할 수 없어 준강도죄가 부정된 판결이다(술값 지급 면탈 폭행 사건).
② (O) 대법원 2001.3.23. 2001도359
③ (O) 강도범인이 체포를 면탈할 목적으로 경찰관에게 폭행을 가한 때에는 강도죄와 공무집행방해죄는 실체적 경합관계에 있고 상상적 경합관계에 있는 것이 아니다(대법원 1992.7.28. 92도917).
④ (O) 대법원 2007.12.13. 2007도7601

36 0441

2020 경찰 간부(변형)

다음 사례에 관한 설명으로 가장 옳지 않은 것은? (다툼이 있는 경우 판례에 의함)

> 甲은 상습으로 절도범행이 발각될 염려가 거의 없는 심야의 인적이 드문 주택가 주차장이나 길가에 주차된 자동차를 골라 그 문을 열고 동전 등 물건을 훔치는 범행을 계속해 온 절도범으로서 뜻하지 않게 범행이 발각될 경우 체포를 면탈하는 데 도움이 될 것이라는 생각에 등산용 칼을 소지하고 있었다.

① 甲이 등산용 칼을 소지한 이유가 단지 체포면탈을 위한 것이었다면 甲에게는 준강도의 고의가 인정될 뿐 특수강도의 고의가 있었다고 단정할 수 없다.

② 형법 제335조는 "절도가 재물의 탈환에 항거하거나 체포를 면탈하거나 범죄의 흔적을 인멸할 목적으로 폭행 또는 협박한 때에는 제333조 및 제334조의 예에 따른다."라고 규정하고 있는바, 판례는 준강도와 강도를 항상 같게 취급할 것을 명시하고 있다.

③ 강도예비죄가 성립하기 위해서는 예비행위자에게 미필적이라도 강도의 목적이 있었음이 인정되어야 한다.

④ 甲에게 강도예비죄는 성립하지 않는다.

지문분석 난이도 상 정답 ②

| 키 워 드 | 강도죄

| 출제유형 | 사례 풀기

② (X) 준강도죄에 관한 형법 제335조는 "절도가 재물의 탈환을 항거하거나 체포를 면탈하거나 죄적을 인멸할 목적으로 폭행 또는 협박을 가한 때에는 전2조의 예에 의한다."라고 규정하고 있을 뿐 준강도를 항상 강도와 같이 취급할 것을 명시하고 있는 것은 아니고, 절도범이 준강도를 할 목적을 가진다고 하더라도 이는 절도범으로서는 결코 원하지 않는 극단적인 상황인 절도범행의 발각을 전제로 한 것이라는 점에서 본질적으로 극히 예외적이고 제한적이라는 한계를 가질 수밖에 없으며, 형법은 흉기를 휴대한 절도를 특수절도라는 가중적 구성요건(형법 제331조 제2항)으로 처벌하면서도 그 예비행위에 대한 처벌조항은 마련하지 않고 있는데, 만약 준강도를 할 목적을 가진 경우까지 강도예비로 처벌할 수 있다고 본다면 흉기를 휴대한 특수절도를 준비하는 행위는 거의 모두가 강도예비로 처벌받을 수밖에 없게 되어 형법이 흉기를 휴대한 특수절도의 예비행위에 대한 처벌조항을 두지 않은 것과 배치되는 결과를 초래하게 된다는 점 및 정당한 이유 없이 흉기 기타 위험한 물건을 휴대하는 행위 자체를 처벌하는 조항을 폭력행위 등 처벌에 관한 법률 제7조에 따로 마련하고 있다는 점 등을 고려하면, 강도예비·음모죄가 성립하기 위해서는 예비·음모 행위자에게 미필적으로라도 '강도'를 할 목적이 있음이 인정되어야 하고(③) 그에 이르지 않고 단순히 '준강도'할 목적이 있음에 그치는 경우에는 강도예비·음모죄로 처벌할 수 없다고 봄이 상당하다.

기록에 의하여 인정되는 피고인의 전력 등에 의하면, 피고인이 휴대 중이던 등산용 칼을 그 주장하는 바와 같이 뜻하지 않게 절도범행이 발각되었을 경우 체포를 면탈하는데 도움이 될 수 있을 것이라는 정도의 생각에서 더 나아가, 타인으로부터 물건을 강취하는 데 사용하겠다는 생각으로 준비하였다고 단정하기는 어렵고(①), 이와 같이 피고인에게 준강도할 목적이 인정되는 정도에 그치는 이상 피고인에게 강도할 목적이 있었다고 볼 수 없으므로 강도예비죄의 죄책을 인정할 수는 없다(④) 할 것이다(대법원 2006.9.14. 2004도6432).

①, ③, ④ (O) 대법원 2006.9.14. 2004도6432

37 0442

2019 경찰 간부

강도의 죄에 대한 다음 설명 중 가장 옳지 않은 것은? (다툼이 있는 경우 판례에 의함)

① 날치기 수법으로 피해자가 들고 있던 가방을 탈취하면서 가방을 놓지 않고 버티는 피해자를 5m가량 끌고 감으로써 피해자의 무릎 등에 상해를 입힌 경우, 강도치상죄가 성립한다.
② 채무면탈의 의사로 채권자를 살해한 경우, 채무의 존재가 명백할 뿐만 아니라 채권자의 상속인이 존재하고 상속인에게 그 채권의 존재를 확인할 방법이 확보되어 있다면 강도살인죄가 성립할 수 없다.
③ 피고인이 주점 도우미인 피해자에게 화대를 지급하고 성관계를 하던 중에 피해자가 피고인의 성교행위가 너무 과격하다는 이유로 항의를 하면서 성교를 중단하는 바람에 말다툼이 벌어져 이에 화가 난 피고인이 피해자에 대한 폭행을 시작하면서 피해자가 이불을 뒤집어 쓴 후에도 계속해서 주먹과 발로 피해자를 구타한 후 이불 속에 들어 있는 피해자를 두고 옷을 입고 방을 나가다가 탁자 위의 피해자 손가방 안에서 현금 20만원 등이 든 피해자의 키홀더를 가져갔다면 강도죄가 성립한다.
④ 야간에 절도의 목적으로 피해자의 집에 담을 넘어 들어갔다가 피해자에게 발각되어 도망치는 과정에서 계속 추격해온 피해자를 체포면탈 목적으로 폭행을 가했다면 폭행을 가한 장소가 피해자 집으로부터 200미터가 넘더라도 준강도죄가 성립한다.

지문분석 난이도 하 정답 ③

| 키 워 드 | 강도죄

| 출제유형 | 틀린 지문 고르기

③ (X) 피고인의 이 사건 재물 취거행위가 피해자가 이불 속에 들어가 있어 이를 전혀 인식하지 못한 가운데 이루어진 데다가 피고인의 피해자에 대한 폭행행위도 그와는 전혀 무관한 윤락행위 도중의 시비 끝에 발생하게 된 것이 사실이라면, 비록 위 재물의 취득이 피해자에 대한 폭행 직후에 이루어지긴 했지만 위 폭행이 피해자의 재물 탈취를 위한 피해자의 반항억압의 수단으로 이루어졌다고 단정할 수 없어 양자 사이에 인과관계가 존재한다고 보기 어렵다 할 것이고, 달리 위 폭행이 처음부터 재물 탈취의 범의하에 이루어졌다거나 피고인의 위 폭행 및 재물 취거의 각 행위를 전체적으로 종합하여 단일한 재물 강취의 범행으로 인정할 만한 증거가 존재하지 아니하는 이상, 위 인정 사실만으로는 폭행에 의한 강도죄의 성립을 인정하기에 부족하다고 하지 아니할 수 없다(대법원 2009.1.30. 2008도10308).
① (O) 대법원 2007.12.13. 2007도7601
② (O) 대법원 2004.6.24. 2004도1098
④ (O) 준강도는 절도범인이 절도의 기회에 재물탈환, 항거 등 목적으로 폭행 또는 협박을 가함으로써 성립되는 것이므로, 그 폭행 또는 협박은 절도의 실행에 착수하여 그 실행 중이거나 그 실행 직후 또는 실행의 범의를 포기한 직후로서 사회통념상 범죄행위가 완료되지 아니하였다고 인정될 만한 단계에서 행하여짐을 요하는 것인바, 야간에 절도의 목적으로 피해자의 집에 담을 넘어 들어간 이상 절취한 물건을 물색하기 전이라고 하여도 이미 야간주거침입절도의 실행에 착수한 것이라고 하겠고, 그 후 피해자에게 발각되어 계속 추격당하거나 재물을 면탈하고자 피해자에게 폭행을 가하였다면 그 장소가 범행현장으로부터 200미터 떨어진 곳이라고 하여도 절도의 기회 계속 중에 폭행을 가한 것이라고 보아야 할 것이다(대법원 1984.9.11. 84도1398, 84감도214).

38 0443 2020 경찰 간부

다음 설명 중 가장 옳지 않은 것은? (다툼이 있는 경우 판례에 의함)

① 강도살인죄는 강도범행의 실행 중이거나 그 실행 직후 또는 실행의 범의를 포기한 직후로서 사회통념상 범죄행위가 완료되지 아니하였다고 볼 수 있는 단계에서 살인이 행하여짐을 요건으로 한다.
② 강취현장에서 강도범의 발을 붙잡고 늘어지는 피해자를 30m 정도 끌고 가서 폭행·상해한 행위는 강도상해죄에 해당한다.
③ 강도의 범의로 야간에 칼을 휴대한 채 타인의 주거에 침입하여 집 안의 동정을 살피다가 피해자를 발견하고 갑자기 욕정을 일으켜 칼로 협박하여 강간한 행위는 특수강도강간죄에 해당한다.
④ 강도살인죄의 주체인 강도는 준강도죄의 범인을 포함하므로 절도범이 체포를 면탈하거나 죄적을 인멸할 목적으로 사람을 살해한 때에도 강도살인죄가 성립한다.

지문분석 난이도 하 정답 ③

| 키 워 드 | 강도죄

| 출제유형 | 틀린 지문 고르기

③ (X) [1] 특수강도의 실행의 착수는 강도의 실행행위, 즉 사람의 반항을 억압할 수 있는 정도의 폭행 또는 협박에 나아갈 때에 있다 할 것이다.
[2] 강도의 범의로 야간에 칼을 휴대한 채 타인의 주거에 침입하여 집 안의 동정을 살피다가 피해자를 발견하고 갑자기 욕정을 일으켜 칼로 협박하여 강간한 경우, 야간에 흉기를 휴대한 채 타인의 주거에 침입하여 집 안의 동정을 살피는 것만으로는 특수강도의 실행에 착수한 것이라고 할 수 없으므로 위의 특수강도에 착수하기도 전에 저질러진 위와 같은 강간행위가 구 특정범죄 가중처벌 등에 관한 법률 제5조의6 제1항 소정의 특수강도강간죄에 해당한다고 할 수 없다(대법원 1991.11.22. 91도2296).
→ 이 사건은 야간주거침입강도의 실행의 착수시기에 대하여 폭행·협박시를 취한 판례이다. 그리고 칼로 협박한 것은 강도가 아니라 강간의 고의로 폭행·협박을 개시한 것임을 주의하여야 한다.
① (O) 대법원 2004.6.24. 2004도1098
② (O) 강도가 재물강취의 수단으로서 한 폭행에 의하여 상해를 입힌 경우가 아니라도 강도의 기회에 상해를 입힌 것이라면 강도상해죄가 성립한다 할 것인바, 강취현장에서 피고인의 발을 붙잡고 늘어지는 피해자를 30m쯤 끌고 가서 폭행함으로써 상해한 피고인의 소위는 강도상해죄에 해당한다 할 것이다(대법원 1984.6.26. 84도970).
④ (O) 대법원 1987.9.22. 87도1592

4 사기의 죄

39 0444 2021 경찰 1차

사기의 죄에 대한 설명으로 가장 적절한 것은? (다툼이 있는 경우 판례에 의함)

① 민법 제746조의 불법원인급여에 해당하여 급여자가 수익자에 대한 반환청구권을 행사할 수 없다면, 설령 수익자가 기망을 통하여 급여자로 하여금 불법원인급여에 해당하는 재물을 제공하도록 하였더라도 사기죄는 성립하지 않는다.
② 담당 공무원을 기망하여 납부의무가 있는 농지보전부담금을 면제받아 재산상 이익을 취득하였다면, 부과권자의 직접적인 권력작용을 사기죄의 보호법익인 재산권과 동일하게 평가할 수 있어 사기죄가 성립한다.
③ 의료인으로서 자격과 면허를 보유한 사람이 의료법 제4조 제2항을 위반하여 다른 의료인의 명의로 의료기관을 개설·운영함으로써 요양급여비용을 지급받은 경우, 국민건강보험법상 요양급여비용을 적법하게 지급받을 수 있는 자격 내지 요건이 흠결되지 않더라도 국민건강보험공단을 피해자로 하는 사기죄를 구성한다.
④ 피해자 법인이나 단체의 대표자 또는 실질적으로 의사결정을 하는 최종결재권자 등 기망의 상대방이 기망행위자와 동일인이거나 기망행위자와 공모하는 등 기망행위를 알고 있었던 경우에는 기망의 상대방에게 기망행위로 인한 착오가 있다고 볼 수 없고, 기망의 상대방이 재물을 교부하는 등의 처분을 했더라도 기망행위와 인과관계가 있다고 보기 어렵다.

지문분석 난이도 중 정답 ④

| 키 워 드 | 사기죄

| 출제유형 | 옳은 지문 고르기

④ (O) 대법원 2017.8.29. 2016도18986
① (X) 민법 제746조의 불법원인급여에 해당하여 급여자가 수익자에 대한 반환청구권을 행사할 수 없다고 하더라도, 수익자가 기망을 통하여 급여자로 하여금 불법원인급여에 해당하는 재물을 제공하도록 하였다면 사기죄가 성립한다고 할 것인바, 피고인이 피해자로부터 도박자금으로 사용하기 위하여 금원을 차용하였더라도 사기죄의 성립에는 영향이 없다(대법원 2006.11.23. 2006도6795).
② (X) [1] 기망행위에 의하여 국가적 또는 공공적 법익을 침해하는 경우라도 그와 동시에 형법상 사기죄의 보호법익인 재산권을 침해하는 것과 동일하게 평가할 수 있는 때에는 행정법규에서 사기죄의 특별관계에 해당하는 처벌규정을 별도로 두고 있지 않는 한 사기죄가 성립할 수 있다. 그런데 중앙행정기관의 장, 지방자치단체의 장 등 법률에 따라 금전적 부담의 부과권한을 부여받은 자(이하 '부과권자'라 한다)가 재화 또는 용역의 제공과 관계없이 특정 공익사업과 관련하여 권력작용으로 부담금을 부과하는 것은 일반 국민의 재산권을 제한하는 침해행정에 속한다. 이러한 침해행정 영역에서 일반 국민이 담당 공무원을 기망하여 권력작용에 의한 재산권 제한을 면하는 경우에는 부과권자의 직접적인 권력작용을 사기죄의 보호법익인 재산권과 동일하게 평가할 수 없는 것이므로,

행정법규에서 그러한 행위에 대한 처벌규정을 두어 처벌함은 별론으로 하고, 사기죄는 성립할 수 없다.

[2] 피고인이 담당 공무원을 기망하여 납부의무가 있는 농지보전부담금을 면제받아 재산상 이익을 취득하였다는 이 사건 공소사실에 대하여는 사기죄로 되지 아니하는 경우에 해당한다(대법원 2019.12.24. 2019도2003).

③ (X) 의료인으로서 자격과 면허를 보유한 사람이 의료법에 따라 의료기관을 개설하여 건강보험의 가입자 또는 피부양자에게 국민건강보험법에서 정한 요양급여를 실시하고 국민건강보험공단으로부터 요양급여비용을 지급받았다면, 설령 그 의료기관이 다른 의료인의 명의로 개설·운영되어 의료법 제4조 제2항을 위반하였더라도 그 자체만으로는 국민건강보험법상 요양급여비용을 청구할 수 있는 요양기관에서 제외되지 아니하므로, 달리 요양급여비용을 적법하게 지급받을 수 있는 자격 내지 요건이 흠결되지 않는 한 국민건강보험공단을 피해자로 하는 사기죄를 구성한다고 할 수 없다(대법원 2019.5.30. 2019도1839).

40 0445

2020 경찰 2차

사기죄에 대한 설명으로 가장 적절하지 않은 것은? (다툼이 있는 경우 판례에 의함)

① 피해자가 법인이나 단체의 대표자 또는 실질적으로 의사결정을 하는 최종결재권자 등 기망의 상대방이 기망행위자와 동일인이거나 기망행위자와 공모하는 등 기망행위를 알고 있었다면 사기죄가 성립되지 않는다.

② 금융기관 직원이 범죄의 목적으로 전산단말기를 이용하여 다른 공범들이 지정한 특정계좌에 무자원 송금의 방식으로 거액을 입금한 행위는 컴퓨터등사용사기죄에 해당한다.

③ 기망행위를 수단으로 한 권리행사의 경우 권리행사에 속하는 행위와 수단에 속하는 기망행위를 전체적으로 관찰하여 그 기망행위가 사회통념상 권리행사의 수단으로서 용인할 수 없는 정도라면 권리행사에 속하는 행위는 사기죄를 구성한다.

④ 피고인이 수개의 선거비용 항목을 허위기재한 하나의 선거비용 보전청구서를 제출하여 정부로부터 선거비용을 과다 보전받아 이를 편취하였다면 이는 수죄로 평가되어야 하고, 각 선거비용 항목에 따라 별개의 사기죄가 성립한다.

지문분석 난이도 중 정답 ④

| 키 워 드 | 사기죄

| 출제유형 | 틀린 지문 고르기

④ (X) 피고인이 수개의 선거비용 항목을 허위기재한 하나의 선거비용 보전청구서를 제출하여 대한민국으로부터 선거비용을 과다 보전받아 이를 편취하였다면 이는 일죄로 평가되어야 하고, 각 선거비용 항목에 따라 별개의 사기죄가 성립하는 것은 아니다(대법원 2017.5.30. 2016도21713).

① (O) 대법원 2017.8.29. 2016도18986

② (O) 대법원 2006.1.26. 2005도8507

③ (O) 대법원 1997.10.14. 96도1405

41 0446

2019 경찰 2차

사기죄에 관한 설명으로 가장 적절한 것은? (다툼이 있는 경우 판례에 의함)

① 상대방을 기망하여 재물을 교부받으면서 시가 상당의 대금을 지급하였다면, 피해자의 전체 재산상 손해가 발생한 바 없으므로 사기죄가 성립하지 않는다.
② 원인된 법률관계 없이 자신의 예금계좌로 잘못 이체된 돈을 인출한 경우, 은행에 대한 사기죄가 성립한다.
③ 아파트 입주권의 매매계약을 체결하면서 매수인이 입주권 가격에 대해 아무런 문의도 하지 않았다 하더라도 매도인인 부동산중개업자가 그 입주권을 2억 5,000만원에 확보하여 2억 9,500만원에 전매한다는 사실을 매수인에게 고지하지 않았다면, 이는 고지의무의 불이행으로서 부작위에 의한 사기죄가 성립한다.
④ 피고인이 부동산을 매수한 일이 없음에도 매수한 것처럼 허위의 사실을 주장하여 해당 부동산에 대한 소유권이전등기를 거친 사람을 상대로 그 이전등기의 말소를 구하는 소송을 제기하여 승소하였더라도, 법원을 기망하여 재물 또는 재산상 이익을 취득한 바가 없기 때문에 사기죄가 성립하지 않는다.

지문분석 난이도 중 정답 ④

| 키 워 드 | 사기죄

| 출제유형 | 옳은 지문 고르기

④ (○) 피고인이 甲이 부동산을 매수한 일이 없음에도 매수한 것처럼 허위의 사실을 주장하여 위 부동산에 대한 소유권이전등기를 거친 사람을 상대로 그 이전등기의 원인무효를 내세워 그 이전등기의 말소를 구하는 소송을 甲 명의로 제기하고 그 소송의 결과 원고로 된 甲이 승소한다고 가정하더라도 그 피고의 등기가 말소될 뿐이고 이것만으로 피고인이 위 부동산에 관한 어떠한 권리를 취득하거나 의무를 면하는 것은 아니므로 법원을 기망하여 재물이나 재산상 이익을 편취한 것이라고 보기 어렵고, 따라서 위 소제기 행위를 가리켜 사기의 실행에 착수한 것이라고 할 수 없다(대법원 2009.4.9. 2009도128).

① (X) 재물편취를 내용으로 하는 사기죄에서는 기망으로 인한 재물교부가 있으면 그 자체로써 피해자의 재산침해가 되어 이로써 곧 사기죄가 성립하는 것이고, 상당한 대가가 지급되었다거나 피해자의 전체 재산상에 손해가 없다 하여도 사기죄의 성립에는 그 영향이 없으므로 사기죄에 있어서 그 대가가 일부 지급된 경우에도 그 편취액은 피해자로부터 교부된 재물의 가치로부터 그 대가를 공제한 차액이 아니라 교부받은 재물 전부이다(대법원 2007.1.25. 2006도7470).

② (X) 송금의뢰인과 수취인 사이에 계좌이체 등의 원인이 되는 법률관계가 존재하지 않음에도 계좌이체에 의하여 수취인이 이체금액 상당의 예금채권을 취득한 경우, 수취인이 은행에 예금반환을 청구하여 지급받는 행위가 은행을 피해자로 한 사기죄에 해당하지 않는다(대법원 2010.5.27. 2010도3498).

→ 예금주인 피고인이 제3자에게 편취당한 송금의뢰인으로부터 자신의 은행계좌에 계좌송금된 돈을 출금한 경우 피고인은 예금주로서 은행에 대하여 예금반환을 청구할 수 있는 권한을 가진 자이므로, 위 은행을 피해자로 한 사기죄가 성립하지 않는다.

③ (X) 부동산중개업자인 피고인이 아파트 입주권을 매도하면서 그 입주권을 2억 5,000만원에 확보하여 2억 9,500만원에 전매한다는 사실을 매수인에게 고지하지 않은 경우, 피고인이 매수인을 기망하여 차액 4,500만원을 편취하였다고 보기 어려워 사기죄가 성립하지 않는다(대법원 2011.1.27. 2010도5124).

→ 매도인은 매수인의 권리 실현에 장애가 되지 아니하는 사유까지 매수인에게 고지할 의무가 있다고는 볼 수 없으므로, 아파트 입주권을 2억 5,000만원에 확보하여 이를 피해자(매수인)에게 전매한다는 사실은 고지할 의무가 없다.

42 0447

2014 경찰 1차

다음은 사기죄에 대한 설명이다. 옳지 않은 것은 모두 몇 개인가? (다툼이 있으면 판례에 의함)

> ㉠ 송금의뢰인과 수취인 사이에 계좌이체 등의 원인이 되는 법률관계가 존재하지 않음에도 계좌이체에 의하여 수취인이 이체금액 상당의 예금채권을 취득한 경우, 수취인이 은행에 예금반환을 청구하여 지급받는 행위는 은행을 피해자로 한 사기죄에 해당한다.
> ㉡ 배당이의 소송의 제1심에서 패소판결을 받고 항소한 자가 그 항소를 취하하는 것만으로는 사기죄에서 말하는 재산적 처분행위가 있다고 할 수 없다.
> ㉢ 친족상도례에 관한 형법 규정은 사기죄를 가중처벌하는 특정경제범죄 가중처벌 등에 관한 법률 제3조 제1항 위반죄에도 적용된다.
> ㉣ 출판사 경영자가 출고현황표를 조작하는 방법으로 실제출판부수를 속여 작가에게 인세의 일부만을 지급한 경우 사기죄에 해당한다.
> ㉤ 자동차의 명의수탁자가 명의신탁 사실을 고지하지 않고, 나아가 자신 소유라는 말을 하면서 자동차를 제3자에게 매도하고 이전등록까지 마쳐 주었다고 하더라도, 매수인에 대한 관계에서 사기죄가 성립하지 않는다.

① 1개　② 2개　③ 3개　④ 4개

지문분석 난이도 ㊤ 정답 ②

| 키 워 드 | 사기죄
| 출제유형 | 개수 찾기

㉠ (X) [1] 송금의뢰인이 수취인의 예금계좌에 계좌이체 등을 한 이후, 수취인이 은행에 대하여 예금반환을 청구함에 따라 은행이 수취인에게 그 예금을 지급하는 행위는 계좌이체금액 상당의 예금계약의 성립 및 그 예금채권 취득에 따른 것으로서 은행이 착오에 빠져 처분행위를 한 것이라고 볼 수 없으므로, 결국 이러한 행위는 은행을 피해자로 한 형법 제347조의 사기죄에 해당하지 않는다고 봄이 상당하다.
[2] 예금주인 피고인이 제3자에게 편취당한 송금의뢰인으로부터 자신의 은행계좌에 계좌송금된 돈을 출금한 사안에서, 피고인은 예금주로서 은행에 대하여 예금반환을 청구할 수 있는 권한을 가진 자이므로, 위 은행을 피해자로 한 사기죄가 성립하지 않는다는 원심의 판단은 정당하다(대법원 2010.5.27. 2010도3498).
㉡ (X) 배당이의 소송의 제1심에서 패소판결을 받고 항소한 자가 그 항소를 취하하면 그 즉시 제1심판결이 확정되고 상대방이 배당금을 수령할 수 있는 이익을 얻게 되는 것이므로 위 항소를 취하하는 것 역시 사기죄에서 말하는 재산적 처분행위에 해당한다(대법원 2002.11.22. 2000도4419).
㉢ (O) 대법원 2010.2.11. 2009도12627
㉣ (O) 부작위에 의한 처분행위 인정(대법원 2007.7.12. 2005도9221)
㉤ (O) 부동산 명의신탁이든 자동차 명의신탁이든 대외적으로 수탁자에게 그 부동산의 처분권한이 있으므로 제3자에게 신의칙상 고지의무가 없어서 그 제3자에 대한 사기죄가 성립되지 않는다(대법원 2007.1.11. 2006도4498).

43 0448

2017 경찰 1차

사기의 죄에 대한 설명 중 가장 적절하지 않은 것은? (다툼이 있는 경우 판례에 의함)

① 사기죄에서 처분행위자와 피기망자는 동일인이어야 하나, 피기망자와 재산상 피해자는 동일인이 아니어도 무방하다.
② 컴퓨터 등 사용사기죄에서의 '정보처리'는 입력된 허위의 정보 등에 의하여 계산이나 데이터의 처리가 이루어짐으로써 직접적으로 재산처분의 결과를 초래하여야 하고, 행위자나 제3자의 '재산상 이익 취득'은 사람의 처분행위가 개재됨이 없이 컴퓨터 등에 의한 정보처리 과정에서 이루어져야 한다.
③ 재물을 편취한 후 현실적인 자금의 수수 없이 형식적으로 기왕에 편취한 금원을 새로이 장부상으로만 재투자하는 것으로 처리한 경우 그 재투자금액은 편취액의 합산에서 제외하여야 한다.
④ 상습사기 미수범을 처벌하는 규정은 없다.

지문분석 난이도 ㊥ 정답 ④

| 키 워 드 | 사기죄
| 출제유형 | 틀린 지문 고르기

④ (X) 상습사기 미수범을 처벌하는 규정은 있다(형법 제352조 참조).
① (O) 사기죄에서 처분행위자와 피기망자는 동일인이어야 하나, 피기망자와 재산상 피해자는 동일인이 아니어도 무방하다.
→ 삼각사기 인정. 사기죄가 성립되려면 피기망자가 착오에 빠져 어떤 재산상의 처분행위를 하도록 유발하여 재산적 이득을 얻을 것을 요하고 피기망자와 재산상의 피해자가 같은 사람이 아닌 경우에는 피기망자가 피해자를 위하여 그 재산을 처분할 수 있는 권능이나 지위에 있어야 하며 기망, 착오, 처분, 이득 사이에 인과관계가 있어야 한다(대법원 1989.7.11. 89도346).
② (O) 대법원 2014.3.13. 2013도16099
③ (O) 대법원 2007.1.25. 2006도7470

44 0449

2014 경찰 2차

다음 사례에 관한 설명으로 가장 적절한 것은? (다툼이 있으면 판례에 의함)

> 甲은 A주식회사가 운영하는 인터넷사이트의 가상계좌에서 은행환불명령을 입력하여 가상계좌의 잔액이 1,000원 이하로 되었을 때 전자복권 구매명령을 입력하면 가상계좌로 복권 구매요청금과 동일한 액수의 가상현금이 입금되는 프로그램 오류가 발생하는 사실을 알게 되었다. 甲은 이를 이용하여 그 잔액을 1,000원 이하로 만들고 다시 전자복권 구매명령을 입력하는 행위를 반복함으로써 자신의 가상계좌로 2천만원이 입금되게 하였다.

① 甲은 허위의 정보를 입력하는 방법으로 기망행위를 하고 이를 통하여 A주식회사의 계좌로부터 자신의 계좌로 돈을 입금되도록 하였는바, 사기죄로 처벌된다.
② 甲은 관리자인 A주식회사의 의사에 반하여 부당하게 2천만원에 대한 법률적 지배권한을 획득하였는바, 그에 대하여 절도죄의 책임을 부담한다.
③ 甲은 사실상의 신임관계에 기초하여 A주식회사의 재물을 관리하는 지위에 서게 되는바, 甲이 1천만원을 임의로 인출, 소비하였다면 이는 횡령죄의 구성요건을 충족시킨다.
④ 甲은 프로그램 자체에서 발생하는 오류를 적극적으로 이용하여 부정한 명령을 입력한 것이므로 컴퓨터등사용사기죄로 처벌된다.

지문분석 난이도 하 정답 ④

| 키 워 드 | 사기죄
| 출제유형 | 사례 풀기

④ (O) **전자복권구매시스템 복권 구매명령 입력 사건(컴퓨터 등 사용사기죄에서 정한 '부정한 명령의 입력' 인정)**

[1] 형법 제347조의2는 컴퓨터 등 정보처리장치에 허위의 정보 또는 부정한 명령을 입력하거나 권한 없이 정보를 입력·변경하여 정보처리를 하게 함으로써 재산상의 이익을 취득하거나 제3자로 하여금 취득하게 하는 행위를 처벌하고 있다.

[2] 여기서 '부정한 명령의 입력'은 당해 사무처리시스템에 예정되어 있는 사무처리의 목적에 비추어 지시해서는 안 될 명령을 입력하는 것을 의미한다. 따라서 설령 '허위의 정보'를 입력한 경우가 아니라고 하더라도, 당해 사무처리시스템의 프로그램을 구성하는 개개의 명령을 부정하게 변개·삭제하는 행위는 물론 프로그램 자체에서 발생하는 오류를 적극적으로 이용하여 그 사무처리의 목적에 비추어 정당하지 아니한 사무처리를 하게 하는 행위도 특별한 사정이 없는 한 위 '부정한 명령의 입력'에 해당한다고 보아야 한다.

[3] 피고인이 甲주식회사에서 운영하는 전자복권구매시스템에서 은행환불명령을 입력하여 가상계좌 잔액이 1,000원 이하로 되었을 때 복권 구매명령을 입력하면 가상계좌로 복권 구매요청금과 동일한 액수의 가상현금이 입금되는 프로그램 오류를 이용하여 잔액을 1,000원 이하로 만들고 다시 복권 구매명령을 입력하는 행위를 반복함으로써 피고인의 가상계좌로 구매요청금 상당의 금액이 입금되게 한 사안에서, 피고인의 행위는 형법 제347조의2에서 정한 '허위의 정보 입력'에 해당하지는 않더라도, 프로그램 자체에서 발생하는 오류를 적극적으로 이용하여 사무처리의 목적에 비추어 정당하지 아니한 사무처리를 하게 한 행위로서 '부정한 명령의 입력'에 해당한다(대법원 2013.11.14. 2011도4440).

45 0450

2015 경찰 1차

사기죄에 관한 다음 설명 중 가장 적절하지 <u>않은</u> 것은? (다툼이 있으면 판례에 의함)

① 수입소고기를 사용하는 식당영업주가 한우만을 취급한다는 취지의 상호를 사용하고 식단표 등에도 한우만을 사용한다고 기재한 경우는 사기죄의 기망행위에 해당한다.

② 허위의 증거를 이용하지 않더라도 허위의 내용으로 지급명령을 신청하여 지급명령이 확정된 경우에는 사기죄가 성립한다.

③ 피고인들이 타인과 공모하여 그 공모자를 상대로 제소한 경우나 피고인들이 법원을 기망하여 얻으려고 한 판결의 내용이 소송 상대방의 의사에 부합하는 것일 때에는 착오에 의한 재물의 교부행위가 있다고 할 수 없어 소송사기죄가 성립되지 아니한다.

④ 타인의 폭행으로 상해를 입고 병원에서 치료를 받으면서 상해를 입은 경위에 관하여 거짓말을 하여 국민건강보험관리공단으로부터 보험급여 처리를 받은 경우 위 상해가 '전적으로 또는 주로 피고인의 범죄행위에 기인하여 입은 상해'라고 할 수 없다고 하더라도 사기죄는 성립한다.

지문분석 난이도 하 정답 ④

| 키 워 드 | 사기죄

| 출제유형 | 틀린 지문 고르기

④ (X) 타인의 폭행으로 상해를 입고 병원에서 치료를 받으면서, 상해를 입은 경위에 관하여 거짓말을 하여 국민건강보험공단으로부터 보험급여 처리를 받은 경우, 위 상해가 '전적으로 또는 주로 피고인의 범죄행위에 기인하여 입은 상해'라고 할 수 없다면 사기죄가 성립하지 않는다(대법원 2010.6.10. 2010도1777).

→ 국민건강보험법에 의하면 부상 등이 '고의 또는 중대한 과실로 인한 범죄행위에 기인한 경우'에는 보험금의 청구를 할 수 없으므로 이를 속이고 청구한 경우 사기죄가 문제되는바 판례는 '고의 또는 중대한 과실로 인한 범죄행위에 기인한 경우'란 ㉠ '고의 또는 중대한 과실로 인한 자기의 범죄행위에 전적으로 기인하여 보험사고가 발생하였거나, ㉡ 고의 또는 중대한 과실로 인한 자신의 범죄행위가 주된 원인이 되어 보험사고가 발생한 경우'를 말하는 것으로 해석하였다. 피고인이 '타인의 폭행으로 입은 상해'는 '전적으로 또는 주로 피고인의 범죄행위에 기인하여 입은 상해'라고 할 수 없다고 보아 사기죄가 부정된 판결이다(상해 경위 거짓말 사건).

① (O) 대법원 1997.9.9. 97도1561

→ 과장·허위광고의 한계를 넘어 사기죄의 기망행위에 해당한다.

② (O) 대법원 2004.6.24. 2002도4151

→ 허위의 지급명령 신청시 실행의 착수 인정, 허위의 지급명령 신청이 확정된 경우 기수

③ (O) 대법원 1996.8.23. 96도1265

→ 사자·실재하지 않는 자·권한 없는 자·공모자에 대한 소송: 사기죄 부정

46 0451

2015 경찰 2차

사기죄에 관한 다음 설명 중 가장 적절하지 <u>않은</u> 것은? (다툼이 있으면 판례에 의함)

① 타인의 폭행으로 상해를 입고 병원에서 치료를 받으면서 상해를 입은 경위에 관하여 거짓말을 하여 국민건강보험공단으로부터 보험급여 처리를 받은 경우 위 상해가 '전적으로 또는 주로 피고인의 범죄행위에 기인하여 입은 상해'라고 할 수 없다면 사기죄가 성립하지 않는다.

② 식육식당을 경영하는 자가 음식점에서 한우만을 취급한다는 취지의 상호를 사용하여 광고선전판, 식단표 등에도 한우만을 사용한다고 기재하면서 이를 보고 찾아온 손님들에게 수입소갈비를 판매한 경우 사기죄가 성립한다.

③ 송금의뢰인과 수취인 사이에 계좌이체 등의 원인이 되는 법률관계가 존재하지 않음에도 계좌이체에 의하여 수취인이 이체금액 상당의 예금채권을 취득한 경우, 수취인이 은행에 예금반환을 청구하여 지급받는 행위는 은행을 피해자로 한 사기죄에 해당한다.

④ 중고 자동차 매매에 있어서 매도인의 할부금융회사 또는 보증보험에 대한 할부금 채무는 매수인에게 당연히 승계되는 것이 아니므로 그 할부금 채무의 존재를 매수인에게 고지하지 아니한 것은 부작위에 의한 기망에 해당하지 아니한다.

지문분석 난이도 중 정답 ③

| 키 워 드 | 사기죄

| 출제유형 | 틀린 지문 고르기

③ (X) [1] 송금의뢰인이 수취인의 예금계좌에 계좌이체 등을 한 이후, 수취인이 은행에 대하여 예금반환을 청구함에 따라 은행이 수취인에게 그 예금을 지급하는 행위는 계좌이체금액 상당의 예금계약의 성립 및 그 예금채권 취득에 따른 것으로서 은행이 착오에 빠져 처분행위를 한 것이라고 볼 수 없으므로, 결국 이러한 행위는 은행을 피해자로 한 형법 제347조의 사기죄에 해당하지 않는다고 봄이 상당하다.

[2] 예금주인 피고인이 제3자에게 편취당한 송금의뢰인으로부터 자신의 은행계좌에 계좌송금된 돈을 출금한 사안에서, 피고인은 예금주로서 은행에 대하여 예금반환을 청구할 수 있는 권한을 가진 자이므로, 위 은행을 피해자로 한 사기죄가 성립하지 않는다(대법원 2010.5.27. 2010도3498).

① (O) 타인의 폭행으로 상해를 입고 병원에서 치료를 받으면서, 상해를 입은 경위에 관하여 거짓말을 하여 국민건강보험공단으로부터 보험급여 처리를 받은 경우, 위 상해가 '전적으로 또는 주로 피고인의 범죄행위에 기인하여 입은 상해'라고 할 수 없다면 사기죄가 성립하지 않는다(대법원 2010.6.10. 2010도1777).

② (O) 대법원 1997.9.9. 97도1561

→ 과장·허위광고의 한계를 넘어 사기죄의 기망행위에 해당한다.

④ (O) 대법원 1998.4.14. 98도231

47 0452

2015 경찰 3차

사기죄에 관한 설명이다. 다음 중 가장 적절하지 않은 것은? (다툼이 있으면 판례에 의함)

① 부동산 가압류 결정을 받아 부동산에 관한 가압류집행까지 마친 자가 그 가압류를 해제하면 소유자는 가압류의 부담이 없는 부동산을 소유하는 이익을 얻게 되므로, 가압류를 해제하는 것 역시 사기죄에서 말하는 재산적 처분행위에 해당한다.

② 진실한 용도를 속이고 피해자로부터 부동산매도용 인감증명 및 등기의무자본인확인서면을 교부받아 이를 이용하여 피해자 소유의 부동산에 관하여 자기 명의로 소유권이전등기를 마친 경우 위 부동산에 관한 사기죄가 성립하지 않는다.

③ 허위 채권에 기한 공정증서를 집행권원으로 하여 채무자의 소유권이전등기청구권에 대하여 압류 신청을 한 경우, 소송사기죄의 실행에 착수하였다고 할 수 없다.

④ 유치권에 의한 경매를 신청한 유치권자는 일반채권자와 마찬가지로 피담보채권액에 기초하여 배당을 받게 되므로 피담보채권인 공사대금 채권을 실제와 달리 허위로 크게 부풀려 유치권에 의한 경매를 신청할 경우 소송사기죄의 실행의 착수에 해당한다.

지문분석

난이도 중 정답 ③

| 키 워 드 | 사기죄

| 출제유형 | 틀린 지문 고르기

③ (X) [1] 강제집행절차를 통한 소송사기는 집행절차의 개시신청을 한 때 또는 진행 중인 집행절차에 배당신청을 한 때에 실행에 착수하였다고 볼 것이다.

[2] 부동산에 관한 소유권이전등기청구권에 대한 강제집행절차에서, 소송사기의 실행의 착수시기는 허위 채권에 기한 공정증서를 집행권원으로 하여 채무자의 소유권이전등기청구권에 대하여 압류신청을 한 때이다(대법원 2015.2.12. 2014도10086).

① (O) 부동산가압류결정을 받아 부동산에 관한 가압류집행까지 마친 자가 그 가압류를 해제하면 소유자는 가압류의 부담이 없는 부동산을 소유하는 이익을 얻게 되므로, 가압류를 해제하는 것 역시 사기죄에서 말하는 재산적 처분행위에 해당하고, 그 이후 가압류의 피보전채권이 존재하지 않는 것으로 밝혀졌다고 하더라도 가압류의 해제로 인한 재산상의 이익이 없었다고 할 수 없다(대법원 2007.9.20. 2007도5507).

② (O) 사기죄는 타인을 기망하여 착오에 빠뜨리고 그로 인한 처분행위로 재물의 교부를 받거나 재산상의 이익을 취득한 때에 성립하는 것이므로, 피고인이 피해자에게 부동산매도용 인감증명 및 등기의무자본인확인서면의 진실한 용도를 속이고 그 서류들을 교부받아 피고인 등 명의로 위 부동산에 관한 소유권이전등기를 경료하였다 하여도 피해자의 위 부동산에 관한 처분행위가 있었다고 할 수 없을 것이고 따라서 사기죄를 구성하지 않는다(대법원 2001.7.13. 2001도1289).

④ (O) [1] 피담보채권인 공사대금 채권을 실제와 달리 허위로 부풀려 유치권에 의한 경매를 신청한 경우, 소송사기죄의 실행의 착수에 해당한다.

[2] 유치권에 의한 경매를 신청한 유치권자는 일반채권자와 마찬가지로 피담보채권액에 기초하여 배당을 받게 되는 결과 피담보채권인 공사대금 채권을 실제와 달리 허위로 크게 부풀려 유치권에 의한 경매를 신청할 경우 정당한 채권액에 의하여 경매를 신청한 경우보다 더 많은 배당금을 받을 수도 있으므로, 이는 법원을 기망하여 배당이라는 법원의 처분행위에 의하여 재산상 이익을 취득하려는 행위로서, 불능범에 해당한다고 볼 수 없고, 소송사기죄의 실행의 착수에 해당한다(대법원 2012.11.15. 2012도9603).

48 0453

2016 경찰 1차

사기죄에 관한 다음 설명 중 가장 적절하지 않은 것은? (다툼이 있으면 판례에 의함)

① 중고 자동차 매매에 있어서 매도인의 할부금융회사 또는 보증보험에 대한 할부금 채무가 매수인에게 당연히 승계되는 것은 아니므로 그 할부금 채무의 존재를 매수인에게 고지하지 아니한 것은 부작위에 의한 기망에 해당하지 아니한다.

② 예금주인 피고인이 제3자에게 편취당한 송금의뢰인으로부터 자신의 은행계좌에 계좌송금된 돈을 출금한 사안에서, 피고인은 예금주로서 은행에 대하여 예금반환을 청구할 수 있는 권한을 가진 자이므로, 위 은행을 피해자로 한 사기죄가 성립하지 않는다.

③ 사기죄에 있어서 재물의 교부가 있었다고 하기 위하여는 반드시 재물의 현실의 인도가 필요한 것이므로, 재물이 범인의 사실상의 지배 아래에 들어가 그의 자유로운 처분이 가능한 상태에 놓인 경우라도 재물의 현실의 인도가 없다면 재물의 교부가 있었다고 할 수 없다.

④ 금융기관 직원이 전산단말기를 이용하여 다른 공범들이 지정한 특정계좌에 돈이 입금된 것처럼 허위의 정보를 입력하는 방법으로 위 계좌로 입금되도록 한 경우, 그 후 입금이 취소되어 현실적으로 인출되지 못하였다고 하더라도 이미 성립한 컴퓨터등사용사기죄에 어떤 영향이 있다고 할 수는 없다.

지문분석

난이도 하 정답 ③

| 키 워 드 | 사기죄

| 출제유형 | 틀린 지문 고르기

③ (X) [1] 사기죄에 있어서 '재물의 교부'란 범인의 기망에 따라 피해자가 착오로 재물에 대한 사실상의 지배를 범인에게 이전하는 것을 의미하는데, 재물의 교부가 있었다고 하기 위하여 반드시 재물의 현실의 인도가 필요한 것은 아니고 재물이 범인의 사실상의 지배 아래에 들어가 그의 자유로운 처분이 가능한 상태에 놓인 경우에도 재물의 교부가 있었다고 보아야 한다.

[2] 피고인이 대금을 지급할 의사나 능력이 없음에도 피해자에게 백두산 미륵불상 건립사업을 홍보하는 내용이 담긴 도자기를 주문하여 피고인의 주문에 따라 제작된 도자기(5,000개) 중 ㉠ 실제로 배달된 것(1,600개)뿐만 아니라, ㉡ 피고인이 지정하는 장소로의 배달을 위하여 피해자가 보관 중인 도자기(3,400개)도 피고인에게 모두 교부되었다고 판단한 것은 정당하다(대법원 2003.5.16. 2001도1825).

→ 보관 중인 도자기도 피고인의 사실상의 지배 아래에 들어가 피고인 등의 자유로운 처분이 가능한 상태에 놓였다 보아 5,000개 전부에 대한 사기죄의 기수를 인정한 판결이다.

① (O) 대법원 1998.4.14. 98도231

② (O) 대법원 2010.5.27. 2010도3498

④ (O) 위 계좌로 입금되도록 한 경우, 이러한 입금절차를 완료함으로써 장차 그 계좌에서 이를 인출하여 갈 수 있는 재산상 이익을 취득하였으므로 형법 제347조의2에서 정하는 컴퓨터 등 사용사기죄는 기수에 이르렀고, 그 후 그러한 입금이 취소되어 현실적으로 인출되지 못하였다고 하더라도 이미 성립한 컴퓨터 등 사용사기죄에 어떤 영향이 있다고 할 수는 없다(대법원 2006.9.14. 2006도4127).

49 0454

2016 경찰 2차

사기죄에 대한 다음 설명 중 가장 적절하지 않은 것은? (다툼이 있으면 판례에 의함)

① 피고인 등이 피해자 甲 등에게 자동차를 매도하겠다고 거짓말하고 자동차를 양도하면서 매매대금을 편취한 다음, 자동차에 미리 부착해 놓은 지피에스(GPS)로 위치를 추적하여 자동차를 절취하였다고 하여 사기죄 및 특수절도죄로 기소된 경우, 피고인에게는 사기죄 및 특수절도죄가 성립한다.

② 소비대차 거래에서 차주가 돈을 빌릴 당시에는 변제할 의사와 능력을 가지고 있었다면 비록 그 후에 변제하지 않고 있더라도 이는 민사상 채무불이행에 불과하며 형사상 사기죄가 성립하지는 아니한다.

③ 부동산등기부상 소유자로 등기된 적이 있는 자가 자기 이후에 소유권이전등기를 경료한 등기명의인들을 상대로 허위의 사실을 주장하면서 그들 명의의 소유권이전등기의 말소를 구하는 소송을 제기한 경우 말소등기청구 소송의 제기는 사기의 실행에 착수한 것이라고 보아야 한다.

④ 보험모집인이 자동차 보험가입자의 형사책임을 면하게 하기 위하여 위 보험가입자의 미납보험료가 정상적으로 납부된 것처럼 전산조작하는 방법으로 보험회사를 기망하여 보험가입사실증명원을 발급받은 경우 사기죄가 성립하지 않는다.

지문분석

난이도 상 정답 ①

| 키 워 드 | 사기죄

| 출제유형 | 틀린 지문 고르기

① (X) 피고인 등이 피해자 甲 등에게 자동차를 매도하겠다고 거짓말하고 자동차를 양도하면서 매매대금을 편취한 다음, 자동차에 미리 부착해 놓은 지피에스(GPS)로 위치를 추적하여 자동차를 절취하였다고 하여 사기 및 특수절도로 기소된 사안에서, 피고인이 甲 등에게 자동차를 인도하고 소유권이전등록에 필요한 일체의 서류를 교부함으로써 甲 등이 언제든지 자동차의 소유권이전등록을 마칠 수 있게 된 이상, 피고인이 자동차를 양도한 후 다시 절취할 의사를 가지고 있었더라도 자동차의 소유권을 이전하여 줄 의사가 없었다고 볼 수 없고, 피고인이 자동차를 매도할 당시 곧바로 다시 절취할 의사를 가지고 있으면서도 이를 숨긴 것을 기망이라고 할 수 없어, 결국 피고인이 자동차를 매도할 당시 기망행위가 없었으므로, 피고인에게 사기죄를 인정한 원심판결에 법리오해의 잘못이 있다(대법원 2016.3.24. 2015도17452).

→ 특수절도죄만 인정, 사기죄 부정

② (O) 대법원 2016.4.2. 2012도14516

→ 사기죄가 성립하는지는 행위 당시를 기준으로 판단하여야 한다.

③ (O) 대법원 2003.7.22. 2003도1951

→ 그 소송에서 승소한다면 등기명의인들의 등기가 말소됨으로써 그 소송을 제기한 자의 등기명의가 회복되는 것이므로 이는 법원을 기망하여 재물이나 재산상 이익을 편취한 것이라고 할 것이다.

④ (O) 대법원 1997.3.28. 96도2625

→ '보험가입사실증명원'은 사기죄의 객체가 되지 아니한다. 즉, 보험가입사실증명원은 교통사고를 일으킨 차가 교통사고처리 특례법 제4조에서 정한 취지의 보험에 가입하였음을 보험회사가 증명하는 내용의 문서일 뿐이고 재물이나 재산상의 이익의 처분에 관한 사항을 포함하고 있는 것은 아니기 때문이다.

50 0455

2017 경찰 2차

사기죄에 대한 설명으로 가장 적절한 것은? (다툼이 있는 경우 판례에 의함)

① 사기도박에서 사기적인 방법으로 도금을 편취하려고 하는 자가 상대방에게 도박에 참가할 것을 권유하는 등 기망행위를 개시한 때에 실행의 착수가 있는 것으로 보아야 하지만, 그 후에 사기도박을 숨기기 위하여 정상적인 도박을 하였다면 이는 사기죄의 실행행위에 포함되지 아니한다.

② 사기죄는 타인을 기망하여 착오에 빠뜨리고 그 처분행위를 유발하여 재물을 교부받거나 재산상 이익을 얻음으로써 성립하는 것이고, 기망, 착오, 재산적 처분행위 사이에 인과관계를 필요로 하는 것은 아니다.

③ 송금의뢰인이 수취인의 예금계좌에 계좌이체 등을 한 이후, 수취인이 은행에 대하여 예금반환을 청구함에 따라 은행이 수취인에게 그 예금을 지급하는 행위는 계좌이체금액 상당의 예금계약의 성립 및 그 예금채권 취득에 따른 것으로서 은행이 착오에 빠져 처분행위를 한 것이라고 볼 수 있으므로, 결국 이러한 행위는 은행을 피해자로 한 형법 제347조의 사기죄에 해당한다.

④ 피고인이 보험사고에 해당할 수 있는 사고로 인하여 경미한 상해를 입었다고 하더라도 이를 기화로 보험금을 편취할 의사로 그 상해를 과장하여 병원에 장기간 입원하고 이를 이유로 실제 피해에 비하여 과다한 보험금을 지급받는 경우에는 그 보험금 전체에 대해 사기죄가 성립한다.

지문분석

난이도 중 정답 ④

| 키 워 드 | 사기죄

| 출제유형 | 옳은 지문 고르기

④ (O) 대법원 2007.5.11. 2007도2134

① (X) **사기도박**

[1] 도박이란 2인 이상의 자가 상호 간에 재물을 도(賭)하여 우연한 승패에 의하여 그 재물의 득실을 결정하는 것이므로, 이른바 사기도박과 같이 도박당사자의 일방이 사기의 수단으로써 승패의 수를 지배하는 경우에는 도박에서의 우연성이 결여되어 사기죄만 성립하고 도박죄는 성립하지 아니한다.

[2] 사기죄는 편취의 의사로 기망행위를 개시한 때에 실행에 착수한 것으로 보아야 하므로, 사기도박에서도 사기적인 방법으로 도금을 편취하려고 하는 자가 상대방에게 도박에 참가할 것을 권유하는 등 기망행위를 개시한 때에 실행의 착수가 있는 것으로 보아야 한다.

[3] 피고인 등이 사기도박에 필요한 준비를 갖추고 그러한 의도로 피해자들에게 도박에 참가하도록 권유한 때 또는 늦어도 그 정을 알지 못하는 피해자들이 도박에 참가한 때에는 이미 사기죄의 실행에 착수하였다고 할 것이므로, 피고인 등이 그 후에 사기도박을 숨기기 위하여 얼마간 정상적인 도박을 하였더라도 이는 사기죄의 실행행위에 포함되는 것이어서 피고인에 대하여는 피해자들에 대한 사기죄만이 성립하고 도박죄는 따로 성립하지 아니함에도, 이와 달리 피해자들에 대한 사기죄 외에 도박죄가 별도로 성립하는 것으로 판단하고 이를 유죄로 인정한 원심판결에 사기도박에 있어서의 실행의 착수시기 등에 관한 법리오해의 위법이 있다.

[4] 피고인 등이 피해자들을 유인하여 사기도박으로 도금을 편취한 행위는 사회관념상 1개의 행위로 평가하는 것이 타당하므로, 피해자들에 대한 각 사기죄는 상상적 경합의 관계에 있다고 보아야 함에도, 위 각 죄가 실체적 경합의 관계에 있는 것으로 보고 경합범 가중을 한 원심판결에 사기죄의 죄수에 관한 법리오해의 위법이 있다(대법원 2011.1.13. 2010도9330).

② (X) 사기죄는 타인을 기망하여 착오에 빠뜨리고 그 처분행위를 유발하여 재물을 교부받거나 재산상 이익을 얻음으로써 성립하는 것으로서, 기망, 착오, 재산적 처분행위 사이에 인과관계가 있어야 한다(대법원 2000.6.27. 2000도1155).

③ (X) **송금의뢰인과 수취인 사이에 계좌이체 등의 원인이 되는 법률관계가 존재하지 않음에도 계좌이체에 의하여 수취인이 이체금액 상당의 예금채권을 취득한 경우, 수취인이 은행에 예금반환을 청구하여 지급받는 행위가 은행을 피해자로 한 사기죄에 해당하는지 여부: 부정**

[1] 송금의뢰인과 수취인 사이에 계좌이체 등의 원인이 되는 법률관계가 존재하지 않음에도 계좌이체에 의하여 수취인이 이체금액 상당의 예금채권을 취득한 경우, 수취인이 은행에 예금반환을 청구하여 지급받는 행위가 은행을 피해자로 한 사기죄에 해당하지 않는다.

[2] 송금의뢰인이 수취인의 예금계좌에 계좌이체 등을 한 이후, 수취인이 은행에 대하여 예금반환을 청구함에 따라 은행이 수취인에게 그 예금을 지급하는 행위는 계좌이체금액 상당의 예금계약의 성립 및 그 예금채권 취득에 따른 것으로서 은행이 착오에 빠져 처분행위를 한 것이라고 볼 수 없으므로, 결국 이러한 행위는 은행을 피해자로 한 형법 제347조의 사기죄에 해당하지 않는다고 봄이 상당하다.

[3] 예금주인 피고인이 제3자에게 편취당한 송금의뢰인으로부터 자신의 은행계좌에 계좌송금된 돈을 출금한 사안에서, 피고인은 예금주로서 은행에 대하여 예금반환을 청구할 수 있는 권한을 가진 자이므로, 위 은행을 피해자로 한 사기죄가 성립하지 않는다는 원심의 판단은 정당하다(대법원 2010.5.27. 2010도3498).

51 0456

2018 경찰 2차

카드사용 범죄에 대한 설명으로 가장 적절한 것은? (다툼이 있는 경우 판례에 의함)

① 타인명의의 현금카드 겸용 신용카드를 무단으로 이용하여 현금자동지급기에서 예금을 인출한 때에는 여신전문금융업법위반죄와 절도죄가 성립한다.
② 타인명의의 신용카드를 무단으로 이용하여 현금자동지급기에서 단기카드대출로 현금을 인출한 때에는 여신전문금융업법위반죄와 컴퓨터등사용사기죄가 성립한다.
③ 타인명의의 신용카드를 무단으로 이용하여 가맹점에서 물품을 구입한 때에는 여신전문금융업법위반죄와 사문서위조 및 동 행사죄, 사기죄가 성립한다.
④ 타인명의의 현금카드를 무단으로 이용하여 현금자동지급기에서 피해자의 계좌로부터 자신의 계좌로 자금을 이체한 때에는 컴퓨터등사용사기죄가 성립한다.

지문분석 난이도 ㊤ 정답 ④

| 키 워 드 | 카드사용 범죄

| 출제유형 | 옳은 지문 고르기

④ (O) 대법원 2008.6.12. 2008도2440
① (X) '예금'인출행위는 신용카드 본래의 사용이 아니므로 여신전문금융업법 소정의 부정사용의 개념에 포함될 수 없다(대법원 2003.11.14. 2003도3977 참조).
→ 절도죄만 성립한다.
② (X) 여신전문금융업법위반죄(신용카드부정사용)와 절도죄의 실체적 경합관계가 된다(대법원 1995.7.28. 95도997 참조).
③ (X) 매출표의 서명 및 교부가 별도로 사문서위조 및 동행사의 죄의 구성요건을 충족한다고 하여도 이 사문서위조 및 동행사의 죄는 위 신용카드부정사용죄에 흡수되어 신용카드부정사용죄의 1죄만이 성립하고 별도로 사문서위조 및 동행사의 죄는 성립하지 않는다(대법원 1992.6.9. 92도77).
→ 여신전문금융업법위반죄(신용카드부정사용)와 사기죄의 실체적 경합관계가 된다.

52 0457

2021 경찰 승진

사기죄에 대한 설명이다. 아래 ㉠부터 ㉣까지의 설명 중 옳고 그름의 표시(O, X)가 바르게 된 것은? (다툼이 있는 경우 판례에 의함)

㉠ 비록 피기망자가 처분행위의 의미나 내용을 인식하지 못하였더라도, 피기망자의 작위 또는 부작위가 직접 재산상 손해를 초래하는 재산적 처분행위로 평가되고, 이러한 작위 또는 부작위를 피기망자가 인식하고 한 것이라면 처분행위에 상응하는 처분의사는 인정된다.
㉡ 주유소 운영자가 농·어민 등에게 조세특례제한법에 정한 면세유를 공급한 것처럼 위조한 면세유류공급확인서로 정유회사를 기망하여 면세유를 공급받아 면세유와 정상유의 가격 차이 상당의 이득을 취득한 경우 국가 또는 지방자치단체에 대한 사기죄로 의율할 수 없다.
㉢ 비의료인이 개설한 의료기관이 마치 의료법에 의하여 적법하게 개설된 요양기관인 것처럼 국민건강보험공단에 요양급여비용의 지급을 청구하는 것은 국민건강보험공단으로 하여금 요양급여비용 지급에 관한 의사결정에 착오를 일으키게 하는 것으로서 사기죄의 기망행위에 해당하고, 이러한 기망행위에 의하여 국민건강보험공단에서 요양급여비용을 지급받은 경우에는 사기죄가 성립한다.
㉣ 보험계약자가 보험계약 체결 시 보험금액이 목적물의 가액을 현저하게 초과하는 초과보험 상태를 의도적으로 유발한 후 보험사고가 발생하자 초과보험 사실을 알지 못하는 보험자에게 목적물의 가액을 묵비한 채 보험금을 청구하여 보험금을 교부받은 경우, 보험자가 보험금액이 목적물의 가액을 현저하게 초과한다는 것을 알았더라면 같은 조건으로 보험계약을 체결하지 않았을 뿐만 아니라 협정보험가액에 따른 보험금을 그대로 지급하지 아니하였을 관계가 인정된다면, 보험계약자가 보험금을 청구한 행위는 사기죄의 실행행위로서의 기망행위에 해당한다.

① ㉠ (O), ㉡ (O), ㉢ (O), ㉣ (O)
② ㉠ (X), ㉡ (O), ㉢ (X), ㉣ (O)
③ ㉠ (O), ㉡ (X), ㉢ (O), ㉣ (X)
④ ㉠ (X), ㉡ (X), ㉢ (X), ㉣ (X)

지문분석 난이도 ㊥ 정답 ①

| 키 워 드 | 사기죄

| 출제유형 | 옳고 그름의 표시(O, X)하기

㉠ (O) 대법원 2017.2.16. 2016도13362 전원합의체
㉡ (O) 대법원 2008.11.27. 2008도7303
㉢ (O) 대법원 2018.9.13. 2018도10183
㉣ (O) 대법원 2015.7.23. 2015도6905

53 0458

2020 경찰 승진

사기의 죄에 대한 설명 중 가장 적절한 것은? (다툼이 있는 경우 판례에 의함)

① A회사 운영자 甲이 'A회사의 B에 대한 채권'이 존재하지 않는다는 사실을 알면서 그 사실을 모르는 A회사에 대한 채권자 C에게 'A회사의 B에 대한 채권'의 압류 및 전부(추심)명령을 신청하게 하여 그 명령을 받게 하였으나, 아직 C가 B를 상대로 전부금 소송을 제기하지 않은 경우 소송사기의 실행에 착수하였다고 볼 수 없다.
② 어음의 발행인들이 각자 자력이 부족한 상태에서 자금을 편법으로 확보하기 위해 서로 동액의 융통어음을 발행하여 교환한 경우 자기가 발행한 어음이 그 지급기일에 결제되지 않으리라는 점을 예견하였다면 사기죄가 성립한다.
③ 상대방으로부터 소송비용 명목으로 일정한 금액을 이미 송금받았음에도 불구하고 상대방을 피고로 하여 소송비용 상당액의 지급을 구하는 손해배상금 청구의 소를 제기하였다가 판사의 권유에 따라 소를 취하한 경우 사기죄의 불능미수범으로 처벌된다.
④ 형질변경 및 건축허가를 받는 데 필요하다고 피해자를 속여 교부받은 인감증명서 등으로 등기소요서류를 작성하여 피해자 소유의 부동산에 관해 자기 명의로 소유권이전등기를 마친 경우 해당 부동산에 대한 사기죄가 성립한다.

지문분석

난이도 상 정답 ①

| 키 워 드 | 사기죄

| 출제유형 | 옳은 지문 고르기

① (O) A회사 운영자 甲이 'A회사의 B에 대한 채권'이 존재하지 않는다는 사실을 알면서도 그 사실을 모르는 A회사의 채권자 乙에게 'A회사의 B에 대한 채권'의 압류 및 전부명령을 신청하게 하여 그 명령을 받게 한 사안에서, 乙이 A회사에 대하여 진정한 채권을 가지고 있는 이상, 위와 같은 사정만으로는 법원을 기망하였다고 볼 수 없고, 乙이 B를 상대로 전부금 소송을 제기하지 않은 이상 소송사기의 실행에 착수하였다고 볼 수도 없다(대법원 2009.12.10. 2009도9982).
② (X) 어음의 발행인들이 각자 자력이 부족한 상태에서 자금을 편법으로 확보하기 위하여 서로 동액의 융통어음을 발행하여 교환한 경우에는, 특별한 사정이 없는 한 쌍방은 그 상대방의 부실한 자력상태를 용인함과 동시에, 상대방이 발행한 어음이 지급기일에 결제되지 아니할 때에는 자기가 발행한 어음도 결제하지 않겠다는 약정하에 서로 어음을 교환하는 것이므로, 자기가 발행한 어음이 그 지급기일에 결제되지 않으리라는 점을 예견하였거나 지급기일에 지급될 수 있다는 확신 없이 상대방으로부터 어음을 교부받았다고 하더라도 사기죄가 성립하는 것은 아니다(대법원 2002.4.23. 2001도6570).
③ (X) 민사소송법상 소송비용의 청구는 소송비용액 확정절차에 의하도록 규정하고 있으므로, 위 절차에 의하지 아니하고 손해배상금 청구의 소 등으로 소송비용의 지급을 구하는 것은 소의 이익이 없는 부적법한 소로서 허용될 수 없다고 할 것이다. 따라서 소송비용을 편취할 의사로 소송비용의 지급을 구하는 손해배상청구의 소를 제기하였다고 하더라도 이는 객관적으로 소송비용의 청구방법에 관한 법률적 지식을 가진 일반인의 판단으로 보아 결과발생의 가능성이 없어 위험성이 인정되지 않는다고 할 것이다(대법원 2005.12.8. 2005도8105).
④ (X) 피고인이 피해자에게 부동산매도용 인감증명 및 등기의무자본인확인서면의 진실한 용도를 속이고 그 서류들을 교부받아 피고인 등 명의로 위 부동산에 관한 소유권이전등기를 경료하였다 하여도 피해자의 위 부동산에 관한 처분행위가 있었다고 할 수 없을 것이고 따라서 사기죄를 구성하지 않는다(대법원 2001.7.13. 2001도1289).

54 0459 2019 경찰 승진

사기죄에 대한 설명으로 가장 적절한 것은? (다툼이 있는 경우 판례에 의함)

① 부동산 소유권이전등기절차 이행을 구하는 소를 제기하여 동시이행 조건 없이 이행을 명하는 승소확정판결을 받은 甲이 그 판결에 기해 이전등기를 할 수 있었음에도 그렇게 하지 않고 乙에게 위 부동산 이전등기를 경료해 주면 매매잔금을 공탁해 줄 것처럼 거짓말하여 위 부동산 소유권을 임의로 이전받고 매매잔금을 공탁하지 않은 경우 사기죄의 기망행위에 해당한다.

② 피고인 등이 피해자 甲 등에게 자동차를 매도하겠다고 거짓말하고 자동차를 양도하면서 소유권이전등록에 필요한 일체의 서류를 교부하고 매매대금을 편취한 다음, 자동차에 미리 부착해 놓은 지피에스(GPS)로 위치를 추적하여 자동차를 절취한 경우 피고인에게 사기죄와 특수절도죄가 성립한다.

③ 사무처리 목적에 비추어 정당하지 아니한 사무처리를 하게 하였다고 하더라도, 사무처리시스템의 프로그램 자체에서 발생하는 오류를 적극적으로 이용한 것에 불과하다면 컴퓨터 등 사용사기죄가 성립하지 않는다.

④ 부동산가압류결정을 받아 부동산에 관한 가압류집행까지 마친 자가 그 가압류를 해제하면 소유자는 가압류의 부담이 없는 부동산을 소유하는 이익을 얻게 되므로, 가압류를 해제하는 것 역시 사기죄에 말하는 재산적 처분행위에 해당하나, 그 이후 가압류의 피보전채권이 존재하지 않는 것으로 밝혀진 경우 가압류의 해제로 인한 재산상의 이익은 없었다고 할 것이다.

지문분석 난이도 중 정답 ①

| 키 워 드 | 사기죄

| 출제유형 | 옳은 지문 고르기

① (○) 부동산 소유권이전등기절차 이행을 구하는 소를 제기하여 동시이행 조건 없이 이행을 명하는 승소확정판결을 받은 피고인이, 부동산 소유권을 이전받더라도 매매잔금을 공탁할 의사나 능력이 없음에도 피해자에게 매매잔금을 공탁해 줄 것처럼 거짓말을 하여 그러한 내용으로 합의한 후 그에 따라 부동산 소유권을 임의로 이전받은 사안에서, 피고인의 행위는 사회통념상 권리행사의 수단으로서 용인할 수 있는 범위를 벗어난 것으로 사기죄의 기망행위에 해당한다(대법원 2011.3.10. 2010도14856).

② (X) 피고인 등이 피해자 甲 등에게 자동차를 매도하겠다고 거짓말하고 자동차를 양도하면서 매매대금을 편취한 다음, 자동차에 미리 부착해 놓은 지피에스(GPS)로 위치를 추적하여 자동차를 절취하였다고 하여 사기 및 특수절도로 기소된 사안에서, 피고인이 甲 등에게 자동차를 인도하고 소유권이전등록에 필요한 일체의 서류를 교부함으로써 甲 등이 언제든지 자동차의 소유권이전등록을 마칠 수 있게 된 이상, 피고인이 자동차를 양도한 후 다시 절취할 의사를 가지고 있었더라도 자동차의 소유권을 이전하여 줄 의사가 없었다고 볼 수 없고, 피고인이 자동차를 매도할 당시 곧바로 다시 절취할 의사를 가지고 있으면서도 이를 숨긴 것을 기망이라고 할 수 없어, 결국 피고인이 자동차를 매도할 당시 기망행위가 없었으므로, 피고인에게 사기죄를 인정한 원심판결에 법리오해의 잘못이 있다(대법원 2016.3.24. 2015도17452).
→ 사기죄 X, 특수절도죄(합동절도) ○

③ (X) 형법 제347조의2(컴퓨터 등 사용사기)는 컴퓨터 등 정보처리장치에 허위의 정보 또는 부정한 명령을 입력하거나 권한 없이 정보를 입력·변경하여 정보처리를 하게 함으로써 재산상의 이익을 취득하거나 제3자로 하여금 취득하게 하는 행위를 처벌하고 있다. 여기서 '부정한 명령의 입력'은 당해 사무처리시스템에 예정되어 있는 사무처리의 목적에 비추어 지시해서는 안 될 명령을 입력하는 것을 의미한다. 따라서 설령 '허위의 정보'를 입력한 경우가 아니라고 하더라도, 당해 사무처리시스템의 프로그램을 구성하는 개개의 명령을 부정하게 변개·삭제하는 행위는 물론 프로그램 자체에서 발생하는 오류를 적극적으로 이용하여 그 사무처리의 목적에 비추어 정당하지 아니한 사무처리를 하게 하는 행위도 특별한 사정이 없는 한 위 '부정한 명령의 입력'에 해당한다고 보아야 한다(대법원 2013.11.14. 2011도4440).
→ 컴퓨터 등 사용사기죄 ○

④ (X) 부동산가압류결정을 받아 부동산에 관한 가압류집행까지 마친 자가 그 가압류를 해제하면 소유자는 가압류의 부담이 없는 부동산을 소유하는 이익을 얻게 되므로, 가압류를 해제하는 것 역시 사기죄에서 말하는 재산적 처분행위에 해당하고, 그 이후 가압류의 피보전채권이 존재하지 않는 것으로 밝혀졌다고 하더라도 가압류의 해제로 인한 재산상의 이익이 없었다고 할 수 없다(대법원 2007.9.20. 2007도5507).

55 0460

2018 경찰 승진

사기죄에 대한 설명으로 가장 적절하지 않은 것은? (다툼이 있는 경우 판례에 의함)

① 사기죄의 처분행위라고 하는 것은 재산적 처분행위를 의미하고, 그것은 주관적으로 피기망자에게 처분의사, 즉 처분결과에 대한 인식이 있고, 객관적으로 이러한 의사에 지배된 행위가 있을 것을 요한다.

② A가 甲의 기망행위로 인하여 착오에 빠진 결과 내심의 의사와 다른 효과를 발생시키는 내용의 처분문서에 서명 또는 날인함으로써 처분문서의 내용에 따른 재산상 손해가 초래되었다면 그와 같은 처분문서에 서명 또는 날인한 A의 행위는 사기죄에서 말하는 처분행위에 해당한다.

③ 주유소 운영자가 농·어민 등에게 조례특례제한법에 정한 면세유를 공급한 것처럼 위조한 유류공급확인서로 정유회사를 기망하여 면세유를 공급받은 경우, 국가 또는 지방자치단체에 대한 사기죄가 성립하지 않는다.

④ 비의료인이 개설한 의료기관이 의료법에 의하여 적법하게 개설된 요양기관인 것처럼 국민건강보험공단에 요양급여비용의 지급을 청구하여 지급받은 경우 사기죄가 성립한다.

지문분석

난이도 ㊤ 정답 ①

| 키 워 드 | 사기죄

| 출제유형 | 틀린 지문 고르기

① (X) **피기망자가 처분결과, 즉 문서의 구체적 내용과 법적 효과를 미처 인식하지 못하였으나 처분문서에 서명 또는 날인하는 행위에 관한 인식이 있었던 경우, 피기망자의 처분의사가 인정되는지 여부: 인정**

[1] 처분의사는 착오에 빠진 피기망자가 어떤 행위를 한다는 인식이 있으면 충분하고, 그 행위가 가져오는 결과에 대한 인식까지 필요하다고 볼 것은 아니다. 처분행위라고 평가되는 어떤 행위를 피해자가 인식하고 한 것이라면 피해자의 처분의사가 있다고 할 수 있다. 결국 피해자가 처분행위로 인한 결과까지 인식할 필요가 있는 것은 아니다.

[2] 피고인 등이 토지의 소유자이자 매도인인 피해자 甲 등에게 토지거래허가 등에 필요한 서류라고 속여 근저당권설정계약서 등에 서명·날인하게 하고 인감증명서를 교부받은 다음, 이를 이용하여 甲 등의 소유 토지에 피고인을 채무자로 한 근저당권을 乙 등에게 설정하여 주고 돈을 차용하는 방법으로 재산상 이익을 취득하였다고 하여 사기로 기소된 사안에서, 甲 등의 행위는 사기죄에서 말하는 처분행위에 해당하고 甲 등의 처분의사가 인정됨에도, 甲 등에게 그 소유 토지들에 근저당권 등을 설정하여 줄 의사가 없었다는 이유만으로 甲 등의 처분행위가 없다고 본 원심판결에 법리오해의 잘못이 있다(대법원 2017.2.16. 2016도13362 전원합의체).

→ 근저당권설정계약서에 대한 피해자의 서명·날인을 사취한 사건

② (O) **피기망자가 행위자의 기망행위로 인하여 착오에 빠진 결과 내심의 의사와 다른 효과를 발생시키는 내용의 처분문서에 서명 또는 날인함으로써 처분문서의 내용에 따른 재산상 손해가 초래된 경우, 피기망자의 행위가 사기죄에서 말하는 처분행위에 해당하는지 여부: 인정**

서명사취 사안에서 피기망자가 행위자의 기망행위로 인하여 착오에 빠진 결과 내심의 의사와 다른 효과를 발생시키는 내용의 처분문서에 서명 또는 날인함으로써 처분문서의 내용에 따른 재산상 손해가 초래되었다면 그와 같은 처분문서에 서명 또는 날인을 한 피기망자의 행위는 사기죄에서 말하는 처분행위에 해당한다. 아울러 비록 피기망자가 처분결과, 즉 문서의 구체적 내용과 그 법적 효과를 미처 인식하지 못하였다고 하더라도, 어떤 문서에 스스로 서명 또는 날인함으로써 그 처분문서에 서명 또는 날인하는 행위에 관한 인식이 있었던 이상 피기망자의 처분의사 역시 인정된다(대법원 2017.2.16. 2016도13362 전원합의체).

③ (O) 대법원 2008.11.27. 2008도7303

→ 기망행위에 의하여 조세를 포탈하거나 조세의 환급·공제를 받은 경우에는 조세범 처벌법 위반죄가 성립함은 별론으로 하고, 형법상 국가 또는 지방자치단체에 대한 사기죄는 성립하지 않는다.

④ (O) 비의료인이 개설한 의료기관이 마치 의료법에 의하여 적법하게 개설된 요양기관인 것처럼 국민건강보험공단에 요양급여비용의 지급을 청구하는 것은 국민건강보험공단으로 하여금 요양급여비용 지급에 관한 의사결정에 착오를 일으키게 하는 것으로서 사기죄의 기망행위에 해당하고, 이러한 기망행위에 의하여 국민건강보험공단에서 요양급여비용을 지급받을 경우에는 사기죄가 성립한다. 이 경우 의료기관의 개설인인 비의료인이 개설 명의를 빌려준 의료인으로 하여금 환자들에게 요양급여를 제공하게 하였다 하여도 마찬가지이다(대법원 2015.7.9. 2014도11843).

56 0461

2017 경찰 승진

사기죄에 관한 설명 중 가장 적절한 것은? (다툼이 있는 경우 판례에 의함)

① 피고인이 타인과 공모하여 그를 상대로 자백간주 판결을 받아 소유권이전등기를 마친 경우에는 그 타인과 소송사기의 공동정범으로 처벌받는다.

② 배당이의 소송의 1심에서 패소판결을 받고 항소한 자가 그 항소를 취하하는 것만으로는 사기죄에서 말하는 재산적 처분행위가 있다고 할 수 없다.

③ 자기에게 유리한 판결을 얻기 위하여 소송상의 주장이 사실과 다름이 객관적으로 명백하거나 증거가 조작되어 있는 점을 인식하지 못하는 제3자를 이용하여 그로 하여금 소송의 당사자가 되게 하고 법원을 기망하여 소송 상대방의 재물 또는 재산상 이익을 취득하려고 하였다면 간접정범의 형태에 의한 소송사기죄가 성립한다.

④ 자동차의 명의신탁관계에서 자동차의 명의수탁자가 명의신탁 사실을 고지하지 않고, 나아가 자신 소유라는 말을 하면서 자동차를 제3자(매수인)에게 매도하고 이전등록까지 마쳐준 경우, 제3자(매수인)에 대한 관계에서 사기죄가 성립한다.

지문분석 난이도 하 정답 ③

| 키 워 드 | 사기죄

| 출제유형 | 옳은 지문 고르기

③ (O) 대법원 2007.9.6. 2006도3591
→ 丙 명의로 제기된 양수금 청구소송은 피고인(甲)이 피고인의 말을 전적으로 믿고 있는 丙을 원고로 내세워 제기한 것으로 볼 수 있다.

① (X) ㉠ 피고인이 타인과 공모하여 그 공모자를 상대로 제소하여 의제자백의 판결을 받아 이에 기하여 부동산의 소유권이전등기를 하였다고 하더라도 이는 소송 상대방의 의사에 부합하는 것으로서 착오에 의한 재산적 처분행위가 있다고 할 수 없어 동인으로부터 부동산을 편취한 것이라고 볼 수 없고, ㉡ 또 그 부동산의 진정한 소유자가 따로 있다고 하더라도 피고인이 의제자백 판결에 기하여 그 진정한 소유자로부터 소유권을 이전받은 것이 아니므로 그 소유자로부터 부동산을 편취한 것이라고 볼 여지도 없다(대법원 1997.12.23. 97도2430).
→ 피고인이 타인과 공모하여 그를 상대로 의제자백 판결을 받아 소유권이전등기를 마친 경우, 소송사기 부정

② (X) 배당이의 소송의 제1심에서 패소판결을 받고 항소한 자가 그 항소를 취하하면 그 즉시 제1심판결이 확정되고 상대방이 배당금을 수령할 수 있는 이익을 얻게 되는 것이므로 위 항소를 취하하는 것 역시 사기죄에서 말하는 재산적 처분행위에 해당한다(대법원 2002.11.22. 2000도4419).
→ 피해자가 선순위 저당권자의 채권이 이미 변제되어 소멸되었다는 것을 이유로 배당이의 소송을 제기하고 1심 패소 후 항소하자 피고인이 피해자를 기망("항소를 포기하면 배당금 중 1,000만원을 주겠다"는 취지로 거짓말)하여 배당이의 소송의 항소를 취하하게 한 경우 사기죄가 성립한다는 판결이다.

④ (X) 자동차의 명의수탁자가 명의신탁 사실을 고지하지 않고, 나아가 자신 소유라는 말을 하면서 자동차를 제3자에게 매도하고 이전등록까지 마쳐 준 경우, 매수인에 대한 사기죄가 성립하지 않는다(대법원 2007.1.11. 2006도4498).
→ 명의신탁의 법리상 대외적으로는 수탁자에게 그 처분권한이 있다.

57 0462

2018 경찰 승진

'재산에 대한 죄'에 대한 설명으로 가장 적절한 것은? (다툼이 있는 경우 판례에 의함)

① 甲이 A 자동차를 절취한 후 자동차등록번호판을 떼어 내는 행위는 새로운 법익의 침해로 볼 수 없으므로, 절취한 A 자동차의 자동차등록번호판을 떼어 내는 행위는 절도범행의 불가벌적 사후행위에 해당한다.

② 甲이 점유자 또는 소유자의 승낙 없이 물건을 갖고 나오다 경비원에게 발각되어 경비원이 절도범인 체포사실을 파출소에 신고 전화하려는 데 甲이 경비원에게 대들면서 폭행을 가한 경우 준강도가 성립하지 않는다.

③ 특정 권원에 기하여 민사소송을 진행하던 중 법원에 조작된 증거를 제출하면서 종전에 주장하던 특정 권원과 별개의 허위의 권원을 추가로 주장하는 경우 소송사기의 실행의 착수로 볼 수 있다.

④ 피고인이 타인의 권리의 목적이 된 자기의 물건을 그 점유자의 점유로부터 자기의 점유로 옮긴 경우, 그것이 피고인의 기망에 의한 하자 있는 의사에 기한 것이었다면 권리행사방해죄가 성립한다.

지문분석 난이도 중 정답 ③

| 키 워 드 | 재산에 대한 죄

| 출제유형 | 옳은 지문 고르기

③ (O) **특정 권원에 기하여 민사소송을 진행하던 중 법원에 조작된 증거를 제출하면서 종전에 주장하던 특정 권원과 별개의 허위의 권원을 추가로 주장하는 경우, 소송사기죄의 성립 여부: 인정**(대법원 2004.6.25. 2003도7124)

① (X) 자동차를 절취한 후 자동차등록번호판을 떼어 내는 행위는 새로운 법익의 침해로 보아야 하므로 위와 같은 번호판을 떼어 내는 행위가 절도범행의 불가벌적 사후행위가 되는 것은 아니다(대법원 2007.9.6. 2007도4739).
→ 절도죄와 자동차관리법 위반의 실체적 경합범

② (X) 절도범인이 체포현장에서 절취가 아니고 자기소유물을 가져가는 것이라고 경비원과 시비하다가 폭행한 경우 준강도죄가 성립한다(대법원 1984.7.24. 84도1167).

④ (X) **형법 제323조(권리행사방해죄)의 '취거'의 의미**
형법 제323조 소정의 권리행사방해죄에 있어서의 취거라 함은 타인의 점유 또는 권리의 목적이 된 자기의 물건을 그 점유자의 의사에 반하여 그 점유자의 점유로부터 자기 또는 제3자의 점유로 옮기는 것을 말하므로 점유자의 의사나 그의 하자 있는 의사에 기하여 점유가 이전된 경우에는 여기에서 말하는 취거로 볼 수는 없다(대법원 1988.2.23. 87도1952).

58 0463

2016 경찰 승진

사기의 죄에 관한 설명 중 가장 적절한 것은? (다툼이 있으면 판례에 의함)

① 사기죄에 있어서 '재물의 교부'가 있었다고 하기 위하여는 반드시 재물의 현실의 인도가 필요한 것이므로, 재물이 범인의 사실상의 지배 아래 들어가 그의 자유로운 처분이 가능한 상태에 놓였더라도 재물의 현실의 인도가 없었다면 재물의 교부가 있었다고 할 수 없다.

② 예금주인 甲이 제3자에게 편취당한 송금의뢰인으로부터 자신의 은행계좌에 계좌송금된 돈을 인출한 경우, 은행을 피해자로 한 사기죄가 성립한다.

③ '녹동달오리골드'(누에, 동충하초, 녹용 등을 혼합·제조)라는 제품이 성인병에 특효약이라고 허위광고하여 고가에 판매한 경우 사기죄가 인정된다.

④ 타인의 명의를 모용하여 발급받은 신용카드를 이용하여 현금자동지급기에서 현금을 인출한 행위와 ARS 전화서비스 등으로 신용대출을 받은 행위는 포괄적으로 카드회사에 대한 사기죄이다.

지문분석 난이도 중 정답 ③

| 키 워 드 | 사기죄

| 출제유형 | 옳은 지문 고르기

③ (O) 오리, 하명, 누에, 동충하초, 녹용 등 여러 가지 재료를 혼합하여 제조·가공한 '녹동달오리골드'라는 제품이 당뇨병, 관절염, 신경통 등의 성인병 치료에 특별한 효능이 있는 좋은 약이라는 허위의 강의식 선전·광고행위를 하여 이에 속은 노인들로 하여금 위 제품을 고가에 구입하도록 한 것은 그 사술의 정도가 사회적으로 용인될 수 있는 상술의 정도를 넘은 것이어서 사기죄의 기망행위를 구성한다(대법원 2004.1.15. 2001도1429).

→ 사기·보건범죄 단속에 관한 특별조치법 위반(부정의약품 제조 등)의 실체적 경합관계가 된다.

① (X) [1] 사기죄에 있어서 '재물의 교부'란 범인의 기망에 따라 피해자가 착오로 재물에 대한 사실상의 지배를 범인에게 이전하는 것을 의미하는데, 재물의 교부가 있었다고 하기 위하여 반드시 재물의 현실의 인도가 필요한 것은 아니고 재물이 범인의 사실상의 지배 아래에 들어가 그의 자유로운 처분이 가능한 상태에 놓인 경우에도 재물의 교부가 있었다고 보아야 한다.

[2] 피고인이 대금을 지급할 의사나 능력이 없음에도 피해자에게 백두산 미륵불상 건립사업을 홍보하는 내용이 담긴 도자기를 주문하여 피고인의 주문에 따라 제작된 도자기(5,000개) 중 ㉠ 실제로 배달된 것(1,600개)뿐만 아니라, ㉡ 피고인이 지정하는 장소로의 배달을 위하여 피해자가 보관 중인 도자기(3,400개)도 피고인에게 모두 교부되었다고 판단한 것은 정당하다(대법원 2003.5.16. 2001도1825).

② (X) **송금의뢰인과 수취인 사이에 계좌이체 등의 원인이 되는 법률관계가 존재하지 않음에도 계좌이체에 의하여 수취인이 이체금액 상당의 예금채권을 취득한 경우, 수취인이 은행에 예금반환을 청구하여 지급받는 행위가 은행을 피해자로 한 사기죄에 해당하는지 여부: 부정**

[1] 송금의뢰인과 수취인 사이에 계좌이체 등의 원인이 되는 법률관계가 존재하지 않음에도 계좌이체에 의하여 수취인이 이체금액 상당의 예금채권을 취득한 경우, 수취인이 은행에 예금반환을 청구하여 지급받는 행위가 은행을 피해자로 한 사기죄에 해당하지 않는다.

[2] 송금의뢰인이 수취인의 예금계좌에 계좌이체 등을 한 이후, 수취인이 은행에 대하여 예금반환을 청구함에 따라 은행이 수취인에게 그 예금을 지급하는 행위는 계좌이체금액 상당의 예금계약의 성립 및 그 예금채권 취득에 따른 것으로서 은행이 착오에 빠져 처분행위를 한 것이라고 볼 수 없으므로, 결국 이러한 행위는 은행을 피해자로 한 형법 제347조의 사기죄에 해당하지 않는다고 봄이 상당하다.

[3] 예금주인 피고인이 제3자에게 편취당한 송금의뢰인으로부터 자신의 은행계좌에 계좌송금된 돈을 출금한 사안에서, 피고인은 예금주로서 은행에 대하여 예금반환을 청구할 수 있는 권한을 가진 자이므로, 위 은행을 피해자로 한 사기죄가 성립하지 않는다는 원심의 판단은 정당하다(대법원 2010.5.27. 2010도3498).

④ (X) 타인의 명의를 모용하여 발급받은 신용카드의 번호와 그 비밀번호를 이용하여 ARS 전화서비스나 인터넷 등을 통하여 신용대출을 받는 방법으로 재산상 이익을 취득하는 행위 역시 미리 포괄적으로 허용된 행위가 아닌 이상, 컴퓨터 등 정보처리장치에 권한 없이 정보를 입력하여 정보처리를 하게 함으로써 재산상 이익을 취득하는 행위로서 컴퓨터 등 사용사기죄에 해당한다(대법원 2006.7.27. 2006도3126).

✓ 개념체크 **현금대출(신용대출)에 대한 죄**

- **타인의 명의를 모용하여 발급받은 신용카드를 이용하여 현금자동지급기에서 현금대출을 받는 경우의 죄책:** 절도죄
- **타인의 명의를 모용하여 발급받은 신용카드를 이용하여 ARS 전화서비스나 인터넷 등을 통하여 신용대출을 받는 경우의 죄책:** 컴퓨터 등 사용사기죄

59 0464 2020 경찰 간부

사기죄와 관련된 다음 설명 중 옳은 것은 모두 몇 개인가? (다툼이 있는 경우 판례에 의함)

가. 피기망자가 기망당한 결과 자신의 작위 또는 부작위가 갖는 의미를 제대로 인식하지 못하여 그러한 행위가 초래하는 결과를 인식하지 못하였더라도 그와 같은 착오 상태에서 재산상 손해를 초래하는 행위를 하였다면 피기망자의 처분행위와 그에 상응하는 처분의사가 있다고 보아야 한다.
나. 위조된 약속어음을 진정한 약속어음인 것처럼 속여 기왕의 물품대금의 변제를 위해 채권자에게 교부한 경우에는 사기죄가 성립하지 않는다.
다. 통정허위표시로서 무효인 임대차계약에 기초하여 임차권등기를 마침으로써 외형상 임차인으로서 취득하게 된 권리는 사기죄에서 말하는 재산상 이익에 해당한다.
라. 채무자의 기망행위로 인해 채권자가 채무를 확정적으로 소멸 내지 면제시키는 특약 등 처분행위를 한 경우에는 채무의 면제라고 하는 재산상 이익에 관한 사기죄가 성립하지만 후에 그 재산상 처분행위가 사기를 이유로 민법에 따라 취소될 수 있는 경우라면 사기죄는 성립할 수 없다.

① 1개 ② 2개
③ 3개 ④ 4개

지문분석 난이도 ㊤ 정답 ③

| 키 워 드 | 사기죄

| 출제유형 | 개수 찾기

가. (O) 대법원 2017.2.16. 2016도13362 전원합의체
→ 근저당권설정계약서 등에 대한 피해자의 서명·날인을 사취한 사건

나. (O) 위조된 약속어음을 진정한 약속어음인 것처럼 속여 기왕의 물품대금채무의 변제를 위하여 채권자에게 교부하였다고 하여도 어음이 결제되지 않는 한 물품대금채무가 소멸되지 아니하므로 사기죄는 성립되지 않는다(대법원 1983.4.12. 82도2938).

다. (O) 임차권등기의 기초가 되는 임대차계약이 통정허위표시로서 무효라 하더라도, 장차 피신청인의 이의신청 또는 취소신청에 의한 법원의 재판을 거쳐 그 임차권등기가 말소될 때까지는 신청인은 외형상으로 우선변제권 있는 임차인으로서 부동산 담보권에 유사한 권리를 취득하게 된다 할 것이니, 이러한 이익은 재산적 가치가 있는 구체적 이익으로서 사기죄의 객체인 재산상 이익에 해당한다고 봄이 상당하다(대법원 2012.5.24. 2010도12732).

라. (X) [1] 사기죄에서 '재산상의 이익'이란 채권을 취득하거나 담보를 제공받는 등의 적극적 이익뿐만 아니라 채무를 면제받는 등의 소극적 이익까지 포함하며, 채무자의 기망행위로 인하여 채권자가 채무를 확정적으로 소멸 내지 면제시키는 특약 등 처분행위를 한 경우에는 채무의 면제라고 하는 재산상 이익에 관한 사기죄가 성립하고, 후에 재산적 처분행위가 사기를 이유로 민법에 따라 취소될 수 있다고 하여 달리 볼 것은 아니다.
[2] 피고인이 피해자들을 기망하여 부동산을 매도하면서 매매대금 중 일부를 피해자들의 피고인에 대한 기존 채권과 상계하는 방법으로 지급받아 채무 소멸의 재산상 이익을 취득하였다는 내용으로 기소된 사안에서, 피고인이 상계에 의하여 기존 채무가 소멸되는 재산상 이익을 취득하였다고 보아 사기죄를 인정한 원심판단은 정당하다(대법원 2012.4.13. 2012도1101).

60 0465

2020 경찰 간부

사기죄와 관련된 다음 설명 중 가장 옳은 것은? (다툼이 있는 경우 판례에 의함)

① 토지를 매도함에 있어 채무담보를 위한 가등기와 근저당권 설정등기가 경료되어 있는 사실을 숨겼다 할지라도 매수인은 등기부등본을 통해 얼마든지 사실을 확인할 수 있으므로 사기죄는 성립하지 않는다.

② 부동산의 명의수탁자가 부동산을 제3자에게 매도하고 매매를 원인으로 하는 소유권이전등기까지 마쳐 주었으나 명의신탁 사실을 알리지 아니한 경우에는 제3자에 대하여 사기죄가 성립한다.

③ 중고 자동차 매매에 있어 매도인이 할부금융회사 또는 보증보험에 대한 할부금 채무의 존재를 매수인에게 고지하지 않았다면 채무의 승계 여부를 불문하고 사기죄가 성립한다.

④ 사기죄의 피해자가 법인이나 단체인 경우에 기망행위가 있었는지는 법인이나 단체의 대표 등 최종 의사결정권자 또는 내부적인 권한 위임 등에 따라 실질적으로 법인의 의사를 결정하고 처분을 할 권한을 가지고 있는 사람을 기준으로 판단하여야 한다.

지문분석 난이도 중 정답 ④

| 키 워 드 | 사기죄

| 출제유형 | 옳은 지문 고르기

④ (○) [1] 사기죄의 피해자가 법인이나 단체인 경우에 기망행위로 인한 착오, 인과관계 등이 있었는지는 법인이나 단체의 대표 등 최종 의사결정권자 또는 내부적인 권한 위임 등에 따라 실질적으로 법인의 의사를 결정하고 처분을 할 권한을 가지고 있는 사람을 기준으로 판단하여야 한다.

[2] 따라서 피해자 법인이나 단체의 대표자 또는 실질적으로 의사결정을 하는 최종결재권자 등이 기망행위자와 동일인이거나 기망행위자와 공모하는 등 기망행위임을 알고 있었던 경우에는 기망행위로 인한 착오가 있다고 볼 수 없고, 재물 교부 등의 처분행위가 있었더라도 기망행위와 인과관계가 있다고 보기 어렵다. 이러한 경우에는 사안에 따라 업무상횡령죄 또는 업무상배임죄 등이 성립하는 것은 별론으로 하고 사기죄가 성립한다고 볼 수 없다.

[3] 반면에 피해자 법인이나 단체의 업무를 처리하는 실무자인 일반 직원이나 구성원 등이 기망행위임을 알고 있었더라도, 피해자 법인이나 단체의 대표자 또는 실질적으로 의사결정을 하는 최종결재권자 등이 기망헹위임을 알지 못한 채 착오에 빠져 처분행위에 이른 경우라면, 피해자 법인에 대한 사기죄의 성립에 영향이 없다(대법원 2017.9.26. 2017도8449).

① (X) 토지를 매도함에 있어서 채무담보를 위한 가등기와 근저당권설정등기가 경료되어 있는 사실을 숨기고 이를 고지하지 아니하여 매수인이 이를 알지 못한 탓으로 그 토지를 매수하였다면 이는 사기죄를 구성한다(대법원 1981.8.20. 81도1638).

→ 부작위에 의한 사기죄를 인정한 판례이다.

② (X) 부동산의 명의수탁자가 부동산을 제3자에게 매도하고 매매를 원인으로 한 소유권이전등기까지 마쳐 준 경우, 명의신탁의 법리상 대외적으로 수탁자에게 그 부동산의 처분권한이 있는 것임이 분명하고, 제3자로서도 자기 명의의 소유권이전등기가 마쳐진 이상 무슨 실질적인 재산상의 손해가 있을 리 없으므로 그 명의신탁 사실과 관련하여 신의칙상 고지의무가 있다거나 기망행위가 있었다고 볼 수도 없어서 그 제3자에 대한 사기죄가 성립될 여지가 없고, 나아가 그 처분시 매도인(명의수탁자)의 소유라는 말을 하였다고 하더라도 역시 사기죄가 성립하지 않으며, 이는 자동차의 명의수탁자가 처분한 경우에도 마찬가지이다(대법원 2007.1.11. 2006도4498).

③ (X) 중고 자동차 매매에 있어서 매도인의 할부금융회사 또는 보증보험에 대한 할부금 채무가 매수인에게 당연히 승계되는 것이 아니라는 이유로 그 할부금 채무의 존재를 매수인에게 고지하지 아니한 것이 부작위에 의한 기망에 해당하지 아니한다(대법원 1998.4.14. 98도231).

61 0466

2020 경찰 간부

소송사기에서 실행의 착수가 인정된 경우로 옳은 것을 모두 고르면? (다툼이 있는 경우 판례에 의함)

> 가. 허위의 내용을 인식한 상태에서 법원에 허위의 채권으로 지급명령을 신청한 경우
> 나. 본안소송을 제기하지 않은 채 허위채권을 원인으로 법원에 가압류신청을 한 경우
> 다. 등기부등본에 소유권자로 등기된 적이 있던 자가 허위의 사실을 주장하며 등기명의인을 상대로 소유권이전등기의 말소등기청구소송을 제기한 경우
> 라. 자신이 토지의 소유자라고 허위의 주장을 하면서 소유권보존등기명의자를 상대로 보존등기의 말소를 구하는 소송을 제기한 경우
> 마. 부동산 경매절차에서 허위의 공사대금 채권을 근거로 유치권 신고를 한 경우

① 가, 다, 마　　② 가, 다, 라
③ 나, 다, 라　　④ 다, 라, 마

지문분석 난이도 상 정답 ②

| 키 워 드 | 소송사기죄
| 출제유형 | 조합하기

가. (○) [1] 허위의 내용으로 지급명령을 신청하여 법원을 기망한다는 고의가 있는 경우에 법원을 기망하는 것은 반드시 허위의 증거를 이용하지 않더라도 당사자의 주장이 법원을 기만하기 충분한 것이라면 기망수단이 된다.
[2] 지급명령신청에 대해 상대방이 이의신청을 하면 지급명령은 이의의 범위 안에서 그 효력을 잃게 되고 지급명령을 신청한 때에 소를 제기한 것으로 보게 되는 것이지만 이로써 이미 실행에 착수한 사기의 범행 자체가 없었던 것으로 되는 것은 아니다(대법원 2004.6.24. 2002도4151).

다. (○) 부동산등기부상 소유자로 등기된 적이 있는 자가 자기 이후에 소유권이전등기를 경료한 등기명의인들을 상대로 허위의 사실을 주장하면서 그들 명의의 소유권이전등기의 말소를 구하는 소송을 제기한 경우 그 소송에서 승소한다면 등기명의인들의 등기가 말소됨으로써 그 소송을 제기한 자의 등기명의가 회복되는 것이므로 이는 법원을 기망하여 재물이나 재산상 이익을 편취한 것이라고 할 것이고 따라서 등기명의인들 전부 또는 일부를 상대로 하는 그와 같은 말소등기청구 소송의 제기는 사기의 실행에 착수한 것이라고 보아야 한다(대법원 2003.7.22. 2003도1951).

라. (○) 피고인 또는 그와 공모한 자가 자신이 토지의 소유자라고 허위의 주장을 하면서 소유권보존등기명의자를 상대로 보존등기의 말소를 구하는 소송을 제기한 경우 그 소송에서 위 토지가 피고인 또는 그와 공모한 자의 소유임을 인정하여 보존등기 말소를 명하는 내용의 승소확정판결을 받는다면, 이에 터 잡아 언제든지 단독으로 상대방의 소유권보존등기를 말소시킨 후 위 판결을 부동산등기법 제130조 제2호 소정의 소유권을 증명하는 판결로 하여 자기 앞으로의 소유권보존등기를 신청하여 그 등기를 마칠 수 있게 되므로, 이는 법원을 기망하여 유리한 판결을 얻음으로써 '대상 토지의 소유권에 대한 방해를 제거하고 그 소유명의를 얻을 수 있는 지위'라는 재산상 이익을 취득한 것이고, 그 경우 기수시기는 위 판결이 확정된 때이다(대법원 2006.4.7. 2005도9858 전원합의체).
→ 소유권보존등기명의자를 상대로 보존등기의 말소를 구하는 소송을 제기한 경우는 실행의 착수가 된다.

나. (X) 가압류는 강제집행의 보전방법에 불과한 것이어서 허위의 채권을 피보전권리로 삼아 가압류를 하였다고 하더라도 그 채권에 관하여 현실적으로 청구의 의사표시를 한 것이라고는 볼 수 없으므로, 본안소송을 제기하지 아니한 채 가압류를 한 것만으로는 사기죄의 실행에 착수하였다고 할 수 없다(대법원 1988.9.13. 88도55).

마. (X) 유치권자는 권리신고 후 이해관계인으로서 경매절차에서 이의신청권 등 몇 가지 권리를 얻게 되지만 이는 법률의 규정에 따른 것으로서 재물 또는 재산상 이득을 취득하는 것으로 볼 수도 없으므로, 허위 공사대금 채권을 근거로 유치권 신고를 하였더라도 이를 소송사기 실행의 착수가 있다고 볼 수는 없다(대법원 2009.9.24. 2009도5900).

62 0467

2020 경찰 간부

컴퓨터 등 사용사기죄에 대한 설명 중 가장 옳지 않은 것은? (다툼이 있는 경우 판례에 의함)

① 타인의 명의를 모용하여 발급받은 신용카드의 번호와 그 비밀번호를 이용하여 ARS 전화서비스나 인터넷 등을 통하여 신용대출을 받는 방법으로 재산상 이익을 취득하는 행위는 컴퓨터 등 사용사기죄에 해당한다.

② 금융기관 직원이 범죄의 목적으로 전산단말기를 이용하여 다른 공범들이 지정한 특정계좌에 무자원 송금방식으로 금원을 입금했다 할지라도 평상시 그 직원이 금융기관의 여·수신업무를 처리할 권한이 있었다면 컴퓨터 등 사용사기죄는 성립하지 않는다.

③ 손자가 할아버지 소유 농업협동조합 예금통장을 절취하여 이를 현금자동지급기에 넣고 조작하는 방법으로 예금 잔고를 자신의 거래 은행계좌로 이체한 경우에는 농협협동조합이 컴퓨터사용사기 범행의 피해자이므로 친족상도례를 적용할 수 없다.

④ 컴퓨터 등 사용사기죄에서 '정보처리'는 사기죄에서 피해자의 처분행위에 상응하므로 입력된 허위의 정보 등에 의하여 계산이나 데이터의 처리가 이루어짐으로써 직접적으로 재산처분의 결과를 초래하여야 하고, 행위자나 제3자의 재산상 이익 취득은 사람의 처분행위가 개재됨이 없이 컴퓨터 등에 의한 정보처리 과정에서 이루어져야 한다.

지문분석

난이도 상 정답 ②

| 키 워 드 | 컴퓨터 등 사용사기죄

| 출제유형 | 틀린 지문 고르기

② (X) 금융기관 직원이 범죄의 목적으로 전산단말기를 이용하여 다른 공범들이 지정한 특정계좌에 무자원 송금의 방식으로 거액을 입금한 것은 형법 제347조의2에서 정하는 컴퓨터 등 사용사기죄에서의 '권한 없이 정보를 입력하여 정보처리를 하게 한 경우'에 해당한다고 할 것이고, 이는 그 직원이 평상시 금융기관의 여·수신업무를 처리할 권한이 있었다고 하여도 마찬가지이다(대법원 2006.1.26. 2005도8507).

① (O) [1] 피고인이 타인의 명의를 모용하여 발급받은 신용카드를 사용하여 현금자동지급기에서 현금대출을 받는 행위는 카드회사에 의하여 미리 포괄적으로 허용된 행위가 아니라, 현금자동지급기의 관리자의 의사에 반하여 그의 지배를 배제한 채 그 현금을 자기의 지배하에 옮겨 놓는 행위로서 절도죄에 해당한다.

[2] 타인의 명의를 모용하여 발급받은 신용카드의 번호와 그 비밀번호를 이용하여 ARS 전화서비스나 인터넷 등을 통하여 신용대출을 받는 방법으로 재산상 이익을 취득하는 행위 역시 미리 포괄적으로 허용된 행위가 아닌 이상, 컴퓨터 등 정보처리장치에 권한 없이 정보를 입력하여 정보처리를 하게 함으로써 재산상 이익을 취득하는 행위로서 컴퓨터 등 사용사기죄에 해당한다(대법원 2006.7.27. 2006도3126).

③ (O) 대법원 2007.3.15. 2006도2704

④ (O) 대법원 2014.3.13. 2013도16099

63 0468

2019 경찰 간부

사기의 죄에 대한 다음 설명 중 가장 옳지 않은 것은? (다툼이 있는 경우 판례에 의함)

① 발행인의 자금부족으로 지급이 거절된 약속어음도 사기죄의 객체가 된다.

② 甲은 전매금지된 택지분양권을 A에게 매도한 뒤 이를 다시 B에게 매도한 다음 이중매도한 사실을 고지하지 아니한 채 B가 C에게 이 분양권을 전매하는 매매계약에 형식적인 매도인으로 관여하면서 직접 매매대금을 수령하지 않고 C로 하여금 B에게 매매대금을 교부하게 한 경우 甲에게 사기죄가 성립한다.

③ 토지에 대하여 도시계획이 입안되어 있어 장차 협의매수되거나 수용될 것이라는 사정을 매수인에게 고지하지 아니한 행위가 부작위에 의한 사기죄를 구성한다.

④ 의사가 전화를 이용하여 진찰한 것임에도 내원 진찰인 것처럼 가장하여 국민건강보험관리공단에 요양급여비용을 청구하여 진찰료를 수령한 경우 사기죄가 성립하지 않는다.

지문분석

난이도 중 정답 ④

| 키 워 드 | 사기죄

| 출제유형 | 틀린 지문 고르기

④ (X) 의사인 피고인이 전화를 이용하여 진찰(이하 '전화 진찰'이라고 한다)한 것임에도 내원 진찰인 것처럼 가장하여 국민건강보험관리공단에 요양급여비용을 청구함으로써 진찰료 등을 편취하였다는 내용으로 기소된 사안에서, 당시에 시행되던 구 '국민건강보험 요양급여의 기준에 관한 규칙'(2010.3.19. 보건복지부령 제1호로 개정되기 전의 것)에 기한 보건복지부장관의 고시는 내원을 전제로 한 진찰만을 요양급여의 대상으로 정하고 있고 전화 진찰이나 이에 기한 약제 등의 지급은 요양급여의 대상으로 정하고 있지 아니하므로, 전화 진찰이 구 의료법(2009.1.30. 법률 제9386호로 개정되기 전의 것) 제17조 제1항에서 정한 '직접 진찰'에 해당한다고 하더라도 그러한 사정만으로 요양급여의 대상이 된다고 할 수 없는 이상, 전화 진찰을 요양급여대상으로 되어 있던 내원 진찰인 것으로 하여 요양급여비용을 청구한 것은 기망행위로서 사기죄를 구성한다(대법원 2013.4.26. 2011도10797).

① (O) 약속어음은 그 자체가 재산적 가치를 지닌 유가증권으로서 만기에 지급장소에서 어음금이 지급되지 아니하는 때라도 소지인은 배서인, 발행인 기타 어음채무자에 대하여 소구권을 행사할 수 있어서 그 효용이 소멸된 것이 아니므로 발행인의 자금부족으로 지급장소에서 지급되지 아니하는 약속어음이라도 사기죄의 객체가 된다(대법원 1985.3.9. 85도951).

② (O) 대법원 2009.1.30. 2008도9985

→ 재물편취를 내용으로 하는 사기죄에 있어서는 기망으로 인한 재물교부가 있으면 그 자체로써 피해자의 재산침해가 되어 곧 사기죄는 성립하는 것이고, 그로 인한 이익이 결과적으로 누구에게 귀속하는지는 사기죄의 성부에 아무런 영향이 없다.

③ (O) 대법원 1993.7.13. 93도14

64 0469

2021 경찰 간부

전기통신금융사기에 대한 설명 중 옳은 것만을 모두 고른 것은? (다툼이 있는 경우 판례에 의함)

가. 이른바 '착오송금'의 법리는 계좌명의인이 개설한 예금계좌가 전기통신금융사기 범행에 이용되어 그 계좌에 피해자가 사기피해금을 송금·이체한 경우에도 마찬가지로 적용된다. 계좌명의인은 아무런 법률관계 없이 송금·이체된 사기피해금을 보관하는 지위에 있고, 만약 그 돈을 영득할 의사로 인출하면 피해자에 대한 횡령죄가 성립한다.

나. 이때 계좌명의인이 사기의 공범이라면 자신이 가담한 범행의 결과 피해금을 보관하게 된 것일 뿐이어서 피해자와 사이에 위탁관계가 없고, 그가 송금·이체된 돈을 인출하더라도 이는 자신이 저지른 사기범행의 실행행위에 지나지 아니하여 새로운 법익을 침해한다고 볼 수 없으므로 사기죄 외에 별도로 횡령죄를 구성하지는 않는다.

다. 다만, 판례는 전기통신금융사기 범행으로 피해자의 돈이 사기이용계좌로 송금·이체되었다면 이로써 편취행위는 기수에 이른다고 보고 있는데, 이는 사기범이 접근매체를 이용하여 그 돈을 인출할 수 있는 상태에 이르게 되면 계좌명의인의 예금반환청구권을 자신이 행사할 수 있게 된 것으로서 예금 자체를 취득한 것으로 보아야 한다는 의미이다.

라. 한편 계좌명의인의 인출행위는 전기통신금융사기의 범인에 대한 관계에서는 횡령죄가 되지 않는다. 계좌명의인과 전기통신금융사기의 범인 사이의 관계는 횡령죄로 보호할 만한 가치가 있는 위탁관계가 아닐뿐더러, 계좌명의인과 사기범 사이의 관계를 횡령죄로 보호하는 것은 그 범행으로 송금·이체된 돈을 사기범에게 귀속시키는 결과가 되어 옳지 않기 때문이다.

① 가, 나　　② 가, 나, 라
③ 가, 다, 라　　④ 나, 다, 라

지문분석　　난이도 중 정답 ②

| 키 워 드 | 전기통신금융사기죄
| 출제유형 | 조합하기

가. (O) 대법원 2018.7.19. 2017도17494 전원합의체
→ 사기이용계좌의 명의인이 전기통신금융사기(보이스피싱) 피해금을 횡령한 사건

나, 라. (O) 대법원 2018.7.19. 2017도17494 전원합의체

다. (X) 계좌명의인이 전기통신금융사기의 범인에게 예금계좌에 연결된 접근매체를 양도하였다 하더라도 은행에 대하여 여전히 예금계약의 당사자로서 예금반환청구권을 가지는 이상 그 계좌에 송금·이체된 돈이 그 접근매체를 교부받은 사람에게 귀속되었다고 볼 수는 없다. 접근매체를 교부받은 사람은 계좌명의인의 예금반환청구권을 자신이 사실상 행사할 수 있게 된 것일 뿐 예금 자체를 취득한 것이 아니다. 판례는 전기통신금융사기 범행으로 피해자의 돈이 사기이용계좌로 송금·이체되었다면 이로써 편취행위는 기수에 이른다고 보고 있는데, 이는 사기범이 접근매체를 이용하여 그 돈을 인출할 수 있는 상태에 이르렀다는 의미일 뿐 사기범이 그 돈을 취득하였다는 것은 아니다(대법원 2018.7.19. 2017도17494 전원합의체).

65 0470

2011 경찰 승진

甲은 피씨방에 게임을 하러 온 乙로부터 그 소유의 농협현금카드로 20,000원을 인출해 오라는 부탁과 함께 현금카드를 건네받게 되자 현금자동인출기에 위 현금카드를 넣고 권한 없이 인출금액을 50,000원으로 입력하여 그 금액을 인출한 후 그중 20,000원만을 乙에게 건네주고 나머지 30,000원을 취득하였다. 甲의 죄책은? (다툼이 있는 경우 판례에 의함)

① 횡령죄 ② 사기죄
③ 컴퓨터 등 사용사기죄 ④ 배임죄

지문분석 난이도 중 정답 ③

| 키 워 드 | 컴퓨터 등 사용사기죄
| 출제유형 | 사례 풀기

③ (O) 예금주인 현금카드 소유자로부터 일정액의 현금을 인출해 오라는 부탁과 함께 현금카드를 건네받아 그 위임받은 금액을 초과한 현금을 인출한 행위는 그 인출된 현금에 대한 점유를 취득함으로써 이때에 그 인출한 현금 총액 중 인출을 위임받은 금액을 넘는 부분의 비율에 상당하는 재산상 이익을 취득한 것으로 볼 수 있으므로 이러한 행위는 그 차액 상당액에 관하여 형법 제347조의2(컴퓨터 등 사용사기)에 규정된 '컴퓨터 등 정보처리장치에 권한 없이 정보를 입력하여 정보처리를 하게 함으로써 재산상의 이익을 취득'하는 행위로서 컴퓨터 등 사용사기죄에 해당된다(대법원 2006.3.24. 2005도3516).

5 공갈의 죄

66 0471

2020 경찰 승진

공갈의 죄에 대한 설명 중 가장 적절하지 않은 것은? (다툼이 있는 경우 판례에 의함)

① 부동산에 대한 공갈죄는 그 부동산의 소유권이전등기를 경료받거나 또는 인도를 받은 때에 기수가 된다.
② 피공갈자의 처분행위는 반드시 작위에 한하지 않고 부작위로도 가능하여, 피공갈자가 외포심을 일으켜 묵인하고 있는 동안에 공갈자가 직접 재산상의 이익을 탈취한 경우 공갈죄가 성립할 수 있다.
③ A가 甲의 돈을 절취한 다음 다른 금전과 섞거나 교환하지 않고 쇼핑백에 넣어 자신의 집에 숨겨두었는데 乙이 甲의 지시를 받아 A를 위협하여 쇼핑백에 들어 있던 절취된 돈을 교부받은 경우 乙에게 공갈죄가 성립하지 않는다.
④ 甲이 예금주인 현금카드 소유자를 협박하여 그 카드를 갈취한 다음 피해자의 승낙에 의하여 현금카드를 사용할 권한을 부여받아 이를 이용하여 여러 차례 현금자동지급기에서 예금을 인출한 경우 공갈죄와 절도죄의 경합범이 성립한다.

지문분석 난이도 중 정답 ④

| 키 워 드 | 공갈죄
| 출제유형 | 틀린 지문 고르기

④ (X) 예금주인 현금카드 소유자를 협박하여 그 카드를 갈취하였고, 하자 있는 의사표시이기는 하지만 피해자의 승낙에 의하여 현금카드를 사용할 권한을 부여받아 이를 이용하여 현금을 인출한 이상, 피고인이 피해자로부터 현금카드를 사용한 예금인출의 승낙을 받고 현금카드를 교부받은 행위와 이를 사용하여 현금자동지급기에서 예금을 여러 번 인출한 행위들은 모두 피해자의 예금을 갈취하고자 하는 피고인의 단일하고 계속된 범의 아래에서 이루어진 일련의 행위로서 포괄하여 하나의 공갈죄를 구성한다고 볼 것이지, 현금지급기에서 피해자의 예금을 취득한 행위를 현금지급기 관리자의 의사에 반하여 그가 점유하고 있는 현금을 절취한 것이라 하여 이를 현금카드갈취행위와 분리하여 따로 절도죄로 처단할 수는 없다(대법원 1996.9.20. 95도1728).
① (O) 대법원 1992.9.14. 92도1506
② (O) 대법원 2012.1.27. 2011도16044
③ (O) 공갈죄의 대상이 되는 재물은 타인의 재물을 의미하므로, 사람을 공갈하여 자기의 재물을 교부받는 경우에는 공갈죄가 성립하지 아니한다. 그리고 타인의 재물인지는 민법, 상법, 기타의 실체법에 의하여 결정되는데, 금전을 도난당한 경우 절도범이 절취한 금전만 소지하고 있는 때 등과 같이 구체적으로 절취된 금전을 특정할 수 있어 객관적으로 다른 금전 등과 구분됨이 명백한 예외적인 경우에는 절도 피해자에 대한 관계에서 그 금전이 절도범인 타인의 재물이라고 할 수 없다(대법원 2012.8.30. 2012도6157).

67 0472

2012 경찰 3차

공갈죄에 관한 다음 설명 중 가장 옳은 것은? (다툼이 있는 경우 판례에 의함)

① 공갈죄에 있어서 공갈의 상대방은 재산상의 피해자와 동일함을 요하지 아니하며, 공갈의 목적이 된 재물 및 기타 재산상의 이익을 처분할 수 있는 사실상 또는 법률상의 권한을 갖거나 그러한 지위에 있음을 요하는 것도 아니다.

② 토지매도인이 그 매매대금을 지급받기 위하여 매수인을 상대로 하여 당해 토지에 관한 소유권이전등기말소청구소송을 제기하고 위 대금을 변제받지 못하면 위 소송을 취하하지 아니하고 예고등기도 말소하지 않겠다는 취지를 알린 경우, 공갈행위에 해당한다고 단정할 수 있다.

③ 공갈죄는 폭행 또는 협박과 같은 공갈행위로 인하여 피공갈자가 재산상 이익을 공여하는 처분행위가 있어야 성립하며, 처분행위는 반드시 작위에 한하지 아니하고, 피공갈자가 외포심을 일으켜 묵인하고 있는 동안에 공갈자가 직접 재산상의 이익을 탈취하는 부작위로도 가능하다.

④ 부동산에 대한 공갈죄는 그 부동산의 소유권이전등기에 필요한 서류를 교부받은 때에 기수가 된다.

지문분석

난이도 중 정답 ③

| 키 워 드 | 공갈죄

| 출제유형 | 옳은 지문 고르기

③ (O) [1] 재산상 이익의 취득으로 인한 공갈죄가 성립하려면 폭행 또는 협박과 같은 공갈행위로 인하여 피공갈자가 재산상 이익을 공여하는 처분행위가 있어야 한다. 물론 그러한 처분행위는 반드시 작위에 한하지 아니하고 부작위로도 족하여서, 피공갈자가 외포심을 일으켜 묵인하고 있는 동안에 공갈자가 직접 재산상의 이익을 탈취한 경우에도 공갈죄가 성립할 수 있다. 그러나 폭행의 상대방이 위와 같은 의미에서의 처분행위를 한 바 없고, 단지 행위자가 법적으로 의무 있는 재산상 이익의 공여를 면하기 위하여 상대방을 폭행하고 현장에서 도주함으로써 상대방이 행위자로부터 원래라면 얻을 수 있었던 재산상 이익의 실현에 장애가 발생한 것에 불과하다면, 그 행위자에게 공갈죄의 죄책을 물을 수 없다.

[2] 피고인이 피해자가 운전하는 택시를 타고 간 후 최초의 장소에 이르러 택시요금의 지급을 면할 목적으로 다른 장소에 가자고 하였다면서 택시에서 내린 다음 택시요금 지급을 요구하는 피해자를 때리고 달아나자, 피해자가 피고인이 말한 다른 장소까지 쫓아가 기다리다 그곳에서 피고인을 발견하고 택시요금 지급을 요구하였는데 피고인이 다시 피해자의 얼굴 등을 주먹으로 때리고 달아난 사안에서, 피해자가 피고인에게 계속해서 택시요금의 지급을 요구하였으나 피고인이 이를 면하고자 피해자를 폭행하고 달아났을 뿐, 피해자가 폭행을 당하여 외포심을 일으켜 수동적·소극적으로라도 피고인이 택시요금 지급을 면하는 것을 용인하여 이익을 공여하는 처분행위를 하였다고 할 수 없는데도, 이와 달리 보아 공갈죄를 인정한 원심판결에 법리오해 등 위법이 있다(대법원 2012.1.27. 2011도16044).

① (X) [1] 공갈죄에 있어서 공갈의 상대방은 재산상의 피해자와 동일함을 요하지는 아니하나, 공갈의 목적이 된 재물 기타 재산상의 이익을 처분할 수 있는 사실상 또는 법률상의 권한을 갖거나 그러한 지위에 있음을 요한다.

[2] 주점의 종업원에게 신체에 위해를 가할 듯한 태도를 보여 이에 겁을 먹은 위 종업원으로부터 주류를 제공받은 경우에 있어 위 종업원은 주류에 대한 사실상의 처분권자이므로 공갈죄의 피해자에 해당된다고 보아 공갈죄가 성립한다고 한 원심의 판단을 수긍한 사례(대법원 2005.9.29. 2005도4738)

→ 삼각공갈을 인정한 판결이다.

② (X) 처분권주의, 변론주의의 원리를 채택하고 있는 민사소송에 있어 부당한 제소나 그 소송의 유지가 있다 하더라도 상대방은 이에 응소하여 방어권을 충분히 행사할 수 있는 것이고 소의 취하는 상대방이 이를 강제할 수 없는 것이므로, 토지매도인이 그 매매대금을 지급받기 위하여 매수인을 상대로 하여 당해 토지에 관한 소유권이전등기말소청구소송을 제기하고 위 대금을 변제받지 못하면 위 소송을 취하하지 아니하고 예고등기도 말소하지 않겠다는 취지를 알렸다고 하여 이를 지목하여 공갈행위라고 단정할 수는 없다(대법원 1989.2.28. 87도690).

④ (X) 부동산에 대한 공갈죄는 그 부동산에 관하여 소유권이전등기를 경료받거나 또는 인도를 받은 때에 기수로 되는 것이고, 소유권이전등기에 필요한 서류를 교부받은 때에 기수로 되어 그 범행이 완료되는 것은 아니다(대법원 1992.9.14. 92도1506).

68 0473

2018 경찰 2차

사기와 공갈의 죄에 대한 설명으로 옳지 않은 것을 모두 고른 것은? (다툼이 있는 경우 판례에 의함)

㉠ 타인으로부터 금전을 차용하면서 그 용도를 속였고, 만일 사실대로 용도를 고지하였더라면 상대방이 그에 응하지 않았을 경우에 차용금채무에 대한 상당한 담보를 제공하였다는 사정이 있으면 사기죄가 성립하지 아니한다.
㉡ 1개의 기망행위에 의하여 다수의 피해자로부터 각각 재물을 편취한 경우에는 피해자별로 수개의 사기죄가 성립하고, 각 죄는 실체적 경합의 관계에 있다.
㉢ 피해자를 기망하여 재물의 교부를 받고 그 대가를 일부 지급한 경우에는 피해자로부터 교부된 재물의 가치로부터 그 대가를 공제한 차액이 사기죄의 편취액으로 산정된다.
㉣ 예금주인 현금카드 소유자를 협박하여 카드를 갈취하고, 하자 있는 의사표시이기는 하나 피해자의 승낙에 의하여 현금카드를 사용할 권한을 부여받아 이를 사용하여 현금자동지급기에서 예금을 여러 번 인출한 행위들은 포괄하여 하나의 공갈죄를 구성한다.
㉤ 다른 공범자가 공갈행위의 실행에 착수한 후 그 범행을 인식하면서 그와 공동의 범의를 가지고 그 후의 공갈행위를 계속하여 재물의 교부나 재산상 이익의 취득에 이른 때에는 공갈죄의 공동정범이 성립한다.

① ㉠, ㉡, ㉢　　② ㉠, ㉡, ㉣
③ ㉠, ㉢, ㉤　　④ ㉡, ㉢, ㉤

지문분석 난이도 ㉦ 정답 ①

| 키 워 드 | 사기와 공갈의 죄
| 출제유형 | 조합하기

㉠ (X) 타인으로부터 금전을 차용함에 있어서 그 차용한 금전의 용도나 변제할 자금의 마련방법에 관하여 사실대로 고지하였더라면 상대방이 응하지 않았을 경우에 그 용도나 변제자금의 마련방법에 관하여 진실에 반하는 사실을 고지하여 금전을 교부받은 경우에는 사기죄가 성립하고, 이 경우 차용금채무에 대한 담보를 제공하였다는 사정만으로는 결론을 달리할 것은 아니다(대법원 2005.9.15. 2003도5382).
㉡ (X) 1개의 기망행위에 의하여 다수의 피해자로부터 각각 재산상 이익을 편취한 경우에는 피해자별로 수개의 사기죄가 성립하고, 그 사이에는 상상적 경합의 관계에 있는 것으로 보아야 한다(대법원 2015.4.23. 2014도16980).
㉢ (X) 재물편취를 내용으로 하는 사기죄에 있어서는 기망으로 인한 재물교부가 있으면 그 자체로써 피해자의 재산침해가 되어 이로써 곧 사기죄가 성립하는 것이고, 상당한 대가가 지급되었다거나 피해자의 전체 재산상에 손해가 없다 하여도 사기죄의 성립에는 그 영향이 없으므로 사기죄에 있어서 그 대가가 일부 지급된 경우에도 그 편취액은 피해자로부터 교부된 재물의 가치로부터 그 대가를 공제한 차액이 아니라 교부받은 재물 전부라 할 것이다(대법원 2000.7.7. 2000도1899).
㉣ (O) 포괄하여 하나의 공갈죄를 구성한다고 볼 것이지, 현금카드 갈취행위와 분리하여 따로 절도죄로 처단할 수는 없다(대법원 1996.9.20. 95도1728).
㉤ (O) 대법원 1997.2.14. 96노1959
→ 사과광고를 게재토록 하면서 과다 광고료를 받은 신문사 사주 및 광고국장에게 공갈죄의 공동정범을 인정한 판결이다.

69 0474

2017 경찰 승진

공갈죄에 관한 설명 중 가장 적절하지 않은 것은? (다툼이 있는 경우 판례에 의함)

① 공갈죄의 수단으로서 협박은 사람의 의사결정의 자유를 제한하거나 의사실행의 자유를 방해할 정도로 겁을 먹게 할 만한 해악을 고지하는 것을 말하고 해악의 고지는 반드시 명시의 방법에 의할 것을 요하지 아니한다.
② 사회통념상 용인되기 어려운 정도를 넘는 협박을 수단으로 상대방을 외포케 하여 재물의 교부 또는 재산상의 이익을 받았다고 하더라도, 피고인이 피해자에 대하여 진정한 채권을 가지고 있다면 공갈죄는 성립하지 아니한다.
③ 지역신문의 발행인이 시정에 관한 비판기사 및 사설을 보도하고 관련 공무원에게 광고의뢰 및 직보배정을 타 신문사와 같은 수준으로 높게 해달라고 요청한 사실만으로는 공갈죄의 수단으로서 그 상대방을 협박하였다고 볼 수 없다.
④ 공갈죄에 있어서 공갈의 상대방은 재산상의 피해자와 동일함을 요하지는 아니하나, 공갈의 목적이 된 재물 기타 재산상의 이익을 처분할 수 있는 사실상 또는 법률상의 권한을 갖거나 그러한 지위에 있음을 요한다.

지문분석

난이도 하 정답 ②

| 키 워 드 | 공갈죄
| 출제유형 | 틀린 지문 고르기

② (X) 정당한 권리가 있다 하더라도 그 권리행사를 빙자하여 사회통념상 용인되기 어려운 정도를 넘는 협박을 수단으로 상대방을 외포케 하여 재물의 교부 또는 재산상의 이익을 받으려 하였다면 공갈죄가 성립한다(대법원 1996.3.22. 95도2801).
① (O) 공갈죄의 수단으로서 협박은 사람의 의사결정의 자유를 제한하거나 의사실행의 자유를 방해할 정도로 겁을 먹게 할 만한 해악을 고지하는 것을 말하고, 해악의 고지는 ㉠ 반드시 명시의 방법에 의할 것을 요하지 아니하며 언어나 거동에 의하여 상대방으로 하여금 어떠한 해악에 이르게 할 것이라는 인식을 갖게 하는 것이면 족한 것이고, 또한 ㉡ 직접적이 아니더라도 피공갈자 이외의 제3자를 통해서 간접적으로 할 수도 있다(대법원 2001.2.23. 2000도4415).
③ (O) 대법원 2002.12.10. 2001도7095
④ (O) [1] 공갈죄에 있어서 공갈의 상대방은 재산상의 피해자와 동일함을 요하지는 아니하나, 공갈의 목적이 된 재물 기타 재산상의 이익을 처분할 수 있는 사실상 또는 법률상의 권한을 갖거나 그러한 지위에 있음을 요한다.
[2] 주점의 종업원에게 신체에 위해를 가할 듯한 태도를 보여 이에 겁을 먹은 위 종업원으로부터 주류를 제공받은 경우에 있어 위 종업원은 주류에 대한 사실상의 처분권자이므로 공갈죄의 피해자에 해당된다고 보아 공갈죄가 성립한다고 한 원심의 판단을 수긍한 사례(대법원 2005.9.29. 2005도4738)

70 0475

2016 경찰 승진

공갈의 죄에 관한 설명 중 가장 적절하지 않은 것은? (다툼이 있으면 판례에 의함)

① 조상천도제를 지내지 아니하면 좋지 않은 일이 생긴다는 취지의 해악의 고지는 협박으로 평가될 수 있어 공갈죄가 성립한다.
② 공갈죄의 수단인 협박은 객관적으로 사람의 의사결정의 자유를 제한하거나 의사실행의 자유를 방해할 정도로 겁을 먹게 할 만한 해악을 고지하는 것을 말한다.
③ 부동산에 대한 공갈죄는 그 부동산에 관하여 소유권이전등기를 경료받거나 또는 인도를 받은 때에 기수로 되는 것이다.
④ 피해자의 기망에 의하여 부동산을 비싸게 매수한 자가 그 계약을 취소하지 않고 등기를 자신의 앞으로 둔 채 피해자를 협박하여 전매차익을 받아낸 경우 공갈죄가 성립한다.

지문분석

난이도 중 정답 ①

| 키 워 드 | 공갈죄
| 출제유형 | 틀린 지문 고르기

① (X) 조상천도제를 지내지 아니하면 좋지 않은 일이 생긴다는 취지의 해악의 고지는 길흉화복이나 천재지변의 예고로서 행위자에 의하여 직접·간접적으로 좌우될 수 없는 것이고 가해자가 현실적으로 특정되어 있지도 않으며 해악의 발생가능성이 합리적으로 예견될 수 있는 것이 아니므로 협박으로 평가될 수 없다(대법원 2002.2.8. 2000도3245).
② (O) [1] 강요죄나 공갈죄의 수단인 협박은 사람의 의사결정의 자유를 제한하거나 의사실행의 자유를 방해할 정도로 겁을 먹게 할 만한 해악을 고지하는 것을 말한다.
[2] 해악의 고지는 반드시 명시적인 방법이 아니더라도 말이나 행동을 통해서 상대방으로 하여금 어떠한 해악에 이르게 할 것이라는 인식을 갖게 하는 것이면 족하다(대법원 2013.4.11. 2010도13774).
③ (O) 부동산에 대한 공갈죄는 그 부동산에 관하여 소유권이전등기를 경료받거나 또는 인도를 받은 때에 기수로 되는 것이고, 소유권이전등기에 필요한 서류를 교부받은 때에 기수로 되어 그 범행이 완료되는 것은 아니다(대법원 1992.9.14. 92도1506).
④ (O) 대법원 1991.9.24. 91도1824
→ 이는 정당한 권리행사의 범위를 넘은 것으로서 사회통념상 용인될 수 없으므로 공갈죄를 구성한다.

71 0476

2015 경찰 승진

공갈죄에 관한 설명 중 가장 적절하지 않은 것은? (다툼이 있는 경우 판례에 의함)

① 가출자의 가족에 대하여 그의 소재를 알려주는 조건으로 보험가입을 요구한 경우는 공갈죄에 있어서의 협박으로 볼 수 없다.

② 사회통념상 용인되기 어려운 정도를 넘는 협박을 수단으로 상대방을 외포케 하여 재물의 교부 또는 재산상의 이익을 받았다고 하더라도, 피고인이 피해자에 대하여 진정한 채권을 가지고 있다면 공갈죄는 성립하지 아니한다.

③ 지역신문의 발행인이 시정에 관한 비판기사 및 사설을 보도하고 관련 공무원에게 광고의뢰 및 직보배정을 타 신문사와 같은 수준으로 높게 해달라고 요청한 사실만으로는 공갈죄의 수단으로서 그 상대방을 협박하였다고 볼 수 없다.

④ 피해자의 기망에 의하여 부동산을 비싸게 매수한 피고인이 그 계약을 취소함이 없이 등기를 피고인 앞으로 둔 채 피해자를 협박하여 재산상의 이득을 얻거나 돈을 받은 행위는 공갈죄를 구성한다.

지문분석 난이도 중 정답 ②

| 키 워 드 | 공갈죄

| 출제유형 | 틀린 지문 고르기

② (X) 피고인이 피해자에 대하여 채권이 있다고 하더라도 그 권리행사를 빙자하여 사회통념상 용인되기 어려운 정도를 넘는 협박을 수단으로 상대방을 외포케 하여 재물의 교부 또는 재산상의 이익을 받았다면 공갈죄가 되는 것이다(대법원 2000.2.25. 99도4305).

① (O) 대법원 1976.4.27. 75도2818

→ 가출자를 찾으려고 그 소재를 알고 싶어 하는 그 가족들의 안타까운 심정을 이용하여 보험가입을 권유 내지 요구하는 언동으로 도의상 비난할 수 있을지언정 그로 인하여 가족들에 새로운 외포심을 일으키게 되거나 외포심이 더하여진다고는 볼 수 없기 때문이다.

③ (O) 대법원 2002.12.10. 2001도7095

④ (O) 피해자의 기망에 의하여 부동산을 비싸게 매수한 피고인이라도 그 계약을 취소함이 없이 등기를 피고인 앞으로 둔 채 피해자의 전매차익을 받아낼 셈으로 피해자를 협박하여 재산상의 이득을 얻거나 돈을 받았다면 이는 정당한 권리행사의 범위를 넘은 것으로서 사회통념상 용인될 수 없으므로 공갈죄를 구성한다(대법원 1991.9.24. 91도1824).

72 0477

2014 경찰 승진

공갈의 죄에 관한 설명 중 가장 적절하지 않은 것은? (다툼이 있는 경우 판례에 의함)

① 예금주인 현금카드 소유자를 협박하여 그 카드를 갈취한 다음 피해자의 승낙에 의하여 현금카드를 사용할 권한을 부여받아 이를 이용하여 현금자동지급기에서 현금을 인출한 행위와 관련하여 현금자동지급기에서 피해자의 예금을 인출한 행위는 현금카드 갈취행위와 분리하여 따로 절도죄로 처단할 수는 없다.

② 공갈죄의 수단으로서 협박은 사람의 의사결정의 자유를 제한하거나 의사실행의 자유를 방해할 정도로 겁을 먹게 할 만한 해악을 고지하는 것을 말하고 해악의 고지는 반드시 명시의 방법에 의할 것을 요하지 아니한다.

③ 피고인이 甲주식회사가 특정 신문들에 광고를 편중했다는 이유로 기자회견을 열어 甲회사에 대하여 불매운동을 하겠다고 하면서 특정 신문들에 대한 광고를 중단할 것과 다른 신문들에 대해서도 동등하게 광고를 집행할 것을 요구하고 甲회사 인터넷 홈페이지에 그와 같은 내용의 팝업창을 띄우게 한 경우 강요죄나 공갈죄의 협박에 해당하지 않는다.

④ 피해자가 피고인에게 계속해서 택시요금의 지급을 요구하였으나 피고인이 이를 면하고자 피해자를 폭행하고 달아났을 뿐 피해자가 폭행을 당하여 외포심을 일으켜 수동적·소극적으로라도 피고인이 택시요금 지급을 면하는 것을 용인하여 이익을 공여하는 처분행위를 하였다고 할 수 없는 경우 공갈죄가 성립하지 아니한다.

지문분석 난이도 중 정답 ③

| 키 워 드 | 공갈죄

| 출제유형 | 틀린 지문 고르기

③ (X) 피고인이, 甲주식회사가 특정 신문들에 광고를 편중했다는 이유로 기자회견을 열어 甲회사에 대하여 불매운동을 하겠다고 하면서 특정 신문들에 대한 광고를 중단할 것과 다른 신문들에 대해서도 동등하게 광고를 집행할 것을 요구하고 甲회사 인터넷 홈페이지에 그와 같은 내용의 팝업창을 띄우게 한 경우, 피고인의 행위는 강요죄나 공갈죄의 수단인 협박에 해당한다(대법원 2013.4.11. 2010도13774).

① (O) 대법원 1996.9.20. 95도1728

② (O) 대법원 2001.2.23. 2000도4415

④ (O) 대법원 2012.1.27. 2011도16044

→ 처분행위가 없는 경우 공갈죄가 성립하지 않는다.

73 0478

2019 경찰 간부

공갈의 죄에 대한 다음 설명 중 가장 옳지 않은 것은? (다툼이 있는 경우 판례에 의함)

① 피고인이 예금주인 현금카드 소유자를 협박하여 그 카드를 갈취한 다음 피해자의 승낙에 의하여 현금카드를 사용할 권한을 부여받아 이를 이용하여 여러 차례 현금자동지급기에서 예금을 인출한 경우 포괄하여 하나의 공갈죄를 구성한다.

② 공갈죄에 있어서 공갈의 상대방은 재산상의 피해자와 동일함을 요하지는 않는다.

③ 공갈죄의 대상이 되는 재물은 타인의 재물을 의미하므로 사람을 공갈하여 자기의 재물을 교부받는 경우에는 공갈죄가 성립하지 아니한다.

④ 택시 승객이 택시요금을 면하기 위하여 택시운전사를 폭행하고 도주한 경우, 택시운전사의 처분행위가 없었더라도 재산상 이익실현의 장애가 발생하였다면 공갈죄의 기수범이 성립한다.

지문분석 난이도 하 정답 ④

| 키 워 드 | 공갈죄

| 출제유형 | 틀린 지문 고르기

④ (X) 피고인이 피해자가 운전하는 택시를 타고 간 후 최초의 장소에 이르러 택시요금의 지급을 면할 목적으로 다른 장소에 가자고 하였다면서 택시에서 내린 다음 택시요금 지급을 요구하는 피해자를 때리고 달아나자, 피해자가 피고인이 말한 다른 장소까지 쫓아가 기다리다 그곳에서 피고인을 발견하고 택시요금 지급을 요구하였는데 피고인이 다시 피해자의 얼굴 등을 주먹으로 때리고 달아난 사안에서, 피해자가 피고인에게 계속해서 택시요금의 지급을 요구하였으나 피고인이 이를 면하고자 피해자를 폭행하고 달아났을 뿐, 피해자가 폭행을 당하여 외포심을 일으켜 수동적·소극적으로라도 피고인이 택시요금 지급을 면하는 것을 용인하여 이익을 공여하는 처분행위를 하였다고 할 수 없는데도, 이와 달리 보아 공갈죄를 인정한 원심판결에 법리오해 등 위법이 있다(대법원 2012.1.27. 2011도16044).

① (O) 대법원 1996.9.20. 95도1728

② (O) 대법원 2005.9.29. 2005도4738

③ (O) 공갈죄의 대상이 되는 재물은 타인의 재물을 의미하므로, 사람을 공갈하여 자기의 재물을 교부받는 경우에는 공갈죄가 성립하지 아니한다. 그리고 타인의 재물인지는 민법, 상법, 기타의 실체법에 의하여 결정되는데, 금전을 도난당한 경우 절도범이 절취한 금전만 소지하고 있는 때 등과 같이 구체적으로 절취된 금전을 특정할 수 있어 객관적으로 다른 금전 등과 구분됨이 명백한 예외적인 경우에는 절도 피해자에 대한 관계에서 그 금전이 절도범인 타인의 재물이라고 할 수 없다(대법원 2012.8.30. 2012도6157).

6 횡령의 죄

74 0479

2021 경찰 2차

횡령죄에 대한 설명으로 옳은 것은 모두 몇 개인가? (다툼이 있는 경우 판례에 의함)

㉠ 부동산을 공동으로 상속한 자들 중 1인이 부동산을 혼자 점유하다가 다른 공동상속인의 상속지분을 임의로 처분하여도 그에게는 그 처분권능이 없어 횡령죄가 성립하지 아니한다.

㉡ 전기통신금융사기의 공범인 계좌명의인이 개설한 예금계좌로 피해자가 송금·이체한 사기피해금을 계좌명의인이 영득할 의사로 인출하면 피해자에 대한 횡령죄가 성립한다.

㉢ 초·중등교육법에 정한 학교발전기금으로 기부한 금액은 관련 법령상 엄격히 제한된 용도 외에 학교운영에 필요한 특정한 공익적 용도로 수수한 것으로 볼 수 있는 예외적 경우가 아닌 한, 학교운영위원회에 귀속되어 법령에서 정한 사용 목적으로만 사용되어야 하고, 정해진 용도 외의 사용행위는 원칙적으로 횡령죄를 구성한다.

㉣ 익명조합의 경우에는 익명조합원이 영업을 위하여 출자한 금전 기타의 재산은 상대편인 영업자의 재산이 되므로 영업자는 타인의 재물을 보관하는 자의 지위에 있지 않아 영업자가 영업이익금 등을 임의로 소비하였더라도 횡령죄가 성립하지 아니한다.

① 1개 ② 2개
③ 3개 ④ 4개

지문분석 난이도 중 정답 ③

| 키 워 드 | 횡령죄

| 출제유형 | 개수 찾기

㉠ (O) 대법원 2000.4.11. 2000도565

㉢ (O) 대법원 2014.3.13. 2012도6336

㉣ (O) 대법원 1971.12.28. 71도2032

㉡ (X) 계좌명의인이 사기의 공범이라면 자신이 가담한 범행의 결과 피해금을 보관하게 된 것일 뿐이어서 피해자와 사이에 위탁관계가 없고, 그가 송금·이체된 돈을 인출하더라도 이는 자신이 저지른 사기범행의 실행행위에 지나지 아니하여 새로운 법익을 침해한다고 볼 수 없으므로 사기죄 외에 별도로 횡령죄를 구성하지 않는다(대법원 2018.7.19. 2017도17494 전원합의체).

75 0480

2020 경찰 2차

횡령죄에 대한 설명으로 가장 적절하지 않은 것은? (다툼이 있는 경우 판례에 의함)

① A종친회 회장인 甲이 위조한 종친회 규약 등을 공탁관에게 제출하는 방법으로 A종친회를 피공탁자로 하여 공탁된 수용보상금을 출급받아 편취하고, 이를 종친회를 위하여 업무상 보관하던 중 반환을 거부하였다면, 甲이 공탁관을 기망하여 공탁금을 출급받음으로써 A종친회를 피해자로 한 사기죄가 성립하고, 그 후 A종친회에 대하여 공탁금 반환을 거부한 행위에 대해 별도의 횡령죄는 성립하지 않는다.

② 병원에서 의약품 선정·구매 업무를 담당하는 약국장이 병원을 대신하여 제약회사로부터 의약품 제공의 대가로 기부금 명목의 돈을 받아 보관 중 임의로 소비하였다면 이는 병원이 약국장에게 불법원인급여를 한 것에 해당하지 않아 업무상 횡령죄가 성립한다.

③ 부동산에 관하여 신탁자가 수탁자와 명의신탁약정을 맺고 신탁자가 매매계약의 당사자가 되어 매도인과 매매계약을 체결하되 다만 등기를 매도인으로부터 수탁자 앞으로 직접 이전하는 방법으로 명의신탁을 한 경우, 명의수탁자가 그 부동산을 임의로 처분하고, 처분하지 않은 나머지 부동산 반환을 거부한 것은 이미 성립된 횡령죄에 대한 불가벌적 사후행위로 별도의 횡령죄를 구성하지 않는다.

④ 다른 사람의 재물을 보관하는 사람이 그 사람의 동의 없이 함부로 이를 담보로 제공하는 행위는 불법영득의 의사를 표현하는 행위로서 사법상 그 담보제공행위가 무효이거나 그 재물에 대한 소유권이 침해되는 결과가 발생하는지 여부에 관계없이 횡령죄를 구성한다.

지문분석

난이도 중 정답 ③

| 키 워 드 | 횡령죄

| 출제유형 | 틀린 지문 고르기

③ (X) 명의신탁자가 매수한 부동산에 관하여 부동산실명법을 위반하여 명의수탁자와 맺은 명의신탁약정에 따라 매도인에게서 바로 명의수탁자 명의로 소유권이전등기를 마친 이른바 중간생략등기형 명의신탁을 한 경우, 명의신탁자는 신탁부동산의 소유권을 가지지 아니하고, 명의신탁자와 명의수탁자 사이에 위탁신임관계를 인정할 수도 없다. 따라서 명의수탁자가 명의신탁자의 재물을 보관하는 자라고 할 수 없으므로, 명의수탁자가 신탁받은 부동산을 임의로 처분하여도 명의신탁자에 대한 관계에서 횡령죄가 성립하지 아니한다(대법원 2016.5.19. 2014도6992 전원합의체).

① (O) 甲종친회 회장인 피고인이 위조한 종친회 규약 등을 공탁관에게 제출하는 방법으로 甲종친회를 피공탁자로 하여 공탁된 수용보상금을 출급받아 편취하고, 이를 종친회를 위하여 업무상 보관하던 중 반환을 거부하여 횡령하였다는 내용으로 기소된 사안에서, 피고인이 공탁관을 기망하여 공탁금을 출급받음으로써 甲종친회를 피해자로 한 사기죄가 성립하고, 그 후 甲종친회에 대하여 공탁금 반환을 거부한 행위는 새로운 법익의 침해를 수반하지 않는 불가벌적 사후행위에 해당할 뿐 별도의 횡령죄가 성립하지 않는다(대법원 2015.9.10. 2015도8592).

② (O) 피고인이 병원을 대신하여 제약회사들로부터 의약품을 공급받는 대가로 그 의약품 매출액에 비례하여 기부금 명목의 금원을 제공받은 다음 병원을 위하여 보관하여 왔던 것뿐이라면, 다른 특별한 사정이 없는 한 이를 두고 선량한 풍속 기타 사회질서에 반하는 행위로서 불법원인급여에 해당한다고 보기는 어려우므로, 위 병원이 병원을 대신하여 위 제약회사들로부터 위와 같은 금원을 제공받아 보관하고 있던 피고인에 대해 그 반환을 구하지 못한다고 할 수는 없다. 그럼에도 피고인이 병원을 대신하여 제약회사들로부터 제공받아 보관하고 있던 위와 같은 기부금 명목의 금원이 불법원인급여에 해당한다는 이유로 이 사건 공소사실이 죄가 되지 아니하는 경우에 해당한다고 판단한 원심판결에는 불법원인급여와 횡령죄에 관한 법리를 오해한 나머지 판결에 영향을 미친 위법이 있다(대법원 2008.10.9. 2007도2511).

④ (O) 횡령죄는 다른 사람의 재물에 관한 소유권 등 본권을 그 보호법익으로 하고 본권이 침해될 위험성이 있으면 그 침해의 결과가 발생되지 아니하더라도 성립하는 이른바 위태범이므로, 다른 사람의 재물을 보관하는 사람이 그 사람의 동의 없이 함부로 이를 담보로 제공하는 행위는 불법영득의 의사를 표현하는 횡령행위로서 사법(私法)상 그 담보제공행위가 무효이거나 그 재물에 대한 소유권이 침해되는 결과가 발생하는지 여부에 관계없이 횡령죄를 구성한다(대법원 2002.11.13. 2002도2219).

76 0481 2020 경찰 1차

횡령죄에 관한 설명으로 가장 적절하지 않은 것은? (다툼이 있는 경우 판례에 의함)

① 부동산의 공유자 중 1인이 다른 공유자의 지분을 임의로 처분하거나 임대하여도 그에게는 그 처분권능이 없어 횡령죄가 성립하지 않게 되는데, 구분소유자 전원의 공유에 속하는 공용부분인 지하주차장 일부를 그중 1인이 독점 임대하고 수령한 임차료를 임의로 소비한 경우도 마찬가지이다.

② 국민연금법 제64조 등의 규정에 의하여 사용자는 매월 임금에서 국민연금 보험료 중 근로자가 부담할 기여금을 원천공제하여 근로자를 위하여 보관하고, 국민연금관리공단에 위 보험료를 납부하여야 할 업무상 임무를 부담하게 되며, 사용자가 이에 위배하여 근로자의 임금에서 원천공제한 기여금을 위 공단에 납부하지 아니하고, 나아가 이를 개인적 용도로 소비하였다면 업무상횡령죄에 해당한다.

③ 보관자의 지위에 있는 공동명의 예금채권자가 피해자 조합원들이 제기한 소송으로 인하여 조합이 입게 되는 손해에 대한 구상금채권의 집행 확보를 위하여 피해자 조합원들에 대하여 예금계좌에 초과로 입금된 개발부담금의 반환을 거부한 경우에는 불법영득의사가 인정되어 횡령죄가 성립한다.

④ 아파트 입주자대표회의 회장이 아파트 특별수선충당금을 구조진단 견적비 및 손해배상청구소송의 변호사 선임료로 사용하였으나, 당시에는 특별수선충당금의 용도외 사용이 관리규약에 의해서만 제한되고 있어서 구분소유자들 또는 입주민들로부터 포괄적인 동의를 얻어 특별수선충당금을 위탁의 취지에 부합하는 용도에 사용한 것으로 볼 수 있다면 업무상횡령죄에 해당하지 않는다.

지문분석 난이도 중 정답 ③

| 키 워 드 | 횡령죄

| 출제유형 | 틀린 지문 고르기

③ (X) **횡령죄의 '반환의 거부'**

[1] 형법 제355조 제1항에서 정하는 '반환의 거부'라고 함은 보관물에 대하여 소유자의 권리를 배제하는 의사표시를 하는 행위를 뜻하므로, 타인의 재물을 보관하는 자가 단순히 반환을 거부한 사실만으로는 횡령죄를 구성하는 것은 아니며, 반환거부의 이유 및 주관적인 의사 등을 종합하여 반환거부행위가 횡령행위와 같다고 볼 수 있을 정도이어야만 횡령죄가 성립한다.

[2] 피고인들이 피해자 조합원들에 대하여 이 사건 예금계좌에 초과로 입금된 개발부담금의 반환을 거부한 것은 피해자 조합원들이 제기한 소송으로 인하여 조합이 입게 되는 손해에 대한 구상금채권의 집행 확보를 위한 것에 불과하고, 위 개발부담금을 영득하기 위한 것이라고 볼 수 없다고 판단하여 피고인들에 대하여 횡령죄가 성립하지 않는다고 보아 무죄를 선고한 판단은 정당하고, 거기에 횡령죄에 있어서 영득의사에 관한 법리오해 등의 위법이 없다(대법원 2008.12.11. 2008도8279).

→ 보관자의 지위에 있는 공동명의 예금채권자가 다른 채권의 집행 확보를 위하여 위 예금계좌에 초과로 입금된 돈의 반환을 거부한 사안에서 횡령죄의 성립을 부정한 판결이다.

① (O) **부동산의 공유자 중 1인이 다른 공유자의 지분을 임의로 처분하거나 임대한 경우, 횡령죄의 성립 여부: 부정 〈지하주차장 대금 횡령의 점에 대한 판단〉**

[1] 부동산에 관한 횡령죄에 있어서 타인의 재물을 보관하는 자의 지위는 동산의 경우와는 달리 부동산에 대한 점유의 여부가 아니라 부동산을 제3자에게 유효하게 처분할 수 있는 권능의 유무에 따라 결정하여야 하므로, 부동산의 공유자 중 1인이 다른 공유자의 지분을 임의로 처분하거나 임대하여도 그에게는 그 처분권능이 없어 횡령죄가 성립하지 아니한다.

[2] 구분소유자 전원의 공유에 속하는 공용부분인 지하주차장 일부를 피고인이 독점 임대하였더라도 그 피고인이 그 공용부분을 다른 구분소유자들을 위하여 보관하는 지위에 있는 것은 아니므로 위 공용부분을 임대하고 수령한 임차료 역시 다른 구분소유자들을 위하여 보관하는 것은 아니라고 할 것이어서 그 돈을 임의로 소비하였어도 횡령죄가 성립하지 아니한다(대법원 2004.5.27. 2003도6988).

② (O) 대법원 2011.2.10. 2010도13284

→ 원천공제의 취지상 사용자가 근로자에게 연금보험료 중 근로자 기여금을 공제한 임금을 지급하면 그 즉시 사용자는 공제된 기여금을 근로자를 위하여 보관하는 것으로 보아야 한다.

④ (O) **횡령죄에서 '불법영득의사'의 의미**

[1] 횡령죄에서 불법영득의 의사는 타인의 재물을 보관하는 자가 위탁의 취지에 반하여 자기 또는 제3자의 이익을 위하여 권한 없이 재물을 자기의 소유인 것처럼 사실상 또는 법률상 처분하는 의사를 의미하므로, 보관자가 자기 또는 제3자의 이익을 위한 것이 아니라 소유자의 이익을 위하여 이를 처분한 경우에는 특별한 사정이 없는 한 불법영득의 의사를 인정할 수 없다.

[2] 甲아파트의 입주자대표회의 회장인 피고인이, 일반 관리비와 별도로 입주자대표회의 명의 계좌에 적립·관리되는 특별수선충당금을 아파트 구조진단 견적비 및 시공사인 乙주식회사에 대한 손해배상청구소송의 변호사 선임료로 사용함으로써 아파트 관리규약에 의하여 정하여진 용도 외에 사용하였다고 하여 업무상횡령으로 기소된 사안에서, 피고인의 불법영득의사를 인정한 원심판결은 법리오해의 잘못이 있다(대법원 2017.2.15. 2013도14777).

→ 이 아파트는 관할 관청으로부터 붕괴 등의 위험이 있어 구조보강이 필요하다는 진단을 받고 이 아파트를 지은 건설사를 상대로 55억원의 손해배상청구소송을 제기했다. 이 과정에서 정밀진단비용과 변호사 선임료를 특별수선충당금(아파트의 주요시설 교체 및 보수를 위해 별도로 적립한 자금)에서 지출한바 이는 소유자인 아파트 입주자들의 이익을 위하여 재물을 처분한 경우로, 불법영득의사를 부정한 판결이다.

77 0482

2019 경찰 2차

횡령죄와 배임죄에 관한 설명으로 가장 적절하지 않은 것은?
(다툼이 있는 경우 판례에 의함)

① 어음의 할인을 위하여 배서양도의 형식으로 약속어음을 교부받은 자가 이를 자신의 채무변제에 충당한 경우, 이는 위탁의 취지에 반하는 것으로 횡령죄가 성립한다.

② 질권설정자가 타인에 대한 채무의 담보로 제3채무자에 대한 채권에 대하여 권리질권을 설정하면서 제3채무자에게 질권설정의 사실을 통지한 때에는, 질권설정자가 질권자의 동의 없이 제3채무자에게서 질권의 목적인 채권의 변제를 받았다 하더라도 배임죄가 성립하지 않는다.

③ 지입회사에 소유권이 있는 차량에 대하여 지입회사에서 운행관리권을 위임받은 지입차주가 지입회사의 승낙 없이 보관 중인 차량을 사실상 처분한 경우에는 횡령죄가 성립하지만, 그 차량의 보관을 지입차주로부터 위임받은 사람이 지입차주의 승낙 없이 보관 중인 차량을 사실상 처분한 경우에는 배임죄가 성립한다.

④ 주식에 관하여 양도담보설정계약을 체결한 채무자가 제3자에게 해당 주식을 처분한 경우 배임죄가 성립하지 않는다.

지문분석 난이도 중 정답 ③

| 키 워 드 | 횡령죄와 배임죄
| 출제유형 | 틀린 지문 고르기

③ (X) **보관 위임자나 보관자가 차량의 등록명의자가 아니라도 횡령죄가 성립하는지 여부**

[1] 소유권의 취득에 등록이 필요한 타인 소유의 차량을 인도받아 보관하고 있는 사람이 이를 사실상 처분하면 횡령죄가 성립하며, 보관 위임자나 보관자가 차량의 등록명의자일 필요는 없다.

[2] 그리고 이와 같은 법리는 ㉠ 지입회사에 소유권이 있는 차량에 대하여 지입회사에서 운행관리권을 위임받은 지입차주가 지입회사의 승낙 없이 보관 중인 차량을 사실상 처분하거나, ㉡ 지입차주에게서 차량 보관을 위임받은 사람이 지입차주의 승낙 없이 보관 중인 차량을 사실상 처분한 경우에도 마찬가지로 적용된다(대법원 2015.6.25. 2015도1944 전원합의체).

→ 소유권의 취득에 등록이 필요한 차량에 대한 횡령죄에서 타인의 재물을 보관하는 사람의 지위는 일반 동산의 경우와 달리 차량에 대한 점유 여부가 아니라 등록에 의하여 차량을 제3자에게 법률상 유효하게 처분할 수 있는 권능 유무에 따라 결정하여야 한다는 기존 대법원 판결을 변경한 판례이다.

① (O) 약속어음을 할인을 위하여 교부받은 수탁자는 위탁의 취지에 따라 보관하는 것에 불과하고 위 약속어음을 교부할 당시에 그 할인의 편의를 위하여 배서양도의 형식을 취하였다 하더라도 다를 바 없다 할 것이므로 배서양도의 형식으로 위탁된 약속어음을 수탁자가 자신의 채무변제에 충당하였다면 이와 같은 수탁자의 행위는 위탁의 취지에 반하는 것으로서 횡령죄를 구성한다(대법원 1983.4.26. 82도3079).

→ 수탁자가 할인을 위하여 교부받은 약속어음을 자신의 채무변제에 충당한 경우 횡령죄가 성립한다.

② (O) **전세보증금반환채권에 권리질권을 설정하고 질권자에게 대항력까지 갖추어 준 임차인이 전세보증금을 직접 반환받은 경우 배임죄의 성립 여부**

[1] 타인에 대한 채무의 담보로 제3채무자에 대한 채권에 대하여 권리질권을 설정한 경우 질권설정자는 질권자의 동의 없이 질권의 목적된 권리를 소멸하게 하거나 질권자의 이익을 해하는 변경을 할 수 없다(민법 제352조). 또한 질권설정자가 제3채무자에게 질권설정의 사실을 통지하거나 제3채무자가 이를 승낙한 때에는 제3채무자가 질권자의 동의 없이 질권의 목적인 채무를 변제하더라도 이로써 질권자에게 대항할 수 없고, 질권자는 여전히 제3채무자에 대하여 직접 채무의 변제를 청구하거나 변제할 금액의 공탁을 청구할 수 있다(민법 제353조 제2항·제3항).

[2] 그러므로 이러한 경우 질권설정자가 질권의 목적인 채권의 변제를 받았다고 하여 질권자에 대한 관계에서 타인의 사무를 처리하는 자로서 임무에 위배하는 행위를 하여 질권자에게 손해를 가하거나 손해 발생의 위험을 초래하였다고 할 수 없고, 배임죄가 성립하지도 않는다(대법원 2016.4.29. 2015도5665).

→ 질권설정자가 질권자의 동의 없이 질권설정사실을 통지(승낙)받은 제3채무자에게서 질권의 목적인 채권의 변제를 받은 경우, 질권설정자는 질권자에 대한 관계에서 배임죄가 성립하지 않는다.

→ 피고인이 전세보증금 반환청구권에 권리질권을 설정하고 피해자로부터 대출을 받았는데, 그 후 전세계약이 만료되자 집주인으로부터 전세보증금을 반환받아 임의로 소비한 경우이다. 권리질권 설정과 관련하여 제3채무자인 집주인은 질권 설정에 이의 없이 승낙한다는 내용의 질권설정승낙서를 작성하여 피해자에게 교부하였으므로 질권자로서는 제3채무자인 집주인으로부터 여전히 전세보증금을 반환받을 권리가 있어 피고인의 전세보증금 수령으로 인하여 손해를 입은 바가 없어 배임죄가 성립하지 않는다고 보아 배임죄를 인정한 원심을 파기한 판결이다. 세입자가 금융기관에 질권을 설정해주고 대출받은 전세보증금을 전세기간이 끝난 뒤 집주인으로부터 돌려받아 임의로 사용했더라도 배임죄로 처벌할 수는 없다는 대법원 최초의 판결이다. 질권자인 금융기관은 여전히 집주인(제3채무자)을 상대로 질권에 기초해 전세보증금 반환을 청구할 수 있기 때문에 금융기관에 손해가 생긴 것으로 볼 수 없다는 취지이다.

④ (O) 채무자가 동산에 관하여 양도담보설정계약을 체결하여 이를 채권자에게 양도할 의무가 있음에도 제3자에게 처분한 경우에도 배임죄가 성립하지 않고, 주식에 관하여 양도담보설정계약을 체결한 채무자가 제3자에게 해당 주식을 처분한 사안에도 마찬가지로 적용된다(대법원 2020.2.20. 2019도9756 전원합의체).

78 0483 2018 경찰 3차

횡령과 배임의 죄에 대한 설명이다. 아래 ㉠부터 ㉣까지의 설명 중 옳고 그름의 표시(O, X)가 바르게 된 것은? (다툼이 있는 경우 판례에 의함)

㉠ 명의신탁받아 보관 중인 타인의 부동산에 근저당권설정등기를 경료함으로써 일단 횡령죄가 기수에 이르렀다면, 그 후 해당 부동산을 매각하는 행위는 새로운 법익침해의 결과를 발생시켰다고 볼 수 없으므로 불가벌적 사후행위에 해당한다.
㉡ 절도범인으로부터 장물보관을 의뢰받은 자가 그 정을 알면서 이를 인도받아 보관하고 있다가 임의처분한 경우 장물보관죄가 성립하는 외에 별도로 횡령죄도 성립한다.
㉢ 타인의 위탁에 의하여 사무를 처리하는 자가 그 사무처리상 임무에 위배하여 본인을 기망하고 착오에 빠진 본인으로부터 재물을 교부받은 경우에는 사기죄가 성립하며, 별도로 배임죄가 성립하지 않는다.
㉣ 주식회사의 대표이사가 그 임무에 위배하여 약속어음을 발행한 행위가 있었다면, 어음발행행위가 무효가 되었다 하더라도 그 어음이 실제로 제3자에게 유통되었다면 그 어음채무가 실현되기 전이라 하더라도 배임죄의 기수범이 된다.

① ㉠ (X), ㉡ (O), ㉢ (X), ㉣ (X)
② ㉠ (X), ㉡ (X), ㉢ (X), ㉣ (O)
③ ㉠ (O), ㉡ (X), ㉢ (O), ㉣ (O)
④ ㉠ (O), ㉡ (O), ㉢ (O), ㉣ (X)

지문분석 난이도 상 정답 ②

| 키 워 드 | 횡령과 배임의 죄
| 출제유형 | 옳고 그름의 표시(O, X)하기

㉠ (X) 타인의 부동산을 보관 중인 자가 불법영득의사를 가지고 그 부동산에 근저당권설정등기를 경료함으로써 일단 횡령행위가 기수에 이르렀다 하더라도 그 후 같은 부동산에 별개의 근저당권을 설정하여 새로운 법익침해의 위험을 추가함으로써 법익침해의 위험을 증가시키거나 해당 부동산을 매각함으로써 기존의 근저당권과 관계없이 법익침해의 결과를 발생시켰다면 특별한 사정이 없는 한 불가벌적 사후행위로 볼 수 없고, 별도로 횡령죄를 구성한다 할 것이다(대법원 2013.2.21. 2010도10500 전원합의체).
㉡ (X) 절도범인으로부터 장물보관 의뢰를 받은 자가 그 정을 알면서 이를 인도받아 보관하고 있다가 임의처분하였다 하여도 장물보관죄가 성립하는 때에는 이미 그 소유자의 소유물 추구권을 침해하였으므로 그 후의 횡령행위는 불가벌적 사후행위에 불과하여 별도로 횡령죄가 성립하지 않는다(대법원 2004.4.9. 2003도8219).
㉢ (X) 타인의 사무를 처리하는 자가 그 사무처리상 임무에 위배하여 본인을 기망하고 착오에 빠진 본인으로부터 재물을 교부받은 경우에는 사기죄와 업무상배임죄의 법조경합관계로 볼 것이 아니라 상상적 경합관계로 봄이 상당하다(대법원 2002.7.18. 2002도669 전원합의체).
→ 신용협동조합의 전무인 피고인이 조합의 담당직원을 기망하여 예금인출금 또는 대출금 명목으로 금원을 교부받은 경우 사기죄와 업무상배임죄의 상상적 경합이 된다.
㉣ (O) 주식회사의 대표이사가 대표권을 남용하는 등 그 임무에 위배하여 약속어음 발행을 한 행위는 ⓐ 어음발행이 무효라 하더라도 그 어음이 실제로 제3자에게 유통되었다면 회사로서는 어음채무를 부담할 위험이 구체적·현실적으로 발생하였다고 보아야 하고, 따라서 그 어음채무가 실제로 이행되기 전이라도 배임죄의 기수범이 된다. ⓑ 그러나 약속어음 발행이 무효일 뿐만 아니라 그 어음이 유통되지도 않았다면 회사는 어음발행의 상대방에게 어음채무를 부담하지 않기 때문에 특별한 사정이 없는 한 회사에 현실적으로 손해가 발생하였다거나 실해 발생의 위험이 발생하였다고도 볼 수 없으므로, 이때에는 배임죄의 기수범이 아니라 배임미수죄로 처벌하여야 한다(대법원 2017.7.20. 2014도1104 전원합의체).

79 0484

2015 경찰 1차

횡령죄에 관한 다음 설명 중 가장 적절하지 않은 것은? (다툼이 있으면 판례에 의함)

① 원래 사립학교의 교비회계에 속하는 자금으로 지출할 수 있는 항목에 관한 차입금을 상환하기 위하여 교비회계 자금을 지출한 경우 횡령죄가 성립한다.

② 주상복합상가의 매수인들로부터 우수상인 유치비 명목으로 금원을 납부받아 보관하던 중 그 용도와 무관하게 일반경비로 사용한 경우 횡령죄가 성립한다.

③ 임야의 진정한 소유자와는 전혀 무관하게 신탁자로부터 임야지분을 명의신탁받아 지분이전등기를 경료한 수탁자가 신탁받은 지분을 임의로 처분한 경우 횡령죄가 성립하지 아니한다.

④ 보험을 유치하면서 특별이익 제공과는 무관한 통상적인 실적급여로서의 시책비를 지급받아 그중 일부를 개인적인 용도로 사용한 경우 횡령죄가 성립하지 아니한다.

지문분석 난이도 중 정답 ①

| 키 워 드 | 횡령죄

| 출제유형 | 틀린 지문 고르기

① (X) 사립학교에 있어서 학교교육에 직접 필요한 시설, 설비를 위한 경비 등과 같이 원래 교비회계에 속하는 자금으로 지출할 수 있는 항목에 관한 차입금을 상환하기 위하여 교비회계 자금을 지출한 경우, 이러한 차입금 상환행위에 관하여 교비회계 자금을 임의로 횡령하고자 하는 불법영득의 의사가 있다고 보기는 어렵다(대법원 2006.4.28. 2005도4085).
→ 교비회계 상환 사건, 횡령죄 부정

② (O) 대법원 2002.8.23. 2002도366
→ 용도가 엄격히 제한된 자금을 다른 용도에 사용하였다면 그 자체로서 횡령죄가 성립한다.

③ (O) 원인무효인 소유권이전등기의 명의자는 횡령죄의 주체인 타인의 재물을 보관하는 자에 해당한다고 할 수 없다(대법원 2007.5.31. 2007도1082).
→ 임야의 진정한 소유자와는 전혀 무관하게, 진정한 소유자 아닌 신탁자로부터 임야지분을 명의신탁받아 지분이전등기를 경료한 수탁자가 신탁받은 지분을 임의로 처분한 경우이다.

④ (O) 보험을 유치하면서 보험회사로부터 지급받은 시책비 중 일부를 개인적인 용도로 사용한 행위가 횡령죄를 구성하지 않는다(대법원 2006.3.9. 2003도6733).
→ 피고인들이 소비한 금전은 모두 통상적인 실적급여로서의 성격을 가진 시책비에 해당하여 그 목적이나 용도가 특정되어 위탁된 금전이라고 보기 어렵다.

80 0485

2015 경찰 3차

횡령죄에 관한 설명이다. 다음 중 가장 적절하지 않은 것은? (다툼이 있으면 판례에 의함)

① 수의계약을 체결하는 공무원이 해당 공사업자와 적정한 금액 이상으로 계약금액을 부풀려서 계약하고 부풀린 금액을 자신이 되돌려받기로 사전에 약정한 다음 그에 따라 수수한 돈은 성격상 뇌물이 아니고 횡령금에 해당한다.

② 명의신탁자와 명의수탁자가 이른바 계약명의신탁 약정을 맺고 명의수탁자가 당사자가 되어 명의신탁약정이 있다는 사실을 알고 있는 소유자와 부동산에 관한 매매계약을 체결한 후 매매계약에 따라 부동산의 소유권이전등기를 명의수탁자 명의로 마친 경우에는 수탁자 명의의 소유권이전등기는 무효이고 부동산의 소유권은 매도인이 그대로 보유하게 되므로, 명의수탁자는 부동산 취득을 위한 계약의 당사자도 아닌 명의신탁자에 대한 관계에서 횡령죄에서 '타인의 재물을 보관하는 자'의 지위에 있다고 볼 수 없다.

③ 부동산을 공동으로 상속한 자들 중 1인이 상속 부동산을 혼자 점유하던 중 다른 공동상속인의 상속지분을 임의로 처분하여도 횡령죄가 성립하지 않는다.

④ 주권(株券)은 유가증권으로서 재물에 해당하지 않으므로 횡령죄의 객체가 될 수 없지만, 자본의 구성단위 또는 주주권을 의미하는 주식은 재물에 해당하므로 횡령죄의 객체가 될 수 있다.

지문분석 난이도 중 정답 ④

| 키 워 드 | 횡령죄

| 출제유형 | 틀린 지문 고르기

④ (X) 상법상 주식은 자본구성의 단위 또는 주주의 지위를 의미하고, 주주권을 표창하는 유가증권인 주권과는 구분이 되는바, 주권은 유가증권으로서 재물에 해당되므로 횡령죄의 객체가 될 수 있으나, 자본의 구성단위 또는 주주권을 의미하는 주식은 재물이 아니므로 횡령죄의 객체가 될 수 없다(대법원 2005.2.18. 2002도2822).

① (O) 대법원 2007.10.12. 2005도7112

② (O) 이른바 계약명의신탁 방식으로 명의수탁자가 당사자가 되어 명의신탁약정이 있다는 사실을 알고 있는 소유자와 부동산에 관한 매매계약을 체결하고 그 명의로 소유권이전등기를 마친 경우, 명의수탁자가 명의신탁자나 매도인에 대한 관계에서 '타인의 재물을 보관하는 자' 또는 '타인의 사무를 처리하는 자'의 지위에 있다고 볼 수도 없다(대법원 2012.11.29. 2011도7361).

③ (O) 부동산에 관한 횡령죄에 있어서 타인의 재물을 보관하는 자의 지위는 동산의 경우와는 달리 부동산에 대한 점유의 여부가 아니라 부동산을 제3자에게 유효하게 처분할 수 있는 권능의 유무에 따라 결정하여야 하므로, 부동산을 공동으로 상속한 자들 중 1인이 부동산을 혼자 점유하던 중 다른 공동상속인의 상속지분을 임의로 처분하여도 그에게는 그 처분권능이 없어 횡령죄가 성립하지 아니한다(대법원 2000.4.11. 2000도565).

81 0486

2016 경찰 1차

횡령죄에 관한 다음 설명 중 가장 적절하지 않은 것은? (다툼이 있으면 판례에 의함)

① 甲주식회사 대표이사인 피고인이 자신의 채권자 乙에게 차용금에 대한 담보로 甲회사 명의 정기예금에 질권을 설정하여 주었는데, 그 후 乙이 차용금과 정기예금의 변제기가 모두 도래한 이후 피고인의 동의하에 정기예금 계좌에 입금되어 있던 甲회사 자금을 전액 인출하였다면 배임죄와 별도로 횡령죄까지 성립한다.

② 횡령죄에 있어서 보관이라 함은 재물이 사실상 지배하에 있는 경우뿐만 아니라 법률상의 지배·처분이 가능한 상태를 모두 가리키는 것으로 타인의 금전을 위탁받아 보관하는 자는 보관방법으로 이를 은행 등의 금융기관에 예치한 경우에도 보관자의 지위를 갖는 것이다.

③ 부동산 실권리자명의 등기에 관한 법률을 위반하여 명의신탁자가 그 소유인 부동산의 등기명의를 명의수탁자에게 이전하는 이른바 양자 간 명의신탁의 경우, 명의수탁자가 명의신탁자에 대한 관계에서 '타인의 재물을 보관하는 자'의 지위에 있지 않고, 이때 명의수탁자가 신탁받은 부동산을 임의로 처분하면 명의신탁자에 대한 관계에서 횡령죄가 성립하지 않는다.

④ 사립학교에 있어서 학교교육에 직접 필요한 시설, 설비를 위한 경비 등과 같이 원래 교비회계에 속하는 자금으로 지출할 수 있는 항목에 관한 차입금을 상환하기 위하여 교비회계 자금을 지출한 경우, 이러한 차입금 상환행위에 관하여 교비회계 자금을 임의로 횡령하고자 하는 불법영득의 의사가 있다고 보기 어렵다.

지문분석 난이도 중 정답 ①

| 키 워 드 | 횡령죄

| 출제유형 | 틀린 지문 고르기

① (X) 甲주식회사 대표이사인 피고인이 자신의 채권자 乙에게 차용금에 대한 담보로 甲회사 명의 정기예금에 질권을 설정하여 주었는데, 그 후 乙이 피고인의 동의하에 정기예금 계좌에 입금되어 있던 甲회사 자금을 전액 인출한 경우 위와 같은 예금인출동의행위는 이미 배임행위로써 이루어진 질권설정행위의 불가벌적 사후행위에 해당하는데도, 이와 달리 배임죄와 별도로 횡령죄까지 성립한다고 본 원심판결에 법리오해의 위법이 있다(대법원 2012.11.29. 2012도10980).
→ 배임죄만 인정, 횡령죄는 불가벌적 사후행위

② (O) 대법원 2000.8.18. 2000도1856
→ 타인의 금전을 위탁받아 보관하는 자가 보관방법으로 이를 은행 등의 금융기관에 예치한 경우는 법률상 지배(보관)하는 경우이다.

③ (O) 대법원 2021.2.18. 2016도18761 전원합의체

④ (O) 대법원 2006.4.28. 2005도4085

82 0487

2016 경찰 2차

횡령죄에 대한 다음 설명 중 가장 적절하지 않은 것은? (다툼이 있으면 판례에 의함)

① 광업권은 재물인 광물을 취득할 수 있는 권리에 불과하지, 재물 그 자체는 아니므로 횡령죄의 객체가 된다고 할 수 없다.

② 동업자 사이에 손익분배의 정산이 되지 아니하였다면 동업자의 한 사람이 임의로 동업자들의 합유에 속하는 동업재산을 처분할 권한이 없는 것이므로, 동업자의 한 사람이 동업재산을 보관 중 임의로 횡령하였다면 지분비율에 따라 횡령한 금액에 대하여 횡령죄의 죄책을 부담한다.

③ 명의신탁자가 매수한 부동산에 관하여 부동산 실권리자명의 등기에 관한 법률을 위반하여 명의수탁자와 맺은 명의신탁약정에 따라 매도인에게서 바로 명의수탁자 명의로 소유권 이전등기를 마친 이른바 중간생략등기형 명의신탁을 한 경우, 명의수탁자가 신탁받은 부동산을 임의로 처분하여도 명의신탁자에 대한 관계에서 횡령죄가 성립하지 아니한다.

④ 양식어업면허권자가 그 어업면허권을 양도한 후 아직도 어업면허권이 자기 앞으로 되어 있음을 틈타서 어업권손실보상금을 수령하여 일부는 자기 이름으로 예금하고 일부는 생활비 등에 소비하였다면 이는 횡령죄가 성립한다.

지문분석 난이도 중 정답 ②

| 키 워 드 | 횡령죄

| 출제유형 | 틀린 지문 고르기

② (X) **동업자 사이에 손익분배 정산이 되지 않은 상태에서 동업자 한 사람이 동업재산을 횡령한 경우, 횡령죄의 성립 범위: 횡령금액 전부**
동업자 사이에 손익분배 정산이 되지 아니하였다면 동업자 한 사람이 임의로 동업자들의 합유에 속하는 동업재산을 처분할 권한이 없는 것이므로, 동업자 한 사람이 동업재산을 보관 중 임의로 횡령하였다면 지분비율에 관계없이 횡령한 금액 전부에 대하여 횡령죄의 죄책을 부담한다(대법원 2011.6.10. 2010도17684).

① (O) 대법원 1994.3.8. 93도2272

③ (O) 대법원 2016.5.19. 2014도6992 전원합의체
→ 중간생략등기형 명의신탁을 한 경우, ㉠ 명의수탁자는 명의신탁자의 재물을 보관하는 자에 해당하지 않고, ㉡ 명의수탁자가 신탁받은 부동산을 임의로 처분하여도 명의신탁자에 대한 관계에서 횡령죄가 성립하지 않는다.

④ (O) 대법원 1993.8.24. 93도1578

83 0488

2017 경찰 2차(변형)

횡령죄에 대한 설명으로 가장 적절하지 않은 것은? (다툼이 있는 경우 판례에 의함)

① 횡령죄에서 재물의 보관은 재물에 대한 사실상 또는 법률상 지배력이 있는 상태를 의미한다.

② 횡령죄는 다른 사람의 재물에 관한 소유권 등 본권을 보호법익으로 하고 법익침해의 위험이 있으면 침해의 결과가 발생되지 아니하더라도 성립하는 위험범이다.

③ 소유권의 취득에 등록이 필요한 타인 소유의 차량을 인도받아 보관하고 있는 사람이 이를 사실상 처분하더라도 횡령죄는 성립하지 않고, 그 보관 위임자나 보관자가 차량의 등록명의자이어야만 횡령죄가 성립한다.

④ 피해자 甲 종중으로부터 토지를 명의신탁받아 보관 중이던 피고인 乙이 개인 채무 변제에 사용할 돈을 차용하기 위해 위 토지에 근저당권을 설정하였는데, 그 후 피고인 乙, 丙이 공모하여 위 토지를 丁에게 매도한 경우, 피고인들의 토지 매도행위는 별도의 횡령죄를 구성한다.

지문분석

난이도 중 정답 ③

| 키 워 드 | 횡령죄

| 출제유형 | 틀린 지문 고르기

③ (X) [1] 소유권의 취득에 등록이 필요한 타인 소유의 차량을 인도받아 보관하고 있는 사람이 이를 사실상 처분하면 횡령죄가 성립하고 보관 위임자나 보관자가 차량의 등록명의자일 필요는 없다.
[2] 그리고 이와 같은 법리는 지입회사에 소유권이 있는 차량에 대하여 지입회사에서 운행관리권을 위임받은 지입차주가 지입회사의 승낙 없이 보관 중인 차량을 사실상 처분하거나 지입차주에게서 차량 보관을 위임받은 사람이 지입차주의 승낙 없이 보관 중인 차량을 사실상 처분한 경우에도 마찬가지로 적용된다(대법원 2015.6.25. 2015도1944 전원합의체).
→ 소유권의 취득에 등록이 필요한 차량에 대한 횡령죄에서 타인의 재물을 보관하는 사람의 지위는 일반 동산의 경우와 달리 차량에 대한 점유 여부가 아니라 등록에 의하여 차량을 제3자에게 법률상 유효하게 처분할 수 있는 권능 유무에 따라 결정하여야 한다는 취지의 대법원 1978.10.10. 78도1714, 대법원 2006.12.22. 2004도3276 등은 폐기되었다.

① (O) **횡령죄에 있어서 재물의 보관의 의미**
횡령죄에 있어서의 재물의 보관이라 함은 재물에 대한 사실상 또는 법률상 지배력이 있는 상태를 의미하므로 그 보관이 위탁관계에 기인하여야 할 것임은 물론이나 그것이 반드시 사용대차, 임대차, 위임 등의 계약에 의하여 설정되는 것임을 요하지 아니하고 사무관리, 관습, 조리, 신의칙에 의해서도 성립된다(대법원 1987.10.13. 87도1778).

②, ④ (O) 대법원 2013.2.21. 2010도10500 전원합의체

84 0489

2018 경찰 1차

횡령의 죄에 대한 설명 중 가장 적절하지 않은 것은? (다툼이 있는 경우 판례에 의함)

① 부동산을 공동으로 상속한 자들 중 1인이 상속 부동산을 혼자 점유하던 중 다른 공동상속인의 상속지분을 임의로 처분하여도 횡령죄가 성립하지 아니한다.

② 주상복합상가의 매수인들로부터 우수상인 유치비 명목으로 금원을 납부받아 보관하던 중 그 용도와 무관하게 일반경비로 사용한 경우 횡령죄가 성립한다.

③ 甲주식회사 대표이사인 피고인이 자신의 채권자 乙에게 차용금에 대한 담보로 甲회사 명의 정기예금에 질권을 설정하여 주었는데, 그 후 乙이 차용금과 정기예금의 변제기가 모두 도래한 이후 피고인의 동의하에 정기예금 계좌에 입금되어 있던 甲회사 자금을 전액 인출하였다면 피고인의 행위는 배임죄와 별도로 횡령죄까지 성립한다.

④ 명의신탁자가 매수한 부동산에 관하여 부동산 실권리자명의 등기에 관한 법률을 위반하여 명의수탁자와 맺은 명의신탁약정에 따라 매도인에게서 바로 명의수탁자 명의로 소유권이전등기를 마친 이른바 중간생략등기형 명의신탁을 한 경우, 명의수탁자가 신탁받은 부동산을 임의로 처분하여도 명의신탁자에 대한 관계에서 횡령죄가 성립하지 아니한다.

지문분석

난이도 중 정답 ③

| 키 워 드 | 횡령죄

| 출제유형 | 틀린 지문 고르기

③ (X) 甲주식회사 대표이사인 피고인이 자신의 채권자 乙에게 차용금에 대한 담보로 甲회사 명의 정기예금에 질권을 설정하여 주었는데, 그 후 乙이 피고인의 동의하에 정기예금 계좌에 입금되어 있던 甲회사 자금을 전액 인출한 경우 위와 같은 예금인출동의행위는 이미 배임행위로써 이루어진 질권설정행위의 불가벌적 사후행위에 해당하는데도, 이와 달리 배임죄와 별도로 횡령죄까지 성립한다고 본 원심판결에 법리오해의 위법이 있다(대법원 2012.11.29. 2012도10980).
→ 배임죄만 인정, 횡령죄는 불가벌적 사후행위

① (O) 대법원 2000.4.11. 2000도565
→ 부동산에 대한 처분권능이 없어 횡령죄가 성립하지 아니한다.

② (O) 대법원 2002.8.23. 2002도366
→ 용도가 엄격히 제한된 자금을 다른 용도에 사용하였다면 그 자체로서 횡령죄가 성립한다.

④ (O) 대법원 2016.5.19. 2014도6992 전원합의체
→ 중간생략등기형 명의신탁에서 신탁부동산의 임의처분 사건: 횡령죄 부정

85 0490

2018 경찰 2차

다음 사안에서 乙의 형사책임에 대한 설명으로 가장 적절한 것은? (다툼이 있는 경우 판례에 의함)

> 甲은 A로부터 그의 소유인 부동산을 매수하기로 계약을 체결했다. 甲은 매매계약의 당사자로서 A에게 소정의 대금을 모두 지불했다. 한편, 甲은 거래 부동산의 등기명의를 자신의 이름으로 하지 않고 A로부터 乙에게 바로 소유권이전등기를 경료하게끔 乙과 명의신탁약정을 했다. 약속대로 A는 乙에게 소유권이전등기를 경료해 주었고, 乙은 위 부동산의 소유명의자가 되었다. 얼마 후 乙은 甲 몰래 丙에게 위 부동산을 매도했다. 丙은 乙로부터 소유권이전등기를 경료받아 해당 부동산의 소유명의자가 되었다.

① 위 부동산에 관해 A로부터 乙 앞으로 이루어진 소유권이전등기는 현행법상 무효이나, 甲이 매매계약의 당사자로서 A에 대해 소유권이전등기청구권을 가지는 이상, 乙은 甲을 위해 그의 부동산을 보관하는 자의 지위에 서게 된다.
② 乙은 甲의 부동산을 보관하는 자의 지위에 있으면서 동 부동산을 임의로 처분하였으므로 횡령죄의 죄책을 지게 된다.
③ 乙이 丙에게 위 명의신탁약정의 존재를 고지하지 않고 부동산을 처분하였을 경우 乙에게 사기죄는 성립하지 않는다.
④ 사안을 달리하여, 만일 乙이 甲과 명의신탁약정을 맺고 직접 매매계약의 당사자가 되어 A로부터 부동산을 매수하였다고 가정한다면, 乙은 甲의 사무를 처리하는 자의 지위에 있게 되어 임의로 그 부동산을 처분한 행위가 배임죄에 해당한다.

지문분석 난이도 중 정답 ③

| 키 워 드 | 횡령죄
| 출제유형 | 사례 풀기

③ (○) 부동산의 명의수탁자가 부동산을 제3자에게 매도하고 매매를 원인으로 한 소유권이전등기까지 마쳐 준 경우, 명의신탁의 법리상 대외적으로 수탁자에게 그 부동산의 처분권한이 있는 것임이 분명하고, 제3자로서도 자기명의의 소유권이전등기가 경료된 이상 무슨 손해가 있을 리 없으므로 그 제3자에 대한 사기죄가 성립될 여지가 없다(대법원 1985.12.10. 85도1222).

①, ② (X) 명의신탁자가 매수한 부동산에 관하여 부동산 실권리자명의 등기에 관한 법률을 위반하여 명의수탁자와 맺은 명의신탁약정에 따라 매도인에게서 바로 명의수탁자 명의로 소유권이전등기를 마친 이른바 중간생략등기형 명의신탁을 한 경우, 명의수탁자가 명의신탁자의 재물을 보관하는 자라 할 수 없고, 명의수탁자가 신탁받은 부동산을 임의로 처분하여도 명의신탁자에 대한 관계에서 횡령죄가 성립하지 아니한다(대법원 2016.5.19. 2014도6992 전원합의체).

④ (X) 사안의 경우 계약명의신탁으로 계약명의신탁에서 매도인이 선의인 경우이든 악의인 경우이든 명의수탁자의 처분시 명의수탁자는 횡령죄도 배임죄도 성립하지 않는다(대법원 2001.9.25. 2001도2722, 대법원 2012.11.29. 2011도7361 참조).

86 0491

2021 경찰 승진

횡령죄에 대한 설명이다. 아래 ㉠부터 ㉣까지의 설명 중 적절하지 않은 것을 모두 고른 것은? (다툼이 있는 경우 판례에 의함)

> ㉠ 사립학교의 교비회계에 속하는 수입을 적법한 교비회계의 세출에 포함되는 용도가 아닌 다른 용도에 사용하는 행위는 그 자체로써 횡령죄가 성립한다.
> ㉡ 회사에 대하여 개인적인 채권을 가지고 있는 대표이사가 회사를 위하여 보관하고 있는 회사 소유의 금전으로 이사회의 승인 등의 절차 없이 자신의 채권 변제에 충당하는 행위는 횡령죄에 해당한다.
> ㉢ 타인의 금전을 위탁받아 보관하는 자가 보관방법으로 금융기관에 자신의 명의로 예치한 후 이를 함부로 인출하여 소비하거나 위탁자에게서 반환요구를 받았음에도 영득의 의사로 반환을 거부하는 경우 횡령죄는 성립하지 않는다.
> ㉣ 피해자 갑 종중으로부터 토지를 명의신탁받아 보관 중이던 피고인 을이 개인 채무 변제에 사용할 돈을 차용하기 위해 위 토지에 근저당권을 설정하였는데, 그 후 피고인 을이 병과 공모하여 위 토지를 정에게 매도한 경우 후행의 매도행위는 별도의 횡령죄를 구성한다.

① ㉠, ㉡ ② ㉠, ㉣
③ ㉡, ㉢ ④ ㉢, ㉣

지문분석 난이도 중 정답 ③

| 키 워 드 | 횡령죄
| 출제유형 | 조합하기

㉡ (X) 회사에 대하여 개인적인 채권을 가지고 있는 대표이사가 회사를 위하여 보관하고 있는 회사 소유의 금전으로 자신의 채권의 변제에 충당하는 행위는 회사와 이사의 이해가 충돌하는 자기거래행위에 해당하지 않는다고 할 것이므로, 대표이사가 이사회의 승인 등의 절차 없이 그와 같이 자신의 회사에 대한 채권을 변제하였더라도 이는 대표이사의 권한 내에서 한 회사채무의 이행행위로서 유효하며, 따라서 그에게는 불법영득의 의사가 인정되지 아니하여 횡령죄의 죄책을 물을 수 없다(대법원 1999.2.23. 98도2296).

㉢ (X) 타인의 금전을 위탁받아 보관하는 자가 보관방법으로 금융기관에 자신의 명의로 예치한 경우, 금융실명거래 및 비밀보장에 관한 긴급재정경제명령이 시행된 이후라도 위탁자가 그 위탁한 금전의 반환을 구할 수 없는 것은 아니므로, 수탁자가 이를 함부로 인출하여 소비하거나 또는 위탁자로부터 반환요구를 받았음에도 이를 영득할 의사로 반환을 거부하는 경우에는 횡령죄가 성립한다(대법원 2015.2.12. 2014도11244).

㉠ (○) 대법원 2011.10.13. 2009도13751

㉣ (○) 대법원 2013.2.21. 2010도10500 전원합의체

87 0492

2020 경찰 승진

횡령의 죄에 대한 설명 중 가장 적절한 것은? (다툼이 있는 경우 판례에 의함)

① 피고인이 근저당권설정등기를 마치는 방법으로 부동산을 횡령하여 취득한 구체적인 이득액은 부동산의 시가 상당액에서 위 범행 전에 설정된 피담보채무액을 공제한 잔액이다.
② 수의계약을 체결하는 공무원이 해당 공사업자와 적정한 금액 이상으로 계약금액을 부풀려서 계약하고, 부풀린 금액을 자신이 되돌려받기로 사전에 약정한 다음 그에 따라 수수한 돈은 성격상 뇌물이 아니고 횡령금에 해당한다.
③ A주식회사의 대표이사인 甲이 자신의 채권자 B에게 차용금에 대한 담보로 A주식회사 명의의 정기예금에 질권을 설정하여 주었는데, 그 후 B가 甲의 동의하에 위 정기예금 계좌에 입금되어 있던 A주식회사의 자금을 전액 인출하였다면 甲의 예금인출동의행위는 업무상횡령죄에 해당한다.
④ 제3자 명의의 사기이용계좌(이른바 대포통장)의 계좌명의인이 영득의 의사로써 전기통신금융사기 피해금을 인출한 경우 계좌명의인이 사기범행의 공범인지 여부와 상관없이 전기통신금융사기 피해자에 대한 횡령죄에 해당하지 않는다.

지문분석 난이도 중 정답 ②

| 키 워 드 | 횡령죄

| 출제유형 | 옳은 지문 고르기

② (O) 대법원 2007.10.12. 2005도7112
① (X) 피고인이 근저당권설정등기를 마치는 방법으로 위 각 부동산을 횡령하여 취득한 구체적인 이득액은 위 각 부동산의 시가 상당액에서 위 범행 전에 설정된 피담보채무액을 공제한 잔액이 아니라 위 각 부동산을 담보로 제공한 피담보채무액 내지 그 채권최고액이라고 보아야 한다(대법원 2013.5.9. 2013도2857).
③ (X) 甲주식회사 대표이사인 피고인이 자신의 채권자 乙에게 차용금에 대한 담보로 甲회사 명의 정기예금에 질권을 설정하여 주었는데, 그 후 乙이 피고인의 동의하에 정기예금 계좌에 입금되어 있던 甲회사 자금을 전액 인출한 경우 위와 같은 예금인출동의행위는 이미 배임행위로써 이루어진 질권설정행위의 불가벌적 사후행위에 해당하는데도, 이와 달리 배임죄와 별도로 횡령죄까지 성립한다고 본 원심판결에 법리오해의 위법이 있다(대법원 2012.11.29. 2012도10980).
④ (X) 계좌명의인은 피해자와 사이에 아무런 법률관계 없이 송금·이체된 사기피해금 상당의 돈을 피해자에게 반환하여야 하므로, 피해자를 위하여 사기피해금을 보관하는 지위에 있다고 보아야 하고, 만약 계좌명의인이 그 돈을 영득할 의사로 인출하면 피해자에 대한 횡령죄가 성립한다. 이때 계좌명의인이 사기의 공범이라면 자신이 가담한 범행의 결과 피해금을 보관하게 된 것일 뿐이어서 피해자와 사이에 위탁관계가 없고, 그가 송금·이체된 돈을 인출하더라도 이는 자신이 저지른 사기범행의 실행행위에 지나지 아니하여 새로운 법익을 침해한다고 볼 수 없으므로 사기죄 외에 별도로 횡령죄를 구성하지 않는다(대법원 2018.7.19. 2017도17494 전원합의체).

88 0493

2019 경찰 승진

횡령과 배임의 죄에 대한 설명 중 옳은 것을 모두 고른 것은? (다툼이 있는 경우 판례에 의함)

㉠ 타인으로부터 용도가 엄격히 제한된 자금을 위탁받아 집행하면서 그 제한된 용도 이외의 목적으로 자금을 사용하였더라도 결과적으로 자금을 위탁한 본인을 위하는 면이 있다면 불법영득의사가 인정되지 않아 횡령죄가 성립하지 아니한다.
㉡ 소유권의 취득에 등록이 필요한 타인 소유의 차량을 인도받아 보관하고 있는 사람이 이를 사실상 처분한 경우 보관위임자나 보관자가 차량의 등록명의자가 아니라도 횡령죄가 성립한다.
㉢ 대표이사가 대표권을 남용하여 자신의 개인채무에 대하여 회사 명의의 차용증을 작성하여 주었고, 그 상대방이 이와 같은 진의를 알았거나 알 수 있었던 경우일지라도 무효인 차용증을 작성하여 준 것만으로는 업무상배임죄가 성립하지 않는다.
㉣ 배임죄에서 재산상 실해 발생의 위험이란 본인에게 손해가 발생할 막연한 위험이 있는 것만으로는 부족하고 법률적인 관점에서 보아 본인에게 손해가 발생한 것과 같은 정도로 구체적인 위험이 있는 경우를 의미한다.

① ㉠, ㉡ ② ㉡, ㉢
③ ㉢, ㉣ ④ ㉠, ㉣

지문분석 난이도 상 정답 ②

| 키 워 드 | 횡령과 배임의 죄

| 출제유형 | 조합하기

㉡ (O) 대법원 2015.6.25. 2015도1944 전원합의체
㉢ (O) [1] 대표이사가 대표권의 범위 내에서 한 행위는 설사 대표이사가 회사의 영리목적과 관계없이 자기 또는 제3자의 이익을 도모할 목적으로 그 권한을 남용한 것이라 할지라도 일단 회사의 행위로서 유효하지만, 그 행위의 상대방이 대표이사의 진의를 알았거나 알 수 있었을 때에는 회사에 대하여 무효가 되는 것이다.
[2] 회사는 이 사건 차용증에 기한 변제책임 내지 보증책임을 부담하지 않는 것이고 달리 이 사건 회사가 사용자책임 등에 따른 손해배상 의무를 부담할 여지도 없는 점 등에 비추어 보면 피고인들이 이 사건 차용증을 작성하여 준 것만으로는 이 사건 회사에 재산상 손해가 발생하였다거나 재산상 실해 발생의 위험이 초래되었다고 볼 수 없어 업무상배임죄가 성립하지 않는다(대법원 2010.5.27. 2010도1490).
㉠ (X) 타인으로부터 용도가 엄격히 제한된 자금을 위탁받아 집행하면서 그 제한된 용도 이외의 목적으로 자금을 사용하는 것은 그 사용이 개인적인 목적에서 비롯된 경우는 물론 결과적으로 자금을 위탁한 본인을 위하는 면이 있더라도 그 사용행위 자체로서 불법영득의 의사를 실현한 것이 되어 횡령죄가 성립한다(대법원 2011.6.10. 2010도17202).
㉣ (X) 업무상배임죄는 업무상 타인의 사무를 처리하는 자가 임무에 위배하는 행위를 하고 그러한 임무위배행위로 인하여 재산상의 이익을 취득하거나 제3자로 하여금 이를 취득하게 하여 본인에게 재산상의 손해를

가한 때 성립하는데, 여기서 재산상의 손해에는 현실적인 손해가 발생한 경우뿐만 아니라 재산상 실해 발생의 위험을 초래한 경우도 포함되고, 재산상 손해의 유무에 대한 판단은 법률적 판단에 의하지 않고 경제적 관점에서 파악하여야 한다. 그런데 재산상 손해가 발생하였다고 평가될 수 있는 재산상 실해 발생의 위험이란 본인에게 손해가 발생할 막연한 위험이 있는 것만으로는 부족하고 경제적인 관점에서 보아 본인에게 손해가 발생한 것과 같은 정도로 구체적인 위험이 있는 경우를 의미한다. 따라서 재산상 실해 발생의 위험은 구체적·현실적인 위험이 야기된 정도에 이르러야 하고 단지 막연한 가능성이 있다는 정도로는 부족하다(대법원 2017.10.12. 2017도6151).

89 0494

2017 경찰 승진

횡령죄에 관한 설명 중 적절한 것을 모두 고른 것은? (다툼이 있는 경우 판례에 의함)

> ㉠ 부동산을 공동으로 상속한 자들 중 1인이 상속 부동산을 혼자 점유하던 중 다른 공동상속인의 상속지분을 임의로 처분한 경우 횡령죄의 죄책을 부담한다.
> ㉡ 원인무효인 소유권이전등기의 명의자는 횡령죄의 주체인 타인의 재물을 보관하는 자에 해당한다고 할 수 없다.
> ㉢ 주식회사의 대표이사가 회사의 금원을 인출하여 사용하였는데 그 사용처에 관한 증빙자료를 제시하지 못하고 있고 그 인출사유와 금원의 사용처에 관하여 납득할 만한 합리적인 설명을 하지 못하고 있다면, 이러한 금원은 그가 불법영득의 의사로 회사의 금원을 인출하여 개인적 용도로 사용한 것으로 추단할 수 있다.
> ㉣ 이른바 계약명의신탁 방식으로 명의수탁자가 당사자가 되어 명의신탁약정이 있다는 사실을 알고 있는 소유자와 부동산에 관한 매매계약을 체결하고 그 명의로 소유권이전등기를 마쳤는데, 명의수탁자가 자신의 채무를 담보하기 위해 위 부동산에 관해 제3자에게 근저당권을 설정해 준 경우 횡령죄가 성립한다.

① ㉠, ㉢　　② ㉡, ㉢
③ ㉡, ㉣　　④ ㉢, ㉣

지문분석　난이도 중 정답 ②

| 키 워 드 | 횡령죄
| 출제유형 | 조합하기

㉡ (O) 대법원 2007.5.31. 2007도1082
→ 임야의 진정한 소유자와는 전혀 무관하게, 진정한 소유자 아닌 신탁자로부터 임야지분을 명의신탁받아 지분이전등기를 경료한 수탁자가 신탁받은 지분을 임의로 처분한 경우이다.
㉢ (O) 대법원 2008.3.27. 2007도9250
㉠ (X) 부동산을 공동으로 상속한 자들 중 1인이 부동산을 혼자 점유하던 중 다른 공동상속인의 상속지분을 임의로 처분하여도 그에게는 그 처분권능이 없어 횡령죄가 성립하지 아니한다(대법원 2000.4.11. 2000도565).
→ 횡령죄에 있어서 부동산을 보관하는 자라 함은 동산의 경우와는 달리 그 부동산에 대한 점유를 기준으로 할 것이 아니고 그 부동산을 제3자에게 유효하게 처분할 수 있는 권능의 유무를 기준으로 한다.
㉣ (X) 대법원 2012.11.29. 2011도7361
→ 계약명의신탁에서 매도인이 선의인 경우는 물론 이 사례처럼 악의인 경우에도 명의수탁자의 처분시 명의수탁자는 횡령죄도 배임죄도 성립하지 않는다는 판결이다.

90 0495

2020 경찰 간부

횡령죄와 관련된 다음 설명 중 가장 옳지 않은 것은? (다툼이 있는 경우 판례에 의함)

① 횡령죄에 있어서 불법영득의 의사라 함은 자기 또는 제3자의 이익을 꾀할 목적으로 보관하는 타인의 재물을 자기의 소유인 경우와 같이 처분하는 의사를 말하고 사후에 이를 반환하거나 변상·보전하는 의사가 있다 하더라도 불법영득의 의사를 인정할 수 있다.
② 채권자가 채무자로부터 채권확보를 위해 담보물을 제공받을 때 그 물건이 채무자가 보관 중인 다른 사람의 물건임을 알았다면 채권자는 채무자의 횡령행위에 공모가담한 것이라 할 수 있다.
③ 타인의 부동산을 보관 중인 자가 불법영득의사를 가지고 그 부동산에 근저당권설정등기를 경료함으로써 일단 횡령행위가 기수에 이르렀다 하더라도 이후 해당 부동산을 매각함으로써 기존의 근저당권과 관계없이 법익침해의 결과를 발생시켰다면 별도로 횡령죄를 구성한다.
④ 위탁관계에 따라 타인의 재물을 보관하는 사람이 그 재물을 영득함에 있어 기망행위를 했을지라도 사기죄는 성립하지 아니하고 횡령죄만 성립한다.

지문분석

난이도 중 정답 ②

| 키 워 드 | 횡령죄
| 출제유형 | 틀린 지문 고르기

② (X) 채권자가 채무자로부터 채권확보를 위하여 담보물을 제공받을 때 그 물건이 채무자가 보관 중인 타인의 물건임을 알았다고 하여도 그것만으로 채권자가 채무자의 불법영득행위인 횡령행위에 공모가담한 것으로 단정할 수 없다(대법원 1992.9.8. 92도1396).
① (O) 대법원 2010.12.23. 2008도8851
③ (O) 대법원 2013.2.21. 2010도10500 전원합의체
④ (O) 대법원 1980.12.9. 80도1177

91 0496

2019 경찰 간부

다음 중 (업무상) 횡령죄가 성립되지 않는 것은 모두 몇 개인가? (다툼이 있는 경우 판례에 의함)

가. 양식어업면허권을 양도하고도 그 어업면허권이 자기 앞으로 되어 있음을 이유로 어업권손실보상금을 수령한 경우
나. 타인의 송금절차의 착오로 자신의 계좌에 입금된 돈을 인출하여 소비한 경우
다. 주상복합상가의 매수인들로부터 우수상인 유치비 명목으로 금원을 납부받아 보관 중 그 용도와 무관하게 일반경비로 사용한 경우
라. 채무자 甲이 채무총액에 대한 지불각서를 써줄 것으로 믿고 채권자 乙이 甲에게 액면금액을 확인할 수 있도록 가계수표를 건네주자 甲이 그 일부를 찢어버린 경우
마. 회사에 대하여 개인적인 채권을 가지고 있는 대표이사가 이사회의 승인 등의 절차 없이 자기가 보관 중인 회사자금으로 자신의 채권의 변제에 충당한 경우

① 1개 ② 2개
③ 3개 ④ 4개

지문분석

난이도 중 정답 ①

| 키 워 드 | 횡령죄
| 출제유형 | 개수 찾기

마. (X) 회사에 대하여 개인적인 채권을 가지고 있는 대표이사가 회사를 위하여 보관하고 있는 회사 소유의 금전으로 자신의 채권 변제에 충당하는 행위는 회사와 이사의 이해가 충돌하는 자기거래행위에 해당하지 않는 것이므로, 대표이사가 이사회의 승인 등의 절차 없이 그와 같이 자신의 회사에 대한 채권을 변제하였더라도, 이는 대표이사의 권한 내에서 한 회사 채무의 이행행위로서 유효하고, 따라서 불법영득의 의사가 인정되지 아니하여 횡령죄의 죄책을 물을 수 없다(대법원 2002.7.26. 2001도5459).
가. (O) 피고인이 이 사건 양식어업면허권을 취득하였다가 이를 공소외 C에게 양도하였고 위 C는 다시 피해자 D에게 양도하고 그와 같은 사실을 피고인에게 알렸으며, 위 D가 사실상의 어업권자로서 그때부터 그 양식장을 소유관리하여 왔는데도 피고인이 아직도 어업면허권이 자기 앞으로 되어 있음을 틈타서 한국전력주식회사로부터 화력발전소의 건설에 따른 어업권손실보상금 584,000,000원을 수령하여 일부는 자기 이름으로 예금하고 일부는 생활비 등에 소비하였다면 이는 횡령죄를 구성한다(대법원 1993.8.24. 93도1578).
나. (O) 어떤 예금계좌에 돈이 착오로 잘못 송금되어 입금된 경우에는 그 예금주와 송금인 사이에 신의칙상 보관관계가 성립한다고 할 것이므로, 피고인이 송금절차의 착오로 인하여 피고인 명의의 은행 계좌에 입금된 돈을 임의로 인출하여 소비한 행위는 횡령죄에 해당한다(대법원 2010.12.9. 2010도891).
다. (O) 주상복합상가의 매수인들로부터 우수상인 유치비 명목으로 금원을 납부받아 보관하던 중 그 용도와 무관하게 일반경비로 사용한 경우 횡령죄를 구성한다(대법원 2002.8.23. 2002도366).
라. (O) 위 공소외 1은 피고인이 지불각서를 써줄 것으로 믿고, 피고인이 그 액면금 등을 확인할 수 있도록 피고인에게 위 가계수표들을 교부한

것이었으므로, 위 공소외 1과 피고인 사이에는 만약 합의가 결렬되어 피고인이 위 공소외 1에게 지불각서를 써주지 아니하는 경우에는 곧바로 그 가계수표들을 위 공소외 1에게 반환하기로 하는, 조리에 의한 위탁관계가 발생하였다 할 것이고, 또한 위 공소외 2가 위 가계수표들 중 일부를 찢은 후 피고인은 위 공소외 2와 더불어 위 공소외 1에 대하여 위와 같은 언동을 함으로써 반환거부 의사를 명백하게 드러냈으며, 그와 같은 반환거부 행위는 반환거부의 이유 및 피고인의 주관적인 의사 등을 종합하여 볼 때에 횡령죄를 구성한다(대법원 1996.5.14. 96도410).

7 배임의 죄

92 0497

2021 경찰 2차

배임죄에 대한 설명으로 가장 적절하지 않은 것은? (다툼이 있는 경우 판례에 의함)

① 회사의 이사 등이 타인에게 회사자금을 대여함에 있어 그 타인이 채무변제능력을 상실하여 그에게 자금을 대여할 경우 회사에 손해가 발생하리라는 점을 충분히 알면서 대여했거나, 충분한 담보를 제공받는 등 상당하고도 합리적인 채권회수조치를 취하지 아니한 채 대여해 주었다면 이는 회사에 대하여 배임행위가 된다.

② 업무상배임죄가 성립하려면 주관적 요건으로서 임무위배의 인식과 그로 인하여 자기 또는 제3자가 이익을 취득하고 본인에게 손해를 가한다는 인식, 즉 배임의 고의가 있어야 하고, 이러한 인식은 미필적 인식으로도 충분하다.

③ 보통예금은 은행 등 법률이 정하는 금융기관을 수치인으로 하는 금전의 소비임치계약으로서 그 예금계좌에 입금된 금전의 소유권은 금융기관에 이전되고 예금주는 그 예금계좌를 통한 예금반환채권을 취득하는 것이므로, 금융기관의 임직원은 예금주로부터 예금계좌를 통한 적법한 예금반환 청구가 있으면 이에 응할 의무가 있을 뿐 예금주와의 사이에서 그의 재산관리에 관한 사무를 처리하는 자의 지위에 있다고 할 수 없다.

④ 배임죄에 있어서 '타인의 사무를 처리하는 자'라 함은 양자 간의 신임관계에 기초를 둔 타인의 재산보호 내지 관리의무가 있음을 그 본질적 내용으로 하는 것이므로, 배임죄의 성립에 있어서는 행위자가 대외관계에서 타인의 재산을 처분할 적법한 대리권이 있음을 요한다.

지문분석 난이도 ㊥ 정답 ④

| 키 워 드 | 배임죄
| 출제유형 | 틀린 지문 고르기

④ (X) 배임죄에 있어서 타인의 사무를 처리하는 자라 함은 양자 간의 신임관계에 기초를 둔 타인의 재산보호 내지 관리의무가 있음을 그 본질적 내용으로 하는 것이므로, 배임죄의 성립에 있어 행위자가 대외관계에서 타인의 재산을 처분할 적법한 대리권이 있음을 요하지 아니한다(대법원 1999.9.17. 97도3219).

① (O) 대법원 2013.4.11. 2012도15585

② (O) 대법원 2008.5.29. 2005도4640

③ (O) 대법원 2008.4.24. 2008도1408

93 0498

2021 경찰 1차

배임의 죄에 대한 설명으로 가장 적절하지 않은 것은? (다툼이 있는 경우 판례에 의함)

① 채무자가 본인 소유의 동산을 채권자에게 동산·채권 등의 담보에 관한 법률에 따른 동산담보로 제공한 경우, 채무자가 담보물을 제3자에게 처분하는 등으로 담보가치를 감소 또는 상실시켜 채권자의 담보권 실행이나 이를 통한 채권실현에 위험을 초래하더라도 배임죄는 성립하지 않는다.

② 채무자가 금전채무를 담보하기 위한 저당권설정계약에 따라 채권자에게 본인 소유의 부동산에 관하여 저당권을 설정할 의무를 부담하게 된 경우, 이는 통상의 계약에서 이루어지는 이익대립관계를 넘어서 채권자와의 신임관계에 기초하여 채권자의 사무를 맡아 처리하는 것으로 보아야 하므로 배임죄에서의 '타인의 사무를 처리하는 자'라고 할 수 있다.

③ 서면으로 부동산 증여의 의사를 표시한 증여자가 수증자에게 증여계약에 따라 부동산의 소유권을 이전하지 아니하고 부동산을 제3자에게 처분하여 등기를 하는 행위는 수증자와의 신임관계를 저버리는 행위로서 배임죄가 성립한다.

④ 주식회사의 대표이사가 대표권을 남용하는 등 그 임무에 위배하여 약속어음을 발행하였는데 그 약속어음의 발행이 무효일 뿐만 아니라 유통되지도 않은 경우, 회사는 어음발행의 상대방에게 어음채무를 부담하지 않기 때문에 특별한 사정이 없는 한 배임죄의 기수범이 아니라 배임미수죄로 처벌하여야 한다.

지문분석

난이도 중 정답 ②

| 키 워 드 | 배임죄

| 출제유형 | 틀린 지문 고르기

② (X) [1] 채무자가 금전채무를 담보하기 위한 저당권설정계약에 따라 채권자에게 그 소유의 부동산에 관하여 저당권을 설정할 의무를 부담하게 되었다고 하더라도, 이를 들어 채무자가 통상의 계약에서 이루어지는 이익대립관계를 넘어서 채권자와의 신임관계에 기초하여 채권자의 사무를 맡아 처리하는 것으로 볼 수 없다. 채무자가 저당권설정계약에 따라 채권자에 대하여 부담하는 저당권을 설정할 의무는 계약에 따라 부담하게 된 채무자 자신의 의무이다. 채무자가 위와 같은 의무를 이행하는 것은 채무자 자신의 사무에 해당할 뿐이므로, 채무자를 채권자에 대한 관계에서 '타인의 사무를 처리하는 자'라고 할 수 없다. 따라서 채무자가 제3자에게 먼저 담보물에 관한 저당권을 설정하거나 담보물을 양도하는 등으로 담보가치를 감소 또는 상실시켜 채권자의 채권실현에 위험을 초래하더라도 배임죄가 성립한다고 할 수 없다.
[2] 위와 같은 법리는, 채무자가 금전채무에 대한 담보로 부동산에 관하여 양도담보설정계약을 체결하고 이에 따라 채권자에게 소유권이전등기를 해 줄 의무가 있음에도 제3자에게 그 부동산을 처분한 경우에도 적용된다(대법원 2020.6.18. 2019도14340 전원합의체).

① (O) 대법원 2020.8.27. 2019도14770 전원합의체

③ (O) 대법원 2018.12.13. 2016도19308

④ (O) 대법원 2017.7.20. 2014도1104 전원합의체

94 0499

2020 경찰 1차

배임죄에 관한 설명으로 가장 적절하지 않은 것은? (다툼이 있는 경우 판례에 의함)

① 피고인이 인쇄기를 甲에게 양도하기로 하고 계약금 및 중도금을 수령하였음에도 이를 자신의 채권자 乙에게 기존 채무 변제에 갈음하여 양도한 경우 배임죄가 성립하지 않는다.

② 피고인이 그 소유의 에어컨을 피해자에게 양도담보로 제공하고 점유개정의 방법으로 점유하고 있다가 다시 이를 제3자에게 양도담보로 제공하고 역시 점유개정의 방법으로 점유를 계속한 경우 배임죄를 구성하지 않는다.

③ 동산에 대하여 점유개정의 방법으로 이중양도담보를 설정한 경우 처음의 양도담보권자에게 이중으로 양도담보 제공을 하지 않기로 특약하였다면 배임죄를 구성한다.

④ 채무자가 그 소유의 동산에 대하여 점유개정의 방식으로 채권자들에게 이중의 양도담보 설정계약을 체결한 후 양도담보설정자가 목적물을 임의로 제3자에게 처분하였다면 뒤의 채권자에 대한 관계에서 배임죄가 성립하지 않는다.

지문분석

난이도 하 정답 ③

| 키 워 드 | 배임죄

| 출제유형 | 틀린 지문 고르기

③ (X) 동산에 대하여 점유개정의 방법으로 이중양도담보를 설정한 경우 뒤의 양도담보권자는 처음의 양도담보권자에 대하여 배타적으로 자기의 담보권을 주장할 수 없으므로 이중으로 양도담보 제공이 된 것만으로는 가사 담보권설정자가 처음의 양도담보권자에게 이중으로 양도담보 제공을 하지 않기로 특약하였더라도 그에게 담보권의 상실이나 담보가치의 감소 등 손해가 발생한다고 볼 수 없으므로 배임죄를 구성하지 않는다(대법원 1989.4.11. 88도1586).

① (O) 대법원 2011.1.20. 2008도10479 전원합의체
→ 동산(인쇄기) 이중양도 사건: 배임죄 부정

② (O) 대법원 1990.2.13. 89도1931

④ (O) 대법원 2004.6.25. 2004도1751

95 0500

2015 경찰 2차(변형)

배임죄에 관한 다음 설명 중 가장 적절하지 않은 것은? (다툼이 있으면 판례에 의함)

① 금융기관의 임직원이 보통예금계좌에 입금된 예금주의 예금을 무단으로 인출한 경우 그 임직원은 예금주와의 사이에서 그의 재산관리에 관한 사무를 처리하는 자의 지위에 있다고 할 것이므로, 그러한 예금인출행위는 예금주에 대한 관계에서 업무상배임죄를 구성한다.

② 업무상배임죄의 재산상 손해의 유무에 관한 판단 가운데 소극적 손해는 재산증가를 객관적·개연적으로 기대할 수 있음에도 임무위배행위로 이러한 재산증가가 이루어지지 않은 경우를 의미한다.

③ 피고인이 자신의 모(母) 명의를 빌려 자동차를 매수하면서 피해자 甲주식회사에서 필요한 자금을 대출받고 자동차에 저당권을 설정하였는데, 저당권자인 甲회사의 동의 없이 이를 성명불상의 제3자에게 양도담보로 제공하여도 배임죄가 성립하지 않는다.

④ 배임죄에 있어서 타인의 사무를 처리하는 자라 함은 양자 간의 신임관계에 기초를 둔 타인의 재산보호 내지 관리의무가 있음을 그 본질적 내용으로 하는 것이므로, 배임죄의 성립에 있어 행위자가 대외관계에서 타인의 재산을 처분할 적법한 대리권이 있음을 요하지 아니한다.

지문분석

난이도 중 정답 ①

| 키 워 드 | 배임죄

| 출제유형 | 틀린 지문 고르기

① (X) [1] 이른바 보통예금은 은행 등 법률이 정하는 금융기관을 수치인으로 하는 금전의 소비임치계약으로서, 그 예금계좌에 입금된 금전의 소유권은 금융기관에 이전되고, 예금주는 그 예금계좌를 통한 예금반환채권을 취득하는 것이므로, 금융기관의 임직원은 예금주로부터 예금계좌를 통한 적법한 예금반환 청구가 있으면 이에 응할 의무가 있을 뿐 예금주와의 사이에서 그의 재산관리에 관한 사무를 처리하는 자의 지위에 있다고 할 수 없다.

[2] 임의로 예금주의 예금계좌에서 5,000만원을 인출한 금융기관의 임직원에게 업무상배임죄가 성립하지 않는다(대법원 2008.4.24. 2008도1408).

② (O) 업무상배임죄에서 재산상 손해의 유무에 관한 판단은 법률적 판단에 의하지 아니하고 경제적 관점에서 실질적으로 판단하여야 하는데, 여기에는 ㉠ 재산의 처분 등 직접적인 재산의 감소, 보증이나 담보제공 등 채무 부담으로 인한 재산의 감소와 같은 적극적 손해를 야기한 경우는 물론, ㉡ 객관적으로 보아 취득할 것이 충분히 기대되는데도 임무위배행위로 말미암아 이익을 얻지 못한 경우, 즉 소극적 손해를 야기한 경우도 포함된다. 이러한 소극적 손해는 재산증가를 객관적·개연적으로 기대할 수 있음에도 임무위배행위로 이러한 재산증가가 이루어지지 않은 경우를 의미하므로 임무위배행위가 없었다면 실현되었을 재산 상태와 임무위배행위로 말미암아 현실적으로 실현된 재산 상태를 비교하여 그 유무 및 범위를 산정하여야 한다(대법원 2013.4.26. 2011도6798).

③ (O) 대법원 2020.10.22. 2020도6258 전원합의체 판결로, 판례가 변경되어 이제는 배임죄가 성립하지 않는다.

④ (O) 대법원 1999.9.17. 97도3219

96 0501

2015 경찰 3차

배임죄에 관한 설명이다. 다음 중 가장 적절하지 않은 것은? (다툼이 있으면 판례에 의함)

① 매도인이 매수인으로부터 중도금을 수령한 이후에 매매목적물인 동산을 제3자에게 양도하는 행위는 배임죄에 해당하지 않는다.

② 미성년자와 친생자관계가 없으나 호적상 친모로 등재되어 있는 자가 미성년자의 상속 재산 처분에 관여한 경우, 배임죄에 있어서 타인의 사무를 처리하는 자의 지위에 있다.

③ 채권담보 목적으로 부동산에 관한 대물변제예약을 체결한 채무자가 대물로 변제하기로 한 부동산을 제3자에게 임의로 처분한 경우 배임죄가 성립한다.

④ 새마을금고 임·직원이 동일인 대출한도 제한규정을 위반하여 초과대출행위를 하였더라도 대출채권 회수에 문제가 없는 것으로 판단되는 경우라면 업무상배임죄가 성립하지 않는다.

지문분석

난이도 중 정답 ③

| 키 워 드 | 배임죄

| 출제유형 | 틀린 지문 고르기

③ (X) [1] 채권담보 목적으로 부동산에 관한 대물변제예약을 체결한 채무자가 대물로 변제하기로 한 부동산을 제3자에게 처분한 경우, 배임죄가 성립하지 않는다.

[2] 채무자인 피고인이 채권자 甲에게 차용금을 변제하지 못할 경우 자신의 어머니 소유 부동산에 대한 유증상속분을 대물변제하기로 약정한 후 유증을 원인으로 위 부동산에 관한 소유권이전등기를 마쳤음에도 이를 제3자에게 매도함으로써 甲에게 손해를 입혔다고 하여 배임으로 기소된 사안에서, 피고인이 '타인의 사무를 처리하는 자'의 지위에 있다고 볼 수 없는데도, 이와 다른 전제에서 유죄를 인정한 원심판결에 법리오해의 위법이 있다(대법원 2014.8.21. 2014도3363 전원합의체).

① (O) [1] 매도인이 매수인으로부터 중도금을 수령한 이후에 매매목적물인 '동산'을 제3자에게 양도하는 행위가 배임죄에 해당하지 않는다.

[2] 피고인이 '인쇄기'를 甲에게 양도하기로 하고 계약금 및 중도금을 수령하였음에도 이를 자신의 채권자 乙에게 기존 채무 변제에 갈음하여 양도함으로써 재산상 이익을 취득하고 甲에게 동액 상당의 손해를 입혔다는 배임의 공소사실에 대하여, 이를 무죄로 선고한 원심판단을 수긍한 사례(대법원 2011.1.20. 2008도10479 전원합의체)

② (O) 대법원 2002.6.14. 2001도3534

④ (O) 동일인 대출한도를 초과하여 대출함으로써 구 새마을금고법을 위반하였다고 하더라도, 대출한도 제한규정 위반으로 처벌함은 별론으로 하고, 그 사실만으로 특별한 사정이 없는 한 업무상배임죄가 성립한다고 할 수 없고, 일반적으로 이러한 동일인 대출한도 초과대출이라는 임무위배의 점에 더하여 채무상환능력이 부족하거나 제공된 담보의 경제적 가치가 부실해서 대출채권의 회수에 문제가 있는 것으로 판단되는 경우에 재산상 손해가 발생하였다고 보아 업무상배임죄가 성립한다고 하여야 할 것이다(대법원 2008.6.19. 2006도4876 전원합의체).

97 0502 2018 경찰 1차(변형)

배임의 죄에 대한 설명 중 옳고 그름의 표시(O, X)가 바르게 된 것은? (다툼이 있는 경우 판례에 의함)

㉠ 자기소유의 동산에 대해 매수인과 매매계약을 체결한 매도인이 중도금까지 지급받은 상태에서 그 목적물을 제3자에 대한 자기의 채무변제에 갈음하여 그 제3자에게 양도해 버린 경우에는 기존 매수인에 대한 배임죄가 성립한다.
㉡ 금융기관의 임직원이 보통예금계좌에 입금된 예금주의 예금을 무단으로 인출한 경우에 그 임직원은 예금주와의 사이에서 그의 재산관리에 관한 사무를 처리하는 자의 지위에 있다고 할 것이므로, 그러한 예금인출행위는 예금주에 대한 관계에서 업무상배임죄를 구성한다.
㉢ 피고인이 자신의 모(母) 명의를 빌려 자동차를 매수하면서 피해자 甲주식회사에서 필요한 자금을 대출받고 자동차에 저당권을 설정하였는데, 저당권자인 甲회사의 동의 없이 이를 성명불상의 제3자에게 양도담보로 제공하였다면 피고인의 행위는 적어도 미필적으로나마 甲회사의 자동차에 대한 추급권 행사가 불가능하게 될 수 있음을 알면서도 그 담보가치를 실질적으로 상실시키는 것으로서 배임죄가 성립되는 특별한 사정이 있는 경우에 해당한다.
㉣ 배임죄에 있어서 타인의 사무를 처리하는 자라 함은 양자간의 신임관계에 기초를 둔 타인의 재산보호 내지 관리의무가 있음을 그 본질적 내용으로 하는 것이므로, 배임죄의 성립에 있어 행위자가 대외관계에서 타인의 재산을 처분할 적법한 대리권이 있음을 요하지 아니한다.

① ㉠ (X), ㉡ (O), ㉢ (O), ㉣ (X)
② ㉠ (X), ㉡ (X), ㉢ (X), ㉣ (O)
③ ㉠ (O), ㉡ (O), ㉢ (X), ㉣ (X)
④ ㉠ (O), ㉡ (X), ㉢ (X), ㉣ (O)

지문분석 난이도 중 정답 ②

| 키 워 드 | 배임죄
| 출제유형 | 옳고 그름의 표시(O, X)하기

㉠ (X) [1] 매도인이 매수인으로부터 중도금을 수령한 이후에 매매목적물인 '동산'을 제3자에게 양도하는 행위가 배임죄에 해당하지 않는다.
[2] 피고인이 '인쇄기'를 甲에게 양도하기로 하고 계약금 및 중도금을 수령하였음에도 이를 자신의 채권자 乙에게 기존 채무 변제에 갈음하여 양도함으로써 재산상 이익을 취득하고 甲에게 동액 상당의 손해를 입혔다는 배임의 공소사실에 대하여, 이를 무죄로 선고한 원심판단을 수긍하였다(대법원 2011.1.20. 2008도10479 전원합의체).
→ 동산매매계약에서의 매도인은 매수인에 대하여 그의 사무를 처리하는 지위에 있지 아니하므로, 매도인이 목적물을 매수인에게 인도하지 아니하고 이를 타에 처분하였다 하더라도 형법상 배임죄가 성립하는 것은 아니라는 것이 대법관 다수의견이다.
㉡ (X) [1] 이른바 보통예금은 은행 등 법률이 정하는 금융기관을 수치인으로 하는 금전의 소비임치계약으로서, 그 예금계좌에 입금된 금전의 소유권은 금융기관에 이전되고, 예금주는 그 예금계좌를 통한 예금반환채권을 취득하는 것이므로, 금융기관의 임직원은 예금주로부터 예금계좌를 통한 적법한 예금반환 청구가 있으면 이에 응할 의무가 있을 뿐 예금주와의 사이에서 그의 재산관리에 관한 사무를 처리하는 자의 지위에 있다고 할 수 없다.
[2] 임의로 예금주의 예금계좌에서 5,000만원을 인출한 금융기관의 임직원에게 업무상배임죄가 성립하지 않는다(대법원 2008.4.24. 2008도1408).
㉢ (X) 대법원 2020.10.22. 2020도6258 전원합의체 판결로, 판례가 변경되어 이제는 배임죄가 성립하지 않는다.
㉣ (O) 대법원 1999.9.17. 97도3219

98 0503

2020 경찰 승진

다음 중 배임죄 또는 업무상배임죄가 성립하지 않는 경우를 모두 고른 것은? (다툼이 있는 경우 판례에 의함)

㉠ 새마을금고 임·직원이 동일인 대출한도 제한규정을 위반하여 초과대출행위를 하였더라도 대출채권회수에 문제가 없는 것으로 판단되는 경우
㉡ 자기소유의 동산에 대해 매수인과 매매계약을 체결한 매도인이 중도금까지 지급받은 상태에서 그 목적물을 제3자에 대한 자기의 채무변제에 갈음하여 그 제3자에게 양도한 경우
㉢ 회사의 승낙 없이 임의로 지정 할인율보다 더 높은 할인율을 적용하여 회사가 지정한 가격보다 낮은 가격으로 거래처에 제품을 판매하였지만 시장거래 가격에 따라 제품을 판매한 경우
㉣ 피고인의 채권에 대한 담보목적으로 피해자가 자신의 대지와 건물을 피고인에게 소유권이전등기를 해주었는데, 피해자가 약정기일까지 차용한 금전을 이행하지 못하자 피고인이 담보권의 실행으로 담보부동산을 염가로 처분한 경우

① ㉠, ㉡ ② ㉠, ㉢
③ ㉡, ㉢, ㉣ ④ ㉠, ㉡, ㉢, ㉣

지문분석 난이도 ㊤ 정답 ④

| 키 워 드 | 배임죄와 업무상배임죄
| 출제유형 | 조합하기

㉠ (X) 동일인 대출한도를 초과하여 대출함으로써 구 새마을금고법을 위반하였다고 하더라도, 대출한도 제한규정 위반으로 처벌함은 별론으로 하고, 그 사실만으로 특별한 사정이 없는 한 업무상배임죄가 성립한다고 할 수 없고, 일반적으로 이러한 동일인 대출한도 초과대출이라는 임무위배의 점에 더하여 대출 당시의 대출채무자의 재무상태, 다른 금융기관으로부터의 차입금, 기타 채무를 포함한 전반적인 금융거래상황, 사업현황 및 전망과 대출금의 용도, 소요기간 등에 비추어 볼 때 채무상환능력이 부족하거나 제공된 담보의 경제적 가치가 부실해서 대출채권의 회수에 문제가 있는 것으로 판단되는 경우에 재산상 손해가 발생하였다고 보아 업무상배임죄가 성립한다고 해야 한다(대법원 2008.6.19. 2006도4876 전원합의체).

㉡ (X) 매도인이 매수인으로부터 중도금을 수령한 이후에 매매목적물인 '동산'을 제3자에게 양도하는 행위가 배임죄에 해당하지 않는다(대법원 2011.1.20. 2008도10479 전원합의체).

㉢ (X) [1] 업무상배임죄는 본인에게 재산상의 손해를 가하는 외에 배임행위로 인하여 행위자 스스로 재산상의 이익을 취득하거나 제3자로 하여금 재산상의 이익을 취득하게 할 것을 요건으로 하므로, 본인에게 손해를 가하였다고 할지라도 행위자 또는 제3자가 재산상 이익을 취득한 사실이 없다면 배임죄가 성립할 수 없다.
[2] 피고인이 피해 회사의 승낙 없이 임의로 지정 할인율보다 더 높은 할인율을 적용하여 회사가 지정한 가격보다 낮은 가격으로 제품을 판매하는 이른바 '덤핑판매'로 제3자인 거래처에 재산상의 이익이 발생하였는지 여부는 경제적 관점에서 실질적으로 판단하여야 할 것인바, 피고인이 피해 회사가 정한 할인율 제한을 위반하였다 하더라도 시장에서 거래되는 가격에 따라 제품을 판매하였다면 지정 할인율에 의한 제품가격과 실제 판매시 적용된 할인율에 의한 제품가격의 차액 상당을 거래처가 얻은 재산상의 이익이라고 볼 수는 없다(대법원 2009.12.24. 2007도2484).

㉣ (X) 담보권자가 변제기 경과 후에 담보권을 실행하기 위하여 담보목적물을 처분하는 행위는 담보계약에 따라 담보권자에게 주어진 권능이어서 자기의 사무처리에 속하는 것이지 타인인 채무자의 사무처리에 속하는 것이라고 할 수 없으므로, 담보권자가 담보권을 실행하기 위하여 담보목적물을 처분함에 있어 시가에 따른 적절한 처분을 하여야 할 의무는 담보계약상의 민사채무일 뿐 그와 같은 형법상의 의무가 있는 것은 아니므로 그에 위반한 경우 배임죄가 성립된다고 할 수 없다(대법원 1997.12.23. 97도2430).

99 0504

2019 경찰 1차

다음 설명 중 가장 적절하지 않은 것은? (다툼이 있는 경우 판례에 의함)

① 보험금을 지급받을 수 있는 사유가 있다 하더라도 이를 기화로 실제 지급받을 수 있는 보험금보다 다액의 보험금을 편취할 의사로 장기간의 입원 등을 통하여 과다한 보험금을 지급받는 경우에는 지급받은 보험금 전체에 대하여 사기죄가 성립한다.

② 준강도죄의 기수 여부는 절도행위의 기수 여부를 기준으로 하여 판단하여야 한다.

③ 채무자가 대물변제예약에 따라 부동산에 관한 소유권이전등기절차를 이행할 의무는 배임죄에서 말하는 신임관계에 기초하여 채권자의 재산을 보호 또는 관리하여야 하는 '타인의 사무'에 해당한다.

④ 강도예비·음모죄가 성립하기 위해서는 예비·음모 행위자에게 미필적으로라도 '강도'를 할 목적이 있음이 인정되어야 하고 그에 이르지 않고 단순히 '준강도'할 목적이 있음에 그치는 경우에는 강도예비·음모죄로 처벌할 수 없다.

지문분석

난이도 중 정답 ③

| 키 워 드 | 재산에 대한 죄

| 출제유형 | 틀린 지문 고르기

③ (X) 채권담보 목적으로 부동산에 관한 대물변제예약을 체결한 채무자가 대물로 변제하기로 한 부동산을 제3자에게 처분한 경우, 배임죄가 성립하지 않는다(대법원 2014.8.21. 2014도3363 전원합의체).

→ 대물변제예약의 궁극적 목적은 차용금반환채무의 이행 확보에 있고, 채무자가 대물변제예약에 따라 부동산에 관한 소유권이전등기절차를 이행할 의무는 궁극적 목적을 달성하기 위해 채무자에게 요구되는 부수적 내용이어서 이를 가지고 배임죄에서 말하는 신임관계에 기초하여 채권자의 재산을 보호 또는 관리하여야 하는 '타인의 사무'에 해당한다고 볼 수는 없다.

① (O) 대법원 2009.5.28. 2008도4665

② (O) 대법원 2004.11.18. 2004도5074 전원합의체

④ (O) 대법원 2006.9.14. 2004도6432

100 0505

2017 경찰 승진

횡령죄와 배임죄에 관한 설명 중 가장 적절하지 않은 것은? (다툼이 있는 경우 판례에 의함)

① 회사의 대표이사가 당초부터 진실한 주금납입으로 회사의 자금을 확보할 의사 없이 타인으로부터 금원을 차용하여 형식상 또는 일시적으로 주금을 납입하고 설립등기나 증자등기의 절차를 마친 다음 바로 이를 인출하여 차용채무금의 변제에 사용한 경우, 업무상횡령죄는 성립하지 않는다.

② 자기소유의 동산에 대해 매수인과 매매계약을 체결한 매도인이 중도금까지 지급받은 상태에서 그 목적물을 제3자에 대한 자기의 채무변제에 갈음하여 그 제3자에게 양도해 버린 경우에는 기존 매수인에 대한 배임죄가 성립한다.

③ 채권담보의 목적으로 부동산에 대한 대물변제예약을 체결한 채무자가 대물로 변제하기로 한 부동산을 제3자에게 임의로 처분한 경우 배임죄가 성립하지 않는다.

④ 미리 부동산을 이전받은 매수인이 이를 담보로 제공하여 매매대금 지급을 위한 자금을 마련하고 이를 매도인에게 제공함으로써 잔금을 지급하기로 당사자 사이에 약정하였다고 하더라도, 이는 기본적으로 매수인이 매매대금의 재원을 마련하는 방편에 관한 것이고, 그 성실한 이행에 의하여 매도인이 대금을 모두 받게 되는 이익을 얻는다는 것만으로 매수인이 신임관계에 기하여 매도인의 사무를 처리하는 것이 된다고 할 수 없다.

지문분석

난이도 중 정답 ②

| 키 워 드 | 횡령죄와 배임죄

| 출제유형 | 틀린 지문 고르기

② (X) [1] 매매의 목적물이 동산일 경우, 매도인은 매수인에게 계약에 정한 바에 따라 그 목적물인 동산을 인도함으로써 계약의 이행을 완료하게 되고 그때 매수인은 매매목적물에 대한 권리를 취득하게 되는 것이므로, 매도인에게 자기의 사무인 동산인도채무 외에 별도로 매수인의 재산의 보호 내지 관리 행위에 협력할 의무가 있다고 할 수 없다.

[2] 동산매매계약에서의 매도인은 매수인에 대하여 그의 사무를 처리하는 지위에 있지 아니하므로, 매도인이 목적물을 매수인에게 인도하지 아니하고 이를 타에 처분하였다 하더라도 형법상 배임죄가 성립하는 것은 아니다(대법원 2011.1.20. 2008도10479 전원합의체).

① (O) 위와 같은 행위는 실질적으로 회사의 자본을 증가시키는 것이 아니고 등기를 위하여 납입을 가장하는 편법에 불과하여 주금의 납입 및 인출의 전과정에서 회사의 자본금에는 실제 아무런 변동이 없다고 보아야 할 것이므로, 그들에게 회사의 돈을 임의로 유용한다는 불법영득의 의사가 있다고 보기 어렵다 할 것이고, 이러한 관점에서 회사 자본이 실질적으로 증가됨을 전제로 한 업무상횡령죄가 성립한다고 할 수는 없다(대법원 2004.6.17. 2003도7645 전원합의체).

→ 타인으로부터 금원을 차용하여 주금을 납입하고 설립등기나 증자등기 후 바로 인출하여 차용금 변제에 사용하는 경우

- 인정: 상법상 납입가장죄, 공정증서원본부실기재·동행사죄 성립
- 부정: 업무상횡령죄, 배임죄 부정

③ (O) 대물변제예약의 궁극적 목적은 차용금반환채무의 이행 확보에 있고, 채무자가 대물변제예약에 따라 부동산에 관한 소유권이전등기절차

를 이행할 의무는 궁극적 목적을 달성하기 위해 채무자에게 요구되는 부수적 내용이어서 이를 가지고 배임죄에서 말하는 신임관계에 기초하여 채권자의 재산을 보호 또는 관리하여야 하는 '타인의 사무'에 해당한다고 볼 수는 없다(대법원 2014.8.21. 2014도3363 전원합의체).
→ 타인의 사무처리자 부정(자기 사무 인정), 배임죄 부정

④ (O) 대법원 2011.4.28. 2011도3247
→ 부동산매매에서 미리 소유권을 이전받은 매수인이 목적물을 담보로 제공하는 방법으로 매매대금을 마련하여 매도인에게 제공하기로 약정한 경우, 위 매수인은 배임죄상 '타인의 사무를 처리하는 자'에 해당하지 않는다.

101 0506

2016 경찰 승진

배임의 죄에 관한 설명 중 가장 적절하지 않은 것은? (다툼이 있으면 판례에 의함)

① 금융기관의 임직원은 예금주와의 사이에서 그의 재산관리에 관한 사무를 처리하는 자의 지위에 있다고 할 수 없다.
② 담보권자가 변제기 경과 후 담보권을 실행하기 위하여 담보목적물을 처분함에 있어 부당하게 염가로 처분한 경우 배임죄가 성립한다.
③ 낙찰계의 계주가 계원들에게서 계불입금을 징수하지 않은 상태에서 부담하는 계금지급의무는 배임죄에서 말하는 '타인의 사무'에 해당하지 않는다.
④ 회사의 대표이사가 회사가 속한 재벌그룹의 前 회장이 부담하여야 할 원천징수소득세의 납부를 위하여 채권확보에 필요한 조치를 취하지 아니한 채 다른 회사에 회사자금을 대여한 경우에는 업무상배임죄가 성립한다.

지문분석 난이도 중 정답 ②

| 키 워 드 | 배임죄

| 출제유형 | 틀린 지문 고르기

② (X) **담보권자가 담보목적물을 부당하게 염가로 처분한 경우, 배임죄의 성립 여부: 부정**
담보권자가 변제기 경과 후에 담보권을 실행하기 위하여 담보목적물을 처분하는 행위는 담보계약에 따라 담보권자에게 주어진 권능이어서 자기의 사무처리에 속하는 것이지 타인인 채무자의 사무처리에 속하는 것이라고 할 수 없으므로, 담보권자가 담보권을 실행하기 위하여 담보목적물을 처분함에 있어 시가에 따른 적절한 처분을 하여야 할 의무는 담보계약상의 민사채무일 뿐 그와 같은 형법상의 의무가 있는 것은 아니므로 그에 위반한 경우 배임죄가 성립된다고 할 수 없다(대법원 1997.12.23. 97도2430).

① (O) [1] 이른바 보통예금은 은행 등 법률이 정하는 금융기관을 수치인으로 하는 금전의 소비임치계약으로서, 그 예금계좌에 입금된 금전의 소유권은 금융기관에 이전되고, 예금주는 그 예금계좌를 통한 예금반환채권을 취득하는 것이므로, 금융기관의 임직원은 예금주로부터 예금계좌를 통한 적법한 예금반환 청구가 있으면 이에 응할 의무가 있을 뿐 예금주와의 사이에서 그의 재산관리에 관한 사무를 처리하는 자의 지위에 있다고 할 수 없다.
[2] 임의로 예금주의 예금계좌에서 5,000만원을 인출한 금융기관의 임직원은 업무상배임죄가 성립하지 않는다(대법원 2008.4.24. 2008도1408).

③ (O) [1] 계주가 계원들로부터 계불입금을 징수하게 되면 그 계불입금은 실질적으로 낙찰계원에 대한 계금지급을 위하여 계주에게 위탁된 금원의 성격을 지니고 따라서 계주는 이를 낙찰·지급받을 계원과의 사이에서 단순한 채권관계를 넘어 신의칙상 그 계금지급을 위하여 위 계불입금을 보호 내지 관리하여야 하는 신임관계에 들어서게 되므로, 이에 기초한 계주의 계금지급의무는 배임죄에서 말하는 타인의 사무에 해당한다.
[2] 계주가 계원들로부터 계불입금을 징수하지 아니하였다면 그러한 상태에서 부담하는 계금지급의무는 위와 같은 신임관계에 이르지 아니한 단순한 채권관계상의 의무에 불과하여 타인의 사무에 속하지 아니하고, 이는 계주가 계원들과의 약정을 위반하여 계불입금을 징수하지 아니한 경우라 하여 달리 볼 수 없다(대법원 2009.8.20. 2009도3143).

④ (O) 대법원 2010.10.28. 2009도1149

102 0507

2015 경찰 승진

배임죄에 관한 설명 중 가장 적절한 것은? (다툼이 있는 경우 판례에 의함)

① 경영자가 적대적 M&A로부터 경영권을 유지하기 위하여 종업원의 자사주 매입에 회사자금을 지원한 경우에는 업무상배임죄가 성립하지 않는다.
② 기업의 영업비밀을 사외로 유출하지 않을 것을 서약한 회사직원이 이익을 얻기 위하여 경쟁업체에 영업비밀을 유출하는 행위는 업무상배임죄가 성립한다.
③ 미성년자와 친생자관계가 없으나 호적상 친모로 등재되어 있는 자가 미성년자의 상속재산 처분에 관여한 경우, 배임죄에 있어서 타인의 사무를 처리하는 자의 지위에 있다고 할 수 없다.
④ 낙찰계의 계주가 계원들에게서 계불입금을 징수하지 않은 상태에서 부담하는 계금지급의무는 배임죄에서 말하는 '타인의 사무'에 해당한다.

지문분석 난이도 중 정답 ②

| 키 워 드 | 배임죄
| 출제유형 | 옳은 지문 고르기

② (O) 대법원 1999.3.12. 98도4704
① (X) 회사 경영자가 안정주주를 확보하여 경영권을 계속 유지하는 것을 주된 목적으로 종업원의 자사주 매입에 회사자금을 지원한 경우, 업무상배임죄가 성립한다(대법원 1999.6.25. 99도1141).
→ 경영자의 자금지원의 주된 목적이 종업원의 재산형성을 통한 복리증진이 아니고, 경영자 자기의 이익을 위하여 회사재산을 사용한 것이므로 회사의 이익에 반하여 회사에 대한 관계에서 임무위배행위가 된다.
③ (X) 미성년자와 친생자관계가 없으나 호적상 친모로 등재되어 있는 자가 미성년자의 상속재산 처분에 관여한 경우, 배임죄에 있어서 타인의 사무를 처리하는 자의 지위에 있다(대법원 2002.6.14. 2001도3534).
④ (X) 낙찰계의 계주가 계원들에게서 계불입금을 징수하지 않은 상태에서 부담하는 계금지급의무가 배임죄에서 말하는 '타인의 사무'에 해당하지 않는다(대법원 2009.8.20. 2009도3143).

103 0508

2018 경찰 승진

횡령죄와 배임죄에 대한 설명으로 가장 적절하지 않은 것은? (다툼이 있는 경우 판례에 의함)

① 포주인 甲이 자신의 종업원인 A에게 윤락을 권유하여 고용한 후, A가 받은 화대를 甲이 일단 보관하다가 절반씩 분배하기로 약정하였음에도 불구하고 甲이 보관 중인 화대를 임의로 소비한 경우, 그 화대는 불법원인으로 인한 것이지만 甲의 행위는 횡령죄에 해당한다.
② 피해자는 자금만 투자하고 피고인은 공사 시공 및 일체의 거래행위를 담당하는 내용의 동업계약을 체결하였다가 위 계약이 종료되었는데, 그 정산과정에서 피고인이 임의로 제3자에 대하여 채권양도행위를 한 경우 배임죄가 성립하지 않는다.
③ 상법상 주식은 자본구성의 단위 또는 주주의 지위를 의미하므로 재물이 아니며, 횡령죄의 객체가 될 수 없다.
④ 회사직원이 영업비밀 등을 적법하게 반출하였으나 퇴사 시에 회사에 반환하거나 폐기할 의무가 있음에도 경쟁업체에 유출하거나 스스로의 이익을 위하여 이용할 목적으로 이를 반환하거나 폐기하지 아니하였다면, 반출 시에 업무상배임죄의 기수가 된다.

지문분석 난이도 중 정답 ④

| 키 워 드 | 횡령죄와 배임죄
| 출제유형 | 틀린 지문 고르기

④ (X) **영업비밀 등을 적법하게 반출하였으나 퇴사 시에 회사에 반환하거나 폐기할 의무가 있음에도 반환하거나 폐기하지 아니한 경우, 업무상배임죄의 기수시기: 퇴사 시**
회사직원이 영업비밀 등을 적법하게 반출하여 반출행위가 업무상배임죄에 해당하지 않는 경우라도, 퇴사 시에 영업비밀 등을 회사에 반환하거나 폐기할 의무가 있음에도 경쟁업체에 유출하거나 스스로의 이익을 위하여 이용할 목적으로 이를 반환하거나 폐기하지 아니하였다면, 이러한 행위 역시 퇴사 시에 업무상배임죄의 기수가 된다(대법원 2017.6.29. 2017도3808).
① (O) 대법원 1999.9.17. 98도2036
② (O) **甲은 자금만 투자하고 乙은 공사 시공 및 일체의 거래행위를 담당하는 내용의 동업계약을 체결하였다가 위 계약이 종료된 경우 그 정산과정에서 乙이 한 제3자에 대한 채권양도행위가 타인의 사무를 처리하는 자로서 임무위배행위인가의 여부: 부정**
동업자 甲은 자금만 투자하고 동업자 乙은 노무와 설비를 투자하여 공사를 수급하여 시공하고 그 대금 등을 추심하는 등 일체의 거래행위를 담당하면서 그 이익을 나누어 갖기로 하는 내용의 동업계약이 체결되었다가 그 계약이 종료된 경우 위 공사 시공 등 일체의 행위를 담당하였던 乙이 자금만을 투자한 甲에게 투자금원을 반환하고 또 이익 또는 손해를 부담시키는 내용의 정산의무나 그 정산과정에서 행하는 채권의 추심과 채무의 변제 등의 행위는 모두 乙 자신의 사무이지 자금을 투자한 甲을 위하여 하는 타인의 사무라고 볼 수는 없다고 보아 乙의 제3자에 대한 채권양도행위를 배임죄에 있어서 타인의 사무를 처리하는 자로서의 임무위배행위라고 할 수 없다(대법원 1992.4.14. 91도2390).
→ 乙은 甲과의 관계에서 타인의 사무처리자가 아니다.
③ (O) 주권(株券)은 유가증권으로서 재물에 해당되므로 횡령죄의 객체가

될 수 있으나, 자본의 구성단위 또는 주주권을 의미하는 주식은 재물이 아니므로 횡령죄의 객체가 될 수 없다(대법원 2005.2.18. 2002도2822).

✓ 개념체크 **회사직원이 영업비밀 등을 반출한 경우의 비교판례**

> **회사직원이 영업비밀 또는 영업상 주요한 자산을 경쟁업체에 유출하거나 스스로의 이익을 위하여 이용할 목적으로 무단으로 반출한 경우, 업무상배임죄의 기수시기: 유출 또는 반출 시**
> 회사직원이 재직 중에 영업비밀 또는 영업상 주요한 자산을 경쟁업체에 유출하거나 스스로의 이익을 위하여 이용할 목적으로 무단으로 반출하였다면 타인의 사무를 처리하는 자로서 업무상의 임무에 위배하여 유출 또는 반출한 것이어서 유출 또는 반출 시에 업무상배임죄의 기수가 된다(대법원 2017.6.29. 2017도3808).

104 0509

2020 경찰 간부

다음 설명 중 옳지 않은 것은 모두 몇 개인가? (다툼이 있는 경우 판례에 의함)

> 가. 사기죄에서 외관상 재물의 교부에 해당하는 행위가 있었으나, 재물이 범인의 사실상의 지배 아래에 들어가 그의 자유로운 처분이 가능한 상태에 놓이지 않고 여전히 피해자의 지배 아래에 있는 것으로 평가되는 경우라면 그 재물에 대한 처분행위가 있었다고 볼 수 없다.
> 나. 재정악화로 어려움을 겪는 회사라 할지라도 합법적인 방법으로 피해자 회사들과 갈등을 해결하려 하지 않고 유예기간 안에 돈을 지급하지 않으면 자동차 부품 생산라인을 중단하여 큰 손실을 입게 만들겠다는 태도를 보였다면 공갈죄가 성립한다.
> 다. 甲이 보이스피싱 조직원 乙에게 자기 명의 계좌의 통장을 양도한 후 乙의 보이스피싱 범행으로 그 계좌에 송금된 사기피해금을 임의로 인출한 경우 乙에 대하여 횡령죄를 구성한다.
> 라. 공무원이 그 임무에 위배되는 행위로써 제3자로 하여금 재산상의 이익을 취득하게 하여 국가에 손해를 가한 경우에도 업무상배임죄는 성립한다.

① 1개 ② 2개
③ 3개 ④ 4개

지문분석 난이도 중 정답 ①

| 키 워 드 | 재산에 대한 죄
| 출제유형 | 개수 찾기

다. (X) 계좌명의인의 인출행위는 전기통신금융사기의 범인에 대한 관계에서는 횡령죄가 되지 않는다(대법원 2018.7.19. 2017도17494 전원합의체).
가. (O) 대법원 2018.8.1. 2018도7030
나. (O) 피고인은 피해자 회사들에 6~8일간의 유예기간을 두고 돈을 요구하면서 그때까지 돈이 지급되지 않으면 자동차 부품 생산라인을 중단하여 자동차 부품 공급 중단으로 큰 손실을 입게 만들겠다는 태도를 보였다. 이러한 언행은 피해자 회사들의 자유로운 의사결정을 제한하거나 의사실행의 자유를 방해할 정도에 이르는 해악의 고지에 해당한다(대법원 2019.2.14. 2018도19493).
라. (O) 공무원인 피고인 1, 2가 공소외 1 대통령의 퇴임 후 사용할 사저부지와 그 경호부지를 일괄 매수하는 사무를 처리하면서 매매계약 체결 후 그 매수대금을 공소외 1 대통령의 아들 공소외 2와 국가에 배분함에 있어, 이미 복수의 감정평가업자에게 감정평가를 의뢰하여 그 결과를 통보받았음에도 굳이 이를 무시하면서 인근 부동산업자들이나 인터넷, 지인 등으로부터의 불확실한 정보를 가지고 감정평가결과와 전혀 다르게 상대적으로 사저부지 가격을 낮게 평가하고 경호부지 가격을 높게 평가하여 매수대금을 배분한 것은 국가사무를 처리하는 자로서의 임무위배행위에 해당하고 위 피고인들에게 배임의 고의 및 불법이득의사도 인정된다(대법원 2013.9.27. 2013도6835).

105 0510

2020 경찰 간부

다음 중 판례가 배임행위의 성립을 인정한 경우는 모두 몇 개인가?

가. 계가 정상적으로 운영되고 있음에도 계주가 그동안 성실하게 계불입금을 지급하여 온 계원에게 계가 깨졌다고 거짓말을 하여 그 계원이 계에 참석하여 계금을 탈 수 있는 기회를 박탈하여 손해를 가한 경우
나. 주식회사의 경영을 책임지는 이사가 임무에 위배하여 주주 또는 회사채권자에게 손해가 될 행위를 하였으나 주주총회 결의가 있었던 경우
다. 서면으로 부동산 증여의 의사를 표시한 증여자가 수증자에게 증여계약에 따라 부동산의 소유권을 이전하지 않고 부동산을 제3자에게 처분하여 등기를 마친 경우
라. 다방을 임차하면서 임차기간 동안 영업허가 명의를 임차인 명의로 변경하고 임대차 종료시 임대인에게 명의반환을 하기로 약정하고도 임대차 종료 후 임차인이 명의반환을 거부하는 경우

① 1개　② 2개
③ 3개　④ 4개

지문분석

난이도 중 정답 ④

| 키 워 드 | 배임죄
| 출제유형 | 개수 찾기

가. (○) 계가 정상적으로 운영되고 있음에도 불구하고 계주가 그동안 성실하게 계불입금을 지급하여 온 계원에게 계가 깨졌다는 등의 거짓말을 하여 그 계원이 계에 참석하여 낙찰받아 계금을 탈 수 있는 기회를 박탈하여 손해를 가하였다면 계주의 위와 같은 임무위배는 그 계원에 대한 관계에 있어서 배임죄를 구성한다(대법원 1995.9.29. 95도1176).
나. (○) 회사의 대표이사는 이사회 또는 주주총회의 결의가 있더라도 그 결의내용이 회사채권자를 해하는 불법한 목적이 있는 경우에는 이에 맹종할 것이 아니라 회사를 위하여 성실한 직무수행을 할 의무가 있으므로 대표이사가 임무에 배임하는 행위를 함으로써 주주 또는 회사채권자에게 손해가 될 행위를 하였다면 그 회사의 이사회 또는 주주총회의 결의가 있었다고 하여 그 배임행위가 정당화될 수는 없다(대법원 2005.10.28. 2005도4915).
다. (○) 대법원 2018.12.13. 2016도19308
라. (○) 다방영업 허가에 따르는 재산적 이익의 실질적 귀속자인 甲이 피고인에게 다방시설을 포함한 운영권 일체를 임대함에 있어서 임대기간 동안은 다방 영업허가 명의를 피고인 명의로 변경하고, 그 임대기간이 종료될 때에는 다시 甲 또는 甲이 지정하는 제3자 앞으로 명의를 변경하기로 약정하였다면, 피고인은 임대기간이 종료되면 위 약정대로 그 허가 명의를 변경할 수 있도록 협력할 의무가 있고, 이 의무이행은 피고인 자신의 사무인 동시에 갑의 사무라고 할 것인데, 피고인이 위 명의환원 약정을 부인하고 자신이 명실상부한 영업허가 명의자라고 주장하면서 영업장소를 이전하고 다방의 상호를 변경하고 甲의 명의변경 요구를 거부하는 소위는 배임죄에 해당한다(대법원 1981.8.20. 80도1176).

106 0511

2021 경찰 승진

배임죄에 대한 설명으로 가장 적절하지 않은 것은? (다툼이 있는 경우 판례에 의함)

① 동산매매계약에서의 매도인은 매수인에 대하여 그의 사무를 처리하는 지위에 있지 아니하므로, 매도인이 목적물을 매수인에게 인도하지 아니하고 이를 타에 처분하였다 하더라도 매도인에게 형법상 배임죄가 성립하지 않는다.
② 채무담보를 위하여 채권자에게 부동산에 관하여 근저당권을 설정해 주기로 약정한 채무자가 담보목적물을 임의로 처분한 경우 채무자에게 배임죄가 성립하지 않는다.
③ 부동산 매도인인 피고인이 매수인 갑 등과 매매계약을 체결하고 갑 등으로부터 계약금과 중도금을 지급받은 후 매매목적물인 부동산을 제3자 을 등에게 이중으로 매도하고 소유권이전등기를 마쳐 준 것만으로는 피고인에게 배임죄가 성립하지 않는다.
④ 채무자가 금전채무를 담보하기 위하여 그 소유의 동산을 채권자에게 동산·채권 등의 담보에 관한 법률에 따른 동산담보로 제공함으로써 채권자인 동산담보권자에 대하여 담보물의 담보가치를 유지·보전할 의무 또는 담보물을 타에 처분하거나 멸실, 훼손하는 등으로 담보권 실행에 지장을 초래하는 행위를 하지 않을 의무를 부담하게 된 경우라도 채무자는 배임죄의 주체인 '타인의 사무를 처리하는 자'에 해당하지 않는다.

지문분석

난이도 하 정답 ③

| 키 워 드 | 배임죄
| 출제유형 | 틀린 지문 고르기

③ (X) 부동산 매도인인 피고인이 매수인 갑 등과 매매계약을 체결하고 갑 등으로부터 계약금과 중도금을 지급받은 후 매매목적물인 부동산을 제3자 을 등에게 이중으로 매도하고 소유권이전등기를 마쳐 주면 피고인의 행위는 갑 등과의 신임관계를 저버리는 임무위배행위로서 배임죄가 성립한다(대법원 2018.5.17. 2017도4027 전원합의체).
① (○) 대법원 2011.1.20. 2008도10479 전원합의체
② (○) 대법원 2020.6.18. 2019도14340 전원합의체
④ (○) 대법원 2020.8.27. 2019도14770 전원합의체

107 0512

2021 경찰 간부

배임죄에 대한 설명으로 옳은 것은? (다툼이 있는 경우 판례에 의함)

① 채권담보를 위한 대물변제예약 사안에서 채무자가 대물로 변제하기로 한 부동산을 제3자에게 처분한 경우 채무자에게 배임죄가 성립한다.

② 동산 매매에서 매도인이 목적물을 매수인에게 양도하기로 하고 계약금 및 중도금을 수령하였음에도 목적물을 제3자에게 양도함으로써 재산상 이익을 취득하고 매수인에게 손해를 입힌 경우, 매도인에게 배임죄가 성립한다.

③ 채무자가 그 소유의 동산에 대하여 점유개정의 방식으로 채권자들에게 이중의 양도담보 설정계약을 체결한 후 양도담보 목적물을 임의로 제3자에게 처분하였다면, 후채권자와의 관계에서는 채무자에게 배임죄가 성립하지 않는다.

④ 법인의 대표이사가 대표권을 남용하여 약속어음을 발행한 경우, 상대방이 그 대표이사의 진의를 알았거나 알 수 있었던 경우여서 그 행위가 회사에 대하여 무효라면 그 약속어음이 제3자에게 유통되었더라도 해당 대표이사에게 배임죄가 성립하지 않는다.

지문분석 난이도 중 정답 ③

| 키 워 드 | 배임죄

| 출제유형 | 옳은 지문 고르기

③ (O) 대법원 2004.6.25. 2004도1751, 대법원 2020.2.20. 2019도9756 전원합의체

① (X) 채권담보 목적으로 부동산에 관한 대물변제예약을 체결한 채무자가 대물로 변제하기로 한 부동산을 제3자에게 처분한 경우, 배임죄가 성립하지 않는다(대법원 2014.8.21. 2014도3363 전원합의체).

② (X) 매도인이 매수인으로부터 중도금을 수령한 이후에 매매목적물인 '동산'을 제3자에게 양도하는 행위가 배임죄에 해당하지 않는다(대법원 2011.1.20. 2008도10479 전원합의체).

④ (X) 주식회사의 대표이사가 대표권을 남용하는 등 그 임무에 위배하여 약속어음 발행을 한 행위는 ㉠ 어음발행이 무효라 하더라도 그 어음이 실제로 제3자에게 유통되었다면 회사로서는 어음채무를 부담할 위험이 구체적·현실적으로 발생하였다고 보아야 하고, 따라서 그 어음채무가 실제로 이행되기 전이라도 배임죄의 기수범이 된다. ㉡ 그러나 약속어음 발행이 무효일 뿐만 아니라 그 어음이 유통되지도 않았다면 회사는 어음발행의 상대방에게 어음채무를 부담하지 않기 때문에 특별한 사정이 없는 한 회사에 현실적으로 손해가 발생하였다거나 실해 발생의 위험이 발생하였다고도 볼 수 없으므로, 이때에는 배임죄의 기수범이 아니라 배임미수죄로 처벌하여야 한다(대법원 2017.7.20. 2014도1104 전원합의체).

8 장물의 죄

108 0513

2019 경찰 2차

장물죄에 관한 설명으로 가장 적절하지 않은 것은? (다툼이 있는 경우 판례에 의함)

① 전당포영업자가 보석들을 전당잡으면서 인도받을 당시 장물인 정을 몰랐다가 그 후 장물일지도 모른다고 의심하면서 소유권포기각서를 받은 경우, 장물취득죄가 성립하지 않는다.

② 피고인이 업무상 과실로 장물을 보관하고 있다가 이를 처분한 경우, 업무상과실장물보관죄와 별도로 횡령죄가 성립한다.

③ 甲이 권한 없이 인터넷뱅킹으로 타인의 예금계좌에서 자신의 예금계좌로 돈을 이체한 후 그중 일부를 인출하여 그 정을 아는 乙에게 교부한 경우, 乙에게는 장물취득죄가 성립하지 않는다.

④ 장물인 현금과 자기앞수표를 금융기관에 예치하였다가 현금으로 인출한 경우에도 장물성은 그대로 유지된다.

지문분석 난이도 중 정답 ②

| 키 워 드 | 장물죄

| 출제유형 | 틀린 지문 고르기

② (X) 피고인이 업무상 과실로 장물을 보관하고 있다가 처분한 행위는 업무상과실장물보관죄의 가벌적 평가에 포함되고 별도로 횡령죄를 구성하지 않는다(대법원 2004.4.9. 2003도8219).
→ 업무상과실장물보관죄만 성립

① (O) 전당포영업자가 보석들을 전당잡으면서 인도받을 당시 장물인 정을 몰랐다가 그 후 장물일지도 모른다고 의심하면서 소유권포기각서를 받은 행위는 장물취득죄에 해당하지 않고, 또한 전당포영업자가 대여금채권의 담보로 보석들을 전당잡은 경우에는 이를 점유할 권한이 있는 때에 해당하여 장물보관죄 역시 성립하지 않는다(대법원 2006.10.13. 2004도6084).
→ 장물취득죄는 취득 당시 장물인 정을 알면서 취득하여야 성립한다.

③ (O) 甲이 권한 없이 인터넷뱅킹으로 타인의 예금계좌에서 자신의 예금계좌로 돈을 이체한 후 그중 일부를 인출하여 그 정을 아는 乙에게 교부한 경우, 甲이 컴퓨터 등 사용사기죄에 의하여 취득한 예금채권은 재물이 아니라 재산상 이익이므로, 그가 자신의 예금계좌에서 돈을 인출하였더라도 장물을 금융기관에 예치하였다가 인출한 것으로 볼 수 없다는 이유로 乙의 장물취득죄의 성립을 부정한다(대법원 2004.4.16. 2004도353).
→ 자기의 현금카드를 사용하여 현금자동지급기에서 현금을 인출한 경우에는 그것이 비록 컴퓨터 등 사용사기죄의 범행으로 취득한 예금채권을 인출한 것이라 할지라도 현금카드 사용권한 있는 자의 정당한 사용에 의한 것으로서 현금자동지급기 관리자의 의사에 반하거나 기망행위 및 그에 따른 처분행위도 없었으므로, 별도로 절도죄나 사기죄의 구성요건에 해당하지 않는다 할 것이고, 그 결과 그 인출된 현금은 재산범죄에 의하여 취득한 재물이 아니므로 장물이 될 수 없다고 할 것이다.

④ (O) 대법원 2000.3.10. 98도2579
→ 인출된 현금은 당초의 현금과 물리적인 동일성은 상실되었지만 액수에 의하여 표시되는 금전적 가치에는 아무런 변동이 없으므로 장물로서의 성질은 그대로 유지된다.

109 0514

2018 경찰 1차

장물의 죄에 대한 다음 설명 중 가장 적절하지 않은 것은? (다툼이 있는 경우 판례에 의함)

① 장물인 현금 또는 수표를 금융기관에 예금의 형태로 보관하였다가 이를 반환받기 위하여 동일한 액수의 현금 또는 수표를 인출한 경우 그 인출된 현금 또는 수표는 장물로서의 성질이 상실된다.

② 단순히 보수를 받고 본범을 위하여 장물을 일시 사용하거나 그와 같이 사용할 목적으로 장물을 건네받은 것만으로는 장물을 취득한 것으로 볼 수 없다.

③ 장물취득죄는 취득 당시 장물인 정을 알면서 재물을 취득하여야 성립하는 것이므로 피고인이 재물을 인도받은 후에 비로소 장물이 아닌가 하는 의구심을 가졌다고 하여 그 재물수수행위가 장물취득죄를 구성한다고 할 수 없다.

④ 장물인 정을 모르고 보관하던 중 장물인 정을 알게 되었으면서도 계속 보관함으로써 피해자의 정당한 반환청구권 행사를 어렵게 하고 위법한 재산상태를 유지시키는 때에는 장물보관죄가 성립한다.

지문분석 난이도 중 정답 ①

| 키 워 드 | 장물죄

| 출제유형 | 틀린 지문 고르기

① (X) **장물인 현금과 자기앞수표를 금융기관에 예치하였다가 현금으로 인출한 경우, 인출한 현금의 장물성 여부: 인정**
장물인 현금 또는 수표를 금융기관에 예금의 형태로 보관하였다가 이를 반환받기 위하여 동일한 액수의 현금 또는 수표를 인출한 경우에 예금계약의 성질상 그 인출된 현금 또는 수표는 당초의 현금 또는 수표와 물리적인 동일성은 상실되었지만 액수에 의하여 표시되는 금전적 가치에는 아무런 변동이 없으므로, 장물로서의 성질은 그대로 유지된다(대법원 2004.4.16. 2004도353).

② (O) 대법원 2003.5.13. 2003도1366
→ 장물취득죄에서 '취득'이라고 함은 점유를 이전받음으로써 그 장물에 대하여 사실상의 처분권을 획득하는 것을 의미하는 것이다.

③ (O) 대법원 2006.10.13. 2004도6084

④ (O) 대법원 1987.10.13. 87도1633

110 0515

2012 경찰 2차(변형)

장물죄에 관한 다음 설명 중 가장 적절하지 않은 것은? (다툼이 있는 경우 판례에 의함)

① 甲이 절도범 乙로부터 장물이라는 정을 알면서도 자기앞수표를 교부받아 이를 음식대금으로 지급하고 거스름돈을 환불받은 경우, 甲에게는 장물취득죄만 성립한다.

② 장물인 정을 알면서 장물을 취득·양도·운반·보관하려는 당사자 사이에 서서 서로를 연결하여 장물의 취득·양도·운반·보관행위를 중개하거나 편의를 도모하였더라도, 그 알선에 의하여 당사자 사이에 실제로 장물의 취득·양도·운반·보관에 관한 계약이 성립하지 아니하였거나 장물의 점유가 현실적으로 이전되지 아니한 경우에는 장물알선죄가 성립하지 않는다.

③ 장물은 재산범죄에 의하여 영득하게 된 재물 자체를 의미하므로 이중매매로 인하여 배임죄가 성립된 대상 부동산을 매수한 경우에는 장물취득죄가 성립하지 않는다.

④ 甲이 乙(20세)에게 시계점에서 시계를 훔쳐올 것을 교사하고 乙이 훔쳐온 시계를 매수한 경우, 甲에게는 절도교사죄와 장물취득죄의 경합범이 성립한다.

지문분석 난이도 중 정답 ②

| 키 워 드 | 장물죄

| 출제유형 | 틀린 지문 고르기

② (X) [1] 형법 제362조 제2항에 정한 장물알선죄에서 '알선'이란 장물을 취득·양도·운반·보관하려는 당사자 사이에 서서 이를 중개하거나 편의를 도모하는 것을 의미한다. 따라서 장물인 정을 알면서, 장물을 취득·양도·운반·보관하려는 당사자 사이에 서서 서로를 연결하여 장물의 취득·양도·운반·보관행위를 중개하거나 편의를 도모하였다면, 그 알선에 의하여 당사자 사이에 실제로 장물의 취득·양도·운반·보관에 관한 계약이 성립하지 아니하였거나 장물의 점유가 현실적으로 이전되지 아니한 경우라도 장물알선죄가 성립한다.
[2] 장물인 귀금속의 매도를 부탁받은 피고인이 그 귀금속이 장물임을 알면서도 매매를 중개하고 매수인에게 이를 전달하려다가 매수인을 만나기도 전에 체포되었다 하더라도, 위 귀금속의 매매를 중개함으로써 장물알선죄가 성립한다(대법원 2009.4.23. 2009도1203).

① (O) 금융기관 발행의 자기앞수표는 그 액면금을 즉시 지급받을 수 있는 점에서 현금에 대신하는 기능을 가지고 있어서 장물인 자기앞수표를 취득한 후 이를 현금 대신 교부한 행위는 장물취득에 대한 가벌적 평가에 당연히 포함되는 불가벌적 사후행위로서 별도의 범죄를 구성하지 아니한다(대법원 1993.11.23. 93도213).
→ 즉 장물취득죄만 성립하고 별도의 사기죄는 성립하지 않는다.

③ (O) 형법상 장물죄의 객체인 장물이라 함은 재산권상의 침해를 가져올 위법행위로 인하여 영득한 물건으로서 피해자가 반환청구권을 가지는 것을 말하고 부동산소유자가 배임행위로 인하여 영득한 것은 재산상의 이익이고 위 배임범죄에 제공된 대지는 범죄로 인하여 영득한 것 자체는 아니므로 장물취득죄로 처단할 수 없다(대법원 1975.12.9. 74도2804).

④ (O) 장물죄의 주체는 재산죄(본범)의 정범(공동정범, 합동범, 간접정범 포함)이 아닌 모든 자이므로 재산죄의 교사범, 방조범도 장물죄의 주체가 될 수 있다.

111 0516

2015 경찰 1차

장물죄에 관한 다음 설명 중 가장 적절하지 않은 것은? (다툼이 있으면 판례에 의함)

① 장물죄에 있어서 본범의 행위에 관한 법적 평가는 그 행위에 대하여 우리 형법이 적용되지 아니하는 경우에도 우리 형법을 기준으로 하여야 한다.

② 장물인 귀금속의 매도를 부탁받은 피고인이 그 귀금속이 장물임을 알면서도 매매를 중개하고 매수인에게 이를 전달하려다가 매수인을 만나기 전에 체포되었다면 장물알선죄가 성립하지 아니한다.

③ 장물인 정을 모르고 장물을 보관하였다가 그 후에 장물인 정을 알게 된 경우 그 정을 알고서도 이를 계속하여 보관하는 행위는 장물죄를 구성하는 것이나, 이 경우에도 점유할 권한이 있는 때에는 이를 계속 보관하더라도 장물보관죄가 성립하지 않는다.

④ 컴퓨터 등 사용사기죄의 범행으로 예금채권을 취득한 다음 자기의 현금카드를 사용하여 현금자동지급기에서 현금을 인출한 경우 그 인출된 현금은 장물이 될 수 없다.

지문분석 난이도 중 정답 ②

| 키 워 드 | 장물죄

| 출제유형 | 틀린 지문 고르기

② (X) 장물인 정을 알면서, 장물을 취득·양도·운반·보관하려는 당사자 사이에 서서 서로를 연결하여 장물의 취득·양도·운반·보관행위를 중개하거나 편의를 도모하였다면, 그 알선에 의하여 ㉠ 당사자 사이에 실제로 장물의 취득·양도·운반·보관에 관한 계약이 성립하지 아니하였거나, ㉡ 장물의 점유가 현실적으로 이전되지 아니한 경우라도 장물알선죄가 성립한다(대법원 2009.4.23. 2009도1203).
→ 장물(귀금속)의 매매를 중개함으로써 장물알선죄가 성립한다.

① (O) 장물죄에 있어서 본범의 행위에 관한 법적 평가는 그 행위에 대하여 우리 형법이 적용되지 아니하는 경우에도 우리 형법을 기준으로 하여야 하고 또한 이로써 충분하므로, 본범의 행위가 우리 형법에 비추어 절도죄 등의 구성요건에 해당하는 위법한 행위라고 인정되는 이상 이에 의하여 영득된 재물은 장물에 해당한다(대법원 2011.4.28. 2010도15350).
→ 장물죄에서 본범이 되는 범죄행위(횡령)에 대하여 우리 형법이 적용되지 않는 경우(미국 캘리포니아주의 법이 적용)에도 본범의 행위에 관한 법적 평가기준은 우리 형법을 기준으로 하여야 한다는 판결이다(캘리포니아 리스차량 사건, 장물취득죄 인정).

③ (O) 대법원 1986.1.21. 85도2472
→ 담보로 수표(장물)를 교부받은 사건

④ (O) 대법원 2004.4.16. 2004도353
→ 이 경우 현금을 인출한 행위는 별도로 절도죄나 사기죄의 구성요건에 해당하지 않으므로(현금카드 사용권한 있는 자의 정당한 사용에 의한 것이어서) 인출된 현금은 재산범죄에 의하여 취득한 재물이 아니므로 장물이 될 수 없다(컴퓨터 등 사용사기죄로 취득한 것은 재산상 이익임).

112 0517

2015 경찰 3차

장물죄에 관한 설명이다. 다음 중 가장 적절하지 않은 것은? (다툼이 있으면 판례에 의함)

① 대표이사 甲이 회사 자금으로 乙에게 주식매각 대금조로 금원을 지급한 경우 그 금원은 단순히 횡령행위에 제공된 물건으로 장물에 해당하지 않는다.

② 장물인 현금을 금융기관에 예금의 형태로 보관하였다가 이를 반환받기 위하여 동일한 액수의 현금을 인출한 경우, 예금계약의 성질상 인출된 현금은 당초의 현금과 물리적인 동일성은 상실되었지만 액수에 의하여 표시되는 금전적 가치에는 아무런 변동이 없으므로 장물로서의 성질은 그대로 유지된다.

③ 장물인 정을 모르고 장물을 보관하였다가 그 후에 장물임을 알게 된 경우 그 정을 알고서도 이를 계속하여 보관하더라도 점유할 권한이 있는 때에는 장물보관죄가 성립하지 않는다.

④ 장물취득죄에 있어서 장물의 인식은 확정적 인식임을 요하지 않으며 장물일지도 모른다는 의심을 가지는 정도의 미필적 인식으로서도 충분하다.

지문분석 난이도 하 정답 ①

| 키 워 드 | 장물죄

| 출제유형 | 틀린 지문 고르기

① (X) 甲이 회사 자금으로 乙에게 주식매각 대금조로 금원을 지급한 경우, 그 금원은 단순히 횡령행위에 제공된 물건이 아니라 횡령행위에 의하여 영득된 장물에 해당한다(대법원 2004.12.9. 2004도5904).

② (O) 대법원 2004.4.16. 2004도353

③ (O) 대법원 1986.1.21. 85도2472

④ (O) 대법원 2006.10.13. 2004도6084

113 0518

2017 경찰 1차

다음 설명 중 옳은 것을 모두 고른 것은? (다툼이 있는 경우 판례에 의함)

㉠ 신용카드를 절취한 사람이 대금을 결제하기 위해 신용카드를 제시하고 카드회사의 승인까지 받았다면 매출전표에 서명한 사실이 없고 도난카드임이 밝혀져 최종적으로 매출취소로 거래가 종결되었더라도 신용카드 부정사용의 기수행위에 해당한다.
㉡ 배임죄에 있어서 '재산상의 손해를 가한 때'라 함은, 재산상의 현실적인 손해를 발생하게 한 경우뿐만 아니라 현실적인 손해발생의 위험을 생기게 한 경우도 포함하므로, 일반경쟁입찰에 의해 체결하여야 할 공사도급계약을 수의계약에 의하여 체결하였다면 수의계약에 의한 공사대금이 적정한 공사대금의 수준을 벗어나 부당하게 과대하여 일반경쟁입찰에 의해 공사도급계약을 체결할 경우 예상되는 공사대금의 범위를 벗어난 것이 아닐지라도 재산상 손해를 가한 때에 해당한다.
㉢ 채무자가 채권자에게 동산을 양도담보로 제공하고 점유개정 방법으로 점유하고 있는 상태에서 채무자가 양도담보 목적물을 제3자에게 처분하거나 담보로 제공하였더라도 횡령죄를 구성하지 아니한다.
㉣ 배임수재죄가 성립되기 위해서는 타인의 사무를 처리하는 자가 그 임무에 관하여 부정한 청탁을 받고 재물 또는 재산상 이익을 취득하는 것만으로는 부족하고 그 부정한 청탁에 상응하는 부정행위 내지 배임행위에 나아갈 것이 요구된다.
㉤ 피고인이 도난차량인 미등록 수입자동차를 취득하여 신규등록을 마친 후 위 자동차가 장물일지도 모른다고 생각하면서 이를 양도한 경우, 피고인에게 장물양도죄가 인정되지 않는다.

① ㉠, ㉣, ㉤ ② ㉡, ㉢
③ ㉢, ㉤ ④ ㉢

지문분석

난이도 상 정답 ④

| 키 워 드 | 재산에 대한 죄
| 출제유형 | 조합하기

㉢ (○) 채무자가 채권자에게 동산을 양도담보로 제공하고 점유개정의 방법으로 점유하고 있는 경우에는 그 동산의 소유권은 여전히 채무자에게 유보되어 있는 것이어서 채무자는 자기의 물건을 보관하고 있는 셈이 되므로, 양도담보의 목적물을 제3자에게 처분하거나 담보로 제공하였다 하더라도 횡령죄를 구성하지 아니한다(대법원 2009.2.12. 2008도10971).

㉠ (X) 신용카드를 절취한 사람이 대금을 결제하기 위하여 신용카드를 제시하고 카드회사의 승인까지 받았다고 하더라도 매출전표에 서명한 사실이 없고 도난카드임이 밝혀져 최종적으로 매출취소로 거래가 종결되었다면, 신용카드 부정사용의 미수행위에 불과하다(대법원 2008.2.14. 2007도8767).

㉡ (X) 배임죄에 있어서 '재산상의 손해를 가한 때'라 함은, 재산상의 현실적인 손해를 발생하게 한 경우뿐만 아니라 현실적인 손해발생의 위험을 생기게 한 경우도 포함하지만, 이는 경제적인 관점에서 본인의 재산 상태를 평가하여 피고인의 행위에 의하여 본인의 재산가치가 감소하거나 증가하여야 할 가치가 증가하지 아니한 때를 말하므로, 일반경쟁입찰에 의하여 체결하여야 할 공사도급계약을 수의계약에 의하여 체결하였다 하더라도 수의계약에 의한 공사대금이 적정한 공사대금의 수준을 벗어나 부당하게 과대하여 일반경쟁입찰에 의하여 공사도급계약을 체결할 경우 예상되는 공사대금의 범위를 벗어난 것이 아니라면 재산상의 손해를 가한 때에 해당한다고 할 수 없다(대법원 2005.3.25. 2004도5731).

㉣ (X) 형법 제357조 제1항에서 규정한 배임수재죄는 타인의 사무를 처리하는 자가 그 임무에 관하여 부정한 청탁을 받고 재물 또는 재산상의 이익을 취득한 경우에 성립하고, 재물 또는 이익의 취득만으로 바로 기수에 이르며, 그 청탁에 상응하는 부정행위 내지 배임행위에 나아갈 것이 요구되지 아니한다(대법원 2010.9.9. 2009도10681).

㉤ (X) 피고인이 도난차량인 미등록 수입자동차를 취득하여 신규등록을 마친 후 위 자동차가 장물일지도 모른다고 생각하면서 이를 양도한 사안에서, 피고인의 선의취득 주장을 배척하고 장물양도죄를 인정한 원심의 조치를 수긍한 사례(대법원 2011.5.13. 2009도3552)

114 0519

2021 경찰 승진

장물의 죄에 대한 설명으로 가장 적절하지 않은 것은? (다툼이 있는 경우 판례에 의함)

① 장물인 현금을 금융기관에 예금의 형태로 보관하였다가 이를 반환받기 위하여 동일한 액수의 현금을 인출한 경우에 예금계약의 성질상 인출된 현금은 당초의 현금과 물리적인 동일성은 상실되었지만 액수에 의하여 표시되는 금전적 가치에는 아무런 변동이 없으므로 장물로서의 성질은 그대로 유지된다.

② 컴퓨터 등 사용사기죄의 범행으로 예금채권을 취득한 다음 자기의 현금카드를 사용하여 현금자동지급기에서 현금을 인출한 경우, 그 인출된 현금은 장물이 될 수 없다.

③ 장물인 귀금속의 매도를 부탁받은 피고인이 그 귀금속이 장물임을 알면서도 매매를 중개하고 매수인에게 이를 전달하려다가 매수인을 만나기도 전에 체포되었다면, 위 귀금속의 매매를 중개함으로써 장물알선죄가 성립한 것으로 볼 수 없다.

④ 장물죄에 있어서 본범의 행위에 관한 법적 평가는 그 행위에 대하여 우리 형법이 적용되지 아니하는 경우에도 우리 형법을 기준으로 하여야 하고, 본범의 행위가 우리 형법에 비추어 절도죄 등의 구성요건에 해당하는 위법한 행위라고 인정되는 이상 이에 의하여 영득된 재물은 장물에 해당한다.

지문분석 난이도 중 정답 ③

| 키 워 드 | 장물죄

| 출제유형 | 틀린 지문 고르기

③ (X) 장물인 귀금속의 매도를 부탁받은 피고인이 그 귀금속이 장물임을 알면서도 매매를 중개하고 매수인에게 이를 전달하려다가 매수인을 만나기도 전에 체포되었다 하더라도, 위 귀금속의 매매를 중개함으로써 장물알선죄가 성립한다(대법원 2009.4.23. 2009도1203).

① (O) 대법원 2000.3.10. 98도2579

② (O) 대법원 2004.4.16. 2004도353

④ (O) 대법원 2011.4.28. 2010도15350

115 0520

2019 경찰 승진

장물에 관한 죄에 대한 설명으로 가장 적절하지 않은 것은? (다툼이 있는 경우 판례에 의함)

① 형법상 장물죄의 행위태양은 취득, 양도, 운반, 보관 또는 알선이며, 모두 동일한 법정형으로 규정되어 있다.

② 장물인 정을 알면서 장물을 취득·보관하려는 당사자 사이를 서로 연결하여 이를 중개하거나 편의를 제공하였다면 그 알선에 의하여 당사자 사이에 실제 취득 등의 계약이 성립하지 아니한 경우라도 장물알선죄가 성립한다.

③ 甲이 미등록 상태였던 수입자동차를 취득하여 신규등록을 마친 후 그 수입자동차가 장물일지도 모른다고 생각하면서도 이를 다시 제3자에게 양도한 경우, 구 자동차관리법이 "자동차소유권의 득실변경은 등록을 하여야 그 효력이 생긴다."라고 규정하고 있어 수입자동차를 신규등록하였을 때 그 최초 등록명의인인 甲이 해당 수입자동차를 원시취득한 것이어서 장물성이 상실되므로 장물양도죄가 성립하지 않는다.

④ 본범의 행위에 관한 법적 평가는 대한민국 형법이 적용되지 아니하는 경우에도 대한민국 형법을 기준으로 하여야 하고, 본범의 행위가 대한민국 형법에 비추어 절도죄 등의 구성요건에 해당하는 위법한 행위라고 인정되는 이상 이에 의하여 영득된 재물은 장물에 해당한다.

지문분석 난이도 중 정답 ③

| 키 워 드 | 장물죄

| 출제유형 | 틀린 지문 고르기

③ (X) 구 자동차관리법(2009.2.6. 법률 제9449호로 개정되기 전의 것) 제6조가 "자동차소유권의 득실변경은 등록을 하여야 그 효력이 생긴다."고 규정하고 있기는 하나, 위 규정은 도로에서의 운행에 제공될 자동차의 소유권을 공증하고 안전성을 확보하고자 하는 데 그 취지가 있는 것이므로, 장물인 수입자동차를 신규등록하였다고 하여 그 최초 등록명의인이 해당 수입자동차를 원시취득하게 된다거나 그 장물양도행위가 범죄가 되지 않는다고 볼 수는 없다(대법원 2011.5.13. 2009도3552).

① (O) 형법 제362조

② (O) 대법원 2009.4.23. 2009도1203

④ (O) 대법원 2011.4.28. 2010도15350

✓ 개념체크 **형법 제362조(장물의 취득, 알선 등)**

① 장물을 취득, 양도, 운반 또는 보관한 자는 7년 이하의 징역 또는 1천500만원 이하의 벌금에 처한다.

② 전항의 행위를 알선한 자도 전항의 형과 같다.

116 0521

2017 경찰 승진

장물죄에 관한 설명 중 가장 적절한 것은? (다툼이 있는 경우 판례에 의함)

① 장물인 귀금속의 매도를 부탁받은 피고인이 그 귀금속이 장물임을 알면서도 매매를 중개하고 매수인에게 이를 전달하려다가 매수인을 만나기 전에 체포되었다면 장물알선죄가 성립하지 아니한다.

② 장물범이 본범과 직계혈족일 경우, 장물범에 대하여 그 형을 감경 또는 면제할 수 있다.

③ 甲이 권한 없이 인터넷 뱅킹으로 타인의 예금계좌에서 자신의 예금계좌로 돈을 이체한 후 그중 일부를 인출하여 그 정을 아는 乙에게 교부한 경우, 乙은 장물취득죄가 성립한다.

④ 장물죄는 타인(본범)이 불법하게 영득한 재물의 처분에 관여하는 범죄이므로 자기의 범죄에 의하여 영득한 물건에 대하여는 성립되지 아니하고 이는 불가벌적 사후행위에 해당한다고 할 것이지만, 여기에서 자기의 범죄라 함은 정범자(공동정범과 합동범을 포함한다)에 한정된다.

지문분석

난이도 중 정답 ④

| 키 워 드 | 장물죄

| 출제유형 | 옳은 지문 고르기

④ (○) **범죄집단의 일원으로부터 장물을 취득한 경우, 장물취득죄의 성부**

[1] 장물죄는 타인(본범)이 불법하게 영득한 재물의 처분에 관여하는 범죄이므로 자기의 범죄에 의하여 영득한 물건에 대하여는 성립하지 아니하고 이는 불가벌적 사후행위에 해당하나 여기에서 자기의 범죄라 함은 정범자(공동정범과 합동범을 포함한다)에 한정되는 것이다.

[2] 평소 본범과 공동하여 수차 상습으로 절도 등 범행을 자행함으로써 실질적인 범죄집단을 이루고 있었다 하더라도, 당해 범죄행위의 정범자(공동정범이나 합동범)로 되지 아니한 이상 이를 자기의 범죄라고 할 수 없고 따라서 그 장물의 취득을 불가벌적 사후행위라고 할 수 없다(대법원 1986.9.9. 86도1273).

① (X) 장물인 귀금속의 매도를 부탁받은 피고인이 그 귀금속이 장물임을 알면서도 매매를 중개하고 매수인에게 이를 전달하려다가 매수인을 만나기도 전에 체포되었다 하더라도, 위 귀금속의 매매를 중개함으로써 장물알선죄가 성립한다(대법원 2009.4.23. 2009도1203).

→ 장물인 정을 알면서, 장물을 취득·양도·운반·보관하려는 당사자 사이에 서서 서로를 연결하여 장물의 취득·양도·운반·보관행위를 중개하거나 편의를 도모하였다면, 그 알선에 의하여 당사자 사이에 실제로 장물의 취득·양도·운반·보관에 관한 ㉠ 계약이 성립하지 아니하였거나, ㉡ 장물의 점유가 현실적으로 이전되지 아니한 경우라도 장물알선죄가 성립한다.

② (X) 형을 감경 또는 면제한다(필요적 감면). 즉, 장물범이 본범과 직계혈족일 경우, 장물범에 대하여 그 형을 감경 또는 면제한다(형법 제365조 제2항).

③ (X) [1] 컴퓨터 등 사용사기죄의 범행으로 예금채권을 취득한 다음 자기의 현금카드를 사용하여 현금자동지급기에서 현금을 인출한 경우, 현금카드 사용권한 있는 자의 정당한 사용에 의한 것으로서 현금자동지급기 관리자의 의사에 반하거나 기망행위 및 그에 따른 처분행위도 없었으므로, 별도로 절도죄나 사기죄의 구성요건에 해당하지 않는다 할 것이고, 그 결과 그 인출된 현금은 재산범죄에 의하여 취득한 재물이 아니므로 장물이 될 수 없다.

[2] 甲이 권한 없이 인터넷 뱅킹으로 타인의 예금계좌에서 자신의 예금계좌로 돈을 이체한 후 그중 일부를 인출하여 그 정을 아는 乙에게 교부한 경우, 甲이 컴퓨터 등 사용사기죄에 의하여 취득한 예금채권은 재물이 아니라 재산상 이익이므로, 그가 자신의 예금계좌에서 돈을 인출하였더라도 장물을 금융기관에 예치하였다가 인출한 것으로 볼 수 없으므로 乙의 장물취득죄의 성립은 부정된다(대법원 2004.4.16. 2004도353).

→ ㉠ 甲: 컴퓨터 등 사용사기죄, ㉡ 乙: 무죄

✔ 개념체크 **형법 제365조(친족 간의 범행)**

① 전3조의 죄를 범한 자(장물범)와 피해자 간에 제328조 제1항, 제2항의 신분관계가 있는 때에는 동조의 규정을 준용한다.

② 전3조의 죄를 범한 자(장물범)와 본범 간에 제328조 제1항의 신분관계가 있는 때에는 그 형을 감경 또는 면제한다. 단, 신분관계가 없는 공범에 대하여는 예외로 한다.

✔ 개념체크 **형법 제328조(친족 간의 범행과 고소)**

① 직계혈족, 배우자, 동거친족, 동거가족 또는 그 배우자 간의 제323조의 죄는 그 형을 면제한다.

② 제1항 이외의 친족 간에 제323조의 죄를 범한 때에는 고소가 있어야 공소를 제기할 수 있다.

117 0522

2021 경찰 간부

장물죄에 대한 설명으로 옳지 않은 것은? (다툼이 있는 경우 판례에 의함)

① 단순히 보수를 받고 본범을 위하여 장물을 일시 사용하거나 그와 같이 사용할 목적으로 장물을 건네받은 것만으로는 장물을 취득한 것으로 볼 수 없다.
② 컴퓨터 등 사용사기죄의 범행으로 예금채권을 취득한 다음 자기의 현금카드를 사용하여 현금자동지급기에서 현금을 인출한 경우, 그 인출된 현금은 장물이 될 수 없다.
③ 권한 없이 인터넷 뱅킹으로 타인의 계좌에서 자신의 계좌로 돈을 이체한 후 그중 일부를 인출하여 그 정을 아는 제3자에게 교부한 경우, 제3자에게는 장물취득죄가 성립하지 않는다.
④ 장물죄의 본범의 행위에 관한 법적 평가는 그 행위에 대하여 우리 형법이 적용되지 아니하는 경우에는 다른 특별한 사정이 없는 한 국제사법의 규정에 좇아 정하여지는 준거법을 기준으로 하여야 한다.

지문분석

난이도 중 정답 ④

| 키 워 드 | 장물죄
| 출제유형 | 틀린 지문 고르기

④ (X) 장물죄에 있어서 본범의 행위에 관한 법적 평가는 그 행위에 대하여 우리 형법이 적용되지 아니하는 경우에도 우리 형법을 기준으로 하여야 하고 또한 이로써 충분하므로, 본범의 행위가 우리 형법에 비추어 절도죄 등의 구성요건에 해당하는 위법한 행위라고 인정되는 이상 이에 의하여 영득된 재물은 장물에 해당한다(대법원 2011.4.28. 2010도15350).
① (O) 대법원 2003.5.13. 2003도1366
② (O) 컴퓨터 등 사용사기죄의 범행으로 예금채권을 취득한 다음 자기의 현금카드를 사용하여 현금자동지급기에서 현금을 인출한 경우, 현금카드 사용권한 있는 자의 정당한 사용에 의한 것으로서 현금자동지급기 관리자의 의사에 반하거나 기망행위 및 그에 따른 처분행위도 없었으므로, 별도로 절도죄나 사기죄의 구성요건에 해당하지 않는다 할 것이고, 그 결과 그 인출된 현금은 재산범죄에 의하여 취득한 재물이 아니므로 장물이 될 수 없다(대법원 2004.4.16. 2004도353).
③ (O) 甲이 권한 없이 인터넷 뱅킹으로 타인의 예금계좌에서 자신의 예금계좌로 돈을 이체한 후 그중 일부를 인출하여 그 정을 아는 乙에게 교부한 경우, 甲이 컴퓨터 등 사용사기죄에 의하여 취득한 예금채권은 재물이 아니라 재산상 이익이므로, 그가 자신의 예금계좌에서 돈을 인출하였더라도 장물을 금융기관에 예치하였다가 인출한 것으로 볼 수 없다는 이유로 乙의 장물취득죄의 성립을 부정한다(대법원 2004.4.16. 2004도353).

118 0523

2019 경찰 간부

장물죄에 관한 다음 설명 중 옳지 않은 것은 모두 몇 개인가? (다툼이 있는 경우 판례에 의함)

가. 장물죄에 있어서 본범의 행위에 관한 법적 평가는 그 행위에 대하여 우리 형법이 적용되지 아니하는 경우에도 우리 형법을 기준으로 하여야 한다.
나. 보수를 받고 본범을 위하여 장물을 일시 사용하거나 그와 같이 사용할 목적으로 장물을 건네받은 경우도 장물을 취득한 것에 해당한다.
다. 장물인 정을 모르고 장물을 보관하였다가 그 후에 장물인 정을 알게 된 경우 그 정을 알고서도 이를 계속 보관하는 행위는 장물죄를 구성하는 것이나, 이 경우에도 점유할 권한이 있는 때에는 이를 계속 보관하더라도 장물보관죄가 성립하지 않는다.
라. 절도범인으로부터 장물보관 의뢰를 받은 피고인이 그 정을 알면서 이를 인도받아 보관하고 있다가 임의로 처분한 경우, 장물보관죄 외에 횡령죄가 성립한다.

① 1개　② 2개
③ 3개　④ 4개

지문분석

난이도 중 정답 ②

| 키 워 드 | 장물죄
| 출제유형 | 개수 찾기

나. (X) 장물취득죄에서 '취득'이라고 함은 점유를 이전받음으로써 그 장물에 대하여 사실상의 처분권을 획득하는 것을 의미하는 것이므로, 단순히 보수를 받고 본범을 위하여 장물을 일시 사용하거나 그와 같이 사용할 목적으로 장물을 건네받은 것만으로는 장물을 취득한 것으로 볼 수 없다(대법원 2003.5.13. 2003도1366).
라. (X) 절도범인으로부터 장물보관 의뢰를 받은 자가 그 정을 알면서 이를 인도받아 보관하고 있다가 임의 처분하였다 하여도 장물보관죄가 성립하는 때에는 이미 그 소유자의 소유물 추구권을 침해하였으므로 그 후의 횡령행위는 불가벌적 사후행위에 불과하여 별도로 횡령죄가 성립하지 않는다(대법원 2004.4.9. 2003도8219).
가. (O) 대법원 2011.4.28. 2010도15350
다. (O) 대법원 1986.1.21. 85도2472

9 손괴의 죄

119 0524

2021 경찰 승진

손괴의 죄에 대한 설명으로 가장 적절하지 않은 것은? (다툼이 있는 경우 판례에 의함)

① 해고노동자 등이 복직을 요구하는 집회를 개최하던 중 래커 스프레이를 이용하여 회사 건물 외벽과 1층 벽면 등에 낙서한 행위는 건물의 효용을 해한 것으로 볼 수 있으나, 이와 별도로 계란 30여 개를 건물에 투척한 행위는 건물의 효용을 해하는 정도의 것에 해당하지 않는다.

② 재건축사업으로 철거예정이고 그 입주자들이 모두 이사하여 아무도 거주하지 않은 채 비어 있는 아파트라 하더라도, 그 객관적 성상이 본래 사용목적인 주거용으로 쓰일 수 없는 상태라거나 재물로서의 이용가치나 효용이 없는 물건이라고도 할 수 없다면 재물손괴죄의 객체가 된다.

③ 수확되지 아니한 쪽파의 매수인이 명인방법을 갖추지 않은 경우, 그 쪽파의 소유권은 여전히 매도인에게 있고 매도인과 제3자 사이에 일정 기간 후 임의처분의 약정이 있었다면 그 기간 후에 그 제3자가 쪽파를 손괴하였더라도 재물손괴죄가 성립하지 않는다.

④ 자동문을 자동으로 작동하지 않고 수동으로만 개폐가 가능하게 하여 자동잠금장치로서 역할을 할 수 없도록 한 것만으로는 재물손괴죄가 성립하지 않는다.

지문분석 난이도 중 정답 ④

| 키 워 드 | 손괴죄

| 출제유형 | 틀린 지문 고르기

④ (X) 재물손괴죄는 타인의 재물, 문서 또는 전자기록 등 특수매체기록을 손괴 또는 은닉 기타 방법으로 그 효용을 해한 경우에 성립한다(형법 제366조). 여기에서 손괴 또는 은닉 기타 방법으로 그 효용을 해하는 경우에는 물질적인 파괴행위로 물건 등을 본래의 목적에 사용할 수 없는 상태로 만드는 경우뿐만 아니라 일시적으로 물건 등의 구체적 역할을 할 수 없는 상태로 만들어 효용을 떨어뜨리는 경우도 포함된다. 따라서 자동문을 자동으로 작동하지 않고 수동으로만 개폐가 가능하게 하여 자동잠금장치로서 역할을 할 수 없도록 한 경우에도 재물손괴죄가 성립한다(대법원 2016.11.25. 2016도9219).

① (O) 대법원 2007.6.28. 2007도2590

② (O) 대법원 2007.9.20. 2007도5207

③ (O) [1] 물권변동에 있어서 형식주의를 채택하고 있는 현행 민법하에서는 소유권을 이전한다는 의사 외에 부동산에 있어서는 등기를, 동산에 있어서는 인도를 필요로 함과 마찬가지로 이 사건 쪽파와 같은 수확되지 아니한 농작물에 있어서는 명인방법을 실시함으로써 그 소유권을 취득한다.
[2] 쪽파의 매수인이 명인방법을 갖추지 않은 경우, 쪽파에 대한 소유권을 취득하였다고 볼 수 없어 그 소유권은 여전히 매도인에게 있고 매도인과 제3자 사이에 일정 기간 후 임의처분의 약정이 있었다면 그 기간 후에 제3자가 쪽파를 손괴하였더라도 재물손괴죄가 성립하지 않는다(대법원 1996.2.23. 95도2754).

120 0525

2016 경찰 승진

손괴의 죄에 관한 설명 중 가장 적절하지 않은 것은? (다툼이 있으면 판례에 의함)

① 재물손괴의 범의를 인정함에 있어서는 반드시 계획적인 손괴의 의도가 있거나 물건의 손괴를 적극적으로 희망하여야 하는 것은 아니고, 소유자의 의사에 반하여 재물의 효용을 상실케 하는 데 대한 인식이 있으면 된다.

② 밭에서 재배하였으나 미처 수확되지 않은 농작물의 소유권을 이전받기 위해서는 명인방법을 실시하여야 하므로, 그러한 농작물을 매도한 사람이 매수인의 명인방법이 실시되기 전에 농작물을 파헤쳐 훼손하였다면 재물손괴죄가 성립한다.

③ 우물에 연결하고 땅속에 묻어서 수도관적 역할을 하고 있는 고무호스 중 약 1.5m를 발굴하여 우물가에 제쳐 놓음으로써 물이 통하지 못하게 한 경우 손괴죄가 성립한다.

④ 자기명의의 문서라 할지라도 이미 타인에 접수되어 있는 문서에 대하여 함부로 이를 무효화시켜 그 용도에 사용하지 못하게 했다면 문서손괴죄가 성립한다.

지문분석 난이도 중 정답 ②

| 키 워 드 | 손괴죄

| 출제유형 | 틀린 지문 고르기

② (X) 쪽파의 매수인이 명인방법을 갖추지 않은 경우, 쪽파에 대한 소유권을 취득하였다고 볼 수 없어 그 소유권은 여전히 매도인에게 있고 매도인과 제3자 사이에 일정 기간 후 임의처분의 약정이 있었다면 그 기간 후에 제3자가 쪽파를 손괴하였더라도 재물손괴죄가 성립하지 않는다(대법원 1996.2.23. 95도2754).
→ 부동산에 있어서는 등기를, 동산에 있어서는 인도를 필요로 함과 마찬가지로 이 사건 쪽파와 같은 수확되지 아니한 농작물에 있어서는 명인방법을 실시함으로써 그 소유권을 취득한다.

① (O) [1] 재물손괴의 범의를 인정함에 있어서는 반드시 계획적인 손괴의 의도가 있거나 물건의 손괴를 적극적으로 희망하여야 하는 것은 아니고, 소유자의 의사에 반하여 재물의 효용을 상실케 하는 데 대한 인식이 있으면 된다.
[2] 여기에서 재물의 효용을 해한다고 함은 그 물건의 본래의 사용목적에 공할 수 없게 하는 상태로 만드는 것은 물론 일시 그것을 이용할 수 없는 상태로 만드는 것도 역시 효용을 해하는 것에 해당한다(대법원 1993.12.7. 93도2701).

③ (O) 대법원 1971.1.26. 70도2378
→ 고무호스의 자체를 물질적으로 손괴한 것은 아니라 할지라도 수도관 역할을 하고 있는 고무호스의 효용을 해한 것이다.

④ (O) 대법원 1987.4.14. 87도177
→ '자기명의, 타인소유'의 문서는 문서변조죄가 아니라 문서손괴죄의 객체가 된다.

✓ 개념체크 **명인방법**

지상물(나무, 미분리과실 등)을 토지로부터 분리하지 않은 채 토지의 소유권과는 별도로 지상물(나무, 미분리과실 등) 자체를 독립해서 거래하는 데 이용하는 공시방법으로, 제3자가 지상물의 소유권이 누구에게 있는지를 명백하게 알 수 있도록 하는 방법을 말한다.

예 곧 벌채할 목적으로 매수한 나무의 껍질을 벗겨서 페인트로 소유자명을 쓴다든지, 미분리과실인 경우에는 새끼줄을 두르고 표찰을 세워서 미분리과실을 매수한 것을 공시하는 것과 같이 관습에 따라 나무나 과실 등의 권리를 공시하는 것이다.

121 0526

2015 경찰 승진

손괴죄에 관한 설명 중 가장 적절하지 않은 것은? (다툼이 있는 경우 판례에 의함)

① 해고노동자 등이 복직을 요구하는 집회를 개최하던 중 래커 스프레이를 이용하여 회사 건물 외벽과 1층 벽면 등에 낙서한 경우 손괴죄가 성립한다.

② 재건축사업으로 철거예정이고 그 입주자들이 모두 이사하여 아무도 거주하지 않은 채 비어 있는 아파트를 손괴한 경우 손괴죄가 성립한다.

③ 해고노동자 등이 복직을 요구하는 집회를 개최하던 중 계란 30여 개를 회사 건물에 투척한 경우 손괴죄가 성립한다.

④ '재물'은 반드시 경제적 교환가치를 가진 것임을 요하지 않으며 이용가치나 효용을 가진 것으로 족하다.

지문분석 난이도 중 정답 ③

| 키 워 드 | 손괴죄

| 출제유형 | 틀린 지문 고르기

③ (X) 계란 30여 개를 위 회사 건물에 각 투척한 행위는, 비록 그와 같은 행위에 의하여 50만원 정도의 비용이 드는 청소가 필요한 상태가 되었고 또 유리문이나 유리창 등 건물 내부에서 외부를 관망하는 역할을 수행하는 부분 중 일부가 불쾌감을 줄 정도로 더럽혀졌다는 점을 고려해 보더라도, 그 건물의 효용을 해하는 정도의 것에 해당하지 않는다고 봄이 상당하다(대법원 2007.6.28. 2007도2590).

① (O) 해고노동자 등이 복직을 요구하는 집회를 개최하던 중 래커 스프레이를 이용하여 회사 건물 외벽과 1층 벽면 등에 낙서한 행위는 건물의 효용을 해한 것으로 볼 수 있다(대법원 2007.6.28. 2007도2590).

② (O) 재건축사업으로 철거예정이고 그 입주자들이 모두 이사하여 아무도 거주하지 않은 채 비어 있는 아파트라 하더라도, 그 객관적 성상이 본래 사용목적인 주거용으로 쓰일 수 없는 상태라거나 재물로서의 이용가치나 효용이 없는 물건이라고도 할 수 없어 재물손괴죄의 객체가 된다(대법원 2007.9.20. 2007도5207).

④ (O) 손괴죄의 객체 중 '재물'에 대한 올바른 설명이다. 단, 이용가치나 효용이 전혀 없는 것은 손괴죄의 재물이 되지 않는다.

122 0527

2014 경찰 승진

손괴의 죄에 관한 설명 중 가장 적절하지 않은 것은? (다툼이 있는 경우 판례에 의함)

① 타인소유의 광고용 간판을 백색페인트로 도색하여 광고문안을 지워버린 행위는 재물손괴죄에 해당한다.
② 약속어음의 수취인이 은행에 보관시킨 약속어음을 은행지점장이 발행인의 부탁을 받고 그 지급기일란의 일자를 지움으로써 그 효용을 해한 경우에는 문서손괴죄가 성립한다.
③ 해고노동자 등이 복직을 요구하는 집회를 개최하던 중 래커 스프레이를 이용하여 회사 건물 외벽과 1층 벽면 등에 낙서한 행위와 이와 별도로 계란 30여 개를 건물에 투척한 행위 모두 건물의 효용을 해하는 것으로 볼 수 있어 각각 재물손괴죄가 성립한다.
④ 재물손괴죄에서 재물의 효용을 해한다고 함은 그 물건의 본래의 사용목적에 공할 수 없게 하는 상태로 만드는 것은 물론 일시 그것을 이용할 수 없는 상태로 만드는 것도 이에 해당한다.

지문분석 난이도 중 정답 ③

| 키 워 드 | 손괴죄
| 출제유형 | 틀린 지문 고르기

③ (X) 해고노동자 등이 복직을 요구하는 집회를 개최하던 중 ㉠ 래커 스프레이를 이용하여 회사 건물 외벽과 1층 벽면 등에 '자본똥개, 원직복직, 결사투쟁' 등의 내용으로 낙서를 함으로써 이를 제거하는 데 약 341만원 상당이 들도록 한 행위는 건물의 효용을 해한 것으로 볼 수 있으나, ㉡ 이와 별도로 계란 30여 개를 건물에 투척한 행위는 건물의 효용을 해하는 정도의 것에 해당하지 않는다(대법원 2007.6.28. 2007도2590).
① (O) 대법원 1991.10.22. 91도2090
② (O) 대법원 1982.7.27. 82도223
→ 유가증권변조죄가 아니라, 문서손괴죄가 성립한다.
④ (O) 대법원 1992.7.28. 92도1345

10 권리행사를 방해하는 죄

123 0528

2021 경찰 2차

권리행사를 방해하는 죄에 대한 설명 중 가장 적절하지 않은 것은? (다툼이 있는 경우 판례에 의함)

① 무효인 경매절차에서 경매목적물을 경락받아 이를 점유하고 있는 낙찰자의 점유는 적법한 점유로서 그 점유자는 권리행사방해죄에 있어서 타인의 물건을 점유하고 있는 자라고 보아야 한다.
② 주식회사의 대표이사가 그의 지위에 기하여 그 직무집행 행위로서 타인이 점유하는 회사의 물건을 취거한 경우에 그 행위는 회사의 대표기관으로서의 행위라고 평가되므로, 그 회사의 물건은 권리행사방해죄에 있어서의 '자기의 물건'이라고 보아야 한다.
③ 개설자격이 없는 자가 의료기관을 개설하여 의료법을 위반한 병원의 요양급여비용채권은 해당 의료기관의 채권자가 이를 대상으로 하여 강제집행 또는 보전처분의 방법으로 채권의 만족을 얻을 수 있으므로, 강제집행면탈죄의 객체가 된다.
④ 명의신탁자와 명의수탁자가 계약명의신탁약정을 맺고 명의수탁자가 당사자가 되어 소유자와 부동산에 관한 매매계약을 체결한 후 그 매매계약에 따라 당해 부동산의 소유권이전등기를 명의수탁자 명의로 마친 경우, 명의신탁자는 그 매매계약에 의해서 당해 부동산의 소유권을 취득하지 못하게 되어, 결국 그 부동산은 명의신탁자에 대한 강제집행이나 보전처분의 대상이 될 수 없다.

지문분석 난이도 중 정답 ③

| 키 워 드 | 권리행사방해죄
| 출제유형 | 틀린 지문 고르기

③ (X) 의료법에 의하여 적법하게 개설되지 아니한 의료기관에서 요양급여가 행하여졌다면 해당 의료기관은 국민건강보험법상 요양급여비용을 청구할 수 있는 요양기관에 해당되지 아니하여 해당 요양급여비용 전부를 청구할 수 없고, 해당 의료기관의 채권자로서도 위 요양급여비용채권을 대상으로 하여 강제집행 또는 보전처분의 방법으로 채권의 만족을 얻을 수 없는 것이므로, 결국 위와 같은 채권은 강제집행면탈죄의 객체가 되지 아니한다(대법원 2017.4.26. 2016도19982).
① (O) 대법원 2003.11.28. 2003도4257
② (O) 대법원 1992.1.21. 91도1170
④ (O) 대법원 2009.5.14. 2007도2168

124 0529

2017 경찰 1차

강제집행면탈죄에 대한 설명 중 가장 적절한 것은? (다툼이 있는 경우 판례에 의함)

① 이혼을 요구하는 처로부터 재산분할청구권에 근거한 가압류 등 강제집행을 받을 우려가 있는 상태에서 남편이 이를 면탈할 목적으로 허위의 채무를 부담하고 소유권이전청구권보전 가등기를 경료한 경우 강제집행면탈죄가 성립하지 않는다.

② 피고인이 자신의 채권담보의 목적으로 채무자 소유의 선박들에 관하여 가등기를 경료하여 두었다가 채무자와 공모하여 위 선박들을 가압류한 다른 채권자들의 강제집행을 불가능하게 할 목적으로 정확한 청산절차도 거치지 않은 채 의제자백판결을 통하여 선순위 가등기권자인 피고인 앞으로 본등기를 경료함과 동시에 가등기 이후에 경료된 가압류등기 등을 모두 직권말소하게 한 경우 '재산상 은닉'에 해당한다.

③ '보전처분 단계에서의 가압류채권자의 지위' 자체는 원칙적으로 민사집행법상 강제집행 또는 보전처분의 대상이 될 수 없어 강제집행면탈죄의 객체에 해당한다고 볼 수 없으나 가압류채무자가 가압류해방금을 공탁한 경우에는 그렇지 아니하다.

④ 강제집행면탈죄는 반드시 채권자를 해하는 결과가 야기되거나 이로 인하여 행위자가 어떤 이득을 취하여야 성립하므로 허위양도한 부동산의 시가액보다 그 부동산에 의하여 담보된 채무액이 더 많다면 그 허위양도로 인하여 채권자를 해할 위험이 없다.

지문분석 난이도 중 정답 ②

| 키 워 드 | 강제집행면탈죄

| 출제유형 | 옳은 지문 고르기

② (O) 대법원 2000.7.28. 98도4558
→ 강제집행면탈의 한 행위유형인 '재산의 은닉'이라 함은 재산의 소유관계를 불명하게 하는 행위를 포함하는 것으로서, 강제집행면탈죄 인정

① (X) 이혼을 요구하는 처로부터 재산분할청구권에 근거한 가압류 등 강제집행을 받을 우려가 있는 상태에서 남편이 이를 면탈할 목적으로 허위의 채무를 부담하고 소유권이전청구권보전가등기를 경료한 경우, 강제집행면탈죄가 성립한다(대법원 2008.6.26. 2008도3184).

③ (X) 강제집행면탈죄의 객체는 채무자의 재산 중에서 채권자가 민사집행법상 강제집행 또는 보전처분의 대상으로 삼을 수 있는 것만을 의미하므로, '보전처분 단계에서의 가압류채권자의 지위' 자체는 원칙적으로 민사집행법상 강제집행 또는 보전처분의 대상이 될 수 없어 강제집행면탈죄의 객체에 해당한다고 볼 수 없고, 이는 가압류채무자가 가압류해방금을 공탁한 경우에도 마찬가지이다(대법원 2008.9.11. 2006도8721).

④ (X) 강제집행면탈죄는 이른바 위태범으로서 강제집행을 당할 구체적인 위험이 있는 상태에서 재산을 은닉, 손괴, 허위양도 또는 허위의 채무를 부담하면 바로 성립하는 것이고, 반드시 채권자를 해하는 결과가 야기되거나 이로 인하여 행위자가 어떤 이득을 취하여야 범죄가 성립하는 것은 아니며, 허위양도한 부동산의 시가액보다 그 부동산에 의하여 담보된 채무액이 더 많다고 하여 그 허위양도로 인하여 채권자를 해할 위험이 없다고 할 수 없다(대법원 1999.2.12. 98도2474).

125 0530

2020 경찰 승진

권리행사를 방해하는 죄에 대한 설명 중 가장 적절한 것은? (다툼이 있는 경우 판례에 의함)

① '보전처분 단계에서의 가압류채권자의 지위'는 강제집행면탈죄의 객체가 될 수 없다.

② 강제집행면탈죄가 적용되는 강제집행에는 '담보권 실행 등을 위한 경매'를 면탈할 목적으로 재산을 은닉하는 경우도 포함된다.

③ 채권자들이 피고인을 상대로 법적 절차를 취하기 위한 준비를 하고 있지 않았지만, 피고인이 어음의 부도가 있기 전에 강제집행을 면탈하기 위해 자기의 형에게 허위채무를 부담하고 가등기하여 주었다면 강제집행면탈죄가 성립한다.

④ 무효인 경매절차에서 경매목적물을 경락받아 이를 점유하고 있는 낙찰자의 점유는 동시이행항변권이 있더라도 적법한 점유가 아니므로 그 점유자는 권리행사방해죄에 있어서 타인의 물건을 점유하고 있는 자라고 할 수 없다.

지문분석 난이도 중 정답 ①

| 키 워 드 | 권리행사방해죄

| 출제유형 | 옳은 지문 고르기

① (O) 대법원 2008.9.11. 2006도8721

② (X) 형법 제327조의 강제집행면탈죄가 적용되는 강제집행은 민사집행법 제2편의 적용대상인 '강제집행' 또는 가압류·가처분 등의 집행을 가리키는 것이고, 민사집행법 제3편의 적용대상인 '담보권 실행 등을 위한 경매'를 면탈할 목적으로 재산을 은닉하는 등의 행위는 위 죄의 규율 대상에 포함되지 않는다(대법원 2015.3.26. 2014도14909).

③ (X) 피고인이 채무를 부담하고 있기는 하였으나 이행기가 도과되어 채권자들로부터 채무변제의 독촉을 받고 있는 상태는 아니었으며 채권자들 또한 피고인을 상대로 법적 절차를 취하기 위한 준비를 하고 있었던 것도 아니어서 현실적으로 강제집행을 받을 위험이 있는 객관적 상태에 있지 아니하였다는 것이므로 이러한 경우에는 객관적으로 강제집행을 면탈할 상태가 아니어서 강제집행면탈죄가 성립되지 않는다(대법원 1974.10.8. 74도1798).

④ (X) 형법 제323조의 권리행사방해죄에 있어서의 타인의 점유라 함은 권원으로 인한 점유, 즉 정당한 원인에 기하여 그 물건을 점유하는 권리 있는 점유를 의미하는 것으로서 본권을 갖지 아니한 절도범인의 점유는 여기에 해당하지 아니하나, 반드시 본권에 의한 점유만에 한하지 아니하고 동시이행항변권 등에 기한 점유와 같은 적법한 점유도 여기에 해당한다고 할 것이고, 한편, 쌍무계약이 무효로 되어 각 당사자가 서로 취득한 것을 반환하여야 할 경우, 어느 일방의 당사자에게만 먼저 그 반환의무의 이행이 강제된다면 공평과 신의칙에 위배되는 결과가 되므로 각 당사자의 반환의무는 동시이행 관계에 있다고 보아 민법 제536조를 준용함이 옳다고 해석되고, 이러한 법리는 경매절차가 무효로 된 경우에도 마찬가지라고 할 것이므로, 무효인 경매절차에서 경매목적물을 경락받아 이를 점유하고 있는 낙찰자의 점유는 적법한 점유로서 그 점유자는 권리행사방해죄에 있어서의 타인의 물건을 점유하고 있는 자라고 할 것이다(대법원 2003.11.28. 2003도4257).

126 0531

2017 경찰 승진

권리행사방해죄에 관한 설명 중 가장 적절하지 않은 것은? (다툼이 있는 경우 판례에 의함)

① 甲이 자동차등록원부상 A 명의로 등록되어 있는 차량을 B에게 담보로 제공하였음에도 불구하고, B의 승낙 없이 미리 소지하고 있던 위 차량의 보조키를 이용하여 이를 운전하여 간 경우 권리행사방해죄가 성립하지 않는다.

② 무효인 경매절차에서 경매목적물을 경락받아 이를 점유하고 있는 낙찰자의 점유는 동시이행항변권이 있더라도 적법한 점유가 아니므로 그 점유자는 권리행사방해죄에 있어서의 타인의 물건을 점유하고 있는 자라고 할 수 없다.

③ 렌트카회사의 공동대표이사 중 1인이 회사 보유 차량을 자신의 개인적인 채무담보 명목으로 피해자에게 넘겨주었는데 다른 공동대표이사인 피고인이 위 차량을 몰래 회수하도록 한 경우, 위 피해자의 점유는 권리행사방해죄의 보호대상인 점유에 해당한다.

④ 권리행사방해죄에는 친족상도례에 관한 규정이 적용된다.

지문분석

난이도 중 정답 ②

| 키 워 드 | 권리행사방해죄

| 출제유형 | 틀린 지문 고르기

② (X) 무효인 경매절차에서 경매목적물을 경락받아 이를 점유하고 있는 낙찰자의 점유는 적법한 점유로서 그 점유자는 권리행사방해죄에 있어서의 타인의 물건을 점유하고 있는 자라고 할 것이다(대법원 2003.11.28. 2003도4257).

→ 乙은 무효인 경매절차에서 위 건물을 낙찰받고 그 일부를 점유하게 되었으므로 위 건물을 점유할 권원은 없다고 할지라도 적어도 피고인 甲에 대한 동시이행의 항변권을 가지고 있어서 적법하게 점유하고 있었다고 할 것이고, 따라서 乙은 권리행사방해죄에 있어서의 타인의 물건을 점유하고 있는 자에 해당된다고 할 것이다. 경락인의 소유권이전등기말소의무와 배당금 취득자의 배당금반환의무는 동시이행의 관계에 있다.

① (O) 대법원 2005.11.10. 2005도6604

→ 자기의 물건이 아니라면 권리행사방해죄가 성립할 여지가 없다. 위 차량은 자동차등록원부에 비엠더블유파이낸셜서비스코리아 명의로 등록되어 있었다.

③ (O) 대법원 2006.3.23. 2005도4455

→ 피해자의 이 사건 승용차에 대한 점유는 법정절차를 통하여 점유 권원의 존부가 밝혀짐으로써 분쟁이 해결될 때까지 잠정적으로 보호할 가치 있는 점유에 포함된다.

④ (O) 형법은 조문 체계상 재산죄 중 가장 처음에 규정된 권리행사방해죄에 친족상도례를 규정하고 있다(형법 제328조 참조).

127 0532

2014 경찰 승진

권리행사를 방해하는 죄에 관한 설명 중 가장 적절하지 않은 것은? (다툼이 있는 경우 판례에 의함)

① 피고인이 피해자에게 담보로 제공한 차량이 그 자동차등록원부에 타인명의로 등록되어 있는 경우 그 차량은 피고인의 소유가 아니므로 피고인이 피해자의 승낙 없이 미리 소지하고 있던 위 차량의 보조키를 이용하여 이를 운전하여 간 행위가 권리행사방해죄를 구성하지 않는다.

② 렌트카회사의 공동대표이사 중 1인이 회사나 피고인 명의로 신규등록을 하지 않은 회사보유차량을 자신의 개인적인 채무담보 명목으로 피해자에게 넘겨주었는데 다른 공동대표이사가 위 차량을 몰래 회수하도록 한 경우 권리행사방해죄를 구성하지 않는다.

③ 채권자에 의하여 압류된 채무자 소유의 유체동산을 채무자의 모(母)소유인 것으로 사칭하면서 모(母)의 명의로 제3자 이의의 소를 제기하고 집행정지결정을 받아 그 집행을 저지하였다면 이는 재산을 은닉한 경우에 해당하여 강제집행면탈죄가 성립한다.

④ 채권자들에 의한 복수의 강제집행이 예상되는 경우 재산을 은닉 또는 허위양도함으로써 채권자들을 해하였다면 채권자별로 각각 강제집행면탈죄가 성립하고 상호 실체적 경합범의 관계에 있다.

지문분석

난이도 중 정답 ④

| 키 워 드 | 권리행사방해죄

| 출제유형 | 틀린 지문 고르기

④ (X) **채권자가 수인인 경우, 강제집행면탈죄의 죄수 관계: 상상적 경합**
채권자들에 의한 복수의 강제집행이 예상되는 경우 재산을 은닉 또는 허위양도함으로써 채권자들을 해하였다면 채권자별로 각각 강제집행면탈죄가 성립하고, 상호 상상적 경합범의 관계에 있다(대법원 2011.12.8. 2010도4129).

① (O) 대법원 2005.11.10. 2005도6604

② (O) 대법원 2006.3.23. 2005도4455

→ ㉠ 피해자의 이 사건 승용차에 대한 점유는 법정절차를 통하여 점유 권원의 존부가 밝혀짐으로써 분쟁이 해결될 때까지 잠정적으로 보호할 가치 있는 점유에 포함된다. ㉡ 다만, 자동차소유권의 득실변경은 등록을 하여야 그 효력이 생기고, 권리행사방해죄의 객체는 자기의 소유물에 한한다. 이 사건 승용차는 ○○렌트카(주)가 구입하여 보유 중이나 아직 위 회사나 피고인 명의로 신규등록 절차를 마치지 않은 미등록 상태였으므로 범행 당시 ○○렌트카(주) 혹은 피고인의 소유물이라고 할 수 없어 권리행사방해죄는 성립되지 아니한다.

③ (O) 대법원 1992.12.8. 92도1653

128 0533

2017 경찰 승진

강제집행면탈죄에 관한 설명 중 가장 적절하지 않은 것은? (다툼이 있는 경우 판례에 의함)

① 강제집행면탈죄에 있어서 재산에는 재산적 가치가 있어 민사소송법에 의한 강제집행 또는 보전처분이 가능한 특허 내지 실용신안 등을 받을 수 있는 권리도 포함된다.
② 채무자가 채권자의 가압류집행을 면탈할 목적으로 제3채무자에 대한 채권을 타인에게 허위양도한 경우, 가압류결정 정본이 제3채무자에게 송달되기 전에 채권을 허위로 양도하였다면 강제집행면탈죄가 성립한다.
③ 허위의 채무를 부담하는 내용의 채무변제계약 공정증서를 작성한 후 이에 기하여 채권압류 및 추심명령을 받은 다음 3개월 후에 실제로 위 강제집행에 따른 추심금을 수령한 경우, 강제집행면탈죄는 위 추심금을 수령한 때에 범죄행위가 종료한다고 보아야 하고 그때부터 공소시효가 진행한다.
④ 사업장의 유체동산에 대한 강제집행을 면탈할 목적으로 사업자등록의 사업자 명의를 변경함이 없이 사업장에서 사용하는 금전등록기의 사업자 이름만을 변경한 경우도 강제집행면탈죄에 있어서 재산의 '은닉'에 해당한다.

지문분석 난이도 중 정답 ③

| 키 워 드 | 강제집행면탈죄
| 출제유형 | 틀린 지문 고르기

③ (X) 허위의 채무를 부담하는 내용의 채무변제계약 공정증서를 작성한 후 이에 기하여 채권압류 및 추심명령을 받은 때에, 강제집행면탈죄가 성립함과 동시에 그 범죄행위가 종료되어 공소시효가 진행한다(대법원 2009.5.28. 2009도875).
→ 강제집행면탈죄는 위태범으로서, 채권자를 해할 위험이 있으면 성립하는 것이고, 반드시 채권자를 해하는 결과가 야기되거나 행위자가 어떤 이득을 취하여야 범죄가 성립하는 것은 아니다.
① (O) 대법원 2001.11.27. 2001도4759
② (O) 대법원 2012.6.28. 2012도3999
→ 본 판례는 가압류결정이 이루어진 채권을 허위양도한 경우에 ㉠ 가압류결정의 송달 이전에 채권의 허위양도가 이루어졌다면 강제집행면탈죄가 성립할 수 있고, ㉡ 가압류결정의 송달 이후에 채권의 허위양도가 이루어졌다면 강제집행면탈죄가 성립할 수 없다는 것을 최초로 명시한 대법원판결이라는 데에 의의가 있다(즉, 가압류결정의 송달 이후 허위채권양도가 이루어진 경우에는 채무자가 채권양수인에게 변제할 이유가 없으므로 허위양도로 인해 채권자를 해할 위험도 없기 때문이다.).
④ (O) 대법원 2003.10.9. 2003도3387

129 0534

2019 경찰 간부

권리행사를 방해하는 죄에 대한 다음 설명 중 가장 옳지 않은 것은? (다툼이 있는 경우 판례에 의함)

① 주식회사의 대표이사가 대표이사의 지위에 기하여 그 직무집행행위로서 타인이 점유하는 위 회사의 물건을 취거하였다고 하더라도 권리행사방해죄가 성립하지 아니한다.
② 본권을 갖지 아니하는 절도범인의 점유는 권리행사방해죄에 있어서 타인의 점유에 해당하지 않는다.
③ 국세징수법에 의한 체납처분은 강제집행면탈죄의 강제집행에 포함되지 않는다.
④ 형법 제327조의 강제집행면탈죄는 채권자가 본안 또는 보전소송을 제기하거나 제기할 태세를 보이고 있는 상태에서 주관적으로 강제집행을 면탈하려는 목적으로 재산을 은닉, 손괴, 허위양도하거나 허위의 채무를 부담하여 채권자를 해할 위험이 있으면 성립하는 것이고, 반드시 채권자를 해하는 결과가 야기되거나 행위자가 어떤 이득을 취하여야 범죄가 성립하는 것은 아니다.

지문분석 난이도 중 정답 ①

| 키 워 드 | 권리행사방해죄
| 출제유형 | 틀린 지문 고르기

① (X) 주식회사의 대표이사가 대표이사의 지위에 기하여 그 직무집행행위로서 타인이 점유하는 위 회사의 물건을 취거한 경우에는, 위 행위는 위 회사의 대표기관으로서의 행위라고 평가되므로, 위 회사의 물건도 권리행사방해죄에 있어서의 '자기의 물건'이라고 보아야 할 것이다(대법원 1992.1.21. 91도1170).
② (O) 대법원 2006.3.23. 2005도4455
③ (O) 형법 제327조의 강제집행면탈죄가 적용되는 강제집행은 민사집행법의 적용대상인 강제집행 또는 가압류·가처분 등의 집행을 가리키는 것이므로, 국세징수법에 의한 체납처분을 면탈할 목적으로 재산을 은닉하는 등의 행위는 위 죄의 규율대상에 포함되지 않는다(대법원 2012.4.26. 2010도5693).
④ (O) 대법원 2009.5.28. 2009도875

130 0535

2013 경찰 승진

강제집행면탈죄에 관한 다음 설명 중 가장 적절하지 않은 것은? (다툼이 있는 경우 판례에 의함)

① 강제집행면탈죄는 현실적으로 민사소송법에 의한 강제집행 또는 가압류·가처분의 집행을 받을 우려가 있는 객관적인 상태에서 주관적으로 강제집행을 면탈하려는 목적으로 재산을 은닉, 손괴, 허위양도하거나 허위의 채무를 부담하여 채권자를 해할 위험이 있으면 성립하고, 반드시 채권자를 해하는 결과가 야기되거나 행위자가 어떤 이득을 취하여야 성립하는 것은 아니다.

② 채무자가 채권자의 가압류집행을 면탈할 목적으로 제3채무자에 대한 채권을 타인에게 허위양도한 경우, 가압류결정 정본이 제3채무자에게 송달되기 전에 채권을 허위로 양도하였다면 강제집행면탈죄가 성립한다.

③ 계약명의신탁 방식으로 명의수탁자가 당사자가 되어 소유자와 부동산에 관한 매매계약을 체결하고 그 명의로 소유권이전등기를 마친 경우, 그 부동산은 명의신탁자에 대한 강제집행이나 보전처분의 대상이 될 수 있다.

④ 채권자의 채권이 토지 소유자로서 그 지상 건물의 소유자에 대하여 가지는 건물철거 및 토지인도청구권인 경우, 채무자인 건물 소유자가 제3자에게 허위의 금전채무를 부담하면서 이를 피담보채무로 하여 건물에 관하여 근저당권설정등기를 경료하였다는 것만으로는 강제집행면탈죄가 성립하지 않는다.

지문분석 난이도 ㉗ 정답 ③

| 키 워 드 | 강제집행면탈죄

| 출제유형 | 틀린 지문 고르기

③ (X) **강제집행면탈죄의 객체**

[1] 형법 제327조는 '강제집행을 면할 목적으로 재산을 은닉, 손괴, 허위양도 또는 허위의 채무를 부담하여 채권자를 해한 자'를 처벌함으로써 강제집행이 임박한 채권자의 권리를 보호하기 위한 것이므로, 강제집행면탈죄의 객체는 ㉠ 채무자의 재산 중에서 ㉡ 채권자가 민사집행법상 강제집행 또는 보전처분의 대상으로 삼을 수 있는 것이어야 한다.

[2] 명의신탁자와 명의수탁자가 이른바 계약명의신탁약정을 맺고 ㉠ 명의수탁자가 당사자가 되어 명의신탁약정이 있다는 사실을 알지 못하는 소유자와 부동산에 관한 매매계약을 체결한 후 그 매매계약에 따라 당해 부동산의 소유권이전등기를 명의수탁자 명의로 마친 경우에는, 명의신탁자와 명의수탁자 사이의 명의신탁약정의 무효에도 불구하고 부동산 실권리자명의 등기에 관한 법률 제4조 제2항 단서에 의하여 그 명의수탁자는 당해 부동산의 완전한 소유권을 취득한다. 이와 달리 ㉡ 소유자가 계약명의신탁약정이 있다는 사실을 안 경우에는 수탁자 명의의 소유권이전등기는 무효이고 당해 부동산의 소유권은 매도인이 그대로 보유하게 된다. 어느 경우든지 명의신탁자는 그 매매계약에 의해서는 당해 부동산의 소유권을 취득하지 못하게 되어, 결국 그 부동산은 명의신탁자에 대한 강제집행이나 보전처분의 대상이 될 수 없다(대법원 2009.5.14. 2007도2168).

→ 계약명의신탁된 부동산에서 채무자가 신탁자인 경우 채무자의 소유가 될 수 없어 강제집행면탈죄를 인정할 수 없다는 판결이다.

① (O) 대법원 2012.6.28. 2012도3999

→ 판례는 강제집행면탈죄는 위태범이라고 한다. 즉, 위험범이다.

② (O) 대법원 2012.6.28. 2012도3999

④ (O) 채권자의 채권이 금전채권이 아니라 토지 소유자로서 그 지상 건물의 소유자에 대하여 가지는 건물철거 및 토지인도청구권인 경우라면, 채무자인 건물 소유자가 제3자에게 허위의 금전채무를 부담하면서 이를 피담보채무로 하여 건물에 관하여 근저당권설정등기를 경료하였다는 것만으로는 직접적으로 토지 소유자의 건물철거 및 토지인도청구권에 기한 강제집행을 불능케 하는 사유에 해당한다고 할 수 없으므로 건물 소유자에게 강제집행면탈죄가 성립한다고 할 수 없다(대법원 2008.6.12. 2008도2279).

→ 위 토지에 대하여 아무런 점유권원을 갖지 못한 건물 소유자가 위 건물에 허위의 금전채무를 부담하면서 근저당권을 설정하더라도 위 토지 소유자의 건물철거 및 토지인도에 대항할 수 없으므로 위 근저당권설정행위가 토지 소유자를 해할 위험성이 없어 무죄를 선고한 판결이다.

나는 깊게 파기 위해
넓게 파기 시작했다.

– 스피노자(Baruch de Spinoza)

형법각론

PART 02

사회적 법익에 대한 죄

기출키워드

01 공공의 안전과 평온에 대한 죄	• 공안을 해하는 죄 • 폭발물에 관한 죄 • 방화와 실화의 죄 • 일수와 수리에 관한 죄 • 교통방해의 죄
02 공공의 신용에 대한 죄	• 통화에 관한 죄 • 유가증권 · 인지 · 우표에 관한 죄 • 문서에 관한 죄 • 인장의 죄
03 사회의 도덕에 대한 죄	• 성풍속에 관한 죄 • 도박과 복표에 관한 죄 • 신앙에 관한 죄

문제풀이 전략

01 공공의 안전과 평온에 대한 죄	• 방화, 실화에 대한 조문을 정확하게 알고, 판례와 함께 이해할 수 있어야 합니다.
02 공공의 신용에 대한 죄	• 사회적 법익에 대한 죄 중 가장 출제 가능성이 높은 부분이므로, 중점적으로 학습하는 것을 추천합니다. • 문서에 관한 죄의 개념에 대한 깊은 이해가 필요하며, 판례를 꼼꼼하게 학습해야 합니다.
03 사회의 도덕에 대한 죄	• 사회의 도덕에 대한 죄와 관련된 판례의 기본적인 내용들을 파악하고 있어야 합니다.

CHAPTER 01 공공의 안전과 평온에 대한 죄

■ 기본서 연계페이지: p.896~926 ■ 문항 수: 8문항

1 공안을 해하는 죄

01 0536

2020 경찰 1차

범죄단체 등 조직죄에 관한 설명으로 가장 적절하지 않은 것은? (다툼이 있는 경우 판례에 의함)

① 범죄단체 등 조직죄는 사형, 무기 또는 장기 4년 이상의 징역에 해당하는 범죄를 범할 목적이 있어야 한다.
② 형법 제114조 소정의 범죄를 목적으로 하는 단체라 함은 특정·다수인이 일정한 범죄를 수행한다는 공동목적 아래 이루어진 계속적인 결합체로서 그 단체를 주도하는 최소한의 통솔체제를 갖추고 있음을 요한다.
③ 피고인들이 총책을 중심으로 간부급 조직원들과 상담원들, 현금인출책 등으로 구성된 보이스피싱 사기조직을 구성하고 이에 가담하여 조직원으로 활동한 경우는 형법상의 범죄단체에 해당한다.
④ 범죄단체 가입행위 또는 범죄단체 구성원으로서 활동하는 행위와 사기행위는 포괄일죄의 관계에 있다.

지문분석 난이도 중 정답 ④

| 키 워 드 | 범죄단체 등 조직죄
| 출제유형 | 틀린 지문 고르기

④ (X) 피고인이 보이스피싱 사기 범죄단체에 가입한 후 사기범죄의 피해자들로부터 돈을 편취하는 등 그 구성원으로서 활동하였다는 내용의 공소사실이 유죄로 인정된 경우, 범죄단체 가입행위 또는 범죄단체 구성원으로서 활동하는 행위와 사기행위는 각각 별개의 범죄구성요건을 충족하는 독립된 행위이고 서로 보호법익도 달라 법조경합관계로 목적된 범죄인 사기죄만 성립하는 것은 아니다(대법원 2017.10.26. 2017도8600).

① (O) 형법 제114조(범죄단체 등의 조직)

> 사형, 무기 또는 장기 4년 이상의 징역에 해당하는 범죄를 목적으로 하는 단체 또는 집단을 조직하거나 이에 가입 또는 그 구성원으로 활동한 사람은 그 목적한 죄에 정한 형으로 처벌한다. 다만, 형을 감경할 수 있다.

② (O) 대법원 1985.10.8. 85도1515

③ (O) 피고인들이 불특정 다수의 피해자들에게 전화하여 금융기관 등을 사칭하면서 신용등급을 올려 낮은 이자로 대출을 해주겠다고 속여 신용관리비용 명목의 돈을 송금받아 편취할 목적으로 보이스피싱 사기조직을 구성하고 이에 가담하여 조직원으로 활동함으로써 범죄단체를 조직하거나 이에 가입·활동하였다는 내용으로 기소된 사안에서, 위 보이스피싱 조직은 형법상의 범죄단체에 해당하고, 조직의 업무를 수행한 피고인들에게 범죄단체 가입 및 활동에 대한 고의가 인정되며, 피고인들의 사기범죄 행위가 범죄단체 활동에 해당한다(대법원 2017.10.26. 2017도8600).

02 0537

2021 경찰 승진

형법상 범죄단체조직죄에 대한 설명으로 가장 적절하지 않은 것은? (다툼이 있는 경우 판례에 의함)

① 사형, 무기 또는 장기 4년 이상의 징역에 해당하는 범죄를 목적으로 하는 단체 또는 집단을 조직하거나 이에 가입 또는 그 구성원으로 활동한 사람은 그 목적한 죄에 정한 형으로 처벌한다. 다만, 그 형을 감경할 수 있다.

② 범죄를 목적으로 하는 단체라 함은 특정 다수인이 일정한 범죄를 수행한다는 공동목적 아래 구성한 계속적인 결합체로서 그 단체를 주도하거나 내부의 질서를 유지하는 최소한의 통솔체계를 갖추고 있음을 요한다.

③ 사기범죄를 목적으로 구성된 다수인의 계속적인 결합체로서 총책을 중심으로 간부급 조직원들과 상담원들, 현금인출책 등으로 구성되어 내부의 위계질서가 유지되고 조직원의 역할 분담이 이루어지는 최소한의 통솔체계를 갖추고 있는 보이스피싱 사기조직은 형법상의 범죄단체에 해당한다.

④ 사기범죄를 목적으로 구성된 범죄단체에 가입하는 행위 또는 그 범죄단체 구성원으로서 활동하는 행위와 목적된 범죄인 사기행위는 법조경합관계로 사기죄만 성립한다.

지문분석 난이도 ㊥ 정답 ④

| 키 워 드 | 범죄단체조직죄

| 출제유형 | 틀린 지문 고르기

④ (X) 피고인이 보이스피싱 사기 범죄단체에 가입한 후 사기범죄의 피해자들로부터 돈을 편취하는 등 그 구성원으로서 활동하였다는 내용의 공소사실이 유죄로 인정된 사안에서, 범죄단체 가입행위 또는 범죄단체 구성원으로서 활동하는 행위와 사기행위는 각각 별개의 범죄구성요건을 충족하는 독립된 행위이고 서로 보호법익도 달라 법조경합관계로 목적된 범죄인 사기죄만 성립하는 것은 아니다(대법원 2017.10.26. 2017도8600).

① (O) 형법 제114조

② (O) 대법원 2020.8.20. 2019도16263

③ (O) 대법원 2017.10.26. 2017도8600

2 방화와 실화의 죄

03 0538

2020 경찰 2차

방화와 실화의 죄에 대한 설명으로 가장 적절한 것은? (다툼이 있는 경우 판례에 의함)

① 전기 석유난로를 켜 놓은 채 귀가하여 전기 석유난로 과열로 화재가 발생하였다면 화재 원인을 살펴볼 필요 없이 피고인에게 중실화죄를 인정할 수 있다.

② 사람이 현존하는 자동차에 방화한 경우 일반건조물 등 방화죄가 성립한다.

③ 지붕과 문짝, 창문이 없고 담장과 일부 벽체가 붕괴된 철거대상 건물로서 사실상 기거·취침에 사용할 수 없는 상태의 타인의 폐가에 대해 방화한 경우 타인소유 일반건조물방화죄가 성립한다.

④ 유조차운전사가 석유구판점의 위험물취급주임의 지시를 받아 유조차의 석유를 구판점 탱크로 급유하다가 탱크주입구에서 급유호스가 빠지는 바람에 화기에 인화되어 화재가 발생한 경우 유조차운전사의 업무상과실이 인정되지 않는다.

지문분석 난이도 ㊤ 정답 ④

| 키 워 드 | 방화와 실화의 죄

| 출제유형 | 옳은 지문 고르기

④ (O) 소방법 제18조, 같은 법 시행규칙 제54조, 소방시설의 설치·유지 및 위험물제조소 등 시설의 기준 등에 관한 규칙 제279조 제6호에 비추어 보면 유조차의 석유를 구판점의 지하 석유탱크에 공급하는 작업은 위험물취급주임의 참여하에 하여야 하고, 작업자는 그의 보안에 관한 지시와 감독하에 일을 하여야 하는 것이며, 그 보안에 관한 책임은 위험물취급주임에게 있는 것이라고 보아야 할 것인바, 유조차의 운전사에게 위험물취급주임의 지시 없이도 석유가 제대로 급유되는지, 어떠한 사유로 인하여 급유장애가 발생하는지 여부를 확인하기 위하여 급유가 끝날 때까지 그와 함께 또는 그와 교대로 급유호스가 주입구에서 빠지려고 할 때는 즉시 대응조치를 할 수 있는 자세를 갖추어야 할 업무상의 주의의무가 있다고 할 수는 없으므로, 유조차운전사가 석유구판점의 위험물취급주임의 지시를 받아 유조차의 석유를 구판점 탱크로 급유하다가 급유호스가 탱크주입구에서 빠지는 바람에 분출된 석유가 화기에 인화되어 화재가 발생한 경우 운전수가 위험물취급주임이 탱크주입구 부분을 이탈하였음을 보고서도 유조차 운전석에 앉아 다른 일을 보고 있었다고 하여 운전사에게 화재발생에 대하여 과실이 있다고 책임을 물을 수는 없다(대법원 1990.11.13. 90도2011).

① (X) 이 사건에서 화인의 감정이 없어 제3자에 의한 방화나 실화 또는 누전 등 기타에 의한 발화가능성도 전혀 배제할 수 없음에도 이를 외면한 채, 위 전기 석유난로 자체에 고장이 있었는지 여부나 가연물이 그 온풍구에 직접 접촉된 적이 있었는지 여부에 대하여 심리해 보지도 아니한 채 위 전기 석유난로의 과열이 이 사건 화재발생의 원인이 되었다고 막연히 단정하여 피고인을 중실화죄로 의율처단한 제1심판결을 그대로 유지한 원심판결에는 심리를 다하지 아니하고 채증법칙에 위배하여 사실을 잘못 인정하거나 중실화죄에 있어서의 중대한 과실에 관한 법리를 오해한 위법이 있다(대법원 1994.3.11. 93도3001).

② (X) 사람이 현존하는 자동차에 방화한 경우 현주건조물방화죄가 성립한

다(형법 제164조 제1항).

③ (X) 이 사건 폐가는 지붕과 문짝, 창문이 없고 담장과 일부 벽체가 붕괴된 철거 대상 건물로서 사실상 기거·취침에 사용할 수 없는 상태의 것이므로 형법 제166조의 건조물이 아닌 형법 제167조의 물건에 해당하고, 피고인이 이 사건 폐가의 내부와 외부에 쓰레기를 모아 놓고 태워 그 불길이 이 사건 폐가 주변 수목 4~5그루를 태우고 폐가의 벽을 일부 그을리게 하는 정도만으로는 방화죄의 기수에 이르렀다고 보기 어려우며, 일반물건방화죄에 관하여는 미수범의 처벌규정이 없다는 이유로 제1심의 유죄판결을 파기하고 피고인에게 무죄를 선고하였다(대법원 2013.12.12. 2013도3950).

04 0539

2021 경찰 승진

방화와 실화의 죄에 대한 설명으로 가장 적절하지 않은 것은?
(다툼이 있는 경우 판례에 의함)

① 형법상 방화죄의 객체인 건조물은 토지에 정착되고 벽 또는 기둥과 지붕 또는 천장으로 구성되어 사람이 내부에 기거하거나 출입할 수 있는 공작물을 말하고, 반드시 사람의 주거용이어야 하는 것은 아니라도 사람이 사실상 기거·취침에 사용할 수 있는 정도는 되어야 한다.

② 노상에서 전봇대 주변에 놓인 재활용품과 쓰레기 등을 발견하고 소지하고 있던 라이터를 이용하여 불을 붙인 다음 불상의 가연물을 집어넣어 화염을 키움으로써 공공의 위험을 발생하게 한 경우 형법 제167조 제1항에 정한 타인소유일반물건방화죄가 성립한다.

③ 피고인이 방화의 의사로 뿌린 휘발유가 인화성이 강한 상태로 주택주변과 피해자의 몸에 적지 않게 살포되어 있는 사정을 알면서도 라이터를 켜 불꽃을 일으킴으로써 피해자의 몸에 불이 붙은 경우, 비록 외부적 사정에 의하여 불이 방화 목적물인 주택 자체에 옮겨붙지는 아니하였다 하더라도 현존건조물방화죄의 실행의 착수가 있었다고 봄이 상당하다.

④ 피해자의 사체 위에 옷가지 등을 올려놓고 불을 붙인 천조각을 던져서 그 불길이 방 안을 태우면서 천정에까지 옮겨붙었다면 도중에 진화되었다고 하더라도 일단 천정에 옮겨붙은 때에 이미 현주건조물방화죄의 기수에 이른 것이다.

지문분석

난이도 중 정답 ②

| 키 워 드 | 방화와 실화의 죄

| 출제유형 | 틀린 지문 고르기

② (X) 노상에서 전봇대 주변에 놓인 재활용품과 쓰레기 등에 불을 놓아 소훼한 사안에서, 그 재활용품과 쓰레기 등은 '무주물'로서 형법 제167조 제2항에 정한 '자기 소유의 물건'에 준하는 것으로 보아야 하므로, 여기에 불을 붙인 후 불상의 가연물을 집어넣어 그 화염을 키움으로써 전선을 비롯한 주변의 가연물에 손상을 입히거나 바람에 의하여 다른 곳으로 불이 옮아붙을 수 있는 공공의 위험을 발생하게 하였다면, 형법 제167조 제2항에 정한 자기소유일반물건방화죄가 성립한다(대법원 2009.10.15. 2009도7421).

① (O) 대법원 2013.12.12. 2013도3950

③ (O) 대법원 2002.3.26. 2001도6641

④ (O) 대법원 2007.3.16. 2006도9164

05 0540

2021 경찰 간부

방화와 실화의 죄에 대한 설명 중 옳은 것은 모두 몇 개인가? (다툼이 있는 경우 판례에 의함)

가. 형법은 방화죄의 객체를 소유권 귀속에 따라 자기소유물과 타인소유물 및 무주물로 구분하고 법정형에 차등을 두고 있다.
나. 형법 제13장(방화와 실화의 죄)은 구체적 위험범을 규정하고 있고, 구체적 위험의 내용으로는 '공공의 위험'만을 규정하고 있다.
다. 자기소유물에 대한 방화죄는 모두 구체적 위험범의 형태로 규정되어 있으며, 구체적 위험의 발생은 구성요건요소로서 고의의 인식대상이 된다.
라. 구체적 위험범으로 규정된 구성요건에서 구체적 위험이 발생하지 않은 경우 미수가 되며, 형법 제13장에 규정된 구체적 위험범들은 모두 미수범 규정을 두고 있다.
마. 연소죄는 자기소유물에 대한 방화가 확대되어 타인소유물 또는 현주건조물 등의 소훼라는 중한 결과를 야기한 경우를 처벌하기 위한 결과적 가중범이다.

① 1개 ② 2개
③ 3개 ④ 4개

지문분석

난이도 중 정답 ②

| 키 워 드 | 방화와 실화의 죄
| 출제유형 | 개수 찾기

다. (O) 형법 제166조 제2항, 제167조 제2항
마. (O) 형법 제168조
가. (X) 형법은 방화죄의 객체를 소유권 귀속에 따라 자기소유물과 타인소유물로 구분하고 법정형에 차등을 두고 있다. 다만, 무주물에 대하여는 별도로 규정하고 있지 않다.
나. (X) 형법 제13장(방화와 실화의 죄)은 추상적 위험범과 구체적 위험범을 규정하고 있고, 구체적 위험범 중 자기소유 일반건조물방화죄(제166조 제2항), 타인소유·자기소유 일반물건방화죄(제167조), 자기소유 일반건조물, 타인소유·자기소유 일반물건실화죄(제170조 제2항)는 '공공의 위험'이지만 폭발성물건파열(제172조), 가스·전기 등 방류죄(제172조의2)는 '사람의 생명, 신체 또는 재산에 대한 위험'이다.
라. (X) 구체적 위험범으로 규정된 구성요건에서 구체적 위험이 발생하지 않은 경우 미수가 되며, 형법 제13장에 규정된 구체적 위험범들은 모두 미수범 규정을 두고 있지 않다.

3 일수와 수리에 관한 죄

06 0541

2010 경찰 2차

다음 중 틀린 것은 모두 몇 개인가? (다툼이 있는 경우 판례에 의함)

㉠ 불을 놓아 전봇대 주변에 놓인 무주물(쓰레기)을 소훼하여 공공의 위험을 발생하게 한 경우, 그 무주물은 자신의 물건이 아니므로 형법 제167조 제1항(타인소유일반물건방화죄)을 적용하여 처벌하여야 한다.
㉡ 집에 불을 놓아 현주건조물방화죄가 기수에 이른 후 동 건조물에서 탈출하려는 사람을 막아 소사케 한 경우, 현주건조물방화죄와 살인죄는 실체적 경합관계에 있다.
㉢ 농촌주택에서 배출되는 생활하수의 배수관(소형 PVC관)을 토사로 막아 하수가 내려가지 못하게 한 경우 형법상 수리방해죄가 성립한다.
㉣ 형법에는 업무상과실 또는 중대한 과실로 인하여 과실일수죄를 범한 자를 가중하여 처벌하는 규정이 있다.
㉤ 임차인이 자신의 비용으로 설치·사용하던 가스설비의 휴즈콕크를 아무런 조치 없이 제거하고 이사를 간 후 가스공급을 개별적으로 차단할 수 있는 주밸브가 열려져 가스가 유입되어 폭발사고가 발생한 경우, 임차인의 과실과 가스폭발사고 사이의 상당인과관계가 인정된다.

① 1개 ② 2개
③ 3개 ④ 4개

지문분석

난이도 중 정답 ③

| 키 워 드 | 일수와 수리에 관한 죄
| 출제유형 | 개수 찾기

㉠ (X) 노상에서 전봇대 주변에 놓인 재활용품과 쓰레기 등에 불을 놓아 소훼한 경우, 그 재활용품과 쓰레기 등은 '무주물'로서 형법 제167조 제2항에 정한 '자기소유의 물건'에 준하는 것으로 보아야 하므로, 여기에 불을 붙인 후 불상의 가연물을 집어넣어 그 화염을 키움으로써 전선을 비롯한 주변의 가연물에 손상을 입히거나 바람에 의하여 다른 곳으로 불이 옮아붙을 수 있는 공공의 위험을 발생하게 하였다면, 일반물건방화죄가 성립한다. 즉, 자기소유일반물건방화죄가 성립한다(대법원 2009.10.15. 2009도7421).
㉢ (X) 농촌주택에서 배출되는 생활하수의 배수관(소형 PVC관)을 토사로 막아 하수가 내려가지 못하게 한 경우, 수리방해죄에 해당하지 아니한다(대법원 2001.6.26. 2001도404).
㉣ (X) 과실범 처벌규정이 있는 범죄 중에서 단순과실만을 처벌하고 업무상 중과실은 처벌하지 않으며, 장물죄는 단순과실은 처벌하지 않으며 업무상 중과실만을 처벌한다.
㉡ (O) [1] 형법 제164조 후단이 규정하는 현주건조물방화치사상죄는 그 전단에 규정하는 죄에 대한 일종의 가중처벌규정으로서 불을 놓아 사람의 주거에 사용하거나 사람이 현존하는 건조물을 소훼함으로 인하여 사

람을 사상에 이르게 한 때에 성립되며 동 조항이 사형, 무기 또는 7년 이상의 징역의 무거운 법정형을 정하고 있는 취의에 비추어 보면 과실이 있는 경우뿐만 아니라 고의가 있는 경우도 포함된다고 볼 것이므로, 현주건조물 내에 있는 사람을 강타하여 실신케 한 후 동 건조물에 방화하여 소사케 한 피고인을 현주건조물에의 방화죄와 살인죄의 상상적 경합으로 의율할 것은 아니다.

[2] 형법 제164조 전단의 현주건조물에의 방화죄는 공중의 생명, 신체, 재산 등에 대한 위험을 예방하기 위하여 공공의 안전을 그 제1차적인 보호법익으로 하고 제2차적으로는 개인의 재산권을 보호하는 것이라고 할 것이나, 여기서 공공에 대한 위험은 구체적으로 그 결과가 발생됨을 요하지 아니하는 것이고 이미 현주건조물에의 점화가 독립연소의 정도에 이르면 동죄는 기수에 이르러 완료되는 것인 한편, 살인죄는 일신전속적인 개인적 법익을 보호하는 범죄이므로, 이 사건에서와 같이 불을 놓은 집에서 빠져나오려는 피해자들을 막아 소사케 한 행위는 1개의 행위가 수개의 죄명에 해당하는 경우라고 볼 수 없고, 위 방화행위와 살인행위는 법률상 별개의 범의에 의하여 별개의 법익을 해하는 별개의 행위라고 할 것이니, 현주건조물방화죄와 살인죄는 실체적 경합관계에 있다(대법원 1983.1.18. 82도2341).

ⓔ (○) 임차인이 자신의 비용으로 설치·사용하던 가스설비의 휴즈콕크를 아무런 조치 없이 제거하고 이사를 간 후 가스공급을 개별적으로 차단할 수 있는 주밸브가 열려져 가스가 유입되어 폭발사고가 발생한 경우, 구 액화석유가스의 안전 및 사업관리법상의 관련 규정 취지와 그 주밸브가 누군가에 의하여 개폐될 가능성을 배제할 수 없다는 점 등에 비추어 그 휴즈콕크를 제거하면서 그 제거부분에 아무런 조치를 하지 않고 방치하면 주밸브가 열리는 경우 유입되는 가스를 막을 아무런 안전장치가 없어 가스 유출로 인한 대형사고의 가능성이 있다는 것은 평균인의 관점에서 객관적으로 볼 때 충분히 예견할 수 있다는 이유로 임차인의 과실과 가스폭발사고 사이의 상당인과관계가 인정된다(대법원 2001.6.1. 99도5086).

4 교통방해의 죄

07 0542 2019 경찰 승진

교통방해의 죄에 대한 설명으로 가장 적절하지 않은 것은? (다툼이 있는 경우 판례에 의함)

① 주민들에 의하여 공로로 통하는 유일한 통행로로 오랫동안 이용되어 온 폭 2m의 골목길을 자신의 소유라는 이유로 폭 50 내지 75cm가량만 남겨두고 담장을 설치하여 주민들의 통행을 현저히 곤란하게 하였다면 일반교통방해죄를 구성한다.

② 서울 중구 소공동의 왕복 4차로의 도로 중 편도 3개 차로 쪽에 차량 2, 3대와 간이테이블 수십 개를 이용하여 길가 쪽 2개 차로를 차지하는 포장마차를 설치하고 영업행위를 한 경우 교통량이 상대적으로 적은 야간에 이루어졌다면 일반교통방해죄를 구성하지 않는다.

③ 교통방해를 유발한 집회에 참가한 경우 참가 당시 이미 다른 참가자들에 의해 교통흐름이 차단된 상태였더라도 교통방해를 유발한 다른 참가자들과 암묵적·순차적으로 공모하여 교통방해의 위법상태를 지속시켰다고 평가할 수 있다면 일반교통방해죄가 성립한다.

④ 공항 여객터미널 버스정류장 앞 도로 중 공항리무진 버스 외의 다른 차의 주차가 금지된 구역에서 밴 차량을 40분간 불법주차하고 호객행위를 한 것은 다른 차량들의 통행을 현저히 곤란하게 한 것으로 볼 수 없어 일반교통방해죄를 구성하지 않는다.

지문분석 난이도 하 정답 ②

| 키 워 드 | 교통방해죄

| 출제유형 | 틀린 지문 고르기

② (X) 도로 중 조선호텔 방면 편도 3개 차로 중 길가 쪽 2개 차로를 차지하는 포장마차를 설치하고 영업을 하였다면, 비록 그와 같은 행위가 주로 주간에 비하여 차량통행이 적은 야간에 이루어진 것이라고 하더라도(경우에 따라서는 주간에도 범행이 이루어졌다) 그로 인하여 이 사건 도로의 교통을 방해하여 차량통행이 현저히 곤란한 상태가 발생하였다고 하지 않을 수 없고, 이 사건 도로를 통행하는 차량이 나머지 1개 차로와 반대편 차로를 이용할 수 있었다고 하여 피고인들의 행위가 일반교통방해죄에 해당하지 않는다고 볼 수도 없다(대법원 2007.12.14. 2006도4662).

① (○) 대법원 1994.11.4. 94도2112

③ (○) 대법원 2018.1.24. 2017도11408

④ (○) 대법원 2009.7.9. 2009도4266

08 0543

2018 경찰 승진

다음 설명 중 옳지 않은 것을 모두 고른 것은? (다툼이 있는 경우 판례에 의함)

㉠ 목장 소유자가 목장운영을 위해 목장용지 내에 임도를 개설하고 차량 출입을 통제하면서 인근 주민들의 일부 통행을 부수적으로 묵인한 경우, 위 임도는 공공성을 지닌 장소로 일반교통방해죄의 '육로'에 해당한다.

㉡ 농촌주택에서 배출되는 생활하수의 배수관(소형 PVC관)을 토사로 막아 하수가 내려가지 못하게 한 경우, 수리방해죄에 해당하지 아니한다.

㉢ 피해자의 사체 위에 옷가지 등을 올려놓고 불을 붙인 천조각을 던져서 그 불길이 방 안을 태우면서 천정에까지 옮겨 붙었다면 도중에 진화되었다고 하더라도 일단 천조각을 던진 때에 이미 현주건조물방화죄의 기수에 이른 것이다.

㉣ 도선사가 강제도선구역 내에서 조기 하선함에 따라 적기에 충돌회피동작을 취하지 못하여 선박충돌사고가 일어난 경우 도선사에게 업무상과실선박파괴죄가 성립한다.

㉤ 피고인들이 위임받은 채권을 용이하게 추심하는 방편으로 합동수사반원임을 사칭하고 협박한 경우, 위 채권의 추심행위는 공무원자격사칭죄로 처벌할 수 있다.

① ㉠, ㉡, ㉢ ② ㉠, ㉢, ㉤
③ ㉡, ㉣, ㉤ ④ ㉢, ㉣, ㉤

지문분석

난이도 ㊤ 정답 ②

| 키 워 드 | 공공의 안전과 평온에 대한 죄
| 출제유형 | 조합하기

㉠ (X) 목장 소유자가 목장운영을 위해 목장용지 내에 임도를 개설하고 차량 출입을 통제하면서 인근 주민들의 일부 통행을 부수적으로 묵인한 경우, 위 임도는 공공성을 지닌 장소가 아니어서 일반교통방해죄의 '육로'에 해당하지 않는다(대법원 2007.10.11. 2005도7573).
→ 육로라 함은 일반공중의 왕래에 공용된 장소, 즉 특정인에 한하지 않고 불특정 다수인 또는 차마가 자유롭게 통행할 수 있는 공공성을 지닌 장소를 말한다.

㉢ (X) [1] 현주건조물방화죄의 기수시기
현주건조물방화죄는 화력이 매개물을 떠나 목적물인 건조물 스스로 연소할 수 있는 상태에 이름으로써 기수가 된다.
[2] 피해자의 사체 위에 옷가지 등을 올려놓고 불을 붙인 천조각을 던져서 그 불길이 방 안을 태우면서 천정에까지 옮겨붙었다면 도중에 진화되었다고 하더라도 일단 천정에 옮겨붙은 때에 이미 현주건조물방화죄의 기수에 이른 것이다(대법원 2007.3.16. 2006도9164).
→ '천조각을 던진 때'가 아니라 '천정에 옮겨붙은 때' 기수이다.

㉤ (X) 피고인들이 그들이 위임받은 채권을 용이하게 추심하는 방편으로 합동수사반원임을 사칭하고 협박한 사실이 있다고 하여도 위 채권의 추심행위는 개인적인 업무이지 합동수사반의 수사업무의 범위에는 속하지 아니하므로 이를 공무원자격사칭죄로 처벌할 수 없다(대법원 1981.9.8. 81도1955).
→ 공무원자격사칭죄가 성립하려면 공무원임을 사칭하고 그 직권을 행사한 사실이 있어야 한다.

㉡ (O) 대법원 2001.6.26. 2001도404
→ 하수나 폐수 등 이용이 끝난 물을 배수로를 통하여 내려보내는 것은 여기서의 수리에 해당한다고 할 수 없다. 자원으로서의 물의 이용이어야 한다.

㉣ (O) 대법원 2007.9.21. 2006도6949
→ 강제도선구역 내에서 조기 하선한 도선사에게 하선 후 발생한 선박충돌사고에 대한 업무상 과실을 인정하여 업무상과실선박파괴죄를 인정한 판결이다.

CHAPTER

02 공공의 신용에 대한 죄

■ 기본서 연계페이지: p.936~987 ■ 문항 수: 22문항

1 통화에 관한 죄

01 0544

2016 경찰 1차

다음 설명 중 옳은 것은 모두 몇 개인가? (다툼이 있으면 판례에 의함)

㉠ 위조통화임을 알고 있는 자에게 그 위조통화를 교부한 경우에 피교부자가 이를 유통시키리라는 것을 예상 내지 인식하면서 교부하였다면, 그 교부행위 자체가 통화에 대한 공공의 신용 또는 거래의 안전을 해할 위험이 있으므로 위조통화행사죄가 성립한다.

㉡ 통화에 관한 죄는 외국인의 국내범은 처벌하지만 외국인의 국외범은 처벌하지 아니한다.

㉢ 형법 제207조 제3항의 외국에서 통용하는 지폐에 일반인의 관점에서 통용할 것이라고 오인할 가능성이 있는 지폐까지 포함시킨다면 이는 유추해석 내지 확장해석하여 적용하는 것이 되어 죄형법정주의의 원칙에 어긋나는 것으로 허용되지 않는다.

㉣ 일본국의 자동판매기 등에 투입하여 일본국의 500￥(엔)짜리 주화처럼 사용하기 위해 한국은행 발행 500원짜리 주화의 표면 일부를 깎아내어 손상을 가한 경우 통화변조에 해당한다.

① 1개 ② 2개
③ 3개 ④ 4개

지문분석 난이도 ㊥ 정답 ②

| 키 워 드 | 통화에 관한 죄

| 출제유형 | 개수 찾기

㉠ (O) 위조통화임을 알고 있는 자에게 그 위조통화를 교부한 경우에 피교부자가 이를 유통시키리라는 것을 예상 내지 인식하면서 교부하였다면, 그 교부행위 자체가 통화에 대한 공공의 신용 또는 거래의 안전을 해할 위험이 있으므로 위조통화행사죄가 성립한다(대법원 2003.1.10. 2002도3340).

㉢ (O) [1] 형법 제207조 제3항(외국통용 외국통화행사죄)은 "행사할 목적으로 외국에서 통용하는 외국의 화폐, 지폐 또는 은행권을 위조 또는 변조한 자는 10년 이하의 징역에 처한다."고 규정하고 있는바, 여기에서 외국에서 통용한다고 함은 그 외국에서 '강제통용력'을 가지는 것을 의미하는 것이므로 외국에서 통용하지 아니하는, 즉 강제통용력을 가지지 아니하는 지폐는 그것이 비록 일반인의 관점에서 통용할 것이라고 오인할 가능성이 있다고 하더라도 위 형법 제207조 제3항에서 정한 외국에서 통용하는 외국의 지폐에 해당한다고 할 수 없다.

[2] 만일 그와 달리 위 형법 제207조 제3항의 외국에서 통용하는 지폐에 일반인의 관점에서 통용할 것이라고 오인할 가능성이 있는 지폐까지 포함시키면 이는 위 처벌조항을 문언상의 가능한 의미의 범위를 넘어서까지 유추해석 내지 확장해석하여 적용하는 것이 되어 죄형법정주의의 원칙에 어긋나는 것으로 허용되지 않는다(대법원 2004.5.14. 2003도3487).

→ 미국에서 발행된 적이 없이 관광용 기념상품으로 제조, 판매되고 있는 미합중국 100만 달러 지폐를 일반인의 관점에서 미합중국에서 강제통용력을 가졌다고 오인할 수 있다는 이유로 형법 제207조 제3항의 외국에서 통용하는 지폐에 포함된다고 하면 유추해석금지의 원칙에 위배된다는 판결이다.

㉡ (X) 통화에 관한 죄는 외국인의 국내범 처벌은 물론 외국인의 국외범도 처벌한다(형법 제5조 제4호).

㉣ (X) 피고인들이 한국은행 발행 500원짜리 주화의 표면 일부를 깎아내어 손상을 가하였지만 그 크기와 모양 및 대부분의 문양이 그대로 남아 있어, 이로써 기존의 500원짜리 주화의 명목가치나 실질가치가 변경되었다거나, 객관적으로 보아 일반인으로 하여금 일본국의 500￥짜리 주화로 오신케 할 정도의 새로운 화폐를 만들어 낸 것이라고 볼 수 없고, 일본국의 자동판매기 등이 위와 같이 가공된 주화를 일본국의 500￥짜리 주화로 오인한다는 사정만을 들어 그 명목가치가 일본국의 500￥으로 변경되었다거나 일반인으로 하여금 일본국의 500￥짜리 주화로 오신케 할 정도에 이르렀다고 볼 수도 없다(대법원 2002.1.11. 2000도3950).

→ 내국통화 변조 부정

02 0545 2021 경찰 간부

통화위조죄에 대한 설명으로 옳은 것은? (다툼이 있는 경우 판례에 의함)

① 위조통화를 행사하여 재물을 불법영득한 때에는 위조통화행사죄와 사기죄가 성립하며, 양 죄는 상상적 경합관계에 있다.
② 통화위조죄를 범할 목적으로 예비·음모한 자가 목적한 죄의 실행에 이르기 전에 자수한 때에는 그 형을 감경 또는 면제할 수 있다.
③ 형법은 행사할 목적으로 외국에서 유통하는 외국의 화폐, 지폐 또는 은행권을 위조 또는 변조한 자에 대한 처벌규정을 두고 있다.
④ 행사할 목적으로 통용하는 대한민국의 화폐, 지폐 또는 은행권을 위조 또는 변조한 행위에 대해서는 외국인의 국외범에 대해서도 대한민국 형법이 적용된다.

지문분석 난이도 중 정답 ④

| 키 워 드 | 통화위조죄
| 출제유형 | 옳은 지문 고르기

④ (O) 형법 제5조 제4호
① (X) 위조통화를 행사하여 재물을 불법영득한 때에는 위조통화행사죄와 사기죄가 성립하며, 양 죄는 실체적 경합관계에 있다(대법원 1979.7.10. 79도840).
② (X) 통화위조죄를 범할 목적으로 예비·음모한 자가 목적한 죄의 실행에 이르기 전에 자수한 때에는 그 형을 감경 또는 면제한다(형법 제213조).
③ (X) 형법은 외국통화 중 내국에서 유통하는 외국통화, 외국에서 통용하는 외국통화에 대하여서만 규정하고 있다(형법 제207조 제2항·제3항).

03 0546 2018 경찰 2차

다음 설명 중 옳고 그름의 표시(O, X)가 바르게 된 것은? (다툼이 있는 경우 판례에 의함)

㉠ 위조한 통화를 진정한 통화로서 유통에 놓겠다는 목적 없이 자신의 신용력을 증명하기 위하여 타인에게 보일 목적으로 통화를 위조한 경우에는 통화위조죄의 '행사할 목적'이 있다고 할 수 없다.
㉡ 서로 유가증권위조를 공모한 공범의 관계에 있는 자들 사이에서 위조유가증권을 교부하는 행위도 위조유가증권행사죄에 해당한다.
㉢ 허위로 작성된 공문서를 그 내용이 진실한 문서인 것처럼 관공서에 비치하는 행위는 허위공문서의 '행사'로 인정된다.
㉣ 문서가 위조되었다는 정을 아는 공범자에게 위조공문서를 교부하거나 제시하는 경우에는 위조공문서행사죄가 성립한다.

① ㉠ (O), ㉡ (X), ㉢ (O), ㉣ (X)
② ㉠ (O), ㉡ (X), ㉢ (X), ㉣ (O)
③ ㉠ (X), ㉡ (O), ㉢ (O), ㉣ (X)
④ ㉠ (X), ㉡ (X), ㉢ (O), ㉣ (O)

지문분석 난이도 상 정답 ①

| 키 워 드 | 통화에 관한 죄
| 출제유형 | 옳고 그름의 표시(O, X)하기

㉠ (O) 대법원 2012.3.29. 2011도7704
㉡ (X) **유가증권위조죄의 공범 사이에서의 위조유가증권 교부행위가 위조유가증권행사죄에 해당하는지 여부: 부정**
위조유가증권의 교부자와 피교부자가 서로 유가증권위조를 공모하였거나 위조유가증권을 타에 행사하여 그 이익을 나누어 가질 것을 공모한 공범의 관계에 있다면, 그들 사이의 위조유가증권 교부행위는 그들 이외의 자에게 행사함으로써 범죄를 실현하기 위한 전 단계의 행위에 불과한 것으로서 위조유가증권은 아직 범인들의 수중에 있다고 볼 것이지 행사되었다고 볼 수는 없다(대법원 2010.12.9. 2010도12553).
㉢ (O) 대법원 1989.12.12. 89도1253
㉣ (X) 위조, 변조, 허위작성된 문서의 행사죄는 이와 같은 문서를 진정한 것 또는 그 내용이 진실한 것으로 각 사용하는 것을 말하는 것이므로, 그 문서가 위조, 변조, 허위작성되었다는 정을 아는 공범자 등에게 제시, 교부하는 경우 등에 있어서는 행사죄가 성립할 여지가 없다(대법원 1986.2.25. 85도2798).

04 0547

2018 경찰 승진

'통화에 관한 죄'에 대한 설명으로 가장 적절한 것은? (다툼이 있는 경우 판례에 의함)

① 통화의 위조는 통화발행권이 없는 자가 외견상 진정한 통화와 유사한 것을 제조하는 행위로 누구든지 쉽게 그 진부를 식별하기 불가능할 정도의 것임을 요한다.

② 통화의 변조는 권한 없이 진정한 통화에 가공하여 그 진실한 가치를 변경시키는 행위를 말하며 항상 진정한 통화를 그 재료로 삼는다.

③ 외국에서 통용하지 아니하는 지폐, 즉 강제통용력을 가지지 아니하는 지폐라도 일반인의 관점에서 통용할 것이라고 오인할 가능성이 있으므로 '외국에서 통용하는 외국의 지폐'에 해당한다.

④ 자신의 신용력을 증명하기 위하여 타인에게 보일 목적으로 통화를 위조한 경우에는 행사할 목적이 있다고 할 수 있다.

지문분석 난이도 하 정답 ②

| 키 워 드 | 통화에 관한 죄

| 출제유형 | 옳은 지문 고르기

② (○) **통화변조에 해당하기 위한 요건**
진정한 통화에 대한 가공행위로 인하여 기존 통화의 명목가치나 실질가치가 변경되었다거나 객관적으로 보아 일반인으로 하여금 기존 통화와 다른 진정한 화폐로 오신하게 할 정도의 새로운 물건을 만들어 낸 것으로 볼 수 없다면 통화가 변조되었다고 볼 수 없다(대법원 2004.3.26. 2003도5640).
→ 변조죄는 진정한 통화(유가증권, 문서)를 대상으로 하여야 한다.

① (X) **통화위조죄와 위조통화행사죄의 객체인 위조통화**
[1] 위조통화행사죄의 객체인 위조통화는 객관적으로 보아 일반인으로 하여금 진정통화로 오신케 할 정도에 이른 것이면 족하고 그 위조의 정도가 반드시 진물에 흡사하여야 한다거나 누구든지 쉽게 그 진부를 식별하기가 불가능한 정도의 것일 필요는 없다.
[2] 이 사건 위조지폐인 한국은행 10,000원권과 같이 전자복사기로 복사하여 그 크기와 모양 및 앞뒤로 복사되어 있는 점은 진정한 통화와 유사하나 그 복사된 정도가 조잡하여 정밀하지 못하고 진정한 통화의 색채를 갖추지 못하고 흑백으로만 되어 있어 객관적으로 이를 진정한 것으로 오인할 염려가 전혀 없는 정도의 것인 경우에는 위조통화행사죄의 객체가 될 수 없다(대법원 1985.4.23. 85도570).

③ (X) **일반인의 관점에서 통용할 것이라고 오인할 가능성이 있는 외국의 지폐가 형법 제207조 제3항에서 규정한 '외국에서 통용하는 외국의 지폐'에 해당하는지 여부: 부정**
[1] 형법 제207조 제3항은 "행사할 목적으로 외국에서 통용하는 외국의 화폐, 지폐 또는 은행권을 위조 또는 변조한 자는 10년 이하의 징역에 처한다."고 규정하고 있는바, 여기에서 외국에서 통용한다고 함은 그 외국에서 강제통용력을 가지는 것을 의미하는 것이므로 외국에서 통용하지 아니하는, 즉 강제통용력을 가지지 아니하는 지폐는 그것이 비록 일반인의 관점에서 통용할 것이라고 오인할 가능성이 있다고 하더라도 위 형법 제207조 제3항에서 정한 외국에서 통용하는 외국의 지폐에 해당한다고 할 수 없다.
[2] 만일 그와 달리 위 형법 제207조 제3항의 외국에서 통용하는 지폐에 일반인의 관점에서 통용할 것이라고 오인할 가능성이 있는 지폐까지 포함시키면 이는 위 처벌조항을 문언상의 가능한 의미의 범위를 넘어서까지 유추해석 내지 확장해석하여 적용하는 것이 되어 죄형법정주의의 원칙에 어긋나는 것으로 허용되지 않는다(대법원 2004.5.14. 2003도3487).

④ (X) 형법 제207조(통화 위조·변조)에서 정한 '행사할 목적'이란 유가증권위조의 경우와 달리 위조·변조한 통화를 진정한 통화로서 유통에 놓겠다는 목적을 말하므로, 자신의 신용력을 증명하기 위하여 타인에게 보일 목적으로 통화를 위조한 경우에는 행사할 목적이 있다고 할 수 없다(대법원 2012.3.29. 2011도7704).

2 유가증권, 우표와 인지에 관한 죄

05 0548

2017 경찰 1차

유가증권에 관한 죄에 대한 설명 중 가장 적절하지 않은 것은?
(다툼이 있는 경우 판례에 의함)

① 자기앞수표의 발행인이 수표의뢰인으로부터 수표자금을 입금받지 아니한 채 자기앞수표를 발행하더라도 허위유가증권 작성죄가 성립하지 아니한다.

② 위조유가증권행사죄에 있어서의 유가증권이라 함은 위조된 유가증권의 원본을 말하는 것이지 전자복사기 등을 사용하여 기계적으로 복사한 사본은 이에 해당하지 않는다.

③ 유가증권의 내용 중 권한 없는 자에 의하여 이미 변조된 부분을 다시 권한 없이 변경한 경우 유가증권변조죄는 성립하지 않는다.

④ 타인이 위조한 액면과 지급기일이 백지로 된 약속어음을 구입하여 행사의 목적으로 백지인 액면란에 금액을 기입하여 그 위조어음을 완성하는 행위는 백지어음 형태의 위조행위와 별개의 유가증권위조죄를 구성하지 않는다.

지문분석 난이도 하 정답 ④

| 키 워 드 | 유가증권에 관한 죄
| 출제유형 | 틀린 지문 고르기

④ (X) 타인이 위조한 액면과 지급기일이 백지로 된 약속어음을 구입하여 행사의 목적으로 백지인 액면란에 금액을 기입하여 그 위조어음을 완성하는 행위는 백지어음 형태의 위조행위와는 별개의 유가증권위조죄를 구성한다(대법원 1982.6.22. 82도677).
① (O) 대법원 2005.10.27. 2005도4528
→ 자기앞수표의 발행인이 수표의뢰인으로부터 수표자금을 입금받지 아니한 채 자기앞수표를 발행하더라도 그 수표의 효력에는 아무런 영향이 없으므로 허위유가증권작성죄가 성립하지 아니한다.
② (O) 대법원 1998.2.13. 97도2922
③ (O) 대법원 2012.9.27. 2010도15206

06 0549

2018 경찰 1차

유가증권에 관한 죄에 대한 설명 중 가장 적절하지 않은 것은?
(다툼이 있는 경우 판례에 의함)

① 자기앞수표의 발행인이 수표의뢰인으로부터 수표자금을 입금받지 아니한 채 자기앞수표를 발행한 경우에는 허위유가증권작성죄가 성립한다.

② 형법 제214조의 유가증권이 되기 위해서는 재산권이 증권에 화체된다는 것과 그 권리의 행사와 처분에 증권의 점유를 필요로 한다는 두 가지 요소를 갖추면 족하지 반드시 유통성을 가질 필요는 없다.

③ 이미 타인에 의하여 위조된 약속어음의 기재사항을 권한 없이 변경하였다고 하더라도 유가증권변조죄는 성립하지 않는다.

④ 타인이 위조한 액면과 지급기일이 백지로 된 약속어음을 구입하여 행사의 목적으로 백지인 액면란에 금액을 기입하여 그 위조어음을 완성하는 행위는 백지어음 형태의 위조행위와 별개의 유가증권위조죄를 구성한다.

지문분석 난이도 하 정답 ①

| 키 워 드 | 유가증권에 관한 죄
| 출제유형 | 틀린 지문 고르기

① (X) 형법 제216조 전단의 허위유가증권작성죄는 작성권한 있는 자가 자기 명의로 기본적 증권행위를 함에 있어서 유가증권의 효력에 영향을 미칠 기재사항에 관하여 진실에 반하는 내용을 기재하는 경우에 성립하는바, 자기앞수표의 발행인이 수표의뢰인으로부터 수표자금을 입금받지 아니한 채 자기앞수표를 발행하더라도 그 수표의 효력에는 아무런 영향이 없으므로 허위유가증권작성죄가 성립하지 아니한다(대법원 2005.10.27. 2005도4528).
② (O) 대법원 2001.8.24. 2001도2832
③ (O) 대법원 2006.1.26. 2005도4764
→ 변조는 진정으로 성립된 유가증권(문서)을 전제로 한다.
④ (O) 대법원 1982.6.22. 82도677

07 0550

2019 경찰 승진

유가증권에 관한 죄에 대한 설명이다. 아래 ㉠부터 ㉣까지의 설명 중 옳고 그름의 표시(O, X)가 바르게 된 것은? (다툼이 있는 경우 판례에 의함)

> ㉠ 유가증권이란 증권상에 표시된 재산상의 권리의 행사와 처분에 그 증권의 점유를 필요로 하는 것을 총칭하는 것으로서 재산권이 증권에 화체된다는 것, 그 권리의 행사와 처분에 증권의 점유를 필요로 한다는 것과 반드시 유통성을 가질 것을 필요로 한다.
> ㉡ 甲이 백지 약속어음의 액면란을 부당 보충하여 위조한 후 乙이 甲과 공모하여 금액란을 임의로 변경한 경우 乙의 행위는 유가증권위조나 변조에 해당하지 않는다.
> ㉢ A회사의 대표이사로 재직한 바 있는 甲이 A회사의 대표이사가 이미 乙로 변경된 이후임에도 불구하고, 이전부터 사용하여 오던 자기 명의로 된 A회사 대표이사 명판을 이용하여 여전히 자신을 A회사 대표이사로 표시하여 약속어음을 발행하고 행사한 경우 유가증권위조죄 및 동행사죄가 성립한다.
> ㉣ 위조유가증권의 교부자와 피교부자가 서로 유가증권위조를 공모한 경우 그들 사이의 위조유가증권교부행위는 유가증권의 유통질서를 해할 우려가 있어 위조유가증권행사죄가 성립한다.

① ㉠ (O), ㉡ (X), ㉢ (O), ㉣ (X)
② ㉠ (X), ㉡ (O), ㉢ (X), ㉣ (O)
③ ㉠ (X), ㉡ (O), ㉢ (X), ㉣ (X)
④ ㉠ (X), ㉡ (X), ㉢ (X), ㉣ (O)

지문분석

난이도 상 정답 ③

| 키 워 드 | 유가증권에 관한 죄
| 출제유형 | 옳고 그름의 표시(O, X)하기

㉠ (X) 형법 제214조의 유가증권이란 증권상에 표시된 재산상의 권리의 행사와 처분에 그 증권의 점유를 필요로 하는 것을 총칭하는 것으로서 재산권이 증권에 화체된다는 것과 그 권리의 행사와 처분에 증권의 점유를 필요로 한다는 두 가지 요소를 갖추면 족하지 반드시 유통성을 가질 필요는 없다(대법원 2001.8.24. 2001도2832).

㉡ (O) 유가증권변조죄에 있어서 변조라 함은 진정으로 성립된 유가증권의 내용에 권한 없는 자가 그 유가증권의 동일성을 해하지 않는 한도에서 변경을 가하는 것을 말하므로, 이미 타인에 의하여 위조된 약속어음의 기재사항을 권한 없이 변경하였다고 하더라도 유가증권변조죄는 성립하지 아니한다. 그리고 위조된 약속어음의 액면금액을 권한 없이 변경하는 것이 당초의 위조와는 별개의 새로운 유가증권위조로 된다고 할 수도 없다. 그러므로 권한 없이 보충됨으로써 위조되었다고 평가되는 약속어음에 있어서 그 위조행위자와 공모하여 그 금액란을 임의로 변경한 피고인의 행위를 같은 취지에서 무죄로 본 원심의 판단은 정당하다. 원심판결에 유가증권위조에 관한 법리오해 등의 위법이 있다는 상고이유의 주장은 받아들일 수 없다. 상고이유에서 거시한 대법원 1982.6.22. 선고 82도677 판결은 액면란이 백지인 위조 약속어음을 완성하는 행위에 관한 것으로서, 부당한 보충권의 행사로 이미 완성된 어음을 변조한 이 사건과는 사안을 달리하여 원용하기에 적절하지 않다(대법원 2008.12.24. 2008도9494).

㉢ (X) 주식회사 대표이사로 재직하던 피고인이 대표이사가 타인으로 변경되었음에도 불구하고 이전부터 사용하여 오던 피고인 명의로 된 위 회사 대표이사의 명판을 이용하여 여전히 피고인을 위 회사의 대표이사로 표시하여 약속어음을 발행, 행사하였다면, 설사 약속어음을 작성, 행사함에 있어 후임 대표이사의 승낙을 얻었다거나 위 회사의 실질적인 대표이사로서의 권한을 행사하는 피고인이 은행과의 당좌계약을 변경하는 데에 시일이 걸려 잠정적으로 전임 대표이사인 그의 명판을 사용한 것이라 하더라도 이는 합법적인 대표이사로서의 권한 행사라 할 수 없어 자격모용유가증권작성 및 동행사죄에 해당한다(대법원 1991.2.26. 90도577).

㉣ (X) 위조유가증권행사죄의 처벌목적은 유가증권의 유통질서를 보호하는 데 있는 만큼 단순히 문서의 신용성을 보호하고자 하는 위조공·사문서행사죄의 경우와는 달리 교부자가 진정 또는 진실한 유가증권인 것처럼 위조유가증권을 행사하였을 때뿐만 아니라 위조유가증권임을 알고 있는 자에게 교부하였더라도 피교부자가 이를 유통시킬 것임을 인식하고 교부하였다면, 그 교부행위 그 자체가 유가증권의 유통질서를 해할 우려가 있어 처벌의 이유와 필요성이 충분히 있으므로 위조유가증권행사죄가 성립한다고 보아야 할 것이지만, 위조유가증권의 교부자와 피교부자가 서로 유가증권위조를 공모하였거나 위조유가증권을 타에 행사하여 그 이익을 나누어 가질 것을 공모한 공범의 관계에 있다면, 그들 사이의 위조유가증권 교부행위는 그들 이외의 자에게 행사함으로써 범죄를 실현하기 위한 전 단계의 행위에 불과한 것으로서 위조유가증권은 아직 범인들의 수중에 있다고 볼 것이지 행사되었다고 볼 수는 없다(대법원 2010.12.9. 2010도12553).

08 0551 2019 경찰 간부

다음은 통화·유가증권·문서에 관한 죄에서 '행사'와 관련한 설명이다. 이 중 옳지 않은 것은 모두 몇 개인가? (다툼이 있는 경우 판례에 의함)

> 가. 甲이 자신의 신용력을 증명하기 위하여 타인에게 보일 목적으로 통화를 위조한 경우에는 행사할 목적이 있다고 할 수 없어 통화위조죄가 성립하지 않는다.
> 나. 유가증권을 위조한 甲이 그 위조의 정을 알고 있는 乙에게 위조유가증권을 교부하였더라도 乙이 이를 유통시킬 것임을 甲이 인식하고 교부하였다면 甲에게는 위조유가증권행사죄가 성립한다.
> 다. 甲이 유가증권을 위조하여 乙에게 교부하면 乙이 위조유가증권을 A에게 행사하여 그 이익을 나누어 가지기로 甲과 乙 사이에 공모가 이루어진 경우, 甲이 공범 乙에게 위조유가증권을 교부하는 행위는 그 자체로서 위조유가증권행사죄를 구성한다.
> 라. 허위로 선박 사고신고를 하면서 그 선박의 국적증명서와 선박검사증서를 함께 제출한 경우 공문서부정행사죄를 구성한다.

① 1개 ② 2개
③ 3개 ④ 4개

지문분석 난이도 상 정답 ②

| 키 워 드 | 통화·유가증권·문서에 관한 죄

| 출제유형 | 개수 찾기

다. (X) 피고인과 甲은 甲이 피고인으로부터 1,500만원을 차용하는 것처럼 가장하기로 공모한 다음, 피고인이 위조된 100만원권 자기앞수표 14장 외에 10만원권 수표 10장이 들어 있는 봉투를 乙을 통해 공범 甲과 그 위조사실을 모르는 丙이 함께 있는 자리에서 甲에게 교부하자, 甲은 그 자리에서 자신의 연인 丙을 보증인으로 하는 차용증을 작성하여 乙에게 주었는데, 이때 甲은 봉투에서 10만원권 수표 10장을 꺼내어 丙에게 보여 주었으나 위조된 100만원권 자기앞수표는 봉투에서 꺼내거나 丙에게 보여 주지도 않은 사안에서, 乙이나 甲이 위조된 자기앞수표를 丙에게 제시하는 등으로 이를 인식하게 하였다고 할 수 없어 이들이 위 봉투를 丙의 면전에서 주고받은 행위를 위조된 자기앞수표를 행사한 경우에 해당한다고 볼 수 없고, 따라서 乙이나 甲에게 위 수표를 교부한 것이 이를 행사한 경우에 해당한다고 볼 수도 없음에도, 피고인에 대한 위 위조유가증권행사의 공소사실을 유죄로 인정한 원심판결에 법리오해의 위법이 있다(대법원 2010.12.9. 2010도12553).

라. (X) 어떤 선박이 사고를 낸 것처럼 허위로 사고신고를 하면서 그 선박의 선박국적증서와 선박검사증서를 함께 제출하였다고 하더라도, 선박국적증서와 선박검사증서는 위 선박의 국적과 항행할 수 있는 자격을 증명하기 위한 용도로 사용된 것일 뿐 그 본래의 용도를 벗어나 행사된 것으로 보기는 어려우므로, 이와 같은 행위는 공문서부정행사죄에 해당하지 않는다(대법원 2009.2.26. 2008도10851).

가. (O) 형법 제207조(통화위조 등)에서 정한 '행사할 목적'이란 유가증권위조의 경우와 달리 위조·변조한 통화를 진정한 통화로서 유통에 놓겠다는 목적을 말하므로, 자신의 신용력을 증명하기 위하여 타인에게 보일 목적으로 통화를 위조한 경우에는 행사할 목적이 있다고 할 수 없다(대법원 2012.3.29. 2011도7704).

나. (O) 대법원 2010.12.9. 2010도12553

09 0552

2021 경찰 승진

다음의 설명 중 가장 적절한 것은? (다툼이 있는 경우 판례에 의함)

① 일본국의 자동판매기 등에 투입하여 일본국의 500￥짜리 주화처럼 사용하기 위하여 한국은행발행 500원짜리 주화의 표면 일부를 깎아내어 손상을 가한 경우, 그 크기와 모양 및 대부분의 문양이 그대로 남아 있더라도 형법 제207조 통화변조죄가 성립한다.
② 형법 제207조 통화위조죄에서 정한 '행사할 목적'은 자신의 신용력을 증명하기 위하여 타인에게 보일 목적으로 통화를 위조한 경우에도 인정할 수 있다.
③ 유가증권의 내용 중 권한 없는 자에 의하여 이미 변조된 부분을 다시 권한 없이 변경하였다고 하더라도 형법 제214조 유가증권변조죄는 성립하지 않는다.
④ 위조우표취득죄 및 위조우표행사죄에 관한 형법 제219조 및 제218조 제2항 소정의 '행사'라 함은 위조된 대한민국 또는 외국의 우표를 진정한 우표로서 사용하는 것으로 우편요금의 납부용으로 사용하는 것에 한정되고 우표수집의 대상으로서 매매하는 경우는 이에 해당하지 않는다.

지문분석 난이도 중 정답 ③

| 키 워 드 | 유가증권, 우표와 인지에 관한 죄
| 출제유형 | 옳은 지문 고르기

③ (O) 대법원 2012.9.27. 2010도15206
① (X) 피고인들이 한국은행발행 500원짜리 주화의 표면 일부를 깎아내어 손상을 가하였지만 그 크기와 모양 및 대부분의 문양이 그대로 남아 있어, 이로써 기존의 500원짜리 주화의 명목가치나 실질가치가 변경되었다거나, 객관적으로 보아 일반인으로 하여금 일본국의 500￥짜리 주화로 오신케 할 정도의 새로운 화폐를 만들어 낸 것이라고 볼 수 없고, 일본국의 자동판매기 등이 위와 같이 가공된 주화를 일본국의 500￥짜리 주화로 오인한다는 사정만을 들어 그 명목가치가 일본국의 500￥으로 변경되었다거나 일반인으로 하여금 일본국의 500￥짜리 주화로 오신케 할 정도에 이르렀다고 볼 수도 없다(대법원 2002.1.11. 2000도3950).
② (X) 위조한 통화를 진정한 통화로서 유통에 놓겠다는 목적 없이 자신의 신용력을 증명하기 위하여 타인에게 보일 목적으로 통화를 위조한 경우에는 통화위조죄의 '행사할 목적'이 있다고 할 수 없다(대법원 2012.3.29. 2011도7704).
④ (X) 위조우표취득죄 및 위조우표행사죄에 관한 형법 제219조 및 제218조 제2항 소정의 '행사'라 함은 위조된 대한민국 또는 외국의 우표를 진정한 우표로서 사용하는 것으로 반드시 우편요금의 납부용으로 사용하는 것에 한정되지 않고 우표수집의 대상으로서 매매하는 경우도 이에 해당된다(대법원 1989.4.11. 88도1105).

3 문서에 관한 죄

10 0553

2021 경찰 2차

문서에 관한 죄에 대한 설명으로 가장 적절하지 않은 것은? (다툼이 있는 경우 판례에 의함)

① 甲이 콘도미니엄 입주민들의 모임인 A시설운영위원회의 대표로 선출된 후 A위원회가 대표성을 갖춘 단체라는 외양을 작출할 목적으로, 행정용 봉투에 A위원회의 한자와 한글 직인을 날인한 다음 자신의 인감증명서 중앙에 있는 '용도'란 부분에 이를 오려붙이는 방법으로 인감증명서 1매를 작성하고, 이를 휴대전화로 촬영한 사진 파일을 입주민들이 참여하는 메신저 단체대화방에 게재한 경우에는 공문서위조 및 동행사죄가 성립하지 아니한다.
② 변호사 甲이 대량의 저작권법 위반 형사고소 사건을 수임하여 피고소인 30명을 각각 형사고소하기 위하여 20건 또는 10건의 고소장을 개별적으로 수사관서에 제출하면서 하나의 고소위임장에만 소속 변호사회에서 발급받은 진정한 경유증표 원본을 첨부한 후 이를 일체로 하여 컬러복사기로 20장 또는 10장의 고소위임장을 각 복사한 다음 고소위임장과 일체로 복사한 경유증표를 고소장에 첨부하여 접수한 경우에는 사문서위조 및 동행사죄가 성립한다.
③ 법무사 甲이 위임인 A가 문서명의자로부터 문서작성 권한을 위임받지 않았음을 알면서도 법무사법 제25조에 따른 확인절차를 거치지 아니하고 권리의무에 중대한 영향을 미칠 수 있는 문서를 작성한 경우에는 사문서위조죄가 성립한다.
④ 공무원 아닌 甲이 관공서에 허위 내용의 증명원을 제출하여 그 내용이 허위인 정을 모르는 담당공무원 A로부터 그 증명원 내용과 같은 증명서를 발급받은 경우에는 공문서위조죄의 간접정범으로 처벌된다.

지문분석 난이도 중 정답 ④

| 키 워 드 | 문서에 관한 죄
| 출제유형 | 틀린 지문 고르기

④ (X) 어느 문서의 작성권한을 갖는 공무원이 그 문서의 기재사항을 인식하고 그 문서를 작성할 의사로써 이에 서명날인하였다면, 설령 그 서명날인이 타인의 기망으로 착오에 빠진 결과 그 문서의 기재사항이 진실에 반함을 알지 못한 데 기인한다고 하여도, 그 문서의 성립은 진정하며 여기에 하등 작성명의를 모용한 사실이 있다고 할 수는 없으므로, 공무원 아닌 자가 관공서에 허위 내용의 증명원을 제출하여 그 내용이 허위인 정을 모르는 담당공무원으로부터 그 증명원 내용과 같은 증명서를 발급받은 경우 공문서위조죄의 간접정범으로 의율할 수는 없다(대법원 2001.3.9. 2000도938).
① (O) [1] 위조문서행사죄에서 행사란 위조된 문서를 진정한 문서인 것처럼 그 문서의 효용방법에 따라 이를 사용하는 것을 말하고, 위조된 문서를 진정한 문서인 것처럼 사용하는 한 행사의 방법에 제한이 없으므로 위조된 문서를 스캐너 등을 통해 이미지화한 다음 이를 전송하여 컴퓨

터 화면상에서 보게 하는 경우도 행사에 해당하지만, 이는 문서의 형태로 위조가 완성된 것을 전제로 하는 것이므로, 공문서로서의 형식과 외관을 갖춘 문서에 해당하지 않아 공문서위조죄가 성립하지 않는 경우에는 위조공문서행사죄도 성립할 수 없다.

[2] 피고인이 만든 문서의 용도란은 인감증명서의 다른 부분과 재질과 색깔이 다른 종이가 붙어 있음이 눈에 띄고, 글자색과 활자체도 다르며, 인감증명서의 피고인 인감은 검정색인 반면 피고인이 용도란에 날인한 한자 직인과 한글 직인은 모두 붉은색이어서 평균 수준의 사리분별력을 갖는 사람이 조금만 주의를 기울여 살펴보면 피고인이 만든 문서는 공무원 또는 공무소가 甲위원회를 등록된 단체라거나 피고인이 위 단체의 대표임을 증명하기 위해 작성한 문서가 아님을 쉽게 알아볼 수 있는 점 등을 종합하면, 피고인이 만든 문서가 공문서로서의 외관과 형식을 갖추었다고 인정하기 어렵고, 공문서위조죄가 성립한다고 보기 어려운 이상 이를 사진촬영한 파일을 단체대화방에 게재한 행위가 위조공문서행사죄에 해당할 수도 없다는 이유로, 이와 달리 보아 공소사실을 유죄로 인정한 원심판단에 공문서위조 판단의 객체 및 기준에 관한 법리오해의 잘못이 있다(대법원 2020.12.24. 2019도8443).

② (O) 문서위조 및 동행사죄의 보호법익은 문서에 대한 공공의 신용이므로 '문서가 원본인지 여부'가 중요한 거래에서 문서의 사본을 진정한 원본인 것처럼 행사할 목적으로 다른 조작을 가함이 없이 문서의 원본을 그대로 컬러복사기로 복사한 후 복사한 문서의 사본을 원본인 것처럼 행사한 행위는 사문서위조죄 및 동행사죄에 해당한다. 또한 사문서위조죄는 명의자가 진정으로 작성한 문서로 볼 수 있을 정도의 형식과 외관을 갖추어 일반인이 명의자의 진정한 사문서로 오신하기에 충분한 정도이면 성립한다(대법원 2016.7.14. 2016도2081).

③ (O) 법무사인 피고인은 위 각 문서작성 당시 공소외 3이 문서명의자인 공소외 1로부터 문서작성 권한을 위임받지 않았음을 알면서도 법무사법 제25조에 따른 문서명의자의 동의나 승낙 여부의 확인조치를 취하지 아니하고 만연히 권한 없이 공소외 1 명의의 위 각 문서를 작성, 행사한 점이 인정된다. 또한 위에서 본 모든 객관적 사정을 종합하여 볼 때, 명의자인 공소외 1이 피고인의 위 각 문서작성 사실을 알았다면 당연히 이를 승낙했을 것이라고 추정된다고 볼 수 없고, 명의자가 피고인의 위 각 문서작성 행위를 승낙할 것이라는 막연한 기대나 예측이 어긋난 것에 불과하여 이것만으로는 사문서위조 및 동행사죄의 고의가 부정된다고 할 수 없다(대법원 2008.4.10. 2007도9987).

11 0554

2020 경찰 1차

문서에 관한 죄의 설명으로 가장 적절하지 않은 것은? (다툼이 있는 경우 판례에 의함)

① 타인의 주민등록증사본의 사진란에 자신의 사진을 붙여 복사한 행위와 타인의 주민등록증을 복사기와 컴퓨터를 이용하여 전혀 별개의 주민등록증사본을 창출시킨 행위는 공문서위조에 해당한다.

② 식당의 주·부식 구입 업무를 담당하는 공무원 甲이 계약 등에 의하여 공무소의 주·부식의 구입·검수 업무 등을 담당하는 조리장·영양사 등의 명의를 위조하여 검수결과보고서를 작성한 경우 공문서위조죄에 해당한다.

③ 세금계산서상의 공급받는 자는 그 문서 내용의 일부에 불과할 뿐 세금계산서의 작성명의인은 아니라 할 것이니, 공급받는 자 란에 임의로 다른 사람을 기재하였다 하여 그 사람에 대한 관계에서 사문서위조죄가 성립된다고 할 수 없다.

④ 사문서변조죄는 권한 없는 자가 이미 진정하게 성립된 타인 명의의 문서 내용에 대하여 동일성을 해하지 않을 정도로 변경을 가하여 새로운 증명력을 작출케 함으로써 공공적 신용을 해할 위험성이 있을 때 성립한다. 따라서 이미 진정하게 성립된 타인 명의의 문서가 존재하지 않는다면 사문서변조죄가 성립할 수 없다.

지문분석 난이도 중 정답 ②

| 키 워 드 | 문서에 관한 죄

| 출제유형 | 틀린 지문 고르기

② (X) **계약 등에 의하여 공무와 관련되는 업무를 일부 대행하는 자가 작성한 문서가 공문서위조·변조죄의 객체가 될 수 있는지 여부: 부정**
식당의 주·부식 구입 업무를 담당하는 공무원이 계약 등에 의하여 공무소의 주·부식 구입·검수 업무 등을 담당하는 조리장·영양사 등의 명의를 위조하여 검수결과보고서를 작성한 경우, 공문서위조죄가 성립하지 않는다(대법원 2008.1.17. 2007도6987).

① (O) **재사본이 문서위조죄 및 동행사죄의 객체인 문서에 해당하는지 여부: 인정**

[1] 형법 제237조의2에 따라 전자복사기, 모사전송기 기타 이와 유사한 기기를 사용하여 복사한 문서의 사본도 문서원본과 동일한 의미를 가지는 문서로서 이를 다시 복사한 문서의 재사본도 문서위조죄 및 동행사죄의 객체인 문서에 해당한다 할 것이고, 진정한 문서의 사본을 전자복사기를 이용하여 복사하면서 일부 조작을 가하여 그 사본 내용과 전혀 다르게 만드는 행위는 공공의 신용을 해할 우려가 있는 별개의 문서사본을 창출하는 행위로서 문서위조행위에 해당한다.

[2] 타인의 주민등록증사본의 사진란에 피고인의 사진을 붙여 복사하여 행사한 행위가 공문서위조죄 및 동행사죄에 해당한다(대법원 2000.9.5. 2000도2855).

③ (O) 대법원 2007.3.15. 2007도169
→ 문서위조란 작성권한 없는 자가 타인 명의를 모용하여 문서를 작성하는 것을 말하는 것이므로, 사문서위조죄가 성립하기 위해서는 해당 문서의 작성명의가 모용되어야 한다.

④ (O) 대법원 2017.12.5. 2014도14924

12 0555 2021 경찰 1차

문서에 관한 죄에 대한 설명으로 가장 적절하지 않은 것은?
(다툼이 있는 경우 판례에 의함)

① 허위공문서작성죄의 객체가 되는 문서는 문서상 작성명의인이 명시된 경우뿐 아니라 작성명의인이 명시되어 있지 않더라도 문서의 형식, 내용 등 문서 자체에 의하여 누가 작성하였는지를 추지할 수 있을 정도의 것이면 된다.
② 실제의 본명 대신 가명이나 위명을 사용하여 사문서를 작성한 경우, 그 문서의 작성명의인과 실제 작성자의 인격이 상이할 때에는 위조죄가 성립할 수 있다.
③ 가정법원의 서기관이 이혼의사확인서등본을 작성한 후 그 뒤에 이혼신고서를 첨부하고 직인을 간인하여 교부한 경우, 당사자가 이를 떼어 내고 다른 내용의 이혼신고서를 붙여 관련 행정관서에 제출하였다면 공문서변조 및 변조공문서행사죄가 성립한다.
④ 사립학교 법인 이사가 이사회 회의록에 서명 대신 서명거부사유를 기재하고 그에 대한 서명을 한 경우, 이사회 회의록의 작성권한자인 이사장이라 하더라도 임의로 이를 삭제하면 특별한 사정이 없는 한 사문서변조에 해당한다.

지문분석 난이도 중 정답 ③

| 키 워 드 | 문서에 관한 죄
| 출제유형 | 틀린 지문 고르기

③ (X) 가정법원의 서기관 등이 이혼의사확인서등본을 작성한 뒤 이를 이혼의사확인신청 당사자 쌍방에게 교부하면서 이혼신고서를 확인서등본 뒤에 첨부하여 그 직인을 간인하였다고 하더라도, 그러한 사정만으로 이혼신고서가 공문서인 이혼의사확인서등본의 일부가 되었다고 볼 수 없다. 따라서 당사자가 이혼의사확인서등본과 간인으로 연결된 이혼신고서를 떼어 내고 원래 이혼신고서의 내용과는 다른 이혼신고서를 작성하여 이혼의사확인서등본과 함께 호적관서에 제출하였다고 하더라도, 공문서인 이혼의사확인서등본을 변조하였다거나 변조된 이혼의사확인서등본을 행사하였다고 할 수 없다(대법원 2009.1.30. 2006도7777).
① (O) 대법원 2019.3.14. 2018도18646
② (O) 실제의 본명 대신 가명이나 위명을 사용하여 사문서를 작성한 경우에 그 문서의 작성명의인과 실제 작성자 사이에 인격의 동일성이 그대로 유지되는 때에는 위조가 되지 않으나, 명의인과 작성자의 인격이 상이할 때에는 위조죄가 성립할 수 있다(대법원 2010.11.11. 2010도1835).
④ (O) [1] 이사회 회의록에 관한 이사의 서명권한에는 서명거부사유를 기재하고 그에 대해 서명할 권한이 포함된다. 이사가 이사회 회의록에 서명함에 있어 이사장이나 다른 이사들의 동의를 받을 필요가 없는 이상 서명거부사유를 기재하고 그에 대한 서명을 함에 있어서도 이사장 등의 동의가 필요 없다고 보아야 한다. 따라서 이사가 이사회 회의록에 서명 대신 서명거부사유를 기재하고 그에 대한 서명을 하면, 특별한 사정이 없는 한 그 내용은 이사회 회의록의 일부가 되고, 이사회 회의록의 작성권한자인 이사장이라 하더라도 임의로 이를 삭제한 경우에는 이사회 회의록 내용에 변경을 가하여 새로운 증명력을 가져오게 되므로 사문서변조에 해당한다.
[2] 甲학교법인 이사장인 피고인이 甲법인의 이사회 회의록 중 "이사장의 이사회 내용 사전 유출로 인한 책임을 물어 회의록 서명을 거부합니다. 乙"이라고 기재된 부분 및 그 옆에 있던 이사 乙의 서명 부분을 지워 회의록을 변조하고, 이를 행사하였다는 내용으로 기소된 사안에서, 乙이 회의록에 대한 서명권한 범위 내에서 회의록에 서명거부사유를 기재하고 그에 대한 서명을 한 이상 위 문구는 회의록의 일부가 되었으므로, 피고인이 임의로 위 문구를 삭제함으로써 회의록의 새로운 증명력을 작출하였다는 이유로, 이와 달리 보아 공소사실을 무죄로 판단한 원심판결에 사문서변조죄 및 변조사문서행사죄의 법리를 오해하는 등의 잘못이 있다(대법원 2018.9.13. 2016도20954).

13 0556

2018 경찰 3차

사문서위조죄에 대한 설명으로 가장 적절한 것은? (다툼이 있는 경우 판례에 의함)

① 피고인이 이사들의 참석 및 의결권 행사에 관한 권한을 위임받았다 하더라도 그 이사들이 이사회에 불참했음에도 마치 참석하여 의결권을 행사한 것처럼 이사회 회의록을 작성하였다면 사문서위조죄가 성립한다.

② 피고인이 대량의 사건을 수임하기 위하여 소속 변호사회에서 발급받은 진정한 경유증표 원본을 컬러복사하여 법원에 제출하였더라도, 복사기 등을 사용하여 기계적인 방법에 의하여 원본을 복사한 문서인 복사문서는 문서죄의 객체에 해당하지 않으므로 사문서위조죄가 성립하지 않는다.

③ 피고인이 명의인인 회사대표이사로부터 문서작성권한의 위임을 받았다면, 그 위임받은 권한을 초월하여 사문서를 작성하였다 하더라도 사문서위조죄는 성립하지 않는다.

④ 피고인이 문서명의인인 문중원들을 기망하여 정기문중총회 회의록을 작성하였다면, 비록 문중원들의 서명, 날인이 정당하게 성립된 경우라 하더라도 사문서위조죄가 성립한다.

지문분석 난이도 ㊤ 정답 ④

| 키 워 드 | 사문서위조죄

| 출제유형 | 옳은 지문 고르기

④ (○) 대법원 2000.6.13. 2000도778

→ 명의인을 기망하여 문서를 작성케 하는 경우에는 서명·날인이 정당히 성립된 경우에도 사문서위조죄가 성립한다.

① (X) 이사회를 개최함에 있어 공소외 이사들이 그 참석 및 의결권의 행사에 관한 권한을 피고인에게 위임하였다면 그 이사들이 실제로 이사회에 참석하지도 않았는데 마치 참석하여 의결권을 행사한 것처럼 피고인이 이사회 회의록에 기재하였다 하더라도 이는 이른바 사문서의 무형위조에 해당할 따름이어서 처벌대상이 되지 아니한다(대법원 1985.10.22. 85도1732).

→ 작성권한 있는 자가 사문서의 내용을 허위로 작성한 경우이다.

② (X) 변호사인 피고인이 대량의 저작권법 위반 형사고소 사건을 수임하여 피고소인 30명을 각 형사고소하기 위하여 20건 또는 10건의 고소장을 개별적으로 수사관서에 제출하면서 각 하나의 고소위임장에만 소속 변호사회에서 발급받은 진정한 경유증표 원본을 첨부한 후 이를 일체로 하여 컬러복사기로 20장 또는 10장의 고소위임장을 각 복사한 다음 고소위임장과 일체로 복사한 경유증표를 고소장에 첨부하여 접수한 사안에서, 피고인의 행위는 사문서위조죄 및 동행사죄에 해당한다(대법원 2016.7.14. 2016도2081).

→ 변호사회가 발급한 경유증표는 증표가 첨부된 변호사선임서 등이 변호사회를 경유하였고 소정의 경유회비를 납부하였음을 확인하는 문서이므로 법원, 수사기관 또는 공공기관에 이를 제출할 때에는 원본을 제출하여야 하고 사본으로 원본에 갈음할 수 없으며, 각 고소위임장에 함께 복사되어 있는 변호사회 명의의 경유증표는 원본이 첨부된 고소위임장을 그대로 컬러복사한 것으로서 일반적으로 문서가 갖추어야 할 형식을 모두 구비하고 있고, 이를 주의 깊게 관찰하지 아니하면 그것이 원본이 아닌 복사본임을 알아차리기 어려울 정도이므로 일반인이 명의자의 진정한 사문서로 오신하기에 충분한 정도의 형식과 외관을 갖추었다는 이유로, 피고인의 행위가 사문서위조죄 및 동행사죄에 해당한다.

③ (X) 문서의 위조라고 하는 것은 작성권한 없는 자가 타인 명의를 모용하여 문서를 작성하는 것을 말하는 것이므로 ㉠ 사문서를 작성함에 있어 그 명의자의 명시적이거나 묵시적인 승낙 내지 위임이 있었다면 이는 사문서위조에 해당한다고 할 수 없을 것이지만, ㉡ 문서 작성권한의 위임이 있는 경우라고 하더라도 그 위임을 받은 자가 그 위임받은 권한을 초월하여 문서를 작성한 경우는 사문서위조죄가 성립하고, ㉢ 단지 위임받은 권한의 범위 내에서 이를 남용하여 문서를 작성한 것에 불과하다면 사문서위조죄가 성립하지 아니한다고 할 것이다(대법원 2005.10.28. 2005도6088).

✓ 개념체크 경유증표

> 변호사가 사건을 수임하여 법원 등에 신청사건을 접수할 때에는 변호사협회에서 발행하는 경유증표를 첨부하여 제출하도록 되어 있다.

14 0557

2018 경찰 1차

문서에 관한 죄에 대한 설명 중 옳고 그름의 표시(O, X)가 바르게 된 것은? (다툼이 있는 경우 판례에 의함)

㉠ 타인 명의의 문서를 위조하여 행사하였다고 하더라도 그 명의인이 실재하지 않는 허무인이거나 또는 문서의 작성일자 전에 이미 사망한 경우에는 사문서위조죄 및 동행사죄가 성립하지 않는다.
㉡ 법원이 이혼의사확인서등본 뒤에 이혼신고서를 첨부하고 간인하여 교부하였는데 당사자가 이혼의사확인서등본과 간인으로 연결된 이혼신고서를 떼어내고 원래 이혼신고서의 내용과는 다른 이혼신고서를 작성하여 이혼의사확인서등본과 함께 호적관서에 제출한 경우, 공문서변조 및 변조공문서행사죄가 성립하지 않는다.
㉢ 다른 공무원 등이 작성권자의 결재를 받지 않고 직인 등을 보관하는 담당자를 기망하여 작성권자의 직인을 날인하도록 하여 공문서를 완성한 때에는 공문서위조죄가 성립한다.
㉣ 주식회사의 지배인이 자신을 그 회사의 대표이사로 표시하여 연대보증채무를 부담하는 취지의 회사 명의의 차용증을 작성·교부한 경우, 그 문서에 일부 허위 내용이 포함되거나 위 연대보증행위가 회사의 이익에 반하는 것이더라도 사문서위조 및 위조사문서행사에 해당하지 않는다.

① ㉠ (O), ㉡ (O), ㉢ (O), ㉣ (O)
② ㉠ (O), ㉡ (X), ㉢ (O), ㉣ (X)
③ ㉠ (X), ㉡ (O), ㉢ (X), ㉣ (O)
④ ㉠ (X), ㉡ (O), ㉢ (O), ㉣ (O)

지문분석

난이도 ㊤ 정답 ④

| 키 워 드 | 문서에 관한 죄
| 출제유형 | 옳고 그름의 표시(O, X)하기

㉠ (X) [1] 문서위조죄는 문서의 진정에 대한 공공의 신용을 그 보호법익으로 하는 것이므로 행사할 목적으로 작성된 문서가 일반인으로 하여금 당해 명의인의 권한 내에서 작성된 문서라고 믿게 할 수 있는 정도의 형식과 외관을 갖추고 있으면 문서위조죄가 성립하는 것이다.
[2] 위와 같은 요건을 구비한 이상 그 명의인이 실재하지 않는 허무인이거나 또는 문서의 작성일자 전에 이미 사망하였다고 하더라도 그러한 문서 역시 공공의 신용을 해할 위험성이 있으므로 문서위조죄가 성립한다고 봄이 상당하며, 이는 공문서뿐만 아니라 사문서의 경우에도 마찬가지라고 보아야 한다(대법원 2005.2.24. 2002도18 전원합의체).
㉡ (O) 대법원 2009.1.30. 2006도7777
→ ⓐ 이혼의사확인서등본: 공문서, ⓑ 이혼신고서: 사문서
㉢ (O) 대법원 2017.5.17. 2016도13912
㉣ (O) 대법원 2010.5.13. 2010도1040

✓ 개념체크 **허위공문서작성죄와 공문서위조죄의 구별**

- 보조 직무에 종사하는 공무원이 허위공문서를 기안하여 허위임을 모르는 작성권자의 결재를 받아 공문서를 완성한 경우: 허위공문서작성죄의 간접정범 성립
- 공무원의 문서작성을 보조하는 직무에 종사하는 공무원(보조 직무에 종사하는 공무원)이 허위공문서를 기안하여 결재를 거치지 않고 임의로 작성권자의 직인 등을 부정 사용함으로써 공문서를 완성한 경우: 공문서위조죄 성립
- 공문서의 작성권한 없는 사람이 허위공문서를 기안하여 작성권자의 결재를 받지 않고 공문서를 완성한 경우: 공문서위조죄 성립
- 공문서의 작성권한 없는 공무원 등이 작성권자의 결재를 받지 않고 직인 등을 보관하는 담당자를 기망하여 작성권자의 직인을 날인하도록 하여 공문서를 완성한 경우: 공문서위조죄 성립

15 0558 2020 경찰 승진

문서에 관한 죄에 대한 설명 중 가장 적절한 것은? (다툼이 있는 경우 판례에 의함)

① A주식회사의 대표이사 甲이 실질적 운영자인 1인 주주 B의 구체적인 위임이나 승낙 없이 이미 퇴임한 전(前) 대표이사 C를 대표이사로 표시하여 A회사 명의의 문서를 작성한 경우 사문서위조죄가 성립한다.

② 공무원이 아닌 자가 공무원에게 허위사실을 기재한 증명원을 제출하여 그것을 알지 못하는 공무원으로부터 증명서를 받아 낸 경우 허위공문서작성죄의 간접정범이 성립한다.

③ 부동산의 소유자로 하여금 근저당권자를 자금주라고 믿도록 속여서 근저당권설정등기를 경료케 한 경우라도 정당한 권한 있는 자에 의하여 작성된 문서를 제출하여 그 등기가 이루어진 것이라면 공정증서원본불실기재죄가 성립하지 않는다.

④ 부동산 거래당사자가 '거래가액'을 시장 등에게 거짓으로 신고하여 받은 신고필증을 기초로 사실과 다른 내용의 거래가액이 부동산등기부에 등재되도록 한 경우 공전자기록등불실기재죄 및 불실기재공전자기록등행사죄가 성립한다.

지문분석 난이도 상 정답 ③

| 키 워 드 | 문서에 관한 죄

| 출제유형 | 옳은 지문 고르기

③ (O) 부동산의 소유자로 하여금 근저당권자를 자금주라고 믿도록 속여서 근저당권설정등기를 경료케 한 경우라도 정당한 권한 있는 자에 의하여 작성된 문서를 제출하여 그 등기가 이루어진 것이라면 당사자의 의사에 합치되는 등기라 할 것이므로 공정증서원본불실기재죄가 성립하지 않는다(대법원 1982.7.13. 82도39).

① (X) [1] 원래 주식회사의 적법한 대표이사는 회사의 영업에 관하여 재판상 또는 재판 외의 모든 행위를 할 권한이 있으므로, 대표이사가 직접 주식회사 명의 문서를 작성하는 행위는 자격모용사문서작성 또는 위조에 해당하지 않는 것이 원칙이다. 이는 그 문서의 내용이 진실에 반하는 허위이거나 대표권을 남용하여 자기 또는 제3자의 이익을 도모할 목적으로 작성된 경우에도 마찬가지이다.

[2] 주식회사의 적법한 대표이사로 선임된 피고인이 '공소외 1 주식회사 대표이사 공소외 2'로 표시하여 위 회사명의 문서를 작성한 행위는, 비록 공소외 2가 이미 퇴임한 전 대표이사이거나 그 문서 내용 중 일부가 진실에 반하는 허위라고 하더라도, 그리고 위 회사의 운영을 실질적으로 장악·통제하고 있던 1인 주주인 공소외 3의 구체적인 위임 또는 승낙을 받지 않았다고 하더라도, 위조행위에 해당하지 않는다(대법원 2008.11.27. 2006도9194).

② (X) 공무원 아닌 자가 관공서에 허위 내용의 증명원을 제출하여 그 내용이 허위인 정을 모르는 담당공무원으로부터 그 증명원 내용과 같은 증명서를 발급받은 경우 공문서위조죄의 간접정범으로 의율할 수는 없다(대법원 2001.3.9. 2000도938).

④ (X) [1] 형법 제228조 제1항이 규정하는 공정증서원본불실기재죄나 공전자기록등불실기재죄는 특별한 신빙성이 인정되는 권리의무에 관한 공문서에 대한 공공의 신용을 보장함을 보호법익으로 하는 범죄로서 공무원에 대하여 진실에 반하는 허위신고를 하여 공정증서원본 또는 이와 동일한 전자기록 등 특수매체기록에 그 증명하는 사항에 관하여 실체관계에 부합하지 아니하는 '부실(불실)의 사실'을 기재 또는 기록하게 함으로써 성립하므로, 여기서 '부실의 사실'이란 권리의무관계에 중요한 의미를 갖는 사항이 객관적인 진실에 반하는 것을 말한다.

[2] 부동산등기부에 기재되는 거래가액은 당해 부동산의 권리의무관계에 중요한 의미를 갖는 사항에 해당한다고 볼 수 없다. 따라서 부동산의 거래당사자가 거래가액을 시장 등에게 거짓으로 신고하여 신고필증을 받은 뒤 이를 기초로 사실과 다른 내용의 거래가액이 부동산등기부에 등재되도록 하였다면, '공인중개사의 업무 및 부동산 거래신고에 관한 법률'에 따른 과태료의 제재를 받게 됨은 별론으로 하고, 형법상의 공전자기록등불실기재죄 및 불실기재공전자기록등행사죄가 성립하지는 아니한다(대법원 2013.1.24. 2012도12363).

16 0559

2018 경찰 승진

다음 설명 중 옳은 것을 모두 고른 것은? (다툼이 있는 경우 판례에 의함)

> ㉠ 주식회사의 지배인이 자신을 그 회사의 대표이사로 표시하여 연대보증채무를 부담하는 취지의 회사 명의의 차용증을 작성한 경우에 그 문서에 일부 허위의 내용이 포함되어 있더라도 사문서위조죄를 구성하지 않는다.
> ㉡ 사문서에 2인 이상의 작성명의인이 있는 때에는 그 명의자 가운데 1인이 나머지 명의자와 합의 없이 행사할 목적으로 그 문서의 내용을 변경하더라도 사문서변조죄를 구성하지 않는다.
> ㉢ 휴대전화 신규 가입신청서를 위조한 후 이를 스캔한 이미지 파일을 제3자에게 이메일로 전송하여 컴퓨터 화면상으로 보게 한 행위는 위조사문서행사죄에 해당한다.
> ㉣ 사문서의 작성명의자의 인장이 압날되지 아니하고 주민등록번호가 기재되지 않았더라도, 일반인으로 하여금 그 작성명의자가 진정하게 작성한 사문서로 믿기에 충분할 정도의 형식과 외관을 갖추었으면 사문서위조죄 및 동행사죄의 객체가 되는 사문서에 해당한다.
> ㉤ '문서의 원본인지 여부'가 중요한 거래에서 문서의 사본을 진정한 원본인 것처럼 행사할 목적으로 문서의 원본을 다른 조작을 가함이 없이 그대로 컬러복사기로 복사한 후 복사한 문서의 사본을 원본인 것처럼 행사하였다면 사문서위조, 위조사문서행사죄에 해당하지 않는다.

① ㉡, ㉢ ② ㉠, ㉢, ㉣
③ ㉢, ㉣ ④ ㉡, ㉣, ㉤

지문분석

난이도 상 정답 ②

| 키 워 드 | 문서에 관한 죄
| 출제유형 | 조합하기

㉠ (○) **주식회사의 지배인이 권한을 남용하여 허위로 회사 명의의 문서를 작성한 경우, 사문서위조 또는 자격모용사문서작성죄에 해당하는지 여부: 부정**

[1] 원래 주식회사의 지배인은 회사의 영업에 관하여 재판상 또는 재판 외의 모든 행위를 할 권한이 있으므로, 지배인이 직접 주식회사 명의 문서를 작성하는 행위는 위조나 자격모용사문서작성에 해당하지 않는 것이 원칙이고, 이는 그 문서의 내용이 진실에 반하는 허위이거나 권한을 남용하여 자기 또는 제3자의 이익을 도모할 목적으로 작성된 경우에도 마찬가지이다.

[2] 주식회사의 지배인이 자신을 그 회사의 대표이사로 표시하여 연대보증채무를 부담하는 취지의 회사 명의의 차용증을 작성·교부한 경우, ⓐ 그 문서에 일부 허위 내용이 포함되거나, ⓑ 위 연대보증행위가 회사의 이익에 반하는 것이더라도 사문서위조 및 위조사문서행사에 해당하지 않는다(대법원 2010.5.13. 2010도1040).

㉢ (○) **위조문서행사죄에서 말하는 '행사'의 방법**

[1] 위조문서행사죄에 있어서 행사라 함은 위조된 문서를 진정한 문서인 것처럼 그 문서의 효용방법에 따라 이를 사용하는 것을 말한다.

[2] 위조된 문서를 ⓐ 제시, 또는 ⓑ 교부하거나, ⓒ 비치하여 열람할 수 있게 두거나, ⓓ 우편물로 발송하여 도달하게 하는 등 위조된 문서를 진정한 문서인 것처럼 사용하는 한 그 행사의 방법에 제한이 없다.

[3] ⓐ 위조된 문서 그 자체를 직접 상대방에게 제시하거나, ⓑ 이를 기계적인 방법으로 복사하여 그 복사본을 제시하는 경우는 물론, ⓒ 이를 모사전송의 방법으로 제시하거나, ⓓ 컴퓨터에 연결된 스캐너(scanner)로 읽어 들여 이미지화한 다음 이를 전송하여 컴퓨터 화면상에서 보게 하는 경우도 행사에 해당하여 위조문서행사죄가 성립한다.

[4] ⓐ 휴대전화 신규 가입신청서를 위조한 후, ⓑ 이를 스캔한 이미지 파일을 제3자에게 이메일로 전송한 경우, 이미지 파일 자체는 문서에 관한 죄의 '문서'에 해당하지 않으나, 이를 전송하여 컴퓨터 화면상으로 보게 한 행위는 이미 위조한 가입신청서를 행사한 것에 해당하므로 위조사문서행사죄가 성립한다(대법원 2008.10.23. 2008도5200).

㉣ (○) 대법원 1989.8.8. 88도2209
→ 일반인으로 하여금 그 작성명의자가 진정하게 작성한 사문서로 믿기에 충분할 정도의 형식과 외관을 갖추었으면 사문서위조죄 및 동행사죄의 객체가 되는 사문서라고 보아야 한다.

㉡ (×) 문서에 2인 이상의 작성명의인이 있는 때에 그 명의자의 한 사람이 타 명의자와 합의 없이 행사할 목적으로 그 문서의 내용을 변경하였을 때는 사문서변조죄가 성립된다(대법원 1977.7.12. 77도1736).

㉤ (×) 문서위조 및 동행사죄의 보호법익은 문서에 대한 공공의 신용이므로 '문서가 원본인지 여부'가 중요한 거래에 있어서 문서의 사본을 진정한 원본인 것처럼 행사할 목적으로 다른 조작을 가함이 없이 문서의 원본을 그대로 컬러복사기로 복사한 후 위와 같이 복사한 문서의 사본을 원본인 것처럼 행사한 행위는 사문서위조죄 및 동행사죄에 해당한다(대법원 2016.7.14. 2016도2081).

17 0560

2018 경찰 승진

'문서에 관한 죄'에 대한 설명으로 가장 적절한 것은? (다툼이 있는 경우 판례에 의함)

① 국립대학교 교무처장 명의의 '졸업증명서 파일'을 위조한 경우, 위 파일은 형법상의 문서에 해당한다.
② 공문서인 기안문서의 작성권한자가 직접 이에 서명하지 않고 피고인에게 지시하여 자기의 서명을 흉내내어 기안문서의 결재란에 대신 서명케 한 경우라면 작성권자의 지시 또는 승낙에 의한 것으로서 공문서위조죄의 위법성이 조각된다.
③ 원본파일의 변경까지 초래하지는 아니하였더라도 램에 올려진 전자기록에 허구의 내용을 권한 없이 수정입력한 경우, 사전자기록변작죄의 기수에 이르렀다.
④ 신주발행이 판결로써 무효로 확정되기 이전에 그 신주발행사실을 담당 공무원에게 신고하여 공정증서인 법인등기부에 기재하게 한 경우에는 그 행위가 공무원에 대하여 허위신고를 한 것이고, 그 기재 또한 불실기재에 해당한다.

지문분석 난이도 하 정답 ③

| 키 워 드 | 문서에 관한 죄
| 출제유형 | 옳은 지문 고르기

③ (O) 대법원 2003.10.9. 2000도4993
→ 수정입력의 시점에서 사전자기록변작죄의 기수이다.

① (X) **컴퓨터 모니터에 나타나는 이미지가 형법상 '문서'에 해당하는지 여부: 부정**
[1] 컴퓨터 모니터 화면에 나타나는 이미지는 이미지 파일을 보기 위한 프로그램을 실행할 경우에 그때마다 전자적 반응을 일으켜 화면에 나타나는 것에 지나지 않아서 계속적으로 화면에 고정된 것으로는 볼 수 없으므로, 형법상 문서에 관한 죄에 있어서의 문서에는 해당되지 않는다.
[2] 졸업증명서 파일은 그 파일을 보기 위하여 일정한 프로그램을 실행하여 모니터 등에 이미지 영상을 나타나게 하여야 하므로, 파일 그 자체는 형법상 문서에 관한 죄에 있어서의 문서에 해당되지 않는다(대법원 2010.7.15. 2010도6068).

② (X) **문서작성권한자의 지시 또는 승낙하에 그 서명을 대신한 경우 공문서위조죄의 성부: 부정**
[1] 공문서의 위조라 함은 행사할 목적으로 공무원 또는 공무소의 문서를 정당한 작성권한 없는 자가 작성권한 있는 자의 명의로 작성하는 것을 말한다.
[2] 공문서인 기안문서의 작성권한자가 직접 이에 서명하지 않고 피고인에게 지시하여 자기의 서명을 흉내내어 기안문서의 결재란에 대신 서명케 한 경우라면 피고인의 기안문서 작성행위는 작성권자의 지시 또는 승낙에 의한 것으로서 공문서위조죄의 구성요건해당성이 조각된다(대법원 1983.5.24. 82도1426).

④ (X) **신주발행이 판결로써 무효로 확정되기 이전에 그 신주발행사실을 담당 공무원에게 신고하여 법인등기부에 기재하게 한 경우, 공정증서원본불실기재죄에 해당하는지 여부: 부정**
주식회사의 신주발행의 경우 신주발행에 법률상 무효사유가 존재한다고 하더라도 그 무효는 신주발행무효의 소에 의해서만 주장할 수 있고, 신주발행무효의 판결이 확정되더라도 그 판결은 장래에 대하여만 효력이 있으므로(상법 제429조, 제431조 제1항), 그 신주발행이 판결로써 무효로 확정되기 이전에 그 신주발행사실을 담당 공무원에게 신고하여 공정증서인 법인등기부에 기재하게 하였다고 하여 그 행위가 공무원에 대하여 허위신고를 한 것이라거나 그 기재가 불실기재에 해당하는 것이라고 할 수는 없다(대법원 2007.5.31. 2006도8488).

18 0561 2017 경찰 승진

공정증서원본부실기재죄에 관한 설명 중 적절한 것을 모두 고른 것은? (다툼이 있는 경우 판례에 의함)

㉠ 부동산 매수인이 매도인과 사이에 부동산의 소유권이전에 관한 물권적 합의가 없는 상태에서, 소유권이전등기신청에 관한 대리권이 없이 단지 소유권이전등기에 필요한 서류를 보관하고 있을 뿐인 법무사를 기망하여 매수인 명의의 소유권이전등기를 신청하게 하여 그 등기가 완료된 경우, 이는 단지 소유권이전등기신청절차에 하자가 있는 것에 불과하여 공정증서원본부실기재죄가 성립하지 않는다.
㉡ 토지거래허가구역 안의 토지에 관하여 실제로는 매매계약을 체결하고서도 처음부터 토지거래허가를 잠탈하려는 목적으로 등기원인을 '증여'로 하여 소유권이전등기를 경료한 경우 공정증서원본부실기재죄가 성립한다.
㉢ 종중 소유의 토지를 자신의 개인 소유로 신고하여 토지대장에 올린 경우 공정증서원본부실기재죄가 성립한다.
㉣ 발행인과 수취인이 통모하여 진정한 어음채무 부담이나 어음채권 취득 의사 없이 단지 발행인의 채권자에게서 채권추심이나 강제집행을 받는 것을 회피하기 위하여 형식적으로만 약속어음의 발행을 가장한 후 공증인에게 마치 진정한 어음발행행위가 있는 것처럼 허위로 신고하여 어음공정증서원본을 작성·비치하게 한 경우에 공정증서원본부실기재 및 동행사죄가 성립한다.

① ㉠, ㉡　　② ㉠, ㉣
③ ㉡, ㉢　　④ ㉡, ㉣

지문분석 난이도 중 정답 ④

| 키 워 드 | 공정증서원본부실기재죄
| 출제유형 | 조합하기

㉡ (O) 대법원 2007.11.30. 2005도9922
→ 국토의 계획 및 이용에 관한 법률상의 토지거래허가구역 내의 토지에 대한 토지거래계약에서 처음부터 허가를 배제하거나 잠탈하는 내용의 계약을 체결한 경우에는 확정적으로 무효이고, 이에 터 잡은 소유권이전등기는 실체관계에 부합하지 아니하며, 이 사건 토지에 관하여 실제의 원인과 달리 '증여'를 원인으로 한 소유권이전등기를 경료시킬 의사의 합치가 있더라도, 위 등기를 한 것은 허위신고를 하여 공정증서원본에 불실의 사실을 기재하게 한 때에 해당한다고 할 것이다. 의사의 합치가 있었다는 이유로 무죄를 선고한 원심판결에는 위법이 있다고 한 판결이다.
㉣ (O) 대법원 2012.4.26. 2009도5786
→ 허위의 금전채권에 대하여 공정증서원본을 작성하게 한 경우 공정증서원본불실기재죄가 성립하는 것과 같이 허위의 어음채권에 대하여 약속어음공정증서원본을 작성하게 한 경우 공정증서원본불실기재죄의 성립을 인정한 판결이다.
㉠ (X) 부동산 매수인이 매도인과 사이에 부동산의 소유권이전에 관한 물권적 합의가 없는 상태에서, 소유권이전등기신청에 관한 대리권이 없이 단지 소유권이전등기에 필요한 서류를 보관하고 있을 뿐인 법무사를 기망하여 매수인 명의의 소유권이전등기를 신청하게 한 경우, 공정증서원본불실기재죄를 구성한다(대법원 2006.3.10. 2005도9402).
→ 공정증서원본 등에 기재된 사항이 존재하지 아니하거나 외관상 존재한다고 하더라도 무효에 해당하는 하자가 있다면 그 기재는 불실기재에 해당한다.
㉢ (X) 형법 제228조에서 말하는 공정증서란 권리의무에 관한 공정증서만을 가리키는 것이고 사실증명에 관한 것은 이에 포함되지 아니하므로 권리의무에 변동을 주는 효력이 없는 토지대장은 위에서 말하는 공정증서에 해당하지 아니한다(대법원 1988.5.24. 87도2696).

19 0562

2019 경찰 간부

다음 설명 중 옳은 것은 모두 몇 개인가? (다툼이 있는 경우 판례에 의함)

> 가. 사망한 乙의 단독상속인인 甲이 사망자 명의로 된 아파트에 대한 채권자의 강제집행을 면하기 위하여 乙이 증여한 사실이 없음에도 불구하고 증여를 원인으로 丙 명의의 소유권이전등기를 한 경우 공정증서원본부실기재죄 및 동행사죄가 성립한다.
> 나. 실제로는 채권·채무관계가 존재하지 아니함에도 허위의 주장입증으로 확정판결을 받아 법원의 촉탁에 의한 부실의 등기가 이루어진 경우 공정증서원본부실기재죄 및 동행사죄가 성립한다.
> 다. 강제집행을 면탈할 목적으로 허위채권을 만들어 합동법률사무소 명의의 공정증서를 작성한 경우, 공정증서원본부실기재죄가 성립한다.
> 라. 상업등기부는 공정증서원본에 해당한다.

① 1개 ② 2개
③ 3개 ④ 4개

지문분석

난이도 상 정답 ②

| 키 워 드 | 공정증서원본부실기재죄

| 출제유형 | 개수 찾기

다. (O) 대법원 2008.12.24. 2008도7836

라. (O) 대법원 2006.10.26. 2006도5147

가. (X) 등기의무자와 등기권리자간의 소유권이전등기신청의 합의에 따라 소유권이전등기가 된 이상, 등기의무자 명의의 소유권이전등기가 원인이 무효인 등기로서 피고인이 그 점을 알고 있었다고 하더라도, 특별한 사정이 없는 한 바로 등기부에 불실의 사실을 기재하게 하였다고 볼 것은 아니다(대법원 2011.7.14. 2010도1025).

나. (X) 공정증서원본불실기재죄에 있어서의 불실의 기재는 당사자의 허위신고에 의하여 이루어져야 하므로 법원의 촉탁에 의하여 이루어진 경우에는 가령 그 전제절차에 허위적 요소가 있다 하더라도 그것은 법원의 촉탁에 의하여 이루어진 것이지 당사자의 허위신고에 의하여 이루어진 것이 아니므로 공정증서원본불실기재죄를 구성하지 않는다(대법원 1983.12.27. 83도2442).

20 0563

2021 경찰 승진

문서에 관한 죄에 대한 설명으로 가장 적절하지 않은 것은? (다툼이 있는 경우 판례에 의함)

① 명의인이 실재하지 않는 허무인이거나 또는 문서의 작성일자 전에 이미 사망하였다고 하더라도 그러한 문서 역시 공공의 신용을 해할 위험성이 있으므로 문서위조죄의 객체가 되며, 이는 공문서뿐만 아니라 사문서의 경우에도 마찬가지이다.

② 문서가 원본인지 여부가 중요한 거래에서 문서의 사본을 진정한 원본인 것처럼 행사할 목적으로 다른 조작을 가함이 없이 문서의 원본을 그대로 컬러복사기로 복사한 후 복사한 문서의 사본을 원본인 것처럼 행사한 행위는 문서위조죄 및 동행사죄에 해당한다.

③ 간접정범을 통한 위조문서행사 범행에 있어 도구로 이용된 자라고 하더라도 문서가 위조된 것임을 알지 못하는 자에게 행사한 경우에는 위조문서행사죄가 성립한다.

④ 허위공문서작성의 주체는 직무상 그 문서를 작성할 권한이 있는 공무원에 한하므로 작성권한이 없는 기안담당 공무원 갑이 그 직위를 이용하여 행사할 목적으로 허위의 내용이 기재된 문서 초안을 그 정을 모르는 작성권한이 있는 상사에게 제출하여 결재하도록 하는 등의 방법으로 허위의 공문서를 작성하게 한 경우에는 갑에게 허위공문서작성죄의 간접정범이 성립하지 않는다.

지문분석

난이도 중 정답 ④

| 키 워 드 | 문서에 관한 죄

| 출제유형 | 틀린 지문 고르기

④ (X) 허위공문서작성의 주체는 직무상 그 문서를 작성할 권한이 있는 공무원에 한하고 작성권자를 보조하는 직무에 종사하는 공무원은 허위공문서작성죄의 주체가 되지 못한다. 다만, 공문서의 작성권한이 있는 공무원의 직무를 보좌하는 사람이 그 직위를 이용하여 행사할 목적으로 허위의 내용이 기재된 문서 초안을 그 정을 모르는 상사에게 제출하여 결재하도록 하는 등의 방법으로 작성권한이 있는 공무원으로 하여금 허위의 공문서를 작성하게 한 경우에는 허위공문서작성죄의 간접정범이 성립한다(대법원 2011.5.13. 2011도1415).

① (O) 대법원 2005.2.24. 2002도18 전원합의체

② (O) 대법원 2016.7.14. 2016도2081

③ (O) [1] 위조문서를 공범자 등에게 행사한 경우 위조문서행사죄가 성립하지 않지만, 간접정범을 통한 위조문서행사 범행에서 도구로 이용된 자에게 행사한 경우 위조문서행사죄가 성립한다.

[2] 피고인이 위조·변조한 공문서의 이미지 파일을 甲 등에게 이메일로 송부하여 프린터로 출력하게 함으로써 '행사'하였다는 내용으로 기소되었는데, 甲 등은 출력 당시 위 파일이 위조된 것임을 알지 못한 사안에서, 피고인의 행위는 위조·변조공문서행사죄를 구성한다(대법원 2012.2.23. 2011도14441).

21 0564

2021 경찰 간부

문서에 대한 설명으로 옳지 않은 것은? (다툼이 있는 경우 판례에 의함)

① 문서라 함은 문자 또는 이에 대신할 수 있는 가독적 부호로 계속적으로 물체상에 기재된 의사 또는 관념의 표시인 원본 또는 이와 사회적 기능, 신용성 등을 동일시할 수 있는 기계적 방법에 의한 복사본으로서 그 내용이 법률상, 사회생활상 주요사항에 관한 증거로 될 수 있는 것을 말한다.
② 컴퓨터 화면에 나타나는 이미지 파일은 프로그램을 실행할 때마다 전자적 반응을 일으켜 화면에 나타나는 것에 지나지 않아서 계속적으로 화면에 고정된 것으로는 볼 수 없으므로, 형법상 문서에 관한 죄에 있어서 '문서'에 해당되지 않는다.
③ 주민등록증의 이름·주민등록번호란에 글자를 오려붙인 후 이를 컴퓨터 스캔 장치를 이용하여 이미지 파일로 만들어 컴퓨터 모니터로 출력하는 한편 타인에게 이메일로 전송한 경우, 공문서위조 및 위조공문서행사죄를 구성하지 않는다.
④ 이미지 파일은 '문서'에 해당하지 않으므로, 휴대전화 가입신청서를 위조한 후 이를 스캔한 이미지 파일을 제3자에게 이메일로 전송하여 컴퓨터 화면상으로 보게 한 행위는 위조사문서행사죄를 구성하지 않는다.

지문분석 난이도 중 정답 ④

| 키 워 드 | 문서

| 출제유형 | 틀린 지문 고르기

④ (X) 휴대전화 신규 가입신청서를 위조한 후 이를 스캔한 이미지 파일을 제3자에게 이메일로 전송한 사안에서, 이미지 파일 자체는 문서에 관한 죄의 '문서'에 해당하지 않으나, 이를 전송하여 컴퓨터 화면상으로 보게 한 행위는 이미 위조한 가입신청서를 행사한 것에 해당하므로 위조사문서행사죄가 성립한다(대법원 2008.10.23. 2008도5200).
① (O) 대법원 2006.1.26. 2004도788
② (O) 대법원 2008.4.10. 2008도1013
③ (O) 대법원 2007.11.29. 2007도7480

4 인장에 관한 죄

22 0565

2020 경찰 간부

다음 설명 중 옳은 것과 옳지 않은 것이 바르게 표시된 것은? (다툼이 있는 경우 판례에 의함)

가. 甲이 타인 행세를 하며 피의자로서 조사를 받은 다음 경찰관에 의하여 작성된 피의자신문조서의 말미에 타인의 서명 및 무인을 하고 타인의 이름이 기재된 수사과정확인서에 무인을 한 경우 甲에게는 사서명 등 위조죄 및 동행사죄가 인정된다.
나. 위조인장행사죄에 있어서 행사라 함은 위조된 인장을 진정한 것처럼 용법에 따라 사용하는 행위를 말한다 할 것이므로 위조된 인영을 타인에게 열람할 수 있는 상태에 두거나 위조된 인과 그 자체를 타인에게 교부하는 경우에 성립한다.
다. 사인위조죄는 그 명의인의 의사에 반하여 위법하게 행사할 목적으로 권한 없이 타인의 인장을 위조한 경우에 성립하므로, 타인의 인장을 조각할 당시에 그 명의자로부터 명시적이거나 묵시적인 승낙 내지 위임을 받았다면 인장위조죄는 성립하지 않는다.
라. 어떤 문서에 권한 없는 자가 타인의 서명 등을 기재하는 경우에는 그 문서가 완성되기 전이라도 일반인으로서는 그 문서에 기재된 타인의 서명 등을 그 명의인의 진정한 서명으로 오신할 수 있으므로, 일단 서명 등이 완성된 이상 문서가 완성되지 아니한 경우에도 서명 등의 위조죄는 성립한다.
마. 아파트 동대표로 당선된 甲이 사실은 대학을 졸업하지 않았음이 사립대학 교무처장 명의로 된 학력조회 회보서를 통해 확인되자 아파트 주민대표회 간부들이 甲의 허위학력 사실을 아파트 주민들에게 공고문 형식으로 알리면서 그 공고문의 신뢰성 제고를 위해 공고문 안에 대학 교무처장 명의의 직인을 함께 나타낸 경우에는 사인위조죄가 성립한다.

① 가 (O), 나 (O), 다 (X), 라 (X), 마 (O)
② 가 (X), 나 (O), 다 (X), 라 (O), 마 (X)
③ 가 (X), 나 (O), 다 (O), 라 (X), 마 (O)
④ 가 (O), 나 (X), 다 (O), 라 (O), 마 (O)

지문분석 난이도 ㉦ 정답 ④

| 키 워 드 | 인장에 관한 죄

| 출제유형 | 옳고 그름의 표시(O, X)하기

가. (O) 대법원 2011.3.10. 2011도503

나. (X) 형법 제239조 제2항의 위조인장행사죄에 있어서 행사라 함은 위조된 인장을 진정한 것처럼 용법에 따라 사용하는 행위를 말한다 할 것이므로 위조된 인영을 타인에게 열람할 수 있는 상태에 두든지, 인과의 경우에는 날인하여 일반인이 열람할 수 있는 상태에 두면 그것으로 행사가 되는 것이고, 위조된 인과 그 자체를 타인에게 교부한 것만으로는 위조인장행사죄를 구성한다고 할 수 없다(대법원 1984.2.28. 84도90).

다. (O) 대법원 2014.9.26. 2014도9213

라. (O) 사서명 등 위조죄가 성립하기 위하여는 그 서명 등이 일반인으로 하여금 특정인의 진정한 서명 등으로 오신하게 할 정도에 이르러야 할 것이고, 일반인이 특정인의 진정한 서명 등으로 오신하기에 충분한 정도인지 여부는 그 서명 등의 형식과 외관, 작성경위 등을 고려하여야 할 뿐만 아니라 그 서명 등이 기재된 문서에 있어서의 서명 등 기재의 필요성, 그 문서의 작성경위, 종류, 내용 및 일반거래에 있어서 그 문서가 가지는 기능 등도 함께 고려하여 판단하여야 할 것이다. 한편, 어떤 문서에 권한 없는 자가 타인의 서명 등을 기재하는 경우에는 그 문서가 완성되기 전이라도 일반인으로서는 그 문서에 기재된 타인의 서명 등을 그 명의인의 진정한 서명 등으로 오신할 수도 있으므로, 일단 서명 등이 완성된 이상 문서가 완성되지 아니한 경우에도 서명 등의 위조죄는 성립한다(대법원 2011.3.10. 2011도503).

마. (O) 아파트 주민대표회 간부들이, 동대표로 당선된 공소외 甲이 사실은 대학을 졸업하지 않았음이 사립대학 교무처장 명의로 된 학력조회 회보서를 통해 확인되자, 甲의 허위학력 사실을 아파트 주민들에게 공고문 형식으로 알리면서 그 공고문의 신뢰성 제고를 위해 공고문 안에 대학 교무처장 명의의 직인을 함께 나타내어 사(私)인장인 위 직인을 위조하였다는 공소사실에 대하여, 이 사건 공고문에 현출된 '고려대학교 교무처장' 직인은 일반인으로 하여금 진정한 직인으로 오신하게 할 정도에 이르렀다고 할 것임에도, 위 직인을 대학 교무처장의 정당한 인장인 것처럼 가장하기 위해서 현출하였다거나 위 직인을 위조하여 행사할 의사가 있었다고 볼 수는 없다고 판단한 원심판결에 사인위조죄의 성립 요건에 관한 법리오해의 위법이 있다(대법원 2010.1.14. 2009도5929).

CHAPTER

03 사회의 도덕에 대한 죄

■ 기본서 연계페이지: p.1008~1020 ■ 문항 수: 3문항

1 성풍속에 관한 죄

01 0566

2018 경찰 승진

'성풍속 및 도박에 관한 죄'에 대한 설명으로 가장 적절하지 않은 것은? (다툼이 있는 경우 판례에 의함)

① 고속도로에서 앞서가던 차량이 진로를 비켜주지 않는다는 이유로 그 차를 추월하여 정차하게 한 다음, 주위에 사람이 많은 가운데 옷을 모두 벗고 성기를 노출시킨 상태로 바닥에 드러눕거나 돌아다녔다면 공연음란죄가 성립한다.

② 인터넷사이트에 집단 성행위 목적의 비공개카페를 개설, 운영한 자가 남녀 회원을 모집한 후 특별모임을 빙자하여 집단으로 성행위를 하고 그 촬영물이나 사진 등을 카페에 게시한 경우, 음란물을 공연히 전시한 것에 해당하지 않는다.

③ 피고인들은 서로 친숙하게 지내온 사이로서 이 사건 당일 우연히 다방에서 만나게 되어 약 3,000원 상당의 음식내기 화투놀이를 약 30분 동안 한 사실은 도박죄를 구성하지 않는다.

④ 인터넷 고스톱게임 사이트를 유료화하는 과정에서 사이트를 홍보하기 위하여 고스톱대회를 개최하면서 참가자들로부터 참가비를 받고 입상자들에게 상금을 지급한 행위는 도박장소 등 개설죄를 구성한다.

지문분석 난이도 하 정답 ②

| 키 워 드 | 성풍속 및 도박에 관한 죄

| 출제유형 | 틀린 지문 고르기

② (X) 인터넷사이트에 집단 성행위 목적의 카페를 운영하는 자가 남녀 회원을 모집한 후 특별모임을 빙자하여 집단으로 성행위를 하고 그 촬영물이나 사진 등을 카페에 게시한 경우, 위 카페의 회원수에 비추어 위 게시행위가 음란물을 공연히 전시한 것에 해당한다(대법원 2009.5.14. 2008도10914).

→ 정보통신망 이용촉진 및 정보보호 등에 관한 법률상의 음란물전시에 해당한다.

① (O) 대법원 2000.12.22. 2000도4372

③ (O) 대법원 1984.4.10. 84도194

→ 3,000원 상당의 음식내기 화투놀이는 일시 오락의 정도에 불과하여 도박죄를 구성하지 않는다는 판결이다.

④ (O) 대법원 2002.4.12. 2001도5802

2 도박과 복표에 관한 죄

02 0567

2016 경찰 승진

도박죄에 관한 설명 중 가장 적절하지 않은 것은? (다툼이 있으면 판례에 의함)

① 사기도박과 같이 도박당사자의 일방이 사기의 수단으로써 승패의 수를 지배하는 경우에는 도박에서의 우연성이 결여되어 사기죄만 성립하고 도박죄는 별도로 성립하지 않는다.

② 도박장소등개설죄는 영리의 목적으로 스스로 주재자가 되어 그 지배하에 도박 장소를 개설함으로써 성립하는 것이며, 영리를 목적으로 도박을 개장하면 기수에 이르고, 현실로 도박이 행하여졌음을 묻지 않는다.

③ 도박행위를 처벌하지 않는 외국 카지노에서의 내국인의 도박에 대해서는, 내국인의 폐광지역 카지노출입을 허용하는 국내법을 유추적용하여 위법성이 조각되는 것으로 보아야 한다.

④ 도박의 습벽이 있는 자가 타인의 도박을 방조하면 상습도박방조의 죄가 성립한다.

지문분석 난이도 중 정답 ③

| 키 워 드 | 도박죄

| 출제유형 | 틀린 지문 고르기

③ (X) 국가 정책적 견지에서 도박죄의 보호법익보다 좀더 높은 국가이익을 위하여 예외적으로 내국인의 출입을 허용하는 폐광지역개발지원에관한특별법 등에 따라 카지노에 출입하는 것은 법령에 의한 행위로 위법성이 조각된다고 할 것이나, 도박죄를 처벌하지 않는 외국 카지노에서의 도박이라는 사정만으로 그 위법성이 조각된다고 할 수 없다(대법원 2004.4.23. 2002도2518).

→ 형법 제3조(속인주의)가 적용된다.

① (O) 대법원 2011.1.13. 2010도9330

→ 이른바 '사기도박'의 경우 사기죄 외에 도박죄가 별도로 성립하지 않는다.

② (O) 피고인이 단순히 가맹점만을 모집한 상태에서 도박게임 프로그램을 시험가동한 정도에 그친 것이 아니라, 가맹점을 모집하여 인터넷 도박게임이 가능하도록 시설 등을 설치하고 도박게임 프로그램을 가동하던 중 문제가 발생하여 더 이상의 영업으로 나아가지 못한 것으로 볼 여지가 있다면 이로써 도박개장죄는 이미 '기수'에 이르렀다고 볼 수 있고, 나아가 피고인이 모집한 피씨방의 업주들이 그곳을 찾은 이용자들에게 피고인이 개설한 도박게임 사이트에 접속하여 도박을 하게 한 사실이 없다고 하여 도박개장죄의 성립이 부정된다고 할 수 없다(대법원 2009.12.10. 2008도5282).

→ 도박개장죄는 영리의 목적으로 도박을 개장하면 기수에 이르고, 현실로 도박이 행하여졌음은 묻지 않는다.

④ (○) [1] 상습도박의 죄나 상습도박방조의 죄에 있어서의 상습성은 행위의 속성이 아니라 행위자의 속성으로서 도박을 반복해서 거듭하는 습벽을 말한다.

[2] ㉠ 도박의 습벽이 있는 자가 타인의 도박을 방조하면 상습도박방조의 죄에 해당하는 것이며, ㉡ 도박의 습벽이 있는 자가 도박을 하고 또 도박방조를 하였을 경우 상습도박방조의 죄는 무거운 상습도박의 죄에 포괄시켜 1죄로서 처단하여야 한다(대법원 1984.4.24. 84도195).

3 신앙에 관한 죄

03 0568 2018 경찰 2차

다음 설명 중 옳고 그름의 표시(O, X)가 바르게 된 것은? (다툼이 있는 경우 판례에 의함)

㉠ 범행을 은폐할 목적으로 피해자의 시신을 화장하였더라도 일반 화장절차에 따라 장제의 의례를 갖추었다면 사체유기죄가 성립하지 아니한다.

㉡ 법률, 계약 또는 조리상 사체에 대한 장제 또는 감호의 의무가 없는 자도 장소적 이전을 함이 없이 소극적으로 단순히 사체를 방치함으로써 사체유기죄를 범할 수 있다.

㉢ 살인 등의 목적으로 사람을 살해한 자가 살해의 목적을 수행할 때 사후 사체의 발견을 심히 곤란하게 하려는 의도로 인적이 드문 장소로 피해자를 유인하여 그곳에서 살해하고 사체를 그대로 두고 도주한 경우에는 살인죄 외에 별도로 사체은닉죄가 성립한다.

㉣ 질병으로 의사의 치료를 받아 오다가 약효가 없어 사망하여 그 사인이 명백한 자라도 그 사체에 대한 검시를 방해하는 것은 변사체검시방해죄를 구성한다.

① ㉠ (○), ㉡ (○), ㉢ (X), ㉣ (X)
② ㉠ (○), ㉡ (X), ㉢ (X), ㉣ (X)
③ ㉠ (X), ㉡ (X), ㉢ (○), ㉣ (○)
④ ㉠ (○), ㉡ (X), ㉢ (X), ㉣ (○)

지문분석 난이도 상 정답 ②

| 키 워 드 | 신앙에 관한 죄

| 출제유형 | 옳고 그름의 표시(O, X)하기

㉠ (○) 대법원 1998.3.10. 98도51

㉡ (X) 사체유기죄는 ⓐ 법률, 계약 또는 조리상 사체를 장제 또는 감호할 의무가 있는 자가 이를 방치하거나, ⓑ 그 의무 없는 자가 그 장소적 이전을 하면서 종교적·사회적 풍습에 따른 의례에 의하지 아니하고 이를 방기함을 요한다고 할 것인데 이 사건에 있어서 피고인은 조리상 사체를 장제 또는 감호할 의무가 있는 것도 아니고 사체에 대하여 어떠한 장소적 이전을 한 것도 아니어서 그 소위만으로는 사체를 유기한 것으로는 볼 수 없다(대법원 1986.6.24. 86도891).

㉢ (X) 형법 제161조의 사체은닉이라 함은 사체의 발견을 불가능 또는 심히 곤란하게 하는 것을 구성요건으로 하고 있으나 살인, 강도살인 등의 목적으로 사람을 살해한 자가 그 살해의 목적을 수행함에 있어 사후 사체의 발견이 불가능 또는 심히 곤란하게 하려는 의사로 인적이 드문 장소로 피해자를 유인하거나 실신한 피해자를 끌고가서 그곳에서 살해하고 사체를 그대로 둔 채 도주한 경우에는 비록 결과적으로 사체의 발견이 현저하게 곤란을 받게 되는 사정이 있다 하더라도 별도로 사체은닉죄가 성립되지 아니한다(대법원 1986.6.24. 86도891).

㉣ (X) 형법 제163조의 변사자라 함은 부자연한 사망으로서 그 사인이 분명하지 않은 자를 의미하고 그 사인이 명백한 경우는 변사자라 할 수 없으므로, 범죄로 인하여 사망한 것이 명백한 자의 사체는 같은 법조 소정의 변사체검시방해죄의 객체가 될 수 없다(대법원 2003.6.27. 2003도1331).

형법각론

PART 03

국가적 법익에 대한 죄

기출키워드

01 국가의 존립과 권위에 대한 죄	• 내란의 죄 • 외환의 죄 • 국기에 관한 죄
02 국가의 기능에 대한 죄	• 공무원의 직무에 관한 죄 • 뇌물에 관한 죄 • 공무방해에 관한 죄 • 도주와 범인은닉의 죄 • 위증과 증거인멸의 죄 • 무고의 죄

CHAPTER 01 국가의 존립과 권위에 대한 죄

CHAPTER 02 국가의 기능에 대한 죄

문제풀이 전략

01 국가의 존립과 권위에 대한 죄	• 내란의 죄, 외환의 죄와 관련된 판례의 기본적인 내용들을 파악하고 있어야 합니다.
02 국가의 기능에 대한 죄	• 공무방해에 관한 죄가 매회 출제되고 있으므로 해당 부분의 꼼꼼한 학습이 필요합니다. • 공무집행방해죄, 위계에 의한 공무집행방해죄에 대한 판례를 학습해야 합니다.

CHAPTER

01 국가의 존립과 권위에 대한 죄

▪ 기본서 연계페이지: p.1030~1042 ▪ 문항 수: 2문항

1 외환의 죄

01 0569

2013 경찰 2차

다음은 간첩죄에 대한 설명이다. 가장 적절하지 않은 것은?
(다툼이 있는 경우 판례에 의함)

① 형법 제98조 제1항의 간첩이라 함은 적국을 위하여 적국의 지령 사주 기타 의사의 연락하에 군사상 기밀사항 또는 도서 물건을 탐지·수집하는 것을 의미하는 것이므로 북괴의 지령 사주 기타의 의사의 연락 없이 편면적으로 지득하였던 군사상의 기밀사항을 북괴에 납북된 상태하에서 제보한 행위는 위 법조 소정의 간첩죄에 해당하지 아니한다.
② 간첩으로서 군사기밀을 탐지·수집하면 그로써 간첩행위는 기수가 되고 그 수집한 자료가 지령자에게 도달됨으로써 범죄의 기수가 되는 것은 아니다.
③ 직무에 관하여 군사상 기밀을 지득한 자가 이를 적국에 누설한 경우에는 형법 제98조 제2항(군사상의 기밀누설죄)에, 직무와 관계없이 지득한 군사상 기밀을 적국에 누설한 경우에는 형법 제99조(일반이적죄)에 각 해당한다.
④ 간첩죄를 범한 자가 그 탐지·수집한 기밀을 누설한 경우는 간첩죄와 군사기밀누설죄 등 두 가지 죄를 범한 것으로 인정할 수 있다.

지문분석 난이도 하 정답 ④

| 키 워 드 | 간첩죄
| 출제유형 | 틀린 지문 고르기

④ (X) 형법 제98조 제1항의 간첩죄를 범한 자가 그 탐지 수집한 기밀을 누설한 경우나 구 국가보안법 제3조 제1호의 국가기밀을 탐지 수집한 자가 그 기밀을 누설한 경우에는 양 죄를 포괄하여 1죄를 범한 것으로 보아야 하고, 간첩죄와 군사기밀누설죄 또는 국가기밀탐지수집죄와 국가기밀누설 등 두 가지 죄를 범한 것으로 인정할 수 없다(대법원 1982.4.27. 82도285).
① (O) 형법 제98조 제1항의 간첩이라 함은 적국을 위하여 적국의 지령 사주 기타 의사의 연락하에 군사상(총력전하에서는 정치 경제, 사회, 문화에 관한 분야를 포함한 광의로 해석하여야 할 것임) 기밀사항 또는 도서 물건을 탐지 모집하는 것을 의미하는 것이므로 북괴의 지령 사주 기타의 의사의 연락 없이 단편적으로 지득하였던 군사상의 기밀사항을 북괴에 납북된 상태하에서 제보한 행위는 위 법조 소정의 간첩죄에 해당하지 아니하고 다만 반공법 제4조 제1항 소정의 반국가단체를 이롭게 하는 행위에 해당한다(대법원 1975.9.23. 75도1773).
② (O) 형법 제98조 제1항에서 간첩이라 함은 적국에 제보하기 위하여 은밀한 방법으로 우리나라의 군사상은 물론 정치, 경제, 사회, 문화, 사상 등 기밀에 속한 사항 또는 도서, 물건을 탐지·수집하는 것을 말하고, 간첩행위는 기밀에 속한 사항 또는 도서, 물건을 탐지·수집한 때에 기수가 되므로 간첩이 이미 탐지·수집하여 지득하고 있는 사항을 타인에게 보고·누설하는 행위는 간첩의 사후행위로서 위 조항에 의하여 처단의 대상이 되는 간첩행위 자체라고 할 수 없다(대법원 2011.1.20. 2008재도11 전원합의체).
③ (O) ㉠ 직무에 관하여 군사상 기밀을 지득한 자가 이를 적국에 누설한 경우에는 형법 제98조 제2항(군사상의 기밀누설죄)에, ㉡ 직무와 관계없이 지득한 군사상 기밀을 적국에 누설한 경우에는 형법 제99조(일반이적죄)에 각 해당한다(대법원 1982.11.23. 82도2201).

02 0570 2019 경찰 간부

간첩죄 등에 대한 설명 중 가장 옳은 것은? (다툼이 있는 경우 판례에 의함)

① 간첩방조죄는 간첩죄에 비하여 형을 감경한다.
② 간첩행위를 할 목적으로 외국 또는 북한에서 국내에 침투·상륙한 때에 간첩죄의 실행의 착수가 있다.
③ 편면적으로 지득하였던 군사상의 기밀사항을 제보한 행위도 간첩죄에 해당한다.
④ 국가기밀과 관련해 국내에서 공지에 속하거나 국민에게 널리 알려진 사실도 국가기밀이 될 수 있다.

지문분석 난이도 중 정답 ②

| 키 워 드 | 간첩죄
| 출제유형 | 옳은 지문 고르기

② (○) 대법원 1984.9.11. 84도1381
① (X) 형법 제98조 제1항의 간첩방조죄는 정범인 간첩죄와 대등한 독립죄로서 간첩죄와 동일한 법정형으로 처단하게 되어 있어 형법 총칙 제32조 소정의 감경대상이 되는 종범과는 그 실질이 달라 종범감경을 할 수 없는 것이므로 그 가중규정인 국가보안법 제4조 제1항 제2호의 반국가단체의 간첩방조죄에 대하여도 그 정범인 반국가단체의 간첩죄와 동일한 법정형으로 처단하여야 하고 종범감경을 할 수 없다(대법원 1986.9.23. 86도1429).
③ (X) 형법 제98조 제1항의 간첩이라 함은 적국을 위하여 적국과 지령 사주 기타 의사의 연락하에 군사상(총력전하에서는 정치 경제 사회 문화에 관한 분야를 포함한 광의로 해석하여야 할 것임)의 기밀사항 또는 도서 물건을 탐지 수집하는 것을 의미하는 것이므로 이 사건에 있어서와 같이 피고인이 북괴의 지령 사주 기타의 의사의 연락이 없이 편면적으로 지득하였던 군사상의 기밀사항을 북괴에 납북된 상태하에서 제보한 위적시행위는 형법 제98조 제1항의 간첩죄에 해당하지 아니하고 다만 반공법 제4조 제1항 소정의 반국가단체를 이롭게 하는 행위에나 해당한다고 볼 수 있을 것이다(대법원 1975.9.23. 75도1773).
④ (X) 현행 국가보안법 제4조 제1항 제2호 (나)목에 정한 기밀을 해석함에 있어서 그 기밀은 정치, 경제, 사회, 문화 등 각 방면에 관하여 반국가단체에 대하여 비밀로 하거나 확인되지 아니함이 대한민국의 이익이 되는 모든 사실, 물건 또는 지식으로서, 그것들이 국내에서의 적법한 절차 등을 거쳐 이미 일반인에게 널리 알려진 공지의 사실, 물건 또는 지식에 속하지 아니한 것이어야 하고, 또 그 내용이 누설되는 경우 국가의 안전에 위험을 초래할 우려가 있어 기밀로 보호할 실질가치를 갖춘 것이어야 한다(대법원 1997.7.16. 97도985 전원합의체).

CHAPTER 02 국가의 기능에 대한 죄

■ 기본서 연계페이지: p.1048~1129 ■ 문항 수: 46문항

1 공무원의 직무에 관한 죄

01 0571

2021 경찰 1차

다음의 ㉠부터 ㉣까지의 설명 중 옳고 그름의 표시(O, X)가 모두 바르게 된 것은? (다툼이 있는 경우 판례에 의함)

㉠ 직권남용 행위의 상대방이 공무원이거나 법령에 따라 일정한 공적 임무를 부여받고 있는 공공기관 등의 임직원인 경우에는 법령에 따라 임무를 수행하는 지위에 있으므로 그가 직권에 대응하여 어떠한 일을 한 것이 의무 없는 일인지 여부는 관계 법령 등의 내용에 따라 개별적으로 판단하여야 한다.

㉡ 공무원이 자신의 직무와 관련된 상대방에게 공무원 자신 또는 자신이 지정한 제3자를 위하여 재산적 이익 등의 제공을 요구하고 상대방은 어떠한 이익을 기대하며 그에 대한 대가로 요구에 응하였다면, 다른 사정이 없는 한 협박을 요건으로 하는 강요죄가 성립하지 않는다.

㉢ 공무원이 자신의 직무권한에 속하는 사항에 관하여 실무 담당자로 하여금 그 직무집행을 보조하는 사실행위를 하도록 하였다면, 이는 원칙적으로 직권남용권리행사방해죄에서 말하는 '의무 없는 일을 하게 한 때'에 해당한다.

㉣ 학대죄는 자기의 보호 또는 감독을 받는 사람에게 육체적으로 고통을 주거나 정신적으로 차별대우를 하는 행위가 있음과 동시에 범죄가 완성되는 상태범 또는 즉시범이다.

① ㉠ (O), ㉡ (O), ㉢ (X), ㉣ (O)
② ㉠ (O), ㉡ (X), ㉢ (X), ㉣ (X)
③ ㉠ (X), ㉡ (O), ㉢ (O), ㉣ (O)
④ ㉠ (O), ㉡ (O), ㉢ (X), ㉣ (X)

지문분석 난이도 ⓗ 정답 ①

| 키 워 드 | 공무원의 직무에 관한 죄

| 출제유형 | 옳고 그름의 표시(O, X)하기

㉠ (O) 직권남용 행위의 상대방이 일반 사인인 경우 특별한 사정이 없는 한 직권에 대응하여 따라야 할 의무가 없으므로 그에게 어떠한 행위를 하게 하였다면 '의무 없는 일을 하게 한 때'에 해당할 수 있다. 그러나 상대방이 공무원이거나 법령에 따라 일정한 공적 임무를 부여받고 있는 공공기관 등의 임직원인 경우에는 법령에 따라 임무를 수행하는 지위에 있으므로 그가 직권에 대응하여 어떠한 일을 한 것이 의무 없는 일인지 여부는 관계 법령 등의 내용에 따라 개별적으로 판단하여야 한다(대법원 2020.1.30. 2018도2236 전원합의체).

㉡ (O) 대법원 2019.8.29. 2018도13792 전원합의체

㉢ (X) 공무원이 자신의 직무권한에 속하는 사항에 관하여 실무 담당자로 하여금 직무집행을 보조하는 사실행위를 하도록 하더라도 이는 공무원 자신의 직무집행으로 귀결될 뿐이므로 원칙적으로 의무 없는 일을 하게 한 때에 해당한다고 할 수 없다. 그러나 직무집행의 기준과 절차가 법령에 구체적으로 명시되어 있고 실무 담당자에게도 직무집행의 기준을 적용하고 절차에 관여할 고유한 권한과 역할이 부여되어 있다면 실무 담당자로 하여금 그러한 기준과 절차를 위반하여 직무집행을 보조하게 한 경우에는 '의무 없는 일을 하게 한 때'에 해당한다(대법원 2020.1.9. 2019도11698).

㉣ (O) 대법원 1986.7.8. 84도2922

02 0572 2020 경찰 2차

국가의 기능에 대한 죄의 설명으로 가장 적절하지 않은 것은? (다툼이 있는 경우 판례에 의함)

① 직무유기죄는 공무원이 정당한 이유 없이 그 직무수행을 거부하거나 그 '직무를 유기한 때'에 성립하며, 직무집행의 의사로 자신의 직무를 수행한 경우라도 그 직무집행의 내용이 위법한 것으로 평가된다면 직무유기죄가 성립한다.
② 검찰의 고위간부가 특정 사건에 대한 수사가 계속 중인 상태에서 해당 사안에 관한 수사책임자의 잠정적인 판단 등 수사팀의 내부 상황을 확인한 뒤 그 내용을 수사 대상자 측에 전달한 행위는 공무상 비밀누설에 해당한다.
③ 형식적·외형적으로는 직무집행으로 보이나 실질적으로는 정당한 권한 외의 행위를 한 경우도 직권남용권리행사방해죄에 해당한다.
④ 공무원이 직무와 관련하여 뇌물수수를 약속하고 퇴직 후 이를 수수하는 경우에는, 뇌물약속과 뇌물수수가 시간적으로 근접하여 연속되어 있다고 하더라도, 뇌물수수죄는 성립하지 않는다.

지문분석 난이도 하 정답 ①

| 키 워 드 | 국가의 기능에 대한 죄
| 출제유형 | 틀린 지문 고르기

① (X) 형법 제122조에서 정하는 직무유기죄에서 '직무를 유기한 때'란 공무원이 법령, 내규 등에 의한 추상적 성실의무를 태만히 하는 일체의 경우에 성립하는 것이 아니라 직장의 무단이탈, 직무의 의식적인 포기 등과 같이 국가의 기능을 저해하고 국민에게 피해를 야기시킬 가능성이 있는 경우를 가리킨다. 그리하여 일단 직무집행의 의사로 자신의 직무를 수행한 경우에는 직무집행의 내용이 위법한 것으로 평가된다는 점만으로 직무유기죄의 성립을 인정할 것은 아니고, 공무원이 태만·분망 또는 착각 등으로 인하여 직무를 성실히 수행하지 아니한 경우나 형식적으로 또는 소홀히 직무를 수행한 탓으로 적절한 직무수행에 이르지 못한 것에 불과한 경우에도 직무유기죄는 성립하지 아니한다(대법원 2014.4.10. 2013도229).
② (O) 대법원 2007.6.14. 2004도5561
③ (O) 대법원 2011.7.28. 2011도1739
④ (O) 대법원 2010.10.14. 2010도387

03 0573 2019 경찰 1차

공무원의 직무에 관한 죄에 대한 설명 중 가장 적절하지 않은 것은? (다툼이 있는 경우 판례에 의함)

① 뇌물은 직무에 관한 행위의 대가로서의 불법한 이익을 말하므로 직무와 관련 없이 단순히 사교적인 예의로서 하는 증여는 뇌물이라고 할 수 없으나, 직무행위와의 대가관계가 인정되는 경우에는 비록 사교적 예의의 명목을 빌더라도 뇌물성을 부정할 수 없다.
② 직무유기죄에 있어 그 직무를 유기한 때라 함은 공무원이 법령, 내규 등에 의한 추상적인 충근의무를 태만히 하는 일체의 경우를 말한다.
③ 공무상비밀누설죄는 기밀 그 자체를 보호하는 것이 아니라 공무원의 비밀엄수의무의 침해에 의하여 위험하게 되는 이익, 즉 비밀의 누설에 의하여 위협받는 국가의 기능을 보호하기 위한 것이다.
④ 직권남용권리행사방해죄에 있어 '직권남용'이란 공무원이 그 일반적 직무권한에 속하는 사항에 관하여 직권의 행사에 가탁하여 실질적, 구체적으로 위법·부당한 행위를 하는 경우를 의미한다.

지문분석 난이도 중 정답 ②

| 키 워 드 | 공무원의 직무에 관한 죄
| 출제유형 | 틀린 지문 고르기

② (X) 직무유기죄는 구체적으로 그 직무를 수행하여야 할 작위의무가 있는데도 불구하고 이러한 직무를 버린다는 인식하에 그 작위의무를 수행하지 아니함으로써 성립하는 것이고, 또 그 직무를 유기한 때라 함은 공무원이 법령, 내규 등에 의한 추상적인 충근의무를 태만히 하는 일체의 경우를 이르는 것이 아니고, 직장의 무단이탈, 직무의 의식적인 포기 등과 같이 그것이 국가의 기능을 저해하며 국민에게 피해를 야기시킬 가능성이 있는 경우를 말하는 것이다(대법원 1997.4.22. 95도748).
① (O) 대법원 1999.7.23. 99도390
③ (O) 대법원 2018.2.13. 2014도11441
④ (O) 대법원 2009.1.30. 2008도6950

04 0574

2021 경찰 승진

직무유기죄에 대한 설명으로 가장 적절하지 않은 것은? (다툼이 있으면 판례에 의함)

① 교육기관·교육행정기관·지방자치단체 또는 교육연구기관의 장이 징계의결을 집행하지 못할 법률상·사실상의 장애가 없는데도 징계의결서를 통보받은 날로부터 법정 시한이 지나도록 집행을 유보하는 모든 경우에 직무유기죄가 성립한다.

② 당직사관으로 주번근무를 하던 육군 중위가 당직근무를 함에 있어서 훈육관실에서 학군사관후보생 2명과 함께 술을 마시고 내무반에서 학군사관후보생 2명 및 애인 등과 함께 화투놀이를 한 다음 애인과 함께 자고 난 뒤 교대할 당직근무자에게 당직근무의 인계, 인수도 하지 아니한 채 퇴근하였다면 직무유기죄가 성립한다.

③ 직무유기라 함은 공무원이 법령, 내규 등에 의한 추상적인 충근의무를 태만히 하는 일체의 경우를 이르는 것이 아니고, 직장의 무단이탈, 직무의 의식적인 포기 등과 같이 그것이 국가의 기능을 저해하며 국민에게 피해를 야기시킬 가능성이 있는 경우를 말한다.

④ 경찰관이 불법체류자의 신병을 출입국관리사무소에 인계하지 않고 훈방하면서 이들의 인적사항조차 기재해 두지 아니하였다면 직무유기죄가 성립한다.

지문분석 난이도 중 정답 ①

| 키 워 드 | 직무유기죄

| 출제유형 | 틀린 지문 고르기

① (X) 교육기관·교육행정기관·지방자치단체 또는 교육연구기관의 장이 징계의결을 집행하지 못할 법률상·사실상의 장애가 없는데도 징계의결서를 통보받은 날로부터 법정 시한이 지나도록 집행을 유보하는 모든 경우에 직무유기죄가 성립하는 것은 아니고, 그러한 유보가 직무에 관한 의식적인 방임이나 포기에 해당한다고 볼 수 있는 경우에 한하여 직무유기죄가 성립한다고 보아야 한다(대법원 2014.4.10. 2013도229).

② (O) 대법원 1990.12.21. 90도2425

③ (O) 대법원 1997.4.22. 95도748

④ (O) 대법원 2008.2.14. 2005도4202

05 0575

2019 경찰 승진

공무원의 직무에 관한 죄에 대한 설명으로 가장 적절하지 않은 것은? (다툼이 있는 경우 판례에 의함)

① 직무유기죄에서 공무원이 직무를 유기한 때라 함은 주관적으로 직무집행의사를 포기하고 객관적으로 정당한 이유 없이 직무집행을 하지 아니하는 부작위상태가 있어 국가기능을 저해하는 경우를 말한다.

② 상급 경찰관이 직권을 남용하여 부하 경찰관들의 수사를 중단시키거나 사건을 다른 경찰관서로 이첩하게 한 경우, '의무 없는 일을 하게 함으로 인한 직권남용권리행사방해죄'만 성립하고 '권리행사를 방해함으로 인한 직권남용권리행사방해죄'는 따로 성립하지 아니한다.

③ 검찰 고위간부 甲이 사건에 대한 수사가 진행 중인 상태에서 해당 사안에 관한 수사책임자 乙의 잠정적인 판단 등 수사팀의 내부 상황을 확인하고 그 내용을 수사 대상자에게 전달한 행위는 공무상비밀누설죄를 구성한다.

④ 교육기관 등의 장이 징계의결을 집행하지 못할 법률상·사실상의 장애가 없는데도 징계의결서를 통보받은 날로부터 법정 시한이 지나도록 집행을 유보하는 모든 경우에 직무유기죄가 성립하는 것은 아니고, 그 유보가 의식적인 직무의 방임이나 포기에 해당한다고 볼 수 있는 경우에만 직무유기죄가 성립한다.

지문분석 난이도 중 정답 ②

| 키 워 드 | 공무원의 직무에 관한 죄

| 출제유형 | 틀린 지문 고르기

② (X) 상급 경찰관이 직권을 남용하여 부하 경찰관들의 수사를 중단시키거나 사건을 다른 경찰관서로 이첩하게 한 경우, 일단 '부하 경찰관들의 수사권 행사를 방해한 것'에 해당함과 아울러 '부하 경찰관들로 하여금 수사를 중단하거나 사건을 다른 경찰관서로 이첩할 의무가 없음에도 불구하고 수사를 중단하게 하거나 사건을 이첩하게 한 것'에도 해당된다고 볼 여지가 있다. 그러나 이는 어디까지나 하나의 사실을 각기 다른 측면에서 해석한 것에 불과한 것으로서, '권리행사를 방해함으로 인한 직권남용권리행사방해죄'와 '의무 없는 일을 하게 함으로 인한 직권남용권리행사방해죄'가 별개로 성립하는 것이라고 할 수는 없다. 따라서 위 두 가지 행위태양에 모두 해당하는 것으로 기소된 경우, '권리행사를 방해함으로 인한 직권남용권리행사방해죄'만 성립하고 '의무 없는 일을 하게 함으로 인한 직권남용권리행사방해죄'는 따로 성립하지 아니하는 것으로 봄이 상당하다(대법원 2010.1.28. 2008도7312).

① (O) 대법원 1982.6.8. 82도117

③ (O) 대법원 2007.6.14. 2004도5561

④ (O) 대법원 2014.4.10. 2013도229

06 0576 2018 경찰 승진

'공무원의 직무에 관한 죄'에 대한 설명으로 가장 적절한 것은? (다툼이 있는 경우 판례에 의함)

① 교도소 계장이 재소자들을 호송함에 있어 호송교도관들에게 업무를 대강 지시하고 구체적인 감독을 하지 아니하여 피호송자들이 집단도주한 경우 직무유기죄가 성립한다.

② 정보통신부장관이 개인휴대통신 사업자선정과 관련하여 서류심사는 완결된 상태에서 직권을 남용하여 청문심사의 배점방식을 변경하였다면 직권남용죄가 성립한다.

③ 공무원이었던 자가 재직 중에 청탁을 받고 직무상 부정한 행위를 한 후 뇌물의 수수 등을 할 당시 이미 공무원의 지위를 떠난 경우에도, 형법 제129조 제1항의 수뢰죄로 처벌할 수 있다.

④ 공무원이 수수·요구 또는 약속한 금품에 그 직무행위에 대한 대가로서의 성질과 직무 외의 행위에 대한 사례로서의 성질이 불가분적으로 결합되어 있는 경우에는, 그 수수·요구 또는 약속한 금품 전부가 불가분적으로 직무행위에 대한 대가로서의 성질을 가진다.

지문분석 난이도 중 정답 ④

| 키 워 드 | 공무원의 직무에 관한 죄

| 출제유형 | 옳은 지문 고르기

④ (O) 공무원이 수수·요구 또는 약속한 금품에 그 직무행위에 대한 대가로서의 성질과 직무 외의 행위에 대한 사례로서의 성질이 불가분적으로 결합되어 있는 경우에는, 그 수수·요구 또는 약속한 금품 전부가 불가분적으로 직무행위에 대한 대가로서의 성질을 가진다(대법원 2012.1.12. 2011도12642).

① (X) **교도소 보안과 출정계장과 감독교사가 호송교도관들을 지휘하여 재소자의 호송계호업무를 수행함에 있어서 성실하게 그 직무를 수행하지 아니한 잘못으로 집단도주사고가 발생한 경우 형법상 직무유기죄를 구성하는지 여부: 부정**

교도소 보안과 출정계장과 감독교사가 호송지휘관 및 감독교사로서 호송교도관 5명을 지휘하여 재소자 25명을 전국의 각 교도소로 이감하는 호송업무를 수행함에 있어서, 시간이 촉박하여 호송교도관들이 피호송자 개개인에 대하여 규정에 따른 검신 등의 절차를 철저히 이행하지 아니한 채 호송하는데도 위 호송교도관들에게 호송업무 등을 대강 지시한 후에는 그들이 이를 제대로 수행할 것으로 믿고 구체적인 확인, 감독을 하지 아니한 잘못으로 말미암아 피호송자들이 집단도주하는 결과가 발생한 경우, 위 출정계장과 감독교사가 재소자의 호송계호업무를 수행함에 있어서 성실하게 그 직무를 수행하지 아니하여 충근의무에 위반한 잘못은 인정되나 고의로 호송계호업무를 포기하거나 직무 또는 직장을 이탈한 것이라고는 볼 수 없으므로 형법상 직무유기죄를 구성하지 아니한다(대법원 1991.6.11. 91도96).

→ 직무유기죄는 정당한 사유 없이 의식적으로 직무를 포기하거나 직무 또는 직장을 이탈하는 것을 말하고, 공무원이 직무를 수행함에 있어서 태만 또는 착각 등으로 이를 성실하게 수행하지 아니한 경우까지 포함하는 것은 아니다.

② (X) **직권남용권리행사방해죄에서 '권리행사를 방해한다'의 의미 및 기수시기**

[1] 형법 제123조가 규정하는 직권남용권리행사방해죄에서 권리행사를 방해한다 함은 법령상 행사할 수 있는 권리의 정당한 행사를 방해하는 것을 말한다고 할 것이므로 이에 해당하려면 구체화된 권리의 현실적인 행사가 방해된 경우라야 할 것이고, 또한 공무원의 직권남용행위가 있었다 할지라도 현실적으로 권리행사의 방해라는 결과가 발생하지 아니하였다면 본죄의 기수를 인정할 수 없다.

[2] 정보통신부장관이 개인휴대통신 사업자선정과 관련하여 서류심사는 완결된 상태에서 청문심사의 배점방식을 변경함으로써 직권을 남용하였다 하더라도, 이로 인하여 최종 사업권자로 선정되지 못한 경쟁업체가 가진 구체적인 권리의 현실적 행사가 방해되는 결과가 발생하지는 아니하였다는 이유로 무죄를 선고한 원심의 판단을 수긍한 사례(대법원 2006.2.9. 2003도4599)

③ (X) 형법은 공무원이었던 자가 재직 중에 청탁을 받고 직무상 부정한 행위를 한 후 뇌물을 수수, 요구 또는 약속을 한 때에는 제131조 제3항에서 사후수뢰죄로 처벌하도록 규정하고 있으므로, 뇌물의 수수 등을 할 당시 이미 공무원의 지위를 떠난 경우에는 제129조 제1항의 수뢰죄로는 처벌할 수 없고 사후수뢰죄의 요건에 해당할 경우에 한하여 그 죄로 처벌할 수 있을 뿐이다(대법원 2013.11.28. 2013도10011).

→ 국가공무원이 지방자치단체의 업무에 관하여 전문가로서 위원 위촉을 받아 한시적으로 직무를 수행하는 경우와 같이 공무원이 그 고유의 직무와 관련이 없는 일에 관하여 별도의 위촉절차 등을 거쳐 다른 직무를 수행하게 된 경우에는 그 위촉이 종료되면 그 위원 등으로서 새로 보유하였던 공무원 지위는 소멸한다고 보아야 하므로, 그 이후에 종전에 위촉받아 수행한 직무에 관하여 금품을 수수하더라도 이는 사후수뢰죄에 해당할 수 있음은 별론으로 하고 일반수뢰죄로 처벌할 수는 없다.

07 0577

2021 경찰 간부

직무유기죄와 직권남용죄에 대한 설명으로 옳지 않은 것은?
(다툼이 있는 경우 판례에 의함)

① 직무유기죄는 그 직무를 수행하여야 하는 작위의무의 존재와 그에 대한 위반을 전제로 하고 있는바, 공무원이 정당한 이유 없이 그 직무수행을 거부하거나 그 직무를 유기한 때 즉시 성립하는 즉시범이다.

② 직무유기죄는 공무원이 추상적 성실의무를 태만히 하는 일체의 경우에 성립하는 것이 아니라 직장의 무단이탈, 직무의 의식적인 포기 등과 같이 국가의 기능을 저해하고 국민에게 피해를 야기시킬 가능성이 있는 경우에 한하여 성립한다.

③ 직권남용죄에서 '직권남용'은 '사람으로 하여금 의무 없는 일을 하게 한 것'과 '사람의 권리행사를 방해한 것'과 구별되는 별개의 범죄성립요건으로, 공무원이 한 행위가 직권남용에 해당한다고 하여 바로 상대방이 한 일이 '의무 없는 일'에 해당한다고 인정할 수는 없다.

④ '권리행사를 방해함으로 인한 직권남용권리행사방해죄'와 '의무 없는 일을 하게 함으로 인한 직권남용권리행사방해죄'의 두 가지 행위태양에 모두 해당하는 경우, 전자만 성립하고 후자는 따로 성립하지 아니하는 것으로 봄이 상당하다.

지문분석 난이도 중 정답 ①

| 키 워 드 | 직무유기죄와 직권남용죄

| 출제유형 | 틀린 지문 고르기

① (X) 직무유기죄는 그 직무를 수행하여야 하는 작위의무의 존재와 그에 대한 위반을 전제로 하고 있는바, 그 작위의무를 수행하지 아니함으로써 구성요건에 해당하는 사실이 있었고 그 후에도 계속하여 그 작위의무를 수행하지 아니하는 위법한 부작위상태가 계속되는 한 가벌적 위법상태는 계속 존재하고 있다고 할 것이며 형법 제122조 후단은 이를 전체적으로 보아 1죄로 처벌하는 취지로 해석되므로 이를 즉시범이라고 할 수 없다(대법원 1997.8.29. 97도675).

② (O) 대법원 2014.4.10. 2013도229

③ (O) [1] 직권남용권리행사방해죄는 단순히 공무원이 직권을 남용하는 행위를 하였다는 것만으로 곧바로 성립하는 것이 아니다. 직권을 남용하여 현실적으로 다른 사람이 법령상 의무 없는 일을 하게 하였거나 다른 사람의 구체적인 권리행사를 방해하는 결과가 발생하여야 하고, 그 결과의 발생은 직권남용 행위로 인한 것이어야 한다.
[2] '사람으로 하여금 의무 없는 일을 하게 한 것'과 '사람의 권리행사를 방해한 것'은 형법 제123조가 규정하고 있는 객관적 구성요건요소인 '결과'로서 둘 중 어느 하나가 충족되면 직권남용권리행사방해죄가 성립한다. 이는 '공무원이 직권을 남용하여'와 구별되는 별개의 범죄성립요건이다. 따라서 공무원이 한 행위가 직권남용에 해당한다고 하여 그러한 이유만으로 상대방이 한 일이 '의무 없는 일'에 해당한다고 인정할 수는 없다. '의무 없는 일'에 해당하는지는 직권을 남용하였는지와 별도로 상대방이 그러한 일을 할 법령상 의무가 있는지를 살펴 개별적으로 판단하여야 한다. 직권을 남용한 행위가 위법하다는 이유로 곧바로 그에 따른 행위가 의무 없는 일이 된다고 인정하면 '의무 없는 일을 하게 한 때'라는 범죄성립요건의 독자성을 부정하는 결과가 되고, '권리행사를 방해한 때'의 경우와 비교하여 형평에도 어긋나게 된다(대법원 2020.1.30. 2018도2236 전원합의체).

④ (O) 상급 경찰관이 직권을 남용하여 부하 경찰관들의 수사를 중단시키거나 사건을 다른 경찰관서로 이첩하게 한 경우, 일단 '부하 경찰관들의 수사권 행사를 방해한 것'에 해당함과 아울러 '부하 경찰관들로 하여금 수사를 중단하거나 사건을 다른 경찰관서로 이첩할 의무가 없음에도 불구하고 수사를 중단하게 하거나 사건을 이첩하게 한 것'에도 해당된다고 볼 여지가 있다. 그러나 이는 어디까지나 하나의 사실을 각기 다른 측면에서 해석한 것에 불과한 것으로서, '권리행사를 방해함으로 인한 직권남용권리행사방해죄'와 '의무 없는 일을 하게 함으로 인한 직권남용권리행사방해죄'가 별개로 성립하는 것이라고 할 수는 없다. 따라서 위 두 가지 행위태양에 모두 해당하는 것으로 기소된 경우, '권리행사를 방해함으로 인한 직권남용권리행사방해죄'만 성립하고 '의무 없는 일을 하게 함으로 인한 직권남용권리행사방해죄'는 따로 성립하지 아니하는 것으로 봄이 상당하다(대법원 2010.1.28. 2008도7312).

2 뇌물에 관한 죄

08 0578

2021 경찰 2차

공무원의 직무에 관한 죄에 대한 설명으로 가장 적절하지 않은 것은? (다툼이 있는 경우 판례에 의함)

① 구 해양수산부 해운정책과 소속 공무원이 해운회사의 대표이사에게 중국의 선박운항 허가 담당부서가 관장하는 중국 국적선사의 선박에 대한 운항허가를 받을 수 있도록 노력해 달라는 부탁을 받고 돈을 받은 경우에는 직무관련성이 없어 뇌물수수죄가 성립하지 아니한다.

② 국회의원이 대한치과의사협회로부터 요청받은 자료를 제공하고 그 대가로서 후원금 명목으로 금원 1,000만원을 교부받은 경우에는 직무관련성이 있어 뇌물수수죄가 성립한다.

③ 공무원이 어촌계장에게 선물을 받을 명단을 보내 자신의 이름으로 새우젓을 택배로 발송하게 하고, 그 대금을 지급하지 않는 방법으로 직무에 관하여 뇌물을 받은 경우에는 공여자와 수뢰자 사이에 직접 금품이 수수되지 않았더라도 뇌물공여죄 및 뇌물수수죄가 성립한다.

④ 공무원이 직무의 대상이 되는 사람으로부터 사교적 의례의 형식을 빌어 금품을 주고받은 것이 개인적인 친분관계가 있어서 교분상의 필요에 의한 것이라고 명백하게 인정할 수 있는 경우라도 직무관련성이 있어 뇌물공여죄 및 뇌물수수죄가 성립한다.

지문분석 난이도 중 정답 ④

| 키 워 드 | 공무원의 직무에 관한 죄

| 출제유형 | 틀린 지문 고르기

④ (X) 공무원이 직무의 대상이 되는 사람으로부터 금품 기타 이익을 받은 때에는 그것이 그 사람이 종전에 공무원으로부터 접대 또는 수수받은 것을 갚는 것으로서 사회상규에 비추어 볼 때에 의례상의 대가에 불과한 것이라고 여겨지거나, 개인적인 친분관계가 있어서 교분상의 필요에 의한 것이라고 명백하게 인정할 수 있는 경우 등 특별한 사정이 없는 한 직무와 관련성이 있다고 볼 수 있다. 그리고 공무원의 직무와 관련하여 금품을 주고받았다면 비록 사교적 의례의 형식을 빌어 금품을 주고받았다고 하더라도 수수한 금품은 뇌물이 된다(대법원 2017.1.12. 2016도15470).

① (O) 대법원 2011.5.26. 2009도2453

② (O) 국회의원인 피고인이 의과병원의 비급여율과 관련된 의료보수표의 제공을 부탁받고 이 사건 자료의 제공과 관련하여 후원회를 통하여 후원금 명목으로 위 1,000만원을 수령하였더라도 피고인이 대한치과의사협회로부터 이를 수령한 것으로 평가할 수 있고, 나아가 위 1,000만원은 피고인의 직무권한 행사에 대한 대가로서의 실체를 가진다(대법원 2009.5.14. 2008도8852).

③ (O) 뇌물죄는 공여자의 출연에 의한 수뢰자의 영득의사의 실현으로서, 공여자의 특정은 직무행위와 관련이 있는 이익의 부담 주체라는 관점에서 파악하여야 할 것이므로, 금품이나 재산상 이익 등이 반드시 공여자와 수뢰자 사이에 직접 수수될 필요는 없다(대법원 2020.9.24. 2017도12389).

09 0579

2021 경찰 1차

뇌물죄에 대한 설명으로 가장 적절하지 않은 것은? (다툼이 있는 경우 판례에 의함)

① 뇌물죄에서 말하는 '직무'에는 결정권자를 보좌하거나 영향을 줄 수 있는 직무행위뿐만 아니라, 관례상이나 사실상 소관하는 직무행위도 포함된다.

② 알선뇌물요구죄가 성립하기 위하여는 알선행위가 장래의 것이라도 무방하므로 뇌물을 요구할 당시 반드시 상대방에게 알선에 의하여 해결을 도모해야 할 현안이 존재하여야 할 필요는 없다.

③ 공무원이 장래에 담당할 직무에 대한 대가로 이익을 수수한 경우에도 뇌물수수죄가 성립할 수 있지만, 이익을 수수할 당시 장래에 담당할 직무에 속하는 사항이 그 수수한 이익과 관련된 것임을 확인할 수 없을 정도로 막연하고 추상적이거나, 장차 그 수수한 이익과 관련지을 만한 직무권한을 행사할지 자체도 알 수 없다면, 그 이익이 장래에 담당할 직무에 관하여 수수되었다고는 단정하기 어렵다.

④ 공무원이 직무와 관련하여 뇌물수수를 약속하고 퇴직 후 이를 수수하였다면, 뇌물약속과 뇌물수수 사이의 시간적 근접 여부를 불문하고 뇌물수수죄가 성립한다.

지문분석 난이도 중 정답 ④

| 키 워 드 | 뇌물죄

| 출제유형 | 틀린 지문 고르기

④ (X) 뇌물수수죄는 공무원 또는 중재인이 그 직무에 관하여 뇌물을 수수한 때에 성립하는 것이어서 그 주체는 현재 공무원 또는 중재인의 직에 있는 자에 한정되므로, 공무원이 직무와 관련하여 뇌물수수를 약속하고 퇴직 후 이를 수수하는 경우에는, 뇌물약속과 뇌물수수가 시간적으로 근접하여 연속되어 있다고 하더라도, 뇌물약속죄 및 사후수뢰죄가 성립할 수 있음은 별론으로 하고, 뇌물수수죄는 성립하지 않는다(대법원 2008.2.1. 2007도5190).

① (O) 대법원 1999.1.29. 98도3584

② (O) 대법원 2009.7.23. 2009도3924

③ (O) 형법 제129조 제1항의 뇌물수수죄가 성립하려면 공무원이 그 직무에 관하여 뇌물을 수수하여야 한다. 따라서 공무원이 이익을 수수한 행위가 공무원의 직무와 관련이 없다면 뇌물수수죄는 성립하지 않는다. 공무원이 장래에 담당할 직무에 대한 대가로 이익을 수수한 경우에도 뇌물수수죄가 성립할 수 있지만, 그 이익을 수수할 당시 장래에 담당할 직무에 속하는 사항이 그 수수한 이익과 관련된 것임을 확인할 수 없을 정도로 막연하고 추상적이거나, 장차 그 수수한 이익과 관련지을 만한 직무권한을 행사할지 자체를 알 수 없다면, 그 이익이 장래에 담당할 직무에 관하여 수수되었다거나 그 대가로 수수되었다고 단정하기 어렵다(대법원 2017.12.22. 2017도12346).

10 0580

2020 경찰 승진

뇌물에 관한 죄에 대한 설명 중 가장 적절하지 않은 것은? (다툼이 있는 경우 판례에 의함)

① 배임수재자가 배임증재자에게서 무상으로 빌린 물건을 인도받아 사용하던 중 공무원이 되었고, 배임증재자가 뇌물공여 의사를 밝히면서 배임수재자가 물건을 계속 사용하도록 한 경우 처음에 정한 사용기간을 연장해 주는 등 새로운 이익을 제공한 것으로 평가할 만한 사정이 없다면 뇌물공여죄가 성립하지 않는다.

② 제3자뇌물공여죄에서 막연히 선처하여 줄 것이라는 기대에 의하거나 직무집행과는 무관한 다른 동기에 의하여 제3자에게 금품을 공여한 경우에는 묵시적인 의사표시에 의한 부정한 청탁이 있다고 보기 어렵다.

③ 뇌물약속죄에서 뇌물의 약속은 양 당사자의 뇌물수수의 합의를 말하고, 여기에서 '합의'란 그 방법에 아무런 제한이 없고 명시적일 필요도 없으므로, 양 당사자의 의사표시가 확정적으로 합치할 필요까지는 없다.

④ 공무원인 甲이 乙로부터 1,000만원을 뇌물로 받아 그중 500만원을 소비하고 나머지 500만원을 은행에 예금하여 두었다가 이를 인출하여 乙에게 반환한 경우, 甲으로부터 1,000만원을 추징하여야 한다.

지문분석

난이도 중 정답 ③

| 키 워 드 | 뇌물에 관한 죄

| 출제유형 | 틀린 지문 고르기

③ (X) 형법 제129조 뇌물약속죄에서 뇌물의 '약속'은 양 당사자의 뇌물수수의 합의를 말하고, 여기에서 '합의'란 그 방법에 아무런 제한이 없고 명시적일 필요도 없지만, 장래 공무원의 직무와 관련하여 뇌물을 주고받겠다는 양 당사자의 의사표시가 확정적으로 합치하여야 한다(대법원 2012.11.15. 2012도9417).

① (O) 대법원 2015.10.15. 2015도6232

② (O) 형법 제130조의 제3자뇌물공여죄에서 '부정한 청탁'을 요건으로 하는 취지는 처벌의 범위가 불명확해지지 않도록 하기 위한 것으로서, 이러한 '부정한 청탁'은 명시적인 의사표시에 의한 것은 물론, 묵시적인 의사표시에 의한 것도 가능하다고 할 것이지만, 묵시적인 의사표시에 의한 부정한 청탁이 있다고 하기 위하여는 당사자 사이에 청탁의 대상이 되는 직무집행의 내용과 제3자에게 제공되는 금품이 그 직무집행에 대한 대가라는 점에 대하여 공통의 인식이나 양해가 존재하여야 할 것이고, 그러한 인식이나 양해 없이 막연히 선처하여 줄 것이라는 기대에 의하거나 직무집행과는 무관한 다른 동기에 의하여 제3자에게 금품을 공여한 경우에는 묵시적인 의사표시에 의한 부정한 청탁이 있다고 보기 어렵고, 공무원이 먼저 제3자에게 금품을 공여할 것을 요구하였다고 하여 달리 볼 것은 아니다(대법원 2009.1.30. 2008도6950).

④ (O) 수뢰자가 뇌물을 소비하고 반환하지 않거나, 뇌물로 받은 돈을 은행에 예금한 후 같은 액수의 돈을 증뢰자에게 반환하였다 하더라도 이를 뇌물 그 자체의 반환으로 볼 수 없으므로 이러한 경우에는 수뢰자로부터 그 가액을 추징하여야 한다. 사안에서 甲으로부터 1,000만원을 추징하여야 한다.

11 0581

2018 경찰 3차

뇌물수수죄에 대한 설명으로 가장 적절하지 않은 것은? (다툼이 있는 경우 판례에 의함)

① 형사피고사건의 공판참여주사는 공판에 참여하여 양형에 관한 사항의 심리내용을 공판조서에 기재하므로 형사사건의 양형은 참여주사의 직무와 밀접한 관계가 있는 사무이며, 따라서 참여주사가 형량을 감경케 하여 달라는 청탁과 함께 금품을 수수하였다면 뇌물수수죄의 주체가 된다.

② 공무원이 직접 뇌물을 받지 않고 증뢰자로 하여금 다른 사람에게 뇌물을 공여하도록 한 경우에는 사회통념상 다른 사람이 뇌물을 받은 것을 공무원이 직접 받은 것과 같이 평가할 수 있는 경우에 한하여 뇌물수수죄가 성립한다.

③ 뇌물을 수수한 자가 공동수수자 아닌 교사범에게 뇌물 중 일부를 사례금으로 교부하였다면, 이는 부수적 비용의 지출 또는 뇌물의 소비행위에 지나지 않으므로 뇌물수수자에게서 수뢰액 전부를 추징하여야 한다.

④ 공무원이 직무집행의 의사 없이 타인을 공갈하여 재물을 교부하게 한 경우에는 공갈죄만이 성립하고 뇌물수수죄는 성립하지 않는다.

지문분석

난이도 하 정답 ①

| 키 워 드 | 뇌물수수죄

| 출제유형 | 틀린 지문 고르기

① (X) 법원의 참여주사가 공판에 참여하여 양형에 관한 사항의 심리내용을 공판조서에 기재한다고 하더라도 이를 가지고 형사사건의 양형이 참여주사의 직무와 밀접한 관계가 있는 사무라고는 할 수 없으므로 참여주사가 형량을 감경케 하여 달라는 청탁과 함께 금품을 수수하였다고 하더라도 뇌물수수죄의 주체가 될 수 없다(대법원 1980.10.14. 80도1373).

② (O) 대법원 2016.6.23. 2016도3540

③ (O) 대법원 2011.11.24. 2011도9585

④ (O) 대법원 1994.12.22. 94도2528

12 0582

2018 경찰 1차

뇌물의 죄에 대한 설명 중 가장 적절하지 않은 것은? (다툼이 있는 경우 판례에 의함)

① 뇌물죄에서 뇌물의 내용인 이익이라 함은 금전, 물품 기타의 재산적 이익뿐만 아니라 사람의 수요·욕망을 충족시키기에 족한 일체의 유형·무형의 이익을 포함하며, 제공된 것이 성적 욕구의 충족이라고 하여 달리 볼 것이 아니다.

② 구 해양수산부 해운정책과 소속 공무원인 피고인이 甲해운회사의 대표이사 등에게서 중국의 선박운항허가 담당부서가 관장하는 중국 국적선사의 선박에 대한 운항허가를 받을 수 있도록 노력해 달라는 부탁을 받고 돈을 받은 경우, 뇌물수수죄가 성립한다.

③ 음주운전을 적발하여 단속에 관련된 제반 서류를 작성한 후 운전면허 취소업무를 담당하는 직원에게 이를 인계하는 업무를 담당하는 경찰관이 피단속자로부터 운전면허가 취소되지 않도록 하여 달라는 청탁을 받고 금원을 교부받은 경우, 뇌물수수죄가 성립한다.

④ 임용될 당시 공무원법상 임용결격자에 해당하여 임용행위는 무효였지만 그 후 공무원으로 계속 근무하면서 직무에 관하여 뇌물을 수수한 경우, 수뢰죄가 성립한다.

13 0583

2018 경찰 2차

뇌물죄에 대한 설명으로 가장 적절한 것은? (다툼이 있는 경우 판례에 의함)

① 공무원이 직무와 관련하여 금품을 수수하였더라도 특별한 청탁이 없이 사교적 의례의 형식을 갖추어 금품을 주고받았다면 형법 제129조 제1항의 뇌물수수죄가 성립하지 않는다.

② 공무원이 직접 금품을 받지 않고 증뢰자로 하여금 다른 사람에게 금품을 공여하도록 한 경우라도 그가 직무에 관하여 부정한 청탁을 받은 사정이 없다면 이를 형법 제130조의 제3자뇌물제공죄로 처벌하지 못한다.

③ 공무원이 그 지위를 이용하여 다른 공무원의 직무에 관한 사항의 알선에 관하여 금품을 수수한 경우에는 그가 특별한 청탁을 받고 그 같은 행위를 한 사정이 없는 이상 이를 형법 제132조의 알선수뢰죄로 처벌하지 못한다.

④ 공무원에게 뇌물로 공여하기 위한 목적이라는 사정을 알면서 증뢰자로부터 금품을 교부받은 자는 그가 실제로 그 금품을 공무원에게 전달하지 않고 있는 이상 형법상 아무런 처벌을 받지 않는다.

지문분석 (12)

난이도 하 정답 ②

| 키 워 드 | 뇌물죄

| 출제유형 | 틀린 지문 고르기

② (X) 구 해양수산부 소속 공무원인 피고인이 甲해운회사의 대표이사 등에게서 중국의 선박운항허가 담당부서가 관장하는 중국 국적선사의 선박에 대한 운항허가를 받을 수 있도록 노력해 달라는 부탁을 받고 돈을 받은 경우, 직무관련성이 없어 뇌물수수죄가 성립하지 않는다(대법원 2011.5.26. 2009도2453).
→ 중국의 선박운항허가는 직무관련성이 없어 뇌물수수죄가 성립하지 않는다.

① (O) 대법원 2014.1.29. 2013도13937
→ 2012년 11월 절도 혐의로 조사하던 여성 피의자와 검사실에서 유사성행위를 하고 모텔에서 성관계한 성추문검사에 대하여 뇌물수수죄를 인정한 판결이다.

③ (O) 대법원 1999.11.9. 99도2530
→ 피고인은 홍천경찰서 경비과 교통지도계 경찰관으로 근무하면서 음주운전을 적발하여 단속에 관련된 제반 서류를 작성한 후 같은 경찰서 같은 과 소속 운전면허 취소업무를 담당하는 직원에게 이를 인계하는 업무를 담당하는 자로서 피단속자로부터 운전면허가 취소되지 않도록 하여 달라는 청탁을 받고 금원을 교부받은 경우 뇌물죄에서 말하는 '직무'에는 공무원이 그 직위에 따라 공무로 담당할 일체의 직무를 포함하는바 운전면허 취소업무가 피고인이 현실적으로 담당하지 않은 직무라고 하더라도 뇌물죄에 있어서의 직무와의 관련성이 인정된다.

④ (O) 대법원 2014.3.27. 2013도11357

지문분석 (13)

난이도 중 정답 ②

| 키 워 드 | 뇌물죄

| 출제유형 | 옳은 지문 고르기

② (O) 형법 제130조의 제3자뇌물제공죄는 공무원이 직접 뇌물을 받지 아니하고, 증뢰자로 하여금 제3자에게 뇌물을 공여하도록 하고 그 제3자로 하여금 뇌물을 받도록 하였다 하더라도 부정한 청탁을 받은 일이 없다면 이를 처벌하지 아니한다는 취지로 해석하여야 할 것이다(대법원 1998.9.22. 98도1234).

① (X) 공무원의 직무와 관련하여 금품을 수수하였다면 비록 사교적 의례의 형식을 빌어 금품을 주고받았다 하더라도 그 수수한 금품은 뇌물이 된다(대법원 2000.1.21. 99도4940).

③ (X) 공무원이 그 지위를 이용하여 다른 공무원의 직무에 속한 사항의 알선에 관하여 뇌물을 수수, 요구 또는 약속한 때에는 3년 이하의 징역 또는 7년 이하의 자격정지에 처한다(형법 제132조).

④ (X) 증뢰물전달의 죄는 증뢰자나 수뢰자가 아닌 제3자가 증뢰자로부터 수뢰할 사람에게 전달될 금품이라는 정을 알면서 그 금품을 받으면 그 때 위 죄가 성립하고 그 금품을 그 후 전달하였는지의 여부는 위 죄의 성립에 영향이 없다(대법원 1965.10.26. 65도785).

14 0584

2021 경찰 승진

뇌물죄에 대한 설명으로 가장 적절하지 않은 것은? (다툼이 있으면 판례에 의함)

① 법령에 기한 임명권자에 의하여 임용되어 공무에 종사하여 온 사람이 나중에 그가 임용결격자이었음이 밝혀져 당초의 임용행위가 무효라고 하더라도 그가 임용행위라는 외관을 갖추어 실제로 공무를 수행한 이상 형법 제129조에서 규정한 공무원으로 봄이 타당하고, 그가 그 직무에 관하여 뇌물을 수수한 때에는 수뢰죄로 처벌할 수 있다.

② 뇌물공여죄가 성립하기 위하여는 뇌물을 공여하는 행위와 상대방 측에서 금전적으로 가치가 있는 그 물품 등을 받아들이는 행위가 필요할 뿐 반드시 상대방 측에서 뇌물수수죄가 성립하여야 하는 것은 아니다.

③ 뇌물약속죄에서 뇌물의 약속은 직무와 관련하여 장래에 뇌물을 주고받겠다는 양 당사자의 의사표시가 확정적으로 합치하면 성립하고, 뇌물의 가액이 얼마인지는 문제되지 않는다.

④ 알선뇌물수수죄와 관련하여 상대방으로 하여금 뇌물을 수수하는 자에게 잘 보이면 어떤 도움을 받을 수 있다거나 손해를 입을 염려가 없다는 정도의 막연한 기대감을 갖게 하고, 뇌물을 수수하는 자 역시 상대방이 그러한 기대감을 가질 것이라고 짐작하면서 수수하였다면 알선뇌물수수죄가 성립한다.

지문분석 난이도 중 정답 ④

| 키 워 드 | 뇌물죄

| 출제유형 | 틀린 지문 고르기

④ (X) 형법 제132조에서 말하는 "다른 공무원의 직무에 속한 사항의 알선에 관하여 뇌물을 수수한다."라고 함은, 다른 공무원의 직무에 속한 사항을 알선한다는 명목으로 뇌물을 수수하는 행위로서 반드시 알선의 상대방인 다른 공무원이나 그 직무의 내용을 구체적으로 특정할 필요까지는 없다. 알선행위는 장래의 것이라도 무방하므로, 뇌물을 수수할 당시 상대방에게 알선에 의하여 해결을 도모하여야 할 현안이 반드시 존재하여야 할 필요는 없지만, 알선뇌물수수죄가 성립하려면 알선할 사항이 다른 공무원의 직무에 속하는 사항으로서 뇌물수수의 명목이 그 사항의 알선에 관련된 것임이 어느 정도는 구체적으로 나타나야 한다. 단지 상대방으로 하여금 뇌물을 수수하는 자에게 잘 보이면 어떤 도움을 받을 수 있다거나 손해를 입을 염려가 없다는 정도의 막연한 기대감을 갖게 하는 정도에 불과하고, 뇌물을 수수하는 자 역시 상대방이 그러한 기대감을 가질 것이라고 짐작하면서 수수하였다는 사정만으로는 알선뇌물수수죄가 성립하지 않는다(대법원 2017.12.22. 2017도12346).

① (O) 대법원 2014.3.27. 2013도11357

② (O) 대법원 1987.12.22. 87도1699

③ (O) 대법원 2007.7.13. 2004도3995

15 0585

2021 경찰 간부

뇌물죄에 대한 설명으로 옳지 않은 것은? (다툼이 있는 경우 판례에 의함)

① 뇌물공여죄가 성립하기 위하여는 뇌물을 공여하는 행위와 상대방 측에서 이를 받아들이는 행위가 필요할 뿐 반드시 상대방 측에서 뇌물수수죄가 성립하여야 하는 것은 아니다.

② 수의계약을 체결하는 공무원이 해당 공사업자와 계약금액을 부풀려서 계약하고 부풀린 금액을 자신이 되돌려받기로 사전에 약정한 다음 그에 따라 수수한 돈은 뇌물에 해당한다.

③ 법령에 기한 임명권자에 의하여 임용되어 공무에 종사하여 온 사람이 나중에 그가 임용결격자였음이 밝혀져 당초의 임용행위가 무효라고 하더라도, 그가 재직 중 그 직무에 관하여 뇌물을 수수한 때에는 수뢰죄로 처벌할 수 있다.

④ 공무원이 직무와 관련하여 뇌물수수를 약속하고 퇴직 후 이를 수수하는 경우, 뇌물약속과 뇌물수수가 시간적으로 근접하여 연속되어 있다 하더라도 뇌물약속죄 및 사후수뢰죄가 성립할 수 있음은 별론으로 뇌물수수죄는 성립하지 않는다.

지문분석 난이도 중 정답 ②

| 키 워 드 | 뇌물죄

| 출제유형 | 틀린 지문 고르기

② (X) 수의계약을 체결하는 공무원이 해당 공사업자와 적정한 금액 이상으로 계약금액을 부풀려서 계약하고 부풀린 금액을 자신이 되돌려받기로 사전에 약정한 다음 그에 따라 수수한 돈은 성격상 뇌물이 아니고 횡령금에 해당한다(대법원 2007.10.12. 2005도7112).

① (O) 대법원 2013.11.28. 2013도9003

③ (O) 대법원 2014.3.27. 2013도11357

④ (O) 대법원 2008.2.1. 2007도5190

16 0586 2019 경찰 간부

뇌물죄에 대한 다음 설명 중 옳지 않은 것은 모두 몇 개인가? (다툼이 있는 경우 판례에 의함)

가. 뇌물죄에서 뇌물의 내용인 이익이라 함은 금전, 물품 기타의 재산적 이익뿐만 아니라 사람의 수요·욕망을 충족시키기에 족한 일체의 유형·무형의 이익을 포함하지만, 제공된 것이 성적 욕구의 충족은 포함되지 않는다고 보아야 한다.
나. 뇌물죄에서 직무란 공무원이 그 지위에 수반하여 공무로서 처리하는 일체의 직무를 말하며, 과거에 담당하였거나 또는 장래 담당할 직무 및 사무분장에 따라 현실적으로 담당하지 않는 직무라고 하더라도 법령상 일반적인 직무권한에 속하는 직무 등 공무원이 그 직위에 따라 공무로 담당할 일체의 직무를 말하므로, 뇌물의 수수 등을 할 당시 이미 공무원의 지위를 떠난 경우라도 형법 제129조 제1항의 수뢰죄로 처벌할 수 있다.
다. 형법 제133조 제2항의 제3자증뢰물전달죄는 제3자가 증뢰자로부터 교부받은 금품을 수뢰할 사람에게 전달하였는지 여부에 관계없이 제3자가 그 정을 알면서 금품을 교부받음으로써 성립하고, 나아가 제3자가 그 교부받은 금품을 수뢰할 사람에게 전달하면 증뢰물전달죄와 별도로 뇌물공여죄가 성립한다.
라. 공무원이 그 직무에 관하여 금전을 무이자로 차용하여 금융이익 상당의 뇌물을 수수한 경우에 공소시효는 차용금 변제기로부터 기산한다.

① 1개　　② 2개
③ 3개　　④ 4개

지문분석 난이도 상 정답 ④

| 키 워 드 | 뇌물죄
| 출제유형 | 개수 찾기

가. (X) 뇌물죄에서 뇌물의 내용인 이익이라 함은 금전, 물품 기타의 재산적 이익뿐만 아니라 사람의 수요·욕망을 충족시키기에 족한 일체의 유형·무형의 이익을 포함하며, 제공된 것이 성적 욕구의 충족이라고 하여 달리 볼 것이 아니다(대법원 2014.1.29. 2013도13937).
나. (X) 뇌물죄에서 직무란 공무원이 그 지위에 수반하여 공무로서 처리하는 일체의 직무를 말하며, 과거에 담당하였거나 또는 장래 담당할 직무 및 사무분장에 따라 현실적으로 담당하지 않는 직무라고 하더라도 법령상 일반적인 직무권한에 속하는 직무 등 공무원이 그 직위에 따라 공무로 담당할 일체의 직무를 말한다. 다만, 형법은 공무원이었던 자가 재직 중에 청탁을 받고 직무상 부정한 행위를 한 후 뇌물을 수수, 요구 또는 약속을 한 때에는 제131조 제3항에서 사후수뢰죄로 처벌하도록 규정하고 있으므로, 뇌물의 수수 등을 할 당시 이미 공무원의 지위를 떠난 경우에는 제129조 제1항의 수뢰죄로는 처벌할 수 없고 사후수뢰죄의 요건에 해당할 경우에 한하여 그 죄로 처벌할 수 있을 뿐이다(대법원 2013.11.28. 2013도10011).
다. (X) 형법 제133조 제2항은 증뢰자가 뇌물에 공할 목적으로 금품을 제3자에게 교부하거나 또는 그 정을 알면서 교부받는 증뢰물전달행위를 독립한 구성요건으로 하여 이를 같은 조 제1항의 뇌물공여죄와 같은 형으로 처벌하는 규정으로서, 제3자의 증뢰물전달죄는 제3자가 증뢰자로부터 교부받은 금품을 수뢰할 사람에게 전달하였는지 여부에 관계없이 제3자가 그 정을 알면서 금품을 교부받음으로써 성립하는 것이며, 나아가 제3자가 그 교부받은 금품을 수뢰할 사람에게 전달하였다고 하여 증뢰물전달죄 외에 별도로 뇌물공여죄가 성립하는 것은 아니다(대법원 1997.9.5. 97도1572).
라. (X) 공소시효는 범죄행위를 종료한 때로부터 진행하는데(형사소송법 제252조 제1항), 공무원이 직무에 관하여 금전을 무이자로 차용한 경우에는 차용 당시에 금융이익 상당의 뇌물을 수수한 것으로 보아야 하므로, 공소시효는 금전을 무이자로 차용한 때로부터 기산한다(대법원 2012.2.23. 2011도7282).

17 0587

2020 경찰 간부

뇌물죄와 관련된 설명 중 가장 옳지 않은 것은? (다툼이 있는 경우 판례에 의함)

① 뇌물수수의 공범자들 사이에 직무와 관련하여 금품이나 이익을 수수하기로 하는 명시적 또는 암묵적 공모관계가 성립하고 공모 내용에 따라 공범자 중 1인이 금품이나 이익을 수수하였다면 수수한 금품이나 이익 전부에 관하여 뇌물수수죄의 공모공동정범이 성립할 수 있다.
② 공무원이 직무관련자에게 제3자와 계약을 체결하도록 요구하여 계약체결을 하게 한 행위가 제3자뇌물수수죄의 구성요건과 직권남용권리행사방해죄의 구성요건에 모두 해당하는 경우 두 범죄는 상상적 경합관계에 있다.
③ 제3자뇌물수수죄에서 제3자란 행위자, 공동정범 그리고 교사자 이외의 사람을 의미하나 방조자는 제3자에 포함될 수 있다.
④ 공무원 또는 중재인이 부정한 청탁을 받고 제3자에게 뇌물을 제공하게 하고 제3자가 그러한 공무원 또는 중재인의 범죄행위를 알면서 방조한 경우에는 그에 대한 별도의 처벌규정이 없더라도 방조범에 관한 형법총칙의 규정이 적용되어 제3자뇌물수수방조죄가 인정될 수 있다.

지문분석 난이도 중 정답 ③

| 키 워 드 | 뇌물죄
| 출제유형 | 틀린 지문 고르기

③ (X) 제3자뇌물수수죄에서 제3자란 행위자와 공동정범 이외의 사람을 말하고, 교사자나 방조자도 포함될 수 있다. 그러므로 공무원 또는 중재인이 부정한 청탁을 받고 제3자에게 뇌물을 제공하게 하고 제3자가 그러한 공무원 또는 중재인의 범죄행위를 알면서 방조한 경우에는 그에 대한 별도의 처벌규정이 없더라도 방조범에 관한 형법총칙의 규정이 적용되어 제3자뇌물수수방조죄가 인정될 수 있다(대법원 2017.3.15. 2016도19659).
① (O) 대법원 2014.12.24. 2014도10199
②, ④ (O) 대법원 2017.3.15. 2016도19659

3 공무방해에 관한 죄

18 0588

2021 경찰 2차

공무집행방해에 관한 죄에 대한 설명으로 가장 적절하지 않은 것은? (다툼이 있는 경우 판례에 의함)

① 甲은 평소 집에서 심한 고성과 욕설 등으로 이웃 주민들로부터 수회에 걸쳐 112신고가 있어 왔던 사람으로, 한밤중에 甲의 집이 소란스러워 잠을 이룰 수 없다는 112신고를 받고 출동한 경찰관들이 인터폰으로 문을 열어달라고 하였으나 욕설을 하며 소란행위를 계속하였다. 이에 경찰관들이 甲을 만나기 위해 일시적으로 전기차단기를 내리자 식칼을 들고 나와 욕설을 하며 경찰관들을 향해 찌를 듯이 협박하였더라도 경찰관들의 단전조치를 적법한 공무집행으로 볼 수 없어 甲에게는 특수공무집행방해죄가 성립하지 아니한다.
② 국립대학교의 전임교원 공채심사위원인 학과장 甲이 지원자 A의 부탁을 받고 이미 논문접수가 마감된 학회지에 A의 논문이 게재되도록 돕고, 그 후 연구실적심사의 기준을 강화하자고 제안한 경우에는 설사 甲의 행위가 결과적으로는 A에게 유리한 결과가 되었다 하더라도 위계공무집행방해죄가 성립하지 아니한다.
③ 음주운전 신고를 받고 출동한 경찰관 A는 만취한 상태로 시동이 걸린 차량 운전석에 앉아 있는 甲을 발견하고 음주측정을 위해 하차를 요구하였고, 甲이 차량을 운전하지 않았다고 다투자 지구대로 가서 차량 블랙박스를 확인하자고 하였다. 이에 甲이 명시적인 거부 의사표시 없이 도주하자, A가 甲을 10m 정도 추격하여 앞을 막고 제지하는 과정에서 甲이 A를 폭행하였다면 공무집행방해죄가 성립한다.
④ 甲이 허위의 매매계약서 및 영수증을 소명자료로 첨부하여 가처분신청을 하여 법원으로부터 유체동산에 대한 가처분결정을 받은 경우에는 甲의 행위만으로 법원의 구체적이고 현실적인 어떤 직무집행이 방해되었다고 볼 수 없으므로 위계공무집행방해죄가 성립하지 아니한다.

지문분석 난이도 중 정답 ①

| 키 워 드 | 공무집행방해죄
| 출제유형 | 틀린 지문 고르기

① (X) 경찰관들의 행위는 적법한 직무집행으로 볼 여지가 있으므로 특수공무집행방해죄가 성립된다(대법원 2018.12.1. 2016도19417).
② (O) 대법원 2009.4.23. 2007도1554
③ (O) 대법원 2020.8.20. 2020도7193
④ (O) 대법원 2012.4.26. 2011도17125

19 0589

2019 경찰 1차

공무방해에 관한 죄에 대한 설명 중 가장 적절하지 않은 것은? (다툼이 있는 경우 판례에 의함)

① 공무집행방해죄에서 공무원의 공무집행이 적법한지 여부는 행위 당시의 구체적 상황에 기하여 객관적 합리적으로 판단하여야 하고 사후적으로 순수한 객관적 기준에서 판단할 것은 아니다.
② 공무집행방해죄에서 협박이란 상대방에게 공포심을 일으킬 목적으로 해악을 고지하는 행위를 의미하는 것으로서 그 협박이 경미하여 상대방이 전혀 개의치 않을 정도인 경우에는 협박에 해당하지 않는다.
③ 부동산강제집행효용침해죄의 객체인 강제집행으로 명도 또는 인도된 부동산에는 강제집행으로 퇴거집행된 부동산은 포함되지 않는다.
④ 공무집행방해죄는 추상적 위험범으로서 구체적으로 직무집행의 방해라는 결과발생을 요하지 않는다.

지문분석

난이도 하 정답 ③

| 키 워 드 | 공무집행방해죄
| 출제유형 | 틀린 지문 고르기

③ (X) 형법 제140조의2 부동산강제집행효용침해죄의 입법취지와 체제 및 내용과 구조를 살펴보면, 부동산강제집행효용침해죄의 객체인 강제집행으로 명도 또는 인도된 부동산에는 강제집행으로 퇴거집행된 부동산을 포함한다고 해석된다(대법원 2003.5.13. 2001도3212).
① (O) 대법원 2013.8.23. 2011도4763
→ 비록 피고인이 식당 안에서 소리를 지르거나 양은그릇을 부딪치는 등의 소란행위가 업무방해죄의 구성요건에 해당하지 않아 사후적으로 무죄로 판단된다고 하더라도, 피고인이 상황을 설명해 달라거나 밖에서 얘기하자는 경찰관의 요구를 거부하고 경찰관 앞에서 소리를 지르고 양은그릇을 두드리면서 소란을 피운 당시 상황에서는 객관적으로 보아 피고인이 업무방해죄의 현행범이라고 인정할 만한 충분한 이유가 있으므로, 경찰관들이 피고인을 체포하려고 한 행위는 적법한 공무집행이라고 보아야 한다는 판결이다.
② (O) 대법원 2006.1.13. 2005도4799
④ (O) 대법원 2018.3.29. 2017도21537

✓ 개념체크 형법 제140조의2(부동산강제집행효용침해)

강제집행으로 명도 또는 인도된 부동산에 침입하거나 기타 방법으로 강제집행의 효용을 해한 자는 5년 이하의 징역 또는 700만원 이하의 벌금에 처한다.

20 0590

2018 경찰 3차

공무방해에 관한 죄에 대한 설명으로 적절하지 않은 것을 모두 고른 것은? (다툼이 있는 경우 판례에 의함)

㉠ 공무집행방해죄의 '직무를 집행하는'이라 함은 공무원이 직무수행에 직접 필요한 행위를 현실적으로 행하고 있는 때만을 가리키는 것이 아니라 공무원이 직무수행을 위하여 근무 중인 상태에 있는 때를 포괄한다.
㉡ 참고인이 수사기관에 대하여 허위진술을 한 사실만으로는 위계에 의한 공무집행방해죄가 성립하지 않는다.
㉢ 공무집행방해죄는 공무원의 직무집행이 적법한 경우에 한하여 성립하고, 여기서 적법한 공무집행이라고 함은 그 행위가 공무원의 추상적 권한에 속하면 충분하며, 구체적으로 그 권한 내에 있어야 할 필요는 없다.
㉣ 유체동산의 가압류집행에 있어 가압류공시서의 기재에 다소의 흠이 있다면, 그 기재 내용을 전체적으로 보아 가압류공시서에 그 가압류목적물이 특정되었다고 인정할 수 있더라도 그 가압류는 당연무효이고, 해당 가압류공시서는 공무상표시무효죄의 객체가 될 수 없다.

① ㉠, ㉡　② ㉡, ㉢
③ ㉡, ㉣　④ ㉢, ㉣

지문분석

난이도 중 정답 ④

| 키 워 드 | 공무집행방해죄
| 출제유형 | 조합하기

㉢ (X) 공무집행방해죄는 공무원의 적법한 공무집행이 전제로 된다 할 것이고, 그 공무집행이 적법하기 위하여는 그 행위가 당해 공무원의 추상적 직무 권한에 속할 뿐 아니라 구체적으로도 그 권한 내에 있어야 하며 또한 직무행위로서의 중요한 방식을 갖추어야 한다고 할 것이며, 추상적인 권한에 속하는 공무원의 어떠한 공무집행이 적법한지 여부는 행위 당시의 구체적 상황에 기하여 객관적 합리적으로 판단하여야 하고 사후적으로 순수한 객관적 기준에서 판단할 것은 아니라고 할 것이다(대법원 1991.5.10. 91도453).
㉣ (X) 유체동산의 가압류집행에 있어 그 가압류공시서의 기재에 다소의 흠이 있으나 그 기재 내용을 전체적으로 보면 그 가압류목적물이 특정되었다고 인정할 수 있어 그 가압류가 유효하다(대법원 2001.1.16. 2000도1757).
→ 이 사건 가압류공시서에 위와 같은 다소의 흠이 있다고 하더라도 가압류공시서의 기재 내용을 전체적으로 보면 이 사건 농장 안에 있던 비육돈 전체가 가압류목적물이 되었음을 알 수 있으므로, 이 사건 가압류공시서는 여전히 공무상표시무효죄의 객체로 된다는 판결이다.
㉠ (O) 대법원 1999.9.21. 99도383
㉡ (O) 대법원 1971.3.9. 71도186

21 0591

2018 경찰 1차

공무방해에 관한 죄에 대한 설명 중 가장 적절하지 않은 것은? (다툼이 있는 경우 판례에 의함)

① 동일한 공무를 집행하는 여럿의 공무원에 대하여 폭행·협박 행위를 한 경우에는 공무를 집행하는 공무원의 수에 따라 여럿의 공무집행방해죄가 성립하고, 위와 같은 폭행·협박 행위가 동일한 장소에서 동일한 기회에 이루어진 것으로서 사회관념상 1개의 행위로 평가되는 경우에는 여럿의 공무집행방해죄는 상상적 경합의 관계에 있다.

② 불법주차 차량에 불법주차 스티커를 붙였다가 이를 다시 떼어 낸 직후에 있는 주차단속 공무원을 폭행한 경우, 공무집행방해죄가 성립한다.

③ 음주운전을 하다가 교통사고를 야기한 후 그 형사처벌을 면하기 위하여 타인의 혈액을 자신의 혈액인 것처럼 교통사고 조사 경찰관에게 제출하여 감정하도록 한 경우, 위계에 의한 공무집행방해죄가 성립하지 않는다.

④ 변호사가 접견을 핑계로 수용자를 위하여 휴대전화와 증권거래용 단말기를 구치소 내로 몰래 반입하여 이용하게 한 행위는 위계에 의한 공무집행방해죄에 해당한다.

지문분석 난이도 중 정답 ③

| 키 워 드 | 공무집행방해죄

| 출제유형 | 틀린 지문 고르기

③ (X) 음주운전을 하다가 교통사고를 야기한 후 그 형사처벌을 면하기 위하여 타인의 혈액을 자신의 혈액인 것처럼 교통사고 조사 경찰관에게 제출하여 감정하도록 한 행위는, 단순히 피의자가 수사기관에 대하여 허위사실을 진술하거나 자신에게 불리한 증거를 은닉하는 데 그친 것이 아니라 수사기관의 착오를 이용하여 적극적으로 피의사실에 관한 증거를 조작한 것으로서 위계에 의한 공무집행방해죄가 성립한다(대법원 2003.7.25. 2003도1609).

① (O) 범죄피해신고를 받고 출동한 두 명의 경찰관에게 욕설을 하면서 차례로 폭행을 하여 신고처리 및 수사업무에 관한 정당한 직무집행을 방해한 경우, 동일한 장소에서 동일한 기회에 이루어진 폭행행위는 사회관념상 1개의 행위로 평가하는 것이 상당하다는 이유로, 위 공무집행방해죄는 형법 제40조에 정한 상상적 경합의 관계에 있다(대법원 2009.6.25. 2009도3505).

② (O) 대법원 1999.9.21. 99도383
→ 폭행 당시 주차단속 공무원은 근무 중인 상태에 있었으므로 직무를 집행'하는' 공무원이라고 본 판결이다.

④ (O) 대법원 2005.8.25. 2005도1731

22 0592

2018 경찰 2차

다음 설명 중 옳은 것을 모두 고른 것은? (다툼이 있는 경우 판례에 의함)

> ㉠ 경찰관이 도로를 순찰하던 중 벌금 미납으로 수배된 피고인과 조우(遭遇)하여 형집행장을 소지하지 아니한 채 급속을 요하여 그에게 형집행 사유와 더불어 형집행장이 발부되어 있는 사실을 고지하고 벌금 미납으로 인한 노역장 유치의 집행을 위해 구인하려 하였는데, 피고인이 이에 저항하여 그 경찰관을 폭행한 경우 공무집행방해죄가 성립한다.
>
> ㉡ 형법상 공무집행방해죄는 직무를 집행하는 공무원에 대하여 폭행 또는 협박한 경우에 성립하는 범죄로서 여기서의 폭행은 반드시 신체에 대한 것임을 요하지 아니하며, 또한 구체적 위험범으로서 구체적으로 직무집행의 방해라는 결과발생을 필요로 한다.
>
> ㉢ 피고인이 지구대 내에서 약 1시간 이상 경찰관에게 큰소리로 욕을 하고 의자에 드러눕거나 다른 사람들에게 시비를 걸고, 경찰관들이 피고인을 내보낸 뒤 문을 잠그자 다시 들어오기 위해 출입문을 계속해서 두드리는 등 소란을 피운 경우, 공무원에 대한 간접적인 유형력의 행사로 볼 수 있어 공무집행방해죄가 성립할 수 있다.
>
> ㉣ 피고인이 같은 장소에서 함께 출동한 경찰관들 중 먼저 경찰관 A를 폭행하고 곧이어 이를 제지하는 경찰관 B를 폭행한 경우, 위와 같이 동일한 장소에서 동일한 기회에 이루어진 폭행행위는 사회관념상 1개의 행위로 평가하는 것이 상당하므로 A와 B에 대한 공무집행방해죄는 포괄일죄의 관계에 있다.

① ㉠, ㉡　② ㉠, ㉢
③ ㉡, ㉢　④ ㉢, ㉣

지문분석 난이도 상 정답 ②

| 키 워 드 | 공무집행방해죄

| 출제유형 | 조합하기

㉠ (O) 사법경찰관리가 벌금형을 받은 사람을 그에 따르는 노역장 유치의 집행을 위하여 구인하려면 검사로부터 발부받은 형집행장을 그 상대방에게 제시하여야 하지만(형사소송법 제85조 제1항 참조), 형집행장을 소지하지 아니한 경우에 급속을 요하는 때에는 그 상대방에 대하여 형집행 사유와 형집행장이 발부되었음을 고하고 집행할 수 있다(형사소송법 제85조 제3항 참조). 그리고 형집행장의 제시 없이 구인할 수 있는 '급속을 요하는 때'란 애초 사법경찰관리가 적법하게 발부된 형집행장을 소지할 여유가 없이 형집행의 상대방을 조우한 경우 등을 가리킨다(대법원 2013.9.12. 2012도2349).

㉢ (O) 피고인이 지구대 내에서 약 1시간 40분 동안 큰소리로 경찰관을 모욕하는 말을 하고, 그곳 의자에 드러눕거나 다른 사람들에게 시비를 걸고 그 과정에서 경찰관들이 피고인을 내보낸 뒤 문을 잠그자 다시 들어오기 위해 출입문을 계속해서 두드리거나 잡아당기는 등 소란을 피운 사안에서, 피고인이 밤늦은 시각에 술에 취해 위와 같이 한참 동안 소란

을 피운 행위는 그 정도에 따라 공무원에 대한 간접적인 유형력의 행사로서 형법 제136조에서 규정한 '폭행'에 해당할 여지가 있는데도, 이와 달리 보아 공무집행방해의 점을 무죄로 판단한 원심판결에 법리오해 등 잘못이 있다(대법원 2013.12.26. 2013도11050).

㉡ (X) 형법 제136조에서 정한 공무집행방해죄는 직무를 집행하는 공무원에 대하여 폭행 또는 협박한 경우에 성립하는 범죄로서 여기서의 폭행은 사람에 대한 유형력의 행사로 족하고 반드시 그 신체에 대한 것임을 요하지 아니하며, 또한 추상적 위험범으로서 구체적으로 직무집행의 방해라는 결과발생을 요하지도 아니한다(대법원 2018.3.29. 2017도21537).

㉣ (X) 범죄피해신고를 받고 출동한 두 명의 경찰관에게 욕설을 하면서 차례로 폭행을 하여 신고처리 및 수사업무에 관한 정당한 직무집행을 방해한 사안에서, 동일한 장소에서 동일한 기회에 이루어진 폭행행위는 사회관념상 1개의 행위로 평가하는 것이 상당하다는 이유로, 위 공무집행방해죄는 형법 제40조에 정한 상상적 경합의 관계에 있다(대법원 2009.6.25. 2009도3505).

23 0593

2020 경찰 승진

공무방해의 죄에 대한 설명 중 가장 적절한 것은? (다툼이 있는 경우 판례에 의함)

① 허위의 매매계약서 및 영수증을 소명자료로 첨부하여 가처분 신청을 한 후 법원으로부터 유체동산에 대한 가처분 결정을 받은 경우 위계에 의한 공무집행방해죄가 성립하지 않는다.

② 과속단속카메라에 촬영되더라도 불빛을 반사시켜 차량 번호판이 식별되지 않도록 하는 기능의 제품을 차량 번호판에 뿌린 상태로 차량을 운행하는 경우 교통단속 경찰공무원이 충실히 직무를 수행하더라도 사실상 적발하기가 어려워 위계에 의한 공무집행방해죄가 성립한다.

③ 위계에 의한 공무집행방해죄에 있어서 범죄행위가 구체적인 공무집행을 저지하거나 현실적으로 곤란하게 하는 데까지는 이르지 아니하고 미수에 그친 경우 위계에 의한 공무집행방해죄의 미수죄가 성립한다.

④ 출동한 두 명의 경찰관에게 욕설을 하면서 차례로 폭행을 하여 신고처리 업무에 관한 정당한 직무집행을 방해한 경우, 동일한 장소에서 동일한 기회에 이루어진 폭행행위는 사회관념상 1개의 행위로 평가하는 것이 상당하므로 두 명의 경찰관에 대한 공무집행방해죄는 포괄일죄의 관계에 있다.

지문분석 난이도 ㊤ 정답 ①

| 키 워 드 | 공무집행방해죄

| 출제유형 | 옳은 지문 고르기

① (O) 법원은 당사자의 허위 주장 및 증거 제출에도 불구하고 진실을 밝혀야 하는 것이 그 직무이므로, 가처분신청 시 당사자가 허위의 주장을 하거나 허위의 증거를 제출하였다 하더라도 그것만으로 법원의 구체적이고 현실적인 어떤 직무집행이 방해되었다고 볼 수 없으므로 이로써 바로 위계에 의한 공무집행방해죄가 성립한다고 볼 수 없다(대법원 2012.4.26. 2011도17125).

② (X) 과속단속카메라에 촬영되더라도 불빛을 반사시켜 차량 번호판이 식별되지 않도록 하는 기능이 있는 제품('파워매직세이퍼')을 차량 번호판에 뿌린 상태로 차량을 운행한 행위만으로는, 교통단속 경찰공무원이 충실히 직무를 수행하더라도 통상적인 업무처리과정하에서 사실상 적발이 어려운 위계를 사용하여 그 업무집행을 하지 못하게 한 것으로 보기 어렵다(대법원 2010.4.15. 2007도8024).

③ (X) 위계에 의한 공무집행방해죄는 미수범 처벌규정이 없다.

④ (X) 범죄피해신고를 받고 출동한 두 명의 경찰관에게 욕설을 하면서 차례로 폭행을 하여 신고처리 및 수사업무에 관한 정당한 직무집행을 방해한 사안에서, 동일한 장소에서 동일한 기회에 이루어진 폭행행위는 사회관념상 1개의 행위로 평가하는 것이 상당하다는 이유로, 위 공무집행방해죄는 형법 제40조에 정한 상상적 경합의 관계에 있다(대법원 2009.6.25. 2009도3505).

24 0594

2020 경찰 간부

다음 설명 중 가장 옳지 않은 것은? (다툼이 있는 경우 판례에 의함)

① 공무상비밀표시무효죄와 공용물파괴죄는 미수범 처벌규정이 있으나 공무집행방해죄와 국회의장모욕죄는 미수범 처벌규정이 없다.

② 출입국관리공무원이 관리자의 사전 동의 없이 사업장에 진입하여 불법체류자 단속업무를 개시하였다면 그 상태에서 피고인이 단속공무원을 칼로 찔렀다 할지라도 특수공무집행방해죄는 성립하지 않는다.

③ 법원은 당사자의 허위 주장 및 증거 제출에도 불구하고 진실을 밝혀야 하는 것이 그 직무이므로 가처분신청 시 당사자가 허위의 주장을 하거나 허위의 증거를 제출하였다 하더라도 이로써 바로 위계에 의한 공무집행방해죄가 성립한다고 볼 수 없다.

④ 교육인적자원부 장관이 약학대학 학제개편에 관한 공청회를 개최하면서 행정절차법상 통지 절차를 위반했다면 다중이 위력으로 공청회 진행을 방해했을지라도 특수공무집행방해죄는 성립하지 않는다.

지문분석 난이도 ㊤ 정답 ④

| 키 워 드 | 공무집행방해죄

| 출제유형 | 틀린 지문 고르기

④ (X) [1] 교육인적자원부 장관이 약학대학 학제개편에 관한 공청회를 개최하면서 행정절차법상 통지 절차를 위반하였더라도, 위 공청회 개최업무는 공무집행방해죄의 보호대상인 '적법한 공무집행'이라고 한 사례.
[2] 피고인들이 대한의사협회의 부회장 및 이사로서 회원들과 공모하여 다중의 위력으로 교육인적자원부의 이 사건 각 공청회 진행에 관한 업무를 방해하였다고 판단한 조치는 위 법리에 따른 것으로 정당하다(대법원 2007.10.12. 2007도6088).
→ 판례는 교육인적자원부 장관이 대한의사협회에 이 사건 각 공청회의 개최를 통보함에 있어 행정절차법 제38조 제1항에서 정한 바에 따라 14일 전에 공청회의 일시와 장소 등을 통보하여야 함에도 이를 준수하지 못한 잘못이 있으나, 위 공청회 개최 통지 절차 위반은 경미한 흠에 불과하고 이 사건 각 공청회 개최를 형법상 보호대상에서 제외되는 부적법한 직무행위라고 평가할 수 있는 정도는 아니라고 판단하였다.

① (O) 공무상비밀표시무효죄와 공용물파괴죄는 미수범 처벌규정이 있으나(형법 제143조), 공무집행방해죄와 국회의장모욕죄는 미수범 처벌규정이 없다.

② (O) 출입국관리공무원 등이 출입국관리법 제81조 제1항에 근거하여 제3자의 주거 또는 일반인의 자유로운 출입이 허용되지 아니한 사업장 등에 들어가 외국인을 상대로 조사하기 위해서는 그 주거권자 또는 관리자의 사전 동의가 있어야 한다. 출입국관리공무원이 관리자의 사전 동의 없이 사업장에 진입하여 불법체류자 단속업무를 개시한 경우, 공무집행 행위의 적법성이 부인되어 공무집행방해죄가 성립하지 않는다(대법원 2009.3.12. 2008도7156).

③ (O) 대법원 2012.4.26. 2011도17125

25 0595

2021 경찰 승진

공무방해에 관한 죄에 대한 설명으로 가장 적절하지 않은 것은? (다툼이 있으면 판례에 의함)

① 공무집행방해죄는 공무원의 적법한 공무집행이 전제로 되는데, 추상적인 권한에 속하는 공무원의 어떠한 공무집행이 적법한지 여부는 행위 당시의 구체적 상황에 기하여 객관적·합리적으로 판단하여야 하고 사후적으로 순수한 객관적 기준에서 판단할 것은 아니다.

② 불심검문을 하게 된 경위, 불심검문 당시의 현장상황과 검문을 하는 경찰관들의 복장, 피고인이 공무원증 제시나 신분 확인을 요구하였는지 여부 등을 종합적으로 고려하여, 검문하는 사람이 경찰관이고 검문하는 이유가 범죄행위에 관한 것임을 피고인이 충분히 알고 있었다고 보이는 경우에는 신분증을 제시하지 않았다고 하여 그 불심검문이 위법한 공무집행이라고 할 수 없다.

③ 음주운전을 하다가 교통사고를 야기한 후 그 형사처벌을 면하기 위하여 타인의 혈액을 자신의 혈액인 것처럼 교통사고 조사 경찰관에게 제출하여 감정하도록 한 행위는 위계에 의한 공무집행방해죄에 해당한다.

④ 외국 주재 한국영사관의 비자발급 업무와 같이 상대방에게서 신청을 받아 일정한 자격요건 등을 갖춘 경우에 한하여 그에 대한 수용 여부를 결정하는 업무는 신청서에 기재된 사유가 사실과 부합하지 않을 수 있는 것을 전제로 그 자격요건 등을 심사·판단하는 것이므로, 업무담당자가 사실을 충분히 확인하지 아니한 채 신청인이 제출한 허위의 신청사유나 허위의 소명자료를 가볍게 믿고 이를 수용하였더라도 신청인에게 위계에 의한 공무집행방해죄가 성립한다.

지문분석 난이도 ㊥ 정답 ④

| 키 워 드 | 공무집행방해죄

| 출제유형 | 틀린 지문 고르기

④ (X) 외국 주재 한국영사관의 비자발급 업무와 같이, 상대방에게서 신청을 받아 일정한 자격요건 등을 갖춘 경우에 한하여 그에 대한 수용 여부를 결정하는 업무는 신청서에 기재된 사유가 사실과 부합하지 않을 수 있는 것을 전제로 그 자격요건 등을 심사·판단하는 것이므로, 업무담당자가 사실을 충분히 확인하지 아니한 채 신청인이 제출한 허위의 신청사유나 허위의 소명자료를 가볍게 믿고 이를 수용하였다면, 이는 업무담당자의 불충분한 심사에 기인한 것이어서 위계에 의한 공무집행방해죄를 구성하지 아니하지만, 신청인이 업무담당자에게 허위의 주장을 하면서 이에 부합하는 허위의 소명자료를 첨부하여 제출한 경우 수리 여부를 결정하는 업무담당자가 관계 규정에서 정한 바에 따라 요건의 존부에 관하여 나름대로 충분히 심사를 하였으나 신청사유 및 소명자료가 허위인 것을 발견하지 못하여 신청을 수리하게 될 정도에 이르렀다면, 이는 업무담당자의 불충분한 심사가 아니라 신청인의 위계행위에 의한 것이어서 위계에 의한 공무집행방해죄를 구성한다(대법원 2011.4.28. 2010도14696).

① (O) 대법원 2013.8.23. 2011도4763

② (O) 대법원 2014.12.11. 2014도7976

③ (O) 대법원 2003.7.25. 2003도1609

26 0596

2018 경찰 승진

공무집행방해죄에 대한 설명으로 가장 적절하지 않은 것은?
(다툼이 있는 경우 판례에 의함)

① 甲이 과속단속카메라에 촬영되더라도 불빛을 반사시켜 차량 번호판이 식별되지 않도록 하는 기능이 있는 제품을 자신의 차량 번호판에 뿌린 상태로 차량을 운행한 행위는 교통단속 경찰공무원이 충실히 직무를 수행하더라도 사실상 적발이 어려운 위계를 사용한 공무집행방해에 해당한다.
② 재개발지역 내 주민들이 철거에 반대하여 건물 옥상에 망루를 설치하고 농성하던 중 피고인 등이 던진 화염병에 의해 발생한 화재로 일부 농성자 및 진압작전 중이던 일부 경찰관이 사망하거나 상해를 입은 경우, 경찰의 위 농성 진압작전을 위법한 직무수행으로 볼 수 없으므로 피고인들에게 특수공무집행방해치사상죄 등이 성립한다.
③ 경찰관 甲이 음주운전을 종료한 후 40분 이상이 경과한 시점에서 길가에 앉아 있던 운전자를 술냄새가 난다는 점만을 근거로 음주운전의 현행범으로 체포한 것은 적법한 공무집행으로 볼 수 없다.
④ 경찰관의 체포행위가 적법한 공무집행을 벗어나 불법하게 체포한 것으로 볼 수밖에 없다면, 피의자가 그 체포를 면하려고 반항하는 과정에서 경찰관에게 상해를 가한 경우, 공무집행방해죄 및 상해죄가 성립하지 아니한다.

지문분석 난이도 하 정답 ①

| 키 워 드 | 공무집행방해죄
| 출제유형 | 틀린 지문 고르기

① (X) **금지규정 위반행위의 위계에 의한 공무집행방해죄의 성립 여부**
[1] 법령에서 어떤 행위의 금지를 명하면서 이를 위반하는 행위에 대한 벌칙을 두는 한편, 공무원으로 하여금 그 금지규정의 위반 여부를 감시·단속하게 하고 있는 경우 그 공무원에게는 금지규정 위반행위의 유무를 감시하여 확인하고 단속할 권한과 의무가 있다 할 것인데, 만약 어떠한 행위가 공무원이 관계 법령이 정한 바에 따라 금지규정 위반행위의 유무를 충분히 감시하여 확인하고 단속하더라도 이를 발견하지 못할 정도에 이른 것이라면 이는 위계에 의하여 공무원의 감시·단속업무를 적극적으로 방해한 것으로서 위계에 의한 공무집행방해죄가 성립된다.
[2] 그와 같은 행위가 이에 이르지 않고 단순히 공무원의 감시·단속을 피하여 금지규정에 위반하는 행위를 한 것에 불과하다면 이는 공무원의 불충분한 감시·단속에 기인한 것이지, 행위자 등의 위계에 의하여 공무원의 감시·단속에 관한 직무가 방해되었다고 할 수 없을 것이어서 위계에 의한 공무집행방해죄가 성립된다고 할 수 없다.
[3] 과속단속카메라에 촬영되더라도 불빛을 반사시켜 차량 번호판이 식별되지 않도록 하는 기능이 있는 제품('파워매직세이퍼')을 차량 번호판에 뿌린 상태로 차량을 운행한 행위만으로는, 교통단속 경찰공무원이 충실히 직무를 수행하더라도 통상적인 업무처리과정하에서 사실상 적발이 어려운 위계를 사용하여 그 업무집행을 하지 못하게 한 것으로 보기 어렵다(대법원 2010.4.15. 2007도8024).
→ 위계에 의한 공무집행방해죄 부정

② (O) 대법원 2010.11.11. 2010도7621
→ 용산 참사 사건
③ (O) 대법원 2007.4.13. 2007도1249
→ 신고를 받고 출동한 제천경찰서 청전지구대 소속 경장 乙이 피고인이 음주운전을 종료한 후 40분 이상이 경과한 시점에서 길가에 앉아 있던 피고인에게서 술냄새가 난다는 점만을 근거로 피고인을 음주운전의 현행범으로 체포한 것은 피고인이 '방금 음주운전을 실행한 범인이라는 점에 관한 죄증이 명백하다고 할 수 없는 상태'에서 이루어진 것으로서 적법한 공무집행이라고 볼 수 없다고 하여 乙에게 폭행·협박을 한 甲에게 공무집행방해죄를 부정한 판결이다.
④ (O) 대법원 2017.9.21. 2017도10866

27 0597

2020 경찰 간부

다음 중 공무상표시무효죄가 인정된 경우로 옳은 것을 모두 고르면? (다툼이 있는 경우 판례에 의함)

가. 출입금지가처분의 대상이 된 건조물 등에 가처분 채권자의 승낙을 얻어 출입했는데 가처분결정이나 그 결정의 집행으로서 집행관이 실시한 고시에는 그러한 취지가 명시되어 있지 않은 경우
나. 집행관이 채무자 겸 소유자의 건물에 대한 점유를 해제하고 이를 채권자에게 인도한 후 채무자의 출입을 봉쇄하기 위하여 출입문을 판자로 막아둔 것을 채무자가 뜯어내고 그 건물에 들어간 경우
다. 직접점유자(임차인)에 대한 점유이전금지가처분결정이 집행된 후 직접점유자가 그 가처분 목적물의 간접점유자(소유자)에게 그 점유를 이전한 경우
라. 변호사의 자문을 받아 문제가 없다는 말을 듣고 압류물을 집행관의 승인 없이 관할구역 밖으로 옮긴 경우
마. 압류된 골프장시설을 보관하는 회사의 대표이사가 압류시설의 사용 및 봉인의 훼손을 방지할 수 있는 적절한 조치 없이 골프장을 개장하여 봉인이 훼손된 경우

① 가, 나　　② 나, 다, 라
③ 다, 라, 마　　④ 라, 마

지문분석 난이도 상 정답 ③

| 키 워 드 | 공무상표시무효죄
| 출제유형 | 조합하기

다. (O) 직접점유자에 대한 점유이전금지가처분결정이 집행된 후 그 피신청인인 직접점유자가 가처분 목적물의 간접점유자에게 그 점유를 이전한 경우에는 그 가처분표시의 효용을 해한 것이 된다(대법원 1980.12.23. 80도1963).

라. (O) 압류물을 집달관의 승인 없이 임의로 그 관할구역 밖으로 옮긴 경우에는 압류집행의 효용을 해하게 된다고 할 것이므로 공무상비밀표시무효죄가 성립한다. 변호사 등에게 문의하여 자문을 받았다는 사정만으로는 자신의 행위가 죄가 되지 않는다고 믿는 데에 정당한 이유가 있다고 할 수 없다(대법원 1992.5.26. 91도894).

마. (O) 압류된 골프장시설을 보관하는 회사의 대표이사가 위 압류시설의 사용 및 봉인의 훼손을 방지할 수 있는 적절한 조치 없이 골프장을 개장하게 하여 봉인이 훼손되게 한 경우, 부작위에 의한 공무상표시무효죄가 성립한다(대법원 2005.7.22. 2005도3034).

가. (X) 출입금지가처분은 그 성질상 가처분 채권자의 의사에 반하여 건조물 등에 출입하는 것을 금지하는 것이므로 비록 가처분결정이나 그 결정의 집행으로서 집행관이 실시한 고시에 그러한 취지가 명시되어 있지 않다고 하더라도 가처분 채권자의 승낙을 얻어 그 건조물 등에 출입하는 경우에는 출입금지가처분 표시의 효용을 해한 것이라고 할 수 없다(대법원 2006.10.13. 2006도4740).

나. (X) 집달관이 채무자 겸 소유자의 건물에 대한 점유를 해제하고 이를 채권자에게 인도한 후 채무자의 출입을 봉쇄하기 위하여 출입문을 판자로 막아둔 것을 채무자가 이를 뜯어내고 그 건물에 들어갔다 하더라도 이는 강제집행이 완결된 후의 행위로서 채권자들의 점유를 침범하는 것은 별론으로 하고 공무상표시무효죄에 해당하지는 않는다(대법원 1985.7.23. 85도1092).

28 0598

2019 경찰 간부

다음 중 옳은 것은 모두 몇 개인가? (다툼이 있는 경우 판례에 의함)

가. 공무집행방해죄에 있어서의 범의는 상대방이 직무를 집행하는 공무원이라는 사실, 그리고 이에 대하여 폭행 또는 협박을 가한다는 사실에 대한 인식과 그 직무집행을 방해할 의사가 있어야 인정할 수 있다.
나. 위계에 의한 공무집행방해죄에 있어서 고의 이외에 직무집행을 방해할 의사는 요구되지 않는다.
다. 공무집행방해죄에 있어서 적법한 공무집행이라고 함은 그 행위가 해당 공무원의 추상적 직무권한에 속하면 되고 구체적 직무집행에 관한 법률상 요건과 방식을 갖출 필요는 없다.
라. 폭행·협박·위계가 아닌 방법으로 공무원이 직무상 수행하는 공무를 방해한 경우에는 공무집행방해죄는 물론 업무방해죄로도 처벌할 수 없다.

① 1개 ② 2개
③ 3개 ④ 4개

지문분석

난이도 중 정답 ①

| 키 워 드 | 공무집행방해죄
| 출제유형 | 개수 찾기

라. (O) 형법이 업무방해죄와는 별도로 공무집행방해죄를 규정하고 있는 것은 사적 업무와 공무를 구별하여 공무에 관해서는 공무원에 대한 폭행, 협박 또는 위계의 방법으로 그 집행을 방해하는 경우에 한하여 처벌하겠다는 취지라고 보아야 할 것이고, 따라서 공무원이 직무상 수행하는 공무를 방해하는 행위에 대해서는 업무방해죄로 의율할 수는 없다(대법원 2011.7.28. 2009도11104).
가. (X) 공무집행방해죄에 있어서의 범의는 ㉠ 상대방이 직무를 집행하는 공무원이라는 사실, 그리고 ㉡ 이에 대하여 폭행 또는 협박을 한다는 사실을 인식하는 것을 그 내용으로 하고, 그 인식은 불확정적인 것이라도 소위 미필적 고의가 있다고 보아야 하며, 그 직무집행을 방해할 의사를 필요로 하지 아니한다(대법원 1995.1.24. 94도1949).
나. (X) 위계에 의한 공무집행방해의 죄가 성립되려면 자기의 위계행위로 인하여 공무집행을 방해하려는 의사가 있어야 한다(대법원 1970.1.27. 69도2260).
다. (X) 형법 제136조가 규정하는 공무집행방해죄는 공무원의 직무집행이 적법한 경우에 한하여 성립하고, 여기서 적법한 공무집행이라고 함은 그 행위가 공무원의 추상적 권한에 속할 뿐 아니라 구체적으로도 그 권한 내에 있어야 하며 또한 직무행위로서의 요건과 방식을 갖추어야 하고, 공무원의 어떠한 공무집행이 적법한지 여부는 행위 당시의 구체적 상황에 기하여 객관적·합리적으로 판단하여야 한다(대법원 2013.2.15. 2010도11281).

4 도주와 범인은닉의 죄

29 0599

2020 경찰 1차

범인은닉·도피죄에 관한 설명으로 가장 적절하지 않은 것은? (다툼이 있는 경우 판례에 의함)

① 주점 개업식날 찾아 온 범인에게 '도망다니면서 이렇게 와주니 고맙다. 항상 몸조심하고 주의하여 다녀라. 열심히 살면서 건강에 조심해라'고 말한 것은 단순히 안부를 묻거나 통상적인 인사말에 불과하므로 범인도피죄에 해당하지 않는다.
② 범인이 타인으로 하여금 허위의 자백을 하게 하는 등으로 범인도피죄를 범하게 하는 경우와 같이 그것이 방어권의 남용으로 볼 수 있을 때에는 범인도피교사죄에 해당할 수 있다.
③ 범인도피죄는 그 자체로 도피시키는 것을 직접적인 목적으로 하였다고 보기 어려운 행위를 한 결과 간접적으로 범인이 안심하여 도피할 수 있게 한 경우도 포함된다.
④ 범인도피죄는 범인을 도피하게 함으로써 기수에 이르지만 범인도피행위가 계속되는 동안에는 범죄행위도 계속되고 행위가 끝날 때 비로소 범죄행위가 종료되며, 공범자의 범인도피행위 도중에 그 범행을 인식하면서 그와 공동의 범의를 가지고 기왕의 범인도피상태를 이용하여 스스로 범인도피행위를 계속한 자에 대하여는 범인도피죄의 공동정범이 성립한다.

지문분석

난이도 중 정답 ③

| 키 워 드 | 범인은닉·도피죄
| 출제유형 | 틀린 지문 고르기

③ (X) 형법 제151조의 범인도피죄에서 '도피하게 하는 행위'는 은닉 이외의 방법으로 범인에 대한 수사, 재판 및 형의 집행 등 형사사법 작용을 곤란 또는 불가능하게 하는 일체의 행위로서 그 수단과 방법에는 아무런 제한이 없다. 또한 위 죄는 위험범으로서, 현실적으로 형사사법 작용을 방해하는 결과를 초래할 필요는 없으나 적어도 함께 규정되어 있는 은닉행위에 비견될 정도로 수사기관의 발견·체포를 곤란하게 하는 행위, 즉 직접 범인을 도피시키는 행위 또는 도피를 직접적으로 용이하게 하는 행위에 이르러야 성립하므로, 그 자체로는 도피시키는 것을 직접적인 목적으로 하였다고 보기 어려운 어떤 행위를 한 결과 간접적으로 범인이 안심하고 도피할 수 있게 한 경우는 여기에 포함되지 않는다(대법원 2011.4.28. 2009도3642).
① (O) 범인도피죄에 있어서의 '도피'란 은닉 이외의 방법으로 수사기관의 발견, 체포를 곤란 내지 불가능하게 하는 일체의 행위를 뜻하는 것으로, 단순히 안부를 묻거나 통상적인 인사말 등만으로는 범인을 도피하게 한 것이라고 할 수 없을 것인바, 주점 개업식 날 찾아 온 범인에게 "도망다니면서 이렇게 와 주니 고맙다. 항상 몸조심하고 주의하여 다녀라. 열심히 살면서 건강에 조심하라."고 말한 것은 단순히 안부인사에 불과한 것으로 범인을 도피하게 한 것으로 볼 수 없다(대법원 1992.6.12. 92도736).
→ 범인에게 통상적인 안부인사를 한 행위가 범인도피죄에 해당하는지 여부: 부정
② (O) 대법원 2000.3.24. 2000도20
④ (O) 대법원 1995.9.5. 95도577
→ 범인도피죄는 계속범이므로 기수 이후에도 공범가담이 가능하다.

30 0600

2019 경찰 2차

국가기능에 대한 죄에 관한 설명으로 가장 적절하지 않은 것은? (다툼이 있는 경우 판례에 의함)

① 증인이 기억에 반하는 진술을 한 경우에는 그 진술내용이 진실과 일치하는 때에도 위증죄가 성립한다.
② 무고의 고의로 신고내용이 허위라고 믿고 신고하였으나 우연히 그 신고내용이 객관적 진실에 부합하는 경우, 무고죄가 성립하지 않는다.
③ 도주죄의 범인이 도주행위를 하여 기수에 이른 이후에 범인의 도피를 도와주는 경우, 도주원조죄가 성립할 수 있을 뿐 범인도피죄는 성립하지 않는다.
④ 사실혼관계에 있는 자가 범인 본인을 위하여 증거를 인멸한 경우, 친족 간의 특례(형법 제155조 제4항)가 적용되지 않아 증거인멸죄로 처벌된다.

지문분석 난이도 중 정답 ③

| 키 워 드 | 국가기능에 대한 죄

| 출제유형 | 틀린 지문 고르기

③ (X) 도주죄는 즉시범으로서 범인이 간수자의 실력적 지배를 이탈한 상태에 이르렀을 때에 기수가 되어 도주행위가 종료하는 것이고, 도주원조죄는 도주죄에 있어서의 범인의 도주행위를 야기시키거나 이를 용이하게 하는 등 그와 공범관계에 있는 행위를 독립한 구성요건으로 하는 범죄이므로, 도주죄의 범인이 도주행위를 하여 기수에 이르른 이후에 범인의 도피를 도와주는 행위는 범인도피죄에 해당할 수 있을 뿐 도주원조죄에는 해당하지 아니한다(대법원 1991.10.11. 91도1656).
① (O) 위증죄에 있어서의 위증은 선서한 증인이 자기의 기억에 반하는 사실을 진술함으로써 성립되고 설사 그 증언이 객관적 사실에 부합된다고 하더라도 기억에 반하는 진술을 한 때에는 위증죄의 성립에 영향이 없다(대법원 1982.9.14. 81도105).
② (O) 무고죄는 타인으로 하여금 형사처분 등을 받게 할 목적으로 신고한 사실이 객관적 진실에 반하는 허위사실인 경우에 성립되는 범죄로서, 신고자가 그 신고내용을 허위라고 믿었다 하더라도 그것이 객관적으로 진실한 사실에 부합할 때에는 허위사실의 신고에 해당하지 않아 무고죄는 성립하지 않는 것이다(대법원 1991.10.11. 91도1950).
④ (O) 형법 제151조 제2항 및 제155조 제4항은 친족, 동거의 가족이 본인을 위하여 범인도피죄, 증거인멸죄 등을 범한 때에는 처벌하지 아니한다고 규정하고 있는바, 사실혼관계에 있는 자는 민법 소정의 친족이라 할 수 없어 위 조항에서 말하는 친족에 해당하지 않는다(대법원 2003.12.12. 2003도4533).

31 0601

2020 경찰 승진

도주와 범인은닉의 죄에 대한 설명 중 가장 적절하지 않은 것은? (다툼이 있는 경우 판례에 의함)

① 도주죄는 즉시범으로서 범인이 간수자의 실력적 지배를 이탈한 상태에 이르렀을 때에 기수가 되어 도주행위가 종료하는 것이고, 도주죄의 범인이 도주행위를 하여 기수에 이른 이후에 범인의 도피를 도와주는 행위는 범인도피죄에 해당할 수 있을 뿐 도주원조죄에 해당하지 아니한다.
② 가석방·보석 중에 있는 자와 형집행정지·구속집행정지 중에 있는 자도 도주죄의 주체가 될 수 있다.
③ 범인이 기소중지자임을 알고도 범인의 부탁으로 다른 사람의 명의로 대신 임대차계약을 체결해 준 경우 범인도피죄가 성립한다.
④ 공범 중 1인이 그 범행에 관한 수사절차에서 참고인 또는 피의자로 조사받으면서 자기의 범행을 구성하는 사실관계에 관하여 허위로 진술하고 허위 자료를 제출하는 것은 자신의 범행에 대한 방어권 행사의 범위를 벗어난 것으로 볼 수 없어, 이러한 행위가 다른 공범을 도피하게 하는 결과가 된다고 하더라도 범인도피죄로 처벌할 수 없다.

지문분석 난이도 중 정답 ②

| 키 워 드 | 도주와 범인은닉죄

| 출제유형 | 틀린 지문 고르기

② (X) 형법 제145조 제1항의 도주죄는 그 주체가 법률에 따라 체포되거나 구금된 자로 한정되는 진정신분범으로 가석방·보석 중에 있는 자와 형집행정지·구속집행정지 중에 있는 자는 구금된 자가 아니므로 도주죄의 주체가 될 수 없다(통설).
① (O) 대법원 1991.10.11. 91도1656
③ (O) 대법원 2004.3.26. 2003도8226
④ (O) 범인도피죄는 타인을 도피하게 하는 경우에 성립할 수 있는데, 여기에서 타인에는 공범도 포함되나 범인 스스로 도피하는 행위는 처벌되지 않는다. 또한 공범 중 1인이 그 범행에 관한 수사절차에서 참고인 또는 피의자로 조사받으면서 자기의 범행을 구성하는 사실관계에 관하여 허위로 진술하고 허위 자료를 제출하는 것은 자신의 범행에 대한 방어권 행사의 범위를 벗어난 것으로 볼 수 없다. 이러한 행위가 다른 공범을 도피하게 하는 결과가 된다고 하더라도 범인도피죄로 처벌할 수 없다. 이때 공범이 이러한 행위를 교사하였더라도 범죄가 될 수 없는 행위를 교사한 것에 불과하여 범인도피교사죄가 성립하지 않는다(대법원 2018.8.1. 2015도20396).

32 0602

2021 경찰 간부

범인도피죄에 대한 설명 중 옳은 것만을 모두 고른 것은? (다툼이 있는 경우 판례에 의함)

가. 범인 아닌 자가 수사기관에서 범인임을 자처하고 허위사실을 진술하여 진범의 체포와 발견에 지장을 초래하게 한 행위는 범인은닉죄에 해당한다.
나. 범인이 기소중지자임을 알고도 그의 부탁으로 다른 사람의 명의로 대신 임대차계약을 체결해 주는 데 그친 행위는 범인도피죄에 해당하지 않는다.
다. 폭행사건 현장의 참고인이 출동한 경찰관에게 범인의 이름 대신 허무인의 이름을 대면서 구체적인 인적사항에 대한 언급을 피한 경우 범인도피죄가 성립하지 않는다.
라. 참고인이 수사기관에서 진범이 아닐지 모른다고 생각하면서도 특정인을 범인으로 지목하는 허위진술을 하여 그 사람이 구속됨으로써 실제 범인이 용이하게 도피하는 결과를 초래한 경우, 그 참고인을 범인도피죄로 처벌할 수 있다.
마. 범인이 자신을 위하여 타인으로 하여금 허위자백을 하게 하여 범인도피죄를 범하게 하는 행위는 방어권 남용으로 범인도피교사죄에 해당하는바, 그 타인이 형법 제151조 제2항에 의하여 처벌을 받지 아니하는 친족에 해당한다 하여 달리 볼 것은 아니다.

① 가, 나, 다　　② 가, 다, 마
③ 가, 라, 마　　④ 나, 라, 마

지문분석　난이도 중 정답 ②

| 키 워 드 | 범인도피죄
| 출제유형 | 조합하기

가. (O) 대법원 1996.6.14. 96도1016
다. (O) [1] 원래 수사기관은 범죄사건을 수사함에 있어서 피의자나 참고인의 진술 여하에 불구하고, 피의자를 확정하고 그 피의사실을 인정할 만한 객관적인 제반 증거를 수집·조사하여야 할 권리와 의무가 있는 것이므로, 참고인이 수사기관에서 범인에 관하여 조사를 받으면서 그가 알고 있는 사실을 묵비하거나 허위로 진술하였다고 하더라도, 그것이 적극적으로 수사기관을 기만하여 착오에 빠지게 함으로써 범인의 발견 또는 체포를 곤란 내지 불가능하게 할 정도의 것이 아니라면 범인도피죄를 구성하지 않는다.
[2] 피고인이 피해자를 폭행한 자의 인적사항을 묻는 경찰관의 질문에 답하면서, 단순히 '이언중'이라고 허무인의 이름을 진술하고 구체적인 인적사항에 대하여는 모른다고 진술하는 데 그쳤을 뿐이라면 이를 가리켜 적극적으로 수사기관을 기만하여 착오에 빠지게 함으로써 범인의 발견 또는 체포를 곤란 내지 불가능하게 할 정도의 것이라고 할 수 없어 범인도피죄를 구성하지 않는다(대법원 2008.6.26. 2008도1059).
마. (O) 무면허 운전으로 사고를 낸 사람이 동생을 경찰서에 대신 출두시켜 피의자로 조사받도록 한 행위는 범인도피교사죄를 구성한다(대법원 2006.12.7. 2005도3707).
나. (X) 범인이 기소중지자임을 알고도 범인의 부탁으로 다른 사람의 명의로 대신 임대차계약을 체결해 준 경우, 비록 임대차계약서가 공시되는 것은 아니라 하더라도 수사기관이 탐문수사나 신고를 받아 범인을 발견하고 체포하는 것을 곤란하게 하여 범인도피죄에 해당한다(대법원 2004.3.26. 2003도8226).
라. (X) 참고인이 실제의 범인이 누군지도 정확하게 모르는 상태에서 수사기관에서 실제의 범인이 아닌 어떤 사람을 범인이 아닐지도 모른다고 생각하면서도 그를 범인이라고 지목하는 허위의 진술을 한 경우에는 참고인의 허위진술에 의하여 범인으로 지목된 사람이 구속기소됨으로써 실제의 범인이 용이하게 도피하는 결과를 초래한다고 하더라도 그것만으로는 그 참고인에게 적극적으로 실제의 범인을 도피시켜 국가의 형사사법의 작용을 곤란하게 할 의사가 있었다고 볼 수 없어 그 참고인을 범인도피죄로 처벌할 수는 없다(대법원 1997.9.9. 97도1596).

33 0603

2019 경찰 승진

도주와 범인은닉의 죄에 대한 설명으로 가장 적절하지 않은 것은? (다툼이 있는 경우 판례에 의함)

① 법률에 의하여 체포 또는 구금된 자가 수용설비 또는 기구를 손괴하거나 위험한 물건을 휴대하거나 2인 이상이 합동하여 도주한 때에는 특수도주죄로 가중처벌된다.
② 형법 제151조 제2항은 친족 또는 동거의 가족이 본인을 위하여 범인도피죄를 범한 때에는 처벌하지 아니한다고 규정하고 있는데, 여기서 말하는 친족에는 사실혼 관계에 있는 자는 포함되지 않는다.
③ 참고인이 수사기관에서 범인에 관하여 조사를 받으면서 그가 알고 있는 사실을 묵비하거나 허위로 진술하였다고 하더라도, 그것이 적극적으로 수사기관을 기만하여 착오에 빠지게 함으로써 범인의 발견 또는 체포를 곤란 내지 불가능하게 할 정도가 아닌 한 범인도피죄를 구성하지 않고, 이러한 법리는 피의자가 수사기관에서 공범에 관하여 묵비하거나 허위로 진술한 경우에도 그대로 적용된다.
④ 공범자의 범인도피행위 도중에 그 범행을 인식하면서 그와 공동의 범의를 가지고 기왕의 범인도피상태를 이용하여 스스로 범인도피행위를 계속한 경우에는 범인도피죄의 공동정범이 성립하고, 이는 공범자의 범행을 방조한 종범의 경우도 마찬가지이다.

지문분석 난이도 중 정답 ①

| 키 워 드 | 도주와 범인은닉죄
| 출제유형 | 틀린 지문 고르기

① (X) 수용설비 또는 기구를 손괴하거나 사람에게 폭행 또는 협박을 가하거나 2인 이상이 합동하여 도주죄를 범한 경우 특수도주죄가 된다(형법 제146조). 위험한 물건 휴대는 아니다.
② (O) 대법원 2003.12.12. 2003도4533
③ (O) 대법원 2010.2.11. 2009도12164
④ (O) 대법원 2012.8.30. 2012도6027

5 위증과 증거인멸의 죄

34 0604

2018 경찰 3차

위증과 증거인멸의 죄에 대한 설명으로 가장 적절하지 않은 것은? (다툼이 있는 경우 판례에 의함)

① 자신의 강도범행을 일관되게 부인하였으나 법원으로부터 유죄판결이 확정된 피고인이 별건으로 기소된 공범의 형사사건에서 선서 후 범행사실을 부인하는 증언을 하였다면, 피고인에게 사실대로 진술할 것이라는 기대가능성이 있으므로 위증죄가 성립한다.
② 피고인이 자기의 형사사건에 관하여 타인을 교사하여 위증죄를 범하게 하였더라도, 이러한 피고인의 행위는 방어권의 정당한 행사로 위증죄의 교사범이 성립하지 않는다.
③ 선서한 증인이 자기의 기억에 반하는 증언을 하였다면, 그 증언 내용이 객관적 사실과 부합한다 하더라도 위증죄가 성립한다.
④ 증거은닉죄에 있어서 '타인의 형사사건 또는 징계사건'에는 이미 수사가 개시되거나 징계절차가 개시된 사건만이 아니라 수사 또는 징계절차 개시 전이라도 장차 형사사건 또는 징계사건이 될 수 있는 사건도 포함된다.

지문분석 난이도 하 정답 ②

| 키 워 드 | 위증과 증거인멸의 죄
| 출제유형 | 틀린 지문 고르기

② (X) 피고인이 자기의 형사사건에 관하여 허위의 진술을 하는 행위는 피고인의 형사소송에 있어서의 방어권을 인정하는 취지에서 처벌의 대상이 되지 않으나, 법률에 의하여 선서한 증인이 타인의 형사사건에 관하여 위증을 하면 형법 제152조 제1항의 위증죄가 성립되므로 자기의 형사사건에 관하여 타인을 교사하여 위증죄를 범하게 하는 것은 이러한 방어권을 남용하는 것이라고 할 것이어서 교사범의 죄책을 부담케 함이 상당하다(대법원 2004.1.27. 2003도5114).
① (O) 대법원 2008.10.23. 2005도10101
③ (O) 대법원 1989.1.17. 88도580
④ (O) 대법원 1982.4.27. 82도274

35 0605

2021 경찰 간부

증거인멸의 죄에 대한 설명 중 옳은 것은 모두 몇 개인가? (다툼이 있는 경우 판례에 의함)

> 가. 형법 제155조 제1항의 증거인멸 등 죄에서 말하는 '징계사건'에는 국가의 징계사건은 물론 사인 간의 징계사건도 포함된다.
> 나. 형법 제155조 제1항에서 타인의 형사사건에 관한 증거를 위조한다 함은, 증거 자체를 위조하는 것뿐 아니라 널리 참고인이 수사기관에서 허위의 진술을 하는 것까지를 포함하는 개념으로 보아야 한다.
> 다. 형법 제155조 제1항의 증거위조죄에서 '타인의 형사사건'이란 증거위조 행위시에 아직 수사절차가 개시되기 전이라도 장차 형사사건이 될 수 있는 것까지 포함하지만, 이후 그 형사사건이 기소되지 아니하거나 무죄가 선고된 경우 증거위조죄는 성립하지 않는다.
> 라. 형법 제155조 제3항의 모해목적 증거인멸 등 죄에서 '피의자'라고 하기 위해서는 수사기관에 의하여 수사가 개시되어 있을 것을 필요로 하고, 그 이전의 단계에서는 장차 형사입건될 가능성이 크다고 하더라도 피의자에 해당한다고 볼 수는 없다.

① 1개　　② 2개
③ 3개　　④ 4개

지문분석

난이도 중 정답 ①

| 키 워 드 | 증거인멸죄
| 출제유형 | 개수 찾기

라. (O) 형법 제155조 제1항은 "타인의 형사사건 또는 징계사건에 관한 증거를 인멸, 은닉, 위조 또는 변조하거나 위조 또는 변조한 증거를 사용한 자는 5년 이하의 징역 또는 700만원 이하의 벌금에 처한다"고 하고, 그 제3항은 "피고인, 피의자 또는 징계혐의자를 모해할 목적으로 제1항의 죄를 범한 자는 10년 이하의 징역에 처한다."고 규정하고 있는바, 그 문언 내용 및 입법 목적과 형벌법규 엄격해석의 원칙 등에 비추어 보면 형법 제155조 제3항에서 말하는 '피의자'라고 하기 위해서는 수사기관에 의하여 범죄의 인지 등으로 수사가 개시되어 있을 것을 필요로 하고, 그 이전의 단계에서는 장차 형사입건될 가능성이 크다고 하더라도 그러한 사정만으로 '피의자'에 해당한다고 볼 수는 없다(대법원 2010.6.24. 2008도12127).

가. (X) 형법 제155조 제1항은 '타인의 형사사건 또는 징계사건에 관한 증거를 인멸, 은닉, 위조 또는 변조하거나 위조 또는 변조한 증거를 사용한 자'를 처벌한다고 규정하고 있는바, 증거인멸 등 죄는 위증죄와 마찬가지로 국가의 형사사법작용 내지 징계작용을 그 보호법익으로 하므로, 위 법조문에서 말하는 '징계사건'이란 국가의 징계사건에 한정되고 사인(私人) 간의 징계사건은 포함되지 않는다(대법원 2007.11.30. 2007도4191).

나. (X) 형법 제155조 제1항에서 타인의 형사사건에 관한 증거를 위조한다 함은 증거 자체를 위조함을 말하는 것이고, 참고인이 수사기관에서 허위의 진술을 하는 것은 이에 포함되지 아니한다 할 것이다(대법원 1995.4.7. 94도3412).

다. (X) 형법 제155조 제1항의 증거위조죄에서 타인의 형사사건이란 증거위조 행위시에 아직 수사절차가 개시되기 전이라도 장차 형사사건이 될 수 있는 것까지 포함하고, 그 형사사건이 기소되지 아니하거나 무죄가 선고되더라도 증거위조죄의 성립에 영향이 없다(대법원 2011.2.10. 2010도15986).

36 0606

2019 경찰 1차

다음 설명 중 가장 적절하지 않은 것은? (다툼이 있는 경우 판례에 의함)

① 신고자가 그 신고내용을 허위라고 믿었다 하더라도 그것이 객관적으로 진실한 사실에 부합할 때에는 허위사실의 신고에 해당하지 않아 무고죄는 성립하지 않는다.
② 범인이 자신을 위하여 타인으로 하여금 허위의 자백을 하게 하여 범인도피죄를 범하게 하는 행위는 방어권의 남용으로 범인도피교사죄에 해당한다.
③ 모해위증죄를 범한 자가 그 공술한 사건의 재판 또는 징계처분이 확정되기 전에 자백 또는 자수한 때에는 그 형을 감경 또는 면제할 수 있다.
④ 범인 아닌 자가 수사기관에서 범인임을 자처하고 허위사실을 진술하여 진범의 체포와 발견에 지장을 초래하게 한 행위는 범인은닉·도피죄에 해당한다.

지문분석 난이도 중 정답 ③

| 키 워 드 | 국가의 기능에 대한 죄
| 출제유형 | 틀린 지문 고르기

③ (X) 모해위증죄도 위증죄와 같이 자백·자수의 특례가 적용되고, 이때 그 효과는 필요적 감면이다(형법 제153조).
→ 자백, 자수의 특례: ㉠ (모해)위증죄, ㉡ 무고죄
① (O) 대법원 1991.10.11. 91도1950
→ 무고죄는 신고한 사실이 '객관적 진실'에 반하는 허위사실인 경우에 성립되는 범죄이다.
② (O) 대법원 2000.3.24. 2000도20
④ (O) 대법원 1996.6.14. 96도1016

✔ **개념체크 형법 제152조(위증, 모해위증)**

> ① 법률에 의하여 선서한 증인이 허위의 진술을 한 때에는 5년 이하의 징역 또는 1천만원 이하의 벌금에 처한다.
> ② 형사사건 또는 징계사건에 관하여 피고인, 피의자 또는 징계혐의자를 모해할 목적으로 전항의 죄를 범한 때에는 10년 이하의 징역에 처한다.

✔ **개념체크 형법 제153조(자백, 자수)**

> 전조의 죄를 범한 자가 그 공술한 사건의 재판 또는 징계처분이 확정되기 전에 자백 또는 자수한 때에는 그 형을 감경 또는 면제한다.

37 0607

2018 경찰 승진

위증죄에 대한 설명으로 가장 적절하지 않은 것은? (다툼이 있는 경우 판례에 의함)

① 증인의 증언은 그 전부를 일체로 관찰·판단하는 것이므로 선서한 증인이 일단 기억에 반하는 허위의 진술을 하였더라도 그 신문이 끝나기 전에 그 진술을 철회·시정한 경우 위증이 되지 아니한다.
② 허위의 진술이란 그 객관적 사실이 허위라는 것이 아니라 스스로 체험한 사실을 기억에 반하여 진술하는 것을 뜻하고, 법률에 의하여 선서한 증인의 진술이 경험한 객관적 사실에 대한 증인 나름의 법률적·주관적 평가나 의견을 부연한 부분에 다소의 오류나 모순이 있더라도 위증죄가 성립하는 것은 아니다.
③ 하나의 사건에 관하여 한 번 선서한 증인이 같은 기일에 수개의 사실에 관하여 기억에 반하는 허위의 진술을 한 경우 한 개의 위증죄가 성립한다.
④ 민사소송의 당사자인 법인의 대표자 甲이 선서하고 증언을 한 경우 위증죄의 주체가 될 수 있다.

지문분석 난이도 하 정답 ④

| 키 워 드 | 위증죄
| 출제유형 | 틀린 지문 고르기

④ (X) 민사소송의 당사자는 증인능력이 없으므로 증인으로 선서하고 증언하였다고 하더라도 위증죄의 주체가 될 수 없고, 이러한 법리는 민사소송에서의 당사자인 법인의 대표자의 경우에도 마찬가지로 적용된다(대법원 1998.3.10. 97도1168).
→ 민사소송의 당사자인 법인의 대표자가 선서하고 증언한 경우, 위증죄의 주체가 될 수 있는지 여부: 부정
① (O) 대법원 1993.12.7. 93도2510
② (O) 대법원 2009.3.12. 2008도11007
→ ㉠ 위증죄에 있어서의 허위의 진술의 의미: 객관적 사실이 허위라는 것이 아니라 스스로 체험한 사실을 기억에 반하여 진술하는 것, 즉 기억에 반한다는 사실을 말한다.
㉡ 증인의 진술이 법률적·주관적 평가나 의견인 경우 위증죄의 요건인 '허위의 진술'에 해당하는지 여부: 부정
㉢ 증인 나름의 법률적·주관적 평가나 의견을 부연한 부분에 다소의 오류나 모순이 있는 경우 위증죄가 성립하는지 여부: 부정
③ (O) 대법원 2007.3.15. 2006도9463
→ 선서한 증인이 같은 기일에 여러 가지 사실에 관하여 기억에 반하는 허위의 진술을 한 경우, 위증죄의 죄수: 포괄일죄

38 0608

2017 경찰 승진

위증죄에 관한 설명 중 가장 적절하지 않은 것은? (다툼이 있는 경우 판례에 의함)

① 제3자가 심문절차로 진행되는 가처분 신청사건에서 증인으로 출석하여 선서를 하고 허위의 진술을 한 경우 위증죄가 성립한다.

② 하나의 사건에 관하여 한 번 선서한 증인이 같은 기일에서 수개의 사실에 관하여 허위의 진술을 한 경우 한 개의 위증죄가 성립한다.

③ 민사소송의 당사자인 법인의 대표자가 선서하고 증언하였더라도 위증죄가 성립하지 아니한다.

④ 위증죄를 범한 자가 그 공술한 사건의 재판 또는 징계처분이 확정되기 전에 자백 또는 자수한 때에는 그 형을 감경 또는 면제한다.

지문분석 난이도 하 정답 ①

| 키 워 드 | 위증죄

| 출제유형 | 틀린 지문 고르기

① (X) **심문절차로 진행되는 가처분 신청사건에서 증인으로 선서를 하고 허위의 공술을 한 경우, 위증죄가 성립하는지 여부: 부정**

[1] 가처분사건이 변론절차에 의하여 진행될 때에는 제3자를 증인으로 선서하게 하고 증언을 하게 할 수 있으나 심문절차에 의할 경우에는 법률상 명문의 규정도 없고, 또 구 민사소송법의 증인신문에 관한 규정이 준용되지도 아니하므로 선서를 하게 하고 증언을 시킬 수 없다고 할 것이다.

[2] 제3자가 심문절차로 진행되는 가처분 신청사건에서 증인으로 출석하여 선서를 하고 진술함에 있어서 허위의 공술을 하였다고 하더라도 그 선서는 법률상 근거가 없어 무효라고 할 것이므로 위증죄는 성립하지 않는다(대법원 2003.7.25. 2003도180).

② (O) **선서한 증인이 같은 기일에 여러 가지 사실에 관하여 기억에 반하는 허위의 진술을 한 경우, 위증죄의 죄수: 포괄일죄**

하나의 범죄의사에 의하여 계속하여 허위의 진술을 한 것으로서 포괄하여 1개의 위증죄를 구성하는 것이고 각 진술마다 수개의 위증죄를 구성하는 것이 아니다(대법원 1998.4.14. 97도3340).

③ (O) 대법원 2012.12.13. 2010도14360

→ 당사자는 위증죄의 주체가 될 수 없다.

④ (O) 위증죄, 무고죄는 자백·자수의 특례가 있다(필요적 감면).

✓ 개념체크 **형법 제153조, 제157조**

> **제153조(자백, 자수)** 전조의 죄(위증, 모해위증)를 범한 자가 그 공술한 사건의 재판 또는 징계처분이 확정되기 전에 자백 또는 자수한 때에는 그 형을 감경 또는 면제한다.
>
> **제157조(자백·자수)** 제153조는 전조(무고)에 준용한다.

6 무고의 죄

39 0609

2018 경찰 승진

무고죄에 대한 설명으로 가장 적절하지 않은 것은? (다툼이 있는 경우 판례에 의함)

① 무고죄에서의 무고는 '타인으로 하여금 형사처분 또는 징계처분'을 받게 할 목적으로 허위의 사실을 신고하는 행위를 말하며 이때 '징계처분'에는 변호사에 대한 징계처분도 포함된다.

② 피무고자의 승낙을 받아 허위사실을 기재한 고소장을 제출하였다면 피무고자에 대한 형사처분이라는 결과발생을 의욕하지 않았더라도 그러한 결과발생에 대한 미필적 인식은 있었으므로 무고죄가 인정될 수 있다.

③ 피고인이 허위사실을 신고하였지만 신고된 범죄사실에 대한 공소시효가 완성되었음이 신고내용 자체에 의하여 분명한 경우 무고죄가 성립하지 않는다.

④ 피고인 자신이 상대방의 범행에 가담하였음에도 자신의 가담사실을 숨기고 상대방만을 고소한 경우에 무고죄가 성립한다.

지문분석 난이도 하 정답 ④

| 키 워 드 | 무고죄

| 출제유형 | 틀린 지문 고르기

④ (X) 피고인 자신이 상대방의 범행에 공범으로 가담하였음에도 자신의 가담사실을 숨기고 상대방만을 고소한 경우, 피고인의 고소내용이 상대방의 범행 부분에 관한 한 진실에 부합하므로 이를 허위의 사실로 볼 수 없고, 상대방의 범행에 피고인이 공범으로 가담한 사실을 숨겼다고 하여도 그것이 상대방에 대한 관계에서 독립하여 형사처분 등의 대상이 되지 아니할뿐더러 전체적으로 보아 상대방의 범죄사실의 성립 여부에 직접 영향을 줄 정도에 이르지 아니하는 내용에 관계되는 것이므로 무고죄가 성립하지 않는다(대법원 2008.8.21. 2008도3754).

① (O) 대법원 2010.11.25. 2010도10202

→ ㉠ 변호사에 대한 징계처분이 형법 제156조 무고죄에서 정하는 '징계처분'에 포함되는지 여부: 인정

㉡ 그 징계 개시의 신청권이 있는 지방변호사회의 장이 같은 조에서 정한 '공무소 또는 공무원'에 포함되는지 여부: 인정

② (O) 대법원 2005.9.30. 2005도2712

→ 승낙 무고: 무고죄 인정

③ (O) 대법원 1994.2.8. 93도3445

40 0610

2016 경찰 2차

위증죄 및 무고죄에 대한 다음 설명 중 가장 적절한 것은? (다툼이 있으면 판례에 의함)

① 제3자가 심문절차로 진행되는 가처분 신청사건에서 증인으로 출석하여 선서를 하고 진술함에 있어서 허위의 공술을 하였다면 위증죄가 성립한다.
② 자신의 강도상해 범행을 일관되게 부인하였으나 유죄판결이 확정된 피고인이 별건으로 기소된 공범의 형사사건에서 자신의 범행사실을 부인하는 증언을 한 사안에서, 피고인에게 사실대로 진술할 것이라는 기대가능성이 없으므로 위증죄가 성립하지 않는다.
③ 무고죄에 있어 신고한 사실이 객관적 사실에 반하는 허위사실이라는 요건은 신고사실의 진실성을 인정할 수 없다는 소극적 증명만으로 충분하다.
④ 피고인이 변호사인 피해자로 하여금 징계처분을 받게 할 목적으로 서울지방변호사회에 위 변호사회 회장을 수취인으로 하는 허위 내용의 진정서를 제출한 경우 피고인에 대하여는 무고죄가 성립한다.

지문분석

난이도 하 정답 ④

| 키 워 드 | 위증죄·무고죄
| 출제유형 | 옳은 지문 고르기

④ (O) [1] ㉠ 변호사에 대한 징계처분이 형법 제156조(무고죄)에서 정하는 '징계처분'에 포함되고, ㉡ 그 징계 개시의 신청권이 있는 지방변호사회의 장이 같은 조에서 정한 '공무소 또는 공무원'에 포함된다.
[2] 피고인이 변호사인 피해자로 하여금 징계처분을 받게 할 목적으로 서울지방변호사회에 허위내용의 진정서를 제출한 사안에서, 무고죄를 인정하였다(대법원 2010.11.25. 2010도10202).
→ 변호사법 등 관련 규정에 의하면 변호사에 대한 징계가 대한변호사협회 변호사징계위원회를 거쳐 최종적으로 법무부의 변호사징계위원회에서 결정된다.

① (X) 제3자가 심문절차로 진행되는 가처분 신청사건에서 증인으로 출석하여 선서를 하고 진술함에 있어서 허위의 공술을 하였다고 하더라도 그 선서는 법률상 근거가 없어 무효라고 할 것이므로 위증죄는 성립하지 않는다(대법원 2003.7.25. 2003도180).
→ 가처분사건이 ㉠ 변론절차에 의하여 진행될 때에는 제3자를 증인으로 선서하게 하고 증언을 하게 할 수 있으나, ㉡ 심문절차에 의할 경우에는 선서를 하게 하고 증언을 시킬 수 없다.

② (X) 자신의 강도상해 범행을 일관되게 부인하였으나 유죄판결이 확정된 피고인이 별건으로 기소된 공범의 형사사건에서 자신의 범행사실을 부인하는 증언을 한 사안에서, 피고인에게 사실대로 진술할 기대가능성이 있으므로 위증죄가 성립한다(대법원 2008.10.23. 2005도10101).

③ (X) 무고죄는 타인으로 하여금 형사처분이나 징계처분을 받게 할 목적으로 신고한 사실이 객관적 진실에 반하는 허위사실인 경우에 성립되는 범죄이므로 신고한 사실이 객관적 사실에 반하는 허위사실이라는 요건은 적극적인 증명이 있어야 하며, 신고사실의 진실성을 인정할 수 없다는 소극적 증명만으로 곧 그 신고사실이 객관적 진실에 반하는 허위사실이라고 단정하여 무고죄의 성립을 인정할 수는 없다(대법원 2006.5.25. 2005도4642).

41 0611

2017 경찰 2차

무고죄에 대한 설명으로 가장 적절한 것은? (다툼이 있는 경우 판례에 의함)

① 신고자가 객관적 사실관계를 사실 그대로 신고한 이상 그 객관적 사실을 토대로 한 나름대로의 주관적 법률평가를 잘못하고 이를 신고하였다 하여 그 사실만을 가지고 허위사실을 신고한 것에 해당하여 무고죄가 성립한다고 할 수 없다.
② 신고자가 그 신고내용을 허위라고 믿었다면 그것이 객관적으로 진실한 사실에 부합할 때에도 허위사실의 신고에 해당하여 무고죄가 성립한다.
③ 무고죄는 국가의 형사사법권 또는 징계권의 적정한 행사를 주된 보호법익으로 하는 죄이므로, 스스로 본인을 무고하는 자기무고는 무고죄의 구성요건에 해당하여 무고죄를 구성한다.
④ 무고죄에 있어서 신고한 사실이 객관적 사실에 반하는 허위사실이라는 요건은 신고사실의 진실성을 인정할 수 없다는 소극적 증명만으로 곧 그 신고사실이 객관적 진실에 반하는 허위사실이라고 단정하여 무고죄의 성립을 인정할 수 있고, 적극적인 증명이 있어야만 하는 것은 아니다.

지문분석

난이도 상 정답 ①

| 키 워 드 | 무고죄
| 출제유형 | 옳은 지문 고르기

① (O) 무고죄의 성립에는 타인으로 하여금 형사 및 징계처분을 받게할 목적으로 진실함의 확신 없는 사실을 신고함으로써 족하고 신고자가 그 신고사실이 허위라는 것을 확신할 것까지 요하지 아니하나 한편, 신고자가 객관적 사실관계를 사실 그대로 신고한 이상 그 객관적 사실을 토대로 한 나름대로의 주관적 법률평가를 잘못하고 이를 신고하였다 하여 그 사실만을 가지고 허위사실을 신고한 것에 해당하여 무고죄가 성립한다고 할 수 없다(대법원 1985.6.25. 83도3245).

② (X) 무고죄는 타인으로 하여금 형사처분 등을 받게 할 목적으로 신고한 사실이 객관적 진실에 반하는 허위사실인 경우에 성립되는 범죄로서, 신고자가 그 신고내용을 허위라고 믿었다 하더라도 그것이 객관적으로 진실한 사실에 부합할 때에는 허위사실의 신고에 해당하지 않아 무고죄는 성립하지 않는 것이며, 한편 위 신고한 사실의 허위 여부는 그 범죄의 구성요건과 관련하여 신고사실의 핵심 또는 중요내용이 허위인가에 따라 판단하여 무고죄의 성립 여부를 가려야 한다(대법원 1991.10.11. 91도1950).

③ (X) 형법 제156조의 무고죄는 국가의 형사사법권 또는 징계권의 적정한 행사를 주된 보호법익으로 하는 죄이나, 스스로 본인을 무고하는 자기무고는 무고죄의 구성요건에 해당하지 아니하여 무고죄를 구성하지 않는다(대법원 2008.10.23. 2008도4852).

④ (X) 무고죄는 타인으로 하여금 형사처분이나 징계처분을 받게 할 목적으로 신고한 사실이 객관적 진실에 반하는 허위사실인 경우에 성립되는 범죄이므로 신고한 사실이 객관적 사실에 반하는 허위사실이라는 요건은 적극적인 증명이 있어야 하며, 신고사실의 진실성을 인정할 수 없다는 소극적 증명만으로 곧 그 신고사실이 객관적 진실에 반하는 허위사실이라고 단정하여 무고죄의 성립을 인정할 수는 없다(대법원 2006.5.25. 2005도4642).

42 0612

2020 경찰 승진

위증과 무고의 죄에 대한 설명 중 가장 적절한 것은? (다툼이 있는 경우 판례에 의함)

① 유죄판결이 확정된 피고인이 별건으로 기소된 공범의 형사사건에서 자신의 범행사실을 부인하는 증언을 한 경우 피고인에게 사실대로 진술할 것이라는 기대가능성이 없으므로 위증죄가 성립하지 않는다.

② 별도의 증인신청 및 채택 절차를 거쳐 그 증인이 다시 신문을 받는 과정에서 종전 신문절차에서 한 허위의 진술을 철회 시정한 경우 위증죄가 성립하지 아니한다.

③ 상대방의 범행에 공범으로 가담한 자가 자신의 범죄 가담사실을 숨기고 상대방인 공범자만을 고소하였다면 무고죄가 성립한다.

④ 위증죄에 있어서 형의 감면규정은 재판 확정 전의 자백을 형의 필요적 감면사유로 한다는 것이고, 자발적인 고백은 물론 법원이나 수사기관의 심문에 의한 고백도 위 자백의 개념에 포함된다.

지문분석 난이도 중 정답 ④

| 키 워 드 | 위증과 무고의 죄

| 출제유형 | 옳은 지문 고르기

④ (O) 형법 제153조 소정의 위증죄를 범한 자가 자백, 자수를 한 경우의 형의 감면규정은 재판 확정 전의 자백을 형의 필요적 감경 또는 면제사유로 한다는 것이며, 또 위 자백의 절차에 관하여는 아무런 제한이 없으므로 그가 공술한 사건을 다루는 기관에 대한 자발적인 고백은 물론, 위증사건의 피고인 또는 피의자로서 법원이나 수사기관의 심문에 의한 고백도 위 자백의 개념에 포함된다(대법원 1973.11.27. 73도1639).

① (X) 자신의 강도상해 범행을 일관되게 부인하였으나 유죄판결이 확정된 피고인이 별건으로 기소된 공범의 형사사건에서 자신의 범행사실을 부인하는 증언을 한 사안에서, 피고인에게 사실대로 진술할 기대가능성이 있으므로 위증죄가 성립한다(대법원 2008.10.23. 2005도10101).

② (X) 증인의 증언은 그 전부를 일체로 관찰·판단하는 것이므로 선서한 증인이 일단 기억에 반하는 허위의 진술을 하였더라도 그 신문이 끝나기 전에 그 진술을 철회·시정한 경우 위증이 되지 아니한다고 할 것이나, 증인이 1회 또는 수회의 기일에 걸쳐 이루어진 1개의 증인신문절차에서 허위의 진술을 하고 그 진술이 철회·시정된 바 없이 그대로 증인신문절차가 종료된 경우 그로써 위증죄는 기수에 달하고, 그 후 별도의 증인 신청 및 채택 절차를 거쳐 그 증인이 다시 신문을 받는 과정에서 종전 신문절차에서의 진술을 철회·시정한다 하더라도 그러한 사정은 형법 제153조가 정한 형의 감면사유에 해당할 수 있을 뿐, 이미 종결된 종전 증인신문절차에서 행한 위증죄의 성립에 어떤 영향을 주는 것은 아니다(대법원 2010.9.30. 2010도7525).

③ (X) 피고인 자신이 상대방의 범행에 공범으로 가담하였음에도 자신의 가담사실을 숨기고 상대방만을 고소한 경우, 피고인의 고소내용이 상대방의 범행부분(사기범행)에 관한 한 진실에 부합하므로 이를 허위의 사실로 볼 수 없고, 상대방의 범행에 피고인이 공범으로 가담한 사실을 숨겼다고 하여도 그것이 상대방에 대한 관계에서 독립하여 형사처분 등의 대상이 되지 아니할뿐더러 전체적으로 보아 상대방의 범죄사실의 성립 여부에 직접 영향을 줄 정도에 이르지 아니하는 내용에 관계되는 것이므로 무고죄가 성립하지 않는다(대법원 2008.8.21. 2008도3754).

43 0613

2017 경찰 승진

무고죄에 관한 설명 중 가장 적절하지 않은 것은? (다툼이 있는 경우 판례에 의함)

① 신고사실의 일부에 허위의 사실이 포함되어 있다고 하더라도 그 허위부분이 범죄의 성부에 영향을 미치는 중요한 부분이 아니고, 단지 신고한 사실을 과장한 것에 불과한 경우에는 무고죄에 해당하지 아니하지만, 그 일부 허위인 사실이 국가의 심판작용을 그르치거나 부당하게 처벌을 받지 아니할 개인의 법적 안정성을 침해할 우려가 있을 정도로 고소사실 전체의 성질을 변경시키는 때에는 무고죄가 성립될 수 있다.

② 고소당한 범죄가 유죄로 인정되는 경우, 고소를 당한 사람이 자신을 고소한 사람에 대하여 "고소당한 죄의 혐의가 없는 것으로 인정된다면 고소인이 자신을 무고한 것에 해당하므로 고소인을 처벌해 달라"는 내용의 고소장을 수사기관에 제출하였다면 자신의 결백을 주장하기 위한 것이라고 하더라도 무고죄의 범의를 인정할 수 있다.

③ 무고죄에 있어 신고한 사실이 객관적 사실에 반하는 허위사실이라는 요건은 신고사실의 진실성을 인정할 수 없다는 소극적 증명으로도 충분하다.

④ 변호사에 대한 징계처분은 형법 제156조에서 정하는 '징계처분'에 포함되고, 그 징계 개시의 신청권이 있는 지방변호사회의 장은 형법 제156조에서 정한 '공무소 또는 공무원'에 포함된다.

지문분석 난이도 중 정답 ③

| 키 워 드 | 무고죄

| 출제유형 | 틀린 지문 고르기

③ (X) **신고사실의 진실성을 인정할 수 없다는 소극적인 증명만으로 무고죄의 성립을 인정할 수 있는지 여부: 부정**
무고죄는 타인으로 하여금 형사처분이나 징계처분을 받게 할 목적으로 신고한 사실이 객관적 진실에 반하는 허위사실인 경우에 성립되는 범죄이므로 신고한 사실이 객관적 사실에 반하는 허위사실이라는 요건은 적극적인 증명이 있어야 하며, 신고사실의 진실성을 인정할 수 없다는 소극적 증명만으로 곧 그 신고사실이 객관적 진실에 반하는 허위사실이라고 단정하여 무고죄의 성립을 인정할 수는 없다(대법원 2007.10.11. 2007도6406).

① (O) 대법원 2012.5.24. 2011도11500

② (O) 대법원 2007.3.15. 2006도9453

④ (O) 대법원 2010.11.25. 2010도10202
→ 변호사법에 의하면 변호사에 대한 징계가 대한변호사협회 변호사징계위원회를 거쳐 최종적으로 법무부의 변호사징계위원회에서 결정되는바, 징계 개시의 신청권이 있는 지방변호사회의 장은 형법 제156조에서 정한 '공무소 또는 공무원'에 포함된다.

44 0614

2020 경찰 간부

무고죄에 대한 다음 설명 중 가장 옳지 않은 것은? (다툼이 있는 경우 판례에 의함)

① 타인으로 하여금 형사처분을 받게 할 목적으로 공무소에 허위의 사실을 신고하였다면 신고사실이 친고죄로서 고소기간이 경과하였음이 분명할지라도 당해 국가기관의 직무를 그르치게 할 위험은 인정되므로 무고죄 성립에는 아무런 지장이 없다.

② 신고자가 신고내용을 허위로 믿었다 할지라도 신고내용이 객관적으로 진실한 사실과 부합할 때에는 허위사실의 신고에 해당하지 않으므로 무고죄는 성립하지 않는다.

③ 무고죄는 신고한 사실이 객관적 진실에 반하는 허위사실이라는 점에 관해 적극적인 증명이 있어야 하고 신고사실의 진실성을 인정할 수 없다는 점만으로는 무고죄의 성립을 인정할 수 없다.

④ 무고죄에 있어서 형의 필요적 감면사유인 형법 제153조의 '재판이 확정되기 전'에는 피고인의 고소사건 수사 결과 피고인의 무고혐의가 밝혀져 피고인에 대한 공소가 제기되고 피고소인에 대해서는 불기소결정이 내려져 재판절차가 개시되지 않은 경우도 포함된다.

지문분석

난이도 중 정답 ①

| 키 워 드 | 무고죄

| 출제유형 | 틀린 지문 고르기

① (X) 타인으로 하여금 형사처분을 받게 할 목적으로 공무소에 대하여 허위의 사실을 신고하였다고 하더라도, 그 사실이 친고죄로서 그에 대한 고소기간이 경과하여 공소를 제기할 수 없음이 그 신고내용 자체에 의하여 분명한 때에는 당해 국가기관의 직무를 그르치게 할 위험이 없으므로 이러한 경우에는 무고죄가 성립하지 아니한다(대법원 2018.7.11. 2018도1818).

② (O) 대법원 1991.10.11. 91도1950

③ (O) 대법원 2014.2.13. 2011도15767

④ (O) [1] 형법 제157조, 제153조는 무고죄를 범한 자가 그 신고한 사건의 재판 또는 징계처분이 확정되기 전에 자백 또는 자수한 때에는 그 형을 감경 또는 면제한다고 하여 이러한 재판확정 전의 자백을 필요적 감경 또는 면제사유로 정하고 있다. 위와 같은 자백의 절차에 관해서는 아무런 법령상의 제한이 없으므로 그가 신고한 사건을 다루는 기관에 대한 고백이나 그 사건을 다루는 재판부에 증인으로 다시 출석하여 전에 그가 한 신고가 허위의 사실이었음을 고백하는 것은 물론 무고 사건의 피고인 또는 피의자로서 법원이나 수사기관에서의 신문에 의한 고백 또한 자백의 개념에 포함된다.

[2] 형법 제153조에서 정한 '재판이 확정되기 전'에는 피고인의 고소사건 수사 결과 피고인의 무고혐의가 밝혀져 피고인에 대한 공소가 제기되고 피고소인에 대해서는 불기소결정이 내려져 재판절차가 개시되지 않은 경우도 포함된다(대법원 2018.8.1. 2018도7293).

45 0615

2019 경찰 간부

무고죄에 관한 다음 설명 중 옳지 않은 것은 모두 몇 개인가? (다툼이 있는 경우 판례에 의함)

가. 위법성조각사유가 있음을 알면서도 이를 숨기고 범죄가 되는 사실만 신고한 때에는 허위의 사실을 신고한 때에 해당한다.

나. 허위사실의 적시정도는 수사기관·감독기관에 대해 수사권, 징계권의 발동을 촉구할 수 있을 정도를 넘어서 구체적으로 명시하거나 법률적 평가까지 기재하여야 한다.

다. 신고한 사실이 객관적 진실에 반하는 허위사실이라는 점에 관하여는 적극적 증명이 없더라도 신고사실의 진실성을 인정할 수 없다면 무고죄의 성립을 인정할 수 있다.

라. 금원을 대여한 甲은 차용금을 갚지 않은 乙을 '乙이 변제의사와 능력도 없이 차용금 명목으로 돈을 편취하였으니 사기죄로 처벌해달라'는 내용으로 고소하면서 대여금 의 용도에 관하여 '도박자금'으로 빌려준 사실을 감추고 '내비게이션 구입에 필요한 자금'이라고 허위 기재한 경우 무고죄가 성립한다.

① 1개 ② 2개

③ 3개 ④ 4개

지문분석

난이도 상 정답 ③

| 키 워 드 | 무고죄

| 출제유형 | 개수 찾기

나. (X) • 무고죄에서의 허위사실 적시의 정도는 수사관서 또는 감독관서에 대하여 수사권 또는 징계권의 발동을 촉구하는 정도의 것이면 충분하고 반드시 범죄구성요건 사실이나 징계요건 사실을 구체적으로 명시하여야 하는 것은 아니다(대법원 2014.12.24. 2012도4531).

• 무고죄에 있어서 허위사실의 적시는 수사관서 또는 감독관서에 대하여 수사권 또는 징계권의 발동을 촉구하는 정도의 것이라면 충분하고 그 사실이 해당될 죄명 등 법률적 평가까지 명시하여야 하는 것은 아니다(대법원 1987.3.24. 87도231).

다. (X) 무고죄는 타인으로 하여금 형사처분이나 징계처분을 받게 할 목적으로 신고한 사실이 객관적 진실에 반하는 허위사실인 경우에 성립되는 범죄이므로 신고한 사실이 객관적 진실에 반하는 허위사실이라는 요건은 적극적 증명이 있어야 하며 신고사실의 진실성을 인정할 수 없다는 소극적 증명만으로 곧 그 신고사실이 객관적 진실에 반하는 허위의 사실이라 단정하여 무고죄의 성립을 인정할 수는 없다(대법원 1984.1.24. 83도1401).

라. (X) 피고인이 돈을 갚지 않는 甲을 차용금 사기로 고소하면서 대여금의 용도에 관하여 '도박자금'으로 빌려준 사실을 감추고 '내비게이션 구입에 필요한 자금'이라고 허위 기재하고, 대여의 일시·장소도 사실과 달리 기재하여 甲을 무고하였다는 내용으로 기소된 사안에서, 피고인의 고소 내용은 甲이 변제의사와 능력도 없이 차용금 명목으로 돈을 편취하였으니 사기죄로 처벌하여 달라는 것이고, 甲이 차용금의 용도를 속이는 바람에 대여하게 되었다는 취지로 주장한 사실은 없으며, 수사기관으로서는 차용금의 용도와 무관하게 다른 자료들을 토대로 甲이 변

제의사나 능력 없이 돈을 차용하였는지를 조사할 수 있는 것이므로, 비록 피고인이 도박자금으로 대여한 사실을 숨긴 채 고소장에 대여금의 용도에 관하여 허위로 기재하고 대여 일시·장소 등 변제의사나 능력의 유무와 관련성이 크지 아니한 사항에 관하여 사실과 달리 기재한 사정만으로는 사기죄 성립 여부에 영향을 줄 정도의 중요한 부분을 허위 신고하였다고 보기 어려운데도, 피고인에게 유죄를 인정한 원심판단에 무고죄에 관한 법리오해의 위법이 있다(대법원 2011.9.8. 2011도3489).

가. (O) 피고인이 위법성조각사유가 있음을 알면서도 "피고소인이 허위사실을 공표하였다."고 고소함으로써 결국 적극적으로 피고소인을 공직선거및선거부정방지법 제251조 단서 소정의 위법성조각사유가 적용되지 않는 같은 법 제250조의 허위사실공표죄로 처벌되어야 한다고 주장한 것과 같다고 할 것이고, 따라서 원심이 피고인의 무고죄의 범죄사실을 인정한 조치는 정당하다(대법원 1998.3.24. 97도2956).

46 0616

2021 경찰 승진

무고죄에 대한 설명으로 적절하지 않은 것을 모두 고른 것은?
(다툼이 있는 경우 판례에 의함)

> ㉠ 무고죄에서의 허위사실 적시의 정도는 수사관서 또는 감독관서에 대하여 수사권 또는 징계권의 발동을 촉구하는 정도의 것이면 충분하고 반드시 범죄구성요건 사실이나 징계요건 사실을 구체적으로 명시하여야 하는 것은 아니다.
> ㉡ 신고한 사실이 객관적 진실에 반하는 허위사실이라는 점에 관하여는 적극적인 증명이 있어야 하며, 신고사실의 진실성을 인정할 수 없다는 점만으로 곧 그 신고사실이 객관적 진실에 반하는 허위사실이라고 단정하여 무고죄의 성립을 인정할 수는 없다.
> ㉢ 피고인이 돈을 갚지 않는 갑을 차용금 사기로 고소하면서 대여금의 용도에 관하여 '도박자금'으로 빌려준 사실을 감추고 '내비게이션 구입에 필요한 자금'이라고 허위 기재했을 뿐 갑이 차용금의 용도를 속이는 바람에 대여하게 되었다는 취지로 주장한 사실이 없더라도, 피고인이 대여의 일시·장소를 사실과 달리 기재하였다면 무고죄가 성립한다.
> ㉣ 갑이 자기 자신을 무고하기로 을과 공모하고 이에 따라 무고행위에 가담하였다면 갑은 을과 함께 무고죄의 공동정범으로 처벌된다.

① ㉠, ㉡　　② ㉠, ㉣
③ ㉡, ㉢　　④ ㉢, ㉣

지문분석 　난이도 ㊥ 정답 ④

| 키워드 | 무고죄
| 출제유형 | 조합하기

㉢ (X) 피고인이 돈을 갚지 않는 갑을 차용금 사기로 고소하면서 대여금의 용도에 관하여 '도박자금'으로 빌려준 사실을 감추고 '내비게이션 구입에 필요한 자금'이라고 허위 기재하고, 대여의 일시·장소도 사실과 달리 기재하여 갑을 무고하였다는 내용으로 기소된 사안에서, 피고인에게 유죄를 인정한 원심판단에 법리오해의 위법이 있다(대법원 2011.9.8. 2011도3489).

㉣ (X) 피고인이 자기 자신을 무고하기로 제3자와 공모하고 이에 따라 무고행위에 가담하였더라도 자기 자신을 무고하는 행위는 무고죄의 구성요건에 해당하지 않아 범죄가 성립할 수 없는 행위를 실현하고자 한 것에 지나지 않으므로 무고죄의 공동정범으로 처벌할 수 없다(대법원 2017.4.26. 2013도12592).

㉠ (O) 대법원 2014.12.24. 2012도4531

㉡ (O) 무고죄는 타인으로 하여금 형사처분이나 징계처분을 받게 할 목적으로 신고한 사실이 객관적 진실에 반하는 허위사실인 경우에 성립되는 범죄이므로 신고한 사실이 객관적 사실에 반하는 허위사실이라는 요건은 적극적인 증명이 있어야 하며, 신고사실의 진실성을 인정할 수 없다는 소극적 증명만으로 곧 그 신고사실이 객관적 진실에 반하는 허위사실이라고 단정하여 무고죄의 성립을 인정할 수는 없다(대법원 2007.10.11. 2007도6406).

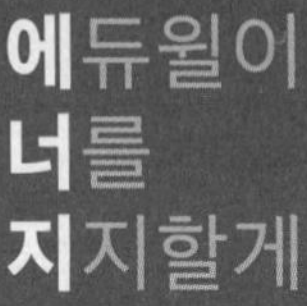

ENERGY

끝이 좋아야 시작이 빛난다.

– 마리아노 리베라(Mariano Rivera)

| 편저자 형법 강기주 교수님

약력

현) 에듀윌 형사법 대표 교수

현) 경찰청 현직 경찰관 사이버 교육 포털 형사법(필수 과목 채택) 교수

전) 노량진 윌비스 경찰팀 팀장(형법 교수)

전) 남부고시학원 강산 경찰팀 팀장(형법 교수)

전) 이그잼 고시학원 경찰팀 팀장(형법, 형소법 교수)

| 편저자 형사소송법 이태우 교수님

약력

전) 에듀윌 경찰공무원 수사 전임 교수

전) 에듀윌 국가직 형법 및 형사소송법 전임

전) 윌비스 스파르타 경찰학원 형사소송법 및 수사 전임

전) 우리경찰학원 형사소송법 및 수사 전임

2022 경찰공무원 단원별 기출문제집 형사법 1000제

발 행 일	2021년 11월 19일
저 자	강기주, 이태우
펴 낸 이	박명규
펴 낸 곳	(주)에듀윌
등록번호	제25100-2002-000052호
주 소	08378 서울특별시 구로구 디지털로34길 55 코오롱싸이언스밸리 2차 3층

ISBN 979-11-360-1278-4 (13350)

www.eduwill.net
대표전화 1600-6700

여러분의 작은 소리
에듀윌은 크게 듣겠습니다.

본 교재에 대한 여러분의 목소리를 들려주세요.
공부하시면서 어려웠던 점, 궁금한 점,
칭찬하고 싶은 점, 개선할 점, 어떤 것이라도 좋습니다.

에듀윌은 여러분께서 나누어 주신 의견을
통해 끊임없이 발전하고 있습니다.

에듀윌 도서몰 book.eduwill.net

- 부가학습자료 및 정오표: 에듀윌 도서몰 → 도서자료실
- 교재 문의: 에듀윌 도서몰 → 문의하기 → 교재(내용, 출간) / 주문 및 배송

36개월* 베스트셀러 1위
에듀윌 공무원 교재

7·9급공무원 교재

※ 기본서·단원별 기출&예상문제집은 국어/영어/한국사/행정학/행정법총론/(운전직)사회로 구성되어 있음.

기본서(국어)

기본서(영어)

기본서(한국사)

기본서(행정법총론)

기본서(운전직 사회)

단원별 기출&예상문제집(국어)

7·9급공무원 교재

※ 기출문제집은 국어/영어/한국사/행정학/행정법총론/(운전직)사회로 구성되어 있음.

기출문제집(국어)

기출문제집(영어)

기출문제집(한국사)

기출문제집(행정법총론)

기출문제집(운전직 사회)

기출PACK
공통과목(국어+영어+한국사)/
전문과목(행정법총론+행정학)

7·9급공무원 교재

※ 실전동형 모의고사는 국어/영어/한국사/행정학/행정법총론/(운전직)사회로 구성되어 있음.

실전동형 모의고사
(운전직 사회)

봉투모의고사 실전형1/2/3
(국어+영어+한국사)

PSAT 기본서
(언어논리/자료해석/상황판단)

PSAT 기출문제집

PSAT 민경채 기출문제집

7급 기출문제집
(행정학/행정법/헌법)

경찰공무원 교재

※ 모의고사는 영어/한국사/경찰학개론/형법/형사소송법으로 구성되어 있음.

기본서(경찰학)

기본서(형사법)

기본서(헌법)

기출문제집
(경찰학/형사법/헌법)

모의고사(형사소송법)

경찰면접

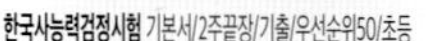
한국사능력검정시험 기본서/2주끝장/기출/우선순위50/초등

조리기능사 필기/실기

제과제빵기능사 필기/실기

SMAT 모듈A/B/C

ERP정보관리사 회계/인사/물류/생산(1, 2급)

전산세무회계 기초서/기본서/기출문제집

어문회 한자 2급 | 상공회의소한자 3급

ToKL 한권끝장/2주끝장

KBS한국어능력시험 한권끝장/2주끝장/문제집/기출문제집

한국실용글쓰기

매경TEST 기본서/문제집/2주끝장

TESAT 기본서/문제집/기출문제집

스포츠지도사 필기/실기구술 한권끝장

산업안전기사 | 산업안전산업기사

위험물산업기사 | 위험물기능사

무역영어 1급 | 국제무역사 1급

운전면허 1종·2종

컴퓨터활용능력 | 워드프로세서

월간시사상식 | 일반상식

월간 NCS | 매1N

NCS 통합 | 모듈형 | 피듈형

PSAT형 NCS 자료해석 380제

PSAT 기출완성 | 6대 출제사 기출PACK

한국철도공사 | 서울교통공사 | 부산교통공사

국민건강보험공단 | 한국전력공사

한수원 | 수자원 | 토지주택공사

행과연 | 기업은행 | 인천국제공항공사

대기업 인적성 통합 | GSAT

LG | SKCT | CJ | L-TAB

ROTC·학사장교 | 부사관

※ YES24 수험서 자격증 주택관리사 베스트셀러 1위 (2010년 12월, 2011년 3월, 9월, 12월, 2012년 1월, 3월~12월, 2013년 1월~5월, 8월~11월, 2014년 2월~8월, 10월~12월, 2015년 1월~5월, 7월~12월, 2016년 1월~12월, 2017년 1월~12월, 2018년 1월~12월, 2019년 1월~12월, 2020년 1월~7월, 9월~12월, 2021년 1월~11월 월별 베스트, 매월 1위 교재는 다름)

※ YES24 국내도서 해당분야 월별, 주별 베스트 기준

에듀윌과 함께 시작하면,
당신도 합격할 수 있습니다!

대학 진학 후 진로를 고민하다 1년 만에
서울시 행정직 9급, 7급에 모두 합격한 대학생

다니던 직장을 그만두고
어릴 적 꿈이었던 경찰공무원에 합격한 30세 퇴직자

용기를 내 계리직공무원에 도전해
4개월 만에 합격한 40대 주부

직장생활과 병행하며 7개월간 공부해
국가공무원 세무직에 당당히 합격한 51세 직장인까지

누구나 합격할 수 있습니다.
시작하겠다는 '다짐' 하나면 충분합니다.

마지막 페이지를 덮으면,

에듀윌과 함께
공무원 합격이 시작됩니다.

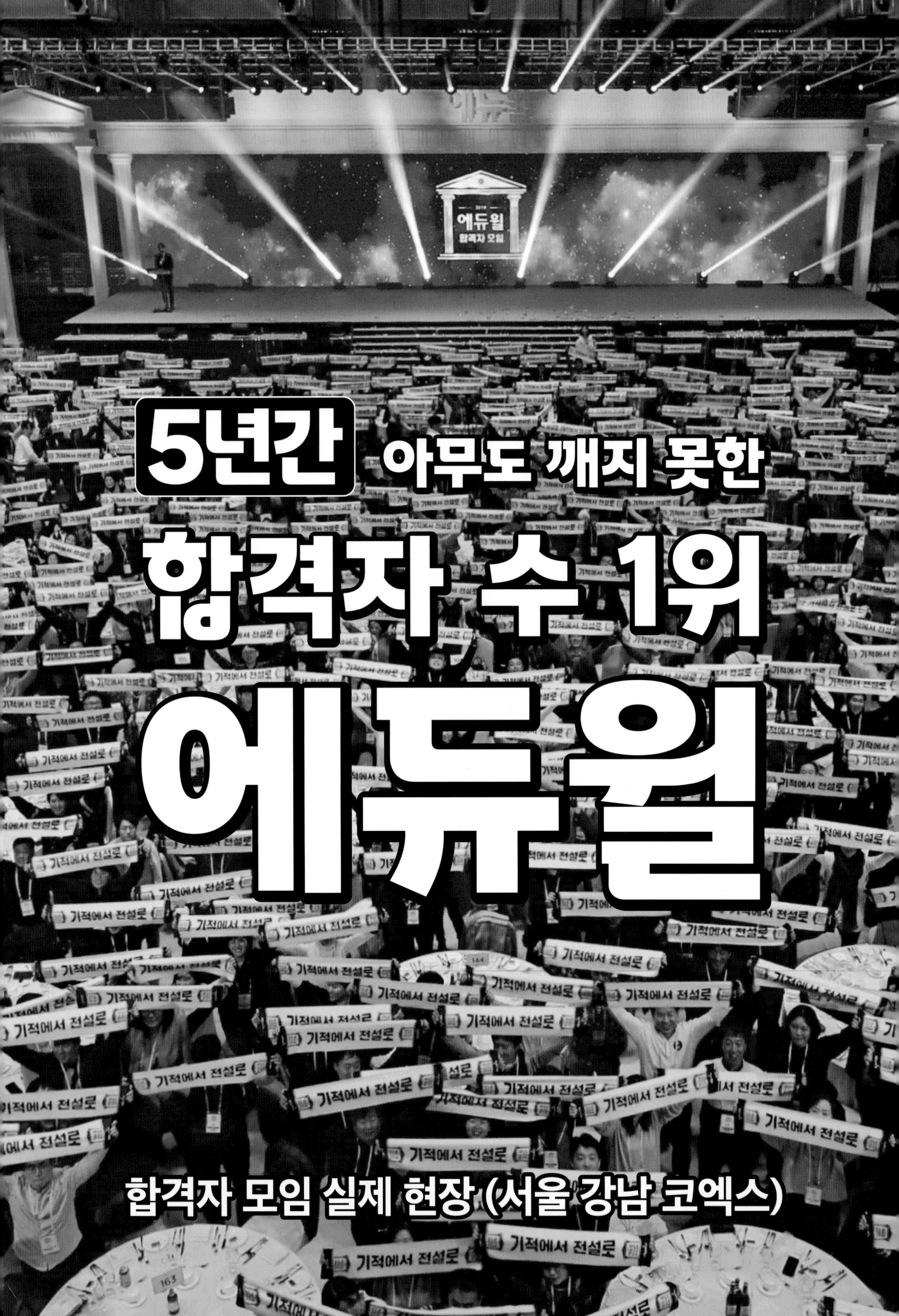

5년간 아무도 깨지 못한
합격자 수 1위
에듀윌
합격자 모임 실제 현장 (서울 강남 코엑스)

우리는 평생을 함께할 에듀윌 동문입니다
2019
에듀윌
합격자 모임
기적에서 전설로

공인중개사 최다 합격자 배출 공식 인증
(KRI 한국기록원 / 2016, 2017, 2019년 인증, 2021년 현재까지 업계 최고 기록)

에듀윌
합격자 오림
합격자 수가
선택의 기준!
기적에서 전설로

에듀윌
에듀윌과 함께하면 꿈은 현실이 됩니다
기적에서 전설로

에듀윌에서 꿈을 이룬 합격생들의 진짜 합격스토리

에듀윌 커리큘럼을 따라가며 기출 분석을 반복한 결과 7.5개월 만에 합격

권○혁 지방직 9급 일반행정직 최종 합격

샘플 강의를 듣고 맘에 들었는데, 가성비도 좋아 에듀윌을 선택하게 되었습니다. 특히, 공부에 집중하기 좋은 깔끔한 시설과 교수님께 바로 질문할 수 있는 환경이 좋았습니다. 학원을 다니면서 에듀윌에서 무료로 제공하는 온라인 강의를 많이 활용했습니다. 늦게 시작했기 때문에 처음에는 진도를 따라가기 위해서 활용했고, 그 후에는 기출 분석을 복습하기 위해 활용했습니다. 마지막에 반복했던 기출 분석은 합격에 중요한 영향을 미쳤던 것 같습니다.

고민없이 에듀윌을 선택, 온라인 강의 반복 수강으로 합격 완성

박○은 국가직 9급 일반농업직 최종 합격

공무원 시험은 빨리 준비할수록 더 좋다고 생각해서 상담 후 바로 고민 없이 에듀윌을 선택했습니다. 과목별 교재가 동일하기 때문에 한 과목당 세 교수님의 강의를 모두 들었습니다. 심지어 전년도 강의까지 포함하여 강의를 무제한으로 들었습니다. 덕분에 중요한 부분을 알게 되었고 그 부분을 집중적으로 먼저 외우며 공부할 수 있었습니다. 우울할 때에는 내용을 아는 활기찬 드라마를 틀어놓고 공부하며 위로를 받았는데 집중도 잘되어 좋았습니다.

체계가 잘 짜여진 에듀윌은 합격으로 가는 최고의 동반자

김○욱 국가직 9급 출입국관리직 최종 합격

에듀윌은 체계가 굉장히 잘 짜여져 있습니다. 만약, 공무원이 되고 싶은데 아무것도 모르는 초시생이라면 묻지 말고 에듀윌을 선택하시면 됩니다. 에듀윌은 기초·기본이론부터 심화이론, 기출문제, 단원별 문제, 모의고사, 그리고 면접까지 다 챙겨주는, 시작부터 필기합격 후 끝까지 전부 관리해 주는 최고의 동반자입니다. 저는 체계적인 에듀윌의 커리큘럼과 하루에 한 페이지라도 집중해서 디테일을 외우려고 노력하는 습관 덕분에 합격할 수 있었습니다.

다음 합격의 주인공은 당신입니다!

더 많은 합격스토리

회원 가입하고 100% 무료 혜택 받기

가입 즉시, 공무원 공부에 필요한 모든 걸 드립니다!

혜택 1 초시생을 위한 3법교과서 제공

※ 에듀윌 홈페이지 ⋯→ 직렬 사이트 선택 ⋯→ 3법교과서 무료배포 선택 ⋯→ 신청하기

혜택 2 초보 수험생 필수 기초강의 제공

※ 에듀윌 홈페이지 ⋯→ 직렬 사이트 선택 ⋯→ '처음오셨나요' 메뉴 선택 ⋯→ 기초이론패스 신청 후 '나의 강의실'에서 확인 (7일 수강 가능)

혜택 3 전 과목 기출문제 해설강의 제공

※ 에듀윌 홈페이지 ⋯→ 직렬 사이트 선택 ⋯→ 상단 '학습자료' 메뉴를 통해 수강 (최신 3개년 주요 직렬 기출문제 해설강의 제공)

* 배송비 별도 / 비매품

합격의 시작은 잘 만든 입문서로부터

에듀윌 경찰 3법교과서

무료배포 선착순 100명

무료배포 이벤트

* 본 혜택과 경로는 예고 없이 변경되거나 대체될 수 있음.

친구 추천하고
한 달 만에 920만원 받았어요

2021년 2월 1달간 실제로 리워드 금액을 받아가신
*a*o*h**** 고객님의 실제사례입니다.

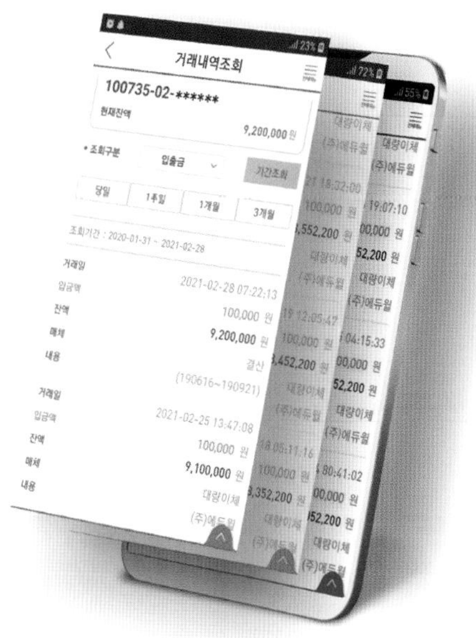

에듀윌 친구 추천 이벤트

친구 1명 추천할 때마다

현금 10만원

추천 참여 횟수

무제한 반복

에듀윌 친구 추천 검색

친구 추천 이벤트

※ 추천 참여 횟수 무제한 ※ 해당 이벤트는 예고 없이 변경되거나 종료될 수 있습니다.

자세한 내용이 궁금하다면 1600-6700

1초 합격예측
모바일 성적분석표

1초 안에 '클릭' 한 번으로 성적을 확인하실 수 있습니다!

STEP 1

QR 코드 스캔

- 교재의 QR 코드를 모바일로 스캔 후 에듀윌 회원 로그인
- QR 코드 하단의 바로가기 주소로도 접속 가능

STEP 2

모바일 OMR 입력

- 회차 확인 후 '응시하기' 클릭
- 모바일 OMR에 답안 입력
- 문제풀이 시간까지 측정 가능

STEP 3

자동채점 & 성적분석표 확인

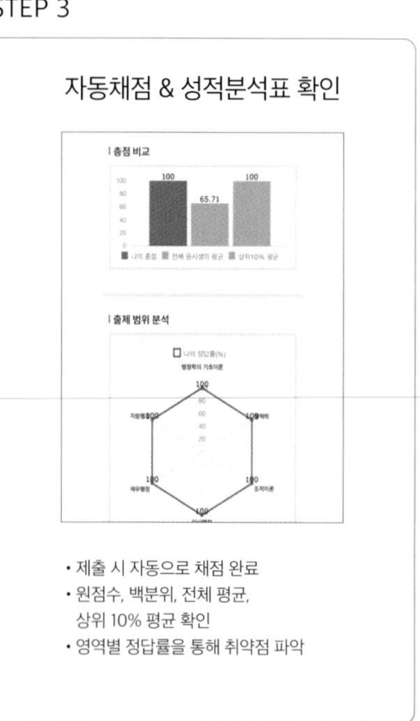

- 제출 시 자동으로 채점 완료
- 원점수, 백분위, 전체 평균, 상위 10% 평균 확인
- 영역별 정답률을 통해 취약점 파악

※ 본 서비스는 에듀윌 공무원 교재(연도별, 회차별 문항이 수록된 교재)를 구입하는 분에게 제공됨.

시작하는 방법은
말을 멈추고
즉시 행동하는 것이다.

– 월트 디즈니(Walt Disney)

2022

에듀윌 경찰공무원

단원별 기출문제집

형사법 1000제

INTRO

저자의 말

"여러분의 합격을 진심으로 기원합니다."

안녕하세요! 수험생 여러분. 형사법 중 형사소송법 부분의 저자 이태우입니다.

경찰공무원 시험에서 '형사소송법'은 경찰 실무에서 가장 중요한 역할을 하는 부분으로, 여러분의 평생의 지식으로 작용할 수 있는 과목입니다.

2022년 경찰간부 및 경찰채용 시험부터는 형법과 형사소송법이 통합되어, 형사법 과목으로 재편되었습니다. 그리고 형사소송법 부분은 출제범위가 수사와 증거로 제한되었습니다. 이러한 변경에 따라 고득점을 위해서는 전략적 접근이 필요합니다.

전략적 학습을 위해서는 출제경향을 잘 파악하고, 그에 맞는 학습을 해야 할 것입니다.

시험개편으로 인해 출제영역에 다소 변동이 생겼지만, 기존에 빈출되었던 영역의 문제는 앞으로도 계속 출제될 것입니다.

따라서 본서는 형사소송법 기출문제를 충실히 수록하여 출제경향을 파악할 수 있도록 하였고, 더 나아가 과목별로 공개된 영역별 출제비중을 고려하여 문항 수를 적절히 배치하였으며, 이를 통해 출제비중에 따라 균형 있게 학습할 수 있도록 하였습니다.

출제경향과 출제비중을 고려하여 구성한 본서가 수험생분들에게 큰 도움이 되었으면 합니다. 그리고 이 책을 통해 공부하는 모든 수험생 여러분에게 합격이라는 기쁨이 있기를 진심으로 기원합니다.

끝으로 좋은 교재 발간을 위해 노력하시는 에듀윌 임직원 여러분들과 편집 및 감수를 진행해주신 모든 분들에게 진심으로 감사드립니다.

다시 한번 여러분의 합격을 기원합니다.

편저자 이태우

CONTENTS

차례

형사소송법

기출OX APP

1 에듀윌 합격앱 접속하기

QR코드 스캔하기

또는

에듀윌 합격앱 다운받기

2 기출OX 퀴즈 무료로 이용하기

하단 딱풀 메뉴에서 기출OX 선택 ▸ 과목과 PART 선택 ▸ 퀴즈 풀기

- 틀린 문제는 기출오답노트(기출 OX)에서 다시 확인할 수 있습니다.

3 교재 구매 인증하기

- 무료이용 후 7일이 지나면 교재 구매 인증을 해야 합니다(최초 1회 인증 필요).
- 교재 구매 인증화면에서 정답을 입력하면 기간 제한 없이 기출OX 퀴즈를 무료로 이용할 수 있습니다(정답은 교재에서 찾을 수 있음).

※에듀윌 합격앱 어플에서 회원 가입 후 이용하실 수 있는 서비스입니다.
※스마트폰에서만 이용 가능하며, 일부 단말기에서는 서비스가 지원되지 않을 수 있습니다.
※해당 서비스는 추후 다른 서비스로 변경될 수 있습니다.

합격응원 메시지

"제복을 입을 때까지 모두 지치지 마시고 자신이 원하는 자리에서 자신의 역량을 발휘할 수 있도록 끝없이 노력한다면 충분히 합격의 길을 걸어갈 수 있습니다."

국내 1호 프로파일러 권일용 박사

에듀윌 경찰공무원 전 시리즈 교재 추천사 제공

- 동국대학교 경찰사법대학원 겸임교수
- 광운대학교 일반대학원 범죄학과 겸임교수
- 융합사회안전연구교육센터 대표
- 경찰청 범죄심리 과학수사 자문위원
- 한국CSI학회 법심리분과 위원장
- 경찰청 범죄면수사 전문가
- 경찰청 범죄행동분석팀장

◀ 응원영상 바로보기

형사소송법

PART 01

형사소송법의 기초

기출키워드

01 형사소송법의 의의	• 형사소송법의 의의 • 형사절차법정주의 • 형사소송법의 법원 • 형사소송법의 적용범위
02 형사소송법의 이념	• 형사소송의 이념 • 실체진실의 발견 • 적정절차의 원칙 • 신속한 재판의 원칙 • 형사소송의 구조

CHAPTER 01 형사소송법의 의의

CHAPTER 02 형사소송법의 이념

문제풀이 전략

01 형사소송법의 의의	• 형사소송법의 법원에 대한 내용을 정확히 파악한 후, 특히 형사소송법의 법원과 관련하여 헌법에 규정된 것을 숙지해야 합니다. • 형사소송법의 적용범위와 관련하여서는 관련법규정을 숙지해야 합니다.
02 형사소송법의 이념	• 형사소송의 이념과 구조는 기본개념을 정확히 파악한 후, 진도를 끝까지 나간 뒤에 다시 한 번 읽어보는 것이 중요합니다.

CHAPTER
01 형사소송법의 의의

■ 기본서 연계페이지: p.1152 ■ 문항 수: 9문항

01 [0617]

2016 경찰 승진

헌법에서 형사절차와 관련하여 명시적으로 규정하지 않은 것은?

① 신속한 공개재판을 받을 권리
② 피구속자의 가족 등이 구속 사유를 통지받을 권리
③ 불이익변경금지원칙
④ 체포·구속적부심사청구권

지문분석

난이도 중 정답 ③

| 키 워 드 | 형사절차법정주의
| 출제유형 | 틀린 지문 고르기

③ (X) 형사소송법 제368조에 규정되어 있다.
① (O) 헌법 제27조 제3항
② (O) 헌법 제12조 제5항
④ (O) 헌법 제12조 제6항

02 [0618]

2017 경찰 승진

다음 중 형사절차와 관련하여 헌법에서 명시적으로 규정한 항목을 모두 고른 것은?

㉠ 구속적부심사청구권
㉡ 형사보상청구권
㉢ 증거재판주의
㉣ 불이익변경금지원칙
㉤ 위법수집증거배제법칙
㉥ 자백보강법칙

① ㉠, ㉡, ㉢
② ㉠, ㉡, ㉥
③ ㉠, ㉤, ㉥
④ ㉡, ㉣, ㉤

지문분석

난이도 중 정답 ②

| 키 워 드 | 형사절차법정주의
| 출제유형 | 조합하기

㉠ (O) 헌법 제12조 제6항
㉡ (O) 헌법 제28조
㉥ (O) 헌법 제12조 제7항 후단
㉢ (X) 형사소송법 제307조
㉣ (X) 형사소송법 제368조
㉤ (X) 형사소송법 제308조의2

03 0619

2016 경찰 2차

헌법 제12조에서 형사절차와 관련하여 명시적으로 규정한 것으로 옳은 것은 모두 몇 개인가?

㉠ 모든 국민은 고문을 받지 아니하며, 형사상 자기에게 불리한 진술을 강요당하지 아니한다.
㉡ 체포·구속·압수 또는 수색을 할 때에는 적법한 절차에 따라 검사의 신청에 의하여 법관이 발부한 영장을 제시하여야 한다. 다만, 현행범인인 경우와 장기 3년 이상의 형에 해당하는 죄를 범하고 도피 또는 증거인멸의 염려가 있을 때에는 사후에 영장을 청구할 수 있다.
㉢ 누구든지 체포 또는 구속을 당한 때에는 즉시 변호인의 조력을 받을 권리를 가진다. 다만, 형사피고인이 스스로 변호인을 구할 수 없을 때에는 법률이 정하는 바에 의하여 국가가 변호인을 붙인다.
㉣ 누구든지 체포 또는 구속을 당한 때에는 적부의 심사를 법원에 청구할 권리를 가진다.
㉤ 피고인의 자백이 고문·폭행·협박·구속의 부당한 장기화 또는 기망 기타의 방법에 의하여 자의로 진술된 것이 아니라고 인정될 때 또는 정식재판에 있어서 피고인의 자백이 그에게 불리한 유일한 증거일 때에는 이를 유죄의 증거로 삼거나 이를 이유로 처벌할 수 없다.

① 1개 ② 3개
③ 4개 ④ 5개

지문분석 난이도 상 정답 ④

| 키 워 드 | 형사절차법정주의
| 출제유형 | 개수 찾기

㉠ (O) 헌법 제12조 제2항
㉡ (O) 헌법 제12조 제3항
㉢ (O) 헌법 제12조 제4항
㉣ (O) 헌법 제12조 제6항
㉤ (O) 헌법 제12조 제7항

04 0620

2018 경찰 1차

헌법 제12조에서 형사절차와 관련하여 명시적으로 규정한 것을 모두 고른 것은?

㉠ 누구든지 체포 또는 구속을 당한 때에는 적부의 심사를 법원에 청구할 권리를 가진다.
㉡ 체포·구속·압수 또는 수색을 할 때에는 적법한 절차에 따라 검사의 신청에 의하여 법관이 발부한 영장을 제시하여야 한다. 다만, 현행범인인 경우와 장기 3년 이상의 형에 해당하는 죄를 범하고 도피 또는 증거인멸의 염려가 있을 때에는 사후에 영장을 청구할 수 있다.
㉢ 적법한 절차에 따르지 아니하고 수집한 증거는 증거로 할 수 없다.
㉣ 재판장은 검사의 의견을 들은 후 피고인과 변호인에게 최종의 의견을 진술할 기회를 주어야 한다.
㉤ 모든 국민은 고문을 받지 아니하며, 형사상 자기에게 불리한 진술을 강요당하지 아니한다.

① ㉠, ㉡, ㉣ ② ㉠, ㉡, ㉤
③ ㉡, ㉣, ㉤ ④ ㉢, ㉣, ㉤

지문분석 난이도 상 정답 ②

| 키 워 드 | 형사절차법정주의
| 출제유형 | 조합하기

㉠ (O) 헌법 제12조 제6항
㉡ (O) 헌법 제12조 제3항
㉤ (O) 헌법 제12조 제2항
㉢ (X) 형사소송법 제308조의2
㉣ (X) 형사소송법 제303조

05 0621
2021 국가직 9급

대한민국헌법에서 형사절차와 관련하여 명시적으로 규정하고 있는 것만을 모두 고르면?

ㄱ. 누구든지 체포 또는 구속을 당한 때에는 적부의 심사를 법원에 청구할 권리를 가진다.
ㄴ. 적법한 절차에 따르지 아니하고 수집한 증거는 증거로 할 수 없다.
ㄷ. 형사피의자 또는 형사피고인으로서 구금되었던 자가 법률이 정하는 불기소처분을 받거나 무죄판결을 받은 때에는 법률이 정하는 바에 의하여 국가에 정당한 보상을 청구할 수 있다.
ㄹ. 피고인의 자백이 고문·폭행·협박·구속의 부당한 장기화 또는 기망 기타의 방법에 의하여 자의로 진술된 것이 아니라고 인정될 때 또는 정식재판에 있어서 피고인의 자백이 그에게 불리한 유일한 증거일 때에는 이를 유죄의 증거로 삼거나 이를 이유로 처벌할 수 없다.
ㅁ. 영장에 의한 체포·긴급체포 또는 현행범인의 체포에 따라 체포된 피의자에 대하여 구속영장을 청구받은 판사는 지체 없이 피의자를 심문하여야 한다.

① ㄱ, ㄷ
② ㄱ, ㄷ, ㄹ
③ ㄴ, ㄷ, ㄹ
④ ㄴ, ㄹ, ㅁ

지문분석 난이도 중 정답 ②

| 키 워 드 | 형사절차법정주의
| 출제유형 | 조합하기

ㄱ. (O) 헌법 제12조 제6항
ㄷ. (O) 헌법 제28조
ㄹ. (O) 헌법 제12조 제7항
ㄴ. (X) 형사소송법 제308조의2
ㅁ. (X) 형사소송법 제201조의2 제1항

06 0622
2019 경찰 2차

형사소송법의 법원(法源)에 대한 설명으로 가장 적절한 것은? (다툼이 있는 경우 판례에 의함)

① 헌법은 최상위법으로 형사소송법의 법원이며, 검사의 영장 신청과 사법경찰관에 대한 검사의 수사지휘는 헌법에 명시적으로 규정되어 있다.
② 실질적 의미의 형사소송법이란 내용과 명칭이 모두 형사소송법인 법률을 말하며 형사절차의 가장 중요한 법원이 된다.
③ 대법원규칙은 헌법상 명시적 근거 없이 대법원이 법원의 내부규율과 사무처리의 통일을 위해 제정한 준칙에 불과하므로 형사절차의 법원이 될 수 없다.
④ 재기수사의 명령이 있는 사건에 관하여 지방검찰청 검사가 다시 불기소처분을 하고자 하는 경우에는 미리 그 명령청의 장의 승인을 얻도록 한 검찰사건사무규칙의 규정은 법규적 효력을 가진 것이 아니다.

지문분석 난이도 중 정답 ④

| 키 워 드 | 형사소송법의 법원
| 출제유형 | 옳은 지문 고르기

④ (O) 헌법재판소 1991.7.8. 91헌마42 결정
① (X) 검사의 영장 신청에 대해서는 헌법 제12조 제3항에 명시적으로 규정되어 있지만, 사법경찰관에 대한 검사의 수사지휘는 헌법에 규정되어 있지 않으며, 헌법재판소 판례는 "우리 헌법에는 수사기관의 조직과 운영, 특히 수사주체 및 기타 수사에 관여하는 공무원의 권한범위 등에 대해 구체적으로 규정을 두고 있지 않다. 따라서 입법자는 비교적 넓은 범위의 재량을 가지고 수사절차에서의 인권보장, 수사인력의 수요 및 공급에 관한 제반 여건, 수사조직의 합리적 구성과 효율적 운영 등 여러 측면을 종합적으로 고려하여 그 구체적 내용을 정하는 입법을 할 수 있다(헌법재판소 2001.10.25. 2001헌바9 결정)."라고 하여 법률의 개정만으로도 경찰에게 수사권을 부여할 수 있다는 입장을 취하고 있다.
② (X) 실질적 의미의 형사소송법은 명칭을 불문하고 형벌권 행사의 절차에 관한 내용을 지닌 모든 법률을 말한다.
③ (X) 대법원은 법률에 저촉되지 아니하는 범위 내에서 소송에 관한 절차, 법원의 내부규율과 사무처리에 관한 규칙을 제정할 수 있다고 함으로써(헌법 제108조), 형사절차법정주의의 유일한 예외를 정하고 있다. 이에 의하여 제정된 대법원규칙도 형사소송법의 법원이 된다.

07 0623 2016 경찰 1차

형사소송법의 적용범위에 관한 다음 설명 중 가장 적절하지 않은 것은? (다툼이 있는 경우 판례에 의함)

① 미합중국 국적을 가진 미합중국 군대의 군속인 피고인이 범행 당시 10년 넘게 대한민국에 머물면서 한국인 아내와 결혼하여 가정을 마련하고 직장 생활을 하는 등 생활근거지를 대한민국에 두고 있었던 경우에도 미합중국 군대의 군속에 관한 형사재판권 관련 조항이 적용될 수 있다.

② 캐나다 시민권자인 피고인이 캐나다에서 위조사문서를 행사하였다는 내용으로 기소된 사안에서, 피고인의 행위에 대하여는 우리나라에 재판권이 없다.

③ 국회의원의 면책특권 대상이 되는 행위는 국회의 직무수행에 필수적인 국회의원의 국회 내에서의 직무상 발언과 표결이라는 의사표현행위 자체에만 국한되지 아니하고 이에 통상적으로 부수하여 행하여지는 행위까지 포함하며, 그와 같은 부수행위인지 여부는 구체적인 행위의 목적·장소·태양 등을 종합하여 개별적으로 판단하여야 한다.

④ 항소심이 신법 시행을 이유로 구법이 정한 바에 따라 적법하게 진행된 제1심의 증거조사절차 등을 위법하다고 보아 그 효력을 부정하고 다시 절차를 진행하는 것은 허용되지 아니하며, 다만, 이미 적법하게 이루어진 소송행위의 효력을 부정하지 않는 범위 내에서 신법의 취지에 따라 절차를 진행하는 것은 허용된다.

지문분석 난이도 중 정답 ①

| 키 워 드 | 형사소송법의 적용범위

| 출제유형 | 틀린 지문 고르기

① (X) 미합중국 국적을 가진 미합중국 군대의 군속인 피고인이 범행 당시 10년 넘게 대한민국에 머물면서 한국인 아내와 결혼하여 가정을 마련하고 직장 생활을 하는 등 생활근거지를 대한민국에 두고 있었던 경우, 피고인은 대한민국과 아메리카합중국 간의 상호방위조약 제4조에 의한 시설과 구역 및 대한민국에서의 합중국 군대의 지위에 관한 협정(1967.2.9. 조약 제232호로 발효되고, 2001.3.29. 조약 제553호로 최종 개정된 것)에서 말하는 '통상적으로 대한민국에 거주하는 자'에 해당하므로, 피고인에게는 위 협정에서 정한 미합중국 군대의 군속에 관한 형사재판권 관련 조항이 적용될 수 없다(대법원 2006.5.11. 2005도798).
② (O) 대법원 2011.8.25. 2011도6507
③ (O) 대법원 2011.5.13. 2009도14442
④ (O) 대법원 2008.10.23. 2008도2826

08 0624 2020 경찰 2차

형사소송법의 적용범위에 대한 설명으로 가장 적절하지 않은 것은? (다툼이 있는 경우 판례에 의함)

① 국회의원의 면책특권에 속하는 행위에 대하여 공소를 제기한 경우, 법원은 공소기각판결을 선고하여야 한다.

② 형사소송법 부칙(법률 제8496호, 2007.6.1.) 제2조는 형사절차가 개시된 후 종결되기 전에 형사소송법이 개정된 경우 신법과 구법 중 어느 법을 적용할 것인지에 관한 입법례 중 이른바 혼합주의를 채택하여 구법 당시 진행된 소송행위의 효력은 그대로 인정하되 신법 시행 후의 소송절차에 대하여는 신법을 적용한다는 취지에서 규정된 것이다.

③ 일반 국민이 범한 특정 군사범죄와 그 밖의 일반 범죄가 형법 제37조 전단의 경합범 관계에 있다고 보아 하나의 사건으로 기소된 경우, 특정 군사범죄에 대하여 전속적인 재판권을 가지는 군사법원은 그 밖의 일반 범죄에 대하여도 재판권을 행사할 수 있다.

④ 근로기준법 개정(법률 제7465호, 2005.3.31.)으로 종전에는 피해자의 의사에 상관없이 처벌할 수 있었던 동법 제112조 위반죄가 반의사불벌죄로 개정된 경우에 비록 부칙에 이에 대한 경과규정이 없을지라도 개정법률이 피고인에게 더 유리할 수 있기에 형법 제1조 제2항에 의하여 개정법률이 적용되어야 한다.

지문분석 난이도 중 정답 ③

| 키 워 드 | 형사소송법의 적용범위

| 출제유형 | 틀린 지문 고르기

③ (X) 일반 국민이 범한 수 개의 죄 가운데 특정 군사범죄와 그 밖의 일반 범죄가 형법 제37조 전단의 경합범 관계에 있다고 보아 하나의 사건으로 기소된 경우, 특정 군사범죄에 대하여는 군사법원이 전속적인 재판권을 가지므로 일반 법원은 이에 대하여 재판권을 행사할 수 없다. 반대로 그 밖의 일반 범죄에 대하여 군사법원이 재판권을 행사하는 것도 허용될 수 없다. 이 경우 어느 한 법원에서 기소된 모든 범죄에 대해 재판권을 행사한다면 재판권이 없는 법원이 아무런 법적 근거 없이 임의로 재판권을 창설하여 재판권이 없는 범죄에 대한 재판을 하는 것이 되므로, 결국 기소된 사건 전부에 대하여 재판권을 가지지 아니한 일반 법원이나 군사법원은 사건 전부를 심판할 수 없다(대법원 2016.6.16. 2016초기318 전원합의체 결정).
① (O) 대법원 1992.9.22. 91도3317
② (O) 대법원 2008.10.23. 2008도2826
④ (O) 대법원 2005.10.28. 2005도4462

09 0625

2017 경찰 승진

형사소송법의 적용범위에 관한 설명 중 가장 적절하지 않은 것은? (다툼이 있는 경우 판례에 의함)

① 국회의원의 면책특권에 속하는 행위에 대하여 공소를 제기한 경우, 법원은 공소를 기각하여야 한다.
② 주한 미국문화원 내에서 죄를 범한 대한민국 국민에게도 대한민국의 재판권이 미친다.
③ 국회의원은 현행범인인 경우를 제외하고는 회기 중 국회의 동의 없이 체포 또는 구금되지 아니한다.
④ 캐나다 시민권자인 피고인이 캐나다에서 위조사문서를 행사하였다는 내용으로 대한민국 법원에 기소된 경우 대한민국의 재판권이 있다고 보아야 한다.

지문분석 난이도 중 정답 ④

| 키 워 드 | 형사소송법의 적용범위
| 출제유형 | 틀린 지문 고르기

④ (X) 캐나다 시민권자인 피고인이 캐나다에서 위조사문서를 행사하였다는 내용으로 기소된 사안에서, 형법 제234조의 위조사문서행사죄는 형법 제5조 제1호 내지 제7호에 열거된 죄에 해당하지 않고, 위조사문서행사를 형법 제6조의 대한민국 또는 대한민국 국민의 법익을 직접적으로 침해하는 행위라고 볼 수도 없으므로 피고인의 행위에 대하여는 우리나라에 재판권이 없는데도, 위 행위가 외국인의 국외범으로서 우리나라에 재판권이 있다고 보아 유죄를 인정한 원심판결에 재판권 인정에 관한 법리오해의 위법이 있다(대법원 2011.8.25. 2011도6507).
① (O) 대법원 2011.5.13. 2009도14442
② (O) 대법원 1986.6.24. 86도403
③ (O) 헌법 제44조 제1항

CHAPTER

02 형사소송법의 이념

■ 기본서 연계페이지: p.1153~1157 ■ 문항 수: 12문항

01 0626

2020 경찰 승진

형사소송법의 지도이념에 관한 설명 중 가장 적절하지 않은 것은? (다툼이 있는 경우 판례에 의함)

① 실체진실주의는 적법절차의 원칙과 신속한 재판의 원칙에 의하여 제약을 받는다.
② 기소편의주의와 자백보강법칙은 실체적 진실주의의 제도적 표현이다.
③ 형사재판의 증거법칙과 관련하여서는 소극적 진실주의가 헌법적으로 보장되어 있다.
④ 적법절차주의는 절차의 적법성뿐만 아니라 절차의 적정성까지 보장되어야 한다는 뜻으로 이해된다.

지문분석 난이도 하 정답 ②

| 키 워 드 | 형사소송법의 지도이념
| 출제유형 | 틀린 지문 고르기

② (X) 자백보강법칙은 실체적 진실주의의 제도적 표현이지만, 기소편의주의는 공소제기절차에서 신속한 재판을 위한 제도로 볼 수 있다.
① (O) 형사소송법의 목적원리인 실체진실주의, 적정절차와 신속한 재판의 원칙은 규범의 충돌을 일으킬 수 있는 긴장관계에 있는 이념이라 할 수 있다. 왜냐하면 실체진실주의를 추구하면 적정절차와 신속한 재판의 이념은 후퇴하게 되고, 반대로 적정절차와 신속한 재판을 강조하면 실체진실의 발견이 제한되지 않을 수 없기 때문이다.
③ (O) 우리 헌법은 소극적 실체진실주의를 헌법적 차원에서 인정하고 있다. 특히 무죄추정의 원칙을 형사피고인의 기본권으로 명시하고 있다(헌법 제27조 제4항).
④ (O) 헌법 제12조 제3항 본문은 동조 제1항과 함께 적법절차원리의 일반조항에 해당하는 것으로서, 형사절차상의 영역에 한정되지 않고 입법, 행정 등 국가의 모든 공권력의 작용에는 절차상의 적법성뿐만 아니라 법률의 구체적 내용도 합리성과 정당성을 갖춘 실체적인 적법성이 있어야 한다는 적법절차의 원칙을 헌법의 기본원리로 명시하고 있는 것이다(헌법재판소 1992.12.24. 92헌가8 결정).

02 0627

2017 경찰 2차

형사소송법의 이념인 적정절차의 원칙에 대한 설명으로 가장 적절하지 않은 것은? (다툼이 있는 경우 판례에 의함)

① 경찰관에게 등을 보인 채 상의를 속옷과 함께 겨드랑이까지 올리고 하의를 속옷과 함께 무릎까지 내린 상태에서 3회에 걸쳐 앉았다 일어서게 하는 방법으로 실시한 신체수색은 헌법 제10조 및 제12조에 의하여 보장되는 청구인들의 인격권 및 신체의 자유를 침해한 것이다.
② 음주운전과 관련한 도로교통법 위반죄의 범죄수사를 위하여 미성년자인 피의자의 혈액채취가 필요한 경우, 피의자에게 의사능력이 있다면 피의자 본인만이 혈액채취에 관한 유효한 동의를 할 수 있고, 피의자에게 의사능력이 없는 경우에도 명문의 규정이 없는 이상 법정대리인이 피의자를 대리하여 동의할 수는 없다.
③ 선거관리위원회 위원·직원이 선거범죄와 관련하여 조사 시 관계인에게 진술이 녹음된다는 사실을 미리 알려 주지 아니한 채 진술을 녹음한 경우, 그와 같은 조사절차에 의하여 수집한 녹음파일 내지 그에 터 잡아 작성된 녹취록은 증거능력이 없다.
④ 범죄의 피의자로 입건된 사람들로 하여금 수사기관의 신문을 받으면서 자신의 신원을 밝히지 아니하고 지문채취에 불응하는 경우 벌금, 과료, 구류의 형사처벌을 받도록 하고 있는 구(舊) 경범죄처벌법 제1조 제42호 조항은 적법절차의 원칙에 위반된다.

지문분석 난이도 중 정답 ④

| 키 워 드 | 적정절차의 원칙
| 출제유형 | 틀린 지문 고르기

④ (X) 범죄의 피의자로 입건된 사람들로 하여금 경찰공무원이나 검사의 신문을 받으면서 자신의 신원을 밝히지 않고 지문채취에 불응하는 경우 벌금, 과료, 구류의 형사처벌을 받도록 하고 있는 구 경범죄처벌법 조항은 적법절차의 원칙에 위배되지 않는다(헌법재판소 2004.9.23. 2002헌가17·18 결정).
① (O) 헌법재판소 2007.7.18. 2000헌마327 결정
② (O) 대법원 2014.11.13. 2013도1228
③ (O) 대법원 2014.10.15. 2011도3509

03 0628

2021 경찰 승진

적법절차 원칙에 대한 설명으로 가장 적절하지 않은 것은? (다툼이 있는 경우 판례에 의함)

① 법관이 아닌 사회보호위원회가 치료감호의 종료 여부를 결정하도록 한 구 사회보호법(1996.12.12. 법률 제5179호로 개정된 것) 제9조 제2항은 본 위원회의 결정에 대해 행정소송을 제기하여 법관에 의한 재판이 가능하다는 점 등을 고려할 때 재판청구권을 침해하거나 적법절차에 위배된다고 할 수 없다.

② 피고인의 구속기간은 법원이 피고인을 구속한 상태에서 재판할 수 있는 기간을 의미하는 것이지, 법원의 재판기간 내지 심리기간 자체를 제한하려는 규정이라고 할 수는 없으며, 구속기간을 엄격히 제한하고 있다 하더라도 공정한 재판을 받을 권리가 침해된다고 볼 수는 없다.

③ 형사소송법상 법원은 법률에 다른 규정이 없으면 누구든지 증인으로 신문할 수 있기 때문에 경찰공무원의 증인적격을 인정하더라도 이를 적법절차의 원칙에 반한다고 할 수 없다.

④ 위법하게 수집한 증거는 위법수집의 영향이 차단되거나 소멸되었더라도 적법절차의 원칙에 따라 그 증거능력을 인정할 수 없다.

지문분석 난이도 ㊥ 정답 ④

| 키 워 드 | 적정절차의 원칙

| 출제유형 | 틀린 지문 고르기

④ (X) 헌법 제12조 제1항, 제5항, 형사소송법 제200조의5, 제213조의2, 제308조의2를 종합하면, 적법한 절차에 따르지 아니한 위법행위를 기초로 하여 증거가 수집된 경우에는 당해 증거뿐 아니라 그에 터 잡아 획득한 2차적 증거에 대해서도 증거능력은 부정되어야 한다. 다만, 위와 같은 위법수집증거배제의 원칙은 수사과정의 위법행위를 억지함으로써 국민의 기본적 인권을 보장하기 위한 것이므로 적법절차에 위배되는 행위의 영향이 차단되거나 소멸되었다고 볼 수 있는 상태에서 수집한 증거는 그 증거능력을 인정하더라도 적법절차의 실질적 내용에 대한 침해가 일어나지는 않는다 할 것이니 그 증거능력을 부정할 이유는 없다. 따라서 증거수집 과정에서 이루어진 적법절차 위반행위의 내용과 경위 및 그 관련 사정을 종합하여 볼 때 당초의 적법절차 위반행위와 증거수집 행위의 중간에 그 행위의 위법 요소가 제거 내지 배제되었다고 볼 만한 다른 사정이 개입됨으로써 인과관계가 단절된 것으로 평가할 수 있는 예외적인 경우에는 이를 유죄 인정의 증거로 사용할 수 있다(대법원 2013.3.14. 2010도2094).

① (O) 헌법재판소 2009.3.26. 2007헌바50 결정

② (O) 헌법재판소 2001.6.28. 99헌가14 결정

③ (O) 헌법재판소 2001.11.29. 2001헌바41 결정

04 0629

2016 경찰 승진

적정절차의 원칙에 관한 설명 중 가장 적절하지 않은 것은? (다툼이 있는 경우 판례에 의함)

① 헌법 제12조 제1항 후문에 규정되어 있는 적법절차란 법률이 정한 절차 및 그 실체적 내용이 모두 적정하여야 함을 말하는 것이다.

② 범죄의 피의자로 입건된 사람들로 하여금 수사기관의 신문을 받으면서 자신의 신원을 밝히지 아니하고 지문채취에 불응하는 경우 벌금, 과료, 구류 등의 형사처벌을 받도록 하고 있는 구 경범죄처벌법 조항은 적법절차의 원칙에 위배되지 않는다.

③ 헌법과 형사소송법이 정한 절차에 따르지 아니하고 수집한 증거는 물론 이를 기초로 하여 획득한 2차 증거 역시 원칙적으로 유죄 인정의 증거로 삼을 수 없다.

④ 경찰관에게 등을 보인 채 상의를 속옷과 함께 겨드랑이까지 올리고 하의를 속옷과 함께 무릎까지 내린 상태에서 3회에 걸쳐 앉았다 일어서게 하는 방법으로 실시한 정밀신체수색은 위법하지 아니하다.

지문분석 난이도 ㊥ 정답 ④

| 키 워 드 | 적정절차의 원칙

| 출제유형 | 틀린 지문 고르기

④ (X) 공직선거 및 선거부정방지법 위반의 현행범으로 체포된 여성인 피의자들에게 흉기 등 위험물을 소지·은닉하고 있었을 가능성이 거의 없었음에도 경찰관에게 등을 보인 채 상의를 속옷과 함께 겨드랑이까지 올리고 하의를 속옷과 함께 무릎까지 내린 상태에서 3회에 걸쳐 앉았다 일어서게 하는 방법으로 실시한 정밀신체수색은 청구인들의 인격권과 신체의 자유를 침해하는 정도에 이르렀다고 본다(헌법재판소 2002.7.18. 2000헌마327 결정).

① (O) 헌법재판소 1992.12.24. 92헌가8 결정

② (O) 헌법재판소 2004.9.23. 2002헌가17 결정

③ (O) 대법원 2007.11.15. 2007도3061 전원합의체

05 0630

2019 경찰 승진

적정절차의 원칙에 대한 설명으로 가장 적절하지 않은 것은?
(다툼이 있는 경우 판례에 의함)

① 경찰관이 간호사로부터 진료 목적으로 이미 채혈되어 있던 피고인의 혈액 중 일부를 주취운전 여부에 대한 감정을 목적으로 임의로 제출받아 이를 압수한 경우, 당시 간호사가 혈액의 소지자 겸 보관자인 병원 또는 담당의사를 대리하여 혈액을 경찰관에게 임의로 제출할 수 있는 권한이 없었다고 볼 특별한 사정이 없는 이상, 그 압수절차가 피고인 또는 피고인의 가족의 동의 및 영장 없이 행하여졌다고 하더라도 적법절차를 위반하였다고 볼 수 없다.
② 검사가 법원의 증인으로 채택된 수감자를 그 증언에 이르기까지 거의 매일 검사실로 하루 종일 소환하여 피고인 측 변호인이 접근하는 것을 차단하고, 검찰에서의 진술을 번복하는 증언을 하지 않도록 회유·협박하는 한편, 때로는 검사실에서 그에게 편의를 제공하기도 한 행위는 피고인의 공정한 재판을 받을 권리를 침해한다.
③ 헌법 제12조 제1항 후문이 규정하고 있는 적법절차란 법률이 정한 절차 및 그 실체적 내용이 모두 적정하여야 함을 말하는 것이다.
④ 범죄의 피의자로 입건된 사람들로 하여금 경찰공무원이나 검사의 신문을 받으면서 자신의 신원을 밝히지 않고 지문채취에 불응하는 경우 벌금, 과료, 구류의 형사처벌을 받도록 하고 있는 구 경범죄처벌법 제1조 제42호 조항은 적법절차의 원칙에 위배된다.

지문분석 난이도 중 정답 ④

| 키 워 드 | 적정절차의 원칙
| 출제유형 | 틀린 지문 고르기

④ (X) 범죄의 피의자로 입건된 사람들로 하여금 경찰공무원이나 검사의 신문을 받으면서 자신의 신원을 밝히지 않고 지문채취에 불응하는 경우 벌금, 과료, 구류의 형사처벌을 받도록 하고 있는 구 경범죄처벌법 제1조 제42호 조항은 적법절차의 원칙에 위배되지 않는다(헌법재판소 2004.9.23. 2002헌가17 결정).
① (O) 대법원 1999.9.3. 98도968
② (O) 헌법재판소 2001.8.30. 99헌마496 결정
③ (O) 헌법재판소 1992.12.24. 92헌가8 결정

06 0631

2018 경찰 1차

형사소송법의 이념에 대한 설명으로 가장 적절하지 않은 것은?
(다툼이 있는 경우 판례에 의함)

① 검사와 피고인 쌍방이 항소한 경우에 1심 선고 형기 경과 후 2심 공판이 개정되었다면 이를 위법이라 할 수 있고 신속한 재판을 받을 권리를 박탈한 것이라고 할 수 있다.
② 심리에 2일 이상이 필요한 경우에는 부득이한 사정이 없는 한 매일 계속 개정하여야 한다. 재판장은 부득이한 사정으로 매일 계속 개정하지 못하는 경우에도 특별한 사정이 없는 한 전회의 공판기일부터 14일 이내로 다음 공판기일을 지정하여야 한다.
③ 소송의 지연을 목적으로 함이 명백한 경우에 기피신청을 받은 법원 또는 법관이 이를 기각할 수 있도록 규정한 형사소송법 제20조 제1항은 헌법상 보장되는 공정한 재판을 받을 권리를 침해하였다고 할 수 없다.
④ 구속사건에 대해서는 법원이 구속기간 내에 재판을 하면 되는 것이고 구속만기 25일을 앞두고 제1회 공판이 있었다 하여 헌법에 정한 신속한 재판을 받을 권리를 침해하였다고 할 수 없다.

지문분석 난이도 중 정답 ①

| 키 워 드 | 형사소송법의 지도이념
| 출제유형 | 틀린 지문 고르기

① (X) 검사와 피고인 쌍방이 항소한 경우에 1심 선고 형기 경과 후 2심 공판이 개정되었다고 하여 이를 위법이라 할 수 없고 신속한 재판을 받을 권리를 박탈한 것이라고 할 수 없다(대법원 1972.5.23. 72도840).
② (O) 형사소송법 제267조의2 제2항·제4항
③ (O) 헌법재판소 2006.7.27. 2005헌바58 결정
④ (O) 대법원 1990.6.12. 90도672

07 0632

2019 경찰 1차

형사소송의 이념에 대한 설명으로 가장 적절하지 않은 것은?
(다툼이 있는 경우 판례에 의함)

① 실체진실주의는 적법절차의 원칙과 신속한 재판의 원칙에 의하여 제약을 받는다.
② 적법절차란 법률이 정한 절차 및 그 실체적 내용이 모두 적정하여야 함을 말하는 것으로서 적정하다는 것은 공정하고 합리적이며 상당성이 있어 정의관념에 합치됨을 뜻한다.
③ 형사소송에 있어서 경찰공무원은 당해 피고인에 대한 수사를 담당하였는지의 여부에 관계없이 그 피고인의 공판과정에서는 제3자라고 할 수 있으므로 수사담당 경찰공무원의 증인적격을 인정하더라도 적법절차의 원칙에 반한다고 할 수 없다.
④ 신속한 재판의 원칙은 피고인의 이익을 보호하기 위하여 인정된 원칙이므로 실체적 진실발견, 소송경제, 재판에 대한 국민의 신뢰를 위하여 작동하여서는 안 된다.

지문분석 난이도 중 정답 ④

| 키 워 드 | 형사소송법의 지도이념
| 출제유형 | 틀린 지문 고르기

④ (X) 신속한 재판의 원칙은 주로 피고인의 이익을 보호하기 위한 것이지만 동시에 실체진실의 발견, 소송경제, 재판에 대한 국민의 신뢰와 형벌목적의 달성과 같은 공공의 이익에도 그 근거를 두고 있다(헌법재판소 1995.11.30. 92헌마44 결정).
① (O) 형사소송법의 목적원리인 실체진실주의, 적정절차와 신속한 재판의 원칙은 규범의 충돌을 일으킬 수 있는 긴장관계에 있는 이념이라 할 수 있다. 왜냐하면 실체진실주의를 추구하면 적정절차와 신속한 재판의 이념은 후퇴하게 되고, 반대로 적정절차와 신속한 재판을 강조하면 실체진실의 발견이 제한되지 않을 수 없기 때문이다.
② (O) 헌법 제12조 제3항 본문은 동조 제1항과 함께 적법절차원리의 일반조항에 해당하는 것으로서, 형사절차상의 영역에 한정되지 않고 입법, 행정 등 국가의 모든 공권력의 작용에는 절차상의 적법성뿐만 아니라 법률의 구체적 내용도 합리성과 정당성을 갖춘 실체적인 적법성이 있어야 하는 적법절차의 원칙을 헌법의 기본원리로 명시하고 있는 것이다(헌법재판소 1992.12.24. 92헌가8 결정).
③ (O) 수사기관으로서의 검사와 소추기관으로서의 검사는 그 법률상의 지위가 다르므로 공판에 관여하는 소송당사자로서의 검사와 사법경찰관리를 지휘, 감독하는 수사 주재자로서의 검사를 동일하게 볼 수 없고, 실체판단의 자료가 되는 경찰공무원의 증언내용은 공소사실과 관련된 주관적 '의견'이 아닌 경험에 의한 객관적 '사실'에 그치는 것이며, 또한 형사소송구조상 경찰공무원은 당사자가 아닌 제3자의 지위에 있을 뿐만 아니라, 나아가 경찰공무원의 증언에 대하여 피고인 또는 변호인은 반대신문권을 보장받고 있다는 점에서, 이 사건 법률조항에 의하여 경찰공무원의 증인적격을 인정한다 하더라도 적법절차의 원칙에 반한다거나 그 근거조항인 위 법 조항이 합리적이고 정당한 법률이 아니라고 말할 수는 없다(헌법재판소 2001.11.29. 2001헌바41 결정).

08 0633

2020 경찰 2차

신속한 재판의 원칙에 대한 설명으로 가장 적절하지 않은 것은? (다툼이 있는 경우 판례에 의함)

① 형사소송법의 규정에 따르면 검사는 수사의 신속한 종결을 위해 피의자가 체포 또는 구속된 날부터 30일 이내에 공소장을 제출하여야 한다.
② 형사피고인은 헌법에 의해 신속한 재판을 받을 권리를 보장받고 있다.
③ 구속사건에 대해서는 법원이 구속기간 내에 재판을 하면 되는 것이고 구속만기 25일을 앞두고 제1회 공판이 있었다 하여 헌법이 정한 신속한 재판을 받을 권리를 침해하였다고 할 수 없다.
④ 신속한 재판은 피고인의 이익뿐만 아니라 재판에 대한 국민의 신뢰와 형벌 목적의 달성과 같은 공공의 이익에도 그 근거를 두고 있다.

지문분석 난이도 ㊦ 정답 ①

| 키 워 드 | 신속한 재판의 원칙
| 출제유형 | 틀린 지문 고르기

① (X) 형사소송법에는 공소장의 제출기한에 대한 규정이 없다.
② (O) 모든 국민은 신속한 재판을 받을 권리를 가진다. 형사피고인은 상당한 이유가 없는 한 지체 없이 공개재판을 받을 권리를 가진다(헌법 제27조 제3항).
③ (O) 대법원 1990.6.12. 90도672
④ (O) 헌법재판소 1995.11.30. 92헌마44 결정

09 0634

2022 경찰 간부

형사소송의 이념과 구조에 대한 설명으로 가장 적절하지 않은 것은? (다툼이 있는 경우 판례에 의함)

① 적법절차의 원칙은 단순히 형사절차상의 제한된 범위 내에서만 적용되는 것이 아니라, 기본권 제한과 관련되든 아니든 모든 입법작용 및 행정작용에도 광범위하게 적용된다.
② 무죄추정의 원칙은 수사를 하는 단계뿐만 아니라, 판결이 확정될 때까지 형사절차와 형사재판 전반을 이끄는 대원칙이다.
③ 형사소송에 있어서 수사를 담당하였던 경찰공무원은 증인의 지위에 있을 수 없으므로, 그 수사담당 경찰공무원에 대한 증인적격을 인정하게 되면, 피고인에 대한 무죄추정의 원칙에 반한다.
④ 형사소송의 직권주의는 재판지연을 방지하여 능률적이고 신속한 재판을 진행할 수 있다는 장점이 있다.

지문분석 난이도 ㊦ 정답 ③

| 키 워 드 | 형사소송법의 이념
| 출제유형 | 틀린 지문 고르기

③ (X) 형사소송에 있어서 경찰공무원은 당해 피고인에 대한 수사를 담당하였는지의 여부에 관계없이 그 피고인에 대한 공판과정에서는 제3자라고 할 수 있어 수사담당 경찰공무원이라 하더라도 증인의 지위에 있을 수 있음을 부정할 수 없고, 이러한 증인신문 역시 공소사실과 관련된 실체적 진실을 발견하기 위한 것이지 피고인을 유죄로 추정하기 때문이라고 인정할 만한 아무런 근거도 없다는 점에서, 이 사건 법률조항은 무죄추정의 원칙에 반하지 아니한다(헌법재판소 2001.11.29. 2001헌바41 결정).
① (O) 헌법 제12조 제3항은 동조 제1항과 함께 적법절차 원리의 일반조항에 해당하는 것으로서, 형사절차상의 영역에 한정되지 않고 입법, 행정 등 국가의 모든 공권력의 작용에는 절차상의 적법성뿐만 아니라 법률의 구체적 내용도 합리성과 정당성을 갖춘 실체적인 적법성이 있어야 하는 적법절차의 원칙을 헌법의 기본원리로 명시하고 있는 것이다(헌법재판소 1992.12.24. 92헌가8 결정).
② (O) 헌법 제27조 제4항은 "형사피고인은 유죄의 판결이 확정될 때까지 무죄로 추정된다."라고 하여 이른바 무죄추정의 원칙을 선언하였는데 공소가 제기된 형사피고인에게 무죄추정의 원칙이 적용되는 이상, 아직 공소제기조차 되지 아니한 형사피의자에게 무죄추정의 원칙이 적용되는 것은 너무도 당연한 일이다(헌법재판소 1992.1.28. 91헌마111 결정).
④ (O) 직권주의는 법원에 소송의 주도적 지위를 인정하여 법원의 직권에 의하여 심리를 진행하는 구조를 말한다. 따라서 법원의 주도적 지위에 따라 심리의 능률과 신속을 도모할 수 있다는 장점이 있다.

10 0635

2021 경찰 승진

신속한 재판의 원칙에 대한 설명으로 가장 적절하지 않은 것은? (다툼이 있는 경우 판례에 의함)

① 형사소송법은 집중심리주의를 채택하여 심리에 2일 이상이 필요한 경우에는 부득이한 사정이 없는 한 매일 계속 개정하고, 매일 개정하지 못하는 경우에도 특별한 사정이 없는 한 전회의 공판기일부터 14일 이내로 다음 공판기일을 지정해야 한다고 규정하고 있다.
② 형사피고인은 헌법에 의해 신속한 재판을 받을 권리를 보장받고 있다.
③ 구속사건에 대해서는 법원이 구속기간 내에 재판을 하면 되는 것이고 구속만기 25일을 앞두고 제1회 공판이 있었다면 헌법이 정한 신속한 재판을 받을 권리를 침해하였다고 할 수 없다.
④ 형사소송법에 따르면 검사는 수사의 신속한 종결을 위해 피의자가 체포 또는 구속된 날부터 30일 이내에 공소장을 제출하여야 한다.

지문분석 난이도 중 정답 ④

| 키 워 드 | 신속한 재판의 원칙
| 출제유형 | 틀린 지문 고르기

④ (X) 형사소송법에는 공소장의 제출기한에 대한 규정이 없다.
① (O) 형사소송법 제267조의2 제2항·제4항
② (O) 헌법 제27조 제3항
③ (O) 대법원 1990.6.12. 90도672

11 0636

2021 경찰 승진

다음 중 형사소송의 이념과 구조에 대한 설명으로 가장 적절한 것은? (다툼이 있는 경우 판례에 의함)

① 형사소송법은 형사사법의 정의를 지향하고 있으며 형법에 비하여 도덕적·윤리적 성격이 강하다.
② "열 사람의 범인을 놓치는 한이 있더라도 한 사람의 죄 없는 사람을 벌하여서는 안 된다."라는 격언은 적극적 실체적 진실주의의 표현이다.
③ 현행 형사소송법에는 직권주의와 당사자주의 요소가 혼재되어 있다.
④ 형사소송법은 절차법으로서 실체법인 형법과는 목적·수단의 관계에 놓여 있는 순수한 합목적적 규범이다.

지문분석 난이도 중 정답 ③

| 키 워 드 | 형사소송법의 이념
| 출제유형 | 옳은 지문 고르기

③ (O) 형사소송법에 직권주의 요소가 존재하는 이상 완전한 당사자주의 구조로 이해하기는 어렵고, 당사자주의와 직권주의가 혼재된 구조로 보아야 한다.
① (X) 형사소송법은 형법을 실현하는 절차를 규정하는 절차법이다. 따라서 형사소송법은 공법 특히 사법법에 속하는 형사법이라는 점에 있어서 형법과 그 성격을 같이한다. 다만, 형법은 실체법임에 반하여, 형사소송법은 절차법이라는 점에서 차이를 보인다. 절차법이라는 특성에 비추어 형법과 같은 실체법상의 윤리적 색채는 희석되는 반면 기술적 성격은 뚜렷이 드러난다.
② (X) "열 사람의 범인을 놓치는 한이 있더라도 한 사람의 죄 없는 사람을 벌하여서는 안 된다."라는 격언은 소극적 실체적 진실주의의 표현이다.
④ (X) 사법법인 형사소송법의 해석에 있어서는 법적 안정성의 요청이 우선적으로 고려되어야 한다. 특히 공판절차에 있어서는 법적 안정성의 이념이 전면에 부각된다. 그러나 형사소송법은 실체진실의 발견을 위한 과정으로서 동적·발전적 성격을 가지고 있으므로 일정부분 합목적성이 강조되지 않을 수 없다. 수사절차와 형집행절차에서는 그 합목적성이 중요하게 부각된다.

12 0637

2020 경찰 승진

소송구조에 관한 설명 중 가장 적절한 것은?

① 규문주의란 소추기관과 재판기관이 분리되지 않고 재판기관이 스스로 절차를 개시하여 심리·재판하는 구조를 말하며, 이러한 구조하에서는 소추기관이 없으므로 피고인은 재판기관과 대등한 소송의 주체로서의 지위를 갖게 된다.
② 형사소송법 제298조 제2항이 규정하고 있는 법원의 공소장 변경요구제도는 당사자주의적 요소이다.
③ 피고인신문제도, 증인에 대한 교호신문절차, 공소장일본주의는 직권주의적 요소이다.
④ 우리 형사소송법은 검사의 공소제기를 명문으로 규정함으로써 국가소추주의에 의한 탄핵주의 소송구조를 채택하고 있다.

지문분석 난이도 ㉻ 정답 ④

| 키 워 드 | 소송구조
| 출제유형 | 옳은 지문 고르기

④ (○) 형사소송법 제246조에 대한 설명으로 타당한 내용이다.
① (X) 규문주의는 피고인을 조사와 심리의 객체로 취급함으로써 피고인이 충분한 방어를 할 수 없다는 결함을 지니고 있다. 즉, 피고인은 소송주체로서의 지위를 갖는 것이 아니라 심리의 객체가 된다.
② (X) 형사소송법 제298조 제2항이 규정하고 있는 법원의 공소장 변경요구제도는 직권주의적 요소이다.
③ (X) 피고인신문제도는 직권주의적 요소이지만, 증인에 대한 교호신문절차 및 공소장일본주의는 당사자주의적 요소이다.

✓ 개념체크 **형사소송법 제246조(국가소추주의)**

공소는 검사가 제기하여 수행한다.

형사소송법

PART 02

수사(搜査)

기출키워드

01 수사의 의의와 수사기관	• 수사의 의의 • 검사 • 전문수사자문위원	• 수사기관 • 사법경찰관
02 수사의 단서	• 내사 • 불심검문 • 고소 · 고발 · 자수	• 변사자의 검시 • 함정수사
03 임의수사	• 수사상 임의동행 • 전기통신의 감청 • 참고인조사	• 보호실 유치 • 피의자신문
04 강제수사	• 영장에 의한 체포 • 현행범인체포 • 접견교통권	• 긴급체포 • 피의자구속 • 체포 · 구속적부심
05 압수 · 수색 · 검증 등	• 전자정보 등의 압수 • 압수물의 처리 • 영장주의의 예외	• 압수 · 수색영장의 집행절차 • 강제채혈 등 • 증거보전
06 수사의 종결	• 수사종결처분의 종류 • 불기소처분에 대한 불복 • 공소제기 후의 수사	• 수사종결처분의 통지 • 재정신청
07 공소제기	• 공소권남용 • 공소시효	• 공소제기의 효과

문제풀이 전략

01 수사의 의의와 수사기관	• 수사의 기본개념을 정확히 파악한 후에 수사기관인 검사와 사법경찰관의 개념을 정확히 파악합니다. • 최근 형사소송법 개정이 있었기 때문에 관련 법 규정을 정확히 숙지해야 하는 것이 중요합니다. 특히 수사준칙의 내용을 꼼꼼하게 점검하여야 합니다.
02 수사의 단서	• 수사의 단서에 어떠한 것이 있는지 머릿속에 그려 넣은 다음 하나하나의 절차를 파악하는 것이 중요합니다. 특히 고소의 경우, 절차를 정확하게 파악한 후 관련 판례까지도 꼼꼼하게 확인하는 것이 중요합니다.
03 임의수사	• 법률에 규정된 임의수사는 법률 규정에 따른 절차를 정확히 파악하는 것이 중요합니다. 그리고 법률에 규정이 되어 있지 않은 임의수사는 판례가 있을 경우 그 판례를 정확히 이해하는 것이 중요합니다.
04 강제수사	• 강제수사는 법률에 규정되어 있기 때문에 그러한 법률의 규정절차를 정확하게 파악한 후에 흐름을 정확하게 이해하는 것이 중요합니다.
05 압수 · 수색 · 검증 등	• 법률의 규정을 파악한 후 그 흐름 및 절차를 정확히 이해하는 것이 중요합니다. 또한 전자정보 등의 압수와 관련한 판례가 많이 있기 때문에 그러한 판례 역시 꼼꼼하게 확인하는 것이 중요합니다.
06 수사의 종결	• 최근 형사소송법 개정으로 인해 사법경찰관의 불송치결정이 아주 중요한 출제의 부분으로 떠오르고 있습니다. 이에 대한 법률의 규정을 정확히 숙지하는 것이 중요합니다. 또한 불기소처분에 대한 불복으로 재정신청 역시 중요한 출제영역이 될 것이기 때문에 이 또한 절차를 정확히 숙지하는 것이 중요합니다.
07 공소제기	• 공소제기의 효과를 가볍게 파악한 후 공소시효 부분을 꼼꼼하게 파악하는 것이 중요합니다. 공소시효 관련 판례학습도 중요한 학습의 포인트가 됩니다.

CHAPTER

01 수사의 의의와 수사기관

■ 기본서 연계페이지: p.1160~1175 ■ 문항 수: 9문항

01 0638

2019 경찰 2차(변형)

수사절차에 대한 설명으로 가장 적절하지 않은 것은?

① 경무관, 총경, 경정, 경감, 경위, 경사는 사법경찰관으로서 범죄의 혐의가 있다고 사료하는 때에는 범인, 범죄사실과 증거를 수사한다.
② 사법경찰관리는 수사과정에서 수사와 관련하여 작성하거나 취득한 서류 또는 물건에 대한 목록을 빠짐없이 작성하여야 한다.
③ 검사는 사법경찰관과 동일한 범죄사실을 수사하게 된 때에는 사법경찰관에게 사건을 송치할 것을 요구할 수 있다. 검사의 요구를 받은 사법경찰관은 지체 없이 검사에게 사건을 송치하여야 한다. 다만, 검사가 영장을 청구하기 전에 동일한 범죄사실에 관하여 사법경찰관이 영장을 신청한 경우에는 해당 영장에 기재된 범죄사실을 계속 수사할 수 있다.
④ 검사와 사법경찰관은 수사, 공소제기 및 공소유지에 관하여 서로 협력하여야 한다.

지문분석 난이도 하 정답 ①

| 키 워 드 | 수사절차

| 출제유형 | 틀린 지문 고르기

① (X) 경무관, 총경, 경정, 경감, 경위는 사법경찰관으로서 범죄의 혐의가 있다고 사료하는 때에는 범인, 범죄사실과 증거를 수사한다. 경사, 경장, 순경은 사법경찰리로서 수사의 보조를 하여야 한다(형사소송법 제197조 제1항·제2항). 따라서 경사는 사법경찰관이 아닌 사법경찰리에 해당한다.
② (O) 형사소송법 제198조 제3항
③ (O) 형사소송법 제197조의4 제1항·제2항
④ (O) 형사소송법 제195조 제1항

02 0639

2021 국가직 7급

수사기관에 대한 설명으로 옳지 않은 것은?

① 특별사법경찰관은 모든 수사에 관하여 검사의 지휘를 받는다.
② 검사는 경찰청 소속 사법경찰관과 동일한 범죄사실을 수사하게 된 때에는 사법경찰관에게 사건을 송치할 것을 요구할 수 있다.
③ 경찰청 소속 사법경찰관이 고소·고발 사건을 포함하여 범죄를 수사한 때에 범죄혐의가 인정되지 않을 경우에는 그 이유를 명시한 서면만을 검사에게 송부하면 된다.
④ 검사가 경찰청 소속 사법경찰관이 신청한 영장을 정당한 이유 없이 판사에게 청구하지 아니한 경우 경찰청 소속 사법경찰관은 그 검사 소속의 지방검찰청 소재지를 관할하는 고등검찰청에 영장 청구 여부에 대한 심의를 신청할 수 있다.

지문분석 난이도 중 정답 ③

| 키 워 드 | 수사기관

| 출제유형 | 틀린 지문 고르기

③ (X) 그 밖의 경우(범죄혐의가 있다고 인정되지 않는 경우)에는 그 이유를 명시한 서면(불송치결정서)과 함께 관계 서류(압수물 총목록, 기록목록 등)와 증거물을 지체 없이 검사에게 송부하여야 한다(형사소송법 제245조의5 제2호 제1문, 수사준칙 제62조 제1항). 이 경우 검사는 송부받은 날부터 90일 이내에 사법경찰관에게 반환하여야 한다(형사소송법 제245조의5 제2호 제2문).
① (O) 특별사법경찰관리는 일반사법경찰관리와는 달리 모든 수사에 관하여 검사의 지휘·감독을 받는다(형사소송법 제245조의10 제2항).
② (O) 검사는 사법경찰관과 동일한 범죄사실을 수사하게 된 때에는 사법경찰관에게 사건을 송치할 것을 요구할 수 있다(형사소송법 제197조의4 제1항). 다만, 검사가 영장을 청구하기 전에 동일한 범죄사실에 관하여 사법경찰관이 영장을 신청한 경우에는 해당 영장에 기재된 범죄사실을 계속 수사할 수 있다(형사소송법 제197조의4 제2항).
④ (O) 형사소송법 제221조의5 제1항

03 0640

2021 경찰 2차

검사와 사법경찰관의 관계에 관한 설명으로 옳지 않은 것을 모두 고른 것은?

㉠ 검사는 사법경찰관과 동일한 범죄사실을 수사하게 된 때에는 사법경찰관에게 사건을 송치할 것을 요구할 수 있고 그 요구를 받은 사법경찰관은 지체 없이 검사에게 사건을 송치하여야 하나, 검사가 영장을 청구하기 전에 범죄사실에 관하여 사법경찰관이 영장을 신청한 경우에는 해당 영장에 기재된 범죄사실을 계속 수사할 수 있다.
㉡ 사법경찰관이 범죄를 수사하여 범죄의 혐의가 있다고 인정되는 경우에는 지체 없이 검사에게 사건을 송치하고 관계 서류와 증거물을 검사에게 송부하여야 하고, 그 밖의 경우에는 그 이유를 명시한 서면과 함께 관계 서류와 증거물을 지체 없이 검사에게 송부하여야 한다. 후자의 경우 검사는 관계 서류와 증거물을 사법경찰관에게 반환할 필요가 없다.
㉢ 위 ㉡의 밑줄 친 경우 사법경찰관이 사건을 검사에게 송치하지 아니한 것이 위법 또는 부당한 때에는 검사는 그 이유를 문서로 명시하여 사법경찰관에게 재수사를 요청할 수 있고, 검사가 재수사를 요청한 경우 사법경찰관은 사건을 재수사하여야 한다.
㉣ 검사는 사법경찰관리의 수사과정에서 법령위반, 인권침해 또는 현저한 수사권 남용이 의심되는 사실의 신고가 있거나 그러한 사실을 인식하게 된 경우에는 즉시 사법경찰관에게 사건의 송치를 요구할 수 있고, 검사의 송치요구를 받은 사법경찰관은 검사에게 사건을 송치하여야 한다.

① ㉠, ㉡ ② ㉠, ㉢
③ ㉡, ㉣ ④ ㉢, ㉣

지문분석

난이도 상 정답 ③

| 키 워 드 | 수사기관
| 출제유형 | 조합하기

㉡ (X) 사법경찰관이 범죄를 수사하여 범죄의 혐의가 있다고 인정되는 경우에는 지체 없이 검사에게 사건을 송치하고 관계 서류와 증거물을 검사에게 송부하여야 하고, 그 밖의 경우에는 그 이유를 명시한 서면과 함께 관계 서류와 증거물을 지체 없이 검사에게 송부하여야 한다. 이 경우 검사는 송부받은 날부터 90일 이내에 사법경찰관에게 반환하여야 한다(형사소송법 제245조의5).
㉣ (X) 검사는 사법경찰관리의 수사과정에서 법령위반, 인권침해 또는 현저한 수사권 남용이 의심되는 사실의 신고가 있거나 그러한 사실을 인식하게 된 경우에는 사법경찰관에게 사건기록 등본의 송부를 요구할 수 있다. 송부요구를 받은 사법경찰관은 지체 없이 검사에게 사건기록 등본을 송부하여야 한다(형사소송법 제197조의3 제1항·제2항).
㉠ (O) 형사소송법 제197조의4 제1항·제2항
㉢ (O) 형사소송법 제245조의8 제1항·제2항

✔ 개념체크 형사소송법 제197조의2(보완수사요구)

① 검사는 다음 각 호의 어느 하나에 해당하는 경우에 사법경찰관에게 보완수사를 요구할 수 있다.
1. 송치사건의 공소제기 여부 결정 또는 공소의 유지에 관하여 필요한 경우
2. 사법경찰관이 신청한 영장의 청구 여부 결정에 관하여 필요한 경우
② 사법경찰관은 제1항의 요구가 있는 때에는 정당한 이유가 없는 한 지체 없이 이를 이행하고, 그 결과를 검사에게 통보하여야 한다.
③ 검찰총장 또는 각급 검찰청 검사장은 사법경찰관이 정당한 이유 없이 제1항의 요구에 따르지 아니하는 때에는 권한 있는 사람에게 해당 사법경찰관의 직무배제 또는 징계를 요구할 수 있고, 그 징계 절차는 공무원 징계령 또는 경찰공무원 징계령에 따른다.

✔ 개념체크 형사소송법 제197조의3(시정조치요구 등)

① 검사는 사법경찰관리의 수사과정에서 법령위반, 인권침해 또는 현저한 수사권 남용이 의심되는 사실의 신고가 있거나 그러한 사실을 인식하게 된 경우에는 사법경찰관에게 사건기록 등본의 송부를 요구할 수 있다.
② 제1항의 송부 요구를 받은 사법경찰관은 지체 없이 검사에게 사건기록 등본을 송부하여야 한다.
③ 제2항의 송부를 받은 검사는 필요하다고 인정되는 경우에는 사법경찰관에게 시정조치를 요구할 수 있다.
④ 사법경찰관은 제3항의 시정조치 요구가 있는 때에는 정당한 이유가 없으면 지체 없이 이를 이행하고, 그 결과를 검사에게 통보하여야 한다.
⑤ 제4항의 통보를 받은 검사는 제3항에 따른 시정조치 요구가 정당한 이유 없이 이행되지 않았다고 인정되는 경우에는 사법경찰관에게 사건을 송치할 것을 요구할 수 있다.
⑥ 제5항의 송치 요구를 받은 사법경찰관은 검사에게 사건을 송치하여야 한다.
⑦ 검찰총장 또는 각급 검찰청 검사장은 사법경찰관리의 수사과정에서 법령위반, 인권침해 또는 현저한 수사권 남용이 있었던 때에는 권한 있는 사람에게 해당 사법경찰관리의 징계를 요구할 수 있고, 그 징계 절차는 공무원 징계령 또는 경찰공무원 징계령에 따른다.
⑧ 사법경찰관은 피의자를 신문하기 전에 수사과정에서 법령위반, 인권침해 또는 현저한 수사권 남용이 있는 경우 검사에게 구제를 신청할 수 있음을 피의자에게 알려주어야 한다.

✔ 개념체크 형사소송법 제197조의4(수사의 경합)

① 검사는 사법경찰관과 동일한 범죄사실을 수사하게 된 때에는 사법경찰관에게 사건을 송치할 것을 요구할 수 있다.
② 제1항의 요구를 받은 사법경찰관은 지체 없이 검사에게 사건을 송치하여야 한다. 다만, 검사가 영장을 청구하기 전에 동일한 범죄사실에 관하여 사법경찰관이 영장을 신청한 경우에는 해당 영장에 기재된 범죄사실을 계속 수사할 수 있다.

04 0641

2021 경찰 1차

검사와 사법경찰관의 상호협력과 일반적 수사준칙에 관한 규정에 대한 설명으로 가장 적절하지 않은 것은?

① 검사 또는 사법경찰관은 특별한 사정이 없으면 총조사시간 중 식사시간, 휴식시간 및 조서의 열람시간 등을 제외한 실제 조사시간이 12시간을 초과하지 않도록 해야 한다.
② 검사 또는 사법경찰관은 조사에 상당한 시간이 소요되는 경우에는 특별한 사정이 없으면 피의자 또는 사건관계인에게 조사 도중에 최소한 2시간마다 10분 이상의 휴식시간을 주어야 한다.
③ 검사 또는 사법경찰관은 피의자에게 출석요구를 하려는 경우 피의자와 조사의 일시·장소에 관하여 협의해야 하고, 이 경우 변호인이 있는 경우에는 변호인과도 협의해야 한다.
④ 검사 또는 사법경찰관은 임의동행을 요구하는 경우 상대방에게 동행을 거부할 수 있다는 것과 동행하는 경우에도 언제든지 자유롭게 동행 과정에서 이탈하거나 동행 장소에서 퇴거할 수 있다는 것을 알려야 한다.

지문분석

난이도 상 정답 ①

| 키 워 드 | 수사준칙
| 출제유형 | 틀린 지문 고르기

① (X) 검사 또는 사법경찰관은 특별한 사정이 없으면 총조사시간 중 식사시간, 휴식시간 및 조서의 열람시간 등을 제외한 실제 조사시간이 8시간을 초과하지 않도록 해야 한다(수사준칙 제22조 제2항).
② (O) 수사준칙 제23조 제1항
③ (O) 수사준칙 제19조 제2항
④ (O) 수사준칙 제20조

05 0642

2021 경찰 2차

검사와 사법경찰관의 상호협력과 일반적 수사준칙에 관한 규정의 내용으로 가장 적절한 것은?

① 검사 또는 사법경찰관은 피의자신문에 참여한 변호인이 피의자의 옆자리 등 실질적인 조력을 할 수 있는 위치에 앉도록 해야 하고, 정당한 사유가 없으면 피의자에 대한 법적인 조언·상담을 보장해야 하며, 피의자에 대한 신문이 아닌 단순 면담 등이라는 이유로 변호인의 참여·조력을 제한해서는 안 된다.
② 피의자신문에 참여한 변호인은 검사 또는 사법경찰관의 신문 후 조서를 열람하고 의견을 진술할 수 있으며, 신문 중이라도 부당한 신문방법에 대해서는 검사 또는 사법경찰관의 승인을 받아 이의를 제기할 수 있다.
③ 검사 또는 사법경찰관은 피의자의 범죄수법, 범행 동기, 피해자와의 관계, 언동 및 그 밖의 상황으로 보아 피해자가 피의자 또는 그 밖의 사람으로부터 생명·신체에 위해를 입거나 입을 염려가 있다고 인정되는 경우에는 피해자의 신청이 있는 때에 한하여 신변보호에 필요한 조치를 강구할 수 있다.
④ 검사 또는 사법경찰관은 피의자에게 출석요구를 하려는 경우에는 피의자와 조사의 일시·장소에 관하여 협의해야 하고 변호인이 있는 때에는 변호인과도 협의해야 하나, 피의자 외의 사람에 대한 출석요구의 경우에는 협의를 요하지 아니한다.

지문분석

난이도 중 정답 ①

| 키 워 드 | 수사준칙
| 출제유형 | 옳은 지문 고르기

① (O) 수사준칙 제13조 제1항·제2항
② (X) 피의자신문에 참여한 변호인은 부당한 신문방법에 대해서는 검사 또는 사법경찰관의 승인 없이 이의를 제기할 수 있다(수사준칙 제14조 제3항).
③ (X) 검사 또는 사법경찰관은 피의자의 범죄수법, 범행 동기, 피해자와의 관계, 언동 및 그 밖의 상황으로 보아 피해자가 피의자 또는 그 밖의 사람으로부터 생명·신체에 위해를 입거나 입을 염려가 있다고 인정되는 경우에는 직권 또는 피해자의 신청에 따라 신변보호에 필요한 조치를 강구해야 한다(수사준칙 제15조 제2항).
④ (X) 검사 또는 사법경찰관은 피의자에게 출석요구를 하려는 경우에는 피의자와 조사의 일시·장소에 관하여 협의해야 하고 변호인이 있는 경우에는 변호인과도 협의해야 한다. 피의자 외의 사람에 대한 출석요구의 경우에도 마찬가지이다(수사준칙 제19조 제2항·제6항).

06 0643

2021 경찰 2차

검사와 사법경찰관의 상호협력과 일반적 수사준칙에 관한 규정상 사법경찰관이 그 행위에 착수한 때에는 수사를 개시한 것으로 보고 해당 사건을 즉시 입건해야 하는 경우가 아닌 것은?

① 피혐의자의 수사기관 출석조사
② 피의자신문조서의 작성
③ 현행범인 체포
④ 체포·구속영장의 청구 또는 신청

지문분석 난이도 중 정답 ③

| 키 워 드 | 수사준칙

| 출제유형 | 틀린 지문 고르기

③ (X) 현행범인의 체포는 포함되어 있지 않다.
①, ②, ④ (O) 검사 또는 사법경찰관이 피혐의자의 수사기관 출석조사, 피의자신문조서의 작성, 긴급체포, 체포·구속영장의 청구 또는 신청, 사람의 신체, 주거, 관리하는 건조물, 자동차, 선박, 항공기 또는 점유하는 방실에 대한 압수·수색 또는 검증영장(부검을 위한 검증영장은 제외한다)의 청구 또는 신청하는 행위에 착수한 때에는 수사를 개시한 것으로 본다. 이 경우 검사 또는 사법경찰관은 해당 사건을 즉시 입건해야 한다(수사준칙 제16조 제1항).

07 0644

2020 경찰 승진

피내사자와 피의자에 관한 설명 중 가장 적절한 것은? (다툼이 있는 경우 판례에 의함)

① 수사 이전의 단계를 내사라 하며, 형사소송법은 피의자의 권리에 관한 규정 중 일부를 피내사자에게 준용하는 규정을 두는 방법으로 피내사자의 권리를 보호한다.
② 변호인과의 접견교통권은 피의자에게 인정되는 권리이므로, 임의동행 형식으로 연행된 피내사자에게는 그 지위가 피의자로 전환된 이후부터 변호인과의 접견교통권이 인정된다.
③ 검사가 검찰사건사무규칙에 따른 범죄인지절차를 밟지 않은 상태에서 행한 피의자신문은 피내사자에 대한 신문이므로 그 이유만으로도 이미 위법한 수사에 해당하며, 따라서 당해 피의자신문조서는 형사소송법이 정한 절차에 따라 작성되었다 하더라도 증거능력이 인정될 수 없다.
④ 미체포된 피의자에 대하여 구속영장을 청구받은 판사는 피의자가 죄를 범하였다고 의심할 만한 이유가 있는 경우에 구인을 위한 구속영장을 발부하여 피의자를 구인한 후 심문하여야 한다. 다만, 피의자가 도망하는 등의 사유로 심문할 수 없는 경우에는 그러하지 아니하다.

지문분석 난이도 하 정답 ④

| 키 워 드 | 수사의 개시

| 출제유형 | 옳은 지문 고르기

④ (O) 형사소송법 제201조의2 제2항
① (X) 수사 이전의 단계를 내사라 하는데, 형사소송법에는 내사에 관한 규정이 없다.
② (X) 변호인의 조력을 받을 권리를 실질적으로 보장하기 위하여는 변호인과의 접견교통권의 인정이 당연한 전제가 되므로, 임의동행의 형식으로 수사기관에 연행된 피의자에게도 변호인 또는 변호인이 되려는 자와의 접견교통권은 당연히 인정된다고 보아야 하고, 임의동행의 형식으로 연행된 피내사자의 경우에도 이는 마찬가지이다(대법원 1996.6.3. 96모18 결정).
③ (X) 검찰사건사무규칙 제2조 내지 제4조에 의하면, 검사가 범죄를 인지하는 경우에는 범죄인지서를 작성하여 사건을 수리하는 절차를 거치도록 되어 있으므로, 특별한 사정이 없는 한 수사기관이 그와 같은 절차를 거친 때에 범죄인지가 된 것으로 볼 것이나, 범죄의 인지는 실질적인 개념이고, 이 규칙의 규정은 검찰행정의 편의를 위한 사무처리절차 규정이므로, 검사가 그와 같은 절차를 거치기 전에 범죄의 혐의가 있다고 보아 수사를 개시하는 행위를 한 때에는 이 때에 범죄를 인지한 것으로 보아야 하고, 그 뒤 범죄인지서를 작성하여 사건수리절차를 밟은 때에 비로소 범죄를 인지하였다고 볼 것이 아니며, 이러한 인지절차를 밟기 전에 수사를 하였다고 하더라도, 그 수사가 장차 인지의 가능성이 전혀 없는 상태하에서 행해졌다는 등의 특별한 사정이 없는 한, 인지절차가 이루어지기 전에 수사를 하였다는 이유만으로 그 수사가 위법하다고 볼 수는 없고, 따라서 그 수사과정에서 작성된 피의자신문조서나 진술조서 등의 증거능력도 이를 부인할 수 없다(대법원 2001.10.26. 2000도2968).

08 0645

2021 경찰 승진

피의자에 대한 설명으로 가장 적절하지 않은 것은? (다툼이 있는 경우 판례에 의함)

① 피의자는 수사의 개시부터 공소제기 전까지의 개념으로서 진범인가의 여부를 불문한다.
② 수사기관에 의한 진술거부권 고지대상이 되는 피의자의 지위는 수사기관이 조사대상자에 대한 범죄혐의가 있다고 보아 실질적으로 '수사를 개시하는 행위를 한 때'에 인정된다.
③ 형사소송법상 피의자의 권리와 피고인의 권리는 동일하다.
④ 형사소송법은 피의자의 지위를 강화하기 위해 진술거부권, 변호인의 조력을 받을 권리, 구속적부심사청구권, 압수·수색·검증에의 참여권 등을 보장하고 있다.

지문분석 난이도 하 정답 ③

| 키 워 드 | 피의자
| 출제유형 | 틀린 지문 고르기

③ (X) 형사소송법에서 피의자와 피고인을 구별하고 있다. 따라서 피의자와 피고인의 권리는 동일하지 않다.
① (O) 범죄혐의가 있어 수사대상인 자를 피의자라고 한다. 피의자는 범죄혐의가 있어 수사의 대상이 된 자를 말하는데, 진범인지는 불문한다. 수사결과 진범이 아님이 드러나면 사법경찰관의 불송치결정이나 검사의 불기소처분에 의해 피의자의 지위가 소멸된다.
② (O) 대법원 2015.10.29. 2014도5939
④ (O) 형사소송법 제244조의3 제1항, 제243조의2, 제34조, 제214조의2, 제219조·제121조 등이 지문에 열거한 권리를 모두 규정하고 있다.

09 0646

2020 경찰 승진

수사의 개시에 관한 설명 중 가장 적절한 것은? (다툼이 있는 경우 판례에 의함)

① 고발이란 범죄사실을 수사기관에 고하여 그 소추를 촉구하는 것으로서 범인을 지적하여야 하므로 고발에서 지정한 범인이 진범인이 아니라면 고발의 효력은 진범인에게 미치지 않는다.
② 변사자 검시를 통하여 범죄의 혐의를 인정한 때에는 이미 수사가 개시된 것으로 볼 수 있으므로 긴급을 요하는 경우라 하더라도 반드시 영장을 발부받은 후에 검증하여야 한다.
③ 불심검문 대상자 해당 여부를 판단할 때에는 불심검문 당시의 구체적 상황은 물론 사전에 얻은 정보나 전문적 지식 등에 기초하여 불심검문 대상자인지를 객관적·합리적인 기준에 따라 판단하여야 하나, 반드시 불심검문 대상자에게 형사소송법상 체포나 구속에 이를 정도의 혐의가 있을 것을 요한다고 할 수는 없다.
④ 경찰관 직무집행법 제3조 제4항은 경찰관이 불심검문을 하고자 할 때에는 자신의 신분을 표시하는 증표를 제시하여야 한다고 규정하고, 법 시행령 제5조는 위 법 소정의 신분을 표시하는 증표는 경찰관의 공무원증이라고 규정하고 있는바, 검문하는 사람이 경찰관이고 검문하는 이유가 범죄행위에 관한 것임을 피고인이 충분히 알고 있었다고 보이는 경우에도 경찰관의 공무원증을 제시하지 않았다면 그 불심검문은 위법한 공무집행이 된다.

지문분석 난이도 중 정답 ③

| 키 워 드 | 수사의 개시
| 출제유형 | 옳은 지문 고르기

③ (O) 대법원 2014.2.27. 2011도13999
① (X) 고발이란 범죄사실을 수사기관에 고하여 그 소추를 촉구하는 것으로서 범인을 지적할 필요가 없는 것이고 또한 고발에서 지정한 범인이 진범인이 아니더라도 고발의 효력에는 영향이 없는 것이다(대법원 1994.5.13. 94도458).
② (X) 변사자 검시를 통하여 범죄의 혐의를 인정하고 긴급을 요할 때에는 영장 없이 검증할 수 있다(형사소송법 제222조 제2항).
④ (X) 경찰관 직무집행법(이하 '법'이라 한다) 제3조 제4항은 경찰관이 불심검문을 하고자 할 때에는 자신의 신분을 표시하는 증표를 제시하여야 한다고 규정하고, 경찰관 직무집행법 시행령 제5조는 위 법에서 규정한 신분을 표시하는 증표는 경찰관의 공무원증이라고 규정하고 있는데, 불심검문을 하게 된 경위, 불심검문 당시의 현장상황과 검문을 하는 경찰관들의 복장, 피고인이 공무원증 제시나 신분 확인을 요구하였는지 여부 등을 종합적으로 고려하여, 검문하는 사람이 경찰관이고 검문하는 이유가 범죄행위에 관한 것임을 피고인이 충분히 알고 있었다고 보이는 경우에는 신분증을 제시하지 않았다고 하여 그 불심검문이 위법한 공무집행이라고 할 수 없다(대법원 2014.12.11. 2014도7976).

CHAPTER

02 수사의 단서

■ 기본서 연계페이지: p.1184~1195 ■ 문항 수: 22문항

1 수사의 단서와 의의

01 0647 2021 경찰 승진

수사에 대한 설명으로 가장 적절하지 않은 것은? (다툼이 있는 경우 판례에 의함)

① 수사란 범죄의 혐의 유무를 명백히 하여 공소의 제기와 유지 여부를 결정하기 위하여 범인을 발견·확보하고 증거를 수집·보전하는 수사기관의 활동을 말한다.
② 형사소송법은 범죄의 혐의가 있다고 사료하는 때에는 수사를 개시하여 사실을 밝혀야 할 수사기관의 직무상 의무를 규정하고 있다.
③ 수사절차는 공판절차와 같이 획일적인 절차에 따라 진행되므로, 수사기관의 수사활동은 탄력성, 기동성, 임기응변성, 광역성 등 합목적적인 활동이 필요하다.
④ 수사절차는 수사기관의 주관적 혐의가 객관화·구체화되어 나가는 과정이라고 할 수 있다.

지문분석 난이도 중 정답 ③

| 키 워 드 | 수사의 의의
| 출제유형 | 틀린 지문 고르기

③ (X) 수사는 ㉠ 탄력성, 임기응변성, 기동성, ㉡ 합목적성의 요청, ㉢ 법률적인 색채 미약, ㉣ 당사자주의 관념의 희박, ㉤ 대상의 다양성과 불예측성 등 재판절차와 비교하면 다른 성격을 가지고 있다.
① (O) 수사의 개념에 대한 설명으로 타당한 내용이다.
② (O) 형사소송법 제196조, 제197조 제1항
④ (O) 수사절차에 대한 설명으로 타당한 내용이다.

2 변사자 검시

02 0648 2020 경찰 2차(변형)

변사자에 대한 설명으로 가장 적절한 것은? (다툼이 있는 경우 판례에 의함)

① 변사자란 부자연한 사망으로서 그 사인이 분명하지 않은 자뿐만 아니라 범죄로 사망한 것이 명백한 자도 포함된다.
② 변사자는 수사의 단서로서 발견 즉시 수사가 개시된다.
③ 변사자 또는 변사의 의심 있는 사체가 있는 때에는 그 소재지를 관할하는 지방검찰청 검사 및 사법경찰관이 검시하여야 한다.
④ 형사소송법 제222조 제1항의 검시로 범죄의 혐의를 인정하고 긴급을 요할 때에는 영장 없이 검증할 수 있다.

지문분석 난이도 중 정답 ④

| 키 워 드 | 변사자
| 출제유형 | 옳은 지문 고르기

④ (O) 형사소송법 제222조 제2항
① (X) 변사자라 함은 부자연한 사망으로서 그 사인이 분명하지 않은 자를 의미하고, 그 사인이 명백한 경우는 변사자라 할 수 없다(대법원 2003.6.27. 2003도1331).
② (X) 변사자는 수사의 단서로서 발견 즉시 수사가 개시되는 것이 아니라, 내사를 거친 이후 범죄혐의가 있다고 판단될 경우 비로소 수사가 개시된다.
③ (X) 변사자 또는 변사의 의심 있는 사체가 있는 때에는 그 소재지를 관할하는 지방검찰청 검사가 검시하여야 한다(형사소송법 제222조 제1항).

3 불심검문

03 0649

2019 경찰 1차

불심검문에 대한 설명이다. 아래 ㉠부터 ㉣까지의 설명 중 옳고 그름의 표시(O, X)가 바르게 된 것은? (다툼이 있는 경우 판례에 의함)

㉠ 행정경찰 목적의 경찰활동으로 행하여지는 경찰관 직무집행법 제3조 제2항 소정의 질문을 위한 동행요구도 형사소송법의 규율을 받는 수사로 이어지는 경우에는 수사관이 동행에 앞서 피의자에게 동행을 거부할 수 있음을 알려 주었거나 동행한 피의자가 언제든지 자유로이 동행과정에서 이탈 또는 동행장소로부터 퇴거할 수 있었음이 인정되는 등 오로지 피의자의 자발적인 의사에 의하여 수사관서 등에의 동행이 이루어졌음이 객관적인 사정에 의하여 명백하게 입증된 경우에 한하여 적법하다.

㉡ 경찰관이 불심검문 대상자에의 해당 여부를 판단할 때에는 불심검문 당시의 구체적 상황은 물론 사전에 얻은 정보나 전문적 지식 등에 기초하여 불심검문 대상자인지를 객관적·합리적인 기준에 따라 판단하여, 반드시 불심검문 대상자에게 형사소송법상 체포나 구속에 이를 정도의 혐의가 있을 것을 요한다.

㉢ 검문 중이던 경찰관들이, 자전거를 이용한 날치기 사건의 범인과 흡사한 인상착의의 피고인이 자전거를 타고 다가오는 것을 발견하고 정지를 요구하였으나 멈추지 않아, 앞을 가로막고 검문에 협조해 달라고 하였음에도 불응하고 그대로 전진하자 따라가서 재차 앞을 막고 검문에 응하라고 요구하였다면, 그러한 경찰관들의 행위는 적법한 불심검문에 해당하지 않는다.

㉣ 불심검문을 하게 된 경위, 불심검문 당시의 현장상황과 검문을 하는 경찰관들의 복장, 피고인이 공무원증 제시나 신분 확인을 요구하였는지 여부 등을 종합적으로 고려하여, 검문하는 사람이 경찰관이고 검문하는 이유가 범죄행위에 관한 것임을 피고인이 충분히 알고 있었다고 보이는 경우에는 신분증을 제시하지 않았다고 하여 그 불심검문이 위법한 공무집행이라고 할 수 없다.

① ㉠ (O), ㉡ (X), ㉢ (O), ㉣ (X)
② ㉠ (O), ㉡ (X), ㉢ (X), ㉣ (O)
③ ㉠ (X), ㉡ (O), ㉢ (X), ㉣ (O)
④ ㉠ (X), ㉡ (O), ㉢ (O), ㉣ (X)

지문분석 난이도 중 정답 ②

| 키 워 드 | 불심검문
| 출제유형 | 옳고 그름의 표시(O, X)하기

㉠ (O) 대법원 2006.7.6. 2005도6810
㉡ (X) 경찰관 직무집행법(이하 '법'이라고 한다)의 목적, 법 제1조 제1항·제2항, 제3조 제1항·제2항·제3항·제7항을 종합하면, 경찰관이 법 제3조 제1항에 규정된 대상자(이하 '불심검문 대상자'라 한다) 해당 여부를 판단할 때에는 불심검문 당시의 구체적 상황은 물론 사전에 얻은 정보나 전문적 지식 등에 기초하여 불심검문 대상자인지를 객관적·합리적인 기준에 따라 판단하여야 하나, 반드시 불심검문 대상자에게 형사소송법상 체포나 구속에 이를 정도의 혐의가 있을 것을 요한다고 할 수는 없다(대법원 2014.2.27. 2011도13999).
㉢ (X) 검문 중이던 경찰관들이, 자전거를 이용한 날치기 사건 범인과 흡사한 인상착의의 피고인이 자전거를 타고 다가오는 것을 발견하고 정지를 요구하였으나 멈추지 않아, 앞을 가로막고 소속과 성명을 고지한 후 검문에 협조해 달라는 취지로 말하였음에도 불응하고 그대로 전진하자, 따라가서 재차 앞을 막고 검문에 응하라고 요구하였는데, 이에 피고인이 경찰관들의 멱살을 잡아 밀치거나 욕설을 하는 등 항의하여 공무집행방해 등으로 기소된 사안에서, 범행의 경중, 범행과의 관련성, 상황의 긴박성, 혐의의 정도, 질문의 필요성 등에 비추어 경찰관들은 목적 달성에 필요한 최소한의 범위 내에서 사회통념상 용인될 수 있는 상당한 방법을 통하여 경찰관 직무집행법 제3조 제1항에 규정된 자에 대해 의심되는 사항을 질문하기 위하여 정지시킨 것으로 보아야 하는데도, 이와 달리 경찰관들의 불심검문이 위법하다고 보아 피고인에게 무죄를 선고한 원심판결에 불심검문의 내용과 한계에 관한 법리오해의 위법이 있다(대법원 2012.9.13. 2010도6203).
㉣ (O) 대법원 2014.12.11. 2014도7976

04 0650

2021 경찰 승진

경찰관 직무집행법상 불심검문에 대한 설명으로 적절하지 않은 것은 모두 몇 개인가? (다툼이 있는 경우 판례에 의함)

㉠ 불심검문 대상자에게 형사소송법상 체포나 구속에 이를 정도의 혐의가 없을지라도, 경찰관은 당시의 구체적 상황과 사전에 얻은 정보나 전문적 지식 등에 기초하여 객관적·합리적인 기준에 따라 불심검문 대상 여부를 판단한다.
㉡ 불심검문에 따른 동행요구는 형사소송법상 임의수사로서 임의동행의 한 종류로 취급하여야 한다.
㉢ 검문하는 사람이 경찰관이고 검문하는 이유가 범죄행위에 관한 것임을 검문받는 사람이 충분히 알고 있었다고 보이는 경우에는 경찰관이 신분증을 제시하지 않았다고 하여 그 불심검문이 위법한 공무집행이라고 할 수 없다.
㉣ 검문 중이던 경찰관들이, 자전거를 이용한 날치기 사건 범인과 흡사한 인상착의의 사람이 자전거를 타고 다가오는 것을 발견하고 정지를 요구하였으나 멈추지 않아, 앞을 가로막고 소속과 성명을 고지한 후 검문에 협조해 달라고 하였음에도 불응하고 그대로 전진하자, 따라가서 재차 앞을 막고 검문에 응하라고 요구한 경우, 이는 적법한 불심검문에 해당한다.
㉤ 경찰관은 임의동행에 앞서 당해인에 대해 진술거부권과 변호인의 조력을 받을 권리를 고지해야 한다.

① 2개　　② 3개
③ 4개　　④ 5개

지문분석　난이도 ㊤ 정답 ①

| 키 워 드 | 불심검문
| 출제유형 | 개수 찾기

㉡ (X) 불심검문에 따른 동행요구는 본격적인 수사 개시 이전의 처분이라는 점에서 수사로 취급할 수는 없다.
㉤ (X) 경찰관은 동행한 사람의 가족이나 친지 등에게 동행한 경찰관의 신분, 동행 장소, 동행 목적과 이유를 알리거나 본인으로 하여금 즉시 연락할 수 있는 기회를 주어야 하며, 변호인의 도움을 받을 권리가 있음을 알려야 한다(경찰관 직무집행법 제3조 제5항). 그러나 진술거부권 고지규정은 없다.
㉠ (O) 대법원 2014.2.27. 2011도13999
㉢ (O) 대법원 2014.12.11. 2014도7976
㉣ (O) 대법원 2012.9.13. 2010도6203

4 수사의 조건

05 0651

2020 경찰 1차

수사의 조건에 대한 설명 중 가장 적절하지 않은 것은? (다툼이 있는 경우 판례에 의함)

① 수사기관은 범죄혐의가 있다고 사료하는 때에 수사를 개시하여야 하며 여기서의 범죄혐의는 수사기관의 주관적 혐의일 뿐만 아니라 구체적 범죄혐의이다.
② 필요성과 상당성이라는 수사의 조건은 임의수사에는 적용되지 않고 강제수사에만 적용된다.
③ 친고죄나 세무공무원 등의 고발이 있어야 논할 수 있는 죄에 있어서 고소 또는 고발은 이른바 소추조건에 불과하고 당해 범죄의 성립 요건이나 수사의 조건은 아니므로 위와 같은 범죄에 관하여 고소나 고발이 있기 전에 수사를 하였다고 하더라도 그 수사가 장차 고소나 고발이 있을 가능성이 없는 상태하에서 행해졌다는 등의 특단의 사정이 없는 한 고소나 고발이 있기 전에 수사를 하였다는 이유만으로 그 수사가 위법하다고 볼 수는 없다.
④ 위법한 함정수사에 해당하는지 여부는 해당 범죄의 종류와 성질, 유인자의 지위와 역할, 유인의 경위와 방법, 유인에 따른 피유인자의 반응, 피유인자의 처벌 전력 및 유인행위 자체의 위법성 등을 종합하여 판단하여야 한다.

지문분석　난이도 ㊤ 정답 ②

| 키 워 드 | 수사의 조건
| 출제유형 | 틀린 지문 고르기

② (X) 필요성과 상당성이라는 수사의 조건은 임의수사뿐만 아니라 강제수사에도 적용된다.
① (O) 수사개시를 위한 범죄혐의는 수사기관의 주관적 혐의를 의미하며, 아직 객관적 혐의로 발전할 것을 요하는 것은 아니다. 그러나 주관적 혐의라고 해서 수사기관의 자의를 허용한다는 의미는 아니다. 따라서 범죄의 혐의는 주위의 사정을 합리적으로 판단하여 그 유무를 결정해야 하는 것으로서, 구체적 사실을 근거로 한 혐의일 것을 요한다.
③ (O) 대법원 1995.2.24. 94도252
④ (O) 대법원 2007.7.12. 2006도2339

06 0652

2019 경찰 2차

함정수사에 대한 설명으로 가장 적절한 것은? (다툼이 있는 경우 판례에 의함)

① 수사기관과 직접적인 관련을 맺지 않은 유인자가 수차례 반복적으로 범행을 부탁하였을 뿐 수사기관이 사술이나 계략을 사용한 것으로 볼 수 없는 경우라도, 그로 인하여 피유인자의 범의가 유발되었다는 점이 입증되면 위법한 함정수사에 해당한다.

② 위법한 함정수사에 기한 공소제기는 그 절차가 법률의 규정에 위반하여 무효인 때에 해당하므로 그 수사에 기하여 수집된 증거는 증거능력이 없으며, 따라서 법원은 형사소송법 제325조에 의하여 무죄판결을 선고해야 한다.

③ 경찰관이 이른바 부축빼기 절도범을 단속하기 위하여 취객 근처에서 감시하고 있다가, 피고인이 나타나 취객을 부축하여 10m 정도를 끌고 가 지갑을 뒤지자 현장에서 체포하여 기소한 경우 수사기관이 위계를 사용한 것으로 볼 수 있으므로 위법한 함정수사에 해당한다.

④ 수사기관이 피고인의 범죄사실을 인지하고도 피고인을 바로 체포하지 않고 추가 범행을 지켜보고 있다가 범죄사실이 많이 늘어난 뒤에야 피고인을 체포하였다는 사정만으로는 피고인에 대한 수사와 공소제기가 위법하다거나 함정수사에 해당한다고 할 수 없다.

지문분석 난이도 하 정답 ④

| 키 워 드 | 함정수사

| 출제유형 | 옳은 지문 고르기

④ (O) 대법원 2007.6.29. 2007도3164

① (X) 수사기관과 직접 관련이 있는 유인자가 피유인자와의 개인적인 친밀관계를 이용하여 피유인자의 동정심이나 감정에 호소하거나, 금전적·심리적 압박이나 위협 등을 가하거나, 거절하기 힘든 유혹을 하거나, 또는 범행방법을 구체적으로 제시하고 범행에 사용할 금전까지 제공하는 등으로 과도하게 개입함으로써 피유인자로 하여금 범의를 일으키게 하는 것은 위법한 함정수사에 해당하여 허용되지 아니하지만, 유인자가 수사기관과 직접적인 관련을 맺지 아니한 상태에서 피유인자를 상대로 단순히 수차례 반복적으로 범행을 부탁하였을 뿐 수사기관이 사술이나 계략 등을 사용하였다고 볼 수 없는 경우는, 설령 그로 인하여 피유인자의 범의가 유발되었다 하더라도 위법한 함정수사에 해당하지 아니한다(대법원 2007.7.12. 2006도2339).

② (X) 범의를 가진 자에 대하여 단순히 범행의 기회를 제공하거나 범행을 용이하게 하는 것에 불과한 수사방법이 경우에 따라 허용될 수 있음은 별론으로 하고, 본래 범의를 가지지 아니한 자에 대하여 수사기관이 사술이나 계략 등을 써서 범의를 유발케 하여 범죄인을 검거하는 함정수사는 위법함을 면할 수 없고, 이러한 함정수사에 기한 공소제기는 그 절차가 법률의 규정에 위반하여 무효인 때에 해당한다(대법원 2005.10.28. 2005도1247).

③ (X) 경찰관이 취객을 상대로 한 이른바 부축빼기 절도범을 단속하기 위하여, 공원 인도에 쓰러져 있는 취객 근처에서 감시하고 있다가, 마침 피고인이 나타나 취객을 부축하여 10m 정도를 끌고 가 지갑을 뒤지자 현장에서 체포하여 기소한 경우, 위법한 함정수사에 기한 공소제기가 아니다(대법원 2007.5.31. 2007도1903).

07 0653

2021 경찰 승진

함정수사에 대한 설명으로 가장 적절하지 <u>않은</u> 것은? (다툼이 있는 경우 판례에 의함)

① 수사기관이 이미 범행을 저지른 범인을 검거하기 위해 정보원을 이용하여 범인을 검거장소로 유인한 것에 불과한 경우는 함정수사로 볼 수 없다.

② 수사기관이 피고인의 범죄사실을 인지하고도 피고인을 바로 체포하지 않고 추가 범행을 지켜보고 있다가 범죄사실이 많이 늘어난 뒤에야 피고인을 체포하였다는 사정만으로 피고인에 대한 수사와 공소제기가 위법하다거나 함정수사에 해당한다고 할 수 없다.

③ 유인자가 수사기관과 직접적인 관련을 맺지 아니한 상태에서 피유인자를 상대로 단순히 수차례 반복적으로 범행을 부탁하였을 뿐 수사기관이 사술이나 계략 등을 사용하였다고 볼 수 없는 경우는, 설령 그로 인하여 피유인자의 범의가 유발되었다 하더라도 위법한 함정수사에 해당하지 아니한다.

④ 노상에 정신을 잃고 쓰러져 있는 취객을 발견한 경찰관이 보건의료기관 또는 공공구호기관에 긴급구호를 요청하는 등 보호조치를 하지 않고, 취객의 그러한 상태를 이용하여 근처에서 감시하고 있다가 이른바 부축빼기 절도범을 체포한 경우는 경찰의 직분을 도외시한 범죄수사의 한계를 넘어선 위법한 함정수사에 해당한다.

지문분석 난이도 중 정답 ④

| 키 워 드 | 함정수사

| 출제유형 | 틀린 지문 고르기

④ (X) 국가경찰은 국민의 생명·신체 및 재산의 보호와 범죄의 예방·진압을 가장 우선적인 사명으로 삼고 있는바(경찰법 제3조 참조), 범죄 수사의 필요성을 이유로 일반 국민인 피해자의 생명과 신체에 대한 위험을 의도적으로 방치하면서까지 수사에 나아가는 것은 허용될 수 없고, 또 수사에 국민의 협조가 필요한 경우라 할지라도 본인의 동의 없이 국민의 생명과 신체의 안전에 대한 위험을 무릅쓰고 이른바 미끼로 이용하여 범죄수사에 나아가는 것을 두고 적법한 경찰권의 행사라고 보기도 어려울 것이다. 이 사건에서도 피해자의 상태나 저항 유무에 따라서는 잠재적 범죄자가 단순한 절도범행이 아닌 강도의 범행으로 급작스럽게 나아갈 개연성도 배제할 수 없고, 더구나 정신을 잃고 노상에 쓰러져 있는 시민을 발견하고도 적절한 조치를 강구하지 아니하고 오히려 그러한 상태를 이용하여 이 사건과 같이 잠재적 범죄행위에 대한 단속 및 수사에 나아가는 것은, 경찰의 직분을 도외시하여 범죄수사의 한계를 넘어선 것이라 하지 아니할 수 없다. 그러나 위와 같은 사유들은 어디까지나 피해자에 대한 관계에서 문제될 뿐으로서, <u>위 경찰관들의 행위는 단지 피해자 근처에 숨어서 지켜보고 있었던 것에 불과하고, 피고인은 피해자를 발견하고 스스로 범의를 일으켜 이 사건 범행에 나아간 것이어서, 앞서 본 법리에 의할 때 잘못된 수사방법에 관여한 경찰관에 대한 책임은 별론으로 하고, 스스로 범행을 결심하고 실행행위에 나아간 피고인에 대한 이 사건 기소 자체가 위법하다고 볼 것은 아니라 할 것이다</u>(대법원 2007.5.31. 2007도1903).

① (O) 대법원 2007.7.26. 2007도4532

② (O) 대법원 2007.6.29. 2007도3164

③ (O) 대법원 2007.7.12. 2006도2339

08 0654

2020 경찰 2차(변형)

수사에 대한 설명으로 가장 적절하지 않은 것은? (다툼이 있는 경우 판례에 의함)

① 구 조세범 처벌법(2010.1.1. 법률 제9919호로 개정되기 전의 것) 제6조의 세무종사 공무원의 고발에 앞서 수사를 하고 피고인에 대한 구속영장을 발부받은 후 검찰의 요청에 따라 세무서장이 공소제기 전에 고발을 하였다면 조세범 처벌법 위반사건 피고인에 대한 공소제기의 절차가 무효라고 할 수는 없다.

② 친고죄나 세무공무원 등의 고발이 있어야 논할 수 있는 죄에 있어서 고소나 고발이 있기 전에 수사를 하였다는 이유만으로 그 수사가 위법하다고 볼 수 있다.

③ 사법경찰관리는 수사과정에서 수사와 관련하여 작성하거나 취득한 서류 또는 물건에 대한 목록을 빠짐없이 작성하여야 한다.

④ 구속영장 발부에 의하여 적법하게 구금된 피의자가 피의자신문을 위한 출석요구에 응하지 아니하면서 수사기관 조사실에 출석을 거부한다면 수사기관은 그 구속영장의 효력에 의하여 피의자를 조사실로 구인할 수 있다고 보아야 한다. 다만, 이러한 경우에도 그 피의자신문 절차는 형사소송법 제199조 제1항 본문, 제200조의 규정에 따른 임의수사의 한 방법으로 진행되어야 하므로, 피의자는 일체의 진술을 거부할 수 있다.

지문분석 난이도 ㊥ 정답 ②

| 키 워 드 | 수사의 지휘

| 출제유형 | 틀린 지문 고르기

② (X) 친고죄나 세무공무원 등의 고발이 있어야 논할 수 있는 죄에 있어서 고소 또는 고발은 이른바 소추조건에 불과하고 당해 범죄의 성립 요건이나 수사의 조건은 아니므로, 위와 같은 범죄에 관하여 고소나 고발이 있기 전에 수사를 하였다고 하더라도, 그 수사가 장차 고소나 고발이 있을 가능성이 없는 상태하에서 행해졌다는 등의 특단의 사정이 없는 한, 고소나 고발이 있기 전에 수사를 하였다는 이유만으로 그 수사가 위법하다고 볼 수는 없다(대법원 1995.2.24. 94도252).

① (O) 대법원 1995.3.10. 94도3373

③ (O) 형사소송법 제198조 제3항

④ (O) 대법원 2013.7.1. 2013모160 결정

5 고소

09 0655

2020 경찰 승진

고소에 관한 설명 중 가장 적절한 것은? (다툼이 있는 경우 판례에 의함)

① 피해자가 경찰청 인터넷 홈페이지에 '피고인을 철저히 조사해 달라'는 취지의 신고민원을 접수하는 형태로 피고인에 대한 조사를 촉구하는 의사표시를 한 것은 형사소송법 제237조 제1항에 따른 적법한 고소에 해당한다.

② 고소권자가 비친고죄로 고소한 사건이더라도 검사가 친고죄로 기소하였다면 공소장 변경절차를 거쳐 공소사실이 비친고죄로 변경되지 않는 한, 법원은 고소가 유효하게 존재하는지를 직권으로 조사·심리하여야 한다.

③ 절대적 친고죄의 공범 중 그 1인 또는 수인에 대한 고소는 다른 공범자에 대하여도 효력이 있으나, 취소는 그 취소의 상대방으로 지정된 피고소인에 대해서만 효력이 있다.

④ 친고죄에서 고소는 처벌조건이므로 고소가 있었는지 여부는 엄격한 증명의 대상이 된다.

지문분석 난이도 ㊥ 정답 ②

| 키 워 드 | 고소

| 출제유형 | 옳은 지문 고르기

② (O) 대법원 2015.11.17. 2013도7987

① (X) 출판사 대표인 피고인이 도서의 저작권자인 피해자와 전자도서(e-book)에 대하여 별도의 출판계약 등을 체결하지 않고 전자도서를 제작하여 인터넷서점 등을 통해 판매하였다고 하여 구 저작권법 위반으로 기소된 사안에서, 피해자가 경찰청 인터넷 홈페이지에 '피고인을 철저히 조사해 달라'는 취지의 민원을 접수하는 형태로 피고인에 대한 조사를 촉구하는 의사표시를 한 것은 형사소송법에 따른 적법한 고소로 보기 어렵다는 이유로 공소를 기각한 원심판단은 정당하다(대법원 2012.2.23. 2010도9524).

③ (X) 친고죄의 공범 중 그 1인 또는 수인에 대한 고소 또는 그 취소는 다른 공범자에 대하여도 효력이 있다(형사소송법 제233조).

④ (X) 친고죄에서의 고소 유무에 대한 사실은 자유로운 증명의 대상이 된다(대법원 1999.2.9. 98도2074).

10 0656 2020 경찰 1차

고소 등에 대한 다음의 설명(㉠~㉤) 중 옳고 그름의 표시(O, X)가 바르게 된 것은? (다툼이 있는 경우 판례에 의함)

> ㉠ 고소능력은 피해를 입은 사실을 이해하고 고소에 따른 사회생활상의 이해관계를 알아차릴 수 있는 사실상의 의사능력으로 충분하므로, 민법상 행위능력이 없는 사람이라도 위와 같은 능력을 갖추었다면 고소능력이 인정된다.
> ㉡ 고소권자가 비친고죄로 고소한 사건이더라도 검사가 사건을 친고죄로 구성하여 공소를 제기하였다면, 공소장 변경절차를 거쳐 공소사실이 비친고죄로 변경되지 아니하는 한, 법원으로서는 친고죄에서 소송조건이 되는 고소가 유효하게 존재하는지를 직권으로 조사·심리하여야 한다.
> ㉢ 법정대리인의 고소권은 무능력자의 보호를 위하여 법정대리인에게 주어진 고유권이어서 피해자의 고소권 소멸 여부에 관계없이 고소할 수 있는 것이며, 그 고소기간은 법정대리인 자신이 범인을 알게 된 날로부터 진행한다.
> ㉣ 형사소송법 제236조의 대리인에 의한 고소의 경우, 대리권이 정당한 고소권자에 의하여 수여되었음을 증명하기 위해 반드시 위임장을 제출한다거나 '대리'라는 표시를 하여야 한다.
> ㉤ 친고죄에 관한 고소의 주관적 불가분원칙을 규정한 형사소송법 제233조는 공정거래법상 공정거래위원회의 고발에 준용된다.

① ㉠ (O), ㉡ (X), ㉢ (O), ㉣ (O), ㉤ (X)
② ㉠ (O), ㉡ (O), ㉢ (X), ㉣ (X), ㉤ (X)
③ ㉠ (X), ㉡ (X), ㉢ (X), ㉣ (O), ㉤ (O)
④ ㉠ (O), ㉡ (O), ㉢ (O), ㉣ (X), ㉤ (X)

지문분석 난이도 중 정답 ④

| 키 워 드 | 고소
| 출제유형 | 옳고 그름의 표시(O, X)하기

㉠ (O) 대법원 1999.2.9. 98도2074
㉡ (O) 대법원 2015.11.17. 2013도7987
㉢ (O) 대법원 1987.6.9. 87도857
㉣ (X) 형사소송법 제236조의 대리인에 의한 고소의 경우, 대리권이 정당한 고소권자에 의하여 수여되었음이 실질적으로 증명되면 충분하고, 그 방식에 특별한 제한은 없으므로, 고소를 할 때 반드시 위임장을 제출한다거나 '대리'라는 표시를 하여야 하는 것은 아니고, 또 고소기간은 대리고소인이 아니라 정당한 고소권자를 기준으로 고소권자가 범인을 알게 된 날부터 기산한다(대법원 2001.9.4. 2001도3081).
㉤ (X) 독점규제 및 공정거래에 관한 법률 제71조 제1항은 "제66조 제1항 제9호 소정의 부당한 공동행위를 한 죄는 공정거래위원회의 고발이 있어야 공소를 제기할 수 있다."고 규정함으로써 그 소추조건을 명시하고 있다. 반면에 위 법은 공정거래위원회가 같은 법 위반행위자 중 일부에 대하여만 고발을 한 경우에 그 고발의 효력이 나머지 위반행위자에게도 미치는지 여부, 즉 고발의 주관적 불가분원칙의 적용 여부에 관하여는 명시적으로 규정하고 있지 아니하고, 형사소송법도 제233조에서 친고죄에 관한 고소의 주관적 불가분원칙을 규정하고 있을 뿐 고발에 대하여 그 주관적 불가분의 원칙에 관한 규정을 두고 있지 않고, 또한 형사소송법 제233조를 준용하고 있지도 아니하다. 이와 같이 명문의 근거 규정이 없을 뿐만 아니라 소추요건이라는 성질상의 공통점 외에 그 고소·고발의 주체와 제도적 취지 등이 상이함에도, 친고죄에 관한 고소의 주관적 불가분원칙을 규정하고 있는 형사소송법 제233조가 공정거래위원회의 고발에도 유추적용된다고 해석한다면 이는 공정거래위원회의 고발이 없는 행위자에 대해서까지 형사처벌의 범위를 확장하는 것으로서, 결국 피고인에게 불리하게 형벌법규의 문언을 유추해석한 경우에 해당하므로 죄형법정주의에 반하여 허용될 수 없다(대법원 2010.9.30. 2008도4762).

11 0657

2020 국가직 9급

친고죄의 고소에 대한 설명으로 옳은 것만을 모두 고르면? (다툼이 있는 경우 판례에 의함)

ㄱ. 친고죄가 아닌 범죄로 기소되었으나 항소심에서 공소장의 변경에 의하여 친고죄로 인정된 경우, 고소인이 공소제기 전에 행한 고소를 항소심에서 취소하면 법원은 공소기각의 판결을 선고하여야 한다.
ㄴ. 수사기관이 고소권이 있는 자를 증인 또는 피해자로서 신문한 경우에는 그 진술에 범인의 처벌을 요구하는 의사표시가 포함되어 있고 그 의사표시가 조서에 기재되어 있더라도 이는 고소로서 유효하지 않다.
ㄷ. 수사가 장차 고소나 고발의 가능성이 없는 상태하에서 행해졌다는 등의 특단의 사정이 없는 한, 고소나 고발이 있기 전에 수사를 하였다는 이유만으로 그 수사가 위법하게 되는 것은 아니다.
ㄹ. 친고죄에 있어서 피해자의 고소권은 공법상의 권리로서 법이 특히 명문으로 인정하는 경우를 제외하고는 고소 전에 고소권을 포기할 수 없다.

① ㄱ, ㄴ ② ㄴ, ㄷ
③ ㄷ, ㄹ ④ ㄱ, ㄷ, ㄹ

지문분석

난이도 중 정답 ③

| 키 워 드 | 고소
| 출제유형 | 조합하기

ㄷ. (O) 대법원 1995.2.24. 94도252
ㄹ. (O) 대법원 1967.5.23. 67도471
ㄱ. (X) [다수의견] 원래 고소의 대상이 된 피고소인의 행위가 친고죄에 해당할 경우 소송요건인 그 친고죄의 고소를 취소할 수 있는 시기를 언제까지로 한정하는가는 형사소송절차운영에 관한 입법정책상의 문제이기에 형사소송법의 그 규정은 국가형벌권의 행사가 피해자의 의사에 의하여 좌우되는 현상을 장기간 방치하지 않으려는 목적에서 고소취소의 시한을 획일적으로 제1심판결 선고시까지로 한정한 것이고, 따라서 그 규정을 현실적 심판의 대상이 된 공소사실이 친고죄로 된 당해 심급의 판결 선고시까지 고소인이 고소를 취소할 수 있다는 의미로 볼 수는 없다 할 것이어서, 항소심에서 공소장의 변경에 의하여 또는 공소장변경절차를 거치지 아니하고 법원 직권에 의하여 친고죄가 아닌 범죄를 친고죄로 인정하였더라도 항소심을 제1심이라 할 수는 없는 것이므로, 항소심에 이르러 비로소 고소인이 고소를 취소하였다면 이는 친고죄에 대한 고소취소로서의 효력은 없다(대법원 1999.4.15. 96도1922 전원합의체).
ㄴ. (X) 친고죄에 있어서의 고소는 고소권 있는 자가 수사기관에 대하여 범죄사실을 신고하고 범인의 처벌을 구하는 의사표시로서 서면뿐만 아니라 구술로도 할 수 있는 것이고, 다만 구술에 의한 고소를 받은 검사 또는 사법경찰관은 조서를 작성하여야 하지만 그 조서가 독립된 조서일 필요는 없으며 수사기관이 고소권자를 증인 또는 피해자로서 신문한 경우에 그 진술에 범인의 처벌을 요구하는 의사표시가 포함되어 있고 그 의사표시가 조서에 기재되면 고소는 적법하게 이루어진 것이다(대법원 1985.3.12. 85도190).

12 0658

2019 경찰 승진

고소의 취소에 대한 설명으로 가장 적절한 것은? (다툼이 있는 경우 판례에 의함)

① 항소심이 제1심의 공소기각 판결이 위법함을 이유로 제1심 판결을 파기하고 사건을 제1심으로 다시 환송한 경우, 이미 제1심 판결이 한번 선고되었던 이상 파기환송 후 다시 진행된 제1심 절차에서 고소취소는 허용되지 않는다.
② 항소심에서 공소장변경 또는 법원 직권에 의하여 비친고죄를 친고죄로 인정한 경우, 항소심에서의 고소취소는 친고죄에 대한 고소취소로서의 효력이 없다.
③ 고소는 대리인을 통해서 할 수 있지만, 고소의 취소는 대리가 허용되지 않는다.
④ 검사가 작성한 피해자에 대한 진술조서에 "법대로 처벌하여 주시기 바랍니다."라고 기재되어 있고, "더 할 말이 없나요?"라는 물음에 "젊은 사람들이니 한번 기회를 주시면 감사하겠습니다."라고 조서에 기재되었다면 처벌의사를 철회한 것으로 볼 수 있다.

지문분석

난이도 중 정답 ②

| 키 워 드 | 고소
| 출제유형 | 옳은 지문 고르기

② (O) 대법원 1999.4.15. 96도1922 전원합의체
① (X) 형사소송법 제232조 제1항은 고소를 제1심 판결 선고 전까지 취소할 수 있도록 규정하여 친고죄에서 고소취소의 시한을 한정하고 있다. 그런데 상소심에서 형사소송법 제366조 또는 제393조 등에 의하여 법률 위반을 이유로 제1심 공소기각판결을 파기하고 사건을 제1심 법원에 환송함에 따라 다시 제1심 절차가 진행된 경우, 종전의 제1심 판결은 이미 파기되어 효력을 상실하였으므로 환송 후의 제1심 판결 선고 전에는 고소취소의 제한사유가 되는 제1심 판결 선고가 없는 경우에 해당한다. 뿐만 아니라 특히 간통죄 고소는 제1심 판결 선고 후 이혼소송이 취하된 경우 또는 피고인과 고소인이 다시 혼인한 경우에도 소급적으로 효력을 상실하게 되는 점까지 감안하면, 환송 후의 제1심 판결 선고 전에 간통죄의 고소가 취소되면 형사소송법 제327조 제5호에 의하여 판결로써 공소를 기각하여야 한다(대법원 2011.8.25. 2009도9112).
③ (X) 고소 또는 그 취소는 대리인으로 하여금 하게 할 수 있다(형사소송법 제236조).
④ (X) 검사가 작성한 피해자에 대한 진술조서 기재 중 "피의자들의 처벌을 원하는가요?"라는 물음에 대하여 "법대로 처벌하여 주기 바랍니다." 로 되어 있고 이어서 "더 할 말이 있는가요?"라는 물음에 대하여 "젊은 사람들이니 한번 기회를 주시면 감사하겠습니다."로 기재되어 있다면 피해자의 진술취지는 법대로 처벌하되 관대한 처분을 바란다는 취지로 보아야 하고 처벌의사를 철회한 것으로 볼 것이 아니다(대법원 1981.1.13. 80도2210).

13 0659

2021 경찰 승진

고소에 대한 설명으로 가장 적절하지 않은 것은? (다툼이 있는 경우 판례에 의함)

① 민법상 행위능력이 없는 사람이라도 피해를 입은 사실을 이해하고 고소에 따른 사회생활상의 이해관계를 알아차릴 수 있는 사실상의 의사능력을 갖추었다면 고소능력이 인정된다.
② 구 성폭력범죄의 처벌 등에 관한 특례법(2013.4.5. 법률 제11729호로 개정) 시행일 이전에 저지른 친고죄인 성폭력범죄의 고소기간은 동법 제19조 제1항 본문(2013.4.5. 법률 제11729호로 개정되기 전의 것)에 따라서 '범인을 알게 된 날부터 1년'으로 본다.
③ 법인세는 사업연도를 과세기간으로 하는 것이므로 그 포탈범죄는 각 사업연도마다 1개의 범죄가 성립하는데, 일죄의 관계에 있는 범죄사실의 일부에 대한 공소제기 및 고발의 효력은 그 일죄의 전부에 대하여 미친다.
④ 구 컴퓨터프로그램 보호법(2009.4.22. 법률 제9625호 저작권법 부칙 제2조로 폐지) 제48조는 프로그램의 저작권침해에 대해 프로그램저작권자 또는 프로그램배타적발행권자의 고소가 있어야 공소를 제기할 수 있다고 규정하고 있는데, 프로그램저작권이 명의신탁된 경우 제3자의 침해행위에 대한 고소권자는 명의신탁자이다.

지문분석

난이도 중 정답 ④

| 키 워 드 | 고소
| 출제유형 | 틀린 지문 고르기

④ (X) 구 컴퓨터프로그램 보호법(2009.4.22. 법률 제9625호 저작권법 부칙 제2조로 폐지, 이하 같다) 제48조는 '프로그램저작권자 또는 프로그램배타적발행권자' 등의 고소가 있어야 공소를 제기할 수 있다고 규정하고 있는데, 프로그램저작권이 명의신탁된 경우 대외적인 관계에서는 명의수탁자만이 프로그램저작권자이므로 제3자의 침해행위에 대한 구 컴퓨터프로그램 보호법 제48조에서 정한 고소 역시 명의수탁자만이 할 수 있다(대법원 2013.3.28. 2010도8467).
① (O) 대법원 1999.2.9. 98도2074
② (O) 대법원 2018.6.28. 2014도13504
③ (O) 대법원 2005.1.14. 2002도5411

14 0660

2021 경찰 승진

고소취소에 대한 설명으로 가장 적절하지 않은 것은? (다툼이 있는 경우 판례에 의함)

① 고소의 취소는 수사기관 또는 법원에 대한 고소한 자의 의사표시로서 서면 또는 구술로 할 수 있다.
② 피해자가 제1심 법정에서 피고인에 대한 처벌희망 의사표시를 철회할 당시 나이가 14세 10개월이었더라도 그 철회의 의사표시가 의사능력이 있는 상태에서 행해졌다면 법정대리인의 동의가 없었더라도 유효하다.
③ 피해자가 피고인을 고소한 사건에서, 법원으로부터 증인으로 출석하라는 소환장을 받은 피해자가 자신에 대한 증인소환을 연기해 달라고 하거나 기일변경신청을 하고 출석을 하지 않는 경우, 법원은 이를 피해자의 처벌불원의 의사표시로 볼 수 있다.
④ 피고인이 피해자로부터 합의서를 교부받아 피고인이 피해자를 대리하여 처벌불원의사서를 수사기관에 제출한 이상, 이후 피고인이 피해자에게 약속한 치료비 전액을 지급하지 아니한 경우에도 민사상 치료비에 관한 합의금지급채무가 남는 것은 별론으로 하고 피해자는 처벌불원의사를 철회할 수 없다.

지문분석

난이도 중 정답 ③

| 키 워 드 | 고소
| 출제유형 | 틀린 지문 고르기

③ (X) 반의사불벌죄에 있어서 피해자가 처벌을 희망하지 아니하는 의사표시나 처벌을 희망하는 의사표시의 철회를 하였다고 인정하기 위해서는 피해자의 진실한 의사가 명백하고 믿을 수 있는 방법으로 표현되어야 할 것인바, 기록에 의하면 피해자2는 1999.1.27. 피고인을 고소한 다음, 제1심법원으로부터 2000.8.26.에 2000.9.27. 14:00에 증인으로 출석하라는 소환장을 송달받고서 "수출무역 상담차 약 1개월간 미국을 방문할 예정이니 증인소환을 연기하여 주기 바랍니다."라는 내용의 2000.9.13.자 서면을 제출하고 불출석하였고, 2000.9.30.에 2000.11.22. 14:00에 증인으로 출석하라는 소환장을 송달받고서 "업무출장 관계로 출석할 수 없으니 기일을 변경하여 주시기 바랍니다. 공소외 1(피고인과 함께 피해자2로부터 고소된 사람임)은 90회 이상 증인을 고소, 고발하여 괴롭히고 있습니다. 공소외 2를 고소취하하였는데 무엇 때문에 또 증인을 부르시나요? 제발 생업에 종사할 수 있도록 선처하여 주시기 바랍니다."라는 내용의 2000.11.13.자 서면을 제출하고 불출석하였고, 2000.11.27.에 2000.12.13. 14:00에 증인으로 출석하라는 소환장을 송달받고서 "수출협의차 외국출장 중이니 기일을 변경하여 주시기 바랍니다. 공소외 1은 증인을 90회 이상 고소, 고발하였고, 증인도 공소외 1을 20회 이상 고소, 고발하여 그동안 제대로 업무를 할 수가 없었습니다. 이번 수출 건은 꼭 상담해야 하니 선처하여 주시기 바랍니다."라는 내용의 2000.12.2.자 서면을 제출하고 불출석하였으며, 제1심판결 선고시까지도 고소취하장 등을 제출한 일이 없는 사실을 인정할 수 있고, 그렇다면 위 2000.11.13.자 서면만으로는 피고인에 대한 처벌을 희망하지 아니하거나 처벌을 희망하는 의사표시를 철회하는 피해자2의 진정한 의사가 명백하고 믿을 수 있는 방법으로 표시되었다고 볼 수 없을 것이다(대법원 2001.6.15. 2001도1809).
① (O) 형사소송법 제239조, 제237조
② (O) 대법원 2009.11.19. 2009도6058 전원합의체
④ (O) 대법원 2001.12.14. 2001도4283

15 0661

2021 경찰 1차

친고죄에서의 고소취소 및 고소권 포기에 대한 설명으로 가장 적절하지 않은 것은? (다툼이 있는 경우 판례에 의함)

① 고소를 한 피해자가 가해자에게 합의서를 작성하여 준 것만으로는 적법한 고소취소로 보기 어렵지만, "가해자와 원만히 합의하였으므로 피해자는 가해자를 상대로 이 사건과 관련한 어떠한 민·형사상의 책임도 묻지 아니한다."는 취지의 합의서를 공소제기 이전 수사기관에 제출하였다면 고소취소의 효력이 있다.

② 고소는 제1심판결 선고 전까지 취소할 수 있지만, 항소심에서 공소장변경절차를 거치지 아니하고 법원이 직권으로 친고죄가 아닌 범죄를 친고죄로 인정한 경우, 항소심에서 고소인이 고소를 취소하였다면 친고죄에 대한 고소취소로서 효력을 갖는다.

③ 일단 고소를 취소한 자는 고소기간이 남았더라도 다시 고소하지 못한다.

④ 고소권은 고소 전에 포기될 수 없으므로, 비록 고소 전에 피해자가 처벌을 원치 않았다 하더라도 피해자가 고소장을 제출하여 처벌을 희망하는 의사를 분명히 표시한 후 그 고소를 취소한 바 없다면 피해자의 고소는 유효하다.

지문분석 난이도 중 정답 ②

| 키 워 드 | 고소

| 출제유형 | 틀린 지문 고르기

② (X) [다수의견] 항소심에서 공소장의 변경에 의하여 또는 공소장변경절차를 거치지 아니하고 법원 직권에 의하여 친고죄가 아닌 범죄를 친고죄로 인정하였더라도 항소심을 제1심이라 할 수는 없는 것이므로, 항소심에 이르러 비로소 고소인이 고소를 취소하였다면 이는 친고죄에 대한 고소취소로서의 효력은 없다(대법원 1999.4.15. 96도1922 전원합의체).

① (O) 대법원 2002.7.12. 2001도6777

③ (O) 형사소송법 제232조 제2항

④ (O) 대법원 1967.5.23. 67도471

16 0662

2021 국가직 9급

소송조건에 대한 설명으로 옳지 않은 것은? (다툼이 있는 경우 판례에 의함)

① 친고죄에서 고소취소의 의사표시는 공소제기 전에는 고소사건을 담당하는 수사기관에, 공소제기 후에는 고소사건의 수소법원에 대하여 이루어져야 한다.

② 고소를 함에 있어서 고소인은 범죄사실을 특정하여 신고하면 족하며, 범인이 누구인지, 나아가 범인 중 처벌을 구하는 자가 누구인지를 적시할 필요는 없다.

③ 친고죄의 공범 중 그 일부에 대하여 제1심 판결이 선고된 후에는 제1심 판결 선고 전의 다른 공범자에 대하여는 그 고소를 취소할 수 없고, 그 고소의 취소가 있다 하더라도 그 효력을 발생할 수 없으며, 이러한 법리는 필요적 공범과 임의적 공범 모두에 적용된다.

④ 친고죄에서 고소는 제1심 판결 선고 전까지 취소할 수 있으므로, 상소심에서 제1심 공소기각판결을 파기하고 이 사건을 제1심 법원에 환송함에 따라 다시 제1심 절차가 진행된 때에는 환송 후의 제1심 판결 선고 전이라도 고소를 취소할 수 없다.

지문분석 난이도 중 정답 ④

| 키 워 드 | 고소

| 출제유형 | 틀린 지문 고르기

④ (X) 형사소송법 제232조 제1항은 고소를 제1심 판결 선고 전까지 취소할 수 있도록 규정하여 친고죄에서 고소취소의 시한을 한정하고 있다. 그런데 상소심에서 형사소송법 제366조 또는 제393조 등에 의하여 법률 위반을 이유로 제1심 공소기각판결을 파기하고 사건을 제1심법원에 환송함에 따라 다시 제1심 절차가 진행된 경우, 종전의 제1심 판결은 이미 파기되어 효력을 상실하였으므로 환송 후의 제1심 판결 선고 전에는 고소취소의 제한사유가 되는 제1심 판결 선고가 없는 경우에 해당한다. 따라서 환송 후의 제1심 판결 선고 전에 친고죄의 고소가 취소되면 형사소송법 제327조 제5호에 의하여 판결로써 공소를 기각하여야 한다(대법원 2011.8.25. 2009도9112).

① (O) 대법원 2012.2.23. 2011도17264

② (O) 대법원 1996.3.12. 94도2423

③ (O) 대법원 1985.11.12. 85도1940

17 0663

2021 경찰 2차

다음 설명 중 가장 적절하지 않은 것은? (다툼이 있는 경우 판례에 의함)

① 반의사불벌죄에서 피고인 또는 피의자의 처벌을 희망하지 않는다는 의사표시 또는 처벌희망 의사표시 철회의 유무나 그 효력 여부에 관한 사실은 엄격한 증명의 대상이 아니라 자유로운 증명의 대상이다.

② 반의사불벌죄에 있어서 처벌불원의 의사표시의 부존재는 소극적 소송조건으로서 직권조사사항이므로 당사자가 항소이유로 주장하지 아니하더라도 항소심은 이를 직권으로 조사·판단하여야 한다.

③ 형사소송법은 형사소추권의 발동 여부를 사인(私人)인 피해자의 의사에 맡겨 장기간 불확정한 상태에 두어 생기는 폐단을 막기 위해서 친고죄에 대하여 고소기간을 범인을 알게 된 날부터 6월로 제한하고 있으며, 이는 소추조건인 고발에도 적용된다.

④ 고소권자가 비친고죄로 고소한 사건을 검사가 친고죄로 구성하여 공소를 제기하였다면 공소장 변경절차를 거쳐 공소사실이 비친고죄로 변경되지 아니하는 한, 법원은 친고죄에서 소송조건이 되는 고소가 유효하게 존재하는지를 직권으로 조사·심리하여야 한다.

지문분석

난이도 중 정답 ③

| 키 워 드 | 고소

| 출제유형 | 틀린 지문 고르기

③ (X) 고발의 경우에는 고소와 달리 고발기간의 제한은 없다.
① (O) 대법원 2010.10.14. 2010도5610
② (O) 대법원 2001.4.24. 2000도3172
④ (O) 대법원 2015.11.17. 2013도7987

18 0664

2019 경찰 승진

반의사불벌죄에 대한 설명으로 가장 적절하지 않은 것은? (다툼이 있는 경우 판례에 의함)

① 반의사불벌죄에 있어서 피해자의 피고인 또는 피의자에 대한 처벌을 희망하지 않는다는 의사표시 또는 처벌을 희망하는 의사표시의 철회는 형사소송절차에 있어서의 소송능력에 관한 일반원칙에 따라 의사능력이 있는 미성년자인 피해자가 단독으로 이를 할 수 있고, 거기에 법정대리인의 동의가 있어야 한다거나 법정대리인에 의해 대리되어야만 한다고 볼 것은 아니다.

② 반의사불벌죄에 있어서 처벌불원의 의사표시의 부존재는 법원이 직권으로 조사해야 하는 사항이므로 당사자가 항소이유로 주장하지 않았다고 하더라도 원심은 이를 직권으로 조사·판단하여야 한다.

③ 반의사불벌죄의 공범 중 1인에 대한 처벌을 희망하지 않는 의사표시는 다른 공범자에 대하여 효력이 없다.

④ 폭행죄는 피해자의 명시한 의사에 반하여 공소를 제기할 수 없는 반의사불벌죄로서 처벌불원의 의사표시는 의사능력이 있는 피해자가 단독으로 할 수 있는 것이고, 피해자가 사망한 후에는 그 상속인이 피해자를 대신하여 처벌불원의 의사표시를 할 수 있다.

지문분석

난이도 중 정답 ④

| 키 워 드 | 반의사불벌죄

| 출제유형 | 틀린 지문 고르기

④ (X) 폭행죄는 피해자의 명시한 의사에 반하여 공소를 제기할 수 없는 반의사불벌죄로서 처벌불원의 의사표시는 의사능력이 있는 피해자가 단독으로 할 수 있는 것이고, 피해자가 사망한 후 그 상속인이 피해자를 대신하여 처벌불원의 의사표시를 할 수는 없다고 보아야 한다(대법원 2010.5.27. 2010도2680).
① (O) 대법원 2009.11.19. 2009도6058 전원합의체
② (O) 대법원 2009.12.10. 2009도9939
③ (O) 대법원 1994.4.26. 93도1689

6 고발

19 0665

2020 경찰 2차

고소와 고발에 대한 다음 설명 중 적절하지 않은 것만을 고른 것은 모두 몇 개인가? (다툼이 있는 경우 판례에 의함)

> ㉠ 성폭력범죄의 처벌 등에 관한 특례법 제27조에 따라 성폭력범죄 피해자의 변호사는 피해자를 대리하여 피고인에 대한 처벌을 희망하는 의사표시를 철회하거나 처벌을 희망하지 않는 의사표시를 할 수 있다.
> ㉡ 반의사불벌죄에 있어서 미성년인 피해자에게 의사능력이 있는 이상, 법정대리인의 동의 없이 단독으로 고소취소 또는 처벌불원의 의사를 표시할 수 있다.
> ㉢ 제1심 법원이 반의사불벌죄로 기소된 피고인에 대하여 소송촉진 등에 관한 특례법 제23조에 따라 피고인의 진술 없이 유죄를 선고하여 판결이 확정된 후 피고인이 제1심 법원에 동법 제23조의2에 따른 재심을 청구하는 대신 항소권회복청구를 하여 항소심 재판을 받게 된 경우, 항소심 절차일지라도 처벌을 희망하는 의사표시를 철회할 수 있다.
> ㉣ 세무공무원 등의 고발에 따른 조세범 처벌법 위반죄 혐의에 대하여 검사가 불기소처분을 하였다가 나중에 공소를 제기하는 경우에는 세무공무원 등의 새로운 고발이 있어야 한다.
> ㉤ 수 개의 범칙사실 중 일부만을 범칙사건으로 하는 고발이 있는 경우에 고발장에 기재된 범칙사실과 동일성이 인정되지 않는 다른 범칙사실에 대해서는 고발의 효력이 미치지 않는다.

① 1개 ② 2개
③ 3개 ④ 4개

지문분석 난이도 상 정답 ②

| 키 워 드 | 고소·고발
| 출제유형 | 개수 찾기

㉢ (X) 제1심 법원이 반의사불벌죄로 기소된 피고인에 대하여 소송촉진 등에 관한 특례법(이하 '소송촉진법'이라고 한다) 제23조에 따라 피고인의 진술 없이 유죄를 선고하여 판결이 확정된 경우, 만일 피고인이 책임을 질 수 없는 사유로 공판절차에 출석할 수 없었음을 이유로 소송촉진법 제23조의2에 따라 제1심 법원에 재심을 청구하여 재심개시결정이 내려졌다면 피해자는 재심의 제1심 판결 선고 전까지 처벌을 희망하는 의사표시를 철회할 수 있다. 그러나 피고인이 제1심 법원에 소송촉진법 제23조의2에 따른 재심을 청구하는 대신 항소권 회복청구를 함으로써 항소심 재판을 받게 되었다면 항소심을 제1심이라고 할 수 없는 이상 항소심 절차에서는 처벌을 희망하는 의사표시를 철회할 수 없다(대법원 2016.11.25. 2016도9470).

㉣ (X) 검사의 불기소처분에는 확정재판에 있어서의 확정력과 같은 효력이 없어 일단 불기소처분을 한 후에도 공소시효가 완성되기 전이면 언제라도 공소를 제기할 수 있으므로, 세무공무원 등의 고발이 있어야 공소를 제기할 수 있는 조세범 처벌법 위반죄에 관하여 일단 불기소처분이 있었더라도 세무공무원 등이 종전에 한 고발은 여전히 유효하다. 따라서 나중에 공소를 제기함에 있어 세무공무원 등의 새로운 고발이 있어야 하는 것은 아니다(대법원 2009.10.29. 2009도6614).

㉠ (O) 성폭력범죄의 처벌 등에 관한 특례법 제27조는 성폭력범죄 피해자에 대한 변호사선임의 특례를 정하고 있다. 성폭력범죄의 피해자는 형사절차상 법률적 조력을 받기 위해 스스로 변호사를 선임할 수 있고(제1항), 검사는 피해자에게 변호사가 없는 경우 국선변호사를 선정하여 형사절차에서 피해자의 권익을 보호할 수 있으며(제6항), 피해자의 변호사는 형사절차에서 피해자 등의 대리가 허용될 수 있는 모든 소송행위에 대한 포괄적인 대리권을 가진다(제5항). 따라서 피해자의 변호사는 피해자를 대리하여 피고인에 대한 처벌을 희망하는 의사표시를 철회하거나 처벌을 희망하지 않는 의사표시를 할 수 있다(대법원 2019.12.13. 2019도10678).

㉡ (O) 대법원 2009.11.19. 2009도6058 전원합의체

㉤ (O) 고발은 범죄사실에 대한 소추를 요구하는 의사표시로서 그 효력은 고발장에 기재된 범죄사실과 동일성이 인정되는 사실 모두에 미치므로, 조세범 처벌절차법에 따라 범칙사건에 대한 고발이 있는 경우 고발의 효력은 범칙사건에 관련된 범칙사실의 전부에 미치고 한 개의 범칙사실의 일부에 대한 고발은 전부에 대하여 효력이 생긴다. 그러나 수 개의 범칙사실 중 일부만을 범칙사건으로 하는 고발이 있는 경우 고발장에 기재된 범칙사실과 동일성이 인정되지 않는 다른 범칙사실에 대해서까지 고발의 효력이 미칠 수는 없다(대법원 2014.10.15. 2013도5650).

20 0666

2021 경찰 승진

고소와 고발에 대한 다음 설명으로 적절하지 않은 것은 모두 몇 개인가? (다툼이 있는 경우 판례에 의함)

> ㉠ 성폭력범죄의 처벌 등에 관한 특례법 제27조에 따라 성폭력범죄 피해자의 변호사는 피해자를 대리하여 피고인에 대한 처벌을 희망하는 의사표시를 철회하거나 처벌을 희망하지 않는 의사표시를 할 수 있다.
> ㉡ 세무공무원 등의 고발에 따른 조세범 처벌법 위반 사건에 대하여 검사가 불기소처분을 하였다가 나중에 공소를 제기하는 경우에는 세무공무원 등의 새로운 고발이 있어야 한다.
> ㉢ 조세범 처벌법상 수 개의 범칙사실 중 일부만을 범칙사건으로 하는 고발이 있는 경우에 고발장에 기재된 범칙사실과 동일성이 인정되지 않는 다른 범칙사실에 대해서는 고발의 효력이 미치지 않는다.
> ㉣ 피해자가 반의사불벌죄의 공범 중 1인에 대하여 처벌을 희망하는 의사표시를 철회한 경우, 그 철회의 효력은 다른 공범자에 대해서도 미친다.

① 1개 ② 2개
③ 3개 ④ 4개

지문분석

난이도 ㊤ 정답 ②

| 키 워 드 | 고소·고발
| 출제유형 | 개수 찾기

㉡ (X) 검사의 불기소처분에는 확정재판에 있어서의 확정력과 같은 효력이 없어 일단 불기소처분을 한 후에도 공소시효가 완성되기 전이면 언제라도 공소를 제기할 수 있으므로, 세무공무원 등의 고발이 있어야 공소를 제기할 수 있는 조세범 처벌법 위반죄에 관하여 일단 불기소처분이 있었더라도 세무공무원 등이 종전에 한 고발은 여전히 유효하다. 따라서 나중에 공소를 제기함에 있어 세무공무원 등의 새로운 고발이 있어야 하는 것은 아니다(대법원 2009.10.29. 2009도6614).

㉣ (X) 형사소송법이 고소와 고소취소에 관한 규정을 하면서 제232조 제1항, 제2항에서 고소취소의 시한과 재고소의 금지를 규정하고 제3항에서는 반의사불벌죄에 제1항, 제2항의 규정을 준용하는 규정을 두면서도, 제233조에서 고소와 고소취소의 불가분에 관한 규정을 함에 있어서는 반의사불벌죄에 이를 준용하는 규정을 두지 아니한 것은 처벌을 희망하지 아니하는 의사표시나 처벌을 희망하는 의사표시의 철회에 관하여 친고죄와는 달리 공범자 간에 불가분의 원칙을 적용하지 아니하고자 함에 있다고 볼 것이지, 입법의 불비로 볼 것은 아니다(대법원 1994.4.26. 93도1689).

㉠ (O) 대법원 2019.12.13. 2019도10678
㉢ (O) 대법원 2014.10.15. 2013도5650

21 0667

2021 경찰 1차

전속고발에 대한 설명으로 가장 적절하지 않은 것은? (다툼이 있는 경우 판례에 의함)

① 공정거래위원회의 고발이 있어야 공소를 제기할 수 있는 독점규제 및 공정거래에 관한 법률 위반죄를 적용하여 위반행위자들 중 일부에 대하여 공정거래위원회가 고발을 하였다면 나머지 위반행위자에 대하여도 위 고발의 효력이 미친다.
② 전속고발사건에 있어서 수사기관이 고발에 앞서 수사를 하고 甲에 대한 구속영장을 발부받은 후 검찰의 요청에 따라 관계공무원이 고발조치를 하였다고 하더라도 공소제기 전에 고발이 있은 이상 甲에 대한 공소제기의 절차가 법률의 규정에 위반하여 무효라고 할 수는 없다.
③ 세무공무원 등의 고발이 있어야 공소를 제기할 수 있는 조세범 처벌법 위반죄에 관하여 일단 불기소처분이 있었더라도 세무공무원 등이 종전에 한 고발은 여전히 유효하고, 따라서 나중에 공소를 제기함에 있어 세무공무원 등의 새로운 고발이 있어야 하는 것은 아니다.
④ 공정거래위원회가 사업자에게 독점규제 및 공정거래에 관한 법률의 규정을 위반한 혐의가 있다고 인정하여 동법 제71조에 따라 사업자를 고발하였다면, 법원이 본안에 대하여 심판한 결과 위반되는 혐의 사실이 인정되지 아니하더라도 이러한 사정만으로는 그 고발을 기초로 이루어진 공소제기 등 형사절차의 효력에 영향을 미치지 아니한다.

지문분석

난이도 ㊥ 정답 ①

| 키 워 드 | 고발
| 출제유형 | 틀린 지문 고르기

① (X) 독점규제 및 공정거래에 관한 법률 제71조 제1항은 "제66조 제1항 제9호 소정의 부당한 공동행위를 한 죄는 공정거래위원회의 고발이 있어야 공소를 제기할 수 있다."고 규정함으로써 그 소추조건을 명시하고 있다. 반면에 위 법은 공정거래위원회가 같은 법 위반행위자 중 일부에 대하여만 고발을 한 경우에 그 고발의 효력이 나머지 위반행위자에게도 미치는지 여부, 즉 고발의 주관적 불가분원칙의 적용 여부에 관하여는 명시적으로 규정하고 있지 아니하고, 형사소송법도 제233조에서 친고죄에 관한 고소의 주관적 불가분원칙을 규정하고 있을 뿐 고발에 대하여 그 주관적 불가분의 원칙에 관한 규정을 두고 있지 않고, 또한 형사소송법 제233조를 준용하고 있지도 아니하다. 이와 같이 명문의 근거 규정이 없을 뿐만 아니라 소추요건이라는 성질상의 공통점 외에 그 고소·고발의 주체와 제도적 취지 등이 상이함에도, 친고죄에 관한 고소의 주관적 불가분원칙을 규정하고 있는 형사소송법 제233조가 공정거래위원회의 고발에도 유추적용된다고 해석한다면 이는 공정거래위원회의 고발이 없는 행위자에 대해서까지 형사처벌의 범위를 확장하는 것으로서, 결국 피고인에게 불리하게 형벌법규의 문언을 유추해석한 경우에 해당하므로 죄형법정주의에 반하여 허용될 수 없다(대법원 2010.9.30. 2008도4762).
② (O) 대법원 1995.3.10. 94도3373
③ (O) 대법원 2009.10.29. 2009도6614
④ (O) 대법원 2015.9.10. 2015도3926

7 자수

22 0668

2019 국가직 9급

자수에 대한 설명으로 옳은 것은? (다툼이 있는 경우 판례에 의함)

① 피고인이 자수하였음에도 불구하고 법원이 형법 제52조 제1항에 따른 자수감경을 하지 않거나 자수감경 주장에 대하여 판단을 하지 않았더라도 위법하지 않다.
② 수사기관에의 자발적 신고 내용이 범행을 부인하는 등 범죄성립요건을 갖추지 아니한 경우에는 자수는 성립하지 않지만, 그 후 수사과정에서 범행을 시인하였다면 새롭게 자수가 성립될 여지가 있다.
③ 수사기관의 직무상의 질문 또는 조사에 응하여 범죄사실을 진술하는 경우라도 자수가 인정될 수 있다.
④ 범인이 수사기관에 뇌물수수의 범죄사실을 자발적으로 신고하였다면, 특정범죄 가중처벌 등에 관한 법률의 적용을 피하기 위해 그 수뢰액을 실제보다 적게 신고한 것일지라도 자수는 성립한다.

지문분석 난이도 ⓗ 정답 ①

| 키 워 드 | 자수
| 출제유형 | 옳은 지문 고르기

① (O) 대법원 2001.4.24. 2001도872
② (X) 수사기관에의 신고가 자발적이라고 하더라도 그 신고의 내용이 자기의 범행을 명백히 부인하는 등의 내용으로 자기의 범행으로서 범죄성립요건을 갖추지 아니한 사실일 경우에는 자수는 성립하지 않고, 일단 자수가 성립하지 아니한 이상 그 이후의 수사과정이나 재판과정에서 범행을 시인하였다고 하더라도 새롭게 자수가 성립할 여지는 없다고 할 것이다(대법원 2004.10.14. 2003도3133).
③ (X) 형법 제52조 제1항에서 말하는 '자수'란 범인이 스스로 수사책임이 있는 관서에 자기의 범행을 자발적으로 신고하고 그 처분을 구하는 의사표시이므로, 수사기관의 직무상의 질문 또는 조사에 응하여 범죄사실을 진술하는 것은 자백일 뿐 자수로는 되지 아니하고, 나아가 자수는 범인이 수사기관에 의사표시를 함으로써 성립하는 것이므로 내심적 의사만으로는 부족하고 외부로 표시되어야 이를 인정할 수 있는 것이다(대법원 2011.12.22. 2011도12041).
④ (X) 피고인이 2003.6.3. 검찰에 자수서를 제출하고 제1회 피의자신문을 받으면서 5,000만원이 아닌 3,000만원만을 받았다고 신고하고 이를 초과하는 금원의 수수사실을 부인한 이 사건의 경우, 비록 당시의 신고가 자발적이라고 하더라도 이는 그 신고된 내용에 해당하는 특정범죄 가중처벌 등에 관한 법률 제2조 제1항 제2호, 형법 제129조 위반죄에 비하여 뇌물죄의 보호법익에 대한 침해 또는 침해 위험의 정도 및 그 위법성이 상대적으로 높기 때문에 적용법조와 법정형을 달리하는 이 사건 특정범죄 가중 처벌 등에 관한 법률 제2조 제1항 제1호, 형법 제129조 위반죄의 범죄성립요건에 관하여 신고한 것이라고 할 수 없으므로 이 사건 죄에 관한 자수가 성립하였다고 할 수 없다(대법원 2004.6.24. 2004도2003).

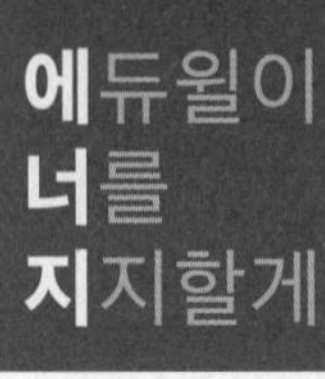

작은 성공부터 시작하라.

성공에 익숙해지면 무슨 목표든지 이룰 수 있다는
자신감이 생긴다.

– 데일 카네기(Dale Carnegie)

CHAPTER

03 임의수사

■ 기본서 연계페이지: p.1208~1227 ■ 문항 수: 23문항

1 임의수사의 의의

01 0669 2018 경찰 승진

임의동행에 대한 설명 중 가장 적절하지 않은 것은? (다툼이 있는 경우 판례에 의함)

① 경찰관 직무집행법상 보호조치 요건이 갖추어지지 않았음에도, 경찰관이 실제로는 범죄수사를 목적으로 피의자에 해당하는 사람을 피구호자로 삼아 그의 의사에 반하여 경찰관서에 데려간 행위는, 달리 현행범체포나 임의동행 등의 적법요건을 갖추었다고 볼 사정이 없다면, 위법한 체포에 해당한다.

② 위법한 강제연행 상태에서 호흡측정 방법에 의한 음주측정을 한 다음, 강제연행 상태로부터 시간적·장소적으로 단절되었다고 볼 수 없는 상황에서 피의자가 호흡측정 결과를 탄핵하기 위하여 스스로 혈액채취 방법에 의한 측정을 할 것을 요구하여 혈액채취가 이루어진 경우, 그 사이에 위법한 체포 상태에 의한 영향이 완전하게 배제되고 피의자의 의사결정의 자유가 확실하게 보장되었다고 볼 만한 다른 사정이 개입되지 않은 이상 그러한 혈액채취에 의한 측정 결과를 유죄 인정의 증거로 쓸 수 없다. 그러나 이 경우에도 피고인이 이를 증거로 함에 동의하였다면, 혈액채취에 의한 측정 결과는 유죄 인정의 증거로 사용할 수 있다.

③ 사법경찰관이 피고인을 수사관서까지 동행한 것이 임의성이 결여되어 사실상의 강제연행, 즉 불법체포에 해당하는 경우 불법체포로부터 6시간 상당이 경과한 후에 이루어진 긴급체포 또한 위법하다.

④ 임의동행의 경우 수사관이 동행에 앞서 피의자에게 동행을 거부할 수 있음을 알려주었거나 동행한 피의자가 언제든지 자유로이 동행과정에서 이탈 또는 동행장소로부터 퇴거할 수 있었음이 인정되는 등 오로지 피의자의 자발적인 의사에 의하여 수사관서 등에의 동행이 이루어졌음이 객관적인 사정에 의하여 명백하게 입증된 경우에 한하여, 그 적법성이 인정된다.

지문분석 난이도 ㊥ 정답 ②

| 키 워 드 | 임의동행

| 출제유형 | 틀린 지문 고르기

② (X) 위법한 강제연행 상태에서 호흡측정 방법에 의한 음주측정을 한 다음 강제연행 상태로부터 시간적·장소적으로 단절되었다고 볼 수도 없고 피의자의 심적 상태 또한 강제연행 상태로부터 완전히 벗어났다고 볼 수 없는 상황에서 피의자가 호흡측정 결과에 대한 탄핵을 하기 위하여 스스로 혈액채취 방법에 의한 측정을 할 것을 요구하여 혈액채취가 이루어졌다고 하더라도 그 사이에 위법한 체포 상태에 의한 영향이 완전하게 배제되고 피의자의 의사결정의 자유가 확실하게 보장되었다고 볼 만한 다른 사정이 개입되지 않은 이상 불법체포와 증거수집 사이의 인과관계가 단절된 것으로 볼 수는 없다. 따라서 그러한 혈액채취에 의한 측정 결과 역시 유죄 인정의 증거로 쓸 수 없다고 보아야 한다. 그리고 이는 수사기관이 위법한 체포 상태를 이용하여 증거를 수집하는 등의 행위를 효과적으로 억지하기 위한 것이므로, 피고인이나 변호인이 이를 증거로 함에 동의하였다고 하여도 달리 볼 것은 아니다(대법원 2013.3.14. 2010도2094).

① (O) 대법원 2012.12.13. 2012도11162

③, ④ (O) 대법원 2006.7.6. 2005도6810

02 0670

2021 경찰 승진

수사에 대한 판례의 입장으로 가장 적절하지 않은 것은?

① 구속영장 발부에 의하여 적법하게 구금된 피의자가 피의자신문을 위한 출석요구에 응하지 아니하면서 수사기관 조사실에 출석을 거부한다면 수사기관은 그 구속영장의 효력에 의하여 피의자를 조사실로 구인할 수 있다고 보아야 한다. 다만, 이러한 경우에도 그 피의자신문 절차는 형사소송법 제199조 제1항 본문, 제200조의 규정에 따른 임의수사의 한 방법으로 진행되어야 하므로, 피의자는 일체의 진술을 거부할 수 있다.

② 수사기관이 구 조세범 처벌법(2010.1.1. 법률 제9919호로 개정되기 전의 것) 제6조의 세무종사 공무원의 고발에 앞서 수사를 하고 피의자에 대한 구속영장을 발부받은 후 검찰의 요청에 따라 세무서장이 공소제기 전에 고발을 하더라도 조세범 처벌법 위반사건 피의자에 대한 공소제기의 절차가 무효라고 할 수는 없다.

③ 교도관이 재소자가 맡긴 비망록을 수사기관에 임의로 제출하였다면, 그 비망록의 증거사용에 대하여는 재소자의 사생활의 비밀 기타 인격적 법익이 침해되는 등의 특별한 사정이 없다 하더라도 그 재소자의 동의를 받아야 한다.

④ 일반사법경찰관이 출입국관리사무소장의 고발을 요하는 출입국사범에 대하여 출입국관리사무소장의 고발이 있기 전에 한 수사는 특단의 사정이 없는 한 그 사유만으로 수사가 위법하다고 할 수 없다.

지문분석 난이도 ㊥ 정답 ③

| 키 워 드 | 임의수사

| 출제유형 | 틀린 지문 고르기

③ (X) 형사소송법 및 기타 법령상 교도관이 그 직무상 위탁을 받아 소지 또는 보관하는 물건으로서 재소자가 맡긴 비망록을 수사기관이 수사 목적으로 압수하는 절차에 관하여 특별한 절차적 제한을 두고 있지 않으므로, 교도관이 재소자가 맡긴 비망록을 수사기관에 임의로 제출하였다면 그 비망록의 증거사용에 대하여도 재소자의 사생활의 비밀 기타 인격적 법익이 침해되는 등의 특별한 사정이 없는 한 반드시 그 재소자의 동의를 받아야 하는 것은 아니다. 따라서 검사가 교도관으로부터 그가 보관하고 있던 피고인의 비망록을 뇌물수수 등의 증거자료로 임의로 제출받아 이를 압수한 경우, 그 압수절차가 피고인의 승낙 및 영장 없이 행하여졌다고 하더라도 이에 적법절차를 위반한 위법이 있다고 할 수 없다(대법원 2008.5.15. 2008도1097).

① (O) 대법원 2013.7.1. 2013모160 결정

② (O) 대법원 1995.3.10. 94도3373

④ (O) 대법원 2011.3.10. 2008도7724

03 0671

2021 경찰 승진

임의수사에 대한 설명으로 가장 적절하지 않은 것은? (다툼이 있는 경우 판례에 의함)

① 임의수사의 경우에도 법률이 수사활동의 요건·절차를 규정하고 있다면, 그에 위반하여 수집한 증거는 위법수집증거로서 증거능력이 부정된다.

② 형사소송법상 임의수사가 원칙이고 강제수사는 법률에 특별한 규정이 있는 경우에 한하여 예외적으로 허용된다.

③ 수사기관은 피검사자의 동의를 얻은 경우에 거짓말탐지기를 사용할 수 있다. 다만, 그 검사결과를 공소사실의 존부를 인정하는 직접증거로는 사용할 수 없고, 진술의 신빙성 유무를 판단하는 정황증거로만 사용할 수 있다.

④ 상대방의 동의를 얻어 보호실 등 특정한 장소에 유치하는 승낙유치는 임의수사의 한 종류로 영장 없이 할 수 있다.

지문분석 난이도 ㊥ 정답 ④

| 키 워 드 | 임의수사

| 출제유형 | 틀린 지문 고르기

④ (X) 보호실 유치에는 피의자의 의사에 반하는 강제유치와 피의자의 승낙을 받아 유치시키는 승낙유치가 있다. 강제유치는 실질적으로 구금에 해당하므로 영장 없이 보호실에 구금하는 것은 불법구금에 해당한다. 승낙유치에 대해서는 임의수사의 방법으로 허용된다고 볼 여지도 있다. 그러나 통설은 승낙유치를 임의수사로 허용하게 되면 체포·구속제도를 엄격히 설정한 취지를 잠탈하므로 승낙유치 역시 불법구금으로 보고 있다. 판례도 같은 취지에서 구속영장 없이 피의자를 보호실에 유치하는 것은 영장주의에 위배되는 위법한 구금이라고 판시하였다(대법원 1994.3.11. 93도958).

① (O) 헌법 제12조 제1항은 형사절차법정주의를 규정하고 있다. 따라서 강제수사뿐 아니라 임의수사라도 그 요건과 절차에 위반하여 위법수집증거가 될 수 있다. 가령, 임의수사인 피의자신문절차에서 진술거부권이 고지되지 않는 경우, 해당 절차에서 작성된 피의자신문조서는 진술의 임의성이 인정되는 경우에도 위법수집증거로서 증거능력이 없다(대법원 1992.6.23. 92도682). 다만, 임의수사의 요건과 절차를 위반한 경우라도 훈시규정을 위반한 경우에는 증거능력이 인정될 수도 있고, 기본권침해 등의 중대한 위법이 아닌 경우에는 비록 전문법칙 등에 의해 증거능력이 부정되더라도 이를 위법수집증거로 볼 수는 없다(가령, 진술거부권 행사 여부에 대한 답변을 피신조서에 기재하지 않아 제244조의3 제2항을 위반한 경우 위법수집증거는 아니나 전문법칙에 의해 증거능력이 부정된다는 판례로는 대법원 2013.3.28. 2010도3359 참조). 이러한 관점에서 본 지문은 "~ 위법수집증거로서 증거능력이 부정될 수 있다."라고 해야 정확히 타당한 지문이 될 수 있다. 다만, ④가 명확히 틀린 지문이라는 점에서 상대적으로 ①은 타당한 것으로 처리할 수 있다.

② (O) 형사소송법 제199조 제1항

③ (O) 대법원 1984.2.14. 83도3146

04 0672

2021 국가직 7급

수사에 대한 설명으로 옳지 않은 것은? (다툼이 있는 경우 판례에 의함)

① 임의동행은 경찰관 직무집행법 제3조 제2항에 따른 행정경찰 목적의 경찰활동으로 행하여지는 것 외에도 형사소송법 제199조 제1항에 따라 범죄 수사를 위하여 오로지 피의자의 자발적인 의사에 의하여 이루어진 경우에도 가능하다.

② 범의를 가진 자에 대하여 단순히 범행의 기회를 제공하거나 범행을 용이하게 하는 것에 불과한 수사방법이 경우에 따라 허용될 수 있음은 별론으로 하고, 본래 범의를 가지지 아니한 자에 대하여 수사기관이 사술이나 계략 등을 써서 범의를 유발케 하여 범죄인을 검거하는 함정수사는 위법하므로 이러한 함정수사에 기한 공소제기에 대해 법원은 공소기각결정을 선고해야 한다.

③ 범죄의 인지는 실질적인 개념이므로 인지절차를 거치기 전에 범죄의 혐의가 있다고 보아 수사를 개시하는 행위를 한 때에 범죄를 인지한 것으로 보아야 하며, 그 뒤 범죄인지서를 작성하여 사건수리 절차를 밟은 때에 비로소 범죄를 인지하였다고 볼 것은 아니다.

④ 검사가 조사실에서 피의자를 신문할 때 도주, 자해 등의 위험이 없다면 교도관에게 피의자의 수갑 해제를 요청할 의무가 있고, 교도관은 이에 응하여야 한다.

지문분석 난이도 중 정답 ②

| 키 워 드 | 임의수사

| 출제유형 | 틀린 지문 고르기

② (X) 위법한 함정수사의 경우 공소기각판결로써 사건을 종결한다(대법원 2005.10.28. 2005도1247).
① (O) 대법원 2020.5.14. 2020도398
③ (O) 대법원 2001.10.26. 2000도2968
④ (O) 대법원 2020.3.17. 2015모2357 결정

05 0673

2019 경찰 1차(변형)

통신비밀보호법상 통신제한조치에 대한 설명으로 가장 적절하지 않은 것은? (다툼이 있는 경우 판례에 의함)

① 통신제한조치는 통신비밀보호법 제5조의 범죄를 계획 또는 실행하고 있거나 실행하였다고 의심할 만한 충분한 이유가 있고, 다른 방법으로는 그 범죄의 실행을 저지하거나 범인의 체포 또는 증거수집이 어려운 경우에 한하여 허가할 수 있다.

② 검사 또는 사법경찰관이 통신제한조치의 연장을 청구하는 경우에 통신제한조치의 총 연장기간은 원칙적으로 1년을 초과할 수 없다.

③ 전기통신의 감청은 전기통신이 이루어지고 있는 상황에서 실시간으로 전기통신의 내용을 지득·채록하는 경우, 통신의 송·수신을 직접적으로 방해하는 경우, 이미 수신이 완료된 전기통신에 관하여 남아 있는 기록이나 내용을 열어보는 경우를 의미한다.

④ 3인 간의 대화에서 그중 한 사람이 그 대화를 녹음 또는 청취하는 경우에 다른 두 사람의 발언은 그 녹음자 또는 청취자에 대한 관계에서 통신비밀보호법 제3조 제1항에서 정한 '타인 간의 대화'라고 할 수 없으므로, 이러한 녹음 또는 청취하는 행위 및 그 내용을 공개하거나 누설하는 행위가 통신비밀보호법 제16조 제1항에 해당한다고 볼 수 없다.

지문분석 난이도 중 정답 ③

| 키 워 드 | 통신제한조치

| 출제유형 | 틀린 지문 고르기

③ (X) 통신비밀보호법상 '감청'이란, 현재 송신 중이거나 수신 중인 전기통신을 지득하는 행위만을 의미하고, 이미 수신이 완료된 전기통신의 내용을 지득하는 행위는 포함되지 않는다(대법원 2012.10.25. 2012도4644).
① (O) 통신비밀보호법 제5조 제1항
② (O) 통신비밀보호법 제6조 제8항
④ (O) 3인 간의 대화에 있어서 그중 한 사람이 대화를 녹음하는 경우 다른 두 사람의 발언은 그 녹음자에 대한 관계에서 '타인 간의 대화'라고 할 수 없으므로, 이와 같은 녹음행위는 통신비밀보호법 제3조 제1항에 위배된다고 볼 수 없다(대법원 2006.10.12. 2006도4981).

06 0674

2020 경찰 1차

강제처분에 대한 설명 중 가장 적절하지 않은 것은? (다툼이 있는 경우 판례에 의함)

① 압수·수색영장 대상자와 피의자 사이에 요구되는 인적 관련성은 압수·수색영장에 기재된 대상자의 공동정범, 간접정범, 교사범 등은 물론이며 필요적 공범 등에 대한 피고사건에 대해서도 인정될 수 있다.
② 사법경찰관은 피내사자를 대상으로 하는 통신제한조치에 대한 허가를 검사에게 신청하고, 검사는 법원에 대하여 그 허가를 청구할 수 있다.
③ 통신비밀보호법 제12조의2에 의하면 사법경찰관은 인터넷 회선을 통하여 송신·수신하는 전기통신을 대상으로 제6조 또는 제8조(제5조 제1항의 요건에 해당하는 사람에 대한 긴급통신제한조치에 한정한다)에 따른 통신제한조치를 집행한 경우 그 전기통신의 보관 등을 하고자 하는 때에는 집행종료일부터 14일 이내에 보관 등이 필요한 전기통신을 선별하여 검사에게 보관 등의 승인을 신청하고 검사는 신청일부터 14일 이내에 통신제한조치를 허가한 법원에 그 승인을 청구할 수 있다.
④ 마약류 불법거래 방지에 관한 특례법 제4조 제1항에 따른 조치의 일환으로 특정한 수출입물품을 개봉하여 검사하고 그 내용물의 점유를 취득한 행위는 수출입물품에 대한 적정한 통관 등을 목적으로 하는 조사와 달리 범죄수사인 압수 또는 수색에 해당하여 사전 또는 사후에 영장을 받아야 한다.

지문분석 난이도 중 정답 ③

| 키 워 드 | 강제처분

| 출제유형 | 틀린 지문 고르기

③ (X) 사법경찰관은 인터넷 회선을 통하여 송신·수신하는 전기통신을 대상으로 제6조 또는 제8조(제5조 제1항의 요건에 해당하는 사람에 대한 긴급통신제한조치에 한정한다)에 따른 통신제한조치를 집행한 경우 그 전기통신의 보관 등을 하고자 하는 때에는 집행종료일부터 14일 이내에 보관 등이 필요한 전기통신을 선별하여 검사에게 보관 등의 승인을 신청하고, 검사는 신청일부터 7일 이내에 통신제한조치를 허가한 법원에 그 승인을 청구할 수 있다(통신비밀보호법 제12조의2 제2항).
① (O) 대법원 2017.12.5. 2017도13458
② (O) 통신비밀보호법 제6조 제2항
④ (O) 대법원 2017.7.18. 2014도8719

07 0675

2020 경찰 승진

통신제한조치에 관한 설명 중 가장 적절하지 않은 것은? (다툼이 있는 경우 판례에 의함)

① 무전기와 같은 무선전화기를 이용한 통화는 통신비밀보호법상 '타인 간의 대화'에 포함되므로 '전기통신'에는 해당하지 않는다.
② 이미 수신이 완료된 전기통신에 관하여 남아 있는 기록이나 내용을 열어보는 등의 행위는 전기통신의 감청에 해당하지 않는다.
③ 피고인이 범행 후 피해자에게 전화를 걸어오자 피해자가 증거를 수집하려고 그 전화내용을 녹음한 경우 그것이 피고인 모르게 녹음된 것이라 하여 이를 위법하게 수집된 증거라고 할 수 없다.
④ 제3자가 당사자 일방의 동의를 받고 통화내용을 녹음한 경우 통화 상대방의 동의가 없었다면 통신비밀보호법 위반에 해당한다.

지문분석 난이도 하 정답 ①

| 키 워 드 | 통신제한조치

| 출제유형 | 틀린 지문 고르기

① (X) 무전기와 같은 무선전화기를 이용한 통화가 통신비밀보호법에서 규정하고 있는 전기통신에 해당함은 전화통화의 성질 및 위 규정 내용에 비추어 명백하므로 이를 같은 법 제3조 제1항 소정의 '타인 간의 대화'에 포함된다고 할 수 없다(대법원 2003.11.13. 2001도6213).
② (O) 대법원 2012.10.25. 2012도4644
③ (O) 대법원 1997.3.28. 97도240
④ (O) 대법원 2002.10.8. 2002도123

08 0676

2021 경찰 승진

통신비밀보호법상 통신제한조치에 대한 설명으로 가장 적절한 것은? (다툼이 있는 경우 판례에 의함)

① 전기통신의 감청은 전기통신이 이루어지고 있는 상황에서 실시간으로 전기통신의 내용을 지득·채록하는 경우와 통신의 송·수신을 직접적으로 방해하는 경우뿐만 아니라 이미 수신이 완료된 전기통신에 관하여 남아 있는 기록이나 내용을 열어보는 등의 행위도 포함한다.

② 사법경찰관이 통신비밀보호법 제8조에 따른 긴급통신제한조치를 할 경우에는 미리 검사의 지휘를 받아야 한다. 다만, 특히 급속을 요하여 미리 지휘를 받을 수 없는 사유가 있는 경우에는 긴급통신제한조치의 집행착수 후 지체 없이 검사의 승인을 얻어야 한다.

③ 형법상 절도죄, 강도죄, 사기죄, 공갈죄는 통신비밀보호법상 범죄수사를 위한 통신제한조치가 가능한 범죄이다.

④ 불법감청에 의하여 녹음된 전화통화의 내용은 통신비밀보호법에 의하여 증거능력이 없으나 피고인이나 변호인이 이를 증거로 함에 동의한 때에는 예외적으로 증거능력이 인정된다.

지문분석

난이도 중 정답 ②

| 키 워 드 | 통신제한조치

| 출제유형 | 옳은 지문 고르기

② (○) 통신비밀보호법 제8조 제3항

① (X) 통신비밀보호법상 '감청'이란 대상이 되는 전기통신의 송·수신과 동시에 이루어지는 경우만을 의미하고, 이미 수신이 완료된 전기통신의 내용을 지득하는 등의 행위는 포함되지 않는다(대법원 2012.10.25. 2012도4644).

③ (X) 사기죄는 통신제한조치 대상범죄가 아니다(통신비밀보호법 제5조 제1항 제1호).

④ (X) 전기통신의 감청은 제3자가 전기통신의 당사자인 송신인과 수신인의 동의를 받지 아니하고 전기통신 내용을 녹음하는 등의 행위를 하는 것만을 말한다고 해석함이 타당하므로, 전기통신에 해당하는 전화통화 당사자의 일방이 상대방 모르게 통화 내용을 녹음하는 것은 여기의 감청에 해당하지 않는다. 그러나 제3자의 경우는 설령 전화통화 당사자 일방의 동의를 받고 그 통화 내용을 녹음하였다 하더라도 그 상대방의 동의가 없었던 이상, 이는 여기의 감청에 해당하여 통신비밀보호법 제3조 제1항 위반이 되고, 이와 같이 제3조 제1항을 위반한 불법감청에 의하여 녹음된 전화통화의 내용은 제4조에 의하여 증거능력이 없다. 그리고 사생활 및 통신의 불가침을 국민의 기본권의 하나로 선언하고 있는 헌법규정과 통신비밀의 보호와 통신의 자유 신장을 목적으로 제정된 통신비밀보호법의 취지에 비추어 볼 때 피고인이나 변호인이 이를 증거로 함에 동의하였다고 하더라도 달리 볼 것은 아니다(대법원 2019.3.14. 2015도1900).

09 0677

2021 경찰 승진

인터넷통신망을 통하여 흐르는 전기신호 형태의 패킷(packet)을 중간에 확보하여 그 내용을 지득하는 소위 패킷감청에 대한 설명으로 가장 적절한 것은? (다툼이 있는 경우 판례에 의함)

① 패킷감청은 사건과 무관한 불특정 다수의 방대한 정보까지 수집되어 개인의 통신 및 사생활의 비밀과 자유를 침해하기 때문에 헌법불합치결정이 선고되었고, 현재 패킷감청에 의한 통신제한조치는 허용되지 않는다.

② 사법경찰관은 통신비밀보호법에 따른 패킷감청을 집행하여 그 전기통신을 보관하고자 하는 때에는 집행종료일로부터 14일 이내에 보관 등이 필요한 전기통신을 선별하여 통신제한조치를 허가한 법원에 그 승인을 청구할 수 있다.

③ 법원이 패킷감청으로 취득한 자료의 보관을 위한 승인청구를 기각한 경우, 사법경찰관은 청구기각의 통지를 받은 날부터 7일 이내에 해당 전기통신을 폐기하고, 폐기결과보고서를 작성하여 7일 이내에 검사에게 송부하여야 한다.

④ 통신비밀보호법은 패킷감청으로 취득한 자료의 관리에 관한 절차(통신비밀보호법 제12조의2)의 위반에 대해서는 벌칙조항을 두고 있지 않다.

지문분석

난이도 상 정답 ④

| 키 워 드 | 통신제한조치

| 출제유형 | 옳은 지문 고르기

④ (○) 개정 통신비밀보호법은 전기통신의 감청과 관련하여 패킷감청으로 취득한 자료의 관리절차를 위반한 경우 별도로 벌칙규정을 마련하고 있지 않다.

① (X) 패킷감청에 대해 헌법불합치결정이 선고되었으며, 이에 대한 보완입법으로 통신비밀보호법 제12조의2가 신설되었다. 이에 따라 패킷감청은 허용되며 감청의 대상이 아닌 전기통신에 대해 보관승인을 받도록 하고 승인을 받지 못한 경우에는 이를 폐기하도록 규정하고 있다.

② (X) 사법경찰관은 인터넷 회선을 통하여 송신·수신하는 전기통신을 대상으로 제6조 또는 제8조(제5조 제1항의 요건에 해당하는 사람에 대한 긴급통신제한조치에 한정한다)에 따른 통신제한조치를 집행한 경우 그 전기통신의 보관 등을 하고자 하는 때에는 집행종료일부터 14일 이내에 보관 등이 필요한 전기통신을 선별하여 검사에게 보관 등의 승인을 신청하고, 검사는 신청일부터 7일 이내에 통신제한조치를 허가한 법원에 그 승인을 청구할 수 있다(통신비밀보호법 제12조의2 제2항).

③ (X) 검사 또는 사법경찰관은 제1항에 따른 청구나 제2항에 따른 신청을 하지 아니하는 경우에는 집행종료일부터 14일(검사가 사법경찰관의 신청을 기각한 경우에는 그날부터 7일) 이내에 통신제한조치로 취득한 전기통신을 폐기하여야 하고, 법원에 승인청구를 한 경우(취득한 전기통신의 일부에 대해서만 청구한 경우를 포함한다)에는 제4항에 따라 법원으로부터 승인서를 발부받거나 청구기각의 통지를 받은 날부터 7일 이내에 승인을 받지 못한 전기통신을 폐기하여야 한다. 검사 또는 사법경찰관은 제5항에 따라 통신제한조치로 취득한 전기통신을 폐기한 때에는 폐기의 이유와 범위 및 일시 등을 기재한 폐기결과보고서를 작성하여 피의자의 수사기록 또는 피내사자의 내사사건기록에 첨부하고, 폐기일부터 7일 이내에 통신제한조치를 허가한 법원에 송부하여야 한다(통신비밀보호법 제12조의2 제5항·제6항).

✓ 개념체크 **통신비밀보호법 제12조의2(범죄수사를 위하여 인터넷 회선에 대한 통신제한조치로 취득한 자료의 관리)**

> ① 검사는 인터넷 회선을 통하여 송신·수신하는 전기통신을 대상으로 제6조 또는 제8조(제5조 제1항의 요건에 해당하는 사람에 대한 긴급통신제한조치에 한정한다)에 따른 통신제한조치를 집행한 경우 그 전기통신을 제12조 제1호에 따라 사용하거나 사용을 위하여 보관(이하 이 조에서 '보관 등'이라 한다)하고자 하는 때에는 집행종료일부터 14일 이내에 보관 등이 필요한 전기통신을 선별하여 통신제한조치를 허가한 법원에 보관 등의 승인을 청구하여야 한다.
> ② 사법경찰관은 인터넷 회선을 통하여 송신·수신하는 전기통신을 대상으로 제6조 또는 제8조(제5조 제1항의 요건에 해당하는 사람에 대한 긴급통신제한조치에 한정한다)에 따른 통신제한조치를 집행한 경우 그 전기통신의 보관 등을 하고자 하는 때에는 집행종료일부터 14일 이내에 보관 등이 필요한 전기통신을 선별하여 검사에게 보관 등의 승인을 신청하고, 검사는 신청일부터 7일 이내에 통신제한조치를 허가한 법원에 그 승인을 청구할 수 있다.
> ③ 제1항 및 제2항에 따른 승인청구는 통신제한조치의 집행 경위, 취득한 결과의 요지, 보관 등이 필요한 이유를 기재한 서면으로 하여야 하며, 다음 각 호의 서류를 첨부하여야 한다.
> 1. 청구이유에 대한 소명자료
> 2. 보관 등이 필요한 전기통신의 목록
> 3. 보관 등이 필요한 전기통신. 다만, 일정 용량의 파일 단위로 분할하는 등 적절한 방법으로 정보저장매체에 저장·봉인하여 제출하여야 한다.
>
> ④ 법원은 청구가 이유 있다고 인정하는 경우에는 보관 등을 승인하고 이를 증명하는 서류(이하 이 조에서 '승인서'라 한다)를 발부하며, 청구가 이유 없다고 인정하는 경우에는 청구를 기각하고 이를 청구인에게 통지한다.
> ⑤ 검사 또는 사법경찰관은 제1항에 따른 청구나 제2항에 따른 신청을 하지 아니하는 경우에는 집행종료일부터 14일(검사가 사법경찰관의 신청을 기각한 경우에는 그날부터 7일) 이내에 통신제한조치로 취득한 전기통신을 폐기하여야 하고, 법원에 승인청구를 한 경우(취득한 전기통신의 일부에 대해서만 청구한 경우를 포함한다)에는 제4항에 따라 법원으로부터 승인서를 발부받거나 청구기각의 통지를 받은 날부터 7일 이내에 승인을 받지 못한 전기통신을 폐기하여야 한다.
> ⑥ 검사 또는 사법경찰관은 제5항에 따라 통신제한조치로 취득한 전기통신을 폐기한 때에는 폐기의 이유와 범위 및 일시 등을 기재한 폐기결과보고서를 작성하여 피의자의 수사기록 또는 피내사자의 내사사건기록에 첨부하고, 폐기일부터 7일 이내에 통신제한조치를 허가한 법원에 송부하여야 한다.

10 0678 2021 경찰 2차

통신비밀보호법상 사법경찰관의 통신제한조치(전기통신의 감청)에 관한 설명으로 옳은 것을 모두 고른 것은?

> ㉠ 일정한 요건이 구비된 경우에는 검사에 대하여 각 피의자별 또는 각 피내사자별로 통신제한조치에 대한 허가를 신청하고, 검사는 법원에 대하여 그 허가를 청구할 수 있다.
> ㉡ 통신제한조치의 기간은 3개월을 초과하지 못하나 허가요건이 존속하는 경우에는 3개월의 범위에서 통신제한조치기간의 연장을 청구할 수 있다. 다만, 통신제한조치의 연장을 청구하는 경우에 통신제한조치의 총 연장기간은 1년(일정한 범죄의 경우는 3년)을 초과할 수 없다.
> ㉢ 통신제한조치를 집행한 사건에 관하여 검사로부터 공소를 제기하거나 제기하지 아니하는 처분(기소중지 또는 참고인중지결정은 제외한다)의 통보를 받거나 검찰송치를 하지 아니하는 처분(수사중지 결정은 제외한다) 또는 내사사건에 관하여 입건하지 아니하는 처분을 한 때에는 그날부터 30일 이내에 감청의 대상이 된 전기통신의 가입자에게 통신제한조치를 집행한 사실과 집행기관 및 그 기간 등을 서면으로 통지하여야 한다.
> ㉣ 인터넷 회선을 통하여 송신·수신하는 전기통신을 대상으로 통신제한조치를 집행한 경우 그 전기통신의 보관 등을 하고자 하는 때에는 집행종료일부터 10일 이내에 보관 등이 필요한 전기통신을 선별하여 검사에게 보관 등의 승인을 신청하고, 검사는 신청일부터 10일 이내에 통신제한조치를 허가한 법원에 그 승인을 청구할 수 있다.

① ㉠, ㉢ ② ㉠, ㉣
③ ㉡, ㉢ ④ ㉡, ㉣

지문분석 난이도 ㉦ 정답 ①

| 키 워 드 | 통신제한조치
| 출제유형 | 조합하기

㉠ (O) 통신비밀보호법 제6조 제2항
㉢ (O) 통신비밀보호법 제9조의2 제2항
㉡ (X) 통신제한조치의 기간은 2개월을 초과하지 못하나 허가요건이 존속하는 경우에는 2개월의 범위에서 통신제한조치기간의 연장을 청구할 수 있다. 다만, 통신제한조치의 연장을 청구하는 경우에 통신제한조치의 총 연장기간은 1년(일정한 범죄의 경우는 3년)을 초과할 수 없다(통신비밀보호법 제6조 제7항·제8항).
㉣ (X) 사법경찰관은 인터넷 회선을 통하여 송신·수신하는 전기통신을 대상으로 통신제한조치를 집행한 경우 그 전기통신의 보관 등을 하고자 하는 때에는 집행종료일부터 14일 이내에 보관 등이 필요한 전기통신을 선별하여 검사에게 보관 등의 승인을 신청하고, 검사는 신청일부터 7일 이내에 통신제한조치를 허가한 법원에 그 승인을 청구할 수 있다(통신비밀보호법 제12조의2 제2항).

2 피의자신문

11 0679

2019 경찰 1차

피의자신문에 대한 설명으로 가장 적절한 것은? (다툼이 있는 경우 판례에 의함)

① 구속영장 발부에 의하여 적법하게 구금된 피의자가 피의자신문을 위한 출석요구에 응하지 아니하면서 수사기관 조사실에 출석을 거부한다면 수사기관은 그 구속영장의 효력에 의하여 피의자를 조사실로 구인할 수 없다.
② 검사가 피의자를 신문함에는 검찰청수사관 또는 서기관이나 서기를 참여하게 하여야 하고, 사법경찰관이 피의자를 신문함에는 사법경찰관리를 참여하게 하여야 한다.
③ 수사기관이 피의자신문을 하면서 정당한 사유가 없더라도 변호인에 대하여 피의자로부터 떨어진 곳으로 옮겨 앉으라고 지시를 한 다음 이러한 지시에 따르지 않았음을 이유로 변호인의 피의자신문 참여권을 제한하는 것은 허용될 수 있다.
④ 피의자의 진술은 피의자 또는 변호인의 동의 없이 영상녹화할 수 있으므로 미리 영상녹화사실을 알려 줄 필요는 없다. 단지 조사의 개시부터 종료까지의 전 과정 및 객관적 정황을 영상녹화하여야 한다.

지문분석 난이도 ㊦ 정답 ②

| 키 워 드 | 피의자신문
| 출제유형 | 옳은 지문 고르기

② (O) 형사소송법 제243조
① (X) 수사기관이 관할 지방법원 판사가 발부한 구속영장에 의하여 피의자를 구속하는 경우, 그 구속영장은 기본적으로 장차 공판정에의 출석이나 형의 집행을 담보하기 위한 것이지만, 이와 함께 형사소송법(이하 '법'이라 한다) 제202조, 제203조에서 정하는 구속기간의 범위 내에서 수사기관이 법 제200조, 제241조 내지 제244조의5에 규정된 피의자신문의 방식으로 구속된 피의자를 조사하는 등 적정한 방법으로 범죄를 수사하는 것도 예정하고 있다고 할 것이다. 따라서 구속영장 발부에 의하여 적법하게 구금된 피의자가 피의자신문을 위한 출석요구에 응하지 아니하면서 수사기관 조사실에의 출석을 거부한다면 수사기관은 그 구속영장의 효력에 의하여 피의자를 조사실로 구인할 수 있다고 보아야 할 것이다(대법원 2013.7.1. 2013모160 결정).
③ (X) 수사기관이 피의자신문을 하면서 위와 같은 정당한 사유가 없는데도 변호인에 대하여 피의자로부터 떨어진 곳으로 옮겨 앉으라고 지시를 한 다음 이러한 지시에 따르지 않았음을 이유로 변호인의 피의자신문 참여권을 제한하는 것 역시 허용될 수 없다(대법원 2008.9.12. 2008모793 결정).
④ (X) 피의자진술을 영상녹화하기 위해서는 피의자나 변호인의 동의를 받을 필요는 없으나, 미리 영상녹화사실을 알려 주어야 한다(형사소송법 제244조의2 제1항).

12 0680

2022 경찰 간부

수사에 대한 설명으로 가장 적절하지 않은 것은? (다툼이 있는 경우 판례에 의함)

① 검사 또는 사법경찰관은 정당한 사유가 없으면 피의자신문에 참여한 변호인에게 피의자에 대한 법적인 조언·상담을 보장해야 하며, 법적인 조언·상담을 위한 변호인의 메모를 허용해야 한다.
② 구속영장 발부에 의하여 적법하게 구금된 피의자가 피의자신문을 위한 출석요구에 응하지 아니하면서 수사기관 조사실에 출석을 거부하는 경우, 수사기관은 그 구속영장의 효력에 의하여 피의자를 조사실로 구인할 수 있다.
③ 피의자진술의 영상녹화는 조사가 개시된 시점부터 종료까지의 전 과정이 녹화된 것이어야 하며, 조사과정 일부에 대한 선별적 영상녹화는 허용되지 않는다.
④ 사기사건에 있어서 사법경찰관이 작성한 피의자신문조서에 대하여 피의자였던 피고인이 그 조서의 내용을 부인하는 경우, 피의자 진술과정에서 작성한 영상녹화물 재생을 통해 증거능력을 인정할 수 있다.

지문분석 난이도 ㊥ 정답 ④

| 키 워 드 | 피의자신문
| 출제유형 | 틀린 지문 고르기

④ (X) 검사 이외의 수사기관이 작성한 피의자신문조서는 적법한 절차와 방식에 따라 작성된 것으로서 공판준비 또는 공판기일에 그 피의자였던 피고인 또는 변호인이 그 내용을 인정할 때에 한하여 증거로 할 수 있다(형사소송법 제312조 제3항). 즉, 내용의 인정은 그 피의자였던 피고인 또는 변호인이 하여야만 하며, 영상녹화물의 재생을 통하여 증거능력을 인정할 수는 없다.
① (O) 수사준칙 제13조 제1항
② (O) 대법원 2013.7.1. 2013모160 결정
③ (O) 형사소송법 제244조의2 제1항

13 0681

2020 경찰 1차

피의자신문에 대한 설명 중 가장 적절하지 않은 것은? (다툼이 있는 경우 판례에 의함)

① 변호인의 수사방해나 수사기밀의 유출에 대한 우려가 없고 조사실의 장소적 제약 등과 같은 특별한 사정이 없는 상황에서 수사관 A가 피의자신문에 참여한 변호인 B에게 피의자 후방에 앉으라고 요구하는 행위는 목적의 정당성과 수단의 적절성뿐만 아니라 침해의 최소성과 법익 균형성도 충족하지 못하므로 B의 변호권을 침해한다.

② 피의자신문에 참여한 변호인은 원칙적으로 신문 후 의견을 진술할 수 있다. 다만, 신문 중이더라도 부당한 신문방법에 대하여 이의를 제기할 수 있고, 검사 또는 사법경찰관의 승인을 얻어 의견을 진술할 수 있다.

③ 검사 또는 사법경찰관은 피의자가 신체적 또는 정신적 장애로 사물을 변별하거나 의사를 결정·전달할 능력이 미약한 때와 피의자의 연령·성별·국적 등의 사정을 고려하여 그 심리적 안정의 도모와 원활한 의사소통을 위하여 필요한 경우 직권 또는 피의자, 법정대리인의 신청에 따라 피의자와 신뢰관계인을 동석시킬 수 있다. 이 경우 동석한 신뢰관계인이 피의자를 대신하여 진술할 수 있으며 진술한 부분이 조서에 기재되어 있다면 이를 유죄 인정의 증거로 사용할 수 있다.

④ 인지절차를 밟기 전에 수사를 하였다고 하더라도 그 수사가 장차 인지의 가능성이 전혀 없는 상태하에서 행해졌다는 등의 특별한 사정이 없는 한 인지절차가 이루어지기 전에 수사를 하였다는 이유만으로 그 수사가 위법하다고 볼 수는 없고, 따라서 그 수사과정에서 작성된 피의자신문조서나 진술조서 등의 증거능력도 이를 부인할 수 없다.

지문분석

난이도 중 정답 ③

| 키 워 드 | 피의자신문

| 출제유형 | 틀린 지문 고르기

③ (X) 형사소송법 제244조의5는, 검사 또는 사법경찰관은 피의자를 신문하는 경우 피의자가 신체적 또는 정신적 장애로 사물을 변별하거나 의사를 결정·전달할 능력이 미약한 때나 피의자의 연령·성별·국적 등의 사정을 고려하여 그 심리적 안정의 도모와 원활한 의사소통을 위하여 필요한 경우에는, 직권 또는 피의자·법정대리인의 신청에 따라 피의자와 신뢰관계에 있는 자를 동석하게 할 수 있도록 규정하고 있다. 구체적인 사안에서 위와 같은 동석을 허락할 것인지는 원칙적으로 검사 또는 사법경찰관이 피의자의 건강 상태 등 여러 사정을 고려하여 재량에 따라 판단하여야 할 것이나, 이를 허락하는 경우에도 동석한 사람으로 하여금 피의자를 대신하여 진술하도록 하여서는 안 된다. 만약 동석한 사람이 피의자를 대신하여 진술한 부분이 조서에 기재되어 있다면 그 부분은 피의자의 진술을 기재한 것이 아니라 동석한 사람의 진술을 기재한 조서에 해당하므로, 그 사람에 대한 진술조서로서의 증거능력을 취득하기 위한 요건을 충족하지 못하는 한 이를 유죄 인정의 증거로 사용할 수 없다(대법원 2009.6.23. 2009도1322).

① (O) 헌법재판소 2017.11.30. 2016헌마503 결정

② (O) 형사소송법 제243조의2 제3항

④ (O) 대법원 2001.10.26. 2000도2968

14 0682

2020 경찰 승진

피의자신문에 관한 설명 중 가장 적절하지 않은 것은? (다툼이 있는 경우 판례에 의함)

① 피고인이 피의자신문조서에 기재된 피고인 진술의 임의성을 다투면서 그것이 허위자백이라고 다투는 경우, 법원은 구체적인 사건에 따라 피고인의 학력, 경력, 직업, 사회적 지위, 지능 정도, 진술의 내용, 조서의 형식 등 제반 사정을 참작하여 자유로운 심증으로 위 진술이 임의로 된 것인지 여부를 판단할 수 있다.

② 수사기관은 피의자가 신체적 또는 정신적 장애로 사물을 변별하거나 의사를 결정·전달할 능력이 미약한 때에는 신뢰관계에 있는 자를 동석하게 하여야 하며, 이때 신뢰관계인이 동석하지 않은 상태로 행한 진술은 임의성이 인정되더라도 유죄 인정의 증거로 사용할 수 없다.

③ 신문에 참여하고자 하는 변호인이 2인 이상인 때에는 피의자가 신문에 참여할 변호인 1인을 지정한다. 지정이 없는 경우에는 검사 또는 사법경찰관이 이를 지정할 수 있다.

④ 사법경찰관은 피의자가 조사장소에 도착한 시각, 조사를 시작하고 마친 시각, 그 밖에 조사과정의 진행경과를 확인하기 위하여 필요한 사항을 피의자신문조서에 기록하거나 별도의 서면에 기록한 후 수사기록에 편철하여야 한다.

지문분석

난이도 하 정답 ②

| 키 워 드 | 피의자신문

| 출제유형 | 틀린 지문 고르기

② (X) 수사기관은 피의자가 신체적 또는 정신적 장애로 사물을 변별하거나 의사를 결정·전달할 능력이 미약한 때에는 직권 또는 피의자·법정대리인의 신청에 따라 피의자와 신뢰관계에 있는 자를 동석하게 할 수 있다(형사소송법 제244조의5).

① (O) 대법원 1994.11.4. 94도129

③ (O) 형사소송법 제243조의2 제2항

④ (O) 형사소송법 제244조의4 제1항

15 0683

2019 경찰 승진

형사소송법상 피의자신문에 대한 설명으로 가장 적절하지 않은 것은? (다툼이 있는 경우 판례에 의함)

① 피의자의 진술을 영상녹화할 경우에는 미리 영상녹화사실을 알려 주어야 하는데, 이 경우 피의자 또는 변호인의 동의를 얻어야 하는 것은 아니다.

② 수사기관이 변호인의 피의자신문 참여를 부당하게 제한하거나 중단시킨 경우에는 준항고를 통해 다툴 수 있다.

③ 검사 또는 사법경찰관은 피의자가 신체적 또는 정신적 장애로 사물을 변별하거나 의사를 결정·전달할 능력이 미약한 때에는 직권 또는 피의자·법정대리인의 신청에 따라 피의자와 신뢰관계에 있는 자를 동석하게 하여야 한다.

④ 장차 인지의 가능성이 전혀 없는 상태하에서 수사가 행해졌다는 등의 특별한 사정이 없는 한, 인지절차가 이루어지기 전에 수사를 하였다는 이유만으로 그 수사가 위법하다고 할 수 없고 그 수사과정에서 작성된 피의자신문조서나 진술조서 등의 증거능력도 이를 부인할 수 없다.

지문분석 난이도 하 정답 ③

| 키 워 드 | 피의자신문

| 출제유형 | 틀린 지문 고르기

③ (X) 검사 또는 사법경찰관은 피의자가 신체적 또는 정신적 장애로 사물을 변별하거나 의사를 결정·전달할 능력이 미약한 때에는 직권 또는 피의자·법정대리인의 신청에 따라 피의자와 신뢰관계에 있는 자를 동석하게 할 수 있다(형사소송법 제244조의5).

① (O) 형사소송법 제244조의2 제1항

② (O) 형사소송법 제417조

④ (O) 대법원 2001.10.26. 2000도2968

16 0684

2019 국가직 9급

피의자신문에 대한 설명으로 옳지 않은 것은? (다툼이 있는 경우 판례에 의함)

① 적법한 구속영장이 발부된 이상 수사기관으로서는 피의자신문을 위해 그 구속영장의 효력에 의하여 구금된 피의자를 조사실로 구인할 수 있다.

② 수사기관이 진술자의 성명을 가명으로 기재하여 조서를 작성하였다고 해서 그 이유만으로 그 조서가 '적법한 절차와 방식'에 따라 작성되지 않았다고 할 것은 아니다.

③ 검사가 피고인의 공판절차에서 이미 증언을 마친 증인에게 수사기관에 출석할 것을 요구하여 그 증인을 상대로 위증의 혐의를 조사한 내용을 담은 피의자신문조서는 그 피고인이 증거로 함에 동의하더라도 증거능력이 인정되지 않는다.

④ 피의자의 진술을 영상녹화하는 경우 미리 그 사실을 알려 주어야 하며, 조사의 개시부터 종료까지의 전 과정 및 객관적 정황을 영상녹화하여야 한다.

지문분석 난이도 중 정답 ③

| 키 워 드 | 피의자신문

| 출제유형 | 틀린 지문 고르기

③ (X) 공판준비 또는 공판기일에서 이미 증언을 마친 증인을 검사가 소환한 후 피고인에게 유리한 증언 내용을 추궁하여 이를 일방적으로 번복시키는 방식으로 작성한 진술조서를 유죄의 증거로 삼는 것은 당사자주의·공판중심주의·직접주의를 지향하는 현행 형사소송법의 소송구조에 어긋나는 것일 뿐만 아니라, 헌법 제27조가 보장하는 기본권, 즉 법관의 면전에서 모든 증거자료가 조사·진술되고 이에 대하여 피고인이 공격·방어할 수 있는 기회가 실질적으로 부여되는 재판을 받을 권리를 침해하는 것이므로, 이러한 진술조서는 피고인이 증거로 할 수 있음에 동의하지 아니하는 한 증거능력이 없고, 그 후 원진술자인 종전 증인이 다시 법정에 출석하여 증언을 하면서 그 진술조서의 성립의 진정함을 인정하고 피고인 측에 반대신문의 기회가 부여되었다고 하더라도 그 증언 자체를 유죄의 증거로 할 수 있음은 별론으로 하고 위와 같은 진술조서의 증거능력이 없다는 결론은 달리할 것이 아니다. 이는 검사가 공판준비 또는 공판기일에서 이미 증언을 마친 증인에게 수사기관에 출석할 것을 요구하여 그 증인을 상대로 위증의 혐의를 조사한 내용을 담은 피의자신문조서의 경우도 마찬가지이다(대법원 2013.8.14. 2012도13665).

① (O) 대법원 2013.7.1. 2013모160 결정

② (O) 대법원 2012.5.24. 2011도7757

④ (O) 형사소송법 제244조의2 제1항 후문

17 0685

2021 경찰 승진

피의자신문에 대한 설명으로 가장 적절하지 않은 것은? (다툼이 있는 경우 판례에 의함)

① 피의자가 불구속 상태에서 피의자신문을 받을 때에도 변호인의 참여를 요구할 권리를 가진다.

② 피의자가 피의자신문조서를 열람한 후 이의를 제기한 경우 이를 조서에 추가로 기재해야 하며, 이의를 제기하였던 부분은 부당한 심증형성의 기초가 되지 않도록 삭제하여야 한다.

③ 검사 또는 사법경찰관은 변호인의 신문참여 및 그 제한에 관한 사항을 피의자신문조서에 기재하여야 한다.

④ 검사 또는 사법경찰관은 피의자가 조사장소에 도착한 시각, 조사를 시작하고 마친 시각, 그 밖에 조사과정의 진행경과를 확인하기 위하여 필요한 사항을 피의자신문조서에 기록하거나 별도의 서면에 기록한 후 수사기록에 편철하여야 한다.

지문분석 난이도 중 정답 ②

| 키 워 드 | 피의자신문

| 출제유형 | 틀린 지문 고르기

② (X) 피의자가 피의자신문조서를 열람한 후 이의를 제기한 경우 이를 조서에 추가로 기재해야 하며, 이의를 제기하였던 부분은 읽을 수 있도록 남겨 두어야 한다(형사소송법 제244조 제2항).

① (O) 형사소송법 제243조의2 제1항

③ (O) 형사소송법 제243조의2 제5항

④ (O) 형사소송법 제244조의4 제1항

✓ 개념체크 **피의자신문절차에서 수갑해제요청을 한 변호인을 퇴실시킨 사안**

[1] **검사 또는 사법경찰관이 구금된 피의자에 대한 신문절차에서 인정신문 시작 전 피의자 또는 변호인으로부터 보호장비를 해제해 달라는 요구를 받고도 교도관에게 수갑을 해제하여 달라고 요청하지 않은 조치가 형사소송법 제417조에 규정된 '구금에 관한 처분'에 해당하여 준항고의 대상이 되는지 여부: 인정**

형사소송법 제417조는 검사 또는 사법경찰관의 '구금에 관한 처분'에 불복이 있으면 법원에 그 처분의 취소 또는 변경을 청구할 수 있다고 규정하고 있다. 검사 또는 사법경찰관이 보호장비 사용을 정당화할 위와 같은 예외적 사정이 존재하지 않음에도 구금된 피의자에 대한 교도관의 보호장비 사용을 용인한 채 그 해제를 요청하지 않는 경우에, 검사 및 사법경찰관의 이러한 조치를 형사소송법 제417조에서 정한 '구금에 관한 처분'으로 보지 않는다면 구금된 피의자로서는 이에 대하여 불복하여 침해된 권리를 구제받을 방법이 없게 된다. 따라서 검사 또는 사법경찰관이 구금된 피의자를 신문할 때 피의자 또는 변호인으로부터 보호장비를 해제해 달라는 요구를 받고도 거부한 조치는 형사소송법 제417조 제1항에서 정한 '구금에 관한 처분'에 해당한다고 보아야 한다.

[2] **변호인이 피의자신문 중 부당한 신문방법에 대한 이의를 제기하였다는 이유만으로 변호인을 조사실에서 퇴거시킨 검사 또는 사법경찰관의 조치는 변호인의 피의자신문 참여권을 제한하는 것으로서 허용될 수 없는지 여부: 인정**

형사소송법 제243조의2 제1항은 검사 또는 사법경찰관은 피의자 또는 변호인 등이 신청할 경우 정당한 사유가 없는 한 변호인을 피의자신문에 참여하게 하여야 한다고 규정하고 있다. 여기에서 '정당한 사유'란 변호인이 피의자신문을 방해하거나 수사기밀을 누설할 염려가 있음이 객관적으로 명백한 경우 등을 말한다. 형사소송법 제243조의2 제3항 단서는 피의자신문에 참여한 변호인은 신문 중이라도 부당한 신문방법에 대하여 이의를 제기할 수 있다고 규정하고 있으므로, 검사 또는 사법경찰관의 부당한 신문방법에 대한 이의제기는 고성, 폭언 등 그 방식이 부적절하거나 또는 합리적 근거 없이 반복적으로 이루어지는 등의 특별한 사정이 없는 한, 원칙적으로 변호인에게 인정된 권리의 행사에 해당하며, 신문을 방해하는 행위로는 볼 수 없다. 따라서 검사 또는 사법경찰관이 그러한 특별한 사정 없이, 단지 변호인이 피의자신문 중에 부당한 신문방법에 대한 이의제기를 하였다는 이유만으로 변호인을 조사실에서 퇴거시키는 조치는 정당한 사유 없이 변호인의 피의자신문 참여권을 제한하는 것으로서 허용될 수 없다(대법원 2020.3.17. 2015모2357 결정).

18 0686

2020 경찰 1차

형사절차상 영상녹화에 대한 설명 중 가장 적절한 것은? (다툼이 있는 경우 판례에 의함)

① 법원은 검사, 피고인 또는 변호인의 신청이 있는 때에는 특별한 사정이 없는 한 공판정에서의 심리의 전부 또는 일부를 속기사로 하여금 속기하게 하거나 녹음장치 또는 영상녹화장치를 사용하여 녹음 또는 영상녹화하여야 하며, 필요하다고 인정하는 때에는 직권으로 이를 명할 수 있다.
② 검사 또는 사법경찰관은 수사에 필요한 때에는 피의자가 아닌 자의 출석을 요구하여 진술을 들을 수 있으며, 이 경우 그에게 영상녹화사실을 알리고 영상녹화할 수 있다.
③ 피의자의 진술을 영상녹화할 때에는 그의 동의를 받아 조사의 개시부터 종료까지의 전 과정 및 객관적 정황을 영상녹화하여야 한다.
④ 피의자의 진술에 대한 영상녹화가 완료된 이후 피의자가 그 내용에 대하여 이의를 제기한 때에는 그 이의의 진술을 별도로 녹화하여 첨부하여야 한다.

지문분석 난이도 하 정답 ①

| 키 워 드 | 피의자신문
| 출제유형 | 옳은 지문 고르기

① (O) 형사소송법 제56조의2 제1항
② (X) 검사 또는 사법경찰관은 수사에 필요한 때에는 피의자가 아닌 자의 출석을 요구하여 진술을 들을 수 있다. 이 경우 그의 동의를 받아 영상녹화할 수 있다(형사소송법 제221조 제1항).
③ (X) 피의자의 진술은 영상녹화할 수 있다. 이 경우 미리 영상녹화사실을 알려 주어야 하며, 조사의 개시부터 종료까지의 전 과정 및 객관적 정황을 영상녹화하여야 한다(형사소송법 제244조의2 제1항).
④ (X) 피의자의 진술에 대한 영상녹화가 완료된 이후 피의자가 그 내용에 대하여 이의를 진술하는 때에는 그 취지를 기재한 서면을 첨부하여야 한다(형사소송법 제244조의2 제3항).

19 0687

2020 경찰 승진

영상녹화제도에 관한 설명 중 가장 적절한 것은? (다툼이 있는 경우 판례에 의함)

① 수사기관이 피의자의 진술을 영상녹화하려는 경우 피의자 또는 변호인에게 미리 영상녹화사실을 알려 주어야 하며, 형사소송법 제244조의2 제1항에 따라 반드시 서면으로 사전 동의를 받아야 한다.
② 피의자 진술에 대한 영상녹화가 완료된 이후 피의자 또는 변호인에게 영상녹화물을 재생하여 시청하게 하여야 하며, 그 내용에 대하여 이의를 진술하는 때에는 해당 내용을 삭제하고 그 진술을 영상녹화하여 첨부하여야 한다.
③ 피고인 또는 피고인이 아닌 자의 진술을 내용으로 하는 영상녹화물은 공판준비 또는 공판기일에 피고인 또는 피고인이 아닌 자가 진술함에 있어서 기억이 명백하지 아니한 사항에 관하여 기억을 환기시켜야 할 필요가 있다고 인정되는 때에 한하여 피고인 또는 피고인이 아닌 자에게 재생하여 시청하게 할 수 있다.
④ 수사기관이 참고인을 조사하는 과정에서 형사소송법 제221조 제1항에 따라 작성한 영상녹화물은, 다른 법률에서 달리 규정하고 있는 등의 특별한 사정이 없는 한, 원칙적으로 공소사실을 직접 증명할 수 있는 독립적인 증거로 사용될 수 있다.

지문분석 난이도 중 정답 ③

| 키 워 드 | 피의자신문
| 출제유형 | 옳은 지문 고르기

③ (O) 형사소송법 제318조의2 제2항
① (X) 수사기관이 피의자의 진술을 영상녹화하려는 경우 피의자 또는 변호인에게 미리 영상녹화사실을 알려 주어야 한다(형사소송법 제244조의2 제1항). 이때 피의자 또는 변호인에게 미리 알려 주면 충분하고 피의자나 변호인의 동의를 받을 필요는 없다.
② (X) 피의자 진술에 대한 영상녹화가 완료된 경우에 피의자 또는 변호인의 요구가 있는 때에는 영상녹화물을 재생하여 시청하게 하여야 한다. 이 경우 그 내용에 대하여 이의를 진술하는 때에는 그 취지를 기재한 서면을 첨부하여야 한다(형사소송법 제244조의2 제3항).
④ (X) 2007.6.1. 법률 제8496호로 개정되기 전의 형사소송법에는 없던 수사기관에 의한 피의자 아닌 자(이하 '참고인'이라 한다) 진술의 영상녹화를 새로 정하면서 그 용도를 참고인에 대한 진술조서의 실질적 진정성립을 증명하거나 참고인의 기억을 환기시키기 위한 것으로 한정하고 있는 현행 형사소송법의 규정 내용을 영상물에 수록된 성범죄 피해자의 진술에 대하여 독립적인 증거능력을 인정하고 있는 성폭력범죄의 처벌 등에 관한 특례법 제30조 제6항 또는 아동·청소년의 성보호에 관한 법률 제26조 제6항의 규정과 대비하여 보면, 수사기관이 참고인을 조사하는 과정에서 형사소송법 제221조 제1항에 따라 작성한 영상녹화물은, 다른 법률에서 달리 규정하고 있는 등의 특별한 사정이 없는 한, 공소사실을 직접 증명할 수 있는 독립적인 증거로 사용될 수는 없다고 해석함이 타당하다(대법원 2014.7.10. 2012도5041).

20 0688

2021 경찰 승진

진술의 영상녹화제도에 대한 설명으로 가장 적절하지 않은 것은? (다툼이 있는 경우 판례에 의함)

① 피의자의 진술은 영상녹화할 수 있다. 이 경우 미리 영상녹화사실을 알려주어야 하며, 조사의 개시부터 종료까지의 전 과정 및 객관적 상황을 영상녹화하여야 한다.
② 영상녹화가 완료된 때에는 피의자 또는 변호인 앞에서 지체 없이 그 원본을 봉인하고 피의자로 하여금 기명날인 또는 서명하게 하여야 한다.
③ 피의자가 아닌 자의 진술을 영상녹화하고자 할 때에는 미리 피의자가 아닌 자에게 영상녹화 사실을 알려 주고 동의를 받아야 한다.
④ 아동·청소년대상 성범죄 피해자 진술을 영상녹화하는 경우 피해자 또는 법정대리인이 거부하더라도 영상녹화를 하여야 한다. 다만, 가해자가 친권자 중 일방인 경우는 그러하지 아니하다.

지문분석 난이도 중 정답 ④

| 키 워 드 | 피의자신문
| 출제유형 | 틀린 지문 고르기

④ (X) 아동·청소년대상 성범죄 피해자의 진술내용과 조사과정은 비디오녹화기 등 영상물 녹화장치로 촬영·보존하여야 한다. 이 경우 영상물 녹화는 피해자 또는 법정대리인이 이를 원하지 아니하는 의사를 표시한 때에는 촬영을 하여서는 아니 된다. 다만, 가해자가 친권자 중 일방인 경우는 그러하지 아니하다(아동·청소년의 성보호에 관한 법률 제26조 제1항·제2항).
① (O) 형사소송법 제244조의2 제1항
② (O) 형사소송법 제244조의2 제2항
③ (O) 형사소송법 제221조 제1항

21 0689

2021 경찰 승진

형사소송법 및 형사소송규칙상 신뢰관계에 있는 자의 동석에 대한 설명으로 가장 적절하지 않은 것은? (다툼이 있는 경우 판례에 의함)

① 법원은 범죄로 인한 피해자를 증인으로 신문하는 경우 증인의 연령, 심신의 상태, 그 밖의 사정을 고려하여 증인이 현저하게 불안 또는 긴장을 느낄 우려가 있다고 인정하는 때에는 직권 또는 피해자·법정대리인·검사의 신청에 따라 피해자와 신뢰관계에 있는 자를 동석하게 할 수 있다.
② 법원은 범죄로 인한 피해자가 13세 미만이거나 신체적 또는 정신적 장애로 사물을 변별하거나 의사를 결정할 능력이 미약한 경우에 재판에 지장을 초래할 우려가 있는 등 부득이한 경우가 아닌 한 피해자와 신뢰관계에 있는 자를 동석하게 하여야 한다.
③ 피해자와 신뢰관계에 있는 사람은 피해자의 배우자, 직계친족, 형제자매, 가족, 동거인, 고용주, 변호사, 그 밖에 피해자의 심리적 안정과 원활한 의사소통에 도움을 줄 수 있는 사람을 말한다.
④ 동석한 자는 법원·소송관계인의 신문 또는 증인의 진술을 방해하거나 그 진술의 내용에 부당한 영향을 미칠 수 있는 행위를 하여서는 아니 되며, 재판장은 동석한 자가 부당하게 재판의 진행을 방해하는 때에는 그 행위의 중지를 명할 수 있으나, 동석 자체를 중지시킬 수는 없다.

지문분석 난이도 중 정답 ④

| 키 워 드 | 신뢰관계인의 동석
| 출제유형 | 틀린 지문 고르기

④ (X) 재판장은 동석한 자가 부당하게 재판의 진행을 방해한 때에는 동석을 중지시킬 수 있다(형사소송규칙 제84조의3 제3항).
① (O) 형사소송법 제163조의2 제1항
② (O) 형사소송법 제163조의2 제2항
③ (O) 형사소송규칙 제84조의3 제1항

3 참고인 조사

22 0690

2020 경찰 2차

임의수사에 대한 설명으로 가장 적절한 것은? (다툼이 있는 경우 판례에 의함)

① 피의자가 영상녹화물의 내용에 대해 이의를 진술하는 때에는 그 진술을 따로 영상녹화하여 첨부하여야 한다.
② 수사기관이 참고인을 조사하는 과정에서 형사소송법 제221조 제1항에 따라 작성한 영상녹화물은 원칙적으로 공소사실을 직접 증명할 수 있는 독립적인 증거로 사용될 수 있다.
③ 형사소송법 제244조의2 제1항에 따르면 수사기관은 피의자신문절차에서 피의자의 진술을 영상녹화할 경우 미리 영상녹화사실을 알리고 동의를 받아야 한다.
④ 수사기관이 수사의 필요상 피의자를 임의동행한 경우에도 조사 후 귀가시키지 아니하고 그의 의사에 반하여 경찰서 보호실 등에 계속 유치함으로써 신체의 자유를 속박하였다면 이는 구금에 해당된다.

지문분석 난이도 하 정답 ④

| 키 워 드 | 임의수사
| 출제유형 | 옳은 지문 고르기

④ (O) 대법원 1985.7.29. 85모16 결정
① (X) 피의자가 영상녹화물의 내용에 대해 이의를 진술하는 때에는 그 취지를 기재한 서면을 첨부하여야 한다(형사소송법 제244조의2 제3항).
② (X) 2007.6.1. 법률 제8496호로 개정되기 전의 형사소송법에는 없던 수사기관에 의한 피의자 아닌 자(이하 '참고인'이라 한다) 진술의 영상녹화를 새로 정하면서 그 용도를 참고인에 대한 진술조서의 실질적 진정성립을 증명하거나 참고인의 기억을 환기시키기 위한 것으로 한정하고 있는 현행 형사소송법의 규정 내용을 영상물에 수록된 성범죄 피해자의 진술에 대하여 독립적인 증거능력을 인정하고 있는 성폭력범죄의 처벌 등에 관한 특례법 제30조 제6항 또는 아동·청소년의 성보호에 관한 법률 제26조 제6항의 규정과 대비하여 보면, 수사기관이 참고인을 조사하는 과정에서 형사소송법 제221조 제1항에 따라 작성한 영상녹화물은, 다른 법률에서 달리 규정하고 있는 등의 특별한 사정이 없는 한, 공소사실을 직접 증명할 수 있는 독립적인 증거로 사용될 수는 없다고 해석함이 타당하다(대법원 2014.7.10. 2012도5041).
③ (X) 피의자의 진술은 영상녹화할 수 있다. 이 경우 미리 영상녹화사실을 알려 주어야 한다(형사소송법 제244조의2 제1항).

4 감정·통역·번역의 위촉

23 0691

2016 경찰 승진

수사상 감정유치에 관한 설명 중 가장 적절하지 않은 것은?

① 피의자에 대한 감정유치기간은 피의자의 구속기간에 산입한다.
② 검사는 감정을 위촉하는 경우에 피의자의 정신 또는 신체에 관한 감정을 위하여 유치처분이 필요할 때에는 판사에게 이를 청구하여야 한다.
③ 불구속 피고인에 대하여 감정유치장을 발부하여 구속할 때에는 범죄사실의 요지와 변호인을 선임할 수 있음을 알려 주어야 한다.
④ 감정유치는 감정을 목적으로 신체의 자유를 구속하는 강제처분이므로 법관이 발부하는 영장, 즉 감정유치장을 요한다.

지문분석 난이도 상 정답 ①

| 키 워 드 | 수사상 감정
| 출제유형 | 틀린 지문 고르기

① (X) 구속 중인 피의자에 대하여 감정유치장이 집행되었을 때에는 피의자가 유치되어 있는 기간 구속은 그 집행이 정지된 것으로 간주한다(형사소송법 제221조의3 제2항, 제172조의2 제1항). 따라서 감정유치기간은 구속기간에 산입되지 아니한다.
② (O) 형사소송법 제221조의3 제1항
③ (O) 형사소송법 제172조 제7항
④ (O) 형사소송법 제172조 제4항

CHAPTER

04 강제수사

■ 기본서 연계페이지: p.1238~1266 ■ 문항 수: 32문항

1 강제수사의 의의

01 0692 2020 경찰 승진

다음 중 사후적 구제제도로 보기에 가장 적절하지 않은 것은?

① 구속 전 피의자심문제도
② 체포·구속적부심사제도
③ 강제처분에 대한 준항고
④ 형사보상제도

지문분석 난이도 하 정답 ①

| 키 워 드 | 사후적 구제제도
| 출제유형 | 틀린 지문 고르기

① (X) 구속 전 피의자심문제도는 구속영장의 청구를 받은 판사가 피의자를 직접 심문하여 구속사유를 판단하는 제도(형사소송법 제201조의2)로서, 사전적 구제절차에 해당한다.
②, ③, ④ (O) 사후적 구제제도에 해당한다.

2 체포

02 0693 2019 경찰 2차(변형)

체포절차에 대한 설명으로 가장 적절하지 않은 것은?

① 사법경찰관이 피의자를 체포하였을 때에는 변호인이 있으면 변호인에게, 변호인이 없으면 변호인선임권자 중 피의자가 지정한 자에게 지체 없이 서면으로 체포의 통지를 하여야 한다.
② 체포된 피의자는 관할법원에 체포의 적부심사를 청구할 수 있으며, 청구를 받은 법원은 심사청구 후 피의자에 대하여 공소제기가 있는 경우에도 청구가 이유 있다고 인정한 때에는 결정으로 피의자의 석방을 명하여야 한다.
③ 검사 또는 사법경찰관이 형사소송법 제200조의3의 규정에 의하여 피의자를 긴급체포하는 경우에는 반드시 피의사실의 요지, 체포의 이유와 변호인을 선임할 수 있음을 말하고, 변명할 기회를 주어야 하는데, 이와 같은 고지는 반드시 긴급체포를 위한 실력행사에 들어가기 이전에 미리 하여야 한다.
④ 사법경찰관은 긴급체포한 피의자에 대하여 구속영장을 신청하지 아니하고 석방한 경우에는 즉시 검사에게 보고하여야 한다.

지문분석 난이도 하 정답 ③

| 키 워 드 | 체포
| 출제유형 | 틀린 지문 고르기

③ (X) 검사 또는 사법경찰관이 형사소송법 제200조의3의 규정에 의하여 피의자를 긴급체포하는 경우에는 반드시 피의사실의 요지, 체포의 이유와 변호인을 선임할 수 있음을 말하고, 변명할 기회를 주어야 한다. 이와 같은 고지는 긴급체포를 위한 실력행사에 들어가기 이전에 미리 하여야 하는 것이 원칙이나, 달아나는 피의자를 쫓아가 붙들거나 폭력으로 대항하는 피의자를 실력으로 제압하는 경우에는 붙들거나 제압하는 과정에서 하거나, 그것이 여의치 않은 경우에는 일단 붙들거나 제압한 후에 지체 없이 하여야 한다(대법원 2008.7.24. 2008도2794).
① (O) 형사소송법 제200조의6, 제87조
② (O) 형사소송법 제214조의2 제1항·제4항
④ (O) 형사소송법 제200조의4 제6항

03 0694

2020 경찰 승진

체포영장에 의한 체포에 관한 설명 중 가장 적절하지 않은 것은? (다툼이 있는 경우 판례에 의함)

① 체포 및 압수·수색현장에서 변호인의 체포영장 등사 요구를 거절한 것만으로는 변호인의 조력을 받을 권리를 원천적으로 침해한 행위라고 보기 어렵다.
② 체포한 피의자를 구속하고자 할 때에는 체포한 때부터 24시간 이내에 구속영장을 청구하여야 하고, 그 기간 내에 구속영장을 청구하지 아니하는 때에는 피의자를 즉시 석방하여야 한다.
③ 경찰관들이 체포를 위한 실력행사에 나아가기 전에 체포영장을 제시하고 미란다 원칙을 고지할 여유가 있었음에도 애초부터 미란다 원칙을 체포 후에 고지할 생각으로 먼저 체포행위에 나선 행위는 적법한 공무집행이라고 보기 어렵다.
④ 체포의 사유가 없거나 소멸된 때에는 법원은 직권 또는 검사, 피의자, 변호인과 피의자의 변호인선임권자의 청구에 의하여 결정으로 체포를 취소하여야 한다.

04 0695

2021 경찰 승진

형사소송법상 영장에 의한 체포제도에 대한 설명으로 가장 적절하지 않은 것은? (다툼이 있는 경우 판례에 의함)

① 다액 50만원 이하의 벌금, 구류 또는 과료에 해당하는 사건에 관하여는 피의자가 일정한 주거가 없는 경우 또는 정당한 이유 없이 수사기관의 출석요구에 응하지 아니한 경우에 한하여 체포할 수 있다.
② 형사소송법은 강제처분에 대한 사전적 구제제도로서 체포 전 피의자신문제도를 두고 있다.
③ 피의자를 체포한 후 그를 다시 구속하고자 할 때에는 체포한 때로부터 48시간 내에 구속영장을 청구해야 한다.
④ 사법경찰관리는 체포영장을 소지하지 아니한 경우에 급속을 요하는 때에는 피의자에 대하여 피의사실의 요지와 영장이 발부되었음을 알리고 집행할 수 있다. 이 경우 집행을 완료한 후에는 신속히 체포영장을 제시해야 한다.

지문분석 난이도 하 정답 ②

| 키 워 드 | 체포
| 출제유형 | 틀린 지문 고르기

② (X) 체포한 피의자를 구속하고자 할 때에는 체포한 때부터 48시간 이내에 제201조의 규정에 의하여 구속영장을 청구하여야 하고, 그 기간 내에 구속영장을 청구하지 아니하는 때에는 피의자를 즉시 석방하여야 한다(형사소송법 제200조의2 제5항).
① (O) 대법원 2017.11.29. 2017도9747
③ (O) 대법원 2017.9.21. 2017도10866
④ (O) 형사소송법 제200조의6, 제93조

지문분석 난이도 중 정답 ②

| 키 워 드 | 체포
| 출제유형 | 틀린 지문 고르기

② (X) 구속과는 달리 체포에 있어서는 지방법원판사가 피의자를 심문(영장실질심사)하는 것은 인정되지 않는다.
① (O) 형사소송법 제200조의2 제1항 단서
③ (O) 형사소송법 제200조의2 제5항
④ (O) 형사소송법 제200조의6, 제85조 제3항·제4항

05 0696

2020 경찰 2차

긴급체포에 대한 다음 설명 중 옳고 그름의 표시(O, X)가 모두 바르게 된 것은? (다툼이 있는 경우 판례에 의함)

㉠ 긴급체포된 피의자에 대하여 구속영장이 발부된 경우 그 구속기간은 피의자를 체포한 날부터 기산한다.
㉡ 긴급체포 요건을 갖추었는지 여부는 체포 당시 상황과 사후에 밝혀진 사정을 종합적으로 판단함으로써 검사나 사법경찰관 등 수사주체의 판단에는 상당한 재량의 여지가 있다.
㉢ 형사소송법 제208조(재구속의 제한)에서 말하는 '구속되었다가 석방된 자'의 범위에는 긴급체포나 현행범으로 체포되었다가 사후영장발부 전에 석방된 경우도 포함된다.
㉣ 긴급체포된 자로부터 압수한 물건에 대해서는 24시간 이내에 한하여 영장 없이 압수·수색할 수 있고, 압수된 물건을 계속 압수할 필요가 있는 경우에는 압수한 때로부터 48시간 이내에 압수·수색영장을 청구하여야 한다.
㉤ 긴급체포 후 구속영장을 발부받지 못하여 석방한 경우 동일한 범죄사실로 다시 긴급체포할 수 없다. 그러나 체포영장을 다시 발부받은 경우 체포가 가능하다.

① ㉠ (O), ㉡ (X), ㉢ (X), ㉣ (X), ㉤ (O)
② ㉠ (O), ㉡ (O), ㉢ (O), ㉣ (X), ㉤ (O)
③ ㉠ (O), ㉡ (X), ㉢ (X), ㉣ (O), ㉤ (X)
④ ㉠ (X), ㉡ (O), ㉢ (O), ㉣ (X), ㉤ (O)

지문분석

난이도 중 정답 ①

| 키 워 드 | 긴급체포

| 출제유형 | 옳고 그름의 표시(O, X)하기

㉠ (O) 형사소송법 제203조의2
㉡ (X) 긴급체포는 영장주의 원칙에 대한 예외인 만큼 형사소송법 제200조의3 제1항의 요건을 모두 갖춘 경우에 한하여 예외적으로 허용되어야 하고, 요건을 갖추지 못한 긴급체포는 법적 근거에 의하지 아니한 영장 없는 체포로서 위법한 체포에 해당하는 것이고, 여기서 긴급체포의 요건을 갖추었는지 여부는 사후에 밝혀진 사정을 기초로 판단하는 것이 아니라 체포 당시의 상황을 기초로 판단하여야 하고, 이에 관한 검사나 사법경찰관 등 수사주체의 판단에는 상당한 재량의 여지가 있다고 할 것이나, 긴급체포 당시의 상황으로 보아서도 그 요건의 충족 여부에 관한 검사나 사법경찰관의 판단이 경험칙에 비추어 현저히 합리성을 잃은 경우에는 그 체포는 위법한 체포라 할 것이고, 이러한 위법은 영장주의에 위배되는 중대한 것이니 그 체포에 의한 유치 중에 작성된 피의자신문조서는 위법하게 수집된 증거로서 특별한 사정이 없는 한 이를 유죄의 증거로 할 수 없다(대법원 2002.6.11. 2000도5701).
㉢ (X) 형사소송법 제200조의4 제3항은 영장 없이는 긴급체포 후 석방된 피의자를 동일한 범죄사실에 관하여 체포하지 못한다는 규정으로, 위와 같이 석방된 피의자라도 법원으로부터 구속영장을 발부받아 구속할 수 있음은 물론이고, 같은 법 제208조 소정의 '구속되었다가 석방된 자'라 함은 구속영장에 의하여 구속되었다가 석방된 경우를 말하는 것이지, 긴급체포나 현행범으로 체포되었다가 사후영장발부 전에 석방된 경우는 포함되지 않는다 할 것이므로, 피고인이 수사 당시 긴급체포되었다가 수사기관의 조치로 석방된 후 법원이 발부한 구속영장에 의하여 구속이 이루어진 경우 앞서 본 법조에 위배되는 위법한 구속이라고 볼 수 없다(대법원 2001.9.28. 2001도4291).
㉣ (X) 압수한 물건을 계속 압수할 필요가 있는 경우에는 체포한 때부터 48시간 이내에 압수·수색영장을 청구하여야 한다(형사소송법 제217조 제2항).
㉤ (O) 긴급체포되었다가 석방된 자는 영장 없이는 동일한 범죄사실에 관하여 체포하지 못한다(형사소송법 제200조의4 제3항). 즉, 긴급체포되었다가 석방된 자도 영장을 받아 체포하는 것은 가능하다.

06 0697

2020 경찰 승진

긴급체포에 관한 설명 중 가장 적절하지 않은 것은? (다툼이 있는 경우 판례에 의함)

① 긴급체포된 자가 소유·소지 또는 보관하는 물건에 대하여 긴급히 압수할 필요가 있어 체포한 때부터 24시간 이내에 영장 없이 압수, 수색 또는 검증을 하는 경우 체포현장이 아닌 장소에서도 긴급체포된 자가 소유·소지 또는 보관하는 물건을 대상으로 할 수 있다.
② 긴급체포의 경우에도 미란다 원칙의 고지는 체포를 위한 실력 행사에 들어가기 이전에 미리 하여야 하는 것이 원칙이나, 달아나는 피의자를 쫓아가 붙들거나 폭력으로 대항하는 피의자를 실력으로 제압하는 경우에는 붙들거나 제압하는 과정에서 하거나, 그것이 여의치 않은 경우에는 일단 붙들거나 제압한 후에 지체 없이 행하여야 한다.
③ 긴급체포 후 구속영장을 발부받지 못하여 석방한 경우 동일한 범죄사실로 다시 긴급체포할 수는 없으나 체포영장을 발부받아 다시 체포하는 것은 가능하다.
④ 긴급체포의 요건을 갖추었는지 여부는 체포 당시의 상황뿐만 아니라 사후에 밝혀진 사정을 종합적으로 고려하여 판단하여야 하며, 그 요건의 충족 여부에 관한 수사기관의 판단이 경험칙에 비추어 현저히 합리성을 잃은 경우에는 그 체포는 위법한 체포라 할 것이다.

지문분석 난이도 중 정답 ④

| 키 워 드 | 긴급체포
| 출제유형 | 틀린 지문 고르기

④ (X) 긴급체포는 영장주의 원칙에 대한 예외인 만큼 형사소송법 제200조의3 제1항의 요건을 모두 갖춘 경우에 한하여 예외적으로 허용되어야 하고, 요건을 갖추지 못한 긴급체포는 법적 근거에 의하지 아니한 영장 없는 체포로서 위법한 체포에 해당하는 것이고, 여기서 긴급체포의 요건을 갖추었는지 여부는 사후에 밝혀진 사정을 기초로 판단하는 것이 아니라 체포 당시의 상황을 기초로 판단하여야 하고, 이에 관한 검사나 사법경찰관 등 수사주체의 판단에는 상당한 재량의 여지가 있다고 할 것이나, 긴급체포 당시의 상황으로 보아서도 그 요건의 충족 여부에 관한 검사나 사법경찰관의 판단이 경험칙에 비추어 현저히 합리성을 잃은 경우에는 그 체포는 위법한 체포라 할 것이고, 이러한 위법은 영장주의에 위배되는 중대한 것이니 그 체포에 의한 유치 중에 작성된 피의자신문조서는 위법하게 수집된 증거로서 특별한 사정이 없는 한 이를 유죄의 증거로 할 수 없다(대법원 2002.6.11. 2000도5701).
① (O) 대법원 2017.9.12. 2017도10309
② (O) 대법원 2010.6.24. 2008도11226
③ (O) 대법원 2001.9.28. 2001도4291

07 0698

2021 경찰 승진

긴급체포에 대한 설명으로 가장 적절하지 않은 것은? (다툼이 있는 경우 판례에 의함)

① 수사기관은 긴급체포 후 구속영장을 발부받지 못하여 피의자를 석방한 경우, 그 피의자를 동일한 범죄사실로 다시 긴급체포할 수 없으나, 체포영장을 다시 발부받아 체포하는 것은 가능하다.
② 사법경찰관이 피의자를 긴급체포한 경우에는 즉시 긴급체포서를 작성하여야 할 뿐만 아니라 즉시 검사의 승인을 얻어야 한다.
③ 긴급체포의 요건을 갖추었는지 여부는 체포 당시의 상황을 기초로 판단하는 것이 아니라 사후에 밝혀진 사정을 기초로 판단하여야 한다.
④ 긴급체포된 피의자에 대하여 구속영장이 발부된 경우 그 구속기간은 피의자를 체포한 날부터 기산한다.

지문분석 난이도 중 정답 ③

| 키 워 드 | 긴급체포
| 출제유형 | 틀린 지문 고르기

③ (X) 긴급체포는 영장주의 원칙에 대한 예외인 만큼 형사소송법 제200조의3 제1항의 요건을 모두 갖춘 경우에 한하여 예외적으로 허용되어야 하고, 요건을 갖추지 못한 긴급체포는 법적 근거에 의하지 아니한 영장 없는 체포로서 위법한 체포에 해당하는 것이고, 여기서 긴급체포의 요건을 갖추었는지 여부는 사후에 밝혀진 사정을 기초로 판단하는 것이 아니라 체포 당시의 상황을 기초로 판단하여야 하고, 이에 관한 검사나 사법경찰관 등 수사주체의 판단에는 상당한 재량의 여지가 있다고 할 것이나, 긴급체포 당시의 상황으로 보아서도 그 요건의 충족 여부에 관한 검사나 사법경찰관의 판단이 경험칙에 비추어 현저히 합리성을 잃은 경우에는 그 체포는 위법한 체포라 할 것이고, 이러한 위법은 영장주의에 위배되는 중대한 것이니 그 체포에 의한 유치 중에 작성된 피의자신문조서는 위법하게 수집된 증거로서 특별한 사정이 없는 한 이를 유죄의 증거로 할 수 없다(대법원 2002.6.11. 2000도5701).
① (O) 형사소송법 제200조의4 제3항
② (O) 형사소송법 제200조의3 제2항·제3항
④ (O) 형사소송법 제203조의2

08 0699

2021 경찰 1차

긴급체포에 대한 설명으로 가장 적절하지 않은 것은? (다툼이 있는 경우 판례에 의함)

① 긴급체포의 요건을 갖추었는지 여부는 사후에 밝혀진 사정을 기초로 판단하는 것이 아니라 체포 당시의 상황을 기초로 판단하여야 하고, 이에 관한 검사나 사법경찰관 등 수사주체의 판단에는 상당한 재량의 여지가 있다.

② 긴급체포 후 구속영장을 청구하지 아니하거나 발부받지 못하여 석방된 자는 영장 없이는 동일한 범죄사실에 관하여 체포하지 못한다.

③ 피의자를 긴급체포하는 경우에 필요한 때에는 영장 없이 체포현장에서 압수·수색을 할 수 있고, 이에 따라 압수한 물건을 계속 압수할 필요가 있는 경우에는 지체 없이 압수·수색영장을 청구하여야 하며, 청구한 압수·수색영장을 발부받지 못한 때에는 압수한 물건을 즉시 반환하여야 하는바, 이를 위반하여 압수·수색영장을 발부받지 아니하고도 즉시 반환하지 아니한 압수물은 피고인이나 변호인이 이를 증거로 함에 동의하지 않는 한 유죄 인정의 증거로 사용할 수 없다.

④ 긴급체포되어 조사를 받고 구속영장이 청구되지 아니하여 석방된 후 검사가 그 석방일로부터 30일 이내에 석방통지를 법원에 하지 아니하더라도, 긴급체포 당시의 상황과 경위, 긴급체포 후 조사과정 등에 특별한 위법이 없는 이상, 그 긴급체포에 의한 유치 중에 작성된 피의자신문조서가 위법하게 작성되었다고 볼 수는 없다.

지문분석 난이도 중 정답 ③

| 키 워 드 | 긴급체포

| 출제유형 | 틀린 지문 고르기

③ (X) 형사소송법 제216조 제1항 제2호, 제217조 제2항, 제3항은 사법경찰관은 형사소송법 제200조의3(긴급체포)의 규정에 의하여 피의자를 체포하는 경우에 필요한 때에는 영장 없이 체포현장에서 압수·수색을 할 수 있고, 압수한 물건을 계속 압수할 필요가 있는 경우에는 지체 없이 압수수색영장을 청구하여야 하며, 청구한 압수수색영장을 발부받지 못한 때에는 압수한 물건을 즉시 반환하여야 한다고 규정하고 있는바, 형사소송법 제217조 제2항, 제3항에 위반하여 압수수색영장을 청구하여 이를 발부받지 아니하고도 즉시 반환하지 아니한 압수물은 이를 유죄 인정의 증거로 사용할 수 없는 것이고, 헌법과 형사소송법이 선언한 영장주의의 중요성에 비추어 볼 때 피고인이나 변호인이 이를 증거로 함에 동의하였다고 하더라도 달리 볼 것은 아니다(대법원 2009.12.24. 2009도11401).

① (O) 대법원 2002.6.11. 2000도5701

② (O) 형사소송법 제200조의4 제3항

④ (O) 대법원 2014.8.26. 2011도6035

09 0700

2016 경찰 1차

현행범인 또는 준현행범인 체포에 관한 다음 설명 중 옳은 것은 모두 몇 개인가? (다툼이 있는 경우 판례에 의함)

㉠ 현행범인은 누구든지 영장 없이 체포할 수 있는데, 현행범인으로 체포하기 위하여는 행위의 가벌성, 범죄의 현행성·시간적 접착성, 범인·범죄의 명백성 이외에 체포의 필요성 즉, 도망 또는 증거인멸의 염려가 있어야 하는 것은 아니다.

㉡ '범죄의 실행행위를 종료한 직후'라고 함은 범죄행위를 실행하여 끝마친 순간 또는 이에 아주 접착된 시간적 단계를 의미하는 것으로 해석되므로, 시간적으로나 장소적으로 보아 체포를 당하는 자가 방금 범죄를 실행한 범인이라는 점에 관한 죄증이 명백히 존재하는 것으로 인정되는 경우에만 현행범인으로 볼 수 있다.

㉢ 경찰관의 현행범인 체포경위 및 그에 관한 현행범인체포서와 범죄사실의 기재에 다소 차이가 있더라도, 그것이 논리와 경험칙상 장소적·시간적 동일성이 인정되는 범위 내라면 그 체포행위가 공무집행방해죄의 요건인 적법한 공무집행에 해당한다.

㉣ 다액 50만원 이하의 벌금, 구류 또는 과료에 해당하는 죄의 현행범인에 대하여는 범인의 주거가 분명하지 아니한 때에 한하여 현행범인으로 체포할 수 있다.

㉤ 사법경찰관리가 현행범인의 인도를 받은 때에는 체포자의 성명, 주거, 체포의 사유를 물어야 하고 필요하더라도 체포자에 대하여 경찰관서에 동행함을 요구할 수는 없다.

① 1개　② 2개
③ 3개　④ 4개

지문분석 난이도 상 정답 ③

| 키 워 드 | 현행범인 체포

| 출제유형 | 개수 찾기

㉡ (O) 대법원 2007.4.13. 2007도1249

㉢ (O) 대법원 2008.10.9. 2008도3640

㉣ (O) 형사소송법 제214조

㉠ (X) 현행범인은 누구든지 영장 없이 체포할 수 있는데(형사소송법 제212조), 현행범인으로 체포하기 위하여는 행위의 가벌성, 범죄의 현행성·시간적 접착성, 범인·범죄의 명백성 이외에 체포의 필요성, 즉 도망 또는 증거인멸의 염려가 있어야 하고, 이러한 요건을 갖추지 못한 현행범인 체포는 법적 근거에 의하지 아니한 영장 없는 체포로서 위법한 체포에 해당한다. 여기서 현행범인 체포의 요건을 갖추었는지는 체포 당시 상황을 기초로 판단하여야 하고, 이에 관한 검사나 사법경찰관 등 수사주체의 판단에는 상당한 재량 여지가 있으나, 체포 당시 상황으로 보아도 요건 충족 여부에 관한 검사나 사법경찰관 등의 판단이 경험칙에 비추어 현저히 합리성을 잃은 경우에는 그 체포는 위법하다고 보아야 한다(대법원 2011.5.26. 2011도3682).

㉤ (X) 사법경찰관리가 현행범인의 인도를 받은 때에는 체포자의 성명, 주거, 체포의 사유를 물어야 하고 필요한 때에는 체포자에 대하여 경찰관서에 동행함을 요구할 수 있다(형사소송법 제213조 제2항).

10 0701

2020 경찰 2차

현행범인 체포에 대한 설명으로 가장 적절한 것은? (다툼이 있는 경우 판례에 의함)

① 검사 또는 사법경찰관리 아닌 이가 현행범인을 체포한 때에는 즉시 검사 또는 사법경찰관리에게 인도하여야 하고, 여기서 '즉시'란 반드시 체포시점과 시간적으로 밀착된 시점이어야 한다.

② 현행범인으로 체포하기 위하여는 행위의 가벌성, 범죄의 현행성, 시간적 접착성, 범인·범죄의 명백성이 있으면 족하고, 도망 또는 증거인멸의 염려가 있어야 하는 것은 아니다.

③ 현행범 체포의 적법성은 체포 당시의 구체적 상황을 기초로 주관적으로 판단하여야 하고, 사후에 범인으로 인정되었는지에 의할 것은 아니다.

④ 현행범을 체포한 경찰관의 진술이라 하더라도 범행을 목격한 부분에 관하여는 여느 목격자의 진술과 다름없이 증거능력이 있다.

지문분석

난이도 하 정답 ④

| 키 워 드 | 현행범인 체포

| 출제유형 | 옳은 지문 고르기

④ (O) 대법원 1995.5.9. 95도535

① (X) 검사 또는 사법경찰관리(이하 '검사 등'이라고 한다) 아닌 이가 현행범인을 체포한 때에는 즉시 검사 등에게 인도하여야 한다(형사소송법 제213조 제1항). 여기서 '즉시'라고 함은 반드시 체포시점과 시간적으로 밀착된 시점이어야 하는 것은 아니고, '정당한 이유 없이 인도를 지연하거나 체포를 계속하는 등으로 불필요한 지체를 함이 없이'라는 뜻으로 볼 것이다(대법원 2011.12.22. 2011도12927).

② (X) 현행범인은 누구든지 영장 없이 체포할 수 있으므로 사인의 현행범인 체포는 법령에 의한 행위로서 위법성이 조각된다고 할 것인데, 현행범인 체포의 요건으로서는 행위의 가벌성, 범죄의 현행성, 시간적 접착성, 범인·범죄의 명백성 외에 체포의 필요성, 즉 도망 또는 증거인멸의 염려가 있을 것을 요한다(대법원 1999.1.26. 98도3029).

③ (X) 공무집행방해죄는 공무원의 적법한 공무집행이 전제로 되는데, 추상적인 권한에 속하는 공무원의 어떠한 공무집행이 적법한지 여부는 행위 당시의 구체적 상황에 기하여 객관적·합리적으로 판단하여야 하고 사후적으로 순수한 객관적 기준에서 판단할 것은 아니다. 마찬가지로 현행범 체포의 적법성은 체포 당시의 구체적 상황을 기초로 객관적으로 판단하여야 하고, 사후에 범인으로 인정되었는지에 의할 것은 아니다(대법원 2013.8.23. 2011도4763).

11 0702

2015 경찰 2차

체포·구속제도에 관한 다음 설명 중 옳은 것은 모두 몇 개인가? (다툼이 있는 경우 판례에 의함)

> ㉠ 피고인이 수사 당시 긴급체포되었다가 수사기관의 조치로 석방된 후 법원이 발부한 구속영장에 의하여 구속이 이루어진 경우에는 위법한 구속이라고 볼 수 없다.
>
> ㉡ 일반 사인이라도 현행범 체포 규정에 의하여 피의자를 현행범으로 체포하는 경우에 영장 없이 타인의 주거에 들어갈 수 있다.
>
> ㉢ 피고인이 경찰관의 불심검문을 받아 운전면허증을 교부한 후 경찰관에게 큰 소리로 욕설을 한 경우, 피고인이 경찰관의 불심검문에 응하여 이미 운전면허증을 교부한 상태이고, 경찰관뿐 아니라 인근 주민도 욕설을 직접 들었다면, 경찰관이 피고인을 모욕죄의 현행범으로 체포하는 행위는 적법한 공무집행이라고 볼 수 없다.
>
> ㉣ 사법경찰관이 피고인을 수사관서까지 동행한 것이 강제연행, 즉 불법체포에 해당한다고 하더라도, 불법체포로부터 6시간 상당이 경과한 이후에 이루어진 긴급체포는 하자가 치유된 것으로 적법하다.

① 1개 ② 2개
③ 3개 ④ 4개

지문분석

난이도 상 정답 ②

| 키 워 드 | 체포·구속

| 출제유형 | 개수 찾기

㉠ (O) 대법원 2001.9.28. 2001도4291

㉢ (O) 대법원 2011.5.26. 2011도3682

㉡ (X) 형사소송법 제212조는 "현행범인은 누구든지 영장 없이 체포할 수 있다."라고 규정하고 있다. 따라서 사인이 현행범인을 체포하는 행위는 법령에 의한 행위로서 위법성이 조각된다. 다만, 위법성이 조각되는 것은 현행범인을 체포하기 위하여 직접 필요한 행위에 국한되고 이를 넘어선 체포행위는 위법성이 조각되지 않는다. 따라서 사인은 현행범인을 체포할 수는 있지만, 현행범인을 체포하기 위하여 타인의 주거를 수색할 수는 없다.

㉣ (X) 사법경찰관이 피고인을 수사관서까지 동행한 것이 사실상의 강제연행, 즉 불법체포에 해당하고, 불법체포로부터 6시간 상당이 경과한 후에 이루어진 긴급체포 또한 위법하다(대법원 2006.7.6. 2005도6810).

12 0703

2020 경찰 승진

현행범인의 체포에 관한 설명 중 가장 적절한 것은? (다툼이 있는 경우 판례에 의함)

① 형사소송법 제211조가 현행범인으로 규정한 '범죄의 실행의 즉후인 자'라고 함은 범죄의 실행행위를 종료한 직후의 범인이라는 것이 객관적인 제3자의 입장에서 볼 때 명백한 경우를 일컫는 것이고, '범죄의 실행행위를 종료한 직후'라고 함은 범죄행위를 실행하여 끝마친 순간 또는 이에 아주 접착된 시간적 단계를 의미하는 것으로 해석된다.

② 다액 100만원 이하의 벌금, 구류 또는 과료에 해당하는 죄의 현행범인에 대하여는 범인의 주거가 분명하지 아니한 때에 한하여 현행범인으로 체포할 수 있다.

③ 검사 또는 사법경찰관리가 아닌 자에 의하여 현행범인이 체포된 후 불필요한 지체 없이 검사 또는 사법경찰관리에게 인도된 경우라면 구속영장 청구기간인 48시간의 기산점은 체포시가 아니라 검사 등이 현행범인을 인도받은 때라고 할 것이다.

④ 현행범인은 누구든지 영장 없이 체포할 수 있으며, 현행범을 체포하는 자는 일반 사인이라 하더라도 영장 없이 타인의 주거에 들어갈 수 있다.

지문분석 난이도 중 정답 ③

| 키 워 드 | 현행범인 체포

| 출제유형 | 옳은 지문 고르기

③ (O) 대법원 2011.12.22. 2011도12927

① (X) 형사소송법 제211조가 현행범인으로 규정한 '범죄의 실행의 즉후인 자'라고 함은, 범죄의 실행행위를 종료한 직후의 범인이라는 것이 체포하는 자의 입장에서 볼 때 명백한 경우를 일컫는 것으로서, 위 법조가 제1항에서 본래의 의미의 현행범인에 관하여 규정하면서 '범죄의 실행의 즉후인 자'를 '범죄의 실행 중인 자'와 마찬가지로 현행범인으로 보고 있고, 제2항에서는 현행범인으로 간주되는 준현행범인에 관하여 별도로 규정하고 있는 점 등으로 미루어 볼 때, '범죄의 실행행위를 종료한 직후'라고 함은, 범죄행위를 실행하여 끝마친 순간 또는 이에 아주 접착된 시간적 단계를 의미하는 것으로 해석되므로, 시간적으로나 장소적으로 보아 체포를 당하는 자가 방금 범죄를 실행한 범인이라는 점에 관한 죄증이 명백히 존재하는 것으로 인정되는 경우에만 현행범인으로 볼 수 있다(대법원 2002.5.10. 2001도300).

② (X) 다액 50만원 이하의 벌금, 구류 또는 과료에 해당하는 죄의 현행범인에 대하여는 범인의 주거가 분명하지 아니한 때에 한하여 현행범인으로 체포할 수 있다(형사소송법 제214조).

④ (X) 현행범인은 누구든지 영장 없이 체포할 수 있다. 하지만 현행범을 체포하는 일반 사인은 타인의 주거에 들어갈 수 없다(대법원 1965.12.21. 65도899).

13 0704

2021 경찰 승진

현행범체포에 대한 설명으로 가장 적절한 것은? (다툼이 있는 경우 판례에 의함)

① 현행범으로 체포하기 위하여는 행위의 가벌성, 범죄의 현행성·시간적 접착성, 범인·범죄의 명백성이 있으면 족하고, 도망 또는 증거인멸의 염려가 있어야 하는 것은 아니다.

② 신고를 받고 출동한 경찰관이 음주운전을 종료한 후 40분 이상이 경과한 시점에서 길가에 앉아 있던 피의자에게서 술 냄새가 난다는 점만을 근거로 하여 피의자를 음주운전의 현행범으로 체포한 것은 적법한 공무집행이라고 볼 수 있다.

③ 현행범을 체포한 경찰관의 진술이라 하더라도 범행을 목격한 부분에 관하여는 여느 목격자의 진술과 다름없이 증거능력이 있다.

④ 수사기관이 일반인으로부터 체포된 현행범을 인도받고 현행범을 구속하고자 하는 경우 48시간 이내에 구속영장을 청구해야 하며, 그 48시간의 기산점은 일반인에 의한 체포시점으로 보아야 한다.

지문분석 난이도 중 정답 ③

| 키 워 드 | 체포

| 출제유형 | 옳은 지문 고르기

③ (O) 대법원 1995.5.9. 95도535

① (X) 현행범인은 누구든지 영장 없이 체포할 수 있으므로 사인의 현행범인 체포는 법령에 의한 행위로서 위법성이 조각된다고 할 것인데, 현행범인 체포의 요건으로서는 행위의 가벌성, 범죄의 현행성·시간적 접착성, 범인·범죄의 명백성 외에 체포의 필요성, 즉 도망 또는 증거인멸의 염려가 있을 것을 요한다(대법원 1999.1.26. 98도3029).

② (X) 음주운전을 종료한 후 40분 이상이 경과한 시점에서 길가에 앉아 있던 운전자를 술냄새가 난다는 점만을 근거로 음주운전의 현행범으로 체포한 것은 적법한 공무집행으로 볼 수 없다(대법원 2007.4.13. 2007도1249).

④ (X) 현행범인은 누구든지 영장 없이 체포할 수 있고(형사소송법 제212조), 검사 또는 사법경찰관리(이하 '검사 등'이라고 한다) 아닌 이가 현행범인을 체포한 때에는 즉시 검사 등에게 인도하여야 한다(형사소송법 제213조 제1항). 여기서 '즉시'라고 함은 반드시 체포시점과 시간적으로 밀착된 시점이어야 하는 것은 아니고, '정당한 이유 없이 인도를 지연하거나 체포를 계속하는 등으로 불필요한 지체를 함이 없이'라는 뜻으로 볼 것이다. 또한 검사 등이 현행범인을 체포하거나 현행범인을 인도받은 후 현행범인을 구속하고자 하는 경우 48시간 이내에 구속영장을 청구하여야 하고 그 기간 내에 구속영장을 청구하지 아니하는 때에는 즉시 석방하여야 한다(형사소송법 제213조의2, 제200조의2 제5항). 위와 같이 체포된 현행범인에 대하여 일정 시간 내에 구속영장 청구 여부를 결정하도록 하고 그 기간 내에 구속영장을 청구하지 아니하는 때에는 즉시 석방하도록 한 것은 영장에 의하지 아니한 체포 상태가 부당하게 장기화되어서는 안 된다는 인권보호의 요청과 함께 수사기관에서 구속영장 청구 여부를 결정하기 위한 합리적이고 충분한 시간을 보장해 주려는 데에도 그 입법취지가 있다고 할 것이다. 따라서 검사 등이 아닌 이에 의하여 현행범인이 체포된 후 불필요한 지체 없이 검사 등에게 인도된 경우 위 48시간의 기산점은 체포시가 아니라 검사 등이 현행범인을 인도받은 때라고 할 것이다(대법원 2011.12.22. 2011도12927).

14 0705

2019 경찰 승진

현행범인 및 준현행범인 체포에 대한 설명이다. 아래 ㉠부터 ㉣까지의 설명 중 옳고 그름의 표시(O, X)가 바르게 된 것은? (다툼이 있는 경우 판례에 의함)

> ㉠ 음주운전을 종료한 후 40분 이상이 경과한 시점에서 길가에 앉아 있던 운전자를 술냄새가 난다는 점만을 근거로 음주운전의 현행범으로 체포한 경우 적법한 공무집행이다.
> ㉡ 피고인이 경찰관의 불심검문에 응하여 운전면허증을 교부한 후 경찰관에게 큰 소리로 욕설을 하였는데, 경찰관이 모욕죄의 현행범으로 체포하겠다고 고지한 후 피고인의 오른쪽 어깨를 붙잡자 반항하면서 경찰관에게 상해를 가한 사안에서, 경찰관뿐 아니라 인근 주민도 욕설을 직접 들었다는 점을 근거로 피고인을 현행범으로 체포한 경우 적법한 공무집행이다.
> ㉢ 교사가 교장실에 들어가 불과 약 5분 동안 식칼을 휘두르며 교장을 협박하는 등의 소란을 피운 후 40여 분 정도가 지나 경찰관들이 출동하여 교장실이 아닌 서무실에서 동행을 거부하는 그 교사를 현행범으로 체포한 경우 적법한 공무집행이다.
> ㉣ 순찰 중이던 경찰관이 교통사고를 낸 차량이 도주하였다는 무전연락을 받고 주변을 수색하다가 범퍼 등의 파손상태로 보아 사고차량으로 인정되는 차량에서 내리는 사람을 발견하여 준현행범으로 체포한 경우 적법한 공무집행이다.

① ㉠ (O), ㉡ (X), ㉢ (O), ㉣ (X)
② ㉠ (X), ㉡ (O), ㉢ (X), ㉣ (X)
③ ㉠ (X), ㉡ (X), ㉢ (O), ㉣ (O)
④ ㉠ (X), ㉡ (X), ㉢ (X), ㉣ (O)

지문분석

난이도 중 정답 ④

| 키 워 드 | 체포
| 출제유형 | 옳고 그름의 표시(O, X)하기

㉠ (X) 음주운전을 종료한 후 40분 이상이 경과한 시점에서 길가에 앉아 있던 운전자를 술냄새가 난다는 점만을 근거로 음주운전의 현행범으로 체포한 것은 적법한 공무집행으로 볼 수 없다(대법원 2007.4.13. 2007도1249).

㉡ (X) 피고인이 경찰관의 불심검문을 받아 운전면허증을 교부한 후 경찰관에게 큰 소리로 욕설을 하였는데, 경찰관이 모욕죄의 현행범으로 체포하겠다고 고지한 후 피고인의 오른쪽 어깨를 붙잡자 반항하면서 경찰관에게 상해를 가한 사안에서, 피고인은 경찰관의 불심검문에 응하여 이미 운전면허증을 교부한 상태이고, 경찰관뿐 아니라 인근 주민도 욕설을 직접 들었으므로, 피고인이 도망하거나 증거를 인멸할 염려가 있다고 보기는 어렵고, 피고인의 모욕범행은 불심검문에 항의하는 과정에서 저지른 일시적·우발적인 행위로서 사안 자체가 경미할 뿐 아니라, 피해자인 경찰관이 범행현장에서 즉시 범인을 체포할 급박한 사정이 있다고 보기도 어려우므로, 경찰관이 피고인을 체포한 행위는 적법한 공무집행이라고 볼 수 없다(대법원 2011.5.26. 2011도3682).

㉢ (X) 교사가 교장실에 들어가 불과 약 5분 동안 식칼을 휘두르며 교장을 협박하는 등의 소란을 피운 후 40여 분 정도가 지나 경찰관들이 출동하여 교장실이 아닌 서무실에서 그를 연행하려 하자 그가 구속영장의 제시를 요구하면서 동행을 거부하였다면, 체포 당시 서무실에 앉아 있던 위 교사가 방금 범죄를 실행한 범인이라는 죄증이 경찰관들에게 명백히 인식될 만한 상황이었다고 단정할 수 없는데도 이와 달리 그를 '범죄의 실행의 즉후인 자'로서 현행범인이라고 단정한 원심판결에는 현행범인에 관한 법리오해의 위법이 있다(대법원 1991.9.24. 91도1314).

㉣ (O) 대법원 2000.7.4. 99도4341

15 0706

2021 국가직 7급

현행범체포에 대한 설명으로 옳지 않은 것은? (다툼이 있는 경우 판례에 의함)

① 현행범을 체포한 경찰관의 진술이라 하더라도 범행을 목격한 부분에 관하여는 여느 목격자의 진술과 다름없이 증거능력이 있으며, 다만 그 증거의 신빙성만 문제가 된다.

② 甲과 乙이 주차문제로 다투던 중 乙이 112신고를 하였고, 甲이 출동한 경찰관에게 폭행을 가하여 공무집행방해죄의 현행범으로 체포된 경우, 112에 신고를 한 것은 乙이었고, 甲이 현행범으로 체포되어 파출소에 도착한 이후에도 경찰관의 신분증 제시 요구에 20여 분 동안 응하지 아니하면서 인적 사항을 밝히지 아니하였다면, 甲에게는 현행범체포 당시에 도망 또는 증거인멸의 염려가 있었다고 할 수 있다.

③ 범행 중 또는 범행 직후의 범죄 장소에서 영장 없이 압수·수색 또는 검증을 할 수 있도록 규정한 형사소송법 제216조 제3항의 요건 중 어느 하나라도 갖추지 못한 경우 압수·수색 또는 검증은 잠정적으로 위법하지만, 이에 대하여 사후에 법원으로부터 영장을 발부받게 되면 그 위법성은 소급하여 치유될 수 있다.

④ 전투경찰대원들이 공장에서 점거농성 중이던 조합원들을 체포하는 과정에서 체포의 이유 등을 제대로 고지하지 않다가 30~40분이 지난 후 체포된 조합원 등의 항의를 받고 나서야 비로소 체포의 이유 등을 고지한 것은 현행범체포의 적법한 절차를 준수한 것이 아니므로 적법한 공무집행이라고 볼 수 없다.

지문분석 난이도 중 정답 ③

| 키 워 드 | 체포
| 출제유형 | 틀린 지문 고르기

③ (X) 범행 중 또는 범행 직후의 범죄 장소에서 긴급을 요하여 법원판사의 영장을 발부받을 수 없는 때에는 영장 없이 압수·수색 또는 검증을 할 수 있으나, 이 경우에는 사후에 지체 없이 영장을 받아야 한다(형사소송법 제216조 제3항). 형사소송법 제216조 제3항의 요건 중 어느 하나라도 갖추지 못한 경우 그러한 압수·수색 또는 검증은 위법하고, 이에 대하여 사후에 법원으로부터 영장을 발부받았다고 하여 그 위법성이 치유되는 것은 아니다(대법원 2012.2.9. 2009도14884).
① (O) 대법원 1995.5.9. 95도535
② (O) 대법원 2018.3.29. 2017도21537
④ (O) 대법원 2017.3.15. 2013도2168

3 구속

16 0707

2020 경찰 1차

구속 전 피의자심문제도에 대한 설명 중 가장 적절하지 않은 것은? (다툼이 있는 경우 판례에 의함)

① 검사와 변호인은 판사의 심문이 끝난 후에 의견을 진술할 수 있다. 다만, 필요한 경우에는 심문 도중에도 판사의 허가를 얻어 의견을 진술할 수 있다.

② 구속 전 피의자심문시 피의자에게 변호인이 없는 때에는 지방법원판사는 직권으로 변호인을 선정해야 한다. 이 경우 변호인의 선정은 피의자에 대한 구속영장 청구가 기각되어 효력이 소멸한 경우를 제외하고는 제1심까지 효력이 있다.

③ 법원은 변호인의 사정이나 그 밖의 사유로 변호인 선정결정이 취소되어 변호인이 없게 된 때에는 직권으로 변호인을 다시 선정할 수 있다.

④ 피의자심문을 하는 경우 법원이 구속영장청구서, 수사 관계 서류 및 증거물을 접수한 날부터 구속영장을 발부하여 검찰청에 반환한 날까지의 기간은 검사와 사법경찰관의 구속기간에 산입한다.

지문분석 난이도 하 정답 ④

| 키 워 드 | 구속 전 피의자심문제도
| 출제유형 | 틀린 지문 고르기

④ (X) 피의자심문을 하는 경우 법원이 구속영장청구서, 수사 관계 서류 및 증거물을 접수한 날부터 구속영장을 발부하여 검찰청에 반환한 날까지의 기간은 검사와 사법경찰관의 구속기간에 산입하지 아니한다(형사소송법 제201조의2 제7항).
① (O) 형사소송규칙 제96조의16 제3항
② (O) 형사소송법 제201조의2 제8항
③ (O) 형사소송법 제201조의2 제9항

17 0708

2019 경찰 2차

구속에 대한 설명으로 가장 적절하지 않은 것은? (다툼이 있는 경우 판례에 의함)

① 피의자는 검사의 구속영장 청구 전 대면조사를 위한 출석요구에 응할 의무가 없으므로, 사법경찰관리는 피의자가 검사의 출석요구에 동의한 때에 한하여 피의자를 검찰청으로 호송하여야 한다.
② 구속영장 발부에 의하여 적법하게 구금된 피의자가 피의자신문을 위한 출석요구에 응하지 아니하면서 수사기관 조사실에 출석을 거부할 경우, 수사기관은 구속영장의 효력에 의하여 피의자를 조사실로 구인할 수 있다.
③ 검사의 구속영장 청구에 대한 지방법원판사의 재판은 형사소송법 제402조의 규정에 의하여 항고의 대상이 되는 법원의 결정에는 해당하지 아니하나, '재판장 또는 수명법관의 구금 등에 관한 재판'에는 해당하므로 형사소송법 제416조 제1항의 규정에 의하여 준항고의 대상이 된다.
④ 구속기간이 만료될 무렵에 종전 구속영장에 기재된 범죄사실과 다른 범죄사실로 피고인을 구속하였다는 사정만으로는 피고인에 대한 구속이 위법하다고 할 수 없다.

지문분석 난이도 중 정답 ③

| 키 워 드 | 구속
| 출제유형 | 틀린 지문 고르기

③ (X) 검사의 체포영장 또는 구속영장 청구에 대한 지방법원판사의 재판은 형사소송법 제402조의 규정에 의하여 항고의 대상이 되는 '법원의 결정'에 해당하지 아니하고, 제416조 제1항의 규정에 의하여 준항고의 대상이 되는 '재판장 또는 수명법관의 구금 등에 관한 재판'에도 해당하지 아니한다(대법원 2006.12.18. 2006모646 결정).
① (O) 대법원 2010.10.28. 2008도11999
② (O) 대법원 2013.7.1. 2013모160 결정
④ (O) 대법원 1996.8.12. 96모46 결정

18 0709

2019 경찰 승진

구속 전 피의자심문에 대한 설명으로 가장 적절하지 않은 것은?

① 변호인은 구속영장이 청구된 피의자에 대한 심문 시작 전에 피의자와 접견할 수 있고, 피의자는 판사의 심문 도중에도 변호인에게 조력을 구할 수 있다.
② 피의자에 대한 심문절차는 원칙적으로 공개하나 국가의 안전보장 또는 안녕질서를 방해하거나 선량한 풍속을 해할 염려가 있을 때에는 법원의 결정으로 공개하지 아니할 수 있다.
③ 검사와 변호인은 판사의 심문이 끝난 후에 의견을 진술할 수 있다. 다만, 필요한 경우에는 심문 도중에도 판사의 허가를 얻어 의견을 진술할 수 있다.
④ 판사는 구속영장이 청구된 피의자를 심문하는 때에는 공범의 분리심문이나 그 밖에 수사상의 비밀보호를 위하여 필요한 조치를 하여야 하고, 법원사무관 등은 심문의 요지 등을 조서로 작성하여야 한다.

지문분석 난이도 중 정답 ②

| 키 워 드 | 구속 전 피의자심문제도
| 출제유형 | 틀린 지문 고르기

② (X) 피의자에 대한 심문절차는 공개하지 아니한다. 다만, 판사는 상당하다고 인정하는 경우에는 피의자의 친족, 피해자 등 이해관계인의 방청을 허가할 수 있다(형사소송규칙 제96조의14).
① (O) 형사소송규칙 제96조의20 제1항, 제96조의16 제4항
③ (O) 형사소송규칙 제96조의16 제3항
④ (O) 형사소송법 제201조의2 제5항 · 제6항

19 0710

2020 경찰 승진

구속기간에 관한 설명 중 가장 적절하지 않은 것은?

① 기피신청으로 소송진행이 정지된 기간은 구속기간에 산입하지 아니한다.
② 공소장 변경으로 피고인의 불이익이 증가할 염려가 있다고 인정되어 공판절차가 정지된 기간은 구속기간에 산입하지 아니한다.
③ 구속기간의 말일이 공휴일 또는 토요일이면 구속기간에 산입하지 아니한다.
④ 구속 전 피의자심문을 위하여 법원이 구속영장청구서, 수사 관계 서류 및 증거물을 접수한 날부터 구속영장을 발부하여 검찰청에 반환한 날까지의 기간은 구속기간에 산입하지 아니한다.

지문분석 난이도 중 정답 ③

| 키 워 드 | 구속기간

| 출제유형 | 틀린 지문 고르기

③ (X) 기간의 말일이 공휴일이거나 토요일이면 그날은 기간에 산입하지 아니한다. 다만, 시효와 구속기간에 관하여는 예외로 한다(형사소송법 제66조 제3항).
① (O) 형사소송법 제92조 제3항, 제22조
② (O) 형사소송법 제92조 제3항, 제298조 제4항, 제306조 제1항·제2항
④ (O) 형사소송법 제201조의2 제7항

20 0711

2021 경찰 2차

구속에 관한 설명으로 가장 적절한 것은? (다툼이 있는 경우 판례에 의함)

① 사인(私人)이 체포한 현행범인을 검사 등이 인도받은 후 그를 구속하고자 하는 경우에는 48시간 이내에 구속영장을 청구하여야 하고, 그 기간 내에 구속영장을 청구하지 아니하는 때에는 즉시 석방하여야 한다. 이 경우 48시간의 기산점은 현행범인을 인도받은 때가 아니라 현행범인을 체포한 때이다.
② 피고인의 구속기간은 2개월로 하나, 특히 구속을 계속할 필요가 있는 경우에는 심급마다 2개월 단위로 2차에 한하여 결정으로 갱신할 수 있다. 다만, 상소심은 피고인 또는 변호인이 신청한 증거의 조사, 상소이유를 보충하는 서면의 제출 등으로 추가심리가 필요한 부득이한 경우에는 3차에 한하여 갱신할 수 있다.
③ 구속영장 발부에 의하여 적법하게 구금된 피의자가 피의자 신문을 위한 출석요구에 응하지 아니하면서 수사기관 조사실에 출석을 거부한다면 수사기관은 그 구속영장의 효력에 의하여 피의자를 조사실로 구인할 수 있으며, 이 경우 피의자는 수사기관의 질문에 대하여 진술을 거부할 수 없다.
④ 형사소송법 제72조는 "피고인에 대하여 범죄사실의 요지, 구속의 이유와 변호인을 선임할 수 있음을 말하고 변명할 기회를 준 후가 아니면 구속할 수 없다."라고 규정하고 있는 바, 이는 수소법원 등 법관이 취하여야 하는 절차가 아니라 구속영장을 집행함에 있어 집행기관이 취하여야 하는 절차에 관한 것이다.

지문분석 난이도 중 정답 ②

| 키 워 드 | 구속

| 출제유형 | 옳은 지문 고르기

② (O) 형사소송법 제92조 제1항·제2항
① (X) 검사 등이 아닌 이에 의하여 현행범인이 체포된 후 불필요한 지체 없이 검사 등에게 인도된 경우 위 48시간의 기산점은 체포시가 아니라 검사 등이 현행범인을 인도받은 때라고 할 것이다(대법원 2011.12.22. 2011도12927).
③ (X) 구속영장 발부에 의하여 적법하게 구금된 피의자가 피의자신문을 위한 출석요구에 응하지 아니하면서 수사기관 조사실에 출석을 거부한다면 수사기관은 그 구속영장의 효력에 의하여 피의자를 조사실로 구인할 수 있다고 보아야 한다. 다만, 이러한 경우에도 그 피의자신문 절차는 어디까지나 법 제199조 제1항 본문, 제200조의 규정에 따른 임의수사의 한 방법으로 진행되어야 하므로, 피의자는 헌법 제12조 제2항과 법 제244조의3에 따라 일체의 진술을 하지 아니하거나 개개의 질문에 대하여 진술을 거부할 수 있고, 수사기관은 피의자를 신문하기 전에 그와 같은 권리를 알려 주어야 한다(대법원 2013.7.1. 2013모160 결정).
④ (X) 형사소송법 제72조는 "피고인에 대하여 범죄사실의 요지, 구속의 이유와 변호인을 선임할 수 있음을 말하고 변명할 기회를 준 후가 아니면 구속할 수 없다."고 규정하고 있는바, 이는 피고인을 구속함에 있어 법관에 의한 사전 청문절차를 규정한 것으로서, 구속영장을 집행함에 있어 집행기관이 취하여야 하는 절차가 아니라 구속영장 발부함에 있어 수소법원 등 법관이 취하여야 하는 절차라 할 것이다(대법원 2011.11.10. 2000모134 결정).

21 0712

2021 국가직 9급

구속에 대한 설명으로 옳지 않은 것은? (다툼이 있는 경우 판례에 의함)

① '범죄의 중대성, 재범의 위험성, 피해자 및 중요 참고인 등에 대한 위해우려 등'은 독립된 구속사유가 아니라 구속사유를 심사함에 있어서 필요적 고려사항이다.
② 지방법원판사가 구속영장청구를 기각한 경우에 검사는 지방법원판사의 기각결정에 대하여 항고 또는 준항고의 방법으로 불복할 수 없다.
③ 긴급체포된 피의자를 구속 전 피의자심문을 하는 경우 구속기간은 구속영장 발부시가 아닌 피의자를 체포한 날부터 기산하며, 법원이 구속영장청구서·수사 관계 서류 및 증거물을 접수한 날부터 구속영장을 발부하여 검찰청에 반환한 날까지의 기간은 구속기간에 산입하지 않는다.
④ 구속영장 발부에 의하여 적법하게 구금된 피의자가 피의자신문을 위한 출석요구에 응하지 아니하면서 수사기관 조사실에 출석을 거부하는 경우에도 수사기관은 구속영장의 효력에 의하여 피의자를 조사실로 구인할 수 없다.

지문분석 난이도 중 정답 ④

| 키 워 드 | 구속
| 출제유형 | 틀린 지문 고르기

④ (X) 구속영장 발부에 의하여 적법하게 구금된 피의자가 피의자신문을 위한 출석요구에 응하지 아니하면서 수사기관 조사실에 출석을 거부한다면 수사기관은 그 구속영장의 효력에 의하여 피의자를 조사실로 구인할 수 있다고 보아야 한다(대법원 2013.7.1. 2013모160 결정).
① (O) 형사소송법 제70조 제2항
② (O) 대법원 2006.12.18. 2006모646 결정
③ (O) 형사소송법 제201조의2 제7항

22 0713

2021 경찰 2차

체포와 구속에 관한 설명으로 가장 적절하지 않은 것은? (다툼이 있는 경우 판례에 의함)

① 피고인이 경찰관들과 마주하자마자 도망가려는 태도를 보이거나 먼저 폭력을 행사하며 대항한 바 없는 등 경찰관들이 체포를 위한 실력행사에 나아가기 전에 체포영장을 제시하고 미란다원칙을 고지할 여유가 있었음에도, 애초부터 미란다 원칙을 체포 후에 고지할 생각으로 먼저 체포행위에 나선 경찰관들의 행위는 적법한 공무집행이라고 보기 어렵다.
② 구속의 효력은 원칙적으로 구속영장에 기재된 범죄사실에만 미치므로, 구속기간이 만료될 무렵에 종전 구속영장에 기재된 범죄사실과 다른 범죄사실로 피고인을 구속하였다는 사정만으로는 피고인에 대한 구속이 위법하다고 할 수 없다.
③ 검사의 체포영장 또는 구속영장 청구에 대한 지방법원 판사의 재판은 항고의 대상이 되는 '법원의 결정'에 해당하지 아니하고 준항고의 대상이 되는 '재판장 또는 수명법관의 구금 등에 관한 재판'에도 해당하지 아니하므로, 영장청구를 기각하는 결정에 대해서는 검사가 항고 또는 준항고를 할 수 없다.
④ 검사가 사법경찰관이 신청한 영장을 정당한 이유 없이 판사에게 청구하지 아니한 경우 사법경찰관은 그 검사 소속의 지방검찰청에 영장청구 여부에 대한 심의를 신청할 수 있으며, 각 지방검찰청은 이를 심의하기 위하여 영장심의위원회를 둔다.

지문분석 난이도 중 정답 ④

| 키 워 드 | 체포·구속
| 출제유형 | 틀린 지문 고르기

④ (X) 검사가 사법경찰관이 신청한 영장을 정당한 이유 없이 판사에게 청구하지 아니한 경우 사법경찰관은 그 검사 소속의 지방검찰청 소재지를 관할하는 고등검찰청에 영장청구 여부에 대한 심의를 신청할 수 있으며, 각 고등검찰청은 이를 심의하기 위하여 영장심의위원회를 둔다(형사소송법 제221조의5 제1항·제2항).
① (O) 대법원 2017.9.21. 2017도10866
② (O) 대법원 1996.8.12. 96모46 결정
③ (O) 대법원 2006.12.18. 2006모646 결정

23 0714

2019 경찰 승진

체포 또는 구속에 대한 설명으로 가장 적절하지 않은 것은?
(다툼이 있는 경우 판례에 의함)

① 법원이 구속 피고인에 대하여 집행유예의 판결을 선고하는 경우, 구속영장의 효력이 소멸하므로 판결의 확정 전이라도 피고인을 즉시 석방하여야 한다.
② 피의자가 죄를 범하였다고 의심할 만한 상당한 이유가 있고 정당한 이유 없이 출석요구에 응하지 아니하거나 아니할 우려가 있는 때라고 하더라도 명백히 체포의 필요가 인정되지 아니하는 경우에는 체포영장의 청구를 받은 판사는 체포영장의 청구를 기각하여야 한다.
③ 피고인에 대하여 범죄사실의 요지, 구속의 이유와 변호인을 선임할 수 있음을 말하고 변명할 기회를 준 후가 아니면 구속할 수 없다. 다만, 피고인이 도망한 경우에는 그러하지 아니하다.
④ 법원의 피고인에 대한 구속기간에는 공소제기 전의 체포·구인·구금 기간도 산입한다.

지문분석

난이도 하 정답 ④

| 키 워 드 | 체포·구속
| 출제유형 | 틀린 지문 고르기

④ (X) 공소제기 전의 체포·구인·구금 기간은 구속기간에 산입하지 아니한다(형사소송법 제92조 제3항).
① (O) 헌법재판소 1992.12.24. 92헌가8 결정
② (O) 형사소송법 제200조의2 제2항
③ (O) 형사소송법 제72조

✔ 개념체크 재체포·재구속금지사유

구분	재체포·재구속금지사유
긴급체포되었다가 석방된 자 (형사소송법 제200조의4 제3항)	긴급체포 후 석방된 피의자는 영장 없이는 동일한 범죄사실에 관하여 재체포하지 못함 → 영장을 발부받아서 체포·구속 가능
수사기관에 의해 구속되었다가 석방된 자 (형사소송법 제208조 제1항)	검사 또는 사법경찰관에 의하여 구속되었다가 석방된 자에 대해 다른 중요한 증거를 발견한 경우를 제외하고는 동일한 범죄사실에 관하여 재구속이 금지됨 [주의] • 재구속제한금지 규정은 피고인에 대한 법원의 구속에는 적용되지 않는다(판례). • 제208조의 구속된 자에는 긴급체포된 자는 포함되지 아니한다(판례). • 재구속금지규정을 위반하였다 하더라도 공소제기가 무효로 되는 것은 아니다.
체포·구속적부심으로 석방된 자 (형사소송법 제214조의3 제1항)	석방된 피의자가 도망하거나 범죄의 증거를 인멸하는 경우를 제외하고는 재체포·구속이 금지됨
보증금납입조건부 피의자석방 제외사유 (형사소송법 제214조의2 제5항)	• 범죄의 증거를 인멸한 염려가 있다고 믿을 만한 충분한 이유가 있는 때 • 피해자, 당해 사건의 재판에 필요한 사실을 알고 있다고 인정되는 사람 또는 그 친족의 생명·신체나 재산에 해를 가하거나 가할 염려가 있다고 믿을 만한 충분한 이유가 있는 때
보증금납입조건으로 석방된 피의자 (형사소송법 제214조의3 제2항)	• 도망한 때 • 도망하거나 범죄의 증거를 인멸할 염려가 있다고 믿을 만한 충분한 이유가 있는 때 • 출석요구를 받고 정당한 이유 없이 출석하지 아니한 때(불출석) • 주거의 제한이나 그 밖에 법원이 정한 조건을 위반한 때
구속 집행 정지의 취소사유 (형사소송법 제102조 제2항)	• 도망한 때 • 도망하거나 죄증을 인멸할 염려가 있다고 믿을 만한 충분한 이유가 있는 때 • 소환을 받고 정당한 사유 없이 출석하지 아니한 때(불출석) • 피해자, 당해 사건의 재판에 필요한 사실을 알고 있다고 인정되는 자 또는 그 친족의 생명·신체·재산에 해를 가하거나 가할 염려가 있다고 믿을 만한 충분한 이유가 있는 때 • 법원이 정한 조건을 위반한 때

24 0715 2019 경찰 1차

접견교통권에 대한 설명으로 가장 적절하지 않은 것은? (다툼이 있는 경우 판례에 의함)

① 국가정보원 사법경찰관이 경찰서 유치장에 구금되어 있던 피의자에 대하여 의사의 진료를 받게 할 것을 신청한 변호인에게 국가정보원이 추천하는 의사의 참여를 요구한 것은 변호인의 수진권을 침해하는 위법한 처분이라고 할 수 있다.

② 변호인이 되려는 의사를 표시한 자가 객관적으로 변호인이 될 가능성이 있다고 인정되는데도, 형사소송법 제34조에서 정한 '변호인 또는 변호인이 되려는 자'가 아니라고 보아 신체구속을 당한 피고인 또는 피의자와 접견하지 못하도록 제한하여서는 아니 된다.

③ 변호인의 접견교통의 상대방인 신체구속을 당한 사람이 그 변호인을 자신의 범죄행위에 공범으로 가담시키려고 하였다는 등의 사정만으로, 그 변호인의 신체구속을 당한 사람과의 접견교통을 금지하는 것이 정당화될 수는 없다.

④ 피의자가 구속되어 국가안전기획부에서 조사를 받다가 변호인의 접견신청이 불허되어 이에 대한 준항고를 제기 중에 검찰로 송치되어 검사가 피의자를 신문하여 제1회 피의자신문조서를 작성한 후 준항고절차에서 위 접견불허처분이 취소되어 접견이 허용된 경우에는 검사의 피의자에 대한 위 제1회 피의자신문은 변호인의 접견교통을 침해한 상황에서 시행된 것이다.

지문분석 난이도 중 정답 ①

| 키 워 드 | 접견교통권

| 출제유형 | 틀린 지문 고르기

① (X) 변호인의 수진권 행사 시 교도관 및 의무관이 참여하고 그 경과를 신분장부에 기재하도록 규정하고 있는 구 행형법시행령 제176조, 변호인의 수진권 행사에 대한 법령상의 제한에 해당한다고 보아야 할 것이고, 그렇다면 국가정보원 사법경찰관이 경찰서 유치장에 구금되어 있던 피의자에 대하여 의사의 진료를 받게 할 것을 신청한 변호인에게 국가정보원이 추천하는 의사의 참여를 요구한 것은 행형법시행령 제176조의 규정에 근거한 것으로서 적법하고, 이를 가리켜 변호인의 수진권을 침해하는 위법한 처분이라고 할 수는 없다(대법원 2002.5.6. 2000모112 결정).

② (O) 형사소송법 제34조는 "변호인 또는 변호인이 되려는 자는 신체구속을 당한 피고인 또는 피의자와 접견하고 서류 또는 물건을 수수할 수 있으며 의사로 하여금 진료하게 할 수 있다."고 규정하고 있으므로, 변호인이 되려는 의사를 표시한 자가 객관적으로 변호인이 될 가능성이 있다고 인정되는데도, 형사소송법 제34조에서 정한 '변호인 또는 변호인이 되려는 자'가 아니라고 보아 신체구속을 당한 피고인 또는 피의자와 접견하지 못하도록 제한하여서는 아니 된다. 변호인 또는 변호인이 되려는 자의 접견교통권은 신체구속제도 본래의 목적을 침해하지 아니하는 범위 내에서 행사되어야 하므로, 변호인 또는 변호인이 되려는 자가 구체적인 시간적·장소적 상황에 비추어 현실적으로 보장할 수 있는 한계를 벗어나 피고인 또는 피의자를 접견하려고 하는 것은 정당한 접견교통권의 행사에 해당하지 아니하여 허용될 수 없다. 다만, 접견교통권이 그와 같은 한계를 일탈한 것이어서 허용될 수 없다고 판단함에 있어서는 신체구속을 당한 사람의 헌법상 기본적 권리인 변호인의 조력을 받을 권의 본질적인 내용이 침해되는 일이 없도록 신중을 기하여야 한다(대법원 2017.3.9. 2013도16162).

③ (O) 대법원 2007.1.31. 2006모657 결정

④ (O) 대법원 1990.9.25. 90도1586

25 0716

2020 경찰 승진

변호인의 조력을 받을 권리에 관한 설명 중 가장 적절하지 않은 것은? (다툼이 있는 경우 판례에 의함)

① 변호인의 조력을 받을 권리는 불구속 피의자·피고인 모두에게 포괄적으로 인정되는 권리이므로 신체구속 상태에 있지 아니한 자도 변호인의 조력을 받을 권리의 주체가 될 수 있다.

② 변호인이 되려는 의사를 표시한 자가 객관적으로 변호인이 될 가능성이 있다고 인정되는데도, 형사소송법 제34조에서 정한 '변호인 또는 변호인이 되려는 자'가 아니라고 보아 신체구속을 당한 피고인 또는 피의자와 접견하지 못하도록 제한하여서는 아니 된다.

③ 구치소장이 형의 집행 및 수용자의 처우에 관한 법률 및 그 시행규칙의 규정에 따라 변호인 접견실에 영상녹화, 음성수신, 확대기능 등이 없는 CCTV를 설치하여 미결수용자와 변호인 간의 접견을 관찰하였다 하더라도 이를 통해 대화내용을 알게 되는 것이 불가능하였다면 변호인의 조력을 받을 권리를 침해한 것이라고 할 수 없다.

④ 교도관이 변호인 접견이 종료된 뒤 변호인과 미결수용자가 지켜보는 가운데 미결수용자와 변호인 간에 주고받는 서류를 확인하여 그 제목을 소송관계처리부에 기재하여 등재한 행위는 이를 통해 내용에 대한 검열이 이루어질 수 없었다 하더라도 침해의 최소성 요건을 갖추지 못하였으므로 변호인의 조력을 받을 권리를 침해한다.

지문분석 난이도 중 정답 ④

| 키 워 드 | 접견교통권

| 출제유형 | 틀린 지문 고르기

④ (X) 교도관이 변호인 접견이 종료된 뒤 변호인과 미결수용자가 지켜보는 가운데 미결수용자와 변호인 간에 주고받는 서류를 확인하여 그 제목을 소송관계처리부에 기재하여 등재한 행위는 내용에 대한 검열이 이루어질 수도 없는 점에 비추어 보면 침해의 최소성 요건을 갖추었고, 달성하고자 하는 공익과 제한되는 청구인의 사익 간에 불균형이 발생한다고 볼 수 없으므로 법익의 균형성도 갖추었다. 따라서 이 사건 서류 확인 및 등재행위는 청구인의 변호인의 조력을 받을 권리를 침해한다고 할 수 없다(헌법재판소 2016.4.28. 2015헌마243 결정).

① (O) 헌법재판소 2004.9.23. 2000헌마138 결정

② (O) 대법원 2017.3.9. 2013도16162

③ (O) 헌법재판소 2016.4.28. 2015헌마243 결정

26 0717

2019 경찰 승진

접견교통권에 대한 설명으로 가장 적절하지 않은 것은? (다툼이 있는 경우 판례에 의함)

① 임의동행의 형식으로 수사기관에 연행된 피의자 또는 피내사자에게는 변호인 또는 변호인이 되려는 자와의 접견교통권이 인정된다.

② 수사기관이 구금장소를 임의적으로 변경하여 접견교통을 어렵게 한 것은 접견교통권의 행사에 중대한 장애를 초래하는 것이므로 위법하다.

③ 신체구속을 당한 사람이 그 변호인을 자신의 범죄행위에 공범으로 가담시키려고 하였다는 사정만으로도 신체구속을 당한 사람과 그 변호인과의 접견교통권을 금지하는 것은 정당하다.

④ 수사기관의 접견불허처분이 없더라도, 변호인의 접견신청일로부터 상당한 기간이 경과하였거나 접견신청일이 경과하도록 접견이 이루어지지 않는 경우에는 실질적으로 접견불허가처분이 있는 것과 동일시된다.

지문분석 난이도 하 정답 ③

| 키 워 드 | 접견교통권

| 출제유형 | 틀린 지문 고르기

③ (X) 신체구속을 당한 피의자 또는 피고인이 범한 것으로 의심받고 있는 범죄행위에 해당 변호인이 관련되어 있다는 등의 사유에 기하여 그 변호인의 변호활동을 광범위하게 규제하는 변호인의 제척과 같은 제도를 두고 있지 아니한 우리 법제 아래에서는, 변호인의 접견교통의 상대방인 신체구속을 당한 사람이 그 변호인을 자신의 범죄행위에 공범으로 가담시키려고 하였다는 등의 사정만으로 그 변호인의 신체구속을 당한 사람과의 접견교통을 금지하는 것이 정당화될 수는 없다(대법원 2007.1.31. 2006모657 결정).

① (O) 대법원 1996.6.3. 96모18 결정

② (O) 대법원 1996.5.15. 95모94 결정

④ (O) 대법원 1990.2.13. 89모37 결정

27 0718

2020 경찰 승진

체포·구속적부심사에 관한 설명 중 가장 적절한 것은? (다툼이 있는 경우 판례에 의함)

① 법원 또는 합의부원, 검사, 변호인, 청구인이 구속된 피의자를 심문하고 그에 대한 피의자의 진술 등을 기재한 구속적부심문조서는 특히 신용할 만한 정황에 의하여 작성된 문서라고 할 것이므로 특별한 사정이 없는 한, 피고인이 증거로 함에 부동의하더라도 형사소송법 제315조 제3호에 의하여 당연히 그 증거능력이 인정된다.

② 체포의 적부심사는 구속의 적부심사와 달리 국선변호인에 관한 규정이 준용되지 않으므로 체포된 피의자가 심신장애의 의심이 있는 경우에도 법원은 원칙적으로 국선변호인을 선정하지 않고 심사를 진행할 수 있다.

③ 형사소송법 제214조의2 제4항의 규정에 의한 체포·구속적부심사결정에 의하여 석방된 피의자는 법원의 출석요구를 받고 정당한 이유 없이 출석하지 아니하거나 주거의 제한 기타 법원이 정한 조건을 위반한 경우를 제외하고는 동일한 범죄사실에 관하여 재차 체포 또는 구속하지 못한다.

④ 법원은 체포된 피의자에 대하여 피의자의 출석을 보증할 만한 보증금의 납입을 조건으로 하여 결정으로 석방을 명할 수 있다.

지문분석 난이도 중 정답 ①

| 키 워 드 | 체포·구속적부심사

| 출제유형 | 옳은 지문 고르기

① (O) 대법원 2004.1.16. 2003도5693

② (X) 체포되거나 구속된 피의자에게 변호인이 없는 때에는 제33조(국선변호인)를 준용한다(형사소송법 제214조의2 제10항). 따라서 체포된 피의자가 심신장애의 의심이 있는 경우에는 법원은 국선변호인을 선정하여야 한다.

③ (X) 제214조의2 제4항에 따른 체포 또는 구속적부심사결정에 의하여 석방된 피의자가 도망하거나 범죄의 증거를 인멸하는 경우를 제외하고는 동일한 범죄사실로 재차 체포하거나 구속할 수 없다(형사소송법 제214조의3 제1항).

④ (X) 형사소송법은 수사단계에서의 체포와 구속을 명백히 구별하고 있고 이에 따라 체포와 구속의 적부심사를 규정한 같은 법 제214조의2에서 체포와 구속을 서로 구별되는 개념으로 사용하고 있는바, 같은 조 제4항에 기소 전 보증금 납입을 조건으로 한 석방의 대상자가 '구속된 피의자'라고 명시되어 있고, 같은 법 제214조의3 제2항의 취지를 체포된 피의자에 대하여도 보증금 납입을 조건으로 한 석방이 허용되어야 한다는 근거로 보기는 어렵다 할 것이어서 현행법상 체포된 피의자에 대하여는 보증금 납입을 조건으로 한 석방이 허용되지 않는다(대법원 1997.8.27. 97모21 결정).

28 0719

2022 경찰 간부

구속적부심사제도에 대한 설명으로 가장 적절하지 않은 것은?

① 구속적부심사의 청구를 받은 법원은 청구서가 접수된 때부터 48시간 이내에 구속된 피의자를 심문하고 수사관계서류와 증거물을 조사하여 그 청구가 이유 없다고 인정한 때에는 결정으로 이를 기각하고, 이유 있다고 인정한 때에는 결정으로 구속된 피의자의 석방을 명하여야 한다.

② 보증금의 납입을 조건으로 하여 결정으로 석방된 피의자가 출석요구를 받고 정당한 이유 없이 출석하지 아니한 때에는 동일한 범죄사실에 관하여 재차 구속할 수 있다.

③ 구속영장을 발부한 법관은 구속적부심사의 심문·조사·결정에 관여하지 못하는데, 이는 구속영장을 발부한 법관 외에는 심문·조사·결정을 할 판사가 없는 경우에도 마찬가지이다.

④ 법원은 보증금의 납입을 조건으로 하여 결정으로 석방된 자가 동일한 범죄사실에 관하여 형의 선고를 받고 그 판결이 확정된 후, 집행하기 위한 소환을 받고 정당한 이유 없이 출석하지 아니하거나 도망한 때에는 직권 또는 검사의 청구에 의하여 결정으로 보증금의 전부 또는 일부를 몰수하여야 한다.

지문분석 난이도 하 정답 ③

| 키 워 드 | 구속적부심사제도

| 출제유형 | 틀린 지문 고르기

③ (X) 체포영장이나 구속영장을 발부한 법관은 구속적부심사의 심문·조사·결정에 관여할 수 없다. 다만, 체포영장이나 구속영장을 발부한 법관 외에는 심문·조사·결정을 할 판사가 없는 경우에는 그러하지 아니하다(형사소송법 제214조의2 제12항).

① (O) 형사소송법 제214조의2 제4항

② (O) 형사소송법 제214조의3 제2항 제3호

④ (O) 형사소송법 제214조의4 제2항

29 0720 2021 국가직 7급

보증금납입조건부 피의자석방과 보석에 대한 설명으로 옳지 않은 것은? (다툼이 있는 경우 판례에 의함)

① 법원이 검사의 의견을 듣지 아니한 채 보석에 관한 결정을 하였다고 하더라도 그 결정이 적정한 이상, 이러한 절차상의 하자만을 들어 그 결정을 취소할 수 없다.

② 보석이 취소된 경우 보증금납입을 포함한 모든 보석조건은 즉시 그 효력을 상실한다.

③ 검사는 보증금납입조건부 피의자석방결정과 보석허가결정에 대해서 항고할 수 있다.

④ 보석취소결정을 비롯하여 고등법원이 한 최초 결정이 제1심 법원이 하였더라면 보통항고가 인정되는 결정인 경우에는 이에 대한 재항고와 관련한 집행정지의 효력은 인정되지 않는다.

지문분석 난이도 ㉤ 정답 ②

| 키 워 드 | 보석

| 출제유형 | 틀린 지문 고르기

② (X) 구속영장의 효력이 소멸한 때에는 보석조건은 즉시 그 효력을 상실한다. 보석이 취소된 경우에도 보석조건은 즉시 효력을 상실하는 것이 원칙이다. 다만, 보석조건 가운데에서 '피고인 또는 법원이 지정하는 자가 납입한 보증금이나 제공한 담보'조건은 그러하지 않다(형사소송법 제104조의2).

① (○) 검사의 의견이 법원을 구속하는 것은 아니며, 설사 법원이 검사의 의견을 듣지 아니한 채 보석에 관한 결정을 하였다고 하더라도 그 결정이 적정한 이상, 절차상의 하자만을 들어 그 결정을 취소할 수는 없다(대법원 1997.11.27. 97모88 결정).

③ (○) 보증금납입부피의자 석방결정에 대해서는 보통항고가 허용된다는 것이 판례의 태도이다(대법원 1997.8.27. 97모21 결정). 보석허가결정에 대해서는 명문으로 보통항고 허용규정이 존재하고(형사소송법 제403조 제2항), 판례 역시 보통항고가 허용된다고 본다(대법원 1997.4.18. 97모26 결정).

④ (○) 즉시항고는 법률관계 내지 재판절차의 조속한 안정을 위해 일정한 기간 내에서만 제기 가능한 항고로서, 즉시항고의 제기기간 내와 그 제기가 있는 때에 재판의 집행을 정지하는 효력이 있으나(형사소송법 제410조), 보통항고의 경우에도 법원의 결정으로 집행정지가 가능한 점(형사소송법 제409조)을 고려하면, 집행정지의 효력이 즉시항고의 본질적인 속성에서 비롯된 것이라고 볼 수 없다. 한편, 형사소송법 제415조는 "고등법원의 결정에 대하여는 재판에 영향을 미친 헌법·법률·명령 또는 규칙의 위반이 있음을 이유로 하는 때에 한하여 대법원에 즉시항고를 할 수 있다."라고 규정하고 있다. 이는 재항고이유를 제한함과 동시에 재항고 제기기간을 즉시항고 제기기간 내로 정함으로써 재항고심의 심리부담을 경감하고 항소심 재판절차를 조속히 안정시키기 위한 것이므로, 형사소송법 제415조가 고등법원의 결정에 대한 재항고를 즉시항고로 규정하고 있다고 하여 당연히 즉시항고가 가지는 집행정지의 효력이 인정된다고 볼 수는 없다. 만약 고등법원의 결정에 대하여 일률적으로 집행정지의 효력을 인정하면, 보석허가나 구속집행정지 등 제1심 법원이 결정하였다면 신속한 집행이 이루어질 사안에서 고등법원이 결정하였다는 이유만으로 피고인을 신속히 석방하지 못하게 되는 등 부당한 결과가 발생하게 되고, 나아가 항소심 재판절차의 조속한 안정을 보장하고자 한 형사소송법 제415조의 입법목적을 달성할 수 없게 되기 때문이다. 위와 같은 사정들을 종합하여 보면, 보석취소결정을 비롯하여 고등법원이 한 최초 결정이 제1심 법원이 하였더라면 보통항고가 인정되는 결정인 경우에는 이에 대한 재항고와 관련한 집행정지의 효력은 인정되지 않는다고 봄이 타당하다(대법원 2020.10.29. 2020모1845 결정).

30 0721

2020 경찰 2차

구속의 집행정지와 취소에 대한 설명으로 가장 적절하지 않은 것은? (다툼이 있는 경우 판례에 의함)

① 구속의 사유가 없거나 소멸된 때에는 법원은 직권 또는 검사, 피고인, 변호인과 형사소송법 제30조 제2항에 규정된 자의 청구에 의하여 결정으로 구속을 취소하여야 한다.
② 피고인 甲은 형사소송법 제72조에 정한 사전 청문절차 없이 발부된 구속영장에 기하여 구속되었다. 제1심 법원이 그 위법을 시정하기 위하여 구속취소결정 후 적법한 청문절차를 밟아 甲에 대한 구속영장을 발부하였고, 甲이 이 청문절차부터 제1·2심의 소송절차에 이르기까지 변호인의 조력을 받았다면, 법원은 甲에 대한 구속영장 발부와 집행에 관한 소송절차의 법령 위반 등을 다투는 상고이유 주장은 받아들이지 않는다.
③ 법원은 형사소송법 제101조 제4항에 따라 구속영장의 집행이 정지된 국회의원이 소환을 받고도 정당한 사유 없이 출석하지 아니한 때에는 그 회기 중이라도 구속영장의 집행정지를 취소할 수 있다.
④ 법원은 상당한 이유가 있는 때에는 결정으로 구속된 피고인을 친족·보호단체 기타 적당한 자에게 부탁하거나 피고인의 주거를 제한하여 구속의 집행을 정지할 수 있고, 이때 급속을 요하는 경우를 제외하고는 검사의 의견을 물어야 한다.

지문분석 난이도 ㊥ 정답 ③

| 키 워 드 | 구속의 집행정지·취소
| 출제유형 | 틀린 지문 고르기

③ (X) 국회의원에 대한 구속영장의 집행정지는 그 회기 중 취소하지 못한다(형사소송법 제102조 제2항 단서).
① (O)형사소송법 제93조
② (O) 판결내용 자체가 아니고 다만 피고인의 신병확보를 위한 구속 등 소송절차가 법령에 위반된 경우에는, 그로 인하여 피고인의 방어권이나 변호인의 조력을 받을 권리가 본질적으로 침해되고 판결의 정당성마저 인정하기 어렵다고 보이는 정도에 이르지 않는 한, 그것 자체만으로는 판결에 영향을 미친 위법이라고 할 수 없다. 피고인은 이 사건 범죄사실에 관하여 형사소송법 제72조에서 정한 사전 청문절차 없이 발부된 구속영장에 기하여 2018.1.19. 구속되었다. 그러나 제1심 법원이 위 구속의 위법을 시정하기 위하여 2018.4.13. 구속취소결정을 하고 적법한 청문절차를 밟아 구속사유가 있음을 인정하고 같은 날 피고인에 대한 구속영장을 새로 발부하였다. 이와 같이 적법하게 발부된 새로운 구속영장에 따라 피고인에 대한 구속이 계속되었다. 피고인이 위 청문절차에서부터 제1심과 원심의 소송절차에 이르기까지 변호인의 조력을 받았다. 위와 같은 사실관계를 기록에 비추어 살펴보면, 피고인에 대한 신체구금 과정에 피고인의 방어권이 본질적으로 침해되어 원심판결의 정당성마저 인정하기 어렵다고 볼 정도의 위법은 없다. 따라서 피고인에 대한 구속영장 발부와 집행에 관한 소송절차의 법령 위반 등을 다투는 상고이유 주장은 받아들이지 않는다(대법원 2019.2.28. 2018도19034).
④ (O) 형사소송법 제101조 제1항·제2항

31 0722

2021 경찰 승진

구속의 집행정지와 취소에 대한 설명으로 가장 적절하지 않은 것은? (다툼이 있는 경우 판례에 의함)

① 법원은 형사소송법 제101조 제4항에 따라 구속영장의 집행이 정지된 국회의원이 소환을 받고도 정당한 사유 없이 출석하지 아니한 때에는 그 회기 중이라도 구속영장의 집행정지를 취소할 수 있다.
② 검사가 구속된 피의자를 석방한 때에는 지체 없이 구속영장을 발부한 법원에 그 사유를 서면으로 통지하여야 한다.
③ 구속의 사유가 없거나 소멸된 때에는 법원은 직권 또는 검사, 피고인, 변호인과 형사소송법 제30조 제2항에 규정된 자의 청구에 의하여 결정으로 구속을 취소하여야 한다.
④ 법원은 상당한 이유가 있는 때에는 결정으로 구속된 피고인을 친족·보호단체 기타 적당한 자에게 부탁하거나 피고인의 주거를 제한하여 구속의 집행을 정지할 수 있고, 이때 급속을 요하는 경우를 제외하고는 검사의 의견을 물어야 한다.

지문분석 난이도 ㊥ 정답 ①

| 키 워 드 | 구속의 집행정지·취소
| 출제유형 | 틀린 지문 고르기

① (X) 국회의원에 대한 구속영장의 집행정지는 그 회기 중 취소하지 못한다(형사소송법 제102조 제2항 단서).
② (O) 형사소송법 제204조
③ (O) 형사소송법 제93조
④ (O) 형사소송법 제101조 제1항·제2항

32 0723 2020 경찰 승진

구속의 집행정지 또는 구속의 실효에 관한 설명 중 가장 적절하지 않은 것은? (다툼이 있는 경우 판례에 의함)

① 헌법 제44조에 의하여 구속된 국회의원에 대한 석방요구가 있으면 당연히 구속영장의 집행이 정지된다.

② 피고인 또는 그 변호인은 구속집행정지를 청구할 권리가 있다. 청구를 받은 법원은 48시간 이내에 구속된 피고인을 심문하여야 하고, 그 청구가 이유 있다고 인정한 때에는 결정으로 구속의 집행정지를 명하여야 한다.

③ 무죄, 면소, 형의 면제, 형의 선고유예, 형의 집행유예, 공소기각 또는 벌금이나 과료를 과하는 판결이 선고된 때에는 구속영장은 판결선고와 동시에 바로 효력을 잃는다.

④ 구속의 사유가 없거나 소멸된 때에는 법원은 직권 또는 검사, 피고인, 변호인과 변호인선임권자의 청구에 의하여 결정으로 구속을 취소하여야 한다.

지문분석 난이도 하 정답 ②

| 키 워 드 | 구속의 집행정지·구속의 실효

| 출제유형 | 틀린 지문 고르기

② (X) 법원은 상당한 이유가 있는 때에는 결정으로 구속된 피고인을 친족·보호단체 기타 적당한 자에게 부탁하거나 피고인의 주거를 제한하여 구속의 집행을 정지할 수 있다(형사소송법 제101조 제1항). 즉, 구속집행정지는 피고인의 청구가 아닌 법원의 직권에 의해서만 행해진다.

① (O) 형사소송법 제101조 제4항

③ (O) 형사소송법 제331조

④ (O) 형사소송법 제93조

CHAPTER

05 압수·수색·검증 등

■ 기본서 연계페이지: p.1284~1306 ■ 문항 수: 23문항

1 압수·수색·검증

01 0724

2019 경찰 1차

전자정보의 압수·수색에 대한 설명으로 가장 적절하지 <u>않은</u> 것은? (다툼이 있는 경우 판례에 의함)

① 피의자의 이메일 계정에 대한 접근권한에 갈음하여 발부받은 압수·수색영장의 효력은 대한민국의 사법관할권이 미치지 아니하는 해외 이메일서비스제공자의 해외 서버 및 그 해외 서버에 소재하는 저장매체 속 피의자의 전자정보에 대하여까지 미치지는 않는다.

② 피의자의 이메일 계정에 대한 접근권한에 갈음하여 발부받은 압수·수색영장에 따라 국내 원격지의 저장매체에 적법하게 접속하여 내려받거나 현출된 전자정보를 대상으로 하여 범죄 혐의사실과 관련된 부분에 대하여 압수·수색하는 것은 형사소송법 제120조 제1항에서 정한 압수·수색영장의 집행에 필요한 처분에 해당한다.

③ 수사기관이 정보저장매체에 기억된 정보 중에서 키워드 또는 확장자 검색 등을 통해 범죄 혐의사실과 관련 있는 정보를 선별한 다음 정보저장매체와 동일하게 비트열 방식으로 복제하여 생성한 이미지 파일을 제출받아 압수하였다면, 이후 압수된 이미지 파일을 탐색·복제·출력하는 과정에서 피의자 등에게 참여의 기회를 보장하여야 하는 것은 아니다.

④ 전자정보에 대한 압수·수색이 종료되기 전에 혐의사실과 관련된 전자정보를 적법하게 탐색하는 과정에서 별도의 범죄 혐의와 관련된 전자정보를 우연히 발견한 경우라면, 수사기관은 더 이상의 추가 탐색을 중단하고 법원에서 별도의 범죄 혐의에 대한 압수·수색영장을 발부받은 경우에 한하여 그러한 정보에 대하여도 적법하게 압수·수색을 할 수 있다.

지문분석 난이도 ㊥ 정답 ①

| 키 워 드 | 압수·수색

| 출제유형 | 틀린 지문 고르기

① (X) 수사기관이 인터넷서비스이용자인 피의자를 상대로 피의자의 컴퓨터 등 정보처리장치 내에 저장되어 있는 이메일 등 전자정보를 압수·수색하는 것은 전자정보의 소유자 내지 소지자를 상대로 해당 전자정보를 압수·수색하는 대물적 강제처분으로 형사소송법의 해석상 허용된다. 나아가 압수·수색할 전자정보가 압수·수색영장에 기재된 수색장소에 있는 컴퓨터 등 정보처리장치 내에 있지 아니하고 그 정보처리장치와 정보통신망으로 연결되어 제3자가 관리하는 원격지의 서버 등 저장매체에 저장되어 있는 경우에도, 수사기관이 피의자의 이메일 계정에 대한 접근권한에 갈음하여 발부받은 영장에 따라 영장 기재 수색장소에 있는 컴퓨터 등 정보처리장치를 이용하여 적법하게 취득한 피의자의 이메일 계정 아이디와 비밀번호를 입력하는 등 피의자가 접근하는 통상적인 방법에 따라 그 원격지의 저장매체에 접속하고 그곳에 저장되어 있는 피의자의 이메일 관련 전자정보를 수색장소의 정보처리장치로 내려받거나 그 화면에 현출시키는 것 역시 피의자의 소유에 속하거나 소지하는 전자정보를 대상으로 이루어지는 것이므로 그 전자정보에 대한 압수·수색을 위와 달리 볼 필요가 없다(대법원 2017.11.29. 2017도9747).

② (O) 대법원 2017.11.29. 2017도9747

③ (O) 당사자의 참여하에 수사기관이 정보저장매체에 기억된 정보 중에서 키워드 또는 확장자 검색 등을 통해 범죄 혐의사실과 관련 있는 정보를 선별한 다음 정보저장매체와 동일하게 비트열 방식으로 복제하여 생성한 파일을 제출받아 압수하였다면 이로써 압수의 목적물에 대한 압수·수색 절차는 종료된 것이므로, 수사기관이 수사기관 사무실에서 위와 같이 압수된 이미지 파일을 탐색·복제·출력하는 과정에서도 피의자 등에게 참여의 기회를 보장하여야 하는 것은 아니다(대법원 2018.2.8. 2017도13263).

④ (O) 대법원 2015.7.16. 2011모1839 전원합의체 결정

02 0725

2020 경찰 1차

전자정보 압수·수색에 대한 설명으로 옳은 것은 몇 개인가? (다툼이 있는 경우 판례에 의함)

㉠ 전자정보에 대한 압수·수색영장을 집행할 때에는 원칙적으로 영장 발부의 사유인 혐의사실과 관련된 부분만을 문서 출력물로 수집하거나 수사기관이 휴대한 저장매체에 해당 파일을 복사하는 방식으로 이루어져야 하고, 집행현장 사정상 위와 같은 방식에 의한 집행이 불가능하거나 현저히 곤란한 부득이한 사정이 존재하더라도 저장매체 자체를 직접 혹은 하드카피나 이미징 등 형태로 수사기관 사무실 등 외부로 반출하여 해당 파일을 압수·수색할 수 있도록 영장에 기재되어 있고 실제 그와 같은 사정이 발생한 때에 한하여 위 방법이 예외적으로 허용될 수 있을 뿐이다.

㉡ 수사기관 사무실 등으로 반출된 저장매체 또는 복제본에서 혐의사실 관련성에 대한 구분 없이 임의로 저장된 전자정보를 문서로 출력하거나 파일로 복제하는 행위는 원칙적으로 영장주의 원칙에 반하는 위법한 압수가 된다.

㉢ 수사기관이 피의자 甲의 공직선거법 위반 범행을 영장 범죄사실로 하여 발부받은 압수·수색영장의 집행 과정에서 乙·丙 사이의 대화가 녹음된 녹음파일을 압수하여 乙·丙의 공직선거법 위반 혐의사실을 발견한 사안에서, 별도의 압수·수색영장을 발부받지 않고 압수한 위 녹음파일은 위법수집증거로서 증거능력이 없다.

㉣ 수사기관이 정보저장매체에 기억된 정보 중에서 키워드 또는 확장자 검색 등을 통해 범죄 혐의사실과 관련 있는 정보를 선별한 다음 정보저장매체와 동일하게 비트열 방식으로 복제하여 생성한 파일('이미지 파일')을 제출받아 압수하였다면 이로써 압수의 목적물에 대한 압수·수색 절차는 종료된 것이므로, 수사기관이 수사기관 사무실에서 위와 같이 압수된 이미지 파일을 탐색·복제·출력하는 과정에서도 피의자 등에게 참여의 기회를 보장하여야 하는 것은 아니다.

① 1개 ② 2개
③ 3개 ④ 4개

지문분석

난이도 상 정답 ④

| 키 워 드 | 압수·수색
| 출제유형 | 개수 찾기

㉠, ㉡ (O) 대법원 2012.3.29. 2011도10508
㉢ (O) 대법원 2014.1.16. 2013도7101
㉣ (O) 대법원 2018.2.8. 2017도13263

03 0726

2018 경찰 3차

수사상 압수·수색·검증에 대한 설명으로 가장 적절하지 않은 것은? (다툼이 있는 경우 판례에 의함)

① 수사기관이 피의자 등을 참여시킨 상태에서 정보저장매체에 기억된 정보 중에서 키워드 또는 확장자 검색 등을 통해 범죄 혐의사실과 관련 있는 정보를 선별한 다음 정보저장매체와 동일하게 비트열 방식으로 복제하여 생성한 이미지 파일을 제출받아 적법하게 압수하였다면, 이로써 압수의 목적물에 대한 압수·수색 절차는 종료된 것이므로, 수사기관이 수사기관 사무실에서 이와 같이 압수된 이미지 파일을 탐색·복제·출력하는 과정에서는 피의자 등에게 참여의 기회를 보장하여야 하는 것은 아니다.

② 압수·수색영장에서 압수할 물건을 '압수장소에 보관 중인 물건'이라고 기재하고 있는 것을 '압수장소에 현존하는 물건'으로 해석할 수는 없다.

③ 수사기관이 인터넷서비스이용자인 피의자를 상대로 피의자의 컴퓨터 등 정보처리장치 내에 저장되어 있는 이메일 등 전자정보를 압수·수색하는 것은 전자정보의 소유자 내지 소지자를 상대로 해당 전자정보를 압수·수색하는 대물적 강제처분으로 형사소송법의 해석상 허용된다.

④ 지방법원판사가 한 압수·수색·검증영장 발부 여부에 관한 재판에 대하여는 형사소송법 제416조에서 규정한 준항고의 방법으로 불복할 수 있다.

지문분석

난이도 중 정답 ④

| 키 워 드 | 압수·수색·검증
| 출제유형 | 틀린 지문 고르기

④ (X) 형사소송법 제416조는 재판장 또는 수명법관이 한 재판에 대한 준항고에 관하여 규정하고 있는바, 여기에서 말하는 '재판장 또는 수명법관'이라 함은 수소법원의 구성원으로서의 재판장 또는 수명법관만을 가리키는 것이어서, 수사기관의 청구에 의하여 압수영장 등을 발부하는 독립된 재판기관인 지방법원판사가 이에 해당된다고 볼 수 없으므로, 지방법원판사가 한 압수영장 발부의 재판에 대하여는 위 조항에서 정한 준항고로 불복할 수 없고, 나아가 같은 법 제402조, 제403조에서 규정하는 항고는 법원이 한 결정을 그 대상으로 하는 것이므로 법원의 결정이 아닌 지방법원판사가 한 압수영장 발부의 재판에 대하여 그와 같은 항고의 방법으로도 불복할 수 없다(대법원 1997.9.29. 97모66 결정).
① (O) 대법원 2018.2.8. 2017도13263
② (O) 대법원 2009.3.12. 2008도763
③ (O) 대법원 2017.11.29. 2017도9747

04 0727

2019 경찰 2차

압수·수색에 대한 설명으로 가장 적절한 것은? (다툼이 있는 경우 판례에 의함)

① 검사나 사법경찰관은 현행범 체포 현장이나 범죄 장소에서 소지자 등이 임의로 제출하는 물건을 영장 없이 압수할 수 있으나, 이 경우 사후에 영장을 받아야 한다.

② 범행 중 또는 범행 직후의 범죄 장소에서 영장 없이 압수·수색 또는 검증을 할 수 있도록 규정한 형사소송법 제216조 제3항의 요건 중 어느 하나라도 갖추지 못한 경우, 그 압수·수색 또는 검증은 위법하나 사후에 법원으로부터 영장을 발부받았다면 그 위법성이 치유된다.

③ 검사가 압수·수색영장의 효력이 상실되었음에도 다시 그 영장에 기하여 피의자의 주거에 대한 압수·수색을 실시하여 증거물 또는 몰수할 것으로 사료되는 물건을 압수한 경우 압수 자체가 위법하게 됨은 별론으로 하더라도 몰수의 효력에는 영향을 미치지 않는다.

④ 압수·수색영장은 현장에서 피압수자가 여러 명일 경우에는 그들 모두에게 개별적으로 영장을 제시해야 하나, 그 장소의 관리책임자에게 영장을 제시하였다면 압수하고자 하는 물건을 소지하고 있는 사람에게는 따로 영장을 제시할 것까지 요하지 아니한다.

지문분석

난이도 중 정답 ③

| 키 워 드 | 압수·수색

| 출제유형 | 옳은 지문 고르기

③ (O) [1] 범죄행위에 제공하려고 한 물건은 범인 이외의 자의 소유에 속하지 아니하거나 범죄 후 범인 이외의 자가 정을 알면서 취득한 경우 이를 몰수할 수 있고, 한편 법원이나 수사기관은 필요한 때에는 증거물 또는 몰수할 것으로 사료하는 물건을 압수할 수 있으나, 몰수는 반드시 압수되어 있는 물건에 대하여서만 하는 것이 아니므로, 몰수대상물건이 압수되어 있는가 하는 점 및 적법한 절차에 의하여 압수되었는가 하는 점은 몰수의 요건이 아니다.
[2] 이미 그 집행을 종료함으로써 효력을 상실한 압수·수색영장에 기하여 다시 압수·수색을 실시하면서 몰수대상물건을 압수한 경우, 압수 자체가 위법하게 됨은 별론으로 하더라도 그것이 위 물건의 몰수의 효력에는 영향을 미칠 수 없다(대법원 2003.5.30. 2003도705).

① (X) 검사 또는 사법경찰관은 형사소송법 제212조의 규정에 의하여 피의자를 현행범 체포하는 경우에 필요한 때에는 체포 현장에서 영장 없이 압수·수색·검증을 할 수 있으나, 이와 같이 압수한 물건을 계속 압수할 필요가 있는 경우에는 체포한 때부터 48시간 이내에 지체 없이 압수영장을 청구하여야 한다(형사소송법 제216조 제1항 제2호, 제217조 제2항). 그리고 검사 또는 사법경찰관이 범행 중 또는 범행 직후의 범죄 장소에서 긴급을 요하여 판사의 영장을 받을 수 없는 때에는 영장 없이 압수·수색 또는 검증을 할 수 있으나, 이 경우에는 사후에 지체 없이 영장을 받아야 한다(형사소송법 제216조 제3항). 다만, 형사소송법 제218조에 의하면 검사 또는 사법경찰관은 피의자 등이 유류한 물건이나 소유자·소지자 또는 보관자가 임의로 제출한 물건은 영장 없이 압수할 수 있으므로, 현행범 체포 현장이나 범죄 장소에서도 소지자 등이 임의로 제출하는 물건은 위 조항에 의하여 영장 없이 압수할 수 있고, 이 경우에는 검사나 사법경찰관이 사후에 영장을 받을 필요가 없다(대법원 2016.2.18. 2015도13726).

② (X) 범행 중 또는 범행 직후의 범죄 장소에서 긴급을 요하여 법원 판사의 영장을 받을 수 없는 때에는 영장 없이 압수·수색 또는 검증을 할 수 있으나, 사후에 지체 없이 영장을 받아야 한다(형사소송법 제216조 제3항). 형사소송법 제216조 제3항의 요건 중 어느 하나라도 갖추지 못한 경우에 그러한 압수·수색 또는 검증은 위법하며, 이에 대하여 사후에 법원으로부터 영장을 발부받았다고 하여 그 위법성이 치유되지 아니한다(대법원 2017.11.29. 2014도16080).

④ (X) 압수·수색영장은 처분을 받는 자에게 반드시 제시하여야 하는바, 현장에서 압수·수색을 당하는 사람이 여러 명일 경우에는 그 사람들 모두에게 개별적으로 영장을 제시해야 하는 것이 원칙이다. 수사기관이 압수·수색에 착수하면서 그 장소의 관리책임자에게 영장을 제시하였다고 하더라도, 물건을 소지하고 있는 다른 사람으로부터 이를 압수하고자 하는 때에는 그 사람에게 따로 영장을 제시하여야 한다(대법원 2009.3.12. 2008도763).

05 0728 2020 경찰 승진

전자정보의 압수·수색에 관한 설명 중 가장 적절한 것은? (다툼이 있는 경우 판례에 의함)

① 수사기관이 키워드 또는 확장자 검색 등을 통해 범죄 혐의사실과 관련 있는 정보를 선별한 다음 정보저장매체와 동일하게 비트열 방식으로 복제하여 생성한 파일을 제출받아 압수하였다면 아직 압수의 목적물에 대한 압수·수색 절차는 종료된 것이 아니므로, 수사관서에서 압수된 이미지 파일을 탐색·복제·출력하는 과정에 피의자 등에게 참여 기회를 보장하여야 한다.

② 저장매체 자체를 직접 또는 하드카피나 이미징 등 형태로 수사기관 사무실 등 외부로 반출하여 해당 파일을 압수·수색할 수 있도록 영장에 기재되어 있지 않더라도 집행현장의 사정상 선별적 방식에 의한 집행이 불가능하거나 현저히 곤란한 부득이한 사정이 있는 때에는 저장매체 자체를 수사관서로 반출할 수 있다.

③ 압수물 목록은 피압수자 등이 압수처분에 대한 준항고를 하는 등 권리행사절차를 밟는 가장 기초적인 자료가 되므로 압수된 정보의 상세목록에는 정보의 파일 명세가 특정되어 있어야 하고 수사기관은 이를 서면으로 교부하여야 하며, 전자파일 형태로 복사해 주거나 이메일을 전송하는 등의 방식으로는 교부할 수 없다.

④ 증거로 제출된 전자문서 파일의 원본 동일성은 증거능력의 요건에 해당하므로 검사가 그 존재에 대하여 구체적으로 주장·증명해야 한다.

지문분석 난이도 중 정답 ④

| 키 워 드 | 압수·수색

| 출제유형 | 옳은 지문 고르기

④ (O) 대법원 2018.2.8. 2017도13263

① (X) 수사기관이 정보저장매체에 기억된 정보 중에서 키워드 또는 확장자 검색 등을 통해 범죄 혐의사실과 관련 있는 정보를 선별한 다음 정보저장매체와 동일하게 비트열 방식으로 복제하여 생성한 파일(이하 '이미지 파일'이라 한다)을 제출받아 압수하였다면 이로써 압수의 목적물에 대한 압수·수색 절차는 종료된 것이므로, 수사기관이 수사기관 사무실에서 위와 같이 압수된 이미지 파일을 탐색·복제·출력하는 과정에서도 피의자 등에게 참여의 기회를 보장하여야 하는 것은 아니다(대법원 2018.2.8. 2017도13263).

② (X) 전자정보에 대한 압수·수색영장을 집행할 때에는 원칙적으로 영장 발부의 사유인 혐의사실과 관련된 부분만을 문서 출력물로 수집하거나 수사기관이 휴대한 저장매체에 해당 파일을 복사하는 방식으로 이루어져야 하고, 집행현장 사정상 위와 같은 방식에 의한 집행이 불가능하거나 현저히 곤란한 부득이한 사정이 존재하더라도 저장매체 자체를 직접 혹은 하드카피나 이미징 등 형태로 수사기관 사무실 등 외부로 반출하여 해당 파일을 압수·수색할 수 있도록 영장에 기재되어 있고 실제 그와 같은 사정이 발생한 때에 한하여 위 방법이 예외적으로 허용될 수 있을 뿐이다(대법원 2011.5.26. 2009모1190 결정).

③ (X) 형사소송법 제219조, 제129조에 의하면, 압수한 경우에는 목록을 작성하여 소유자, 소지자, 보관자 기타 이에 준할 자에게 교부하여야 한다. 그리고 법원은 압수·수색영장의 집행에 관하여 범죄 혐의사실과 관련 있는 정보의 탐색·복제·출력이 완료된 때에는 지체 없이 압수된 정보의 상세목록을 피의자 등에게 교부할 것을 정할 수 있다. 압수물 목록은 피압수자 등이 압수처분에 대한 준항고를 하는 등 권리행사절차를 밟는 가장 기초적인 자료가 되므로, 수사기관은 이러한 권리행사에 지장이 없도록 압수 직후 현장에서 압수물 목록을 바로 작성하여 교부해야 하는 것이 원칙이다. 이러한 압수물 목록 교부 취지에 비추어 볼 때, 압수된 정보의 상세목록에는 정보의 파일 명세가 특정되어 있어야 하고, 수사기관은 이를 출력한 서면을 교부하거나 전자파일 형태로 복사해 주거나 이메일을 전송하는 등의 방식으로도 할 수 있다(대법원 2018.2.8. 2017도13263).

06 0729

2019 경찰 2차

압수·수색에 대한 설명으로 가장 적절하지 않은 것은? (다툼이 있는 경우 판례에 의함)

① 수사기관의 압수·수색은 법관이 발부한 압수·수색영장에 의하여야 하는 것이 원칙이고, 그 영장에는 피의자의 성명, 압수할 물건, 수색할 장소·신체·물건과 압수·수색의 사유 등이 특정되어야 하며, 피의자 아닌 자의 신체 또는 물건은 압수할 물건이 있음을 인정할 수 있는 경우에 한하여 수색할 수 있다.

② 법관이 압수·수색영장을 발부하면서 '압수할 물건'을 특정하기 위하여 기재한 문언은 엄격하게 해석해야 하고, 함부로 피압수자 등에게 불리한 내용으로 확장 또는 유추해석해서는 안 되므로, 압수·수색영장에서 압수할 물건을 '압수장소에 보관 중인 물건'이라고 기재하고 있는 것을 '압수장소에 현존하는 물건'으로 해석할 수는 없다.

③ 피의자의 컴퓨터 내에 저장되어 있는 이메일 등 전자정보를 압수·수색하는 것은 전자정보의 소유자 내지 소지자를 상대로 해당 전자정보를 압수·수색하는 대물적 강제처분으로 형사소송법의 해석상 허용된다.

④ 영장에 수색할 장소를 특정하도록 한 취지에 비추어 보면, 수색장소에 있는 정보처리장치를 이용하여 정보통신망으로 연결된 원격지의 저장매체에서 수색장소에 있는 정보처리장치로 전자정보를 내려받아 이를 압수하는 것은 압수·수색영장에서 허용한 집행의 장소적 범위를 위법하게 확대하는 것이다.

지문분석 난이도 중 정답 ④

| 키 워 드 | 압수·수색

| 출제유형 | 틀린 지문 고르기

④ (X) 형사소송법 제109조 제1항, 제114조 제1항에서 영장에 수색할 장소를 특정하도록 한 취지와 정보통신망으로 연결되어 있는 한 정보처리장치 또는 저장매체 간 이전, 복제가 용이한 전자정보의 특성 등에 비추어 보면, 수색장소에 있는 정보처리장치를 이용하여 정보통신망으로 연결된 원격지의 저장매체에 접속하는 것이 위와 같은 형사소송법의 규정에 위반하여 압수·수색영장에서 허용한 집행의 장소적 범위를 확대하는 것이라고 볼 수 없다. 수색행위는 정보통신망을 통해 원격지의 저장매체에서 수색장소에 있는 정보처리장치로 내려받거나 현출된 전자정보에 대하여 위 정보처리장치를 이용하여 이루어지고, 압수행위는 위 정보처리장치에 존재하는 전자정보를 대상으로 그 범위를 정하여 이를 출력 또는 복제하는 방법으로 이루어지므로, 수색에서 압수에 이르는 일련의 과정이 모두 압수·수색영장에 기재된 장소에서 행해지기 때문이다(대법원 2017.11.29. 2017도9747).

① (O) 형사소송법 제109조 제2항

② (O) 대법원 2009.3.12. 2008도763

③ (O) 대법원 2017.11.29. 2017도9747

07 0730

2020 경찰 승진

압수·수색에 관한 설명 중 가장 적절하지 않은 것은? (다툼이 있는 경우 판례에 의함)

① 검사가 공소제기 후 형사소송법 제215조에 따라 수소법원 이외의 지방법원 판사에게 청구하여 발부받은 영장에 의하여 압수·수색을 하였다면, 그와 같이 수집된 증거는 기본적 인권 보장을 위해 마련된 적법한 절차에 따르지 않은 것으로서 원칙적으로 유죄의 증거로 삼을 수 없다.

② 수사기관이 압수·수색에 착수하면서 그 장소의 관리책임자에게 영장을 제시하였더라도, 물건을 소지하고 있는 다른 사람으로부터 이를 압수하고자 하는 때에는 그 사람에게 따로 영장을 제시하여야 한다.

③ 법관의 서명날인란에 서명만 있고 날인이 없는 압수·수색영장이라 하더라도 야간집행을 허가하는 판사의 수기와 날인, 영장 앞면과 별지 사이에 판사의 간인이 있어 법관의 진정한 의사에 따라 발부되었다는 점이 외관상 분명한 경우라면 그 영장은 적법하게 발부된 것으로 볼 수 있다.

④ 검사, 사법경찰관은 피의자 기타인의 유류한 물건이나 소유자, 소지자 또는 보관자가 임의로 제출한 물건을 영장 없이 압수할 수 있다.

지문분석 난이도 중 정답 ③

| 키 워 드 | 압수·수색

| 출제유형 | 틀린 지문 고르기

③ (X) 압수·수색영장에는 피의자의 성명, 죄명, 압수할 물건, 수색할 장소, 신체, 물건, 발부 연월일, 유효기간과 그 기간을 경과하면 집행에 착수하지 못하며 영장을 반환하여야 한다는 취지, 그 밖에 대법원규칙으로 정한 사항을 기재하고 영장을 발부하는 법관이 서명날인하여야 한다(형사소송법 제219조, 제114조 제1항 본문). 이 사건 영장은 법관의 서명날인란에 서명만 있고 날인이 없으므로, 형사소송법이 정한 요건을 갖추지 못하여 적법하게 발부되었다고 볼 수 없다. 그런데도 원심이 이와 달리 이 사건 영장이 법관의 진정한 의사에 따라 발부되었다는 등의 이유만으로 이 사건 영장이 유효라고 판단한 것은 잘못이다(대법원 2019.7.11. 2018도20504).

① (O) 대법원 2011.4.28. 2009도10412

② (O) 대법원 2009.3.12. 2008도763

④ (O) 형사소송법 제218조

08 0731

2021 경찰 승진

전자정보의 압수·수색에 대한 설명으로 가장 적절한 것은?
(다툼이 있는 경우 판례에 의함)

① 전자정보에 대한 압수·수색이 종료되기 전에 혐의사실과 관련된 전자정보를 적법하게 탐색하는 과정에서 별도의 범죄혐의와 관련된 전자정보를 우연히 발견한 경우라면 따로 압수·수색영장을 발부받지 않고 그 전자정보를 적법하게 압수·수색할 수 있다.

② 전자정보가 담긴 저장매체를 수사기관 사무실 등으로 옮겨 복제·탐색·출력하는 경우에는 변호인의 참여기회를 보장할 필요는 없다.

③ 전자정보에 대한 압수·수색영장을 집행할 때에는 원칙적으로 영장발부의 사유인 혐의사실과 관련된 부분만을 문서 출력물로 수집하거나 수사기관이 휴대한 저장매체에 해당 파일을 복사하는 방법으로 이루어져야 한다.

④ 압수·수색영장에 저장매체 자체를 직접 또는 하드카피나 이미징 등 형태로 수사기관 사무실 등 외부로 반출하여 해당 파일을 압수·수색할 수 있도록 기재되어 있지 않더라도, 수사기관이 전자정보의 복사 또는 출력이 불가능하거나 현저히 곤란한 부득이한 사정이 있을 때에는 압수목적물인 저장매체 자체를 수사관서로 반출할 수 있다.

지문분석 난이도 중 정답 ③

| 키 워 드 | 압수·수색
| 출제유형 | 옳은 지문 고르기

③ (O) 대법원 2015.7.16. 2011모1839 전원합의체 결정

① (X) 전자정보에 대한 압수·수색이 종료되기 전에 혐의사실과 관련된 전자정보를 적법하게 탐색하는 과정에서 별도의 범죄혐의와 관련된 전자정보를 우연히 발견한 경우라면, 수사기관은 더 이상의 추가 탐색을 중단하고 법원에서 별도의 범죄혐의에 대한 압수·수색영장을 발부받은 경우에 한하여 그러한 정보에 대하여도 적법하게 압수·수색을 할 수 있다(대법원 2015.7.16. 2011모1839 전원합의체 결정).

② (X) 저장매체에 대한 압수·수색 과정에서 범위를 정하여 출력 또는 복제하는 방법이 불가능하거나 압수의 목적을 달성하기에 현저히 곤란한 예외적인 사정이 인정되어 전자정보가 담긴 저장매체 또는 하드카피나 이미징 등 형태(이하 '복제본'이라 한다)를 수사기관 사무실 등으로 옮겨 복제·탐색·출력하는 경우에도, 그와 같은 일련의 과정에서 형사소송법 제219조, 제121조에서 규정하는 피압수·수색 당사자(이하 '피압수자'라 한다)나 변호인에게 참여의 기회를 보장하고 혐의사실과 무관한 전자정보의 임의적인 복제 등을 막기 위한 적절한 조치를 취하는 등 영장주의 원칙과 적법절차를 준수하여야 한다. 만약 그러한 조치가 취해지지 않았다면 피압수자 측이 참여하지 아니한다는 의사를 명시적으로 표시하였거나 절차 위반행위가 이루어진 과정의 성질과 내용 등에 비추어 피압수자 측에 절차 참여를 보장한 취지가 실질적으로 침해되었다고 볼 수 없을 정도에 해당한다는 등의 특별한 사정이 없는 이상 압수·수색이 적법하다고 평가할 수 없고, 비록 수사기관이 저장매체 또는 복제본에서 혐의사실과 관련된 전자정보만을 복제·출력하였다 하더라도 달리 볼 것은 아니다(대법원 2015.7.16. 2011모1839 전원합의체 결정).

④ (X) 전자정보에 대한 압수·수색영장의 집행에 있어서는 원칙적으로 영장 발부의 사유로 된 혐의사실과 관련된 부분만을 문서 출력물로 수집하거나 수사기관이 휴대한 저장매체에 해당 파일을 복사하는 방식으로 이루어져야 하고, 집행현장의 사정상 위와 같은 방식에 의한 집행이 불가능하거나 현저히 곤란한 부득이한 사정이 있더라도 그 같은 경우에 그 저장매체 자체를 직접 또는 하드카피나 이미징 등 형태로 수사기관 사무실 등 외부로 반출하여 해당 파일을 압수·수색할 수 있도록 영장에 기재되어 있고 실제 그와 같은 사정이 발생한 때에 한하여 예외적으로 허용될 수 있을 뿐이다(대법원 2012.3.29. 2011도10508).

09 0732

2021 경찰 승진

압수·수색에 대한 설명으로 가장 적절하지 않은 것은? (다툼이 있는 경우 판례에 의함)

① 압수·수색영장의 유효기간 내에서 동일한 영장으로 동일한 장소에서 수회 압수·수색하는 것은 허용된다.
② 압수·수색영장의 집행 중에는 타인의 출입을 금지할 수 있고, 이를 위배한 자에게는 퇴거하게 하거나 집행종료시까지 간수자를 붙일 수 있다.
③ 압수·수색영장의 제시가 현실적으로 불가능한 경우, 영장을 제시하지 아니한 채 압수·수색을 하더라도 위법하다고 볼 수 없다.
④ 압수·수색영장의 집행은 주간에 하는 것이 원칙이고, 야간에 집행하기 위해서는 압수·수색영장에 야간집행을 할 수 있다는 기재가 있어야 하나, 도박 기타 풍속을 해하는 행위에 상용된다고 인정하는 장소에서 압수·수색영장을 집행함에는 그러한 제한을 받지 아니한다.

지문분석 난이도 중 정답 ①

| 키 워 드 | 압수·수색
| 출제유형 | 틀린 지문 고르기

① (X) 형사소송법 제215조에 의한 압수·수색영장은 수사기관의 압수·수색에 대한 허가장으로서 거기에 기재되는 유효기간은 집행에 착수할 수 있는 종기를 의미하는 것일 뿐이므로, 수사기관이 압수·수색영장을 제시하고 집행에 착수하여 압수·수색을 실시하고 그 집행을 종료하였다면 이미 그 영장은 목적을 달성하여 효력이 상실되는 것이고, 동일한 장소 또는 목적물에 대하여 다시 압수·수색할 필요가 있는 경우라면 그 필요성을 소명하여 법원으로부터 새로운 압수·수색영장을 발부받아야 하는 것이지, 앞서 발부받은 압수·수색영장의 유효기간이 남아 있다고 하여 이를 제시하고 다시 압수·수색을 할 수는 없다(대법원 1999.12.1. 99모161 결정).
② (O) 형사소송법 제119조
③ (O) 대법원 2015.1.22. 2014도10978
④ (O) 형사소송법 제125조, 제126조 제1호

10 0733

2021 경찰 1차

압수·수색에 대한 설명으로 가장 적절하지 않은 것은? (다툼이 있는 경우 판례에 의함)

① 설령 피압수자가 수사기관에 압수·수색영장의 집행에 참여하지 않는다는 의사를 명시하였다고 하더라도, 특별한 사정이 없는 한 그 변호인에게는 미리 집행의 일시와 장소를 통지하는 등으로 압수·수색영장의 집행에 참여할 기회를 별도로 보장하여야 한다.
② 압수·수색영장을 집행하는 수사기관은 원칙적으로 피압수자로 하여금 법관이 발부한 영장에 의한 압수·수색이라는 사실을 확인함과 동시에 형사소송법이 압수·수색영장에 필요적으로 기재하도록 정한 사항이나 그와 일체를 이루는 사항을 충분히 알 수 있도록 압수·수색영장을 제시하여야 한다.
③ 저장매체에 대한 압수·수색 과정에서 압수의 목적을 달성하기에 현저히 곤란한 예외적인 사정이 인정되어 전자정보가 담긴 저장매체 등을 수사기관 사무실 등으로 옮겨 복제·탐색·출력하는 경우에도 피압수자나 변호인에게 참여 기회를 보장하여야 하는데, 이는 수사기관이 저장매체 등에서 혐의사실과 관련된 전자정보만을 복제·출력하는 경우에도 마찬가지이다.
④ 검사나 사법경찰관에게는 현행범 체포현장에서 소지자 등이 임의로 제출하는 물건을 형사소송법 제218조에 의하여 영장 없이 압수하는 것이 허용되는데, 이후 검사나 사법경찰관이 압수한 물건을 계속 압수할 필요가 있는 경우에는 지체 없이 영장을 청구하여야 한다.

지문분석 난이도 중 정답 ④

| 키 워 드 | 압수·수색
| 출제유형 | 틀린 지문 고르기

④ (X) 범죄를 실행 중이거나 실행 직후의 현행범인은 누구든지 영장 없이 체포할 수 있고(형사소송법 제212조), 검사 또는 사법경찰관은 피의자 등이 유류한 물건이나 소유자·소지자 또는 보관자가 임의로 제출한 물건을 영장 없이 압수할 수 있으므로(형사소송법 제218조), 현행범 체포현장이나 범죄 현장에서도 소지자 등이 임의로 제출하는 물건을 형사소송법 제218조에 의하여 영장 없이 압수하는 것이 허용되고, 이 경우 검사나 사법경찰관은 별도로 사후에 영장을 받을 필요가 없다(대법원 2020.4.9. 2019도17142).
① (O) 대법원 2020.11.26. 2020도10729
② (O) 대법원 2017.9.21. 2015도12400
③ (O) 대법원 2015.7.16. 2011모1839 전원합의체

11 0734 2021 경찰 2차

압수·수색에 관한 설명으로 가장 적절하지 않은 것은? (다툼이 있는 경우 판례에 의함)

① 사법경찰관은 긴급체포된 자가 소유·소지 또는 보관하는 물건에 대하여 긴급히 압수할 필요가 있는 경우에는 체포한 때부터 24시간 이내에 한하여 영장 없이 압수·수색 또는 검증을 할 수 있으며, 이 경우 압수·수색 또는 검증은 체포현장이 아닌 장소에서도 할 수 있다.

② 경찰관이 현행범인 체포 당시 임의제출 방식으로 피의자로부터 압수한 휴대전화기에 대하여 작성한 압수조서 중 압수경위란에 피의자의 범행을 직접 목격한 사람의 진술이 기재된 경우, 이는 형사소송법 제312조 제5항에서 정한 '피고인이 아닌 자가 수사과정에서 작성한 진술서'에 준하며, 휴대전화기에 대한 임의제출 절차가 적법하지 않다면 압수조서에 기재된 진술은 증거로 할 수 없다.

③ 사법경찰관은 소유자·소지자 또는 보관자가 임의로 제출한 물건을 영장 없이 압수할 수 있으므로, 현행범 체포현장이나 범죄 현장에서도 소지자 등이 임의로 제출하는 물건을 영장 없이 압수하는 것이 허용되고, 이 경우 별도로 사후에 영장을 받을 필요가 없다.

④ 사법경찰관은 피의사실이 중대하고 범죄혐의가 명백함에도 불구하고 피의자가 장시간의 설득에도 소변의 임의제출을 거부하면서 영장집행에 저항하여 다른 방법으로 수사 목적을 달성하기 곤란하다고 판단한 때에는, '압수·수색영장의 집행에 필요한 처분'으로 필요최소한의 한도 내에서 피의자를 강제로 인근병원으로 데리고 가서 의사로 하여금 피의자의 신체에서 소변을 채취하는 것이 허용된다.

지문분석 난이도 중 정답 ②

| 키 워 드 | 압수·수색

| 출제유형 | 틀린 지문 고르기

② (X) 피고인이 지하철역 에스컬레이터에서 휴대전화기의 카메라를 이용하여 성명불상 여성 피해자의 치마 속을 몰래 촬영하다가 현행범으로 체포되어 성폭력범죄의 처벌 등에 관한 특례법 위반(카메라 등 이용촬영)으로 기소된 사안에서, 피고인은 공소사실에 대해 자백하고 검사가 제출한 모든 서류에 대하여 증거로 함에 동의하였는데, 그 서류들 중 체포 당시 임의제출 방식으로 압수된 피고인 소유 휴대전화기(이하 '휴대전화기'라고 한다)에 대한 압수조서의 '압수경위'란에 "지하철역 승강장 및 게이트 앞에서 경찰관이 지하철범죄 예방·검거를 위한 비노출 잠복근무 중 검정 재킷, 검정 바지, 흰색 운동화를 착용한 20대가량 남성이 짧은 치마를 입고 에스컬레이터를 올라가는 여성을 쫓아가 뒤에 밀착하여 치마 속으로 휴대폰을 집어넣는 등 해당 여성의 신체를 몰래 촬영하는 행동을 하였다."는 내용이 포함되어 있고, 그 하단에 피고인의 범행을 직접 목격하면서 위 압수조서를 작성한 사법경찰관 및 사법경찰리의 각 기명날인이 들어가 있으므로, 위 압수조서 중 '압수경위'란에 기재된 내용은 피고인이 범행을 저지르는 현장을 직접 목격한 사람의 진술이 담긴 것으로서 형사소송법 제312조 제5항에서 정한 '피고인이 아닌 자가 수사과정에서 작성한 진술서'에 준하는 것으로 볼 수 있고, 이에 따라 휴대전화기에 대한 임의제출 절차가 적법하였는지에 영향을 받지 않는 별개의 독립적인 증거에 해당하여, 피고인이 증거로 함에 동의한 이상 유죄를 인정하기 위한 증거로 사용할 수 있을 뿐 아니라 피고인의 자백을 보강하는 증거가 된다고 볼 여지가 많다는 이유로, 이와 달리 피고인의 자백을 뒷받침할 보강증거가 없다고 보아 무죄를 선고한 원심판결에 자백의 보강증거 등에 관한 법리를 오해하거나 필요한 심리를 다하지 아니한 잘못이 있다(대법원 2019.11.14. 2019도13290).

① (O) 대법원 2017.9.12. 2017도10309

③ (O) 대법원 2016.2.18. 2015도13726

④ (O) 대법원 2018.7.12. 2018도6219

12 0735

2021 국가직 9급

압수·수색에 대한 설명으로 옳지 않은 것만을 모두 고르면? (다툼이 있는 경우 판례에 의함)

ㄱ. 수사기관이 정보저장매체에 기억된 정보 중에서 범죄혐의 사실과 관련 있는 정보를 선별한 다음, 선별한 파일을 복제하여 생성한 파일을 제출받아 적법하게 압수하였다면 수사기관 사무실에서 위와 같이 압수된 이미지 파일을 탐색·복제·출력하는 과정에서 피의자 등에게 참여의 기회를 보장하여야 하는 것은 아니다.

ㄴ. 영장담당판사가 발부한 압수·수색영장에 법관의 서명이 있다면 비록 날인이 없다고 하더라도 그 압수·수색영장은 형사소송법이 정한 요건을 갖추지 못하였다고 볼 수는 없다.

ㄷ. 압수·수색영장의 피처분자가 현장에 없거나 현장에서 그를 발견할 수 없는 등 영장제시가 현실적으로 불가능한 경우에도 영장을 제시하지 아니한 채 압수·수색을 하면 위법하다.

ㄹ. 수사기관이 압수·수색영장을 집행하면서 압수·수색 대상 기관에 팩스로 영장 사본을 송신하기만 하였을 뿐 영장 원본을 제시하거나 압수조서와 압수물 목록을 작성하여 피압수·수색 당사자에게 교부하지도 않았다면 그 압수·수색은 위법하다.

① ㄱ, ㄴ ② ㄱ, ㄹ
③ ㄴ, ㄷ ④ ㄷ, ㄹ

지문분석 난이도 상 정답 ③

| 키 워 드 | 압수·수색
| 출제유형 | 조합하기

ㄴ. (X) 압수·수색영장에는 피의자의 성명, 죄명, 압수할 물건, 수색할 장소, 신체, 물건, 발부 연월일, 유효기간과 그 기간을 경과하면 집행에 착수하지 못하며 영장을 반환하여야 한다는 취지, 그 밖에 대법원규칙으로 정한 사항을 기재하고 영장을 발부하는 법관이 서명날인하여야 한다(형사소송법 제219조, 제114조 제1항 본문). 이 사건 영장은 법관의 서명날인란에 서명만 있고 날인이 없으므로, 형사소송법이 정한 요건을 갖추지 못하여 적법하게 발부되었다고 볼 수 없다(대법원 2019.7.11. 2018도20504).

ㄷ. (X) 형사소송법 제219조가 준용하는 제118조는 "압수·수색영장은 처분을 받는 자에게 반드시 제시하여야 한다."고 규정하고 있으나, 이는 영장제시가 현실적으로 가능한 상황을 전제로 한 규정으로 보아야 하고, 피처분자가 현장에 없거나 현장에서 그를 발견할 수 없는 경우 등 영장제시가 현실적으로 불가능한 경우에는 영장을 제시하지 아니한 채 압수·수색을 하더라도 위법하다고 볼 수 없다(대법원 2015.1.22. 2014도10978 전원합의체).

ㄱ. (O) 대법원 2018.2.8. 2017도13263

ㄹ. (O) 대법원 2017.9.12. 2015도10648

13 0736

2021 국가직 9급

압수·수색에 대한 설명으로 옳은 것은? (다툼이 있는 경우 판례에 의함)

① 증거물을 압수하였을 때에는 압수조서 및 압수목록을 작성하여야 하지만, 수색한 결과 증거물이 없는 경우에는 그 취지의 증명서를 교부할 필요는 없다.

② 수사기관이 압수·수색영장을 제시하고 압수·수색을 실시하여 그 집행을 종료하였다 하더라도 영장의 유효기간이 남아 있다면 아직 그 영장의 효력이 상실되지 않았으므로, 동일한 장소에 대하여 다시 압수·수색할 수 있다.

③ 수사기관이 압수·수색영장 집행과정에서 영장발부의 사유인 범죄혐의사실과 무관한 별개의 증거를 압수하였다가 피압수자에게 환부하고 후에 이를 다시 임의제출받아 압수한 경우, 검사가 위 압수물 제출의 임의성을 합리적인 의심을 배제할 수 있을 정도로 증명하여 임의성이 인정된다면 이를 유죄 인정의 증거로 사용할 수 있다.

④ 압수·수색할 전자정보가 영장에 기재된 수색장소에 있는 정보처리장치에 있지 않고 그 정보처리장치와 정보통신망으로 연결되어 제3자가 관리하고 있는 원격지의 저장매체에 저장되어 있는 경우, 수사기관이 압수·수색영장에 기재되어 있는 압수할 물건을 적법한 절차와 집행방법에 따라 수색장소의 정보처리장치를 이용하여 원격지의 저장매체에 접속하였다 하더라도 이와 같은 압수·수색은 형사소송법에 위반된다.

지문분석 난이도 중 정답 ③

| 키 워 드 | 압수·수색
| 출제유형 | 옳은 지문 고르기

③ (O) 대법원 2016.3.10. 2013도11233

① (X) 수색한 경우에 증거물 또는 몰취할 물건이 없는 때에는 그 취지의 증명서를 교부하여야 한다(형사소송법 제128조).

② (X) 형사소송법 제215조에 의한 압수·수색영장은 수사기관의 압수·수색에 대한 허가장으로서 거기에 기재되는 유효기간은 집행에 착수할 수 있는 종기를 의미하는 것일 뿐이므로, 수사기관이 압수·수색영장을 제시하고 집행에 착수하여 압수·수색을 실시하고 그 집행을 종료하였다면 이미 그 영장은 목적을 달성하여 효력이 상실되는 것이고, 동일한 장소 또는 목적물에 대하여 다시 압수·수색할 필요가 있는 경우라면 그 필요성을 소명하여 법원으로부터 새로운 압수·수색영장을 발부받아야 하는 것이지, 앞서 발부받은 압수·수색영장의 유효기간이 남아 있다고 하여 이를 제시하고 다시 압수·수색을 할 수는 없다(대법원 1999.12.1. 99모161 결정).

④ (X) 수사기관이 인터넷서비스이용자인 피의자를 상대로 피의자의 컴퓨터 등 정보처리장치 내에 저장되어 있는 이메일 등 전자정보를 압수·수색하는 것은 전자정보의 소유자 내지 소지자를 상대로 해당 전자정보를 압수·수색하는 대물적 강제처분으로 형사소송법의 해석상 허용된다. 나아가 압수·수색할 전자정보가 압수·수색영장에 기재된 수색장소에 있는 컴퓨터 등 정보처리장치 내에 있지 아니하고 그 정보처리장치와 정보통신망으로 연결되어 제3자가 관리하는 원격지의 서버 등 저장매체에 저장되어 있는 경우에도, 수사기관이 피의자의 이메일 계정에 대한 접근

권한에 갈음하여 발부받은 영장에 따라 영장 기재 수색장소에 있는 컴퓨터 등 정보처리장치를 이용하여 적법하게 취득한 피의자의 이메일 계정 아이디와 비밀번호를 입력하는 등 피의자가 접근하는 통상적인 방법에 따라 원격지의 저장매체에 접속하고 그곳에 저장되어 있는 피의자의 이메일 관련 전자정보를 수색장소의 정보처리장치로 내려받거나 그 화면에 현출시키는 것 역시 피의자의 소유에 속하거나 소지하는 전자정보를 대상으로 이루어지는 것이므로 그 전자정보에 대한 압수·수색을 위와 달리 볼 필요가 없다(대법원 2017.11.29. 2017도9747).

14 0737

2021 경찰 승진

압수에 대한 설명으로 가장 적절하지 않은 것은? (다툼이 있는 경우 판례에 의함)

① 경찰관이 진료 목적으로 이미 채혈되어 있던 피고인의 혈액 중 일부를 주취운전 여부에 대한 감정을 목적으로 간호사로부터 임의로 제출받아 이를 압수한 경우 간호사가 혈액의 소지자 겸 보관자인 병원 또는 담당의사를 대리하여 혈액을 경찰관에게 임의로 제출할 수 있는 권한이 없었다고 볼 특별한 사정이 없는 이상, 이를 위법하다고 볼 수 없다.

② 피해자의 신고를 받고 현장에 출동한 경찰서 과학수사팀 소속 경찰관이 피해자가 범인과 함께 술을 마신 테이블 위에 놓여 있던 맥주컵에서 지문 6점, 물컵에서 지문 8점, 맥주병에서 지문 2점을 각각 현장에서 직접 채취한 후, 지문채취 대상물을 적법한 절차에 의하지 않고 압수하였더라도 채취된 지문은 위법수집증거라고 할 수 없다.

③ 현행범 체포현장이나 범죄장소에서도 소지자 등이 임의로 제출하는 물건은 영장 없이 압수할 수 있다. 이 경우 검사나 사법경찰관은 사후에 영장을 받아야 한다.

④ 소유자, 소지자 또는 보관자가 아닌 자로부터 제출받은 물건을 영장 없이 압수한 경우 그 압수물 및 압수물을 찍은 사진은 유죄 인정의 증거로 사용할 수 없다.

지문분석

난이도 중 정답 ③

| 키 워 드 | 압수

| 출제유형 | 틀린 지문 고르기

③ (X) 검사 또는 사법경찰관은 형사소송법 제212조의 규정에 의하여 피의자를 현행범 체포하는 경우에 필요한 때에는 체포 현장에서 영장 없이 압수·수색·검증을 할 수 있으나, 이와 같이 압수한 물건을 계속 압수할 필요가 있는 경우에는 체포한 때부터 48시간 이내에 지체 없이 압수영장을 청구하여야 한다(형사소송법 제216조 제1항 제2호, 제217조 제2항). 그리고 검사 또는 사법경찰관이 범행 중 또는 범행 직후의 범죄장소에서 긴급을 요하여 판사의 영장을 받을 수 없는 때에는 영장 없이 압수·수색 또는 검증을 할 수 있으나, 이 경우에는 사후에 지체 없이 영장을 받아야 한다(형사소송법 제216조 제3항). 다만, 형사소송법 제218조에 의하면 검사 또는 사법경찰관은 피의자 등이 유류한 물건이나 소유자·소지자 또는 보관자가 임의로 제출한 물건은 영장 없이 압수할 수 있으므로, 현행범 체포현장이나 범죄장소에서도 소지자 등이 임의로 제출하는 물건은 위 조항에 의하여 영장 없이 압수할 수 있고, 이 경우에는 검사나 사법경찰관이 사후에 영장을 받을 필요가 없다(대법원 2016.2.18. 2015도13726).

① (O) 대법원 1999.9.3. 98도968

② (O) 대법원 2008.10.23. 2008도7471

④ (O) 대법원 2010.1.28. 2009도10092

15 0738

2021 국가직 7급

대물적 강제수사에 대한 설명으로 옳지 않은 것은? (다툼이 있는 경우 판례에 의함)

① 검사는 증거에 사용할 압수물에 대하여 가환부 청구가 있는 경우, 이를 거부할 수 있는 특별한 사정이 없는 한 가환부에 응하여야 한다.
② 피고인 이외 제3자의 소유에 속하는 압수물에 대하여 몰수를 선고한 판결이 있는 경우, 그 판결의 효력은 유죄판결을 받은 피고인에 대하여 미치는 것뿐만 아니라 제3자의 소유권에도 영향을 미친다.
③ 압수물 목록 교부 취지에 비추어 볼 때, 압수된 정보의 상세목록에는 정보의 파일 명세가 특정되어 있어야 하고, 수사기관은 이를 출력한 서면을 교부하거나 전자파일 형태로 복사해 주거나 이메일을 전송하는 등의 방식으로도 할 수 있다.
④ 세관공무원이 마약류 수사에 관한 마약류 불법거래 방지에 관한 특례법 제4조 제1항에 따른 조치의 일환으로 검사의 요청에 따라 특정한 수출입물품을 개봉하여 검사하고 그 내용물의 점유를 취득한 행위는 통상의 수출입물품에 대한 적정한 통관 등을 목적으로 조사를 하는 경우와는 달리 사전 또는 사후에 영장을 받아야 한다.

지문분석 난이도 상 정답 ②

| 키 워 드 | 압수·수색
| 출제유형 | 틀린 지문 고르기

② (X) 이 사건 자동차는 범인이 간접으로 점유하는 물품으로서 필요적 몰수의 대상인데 이 사건 밀수출 범죄와 무관한 준항고인의 소유에 속하기 때문에 범인에 대한 몰수는 범인으로 하여금 소지를 못하게 함에 그친다(대법원 2017.9.29. 2017모236 결정).
→ 즉, 피고인 이외 제3자의 소유물에 대해 피고인에게 몰수판결이 선고되더라도 제3자 소유물에는 영향을 미칠 수 없다.
① (O) 대법원 2017.9.29. 2017모236 결정
③ (O) 대법원 2018.2.8. 2017도13263
④ (O) 대법원 2017.7.18. 2014도8719

16 0739

2021 경찰 2차

미성년자인 甲은 술에 취한 상태에서 승용차를 운전하던 중 교통사고를 야기하고 그 직후 의식불명인 상태로 병원응급실로 후송되었다. 이 경우 甲의 혈액 압수에 관한 설명으로 가장 적절하지 않은 것은? (다툼이 있는 경우 판례에 의함)

① 수사기관이 범죄증거를 수집할 목적으로 甲의 동의 없이 甲의 혈액을 취득·보관하는 행위는 법원으로부터 감정처분허가장을 받아 감정에 필요한 처분으로도 할 수 있지만, 압수의 방법으로도 할 수 있고, 압수의 방법에 의하는 경우 혈액의 취득을 위하여 甲의 신체로부터 혈액을 채취하는 행위는 압수영장의 집행에 있어 필요한 처분에 해당한다.
② 의식불명인 甲에 대하여 영장을 발부받을 시간적 여유가 없는 상황에서 甲에게서 술냄새가 강하게 나는 등 준현행범인의 요건이 갖추어져 있고 교통사고 발생시각으로부터 범행 직후라고 볼 수 있는 시간 내라면, 사법경찰관은 의료인으로 하여금 의학적인 방법에 따라 필요최소한의 한도 내에서 甲의 혈액을 채취하게 한 후 그 혈액을 영장 없이 압수할 수 있다.
③ 甲의 법정대리인인 부모가 병원응급실에 있는 경우 사법경찰관은 부모의 동의를 받아 의료인으로 하여금 의료용 기구로 의학적인 방법에 따라 필요최소한의 한도 내에서 甲의 혈액을 채취하게 한 후 그 혈액을 영장 없이 압수할 수 있다.
④ 간호사가 병원이나 담당의사를 대리하여 甲의 혈액을 사법경찰관에게 임의로 제출할 수 있는 권한이 없다고 볼 특별한 사정이 없는 이상, 사법경찰관은 간호사가 진료 목적으로 채혈해 둔 甲의 혈액 중 일부를 주취운전 여부에 대한 감정의 목적으로 임의로 제출받아 압수할 수 있다.

지문분석 난이도 상 정답 ③

| 키 워 드 | 압수·수색
| 출제유형 | 사례 풀기

③ (X) 음주운전과 관련한 도로교통법 위반죄의 범죄수사를 위하여 미성년자인 피의자의 혈액채취가 필요한 경우에도 피의자에게 의사능력이 있다면 피의자 본인만이 혈액채취에 관한 유효한 동의를 할 수 있고, 피의자에게 의사능력이 없는 경우에도 명문의 규정이 없는 이상 법정대리인이 피의자를 대리하여 동의할 수는 없다(대법원 2014.11.13. 2013도1228).
①, ② (O) 대법원 2012.11.15. 2011도15258
④ (O) 대법원 1999.9.3. 98도968

17 0740

2020 경찰 2차

압수물의 처리에 대한 설명으로 가장 적절하지 않은 것은? (다툼이 있는 경우 판례에 의함)

① 검사는 증거에 사용할 압수물에 대하여 가환부의 청구가 있는 경우 거부할 수 있는 특별한 사정이 없는 한 이에 응하여야 한다.
② 외국산 물품을 관세장물의 혐의가 있다고 보아 압수하였다 하더라도 그것이 언제, 누구에 의하여 관세포탈된 물건인지 알 수 없어 기소중지 처분을 한 경우에는 그 압수물은 관세장물이라고 단정할 수 없으므로 이를 국고에 귀속시킬 수 없으나, 압수는 계속할 필요가 있다.
③ 압수를 계속할 필요가 없다고 인정되는 압수물은 피고사건 종결 전이라도 결정으로 환부하여야 하고, 증거에 공할 압수물은 소유자, 소지자, 보관자 또는 제출인의 청구에 의하여 가환부할 수 있다.
④ 법령상 생산·제조가 금지된 압수물로서 부패의 염려가 있거나 보관하기 어려운 압수물도 소유자 등 권한 있는 자의 동의를 받아 폐기할 수 있다.

지문분석 난이도 하 정답 ②

| 키 워 드 | 압수물의 처리
| 출제유형 | 틀린 지문 고르기

② (X) 외국산 물품을 관세장물의 혐의가 있다고 보아 압수하였다 하더라도 그것이 언제, 누구에 의하여 관세포탈된 물건인지 알 수 없어 기소중지 처분을 한 경우에는 그 압수물은 관세장물이라고 단정할 수 없어 이를 국고에 귀속시킬 수 없을 뿐만 아니라 압수를 더 이상 계속할 필요도 없다(대법원 1996.8.16. 94모51 전원합의체 결정).
① (O) 대법원 2017.9.29. 2017모236 결정
③ (O) 형사소송법 제133조 제1항
④ (O) 형사소송법 제130조 제3항

18 0741

2019 경찰 2차(변형)

영장에 의하지 아니한 강제처분에 대한 설명으로 가장 적절하지 않은 것은? (다툼이 있는 경우 판례에 의함)

① 검사 또는 사법경찰관은 제200조의2(영장에 의한 체포)·제200조의3(긴급체포)·제201조(구속) 또는 제212조(현행범체포)의 규정에 의하여 피의자를 체포 또는 구속하는 경우에 필요한 때에는 영장 없이 타인의 주거나 타인이 간수하는 가옥, 건조물, 항공기, 선차 내에서의 피의자 수색을 할 수 있다. 다만, 제200조의2(영장에 의한 체포) 또는 제201조(구속)에 따라 피의자를 체포 또는 구속하는 경우의 피의자 수색은 미리 수색영장을 발부받기 어려운 긴급한 사정이 있는 때에 한정한다.
② 사법경찰관은 긴급체포된 자가 소유·소지 또는 보관하는 물건에 대하여 긴급히 압수할 필요가 있는 경우에는 체포한 때부터 24시간 이내에 한하여 영장 없이 압수·수색 또는 검증을 할 수 있다.
③ 긴급체포된 자가 소유·소지 또는 보관하는 물건을 영장 없이 압수한 이후 이 물건을 계속 압수할 필요가 있는 경우 사법경찰관은 압수한 때부터 48시간 이내에 압수·수색영장을 청구하여야 한다.
④ 교통사고를 가장한 살인사건의 범행일로부터 약 3개월 가까이 경과한 후 범죄에 이용된 승용차의 일부분인 강판조각이 범행 현장에서 발견된 경우 이 강판조각은 형사소송법 제218조에 규정된 유류물에 해당하므로 영장 없이 압수할 수 있다.

지문분석 난이도 중 정답 ③

| 키 워 드 | 압수·수색·검증
| 출제유형 | 틀린 지문 고르기

③ (X) 긴급체포된 자가 소유·소지 또는 보관하는 물건을 영장 없이 압수한 이후 이 물건을 계속 압수할 필요가 있는 경우 사법경찰관은 체포한 때부터 48시간 이내에 압수·수색영장을 청구하여야 한다(형사소송법 제217조 제2항).
① (O) 형사소송법 제216조 제1항 제1호
② (O) 형사소송법 제217조 제1항
④ (O) 대법원 2011.5.26. 2011도1902

19 0742

2019 경찰 승진

압수물의 환부 및 가환부에 대한 설명으로 가장 적절하지 않은 것은? (다툼이 있는 경우 판례에 의함)

① 가환부한 장물에 대하여 별단의 선고가 없는 때에는 환부의 선고가 있는 것으로 간주한다.
② 증거에만 공할 목적으로 압수한 물건으로서 그 소유자 또는 소지자가 계속 사용하여야 할 물건은 사진촬영 기타 원형보존의 조치를 취하고 신속히 가환부하여야 한다.
③ 수사기관의 압수물의 환부에 관한 처분의 취소를 구하는 준항고는 소송 계속 중 준항고로써 달성하고자 하는 목적이 이미 이루어졌거나 시일의 경과 또는 그 밖의 사정으로 인하여 그 이익이 상실된 경우에는 부적법하게 된다.
④ 검사는 사본을 확보한 경우 등 압수를 계속할 필요가 없다고 인정되는 압수물 및 증거에 사용할 압수물에 대하여 공소제기 전이라도 소유자, 소지자, 보관자 또는 제출인의 청구가 있는 때에는 환부 또는 가환부할 수 있다.

지문분석 난이도 ㉺ 정답 ④

| 키 워 드 | 압수물의 처리
| 출제유형 | 틀린 지문 고르기

④ (X) 검사는 사본을 확보한 경우 등 압수를 계속할 필요가 없다고 인정되는 압수물 및 증거에 사용할 압수물에 대하여 공소제기 전이라도 소유자, 소지자, 보관자 또는 제출인의 청구가 있는 때에는 환부 또는 가환부하여야 한다(형사소송법 제218조의2 제1항).
① (O) 형사소송법 제333조 제3항
② (O) 형사소송법 제133조 제2항
③ (O) 대법원 2015.10.15. 2013모1970 결정

20 0743

2019 경찰 승진

압수·수색에 대한 설명으로 가장 적절하지 않은 것은? (다툼이 있는 경우 판례에 의함)

① 압수·수색영장의 집행 중에는 타인의 출입을 금지할 수 있고, 이를 위배한 자에게는 퇴거하게 하거나 집행종료 시까지 간수자를 붙일 수 있다.
② 압수·수색영장에 압수할 물건을 '압수장소에 보관 중인 물건'이라고 기재한 경우, 이를 '압수장소에 현존하는 물건'이라고 해석할 수 없다.
③ 우편물 통관검사절차에서 이루어지는 우편물의 개봉, 시료채취, 성분분석 등의 검사가 압수·수색영장 없이 진행되었다 하더라도 특별한 사정이 없는 한 위법하다고 볼 수 없다.
④ 기존에 발부받은 압수·수색영장으로 이미 집행을 마쳤더라도 영장의 유효기간이 도과하지 않았다면, 남은 유효기간 내에서는 동일한 영장으로 동일한 장소 또는 목적물에 대하여 다시 압수·수색을 할 수 있다.

지문분석 난이도 ㉺ 정답 ④

| 키 워 드 | 압수·수색
| 출제유형 | 틀린 지문 고르기

④ (X) 형사소송법 제215조에 의한 압수·수색영장은 수사기관의 압수·수색에 대한 허가장으로서 거기에 기재되는 유효기간은 집행에 착수할 수 있는 종기를 의미하는 것일 뿐이므로, 수사기관이 압수·수색영장을 제시하고 집행에 착수하여 압수·수색을 실시하고 그 집행을 종료하였다면 이미 그 영장은 목적을 달성하여 효력이 상실되는 것이고, 동일한 장소 또는 목적물에 대하여 다시 압수·수색할 필요가 있는 경우라면 그 필요성을 소명하여 법원으로부터 새로운 압수·수색영장을 발부받아야 하는 것이지, 앞서 발부받은 압수·수색영장의 유효기간이 남아 있다고 하여 이를 제시하고 다시 압수·수색을 할 수는 없다(대법원 1999.12.1. 99모161 결정).
① (O) 형사소송법 제119조 제1항·제2항
② (O) 대법원 2009.3.12. 2008도763
③ (O) 대법원 2013.9.26. 2013도7718

✔ 개념체크 **지문과의 비교판례**

통제배달과정에서 세관공무원이 통관검사결과 발견한 마약의 압수는 행정조사가 아니라 수사처분으로서 형사소송법 제216조 제3항에 따라 사후에 영장을 발부받지 않는 한 위법하다고 본 사례

마약류 불법거래 방지에 관한 특례법 제4조 제1항에 따른 조치의 일환으로 특정한 수출입물품을 개봉하여 검사하고 그 내용물의 점유를 취득한 행위는 위에서 본 수출입물품에 대한 적정한 통관 등을 목적으로 조사를 하는 경우와는 달리, 범죄수사인 압수 또는 수색에 해당하여 사전 또는 사후에 영장을 받아야 한다고 봄이 타당하다(대법원 2017. 7.18. 2014도8719).

→ 피고인이 국제항공특송화물 속에 필로폰을 숨겨 수입할 것이라는 정보를 입수한 검사가, 이른바 '통제배달(controlled delivery, 적발한 금제품을 감시하에 배송함으로써 거래자를 밝혀 검거하는 수사기법)'을 하기 위해, 세관공무원의 협조를 받아 특송화물을 통관절차를 거치지 않고 가져와 개봉하여 그 속의 필로폰을 취득하였으므로, 이는 구체적인 범죄사실에 대한 증거수집을 목적으로 한 압수·수색인데도 사전 또는 사후에 영장을 받지 않았다는 이유로 압수물 등의 증거능력을 부정한 원심판단이 정당하다고 보아 검사의 상고를 기각한 사안이다.

21 0744

2020 경찰 승진

영장주의에 관한 설명 중 가장 적절하지 <u>않은</u> 것은? (다툼이 있는 경우 판례에 의함)

① 법원이 직권으로 발부하는 영장은 집행기관에 대한 허가장의 성격을 가지나, 수사기관의 청구에 의하여 발부하는 영장은 수사기관에 대한 명령장으로서의 성질을 갖는 것으로 이해되고 있다.

② 교도소의 안전과 질서유지를 위하여 마약류 수형자에게 소변을 받아 제출하게 한 것은 응하지 않을 경우 불리한 처우를 받을 수 있다는 심리적 압박이 존재하리라는 것을 충분히 예상할 수 있는 점에 비추어 공권력의 행사에 해당하나, 영장 없이 실시되었다 하더라도 영장주의에 위배되지 않는다.

③ 법원이 피고인의 구속 또는 그 유지 여부의 필요성에 관하여 한 재판의 효력이 검사나 다른 기관의 이견이나 불복이 있다 하여 좌우되거나 제한받는다면 이는 헌법 제12조 제3항의 영장주의에 위배된다.

④ 수사기관이 영장에 의하지 아니하고 신용카드회사가 발행한 매출전표의 거래명의자에 관한 정보를 획득하였다면, 그와 같이 수집된 증거는 원칙적으로 '적법한 절차에 따르지 아니하고 수집한 증거'에 해당하여 특별한 사정이 없는 한 유죄의 증거로 삼을 수 없다.

지문분석 난이도 ⓢ 정답 ①

| 키 워 드 | 압수·수색

| 출제유형 | 틀린 지문 고르기

① (X) 법원이 직권으로 발부하는 영장과 수사기관의 청구에 의하여 발부하는 구속영장의 법적 성격은 같지 않다. 즉, 법원이 직권으로 발부하는 영장은 명령장으로서의 성질을 갖지만 수사기관의 청구에 의하여 발부하는 영장은 허가장으로서의 성질을 갖는 것으로 이해되고 있다(헌법재판소 1997.3.27. 96헌바28 결정).

② (O) 헌법재판소 2006.7.27. 2005헌마277 결정

③ (O) 헌법재판소 1992.12.24. 92헌가8 결정

④ (O) 대법원 2013.3.28. 2012도13607

22 0745

2019 경찰 승진

영장에 의하지 아니한 압수·수색·검증에 대한 설명으로 가장 적절하지 않은 것은? (다툼이 있는 경우 판례에 의함)

① 주취운전이라는 범죄행위로 당해 음주운전자를 구속·체포하지 아니한 경우에도 필요하다면 주취운전 중 또는 주취운전 직후의 현장에 있던 차량열쇠는 형사소송법 제216조 제3항에 의하여 영장 없이 이를 압수할 수 있다.

② 사법경찰관이 형사소송법 제215조 제2항의 규정에 위반하여 영장 없이 물건을 압수한 경우에 추후 피의자로부터 그 압수물에 대한 임의제출동의서를 받았더라도 그 압수는 위법하다.

③ 음란물 유포의 범죄혐의를 이유로 압수·수색영장을 발부받은 사법경찰관이 피의자의 주거지를 수색하다가 대마를 발견하자 피의자를 마약류 관리에 관한 법률 위반죄의 현행범으로 체포하면서 대마를 압수하였다면, 다음 날 피의자 석방 후에 사후 압수·수색영장을 발부받지 않았더라도 압수는 위법하지 않다.

④ 긴급체포된 자가 소유하고 있는 물건에 대하여 긴급히 압수할 필요가 있는 경우에는 체포한 때부터 24시간 이내에 한하여 영장 없이 압수·수색 또는 검증을 할 수 있다.

지문분석 난이도 중 정답 ③

| **키 워 드** | 압수·수색·검증

| **출제유형** | 틀린 지문 고르기

③ (X) 음란물 유포의 범죄혐의를 이유로 압수수색영장을 발부받은 사법경찰리가 피고인의 주거지를 수색하는 과정에서 대마를 발견하자, 피고인을 마약류 관리에 관한 법률 위반죄의 현행범으로 체포하면서 대마를 압수하였으나 그 다음 날 피고인을 석방하고도 사후 압수수색영장을 발부받지 않은 경우 위 압수물과 압수조서는 형사소송법상 영장주의를 위반하여 수집한 증거로서 증거능력이 부정된다(대법원 2009.5.14. 2008도10914).

① (O) 대법원 1998.5.8. 97다54482

② (O) 대법원 2010.7.22. 2009도14376

④ (O) 형사소송법 제217조 제1항

✔ 개념체크 **대물적 강제수사에 있어 영장주의의 예외**

구분	내용	요급처분
체포·구속현장에서 피의자수색 (형사소송법 제216조 제1항 제1호)	긴급한 경우로 한정, 사후영장 필요 없음 수색의 주체는 검사·사법경찰관으로 제한, 사인은 피의자수색불가	요급처분 (형사소송법 제220조) ↓ • 주거주·간수자의 참여배제 가능 • 야간집행 가능
체포·구속현장에서 압수·수색·검증 (형사소송법 제216조 제1항 제2호)	압수계속 필요시 지체 없이 체포시부터 48시간 이내에 압수·수색영장 청구해야 함 • 체포장소로 제한, 최소한 체포는 착수해야 함(체포착수설) • 경찰서로 연행한 이후 연행된 장소에서도 압수·수색가능 • 사후에 압수·수색영장 청구 없는 경우나 영장을 발부받지 못했음에도 계속보관하였다면 위법수집증거임(판례) → 증거동의도 불가	
피고인에 대한 구속영장집행시 압수·수색·검증 (형사소송법 제216조 제2항)	사후영장 필요 없음 • 공소제기 후 허용되는 강제수사 중의 하나 • 법원의 집행기관으로서의 처분이나, 압수는 수사처분으로서 수사기관은 압수한 물건을 법원에 제출할 필요는 없음	
범죄장소에서의 압수·수색·검증 (형사소송법 제216조 제3항)	'항상' 지체 없이 사후영장 발부받아야 함 • 범행의 실행 중, 실행 직후의 범죄장소이면 족하고, 체포현장이라거나 피의자가 현장에 있을 필요는 없음 • 반드시 사후에 영장을 발부받아야 하고, 사후영장 없으면 위법수집증거로서 증거능력 없음	
긴급체포된 자가 소유·소지·보관하는 물건에 대한 압수·수색·검증 (형사소송법 제217조 제1항)	• 긴급체포시부터 24시간 이내에 한하여 압수·수색·검증 가능 • 압수계속 필요시 지체 없이 체포시부터 48시간 이내에 압수·수색영장 청구해야 함 • 체포장소나 범죄장소에 제한되지 않음. 제3의 장소도 가능 • 압수대상물은 긴급체포로 된 사유와 관련된 필요최소한에 한정 • 사후에 압수·수색영장 청구 없는 경우나 영장을 발부받지 못했음에도 계속보관하였다면 위법수집증거임(판례) → 증거동의도 불가	요급처분 불허
유류물과 임의제출물의 압수 (형사소송법 제218조)	사후영장 필요 없음, 강제수사 • 소지자나 보관자 등의 제출인은 정당한 권리자일 필요 없음 • 제출자는 최소한 소유자·소지자·보관자에는 해당해야 하고, 제출의 임의성이 합리적 의심 없는 정도로 증명되어야 함	

2 수사상 증거보전과 증인신문

23 0746 2020 경찰 승진

수사상의 증거보전절차에 관한 설명 중 가장 적절하지 않은 것은?

① 피고인, 피의자 또는 변호인뿐만 아니라 검사도 미리 증거를 보전하지 아니하면 그 증거를 사용하기 곤란한 사정이 있는 때에는 형사소송법 제184조에 따라 제1회 공판기일 전이라도 판사에게 압수, 수색, 검증, 증인신문 또는 감정을 청구할 수 있다. 이때 청구를 받은 판사는 그 처분에 관하여 법원 또는 재판장과 동일한 권한이 있다.

② 범죄의 수사에 없어서는 아니 될 사실을 안다고 명백히 인정되는 자가 형사소송법 제221조에 의한 출석 또는 진술을 거부한 경우에는 검사는 제1회 공판기일 전에 한하여 판사에게 그에 대한 증인신문을 청구할 수 있다.

③ 판사는 형사소송법 제221조의2에 의한 검사의 증인신문 청구에 따라 증인신문기일을 정한 때에는 피고인·피의자 또는 변호인에게 이를 통지하여 증인신문에 참여할 수 있도록 하여야 하며, 증인신문을 한 후에는 이에 관한 서류를 판사 소속 법원에 보관하여야 한다.

④ 증거보전 또는 증인신문을 청구하는 자는 그 사유를 서면으로 소명하여야 한다.

지문분석 난이도 하 정답 ③

| 키 워 드 | 증거보전
| 출제유형 | 틀린 지문 고르기

③ (X) 판사는 형사소송법 제221조의2에 의한 검사의 증인신문 청구에 따라 증인신문기일을 정한 때에는 피고인·피의자 또는 변호인에게 이를 통지하여 증인신문에 참여할 수 있도록 하여야 하며(형사소송법 제221조의2 제5항), 판사는 증인신문을 한 때에는 지체 없이 이에 관한 서류를 검사에게 송부하여야 한다(형사소송법 제221조의2 제6항).
① (O) 형사소송법 제184조 제1항·제2항
② (O) 형사소송법 제221조의2 제1항
④ (O) 형사소송법 제184조 제3항, 제221조의2 제3항

✓ 개념체크 **증거보전과 증인신문의 비교**

구분	증거보전 (형사소송법 제184조) → 주로 피의자 위한 제도	증인신문 (형사소송법 제221조의2) → 검사 위한 제도
청구권자	검사, 피고인, 피의자, 변호인(성폭력범죄의 처벌 등에 관한 특례법이나 아동·청소년의 성보호에 관한 법률 위반죄에 있어서는 피해자나 법정대리인, 사법경찰관이 검사에게 증거보전 청구해 줄 것 신청가능)	검사
청구사유	미리 증거를 보전하지 아니하면 그 증거를 사용하기 곤란한 사정이 있는 때	범죄수사에 없어서는 아니 될 사실을 안다고 명백히 인정되는 참고인이 출석 또는 진술을 거부한 경우 [주의] 진술번복의 염려만으로 증인신문 청구불가(판례)
가능시점	수사개시 이후 제1회 공판기일 전까지 [주의] 내사단계의 피내사자는 청구불가, 재심, 상소절차 등에서도 청구불가	수사개시 이후 제1회 공판기일 전까지 [주의] 내사단계의 피내사자는 청구불가, 재심, 상소절차 등에서도 청구불가
방식	서면으로 사유소명	서면으로 사유소명
관할	(관할지방법원) 판사	(관할지방법원) 판사
판사권한	법원 또는 재판장과 동일한 권한	법원 또는 재판장과 동일한 권한
증거능력	무조건 증거능력(형사소송법 제311조)	무조건 증거능력(형사소송법 제311조)
내용	압수·수색·검증, 감정, 증인신문 [주의] 피의자신문은 불가, 그러나 공동피의자나 공범은 증인으로 취급	증인신문 [주의] 피의자신문은 불가, 그러나 공동피의자나 공범은 증인으로 취급
불복	3일 이내에 항고가능	판사의 결정(명령)이므로 불복할 수 없음
보전된 증거의 처리	판사소속 법원에 보관, 피고인측과 검사 모두 판사의 허가를 얻어 보전된 증거 열람·등사 가능	지체없이 검사에게 송부, 공소제기전에는 피고인측의 열람·등사 불허
당사자의 참여권과 통지	당사자참여권 보장되고 사전통지도 필요(공판정에서의 규정이 적용됨)	• 당사자참여권 보장되고 사전통지도 필요(공판정에서의 규정이 적용됨) • 당사자가 참여를 위해 법원이 통지하도록 직접 규정
	당사자참여권 보장되지 않은 증인신문조서는 위법수집증거임(판례) → 증거동의(○)	당사자참여권 보장되지 않은 증인신문조서는 반대신문권을 침해한 위법수집증거임(판례)
보전된 증거의 처리	• 판사 소속 법원에 보관 • 피고인 측과 검사 모두 판사의 허가를 얻어 보전된 증거의 열람·등사 가능	• 지체 없이 검사에게 송부 • 공소제기 전에는 피고인 측의 열람·등사 불허

CHAPTER

06 수사의 종결

■ 기본서 연계페이지: p.1318~1331 ■ 문항 수: 10문항

1 수사의 종결

01 0747 2022 경찰 간부

수사종결에 대한 설명으로 가장 적절하지 않은 것은? (다툼이 있는 경우 판례에 의함)

① 검사는 사법경찰관이 사건을 송치하지 아니한 것이 위법 또는 부당한 때에는 그 이유를 명시한 서면과 함께 관계 서류와 증거물을 송부받은 날부터 원칙적으로 90일 이내에 사법경찰관에게 재수사를 요청할 수 있다.

② 사법경찰관의 불송치결정 통지를 받은 고소인·고발인·피해자 또는 그 법정대리인은 해당 사법경찰관의 소속 관서의 장에게 이의를 신청할 수 있다.

③ 검사의 재수사요청에도 사법경찰관이 불송치결정을 유지하는 경우, 검사가 사법경찰관의 재차 불송치결정이 위법·부당하다고 판단하면 1회에 한하여 다시 재수사요청을 할 수 있다.

④ 검사의 불기소처분에는 확정력과 같은 효력이 없어 일단 불기소처분을 한 후에도 공소시효가 완성되기 전이면 공소를 제기할 수 있다.

지문분석 난이도 ㊥ 정답 ③

| 키 워 드 | 수사의 종결

| 출제유형 | 틀린 지문 고르기

③ (X) 검사는 사법경찰관이 제1항 제2호(기존의 불송치결정을 유지하는 경우)에 따라 재수사 결과를 통보한 사건에 대해서 다시 재수사를 요청을 하거나 송치 요구를 할 수 없다. 다만, 사법경찰관의 재수사에도 불구하고 관련 법리에 위반되거나 송부받은 관계 서류 및 증거물과 재수사 결과만으로도 공소제기를 할 수 있을 정도로 명백히 채증법칙에 위반되거나 공소시효 또는 형사소추의 요건을 판단하는 데 오류가 있어 사건을 송치하지 않은 위법 또는 부당이 시정되지 않은 경우에는 재수사 결과를 통보받은 날부터 30일 이내에 형사소송법 제197조의3에 따라 사건송치를 요구할 수 있다(수사준칙 제64조 제2항).

① (O) 수사준칙 제63조 제1항

② (O) 형사소송법 제245조의7 제1항

④ (O) 대법원 1966.12.29. 66도1416

02 0748 2021 경찰 1차

수사절차에 대한 설명으로 가장 적절하지 않은 것은?

① 사법경찰관이 검찰송치 결정을 한 경우에는 그 내용을 고소인·고발인·피해자 또는 그 법정대리인(피해자가 사망한 경우에는 그 배우자·직계친족·형제자매를 포함한다)과 피의자에게 통지해야 한다.

② 사법경찰관이 범죄를 수사한 후 범죄의 혐의가 있다고 인정되는 경우에는 지체 없이 검사에게 사건을 송치하고, 검사는 송치사건의 공소제기 여부 결정 또는 공소의 유지에 관하여 필요한 경우 사법경찰관에게 보완수사를 요구할 수 있으며, 특별히 직접 보완수사를 할 필요성이 인정되는 경우에는 예외적으로 직접 보완수사를 할 수 있다.

③ 사법경찰관리의 수사과정에서 현저한 수사권 남용이 의심되는 사실에 대하여, 형사소송법 제197조의3의 절차에 따라 사법경찰관으로부터 사건기록 등본을 송부받은 검사는 필요하다고 인정되는 경우 사법경찰관에게 시정조치를 요구할 수 있고, 그 이행 결과를 통보받은 후 시정조치 요구가 정당한 이유 없이 이행되지 않았다고 인정되는 경우에는 사법경찰관에게 사건을 송치할 것을 요구할 수 있다.

④ 사법경찰관이 범죄를 수사한 후 범죄의 혐의가 인정되지 않아 불송치 결정을 하는 경우, 사법경찰관은 그 이유를 명시한 서면과 함께 관계 서류와 증거물을 지체 없이 검사에게 송부해야 하며, 검사는 송부받은 날로부터 60일 이내에 사법경찰관에게 그 서류 등을 반환하여야 한다.

지문분석 난이도 ㊥ 정답 ④

| 키 워 드 | 수사절차

| 출제유형 | 틀린 지문 고르기

④ (X) 사법경찰관이 범죄를 수사한 후 범죄의 혐의가 인정되지 않아 불송치 결정을 하는 경우, 사법경찰관은 그 이유를 명시한 서면과 함께 관계 서류와 증거물을 지체 없이 검사에게 송부해야 하며, 검사는 송부받은 날부터 90일 이내에 사법경찰관에게 그 서류 등을 반환하여야 한다(형사소송법 제245조의5 제2호).

① (O) 수사준칙 제53조 제1항

② (O) 형사소송법 제245조의5 제1호, 제197조의2 제1항 제1호, 수사준칙 제59조 제1항

③ (O) 형사소송법 제197조의3 제3항·제5항

✓ 개념체크 **수사종결처분의 통지제도**

사법경찰관의 고소인 등에 대한 송부통지	사법경찰관은 범죄를 수사하여 범죄혐의가 있다고 인정되지 않는 경우(형사소송법 제245조의5 제2호의 경우)에는 그 송부한 날부터 7일 이내에 서면으로 고소인·고발인·피해자 또는 그 법정대리인(피해자가 사망한 경우에는 그 배우자·직계친족·형제자매를 포함)에게 사건을 검사에게 송치하지 아니하는 취지와 그 이유를 통지하여야 한다(형사소송법 제245조의6).
검사의 고소·고발인에 대한 기소/불기소 등 처분통지	검사는 고소 또는 고발 있는 사건에 관하여 공소를 제기하거나 제기하지 아니하는 처분, 공소의 취소 또는 타관송치를 한 때에는 그 처분한 날로부터 7일 이내에 서면으로 고소인 또는 고발인에게 그 취지를 통지하여야 한다(형사소송법 제258조 제1항).
검사의 (고소·고발하지 않은) 피해자에 대한 통지제도	검사는 범죄로 인한 피해자 또는 그 법정대리인(피해자가 사망시 배우자·직계친족·형제자매 포함)의 신청이 있는 때에는 당해 사건의 공소제기 여부, 공판의 일시·장소, 재판결과, 피의자·피고인의 구속·석방 등 구금에 관한 사실 등을 신속하게 통지하여야 한다(형사소송법 제259조의2).
검사의 피의자에 대한 불기소처분 등의 통지제도	검사는 불기소 또는 타관송치의 처분을 한 때에는 피의자에게 즉시 그 취지를 통지하여야 한다(형사소송법 제258조 제2항).
검사의 고소·고발인에 대한 불기소처분 이유설명제도	검사는 고소·고발 있는 사건에 관하여 공소를 제기하지 아니하는 처분을 한 경우에 고소인 또는 고발인의 청구가 있는 때에는 7일 이내에 고소인 또는 고발인에게 그 이유를 서면으로 설명하여야 한다(형사소송법 제259조).

2 불기소처분에 대한 불복

03 0749 2020 경찰 승진

불기소처분에 대한 불복에 관한 설명 중 가장 적절하지 않은 것은? (다툼이 있는 경우 판례에 의함)

① 검사의 불기소처분에 불복하는 고소인이나 고발인은 그 검사가 속한 지방검찰청 또는 지청을 거쳐 서면으로 관할 고등검찰청 검사장에게 항고할 수 있다.

② 고소권자로서 고소를 한 자는 검사로부터 공소를 제기하지 아니한다는 통지를 받은 때에는 그 검사 소속의 지방검찰청 소재지를 관할하는 고등법원에 그 당부에 관한 재정을 신청할 수 있으나, 검찰항고 전치주의가 적용되어 반드시 검찰항고를 먼저 거쳐야 한다.

③ 재정신청은 법원의 결정이 있을 때까지 취소할 수 있으나 취소한 자는 다시 재정신청을 할 수 없다.

④ 대통령에게 제출한 청원서를 대통령비서실로부터 이관받은 검사가 진정사건으로 내사 후 내사종결 처리한 경우 위 내사종결 처리는 고소 또는 고발사건에 대한 불기소처분이라고 볼 수 없어 재정신청의 대상이 되지 아니한다.

지문분석 난이도 ❸ 정답 ②

| 키 워 드 | 재정신청

| 출제유형 | 틀린 지문 고르기

② (X) 재정신청을 하려면 검찰청법 제10조에 따른 항고를 거쳐야 한다. 다만, 항고 이후 재기수사가 이루어진 다음에 다시 공소를 제기하지 아니한다는 통지를 받은 경우, 항고신청 후 항고에 대한 처분이 행하여지지 아니하고 3개월이 경과한 경우, 검사가 공소시효 만료일 30일 전까지 공소를 제기하지 아니하는 경우에는 검찰항고를 거치지 않고 바로 재정신청을 할 수 있다(형사소송법 제260조 제2항).

① (O) 검찰청법 제10조 제1항

③ (O) 형사소송법 제264조 제2항

④ (O) 대법원 1991.11.5. 91모68 결정

04 0750

2019 경찰 1차

재정신청에 대한 설명으로 가장 적절하지 않은 것은? (다툼이 있는 경우 판례에 의함)

① 재정신청의 신청권자는 불기소처분의 통지를 받은 고소인 또는 고발인인데 고소인은 모든 범죄에 대해, 고발인은 형법 제123조부터 제126조까지의 죄에 대해서만 재정신청이 가능하다.
② 재정신청에 대한 기각결정에 대해서는 법령위반을 이유로 대법원에 즉시항고할 수 있다. 단, 법정기간의 준수 여부는 도달주의 원칙에 따라 재항고장이 법원에 도달한 시점을 기준으로 하고, 재소자 특칙은 준용되지 않는다.
③ 재정신청에 대한 공소제기결정에 대하여는 검사는 물론 공소제기결정의 대상이 된 피의자도 불복할 수 없다. 그러나 공소제기한 검사는 통상의 공판절차에서와 마찬가지로 권한을 행사하고 피고인의 이익을 위해서 공소취소도 할 수 있다.
④ 법원이 재정신청 대상 사건이 아님에도 이를 간과한 채 형사소송법 제262조 제2항 제2호에 따라 공소제기결정을 하였더라도, 그에 따른 공소가 제기되어 본안사건의 절차가 개시된 후에는 다른 특별한 사정이 없는 한 본안사건에서 위와 같은 잘못을 다툴 수 없다.

지문분석 난이도 ㉾ 정답 ③

| 키 워 드 | 재정신청
| 출제유형 | 틀린 지문 고르기

③ (X) 고등법원의 공소제기결정에 따른 기소강제절차에서 검사는 공소취소를 할 수는 없다(형사소송법 제264조의2). 공소취소를 허용할 경우 공소제기결정의 취지가 몰각될 수 있기 때문이다.
① (O) 형사소송법 제260조 제1항
② (O) 재정신청 기각결정에 대한 재항고나 그 재항고 기각결정에 대한 즉시항고로서의 재항고에 대한 법정기간의 준수 여부는 도달주의 원칙에 따라 재항고장이나 즉시항고장이 법원에 도달한 시점을 기준으로 판단하여야 하고, 거기에 재소자 피고인 특칙은 준용되지 아니한다(대법원 2015.7.16. 2013모2347 전원합의체 결정).
④ (O) 법원이 재정신청서에 재정신청을 이유 있게 하는 사유가 기재되어 있지 않음에도 이를 간과한 채 법 제262조 제2항 제2호 소정의 공소제기결정을 한 관계로 그에 따른 공소가 제기되어 본안사건의 절차가 개시된 후에는, 다른 특별한 사정이 없는 한 이제 그 본안사건에서 위와 같은 잘못을 다툴 수 없다고 할 것이다. 그렇지 아니하고 위와 같은 잘못을 본안사건에서 다툴 수 있다고 한다면 이는 재정신청에 대한 결정에 대하여 그것이 기각결정이든 인용결정이든 불복할 수 없도록 한 법 제262조 제4항의 규정취지에 위배하여 형사소송절차의 안정성을 해칠 우려가 있기 때문이다(대법원 2010.11.11. 2009도224).

05 0751

2019 경찰 승진

재정신청에 대한 설명으로 가장 적절한 것은? (다툼이 있는 경우 판례에 의함)

① 법원은 재정신청 기각결정 또는 재정신청 취소가 있는 경우에는 결정으로 재정신청인에게 신청절차에 의하여 생긴 비용의 전부 또는 일부를 부담하게 하여야 한다.
② 검사가 공소시효 만료일 30일 전까지 공소를 제기하지 아니하는 경우에는 검찰항고를 거치지 않고 공소시효 만료일까지 재정신청서를 제출할 수 있다.
③ 법원이 재정신청서에 재정신청을 이유 있게 하는 사유가 기재되어 있지 않음에도 이를 간과한 채 형사소송법 제262조 제2항 제2호 소정의 공소제기결정을 한 관계로 그에 따른 공소가 제기되어 본안사건의 절차가 개시된 후에는 다른 특별한 사정이 없는 한 이제 그 본안사건에서 그와 같은 잘못을 다툴 수 없다.
④ 재정신청사건의 관할법원은 불기소처분을 한 검사 소속의 지방검찰청 소재지를 관할하는 지방법원 합의부이다.

지문분석 난이도 ㉾ 정답 ③

| 키 워 드 | 재정신청
| 출제유형 | 옳은 지문 고르기

③ (O) 대법원 2010.11.11. 2009도224
① (X) 법원은 재정신청 기각결정 또는 재정신청 취소가 있는 경우에는 결정으로 재정신청인에게 신청절차에 의하여 생긴 비용의 전부 또는 일부를 부담하게 할 수 있다(형사소송법 제262조의3 제1항).
② (X) 검사가 공소시효 만료일 30일 전까지 공소를 제기하지 아니하는 경우에는 검찰항고를 거치지 않고 공소시효 만료일 전날까지 재정신청서를 제출할 수 있다(형사소송법 제260조 제3항 단서).
④ (X) 재정신청사건의 관할법원은 불기소처분을 한 검사 소속의 지방검찰청 소재지를 관할하는 고등법원이다(형사소송법 제260조 제1항).

06 0752

2019 경찰 승진

공소취소에 대한 설명으로 가장 적절하지 않은 것은?

① 공소취소는 이유를 기재한 서면으로 하여야 하지만, 공판정에서는 구술로도 할 수 있다.
② 공소가 취소된 사건에 대하여는 공소취소 후 그 범죄사실에 대한 다른 중요한 증거를 발견한 경우에 한하여 다시 공소를 제기할 수 있다.
③ 공소취소는 사실심인 항소심 판결 선고 전까지만 가능하다.
④ 공소가 취소된 경우 법원은 공소기각결정을 하여야 한다.

지문분석 난이도 하 정답 ③

| 키 워 드 | 공소취소
| 출제유형 | 틀린 지문 고르기

③ (X) 공소는 제1심 판결의 선고 전까지 취소할 수 있다(형사소송법 제255조 제1항).
① (O) 형사소송법 제255조 제2항
② (O) 형사소송법 제329조
④ (O) 형사소송법 제328조 제1항 제1호

07 0753

2019 경찰 승진

공소제기 후 수사에 대한 설명으로 가장 적절하지 않은 것은? (다툼이 있는 경우 판례에 의함)

① 검사 작성의 피고인에 대한 진술조서가 공소제기 후에 작성된 것이라는 이유만으로는 곧 그 증거능력이 없다고 할 수 없다.
② 공소제기된 피고인의 구속상태를 계속 유지할 것인지 여부에 관한 판단은 전적으로 당해 수소법원의 전권에 속한다.
③ 검사 또는 사법경찰관이 피고인에 대한 구속영장을 집행하는 경우에 필요한 때에는 영장 없이 구속현장에서 압수·수색·검증을 할 수 있다.
④ 공소제기 후 증거물의 소유자인 제3자가 임의로 제출하는 피고사건에 대한 그 증거물을 수사기관이 압수하는 것은 위법하다.

지문분석 난이도 하 정답 ④

| 키 워 드 | 공소제기 후의 수사
| 출제유형 | 틀린 지문 고르기

④ (X) 임의제출물의 압수는 공소제기 전후를 불문하고 할 수 있으며, 제3자가 소유자·소지자·보관자의 지위에 있는 이상 적법한 권리자일 필요도 없다. 따라서 공소제기 후 제3자가 임의로 제출하는 피고사건에 대한 증거물을 수사기관이 압수하는 것은 위법하지 않다.
① (O) 대법원 1984.9.25. 84도1646
② (O) 공소제기 후의 피고인 구속은 수소법원의 권한에 속한다(형사소송법 제70조). 따라서 공소제기된 피고인의 구속상태를 계속 유지할 것인지 여부에 관한 판단은 전적으로 당해 수소법원의 전권에 속한다.
③ (O) 형사소송법 제216조 제2항

08 0754

2021 경찰 승진

공소제기 후의 수사에 대한 설명으로 가장 적절하지 않은 것은? (다툼이 있는 경우 판례에 의함)

① 공소제기 후 수사기관에 의한 피고인의 구속은 허용되지 않는다.

② 검사가 공소제기 후에 피고인에 대해 작성한 진술조서는 항상 증거능력이 없다.

③ 검사 또는 사법경찰관이 피고인에 대한 구속영장을 집행하는 경우에 필요한 때에는 영장 없이 구속현장에서 압수·수색·검증을 할 수 있다.

④ 공소가 제기된 후에는 그 피고사건에 관하여 수사기관은 형사소송법 제215조에 의하여 압수·수색을 할 수 없다고 보아야 하며, 그럼에도 검사가 공소제기 후 형사소송법 제215조에 따라 수소법원 이외의 지방법원 판사에게 청구하여 발부받은 영장에 의하여 압수·수색을 하였다면, 그와 같이 수집된 증거는 기본적 인권 보장을 위해 마련된 적법한 절차에 따르지 않은 것으로서 원칙적으로 유죄의 증거로 삼을 수 없다.

지문분석 난이도 중 정답 ②

| 키 워 드 | 공소제기 후의 수사

| 출제유형 | 틀린 지문 고르기

② (X) 검사작성의 피고인에 대한 진술조서가 공소제기 후에 작성된 것이라는 이유만으로는 곧 그 증거능력이 없다고 할 수 없다(대법원 1984.9.25. 84도1646).

① (O) 공소제기 후의 피고인 구속은 수소법원의 권한에 속한다(형사소송법 제70조). 따라서 공소제기된 피고인의 구속상태를 계속 유지할 것인지 여부에 관한 판단은 전적으로 당해 수소법원의 전권에 속한다. 따라서 공소제기 후 수사기관에 의한 피고인의 구속은 허용되지 않는다.

③ (O) 형사소송법 제216조 제2항

④ (O) 대법원 2011.4.28. 2009도10412

09 0755

2021 경찰 2차

공소제기 후의 수사에 관한 설명으로 가장 적절하지 않은 것은? (다툼이 있는 경우 판례에 의함)

① 검사가 공소제기 후 형사소송법 제215조에 따라 수소법원 이외의 지방법원 판사에게 청구하여 발부받은 영장에 의하여 압수·수색을 하였다면, 이는 적법한 절차에 따르지 않은 것으로서 원칙적으로 유죄의 증거로 삼을 수 없다.

② 검사 작성의 피고인에 대한 진술조서가 공소제기 후에 작성된 것이라는 이유만으로는 곧 그 증거능력이 없다고 할 수 없다.

③ 검사 또는 사법경찰관이 피고인에 대한 구속영장을 집행하는 경우에 필요한 때에는 그 집행현장에서 영장 없이 압수, 수색, 검증을 할 수 있다.

④ 제1심에서 피고인에 대하여 무죄판결이 선고되어 검사가 항소한 후 수사기관이 항소심 공판기일에 증인으로 신청하여 신문할 수 있는 사람을 특별한 사정 없이 미리 수사기관에 소환하여 작성한 진술조서는 피고인이 증거로 할 수 있음에 동의하지 않는 한 증거능력이 없다. 그러나 그 참고인이 나중에 법정에 증인으로 출석하여 진술조서의 성립의 진정을 인정하고 피고인 측에 반대신문의 기회가 부여되면 그 진술조서를 증거로 할 수 있다.

지문분석 난이도 중 정답 ④

| 키 워 드 | 공소제기 후의 수사

| 출제유형 | 틀린 지문 고르기

④ (X) 제1심에서 피고인에 대하여 무죄판결이 선고되어 검사가 항소한 후, 수사기관이 항소심 공판기일에 증인으로 신청하여 신문할 수 있는 사람을 특별한 사정 없이 미리 수사기관에 소환하여 작성한 진술조서는 피고인이 증거로 할 수 있음에 동의하지 않는 한 증거능력이 없다. 검사가 공소를 제기한 후 참고인을 소환하여 피고인에게 불리한 진술을 기재한 진술조서를 작성하여 이를 공판절차에 증거로 제출할 수 있게 한다면, 피고인과 대등한 당사자의 지위에 있는 검사가 수사기관으로서의 권한을 이용하여 일방적으로 법정 밖에서 유리한 증거를 만들 수 있게 하는 것이므로 당사자주의·공판중심주의·직접심리주의에 반하고 피고인의 공정한 재판을 받을 권리를 침해하기 때문이다. 위 참고인이 나중에 법정에 증인으로 출석하여 위 진술조서의 성립의 진정을 인정하고 피고인 측에 반대신문의 기회가 부여된다 하더라도 위 진술조서의 증거능력을 인정할 수 없음은 마찬가지이다. 위 참고인이 법정에서 위와 같이 증거능력이 없는 진술조서와 같은 취지로 피고인에게 불리한 내용의 진술을 한 경우, 그 진술에 신빙성을 인정하여 유죄의 증거로 삼을 것인지는 증인신문 전 수사기관에서 진술조서가 작성된 경위와 그것이 법정진술에 영향을 미쳤을 가능성 등을 종합적으로 고려하여 신중하게 판단하여야 한다(대법원 2019.11.28. 2013도6825).

① (O) 대법원 2011.4.28. 2009도10412

② (O) 대법원 1984.9.25. 84도1646

③ (O) 형사소송법 제216조 제2항

10 0756 2021 국가직 9급

공소가 제기된 이후 당해 피고인에 대한 수사와 관련된 설명으로 옳은 것은? (다툼이 있는 경우 판례에 의함)

① 불구속으로 기소된 피고인이 도망하거나 증거인멸의 염려가 있는 경우 검사는 지방법원판사에게 구속영장을 청구하여 발부받아 피고인을 구속할 수 있다.
② 검사 작성의 피고인에 대한 진술조서가 공소제기 후에 작성된 것이라는 이유만으로 곧 그 증거능력이 없다고 할 수는 없다.
③ 수사기관은 수소법원 이외의 지방법원판사로부터 압수·수색영장을 청구하여 발부받아 피고사건에 관하여 압수·수색을 할 수 있다.
④ 피고인에 대한 수소법원의 구속영장을 집행하는 경우 필요한 때에도 수사기관은 그 집행현장에서 영장 없이는 압수·수색·검증을 할 수 없다.

지문분석 난이도 중 정답 ②

| 키 워 드 | 공소제기 후의 수사
| 출제유형 | 옳은 지문 고르기

② (O) 대법원 1984.9.25. 84도1646
① (X) 공소제기 후의 피고인 구속은 수소법원의 권한에 속한다(형사소송법 제70조). 따라서 검사의 피고인에 대한 구속영장 청구는 허용되지 않으며 수소법원의 직권 발동을 촉구할 수 있을 뿐이다. 결국 공소제기 후에는 수사기관이 피고인을 구속할 수 없다.
③ (X) 형사소송법은 제215조에서 검사가 압수·수색영장을 청구할 수 있는 시기를 공소제기 전으로 명시적으로 한정하고 있지는 아니하나, 헌법상 보장된 적법절차의 원칙과 재판받을 권리, 공판중심주의·당사자주의·직접주의를 지향하는 현행 형사소송법의 소송구조, 관련 법규의 체계, 문언 형식, 내용 등을 종합하여 보면, 일단 공소가 제기된 후에는 피고사건에 관하여 검사로서는 형사소송법 제215조에 의하여 압수·수색을 할 수 없다고 보아야 하며, 그럼에도 검사가 공소제기 후 형사소송법 제215조에 따라 수소법원 이외의 지방법원 판사에게 청구하여 발부받은 영장에 의하여 압수·수색을 하였다면, 그와 같이 수집된 증거는 기본적 인권 보장을 위해 마련된 적법한 절차에 따르지 않은 것으로서 원칙적으로 유죄의 증거로 삼을 수 없다(대법원 2011.4.28. 2009도10412).
④ (X) 검사 또는 사법경찰관은 피고인에 대한 구속영장의 집행의 경우에 필요한 때에는 영장 없이 집행현장에서 압수·수색·검증을 할 수 있다(형사소송법 제216조 제2항).

CHAPTER

07 공소제기

■ 기본서 연계페이지: p.1339~1348 ■ 문항 수: 7문항

01 0757

2019 경찰 2차

공소시효에 대한 설명으로 가장 적절한 것은? (다툼이 있는 경우 판례에 의함)

① 형사소송법 제253조 제3항에서 정한 '범인이 형사처분을 면할 목적으로 국외에 있는 경우'에는 범인이 국외에서 범죄를 저지르고 형사처분을 면할 목적으로 국외에서 체류를 계속하는 경우도 포함된다.
② 공소장이 변경된 경우 공소시효의 완성 여부는 공소장변경 시를 기준으로 삼아야 한다.
③ 무기징역에 해당하는 범죄의 공소시효는 25년이다.
④ 형법에 의하여 형을 가중 또는 감경한 경우에는 가중 또는 감경한 형에 의하여 공소시효 기간이 적용된다.

지문분석 난이도 하 정답 ①

| 키 워 드 | 공소시효
| 출제유형 | 옳은 지문 고르기

① (O) 대법원 2015.6.24. 2015도5916
② (X) 공소장변경이 있는 경우 공소시효의 완성 여부는 당초의 공소제기가 있었던 시점을 기준으로 판단할 것이고 공소장변경 시를 기준으로 삼을 것은 아니다(대법원 2001.8.24. 2001도2902).
③ (X) 무기징역 또는 무기금고에 해당하는 범죄의 공소시효는 15년이다(형사소송법 제249조 제1항 제2호).
④ (X) 형법에 의하여 형을 가중 또는 감경한 경우에는 가중 또는 감경하지 아니한 형에 의하여 제249조(공소시효)의 규정을 적용한다(형사소송법 제251조).

02 0758

2020 경찰 2차

공소시효에 대한 다음 설명 중 적절하지 않은 것만을 고른 것은 모두 몇 개인가? (다툼이 있는 경우 판례에 의함)

㉠ 당내경선운동에 관한 공직선거법 위반죄에 대한 공소시효의 기산일은 당내경선의 투표일이다.
㉡ 독점규제 및 공정거래에 관한 법률 제19조 제1항 제1호에서 정한 가격결정 등의 합의 및 그에 기한 실행행위로 인한 동법 제66조 제1항 제9호 위반죄의 공소시효는 그 실행행위가 종료한 날이 아닌 그 합의가 있었던 날로부터 진행한다.
㉢ 공소시효 정지사유를 규정한 형사소송법 제253조 제3항의 '범인이 형사처분을 면할 목적으로 국외에 있는 경우'에는 범인이 국외에서 범죄를 저지르고 형사처분을 면할 목적으로 국외에서 체류를 계속하는 경우도 포함된다.
㉣ 미수범의 범죄행위는 행위를 종료하지 못하였거나 결과가 발생하지 아니하여 더 이상 범죄가 진행될 수 없는 때에 종료하고, 그때부터 미수범의 공소시효가 진행한다.
㉤ 허위사실이 기재된 귀화허가신청서를 담당공무원에게 제출한 위계에 의한 공무집행방해죄의 공소시효는 이를 담당하는 행정청의 구체적인 직무집행을 저지하거나 현실적으로 곤란하게 하는 데 이르렀는지의 여부와 상관없이 허위사실이 기재된 귀화허가신청서를 제출하여 접수한 때부터 진행한다.

① 1개 ② 2개
③ 3개 ④ 4개

지문분석 난이도 상 정답 ③

| 키 워 드 | 공소시효
| 출제유형 | 개수 찾기

㉠ (X) 공직선거법 제268조 제1항 본문은 "이 법에 규정한 죄의 공소시효는 당해 선거일 후 6개월(선거일 후에 행하여진 범죄는 그 행위가 있는 날부터 6개월)을 경과함으로써 완성한다."라고 규정하고 있다. 여기서 말하는 '당해 선거일'이란 그 선거범죄와 직접 관련된 공직선거의 투표일을 의미한다. 이는 선거범죄가 당내경선운동에 관한 공직선거법 위반죄인 경우에도 마찬가지이므로, 그 선거범죄에 대한 공소시효의 기산일은 당내경선의 투표일이 아니라 그 선거범죄와 직접 관련된 공직선거의 투표일이다(대법원 2019.10.31. 2019도8813).
㉡ (X) 구 독점규제 및 공정거래에 관한 법률(2009.3.25. 법률제9554호로 개정되기 전의 것. 이하 '공정거래법'이라 한다) 제19조 제1항 제1호에서 정한 가격결정 등의 합의 및 그에 기한 실행행위가 있었던 경우, 부당

한 공동행위가 종료한 날은 합의가 있었던 날이 아니라 합의에 기한 실행행위가 종료한 날을 의미한다. 따라서 공정거래법 제19조 제1항 제1호에서 정한 가격결정 등의 합의에 따른 실행행위가 있는 경우 공정거래법 제66조 제1항 제9호 위반죄의 공소시효는 실행행위가 종료한 날부터 진행한다(대법원 2012.9.13. 2010도16001).

ⓔ (X) 피고인이 허위사실이 기재된 귀화허가신청서를 담당공무원에게 제출하여 그에 따라 귀화허가업무를 담당하는 행정청이 그릇된 행위나 처분을 하여야만 위계에 의한 공무집행방해죄가 기수 및 종료에 이른다고 할 것이고, 한편 단지 허위사실이 기재된 귀화허가신청서를 제출하여 접수되게 한 사정만으로는 구체적인 직무집행을 저지하거나 현실적으로 곤란하게 하는 데까지 이르렀다고 단정할 수 없다(대법원 2017.4.27. 2017도2583).

ⓒ (O) 대법원 2015.6.24. 2015도5916

ⓔ (O) 대법원 2017.7.11. 2016도14820

03 0759 2019 경찰 승진

형사소송법상 공소시효에 대한 설명이다. 아래 ㉠부터 ㉣까지의 설명 중 옳고 그름의 표시(O, X)가 바르게 된 것은? (다툼이 있는 경우 판례에 의함)

㉠ 뇌물공여죄를 범한 자에 대한 공소의 제기로 대향범인 뇌물수수죄를 범한 자에 대한 공소시효는 정지되지 않는다.
㉡ 공무원이 직무에 관하여 금전을 무이자로 차용한 경우에는 그 차용 당시에 금융이익 상당의 뇌물을 수수한 것으로 보아야 하므로 그 공소시효는 금전을 무이자로 차용한 때로부터 기산한다.
㉢ 공소장이 변경된 경우 공소시효의 기간은 변경된 공소사실의 법정형을 기준으로 하고, 완성 여부는 당초 공소제기시를 기준으로 하는 것이 아니라 공소장변경시를 기준으로 한다.
㉣ 형사소송법 제253조 제3항의 '범인이 형사처분을 면할 목적으로 국외에 있는 경우'는 범인이 국내에서 범죄를 저지르고 형사처분을 면할 목적으로 국외로 도피한 경우에 한정되고, 범인이 국외에서 범죄를 저지르고 형사처분을 면할 목적으로 국외에서 체류를 계속하는 경우는 포함되지 않는다.

① ㉠ (X), ㉡ (O), ㉢ (X), ㉣ (O)
② ㉠ (X), ㉡ (X), ㉢ (O), ㉣ (O)
③ ㉠ (O), ㉡ (O), ㉢ (X), ㉣ (X)
④ ㉠ (O), ㉡ (X), ㉢ (O), ㉣ (X)

지문분석 난이도 중 정답 ③

| 키 워 드 | 공소시효
| 출제유형 | 옳고 그름의 표시(O, X)하기

㉠ (O) 대법원 2015.2.12. 2012도4842
㉡ (O) 대법원 2012.2.23. 2011도7282
㉢ (X) 공소장변경이 있는 경우에 공소시효의 완성 여부는 당초의 공소제기가 있었던 시점을 기준으로 판단할 것이고, 공소장 변경시를 기준으로 삼을 것은 아니다. 공소장변경절차에 의하여 공소사실이 변경됨에 따라 그 법정형에 차이가 있는 경우에는 변경된 공소사실에 대한 법정형이 공소시효기간의 기준이 된다(대법원 2001.8.24. 2001도2902).
㉣ (X) 형사소송법 제253조 제3항은 "범인이 형사처분을 면할 목적으로 국외에 있는 경우 그 기간 동안 공소시효는 정지된다."라고 규정하고 있다. 위 규정의 입법 취지는 범인이 우리나라의 사법권이 실질적으로 미치지 못하는 국외에 체류한 것이 도피의 수단으로 이용된 경우에 체류기간 동안은 공소시효가 진행되는 것을 저지하여 범인을 처벌할 수 있도록 하여 형벌권을 적정하게 실현하고자 하는 데 있다. 따라서 위 규정이 정한 '범인이 형사처분을 면할 목적으로 국외에 있는 경우'는 범인이 국내에서 범죄를 저지르고 형사처분을 면할 목적으로 국외로 도피한 경우에 한정되지 아니하고, 범인이 국외에서 범죄를 저지르고 형사처분을 면할 목적으로 국외에서 체류를 계속하는 경우도 포함된다(대법원 2015.6.24. 2015도5916).

04 0760

2020 경찰 승진

공소시효에 관한 설명 중 가장 적절하지 않은 것은? (다툼이 있는 경우 판례에 의함)

① 공소시효는 범죄행위의 종료한 때로부터 진행하고, 공범에는 최종행위의 종료한 때로부터 전공범에 대한 시효기간을 기산한다.
② 형사소송법 제253조 제2항에서 말하는 공소시효 정지의 효력이 미치는 '공범'에는 뇌물공여죄와 뇌물수수죄 사이와 같은 대향범 관계에 있는 자는 포함되지 않는다.
③ 공범의 1인으로 기소된 피고인이 범죄의 증명이 없다는 이유로 무죄의 확정판결을 선고받은 경우에는 그를 공범이라고 할 수 없어 그에 대하여 제기된 공소로써는 진범에 대한 공소시효 정지의 효력이 없다.
④ 1개의 행위가 변호사법 위반죄와 사기죄에 해당하여 상상적 경합의 관계에 있는 경우 과형상 일죄로 처벌하므로 변호사법 위반죄의 공소시효가 완성된 경우 사기죄 역시 공소시효가 완성된다.

지문분석 난이도 중 정답 ④

| 키 워 드 | 공소시효
| 출제유형 | 틀린 지문 고르기

④ (X) 1개의 행위가 여러 개의 죄에 해당하는 경우 형법 제40조는 이를 과형상 일죄로 처벌한다는 것에 지나지 아니하고, 공소시효를 적용함에 있어서는 각 죄마다 따로 따져야 할 것인바, 공무원이 취급하는 사건에 관하여 청탁 또는 알선을 할 의사와 능력이 없음에도 청탁 또는 알선을 한다고 기망하여 금품을 교부받은 경우에 성립하는 사기죄와 변호사법 위반죄는 상상적 경합의 관계에 있으므로, 변호사법 위반죄의 공소시효가 완성되었다고 하여도 그 죄와 상상적 경합관계에 있는 사기죄의 공소시효까지 완성되는 것은 아니다(대법원 2006.12.8. 2006도6356).
① (O) 형사소송법 제252조
② (O) 대법원 2015.2.12. 2012도4842
③ (O) 대법원 1999.3.9. 98도4621

05 0761

2021 경찰 승진

공소시효에 대한 설명으로 가장 적절하지 않은 것은? (다툼이 있는 경우 판례에 의함)

① 선거범죄가 당내경선운동에 관한 공직선거법 위반죄인 경우 그 선거범죄에 대한 공소시효의 기산일은 당내경선의 투표일이다.
② 공소제기 당시의 공소사실에 대한 법정형을 기준으로 하면 공소제기 당시 아직 공소시효가 완성되지 않았으나 변경된 공소사실에 대한 법정형을 기준으로 하면 공소제기 당시 이미 공소시효가 완성된 경우에는 공소시효의 완성을 이유로 면소판결을 선고하여야 한다.
③ 공소시효 정지사유인 '범인이 형사처분을 면할 목적으로 국외에 있는 경우'에는 범인이 국외에서 범죄를 저지르고 형사처분을 면할 목적으로 국외에서 체류를 계속하는 경우도 포함된다.
④ 공무원이 직무에 관하여 금전을 무이자로 차용한 경우에는 차용 당시에 금융이익 상당의 뇌물을 수수한 것으로 보아야 하므로, 뇌물수수죄에 대한 공소시효는 금전을 무이자로 차용한 때부터 기산한다.

지문분석 난이도 중 정답 ①

| 키 워 드 | 공소시효
| 출제유형 | 틀린 지문 고르기

① (X) 공직선거법 제268조 제1항 본문은 "이 법에 규정한 죄의 공소시효는 당해 선거일 후 6개월(선거일 후에 행하여진 범죄는 그 행위가 있는 날부터 6개월)을 경과함으로써 완성한다."라고 규정하고 있다. 여기서 말하는 '당해 선거일'이란 그 선거범죄와 직접 관련된 공직선거의 투표일을 의미한다. 이는 선거범죄가 당내경선운동에 관한 공직선거법 위반죄인 경우에도 마찬가지이므로, 그 선거범죄에 대한 공소시효의 기산일은 당내경선의 투표일이 아니라 그 선거범죄와 직접 관련된 공직선거의 투표일이다(대법원 2019.10.31. 2019도8813).
② (O) 대법원 2013.7.26. 2013도6182
③ (O) 대법원 2015.6.24. 2015도5916
④ (O) 대법원 2012.2.23. 2011도7282

06 0762

2021 경찰 1차

공소시효에 대한 설명으로 가장 적절하지 않은 것은? (다툼이 있는 경우 판례에 의함)

① 구 수산업협동조합법 제178조 제5항 본문은 "제1항 내지 제4항에 규정된 죄의 공소시효는 해당 선거일 후 6월(선거일 후에 행하여진 죄는 그 행위가 있는 날부터 6월)을 경과함으로써 완성한다."라고 규정하고 있는데, 여기서 선거일까지 발생한 범죄의 공소시효 기산일인 '선거일 후'는 '선거일 다음 날'이 아니라 '선거일 당일'을 의미한다.

② 공소장변경이 있는 경우 공소시효의 완성 여부는 당초의 공소제기가 있었던 시점을 기준으로 판단할 것이고 공소장변경시를 기준으로 삼을 것이 아니다.

③ 무고죄에 있어서 그 신고된 범죄사실이 이미 공소시효가 완성된 것이어서 무고죄가 성립하지 아니하는 경우에 해당하는지 여부는 그 신고시를 기준으로 하여 판단하여야 한다.

④ 피고인의 신병이 확보되기 전에 공소가 제기되었다고 하더라도 그러한 사정만으로 공소제기가 부적법한 것이 아니고, 공소가 제기되면 형사소송법 제253조 제1항에 따라 공소시효의 진행이 정지된다.

지문분석 난이도 ㊥ 정답 ①

| 키 워 드 | 공소시효
| 출제유형 | 틀린 지문 고르기

① (X) 구 수산업협동조합법(2010.4.12. 법률 제10245호로 개정되기 전의 것, 이하 '수산업협동조합법'이라 한다) 제178조 제5항 본문은 "제1항 내지 제4항에 규정된 죄의 공소시효는 해당 선거일 후 6월(선거일 후에 행하여진 죄는 그 행위가 있는 날부터 6월)을 경과함으로써 완성한다."고 규정함으로써, 수산업협동조합법에 규정된 선거범죄 중 선거일까지 발생한 범죄에 대하여는 '선거일 후'부터, 선거일 후에 발생한 범죄에 대하여는 '그 행위가 있었던 날', 즉 범죄행위 종료일부터 각 공소시효가 진행되도록 하고 있다. 여기서 선거일까지 발생한 범죄의 공소시효 기산일인 '선거일 후'는 '선거일 당일'이 아니라 '선거일 다음 날'을 의미한다고 해석하는 것이 우선 위 조항의 문언에 부합한다. 또한 위 조항의 입법취지도 수산업협동조합법에 규정된 선거범죄에 대하여 형사소송법이 규정하고 있는 원칙적인 공소시효기간보다 짧은 공소시효를 정함으로써 사건을 조속히 처리하여 선거로 인한 법적 불안정 상태를 신속히 해소하고, 특히 선거에 의하여 선출된 수산업협동조합의 임원들이 안정적으로 업무를 수행할 수 있도록 하기 위하여 당해 선거와 관련하여 선거일까지 발생한 선거범죄에 대하여는 범행일이 언제인지를 묻지 아니하고 선거일까지는 공소시효가 진행되지 않도록 하였다가 선거일 다음 날부터 공소시효가 일괄하여 진행되도록 하려는 데 있다. 나아가 위 조항 중 괄호 안의 '선거일 후'가 '선거일 다음 날 이후'를 의미하는 것임은 의문의 여지가 없는데, 만약 위 조항 중 선거일까지 발생한 선거범죄에 대한 공소시효 기산일인 괄호 밖의 '선거일 후'를 '선거일 다음 날'이 아니라 '선거일 당일'로 해석한다면 동일한 법률조항에서 사용된 '선거일 후'의 의미를 서로 달리 해석하는 모순이 생기게 된다. 따라서 위 조항 중 선거일까지 발생한 선거범죄의 공소시효 기산일인 '선거일 후'는 '선거일 당일'이 아니라 '선거일 다음 날'로 보는 것이 타당하다(대법원 2012.10.11. 2011도17404).

② (O) 대법원 2001.8.24. 2001도2902

③ (O) 대법원 2008.3.27. 2007도11153

④ (O) 형사소송법 제253조 제1항은 "시효는 공소의 제기로 진행이 정지되고 공소기각 또는 관할위반의 재판이 확정된 때로부터 진행한다."라고 정하고 있다. 피고인의 신병이 확보되기 전에 공소가 제기되었다고 하더라도 그러한 사정만으로 공소제기가 부적법한 것이 아니고, 공소가 제기되면 위 규정에 따라 공소시효의 진행이 정지된다(대법원 2017.1.25. 2016도15526).

07 0763

2021 국가직 9급

공소시효에 대한 설명으로 옳지 않은 것은? (다툼이 있는 경우 판례에 의함)

① 2개 이상의 형을 병과하거나 2개 이상의 형에서 그 1개를 과할 범죄에는 중한 형에 의하여 공소시효의 기간을 결정한다.
② 범인이 국외에서 범죄를 저지르고 형사처분을 면할 목적으로 국외에서 체류를 계속하는 경우에도 공소시효는 정지된다.
③ 공범 중 1인에 대해 약식명령이 확정된 후 그에 대한 정식재판청구권회복결정이 있었다고 하더라도 그 사이의 기간 동안에는 특별한 사정이 없는 한 다른 공범자에 대한 공소시효는 정지함이 없이 계속 진행한다.
④ 공소제기 후 공소장이 변경된 경우 변경된 공소사실에 대한 공소시효의 완성 여부는 공소장 변경시점을 기준으로 판단하여야 한다.

지문분석 난이도 중 정답 ④

| 키 워 드 | 공소시효
| 출제유형 | 틀린 지문 고르기

④ (X) 공소장 변경이 있는 경우에 공소시효의 완성 여부는 당초의 공소제기가 있었던 시점을 기준으로 판단할 것이고 공소장 변경시를 기준으로 삼을 것은 아니다(대법원 2001.8.24. 2001도2902).
① (O) 형사소송법 제250조
② (O) 형사소송법 제253조
③ (O) 대법원 2012.3.29. 2011도15137

사막이 아름다운 것은
어딘가에 샘이 숨겨져 있기 때문이다.

– 앙투안 드 생텍쥐페리(Antoine De Saint Exupery)

형사소송법

PART 03

증거

기출키워드

01 증거법의 기본이론	• 간접증거 • 본증 • 엄격한 증명 • 자유로운 증명 • 거증책임
02 증거능력	• 위법수집증거배제법칙 • 자백배제법칙 • 전문법칙 • 전문법칙의 예외 • 재전문증거 • 증거동의
03 증명력	• 자유심증주의 • 자유심증주의의 예외 • 탄핵증거 • 자백의 보강법칙 • 공판조서의 증명력

CHAPTER 01 증거법의 기본이론

CHAPTER 02 증거능력

CHAPTER 03 증명력

문제풀이 전략

01 증거법의 기본이론	• 증거법의 기본이론은 증거의 용어를 일단 정리하는 것이 매우 중요합니다. 또한 엄격한 증명과 자유로운 증명 부분은 끊임없이 출제가 되고 있기 때문에 이에 대한 판례를 정확하게 숙지하여야 합니다.
02 증거능력	• 위법수집증거배제법칙과 자백배제법칙의 경우에는 일단 조문을 먼저 파악하고 그 내용을 정확하게 숙지한 후에 판례를 학습하는 것이 중요합니다. • 전문법칙은 형사소송법의 꽃이라 불릴 정도로 아주 중요한 부분입니다. 이 부분은 먼저 조문을 정확하게 읽고 그 요건을 정확하게 암기한 후에 판례를 파악하는 것이 중요합니다. • 증거동의 부분은 수사와 연계된 판례를 정확하게 파악하는 것이 중요합니다.
03 증명력	• 자유심증주의는 그 연혁과 조문을 먼저 정확히 숙지한 후에 판례들을 유형별로 학습하는 것이 중요합니다. • 탄핵증거는 기본서 탄핵증거 파트 후반부에 나와 있는 판례들을 정확히 숙지한 후에 문제들을 푸는 것이 중요합니다. • 자백의 보강법칙 및 공판조서의 증명력은 조문을 먼저 정확하게 이해한 후에 판례를 학습하는 것이 중요합니다.

CHAPTER

01 증거법의 기본이론

■ 기본서 연계페이지: p.1364~1372 ■ 문항 수: 9문항

01 0764

2021 경찰 승진

증거에 대한 설명으로 가장 적절한 것은? (다툼이 있는 경우 판례에 의함)

① 간접증거가 개별적으로 완전한 증명력을 가지지 못한다면, 전체 증거를 상호 관련하여 종합적으로 고찰하여 증명력이 있는 것으로 판단되더라도 그에 의하여 범죄사실을 인정할 수 없다.

② 살인죄와 같이 법정형이 무거운 범죄의 경우에도 직접증거 없이 간접증거만으로도 유죄를 인정할 수 있다.

③ 상해사건에서 피해자 진단서는 상해 사실 자체에 대한 직접증거에 해당한다.

④ 증거능력이란 요증사실을 증명하는 증거의 힘, 증거의 실질적 가치를 말하며, 이는 법관의 자유심증에 의해 결정된다.

지문분석 난이도 중 정답 ②

| 키 워 드 | 증거의 의의

| 출제유형 | 옳은 지문 고르기

② (O) 대법원 2011.5.26. 2011도1902

① (X) 간접증거가 개별적으로는 범죄사실에 대한 완전한 증명력을 가지지 못하더라도 전체 증거를 상호 관련하에 종합적으로 고찰할 경우 종합적 증명력이 있는 것으로 판단되면 그에 의하여도 범죄사실을 인정할 수가 있다(대법원 1998.11.13. 96도1783).

③ (X) 상해사건 발생 직후 피해자를 진찰한 바 있는 의사의 진술 및 상해진단서를 발행한 의사의 진술이나 진단서는 가해자의 상해 사실 자체에 대한 직접적인 증거가 되는 것은 아니고, 다른 증거에 의하여 상해의 가해행위가 인정되는 경우에 그에 대한 상해의 부위나 정도의 점에 대한 증거가 된다(대법원 1995.9.29. 95도852).

④ (X) 증거능력이란 증거가 엄격한 증명의 자료로 사용될 수 있는 법률상의 자격을 말한다. 이에 대해 증명력이란 요증사실을 증명하는 증거의 힘, 증거의 실질적 가치를 말하며, 이는 법관의 자유심증에 의해 결정된다.

02 0765

2020 경찰 승진

증명에 관한 설명 중 가장 적절하지 않은 것은? (다툼이 있는 경우 판례에 의함)

① 사실의 인정은 증거에 의하여야 하고 범죄사실의 인정은 합리적인 의심이 없는 정도의 증명에 이르러야 한다.

② 횡령한 재물의 가액이 특정경제범죄 가중처벌 등에 관한 법률의 적용 기준이 되는 하한 금액을 초과한다는 점은 엄격한 증거에 의하여 증명되어야 한다.

③ 공모공동정범에 있어서 공모나 모의는 범죄될 사실이라 할 것이므로 이를 인정하기 위하여는 엄격한 증명에 의하여야 한다.

④ 범죄사실의 증명은 논리와 경험칙에 합치되는 한 간접증거로도 할 수 있으나, 살인죄와 같이 법정형이 무거운 범죄의 경우에는 직접증거가 있어야만 범죄사실을 증명할 수 있다.

지문분석 난이도 하 정답 ④

| 키 워 드 | 증명

| 출제유형 | 틀린 지문 고르기

④ (X) 살인죄 등과 같이 법정형이 무거운 범죄의 경우에도 직접증거 없이 간접증거만으로 유죄를 인정할 수 있다(대법원 2011.5.26. 2011도1902).

① (O) 형사소송법 제307조

② (O) 대법원 2017.5.30. 2016도9027

③ (O) 대법원 1988.9.13. 88도1114

✓ 개념체크 **형사소송법상 소명이 허용되는 경우**

- 기피신청시 기피사유의 소명(제19조 제2항)
- 증언거부시 증언거부사유의 소명(제150조)
- 증거보전 청구시 청구사유의 소명(제184조 제3항)
- 수사상 증인신문 청구시 청구사유의 소명(제221조의2 제3항)
- 공판준비기일 종결 후 공판기일에 증거를 제출할 수 있는 사유(제266조의13 제1항)
- 상소권회복 청구시 제345조의 책임질 수 없는 사유의 소명(제346조 제2항)
- 약식명령에 대한 정식재판 청구사유의 소명(제458조 제1항)

03 0766

2021 국가직 7급

증명에 대한 설명으로 옳은 것만을 모두 고르면? (다툼이 있는 경우 판례에 의함)

ㄱ. 검사는 체포영장의 유효기간을 연장할 필요가 있다고 인정하는 때에는 그 사유를 증명하여 다시 체포영장을 청구하여야 하지만, 그 증명은 자유로운 증명으로 족하다.
ㄴ. 탄핵증거는 범죄사실을 인정하는 증거가 아니므로 엄격한 증거조사를 거쳐야 할 필요가 없다.
ㄷ. 친고죄에서 적법한 고소가 있었는지 여부는 자유로운 증명의 대상이 된다.
ㄹ. 교통사고로 인하여 업무상과실치상죄 또는 중과실치상죄를 범한 운전자에 대하여 피해자의 명시한 의사에 반하여 공소를 제기할 수 있도록 하고 있는 교통사고처리 특례법 제3조 제2항 단서의 각 호에서 규정한 신호위반 등의 예외사유는 같은 법 제3조 제1항 위반죄의 구성요건요소에 해당하므로 엄격한 증명을 필요로 한다.

① ㄱ, ㄹ　　② ㄴ, ㄷ
③ ㄴ, ㄷ, ㄹ　　④ ㄱ, ㄴ, ㄷ, ㄹ

지문분석 난이도 상 정답 ②

| 키 워 드 | 증명
| 출제유형 | 조합하기

ㄴ. (O) 대법원 2005.8.19. 2005도2617
ㄷ. (O) 대법원 1967.12.19. 67도1181
ㄱ. (X) 검사는 체포영장의 유효기간을 연장할 필요가 있다고 인정하는 때에는 그 사유를 소명하여 다시 체포영장을 청구하여야 한다(형사소송규칙 제96조의4).
ㄹ. (X) 교통사고로 인하여 업무상과실치상죄 또는 중과실치상죄를 범한 운전자에 대하여 피해자의 명시한 의사에 반하여 공소를 제기할 수 있도록 하고 있는 교통사고처리특례법 제3조 제2항 단서의 각 호에서 규정한 신호위반 등의 예외사유는 같은 법 제3조 제1항 위반죄의 구성요건 요소가 아니라 그 공소제기의 조건에 관한 사유이다(대법원 2007.4.12. 2006도4322).

04 0767

2020 국가직 9급

증명의 기본원칙에 대한 설명으로 옳지 않은 것은? (다툼이 있는 경우 판례에 의함)

① 공모공동정범에 있어서 공모는 엄격한 증명을 요한다.
② 형법 제87조 내란죄에서 국헌문란의 목적은 범죄성립을 위하여 고의 외에 요구되는 초과주관적 위법요소이므로 엄격한 증명을 요한다.
③ 도로교통법 위반(음주운전)죄에서 혈중 알코올농도의 추정방식으로 위드마크 공식을 이용한 경우에 그 적용을 위한 자료인 섭취한 알코올의 양, 음주시각, 체중 등의 사실은 자유로운 증명으로 족하다.
④ 형법 제307조 제1항의 명예훼손죄 성립 여부에 있어서 동법 제310조의 위법성조각사유의 존재는 자유로운 증명으로 족하다.

지문분석 난이도 중 정답 ③

| 키 워 드 | 증명의 기본원칙
| 출제유형 | 틀린 지문 고르기

③ (X) 범행 직후에 행위자의 혈액이나 호흡으로 혈중 알코올농도를 측정할 수 있는 경우가 아니라면 위드마크 공식을 사용하여 그 계산결과로 특정 시점의 혈중 알코올농도를 추정할 수도 있으나, 범죄구성요건사실의 존부를 알아내기 위해 과학공식 등의 경험칙을 이용하는 경우에는 그 법칙 적용의 전제가 되는 개별적이고 구체적인 사실에 대하여는 엄격한 증명을 요한다 할 것이고, 위드마크 공식의 경우 그 적용을 위한 자료로는 음주량, 음주시각, 체중, 평소의 음주 정도 등이 필요하므로 그런 전제사실을 인정하기 위해서는 엄격한 증명이 필요하다(대법원 2000.6.27. 99도128).
① (O) 대법원 1988.9.13. 88도1114
② (O) 대법원 2015.1.22. 2014도10978 전원합의체
④ (O) 대법원 1996.10.25. 95도1473

05 0768

2020 경찰 1차

엄격한 증명과 자유로운 증명에 대한 다음 설명(㉠~㉣) 중 옳고 그름의 표시(O, X)가 바르게 된 것은? (다툼이 있는 경우 판례에 의함)

> ㉠ 내란선동죄에서 국헌문란의 목적은 초과주관적 위법요소로서 엄격한 증명사항에 속하므로 확정적 인식임을 요한다.
> ㉡ 법원은 재심청구 이유의 유무를 판단함에 필요한 경우에는 사실을 조사할 수 있으며, 공판절차에 적용되는 엄격한 증거조사 방식에 따라야 한다.
> ㉢ 공모관계를 인정하기 위해서는 엄격한 증명이 요구되지만 피고인이 공모관계를 부인하는 경우에는 상당한 관련성이 있는 간접사실 또는 정황사실을 증명하는 방법으로 이를 증명할 수밖에 없다.
> ㉣ 목적범의 목적은 내심의 의사로서 이를 직접 증명하는 것이 불가능하므로 고의 등과 같이 내심의 의사를 인정하는 통상적인 방법에 따라 정황사실 또는 간접사실 등에 의하여 이를 증명하여야 한다.

① ㉠ (O), ㉡ (O), ㉢ (O), ㉣ (X)
② ㉠ (O), ㉡ (X), ㉢ (O), ㉣ (O)
③ ㉠ (X), ㉡ (O), ㉢ (X), ㉣ (X)
④ ㉠ (X), ㉡ (X), ㉢ (O), ㉣ (O)

지문분석

난이도 상 정답 ④

| 키 워 드 | 엄격한 증명·자유로운 증명
| 출제유형 | 옳고 그름의 표시(O, X)하기

㉠ (X) 내란선동죄에서 '국헌을 문란할 목적'이란 '헌법 또는 법률에 정한 절차에 의하지 아니하고 헌법 또는 법률의 기능을 소멸시키는 것(형법 제91조 제1호)' 또는 '헌법에 의하여 설치된 국가기관을 강압에 의하여 전복 또는 그 권능행사를 불가능하게 하는 것(같은 조 제2호)'을 말한다. 국헌문란의 목적은 범죄 성립을 위하여 고의 외에 요구되는 초과주관적 위법요소로서 엄격한 증명사항에 속하나, 확정적 인식임을 요하지 아니하며, 다만 미필적 인식이 있으면 족하다(대법원 2015.1.22. 2014도10978 전원합의체).

㉡ (X) '여순사건' 당시 내란 및 국권문란 혐의로 군법회의에 회부되어 사형을 선고받고 그 판결에 따라 사형이 집행된 피고인들의 유족들이 그 후 위 판결(이하 '재심대상판결'이라 한다)에 대해 재심을 청구하여 재심개시결정이 있게 되자 검사가 재항고를 한 사안에서, 형사소송법 제415조에서 정한 재항고의 절차에 관하여는 형사소송법에 아무런 규정을 두고 있지 않으므로 성질상 상고에 관한 규정을 준용하여야 하고, 사실인정의 전제로서 하는 증거의 취사선택과 증거의 증명력은 사실심 법원의 자유판단에 속하는 점, 형사재판에서 심증형성은 반드시 직접증거로 해야만 하는 것은 아니고 간접증거로 할 수도 있는 점, 재심의 청구를 받은 법원은 재심청구 이유의 유무를 판단함에 필요한 경우 사실을 조사할 수 있고(형사소송법 제37조 제3항), 공판절차에 적용되는 엄격한 증거조사 방식에 따라야만 하는 것은 아닌 점 및 대한민국헌법(1948.7.17. 제정된 것, 제헌헌법) 제9조, 구 형사소송법(1948.3.20. 군정법령 제176호로 개정된 것) 제3조, 제6조 등의 규정, 그리고 진실·화해를 위한 과거사 정리위원회의 여순사건 진실규명결정서를 비롯한 기록에서 알 수 있는 사정을 종합하면, 피고인들은 여순사건 당시 진압군이 순천지역을 회복한 후 군경에 의하여 반란군에 가담하거나 협조하였다는 혐의로 체포되어 감금되었다가 내란죄와 국권문란죄로 군법회의에 회부되어 유죄판결을 받았고, 피고인들을 체포·감금한 군경이 법원으로부터 구속영장을 발부받았어야 하는데도 이러한 구속영장 발부 없이 불법 체포·감금하였다고 인정하여 재심대상판결에 형사소송법 제422조, 제420조 제7호의 재심사유가 있다고 본 원심판단이 정당하다(대법원 2019.3.21. 2015모2229 전원합의체 결정).

㉢ (O) 대법원 2018.4.19. 2017도14322 전원합의체

㉣ (O) 대법원 2010.7.23. 2010도1189 전원합의체

06 0769

2018 경찰 1차

엄격한 증명의 대상이면서 검사에게 거증책임이 있는 것으로 가장 적절한 것은? (다툼이 있는 경우 판례에 의함)

① 형사소송법 제312조 제4항에서 정한 '특히 신빙할 수 있는 상태'의 존재 입증
② 몰수대상이 되는지 여부나 추징액의 인정 등 '몰수·추징의 사유' 입증
③ 명예훼손죄의 위법성조각사유인 형법 제310조 규정 중 '진실한 사실로서 오로지 공공의 이익에 관한 것'인지 여부에 대한 입증
④ 형법 제6조 단서의 '행위지 법률에 의하여 범죄를 구성하는지' 여부에 대한 입증

지문분석 난이도 하 정답 ④

| 키 워 드 | 엄격한 증명의 대상·거증책임
| 출제유형 | 옳은 지문 고르기

④ (○) 행위지 법률에 의하여 범죄를 구성하는지는 엄격한 증명의 대상이면서 검사에게 거증책임이 있다(대법원 2011.8.25. 2011도6507).
① (X) 특히 신빙할 수 있는 상태의 존재는 자유로운 증명의 대상이면서 검사에게 거증책임이 있다(대법원 2012.7.26. 2012도2937).
② (X) 몰수·추징의 사유는 자유로운 증명의 대상이면서 검사에게 거증책임이 있다(대법원 2006.4.7. 2005도9858 전원합의체).
③ (X) 진실한 사실로서 오로지 공공의 이익에 관한 것인지는 자유로운 증명의 대상이면서 피고인에게 거증책임이 있다(대법원 1996.10.25. 95도1473).

07 0770

2019 경찰 2차

엄격한 증명에 대한 설명으로 가장 적절한 것은? (다툼이 있는 경우 판례에 의함)

① 대한민국 영역 외에서 대한민국 국민에 대하여 범죄를 저지른 외국인에 대하여 우리나라 형법을 적용하여 처벌함에 있어 행위지의 법률에 의하여 범죄를 구성하는지는 엄격한 증명을 요하나, 몰수 또는 추징의 대상이 되는지 여부나 추징액의 인정은 엄격한 증명을 요하지 아니한다.
② 뇌물수수죄에서 공무원의 직무에 관하여 수수하였다는 범의를 인정하기 위해서는 엄격한 증명이 요구되나, 내란선동죄에서 국헌문란의 목적은 범죄 성립을 위하여 고의 외에 요구되는 초과주관적 위법요소로서 엄격한 증명을 요하지 아니한다.
③ 횡령죄에서 목적과 용도를 정하여 금전을 위탁한 사실 및 그 목적과 용도가 무엇인지는 엄격한 증명의 대상이 되나, 횡령한 재물의 가액이 특정경제범죄 가중처벌 등에 관한 법률의 적용 기준이 되는 하한 금액을 초과한다는 점은 엄격한 증명을 요하지 않는다.
④ 공모공동정범에서 공모관계를 인정하기 위해서는 엄격한 증명이 요구되나, 특정범죄 가중처벌 등에 관한 법률 제5조의9 제1항 위반죄의 '보복의 목적'이 행위자에게 있었다는 점은 엄격한 증명을 요하지 아니한다.

지문분석 난이도 중 정답 ①

| 키 워 드 | 엄격한 증명
| 출제유형 | 옳은 지문 고르기

① (○) 대법원 1973.5.1. 73도289, 대법원 1982.2.9. 81도3040
② (X) 내란선동죄에서 '국헌을 문란할 목적'이란 '헌법 또는 법률에 정한 절차에 의하지 아니하고 헌법 또는 법률의 기능을 소멸시키는 것(형법 제91조 제1호)' 또는 '헌법에 의하여 설치된 국가기관을 강압에 의하여 전복 또는 그 권능행사를 불가능하게 하는 것(같은 조 제2호)'을 말한다. 국헌문란의 목적은 범죄 성립을 위하여 고의 외에 요구되는 초과주관적 위법요소로서 엄격한 증명사항에 속하나, 확정적 인식임을 요하지 아니하며, 다만 미필적 인식이 있으면 족하다(대법원 2015.1.22. 2014도10978 전원합의체).
③ (X) 횡령한 재물의 가액이 특정경제범죄법의 적용 기준이 되는 하한 금액을 초과한다는 점도 다른 구성요건요소와 마찬가지로 엄격한 증거에 의하여 증명되어야 한다(대법원 2017.5.30. 2016도9027).
④ (X) 특정범죄 가중처벌 등에 관한 법률 제5조의9 제1항 위반의 죄의 행위자에게 보복의 목적이 있었다는 점 또한 검사가 증명하여야 하고 그러한 증명은 법관으로 하여금 합리적인 의심을 할 여지가 없을 정도의 확신을 생기게 하는 엄격한 증명에 의하여야 하며 이와 같은 증명이 없다면 피고인의 이익으로 판단할 수밖에 없다(대법원 2014.9.26. 2014도9030).

08 0771

2020 경찰 2차

증거와 증명에 대한 설명으로 가장 적절한 것은? (다툼이 있는 경우 판례에 의함)

① 형사소송법 제312조 제4항에서 '특히 신빙할 수 있는 상태'는 증거능력의 요건에 해당하므로 검사가 그 존재에 대하여 구체적으로 주장·증명하여야 하고, 엄격한 증명을 요한다.
② 강간죄에서 공소사실을 인정할 증거로 사실상 피해자의 진술이 유일하고 피고인의 진술은 경험칙상 합리성이 없고 그 자체로 모순되어 믿을 수 없는 경우, 이러한 사정은 법관의 자유판단의 대상이 되지 않는다.
③ 충분한 증명력이 있는 증거를 합리적인 근거 없이 배척하거나 반대로 객관적인 사실에 명백히 반하는 증거를 아무런 합리적인 근거 없이 채택·사용하는 등으로 논리와 경험의 법칙에 어긋나는 것이 아닌 이상, 법관은 자유심증으로 증거를 채택하여 사실을 인정할 수 있다.
④ 몰수는 부가형이자 형벌이므로 몰수의 대상 여부는 엄격한 증명의 대상이나, 추징은 형벌이 아니므로 추징의 대상, 추징액의 인정은 자유로운 증명의 대상이다.

지문분석 난이도 중 정답 ③

| 키 워 드 | 증거·증명

| 출제유형 | 옳은 지문 고르기

③ (O) 대법원 2015.8.20. 2013도11650 전원합의체
① (X) 형사소송법 제312조 제4항에서 '특히 신빙할 수 있는 상태'란 진술 내용이나 조서 작성에 허위개입의 여지가 거의 없고, 진술 내용의 신빙성이나 임의성을 담보할 구체적이고 외부적인 정황이 있는 것을 말한다. 그리고 이러한 '특히 신빙할 수 있는 상태'는 증거능력의 요건에 해당하므로 검사가 그 존재에 대하여 구체적으로 주장·증명하여야 하지만, 이는 소송상의 사실에 관한 것이므로 엄격한 증명을 요하지 아니하고 자유로운 증명으로 족하다(대법원 2012.7.26. 2012도2937).
② (X) 강간죄에서 공소사실을 인정할 증거로 사실상 피해자의 진술이 유일한 경우에 피고인의 진술이 경험칙상 합리성이 없고 그 자체로 모순되어 믿을 수 없다고 하여 그것이 공소사실을 인정하는 직접증거가 되는 것은 아니지만, 이러한 사정은 법관의 자유판단에 따라 피해자 진술의 신빙성을 뒷받침하거나 직접증거인 피해자 진술과 결합하여 공소사실을 뒷받침하는 간접정황이 될 수 있다(대법원 2018.10.25. 2018도7709).
④ (X) 몰수·추징의 대상이 되는지 여부나 추징액의 인정은 엄격한 증명을 필요로 하지 아니한다(대법원 1993.6.22. 91도3346).

09 0772

2016 국가직 9급

엄격한 증명의 대상이 되는 것만을 모두 고른 것은? (다툼이 있는 경우 판례에 의함)

ㄱ. 업무상횡령죄에서 불법영득의사를 실현하는 행위로서의 횡령행위가 있다는 점
ㄴ. 형사소송법 제312조 제4항에서 정한 '특히 신빙할 수 있는 상태'의 존재
ㄷ. 형법 제6조 단서에서 정한 '외국법규의 존재'와 관련하여 행위지의 법률에 의하여 범죄를 구성하는지 여부
ㄹ. 몰수·추징의 대상이 되는지 여부나 추징액의 인정
ㅁ. 목적과 용도를 정하여 위탁한 금전을 수탁자가 임의로 소비하여 횡령죄가 성립하는 경우 피해자 등이 목적과 용도를 정하여 금전을 위탁한 사실과 그 목적과 용도가 무엇인가라는 점

① ㄱ, ㄴ
② ㄷ, ㄹ
③ ㄱ, ㄷ, ㅁ
④ ㄴ, ㄹ, ㅁ

지문분석 난이도 중 정답 ③

| 키 워 드 | 엄격한 증명의 대상

| 출제유형 | 조합하기

ㄱ. (O) 엄격한 증명(대법원 2013.12.26. 2013도7360)
ㄷ. (O) 엄격한 증명(대법원 2011.8.25. 2011도6507)
ㅁ. (O) 엄격한 증명(대법원 2013.11.14. 2013도8121)
ㄴ. (X) 자유로운 증명(대법원 2012.7.26. 2012도2937)
ㄹ. (X) 자유로운 증명(대법원 2015.4.23. 2015도1233)

CHAPTER 02 증거능력

■ 기본서 연계페이지: p.1380~1414 ■ 문항 수: 92문항

1 위법수집증거배제법칙

01 0773

2022 경찰 간부

위법수집증거배제법칙에 대한 설명으로 가장 적절한 것은? (다툼이 있는 경우 판례에 의함)

① 제1심에서 피고인에 대하여 무죄판결이 선고되어 검사가 항소한 후, 수사기관이 항소심 공판기일에 증인으로 신청하여 신문할 수 있는 사람을 특별한 사정 없이 미리 수사기관에 소환하여 작성한 진술조서는 피고인이 증거로 할 수 있음에 동의하지 않는 한 증거능력이 없으나, 위 참고인이 나중에 법정에 증인으로 출석하여 위 진술조서의 성립의 진정을 인정하고 피고인 측에 반대신문의 기회가 부여된다면, 위 진술조서의 증거능력을 인정할 수 있다.

② 강도 현행범으로 체포된 피고인에게 진술거부권을 고지하지 아니한 채 자백을 받았다면, 비록 최초 자백 이후 40여 일이 지난 후에 변호인의 충분한 조력을 받으면서 공개된 법정에서 피고인이 다시 임의로 자백하였다고 하더라도 그 법정자백은 증거로 할 수 없다.

③ 수사기관이 법원으로부터 영장 또는 감정처분허가장을 발부받지 않고 의식불명 상태인 피의자의 동의 없이 피의자의 신체로부터 혈액을 채취하고 사후에도 지체 없이 영장을 발부받지 않았더라도 그 혈액 중 알코올농도에 관한 감정을 의뢰하여 얻은 감정의뢰회보는 피고인이나 변호인이 동의하면 유죄의 증거로 사용할 수 있다.

④ 음주운전 피의자에 대해 위법한 강제연행 상태에서 호흡측정방법에 의한 음주측정을 한 다음, 강제연행 중인 그 자리에서 즉시 피의자가 자신의 호흡측정 결과에 대한 탄핵을 하기 위하여 스스로 혈액채취방법에 의한 측정을 할 것을 요구하여 혈액채취가 이루어진 경우, 호흡측정에 의한 측정결과는 물론 혈액채취에 의한 측정결과도 증거능력이 없다.

지문분석 난이도 상 정답 ④

| 키 워 드 | 위법수집증거배제법칙

| 출제유형 | 옳은 지문 고르기

④ (O) 대법원 2013.3.14. 2010도2094

① (X) 제1심에서 피고인에 대하여 무죄판결이 선고되어 검사가 항소한 후, 수사기관이 항소심 공판기일에 증인으로 신청하여 신문할 수 있는 사람을 특별한 사정 없이 미리 수사기관에 소환하여 작성한 진술조서는 피고인이 증거로 할 수 있음에 동의하지 않는 한 증거능력이 없다. 검사가 공소를 제기한 후 참고인을 소환하여 피고인에게 불리한 진술을 기재한 진술조서를 작성하여 이를 공판절차에 증거로 제출할 수 있게 한다면, 피고인과 대등한 당사자의 지위에 있는 검사가 수사기관으로서의 권한을 이용하여 일방적으로 법정 밖에서 유리한 증거를 만들 수 있게 하는 것이므로 당사자주의·공판중심주의·직접심리주의에 반하고 피고인의 공정한 재판을 받을 권리를 침해하기 때문이다. 위 참고인이 나중에 법정에 증인으로 출석하여 위 진술조서의 성립의 진정을 인정하고 피고인 측에 반대신문의 기회가 부여된다 하더라도 위 진술조서의 증거능력을 인정할 수 없음은 마찬가지이다. 위 참고인이 법정에서 위와 같이 증거능력이 없는 진술조서와 같은 취지로 피고인에게 불리한 내용의 진술을 한 경우, 그 진술에 신빙성을 인정하여 유죄의 증거로 삼을 것인지는 증인신문 전 수사기관에서 진술조서가 작성된 경위와 그것이 법정진술에 영향을 미쳤을 가능성 등을 종합적으로 고려하여 신중하게 판단하여야 한다(대법원 2019.11.28. 2013도6825).

② (X) 강도 현행범으로 체포된 피고인에게 진술거부권을 고지하지 아니한 채 강도범행에 대한 자백을 받고, 이를 기초로 여죄에 대한 진술과 증거물을 확보한 후 진술거부권을 고지하여 피고인의 임의자백 및 피해자의 피해사실에 대한 진술을 수집한 사안에서, 제1심 법정에서의 피고인의 자백은 진술거부권을 고지받지 않은 상태에서 이루어진 최초 자백 이후 40여 일이 지난 후에 변호인의 충분한 조력을 받으면서 공개된 법정에서 임의로 이루어진 것이고, 피해자의 진술은 법원의 적법한 소환에 따라 자발적으로 출석하여 위증의 벌을 경고받고 선서한 후 공개된 법정에서 임의로 이루어진 것이어서, 예외적으로 유죄 인정의 증거로 사용할 수 있는 2차적 증거에 해당한다(대법원 2009.3.12. 2008도11437).

③ (X) 형사소송법 제215조 제2항, 제216조 제3항, 제221조, 제221조의4, 제173조 제1항의 규정을 위반하여 수사기관이 법원으로부터 영장 또는 감정처분허가장을 발부받지 아니한 채 피의자의 동의 없이 피의자의 신체로부터 혈액을 채취하고 사후적으로도 지체 없이 이에 대한 영장을 발부받지도 아니한 채 강제채혈한 피의자의 혈액 중 알코올농도에 관한 감정이 이루어졌다면, 이러한 감정결과보고서 등은 형사소송법상 영장주의 원칙을 위반하여 수집되거나 그에 기초한 증거로서 그 절차 위반행위가 적법절차의 실질적인 내용을 침해하는 정도에 해당하고, 이러한 증거는 피고인이나 변호인의 증거동의가 있다고 하더라도 유죄의 증거로 사용할 수 없다(대법원 2011.4.28. 2009도2109).

02 0774

2015 경찰 1차

독수의 과실이론에 관한 설명으로 가장 적절하지 않은 것은?
(다툼이 있는 경우 판례에 의함)

① 독수의 과실이론이란 위법하게 수집된 증거에 의하여 발견된 제2차 증거의 증거능력을 배제하는 이론이다.

② 대법원은 위법수집증거에 의하여 획득한 2차적 증거도 원칙적으로 유죄 인정의 증거로 삼을 수 있다고 판시한 바 있다.

③ 적법절차를 따르지 않고 수집한 증거를 기초로 획득한 2차적 증거라도 1차 증거수집과의 사이에 인과관계의 희석 또는 단절 여부를 중심으로 2차적 증거수집과 관련된 모든 사정을 전체적·종합적으로 고려하여 예외적인 경우에는 유죄 인정의 증거로 사용할 수 있다.

④ 강도 현행범으로 체포된 피고인이 진술거부권을 고지받지 아니한 채 자백을 하고, 이후 40여 일이 지난 후에 변호인의 충분한 조력을 받으면서 공개된 법정에서 임의로 자백한 경우에 법정에서의 피고인의 자백은 증거로 사용할 수 있다.

지문분석 난이도 중 정답 ②

| 키 워 드 | 독수의 과실이론

| 출제유형 | 틀린 지문 고르기

② (X) 기본적 인권 보장을 위하여 압수·수색에 관한 적법절차와 영장주의의 근간을 선언한 헌법과 이를 이어받아 실체적 진실 규명과 개인의 권리보호 이념을 조화롭게 실현할 수 있도록 압수·수색절차에 관한 구체적 기준을 마련하고 있는 형사소송법의 규범력은 확고히 유지되어야 한다. 그러므로 헌법과 형사소송법이 정한 절차에 따르지 아니하고 수집한 증거는 기본적 인권 보장을 위해 마련된 적법한 절차에 따르지 않은 것으로서 원칙적으로 유죄 인정의 증거로 삼을 수 없다. 수사기관의 위법한 압수·수색을 억제하고 재발을 방지하는 가장 효과적이고 확실한 대응책은 이를 통하여 수집한 증거는 물론 이를 기초로 하여 획득한 2차적 증거를 유죄 인정의 증거로 삼을 수 없도록 하는 것이다(대법원 2007.11.15. 2007도3061 전원합의체).

① (O) 독수의 과실이론이란 위법수사에 의하여 획득한 1차 증거를 근거로 하여 파생된 2차 증거까지도 증거능력을 배제하자는 이론을 말한다. 독수의 과실이론을 독수독과의 이론이라고 부르기도 한다.

③ (O) 대법원 2007.11.15. 2007도3061 전원합의체

④ (O) 대법원 2009.3.12. 2008도11437

✓ 개념체크 독수의 과실이론의 채택과 그 적용의 전제요건

- 절차에 따르지 아니한 증거수집과 2차적 증거수집 사이 인과관계의 희석 또는 단절 여부를 중심으로 2차적 증거수집과 관련된 모든 사정을 전체적·종합적으로 고려하여 예외적인 경우에는 유죄 인정의 증거로 사용할 수 있다(대법원 2007.11.15. 2007도3061 전원합의체).
- 범행현장에서 지문채취 대상물에 대한 지문채취가 먼저 이루어진 이상, 수사기관이 그 이후에 지문채취 대상물을 적법한 절차에 의하지 아니한 채 압수하였다고 하더라도, 위와 같이 채취된 지문은 위법하게 압수한 지문채취 대상물로부터 획득한 2차적 증거에 해당하지 아니함이 분명하므로 이를 가리켜 위법수집증거라고 할 수 없다(대법원 2008.10.23. 2008도7471).
- 압수된 망치(증8호) 국방색 작업복과 야전잠바(증9, 10호) 등은 위 1항에서 설시한 대로 피고인 1의 증거능력 없는 자백에 의하여 획득된 것이므로 따라서 증거능력이 없다 할 것이고 증거능력이 설사 있다 하더라도 위 압수물들과 국립과학수사연구소의 감정서의 기재 및 증인 A에 대한 심문조서 등은 다음과 같은 그 증명력을 감쇄하는 사유로 인하여 이들 피고인 등에 대한 유죄의 증거로 할 수 없을 것임에도 불구하고 원심은 이를 유죄의 증거로 적시한 1심 판결을 그대로 유지한 위법사유가 있다(대법원 1977.4.26. 77도210).

03 0775

2015 경찰 3차

증거능력에 대한 설명으로 가장 적절하지 않은 것은? (다툼이 있는 경우 판례에 의함)

① 선거관리위원회 위원·직원이 관계인에게 진술이 녹음된다는 사실을 미리 알려 주지 아니한 채 진술을 녹음하였다면 그와 같은 조사절차에 의하여 수집한 녹음파일 내지 그에 터잡아 작성된 녹취록은 형사소송법 제308조의2에서 정하는 '적법한 절차에 따르지 아니하고 수집한 증거'에 해당하여 원칙적으로 유죄의 증거로 쓸 수 없다.

② 형사소송법 제297조에 따라 변호인이 없는 피고인을 일시 퇴정하게 하고 증인신문을 한 다음 피고인에게 실질적인 반대신문의 기회를 부여하지 아니한 채 이루어진 증인의 법정진술은 위법한 증거로서 증거능력이 없다고 볼 여지가 있으나, 그다음 공판기일에서 재판장이 증인신문 결과 등을 공판조서(증인신문조서)에 의하여 고지하였는데 피고인이 "변경할 점과 이의할 점이 없다."고 진술하였다면 실질적인 반대신문의 기회를 부여받지 못한 하자가 치유되었다고 볼 수 있다.

③ 검사 이외의 수사기관 작성의 피의자신문조서는 공판준비 또는 공판기일에 그 피의자였던 피고인이나 변호인이 그 내용을 인정할 때에 한하여 증거로 할 수 있는바, '그 내용을 인정할 때'라 함은 피의자신문조서의 기재내용이 진술내용대로 기재되어 있다는 의미가 아니고 그와 같이 진술한 내용이 실제 사실과 부합한다는 것을 의미한다.

④ 사법경찰관이 소유자, 소지자 또는 보관자가 아닌 자로부터 제출받은 물건을 영장 없이 압수한 경우에 그 압수물은 영장주의 위반으로서 유죄의 증거로 사용할 수 없으나, 압수물을 찍은 사진은 피고인이나 변호인이 이를 증거로 함에 동의하였다면 당사자주의 및 실체적 진실주의에 비추어 유죄 인정의 증거로 사용할 수 있다.

지문분석 난이도 중 정답 ④

| 키 워 드 | 증거능력

| 출제유형 | 틀린 지문 고르기

④ (X) 형사소송법 제218조는 "사법경찰관은 소유자, 소지자 또는 보관자가 임의로 제출한 물건을 영장 없이 압수할 수 있다."고 규정하고 있는바, 위 규정을 위반하여 소유자, 소지자 또는 보관자가 아닌 자로부터 제출받은 물건을 영장 없이 압수한 경우 그 '압수물' 및 '압수물을 찍은 사진'은 이를 유죄 인정의 증거로 사용할 수 없는 것이고, 헌법과 형사소송법이 선언한 영장주의의 중요성에 비추어 볼 때 피고인이나 변호인이 이를 증거로 함에 동의하였다고 하더라도 달리 볼 것은 아니다(대법원 2010.1.28. 2009도10092).
① (O) 대법원 2014.10.15. 2011도3509
② (O) 대법원 2010.1.14. 2009도9344
③ (O) 대법원 2010.6.24. 2010도5040

04 0776

2016 경찰 1차

위법수집증거배제법칙에 관한 다음 설명 중 가장 적절하지 않은 것은? (다툼이 있는 경우 판례에 의함)

① 형사소송법 제217조 제2항, 제3항에 위반하여 압수·수색영장을 청구하여 이를 발부받지 아니하고도 즉시 반환하지 아니한 압수물은 이를 유죄의 증거로 사용할 수 없는 것이나, 피고인이나 변호인이 이를 증거로 함에 동의하면 유죄의 증거로 사용할 수 있다.

② 수사기관이 영장 또는 감정처분허가장을 발부받지 아니한 채 피의자의 동의 없이 피의자의 신체로부터 혈액을 채취하고 사후에도 지체 없이 영장을 발부받지 않았다면, 그 혈액 중 알코올농도에 관한 감정의뢰회보는 원칙적으로 유죄의 증거로 사용할 수 없다.

③ 피고인이 범행 후 피해자에게 전화를 걸어오자 피해자가 증거를 수집하려고 그 전화내용을 녹음한 경우, 그 녹음테이프가 피고인 모르게 녹음된 것이라 하여 이를 위법하게 수집된 증거라고 할 수 없다.

④ 수사기관이 피의자 甲의 공직선거법 위반 범행을 영장 범죄사실로 하여 발부받은 압수·수색영장의 집행과정에서 乙, 丙 사이의 대화가 녹음된 녹음파일(이하 '녹음파일'이라 한다)을 압수하여 乙, 丙의 공직선거법 위반 혐의사실을 발견한 사안에서, 압수·수색영장에 기재된 '피의자' 甲이 녹음파일에 의하여 의심되는 혐의사실과 무관한 이상, 수사기관이 별도의 압수·수색영장을 발부받지 않고 압수한 위 녹음파일은 위법수집증거로서 증거능력이 없다.

지문분석 난이도 하 정답 ①

| 키 워 드 | 위법수집증거배제법칙

| 출제유형 | 틀린 지문 고르기

① (X) 형사소송법 제216조 제1항 제2호, 제217조 제2항, 제3항은 사법경찰관은 형사소송법 제200조의3(긴급체포)의 규정에 의하여 피의자를 체포하는 경우에 필요한 때에는 영장 없이 체포현장에서 압수·수색을 할 수 있고, 압수한 물건을 계속 압수할 필요가 있는 경우에는 지체 없이 압수·수색영장을 청구하여야 하며, 청구한 압수·수색영장을 발부받지 못한 때에는 압수한 물건을 즉시 반환하여야 한다고 규정하고 있는바, 형사소송법 제217조 제2항, 제3항에 위반하여 압수·수색영장을 청구하여 이를 발부받지 아니하고도 즉시 반환하지 아니한 압수물은 이를 유죄 인정의 증거로 사용할 수 없는 것이고, 헌법과 형사소송법이 선언한 영장주의의 중요성에 비추어 볼 때 피고인이나 변호인이 이를 증거로 함에 동의하였다고 하더라도 달리 볼 것은 아니다(대법원 2009.12.24. 2009도11401).
② (O) 대법원 2011.4.27. 2009도2109
③ (O) 대법원 1997.3.28. 97도240
④ (O) 대법원 2014.1.16. 2013도7101

05 0777 2017 경찰 1차

위법수집증거배제법칙에 대한 설명이다. 아래 ㉠부터 ㉣까지의 설명 중 옳고 그름의 표시(O, X)가 가장 바르게 된 것은? (다툼이 있는 경우 판례에 의함)

㉠ 수사기관으로부터 통신제한조치의 집행을 위탁받은 통신기관 등이 집행에 필요한 설비가 없을 때에는 수사기관에 설비의 제공을 요청하여야 하는데, 그러한 요청 없이 통신제한조치허가서에 기재된 사항을 준수하지 아니한 채 통신제한조치를 집행하였더라도, 그러한 집행으로 취득한 전기통신의 내용 등은 유죄 인정의 증거로 할 수 있다.

㉡ 선거관리위원회 위원·직원이 관계인에게 진술이 녹음된다는 사실을 미리 알려 주지 아니한 채 진술을 녹음하였다면, 그와 같은 조사절차에 의하여 수집한 녹음파일 내지 그에 터 잡아 작성된 녹취록은 형사소송법 제308조의2에서 정하는 '적법한 절차에 따르지 아니하고 수집한 증거'에 해당하여 원칙적으로 유죄의 증거로 쓸 수 없다.

㉢ 범죄의 피해자인 검사가 그 사건의 수사에 관여하거나, 압수·수색영장의 집행에 참여한 검사가 다시 수사에 관여하였다는 이유만으로 바로 그 수사가 위법하다거나 그에 따른 참고인이나 피의자의 진술에 임의성이 없다고 볼 수는 없다.

㉣ 수사기관이 피의자를 신문함에 있어서 피의자에게 미리 진술거부권을 고지하지 않은 때에는 그 피의자의 진술은 위법하게 수집된 증거로서 진술의 임의성이 인정되는 경우라도 증거능력이 부인되어야 한다.

① ㉠ (X), ㉡ (O), ㉢ (X), ㉣ (O)
② ㉠ (O), ㉡ (X), ㉢ (O), ㉣ (O)
③ ㉠ (O), ㉡ (O), ㉢ (X), ㉣ (X)
④ ㉠ (X), ㉡ (O), ㉢ (O), ㉣ (O)

지문분석 난이도 ㊤ 정답 ④

| 키 워 드 | 위법수집증거배제법칙
| 출제유형 | 옳고 그름의 표시(O, X)하기

㉠ (X) 통신제한조치허가서에는 통신제한조치의 종류·목적·대상·범위·기간 및 집행장소와 방법을 특정하여 기재하여야 하고(통신비밀보호법 제6조 제6항), 수사기관은 허가서에 기재된 허가의 내용과 범위 및 집행방법 등을 준수하여 통신제한조치를 집행하여야 한다. 이때 수사기관은 통신기관 등에 통신제한조치허가서의 사본을 교부하고 집행을 위탁할 수 있으나(통신비밀보호법 제9조 제1항·제2항), 그 경우에도 집행의 위탁을 받은 통신기관 등은 수사기관이 직접 집행할 경우와 마찬가지로 허가서에 기재된 집행방법 등을 준수하여야 함은 당연하다. 따라서 허가된 통신제한조치의 종류가 전기통신의 '감청'인 경우, 수사기관 또는 수사기관으로부터 통신제한조치의 집행을 위탁받은 통신기관 등은 통신비밀보호법이 정한 감청의 방식으로 집행하여야 하고 그와 다른 방식으로 집행하여서는 아니 된다. 한편, 수사기관이 통신기관 등에 통신제한조치의 집행을 위탁하는 경우에는 집행에 필요한 설비를 제공하여야 한다(동법 시행령 제21조 제3항). 그러므로 수사기관으로부터 통신제한조치의 집행을 위탁받은 통신기관 등이 집행에 필요한 설비가 없을 때에는 수사기관에 설비의 제공을 요청하여야 하고, 그러한 요청 없이 통신제한조치허가서에 기재된 사항을 준수하지 아니한 채 통신제한조치를 집행하였다면, 그러한 집행으로 취득한 전기통신의 내용 등은 헌법과 통신비밀보호법이 국민의 기본권인 통신의 비밀을 보장하기 위해 마련한 적법한 절차를 따르지 아니하고 수집한 증거에 해당하므로(형사소송법 제308조의2), 이는 유죄 인정의 증거로 할 수 없다(대법원 2016.10.13. 2016도8137).

㉡ (O) 대법원 2014.10.15. 2011도3509
㉢ (O) 대법원 2013.9.12. 2011도12918
㉣ (O) 대법원 1992.6.23. 92도682

06 0778 2018 경찰 2차

위법수집증거배제법칙에 대한 설명으로 가장 적절한 것은?
(다툼이 있는 경우 판례에 의함)

① 피고사건에 관하여 검사가 공소제기 후 형사소송법 제215조에 따라 관할지방법원판사에게 청구하여 발부받은 영장에 의하여 압수·수색을 하였다면, 이를 통해 수집된 증거는 적법한 절차에 따른 것으로서 원칙적으로 유죄의 증거로 삼을 수 있다.
② 수사기관이 필로폰 매매범에 대한 증거를 확보할 목적으로 구속수감되어 있던 필로폰 투약범에게 그의 압수된 휴대전화를 제공하여 필로폰 매매범과 통화하면서 그 내용을 녹음하게 한 다음 그 휴대전화를 제출받은 경우, 그 녹음된 진술은 증거능력이 있다.
③ 압수·수색영장은 처분을 받는 자에게 반드시 제시하여야 하므로, 피처분자가 현장에 없거나 현장에서 그를 발견할 수 없는 경우 등 영장제시가 현실적으로 불가능한 경우라도 영장을 제시하지 아니한 채 압수·수색을 하였다면 이는 위법하다고 보아야 한다.
④ 교도관이 재소자가 맡긴 비망록을 수사기관에 임의로 제출하였다면 그 비망록의 증거사용에 대하여도 재소자의 사생활의 비밀 기타 인격적 법익이 침해되는 등의 특별한 사정이 없는 한 반드시 그 재소자의 동의를 받아야 하는 것은 아니며, 검사가 교도관으로부터 그가 보관하고 있던 피고인의 비망록을 임의로 제출받아 이를 압수한 경우, 피고인의 승낙 및 영장이 없더라도 적법절차를 위반한 위법이 있다고 할 수 없다.

지문분석

난이도 ㊦ 정답 ④

| 키 워 드 | 위법수집증거배제법칙
| 출제유형 | 옳은 지문 고르기

④ (O) 대법원 2008.5.15. 2008도1097
① (X) 형사소송법은 제215조에서 검사가 압수·수색영장을 청구할 수 있는 시기를 공소제기 전으로 명시적으로 한정하고 있지는 아니하나, 헌법상 보장된 적법절차의 원칙과 재판받을 권리, 공판중심주의·당사자주의·직접주의를 지향하는 현행 형사소송법의 소송구조, 관련 법규의 체계, 문언 형식, 내용 등을 종합하여 보면, 일단 공소가 제기된 후에는 피고사건에 관하여 검사로서는 형사소송법 제215조에 의하여 압수·수색을 할 수 없다고 보아야 하며, 그럼에도 검사가 공소제기 후 형사소송법 제215조에 따라 수소법원 이외의 지방법원판사에게 청구하여 발부받은 영장에 의하여 압수·수색을 하였다면, 그와 같이 수집된 증거는 기본적 인권 보장을 위해 마련된 적법한 절차에 따르지 않은 것으로서 원칙적으로 유죄의 증거로 삼을 수 없다(대법원 2011.4.28. 2009도10412).
② (X) 수사기관이 甲으로부터 피고인의 마약류관리에 관한 법률 위반(향정) 범행에 대한 진술을 듣고 추가적인 증거를 확보할 목적으로, 구속수감되어 있던 甲에게 그의 압수된 휴대전화를 제공하여 피고인과 통화하고 위 범행에 관한 통화 내용을 녹음하게 한 행위는 불법감청에 해당하므로, 그 녹음 자체는 물론 이를 근거로 작성된 녹취록 첨부 수사보고는 피고인의 증거동의에 상관없이 그 증거능력이 없다(대법원 2010.10.14. 2010도9016).
③ (X) 형사소송법 제219조가 준용하는 제118조는 "압수·수색영장은 처분을 받는 자에게 반드시 제시하여야 한다."고 규정하고 있으나, 이는 영장제시가 현실적으로 가능한 상황을 전제로 한 규정으로 보아야 하고, 피처분자가 현장에 없거나 현장에서 그를 발견할 수 없는 경우 등 영장제시가 현실적으로 불가능한 경우에는 영장을 제시하지 아니한 채 압수·수색을 하더라도 위법하다고 볼 수 없다(대법원 2015.1.22. 2014도10978).

07 0779

2018 경찰 3차

위법수집증거배제법칙에 대한 설명으로 가장 적절하지 않은 것은? (다툼이 있는 경우 판례에 의함)

① 범행 현장에서 지문채취 대상물에 대한 지문채취가 먼저 이루어진 이상, 수사기관이 그 이후에 지문채취 대상물을 적법한 절차에 의하지 아니한 채 압수하였다고 하더라도, 이와 같이 채취된 지문은 위법하게 압수한 지문채취 대상물로부터 획득한 2차적 증거에 해당하지 아니한다.

② 수사기관이 피의자를 신문함에 있어서 피의자에게 미리 진술거부권을 고지하지 않은 때에는 그 피의자의 진술은 위법하게 수집된 증거로서 진술의 임의성이 인정되는 경우라도 증거능력이 부인되어야 한다.

③ 비진술증거인 압수물은 압수절차가 위법하다 하더라도 그 물건 자체의 성질, 형태에 변경을 가져오는 것은 아니어서 그 형태 등에 관한 증거가치에는 변함이 없다 할 것이므로 증거능력이 있다.

④ 피의자가 변호인의 참여를 원한다는 의사를 명백하게 표시하였음에도 수사기관이 정당한 사유 없이 변호인을 참여하게 하지 아니한 채 피의자를 신문하여 작성한 피의자신문조서는 증거능력이 인정되지 않는다.

지문분석

난이도 하 정답 ③

| 키 워 드 | 위법수집증거배제법칙

| 출제유형 | 틀린 지문 고르기

③ (X) 종래 성질·형상불변론 체제하에서의 판시사항을 지문화한 것이다. 그러나 대법원은 이른바 제주지사실 압수·수색사건을 통해 압수절차가 위법하더라도 압수물의 증거능력은 인정된다는 이유만으로 압수물의 증거능력을 인정한 것은 위법하다고 판시하여 성질·형상불변론을 폐기하였다(대법원 2007.11.15. 2007도3061 전원합의체).

→ 위법하게 수집된 비진술증거에 대해서도 위법수집증거배제법칙을 적용하게 되었다.

① (O) 대법원 2008.10.23. 2008도7471

② (O) 대법원 1992.6.23. 92도682

④ (O) 대법원 2013.3.28. 2010도3359

08 0780

2020 경찰 2차

증거능력에 대한 설명으로 가장 적절하지 않은 것은? (다툼이 있는 경우 판례에 의함)

① 수사기관이 영장 없이 범죄 수사를 목적으로 금융회사로부터 획득한 금융실명거래 및 비밀보장에 관한 법률 제4조 제1항의 '거래정보 등'은 원칙적으로 형사소송법 제308조의2에서 정하는 '적법한 절차에 따르지 아니하고 수집한 증거'에 해당하여 유죄의 증거로 삼을 수 없다.

② 영장 발부의 사유로 된 범죄사실과 별개의 증거를 압수하였을 경우 이는 원칙적으로 유죄 인정의 증거로 사용할 수 없으나, 예외적으로 그 범죄사실과 객관적·인적 관련성이 있는 때에는 사용할 수 있다. 이때 객관적 관련성은 압수·수색영장에 기재된 혐의사실의 내용과 수사의 대상, 수사 경위 등을 종합하여 혐의사실과 구체적·개별적 연관관계가 있는 경우뿐만 아니라 단순히 동종 또는 유사 범행인 경우도 인정된다.

③ 형사소송법은 전문진술에 대하여 제316조에서 실질상 단순한 전문의 형태를 취하는 경우에 한하여 예외적으로 그 증거능력을 인정하는 규정을 두고 있을 뿐, 재전문진술이나 재전문진술을 기재한 조서에 대하여는 달리 그 증거능력을 인정하는 규정을 두고 있지 아니하고 있으므로, 피고인이 증거로 하는 데 동의하지 아니하는 한 형사소송법 제310조의2의 규정에 의하여 이를 증거로 할 수 없다.

④ 형사소송법 제218조를 위반하여 소유자, 소지자 또는 보관자가 아닌 자로부터 제출받은 물건을 영장 없이 압수한 경우 그 '압수물' 및 '압수물을 찍은 사진'은 피고인이나 변호인이 이를 증거로 함에 동의하였다고 하더라도 유죄 인정의 증거로 사용할 수 없다.

지문분석

난이도 중 정답 ②

| 키 워 드 | 증거능력

| 출제유형 | 틀린 지문 고르기

② (X) 형사소송법 제215조 제1항은 "검사는 범죄수사에 필요한 때에는 피의자가 죄를 범하였다고 의심할 만한 정황이 있고 해당 사건과 관계가 있다고 인정할 수 있는 것에 한정하여 지방법원판사에게 청구하여 발부받은 영장에 의하여 압수, 수색 또는 검증을 할 수 있다."라고 정하고 있다. 따라서 영장 발부의 사유로 된 범죄 혐의사실과 무관한 별개의 증거를 압수하였을 경우 이는 원칙적으로 유죄 인정의 증거로 사용할 수 없다. 그러나 압수·수색의 목적이 된 범죄나 이와 관련된 범죄의 경우에는 그 압수·수색의 결과를 유죄의 증거로 사용할 수 있다. 압수·수색영장의 범죄 혐의사실과 관계있는 범죄라는 것은 압수·수색영장에 기재한 혐의사실과 객관적 관련성이 있고 압수·수색영장 대상자와 피의자 사이에 인적 관련성이 있는 범죄를 의미한다. 그중 혐의사실과의 객관적 관련성은 압수·수색영장에 기재된 혐의사실 자체 또는 그와 기본적 사실관계가 동일한 범행과 직접 관련되어 있는 경우는 물론 범행 동기와 경위, 범행수단과 방법, 범행 시간과 장소 등을 증명하기 위한 간접증거나 정황증거 등으로 사용될 수 있는 경우에도 인정될 수 있다. 그 관련성은 압수·수색영장에 기재된 혐의사실의 내용과 수사의 대상, 수

사 경위 등을 종합하여 구체적·개별적 연관관계가 있는 경우에만 인정되고, 혐의사실과 단순히 동종 또는 유사 범행이라는 사유만으로 관련성이 있다고 할 것은 아니다(대법원 2017.12.5. 2017도13458).
① (O) 대법원 2013.3.28. 2012도13607
③ (O) 대법원 2000.3.10. 2000도159
④ (O) 대법원 2010.1.28. 2009도10092

09 0781

2020 경찰 1차

위법수집증거배제법칙에 대한 설명 중 가장 적절하지 않은 것은? (다툼이 있는 경우 판례에 의함)

① 적법한 절차를 따르지 않고 수집한 증거를 예외적으로 유죄 인정의 증거로 사용할 수 있는 구체적이고 특별한 사정이 존재한다는 점에 대한 입증책임은 검사에게 있다.
② 적법절차에 위배되는 행위의 영향이 차단되거나 소멸되었다고 볼 수 있는 상태에서 수집한 증거는 그 증거능력을 인정하더라도 적법절차의 실질적 내용에 대한 침해가 일어나지는 않았기 때문에 그 증거능력을 부정할 이유는 없다.
③ 위법수집증거배제법칙은 헌법 제12조의 적법절차를 보장하기 위한 성격을 가지기 때문에, 자신의 기본권을 침해당한 사람만이 위법수집증거배제법칙을 주장할 수 있다. 따라서 수사기관이 피고인 아닌 자를 상대로 적법한 절차에 따르지 아니하고 수집한 증거는 원칙적으로 피고인에 대한 유죄 인정의 증거로 삼을 수 있다.
④ 위법하게 수집된 증거에서 파생하는 2차적 증거는 원칙적으로 증거능력이 배제되어야 하지만, 절차에 따르지 않은 증거수집과 2차적 증거수집 사이의 인과관계의 희석 또는 단절 여부를 중심으로 2차적 증거수집과 관련된 모든 사정을 전체적·종합적으로 고려하여 예외적인 경우에는 2차적 증거의 증거능력을 인정할 수 있다.

지문분석 난이도 하 정답 ③

| 키 워 드 | 위법수집증거배제법칙
| 출제유형 | 틀린 지문 고르기

③ (X) 형사소송법 제308조의2는 "적법한 절차에 따르지 아니하고 수집한 증거는 증거로 할 수 없다."고 규정하고 있는데, 수사기관이 헌법과 형사소송법이 정한 절차에 따르지 아니하고 수집한 증거는 유죄 인정의 증거로 삼을 수 없는 것이 원칙이므로, 수사기관이 피고인 아닌 자를 상대로 적법한 절차에 따르지 아니하고 수집한 증거는 원칙적으로 피고인에 대한 유죄 인정의 증거로 삼을 수 없다(대법원 2011.6.30. 2009도6717).
① (O) 대법원 2009.3.12. 2008도11437
② (O) 대법원 2013.3.14. 2010도2094
④ (O) 대법원 2007.11.15. 2007도3061 전원합의체

10 0782

2017 경찰 여경 재시험

증거능력에 대한 설명 중 옳고 그름의 표시(O, X)가 바르게 된 것은? (다툼이 있는 경우 판례에 의함)

㉠ 위법한 체포에 의한 유치 중에 작성된 피의자신문조서는 위법하게 수집된 증거로서 특별한 사정이 없는 한 이를 유죄의 증거로 할 수 없다.
㉡ 피고인이 범행 후 피해자에게 전화를 걸어오자 피해자가 증거를 수집하려고 그 전화내용을 녹음한 경우, 이는 위법하게 수집된 증거에 해당하여 증거능력이 없다.
㉢ 수사기관이 피의자를 신문함에 있어서 피의자에게 미리 진술거부권을 고지하지 않은 때에는 그 피의자 진술은 위법하게 수집된 증거에 해당하나, 그 진술의 임의성이 인정되는 경우에는 증거능력이 인정된다.
㉣ 비변호인과의 접견이 금지된 상태에서 작성된 피의자신문조서는 당연히 임의성이 부정된다.

① ㉠ (O), ㉡ (X), ㉢ (X), ㉣ (X)
② ㉠ (X), ㉡ (O), ㉢ (X), ㉣ (O)
③ ㉠ (O), ㉡ (X), ㉢ (O), ㉣ (X)
④ ㉠ (X), ㉡ (O), ㉢ (O), ㉣ (O)

지문분석

난이도 상 정답 ①

| 키 워 드 | 증거능력
| 출제유형 | 옳고 그름의 표시(O, X)하기

㉠ (O) 대법원 2008.3.27. 2007도11400
㉡ (X) 피고인이 범행 후 피해자에게 전화를 걸어오자 피해자가 증거를 수집하려고 그 전화내용을 녹음한 경우, 그 녹음테이프가 피고인 모르게 녹음된 것이라 하여 이를 위법하게 수집된 증거라고 할 수 없다(대법원 1997.3.28. 97도240).
㉢ (X) 수사기관이 피의자를 신문함에 있어서 피의자에게 미리 진술거부권을 고지하지 않은 때에는 그 피의자의 진술은 위법하게 수집된 증거로서 진술의 임의성이 인정되는 경우라도 증거능력이 부인되어야 한다(대법원 2010.5.27. 2010도1755).
㉣ (X) 검사의 접견금지 결정으로 피고인들의 접견이 제한된 상황하에서 피의자신문조서가 작성되었다는 사실만으로 바로 그 조서가 임의성이 없는 것이라고는 볼 수 없다(대법원 1984.7.10. 84도846).

11 0783

2019 경찰 2차

다음 중 ㉠~㉣의 설명에 대하여 옳고 그름의 표시(O, X)가 모두 바르게 된 것은? (다툼이 있는 경우 판례에 의함)

㉠ 조사대상자의 진술 내용이 제3자의 피의사실뿐만 아니라 자신의 피의사실에 관한 것이기도 하여 그 실질이 피의자신문조서의 성격을 가지는 경우에 수사기관은 진술을 듣기 전에 미리 진술거부권을 고지하여야 한다.
㉡ 수사기관이 피의자를 조사하는 경우에는 그 조사과정을 기록하여야 하나 피의자가 아닌 자를 조사하는 과정에서 그 진술을 청취하여 증거로 남기는 방법으로 진술조서가 아닌 진술서를 작성·제출받는 경우에는 그 절차를 준수할 것을 요하지 아니한다.
㉢ 선거관리위원회 위원·직원이 관계인에게 진술이 녹음된다는 사실을 미리 알려 주지 아니한 채 진술을 녹음하였다면, 그와 같은 조사절차에 의하여 수집한 녹음파일 내지 그에 터 잡아 작성된 녹취록은 적법한 절차에 따르지 아니하고 수집한 증거에 해당한다.
㉣ 수사기관이 정보저장매체에 기억된 정보 중에서 검색을 통해 범죄 혐의사실과 관련 있는 정보를 선별한 다음 정보저장매체와 동일한 방식으로 복제하여 생성한 파일을 제출받아 압수한 후 수사기관의 사무실에서 압수된 파일을 탐색·복제·출력하는 경우에도 수사기관은 피의자 등에게 참여의 기회를 보장하여야 한다.

① ㉠ (O), ㉡ (O), ㉢ (X), ㉣ (X)
② ㉠ (O), ㉡ (X), ㉢ (O), ㉣ (O)
③ ㉠ (O), ㉡ (X), ㉢ (O), ㉣ (X)
④ ㉠ (X), ㉡ (O), ㉢ (X), ㉣ (O)

지문분석

난이도 중 정답 ③

| 키 워 드 | 위법수집증거배제법칙
| 출제유형 | 옳고 그름의 표시(O, X)하기

㉠ (O) 대법원 2015.10.29. 2014도5939
㉡ (X) 형사소송법 제221조 제1항, 제244조의4 제1항·제3항, 제312조 제4항·제5항 및 그 입법 목적 등을 종합하여 보면, 피고인이 아닌 자가 수사과정에서 진술서를 작성하였지만 수사기관이 그에 대한 조사과정을 기록하지 아니하여 형사소송법 제244조의4 제3항·제1항에서 정한 절차를 위반한 경우에는, 특별한 사정이 없는 한 '적법한 절차와 방식'에 따라 수사과정에서 진술서가 작성되었다 할 수 없으므로 증거능력을 인정할 수 없다(대법원 2015.4.23. 2013도3790).
㉢ (O) 대법원 2014.10.15. 2011도3509
㉣ (X) 수사기관이 정보저장매체에 기억된 정보 중에서 키워드 또는 확장자 검색 등을 통해 범죄 혐의사실과 관련 있는 정보를 선별한 다음 정보저장매체와 동일하게 비트열 방식으로 복제하여 생성한 파일(이하 '이미지 파일'이라 한다)을 제출받아 압수하였다면 이로써 압수의 목적물에 대한 압수·수색 절차는 종료된 것이므로, 수사기관이 수사기관 사무실에서 위와 같이 압수된 이미지 파일을 탐색·복제·출력하는 과정에서도

피의자 등에게 참여의 기회를 보장하여야 하는 것은 아니다(대법원 2018.2.8. 2017도13263).

12 0784 2016 경찰 승진

위법수집증거에 관한 설명 중 가장 적절하지 않은 것은? (다툼이 있는 경우 판례에 의함)

① 수사기관이 압수영장 또는 감정처분허가장을 발부받지 아니한 채 피의자의 동의 없이 피의자의 신체로부터 혈액을 채취하고 사후에 지체 없이 영장을 발부받지 않았다면, 그 혈액의 알코올농도에 관한 감정회보는 유죄의 증거로 사용할 수 없다.

② 선거관리위원회 위원·직원이 관계인에게 진술이 녹음된다는 사실을 미리 알려 주지 아니한 채 진술을 녹음하였더라도, 그와 같은 조사절차에 의하여 수집한 녹음파일 내지 그에 터 잡아 작성된 녹취록이 증거능력이 부정된다고 할 수 없다.

③ 검사가 공소제기 후 수소법원 이외의 지방법원 판사에게 청구하여 발부받은 영장에 의하여 압수·수색을 하였다고 하면, 그에 따라 수집된 증거는 원칙적으로 유죄의 증거로 삼을 수 없다.

④ 피고인이 범행 후 피해자에게 전화를 걸어오자 피해자가 증거를 수집하려고 그 전화내용을 녹음한 경우, 그 녹음테이프가 피고인 모르게 녹음된 것이라 하여 이를 위법하게 수집된 증거라고 할 수 없다.

지문분석 난이도 중 정답 ②

| 키 워 드 | 위법수집증거배제법칙

| 출제유형 | 틀린 지문 고르기

② (X) 공직선거법 제272조의2 제1항은 선거범죄 조사와 관련하여 선거관리위원회 위원·직원은 관계인에 대하여 질문·조사를 할 수 있다는 취지로 규정하고, 공직선거관리규칙 제146조의3 제3항에서는 "위원·직원은 조사업무 수행 중 필요하다고 인정되는 때에는 질문답변 내용의 기록, 녹음·녹화, 사진촬영, 선거범죄와 관련 있는 서류의 복사 또는 수집 기타 필요한 조치를 취할 수 있다."고 규정하고 있으므로 선거관리위원회의 직원은 선거범죄의 조사를 위하여 관계인의 진술내용을 녹음할 수 있다. 한편, 공직선거법 제272조의2 제6항은 선거관리위원회 위원·직원이 선거범죄와 관련하여 질문·조사하거나 자료의 제출을 요구하는 경우에는 관계인에게 그 신분을 표시하는 증표를 제시하고 소속과 성명을 밝히고 그 목적과 이유를 설명하여야 한다고 규정하고 있는데, 이는 선거범죄 조사와 관련하여 조사를 받는 관계인의 사생활의 비밀과 자유 내지 자신에 대한 정보를 결정할 자유, 재산권 등이 침해되지 않도록 하기 위한 절차적 규정이므로, 선거관리위원회 직원이 관계인에게 사전에 설명할 '조사의 목적과 이유'에는 조사할 선거범죄혐의의 요지, 관계인에 대한 조사가 필요한 이유뿐만 아니라 관계인의 진술을 기록 또는 녹음·녹화한다는 점도 포함된다. 따라서 선거관리위원회 위원·직원이 관계인에게 진술이 녹음된다는 사실을 미리 알려 주지 아니한 채 진술을 녹음하였다면, 그와 같은 조사절차에 의하여 수집한 녹음파일 내지 그에 터 잡아 작성된 녹취록은 형사소송법 제308조의2에서 정하는 '적법한 절차에 따르지 아니하고 수집한 증거'에 해당하여 원칙적으로 유죄의 증거로 쓸 수 없다(대법원 2014.10.15. 2011도3509).

① (O) 대법원 2011.4.27. 2009도2109

③ (O) 대법원 2011.4.28. 2009도10412

④ (O) 대법원 1997.3.28. 97도240

13 0785

2014 검찰 7급

다음 중 ㉠~㉣에 대해 증거능력이 있는 것(O)과 없는 것(X)을 순서대로 바르게 나열한 것은? (다툼이 있는 경우 판례에 의함)

- 甲의 행동으로 보아 마약을 투약한 것일지도 모른다는 취지의 제보를 받고 출동한 경찰관이 甲에게 임의동행을 요구하였으나 거절하자 甲을 영장 없이 경찰서로 강제연행하였다. 연행된 甲은 경찰서에서 채뇨를 위한 '소변채취동의서'에 서명하고 그 소변을 제출하였는데, 소변에 대한 간이시약검사 결과 메스암페타민에 대한 양성반응이 검출되자 이를 시인하는 취지의 ㉠ 소변검사시인서에 서명하였고, 경찰관은 이를 근거로 체포의 이유 등을 고지하고 甲을 긴급체포하였다. 이후 경찰관은 甲에 대한 압수·수색영장과 검증영장을 발부받아 소변과 모발을 채취하여 국립과학수사연구원에 의뢰한 결과 메스암페타민 양성반응이 나왔다는 ㉡ 감정서를 회보받았다.
- 경찰관이 절도현장에 떨어진 ㅇ매출전표를 근거로 금융회사로부터 거래명의자에 대한 정보를 취득하기 위해서는 법원의 영장을 발부받아야 함에도 불구하고 영장 없이 수사기관 명의의 공문서에 의하여 금융회사로부터 ㉢ 乙의 인적사항 등 정보를 제공받아 확인한 후, 乙을 주거지에서 긴급체포하였다. 乙은 경찰서로 연행된 뒤 조사과정에서 절도범행에 대하여 임의로 자백하였으나 구속영장이 기각되어 석방되었다. 乙은 석방된 지 5일 후에 다시 경찰서에 출석하여 임의로 제2의 절도범행을 자백하였다. 이에 경찰관은 제2의 절도범행의 피해자로부터 피해사실에 관한 ㉣ 진술서를 제출받았다.

	㉠	㉡	㉢	㉣
①	X	○	X	○
②	X	○	○	X
③	○	X	○	○
④	○	○	X	○

지문분석

난이도 상 정답 ①

| 키 워 드 | 증거능력

| 출제유형 | 옳고 그름의 표시(O, X)하기

㉠ (X) 피의자가 동행을 거부하는 의사를 표시하였음에도 불구하고 경찰관들이 영장에 의하지 아니하고 피의자를 강제로 연행한 행위는 수사상의 강제처분에 관한 형사소송법상의 절차를 무시한 채 이루어진 것으로 위법한 체포에 해당하고, 이와 같이 위법한 체포상태에서 마약투약 혐의를 확인하기 위한 채뇨 요구가 이루어진 경우, 채뇨 요구를 위한 위법한 체포와 그에 이은 채뇨 요구는 마약투약이라는 범죄행위에 대한 증거수집을 위하여 연속하여 이루어진 것으로서 개별적으로 그 적법 여부를 평가하는 것은 적절하지 아니하므로 그 일련의 과정을 전체적으로 보아 위법한 채뇨 요구가 있었던 것으로 볼 수밖에 없다(대법원 2013.3.14. 2012도13611).

㉡ (O) 마약투약 혐의를 받고 있던 피고인이 임의동행을 거부하겠다는 의사를 표시하였는데도 경찰관들이 피고인을 영장 없이 강제로 연행한 상태에서 마약투약 여부의 확인을 위한 1차 채뇨절차가 이루어졌는데, 그 후 피고인의 소변 등 채취에 관한 압수영장에 기하여 2차 채뇨절차가 이루어지고 그 결과를 분석한 소변감정서 등이 증거로 제출된 사안에서, 피고인을 강제로 연행한 조치는 위법한 체포에 해당하고, 위법한 체포상태에서 이루어진 채뇨 요구 또한 위법하므로 그에 의하여 수집된 '소변검사시인서'는 유죄 인정의 증거로 삼을 수 없으나, 한편 연행 당시 피고인이 마약을 투약한 것이거나 자살할지도 모른다는 취지의 구체적 제보가 있었던 데다가, 피고인이 경찰관 앞에서 바지와 팬티를 내리는 등 비상식적인 행동을 하였던 사정 등에 비추어 피고인에 대한 긴급한 구호의 필요성이 전혀 없었다고 볼 수 없는 점, 경찰관들은 임의동행시점으로부터 얼마 지나지 아니하여 체포의 이유와 변호인 선임권 등을 고지하면서 피고인에 대한 긴급체포의 절차를 밟는 등 절차의 잘못을 시정하려고 한 바 있어, 경찰관들의 위와 같은 임의동행조치는 단지 수사의 순서를 잘못 선택한 것이라고 할 수 있지만 관련 법규정으로부터의 실질적 일탈 정도가 헌법에 규정된 영장주의원칙을 현저히 침해할 정도에 이르렀다고 보기 어려운 점 등에 비추어 볼 때, 위와 같은 2차적 증거 수집이 위법한 체포·구금절차에 의하여 형성된 상태를 직접 이용하여 행하여진 것으로는 쉽사리 평가할 수 없으므로, 이와 같은 사정은 체포과정에서의 절차적 위법과 2차적 증거 수집 사이의 인과관계를 희석하게 할 만한 정황에 속하고, 메스암페타민 투약 범행의 중대성도 아울러 참작될 필요가 있는 점 등 제반 사정을 고려할 때 2차적 증거인 소변감정서 등은 증거능력이 인정된다(대법원 2013.3.14. 2012도13611).

㉢ (X) 수사기관이 범죄 수사를 목적으로 금융실명거래 및 비밀보장에 관한 법률(이하 '금융실명법'이라 한다) 제4조 제1항에 정한 '거래정보 등'을 획득하기 위해서는 법관의 영장이 필요하고, 신용카드에 의하여 물품을 거래할 때 '금융회사 등'이 발행하는 매출전표의 거래명의자에 관한 정보 또한 금융실명법에서 정하는 '거래정보 등'에 해당하므로, 수사기관이 금융회사 등에 그와 같은 정보를 요구하는 경우에도 법관이 발부한 영장에 의하여야 한다. 그럼에도 수사기관이 영장에 의하지 아니하고 매출전표의 거래명의자에 관한 정보를 획득하였다면, 그와 같이 수집된 증거는 원칙적으로 형사소송법 제308조의2에서 정하는 '적법한 절차에 따르지 아니하고 수집한 증거'에 해당하여 유죄의 증거로 삼을 수 없다(대법원 2013.3.28. 2012도13607).

㉣ (O) 수사기관이 법관의 영장에 의하지 아니하고 매출전표의 거래명의자에 관한 정보를 획득한 경우, 이에 터 잡아 수집한 2차적 증거들, 예컨대 피의자의 자백이나 범죄 피해에 대한 제3자의 진술 등이 유죄 인정의 증거로 사용될 수 있는지를 판단할 때, 수사기관이 의도적으로 영장주의의 정신을 회피하는 방법으로 증거를 확보한 것이 아니라고 볼 만한 사정, 위와 같은 정보에 기초하여 범인으로 특정되어 체포되었던 피의자가 석방된 후 상당한 시간이 경과하였음에도 다시 동일한 내용의 자백을 하였다거나 그 범행의 피해품을 수사기관에 임의로 제출하였다는 사정, 2차적 증거 수집이 체포 상태에서 이루어진 자백 등으로부터 독립된 제3자의 진술에 의하여 이루어진 사정 등은 통상 2차적 증거의 증거능력을 인정할 만한 정황에 속한다고 볼 수 있다(대법원 2013.3.28. 2012도13607).

14 0786

2016 경찰 승진

위법수집증거에 관한 설명 중 가장 적절하지 않은 것은? (다툼이 있는 경우 판례에 의함)

① 위법하게 수집된 증거는 피고인이 증거로 함에 동의하더라도 증거능력이 인정되지 않는 것이 원칙이다.
② 경찰관이 이른바 전화사기죄 범행의 혐의자를 긴급체포하면서 그가 보관하고 있던 다른 사람의 주민등록증, 운전면허증 등을 압수한 사안에서, 이는 적법한 압수로서 위 혐의자의 점유이탈물횡령죄 범행에 대한 증거로 사용할 수 있다.
③ 강도 현행범으로 체포된 피고인이 진술거부권을 고지받지 아니한 채 자백을 하고, 이후 40여 일이 지난 후에 변호인의 충분한 조력을 받으면서 공개된 법정에서 임의로 자백한 경우에 법정에서의 피고인의 자백은 증거로 사용할 수 있다.
④ 수사기관이 압수·수색영장을 제시하고 압수·수색을 실시하여 일단 그 집행을 종료하였더라도 그 영장의 유효기간이 남아 있는 한, 유효기간 내 이를 제시하고 다시 압수수색을 하는 것은 위법하다고 할 수 없다.

지문분석 난이도 중 정답 ④

| 키 워 드 | 위법수집증거배제법칙
| 출제유형 | 틀린 지문 고르기

④ (X) 형사소송법 제215조에 의한 압수·수색영장은 수사기관의 압수·수색에 대한 허가장으로서 거기에 기재되는 유효기간은 집행에 착수할 수 있는 종기를 의미하는 것일 뿐이므로, 수사기관이 압수·수색영장을 제시하고 집행에 착수하여 압수·수색을 실시하고 그 집행을 종료하였다면 이미 그 영장은 목적을 달성하여 효력이 상실되는 것이고, 동일한 장소 또는 목적물에 대하여 다시 압수·수색할 필요가 있는 경우라면 그 필요성을 소명하여 법원으로부터 새로운 압수·수색영장을 발부받아야 하는 것이지, 앞서 발부받은 압수·수색영장의 유효기간이 남아 있다고 하여 이를 제시하고 다시 압수·수색을 할 수는 없다(대법원 1999.12.1. 99모161 결정).
① (O) 대법원 2009.12.24. 2009도11041
② (O) 대법원 2008.7.10. 2008도2245
③ (O) 대법원 2009.3.12. 2008도11437

15 0787

2020 경찰 승진

증거능력에 관한 설명 중 가장 적절한 것은? (다툼이 있는 경우 판례에 의함)

① 강도 현행범으로 체포된 피고인에게 진술거부권을 고지하지 아니한 채 강도범행에 대한 자백을 받았다면 그 이후 진술거부권을 고지받고 40여 일이 지난 후 공개된 법정에서 변호인의 조력을 받으며 임의로 이루어진 피고인의 자백이라도 위법한 자백에 기초하여 획득한 2차적 증거이므로 증거로 사용할 수 없다.
② 검사가 조사과정에서 피의자의 진술을 진술조서의 형식으로 작성한 경우 이는 피의자신문조서와 다르므로 피의자에게 진술거부권을 고지할 필요는 없고, 고지하지 않고 작성된 위 진술조서라도 증거능력이 있다.
③ 사법경찰관이 피의자신문조서를 작성하면서 피의자에게 진술거부권 등을 고지하고 행사 여부를 질문하였다 하더라도 형사소송법 제244조의3 제2항에 규정된 방식인 자필 또는 사법경찰관이 피의자 답변을 작성한 부분에 피의자의 기명날인 또는 서명의 형식으로 답변이 기재되어 있지 아니하다면 그 피의자신문조서는 증거능력이 인정되지 않는다.
④ 수사기관이 구속수감되어 있던 자에게 그의 압수된 휴대전화를 제공하여 피고인과 통화하게 하고 범행에 관한 통화 내용을 녹음하게 하였더라도 그 녹음 자체는 수사기관이 아닌 사인이 수집한 증거에 해당하므로 피고인이 증거로 함에 동의한 이상 증거능력이 인정된다.

지문분석 난이도 중 정답 ③

| 키 워 드 | 증거능력
| 출제유형 | 옳은 지문 고르기

③ (O) 대법원 2013.3.28. 2010도3359
① (X) 강도 현행범으로 체포된 피고인이 진술거부권을 고지받지 아니한 채 자백을 하고, 이후 40여 일이 지난 후에 변호인의 충분한 조력을 받으면서 공개된 법정에서 임의로 자백한 경우에 법정에서의 피고인의 자백은 증거로 사용할 수 있다(대법원 2009.3.12. 2008도11437).
② (X) 검사가 조사과정에서 피의자의 진술을 진술조서의 형식으로 작성한 경우 진술조서의 내용이 피의자신문조서와 실질적으로 같고, 진술의 임의성이 인정되는 경우라도 미리 피의자에게 진술거부권을 고지하지 않았다면 위법수집증거에 해당한다(대법원 2009.8.20. 2008도8213).
④ (X) 수사기관이 甲으로부터 피고인의 마약류관리에 관한 법률 위반(향정) 범행에 대한 진술을 듣고 추가적인 증거를 확보할 목적으로, 구속수감되어 있던 甲에게 그의 압수된 휴대전화를 제공하여 피고인과 통화하고 위 범행에 관한 통화 내용을 녹음하게 한 행위는 불법감청에 해당하므로, 그 녹음 자체는 물론 이를 근거로 작성된 녹취록 첨부 수사보고는 피고인의 증거동의에 상관없이 그 증거능력이 없다(대법원 2010.10.14. 2010도9016).

16 0788

2016 국가직 9급

다음 설명 중 옳지 않은 것은? (다툼이 있는 경우 판례에 의함)

① 선거관리위원회 위원·직원이 관계인에게 진술이 녹음된다는 사실을 미리 알려 주지 아니한 채 진술을 녹음하였다면, 그와 같은 조사절차에 의하여 수집한 녹음파일 내지 그에 터 잡아 작성된 녹취록은 형사소송법 제308조의2에서 정하는 '적법한 절차에 따르지 아니하고 수집한 증거'에 해당하여 원칙적으로 유죄의 증거로 쓸 수 없다.

② 위법한 강제연행 상태에서 호흡측정 방법에 의한 음주측정을 한 다음, 강제연행 상태로부터 시간적·장소적으로 단절되었다고 볼 수 없는 상황에서 피의자가 호흡측정 결과를 탄핵하기 위하여 스스로 혈액채취 방법에 의한 측정을 할 것을 요구하여 혈액채취가 이루어진 경우, 그러한 혈액채취에 의한 측정결과는 유죄 인정의 증거로 쓸 수 있다.

③ 현장에서 압수·수색을 당하는 사람이 여러 명일 경우에는 그 사람들 모두에게 개별적으로 영장을 제시해야 하는 것이 원칙이다.

④ 수사기관이 甲으로부터 乙의 마약류 관리에 관한 법률 위반 범행에 대한 진술을 듣고 추가적인 증거를 확보할 목적으로, 구속수감 중인 甲에게 그의 압수된 휴대전화를 제공하여 乙과 통화하고 범행에 관한 통화 내용을 녹음하게 한 행위는 불법감청에 해당하고, 그 녹음 자체는 물론 이를 근거로 작성된 녹취록 첨부 수사보고서도 증거로 사용할 수 없다.

지문분석 난이도 하 정답 ②

| 키 워 드 | 위법수집증거배제법칙

| 출제유형 | 틀린 지문 고르기

② (X) 위법한 강제연행 상태에서 호흡측정 방법에 의한 음주측정을 한 다음 강제연행 상태로부터 시간적·장소적으로 단절되었다고 볼 수도 없고 피의자의 심적 상태 또한 강제연행 상태로부터 완전히 벗어났다고 볼 수 없는 상황에서 피의자가 호흡측정 결과에 대한 탄핵을 하기 위하여 스스로 혈액채취 방법에 의한 측정을 할 것을 요구하여 혈액채취가 이루어졌다고 하더라도 그 사이에 위법한 체포 상태에 의한 영향이 완전하게 배제되고 피의자의 의사결정의 자유가 확실하게 보장되었다고 볼 만한 다른 사정이 개입되지 않은 이상 불법체포와 증거수집 사이의 인과관계가 단절된 것으로 볼 수는 없다. 따라서 그러한 혈액채취에 의한 측정 결과 역시 유죄 인정의 증거로 쓸 수 없다고 보아야 한다. 그리고 이는 수사기관이 위법한 체포 상태를 이용하여 증거를 수집하는 등의 행위를 효과적으로 억지하기 위한 것이므로, 피고인이나 변호인이 이를 증거로 함에 동의하였다고 하여도 달리 볼 것은 아니다(대법원 2013.3.14. 2010도2094).

① (O) 대법원 2014.10.15. 2011도3509

③ (O) 대법원 2009.3.12. 2008도763

④ (O) 대법원 2010.10.14. 2010도9016

17 0789

2017 경찰 승진

위법수집증거에 관한 설명 중 가장 적절하지 않은 것은? (다툼이 있는 경우 판례에 의함)

① 검사가 공소제기 후 형사소송법 제215조에 따라 수소법원 이외의 지방법원 판사에게 청구하여 발부받은 영장에 의하여 압수·수색을 하였다면, 그와 같이 수집된 증거는 기본적 인권보장을 위해 마련된 적법한 절차에 따르지 않은 것으로서 원칙적으로 유죄의 증거로 삼을 수 없다.

② 선거관리위원회 위원·직원이 관계인에게 진술이 녹음된다는 사실을 미리 알려 주지 아니한 채 진술을 녹음하였더라도, 그와 같은 조사절차에 의하여 수집한 녹음파일 내지 그에 터 잡아 작성된 녹취록이 증거능력이 부정된다고 할 수 없다.

③ 형사소송법 제218조는 "사법경찰관은 소유자, 소지자 또는 보관자가 임의로 제출한 물건을 영장 없이 압수할 수 있다." 고 규정하고 있는바, 위 규정을 위반하여 소유자, 소지자 또는 보관자가 아닌 자로부터 제출받은 물건을 영장 없이 압수한 경우 그 '압수물' 및 '압수물을 찍은 사진'은 이를 유죄 인정의 증거로 사용할 수 없는 것이고, 헌법과 형사소송법이 선언한 영장주의의 중요성에 비추어 볼 때 피고인이나 변호인이 이를 증거로 함에 동의하였다고 하더라도 달리 볼 것은 아니다.

④ 경찰관이 이른바 전화사기죄 범행의 혐의자를 긴급체포하면서 그가 보관하고 있던 다른 사람의 주민등록증, 운전면허증 등을 압수한 사안에서, 이는 적법한 압수로서 위 혐의자의 점유이탈물횡령죄 범행에 대한 증거로 사용할 수 있다.

지문분석 난이도 중 정답 ②

| 키 워 드 | 위법수집증거배제법칙

| 출제유형 | 틀린 지문 고르기

② (X) 선거관리위원회 직원이 관계인에게 사전에 설명할 '조사의 목적과 이유'에는 조사할 선거범죄혐의의 요지, 관계인에 대한 조사가 필요한 이유뿐만 아니라 관계인의 진술을 기록 또는 녹음·녹화한다는 점도 포함된다. 따라서 선거관리위원회 위원·직원이 관계인에게 진술이 녹음된다는 사실을 미리 알려 주지 아니한 채 진술을 녹음하였다면, 그와 같은 조사절차에 의하여 수집한 녹음파일 내지 그에 터 잡아 작성된 녹취록은 형사소송법 제308조의2에서 정하는 '적법한 절차에 따르지 아니하고 수집한 증거'에 해당하여 원칙적으로 유죄의 증거로 쓸 수 없다(대법원 2014.10.15. 2011도3509).

① (O) 대법원 2011.4.28. 2009도10412

③ (O) 대법원 2010.1.28. 2009도10092

④ (O) 대법원 2008.7.10. 2008도2245

18 0790
2017 국가직 9급

다음 중 위법수집증거로서 증거능력이 배제되는 것이 아닌 것은? (다툼이 있는 경우 판례에 의함)

① 군검사가 피고인을 뇌물수수 혐의로 기소한 후 형사사법공조절차를 거치지 아니한 채 외국에 현지 출장하여 그곳에서 우리나라 국민인 뇌물공여자를 상대로 작성한 참고인 진술조서
② 사법경찰관이 피의자 소유의 쇠파이프를 피의자의 주거지 앞 마당에서 발견하였으면서도 그 소유자, 소지자 또는 보관자가 아닌 피해자로부터 임의로 제출받는 형식으로 압수한 쇠파이프
③ 사법경찰관이 압수·수색영장을 제시하여 압수·수색을 실시하고 그 집행을 종료한 후 영장의 유효기간 내에 종전의 영장을 제시하고 동일한 장소 또는 목적물에 대하여 다시 압수·수색한 경우 그 압수물
④ 사법경찰관이 음란물유포의 혐의로 압수·수색영장을 발부받아 피의자의 주거지를 수색하면서 대마를 발견하여 피의자를 현행범으로 체포하고 대마를 압수하였으나 그 다음 날 피의자를 석방하고도 사후 압수·수색영장을 발부받지 않은 경우 그 대마

지문분석 난이도 중 정답 ①

| 키 워 드 | 위법수집증거배제법칙
| 출제유형 | 옳은 지문 고르기

① (○) 증거능력이 있다(대법원 2011.7.14. 2011도3809).
② (X) 증거능력이 없다(대법원 2010.1.28. 2009도10092).
③ (X) 증거능력이 없다(대법원 1999.12.1. 99모161 결정).
④ (X) 증거능력이 없다(대법원 2009.5.14. 2008도10914).

19 0791
2018 경찰 승진

위법수집증거배제법칙에 대한 다음 설명 중 가장 적절하지 않은 것은? (다툼이 있는 경우 판례에 의함)

① 수사기관이 법원으로부터 영장 또는 감정처분허가장을 발부받지 아니한 채 피의자의 동의 없이 피의자의 신체로부터 혈액을 채취하고 사후적으로도 지체 없이 이에 대한 영장을 발부받지도 아니한 채 강제채혈한 피의자의 혈액 중 알코올농도에 관한 감정이 이루어졌다면, 이러한 감정결과보고서 등은 위법수집증거로서 증거능력이 없다.
② 현장에서 압수·수색을 당하는 사람이 여러 명일 경우에는 그 사람들 모두에게 개별적으로 영장을 제시해야 하는 것이 원칙이고, 수사기관이 압수·수색에 착수하면서 물건을 소지하고 있는 다른 사람으로부터 이를 압수하고자 하는 때에는 그 사람에게 따로 영장을 제시하여야 한다.
③ 음란물 유포의 범죄혐의를 이유로 압수수색영장을 발부받은 사법경찰관이 피고인의 주거지를 수색하는 과정에서 대마를 발견하자, 피고인을 마약류관리에 관한 법률 위반죄의 현행범으로 체포하면서 대마를 압수하였으나 그다음 날 피고인을 석방하고도 사후 압수수색영장을 발부받지 않은 사안에서, 위 압수물과 압수조서는 형사소송법상 영장주의를 위반하여 수집한 증거로서 증거능력이 부정된다.
④ 형사소송법 제219조가 준용하는 제118조는 "압수수색영장은 처분을 받는 자에게 반드시 제시하여야 한다."고 규정하고 있으므로, 피처분자가 현장에 없거나 현장에서 그를 발견할 수 없는 경우 등 영장제시가 현실적으로 불가능한 경우에도 영장을 제시하지 아니한 채 압수·수색을 하였다면 이는 위법하다고 보아야 한다.

지문분석 난이도 하 정답 ④

| 키 워 드 | 위법수집증거배제법칙
| 출제유형 | 틀린 지문 고르기

④ (X) 형사소송법 제219조가 준용하는 제118조는 "압수·수색영장은 처분을 받는 자에게 반드시 제시하여야 한다."고 규정하고 있으나, 이는 영장제시가 현실적으로 가능한 상황을 전제로 한 규정으로 보아야 하고, 피처분자가 현장에 없거나 현장에서 그를 발견할 수 없는 경우 등 영장제시가 현실적으로 불가능한 경우에는 영장을 제시하지 아니한 채 압수·수색을 하더라도 위법하다고 볼 수 없다(대법원 2015.1.22. 2014도10978 전원합의체).
① (○) 대법원 2011.4.27. 2009도2109
② (○) 대법원 2009.3.12. 2008도763
③ (○) 대법원 2009.5.14. 2008도10914

20 0792

2018 경찰 승진

위법수집증거배제법칙에 대한 설명 중 가장 적절하지 않은 것은? (다툼이 있는 경우 판례에 의함)

① 범행 현장에서 지문채취 대상물에 대한 지문채취가 먼저 이루어지고 수사기관이 그 이후에 지문채취 대상물을 적법한 절차에 의하지 아니한 채 압수한 경우, 압수 이전에 채취된 지문은 위법하게 압수한 지문채취 대상물로부터 획득한 2차적 증거에 해당하지 아니함이 분명하여 이를 가리켜 위법수집증거라고 할 수 없다.

② 우편물 통관검사절차에서 이루어지는 우편물의 개봉, 시료채취, 성분분석 등의 검사는 수출입물품에 대한 적정한 통관 등을 목적으로 한 행정조사의 성격을 가지는 것으로서 수사기관의 강제처분이라고 할 수 없으므로, 압수·수색영장 없이 우편물의 개봉, 시료채취, 성분분석 등의 검사가 진행되었다고 하더라도 특별한 사정이 없는 한 위법하다고 볼 수 없다.

③ 수사기관이 법관의 영장에 의하지 아니하고 신용카드 매출전표의 거래명의자에 관한 정보를 획득한 경우, 이에 터 잡아 수집한 2차적 증거들의 증거능력을 판단할 때, 수사기관이 의도적으로 영장주의의 정신을 회피하는 방법으로 증거를 확보한 것이 아니라고 볼 만한 사정, 체포되었던 피의자가 석방된 후 상당한 시간이 경과하였음에도 다시 동일한 내용의 자백을 하였다거나 그 범행의 피해품을 수사기관에 임의로 제출하였다는 사정 등은 통상 2차적 증거의 증거능력을 인정할 만한 정황에 속한다.

④ 선거관리위원회 위원·직원이 관계인에게 진술이 녹음된다는 사실을 미리 알려 주지 아니한 채 진술을 녹음하였다 하더라도, 그와 같은 조사절차에 의하여 수집한 녹음파일 내지 그에 터 잡아 작성된 녹취록은 위법수집증거에 해당하지 아니하여 유죄의 증거로 쓸 수 있다.

지문분석 난이도 하 정답 ④

| 키 워 드 | 위법수집증거배제법칙

| 출제유형 | 틀린 지문 고르기

④ (X) 선거관리위원회 위원·직원이 관계인에게 진술이 녹음된다는 사실을 미리 알려 주지 아니한 채 진술을 녹음하였다면, 그와 같은 조사절차에 의하여 수집한 녹음파일 내지 그에 터 잡아 작성된 녹취록은 형사소송법 제308조의2에서 정하는 '적법한 절차에 따르지 아니하고 수집한 증거'에 해당하여 원칙적으로 유죄의 증거로 쓸 수 없다(대법원 2014.10.15. 2011도3509).

① (O) 대법원 2008.10.23. 2008도7471

② (O) 대법원 2013.9.26. 2013도7718

③ (O) 대법원 2013.3.28. 2012도13607

21 0793

2019 경찰 승진

위법수집증거배제법칙에 대한 설명으로 가장 적절하지 않은 것은? (다툼이 있는 경우 판례에 의함)

① 형사소송법 제219조가 준용하는 제118조는 "압수·수색영장은 처분을 받는 자에게 반드시 제시하여야 한다."고 규정하고 있으므로, 피처분자가 현장에 없거나 현장에서 그를 발견할 수 없는 경우 등 영장제시가 현실적으로 불가능한 경우에도 영장을 제시하지 아니한 채 압수·수색을 하였다면 위법하다고 보아야 한다.

② 압수·수색영장의 집행과정에서 폭행 등의 피해를 당한 검사 등이 수사에 관여하였다는 이유만으로 그 검사 등이 작성한 참고인 진술조서 등의 증거능력이 부정될 수 없다.

③ 수사기관으로부터 집행을 위탁받은 통신기관 등이 통신제한조치의 집행에 필요한 설비가 없을 때에는 수사기관에 설비의 제공을 요청하여야 하고, 그러한 요청 없이 통신제한조치 허가서에 기재된 사항을 준수하지 아니하고 통신제한조치를 집행하여 취득한 전기통신의 내용 등은 유죄의 증거로 사용할 수 없다.

④ 검찰관이 피고인을 뇌물수수 혐의로 기소한 후, 형사사법공조절차를 거치지 아니한 채 외국에 현지출장하여 그곳에서 뇌물공여자를 상대로 참고인 진술조서를 작성한 경우 그 진술조서는 위법수집증거에 해당하지 않는다.

지문분석 난이도 하 정답 ①

| 키 워 드 | 위법수집증거배제법칙

| 출제유형 | 틀린 지문 고르기

① (X) 형사소송법 제219조가 준용하는 제118조는 "압수·수색영장은 처분을 받는 자에게 반드시 제시하여야 한다."고 규정하고 있으나, 이는 영장제시가 현실적으로 가능한 상황을 전제로 한 규정으로 보아야 하고, 피처분자가 현장에 없거나 현장에서 그를 발견할 수 없는 경우 등 영장제시가 현실적으로 불가능한 경우에는 영장을 제시하지 아니한 채 압수·수색을 하더라도 위법하다고 볼 수 없다(대법원 2015.1.22. 2014도10978 전원합의체).

② (O) 대법원 2013.9.12. 2011도12918

③ (O) 대법원 2016.1.13. 2016도8137

④ (O) 대법원 2011.7.14. 2011도3809. 다만, 동 사안에서 대법원은 동 참고인진술조서의 특신상태가 증명되지 않았음을 이유로 증거능력을 부정한 바 있다.

22 0794

2019 국가직 9급

위법수집증거에 대한 설명으로 옳은 것은? (다툼이 있는 경우 판례에 의함)

① 지문채취 대상물을 적법한 절차에 의하지 아니하고 압수한 경우에는 그 압수 이전에 범행현장에서 지문채취 대상물로부터 채취한 지문일지라도 그 지문의 증거능력은 없다.

② 위법하게 수집된 증거도 당사자의 동의가 있으면 증거능력이 인정된다.

③ 증인이 친분이 있던 피해자와 통화를 마친 후 전화가 끊기지 않은 상태에서 휴대전화를 통하여 몸싸움을 연상시키는 '악' 하는 소리와 '우당탕' 소리를 1~2분 들었다고 증언한 경우, 그 소리는 통신비밀보호법에서 말하는 타인 간의 대화에 해당하지 않는다.

④ 피고인이 범행 후 피해자에게 전화를 걸어오자 피해자가 증거를 수집하려고 그 전화내용을 녹음한 경우, 그 녹음테이프가 피고인 모르게 녹음된 것이면 그 녹음테이프는 위법하게 수집된 증거이다.

지문분석 난이도 하 정답 ③

| 키 워 드 | 위법수집증거배제법칙

| 출제유형 | 옳은 지문 고르기

③ (O) 통신비밀보호법 제1조, 제3조 제1항 본문, 제4조, 제14조 제1항·제2항의 문언, 내용, 체계와 입법 취지 등에 비추어 보면, 통신비밀보호법에서 보호하는 타인 간의 '대화'는 원칙적으로 현장에 있는 당사자들이 육성으로 말을 주고받는 의사소통행위를 가리킨다. 따라서 사람의 육성이 아닌 사물에서 발생하는 음향은 타인 간의 '대화'에 해당하지 않는다. 또한 사람의 목소리라고 하더라도 상대방에게 의사를 전달하는 말이 아닌 단순한 비명소리나 탄식 등은 타인과 의사소통을 하기 위한 것이 아니라면 특별한 사정이 없는 한 타인 간의 '대화'에 해당한다고 볼 수 없다(대법원 2017.3.15. 2016도19843).

→ 증인이 친분이 있던 피해자와 통화를 마친 후 전화가 끊기지 않은 상태에서 휴대전화를 통하여 몸싸움을 연상시키는 '악' 하는 소리와 '우당탕' 소리를 1~2분 들었다고 증언한 경우, 그 소리는 통신비밀보호법에서 말하는 타인 간의 대화에 해당하지 않는다.

① (X) 범행현장에서 지문채취 대상물에 대한 지문채취가 먼저 이루어진 이상, 수사기관이 그 이후에 지문채취 대상물을 적법한 절차에 의하지 아니한 채 압수하였다고 하더라도, 위와 같이 채취된 지문은 위법하게 압수한 지문채취 대상물로부터 획득한 2차적 증거에 해당하지 아니함이 분명하여, 이를 가리켜 위법수집증거라고 할 수 없다(대법원 2008.10.23. 2008도7471).

② (X) 위법수집증거는 원칙적으로 증거동의의 대상이 되지 않는다.

④ (X) 피고인이 범행 후 피해자에게 전화를 걸어오자 피해자가 증거를 수집하려고 그 전화내용을 녹음한 경우, 그 녹음테이프가 피고인 모르게 녹음된 것이라 하여 이를 위법하게 수집된 증거라고 할 수 없다(대법원 1997.3.28. 97도240).

23 0795

2017 경찰 여경 재시험

위법수집증거에 대한 설명 중 가장 적절하지 않은 것은? (다툼이 있는 경우 판례에 의함)

① 수사기관이 영장 또는 감정처분허가장을 발부받지 아니한 채 피의자의 동의 없이 피의자 신체로부터 혈액을 채취하고 사후에도 지체 없이 영장을 발부받지 않았다면, 그 혈액 중 알코올농도에 관한 감정의뢰회보서는 원칙적으로 유죄의 증거로 사용할 수 없다.

② 수사기관으로부터 참고인 자격으로 조사를 받으면서 진술거부권을 고지받지 않았다고 하더라도 그 이유만으로 그 진술조서가 위법수집증거로서 증거능력이 없다고 할 수 없다.

③ 범행 현장에서 지문채취 대상물에 대한 지문채취가 먼저 이루어지고 수사기관이 그 이후에 지문채취 대상물을 적법한 절차에 의하지 아니한 채 압수한 경우, 압수 이전에 채취된 지문은 위법하게 압수한 지문채취 대상물로부터 획득한 2차적 증거에 해당하므로 위법수집증거라 할 수 있다.

④ 위법한 강제연행 상태에서 호흡측정 방법에 의한 음주측정을 한 다음, 강제연행 상태로부터 시간적·장소적으로 단절되었다고 볼 수 없는 상황에서 피의자가 호흡측정 결과를 탄핵하기 위하여 스스로 혈액채취 방법에 의한 측정을 할 것을 요구하여 혈액채취가 이루어진 경우, 그러한 혈액채취에 의한 측정결과를 유죄 인정의 증거로 쓸 수는 없다.

지문분석 난이도 중 정답 ③

| 키 워 드 | 위법수집증거배제법칙

| 출제유형 | 틀린 지문 고르기

③ (X) 범죄 현장에서 지문채취 대상물에 대한 지문채취가 먼저 이루어진 이상, 수사기관이 그 이후에 지문채취 대상물을 적법한 절차에 의하지 아니한 채 압수하였다고 하더라도, 위와 같이 채취된 지문은 위법하게 압수한 지문채취 대상물로부터 획득한 2차적 증거에 해당하지 아니함이 분명하므로 이를 가리켜 위법수집증거라고 할 수 없다(대법원 2008.10.23. 2008도7471).

① (O) 대법원 2011.4.27. 2009도2109

② (O) 대법원 2011.11.10. 2011도8125

④ (O) 대법원 2013.3.14. 2010도2094

24 0796

2021 경찰 승진

위법수집증거배제법칙에 대한 설명으로 가장 적절한 것은? (다툼이 있는 경우 판례에 의함)

① 위법수집증거배제법칙은 영미법상 판례에 의해 확립된 증거법칙으로, 우리나라 형사소송법에는 명문의 규정이 없지만 일반적인 형사법의 대원칙으로 자리잡고 있다.

② 수사기관이 영장 또는 감정처분허가장을 발부받지 아니한 채 피의자의 동의 없이 피의자의 신체로부터 혈액을 채취하고 사후에도 지체 없이 영장을 발부받지 않았다면, 그 혈액 중 알코올 농도에 관한 감정의뢰회보는 원칙적으로 유죄의 증거로 사용할 수 없다.

③ 사법경찰관이 피의자를 긴급체포하는 현장에서 영장 없이 압수한 물건을 계속 압수할 필요가 있어 압수·수색영장을 청구하였으나 이를 발부받지 못하고도 즉시 반환하지 아니한 압수물은 이를 유죄 인정의 증거로 사용할 수 없지만, 피고인이나 변호인이 이를 증거로 함에 동의하였다면 유죄의 증거로 사용할 수 있다.

④ 비진술증거인 압수물은 압수절차가 위법하다 하더라도 그 물건 자체의 성질, 형태에 변경을 가져오는 것은 아니어서 그 형태 등에 관한 증거가치에는 변함이 없으므로 증거능력이 인정된다.

지문분석 난이도 중 정답 ②

| 키 워 드 | 위법수집증거배제법칙

| 출제유형 | 옳은 지문 고르기

② (O) 대법원 2011.4.27. 2009도2109

① (X) 위법수집증거배제법칙은 형사소송법 제308조의2에 명문화되어 있다.

③ (X) 형사소송법 제216조 제1항 제2호, 제217조 제2항, 제3항은 사법경찰관은 형사소송법 제200조의3(긴급체포)의 규정에 의하여 피의자를 체포하는 경우에 필요한 때에는 영장 없이 체포현장에서 압수·수색을 할 수 있고, 압수한 물건을 계속 압수할 필요가 있는 경우에는 지체 없이 압수수색영장을 청구하여야 하며, 청구한 압수수색영장을 발부받지 못한 때에는 압수한 물건을 즉시 반환하여야 한다고 규정하고 있는바, 형사소송법 제217조 제2항, 제3항에 위반하여 압수수색영장을 청구하여 이를 발부받지 아니하고도 즉시 반환하지 아니한 압수물은 이를 유죄 인정의 증거로 사용할 수 없는 것이고, 헌법과 형사소송법이 선언한 영장주의의 중요성에 비추어 볼 때 피고인이나 변호인이 이를 증거로 함에 동의하였다고 하더라도 달리 볼 것은 아니다(대법원 2009.12.24. 2009도11401).

④ (X) 종래 성질·형상불변론 체제하에서의 판시사항을 지문화한 것이다. 그러나 대법원은 이른바 제주지사실 압수·수색사건을 통해 압수절차가 위법하더라도 압수물의 증거능력은 인정된다는 이유만으로 압수물의 증거능력을 인정한 것은 위법하다고 판시하여 성질·형상불변론을 폐기하였다(대법원 2007.11.15. 2007도3061 전원합의체).
→ 위법하게 수집된 비진술증거에 대해서도 위법수집증거배제법칙을 적용하게 되었다.

25 0797

2021 경찰 1차

위법수집증거배제법칙에 대한 설명으로 가장 적절하지 않은 것은? (다툼이 있는 경우 판례에 의함)

① 수사기관이 헌법과 형사소송법이 정한 절차에 따르지 아니하고 수집한 증거는 유죄 인정의 증거로 삼을 수 없는 것이 원칙이므로, 수사기관이 피고인 아닌 자를 상대로 적법한 절차에 따르지 아니하고 수집한 증거는 원칙적으로 피고인에 대한 유죄 인정의 증거로 삼을 수 없다.

② 법원의 증인신문절차 공개금지결정이 피고인의 공개재판을 받을 권리를 침해하는 경우, 그 절차에 의하여 이루어진 증인의 증언은 변호인의 반대신문권이 보장되지 않는 한 증거능력이 없다.

③ 제3자가 전화통화 당사자 중 일방만의 동의를 받고 통화 내용을 녹음하였더라도 그 상대방의 동의가 없었다면, 통신비밀보호법을 위반한 불법감청으로 그 녹음된 통화 내용의 증거능력을 인정할 수 없다.

④ "범행 중 또는 범행 직후의 범죄 장소에서 긴급을 요하여 법원 판사의 영장을 받을 수 없는 때에는 영장 없이 압수·수색 또는 검증을 할 수 있다. 이 경우에는 사후에 지체 없이 영장을 받아야 한다."고 규정하고 있는 형사소송법 제216조 제3항의 요건 중 어느 하나라도 갖추지 못한 경우에 그러한 압수·수색 또는 검증은 위법하며, 이에 대하여 사후에 법원으로부터 영장을 발부받았다고 하여 그 위법성이 치유되지 아니한다.

지문분석 난이도 중 정답 ②

| 키 워 드 | 위법수집증거배제법칙

| 출제유형 | 틀린 지문 고르기

② (X) 헌법 제27조 제3항 후문, 제109조와 법원조직법 제57조 제1항, 제2항의 취지에 비추어 보면, 헌법 제109조, 법원조직법 제57조 제1항에서 정한 공개금지사유가 없음에도 불구하고 재판의 심리에 관한 공개를 금지하기로 결정하였다면 그러한 공개금지결정은 피고인의 공개재판을 받을 권리를 침해한 것으로서 그 절차에 의하여 이루어진 증인의 증언은 증거능력이 없고, 변호인의 반대신문권이 보장되었더라도 달리 볼 수 없으며, 이러한 법리는 공개금지결정의 선고가 없는 등으로 공개금지결정의 사유를 알 수 없는 경우에도 마찬가지이다(대법원 2013.7.26. 2013도2511).

① (O) 대법원 2011.6.30. 2009도6717

③ (O) 대법원 2002.10.8. 2002도123

④ (O) 대법원 2017.11.29. 2014도16080

26 0798

2021 국가직 9급

위법수집증거배제법칙에 대한 설명으로 옳지 않은 것은? (다툼이 있는 경우 판례에 의함)

① 사인이 위법하게 수집한 증거에 대해서는 효과적인 형사소추 및 형사소송에서의 진실발견이라는 공익과 개인의 인격적 이익 등의 보호이익을 비교형량하여 그 허용 여부를 결정하여야 한다.
② '악'과 같은 대화가 아닌 사람의 목소리를 녹음하거나 청취하는 행위가 개인의 사생활의 비밀과 자유 또는 인격권을 중대하게 침해하여 사회통념상 허용되는 한도를 벗어난 것이 아니라면 위와 같은 목소리를 들었다는 진술을 형사절차에서 증거로 사용할 수 있다.
③ 압수·수색영장의 집행과정에서 별건 범죄혐의와 관련된 증거를 우연히 발견하여 압수한 경우에는 별건 범죄혐의에 대해 별도의 압수·수색영장을 발부받지 않았다 하더라도 위법한 압수·수색에 해당하지 않는다.
④ 위법수집증거배제법칙에 대한 예외를 인정하기 위해서는 예외적인 경우에 해당한다고 볼 만한 구체적이고 특별한 사정이 존재한다는 점을 검사가 증명하여야 한다.

지문분석 난이도 중 정답 ③

| 키 워 드 | 위법수집증거배제법칙
| 출제유형 | 틀린 지문 고르기

③ (X) 전자정보에 대한 압수·수색이 종료되기 전에 혐의사실과 관련된 전자정보를 적법하게 탐색하는 과정에서 별도의 범죄혐의와 관련된 전자정보를 우연히 발견한 경우라면, 수사기관은 더 이상의 추가 탐색을 중단하고 법원에서 별도의 범죄혐의에 대한 압수·수색영장을 발부받은 경우에 한하여 그러한 정보에 대하여도 적법하게 압수·수색을 할 수 있다(대법원 2015.7.16. 2011모1839 전원합의체 결정).
① (O) 대법원 2013.11.28. 2010도12244
② (O) 대법원 2017.3.15. 2016도19843
④ (O) 대법원 2009.3.12. 2008도11437

27 0799

2021 경찰 승진

사인(私人)에 의한 위법수집증거에 대한 설명으로 가장 적절한 것은? (다툼이 있는 경우 판례에 의함)

① 위법수집증거배제법칙은 국가기관의 기본권 침해와 위법한 수사활동을 규제하기 위한 원칙이므로, 사인이 타인의 기본권을 침해하는 방법으로 수집한 증거에 대해서는 항상 적용되지 않는다.
② 피고인이 범행 후 피해자에게 전화를 걸어오자 피해자가 증거를 수집하려고 그 전화내용을 녹음한 경우, 그 녹음테이프가 피고인 모르게 녹음된 것이라 하여 이를 위법하게 수집된 증거라고 할 수 없다.
③ 소송사기의 피해자가 제3자로부터 대가를 지급하고 취득한 업무일지는 그것이 제3자에 의해 절취된 것이라면 위법수집증거에 해당하며, 그로 인하여 피고인의 사생활 영역을 침해하는 결과가 초래된다면 공익의 실현을 위한 것이라도 사기죄에 대한 증거로 사용할 수 없다.
④ 제3자가 대화당사자 일방만의 동의를 받고 통화내용을 녹음한 경우, 그 통화내용은 다른 상대방의 동의가 없었다고 하더라도 증거능력이 인정된다.

지문분석 난이도 중 정답 ②

| 키 워 드 | 위법수집증거배제법칙
| 출제유형 | 옳은 지문 고르기

② (O) 대법원 1997.3.28. 97도240
① (X) 사인이 타인의 기본권을 침해하여 위법하게 수집한 증거도 위법수집증거배제법칙이 적용되는지 문제가 된다. 이에 대해 판례는 "국민의 사생활 영역에 관계된 모든 증거의 제출이 곧바로 금지되는 것으로 볼 수는 없고, 법원으로서는 효과적인 형사소추 및 형사소송에서의 진실발견이라는 공익과 개인의 사생활의 보호이익을 비교형량하여 그 허용 여부를 결정하여야 한다(대법원 1997.9.30. 97도1230)."라고 하여 이익형량설에 따라 위법수집증거배제법칙 적용 여부를 판단하고 있다.
③ (X) 사문서위조·위조사문서행사 및 소송사기로 이어지는 일련의 범행에 대하여 피고인을 형사소추하기 위해서는 이 사건 업무일지가 반드시 필요한 증거로 보이므로, 설령 그것이 제3자에 의하여 절취된 것으로서 위 소송사기 등의 피해자 측이 이를 수사기관에 증거자료로 제출하기 위하여 대가를 지급하였다 하더라도, 공익의 실현을 위하여는 이 사건 업무일지를 범죄의 증거로 제출하는 것이 허용되어야 하고, 이로 말미암아 피고인의 사생활 영역을 침해하는 결과가 초래된다 하더라도 이는 피고인이 수인하여야 할 기본권의 제한에 해당된다(대법원 2008.6.26. 2008도1584).
④ (X) 제3자의 경우는 설령 전화통화 당사자 일방의 동의를 받고 그 통화내용을 녹음하였다 하더라도 그 상대방의 동의가 없었던 이상, 사생활 및 통신의 불가침을 국민의 기본권의 하나로 선언하고 있는 헌법규정과 통신비밀의 보호와 통신의 자유신장을 목적으로 제정된 통신비밀보호법의 취지에 비추어 이는 동법 제3조 제1항 위반이 된다고 해석하여야 할 것이다(이 점은 제3자가 공개되지 아니한 타인 간의 대화를 녹음한 경우에도 마찬가지이다)(대법원 2002.10.8. 2002도123).

2 자백배제법칙

28 0800 2018 경찰 1차

자백배제법칙에 대한 설명으로 가장 적절하지 않은 것은? (다툼이 있는 경우 판례에 의함)

① 임의성이 인정되지 아니하여 증거능력이 없는 진술증거는 피고인이 증거로 함에 동의하더라도 증거로 삼을 수 없다.
② 일정한 증거가 발견되면 피의자가 자백하겠다고 한 약속이 검사의 강요나 위계에 의하여 이루어졌다든가 또는 불기소나 경한 죄의 소추 등 이익과 교환조건으로 된 것으로 인정되지 않는다면 위와 같은 자백의 약속하에 된 자백이라 하여 곧 임의성 없는 자백이라고 단정할 수는 없다.
③ 형사소송법 제309조는 "피고인의 자백이 고문, 폭행, 협박, 신체구속의 부당한 장기화 또는 기망 기타의 방법으로 임의로 진술한 것이 아니라고 의심할 만한 이유가 있을 때에는 이를 유죄의 증거로 하지 못한다."고 규정하고 있는데, 위 법조문에서 규정된 피고인의 진술의 자유를 침해하는 위법사유는 원칙적으로 예시사유로 보아야 한다.
④ 피고인이 수사기관에서 가혹행위 등으로 인하여 임의성 없는 자백을 하고 그 후 법정에서도 임의성 없는 심리상태가 계속되어 동일한 내용의 자백을 하였더라도 법정에서의 자백은 임의성 없는 자백이라고 볼 수 없다.

29 0801 2015 국가직 9급

자백배제법칙에 대한 설명으로 옳은 것만을 모두 고른 것은? (다툼이 있는 경우 판례에 의함)

ㄱ. 피고인이 검사 이전의 수사기관에서 가혹행위로 인하여 임의성 없는 자백을 하고, 그 후 검사 조사단계에서도 임의성 없는 심리상태가 계속되어 동일한 내용의 자백을 하였다면 검사 조사단계에서 고문 등 자백 강요행위가 없었더라도 검사 앞에서의 자백은 임의성 없는 자백이라고 보아야 한다.
ㄴ. 진술의 임의성에 다툼이 있을 때에는 검사가 그 임의성의 의문점을 없애는 증명을 하여야 하며, 검사가 이를 증명하지 못하면 그 진술증거의 증거능력은 부정된다.
ㄷ. 검사작성의 피의자신문조서에 기재된 피의자의 진술에 관하여 공판정에서 그 임의성 유무가 다투어지는 경우 법원은 구체적인 사건에 따라 제반 사정을 종합 참작하여 적당하다고 인정되는 방법에 의하여 자유로운 증명으로 그 임의성 유무를 판단하면 된다.
ㄹ. 피고인이 수사기관에서 가혹행위 등으로 인하여 임의성 없는 자백을 하고, 그 후 법정에서도 임의성 없는 심리상태가 계속되어 동일한 내용의 자백을 하였다면 법정에서의 자백도 임의성 없는 자백이라고 보아야 한다.

① ㄱ, ㄹ ② ㄱ, ㄴ, ㄷ
③ ㄴ, ㄷ, ㄹ ④ ㄱ, ㄴ, ㄷ, ㄹ

지문분석 난이도 하 정답 ④

| 키 워 드 | 자백배제법칙
| 출제유형 | 틀린 지문 고르기

④ (X) 피고인이 수사기관에서 가혹행위 등으로 인하여 임의성 없는 자백을 하고 그 후 법정에서도 임의성 없는 심리상태가 계속되어 동일한 내용의 자백을 하였다면 법정에서의 자백도 임의성 없는 자백이라고 보아야 한다(대법원 2012.11.29. 2010도3029).
① (O) 대법원 2006.11.23. 2004도7900
② (O) 대법원 1983.9.13. 83도712
③ (O) 대법원 1985.2.26. 82도2413

지문분석 난이도 상 정답 ④

| 키 워 드 | 자백배제법칙
| 출제유형 | 조합하기

ㄱ. (O) 대법원 1992.11.24. 92도2409
ㄴ, ㄷ, ㄹ. (O) 대법원 2012.11.29. 2010도3029

30 0802

2016 경찰 승진

자백의 임의성에 관한 설명 중 가장 적절하지 않은 것은? (다툼이 있는 경우 판례에 의함)

① 검찰에서의 자백이 잠을 재우지 아니한 상태에서 임의로 진술된 것이 아닌 경우 이를 유죄의 증거로 삼을 수는 없다.
② 임의성 없는 자백은 탄핵증거로도 사용할 수 없다.
③ 자백의 임의성에 다툼이 있을 때에는 그 임의성을 의심할 만한 합리적이고 구체적인 사실을 검사가 아니라 피고인이 입증하여야 한다.
④ 자백의 임의성은 조서의 형식과 내용, 진술자의 신분·학력·지능 등 여러 사정을 종합하여 자유로운 심증으로 판단할 수 있다.

지문분석 난이도 중 정답 ③

| 키 워 드 | 자백의 임의성
| 출제유형 | 틀린 지문 고르기

③ (X) 임의성 없는 진술의 증거능력을 부정하는 취지는, 허위진술을 유발 또는 강요할 위험성이 있는 상태하에서 행하여진 진술은 그 자체가 실체적 진실에 부합하지 아니하여 오판을 일으킬 소지가 있을 뿐만 아니라 그 진위 여부를 떠나서 진술자의 기본적 인권을 침해하는 위법 부당한 압박이 가하여지는 것을 사전에 막기 위한 것이므로, 그 임의성에 다툼이 있을 때에는 그 임의성을 의심할 만한 합리적이고 구체적인 사실을 피고인이 증명할 것이 아니고 검사가 그 임의성의 의문점을 해소하는 증명을 하여야 한다(대법원 2006.1.26. 2004도517).
① (O) 대법원 1997.6.27. 95도1964
② (O) 대법원 1998.2.27. 97도1770
④ (O) 대법원 1994.11.4. 94도129

31 0803

2018 경찰 승진

자백배제법칙에 대한 설명 중 가장 적절하지 않은 것은? (다툼이 있는 경우 판례에 의함)

① 피고인이 수사기관에서 가혹행위 등으로 인하여 임의성 없는 자백을 하고 그 후 법정에서도 임의성 없는 심리상태가 계속되어 동일한 내용의 자백을 하였다면 법정에서의 자백도 임의성 없는 자백이라고 보아야 한다.
② 피고인의 자백이 심문에 참여한 검찰주사가 피의사실을 자백하면 피의사실 부분은 가볍게 처리하고 보호감호의 청구를 하지 않겠다는 각서를 작성하여 주면서 자백을 유도한 것에 기인한 것이라 하여도 위 자백이 기망에 의하여 임의로 진술한 것이 아니라고 의심할 만한 이유가 있는 때에 해당한다고 볼 수 없다.
③ 일정한 증거가 발견되면 피의자가 자백하겠다고 한 약속이 검사의 강요나 위계에 의하여 이루어졌다든가 또는 불기소나 경한 죄의 소추 등 이익과 교환조건으로 된 것으로 인정되지 않는다면 이러한 약속하에 한 자백이라 하여 곧 임의성 없는 자백이라 단정할 수 없다.
④ 피고인이 검사 이전의 수사기관에서 가혹행위로 인하여 임의성 없는 자백을 하고 그 후 검사 조사단계에서도 임의성 없는 심리상태가 계속되어 동일한 내용의 자백을 하였다면 검사 조사단계에서 고문 등 자백의 강요행위가 없었더라도 검사 앞에서의 자백은 임의성 없는 자백이라고 보아야 한다.

지문분석 난이도 중 정답 ②

| 키 워 드 | 자백배제법칙
| 출제유형 | 틀린 지문 고르기

② (X) 피고인의 자백이 심문에 참여한 검찰주사가 피의사실을 자백하면 피의사실 부분은 가볍게 처리하고 보호감호의 청구를 하지 않겠다는 각서를 작성하여 주면서 자백을 유도한 것에 기인한 것이라면 위 자백은 기망에 의하여 임의로 진술한 것이 아니라고 의심할 만한 이유가 있는 때에 해당하여 형사소송법 제309조 및 제312조 제1항의 규정에 따라 증거로 할 수 없다(대법원 1985.12.10. 85도2182).
① (O) 대법원 2012.11.29. 2010도3029
③ (O) 대법원 1983.9.13. 83도712
④ (O) 대법원 1981.10.13. 81도2160

32 0804

2019 국가직 9급

자백의 증거능력에 대한 설명으로 옳은 것은? (다툼이 있는 경우 판례에 의함)

① 자백하면 가벼운 형으로 처벌되도록 하겠다고 약속하거나 또는 일정한 증거가 발견되면 자백하겠다는 약속하에 이루어진 자백이라고 하여 곧 임의성이 부정되는 것은 아니다.
② 수사기관이 피의자를 신문함에 있어서 피의자에게 미리 진술거부권을 고지하지 않은 경우라 하더라도 진술의 임의성이 있으면 증거능력이 인정된다.
③ 피고인이 경찰수사 단계에서 고문 등 가혹행위로 인하여 임의성 없는 자백을 하고, 그 후에도 임의성 없는 심리상태가 검사 조사단계에서도 계속된 경우에는 검사 앞에서의 자백도 임의성이 부정된다.
④ 공범인 공동피고인의 법정 자백은 피고인들 간에 이해관계가 상반되지 않는 경우에만 다른 공동피고인에 대하여 독립한 증거능력이 있다.

지문분석 난이도 하 정답 ③

| 키 워 드 | 자백배제법칙
| 출제유형 | 옳은 지문 고르기

③ (O) 대법원 1992.11.24. 92도2409
① (X) 피고인이 처음 검찰조사 시에 범행을 부인하다가 뒤에 자백을 하는 과정에서 금 200만원을 뇌물로 받은 것으로 하면 특정범죄 가중처벌 등에 관한 법률 위반으로 중형을 받게 되니 금 200만원 중 금 30만원을 술값을 갚은 것으로 조서를 허위작성한 것이라면 이는 단순 수뢰죄의 가벼운 형으로 처벌되도록 하겠다고 약속하고 자백을 유도한 것으로 위와 같은 상황하에서 한 자백은 그 임의성에 의심이 가고 따라서 진실성이 없다는 취지에서 이를 배척하였다 하여 자유심증주의의 한계를 벗어난 위법이 있다고는 할 수 없다(대법원 1984.5.9. 83도2782).
② (X) 형사소송법 제200조 제2항은 검사 또는 사법경찰관이 출석한 피의자의 진술을 들을 때에는 미리 피의자에 대하여 진술을 거부할 수 있음을 알려야 한다고 규정하고 있는바, 이러한 피의자의 진술거부권은 헌법이 보장하는 형사상 자기에 불리한 진술을 강요당하지 않는 자기부죄거부의 권리에 터 잡은 것이므로 수사기관이 피의자를 신문함에 있어서 피의자에게 미리 진술거부권을 고지하지 않은 때에는 그 피의자의 진술은 위법하게 수집된 증거로서 진술의 임의성이 인정되는 경우라도 증거능력이 부인되어야 한다(대법원 1992.6.23. 92도682).
④ (X) 형사소송법 제310조 소정의 '피고인의 자백'에 공범인 공동피고인의 진술은 포함되지 아니하므로 공범인 공동피고인의 진술은 다른 공동피고인에 대한 범죄사실을 인정하는 증거로 할 수 있는 것일 뿐만 아니라, 공범인 공동피고인들의 각 진술은 상호 간에 서로 보강증거가 될 수 있다(대법원 1990.10.30. 90도1939).

33 0805

2021 경찰 승진

자백배제법칙에 대한 설명으로 가장 적절하지 않은 것은? (다툼이 있는 경우 판례에 의함)

① 일정한 증거가 발견되면 피의자가 자백하겠다고 한 약속이 검사의 강요나 위계에 의하여 이루어졌다던가 또는 불기소나 경한 죄의 소추 등 이익과 교환 조건으로 된 것으로 인정되지 않는다면 위와 같은 자백의 약속하에 된 자백이라 하여 곧 임의성이 없는 자백이라고 단정할 수 없다.
② 피고인이 수사기관에서 가혹행위 등으로 인하여 임의성 없는 자백을 하고, 그 후 법정에서도 임의성 없는 심리상태가 계속되어 동일한 내용의 자백을 하였다면 법정에서의 자백도 임의성 없는 자백이라고 보아야 한다.
③ 진술의 임의성에 다툼이 있을 때에는 검사가 그 임의성의 의문점을 없애는 증명을 하여야 하며, 검사가 이를 증명하지 못하면 그 진술증거의 증거능력은 부정된다.
④ 검찰에서의 피고인의 자백이 임의성이 있어 그 증거능력이 부여된다면 자백의 진실성과 신빙성까지도 당연히 인정된다.

지문분석 난이도 중 정답 ④

| 키 워 드 | 자백배제법칙
| 출제유형 | 틀린 지문 고르기

④ (X) 자백의 임의성이 인정된다고 하더라도 이것은 그 자백이 엄격한 증명의 자료로서 사용될 자격, 즉 증거능력이 있다는 것에 지나지 않고 그 자백의 진실성과 신빙성, 즉 증명력까지도 당연히 인정되어야 하는 것은 아니다(대법원 1983.9.13. 83도712).
① (O) 대법원 1983.9.13. 83도712
② (O) 대법원 2012.11.29. 2010도3029
③ (O) 대법원 2006.11.23. 2004도7900

✓ 개념체크 **약속에 의한 자백과 관련된 사안**

부당한 이익과 교환되어 증거능력 부정	부당한 이익과 교환되지 않아 증거능력 인정
• 검사가 기소유예를 해주겠다고 하여 이를 믿고 한 자백 • 검사가 특정범죄 가중처벌 등에 관한 법률을 적용하지 않고 가벼운 수뢰죄로 처벌받게 해주겠다는 약속에 의하여 자백한 경우(대법원 1984.5.9. 83도2782)	• 담배나 커피를 주겠다는 약속에 의한 자백 • 증거가 발견되면 자백하겠다는 약속에 의한 자백 • 거짓말탐지기 결과 일정한 반응이 나타나면 자백하겠다는 약속에 의한 자백(대법원 1983.9.13. 83도712)

34 0806

2020 경찰 2차

자백배제법칙에 대한 설명으로 가장 적절한 것은? (다툼이 있는 경우 판례에 의함)

① 피고인이나 그 변호인이 검사 작성의 당해 피고인에 대한 피의자신문조서의 임의성을 인정하는 진술을 하였다가 이를 번복하는 경우에는 검사가 아니라 피고인이 그 임의성의 의문점을 없애는 증명을 하여야 한다.

② 임의성이 의심되는 자백은 피고인이 증거동의를 하더라도 유죄의 증거로는 사용할 수 없으나, 탄핵증거로는 사용할 수 있다.

③ 진술거부권을 고지하지 아니하고 받은 자백도 진술의 임의성이 인정되는 경우에는 증거능력이 인정된다.

④ 일정한 증거가 발견되면 피의자가 자백하겠다고 한 약속이 검사의 강요나 위계에 의하여 이루어졌다든가 또는 불기소나 경한 죄의 소추 등 이익과 교환 조건으로 된 것으로 인정되지 않는다면 위와 같은 자백의 약속하에 된 자백이라 하여 곧 임의성이 없는 자백이라고 단정할 수 없다.

지문분석 난이도 중 정답 ④

| 키 워 드 | 자백배제법칙

| 출제유형 | 옳은 지문 고르기

④ (O) 대법원 1983.9.13. 83도712

① (X) 검사 작성의 당해 피고인에 대한 피의자신문조서에 기재된 진술의 임의성에 다툼이 있을 때에는 그 임의성을 의심할 만한 합리적이고 구체적인 사실을 피고인이 증명할 것이 아니라 검사가 그 임의성의 의문점을 없애는 증명을 하여야 하고, 검사가 그 임의성의 의문점을 없애는 증명을 하지 못한 경우에는 그 조서는 유죄 인정의 증거로 사용할 수 없는데, 이러한 법리는 피고인이나 그 변호인이 검사 작성의 당해 피고인에 대한 피의자신문조서의 임의성을 인정하는 진술을 하였다가 이를 번복하는 경우에도 마찬가지로 적용되어야 한다. 따라서 증거조사를 마친 조서의 임의성을 다투는 주장이 받아들여지게 되면, 그 조서는 구 형사소송규칙(2007.10.29. 대법원규칙 제2106호로 개정되기 전의 것) 제139조 제4항의 증거배제결정을 통하여 유죄 인정의 자료에서 제외하여야 한다(대법원 2008.7.10. 2007도7760).

② (X) 임의성이 의심되는 자백은 절대적으로 증거능력이 없다. 따라서 피고인의 동의가 있어도 증거능력이 생기지 않으며, 탄핵증거로도 사용할 수 없다.

③ (X) 형사소송법 제200조 제2항은 검사 또는 사법경찰관이 출석한 피의자의 진술을 들을 때에는 미리 피의자에 대하여 진술을 거부할 수 있음을 알려야 한다고 규정하고 있는바, 이러한 피의자의 진술거부권은 헌법이 보장하는 형사상 자기에 불리한 진술을 강요당하지 않는 자기부죄거부의 권리에 터 잡은 것이므로 수사기관이 피의자를 신문함에 있어서 피의자에게 미리 진술거부권을 고지하지 않은 때에는 그 피의자의 진술은 위법하게 수집된 증거로서 진술의 임의성이 인정되는 경우라도 증거능력이 부인되어야 한다(대법원 1992.6.23. 92도682).

3 전문법칙(전문증거배제법칙)

35 0807

2019 경찰 승진

사법경찰관 작성 피의자신문조서의 증거능력에 대한 설명으로 가장 적절하지 않은 것은? (다툼이 있는 경우 판례에 의함)

① 검사 이외의 수사기관이 작성한 피의자신문조서는 적법한 절차와 방식에 따라 작성된 것으로서 공판준비 또는 공판기일에 그 피의자였던 피고인 또는 변호인이 그 내용을 인정할 때에 한하여 증거로 할 수 있다.

② 피고인이 제1심 제4회 공판기일부터 공소사실을 일관되게 부인하여 경찰 작성 피의자신문조서의 진술 내용을 인정하지 않는 경우, 제1심 제4회 공판기일에 피고인이 그 서증의 내용을 인정한 것으로 공판조서에 기재된 것은 착오 기재 등으로 보아 피의자신문조서의 증거능력을 부정하여야 한다.

③ 미국 연방수사국(FBI) 수사관들에 의한 조사를 받는 과정에서 피고인이 작성하여 수사관들에게 제출한 진술서는 그 성립의 진정이 인정되는 이상 피고인이 그 내용을 부인하더라도 증거능력이 있다.

④ 피의자가 변호인 참여를 원하는 의사를 표시하였는데도 수사기관이 정당한 사유 없이 변호인을 참여하게 하지 아니한 채 피의자를 신문하여 작성한 피의자신문조서는 증거능력이 없다.

지문분석 난이도 하 정답 ③

| 키 워 드 | 피의자신문조서

| 출제유형 | 틀린 지문 고르기

③ (X) [1] 형사소송법 제312조 제3항은 검사 이외의 수사기관이 작성한 피의자신문조서는 그 피의자였던 피고인이나 변호인이 그 내용을 인정할 때에 한하여 증거로 할 수 있다고 규정하고 있는바, 피고인이 검사 이외의 수사기관에서 범죄 혐의로 조사받는 과정에서 작성하여 제출한 진술서는 그 형식 여하를 불문하고 당해 수사기관이 작성한 피의자신문조서와 달리 볼 수 없고, 피고인이 수사 과정에서 범행을 자백하였다는 검사 아닌 수사기관의 진술이나 같은 내용의 수사보고서 역시 피고인이 공판 과정에서 앞서의 자백의 내용을 부인하는 이상 마찬가지로 보아야 하며, 여기서 말하는 검사 이외의 수사기관에는 달리 특별한 사정이 없는 한 외국의 권한 있는 수사기관도 포함된다.

[2] 미국 범죄수사대(CID), 연방수사국(FBI)의 수사관들이 작성한 수사보고서 및 피고인이 위 수사관들에게 조사를 받는 과정에서 작성하여 제출한 진술서는 피고인이 그 내용을 부인하는 이상 증거로 쓸 수 없다고 한 원심의 조치는 정당하다(대법원 2006.1.13. 2003도6548).

① (O) 형사소송법 제312조 제3항

② (O) 대법원 1995.5.23. 94도1735, 대법원 2001.9.28. 2001도3997

④ (O) 대법원 2013.3.28. 2010도3359

36 0808 2019 국가직 9급

다음 중 전문증거에 해당하는 것은? (다툼이 있는 경우 판례에 의함)

① 甲이 정보통신망을 통하여 공포심이나 불안감을 유발하는 글을 반복적으로 상대방에게 도달하게 하는 행위를 하였음을 공소사실로 하여 기소되었는데, 검사가 위 죄에 대한 유죄의 증거로 휴대전화기에 저장된 문자정보를 제출한 경우
② 증인이 법정에서 "甲이 ㅇㅇ 체육관 부지를 공시지가로 매입하게 해 주겠다고 말하였다."라고 증언하였는데, 그 증언이 甲이 그와 같이 말한 사실의 존재를 증명하기 위한 증거로 제출된 경우
③ 甲이 반국가단체 구성원 A와 회합한 후 A로부터 지령을 받고 국가기밀을 탐지·수집하였다는 공소사실로 기소되었고, 甲의 컴퓨터에서 "A 선생 앞: 2011년 면담은 1월 30일 북경에서 하였으면 하는 의견입니다."라는 등의 내용이 담겨져 있는 파일이 발견되었는데, 이 파일이 甲과 A의 회합을 입증하기 위한 증거로 제출된 경우
④ 甲이 반국가단체로부터 지령을 받고 국가기밀을 탐지·수집하였다는 공소사실로 기소되었는데 甲의 컴퓨터에 저장되어 있던 국가기밀을 담은 서류가 증거로 제출된 경우

지문분석 난이도 ㊤ 정답 ③

| 키 워 드 | 전문증거
| 출제유형 | 옳은 지문 고르기

③ (O) 대법원 2013.7.26. 2013도2511
① (X) 형사소송법 제310조의2는 사실을 직접 경험한 사람의 진술이 법정에 직접 제출되어야 하고 이에 갈음하는 대체물인 진술 또는 서류가 제출되어서는 안 된다는 이른바 전문법칙을 선언한 것이다. 그런데 정보통신망을 통하여 공포심이나 불안감을 유발하는 글을 반복적으로 상대방에게 도달하게 하는 행위를 하였다는 공소사실에 대하여 휴대전화기에 저장된 문자정보가 그 증거가 되는 경우, 그 문자정보는 범행의 직접적인 수단이고 경험자의 진술에 갈음하는 대체물에 해당하지 않으므로, 형사소송법 제310조의2에서 정한 전문법칙이 적용되지 않는다(대법원 2008.11.13. 2006도2556).
② (X) 공소외 1은 제1심 법정에서 "피고인 1이 88체육관 부지를 공시지가로 매입하게 해 주고 KBS와의 시설이주 협의도 2개월 내로 완료하겠다고 말하였다."고 진술하였고, 공소외 2, 6도 피고인의 진술을 내용으로 한 진술을 하였음을 알 수 있는데, 피고인 1의 위와 같은 원진술의 존재 자체가 이 부분 각 사기죄 또는 변호사법 위반죄에 있어서의 요증사실이므로, 이를 직접 경험한 공소외 1 등이 피고인으로부터 위와 같은 말을 들었다고 하는 진술은 전문증거가 아니라 본래증거에 해당한다(대법원 2012.7.26. 2012도2937).
④ (X) 반국가단체의 구성원과 문건을 주고받는 방법으로 통신을 한 경우, 반국가단체로부터 지령을 받고 국가기밀을 탐지·수집하였다는 공소사실과 관련하여 수령한 지령 및 탐지·수집하여 취득한 국가기밀이 문건의 형태로 존재하는 경우나 편의제공의 목적물이 문건인 경우 등에는, 문건 내용의 진실성이 문제되는 것이 아니라 그러한 내용의 문건이 존재하는 것 자체가 증거가 되는 것으로서, 위와 같은 공소사실에 대하여는 전문법칙이 적용되지 않는다고 보아 해당 부분의 공소사실에 관한 증거로 제출된 출력 문건들의 증거능력이 인정된다(대법원 2013.7.26. 2013도2511).

37 0809 2022 경찰 간부

수사기관 작성 피의자신문조서에 대한 설명으로 가장 적절하지 않은 것은? (다툼이 있는 경우 판례에 의함)

① 수사기관이 작성한 조서의 내용이 원진술자가 진술한 대로 기재된 것이라 함은 조서 작성 당시 원진술자의 진술대로 기재되었는지의 여부만을 의미하는 것으로, 그와 같이 진술하게 된 연유나 그 진술의 신빙성 여부를 고려할 것은 아니다.

② 행위자가 아닌 법인 또는 개인이 양벌규정에 따라 기소된 경우, 검사 이외의 수사기관이 행위자에 대하여 작성한 피의자신문조서는 행위자가 그 내용을 인정한 경우에라도 당해 피고인인 법인 또는 개인이 그 내용을 부인하는 경우에는 형사소송법 제312조 제3항이 적용되어 증거능력이 없고, 형사소송법 제314조를 적용하여 증거능력을 인정할 수도 없다.

③ 검사가 작성한 피의자나 피의자 아닌 자의 진술을 기재한 조서(단, 형식적 진정성립과 특신상태는 인정됨) 중 일부에 관하여만 원진술자가 공판준비 또는 공판기일에서 실질적 진정성립을 인정하는 경우, 진술한 대로 기재되어 있다고 하는 부분에 한하여서만 증거능력이 인정된다.

④ 피고인이 자신에 대한 검사 작성의 피의자신문조서의 성립이 진정함을 인정하는 진술을 하고, 그 피의자신문조서에 대하여 증거조사가 완료되었다면, 증거조사 완료 뒤의 위 진정성립인정진술의 취소는 절차적 안정성을 위해 어떠한 경우에도 허용될 수 없다.

지문분석 난이도 ㊤ 정답 ④

| 키 워 드 | 피의자신문조서

| 출제유형 | 틀린 지문 고르기

④ (X) 피고인이나 그 변호인이 검사 작성의 당해 피고인에 대한 피의자신문조서의 성립의 진정함을 인정하는 진술을 하였다 하더라도, 그 피의자신문조서에 대하여 구 형사소송법(2007.6.1. 법률 제8496호로 개정되기 전의 것) 제292조에서 정한 증거조사가 완료되기 전에는 최초의 진술을 번복함으로써 그 피의자신문조서를 유죄 인정의 자료로 사용할 수 없도록 할 수 있으나, 그 피의자신문조서에 대하여 위의 증거조사가 완료된 뒤에는 그와 같은 번복의 의사표시에 의하여 이미 인정된 조서의 증거능력이 당연히 상실되는 것은 아니다. 다만, 적법절차 보장의 정신에 비추어 성립의 진정함을 인정한 최초의 진술에 그 효력을 그대로 유지하기 어려운 중대한 하자가 있고 그에 관하여 진술인에게 귀책사유가 없는 경우에 한하여 예외적으로 증거조사 절차가 완료된 뒤에도 그 진술을 취소할 수 있고, 그 취소 주장이 이유 있는 것으로 받아들여지게 되면 법원은 구 형사소송규칙(2007.10.29. 대법원규칙 제2106호로 개정되기 전의 것) 제139조 제4항의 증거배제결정을 통하여 그 조서를 유죄 인정의 자료에서 제외하여야 한다(대법원 2008.7.10. 2007도7760).

① (O) 대법원 2008.3.27. 2007도11400

② (O) 대법원 2020.6.11. 2016도9367

③ (O) 대법원 2005.6.10. 2005도1849

✓ **개념체크 양벌규정의 종업원과 사업주를 형사소송법상 공범 내지 이에 준하는 관계에 있다고 본 사례**

형사소송법 제312조 제3항은 검사 이외의 수사기관이 작성한 해당 피고인에 대한 피의자신문조서를 유죄의 증거로 하는 경우뿐만 아니라 검사 이외의 수사기관이 작성한 해당 피고인과 공범관계에 있는 다른 피고인이나 피의자에 대한 피의자신문조서를 해당 피고인에 대한 유죄의 증거로 채택할 경우에도 적용된다. 따라서 해당 피고인과 공범관계가 있는 다른 피의자에 대하여 검사 이외의 수사기관이 작성한 피의자신문조서는 그 피의자의 법정진술에 의하여 그 성립의 진정이 인정되는 등 형사소송법 제312조 제4항의 요건을 갖춘 경우라고 하더라도 해당 피고인이 공판기일에서 그 조서의 내용을 부인한 이상 이를 유죄 인정의 증거로 사용할 수 없고, 그 당연한 결과로 위 피의자신문조서에 대하여는 사망 등 사유로 인하여 법정에서 진술할 수 없는 때에 예외적으로 증거능력을 인정하는 규정인 형사소송법 제314조가 적용되지 아니한다. 그리고 이러한 법리는 공동정범이나 교사범, 방조범 등 공범관계에 있는 자들 사이에서뿐만 아니라, 법인의 대표자나 법인 또는 개인의 대리인, 사용인, 그 밖의 종업원 등 행위자의 위반행위에 대하여 행위자가 아닌 법인 또는 개인이 양벌규정에 따라 기소된 경우, 이러한 법인 또는 개인과 행위자 사이의 관계에서도 마찬가지로 적용된다고 보아야 한다(대법원 2020.6.11. 2016도9367).

→ 피고인이 운영하는 병원의 사무국장으로 근무하던 공소외인이 저지른 행위에 대하여 피고인이 양벌규정인 의료법 제91조를 적용법조로 기소된 사안에서, 검사가 증거로 제출한 사법경찰관 작성의 공소외인에 대한 피의자신문조서에 관해서는 피고인이 증거동의를 한 바가 없고 오히려 그 내용을 부인하였음에도 불구하고, 원심은 위 피의자신문조서에 대하여는 형사소송법 제312조 제3항이 아니라 형사소송법 제312조 제4항 및 제314조가 적용된다고 보아 그 증거능력을 인정하여 피고인에게 유죄를 인정한 것을 파기한 사례이다.

38 0810 2020 경찰 승진

조서에 관한 아래 ㉠부터 ㉣까지의 설명 중 옳고 그름의 표시 (O, X)가 바르게 된 것은? (다툼이 있는 경우 판례에 의함)

> ㉠ 당해 피고인과 공범관계에 있는 다른 피의자에 대한 사법경찰관 작성 피의자신문조서는 그 공범인 공동피고인의 법정진술에 의하여 성립의 진정이 인정되는 등 형사소송법 제312조 제4항의 요건을 갖추었다면 당해 피고인이 공판기일에서 그 조서의 내용을 부인하더라도 증거능력이 인정된다.
> ㉡ 검사가 피의자나 피의자 아닌 자의 진술을 기재한 조서는 전체로서 완결성을 갖는 것이므로 원진술자는 조서 전체의 실질적 진정성립을 인정하거나 부인할 수는 있어도 조서 중 일부에 관하여만 실질적 진정성립을 인정할 수는 없다.
> ㉢ 당해 피고인과 공범관계가 있는 다른 피의자에 대한 검사 이외의 수사기관 작성 피의자신문조서는 당해 피고인이 조서의 내용을 부인하면 형사소송법 제314조의 요건을 모두 갖춘 경우라도 증거능력이 인정되지 아니한다.
> ㉣ 형사소송법 제312조 제3항에서 '그 내용을 인정할 때'라 함은 피의자신문조서의 기재내용이 진술내용대로 기재되어 있다는 의미이다.

① ㉠ (X), ㉡ (X), ㉢ (O), ㉣ (X)
② ㉠ (X), ㉡ (O), ㉢ (X), ㉣ (X)
③ ㉠ (X), ㉡ (X), ㉢ (O), ㉣ (O)
④ ㉠ (O), ㉡ (X), ㉢ (X), ㉣ (O)

지문분석 난이도 상 정답 ①

| 키 워 드 | 피의자신문조서
| 출제유형 | 옳고 그름의 표시(O, X)하기

㉠ (X) 구 형사소송법(2007.6.1. 법률 제8496호로 개정되기 전의 것. 이하 같다) 제312조 제2항(현행 제312조 제3항)은 검사 이외의 수사기관이 작성한 당해 피고인에 대한 피의자신문조서를 유죄의 증거로 하는 경우뿐만 아니라 검사 이외의 수사기관이 작성한 당해 피고인과 공범관계에 있는 다른 피고인이나 피의자에 대한 피의자신문조서를 당해 피고인에 대한 유죄의 증거로 채택할 경우에도 적용된다. 따라서 당해 피고인과 공범관계가 있는 다른 피의자에 대한 검사 이외의 수사기관 작성의 피의자신문조서는 그 피의자의 법정진술에 의하여 그 성립의 진정이 인정되더라도 당해 피고인이 공판기일에서 그 조서의 내용을 부인하면 증거능력이 부정되므로 그 당연한 결과로 그 피의자신문조서에 대하여는 사망 등 사유로 인하여 법정에서 진술할 수 없는 때에 예외적으로 증거능력을 인정하는 규정인 구 형사소송법 제314조가 적용되지 아니한다(대법원 2008.9.25. 2008도5189).
㉡ (X) 실질적 진정성립을 부인하는 경우에는 피고인 또는 변호인은 부인의 대상이 되는 진술을 특정하여야 한다(형사소송규칙 제134조 제3항).
㉢ (O) 대법원 2008.9.25. 2008도5189
㉣ (X) 형사소송법 제312조 제3항에 의하면, 검사 이외의 수사기관 작성의 피의자신문조서는 공판준비 또는 공판기일에 그 피의자였던 피고인이나 변호인이 그 내용을 인정할 때에 한하여 증거로 할 수 있다고 규정하고 있는바, 위 규정에서 '그 내용을 인정할 때'라 함은 피의자신문조서의 기재내용이 진술내용대로 기재되어 있다는 의미가 아니고 그와 같이 진술한 내용이 실제 사실과 부합한다는 것을 의미한다(대법원 2010.6.24. 2010도5040).

39 0811

2016 경찰 1차

피의자신문조서에 관한 다음 설명 중 틀린 것은 모두 몇 개인가? (다툼이 있는 경우 판례에 의함)

㉠ 당해 피고인과 공범관계에 있는 공동피고인에 대해 검사 이외의 수사기관이 작성한 피의자신문조서는 그 공동피고인의 법정진술에 의하여 성립의 진정이 인정되더라도 당해 피고인이 공판기일에서 그 조서의 내용을 부인하면 증거능력이 부정된다.

㉡ 형사소송법 제312조 제3항의 '그 내용을 인정할 때'라 함은 피의자신문조서의 기재내용이 진술내용대로 기재되어 있다는 의미이고, 그와 같이 진술한 내용이 실제 사실과 부합한다는 것을 의미하는 것은 아니다.

㉢ 피고인이 그 진술을 기재한 검사 작성의 피의자신문조서 중 일부에 관하여만 실질적 진정성립을 인정하는 경우에는 법원은 당해 조서 중 어느 부분이 그 진술대로 기재되어 있고 어느 부분이 달리 기재되어 있는지 여부를 구체적으로 심리함이 없이 전체 피의자신문조서의 증거능력을 부정하여야 한다.

㉣ 피의자의 진술을 녹취 내지 기재한 서류 또는 문서가 수사기관에서의 조사과정에서 작성된 것이라면, 그것이 '진술조서, 진술서, 자술서'라는 형식을 취하였다고 하더라도 피의자신문조서와 달리 볼 수 없다.

① 0개 ② 1개 ③ 2개 ④ 3개

지문분석

난이도 상 정답 ③

| 키 워 드 | 피의자신문조서

| 출제유형 | 개수 찾기

㉡ (X) 형사소송법 제312조 제3항에 의하면, 검사 이외의 수사기관 작성의 피의자신문조서는 공판준비 또는 공판기일에 그 피의자였던 피고인이나 변호인이 그 내용을 인정할 때에 한하여 증거로 할 수 있다고 규정하고 있는바, 위 규정에서 '그 내용을 인정할 때'라 함은 피의자신문조서의 기재내용이 진술내용대로 기재되어 있다는 의미가 아니고 그와 같이 진술한 내용이 실제 사실과 부합한다는 것을 의미한다(대법원 2010.6.24. 2010도5040).

㉢ (X) 수사기관이 작성한 조서의 내용이 원진술자가 진술한 대로 기재된 것이라 함은 조서 작성 당시 원진술자의 진술대로 기재되었는지의 여부만을 의미하는 것으로, 그와 같이 진술하게 된 연유나 그 진술의 신빙성 여부는 고려할 것이 아니며, 한편 검사가 피의자나 피의자 아닌 자의 진술을 기재한 조서 중 일부에 관하여만 원진술자가 공판준비 또는 공판기일에서 실질적 진정성립을 인정하는 경우에는 법원은 당해 조서 중 어느 부분이 원진술자가 진술한 대로 기재되어 있고 어느 부분이 달리 기재되어 있는지 여부를 구체적으로 심리한 다음 진술한 대로 기재되어 있다고 하는 부분에 한하여 증거능력을 인정하여야 하고, 그 밖에 실질적 진정성립이 부정되는 부분에 대해서는 증거능력을 부정하여야 한다(대법원 2005.6.10. 2005도1849).

㉠ (O) 대법원 2009.7.9. 2009도2865

㉣ (O) 대법원 1983.7.26. 82도385

40 0812

2018 경찰 1차

사법경찰관 작성 피의자신문조서의 증거능력에 대한 설명으로 가장 적절하지 않은 것은? (다툼이 있는 경우 판례에 의함)

① 사법경찰관이 작성한 피의자신문조서는 적법한 절차와 방식에 따라 작성된 것으로서 공판준비 또는 공판기일에 그 피의자였던 피고인 또는 변호인이 그 내용을 인정할 때에 한하여 증거로 할 수 있다.

② 피의자의 진술을 녹취 내지 기재한 서류 또는 문서가 수사기관에서의 조사과정에서 작성된 것이지만 그것이 진술서라는 형식을 취하였다면 피의자신문조서와 달리 보아야 한다.

③ 당해 피고인과 공범관계가 있는 다른 피의자에 대한 사법경찰관 작성 피의자신문조서에 대하여는 사망 등 사유로 인하여 법정에서 진술할 수 없는 때에 예외적으로 증거능력을 인정하는 규정인 형사소송법 제314조가 적용되지 아니한다.

④ 형사소송법 제312조 제3항은 사법경찰관이 작성한 당해 피고인에 대한 피의자신문조서를 유죄의 증거로 하는 경우뿐만 아니라 사법경찰관이 작성한 당해 피고인과 공범관계에 있는 다른 피고인이나 피의자에 대한 피의자신문조서를 당해 피고인에 대한 유죄의 증거로 채택할 경우에도 적용된다.

지문분석

난이도 중 정답 ②

| 키 워 드 | 피의자신문조서의 증거능력

| 출제유형 | 틀린 지문 고르기

② (X) 피의자의 진술을 녹취 내지 기재한 서류 또는 문서가 수사기관에서의 조사과정에서 작성된 것이라면, 그것이 '진술조서, 진술서, 자술서'라는 형식을 취하였다고 하더라도 피의자신문조서와 달리 볼 수 없다(대법원 2011.11.10. 2010도8294).

① (O) 형사소송법 제312조 제3항

③, ④ (O) 대법원 2004.7.15. 2003도7185 전원합의체

41 0813

2020 경찰 1차

사법경찰관 작성 피의자신문조서의 증거능력에 대한 설명 중 가장 적절하지 않은 것은? (다툼이 있는 경우 판례에 의함)

① 검사 이외의 수사기관이 작성한 피의자신문조서는 적법한 절차와 방식에 따라 작성된 것으로서 공판준비 또는 공판기일에 그 피의자였던 피고인 또는 변호인이 그 내용을 인정할 때에 한하여 증거로 할 수 있다.

② 피고인이 제1심 제4회 공판기일부터 공소사실을 일관되게 부인하여 경찰 작성 피의자신문조서의 진술내용을 인정하지 않는 경우, 제1심 제4회 공판기일에 피고인이 그 서증의 내용을 인정한 것으로 공판조서에 기재된 것은 착오 기재 등으로 보아 피의자신문조서의 증거능력을 부정하여야 한다.

③ 사법경찰관이 피의자에게 진술거부권을 행사할 수 있음을 알려 주고 그 행사 여부를 질문하였다면, 비록 형사소송법 제244조의3 제2항에 규정한 방식에 위반하여 진술거부권 행사 여부에 대한 피의자의 답변이 자필로 기재되어 있지 않더라도 사법경찰관 작성의 피의자신문조서는 특별한 사정이 없는 한 그 증거능력을 인정할 수 있다.

④ 당해 피고인과 공범관계에 있는 공동피고인에 대하여 검사 이외의 수사기관이 작성한 피의자신문조서는 그 공동피고인의 법정진술에 의하여 성립의 진정이 인정되더라도 당해 피고인이 공판기일에서 그 조서의 내용을 부인하면 증거능력이 부정된다.

지문분석 난이도 중 정답 ③

| 키 워 드 | 피의자신문조서의 증거능력

| 출제유형 | 틀린 지문 고르기

③ (X) 헌법 제12조 제2항, 형사소송법 제244조의3 제1항·제2항, 제312조 제3항에 비추어 보면, 비록 사법경찰관이 피의자에게 진술거부권을 행사할 수 있음을 알려 주고 그 행사 여부를 질문하였다 하더라도, 형사소송법 제244조의3 제2항에 규정한 방식에 위반하여 진술거부권 행사 여부에 대한 피의자의 답변이 자필로 기재되어 있지 아니하거나 그 답변 부분에 피의자의 기명날인 또는 서명이 되어 있지 아니한 사법경찰관 작성의 피의자신문조서는 특별한 사정이 없는 한 형사소송법 제312조 제3항에서 정한 '적법한 절차와 방식'에 따라 작성된 조서라 할 수 없으므로 그 증거능력을 인정할 수 없다(대법원 2013.3.28. 2010도3359).
① (O) 형사소송법 제312조 제3항
② (O) 대법원 2010.6.24. 2010도5040
④ (O) 대법원 2009.10.15. 2009도1889

42 0814

2018 경찰 2차(변형)

피의자신문조서에 대한 설명으로 가장 적절하지 않은 것은? (다툼이 있는 경우 판례에 의함)

① 검사가 작성한 피의자신문조서는 적법한 절차와 방식에 따라 작성된 것으로서 공판준비, 공판기일에 그 피의자였던 피고인 또는 변호인이 그 내용을 인정할 때에 한정하여 증거로 할 수 있다.

② 사법경찰관이 피의자에게 진술거부권을 행사할 수 있음을 알려 주고 그 행사 여부를 질문하였다 하더라도, 진술거부권 행사 여부에 대한 피의자의 답변이 자필로 기재되어 있지 아니하거나 그 답변 부분에 피의자의 기명날인 또는 서명이 되어 있지 않은 사법경찰관 작성의 피의자신문조서는 형사소송법 제312조 제3항에 위반되어 그 증거능력을 인정할 수 없다.

③ 검사 작성의 피의자신문조서에 작성자인 검사의 서명날인이 되어 있지 아니한 경우, 피고인이 법정에서 그 피의자신문조서에 대하여 진정성립과 임의성을 인정하면 증거능력을 인정할 수 있다.

④ 검사 이외의 수사기관이 작성한 피의자신문조서는 공판준비 또는 공판기일에 그 피의자였던 피고인 또는 변호인이 그 내용을 인정할 때에 한하여 증거로 할 수 있으며, 여기에서 '그 내용을 인정할 때'라 함은 피의자신문조서의 기재내용이 실제 사실과 부합한다는 것을 의미한다.

지문분석 난이도 중 정답 ③

| 키 워 드 | 피의자신문조서

| 출제유형 | 틀린 지문 고르기

③ (X) 작성자인 검사의 기명날인이나 서명이 누락되어 있는 검사 작성 피의자신문조서는 설령 그 진술자인 피고인의 서명날인이 되어 있다거나, 피고인이 법정에서 그 피의자신문조서에 대하여 진정성립과 임의성을 인정하였다고 하더라도 무효이고 증거능력이 없다(대법원 2001.9.28. 2001도4091).
① (O) 형사소송법 제312조 제1항
② (O) 대법원 2013.3.28. 2010도3359
④ (O) 대법원 2010.6.24. 2010도5040

43 0815

2017 경찰 1차(변형)

증거능력에 대한 설명이다. 아래 ㉠부터 ㉣까지의 설명 중 옳고 그름의 표시(O, X)가 가장 바르게 된 것은? (다툼이 있는 경우 판례에 의함)

> ㉠ 피고인에 대한 당해 사건이 아닌 다른 사건의 공판조서는 기타 특히 신용할 만한 정황에 의하여 작성된 문서로 형사소송법 제315조 제3호의 당연히 증거능력이 있는 서류에 해당한다.
> ㉡ 피의자 아닌 자의 진술을 기재한 조서는 공판정에서 원진술자의 진술에 의하여 그 성립의 진정함이 인정된 것이 아니면 설사 공판정에서 피고인이 그 성립을 인정하여도 이를 증거로 할 수 있음에 동의한 것이 아닌 이상 증거로 할 수 없다.
> ㉢ 사법경찰관이 작성한 검증조서에 피의자이던 피고인이 검사 이외의 수사기관 앞에서 자백한 범행내용을 현장에 따라 진술·재연한 내용이 기재되고 그 재연 과정을 촬영한 사진이 첨부되어 있다면, 그러한 기재나 사진은 피고인이 공판정에서 그 진술내용 및 범행재연의 상황을 모두 부인하더라도 증거능력이 있다.
> ㉣ 디지털 저장매체 원본을 대신하여 저장매체에 저장된 자료를 '하드카피' 또는 '이미징'한 매체로부터 출력한 문건의 경우에는 디지털 저장매체 원본과 '하드카피' 또는 '이미징'한 매체 사이에 자료의 동일성이 인정되어야 하는 것은 아니다.

① ㉠ (O), ㉡ (O), ㉢ (X), ㉣ (X)
② ㉠ (X), ㉡ (X), ㉢ (O), ㉣ (O)
③ ㉠ (X), ㉡ (O), ㉢ (X), ㉣ (X)
④ ㉠ (O), ㉡ (X), ㉢ (O), ㉣ (O)

지문분석

난이도 ㉯ 정답 ①

| 키 워 드 | 증거능력
| 출제유형 | 옳고 그름의 표시(O, X)하기

㉠ (O) 대법원 1966.7.12. 66도617
㉡ (O) 대법원 2002.8.23. 2002도2112
㉢ (X) 사법경찰관이 작성한 검증조서에 피의자이던 피고인이 검사 이외의 수사기관 앞에서 자백한 범행내용을 현장에 따라 진술·재연한 내용이 기재되고 그 재연 과정을 촬영한 사진이 첨부되어 있다면, 그러한 기재나 사진은 피고인이 공판정에서 그 진술내용 및 범행재연의 상황을 모두 부인하는 이상 증거능력이 없다(대법원 2006.1.13. 2003도6548).
㉣ (X) 압수물인 디지털 저장매체로부터 출력한 문건을 증거로 사용하기 위해서는 디지털 저장매체 원본에 저장된 내용과 출력한 문건의 동일성이 인정되어야 하고, 이를 위해서는 디지털 저장매체 원본이 압수 시부터 문건 출력 시까지 변경되지 않았음이 담보되어야 한다. 특히 디지털 저장매체 원본을 대신하여 저장매체에 저장된 자료를 '하드카피' 또는 '이미징'한 매체로부터 출력한 문건의 경우에는 디지털 저장매체 원본과 '하드카피' 또는 '이미징'한 매체 사이에 자료의 동일성도 인정되어야 할 뿐만 아니라, 이를 확인하는 과정에서 이용한 컴퓨터의 기계적 정확성, 프로그램의 신뢰성, 입력·처리·출력의 각 단계에서 조작자의 전문적인 기술능력과 정확성이 담보되어야 한다(대법원 2007.12.13. 2007도7257).

44 0816

2021 경찰 2차

사법경찰관이 작성한 조서의 증거능력에 관한 설명으로 가장 적절한 것은? (다툼이 있는 경우 판례에 의함)

① 검사 이외의 수사기관이 작성한 피의자신문조서의 증거능력에 관한 형사소송법 제312조 제3항은 당해 사건에서 작성한 피의자신문조서뿐만 아니라 별개 사건에서 작성한 피의자신문조서에 대해서도 적용되므로, 피의자였던 피고인이 별개 사건에서 작성된 피의자신문조서의 내용을 부인하는 이상 그 조서는 당해 사건에 대한 유죄의 증거로 할 수 없다.

② 형사소송법 제312조 제3항은 검사 이외의 수사기관이 작성한 당해 피고인 甲에 대한 피의자신문조서를 유죄의 증거로 하는 경우에만 적용되고 甲과 공범관계에 있는 다른 피의자 乙에 대한 피의자신문조서에는 적용되지 않으므로, 乙에 대한 사법경찰관 작성의 피의자신문조서는 甲이 공판기일에서 그 조서의 내용을 부인하더라도 乙의 법정진술에 의하여 그 성립의 진정이 인정되면 증거로 할 수 있다.

③ 사법경찰관이 피의자 아닌 자의 진술을 기재한 조서를 작성함에 있어서 진술자의 성명을 가명으로 기재하였다면 그 이유만으로도 그 조서는 적법한 절차와 방식에 따라 작성되었다고 할 수 없고, 공판기일에 원진술자가 출석하여 자신의 진술을 기재한 조서임을 확인함과 아울러 그 조서의 실질적 진정성립을 인정하고 나아가 그에 대한 반대신문이 이루어졌다고 하더라도 그 증거능력이 인정되지 않는다.

④ 사법경찰관이 피의자를 조사하는 경우와는 달리 피의자가 아닌 자를 조사하는 경우에는 조사과정의 진행경과를 확인하기 위하여 필요한 사항을 조서에 기록하거나 별도의 서면에 기록한 후 수사기록에 편철할 것을 요하지 않으므로, 사법경찰관이 그 조사과정을 기록하지 아니하였더라도 다른 특별한 사정이 없는 한 피의자 아닌 자가 조사과정에서 작성한 진술서는 증거로 할 수 있다.

지문분석 난이도 ㊤ 정답 ①

| 키 워 드 | 조서의 증거능력

| 출제유형 | 옳은 지문 고르기

① (O) 대법원 1995.3.24. 94도2287

② (X) 형사소송법 제312조 제2항은 검사 이외의 수사기관이 작성한 당해 피고인에 대한 피의자신문조서(현 제312조 제3항)를 유죄의 증거로 하는 경우뿐만 아니라 검사 이외의 수사기관이 작성한 당해 피고인과 공범관계에 있는 다른 피고인이나 피의자에 대한 피의자신문조서를 당해 피고인에 대한 유죄의 증거로 채택할 경우에도 적용되는바, 당해 피고인과 공범관계가 있는 다른 피의자에 대한 검사 이외의 수사기관 작성의 피의자신문조서는 그 피의자의 법정진술에 의하여 그 성립의 진정이 인정되더라도 당해 피고인이 공판기일에서 그 조서의 내용을 부인하면 증거능력이 부정되므로 그 당연한 결과로 그 피의자신문조서에 대하여는 사망 등 사유로 인하여 법정에서 진술할 수 없는 때에 예외적으로 증거능력을 인정하는 규정인 형사소송법 제314조가 적용되지 아니한다(대법원 2004.7.15. 2003도7185 전원합의체).

③ (X) 형사소송법 제312조 제4항은 검사 또는 사법경찰관이 피고인이 아닌 자의 진술을 기재한 조서의 증거능력이 인정되려면 '적법한 절차와 방식에 따라 작성된 것'이어야 한다고 규정하고 있다. 여기서 적법한 절차와 방식이라 함은 피의자 또는 제3자에 대한 조서 작성 과정에서 지켜야 할 진술거부권의 고지 등 형사소송법이 정한 제반 절차를 준수하고 조서의 작성방식에도 어긋남이 없어야 한다는 것을 의미한다. 그런데 형사소송법은 조서에 진술자의 실명 등 인적 사항을 확인하여 이를 그대로 밝혀 기재할 것을 요구하는 규정을 따로 두고 있지는 아니하다. 따라서 특정범죄신고자 등 보호법 등에서처럼 명시적으로 진술자의 인적 사항의 전부 또는 일부의 기재를 생략할 수 있도록 한 경우가 아니라 하더라도, 진술자와 피고인의 관계, 범죄의 종류, 진술자 보호의 필요성 등 여러 사정으로 볼 때 상당한 이유가 있는 경우에는 수사기관이 진술자의 성명을 가명으로 기재하여 조서를 작성하였다고 해서 그 이유만으로 그 조서가 '적법한 절차와 방식'에 따라 작성되지 않았다고 할 것은 아니다. 그러한 조서라도 공판기일 등에 원진술자가 출석하여 자신의 진술을 기재한 조서임을 확인함과 아울러 그 조서의 실질적 진정성립을 인정하고 나아가 그에 대한 반대신문이 이루어지는 등 형사소송법 제312조 제4항에서 규정한 조서의 증거능력 인정에 관한 다른 요건이 모두 갖추어진 이상 그 증거능력을 부정할 것은 아니라고 할 것이다(대법원 2012.5.24. 2011도7757).

④ (X) 형사소송법 제221조 제1항, 제244조의4 제1항, 제3항, 제312조 제4항, 제5항 및 그 입법 목적 등을 종합하여 보면, 피고인이 아닌 자가 수사과정에서 진술서를 작성하였지만 수사기관이 그에 대한 조사과정을 기록하지 아니하여 형사소송법 제244조의4 제3항, 제1항에서 정한 절차를 위반한 경우에는, 특별한 사정이 없는 한 '적법한 절차와 방식'에 따라 수사과정에서 진술서가 작성되었다 할 수 없으므로 증거능력을 인정할 수 없다(대법원 2015.4.23. 2013도3790).

45 0817 2017 경찰 여경 재시험

전문법칙에 대한 설명으로 옳고 그름의 표시(O, X)가 바르게 된 것은? (다툼이 있는 경우 판례에 의함)

㉠ '甲이 乙을 살해하는 것을 목격했다'라는 丙의 말을 들은 丁이 丙의 진술내용을 증언하는 경우, 甲의 살인 사건에 대하여는 전문증거이지만, 丙의 명예훼손 사건에 대하여는 전문증거가 아니다.

㉡ 사인(私人)인 제3자가 절취한 업무일지를 소송사기의 피해자가 대가를 지급하고 취득한 경우, 그 업무일지는 사기죄에 대한 증거로 사용될 수 있다.

㉢ 상업장부, 항해일지, 사인(私人)인 의사의 진단서와 같이 기타 업무상 필요로 작성한 문서는 형사소송법 제315조에 의하여 당연히 증거능력이 인정된다.

㉣ 형사소송법은 전문진술에 대하여 제316조에서 실질상 단순한 전문의 형태를 취하는 경우에 한하여 예외적으로 그 증거능력을 인정하는 규정을 두고 있을 뿐, 재전문진술이나 재전문진술을 기재한 조서에 대하여는 달리 그 증거능력을 인정하는 규정을 두고 있지 아니하고 있으므로, 피고인이 증거로 하는 데 동의하지 아니하는 한, 형사소송법 제310조의2의 규정에 의하여 이를 증거로 할 수 없다.

㉤ 사인(私人)이 피고인이 아닌 자의 진술을 녹음한 녹음테이프에 대하여 법원이 실시한 검증의 내용이 녹음테이프에 녹음된 대화내용이 검증조서에 첨부된 녹취서에 기재된 내용과 같다는 것에 불과한 경우, 그 검증조서는 형사소송법 제311조의 '법원의 검증의 결과를 기재한 조서'에 해당하여 그 조서 중 위 진술내용은 위 제311조에 의하여 증거능력이 인정된다.

① ㉠ (O), ㉡ (O), ㉢ (X), ㉣ (O), ㉤ (X)
② ㉠ (X), ㉡ (X), ㉢ (O), ㉣ (X), ㉤ (O)
③ ㉠ (O), ㉡ (X), ㉢ (O), ㉣ (X), ㉤ (X)
④ ㉠ (X), ㉡ (O), ㉢ (X), ㉣ (O), ㉤ (O)

지문분석 난이도 ㊤ 정답 ①

| 키 워 드 | 전문법칙

| 출제유형 | 옳고 그름의 표시(O, X)하기

㉠ (O) "甲이 乙을 살해하는 것을 목격했다."라는 丙의 말을 들은 丁이 丙의 진술내용을 증언하는 경우, 甲의 살인 사건에 대하여는 丙의 진술은 그 의미내용이 문제되므로 전문증거이지만, 丙의 명예훼손 사건에 대하여는 丙의 진술의 존재 자체가 문제되므로 전문증거가 아니다. 판례도 같은 취지에서 "어떤 증거가 전문증거인지 여부는 요증사실과 관계에서 정하여지는바, 원진술의 내용인 사실이 요증사실인 경우에는 전문증거이나, 원진술의 존재 자체가 요증사실인 경우, 예컨대 명예훼손 사건에 있어서 명예훼손적 발언을 들은 자의 증언과 같은 경우는 본래증거이지 전문증거가 아니다."라고 판시한 바 있다(대법원 2008.9.25. 2008도5347).

㉡ (O) 대법원 2008.6.26. 2008도1584

㉢ (X) 사인(私人)인 의사가 작성한 진단서는 당연히 증거능력이 있는 서류가 아니므로 제313조 제1항에 의하여 증거능력이 인정되어야 한다(대법원 1969.3.31. 69도179).

㉣ (O) 대법원 2000.3.10. 2000도159

㉤ (X) 법원이 녹음테이프에 대하여 실시한 검증의 내용이 녹음테이프에 녹음된 전화대화 내용이 녹취서에 기재된 것과 같다는 것에 불과한 경우 증거자료가 되는 것은 여전히 녹음테이프에 녹음된 대화내용임에는 변함이 없으므로, 그와 같은 녹음테이프의 녹음내용이나 검증조서의 기재는 실질적으로는 공판준비 또는 공판기일에서의 진술에 대신하여 진술을 기재한 서류와 다를 바 없어서 형사소송법 제311조 내지 제315조에 규정한 것이 아니면 이를 유죄의 증거로 할 수 없다(대법원 1996.10.15. 96도1669).

46 0818

2017 경찰 2차

피의자신문조서에 대한 설명으로 가장 적절하지 않은 것은? (다툼이 있는 경우 판례에 의함)

① 검사 이외의 수사기관이 작성한 피의자신문조서는 적법한 절차와 방식에 따라 작성된 것으로서 공판준비 또는 공판기일에 그 피의자였던 피고인 또는 변호인이 그 내용을 인정할 때에 한하여 증거로 할 수 있다.
② 당해 피고인과 공범관계가 있는 다른 피의자에 대한 검사 이외의 수사기관 작성의 피의자신문조서는 사망 등 사유로 인하여 법정에서 진술할 수 없는 때에 예외적으로 증거능력을 인정하는 규정인 형사소송법 제314조가 적용되지 아니한다.
③ 검찰주사가 검사의 지시에 따라 검사가 참석하지 않은 상태에서 피의자였던 피고인을 신문하여 작성하고 검사는 검찰주사의 조사 직후 피고인에게 개괄적으로 질문한 사실이 있을 뿐인데도 검사가 작성한 것으로 되어 있는 피고인에 대한 피의자신문조서는 검사 작성의 피의자신문조서로서 인정될 수 없다.
④ 피고인이 그 진술을 기재한 검사 작성의 피의자신문조서 중 일부에 관하여만 실질적 진정성립을 인정하는 경우에는 법원은 당해 조서 중 어느 부분이 그 진술대로 기재되어 있고 어느 부분이 달리 기재되어 있는지 여부를 구체적으로 심리함이 없이 전체 피의자신문조서의 증거능력을 부정하여야 한다.

지문분석 난이도 중 정답 ④

| 키 워 드 | 피의자신문조서
| 출제유형 | 틀린 지문 고르기

④ (X) 검사가 피의자나 피의자 아닌 자의 진술을 기재한 조서 중 일부에 관하여만 원진술자가 공판준비 또는 공판기일에서 실질적 진정성립을 인정하는 경우에는 법원은 당해 조서 중 어느 부분이 원진술자가 진술한 대로 기재되어 있고 어느 부분이 달리 기재되어 있는지 여부를 구체적으로 심리한 다음 진술한 대로 기재되어 있다고 하는 부분에 한하여 증거능력을 인정하여야 하고, 그 밖에 실질적 진정성립이 부정되는 부분에 대해서는 증거능력을 부정하여야 한다(대법원 2005.6.10. 2005도1849).
① (O) 형사소송법 제312조 제3항
② (O) 대법원 2004.7.15. 2003도7185 전원합의체
③ (O) 대법원 2003.10.9. 2002도4372

47 0819

2018 경찰 2차

전문법칙 예외요건에 대한 설명으로 가장 적절하지 않은 것은? (다툼이 있는 경우 판례에 의함)

① 피고인 甲이 공판정에서 공동피고인인 공범 乙에 대한 사법경찰관 작성 피의자신문조서의 내용을 부인하면 乙이 법정에서 그 조서의 내용을 인정하더라도 그 조서를 피고인 甲의 공소사실에 대한 증거로 사용할 수 없다.
② 참고인과의 전화대화내용을 문답형식으로 기재한 사법경찰리 작성의 수사보고서는 진술자의 서명 또는 날인이 없으므로 형사소송법 제313조의 진술기재서류가 아니지만, 피고인이 증거로 함에 동의한 경우에는 증거로 사용할 수 있다.
③ 형사소송법 제314조에 규정된 '특히 신빙할 수 있는 상태'란 그 진술내용이나 조서의 작성에 허위개입의 여지가 거의 없고, 그 진술내용의 신용성이나 임의성을 담보할 구체적이고 외부적인 정황이 있는 경우를 말하며, 검사가 자유로운 증명을 통하여 증명하여야 한다.
④ 검사 또는 사법경찰관이 검증의 결과를 기재한 조서는 적법한 절차와 방식에 따라 작성된 것으로서 공판준비 또는 공판기일에서의 원진술자의 진술에 따라 그 성립의 진정함이 증명된 때에는 증거로 할 수 있다.

지문분석 난이도 하 정답 ④

| 키 워 드 | 전문법칙의 예외
| 출제유형 | 틀린 지문 고르기

④ (X) 검사 또는 사법경찰관이 검증의 결과를 기재한 조서는 적법한 절차와 방식에 따라 작성된 것으로서 공판준비 또는 공판기일에서의 작성자의 진술에 따라 그 성립의 진정함이 증명된 때에는 증거로 할 수 있다(형사소송법 제312조 제6항).
① (O) 대법원 2009.7.9. 2009도2865
② (O) 수사보고서의 증거능력은 기본적으로 형사소송법 제313조 제1항에 따라 판단한다. 다만, 증거능력 없는 서류라도 증거동의 시 증거능력이 가능한바, 타당한 지문에 해당한다.
③ (O) 대법원 2007.1.11. 2006도7228

48 0820

2015 국가직 9급

형사소송법 제314조는 '필요성'과 '신용성의 정황적 보장'을 요건으로 예외적으로 진술조서의 증거능력을 인정하고 있다. '필요성'이 인정될 수 있는 것만을 모두 고른 것은? (다툼이 있는 경우 판례에 의함)

ㄱ. 노인성 치매로 인하여 기억력에 장애가 있는 경우
ㄴ. 피해자인 증인이 출산을 앞두고 있다는 이유로 출석하지 않은 경우
ㄷ. 증인으로 출석해야 할 자가 외국에 거주하면서 법원의 소환에 계속 불응하고, 구인장 집행도 불가능한 상태에 있는 등 가능하고 상당한 수단을 다하더라도 그 진술을 요할 자를 법정에 출석하게 할 수 없는 경우
ㄹ. 증인이 형사소송법에서 정한 바에 따라 정당하게 증언거부권을 행사하여 증언을 거부하는 경우

① ㄱ, ㄴ ② ㄱ, ㄷ
③ ㄷ, ㄹ ④ ㄱ, ㄷ, ㄹ

지문분석

난이도 ㊤ 정답 ②

| 키 워 드 | 증거능력의 예외
| 출제유형 | 조합하기

ㄱ. (O) 대법원 1992.3.13. 91도2281
ㄷ. (O) 대법원 2002.3.26. 2001도5666
ㄴ. (X) 대법원 1999.4.23. 99도915
ㄹ. (X) 대법원 2012.5.17. 2009도6788 전원합의체

✓ 개념체크 필요성의 충족 여부

1. 필요성을 충족한 사례

- 피해자(사건 당시 4세 6월, 증언 당시 6세 11월)가 공판정에서 진술을 한 경우라도 증인신문 당시 일정한 사항에 관하여 기억이 나지 않는다는 취지로 진술하여 그 진술의 일부가 재현불가능하게 된 경우(현주건조물방화치사 사건, 99도3786)
- 노인성치매로 인한 기억력 장애 등으로 증언을 거절한 때(91도2281)
- 무단전출 또는 주민등록 미등재로 인한 피해자의 소환불능의 경우(83도931)
- 소환불응 및 그에 대한 구인집행도 안 되는 경우(89도351)
- 진술을 요할 자가 주소지를 떠나 그 주소를 알 수 없어 공판정에 출석하지 않은 경우(83도931)
- 피해자가 피고인의 보복이 두렵다는 이유로 주거를 옮기고 또 소환에도 응하지 아니하여 결국 구인장을 발부하였지만 그 집행이 되지 않은 경우(95도933)
- 진술을 요할 자가 중풍·언어장애 등 장애등급 3급 5호의 장애로 인하여 법정에 출석할 수 없었고, 그 후 신병을 치료하기 위하여 속초로 간 후에는 그에 대한 소재탐지가 불가능하게 된 경우(99도202)
- 일본에 거주하는 사람을 증인으로 채택하여 환문코자 하였으나 외교통상부로부터 현재 일본 측에서 형사사건에 대하여는 양국 형법 체계상의 상이함을 이유로 송달에 응하지 않고 있어 그 송달이 불가능하다는 취지의 회신을 받은 경우(87도1446)

2. 필요성을 충족하지 못한 사례

- 소환을 받고도 2회나 출석하지 아니한 자에 대하여 구인신청도 하지 아니한 채 도리어 검사가 소환신청을 철회한 경우(69도364)
- 1심에서 송달불능이 된 증인을 항소심에서 다시 증인으로 채택하여 소환함에 있어, 1심에서 송달불능된 주소로만 소환하고 기록상 용이하게 알 수 있는 다른 주소로 소환하지 아니한 경우(73도2124)
- 소환장이 주소불명 등으로 송달불능되었거나 소재탐지촉탁을 하였으나 아직 그 회보가 오지 않은 상태인 경우(96도575)
- 증인의 주소지가 아닌 곳으로 소환장을 보내 송달불능이 되자 그곳을 중심으로 한 소재탐지 끝에 소재불능회보를 받은 경우(2006도7479)
- 원진술자가 공판기일에 증인으로 소환받고도 출산을 앞두고 있다는 이유로 출석하지 아니한 경우(99도915)
- 원진술자가 만 5세 무렵에 당한 성추행으로 인하여 외상후 스트레스 증후군을 앓고 있다는 등의 이유로 공판정에 출석하지 아니한 경우(2004도3619)
- 정당하게 증언거부권을 행사하여 증언을 거절한 경우(2009도6788)
- 정당한 증언거부사유가 없음에도 증언거부권을 행사하여 증언을 거절한 경우(2018도13945)
- 피고인이 증거서류의 진정성립을 묻는 검사의 질문에 대하여 진술거부권을 행사하여 진술을 거부한 경우(2012도16001)

49 0821

2014 경찰 2차

다음 중 형사소송법 제314조에 규정된 '진술을 요하는 자가 사망, 질병, 외국거주, 소재불명 그 밖에 이에 준하는 사유로 인하여 진술할 수 없는 때'에 해당하는 것은? (다툼이 있는 경우 판례에 의함)

① 피해자가 증인으로 소환받고도 출산을 앞두고 있다는 사유로 출석하지 아니한 경우
② 1심에서 송달불능이 된 증인을 항소심에서 다시 증인으로 채택하여 소환함에 있어서 1심에서 송달불능된 주소로만 소환하고 기록상 용이하게 알 수 있는 다른 주소로 소환하지 아니한 경우
③ 만 5세 무렵에 당한 성추행으로 인하여 외상 후 스트레스 증후군을 앓고 있다는 등의 이유로 출석하지 않은 경우
④ 증인으로 채택하여 국내의 주소지 등으로 소환하였으나 소환장이 송달불능되었고, 미국으로 출국하여 그곳에 거주하고 있음이 밝혀져 다시 미국 내 주소지로 증인소환증을 발송하자, 제1심 법원에 경위서를 제출하면서 장기간 귀국할 수 없음을 통보한 경우

지문분석 난이도 하 정답 ④

| 키 워 드 | 증거능력의 예외
| 출제유형 | 옳은 지문 고르기

④ (O) 대법원 2007.6.14. 2004도5561
① (X) 대법원 1999.4.23. 99도915
② (X) 대법원 1973.10.31. 73도2124
③ (X) 대법원 2006.5.25. 2004도3619

✓ 개념체크 **형사소송법 제314조(증거능력에 대한 예외)**

> 제312조 또는 제313조의 경우에 공판준비 또는 공판기일에 진술을 요하는 자가 사망·질병·외국거주·소재불명 그 밖에 이에 준하는 사유로 인하여 진술할 수 없는 때에는 그 조서 및 그 밖의 서류(피고인 또는 피고인 아닌 자가 작성하였거나 진술한 내용이 포함된 문자·사진·영상 등의 정보로서 컴퓨터용디스크, 그 밖에 이와 비슷한 정보저장매체에 저장된 것을 포함한다)를 증거로 할 수 있다. 다만, 그 진술 또는 작성이 특히 신빙할 수 있는 상태하에서 행하여졌음이 증명된 때에 한한다.

50 0822

2016 경찰 승진

형사소송법 제314조에 규정된 '진술을 요하는 자가 사망·질병·외국거주·소재불명 그 밖에 이에 준하는 사유로 진술할 수 없는 때'에 해당하지 않는 것은? (다툼이 있는 경우 판례에 의함)

① 10세 남짓의 성추행 피해자인 진술자가 만 5세 무렵에 당한 성추행으로 인하여 외상 후 스트레스 증후군을 앓고 있다는 등의 이유로 공판정에 출석하지 아니한 경우
② 증인으로 소환당할 당시부터 노인성 치매로 인한 기억력 장애, 분별력 상실 등으로 인하여 진술할 수 없는 상태하에 있는 경우
③ 증인으로 출석해야 할 자가 외국에 거주하면서 법원의 소환에 계속 불응하고, 구인장 집행도 불가능한 상태에 있는 등 가능하고 상당한 수단을 다하더라도 그 진술을 요할 자를 법정에 출석하게 할 수 없는 경우
④ 진술을 요할 자가 중풍·언어장애 등 3급 5호의 장애로 인하여 법정에 출석할 수 없었고, 그 후 신병을 치료하기 위하여 속초로 간 후에는 그에 대한 소재탐지가 불가능하게 된 경우

지문분석 난이도 중 정답 ①

| 키 워 드 | 증거능력의 예외
| 출제유형 | 틀린 지문 고르기

① (X) 대법원 2006.5.25. 2004도3619
② (O) 대법원 1992.3.13. 91도2281
③ (O) 대법원 2009.7.26. 2006도9294
④ (O) 대법원 1999.5.14. 99도202

51 0823

2017 경찰 승진

형사소송법 제314조에 규정된 '진술을 요하는 자가 사망, 질병, 외국거주, 소재불명 그 밖에 이에 준하는 사유로 인하여 진술할 수 없는 때'에 해당하지 않는 것은? (다툼이 있는 경우 판례에 의함)

① 증인으로 채택되어 국내의 주소지 등으로 소환하였으나 소환장이 송달불능되었고 미국으로 출국하여 그곳에 거주하고 있음이 밝혀져 다시 미국 내 주소지로 증인소환증을 발송하자, 제1심 법원에 경위서를 제출하면서 장기간 귀국할 수 없음을 통보한 경우
② 피해자가 공판정에서 진술을 한 경우라도 증인신문 당시 일정한 사항에 관하여 기억이 나지 않는다는 취지로 진술하여 그 진술의 일부가 재현 불가능하게 된 경우
③ 증인이 형사소송법에 정한 바에 따라 정당하게 증언거부권을 행사하여 증언을 거부하는 경우
④ 중풍, 언어장애 등 장애등급 3급 5호의 장애로 인하여 법정에 출석할 수 없었던 것이고, 그 후 신병을 치료하기 위하여 속초로 간 후에는 그에 대한 소재탐지가 불가능하게 된 경우

지문분석 난이도 하 정답 ③

| 키 워 드 | 증거능력의 예외
| 출제유형 | 틀린 지문 고르기

③ (X) 법정에 출석한 증인이 형사소송법 제148조, 제149조 등에서 정한 바에 따라 정당하게 증언거부권을 행사하여 증언을 거부한 경우는 증거능력에 관한 예외를 규정한 형사소송법 제314조의 '그 밖에 이에 준하는 사유로 인하여 진술할 수 없는 때'에 해당하지 않는다(대법원 2012.5.17. 2009도6788 전원합의체).
① (O) 대법원 2007.6.14. 2004도5561
② (O) 대법원 1999.11.26. 99도3786
④ (O) 대법원 1999.5.14. 99도202

52 0824

2017 국가직 9급

형사소송법 제314조에 규정된 '공판준비 또는 공판기일에 진술을 요하는 자가 사망·질병·외국거주·소재불명 그 밖에 이에 준하는 사유로 인하여 진술할 수 없는 때'에 대한 설명으로 옳지 않은 것은? (다툼이 있는 경우 판례에 의함)

① '외국거주'라 함은 진술을 요할 자가 외국에 있다는 것만으로는 부족하고, 그를 공판정에 출석시켜 진술하게 할 모든 수단을 강구하는 등 가능하고 상당한 수단을 다하더라도 그 진술을 요할 자를 법정에 출석하게 할 수 없는 사정이 있는 예외적인 경우를 말한다.
② 증인이 '소재불명이거나 그 밖에 이에 준하는 사유로 인하여 진술할 수 없는 때'에 해당한다고 인정할 수 있으려면 증인의 법정 출석을 위한 가능하고도 충분한 노력을 다하였음에도 불구하고 부득이 증인의 법정 출석이 불가능하게 되었다는 사정이 있어야 하며, 이는 검사가 증명하여야 한다.
③ 수사기관에서 진술한 피해자인 유아가 공판정에서 진술을 하였더라도 증인신문 당시 일정한 사항에 관하여 기억이 나지 않는다는 취지로 진술하여 그 진술의 일부가 재현 불가능하게 된 경우는 '원진술자가 진술을 할 수 없는 때'에 해당하지 않는다.
④ 법정에 출석한 증인이 정당하게 증언거부권을 행사하여 증언을 거부한 경우는 '그 밖에 이에 준하는 사유로 인하여 진술할 수 없는 때'에 해당하지 않는다.

지문분석 난이도 중 정답 ③

| 키 워 드 | 증거능력의 예외
| 출제유형 | 틀린 지문 고르기

③ (X) 수사기관에서 진술한 피해자인 유아가 공판정에서 진술을 하였더라도 증인신문 당시 일정한 사항에 관하여 기억이 나지 않는다는 취지로 진술하여 그 진술의 일부가 재현 불가능하게 된 경우, 형사소송법 제314조, 제316조 제2항에서 말하는 '원진술자가 진술을 할 수 없는 때'에 해당한다(대법원 2006.4.14. 2005도9561).
① (O) 대법원 2016.2.18. 2015도17115
② (O) 대법원 2013.10.17. 2013도5001
④ (O) 대법원 2012.5.17. 2009도6788 전원합의체

53 0825 2019 경찰 승진(변형)

증거능력에 대한 설명이다. 아래 ㉠부터 ㉣까지의 설명 중 옳고 그름의 표시(O, X)가 바르게 된 것은? (다툼이 있는 경우 판례에 의함)

> ㉠ 디지털 녹음기에 녹음된 내용을 전자적 방법으로 테이프에 전사한 사본인 녹음테이프를 대상으로 법원이 검증절차를 진행하여, 녹음된 내용이 녹취록의 기재와 일치하고 그 음성이 진술자의 음성임을 확인하였다면 그것만으로 녹음테이프의 증거능력을 인정할 수 있다.
> ㉡ 법정에 출석한 증인이 형사소송법 제148조, 제149조 등에서 정한 바에 따라 정당하게 증언거부권을 행사하여 증언을 거부한 경우는 형사소송법 제314조의 '그 밖에 이에 준하는 사유로 인하여 진술할 수 없는 때'에 해당하지 아니한다.
> ㉢ 수사기관이 피의자를 신문함에 있어서 피의자에게 미리 진술거부권을 고지하지 않은 때에는 그 피의자의 진술은 위법하게 수집된 증거이나, 진술의 임의성이 인정되는 경우에는 증거능력이 인정된다.
> ㉣ 검사와 피의자가 그 사건에 관하여 대화하는 내용과 장면을 녹화한 비디오테이프에 대한 법원의 검증조서는 이러한 비디오테이프의 녹화내용이 피의자의 진술을 기재한 피의자신문조서와 실질적으로 같다고 볼 것이므로 피의자신문조서에 준하여 그 증거능력을 가려야 한다.

① ㉠ (O), ㉡ (O), ㉢ (X), ㉣ (X)
② ㉠ (X), ㉡ (X), ㉢ (O), ㉣ (O)
③ ㉠ (X), ㉡ (O), ㉢ (X), ㉣ (O)
④ ㉠ (O), ㉡ (X), ㉢ (O), ㉣ (O)

지문분석 난이도 중 정답 ③

| 키 워 드 | 증거능력
| 출제유형 | 옳고 그름의 표시(O, X)하기

㉠ (X) 디지털 녹음기에 녹음된 내용을 전자적 방법으로 테이프에 전사한 사본인 녹음테이프를 대상으로 법원이 검증절차를 진행하여, 녹음된 내용이 녹취록의 기재와 일치하고 그 음성이 진술자의 음성임을 확인하였더라도, 그것만으로 녹음테이프의 증거능력을 인정할 수 없다(대법원 2008.12.24. 2008도9414).
→ 피고인과 상대방 사이의 대화내용에 관한 녹취서가 공소사실의 증거로 제출되어 그 녹취서의 기재내용과 녹음테이프의 녹음내용이 동일한지 여부에 대하여 법원이 검증을 실시한 경우에, 증거자료가 되는 것은 녹음테이프에 녹음된 대화내용 그 자체이고, 그중 피고인의 진술내용은 실질적으로 형사소송법 제311조, 제312조의 규정 이외에 피고인의 진술을 기재한 서류와 다름없어, 피고인이 그 녹음테이프를 증거로 할 수 있음에 동의하지 않은 이상 그 녹음테이프 검증조서의 기재 중 피고인의 진술내용을 증거로 사용하기 위해서는 형사소송법 제313조 제1항 단서에 따라 공판준비 또는 공판기일에서 그 작성자인 상대방의 진술에 의하여 녹음테이프에 녹음된 피고인의 진술내용이 피고인이 진술한 대로 녹음된 것임이 증명되고 나아가 그 진술이 특히, 신빙할 수 있는 상태하에서 행하여진 것임이 인정되어야 하며, 또한 녹음테이프는 그 성질상 작성자나 진술자의 서명 혹은 날인이 없을 뿐만 아니라, 녹음자의 의도나 특정한 기술에 의하여 그 내용이 편집, 조작될 위험성이 있음을 고려하여, 그 대화내용을 녹음한 원본이거나 혹은 원본으로부터 복사한 사본일 경우에는 복사과정에서 편집되는 등의 인위적 개작 없이 원본의 내용 그대로 복사된 사본임이 증명되어야만 하고, 그러한 증명이 없는 경우에는 쉽게 그 증거능력을 인정할 수 없다고 할 것이며, 녹음테이프에 수록된 대화내용이 이를 풀어쓴 녹취록의 기재와 일치한다거나 녹음테이프의 대화 내용이 중단되었다고 볼 만한 사정이 없다는 녹음테이프에 대한 법원의 검증 결과만으로는 위와 같은 증명이 있다고는 할 수 없을 것이다.

㉡ (O) 대법원 2012.5.17. 2009도6788

㉢ (X) 형사소송법 제200조 제2항은 검사 또는 사법경찰관이 출석한 피의자의 진술을 들을 때에는 미리 피의자에 대하여 진술을 거부할 수 있음을 알려야 한다고 규정하고 있는바, 이러한 피의자의 진술거부권은 헌법이 보장하는 형사상 자기에 불리한 진술을 강요당하지 않는 자기부죄거부의 권리에 터 잡은 것이므로 수사기관이 피의자를 신문함에 있어서 피의자에게 미리 진술거부권을 고지하지 않은 때에는 그 피의자의 진술은 위법하게 수집된 증거로서 진술의 임의성이 인정되는 경우라도 증거능력이 부인되어야 한다(대법원 1992.6.23. 92도682).

㉣ (O) 대법원 1992.6.23. 92도682

54 0826

2015 경찰 3차

형사소송법 제315조에 의하여 당연히 증거능력이 인정되는 것으로 가장 적절하지 않은 것은? (다툼이 있는 경우 판례에 의함)

① 성매매업소에 고용된 여성들이 성매매를 업으로 하면서 영업에 참고하기 위하여 성매매 상대방의 아이디와 전화번호 및 성매매방법 등을 메모지에 적어두었다가 직접 메모리카드에 입력한 경우 위 메모리카드의 내용
② 육군과학수사연구소 실험분석관이 작성한 감정서
③ 국립과학수사연구소장 작성의 감정의뢰회보서
④ 일본하관 세관서 통괄심리관 작성의 범칙물건감정서등본과 분석의뢰서 및 분석회답서등본

지문분석 난이도 하 정답 ②

| 키 워 드 | 당연히 증거능력이 있는 서류
| 출제유형 | 틀린 지문 고르기

② (X) 육군과학수사연구소 실험분석관이 작성한 감정서는 피고인들이 이를 증거로 함에 동의하지 아니하는 경우에는 유죄의 증거로 할 수 있는 증거능력이 없다(대법원 1976.10.12. 76도2960).
① (O) 대법원 2007.7.26. 2007도3219
③ (O) 대법원 1982.9.14. 82도1504
④ (O) 대법원 1984.2.28. 83도3145

55 0827

2017 경찰 2차

형사소송법 제315조에 의해서 당연히 증거능력이 인정되는 것으로 가장 적절하지 않은 것은? (다툼이 있는 경우 판례에 의함)

① 미국 연방수사국(FBI)의 수사관이 작성한 수사보고서
② 성매매업소에서 영업에 참고하기 위하여 성매매 상대방에 관한 정보를 입력하여 작성한 메모리카드의 내용
③ 구속적부심사절차에서 피의자를 심문하고 그 진술을 기재한 구속적부심문조서
④ 다른 피고인에 대한 형사사건의 공판조서

지문분석 난이도 하 정답 ①

| 키 워 드 | 당연히 증거능력이 있는 서류
| 출제유형 | 틀린 지문 고르기

① (X) 범행 직후 미합중국 주검찰 수사관이 작성한 피해자 및 공범에 대한 질문서(interrogatory)와 우리나라 법원의 형사사법공조요청에 따라 미합중국 법원의 지명을 받은 수명자(미합중국 검사)가 작성한 피해자 및 공범에 대한 증언녹취서(deposition)는 이를 형사소송법 제315조 소정의 당연히 증거능력이 인정되는 서류로는 볼 수 없다고 하더라도, 같은 법 제312조 또는 제313조에 해당하는 조서 또는 서류로서 그 원진술자가 공판기일에서 진술을 할 수 없는 때에 해당하고, 그 각 진술 내용이나 조서 또는 서류의 작성에 허위 개입의 여지가 거의 없으며 그 진술 내용의 신빙성이나 임의성을 담보할 구체적이고 외부적인 정황이 있다고 할 것이어서 그 진술 또는 서류의 작성이 특히 신빙할 수 있는 상태하에서 행하여진 것이라고 보기에 충분하므로, 형사소송법 제314조의 규정에 의하여 그 증거능력을 인정할 수 있다(대법원 1997.7.25. 97도1351).
② (O) 대법원 2007.7.26. 2007도3219
③ (O) 대법원 2004.1.16. 2003도5693
④ (O) 대법원 1966.7.12. 66도617

56 0828

2016 경찰 승진

형사소송법 제315조에 의하여 당연히 증거능력이 인정되는 것으로 가장 적절한 것은? (다툼이 있는 경우 판례에 의함)

① 육군과학수사연구소 실험분석관이 작성한 감정서
② 검사의 공소장
③ 미국 연방범죄수사관이 범죄현장을 확인하고 작성한 보고서
④ 일본하관 세관서 통괄심리관 작성의 범칙물건감정서등본과 분석의뢰서

지문분석 난이도 중 정답 ④

| 키 워 드 | 당연히 증거능력이 있는 서류
| 출제유형 | 옳은 지문 고르기

④ (O) 대법원 1984.2.28. 83도3145
① (X) 대법원 1976.10.12. 76도2960
② (X) 대법원 1978.5.23. 78도575
③ (X) 대법원 1997.7.25. 97도1351

✓ 개념체크 **형사소송법 제315조의 서류에 대한 판례의 동향**

구분	당연히 증거능력(O)	당연히 증거능력(X)
공무상 직무문서 (제315조 제1호)	• 등기부등초본·인감증명·전과조회회보·신원증명서 • 군의관이 작성한 진단서 • 국립과학수사연구소장 작성의 감정의뢰회보서 • 외국공무원의 직무문서 • 보건복지부장관의 시가보고서 • 세무공무원의 시가감정서 • 일본하관 통괄심리관 작성의 범칙물건감정서등본과 분석의뢰서 및 분석회답서등본	• 외국의 수사기관이 작성한 조서·서류·수사보고서 • 우리 수사기관의 조서·수사보고서 • 주중국 영사가 상급자의 지시로 작성한 사실확인서 중 공인부분을 제외한 부분 • 육군과학수사연구소 실험분석관이 작성한 감정서(대법원 1976.10.12. 76도2960)
업무상 통상문서 (제315조 제2호)	• 상업장부·항해일지·금전출납부·전표 • 의사가 작성한 진료기록부 • 그때그때 기계적으로 작성한 비밀장부 • 성매매업소에서 영업에 참고하기 위하여 성매매 상대방에 관한 정보를 입력·작성한 메모리카드 • 이면에 필적을 연습한 업무일지(대법원 2008.6.26. 2008도1584)	• 사인인 의사의 진단서(제313조 제1항) • 외부에 보이기 위한 표면장부
특신문서 (제315조 제3호)	• 공공기록·역서·정기간행물의 시장가격표·스포츠기록·공무소작성 통계와 연감 • 구속 전 피의자심문조서, 체포·구속적부심문조서 • 다른 사건의 공판조서 • 교도소장이 교도소에 보관 중인 군법회의 판결사본 • 사법경찰관 작성의 수사보고서 중 국가보안법상의 새세대 16호라는 이적표현물의 복사물(대법원 1992.8.14. 92도1211)	• 주민들의 진정서사본 • 공소장 • 외국수사기관이 수사결과 얻은 정보를 회신하여 온 문서 • 체포·구속인 접견부 • 국정원 심리전단 직원의 노트북컴퓨터에서 발견된 전자정보(이메일 계정에서 발견)인 425지논 파일 및 시큐리티 파일

57 0829

2019 경찰 승진

형사소송법 제315조에 의하여 당연히 증거능력이 인정되는 것으로 가장 적절하지 않은 것은? (다툼이 있는 경우 판례에 의함)

① 보험사기 사건에서 건강보험심사평가원이 수사기관의 의뢰에 따라 수사기관이 보내온 자료를 토대로 입원진료의 적정성에 대한 의견을 제시하는 내용의 건강보험심사평가원의 입원진료 적정성 여부 등 검토의뢰에 대한 회신

② 일본 세관공무원 작성의 필로폰에 대한 범칙물건감정서등본과 분석의뢰서 및 분석회답서등본

③ 다른 피고인에 대한 형사사건의 공판조서 중 일부인 증인신문조서

④ 성매매업소에 고용된 여성들이 성매매를 업으로 하면서 영업에 참고하기 위하여 성매매 상대방의 아이디와 전화번호 및 성매매방법 등을 메모지에 적어두었다가 직접 메모리카드에 입력하거나 업주가 고용한 다른 여직원이 그 내용을 입력한 경우의 메모리카드 내용

지문분석

난이도 하 정답 ①

| 키 워 드 | 당연히 증거능력이 있는 서류

| 출제유형 | 틀린 지문 고르기

① (X) 사무처리 내역을 계속적·기계적으로 기재한 문서가 아니라 범죄사실의 인정 여부와 관련 있는 어떠한 의견을 제시하는 내용을 담고 있는 문서는 형사소송법 제315조 제3호에서 규정하는 당연히 증거능력이 있는 서류에 해당한다고 볼 수 없으므로, 이른바 보험사기 사건에서 건강보험심사평가원이 수사기관의 의뢰에 따라 그 보내온 자료를 토대로 입원진료의 적정성에 대한 의견을 제시하는 내용의 '건강보험심사평가원의 입원진료 적정성 여부 등 검토의뢰에 대한 회신'은 형사소송법 제315조 제3호의 '기타 특히 신용할 만한 정황에 의하여 작성된 문서'에 해당하지 않는다(대법원 2017.12.5. 2017도12671).

② (O) 대법원 1984.2.28. 83도3145

③ (O) 대법원 2005.4.28. 2004도4428

④ (O) 대법원 2007.7.26. 2007도3219

58 0830

2015 검찰 7급

증거능력에 대한 설명으로 옳지 않은 것은? (다툼이 있는 경우 판례에 의함)

① 피해자의 상해 부위를 촬영한 사진은 비진술증거로서 전문법칙이 적용되지 않는다.

② 피해자가 남동생에게 도움을 요청하면서 피고인으로부터 당한 공갈 등 피해내용을 담아 보낸 문자메시지를 촬영한 사진은 형사소송법 제313조에 규정된 '피해자의 진술서'에 준하는 것으로 보아야 한다.

③ 외국에 거주하는 참고인 A와의 전화 대화내용을 문답형식으로 기재한 검찰주사보 작성의 수사보고서는 형사소송법 제313조가 적용되기 위하여 그 진술을 기재한 서류에 그 진술자의 서명 또는 날인이 있어야 한다.

④ 성매매업소에 고용된 여성들이 성매매를 업으로 하면서 영업에 참고하기 위하여 성매매 상대방의 아이디와 전화번호 및 성매매방법 등을 입력한 메모리카드의 내용은 형사소송법 제313조에 규정된 '피해자의 진술서'에 준하는 것으로 보아야 한다.

지문분석

난이도 상 정답 ④

| 키 워 드 | 증거능력

| 출제유형 | 틀린 지문 고르기

④ (X) 성매매업소에 고용된 여성들이 성매매를 업으로 하면서 영업에 참고하기 위하여 성매매 상대방의 아이디와 전화번호 및 성매매방법 등을 메모지에 적어두었다가 직접 메모리카드에 입력하거나 업주가 고용한 다른 여직원이 그 내용을 입력한 사안에서, 위 메모리카드의 내용은 형사소송법 제315조 제2호의 '영업상 필요로 작성한 통상문서'로서 당연히 증거능력 있는 문서에 해당한다(대법원 2007.7.26. 2007도3219).

① (O) 전문증거는 경험사실에 대한 경험자의 진술을 내용으로 하는 것이므로 진술증거이다. 따라서 진술증거가 아닌 것(비진술증거)은 전문증거가 될 수 없다.

② (O) 대법원 2010.11.25. 2010도8735

③ (O) 대법원 1999.2.26. 98도2742

59 0831

2020 국가직 9급

형사소송법 제315조에 규정된 당연히 증거능력 있는 서류에 해당하는 것(O)과 해당하지 않는 것(X)을 바르게 연결한 것은? (다툼이 있는 경우 판례에 의함)

ㄱ. 보험사기 사건에서 건강보험심사평가원이 수사기관의 의뢰에 따라 그 수사기관이 보내온 자료를 토대로 작성한 입원진료의 적정성에 대한 의견을 제시하는 내용의 '입원진료 적정성 여부 등 검토의뢰에 대한 회신'
ㄴ. 대한민국 주중국 대사관 영사가 공무수행과정에서 작성하였지만 공적인 증명보다는 상급자에 대한 보고를 목적으로 작성한 사실확인서[공인(公印) 부분은 제외]
ㄷ. 검찰에서 피고인이 소지·탐독을 인정한 유인물에 대하여, 사법경찰관이 그 내용을 분석하고 이를 기계적으로 복사하여 그 말미에 그대로 첨부하여 작성한 수사보고서
ㄹ. 성매매업소에서 성매매 여성들이 영업에 참고하기 위하여 성매매 상대방의 아이디, 전화번호 등에 관한 정보를 입력하여 작성한 메모리카드의 내용

	ㄱ	ㄴ	ㄷ	ㄹ
①	○	X	○	X
②	X	X	○	X
③	○	○	X	○
④	X	X	○	○

지문분석

난이도 중 정답 ④

| 키 워 드 | 증거능력
| 출제유형 | 옳고 그름의 표시(O, X)하기

ㄱ. (X) 형사소송법 제315조 제3호에서 규정한 '기타 특히 신용할 만한 정황에 의하여 작성된 문서'는 형사소송법 제315조 제1호와 제2호에서 열거된 공권적 증명문서 및 업무상 통상문서에 준하여 '굳이 반대신문의 기회 부여 여부가 문제되지 않을 정도로 고도의 신용성의 정황적 보장이 있는 문서'를 의미한다. 따라서 사무처리 내역을 계속적·기계적으로 기재한 문서가 아니라 범죄사실의 인정 여부와 관련 있는 어떠한 의견을 제시하는 내용을 담고 있는 문서는 형사소송법 제315조 제3호에서 규정하는 당연히 증거능력이 있는 서류에 해당한다고 볼 수 없으므로, 이른바 보험사기 사건에서 건강보험심사평가원이 수사기관의 의뢰에 따라 그 보내온 자료를 토대로 입원진료의 적정성에 대한 의견을 제시하는 내용의 '건강보험심사평가원의 입원진료 적정성 여부 등 검토의뢰에 대한 회신'은 형사소송법 제315조 제3호의 '기타 특히 신용할 만한 정황에 의하여 작성된 문서'에 해당하지 않는다(대법원 2017.12.5. 2017도12671).

ㄴ. (X) 대한민국 주중국 대사관 영사가 작성한 사실확인서 중 공인 부분을 제외한 나머지 부분이 비록 영사의 공무수행 과정 중 작성되었지만 공적인 증명보다는 상급자 등에 대한 보고를 목적으로 하는 것인 경우, 형사소송법 제315조 제1호의 '공무원의 직무상 증명할 수 있는 사항에 관하여 작성한 문서' 또는 제3호의 '기타 특히 신뢰할 만한 정황에 의하여 작성된 문서'라고 볼 수 없으므로 증거능력이 없다(대법원 2007.12.13. 2007도7257).

ㄷ. (O) 사법경찰관 작성의 새세대 16호에 대한 수사보고서는 피고인이 검찰에서 소지·탐독사실을 인정하고 있는 새세대 16호라는 유인물의 내용을 분석하고, 이를 기계적으로 복사하여 그 말미에 그대로 첨부한 문서로서 그 신용성이 담보되어 있어 형사소송법 제315조 제3호 소정의 '기타 특히 신용할 만한 정황에 의하여 작성된 문서'에 해당되는 문서로서 당연히 증거능력이 인정된다(대법원 1992.8.14. 92도1211).

ㄹ. (O) 성매매업소에 고용된 여성들이 성매매를 업으로 하면서 영업에 참고하기 위하여 성매매 상대방의 아이디와 전화번호 및 성매매방법 등을 메모지에 적어두었다가 직접 메모리카드에 입력하거나 업주가 고용한 다른 여직원이 그 내용을 입력한 사안에서, 위 메모리카드의 내용은 형사소송법 제315조 제2호의 '영업상 필요로 작성한 통상문서'로서 당연히 증거능력 있는 문서에 해당한다(대법원 2007.7.26. 2007도3219).

60 0832

2016 경찰 2차

전문법칙에 대한 설명으로 가장 적절하지 않은 것은? (다툼이 있는 경우 판례에 의함)

① 상업장부나 항해일지, 진료일지 또는 이와 유사한 금전출납부 등과 같이 범죄사실의 인정 여부와는 관계없이 자기에게 맡겨진 사무를 처리한 내역을 그때그때 계속적, 기계적으로 기재한 문서는 사무처리 내역을 증명하기 위하여 존재하는 문서로서 당연히 증거능력이 인정된다.

② 정보통신망을 통하여 공포심이나 불안감을 유발하는 글을 반복적으로 상대방에게 도달하게 하는 행위를 하였다는 공소사실에 대하여 휴대전화기에 저장된 문자정보가 그 증거가 되는 경우, 그 문자정보는 범행의 직접적인 수단이고 경험자의 진술에 갈음하는 대체물에 해당하지 않으므로, 형사소송법 제310조의2에서 정한 전문법칙이 적용되지 않는다.

③ 사법경찰관이 수사의 경위 및 결과를 내부적으로 보고하기 위하여 수사보고서를 작성하면서 그 수사보고서에 검증의 결과와 관련한 기재를 하였더라도 그 수사보고서를 두고 형사소송법 제312조 제1항(현행 제312조 제6항)이 규정하고 있는 '검사 또는 사법경찰관이 검증의 결과를 기재한 조서'라고 할 수는 없다.

④ 증인신문조서가 증거보전절차에서 피고인이 증인으로서 증언한 내용을 기재한 것이 아니라 증인의 증언내용을 기재한 것이고 다만 피의자였던 피고인이 당사자로 참여하여 자신의 범행사실을 시인하는 전제하에 위 증인에게 반대신문한 내용이 기재되어 있을 뿐이라면 위 조서는 공판준비 또는 공판기일에 피고인 등의 진술을 기재한 조서도 아니고, 반대신문과정에서 피의자가 한 진술에 관한 한 형사소송법 제184조에 의한 증인신문조서도 아니므로 위 조서 중 피의자의 진술기재부분에 대하여는 형사소송법 제311조에 의한 증거능력을 인정할 수 있다.

지문분석 난이도 중 정답 ④

| 키 워 드 | 전문법칙

| 출제유형 | 틀린 지문 고르기

④ (X) 증인신문조서가 증거보전절차에서 피고인이 증인으로서 증언한 내용을 기재한 것이 아니라 증인의 증언내용을 기재한 것이고 다만 피의자였던 피고인이 당사자로 참여하여 자신의 범행사실을 시인하는 전제하에 위 증인에게 반대신문한 내용이 기재되어 있을 뿐이라면, 위 조서는 공판준비 또는 공판기일에 피고인 등의 진술을 기재한 조서도 아니고, 반대신문과정에서 피의자가 한 진술에 관한 한 형사소송법 제184조에 의한 증인신문조서도 아니므로 위 조서 중 피의자의 진술기재부분에 대하여는 형사소송법 제311조에 의한 증거능력을 인정할 수 없다(대법원 1984.5.15. 84도508).

① (O) 대법원 2015.7.16. 2015도2625 전원합의체, 대법원 1996.10.17. 94도2865 전원합의체

② (O) 대법원 2008.11.13. 2006도2556

③ (O) 대법원 2001.5.29. 2000도2933

61 0833

2015 경찰 2차

전문진술의 증거능력에 관한 다음 설명 중 가장 적절하지 않은 것은? (다툼이 있는 경우 판례에 의함)

① 형사소송법은 전문진술에 대하여 제316조에서 실질상 단순한 전문의 형태를 취하는 경우에 한하여 예외적으로 그 증거능력을 인정하는 규정을 두고 있을 뿐, 재전문진술이나 재전문진술을 기재한 조서에 대하여는 달리 그 증거능력을 인정하는 규정을 두고 있지 아니하고 있으므로, 피고인이 증거로 하는 데 동의하지 아니하는 한 이를 증거로 할 수 없다.

② 피고인 아닌 자의 공판준비 또는 공판기일에서의 진술이 피고인 아닌 타인의 진술을 그 내용으로 하는 것인 때에는 원진술자가 사망, 질병 기타 사유로 인하여 진술할 수 없고 그 진술이 특히 신빙할 수 있는 상태하에서 행하여진 때에 한하여 이를 증거로 할 수 있는데, 여기서 말하는 피고인 아닌 자에는 공동피고인이나 공범자는 포함되지 아니한다.

③ 형사소송법 제316조에 규정된 '그 진술이 특히 신빙할 수 있는 상태하에서 행하여진 때'라 함은 그 진술을 하였다는 것에 허위개입의 여지가 거의 없고, 그 진술내용의 신빙성이나 임의성을 담보할 구체적이고 외부적인 정황이 있는 경우이어야만 한다.

④ 전문의 진술을 증거로 함에 있어서는 전문진술자가 원진술자로부터 진술을 들을 당시 원진술자가 증언능력에 준하는 능력을 갖춘 상태에 있어야 할 것이다.

지문분석 난이도 중 정답 ②

| 키 워 드 | 전문진술

| 출제유형 | 틀린 지문 고르기

② (X) 형사소송법 제316조 제2항에 의하면 피고인 아닌 자의 공판준비 또는 공판기일에서의 진술이 피고인 아닌 타인의 진술을 그 내용으로 하는 것인 때에는 원진술자가 사망, 질병 기타 사유로 인하여 진술할 수 없고 그 진술이 특히 신빙할 수 있는 상태하에서 행하여진 때에 한하여 이를 증거로 할 수 있다고 규정하고 있는데, 여기서 말하는 피고인 아닌 자라고 함은 제3자는 말할 것도 없고 공동피고인이나 공범자를 모두 포함한다고 해석된다(대법원 2007.2.23. 2004도8654).

①, ③ (O) 대법원 2000.3.10. 2000도159

④ (O) 대법원 2006.4.14. 2005도9561

✓ 개념체크 형사소송법 제316조(전문의 진술)

① 피고인이 아닌 자(공소제기 전에 피고인을 피의자로 조사하였거나 그 조사에 참여하였던 자를 포함한다. 이하 이 조에서 같다)의 공판준비 또는 공판기일에서의 진술이 피고인의 진술을 그 내용으로 하는 것인 때에는 그 진술이 특히 신빙할 수 있는 상태하에서 행하여졌음이 증명된 때에 한하여 이를 증거로 할 수 있다.

② 피고인 아닌 자의 공판준비 또는 공판기일에서의 진술이 피고인 아닌 타인의 진술을 그 내용으로 하는 것인 때에는 원진술자가 사망, 질병, 외국거주, 소재불명 그 밖에 이에 준하는 사유로 인하여 진술할 수 없고, 그 진술이 특히 신빙할 수 있는 상태하에서 행하여졌음이 증명된 때에 한하여 이를 증거로 할 수 있다.

62 0834

2018 경찰 3차

전문증거에 대한 설명으로 가장 적절하지 않은 것은? (다툼이 있는 경우 판례에 의함)

① 구속적부심문절차에서 구속된 피의자의 진술 등을 기재한 구속적부심문조서는 형사소송법 제311조의 법관면전조서로서 당연히 증거능력이 인정된다.

② 검사 또는 사법경찰관이 검증의 결과를 기재한 조서는 적법한 절차와 방식에 따라 작성된 것으로서 공판준비 또는 공판기일에서의 작성자의 진술에 따라 그 성립의 진정함이 증명된 때에는 증거로 할 수 있다.

③ 공소제기 전에 피고인을 피의자로 조사한 자의 법정진술이 피고인의 진술을 그 내용으로 하는 때에는 그 진술이 특히 신빙할 수 있는 상태하에서 행하여졌음이 증명되면 증거로 할 수 있다.

④ 피의자의 진술을 영상녹화하기 위해서는 미리 피의자에게 영상녹화사실을 알려 주어야 하는 반면, 피의자 아닌 자의 진술을 영상녹화하기 위해서는 그의 동의가 필요하다.

지문분석

난이도 하 정답 ①

| 키 워 드 | 전문증거

| 출제유형 | 틀린 지문 고르기

① (X) 구속적부심문조서는 형사소송법 제311조가 규정한 문서에는 해당하지 않는다 할 것이나, 특히 신용할 만한 정황에 의하여 작성된 문서라고 할 것이므로 특별한 사정이 없는 한, 피고인이 증거로 함에 부동의하더라도 형사소송법 제315조 제3호에 의하여 당연히 그 증거능력이 인정된다(대법원 2004.1.16. 2003도5693).

② (O) 형사소송법 제312조 제6항

③ (O) 형사소송법 제316조 제1항

④ (O) 형사소송법 제244조의2 제1항, 제221조 제1항

63 0835

2019 경찰 1차

전문증거에 대한 설명으로 가장 적절하지 않은 것은? (다툼이 있는 경우 판례에 의함)

① 전문진술이 기재된 조서로서 재전문서류는 형사소송법 제312조 또는 제314조의 전문서류의 증거능력 인정요건을 갖추어야 함은 물론 나아가 형사소송법 제316조 제2항의 전문진술의 증거능력 인정요건을 모두 갖추어야 증거능력이 인정된다.

② 디지털 저장매체에 저장된 로그파일의 원본이 아니라 그 복사본의 일부내용을 요약·정리하는 방식으로 새로운 문서파일이 작성된 경우에 피고인이 증거사용에 동의하지 않은 상황에서 새로운 문서파일에 대해 진술증거로서 증거능력을 인정하기 위해서는 로그파일 원본과의 동일성이 인정되는 외에 전문법칙에 따라 작성자 또는 진술자의 진술에 의해 성립의 진정이 증명되어야 한다.

③ 구속적부심문조서는 법원 또는 법관의 면전에서 작성된 조서로서 법원 또는 법관의 검증의 결과를 기재한 조서이므로 형사소송법 제311조에 따라 당연히 증거능력이 인정된다.

④ 대한민국 법원의 형사사법공조요청에 따라 미합중국 법원의 지명을 받은 수명자(미합중국 검사)가 작성한 피해자 및 공범에 대한 증언녹취서(deposition)는 이를 형사소송법 제315조 소정의 당연히 증거능력이 인정되는 서류로 볼 수 없다.

지문분석

난이도 하 정답 ③

| 키 워 드 | 전문증거

| 출제유형 | 틀린 지문 고르기

③ (X) 구속적부심문조서는 형사소송법 제311조가 규정한 문서에는 해당하지 않는다 할 것이나, 특히 신용할 만한 정황에 의하여 작성된 문서라고 할 것이므로 특별한 사정이 없는 한, 피고인이 증거로 함에 부동의하더라도 형사소송법 제315조 제3호에 의하여 당연히 그 증거능력이 인정된다(대법원 2004.1.16. 2003도5693).

① (O) 전문진술이 기재된 조서는 형사소송법 제312조 내지 제314조의 규정에 의하여 증거능력이 인정될 수 있는 경우에 해당하여야 함은 물론, 나아가 형사소송법 제316조의 규정에 따른 위와 같은 조건을 갖춘 때에 예외적으로 증거능력을 인정하여야 한다(대법원 2000.9.8. 99도4814).

② (O) 대법원 2015.8.27. 2015도3467

④ (O) 범행 직후 미합중국 주검찰 수사관이 작성한 피해자 및 공범에 대한 질문서(interrogatory)와 우리나라 법원의 형사사법공조요청에 따라 미합중국 법원의 지명을 받은 수명자(미합중국 검사)가 작성한 피해자 및 공범에 대한 증언녹취서(deposition)는 이를 형사소송법 제315조 소정의 당연히 증거능력이 인정되는 서류로는 볼 수 없다고 하더라도, 같은 법 제312조 또는 제313조에 해당하는 조서 또는 서류로서 그 원진술자가 공판기일에서 진술을 할 수 없는 때에 해당하고, 그 각 진술내용이나 조서 또는 서류의 작성에 허위개입의 여지가 거의 없으며 그 진술내용의 신빙성이나 임의성을 담보할 구체적이고 외부적인 정황이 있다고 할 것이어서 그 진술 또는 서류의 작성이 특히 신빙할 수 있는 상태하에서 행하여진 것이라고 보기에 충분하므로, 형사소송법 제314조의 규정에 의하여 그 증거능력을 인정할 수 있다(대법원 1997.7.25. 97도1351).

64 0836

2017 경찰 승진

전문진술의 증거능력에 관한 설명 중 가장 적절하지 <u>않은</u> 것은? (다툼이 있는 경우 판례에 의함)

① 전문의 진술을 증거로 함에 있어서는 전문진술자가 원진술자로부터 진술을 들을 당시 원진술자가 증언능력에 준하는 능력을 갖춘 상태에 있어야 할 것이다.

② 형사소송법은 재전문진술이나 재전문진술을 기재한 조서에 대하여는 달리 그 증거능력을 인정하는 규정을 두고 있지 아니하고 있으므로 피고인이 증거로 하는 데 동의하지 아니하는 이상 이를 증거로 할 수 없다.

③ 형사소송법 제316조의 증거능력과 관련하여 원진술자가 법정에 출석하여 수사기관에서 한 진술을 부인하는 취지로 증언하더라도 원진술자의 진술을 내용으로 하는 조사자의 증언은 증거능력이 있다.

④ '그 진술이 특히 신빙할 수 있는 상태하에서 행하여진 때'라 함은 그 진술내용이나 조서 또는 서류의 작성에 허위개입의 여지가 없고 그 진술내용의 신빙성이나 임의성을 담보할 구체적이고 외부적인 정황이 있는 경우를 말한다.

지문분석 난이도 중 정답 ③

| 키 워 드 | 전문진술

| 출제유형 | 틀린 지문 고르기

③ (X) 형사소송법 제316조 제2항은 "피고인 아닌 자의 공판준비 또는 공판기일에서의 진술이 피고인 아닌 타인의 진술을 그 내용으로 하는 것인 때에는 원진술자가 사망, 질병, 외국거주, 소재불명, 그 밖에 이에 준하는 사유로 인하여 진술할 수 없고, 그 진술이 특히 신빙할 수 있는 상태하에서 행하여졌음이 증명된 때에 한하여 이를 증거로 할 수 있다."고 규정하고 있고, 같은 조 제1항에 따르면 위 '피고인 아닌 자'에는 공소제기 전에 피고인 아닌 타인을 조사하였거나 그 조사에 참여하였던 자(이하 '조사자'라고 한다)도 포함된다. 따라서 조사자의 증언에 증거능력이 인정되기 위해서는 원진술자가 사망, 질병, 외국거주, 소재불명, 그 밖에 이에 준하는 사유로 인하여 진술할 수 없어야 하는 것이라서, 원진술자가 법정에 출석하여 수사기관에서 한 진술을 부인하는 취지로 증언한 이상 원진술자의 진술을 내용으로 하는 조사자의 증언은 증거능력이 없다(대법원 2008.9.25. 2008도6985).

① (O) 대법원 2006.4.14. 2005도9561

②, ④ (O) 대법원 2000.3.10. 2000도159

65 0837

2016 국가직 9급

전문법칙에 대한 설명으로 옳은 것만을 모두 고른 것은? (다툼이 있는 경우 판례에 의함)

ㄱ. 사인(私人)인 제3자가 절취한 업무일지를 소송사기의 피해자가 대가를 지급하고 취득한 경우, 그 업무일지는 사기죄에 대한 증거로 사용될 수 있다.

ㄴ. 상업장부·항해일지·사인인 의사의 진단서와 같이 기타 업무상 필요로 작성한 문서는 형사소송법 제315조에 의하여 당연히 증거능력이 인정된다.

ㄷ. 사법경찰리 작성의 피해자에 대한 진술조서가 피해자의 화상으로 인한 서명불능을 이유로 입회하고 있던 피해자의 동생에게 대신 읽어 주고 그 동생으로 하여금 서명날인하게 하는 방법으로 작성된 경우 형사소송법 제313조 제1항에 의하여 증거능력이 인정된다.

ㄹ. 피고인 甲이 공판정에서 공범 乙에 대한 사법경찰관 작성의 피의자신문조서의 내용을 부인하면 乙이 법정에서 그 조서의 내용을 인정하더라도 그 조서를 피고인 甲의 공소사실에 대한 증거로 사용할 수 없다.

① ㄱ, ㄴ　② ㄱ, ㄹ
③ ㄴ, ㄷ　④ ㄷ, ㄹ

지문분석 난이도 중 정답 ②

| 키 워 드 | 전문법칙

| 출제유형 | 조합하기

ㄱ. (O) 대법원 2008.6.26. 2008도1584

ㄹ. (O) 대법원 2010.2.25. 2009도14409

ㄴ. (X) 상업장부와 항해일지는 형사소송법 제315조 제2호에 의하여 당연히 증거능력이 인정되지만, <u>사인인 의사가 작성한 진단서는 당연히 증거능력이 있는 서류가 아니므로</u> 형사소송법 제313조 제1항에 의하여 증거능력이 인정되어야 한다(대법원 1969.3.31. 69도179).

ㄷ. (X) 사법경찰리 작성의 피해자에 대한 진술조서가 피해자의 화상으로 인한 서명불능을 이유로 입회하고 있던 피해자의 동생에게 대신 읽어 주고 그 동생으로 하여금 서명날인하게 하는 방법으로 작성된 경우, <u>이는 형사소송법 제313조 제1항 소정의 형식적 요건을 결여한 서류로서 증거로 사용할 수 없다</u>(대법원 1997.4.11. 96도2865).

66 0838

2018 경찰 승진

전문법칙에 대한 설명으로 옳은 것을 모두 고른 것은? (다툼이 있는 경우 판례에 의함)

ㄱ. 검사가 작성한 피의자신문조서의 진정성립과 관련하여 조사과정에 참여한 통역인의 증언은 '영상녹화물이나 그 밖의 객관적인 방법'에 해당한다고 볼 수 없다.
ㄴ. 전문의 진술을 증거로 함에 있어서는 전문진술자가 원진술자로부터 진술을 들을 당시 원진술자가 증언능력에 준하는 능력을 갖춘 상태에 있어야 하는 것은 아니다.
ㄷ. 수사기관에서 진술한 피해자인 유아가 공판정에서 진술을 하였더라도 증인신문 당시 일정한 사항에 관하여 기억이 나지 않는다는 취지로 진술하여 그 진술의 일부가 재현 불가능하게 된 경우, 형사소송법 제314조, 제316조 제2항에서 말하는 '원진술자가 진술을 할 수 없는 때'에 해당한다.
ㄹ. 증인의 주소지가 아닌 곳으로 소환장을 보내 송달불능이 되자 그곳을 중심한 소재탐지 끝에 소재불능 회보를 받은 경우에는 형사소송법 제314조에서 말하는 원진술자가 공판정에서 진술할 수 없는 때에 해당한다.

① ㄱ, ㄴ　　② ㄱ, ㄷ
③ ㄱ, ㄹ　　④ ㄷ, ㄹ

지문분석

난이도 하 정답 ②

| 키 워 드 | 전문법칙
| 출제유형 | 조합하기

ㄱ. (O) 대법원 2016.2.18. 2015도16586
ㄷ. (O) 대법원 1999.11.26. 99도3786
ㄴ. (X) 전문의 진술을 증거로 함에 있어서는 전문진술자가 원진술자로부터 진술을 들을 당시 원진술자가 증언능력에 준하는 능력을 갖춘 상태에 있어야 할 것인데, 증인의 증언능력은 증인 자신이 과거에 경험한 사실을 그 기억에 따라 공술할 수 있는 정신적인 능력이라 할 것이므로, 유아의 증언능력에 관해서도 그 유무는 단지 공술자의 연령만에 의할 것이 아니라 그의 지적 수준에 따라 개별적이고 구체적으로 결정되어야 함은 물론 공술의 태도 및 내용 등을 구체적으로 검토하고, 경험한 과거의 사실이 공술자의 이해력, 판단력 등에 의하여 변식될 수 있는 범위 내에 속하는가의 여부도 충분히 고려하여 판단하여야 한다(대법원 2006.4.14. 2005도9561).
ㄹ. (X) 형사소송법 제314조에서 말하는 '공판기일에 진술을 요할 자가 사망, 질병 기타 사유로 인하여 진술할 수 없을 때'라 함은 단순히 소환장이 주소불명 등으로 송달불능된 것만으로는 부족하고, 송달불능이 되어 소재탐지촉탁까지 하여 소재수사를 하였음에도 불구하고, 그 소재를 확인할 수 없어 출석하지 아니한 경우에 비로소 이에 해당한다고 할 것이며, 증인의 주소지가 아닌 곳으로 소환장을 보내 송달불능이 되자 그곳을 중심으로 소재탐지를 한 끝에 소재탐지불능 회보를 받은 경우에는 이에 해당한다고 볼 수 없다(대법원 2006.12.22. 2006도7479).

67 0839

2018 경찰 승진

전문법칙에 대한 설명 중 가장 적절하지 않은 것은? (다툼이 있는 경우 판례에 의함)

① 검사 또는 사법경찰관이 검증의 결과를 기재한 조서는 적법한 절차와 방식에 따라 작성된 것으로서 공판준비 또는 공판기일에서의 피고인의 진술에 따라 그 성립의 진정함이 증명된 때에는 증거로 할 수 있다.
② 공판준비 또는 공판기일에 피고인이나 피고인 아닌 자의 진술을 기재한 조서와 법원 또는 법관의 검증의 결과를 기재한 조서는 증거로 할 수 있다.
③ 검사 이외의 수사기관이 작성한 피의자신문조서는 적법한 절차와 방식에 따라 작성된 것으로서 공판준비 또는 공판기일에 그 피의자였던 피고인 또는 변호인이 그 내용을 인정할 때에 한하여 증거로 할 수 있다.
④ 피고인 아닌 자의 공판준비 또는 공판기일에서의 진술이 피고인 아닌 타인의 진술을 그 내용으로 하는 것인 때에는 원진술자가 사망, 질병, 외국거주, 소재불명 그 밖에 이에 준하는 사유로 인하여 진술할 수 없고, 그 진술이 특히 신빙할 수 있는 상태하에서 행하여졌음이 증명된 때에 한하여 이를 증거로 할 수 있다.

지문분석

난이도 상 정답 ①

| 키 워 드 | 전문법칙
| 출제유형 | 틀린 지문 고르기

① (X) 검사 또는 사법경찰관이 검증의 결과를 기재한 조서는 적법한 절차와 방식에 따라 작성된 것으로서 공판준비 또는 공판기일에서의 작성자의 진술에 따라 그 성립의 진정함이 증명된 때에는 증거로 할 수 있다(형사소송법 제312조 제6항).
② (O) 형사소송법 제311조
③ (O) 형사소송법 제312조 제3항
④ (O) 형사소송법 제316조 제2항

68 0840

2020 경찰 승진

전문증거에 관한 설명 중 가장 적절하지 않은 것은? (다툼이 있는 경우 판례에 의함)

① 조서말미에 피고인의 서명만이 있고, 그 날인(무인 포함)이나 간인이 없는 검사 작성의 피고인에 대한 피의자신문조서는 피고인이 법정에서 그 피의자신문조서의 임의성을 인정하였다고 하여도 증거능력이 없다.
② 사법경찰리 작성의 피해자에 대한 진술조서가 피해자의 화상으로 인한 서명불능이라는 이유로 입회하고 있던 동생에게 대신 읽어 주고 그 동생으로 하여금 서명날인하게 한 서류인 경우, 그 진술조서는 형식적 요건을 결여한 서류로서 증거로 사용할 수 없다.
③ 정보통신망을 통하여 공포심이나 불안감을 유발하는 글을 반복적으로 상대방에게 도달하게 하는 행위를 하였다는 공소사실에 대하여 휴대전화기에 저장된 피고인이 보낸 문자정보는 피고인의 진술을 갈음하는 대체물로 형사소송법 제310조의2가 적용되는 전문증거에 해당한다.
④ 재전문진술이나 재전문진술을 기재한 조서는 형사소송법상 그 증거능력을 인정하는 규정을 두고 있지 아니하므로, 피고인이 증거로 하는 데 동의하지 아니하는 한 형사소송법 제310조의2의 규정에 의하여 이를 증거로 할 수 없다.

지문분석 난이도 하 정답 ③

| 키 워 드 | 전문증거

| 출제유형 | 틀린 지문 고르기

③ (X) 정보통신망을 통하여 공포심이나 불안감을 유발하는 글을 반복적으로 상대방에게 도달하게 하는 행위를 하였다는 공소사실에 대하여 휴대전화기에 저장된 피고인이 보낸 문자정보가 그 증거가 되는 경우, 그 문자정보는 범행의 직접적인 수단이고 경험자의 진술에 갈음하는 대체물에 해당하지 않으므로, 형사소송법 제310조의2에서 정한 전문법칙이 적용되지 않는다(대법원 2008.11.13. 2006도2556).
① (O) 대법원 1999.4.13. 99도237
② (O) 대법원 1997.4.11. 96도2865
④ (O) 대법원 2000.3.10. 2000도159

69 0841

2020 경찰 승진

전문진술에 관한 설명 중 가장 적절하지 않은 것은? (다툼이 있는 경우 판례에 의함)

① 피고인을 피의자로 조사하였던 자는 공판기일에서 피고인의 진술을 그 내용으로 하는 진술을 할 수 있고 피고인의 원진술이 특히 신빙할 수 있는 상태하에서 행하여졌음이 증명된 경우에는 증거능력이 있다.
② 피고인 아닌 자의 공판기일에서의 진술이 피고인의 진술을 그 내용으로 하는 것인 때에는 형사소송법 제316조 제1항이 적용되므로, 피고인 아닌 자의 공판기일에서의 진술이 공동피고인의 진술을 그 내용으로 하는 것인 때에도 공동피고인 역시 피고인의 지위인 이상 형사소송법 제316조 제1항이 적용된다.
③ 형사소송법 제316조 제2항의 피고인 아닌 자에는 공소제기 전에 피고인 아닌 타인을 조사하였던 자도 포함되지만 원진술자가 법정에 출석하여 수사기관에서의 진술을 부인하는 이상 원진술자의 진술을 내용으로 하는 조사자의 증언은 증거능력이 없다.
④ 전문의 진술을 증거로 함에 있어서는 전문진술자가 원진술자로부터 진술을 들을 당시 원진술자가 증언능력에 준하는 능력을 갖춘 상태에 있어야 한다.

지문분석 난이도 하 정답 ②

| 키 워 드 | 전문진술

| 출제유형 | 틀린 지문 고르기

② (X) 형사소송법 제316조 제2항에 의하면 피고인 아닌 자의 공판준비 또는 공판기일에서의 진술이 피고인 아닌 타인의 진술을 그 내용으로 하는 것인 때에는 원진술자가 사망, 질병 기타 사유로 인하여 진술할 수 없고 그 진술이 특히 신빙할 수 있는 상태하에서 행하여진 때에 한하여 이를 증거로 할 수 있다고 규정하고 있는데, 여기서 말하는 피고인 아닌 자라고 함은 제3자는 말할 것도 없고 공동피고인이나 공범자를 모두 포함한다고 해석된다(대법원 2007.2.23. 2004도8654).
→ 즉, 피고인 아닌 자의 공판기일에서의 진술이 피고인의 진술을 그 내용으로 하는 것인 때에는 형사소송법 제316조 제2항이 적용된다.
① (O) 형사소송법 제316조 제1항
③ (O) 대법원 2008.9.25. 2008도6985
④ (O) 대법원 2006.4.14. 2005도9561

70 0842

2021 경찰 승진

전문법칙에 대한 설명으로 가장 적절하지 않은 것은? (다툼이 있는 경우 판례에 의함)

① 압수된 디지털 저장매체로부터 출력한 문건을 진술증거로 사용하는 경우, 그 기재 내용의 진실성에 관하여는 전문법칙이 적용되므로 형사소송법 제313조 제1항에 따라 그 작성자 또는 진술자의 진술에 의하여 그 성립의 진정함이 증명된 때에는 이를 증거로 사용할 수 있다.
② 검사 또는 사법경찰관이 검증의 결과를 기재한 조서는 적법한 절차와 방식에 따라 작성된 것으로서 공판준비 또는 공판기일에서의 작성자의 진술에 따라 그 성립의 진정함이 증명된 때에는 증거로 할 수 있다.
③ 대화 내용을 녹음한 파일 등 전자매체는 성질상 작성자나 진술자의 서명 또는 날인이 없을 뿐만 아니라, 녹음자의 의도나 특정한 기술에 의하여 내용이 편집·조작될 위험성이 있음을 고려하여, 대화 내용을 녹음한 원본이거나 원본으로부터 복사한 사본일 경우에는 복사과정에서 편집되는 등의 인위적 개작 없이 원본의 내용 그대로 복사된 사본임이 입증되어야 한다.
④ 피고인 또는 피고인 아닌 사람이 컴퓨터용디스크에 입력하여 기억된 문자정보 또는 그 출력물을 증거로 사용하는 경우 컴퓨터용디스크 자체를 물증으로 취급하여야 하므로 그 기재내용의 진실성에 관하여는 전문법칙이 적용되지 않는다.

지문분석

난이도 중 정답 ④

| 키 워 드 | 전문법칙
| 출제유형 | 틀린 지문 고르기

④ (X) 피고인 또는 피고인 아닌 사람이 컴퓨터용디스크 그 밖에 이와 비슷한 정보저장매체에 입력하여 기억된 문자정보 또는 그 출력물을 증거로 사용하는 경우, 이는 실질에 있어서 피고인 또는 피고인 아닌 사람이 작성한 진술서나 그 진술을 기재한 서류와 크게 다를 바 없고, 압수 후의 보관 및 출력과정에 조작의 가능성이 있으며, 기본적으로 반대신문의 기회가 보장되지 않는 점 등에 비추어 그 내용의 진실성에 관하여는 전문법칙이 적용되고, 따라서 원칙적으로 형사소송법 제313조 제1항에 의하여 작성자 또는 진술자의 진술에 의하여 성립의 진정함이 증명된 때에 한하여 이를 증거로 사용할 수 있다. 다만, 정보저장매체에 기억된 문자정보의 내용의 진실성이 아닌 그와 같은 내용의 문자정보의 존재 자체가 직접증거로 되는 경우에는 전문법칙이 적용되지 아니한다(대법원 2013.2.15. 2010도3504).
① (O) 대법원 2013.6.13. 2012도16001
② (O) 형사소송법 제312조 제6항
③ (O) 대법원 2015.1.22. 2014도10978 전원합의체

71 0843

2021 경찰 1차

전문법칙에 대한 설명으로 적절한 것만을 고른 것은 모두 몇 개인가? (다툼이 있는 경우 판례에 의함)

㉠ 다른 사람의 진술을 내용으로 하는 진술이 전문증거인지는 요증사실이 무엇인지에 따라 정해지는바, 다른 사람의 진술, 즉 원진술의 내용인 사실이 요증사실인 경우에는 전문증거이지만 원진술의 존재 자체가 요증사실인 경우에는 본래증거이지 전문증거가 아니다.
㉡ 어떤 진술이 기재된 서류가 어떠한 내용의 진술을 하였다는 사실 자체에 대한 정황증거로 사용될 것이라는 이유로 서류의 증거능력을 인정한 다음 그 사실을 다시 진술내용이나 그 진실성을 증명하는 간접사실로 사용하는 경우에 그 서류는 전문증거에 해당한다.
㉢ 甲이 乙로부터 들은 피고인 A의 진술내용을 수사기관이 진술조서에 기재하여 증거로 제출하였다면, 그 진술조서 중 피고인 A의 진술을 기재한 부분은 乙이 증거로 하는 데 동의하지 않는 한 형사소송법 제310조의2의 규정에 의하여 이를 증거로 할 수 없다.
㉣ 형사소송법 제312조부터 제316조까지의 규정에 따라 증거로 할 수 없는 서류나 진술이라도 공판준비 또는 공판기일에서의 피고인 또는 피고인 아닌 자의 진술의 증명력을 다투기 위하여 증거로 할 수 있다.

① 1개　　② 2개
③ 3개　　④ 4개

지문분석

난이도 상 정답 ③

| 키 워 드 | 전문법칙
| 출제유형 | 개수 찾기

㉠ (O) 대법원 2012.7.26. 2012도2937
㉡ (O) 대법원 2019.8.29. 2018도13792 전원합의체
㉣ (O) 형사소송법 제318조의2 제1항
㉢ (X) 전문진술이나 전문진술을 기재한 조서는 형사소송법 제310조의2의 규정에 의하여 원칙적으로 증거능력이 없으나, 다만 피고인 아닌 자의 공판준비 또는 공판기일에서의 진술이 피고인의 진술을 그 내용으로 하는 것인 때에는 형사소송법 제316조 제1항의 규정에 따라 그 진술이 특히 신빙할 수 있는 상태하에서 행하여진 때에 한하여 이를 증거로 할 수 있고, 그 전문진술이 기재된 조서는 형사소송법 제312조 내지 314조의 규정에 의하여 그 증거능력이 인정될 수 있는 경우에 해당하여야 함은 물론 나아가 형사소송법 제316조 제1항의 규정에 따른 위와 같은 조건을 갖춘 때에 예외적으로 증거능력을 인정하여야 할 것이다(대법원 2000.9.8. 99도4814).

72 0844 2021 국가직 7급

증거에 대한 설명으로 옳지 않은 것은? (다툼이 있는 경우 판례에 의함)

① 유류물의 경우 영장 없이 압수하였더라도 영장주의를 위반한 잘못이 있다 할 수 없고, 압수 후 압수조서의 작성 및 압수목록의 작성·교부 절차가 제대로 이행되지 아니한 잘못이 있다 하더라도, 그것이 적법절차의 실질적인 내용을 침해하는 경우에 해당하는 것은 아니다.

② 제1심에서 피고인에 대하여 무죄판결이 선고되어 검사가 항소한 후, 수사기관이 항소심 공판기일에 증인으로 신청하여 신문할 수 있는 사람을 특별한 사정 없이 미리 수사기관에 소환하여 작성한 진술조서나 피의자신문조서는 피고인이 증거로 삼는 데 동의하지 않는 한 증거능력이 없지만, 참고인 등이 나중에 법정에 증인으로 출석하여 위 진술조서 등의 진정성립을 인정하고 피고인 측에 반대신문의 기회까지 충분히 부여되었다면 하자가 치유되었다고 할 것이므로 위 진술조서 등의 증거능력을 인정할 수 있다.

③ 피고인의 사용인이 위반행위를 하여 피고인이 양벌규정에 따라 기소된 경우, 사용인에 대하여 사법경찰관이 작성한 피의자신문조서에 대하여는 그 사용인이 사망하여 진술할 수 없더라도 형사소송법 제314조가 적용되지 않는다.

④ 압수조서의 '압수경위'란에 피고인이 범행을 저지르는 현장을 목격한 사법경찰관 및 사법경찰리의 진술이 담겨 있고, 그 하단에 피고인의 범행을 직접 목격하면서 위 압수조서를 작성한 사법경찰관 및 사법경찰리의 각 기명날인이 들어가 있다면, 위 압수조서 중 '압수경위'란에 기재된 내용은 형사소송법 제312조 제5항에서 정한 '피고인이 아닌 자가 수사과정에서 작성한 진술서'에 준하는 것으로 볼 수 있다.

지문분석 난이도 중 정답 ②

| 키 워 드 | 증거

| 출제유형 | 틀린 지문 고르기

② (X) 형사소송법상 법관의 면전에서 당사자의 모든 주장과 증거조사가 실질적으로 이루어지는 제1심법정에서의 절차가 실질적 직접심리주의와 공판중심주의를 구현하는 원칙적인 것이지만, 제1심의 공판절차에 관한 규정은 특별한 규정이 없으면 항소심의 심판절차에도 준용되는 만큼 항소심도 제한적인 범위 내에서 이러한 원칙에 따른 절차로 볼 수 있다. 이러한 형사소송법의 기본원칙에 따라 살펴보면, 제1심에서 피고인에 대하여 무죄판결이 선고되어 검사가 항소한 후, 수사기관이 항소심 공판기일에 증인으로 신청하여 신문할 수 있는 사람을 특별한 사정 없이 미리 수사기관에 소환하여 작성한 진술조서는 피고인이 증거로 할 수 있음에 동의하지 않는 한 증거능력이 없다고 할 것이다. 검사가 공소를 제기한 후 참고인을 소환하여 피고인에게 불리한 진술을 기재한 진술조서를 작성하여 이를 공판절차에 증거로 제출할 수 있게 한다면, 피고인과 대등한 당사자의 지위에 있는 검사가 수사기관으로서의 권한을 이용하여 일방적으로 법정 밖에서 유리한 증거를 만들 수 있게 하는 것이므로 당사자주의·공판중심주의·직접심리주의에 반하고 피고인의 공정한 재판을 받을 권리를 침해하기 때문이다. 위 참고인이 나중에 법정에 증인으로 출석하여 위 진술조서의 성립의 진정을 인정하고 피고인 측에 반대신문의 기회가 부여된다 하더라도 위 진술조서의 증거능력을 인정할 수 없음은 마찬가지이다(대법원 2019.11.28. 2013도6825).

① (O) 대법원 2011.5.26. 2011도1902

③ (O) 대법원 2020.6.11. 2016도9367

④ (O) 대법원 2019.11.14. 2019도13290

73 0845

2021 국가직 9급

전문증거의 증거능력에 대한 설명으로 옳지 <u>않은</u> 것은? (다툼이 있는 경우 판례에 의함)

① 형사소송법 제312조 제4항에서 '적법한 절차와 방식에 따라 작성한다는 것'은 형사소송법이 피고인 아닌 사람의 진술에 대한 조서 작성 과정에서 지켜야 한다고 정한 여러 절차를 준수하고 조서의 작성 방식에도 어긋나지 않아야 한다는 것을 의미한다.

② 형사소송법 제313조에 따르면 피고인이 작성한 진술서는 공판준비나 공판기일에서의 피고인의 진술에 의하여 그 성립의 진정함이 증명된 때에만 증거로 할 수 있고, 피고인이 그 성립의 진정을 부인한 경우에는 증거로 할 수 있는 방법은 없다.

③ 형사소송법 제314조의 '외국거주'는 진술을 하여야 할 사람이 외국에 있다는 사정만으로는 부족하고, 가능하고 상당한 수단을 다하더라도 그 사람을 법정에 출석하게 할 수 없는 사정이 있어야 예외적으로 그 요건이 충족될 수 있다.

④ 형사소송법 제316조 제2항에서 '그 진술이 특히 신빙할 수 있는 상태하에서 행하여졌음'이란 진술내용에 허위가 개입할 여지가 거의 없고, 진술내용의 신빙성이나 임의성을 담보할 구체적이고 외부적인 정황이 있는 경우를 의미한다.

지문분석 난이도 중 정답 ②

| 키 워 드 | 전문증거의 증거능력

| 출제유형 | 틀린 지문 고르기

② (X) 진술서의 작성자가 공판준비나 공판기일에서 그 성립의 진정을 부인하는 경우에는 과학적 분석결과에 기초한 디지털포렌식 자료, 감정 등 객관적 방법으로 성립의 진정함이 증명되는 때에는 증거로 할 수 있다 (형사소송법 제313조 제2항 본문).

①, ④ (O) 대법원 2017.7.18. 2015도12981, 2015전도218

③ (O) 대법원 2016.2.18. 2015도17115

74 0846

2018 경찰 2차

사인이 동의를 받고 피해자와 피고인이 아닌 자 간의 대화내용을 촬영한 비디오테이프의 증거능력에 대한 설명으로 가장 적절한 것은? (다툼이 있는 경우 판례에 의함)

① 수사기관이 아닌 사인이 피고인 아닌 사람들 간의 대화내용을 촬영한 비디오테이프는 수사과정에서 피고인이 아닌 자가 작성한 진술서에 관한 규정이 준용된다.

② 피고인이 비디오테이프를 증거로 함에 동의하지 아니하는 이상, 그 진술부분에 대하여 증거능력을 부여하기 위해서는 비디오테이프가 원본이어야만 한다.

③ 비디오테이프는 공판준비나 공판기일에서 작성자인 촬영자의 진술에 의하여 그 비디오테이프에 녹음된 진술내용이 진술한 대로 녹음된 것이라는 점이 인정되어야 성립의 진정을 인정할 수 있다.

④ 비디오테이프의 내용에 인위적인 조작이 가해지지 않은 것을 전제로, 원진술자가 비디오테이프의 시청을 마친 후 피촬영자인 자신의 모습과 음성을 확인하고 자신과 동일인이라고 진술한 것은 비디오테이프에 녹음된 진술내용이 자신이 진술한 대로 녹음된 것이라는 취지의 진술을 한 것으로 보아야 한다.

지문분석 난이도 중 정답 ④

| 키 워 드 | 특수매체기록의 증거능력

| 출제유형 | 옳은 지문 고르기

④ (O) 대법원 2004.9.13. 2004도3161

① (X) 수사기관이 아닌 사인이 피고인 아닌 사람들 간의 대화내용을 촬영한 비디오테이프는 제313조 제1항 소정의 피고인 아닌 자가 작성한 피고인 아닌 자의 진술을 기재한 서류에 해당한다. 2016.5.29. 개정 형사소송법 제313조 제1항은 특수매체기록도 서류에 준하여 판단함을 명시한 바 있다.

② (X) 녹음테이프는 그 성질상 작성자나 진술자의 서명 혹은 날인이 없을 뿐만 아니라, 녹음자의 의도나 특정한 기술에 의하여 그 내용이 편집, 조작될 위험성이 있음을 고려할 때, 그 대화내용을 녹음한 원본이거나 혹은 원본으로부터 복사한 사본일 경우에는 복사과정에서 편집되는 등의 인위적 개작 없이 원본의 내용 그대로 복사된 사본임이 입증되어야만 하고, 그러한 입증이 없는 경우에는 쉽게 그 증거능력을 인정할 수 없다 (대법원 2005.12.23. 2005도2945).

③ (X) 피고인 아닌 자(피해자)가 작성한 피고인 아닌 자(원진술자)의 진술이 담긴 비디오테이프는 제313조 제1항 본문에 따라 원진술자의 공판정진술에 의한 성립의 진정이 인정되어야 증거능력이 인정된다.

75 0847

2019 경찰 1차

사진 및 영상녹화물의 증거능력에 대한 설명으로 가장 적절하지 않은 것은? (다툼이 있는 경우 판례에 의함)

① 성폭력범죄의 처벌 등에 관한 특례법 제30조에 의하면 성폭력범죄의 피해자가 19세 미만인 경우 피해자의 진술내용과 조사과정을 영상녹화하여야 하는데, 해당 영상물에 수록된 피해자의 진술은 공판준비기일 또는 공판기일에 피해자의 진술에 의하여 성립의 진정이 증명되면 증거능력이 인정된다.

② 사법경찰관이 작성한 검증조서에 피의자이던 피고인이 검사 이외의 수사기관 앞에서 자백한 범행내용을 현장에 따라 진술·재연한 내용이 기재되고 그 재연 과정을 촬영한 사진이 첨부되어 있다면, 그러한 사진은 피고인이 공판정에서 그 진술내용 및 범행재연의 상황을 모두 부인하는 이상 증거능력이 없다.

③ 정보통신망 이용촉진 및 정보보호 등에 관한 법률에 의하면 정보통신망을 통하여 공포심을 유발하는 글을 반복적으로 상대방에게 도달케 하는 행위를 처벌하고 있는데, 검사가 위 죄에 대한 증거로 휴대전화기에 저장된 문자정보를 촬영한 사진을 법원에 제출한 경우, 해당 증거에 대해서는 피고인이 성립 및 내용의 진정을 부인하면 증거능력이 부정된다.

④ 검사가 피의자와 그 사건에 관하여 대화하는 내용과 장면을 녹화한 비디오테이프에 대한 법원의 검증조서는 이러한 비디오테이프의 녹화내용이 피의자의 진술을 기재한 피의자신문조서와 실질적으로 같다고 볼 것이므로 피의자신문조서에 준하여 그 증거능력을 가려야 한다.

지문분석

난이도 중 정답 ③

| 키 워 드 | 특수매체기록의 증거능력

| 출제유형 | 틀린 지문 고르기

③ (X) 형사소송법 제310조의2는 사실을 직접 경험한 사람의 진술이 법정에 직접 제출되어야 하고 이에 갈음하는 대체물인 진술 또는 서류가 제출되어서는 안 된다는 이른바 전문법칙을 선언한 것이다. 그런데 정보통신망을 통하여 공포심이나 불안감을 유발하는 글을 반복적으로 상대방에게 도달하게 하는 행위를 하였다는 공소사실에 대하여 휴대전화기에 저장된 문자정보가 그 증거가 되는 경우, 그 문자정보는 범행의 직접적인 수단이고 경험자의 진술에 갈음하는 대체물에 해당하지 않으므로, 형사소송법 제310조의2에서 정한 전문법칙이 적용되지 않는다(대법원 2008.11.13. 2006도2556).

① (O) 성폭력범죄의 피해자가 19세 미만이거나 신체적인 또는 정신적인 장애로 사물을 변별하거나 의사를 결정할 능력이 미약한 경우에는 피해자 또는 법정대리인이 이를 원하지 않는 경우가 아닌 한 피해자의 진술내용과 조사과정을 비디오녹화기 등 영상물 녹화장치로 촬영·보존하여야 한다(성폭력범죄의 처벌 등에 관한 특례법 제30조 제1항). 촬영한 영상물에 수록된 피해자의 진술은 공판준비기일 또는 공판기일에 피해자나 조사과정에 동석하였던 신뢰관계에 있는 사람 또는 진술조력인의 진술에 의하여 그 성립의 진정함이 인정된 경우에 증거로 할 수 있다(성폭력범죄의 처벌 등에 관한 특례법 제30조 제6항).

② (O) 사법경찰관 작성의 검증조서에 대하여 피고인이 증거로 함에 동의만 하였을 뿐 공판정에서 검증조서에 기재된 진술내용 및 범행을 재연한 부분에 대하여 그 성립의 진정 및 내용을 인정한 흔적을 찾아볼 수 없고 오히려 이를 부인하고 있는 경우에는 그 증거능력을 인정할 수 없고, 위 검증조서 중 범행에 부합되는 피고인의 진술을 기재한 부분과 범행을 재연한 부분을 제외한 나머지 부분만을 증거로 채용하여야 한다(대법원 1998.3.13. 98도159).

④ (O) 대법원 1992.6.23. 92도682

76 0848

2016 국가직 9급

특수한 증거방법의 증거능력에 대한 설명으로 옳지 않은 것은? (다툼이 있는 경우 판례에 의함)

① 사인(私人)이 녹음한 녹음테이프의 검증조서 기재 중 피고인의 진술내용을 증거로 하기 위해서는 피고인이 내용을 인정하여야 한다.
② 디지털 녹음기에 녹음된 내용을 전자적 방법으로 테이프에 전사한 사본인 녹음테이프를 대상으로 법원이 검증절차를 진행하여, 녹음된 내용이 녹취록의 기재와 일치하고 그 음성이 진술자의 음성임을 확인하였더라도, 그것만으로 녹음테이프의 증거능력을 인정할 수 없다.
③ 무인장비에 의한 속도위반차량 단속은 제한속도를 위반하여 차량을 주행하는 범죄가 현재 행하여지고 있고, 긴급하게 증거보전을 할 필요가 있는 상태에서 일반적으로 허용되는 한도를 넘지 않는 상당한 방법에 의한 것이므로 차량번호 등을 촬영한 사진은 증거능력이 인정된다.
④ 피고인이 범행 후 피해자에게 전화를 걸어오자 피해자가 증거를 수집하려고 그 전화내용을 녹음한 경우 그것이 피고인 모르게 녹음된 것이라 하여 이를 위법하게 수집된 증거라고 할 수 없다.

지문분석 난이도 하 정답 ①

| 키 워 드 | 특수매체기록의 증거능력
| 출제유형 | 틀린 지문 고르기

① (X) 피고인과 피해자 사이의 대화내용에 관한 녹취서가 공소사실의 증거로 제출되어 그 녹취서의 기재내용과 녹음테이프의 녹음내용이 동일한지 여부에 관하여 법원이 검증을 실시한 경우에 증거자료가 되는 것은 녹음테이프에 녹음된 대화내용 그 자체이고, 그중 피고인의 진술내용은 실질적으로 형사소송법 제311조, 제312조의 규정 이외에 피고인의 진술을 기재한 서류와 다름없어 피고인이 그 녹음테이프를 증거로 할 수 있음에 동의하지 않은 이상 그 녹음테이프 검증조서의 기재 중 피고인의 진술내용을 증거로 사용하기 위해서는 형사소송법 제313조 제1항 단서에 따라 공판준비 또는 공판기일에서 그 작성자인 피해자의 진술에 의하여 녹음테이프에 녹음된 피고인의 진술내용이 피고인이 진술한 대로 녹음된 것임이 증명되고 나아가 그 진술이 특히 신빙할 수 있는 상태하에서 행하여진 것임이 인정되어야 할 것이고, 녹음테이프는 그 성질상 작성자나 진술자의 서명 혹은 날인이 없을 뿐만 아니라, 녹음자의 의도나 특정한 기술에 의하여 그 내용이 편집, 조작될 위험성이 있음을 고려하여, 그 대화내용을 녹음한 원본이거나 혹은 원본으로부터 복사한 사본일 경우에는 복사과정에서 편집되는 등의 인위적 개작 없이 원본의 내용 그대로 복사된 사본임이 입증되어야만 하고, 그러한 입증이 없는 경우에는 쉽게 그 증거능력을 인정할 수 없다(대법원 2005.12.23. 2005도2945).
② (O) 대법원 2008.12.24. 2008도9414
③ (O) 대법원 1999.12.7. 98도3329
④ (O) 대법원 1997.3.28. 97도240

77 0849

2016 국가직 9급

녹음테이프의 증거능력에 대한 설명으로 옳지 않은 것은? (다툼이 있는 경우 판례에 의함)

① 사인(私人)이 피고인 아닌 사람과의 대화내용을 녹음한 녹음테이프는 원본으로서 공판준비나 공판기일에서 원진술자의 진술에 의하여 녹음된 각자의 진술내용이 자신이 진술한 대로 녹음된 것이라는 점이 인정되더라도 피고인이 동의하지 않는다면 증거로 사용할 수 없다.
② 피고인이 A의 대화를 녹음한 녹취록에 관하여 피고인이 위 녹취록에 대하여 부동의한 사건에서, A가 위 대화를 자신이 녹음하였고 위 녹취록의 내용이 다 맞다고 1심 법정에서 진술하였을 뿐 그 이외에 위 녹취록에 그 작성자가 기재되어 있지 않을 뿐만 아니라 검사는 위 녹취록 작성의 토대가 된 위 대화내용을 녹음한 원본 녹음테이프 등을 증거로 제출하지도 아니하는 경우, 위 녹취록의 기재는 증거능력이 없어 이를 증거로 사용할 수 없다.
③ 사인이 피고인 아닌 사람과의 대화내용을 녹음한 녹음테이프에 대해 법원이 그 진술 당시 진술자의 상태 등을 확인하기 위하여 작성한 검증조서는 법원의 검증 결과를 기재한 조서로서 형사소송법 제311조에 의하여 증거로 할 수 있다.
④ 피고인이 범행 후 피해자에게 전화를 걸어오자 피해자가 증거를 수집하려고 그 전화내용을 녹음한 경우 그 녹음테이프가 피고인 모르게 녹음된 것이라 하더라도 위법수집증거는 아니다.

지문분석 난이도 상 정답 ①

| 키 워 드 | 녹음테이프의 증거능력
| 출제유형 | 틀린 지문 고르기

① (X) 수사기관 아닌 사인(私人)이 피고인 아닌 사람과의 대화내용을 녹음한 녹음테이프는 형사소송법 제311조, 제312조 규정 이외의 피고인 아닌 자의 진술을 기재한 서류와 다를 바 없으므로, 피고인이 녹음테이프를 증거로 할 수 있음에 동의하지 아니하는 이상 그 증거능력을 부여하기 위해서는, 첫째 녹음테이프가 원본이거나 원본으로부터 복사한 사본일 경우 복사과정에서 편집되는 등의 인위적 개작 없이 원본 내용 그대로 복사된 사본일 것, 둘째 형사소송법 제313조 제1항에 따라 공판준비나 공판기일에서 원진술자의 진술에 의하여 녹음테이프에 녹음된 각자의 진술내용이 자신이 진술한 대로 녹음된 것이라는 점이 인정되어야 한다(대법원 2011.9.8. 2010도7497).
② (O) 대법원 2010.3.11. 2009도14525
③ (O) 대법원 2008.7.10. 2007도10755
④ (O) 대법원 1997.3.28. 97도240

78 0850

2016 국가직 9급

다음 사례에 대한 설명으로 옳지 않은 것은? (다툼이 있는 경우 판례에 의함)

사례

평상시 남편의 가정폭력으로 이혼을 결심한 A는 남편 甲과의 이혼소송에 대비하여, 甲과의 대화 도중 甲 모르게 대화내용을 스마트폰으로 녹음하였다. 이에는 甲이 격분하여 "3년 전에 내가 X도 죽였는데 너는 못 죽이겠냐. 내 말 안 듣고 이혼을 요구하면 죽여 버린다."라며 협박한 내용과 X를 살해한 사실을 자백하는 내용이 포함되어 있었다.

① 대화 일방 당사자인 A의 녹음은 위법수집증거에 해당되지 않는다.
② 甲의 협박죄 사건의 공판정에서 "내 말 안 듣고 이혼을 요구하면 죽여 버린다."라고 甲이 말하였다고 A가 증언하였다면 이는 전문증거이다.
③ X의 사망사건 수사에 관하여 검사가 작성한 A의 진술조서에 甲이 "내가 X도 죽였다."고 말했다는 취지의 부분이 기재되어 있다면 전문진술이 기재된 조서로 재전문서류에 해당한다.
④ 대화내용을 녹음한 파일 등 저장매체는 대화내용을 녹음한 원본이거나 원본으로부터 복사한 사본일 경우 복사과정에서 편집되는 등의 인위적 개작 없이 원본의 내용 그대로 복사된 사본임이 증명되어야 한다.

지문분석

난이도 ㊤ 정답 ②

| 키 워 드 | 녹음테이프의 증거능력
| 출제유형 | 사례 풀기

② (X) 진술의 의미내용이 아니라 그 존재 자체가 문제될 때에는 본래증거이지 전문증거가 아니다(대법원 2008.9.25. 2008도5347).
→ 따라서 협박죄에서 협박성 발언을 한 것은 존재 자체가 문제되기 때문에 본래증거가 된다.
① (O) 대화 당사자 간 1인이 상대방 몰래 비밀녹음을 한 경우 통신비밀보호법의 적용을 받아 증거능력을 부정하여야 하는지에 대해 견해의 대립이 있다. 이에 대해 판례는 대화 당사자 사이의 녹음은 타인 간의 대화를 녹음한 것이 아니어서 통신비밀보호법 제14조의 적용을 받지 않는다고 보아 대화 당사자 중 일방의 비밀녹음은 증거사용이 가능하다고 보았다(대법원 2001.10.9. 2001도3106).
③ (O) 타당한 설명이다.
④ (O) 대법원 2014.8.26. 2011도6035

79 0851

2017 국가직 9급

甲은 휴대전화기를 이용하여 A에게 공포심을 유발하는 글을 반복적으로 도달하게 한 혐의로 정보통신망 이용촉진 및 정보보호 등에 관한 법률 위반죄로 기소되었다. 검사는 乙이 甲의 부탁을 받고 甲의 휴대전화기를 보관하고 있다는 사실을 알고 乙에게 부탁하여 甲의 휴대전화기를 임의제출받았다. 한편 A는 B의 휴대전화기에 '甲으로부터 수차례 협박 문자메시지를 받았다'는 내용의 문자메시지를 발송하였다. 이에 대한 설명으로 옳은 것은? (다툼이 있는 경우 판례에 의함)

① 甲의 휴대전화기는 甲의 승낙이나 영장 없이 위법하게 수집된 증거로서 증거능력이 부정된다.
② 甲의 휴대전화기 자체가 아니라 甲의 휴대전화기 화면에 표시된 문자메시지를 촬영한 사진이 증거로 제출된 경우 甲이 그 성립 및 내용의 진정을 부인하는 때에는 이를 증거로 사용할 수 없다.
③ 甲의 휴대전화기 화면을 촬영한 사진을 증거로 사용하려면 甲의 휴대전화기를 법정에 제출할 수 없거나 그 제출이 곤란한 사정이 있고, 그 사진의 영상이 甲의 휴대전화기 화면에 표시된 문자정보와 정확하게 같다는 사실이 증명되어야 한다.
④ B의 휴대전화기에 저장된 문자메시지는 본래증거로서 형사소송법 제310조의2가 정한 전문법칙이 적용될 여지가 없다.

지문분석

난이도 ㊤ 정답 ③

| 키 워 드 | 증거
| 출제유형 | 사례 풀기

③ (O) 대법원 2008.11.13. 2006도2556
① (X) 비록 甲의 동의나 승낙이 없었다고 하여도 乙은 보관자의 지위에 있기 때문에 乙이 임의로 제출한 휴대전화기는 적법한 압수로서 증거능력이 부여된다(대법원 2008.5.15. 2008도1097).
② (X) 정보통신망을 통하여 공포심이나 불안감을 유발하는 글을 반복적으로 상대방에게 도달하게 하는 행위를 하였다는 공소사실에 대하여 휴대전화기에 저장된 문자정보가 그 증거가 되는 경우, 그 문자정보는 범행의 직접적인 수단이고 경험자의 진술에 갈음하는 대체물에 해당하지 않으므로, 형사소송법 제310조의2에서 정한 전문법칙이 적용되지 않는다(대법원 2008.11.13. 2006도2556).
④ (X) B의 휴대전화기에 저장된 문자메시지는 전문증거로서 피해자의 진술서에 준하는 것이다. 따라서 문자메시지의 내용에 관하여는 전문법칙이 적용되어야 한다. 판례도 유사한 사례에서 "피해자가 피고인으로부터 당한 공갈 등 피해내용을 담아 남동생에게 보낸 문자메시지를 촬영한 사진은 형사소송법 제313조에 규정된 '피해자의 진술서'에 준하는 것인데, 제반 사정에 비추어 그 진정성립이 인정되어 증거로 할 수 있다(대법원 2010.11.25. 2010도8735)."고 하여 전문증거라고 판시한 바 있다.

80 0852

2019 국가직 9급

디지털 저장매체에 저장되어 있는 피고인 아닌 자가 작성한 문서를 출력하여 제출한 경우, 그 증거능력 인정요건에 대한 설명으로 옳지 않은 것은? (증거동의가 없음을 전제하고, 다툼이 있는 경우 판례에 의함)

① 디지털 저장매체의 사용자 및 소유자, 로그기록 등 저장매체에 남은 흔적, 초안 문서의 존재, 작성자만의 암호 사용 여부, 전자서명의 유무 등 객관적 사정에 의하여 동일인이 작성하였다고 볼 수 있다면 그 작성자의 부인에도 불구하고 진정성립을 인정할 수 있다.

② 디지털 저장매체 원본에 저장된 내용과 출력 문건의 동일성이 인정되어야 하고, 이를 위해서는 정보저장매체 원본이 압수 시부터 문건출력 시까지 변경되지 않았다는 무결성이 담보되어야 한다.

③ 작성자가 자기에게 맡겨진 사무를 처리한 내역을 그때그때 계속적·기계적으로 기재하여 저장해 놓은 문서로서 업무상 필요로 작성한 통상문서에 해당하면 증거능력이 인정된다.

④ 디지털 저장매체에 저장된 로그파일의 원본이 아니라 그 복사본의 일부 내용을 요약·정리하는 방식으로 새로운 문서파일이 작성된 경우, 새로 작성한 파일을 출력한 문서는 로그파일의 복사본과 원본의 동일성이 인정되더라도 로그파일 원본의 내용을 증명하는 증거로 사용할 수 없다.

지문분석

난이도 상 정답 ④

| 키 워 드 | 증거능력

| 출제유형 | 틀린 지문 고르기

④ (X) 디지털 저장매체에 저장된 로그파일의 원본이 아니라 그 복사본의 일부 내용을 요약·정리하는 방식으로 새로운 문서파일이 작성된 경우 그 문서파일 또는 거기에서 출력한 문서를 로그파일 원본의 내용을 증명하는 증거로 사용하기 위하여는 피고인이 이를 증거로 하는 데 동의하지 아니하는 이상 그 문서파일의 기초가 된 로그파일 복사본과 로그파일 원본의 동일성도 인정되어야 한다(대법원 2015.8.27. 2015도3467).

① (O) 피고인 아닌 자가 작성한 진술서가 증거능력이 인정되기 위해서는 자필이거나 날인 또는 서명이 있는 것으로서, 작성자인 피고인 아닌 자가 공판준비 또는 공판기일에 그 성립의 진정함을 인정하여야 한다(형사소송법 제313조 제1항 본문). 제313조 제1항의 명문규정상 진정성립은 작성자의 공판정 진술에 의하여 이루어져야 함이 원칙이다. 그러나 제313조 제1항 본문에도 불구하고 진술서의 작성자가 공판준비나 공판기일에서 그 성립의 진정을 부인하는 경우에는 과학적 분석결과에 기초한 디지털포렌식 자료, 감정 등 객관적 방법으로 성립의 진정함이 증명되고, 피고인 또는 변호인이 공판준비 또는 공판기일에 그 기재내용에 관하여 작성자를 신문할 수 있었을 때에는 증거로 할 수 있다(형사소송법 제313조 제2항).

② (O) 대법원 2013.7.26. 2013도2511

③ (O) 대법원 2015.7.16. 2015도2625 전원합의체

81 0853

2019 국가직 9급

다음 사례에 대한 설명으로 옳은 것은? (다툼이 있는 경우 판례에 의함)

사례

甲은 출근길 지하철에서 휴대전화로 여성의 은밀한 신체 부위를 몰래 촬영하는 乙을 발견하고 소리를 지른 후 주위 사람들과 합세하여 乙을 현행범인으로 체포하였고, 이후 출동한 사법경찰관 丙에게 인계하였다. 丙은 인계받은 乙로부터 휴대전화를 임의제출받아 영치하였지만 사후에 압수영장을 발부받지는 않았다. 한편, 甲은 丙의 요청으로 인근 지하철 수사대 사무실로 가서 자신이 목격한 사실을 자필 진술서로 작성하여 丙에게 제출하였다. 이후 乙에 대한 공소가 제기되어 형사재판이 진행되었으나 甲의 소재불명으로 법정 출석이 불가능하게 되자 검사는 甲의 진술서와 乙의 휴대전화를 증거로 제출하였다.

① 검사가 증거로 제출한 휴대전화는 위법수집증거로서 증거능력이 인정되지 않는다.

② 甲이 소재불명이라 하더라도 공판기일에 丙이 출석하여 甲의 진술서 작성사실에 대한 진정성립을 인정하면 甲의 진술서의 증거능력이 인정된다.

③ 甲이 소재불명이므로 甲의 진술서는 특히 신빙할 수 있는 상태에서 작성되었음이 증명된 경우에 한해 증거능력이 인정된다.

④ 위 ③의 특신상태의 증명은 단지 그러할 개연성이 있다는 정도로 충분하다.

지문분석

난이도 상 정답 ③

| 키 워 드 | 전문법칙

| 출제유형 | 사례 풀기

③ (O) 참고인진술조서의 경우 일정한 요건을 갖추면 제314조에 따라 다시 증거능력이 인정될 수 있다. 따라서 소재불명인 이상 특신상태의 증명이 있으면 증거능력이 인정될 수 있다.

① (X) 乙로부터 휴대전화를 임의제출받은 것은 임의제출물의 압수(형사소송법 제218조)에 해당한다. 그런데 임의제출물의 압수는 압수과정뿐만 아니라 사후에도 영장을 받을 필요가 없다. 따라서 사후영장을 받지 않았지만 임의제출물의 압수는 적법한 압수로서 증거능력이 인정된다.

② (X) 甲이 작성하여 제출한 진술서는 제313조 제1항이 아닌 수사과정에서 작성한 진술서(형사소송법 제312조 제5항)로 보아야 한다. 따라서 甲이 제출한 진술서는 제312조 제4항에 따라 참고인진술조서의 요건을 충족하면 증거능력이 인정된다. 이때 진술을 요하는 원진술자 甲이 출석하지 않아 진술을 할 수 없는 때에는 제314조의 요건을 갖춘 경우에 한해 증거능력을 인정할 수 있는 것이지, 丙이 진정성립을 인정하였다 하여 증거능력을 부여받을 수는 없는 것이다.

④ (X) 형사소송법 제314조가 참고인의 소재불명 등의 경우에 그 참고인이 진술하거나 작성한 진술조서나 진술서에 대하여 증거능력을 인정하는 것은, 형사소송법이 제312조 또는 제313조에서 참고인진술조서 등 서면증거에 대하여 피고인 또는 변호인의 반대신문권이 보장되는 등 엄

격한 요건이 충족될 경우에 한하여 증거능력을 인정할 수 있도록 함으로써 직접심리주의 등 기본원칙에 대한 예외를 인정한 데 대하여 다시 중대한 예외를 인정하여 원진술자 등에 대한 반대신문의 기회조차 없이 증거능력을 부여할 수 있도록 한 것이므로, 그 경우 참고인의 진술 또는 작성이 '특히 신빙할 수 있는 상태하에서 행하여졌음에 대한 증명'은 단지 그러할 개연성이 있다는 정도로는 부족하고 합리적인 의심의 여지를 배제할 정도에 이르러야 한다(대법원 2014.4.30. 2012도725).

4 당사자의 증거동의

82 0854 2018 경찰 3차

증거동의에 대한 설명으로 가장 적절하지 않은 것은? (다툼이 있는 경우 판례에 의함)

① 검사와 피고인이 증거로 할 수 있음을 동의한 서류 또는 물건은 진정한 것으로 인정한 때에는 증거로 할 수 있다.
② 일단 증거조사가 종료된 후에 증거동의의 의사표시를 취소 또는 철회하더라도 취소 또는 철회 이전에 이미 취득한 증거능력은 상실되지 않는다.
③ 피고인이 증거로 함에 동의하지 아니한다고 명시적인 의사표시를 한 경우가 아니라면 변호인도 증거동의할 수 있다.
④ 개개의 증거에 대하여 개별적인 증거조사방식을 거치지 아니하고 검사가 제시한 모든 증거에 대하여 피고인이 증거로 함에 동의한다는 방식은 증거동의로서의 효력이 없다.

지문분석 난이도 ㉻ 정답 ④

| 키 워 드 | 증거동의
| 출제유형 | 틀린 지문 고르기

④ (X) 개개의 증거에 대하여 개별적인 증거조사방식을 거치지 아니하고 검사가 제시한 모든 증거에 대하여 피고인이 증거로 함에 동의한다는 방식으로 이루어진 것이라 하여도 증거동의로서의 효력을 부정할 이유가 되지 못한다(대법원 1983.3.8. 82도2873).
① (O) 형사소송법 제318조 제1항
② (O) 대법원 1996.12.10. 96도2507
③ (O) 대법원 1988.11.8. 88도1628

83 0855

2016 경찰 2차

당사자의 동의와 증거능력에 대한 설명으로 가장 적절한 것은? (다툼이 있는 경우 판례에 의함)

① 피고인의 변호인은 피고인의 명시한 의사에 반하지 아니하는 한 피고인을 대리하여 증거동의를 할 수 있으나 피고인이 증거조사 완료 후에 변호인의 증거동의에 관해 이의를 제기하였다면 법원은 해당 증거의 증거능력을 인정하여서는 아니 된다.

② 검사 작성의 피고인 아닌 자에 대한 진술조서에 관하여 피고인이 공판정진술과 배치되는 부분은 부동의한다고 진술한 것은 조사 내용의 특정부분에 관하여 증거로 함에 동의한다는 특별한 사정이 있는 때와는 달리 그 조서를 증거로 함에 동의하지 아니한다는 취지로 해석하여야 한다.

③ 피고인이 사법경찰관 작성의 피해자진술조서를 증거로 동의함에 있어서 그 동의가 법률적으로 어떠한 효과가 있는지를 모르고 한 것이었다고 주장한다면 설령 변호인이 그 동의 시 공판정에 재정하고 있었고 피고인이 하는 동의에 대하여 아무런 이의나 취소를 제기한 사실이 없다 하더라도 그 동의에는 법률상 하자가 존재한다고 볼 수밖에 없다.

④ 긴급체포를 하며 압수한 물건에 관하여 형사소송법 제217조 제2항, 제3항에 위반하여 압수·수색영장을 청구하여 이를 발부받지 아니하고도 즉시 반환하지 아니한 압수물은 이를 유죄 인정의 증거로 사용할 수 없으나 피고인이 이를 증거로 함에 동의하였다면 유죄 인정의 증거로 사용할 수 있다.

지문분석

난이도 ⓢ 정답 ②

| 키 워 드 | 당사자의 동의와 증거능력

| 출제유형 | 옳은 지문 고르기

② (O) 대법원 1984.10.10. 84도1552

① (X) 증거로 함에 대한 동의의 주체는 소송주체인 당사자라 할 것이지만 변호인은 피고인의 명시한 의사에 반하지 아니하는 한 피고인을 대리하여 이를 할 수 있음은 물론이므로 피고인이 증거로 함에 동의하지 아니한다고 명시적인 의사표시를 한 경우 이외에는 변호인은 서류나 물건에 대하여 증거로 함에 동의할 수 있고 이 경우 변호인의 동의에 대하여 피고인이 즉시 이의하지 아니하는 경우에는 변호인의 동의로 증거능력이 인정되고 증거조사 완료 전까지 앞서의 동의가 취소 또는 철회하지 아니한 이상 일단 부여된 증거능력은 그대로 존속한다(대법원 1999.8.20. 99도2029).

③ (X) 피고인이 사법경찰관 작성의 피해자진술조서를 증거로 동의함에 있어서 그 동의가 법률적으로 어떠한 효과가 있는지를 모르고 한 것이었다고 주장하더라도 변호인이 그 동의 시 공판정에 재정하고 있으면서 피고인이 하는 동의에 대하여 아무런 이의나 취소를 한 사실이 없다면 그 동의에 무슨 하자가 있다고 할 수 없다(대법원 1983.6.28. 83도1019).

④ (X) 형사소송법 제216조 제1항 제2호, 제217조 제2항, 제3항은 사법경찰관은 형사소송법 제200조의3(긴급체포)의 규정에 의하여 피의자를 체포하는 경우에 필요한 때에는 영장 없이 체포현장에서 압수·수색을 할 수 있고, 압수한 물건을 계속 압수할 필요가 있는 경우에는 지체 없이 압수·수색영장을 청구하여야 하며, 청구한 압수·수색영장을 발부받지 못한 때에는 압수한 물건을 즉시 반환하여야 한다고 규정하고 있는바, 형사소송법 제217조 제2항, 제3항에 위반하여 압수·수색영장을 청구하여 이를 발부받지 아니하고도 즉시 반환하지 아니한 압수물은 이를 유죄 인정의 증거로 사용할 수 없는 것이고, 헌법과 형사소송법이 선언한 영장주의의 중요성에 비추어 볼 때 피고인이나 변호인이 이를 증거로 함에 동의하였다고 하더라도 달리 볼 것은 아니다(대법원 2009.12.24. 2009도11401).

84 0856

2017 경찰 2차

증거동의에 대한 설명으로 가장 적절하지 않은 것은? (다툼이 있는 경우 판례에 의함)

① 필요적 변호사건이라 하여도 피고인이 재판거부의 의사를 표시하고 재판장의 허가 없이 퇴정하고 변호인마저 이에 동조하여 퇴정해 버렸다면, 법원은 피고인이나 변호인의 재정 없이도 심리 판결할 수 있고 이 경우 피고인의 진의와는 관계없이 증거동의가 있는 것으로 간주된다.
② 개개의 증거에 대하여 개별적인 증거조사방식을 거치지 아니하고 검사가 제시한 모든 증거에 대하여 피고인이 증거로 함에 동의한다는 방식의 증거동의도 효력이 있다.
③ 약식명령에 불복하여 정식재판을 청구한 피고인이 정식재판절차의 제1심에서 2회 불출정하여 형사소송법 제318조 제2항에 따른 증거동의가 간주된 후 증거조사를 완료하였더라도 피고인이 항소심에 출석하여 간주된 증거동의를 철회 또는 취소한다는 의사표시를 하면 제1심에서 부여된 증거의 증거능력은 상실된다.
④ 피고인이 신청한 증인의 증언이 피고인 아닌 타인의 진술을 그 내용으로 하는 전문진술이라고 하더라도 피고인이 그 증언에 대하여 별 의견이 없다고 진술하였다면 그 증언을 증거로 함에 동의한 것으로 볼 수 있으므로 이는 증거능력이 있다.

지문분석 난이도 중 정답 ③

| 키 워 드 | 증거동의
| 출제유형 | 틀린 지문 고르기

③ (X) 약식명령에 불복하여 정식재판을 청구한 피고인이 정식재판절차의 제1심에서 2회 불출정하여 형사소송법 제318조 제2항에 따른 증거동의가 간주된 후 증거조사를 완료한 이상, 간주의 대상인 증거동의는 증거조사가 완료되기 전까지 철회 또는 취소할 수 있으나 일단 증거조사를 완료한 뒤에는 취소 또는 철회가 인정되지 아니하는 점, 증거동의 간주가 피고인의 진의와는 관계없이 이루어지는 점 등에 비추어, 비록 피고인이 항소심에 출석하여 공소사실을 부인하면서 간주된 증거동의를 철회 또는 취소한다는 의사표시를 하더라도 그로 인하여 적법하게 부여된 증거능력이 상실되는 것이 아니다(대법원 2010.7.15. 2007도5776).
① (O) 대법원 1991.6.28. 91도865
② (O) 대법원 1983.3.8. 82도2873
④ (O) 대법원 1983.9.27. 83도516

85 0857

2020 경찰 1차

증거동의에 대한 설명 중 가장 적절하지 않은 것은? (다툼이 있는 경우 판례에 의함)

① 개개의 증거에 대하여 개별적인 증거조사방식을 거치지 아니하고 검사가 제시한 모든 증거에 대하여 피고인이 증거로 함에 동의한다는 방식은 증거동의로서의 효력을 가질 수 없다.
② 피고인과 변호인이 재판장의 허가 없이 퇴정한 상태에서 증거조사를 할 수밖에 없는 경우에는 피고인의 진의와는 관계없이 피고인의 증거동의가 있는 것으로 간주된다.
③ 사법경찰관 A는 살인죄 혐의로 B를 긴급체포하면서 흉기를 긴급히 압수할 필요가 있다고 판단하여 압수·수색영장 없이 압수하였음에도 영장을 발부받지 못하였다면, 이후 공판절차에서 B가 그 흉기를 증거로 사용함에 동의하였더라도 그 압수물의 증거능력은 인정할 수 없다.
④ 증거동의의 주체는 검사와 피고인이지만 피고인이 증거로 함에 동의하지 아니한다고 명시적인 의사표시를 한 경우 외에는 변호인은 서류나 물건에 대하여 증거로 함에 동의할 수 있고 이에 대해 피고인이 즉시 이의하지 아니하는 경우에는 증거능력이 인정된다.

지문분석 난이도 하 정답 ①

| 키 워 드 | 증거동의
| 출제유형 | 틀린 지문 고르기

① (X) 개개의 증거에 대하여 개별적인 증거조사방식을 거치지 아니하고 검사가 제시한 모든 증거에 대하여 피고인이 증거로 함에 동의한다는 방식으로 이루어진 것이라 하여도 증거동의로서의 효력을 부정할 이유가 되지 못한다(대법원 1983.3.8. 82도2873).
② (O) 대법원 1991.6.28. 91도865
③ (O) 대법원 2009.12.24. 2009도11401
④ (O) 대법원 2013.3.28. 2013도3

86 0858

2017 경찰 승진

증거동의에 관한 설명 중 가장 적절하지 않은 것은? (다툼이 있는 경우 판례에 의함)

① 약식명령에 불복하여 정식재판을 청구한 피고인이 정식재판절차의 제1심에서 2회 불출정하여 형사소송법 제318조 제2항에 따른 증거동의가 간주된 후 증거조사를 완료한 이상, 피고인이 항소심에 출석하여 간주된 증거동의를 철회 또는 취소한다는 의사표시를 하더라도 그 증거능력이 상실되는 것이 아니다.
② 유죄증거에 대하여 피고인 측이 반대증거로 제출한 서류는 그 진정성립이 증명되거나 상대방의 동의가 있어야 증거판단의 자료로 삼을 수 있다.
③ 긴급체포 시 압수한 물건에 관하여 형사소송법 제217조 제2항·제3항의 규정에 의한 압수·수색영장을 발부받지 않고도 즉시 반환하지 않는 경우 이를 유죄 인정의 증거로 사용할 수 없는 것이고, 피고인이나 변호인이 이를 증거로 함에 동의하였다고 하더라도 달리 볼 것은 아니다.
④ 피고인의 출정 없이 증거조사를 할 수 있는 경우에 피고인이 출정하지 아니한 때에는 피고인의 대리인 또는 변호인이 출정한 때를 제외하고 피고인이 증거로 함에 동의한 것으로 간주한다.

지문분석 난이도 중 정답 ②

| 키 워 드 | 증거동의
| 출제유형 | 틀린 지문 고르기

② (X) 검사가 유죄의 자료로 제출한 증거들이 그 진정성립이 인정되지 아니하고 이를 증거로 함에 상대방의 동의가 없더라도, 이는 유죄사실을 인정하는 증거로 사용하는 것이 아닌 이상 공소사실과 양립할 수 없는 사실을 인정하는 자료로 쓸 수 있다고 보아야 한다(대법원 1994.11.11. 94도1159).
① (O) 대법원 2010.7.15. 2007도5776
③ (O) 대법원 2009.12.24. 2009도11401
④ (O) 형사소송법 제318조 제2항

87 0859

2019 국가직 9급

증거동의에 대한 설명으로 옳지 않은 것은? (다툼이 있는 경우 판례에 의함)

① 피고인이 제1심에서 사법경찰관 작성 조서에 대해 증거로 함에 동의하고 증거조사를 마쳤다면, 그 후 항소심에서 범행 인정 여부를 다투고 있다 하여도 이미 한 증거동의의 효과에 아무런 영향이 없다.
② 피고인의 증거동의가 있으면 별도로 변호인의 동의는 필요 없지만, 변호인은 피고인의 명시한 의사에 반하지 않는 한 피고인을 대리하여 증거동의를 할 수 있다.
③ 피고인의 유죄증거에 대한 반대증거로 제출된 서류는 그것이 유죄사실을 인정하는 증거가 되지 않는 이상 증거동의가 없더라도 증거판단의 자료로 삼을 수 있다.
④ 피고인이 참고인의 진술조서에 대하여 이견이 없다고 진술하고 공판정에서도 그 진술조서의 기재내용과 부합되는 진술을 하였다 하더라도 증거동의에 대한 명시적 의사표시가 없는 한, 그 진술조서를 증거로 채용하는 데 동의한 것으로 볼 수 없다.

지문분석 난이도 중 정답 ④

| 키 워 드 | 증거동의
| 출제유형 | 틀린 지문 고르기

④ (X) 피고인이 신청한 증인의 증언이 피고인 아닌 타인의 진술을 그 내용으로 하는 전문진술이라고 하더라도 피고인이 그 증언에 대하여 별 의견이 없다고 진술하였다면 그 증언을 증거로 함에 동의한 것으로 볼 수 있으므로 이는 증거능력 있다(대법원 1983.9.27. 83도516).
① (O) 대법원 1990.2.13. 89도2366
② (O) 대법원 1988.11.8. 88도1628
③ (O) 대법원 1974.8.30. 74도1687

88 0860

2019 경찰 승진

다음 증거 중 피고인이 증거로 함에 동의한 경우 증거능력이 인정될 수 있는 것은? (다툼이 있는 경우 판례에 의함)

① 수사기관이 법원으로부터 영장 또는 감정처분허가장을 발부받지 아니한 채 피의자의 동의 없이 피의자의 신체로부터 혈액을 채취하고 사후적으로도 지체 없이 이에 대한 영장을 발부받지 아니하고서 강제 채혈한 피의자의 혈액 중 알코올농도에 관한 감정이 이루어진 경우 '감정결과보고서'

② 사법경찰관이 피의자 소유의 쇠파이프를 피의자 주거지 앞마당에서 발견하였으면서도 그 소유자, 소지자, 또는 보관자가 아닌 피해자로부터 임의로 제출받는 형식으로 압수한 '쇠파이프'

③ 강압수사로 인한 정신적 강압상태가 계속된 상태에서 작성된 것으로 의심되어 그 임의성을 의심할 만한 사정이 있는데도 검사가 그 임의성의 의문점을 없애는 증명을 하지 못하고, 법원의 직권조사 결과 임의성이 인정되지 아니하여 증거능력이 없는 참고인에 대한 '검찰진술조서'

④ 공판기일에서 피고인에게 유리한 증언을 한 증인을 검사가 소환한 후 피고인에게 유리한 그 증언내용을 추궁하여 이를 일방적으로 번복시키는 방식으로 작성한 '참고인진술조서'

지문분석 난이도 중 정답 ④

| 키 워 드 | 증거동의

| 출제유형 | 옳은 지문 고르기

④ (O) 대법원 2000.6.15. 99도1108 전원합의체 → 증거동의 O
① (X) 대법원 2011.4.27. 2009도2109 → 증거동의 X
② (X) 대법원 2010.1.28. 2009도10092 → 증거동의 X
③ (X) 대법원 2006.11.23. 2004도7900 → 증거동의 X

89 0861

2021 경찰 승진

증거동의에 대한 설명으로 가장 적절하지 않은 것은? (다툼이 있는 경우 판례에 의함)

① 검사와 피고인이 증거로 할 수 있음을 동의한 서류 또는 물건은 법원이 진정한 것으로 인정한 때에는 증거로 할 수 있다.

② 공판준비 또는 공판기일에서 피고인에게 유리한 증언을 한 증인을 수사기관이 법정 외에서 다시 참고인으로 조사하면서 그 증언을 번복하게 하여 작성한 참고인진술조서는 피고인이 동의하더라도 증거로 사용할 수 없다.

③ 피고인의 출정 없이 증거조사를 할 수 있는 경우에 피고인이 출정하지 아니한 때에는 피고인의 대리인 또는 변호인이 출정한 때를 제외하고 피고인이 증거로 함에 동의한 것으로 간주한다.

④ 경찰의 검증조서 중 일부에 대한 증거동의는 가능하다.

지문분석 난이도 중 정답 ②

| 키 워 드 | 증거동의

| 출제유형 | 틀린 지문 고르기

② (X) [다수의견] 공판준비 또는 공판기일에서 이미 증언을 마친 증인을 검사가 소환한 후 피고인에게 유리한 그 증언 내용을 추궁하여 이를 일방적으로 번복시키는 방식으로 작성한 진술조서를 유죄의 증거로 삼는 것은 당사자주의·공판중심주의·직접주의를 지향하는 현행 형사소송법의 소송구조에 어긋나는 것일 뿐만 아니라, 헌법 제27조가 보장하는 기본권, 즉 법관의 면전에서 모든 증거자료가 조사·진술되고 이에 대하여 피고인이 공격·방어할 수 있는 기회가 실질적으로 부여되는 재판을 받을 권리를 침해하는 것이므로, 이러한 진술조서는 피고인이 증거로 할 수 있음에 동의하지 아니하는 한 그 증거능력이 없다고 하여야 할 것이고, 그 후 원진술자인 종전 증인이 다시 법정에 출석하여 증언을 하면서 그 진술조서의 성립의 진정함을 인정하고 피고인 측에 반대신문의 기회가 부여되었다고 하더라도 그 증언 자체를 유죄의 증거로 할 수 있음은 별론으로 하고 위와 같은 진술조서의 증거능력이 없다는 결론은 달리할 것이 아니다(대법원 2000.6.15. 99도1108 전원합의체).
① (O) 형사소송법 제318조 제1항
③ (O) 형사소송법 제318조 제2항
④ (O) 피고인들이 제1심 법정에서 경찰의 검증조서 가운데 범행부분만 부동의하고 현장상황 부분에 대해서는 모두 증거로 함에 동의하였다면, 위 검증조서 중 범행상황 부분만을 증거로 채용한 제1심판결에 잘못이 없다(대법원 1990.7.24. 90도1303).

90 0862 2020 경찰 승진

증거동의에 관한 설명 중 가장 적절한 것은? (다툼이 있는 경우 판례에 의함)

① 수사기관이 긴급체포 시 압수한 물건에 관하여 형사소송법 제217조 제2항·제3항의 규정에 의한 압수·수색영장을 발부받지 않고 즉시 반환도 하지 않은 경우라도 피고인이나 변호인이 이를 증거로 함에 동의하였다면 위법성이 치유되므로 유죄의 증거로 사용할 수 있다.
② 공판기일에서 피고인에게 유리한 증언을 한 증인을 검사가 소환한 후 그 증언 내용을 추궁하여 이를 일방적으로 번복시키는 방식으로 작성한 조서는 공판중심주의를 형해화하는 것이므로 증거동의의 대상이 될 수 없다.
③ 피고인이나 그 변호인이 검사 작성의 당해 피고인에 대한 피의자신문조서의 성립의 진정함을 인정하는 진술을 하였다 하더라도, 그 피의자신문조서에 대하여 증거조사가 완료되기 전에는 최초의 진술을 번복함으로써 그 피의자신문조서를 유죄 인정의 자료로 사용할 수 없도록 할 수 있다.
④ 약식명령에 불복하여 정식재판을 청구한 피고인이 정식재판절차에서 2회 불출석하여 법원이 피고인의 출정 없이 증거조사를 하는 경우라도 피고인의 명시적인 동의 의사가 없는 이상 증거동의가 간주될 수 없다.

지문분석 난이도 중 정답 ③

| 키 워 드 | 증거동의
| 출제유형 | 옳은 지문 고르기

③ (O) 대법원 2008.7.10. 2007도7760
① (X) 형사소송법 제216조 제1항 제2호, 제217조 제2항·제3항은 사법경찰관은 형사소송법 제200조의3(긴급체포)의 규정에 의하여 피의자를 체포하는 경우에 필요한 때에는 영장 없이 체포현장에서 압수·수색을 할 수 있고, 압수한 물건을 계속 압수할 필요가 있는 경우에는 지체 없이 압수·수색영장을 청구하여야 하며, 청구한 압수·수색영장을 발부받지 못한 때에는 압수한 물건을 즉시 반환하여야 한다고 규정하고 있는바, 형사소송법 제217조 제2항·제3항에 위반하여 압수·수색영장을 청구하여 이를 발부받지 아니하고도 즉시 반환하지 아니한 압수물은 이를 유죄 인정의 증거로 사용할 수 없는 것이고, 헌법과 형사소송법이 선언한 영장주의의 중요성에 비추어 볼 때 피고인이나 변호인이 이를 증거로 함에 동의하였다고 하더라도 달리 볼 것은 아니다(대법원 2009.12.24. 2009도11401).
② (X) 공판준비 또는 공판기일에서 이미 증언을 마친 증인을 검사가 소환한 후 증언 내용을 일방적으로 번복시키는 방식으로 작성한 진술조서는 피고인이 증거로 할 수 있음에 동의하지 아니하는 한 증거능력이 없다(대법원 2000.6.15. 99도1108 전원합의체).
→ 공판정진술번복 목적의 참고인진술조서는 원칙적으로 증거능력이 없지만, 당사자가 동의하면 증거능력이 인정된다.
④ (X) 약식명령에 불복하여 정식재판을 청구한 피고인이 정식재판절차의 제1심에서 2회 불출정하여 형사소송법 제318조 제2항에 따른 증거 동의가 간주된 후 증거조사를 완료한 이상, 간주의 대상인 증거동의는 증거조사가 완료되기 전까지 철회 또는 취소할 수 있으나 일단 증거조사를 완료한 뒤에는 취소 또는 철회가 인정되지 아니하는 점, 증거동의 간주가 피고인의 진의와는 관계없이 이루어지는 점 등에 비추어, 비록 피고인이 항소심에 출석하여 공소사실을 부인하면서 간주된 증거동의를 철회 또는 취소한다는 의사표시를 하더라도 그로 인하여 적법하게 부여된 증거능력이 상실되는 것이 아니다(대법원 2010.7.15. 2007도5776).

91 0863

2021 경찰 2차

증거동의에 관한 설명으로 옳은 것은 모두 몇 개인가? (다툼이 있는 경우 판례에 의함)

㉠ 소유자, 소지자 또는 보관자가 아닌 자로부터 제출받은 물건을 영장 없이 압수한 경우 그 압수물 및 압수물을 찍은 사진은 유죄의 증거로 사용할 수 없고, 피고인이나 변호인이 이를 증거로 함에 동의하였다고 하더라도 달리 볼 것은 아니다.
㉡ 긴급체포현장에서 영장 없이 압수한 물건에 대하여 압수·수색영장을 청구하여 이를 발부받지 아니하고도 즉시 반환하지 아니한 경우 그 압수물은 유죄의 증거로 사용할 수 없고, 피고인이나 변호인이 이를 증거로 함에 동의하였다고 하더라도 달리 볼 것은 아니다.
㉢ 수사기관이 법원으로부터 영장 또는 감정처분허가장을 발부받지 아니한 채 피의자의 동의 없이 피의자의 신체로부터 혈액을 채취하고 사후적으로도 지체 없이 그에 대한 영장을 발부받지도 아니한 채 피의자의 혈액 중 알콜농도에 관한 감정이 이루어졌다면, 그 감정결과보고서는 영장주의 원칙을 위반하여 수집한 증거로서 피고인이나 변호인의 증거동의가 있다고 하더라도 유죄의 증거로 사용할 수 없다.
㉣ 수사기관이 마약사범 수사에 협조해 온 공소외인으로부터 피고인의 필로폰 판매 범행에 대한 진술을 들은 다음, 추가 증거를 확보할 목적으로 필로폰 투약혐의로 구속수감되어 있는 공소외인에게 압수된 그의 휴대전화기를 제공하여 그로 하여금 피고인과 통화하고 범행에 관한 통화내용을 몰래 녹음하게 한 행위는 불법감청에 해당하고, 그 녹취내용은 피고인의 증거동의에 상관없이 증거능력이 없다.

① 1개 ② 2개
③ 3개 ④ 4개

지문분석 난이도 ㊥ 정답 ④

| 키 워 드 | 증거동의
| 출제유형 | 개수 찾기

㉠ (O) 대법원 2010.1.28. 2009도10092
㉡ (O) 대법원 2009.12.24. 2009도11401
㉢ (O) 대법원 2011.4.27. 2009도2109
㉣ (O) 대법원 2010.10.14. 2010도9016

92 0864

2021 국가직 7급

증거동의에 대한 설명으로 옳지 않은 것은? (다툼이 있는 경우 판례에 의함)

① 경찰의 검증조서 가운데 범행부분은 부동의하고 현장상황부분에 대해서만 동의하는 것도 가능하고, 그 효력은 동의한 부분에 한하여 발생한다.
② 재전문진술을 기재한 조서도 동의의 대상이 된다.
③ 검사가 제시한 모든 증거에 대하여 동의한다는 포괄적 방식은 효력이 없다.
④ 증거신청시 그 입증취지를 명시하여 개별적으로 하지 않았음에도 증거동의를 거쳐 법원이 증거로 채택하는 결정을 하였다면 그 결정이 취소되지 않는 이상 단순히 입증취지를 명시하여 개별적으로 신청하지 않았다는 이유만을 내세워 그 증거에 대한 조사가 위법하다고 할 수 없다.

지문분석 난이도 ㊥ 정답 ③

| 키 워 드 | 증거동의
| 출제유형 | 틀린 지문 고르기

③ (X) 판례는 개개의 증거에 대하여 개별적인 증거조사방식을 거치지 아니하고 "검사가 제시한 모든 증거에 대하여 피고인이 증거로 함에 동의한다."는 방식으로 이루어진 것이라 하여도 증거동의로서의 효력이 인정된다고 보아(대법원 1983.3.8. 82도2873) 포괄적 증거동의도 허용하는 취지로 판시한 바 있다.
① (O) 대법원 1998.3.13. 98도159
② (O) 대법원 2000.3.10. 2000도159
④ (O) 대법원 2009.10.29. 2009도5945

CHAPTER

03 증명력

■ 기본서 연계페이지: p.1428~1440 ■ 문항 수: 16문항

1 자유심증주의

01 0865

2017 경찰 승진

음주측정에 관한 설명 중 가장 적절한 것은? (다툼이 있는 경우 판례에 의함)

① 음주운전과 관련한 도로교통법 위반죄의 범죄수사를 위하여 미성년자인 피의자의 혈액채취가 필요한 경우, 피의자에게 의사능력이 없다면 피의자의 법정대리인이 피의자를 대리하여 피의자의 혈액채취에 관한 유효한 동의를 할 수 있다.

② 위법한 강제연행 상태에서 호흡측정 방법에 의한 음주측정을 한 다음, 강제연행 상태로부터 시간적·장소적으로 단절되었다고 볼 수 없는 상황에서 피의자가 호흡측정 결과를 탄핵하기 위하여 스스로 혈액채취에 의한 측정을 할 것을 요구하여 혈액채취가 이루어진 경우 그러한 혈액채취에 의한 측정결과는 유죄 인정의 증거로 쓸 수 있다.

③ 주취운전의 혐의자에게 영장 없는 음주측정에 응할 의무를 지우고 이에 불응한 사람을 처벌하는 것은 헌법 제12조 제3항에 규정된 영장주의에 위배된다.

④ 음주운전을 목격한 피해자가 있는 상황에서 경찰관이 음주운전 종료시부터 약 2시간 후 집에 있던 피고인을 임의동행하여 음주측정을 요구하였고, 음주측정 요구 당시에도 피고인이 상당히 취한 것으로 보이는 상황이었다면 그 음주측정 요구는 적법하다.

지문분석 난이도 ㊥ 정답 ④

| 키 워 드 | 음주측정

| 출제유형 | 옳은 지문 고르기

④ (O) 대법원 2001.8.24. 2000도6026

① (X) 형사소송법상 소송능력이란 소송당사자가 유효하게 소송행위를 할 수 있는 능력, 즉 피고인 또는 피의자가 자기의 소송상의 지위와 이해관계를 이해하고 이에 따라 방어행위를 할 수 있는 의사능력을 의미하는데, 피의자에게 의사능력이 있으면 직접 소송행위를 하는 것이 원칙이고, 피의자에게 의사능력이 없는 경우에는 형법 제9조 내지 제11조의 규정의 적용을 받지 아니하는 범죄사건에 한하여 예외적으로 법정대리인이 소송행위를 대리할 수 있다(형사소송법 제26조). 따라서 음주운전과 관련한 도로교통법 위반죄의 범죄수사를 위하여 미성년자인 피의자의 혈액채취가 필요한 경우에도 피의자에게 의사능력이 있다면 피의자 본인만이 혈액채취에 관한 유효한 동의를 할 수 있고, 피의자에게 의사능력이 없는 경우에도 명문의 규정이 없는 이상 법정대리인이 피의자를 대리하여 동의할 수는 없다(대법원 2014.11.13. 2013도1228).

② (X) 위법한 강제연행 상태에서 호흡측정 방법에 의한 음주측정을 한 다음 강제연행 상태로부터 시간적·장소적으로 단절되었다고 볼 수도 없고 피의자의 심적 상태 또한 강제연행 상태로부터 완전히 벗어났다고 볼 수 없는 상황에서 피의자가 호흡측정 결과에 대한 탄핵을 하기 위하여 스스로 혈액채취 방법에 의한 측정을 할 것을 요구하여 혈액채취가 이루어졌다고 하더라도 그 사이에 위법한 체포 상태에 의한 영향이 완전하게 배제되고 피의자의 의사결정의 자유가 확실하게 보장되었다고 볼 만한 다른 사정이 개입되지 않은 이상 불법체포와 증거수집 사이의 인과관계가 단절된 것으로 볼 수는 없다. 따라서 그러한 혈액채취에 의한 측정 결과 역시 유죄 인정의 증거로 쓸 수 없다고 보아야 한다. 그리고 이는 수사기관이 위법한 체포 상태를 이용하여 증거를 수집하는 등의 행위를 효과적으로 억지하기 위한 것이므로, 피고인이나 변호인이 이를 증거로 함에 동의하였다고 하여도 달리 볼 것은 아니다(대법원 2013.3.14. 2010도2094).

③ (X) 구 도로교통법(1992.12.8. 법률 제4518호로 개정되기 전의 것) 제107조의2 제2호의 음주측정불응죄는 경찰관으로부터 술에 취한 상태에 있다고 의심받을 상당한 이유가 있는 사람이 도로교통법 제41조 제2항의 규정에 의한 경찰공무원의 측정에 응하지 아니한 경우에 성립하고, 법 제41조 제2항에서 규정하는 경찰관의 음주측정은 위 조항과 법 제1조의 취지에 비추어 볼 때 음주운전을 제지하지 아니하고 방치할 경우에 초래될 도로교통의 안전에 대한 침해 또는 위험을 미리 방지하기 위한 필요성, 즉 '교통안전과 위험방지의 필요성'이 있을 때에 한하여 음주운전의 혐의가 있는 운전자에 대하여 요구할 수 있는 예방적인 행정행위일 뿐 그 조항에 의하여 경찰관에게 이미 발생한 도로교통상의 범죄행위에 대한 수사를 위한 음주측정 권한이 부여된 것이라고는 볼 수 없으므로, 이러한 범죄수사를 위한 경찰관의 음주측정 요구에 불응한 경우에는 다른 증거에 의하여 음주운전죄로 처벌할 수 있음은 별론으로 하고 법 제107조의2 제2호 소정의 음주측정불응죄는 성립하지 아니한다(대법원 1993.5.27. 92도3402).

02 0866

2015 경찰 2차

음주측정에 관한 다음 설명 중 가장 적절한 것은? (다툼이 있는 경우 판례에 의함)

① 도로교통법의 음주측정불응죄를 근거로 영장 없이 호흡측정기에 의해 음주측정을 하는 것은 강제수사에 해당하는 것으로 영장주의에 반한다.

② 음주운전과 관련한 도로교통법 위반죄의 범죄수사를 위하여 미성년자인 피의자의 혈액채취가 필요한 경우, 피의자에게 의사능력이 없다면 피의자의 법정대리인이 피의자를 대리하여 피의자의 혈액채취에 관한 유효한 동의를 할 수 있다.

③ 도로교통법상 음주측정에 관한 규정들을 근거로 음주운전을 하였다고 인정할 만한 상당한 이유가 있는 자에 대하여 경찰관서에 강제연행하여 음주측정을 요구할 수 있다.

④ 술에 취한 상태에서 자동차를 운전한 것으로 보이는 피고인을 경찰관이 적법하게 보호조치한 상태에서 3회에 걸쳐 음주측정을 요구한 것은 적법한 음주측정 요구에 해당한다.

지문분석 난이도 ㊦ 정답 ④

| 키 워 드 | 음주측정

| 출제유형 | 옳은 지문 고르기

④ (O) 대법원 2012.2.9. 2011도4328

① (X) 구 도로교통법(1992.12.8. 법률 제4518호로 개정되기 전의 것) 제107조의2 제2호의 음주측정불응죄는 경찰관으로부터 술에 취한 상태에 있다고 의심받을 상당한 이유가 있는 사람이 도로교통법 제41조 제2항의 규정에 의한 경찰공무원의 측정에 응하지 아니한 경우에 성립하고, 법 제41조 제2항에서 규정하는 경찰관의 음주측정은 위 조항과 법 제1조의 취지에 비추어 볼 때 음주운전을 제지하지 아니하고 방치할 경우에 초래될 도로교통의 안전에 대한 침해 또는 위험을 미리 방지하기 위한 필요성, 즉 '교통안전과 위험방지의 필요성'이 있을 때에 한하여 음주운전의 혐의가 있는 운전자에 대하여 요구할 수 있는 예방적인 행정행위일 뿐 그 조항에 의하여 경찰관에게 이미 발생한 도로교통상의 범죄행위에 대한 수사를 위한 음주측정 권한이 부여된 것이라고는 볼 수 없으므로, 이러한 범죄수사를 위한 경찰관의 음주측정 요구에 불응한 경우에는 다른 증거에 의하여 음주운전죄로 처벌할 수 있음은 별론으로 하고 법 제107조의2 제2호 소정의 음주측정불응죄는 성립하지 아니한다(대법원 1993.5.27. 92도3402).

② (X) 형사소송법상 소송능력이란 소송당사자가 유효하게 소송행위를 할 수 있는 능력, 즉 피고인 또는 피의자가 자기의 소송상의 지위와 이해관계를 이해하고 이에 따라 방어행위를 할 수 있는 의사능력을 의미하는데, 피의자에게 의사능력이 있으면 직접 소송행위를 하는 것이 원칙이고, 피의자에게 의사능력이 없는 경우에는 형법 제9조 내지 제11조의 규정의 적용을 받지 아니하는 범죄사건에 한하여 예외적으로 법정대리인이 소송행위를 대리할 수 있다(형사소송법 제26조). 따라서 음주운전과 관련한 도로교통법 위반죄의 범죄수사를 위하여 미성년자인 피의자의 혈액채취가 필요한 경우에도 피의자에게 의사능력이 있다면 피의자 본인만이 혈액채취에 관한 유효한 동의를 할 수 있고, 피의자에게 의사능력이 없는 경우에도 명문의 규정이 없는 이상 법정대리인이 피의자를 대리하여 동의할 수는 없다(대법원 2014.11.13. 2013도1228).

③ (X) 교통안전과 위험방지를 위한 필요가 없음에도 주취운전을 하였다고 인정할 만한 상당한 이유가 있다는 이유만으로 이루어지는 음주측정은 이미 행하여진 주취운전이라는 범죄행위에 대한 증거 수집을 위한 수사절차로서의 의미를 가지는 것인데, 구 도로교통법상의 규정들이 음주측정을 위한 강제처분의 근거가 될 수 없으므로 위와 같은 음주측정을 위하여 당해 운전자를 강제로 연행하기 위해서는 수사상의 강제처분에 관한 형사소송법상의 절차에 따라야 하고, 이러한 절차를 무시한 채 이루어진 강제연행은 위법한 체포에 해당한다(대법원 2006.11.9. 2004도8404).

03 0867

2018 경찰 2차

음주측정에 대한 설명으로 가장 적절하지 않은 것은? (다툼이 있는 경우 판례에 의함)

① 운전자가 음주측정 요구를 받을 당시에 술에 취한 상태에 있었다고 인정할 만한 상당한 이유가 있음에도 정당한 이유 없이 이에 불응하여 음주측정불응죄가 인정되었다면, 운전자가 다시 스스로 경찰공무원에게 혈액채취의 방법에 의한 음주측정을 요구하여 그 결과 음주운전으로 처벌할 수 없는 혈중알코올농도 수치가 나왔더라도 음주측정거부죄가 성립한다.

② 호흡측정기에 의한 음주측정치와 혈액검사에 의한 음주측정치가 다른 경우에, 혈액의 채취 또는 검사과정에서 혈액채취에 의한 검사결과를 믿지 못할 특별한 사정이 없는 한, 혈액검사에 의한 음주측정치가 호흡측정기에 의한 음주측정치보다 측정 당시의 혈중알코올농도에 더 근접한 음주측정치라고 보는 것이 경험칙에 부합한다.

③ 주취운전의 혐의자에게 호흡측정기에 의한 주취 여부의 측정에 응할 것을 요구하고 이에 불응할 경우에는 음주측정거부죄로 처벌하는 것은, 자기부죄금지의 원칙을 규정한 헌법 제12조 제2항에 위반된다고 할 수 없다.

④ 운전자가 술에 취한 상태에서 자동차를 운전하였다고 인정할 만한 상당한 이유가 있어서, 경찰관이 음주감지기에 의한 시험을 요구한 경우, 그 시험결과에 따라 음주측정기에 의한 측정이 예정되어 있고 운전자가 그러한 사정을 인식하였음에도 음주감지기에 의한 시험에 명시적으로 불응함으로써 음주측정을 거부하겠다는 의사를 표명하였더라도, 음주감지기에 의한 시험을 거부한 행위만으로는 음주측정거부죄에 해당할 수 없다.

지문분석 난이도 중 정답 ④

| 키 워 드 | 음주측정

| 출제유형 | 틀린 지문 고르기

④ (X) 경찰공무원이 운전자에게 음주 여부를 확인하기 위하여 음주측정기에 의한 측정의 전 단계에 실시되는 음주감지기에 의한 시험을 요구하는 경우 그 시험 결과에 따라 음주측정기에 의한 측정이 예정되어 있고, 운전자가 그러한 사정을 인식하였음에도 음주감지기에 의한 시험에 불응함으로써 음주측정을 거부하겠다는 의사를 표명한 것으로 볼 수 있다면, 음주감지기에 의한 시험을 거부한 행위도 음주측정기에 의한 측정에 응할 의사가 없음을 객관적으로 명백하게 나타낸 것으로 볼 수 있다. 원심이, 경찰공무원이 운전자의 면전에서 음주측정기에 의한 측정을 요구하였는지 여부만을 기준으로 경찰공무원의 측정 요구에 불응한 것이 아니라고 판단한 부분은 도로교통법 제44조 제2항에서 정한 경찰공무원의 음주측정에 관한 법리를 오해한 것으로 적절하지 않다(대법원 2017.6.8. 2016도16121).

① (O) 대법원 2004.10.15. 2004도4789

② (O) 대법원 2004.2.13. 2003도6905

③ (O) 헌법재판소 1997.3.27. 96헌가11 결정

04 0868

2015 경찰 2차

임의수사에 관한 다음 설명 중 가장 적절하지 않은 것은? (다툼이 있는 경우 판례에 의함)

① 수사기관의 임의동행 시 오로지 피의자의 자발적인 의사에 의하여 수사관서 등에의 동행이 이루어졌음이 객관적인 사정에 의하여 명백하게 입증된 경우에 한하여 그 적법성이 인정된다.

② 수사기관이 수사의 필요상 피의자를 임의동행한 경우에도 조사 후 귀가시키지 아니하고 그의 의사에 반하여 경찰서 보호실 등에 계속 유치함으로써 신체의 자유를 속박하였다면 이는 구금에 해당한다.

③ 수사기관에 의한 진술거부권 고지 대상이 되는 피의자 지위는 수사기관이 조사대상자에 대한 범죄혐의를 인정하여 수사를 개시하는 행위를 한 때 인정되는 것으로, 이러한 피의자 지위에 있지 아니한 자에 대하여는 진술거부권이 고지되지 아니하였더라도 진술의 증거능력을 부정할 것은 아니다.

④ 범인식별절차와 관련하여, 용의자 한 사람을 단독으로 목격자와 대질시키거나 용의자의 사진 한 장만을 목격자에게 제시하여 범인 여부를 확인하게 하는 방식은 부가적인 사정이 없는 한 그 신빙성이 높다고 보아야 한다.

지문분석 난이도 중 정답 ④

| 키 워 드 | 임의수사

| 출제유형 | 틀린 지문 고르기

④ (X) 일반적으로 용의자의 인상착의 등에 의한 범인식별절차에서 용의자 한 사람을 단독으로 목격자와 대질시키거나 용의자의 사진 한 장만을 목격자에게 제시하여 범인 여부를 확인하게 하는 것은, 사람의 기억력의 한계 및 부정확성과 구체적인 상황하에서 용의자나 그 사진상의 인물이 범인으로 의심받고 있다는 무의식적 암시를 목격자에게 줄 수 있는 가능성으로 인하여, 그러한 방식에 의한 범인식별절차에서의 목격자의 진술은, 그 용의자가 종전에 피해자와 안면이 있는 사람이라든가 피해자의 진술 외에도 그 용의자를 범인으로 의심할 만한 다른 정황이 존재한다든가 하는 등의 부가적인 사정이 없는 한 그 신빙성이 낮다고 보아야 한다(대법원 2009.6.11. 2008도12111).

① (O) 대법원 2006.7.6. 2005도6810

② (O) 대법원 1997.6.13. 97도877

③ (O) 대법원 2011.11.10. 2011도8125

05 0869

2021 국가직 9급

과학적 증거에 대한 판례의 태도로서 옳지 않은 것은?

① 범죄구성요건에 해당하는 사실을 증명하기 위한 근거가 되는 과학적인 연구 결과는 적법한 증거조사를 거친 증거능력 있는 증거에 의하여 엄격한 증명으로 증명되어야 한다.
② 유전자검사나 혈액형검사 등 과학적 증거방법은 그 전제로 하는 사실이 모두 진실임이 입증되고 그 추론의 방법이 과학적으로 정당하여 오류의 가능성이 전무하거나 무시할 정도로 극소한 것으로 인정되는 경우에는 법관이 사실인정을 함에 있어 상당한 정도로 구속력을 가진다.
③ 전문 감정인이 공인된 표준 검사기법으로 분석한 후 법원에 제출한 과학적 증거는 모든 과정에서 시료의 동일성이 인정되고 인위적인 조작·훼손·첨가가 없었음이 담보되었다면, 각 단계에서 시료에 대한 정확한 인수·인계 절차를 확인할 수 있는 기록이 유지되지 않았다 하더라도 사실인정에 있어서 상당한 정도로 구속력을 가진다.
④ 컴퓨터 디스켓에 들어 있는 문건이 증거로 사용되는 경우 그 컴퓨터 디스켓은 그 기재의 매체가 다를 뿐 실질에 있어서는 피고인 또는 피고인 아닌 자의 진술을 기재한 서류와 크게 다를 바 없고, 압수 후의 보관 및 출력과정에 조작의 가능성이 있으며, 기본적으로 반대신문의 기회가 보장되지 않는 점 등에 비추어 그 기재내용의 진실성에 관하여는 전문법칙이 적용된다.

지문분석 난이도 중 정답 ③

| 키 워 드 | 증거
| 출제유형 | 틀린 지문 고르기

③ (X) 과학적 증거방법이 사실인정에 있어서 상당한 정도로 구속력을 갖기 위해서는 감정인이 전문적인 지식·기술·경험을 가지고 공인된 표준 검사기법으로 분석한 후 법원에 제출하였다는 것만으로는 부족하고, 시료의 채취·보관·분석 등 모든 과정에서 시료의 동일성이 인정되고 인위적인 조작·훼손·첨가가 없었음이 담보되어야 하며 각 단계에서 시료에 대한 정확한 인수·인계 절차를 확인할 수 있는 기록이 유지되어야 한다(대법원 2018.2.8. 2017도14222).
① (O) 대법원 2010.2.11. 2009도2338
② (O) 대법원 2009.3.12. 2008도8486
④ (O) 대법원 1999.9.3. 99도2317

06 0870

2021 경찰 2차

증거에 관한 설명으로 가장 적절하지 않은 것은? (다툼이 있는 경우 판례에 의함)

① 공연히 사실을 적시하여 사람의 명예를 훼손한 행위가 형법 제310조의 규정에 따라서 위법성이 조각되기 위하여는 그것이 진실한 사실로서 오로지 공공의 이익에 관한 때에 해당된다는 점을 행위자가 증명하여야 하나, 그 증명은 엄격한 증거에 의할 것을 요하지 아니하므로 전문증거의 증거능력에 관한 형사소송법 제310조의2는 적용될 여지가 없다.
② 정보통신망을 통하여 공포심이나 불안감을 유발하는 글을 반복적으로 상대방에게 도달하게 하는 행위를 하였다는 공소사실에 대하여 휴대전화기에 저장된 문자정보가 그 증거가 되는 경우, 그 문자정보는 범행의 직접적인 수단이고 경험자의 진술에 갈음하는 대체물에 해당하지 않으므로 형사소송법 제310조의2에서 정한 전문법칙이 적용되지 않는다.
③ 영장발부의 사유로 된 범죄 혐의사실과 무관한 별개의 증거를 압수하였을 경우 이는 원칙적으로 유죄의 증거로 사용할 수 없으나, 수사기관이 그 증거를 피압수자에게 환부한 후에 임의제출받아 다시 압수하였다면 최초의 절차 위반행위와 최종적인 증거수집 사이의 인과관계가 단절되었다고 평가할 수 있고, 제출에 임의성이 있다는 점을 검사가 합리적 의심을 배제할 수 있을 정도로 증명한 경우에는 증거능력을 인정할 수 있다.
④ 피고인의 수사기관에서나 제1심 법정에서의 자백이 항소심에서의 법정진술과 다른 경우 그 자백의 증명력 내지 신빙성이 의심스럽다고 할 것이고, 같은 사람의 검찰에서의 진술과 법정에서의 증언이 다를 경우 검찰에서의 진술을 믿고서 범죄사실을 인정하는 것은 자유심증주의의 한계를 벗어나는 것이다.

지문분석 난이도 중 정답 ④

| 키 워 드 | 증거
| 출제유형 | 틀린 지문 고르기

④ (X) 검찰에서의 피고인의 자백 등이 법정진술과 다르다는 사유만으로 그 자백의 신빙성이 의심스럽다고 할 사유로 삼아야 한다고 볼 수 없다(대법원 1985.7.9. 85도826).
① (O) 대법원 1996.10.25. 95도1473
② (O) 대법원 2008.11.13. 2006도2556
③ (O) 대법원 2016.3.10. 2013도11233

2 탄핵증거

07 0871 2020 경찰 1차

탄핵증거에 대한 설명 중 가장 적절한 것은? (다툼이 있는 경우 판례에 의함)

① 사법경찰리 작성의 피고인에 대한 피의자신문조서와 피고인이 작성한 자술서들은 모두 검사가 유죄의 자료로 제출한 증거들로서 피고인이 각 그 내용을 부인하는 이상 증거능력이 없으므로 그것이 임의로 작성된 것이 아니라고 의심할 만한 사정이 없더라도 피고인의 법정에서의 진술을 탄핵하기 위한 반대증거로도 사용할 수 없다.

② 탄핵증거의 제출에 있어서도 상대방에게 이에 대한 공격방어의 수단을 강구할 기회를 사전에 부여하여야 할 것이지만, 증명력을 다투고자 하는 증거의 어느 부분에 의하여 진술의 어느 부분을 다투려고 한다는 것을 사전에 상대방에게 알려야 할 필요는 없다.

③ 탄핵증거는 진술의 증명력을 감쇄하기 위하여 인정되는 것이지만, 범죄사실 또는 간접사실의 인정의 증거로도 허용된다.

④ 검사가 탄핵증거로 신청한 체포·구속인접견부 사본은 피고인의 부인진술을 탄핵한다는 것이므로 결국 검사에게 입증책임이 있는 공소사실 자체를 입증하기 위한 것에 불과하므로 형사소송법 제318조의2 제1항 소정의 피고인의 진술의 증명력을 다투기 위한 탄핵증거로 볼 수 없다.

지문분석 난이도 ㊥ 정답 ④

| 키 워 드 | 탄핵증거

| 출제유형 | 옳은 지문 고르기

④ (O) 대법원 2012.10.25. 2011도5459

① (X) 사법경찰리 작성의 피고인에 대한 피의자신문조서와 피고인이 작성한 자술서들은 모두 검사가 유죄의 자료로 제출한 증거들로서 피고인이 각 그 내용을 부인하는 이상 증거능력이 없으나 그러한 증거라 하더라도 그것이 임의로 작성된 것이 아니라고 의심할 만한 사정이 없는 한 피고인의 법정에서의 진술을 탄핵하기 위한 반대증거로 사용할 수 있다(대법원 1998.2.27. 97도1770).

② (X) 검사가 유죄의 자료로 제출한 사법경찰리 작성의 피고인에 대한 피의자신문조서는 피고인이 그 내용을 부인하는 이상 증거능력이 없으나, 그것이 임의로 작성된 것이 아니라고 의심할 만한 사정이 없는 한 피고인의 법정에서의 진술을 탄핵하기 위한 반대증거로 사용할 수 있으며, 또한 탄핵증거는 범죄사실을 인정하는 증거가 아니므로 엄격한 증거조사를 거쳐야 할 필요가 없음은 형사소송법 제318조의2의 규정에 따라 명백하나 법정에서 이에 대한 탄핵증거로서의 증거조사는 필요한 것이고, 한편 증거신청의 방식에 관하여 규정한 형사소송규칙 제132조 제1항의 취지에 비추어 보면 탄핵증거의 제출에 있어서도 상대방에게 이에 대한 공격방어의 수단을 강구할 기회를 사전에 부여하여야 한다는 점에서 그 증거와 증명하고자 하는 사실과의 관계 및 입증취지 등을 미리 구체적으로 명시하여야 할 것이므로, 증명력을 다투고자 하는 증거의 어느 부분에 의하여 진술의 어느 부분을 다투려고 한다는 것을 사전에 상대방에게 알려야 한다(대법원 2005.8.19. 2005도2617).

③ (X) 탄핵증거는 진술의 증명력을 감쇄하기 위하여 인정되는 것이고 범죄사실 또는 그 간접사실의 인정의 증거로서는 허용되지 않는다(대법원 2012.10.25. 2011도5459).

✔ 개념체크 **형사소송법 제318조의2(증명력을 다투기 위한 증거)**

① 제312조부터 제316조까지의 규정에 따라 증거로 할 수 없는 서류나 진술이라도 공판준비 또는 공판기일에서의 피고인 또는 피고인이 아닌 자(공소제기 전에 피고인을 피의자로 조사하였거나 그 조사에 참여하였던 자를 포함한다. 이하 이 조에서 같다)의 진술의 증명력을 다투기 위하여 증거로 할 수 있다.

② 제1항에도 불구하고 피고인 또는 피고인이 아닌 자의 진술을 내용으로 하는 영상녹화물은 공판준비 또는 공판기일에 피고인 또는 피고인이 아닌 자가 진술함에 있어서 기억이 명백하지 아니한 사항에 관하여 기억을 환기시켜야 할 필요가 있다고 인정되는 때에 한하여 피고인 또는 피고인이 아닌 자에게 재생하여 시청하게 할 수 있다.

08 0872

2018 경찰 3차

증거에 대한 설명으로 가장 적절하지 않은 것은? (다툼이 있는 경우 판례에 의함)

① 피해자가 피고인으로부터 당한 공갈 등 피해 내용을 담아 자신의 남동생에게 보낸 문자메시지의 내용을 촬영한 사진은 증거서류 중 피해자의 진술서에 준하는 것으로 보아야 한다.
② 형사소송법 제318조의2 제1항에 규정된 이른바 탄핵증거는 범죄사실을 인정하는 증거가 아니어서 엄격한 증거능력을 요하지 않으므로, 이를 유죄 증거의 증명력을 다투기 위한 반대증거로 사용할 수 있다.
③ 공모공동정범에서 공모나 모의는 '범죄될 사실'이므로, 이를 인정하기 위하여는 엄격한 증명에 의해야 하고 그 증거는 판결에 표시되어야 한다.
④ 피고인의 검찰 진술의 임의성의 유무가 다투어지는 경우에는 법원은 법률이 자격을 인정한 증거에 의하여 법률이 규정한 증거조사방식에 따라 증명하여야 한다는 엄격한 증명의 방법으로 그 임의성 유무를 판단하여야 한다.

지문분석

난이도 하 정답 ④

| 키 워 드 | 증거
| 출제유형 | 틀린 지문 고르기

④ (X) 피고인이 된 피의자에 대한 검사 작성의 피의자신문조서는 그 피고인의 공판정에서의 진술 등에 의하여 성립의 진정함이 인정되면 그 조서에 기재된 피고인의 진술이 임의로 한 것이 아니라고 특히 의심할 만한 사유가 없는 한 증거능력이 있고, 피고인이 그 진술을 임의로 한 것이 아니라고 다투는 경우에는 법원은 구체적인 사건에 따라 당해 조서의 형식과 내용, 피고인의 학력, 경력, 직업, 사회적 지위, 지능 정도 등 제반 사정을 참작하여 자유로운 심증으로 피고인이 그 진술을 임의로 한 것인지의 여부를 판단하면 된다(대법원 1994.11.4. 94도129).
① (O) 대법원 2010.11.25. 2010도8735
② (O) 대법원 1996.1.26. 95도1333
③ (O) 대법원 1988.9.13. 88도1114

09 0873

2021 경찰 승진

탄핵증거에 대한 설명으로 가장 적절하지 않은 것은? (다툼이 있는 경우 판례에 의함)

① 탄핵증거의 제출에 있어서도 상대방에게 이에 대한 공격방어의 수단을 강구할 기회를 사전에 부여하여야 한다.
② 탄핵증거에 대해서는 유죄증거에 관한 소송법상의 엄격한 증거능력을 요하지 아니한다.
③ 검사가 유죄의 자료로 제출한 사법경찰관 작성의 피고인에 대한 피의자신문조서는 피고인이 그 내용을 부인하는 이상 증거능력이 없고, 그것이 임의로 작성된 것이라도 피고인의 법정에서의 진술을 탄핵하기 위한 반대증거로도 사용할 수 없다.
④ 탄핵증거는 진술의 증명력을 감쇄하기 위하여 인정되는 것이고 범죄사실 또는 그 간접사실의 인정의 증거로서는 허용되지 않는다.

지문분석

난이도 중 정답 ③

| 키 워 드 | 탄핵증거
| 출제유형 | 틀린 지문 고르기

③ (X) 사법경찰리 작성의 피고인에 대한 피의자신문조서와 피고인이 작성한 자술서들은 모두 검사가 유죄의 자료로 제출한 증거들로서 피고인이 각 그 내용을 부인하는 이상 증거능력이 없으나 그러한 증거라 하더라도 그것이 임의로 작성된 것이 아니라고 의심할 만한 사정이 없는 한 피고인의 법정에서의 진술을 탄핵하기 위한 반대증거로 사용할 수 있다(대법원 1998.2.27. 97도1770).
① (O) 대법원 2005.8.19. 2005도2617
② (O) 대법원 1996.1.26. 95도1333
④ (O) 대법원 1996.9.6. 95도2945

10 0874

2019 경찰 승진

탄핵증거에 대한 설명으로 가장 적절하지 않은 것은? (다툼이 있는 경우 판례에 의함)

① 탄핵증거는 진술의 증명력을 감쇄하기 위하여 인정되는 것이고 범죄사실 또는 그 간접사실 인정의 증거로서는 허용되지 않는다.

② 검사가 탄핵증거로 신청한 체포·구속인접견부 사본은 피고인의 부인진술을 탄핵한다는 것이므로 결국 검사에게 입증책임이 있는 공소사실 자체를 입증하기 위한 것에 불과하므로 탄핵증거로 볼 수 없다.

③ 탄핵증거는 엄격한 증거조사를 거쳐야 할 필요가 없지만 법정에서 이에 대한 탄핵증거로서의 증거조사는 필요하다.

④ 탄핵증거의 제출에 있어서도 상대방에게 이에 대한 공격방어의 수단을 강구할 기회를 사전에 부여하여야 하지만, 증명력을 다투고자 하는 증거의 어느 부분에 의하여 진술의 어느 부분을 다투려고 한다는 것인지를 사전에 상대방에게 알려야 할 필요는 없다.

지문분석 난이도 하 정답 ④

| 키 워 드 | 탄핵증거

| 출제유형 | 틀린 지문 고르기

④ (X) 증거신청의 방식에 관하여 규정한 형사소송규칙 제132조 제1항의 취지에 비추어 보면 탄핵증거의 제출에 있어서도 상대방에게 이에 대한 공격방어의 수단을 강구할 기회를 사전에 부여하여야 한다는 점에서 그 증거와 증명하고자 하는 사실과의 관계 및 입증취지 등을 미리 구체적으로 명시하여야 할 것이므로, 증명력을 다투고자 하는 증거의 어느 부분에 의하여 진술의 어느 부분을 다투려고 한다는 것을 사전에 상대방에게 알려야 한다(대법원 2005.8.19. 2005도2617).

① (O) 대법원 1996.9.6. 95도2945

② (O) 대법원 2012.10.25. 2011도5459

③ (O) 대법원 2005.8.19. 2005도2617

✓ 개념체크 **체포·구속인 접견부가 형사소송법 제315조 제2호의 서류에 해당하는지 여부(= 부정)**

- **'체포·구속인접견부'의 증거능력**
  체포·구속인접견부는 유치된 피의자가 죄증을 인멸하거나 도주를 기도하는 등 유치장의 안전과 질서를 위태롭게 하는 것을 방지하기 위한 목적으로 작성되는 서류로 보일 뿐이어서 형사소송법 제315조 제2, 3호에 규정된 당연히 증거능력이 있는 서류로 볼 수는 없다.
- **탄핵증거의 증명력**
  범죄사실의 인정은 합리적인 의심이 없는 정도의 증명에 이르러야 하나(형사소송법 제307조 제2항), 사실인정의 전제로 행하여지는 증거의 취사선택 및 증명력에 대한 판단은 자유심증주의의 한계를 벗어나지 않는 한 사실심 법원의 재량에 속한다(형사소송법 제308조). 그리고 탄핵증거는 진술의 증명력을 감쇄하기 위하여 인정되는 것이고 범죄사실 또는 그 간접사실의 인정의 증거로서는 허용되지 않는다. 원심은 검사가 탄핵증거로 신청한 체포·구속인접견부 사본은 피고인의 부인진술을 탄핵한다는 것이므로 결국 검사에게 입증책임이 있는 공소사실 자체를 입증하기 위한 것에 불과하므로 형사소송법 제318조의2 제1항 소정의 피고인의 진술의 증명력을 다투기 위한 탄핵증거로 볼 수 없다는 이유로 그 증거신청을 기각하였다. 관련 법리와 기록에 비추어 살펴보면 원심의 이 부분 판단은 정당한 것으로 수긍이 가고, 거기에 탄핵증거에 관한 법리를 오해하거나 채증법칙을 위반한 위법이 없다(대법원 2012.10.25. 2011도5459).

11 0875

2021 경찰 1차

탄핵증거에 대한 설명으로 가장 적절하지 않은 것은? (다툼이 있는 경우 판례에 의함)

① 탄핵증거는 범죄사실을 인정하는 증거가 아니어서 엄격한 증거능력을 요하지 아니한다.
② 법정에서 증거로 제출된 바가 없어 전혀 증거조사가 이루어지지 아니한 채 수사기록에만 편철되어 있는 증거를 피고인의 진술을 탄핵하는 증거로 사용할 수는 없다.
③ 검사가 유죄의 자료로 제출한 사법경찰리 작성의 피고인에 대한 피의자신문조서는 피고인이 그 내용을 부인하는 이상 증거능력이 없지만, 그것이 임의로 작성된 것이 아니라고 하더라도 피고인의 법정에서의 진술을 탄핵하기 위한 반대증거로는 사용할 수 있다.
④ 비록 증거목록에 기재되지 않았고 증거결정이 있지 아니하였다 하더라도 공판과정에서 그 입증취지가 구체적으로 명시되고 제시까지 된 이상, 그 제시된 증거에 대하여 탄핵증거로서의 증거조사는 이루어졌다고 보아야 할 것이다.

지문분석

난이도 중 정답 ③

| 키 워 드 | 탄핵증거
| 출제유형 | 틀린 지문 고르기

③ (X) 사법경찰리 작성의 피고인에 대한 피의자신문조서와 피고인이 작성한 자술서들은 모두 검사가 유죄의 자료로 제출한 증거들로서 피고인이 각 그 내용을 부인하는 이상 증거능력이 없으나 그러한 증거라 하더라도 그것이 임의로 작성된 것이 아니라고 의심할 만한 사정이 없는 한 피고인의 법정에서의 진술을 탄핵하기 위한 반대증거로 사용할 수 있다(대법원 1998.2.27. 97도1770).
① (O) 대법원 1996.1.26. 95도1333
② (O) 탄핵증거는 범죄사실을 인정하는 증거가 아니므로 엄격한 증거조사를 거쳐야 할 필요가 없음은 형사소송법 제318조의2의 규정에 따라 명백하다고 할 것이나, 법정에서 이에 대한 탄핵증거로서의 증거조사는 필요하다고 할 것이다. 법정에서 증거로 제출된 바가 없어 전혀 증거조사가 이루어지지 아니한 채 수사기록에만 편철되어 있는 소득세징수액집계표(수사기록)를 피고인 및 그 사무실 직원 공소외 1 등의 진술을 탄핵하는 증거로 사용하였는바, 이러한 원심의 조치에는 탄핵증거의 조사방법에 관한 법리오해의 위법이 있다 할 것이다(대법원 1998.2.27. 97도1770).
④ (O) 대법원 2006.5.26. 2005도6271

3 자백의 보강법칙

12 0876

2019 경찰 1차

자백에 대한 설명으로 가장 적절하지 않은 것은? (다툼이 있는 경우 판례에 의함)

① 형사소송법 제310조 소정의 '피고인의 자백'에 공범인 공동피고인의 진술은 포함되지 아니하므로 공범인 공동피고인들의 각 진술은 상호 간에 서로 보강증거가 될 수 있다.
② 검찰에서의 피고인의 자백이 법정진술과 다르다는 사유만으로는 그 자백의 신빙성이 의심스럽다고 볼 수 없다.
③ 일정한 증거가 발견되면 피의자가 자백하겠다고 한 약속이 검사의 강요나 위계에 의하여 이루어졌다든가 경한 죄의 소추 등 이익과 교환조건으로 된 것으로 인정되지 않는 한, 위와 같은 약속하에 된 자백이라 하여 곧 임의성 없는 자백이라고 단정할 수는 없다.
④ 피고인의 자백에 임의성이 없다고 의심할 만한 사유가 있다면, 임의성이 없다고 의심하게 된 사유와 피고인의 자백과의 사이에 인과관계 여부를 불문하고 그 자백의 증거능력은 부정된다.

지문분석

난이도 하 정답 ④

| 키 워 드 | 자백의 보강법칙
| 출제유형 | 틀린 지문 고르기

④ (X) 피고인의 자백이 임의성이 없다고 의심할 만한 사유가 있는 때에 해당한다 할지라도 그 임의성이 없다고 의심하게 된 사유들과 피고인의 자백과의 사이에 인과관계가 존재하지 않는 것이 명백한 때에는 그 자백은 임의성이 있는 것으로 인정된다(대법원 1984.11.27. 84도2252).
① (O) 형사소송법 제310조 소정의 '피고인의 자백'에 공범인 공동피고인의 진술은 포함되지 아니하므로 공범인 공동피고인의 진술은 다른 공동피고인에 대한 범죄사실을 인정하는 증거로 할 수 있는 것일 뿐만 아니라 공범인 공동피고인들의 각 진술은 상호 간에 서로 보강증거가 될 수 있다(대법원 1990.10.30. 90도1939).
② (O) 검찰에서의 피고인의 자백 등이 법정진술과 다르다는 사유만으로 그 자백의 신빙성이 의심스럽다고 할 사유로 삼아야 한다고 볼 수 없다(대법원 1985.7.9. 85도826).
③ (O) 일정한 증거가 발견되면 피의자가 자백하겠다고 한 약속이 검사의 강요나 위계에 의하여 이루어졌다든가 또는 불기소나 경한 죄의 소추 등 이익과 교환조건으로 된 것으로 인정되지 않는다면 위와 같은 자백의 약속하에 된 자백이라 하여 곧 임의성 없는 자백이라고 단정할 수는 없다(대법원 1983.9.13. 83도712).

13 0877

2020 경찰 1차

자백에 대한 설명 중 가장 적절하지 않은 것은? (다툼이 있는 경우 판례에 의함)

① 형사소송법 제309조의 자백배제법칙을 인정하는 것은 자백 취득과정에서의 위법성 때문에 그 증거능력을 부정하는 것이므로 만약 자백에서 임의성을 의심할 만한 사유가 있으면 그 사유와 자백 간의 인과관계가 명백히 없더라도 자백의 증거능력을 부정한다.

② 형사소송법 제309조에서 피고인의 진술이 임의로 한 것이 아니라고 특히 의심할 사유의 입증은 자유로운 증명으로 족하다.

③ 피고인이 위조신분증을 제시행사한 사실을 자백하고 있고 위 제시행사한 신분증이 현존한다면 그 자백이 임의성이 없는 것이 아닌 한 위 신분증은 피고인의 위 자백사실의 진실성을 인정할 간접증거가 된다.

④ 자백에 대한 보강증거는 범죄사실의 전부 또는 중요부분을 인정할 수 있는 정도가 되지 아니하더라도 피고인의 자백이 가공적인 것이 아닌 진실한 것임을 인정할 수 있는 정도만 되면 족할 뿐만 아니라 직접증거가 아닌 간접증거나 정황증거도 보강증거가 될 수 있으며 또한 자백과 보강증거가 서로 어울려서 전체로서 범죄사실을 인정할 수 있으면 유죄의 증거로 충분하다.

지문분석 난이도 중 정답 ①

| 키 워 드 | 자백의 보강법칙

| 출제유형 | 틀린 지문 고르기

① (X) 피고인의 자백이 임의성이 없다고 의심할 만한 사유가 있는 때에 해당한다 할지라도 그 임의성이 없다고 의심하게 된 사유들과 피고인의 자백과의 사이에 인과관계가 존재하지 않은 것이 명백한 때에는 그 자백은 임의성이 있는 것으로 인정된다(대법원 1984.11.27. 84도2252).

② (O) 대법원 1994.11.4. 94도129

③ (O) 대법원 1983.2.22. 82도3107

④ (O) 대법원 2008.11.27. 2008도7883

14 0878

2019 경찰 승진

자백의 보강증거에 대한 설명으로 가장 적절하지 않은 것은? (다툼이 있는 경우 판례에 의함)

① 자백에 대한 보강증거는 범죄사실의 전부 또는 중요 부분을 인정할 수 있는 정도가 되지 아니하더라도 피고인의 자백이 가공적인 것이 아닌 진실한 것임을 인정할 수 있는 정도만 되면 족할 뿐만 아니라 직접증거가 아닌 간접증거나 정황증거도 보강증거가 될 수 있다.

② 피고인이 범행을 자인하는 것을 들었다는 피고인 아닌 자의 진술내용은 피고인의 자백에 대한 보강증거가 될 수 없다.

③ '피고인이 필로폰을 매수하면서 그 대금을 은행계좌로 송금한 사실'에 대한 압수수색검증영장 집행보고는 필로폰 매수행위와 실체적 경합범 관계에 있는 필로폰 투약행위에 대해서도 보강증거가 될 수 있다.

④ 피고인이 피해자의 재물을 절취하려다가 미수에 그쳤다는 내용의 공소사실을 자백한 경우 피고인을 현행범으로 체포한 피해자의 수사기관에서 한 진술과 현장사진이 첨부된 수사보고서는 피고인 자백의 진실성을 담보하기에 충분한 보강증거가 될 수 있다.

지문분석 난이도 중 정답 ③

| 키 워 드 | 자백의 보강법칙

| 출제유형 | 틀린 지문 고르기

③ (X) 실체적 경합범은 실질적으로 수죄이므로 각 범죄사실에 관하여 자백에 대한 보강증거가 있어야 한다.
→ 필로폰 매수 대금을 송금한 사실에 대한 증거가 필로폰 매수죄와 실체적 경합범 관계에 있는 필로폰 투약행위에 대한 보강증거가 될 수 없다(대법원 2008.2.14. 2007도10937).

① (O) 대법원 2008.11.27. 2008도7883

② (O) 대법원 2008.2.14. 2007도10937

④ (O) 대법원 2011.9.29. 2011도8015

15 0879

2020 경찰 승진

자백의 보강증거에 관한 설명 중 가장 적절하지 않은 것은? (다툼이 있는 경우 판례에 의함)

① 공동피고인의 자백은 원칙적으로 피고인의 자백에 대한 보강증거가 될 수 있으나 피고인들 간에 이해관계가 상반되는 경우에는 그 진실성을 담보할 수 없으므로 공동피고인의 자백이 피고인의 자백에 대한 보강증거가 될 수 없다.

② 뇌물공여의 상대방이 뇌물을 수수한 사실을 부인하면서도 그 일시경에 뇌물공여자를 만났던 사실 및 공무에 관한 청탁을 받기도 한 사실 자체는 시인하였다면, 이는 뇌물을 공여하였다는 뇌물공여자의 자백에 대한 보강증거가 될 수 있다.

③ 피고인의 자백을 내용으로 하는 피고인 아닌 자의 진술은 피고인의 자백에 대한 보강증거가 될 수 없다.

④ 전과에 관한 사실은 엄격한 의미에서의 범죄사실과는 구별되는 것으로서 피고인의 자백만으로서도 이를 인정할 수 있다.

지문분석 난이도 ⓗ 정답 ①

| 키 워 드 | 자백의 보강법칙

| 출제유형 | 틀린 지문 고르기

① (X) 본조에서 말하는 피고인의 자백이란 함은 문리해석상으로도 다른 공동피고인(공범인 경우이건 아니건 가리지 않는다)의 자백을 포함한다 하는 취지로 되어 있지 않을 뿐 아니라 실지 문제로서도 이 공동피고인의 자백에 대하여는 반대신문권도 충분히 보장되어 있는 것이므로 증인으로 신문한 경우나 다를 바가 없으므로 이러한 의미에서 공동피고인의 자백도 증거능력이 있다 할 것이다(대법원 1963.7.25. 63도185).

② (O) 대법원 1995.6.30. 94도993

③ (O) 대법원 2008.2.14. 2007도10937

④ (O) 대법원 1979.8.21. 79도1528

4 공판조서의 증명력

16 0880

2018 경찰 승진

공판조서에 대한 설명 중 가장 적절하지 않은 것은? (다툼이 있는 경우 판례에 의함)

① 피고인의 공판조서에 대한 열람 또는 등사청구에 법원이 불응하여 피고인의 열람 또는 등사청구권이 침해된 경우에는 그 공판조서를 유죄의 증거로 할 수 없으나, 공판조서에 기재된 증인의 진술은 증거로 할 수 있다.

② 공판조서의 기재가 명백한 오기인 경우를 제외하고는 공판기일의 소송절차로서 공판조서에 기재된 것은 조서만으로써 증명하여야 하고, 그 증명력은 공판조서 이외의 자료에 의한 반증이 허용되지 않는 절대적인 것이다.

③ 공판기일의 소송절차에 관하여는 참여한 법원사무관 등이 공판조서를 작성하여야 한다.

④ 검사 제출의 증거에 관하여 동의 또는 진정성립 여부 등에 관한 피고인의 의견이 증거목록에 기재된 경우에는 그 증거목록의 기재는 공판조서의 일부로서 명백한 오기가 아닌 이상 절대적인 증명력을 가지게 된다.

지문분석 난이도 ⓢ 정답 ①

| 키 워 드 | 공판조서

| 출제유형 | 틀린 지문 고르기

① (X) 형사소송법 제55조 제1항이 피고인에게 공판조서의 열람 또는 등사청구권을 부여한 이유는 공판조서의 열람 또는 등사를 통하여 피고인으로 하여금 진술자의 진술내용과 그 기재된 조서의 기재내용의 일치 여부를 확인할 수 있도록 기회를 줌으로써 그 조서의 정확성을 담보함과 아울러 피고인의 방어권을 충실하게 보장하려는 데 있으므로 피고인의 공판조서에 대한 열람 또는 등사청구에 법원이 불응하여 피고인의 열람 또는 등사청구권이 침해된 경우에는 그 공판조서를 유죄의 증거로 할 수 없을 뿐만 아니라, 공판조서에 기재된 당해 피고인이나 증인의 진술도 증거로 할 수 없다(대법원 2003.10.10. 2003도3282).

②, ④ (O) 대법원 2012.6.14. 2011도12571

③ (O) 형사소송법 제51조 제1항

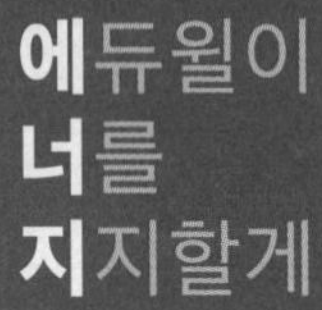

ENERGY

끝이 좋아야 시작이 빛난다.

– 마리아노 리베라(Mariano Rivera)

여러분의 작은 소리
에듀윌은 크게 듣겠습니다.

본 교재에 대한 여러분의 목소리를 들려주세요.
공부하시면서 어려웠던 점, 궁금한 점,
칭찬하고 싶은 점, 개선할 점, 어떤 것이라도 좋습니다.

에듀윌은 여러분께서 나누어 주신 의견을
통해 끊임없이 발전하고 있습니다.

에듀윌 도서몰 book.eduwill.net
- 부가학습자료 및 정오표: 에듀윌 도서몰 → 도서자료실
- 교재 문의: 에듀윌 도서몰 → 문의하기 → 교재(내용, 출간) / 주문 및 배송

2022 경찰공무원 단원별 기출문제집 형사법 1000제

발 행 일	2021년 11월 19일
저 자	강기주, 이태우
펴 낸 이	박명규
펴 낸 곳	(주)에듀윌
등록번호	제25100-2002-000052호
주 소	08378 서울특별시 구로구 디지털로34길 55 코오롱싸이언스밸리 2차 3층

ISBN 979-11-360-1278-4 (13350)

www.eduwill.net
대표전화 1600-6700

취업, 공무원, 자격증 시험준비의 흐름을 바꾼 화제작!

에듀윌 히트교재 시리즈

에듀윌 교육출판연구소가 만든 히트교재 시리즈!
YES 24, 교보문고, 알라딘, 인터파크, 영풍문고 등 전국 유명 온/오프라인 서점에서 절찬 판매 중!

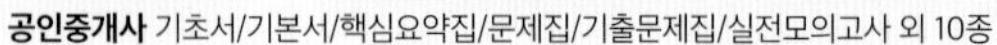

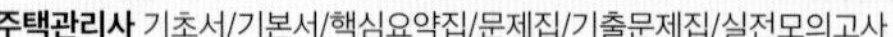

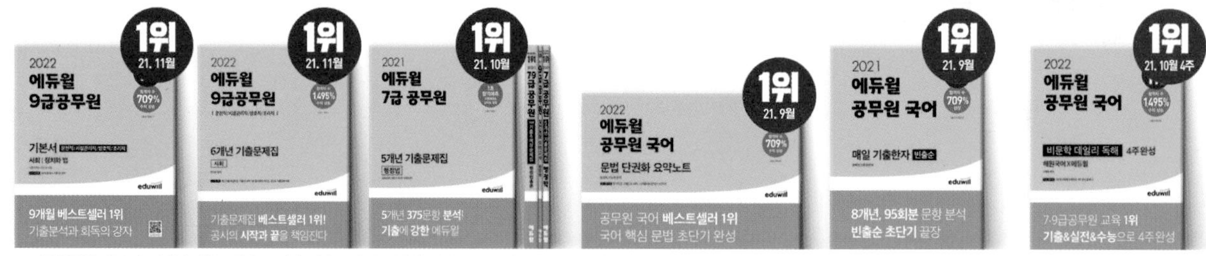

7·9급공무원 기본서/단원별 기출&예상 문제집/기출문제집/기출팩/실전, 봉투모의고사 **공무원** 국어 한자·문법·독해/영어 단어·문법·독해/한국사 모의고사·흐름노트/행정학 요약노트/행정법 판례집

7급공무원 PSAT 기본서/기출문제집 **계리직공무원** 기본서/문제집/기출문제집 **군무원** 기출문제집/봉투모의고사 **경찰공무원** 기본서/기출문제집/모의고사/판례집/면접 **소방공무원** 기출문제집/실전, 봉투모의고사 **맞춤형 화장품 조제관리사**

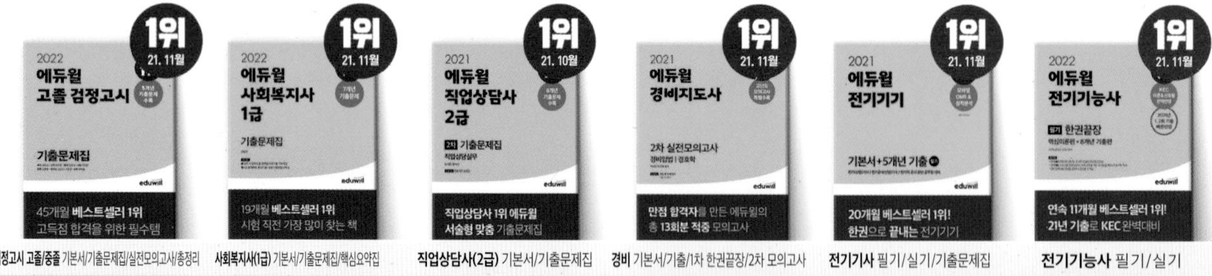

검정고시 고졸/중졸 기본서/기출문제집/실전모의고사/총정리 **사회복지사(1급)** 기본서/기출문제집/핵심요약집 **직업상담사(2급)** 기본서/기출문제집 **경비** 기본서/기출/1차 한권끝장/2차 모의고사 **전기기사** 필기/실기/기출문제집 **전기기능사** 필기/실기

※ YES24 수험서 자격증 공인중개사 베스트셀러 1위 (2011년 12월, 2012년 1월, 12월, 2013년 1월~5월, 8월~12월, 2014년 1월~5월, 7월~8월, 12월, 2015년 2월~4월, 2016년 2월, 4월, 6월, 12월, 2017년 1월~12월, 2018년 1월~12월, 2019년 1월~12월, 2020년 1월~12월, 2021년 1월~11월 월별 베스트, 매월 1위 교재는 다름)
※ YES24 국내도서 해당분야 월별, 주별 베스트 기준

2022

에듀윌 경찰공무원

단원별 기출문제집

3회독 워크북

형사법 1000제

강기주·이태우 편저

단원별 기출문제집 3회독 필수 구성

- '필수 기출개념→기출지문 OX→마무리 모의고사'의 3단계 구성
- 학습플래너 & Goal Tracker, 회독용 정답체크표로 학습의 체계성과 편의성 향상

에듀윌 경찰공무원

단원별 기출문제집

3회독 워크북

형사법 1000제

1000제 완성 플랜

3회독 완성 학습플래너

스스로 학습 계획을 세워보세요.

PART	CHAPTER	문항수	1회독	2회독	3회독
형법총론					
01 서론	01 형법의 기본원리	26	_월_일 □	_월_일 □	_월_일 □
	02 형법의 적용범위	18	_월_일 □	_월_일 □	_월_일 □
02 범죄론	01 범죄론의 기초	2	_월_일 □	_월_일 □	_월_일 □
	02 구성요건론	74	_월_일 □	_월_일 □	_월_일 □
	03 위법성론	27	_월_일 □	_월_일 □	_월_일 □
	04 책임론	32	_월_일 □	_월_일 □	_월_일 □
	05 미수론	40	_월_일 □	_월_일 □	_월_일 □
	06 정범 및 공범론	48	_월_일 □	_월_일 □	_월_일 □
	07 죄수론	23	_월_일 □	_월_일 □	_월_일 □
03 형벌론	01 형벌론	18	_월_일 □	_월_일 □	_월_일 □
형법각론					
01 개인적 법익에 대한 죄	01 생명과 신체에 대한 죄	23	_월_일 □	_월_일 □	_월_일 □
	02 자유에 대한 죄	31	_월_일 □	_월_일 □	_월_일 □
	03 명예와 신용에 대한 죄	31	_월_일 □	_월_일 □	_월_일 □
	04 사생활의 평온에 대한 죄	12	_월_일 □	_월_일 □	_월_일 □
	05 재산에 대한 죄	130	_월_일 □	_월_일 □	_월_일 □
02 사회적 법익에 대한 죄	01 공공의 안전과 평온에 대한 죄	8	_월_일 □	_월_일 □	_월_일 □
	02 공공의 신용에 대한 죄	22	_월_일 □	_월_일 □	_월_일 □
	03 사회의 도덕에 대한 죄	3	_월_일 □	_월_일 □	_월_일 □

PART	CHAPTER	문항수	1회독	2회독	3회독
03 국가적 법익에 대한 죄	01 국가의 존립과 권위에 대한 죄	2	_월_일 □	_월_일 □	_월_일 □
	02 국가의 기능에 대한 죄	46	_월_일 □	_월_일 □	_월_일 □
형사소송법					
01 형사소송법의 기초	01 형사소송법의 의의	9	_월_일 □	_월_일 □	_월_일 □
	02 형사소송법의 이념	12	_월_일 □	_월_일 □	_월_일 □
02 수사(捜査)	01 수사의 의의와 수사기관	9	_월_일 □	_월_일 □	_월_일 □
	02 수사의 단서	22	_월_일 □	_월_일 □	_월_일 □
	03 임의수사	23	_월_일 □	_월_일 □	_월_일 □
	04 강제수사	32	_월_일 □	_월_일 □	_월_일 □
	05 압수 · 수색 · 검증 등	23	_월_일 □	_월_일 □	_월_일 □
	06 수사의 종결	10	_월_일 □	_월_일 □	_월_일 □
	07 공소제기	7	_월_일 □	_월_일 □	_월_일 □
03 증거	01 증거법의 기본이론	9	_월_일 □	_월_일 □	_월_일 □
	02 증거능력	92	_월_일 □	_월_일 □	_월_일 □
	03 증명력	16	_월_일 □	_월_일 □	_월_일 □
3회독 워크북		120	_월_일 □	_월_일 □	_월_일 □

3회독 달성 플랜

3회독 Goal Tracker

Goal Tracker를 따라 목표를 달성하세요.

1회독

시작일 __월 __일
완료일 __월 __일

1일차 형법총론 1-1	**2일차** 형법총론 1-2 ~ 2-1	**3일차** 형법총론 2-2(1)	**4일차** 형법총론 2-2(2)	**5일차** 형법총론 2-3	**6일차** 형법총론 2-4	**7일차** 형법총론 2-5	**8일차** 형법총론 2-6	**9일차** 형법총론 2-7	**10일차** 형법총론 3-1
11일차 형법각론 1-1	**12일차** 형법각론 1-2	**13일차** 형법각론 1-3	**14일차** 형법각론 1-4 ~ 1-5(1)	**15일차** 형법각론 1-5(2)	**16일차** 형법각론 1-5(3)	**17일차** 형법각론 2-1 ~ 2-3	**18일차** 형법각론 3-1 ~ 3-2	**19일차** 형사소송법 1-1 ~ 1-2	**20일차** 형사소송법 2-1 ~ 2-2
21일차 형사소송법 2-3	**22일차** 형사소송법 2-4	**23일차** 형사소송법 2-5	**24일차** 형사소송법 2-6 ~ 3-1	**25일차** 형사소송법 3-2(1)	**26일차** 형사소송법 3-2(2)	**27일차** 형사소송법 3-2(3)	**28일차** 형사소송법 3-3	**29일차** 워크북 1회독 후 (1)	**30일차** 워크북 1회독 후 (2)

2회독

시작일 __월 __일
완료일 __월 __일

1일차 형법총론 1-1 ~ 2-1	**2일차** 형법총론 2-2	**3일차** 형법총론 2-3 ~ 2-4	**4일차** 형법총론 2-5	**5일차** 형법총론 2-6	**6일차** 형법총론 2-7 ~ 3-1	**7일차** 형법각론 1-1 ~ 1-2	**8일차** 형법각론 1-3 ~ 1-4	**9일차** 형법각론 1-5(1)	**10일차** 형법각론 1-5(2)
11일차 형법각론 1-5(3)	**12일차** 형법각론 2-1 ~ 3-1	**13일차** 형법각론 3-2	**14일차** 형사소송법 1-1 ~ 2-2	**15일차** 형사소송법 2-3 ~ 2-4	**16일차** 형사소송법 2-5 ~ 2-7	**17일차** 형사소송법 3-1 ~ 3-2(1)	**18일차** 형사소송법 3-2(2) ~ 3-3	**19일차** 워크북 2회독 후 (1)	**20일차** 워크북 2회독 후 (2)

3회독

시작일 __월 __일
완료일 __월 __일

1일차 형법총론 1-1 ~ 2-3	**2일차** 형법총론 2-4 ~ 3-1	**3일차** 형법각론 1-1 ~ 1-4	**4일차** 형법각론 1-5	**5일차** 형법각론 2-1 ~ 3-2	**6일차** 형사소송법 1-1 ~ 2-5	**7일차** 형사소송법 2-6 ~ 3-3	**8일차** 워크북 3회독 후 (1)	**9일차** 워크북 3회독 후 (2)	**10일차** 워크북 3회독 후 (3)

※회독일 하단 숫자는 PART-CHAPTER를 의미합니다.
※목표를 달성하면 각 날짜에 표시하세요

HOW TO USE

3회독 워크북 활용법

학습의 효율을 높이는 합격메이트

학습 목표와 일정을 세울 수 있는
3회독 플래너 & Goal Tracker

연필 자국을 지울 필요가 없는
회독용 정답체크표

자투리 시간을 활용하는
기출 OX APP

1

1회독 후

개념정리

필수 기출개념

탄탄한 기본기를 다질 수 있도록 1회독 문제풀이 후 필수로 알아두어야 하는 개념만 반복적으로 복습하세요.

2

2회독 후

심화학습

기출지문 OX

심화개념과 고난도 유형의 문제들을 대비할 수 있도록 OX 문제로 변형하였습니다. 선지별로 상세히 분석하며 연습하세요.

3

3회독 후

실전연습

마무리 모의고사

3회분 모의고사와 모바일 성적분석서비스를 통해 본인의 실력을 점검하고, 실전 감각도 향상해보세요.

2022

에듀윌 경찰공무원

단원별 기출문제집

3회독 워크북

형사법 1000제

1회독 후

필수 기출개념

✎ GUIDE
☑ 1회독 문제풀이 후 개념정리
☑ 필수 기출개념만을 모아 다시 한 번 복습

형법총론

PART 02 범죄론

1 즉시범과 계속범의 비교

CHAPTER 02 구성요건론 p.54, 2번

구분	즉시범	계속범
정당방위의 가능시기	기수시까지 가능	종료시까지 가능
공범의 성립시기	기수시까지 가능	종료시까지 가능
공소시효의 기산점	기수시	종료시

2 친고죄와 반의사불벌죄

CHAPTER 02 구성요건론 p.55, 4번

범죄	모욕죄(제311조)	외국원수·외국사절에 대한 폭행·협박·모욕·명예훼손죄 (제107조, 제108조)
친고죄	○ (제312조)	X
반의사불벌죄	X	○ (제110조)

3 진정신분범과 부진정신분범

CHAPTER 02 구성요건론 p.56, 5번

진정신분범	부진정신분범
• 직무유기죄 등 공무원범죄 • 수뢰죄(단, 뇌물공여죄는 제외), 인권옹호직무방해죄 • 공무상보관물무효죄 • 도주죄, 집합명령위반죄 • 위증죄, 허위감정·통역·번역죄, 허위공문서작성죄 • 허위진단서작성죄 • 유기죄, 횡령죄, 업무상비밀누설죄, 배임죄, 배임수재죄	• 불법체포·감금죄, 간수자도주원조죄 • 존속살해죄 등 존속~죄 • 영아살해죄 등 영아~죄(존속에 대한 범죄 전부) • 업무상과실치사상죄 등 업무상~죄(단, 업무상과실장물죄, 업무상비밀누설죄는 진정신분범) • 상습도박죄 등 상습범 전부 죄

4 진정부작위범과 부진정부작위범의 구별

CHAPTER 02 구성요건론 p.62, 17번

구별	내용
형식설 (다수설)	• 형법이 부작위범의 구성요건을 두고 있는가 하는 형식적 기준에 의하여 구별하는 견해이다. • 진정부작위범은 구성요건의 규정형식이 부작위로 되어 있는 경우(~ 아니한 자)를 부작위로 범한 경우이고, 부진정부작위범은 구성요건의 규정형식이 작위로 되어 있는 경우(~한 자)를 부작위로 범한 경우이다.
실질설	• 범죄의 내용과 성질이라고 하는 실질적 기준에 의하여 구별하는 견해이다. • 진정부작위범은 단순한 부작위에 의하여 구성요건이 충족되는 범죄이고, 부진정부작위범은 부작위 이외에 결과의 발생을 필요로 하는 범죄이다. 따라서 진정부작위범은 순수한 거동범으로, 부진정부작위범은 결과범으로 본다.
결론	• 실질설은 거동범에 대하여는 부진정부작위범이 성립할 여지가 없다고 보는 반면에, 형식설은 결과범은 물론 거동범에 대하여도 부진정부작위범이 성립할 수 있다고 본다. • 진정부작위범은 대체로 거동범이기는 하지만 결과범에 대해서도 성립가능하고, 부진정부작위범은 결과범이 대부분이기는 하나 거동범에 대하여도 불가능한 것은 아니므로 실질설은 부당하고 형식설이 타당하다.

5 고의범과 과실범의 비교

CHAPTER 02 구성요건론 p.73, 35번

• 고의범: 결과범 ○ (예 살인죄), 거동범 ○ (예 폭행죄)
• 과실범: 결과범 ○ (예 과실치사죄), 거동범 X

6 방화죄 미수처벌규정

CHAPTER 05 미수론 p.137, 3번

현주건조물방화죄 공용건조물방화죄 타인소유 일반건조물방화죄	예비·음모·미수 처벌 ○
자기소유 일반건조물방화죄 타인소유 일반물건방화죄 자기소유 일반물건방화죄	예비·음모·미수 처벌 X 기수만 처벌 ○

7 불능범과 불능미수의 구별 학설

CHAPTER 05 미수론 p.152, 29번

구분	내용
구객관설	• 불능을 결과발생이 개념적으로 불가능한 절대적 불능과 구체적이고 특수한 경우에만 불가능한 상대적 불능으로 구별하여, 후자만이 불능미수범이 된다는 견해(절대적 불능·상대적 불능설) • 불능범을 가장 넓게 인정함 • 법률적 불능은 불능범이지만, 사실적 불능은 불능미수범이라는 법률적 불능·사실적 불능설도 같은 의미로 이해됨 예 • 절대적 불능: 사체에 대한 살해행위, 독살의사로 설탕을 먹인 경우 • 상대적 불능: 방탄복을 입은 자에 대한 발포, 치사량 미달의 독약을 먹인 경우
법률적·사실적 불능설	결과발생의 불능을 법률적 불능과 사실적 불능으로 나누어 법률적 불능은 불능범, 사실적 불능은 불능미수범이 된다는 견해
구체적 위험설	행위 당시에 '행위자가 인식한 사정 및 일반인이 인식할 수 있었던 사정'을 기초로 일반적 경험법칙에 따라 사후적으로 판단하여 구체적 위험성이 있다고 인정되면 불능미수가 된다는 견해(신객관설) 예 • 불능미수: 일반인이 임신하였다고 생각하는 부녀에 대한 낙태, 실탄이 있는 것으로 생각하고 발사하였지만 탄환이 없는 경우, 치사량 미달의 독약으로 살해한 경우, 일반인이 시체임을 알 수 없는 자에 대한 발포 • 불능범: 수영선수를 수영 못하는 사람으로 알고 익사시키려고 한 경우, 일반인이 사정거리 밖에 있음을 알 수 있는 사람에 대한 저격, 일반인이 시체임을 알 수 있는 자에 대한 발포
추상적 위험설	행위시에 '행위자가 인식한 사실'을 기초로 행위자가 생각한 대로의 사정이 존재하였다면 일반인의 판단에서 추상적으로 결과발생의 위험성이 있다고 인정될 때 불능미수가 된다는 견해(주관적 위험설) 예 • 불능미수: 독약으로 알고 설탕을 먹인 경우, 음식물에 유황분말을 넣어 살해하려고 한 경우, 수영선수를 수영 못하는 사람으로 알고 익사시키려 한 경우, 살아 있는 것으로 오인하고 행한 사체에 대한 살해행위 • 불능범: 설탕에 살인력이 있는 줄 알고 설탕을 먹인 경우, 소화제로 낙태가 된다고 믿고 복용시킨 경우
인상설	행위자의 법적대적 의사가 일반인의 법적 안정감이나 사회적 평온상태를 교란하는 인상을 줄 경우에 위험성이 인정된다고 하는 견해
주관설	• 주관적으로 범죄의사가 확실하게 표현된 이상 그것이 객관적으로 절대 불능인 때에도 미수범으로 처벌해야 한다는 견해 • 원칙적으로 불능범의 개념을 인정하지 않는다. 다만, 미신범만은 실행행위의 정형성이 없기 때문에 가벌적 미수에서 제외된다고 봄

8 종속성의 정도

CHAPTER 06 정범 및 공범론 p.160, 1번

1. 논의의 초점
   종속성의 정도는 공범의 종속성을 인정할 경우 정범이 어느 정도의 범죄성립요건을 갖추어야 이에 종속하여 공범이 성립된다고 볼 것인가도 문제된다.
2. 종속형식

최소한 종속형식	• 정범의 행위가 구성요건에 해당하기만 하면, 위법·유책하지 않은 경우에도 공범이 성립한다는 종속형식 • 가장 넓게 공범의 성립을 인정
제한적 종속형식	• 정범의 행위가 구성요건에 해당하고 위법하면, 유책하지 않은 경우에도 공범이 성립한다는 종속형식(통설·판례) • 책임무능력자를 교사한 경우 교사자는 공범(교사범)이 됨 예 12세 어린이를 교사하여 타인의 물건을 절취하게 한 경우 → 절도죄의 교사범
극단적 종속형식	• 정범의 행위가 구성요건에 해당하고 위법·유책할 경우에 공범이 성립한다는 종속형식 • 책임무능력자를 교사한 경우 교사자는 공범이 될 수 없고 간접정범이 됨 예 12세 어린이를 교사하여 타인의 물건을 절취하게 한 경우 → 절도죄의 교사범 ×, 절도죄의 간접정범 ○
최극단적 종속형식(확장적 종속형식)	정범의 행위가 구성요건에 해당하고 위법·유책할 뿐만 아니라 더 나아가 가벌성의 모든 조건까지 완전히 갖춘 경우에 공범이 성립한다는 종속형식

9 공범종속성설과 공범독립성설의 비교

CHAPTER 06 정범 및 공범론 p.163, 5번

구분	공범종속성설 (통설·판례)	공범독립성설
의의	• 객관주의 범죄론 • 공범의 성립은 정범의 실행행위에 종속	• 주관주의 범죄론 • 정범의 실행행위와 무관하게 공범 성립
간접정범	• 공범과 간접정범의 구별 필요성 인정 • 간접정범의 개념 인정 • 간접정범은 정범	• 공범과 간접정범의 구별 필요성 부정 • 간접정범의 개념 부정 • 간접정범은 공범
공범의 미수 (기도된 교사, 형법 제31조 제2항·제3항)	종범은 적어도 정범의 실행의 착수를 요하므로 동 규정은 특별규정	정범의 실행의 착수가 없어도 공범의 미수를 인정하므로 동 규정은 당연규정이자 공범독립성설의 근거규정
공범과 신분 (형법 제33조)	신분의 연대성을 규정한 형법 제33조 본문이 원칙, 당연규정(제33조 단서는 예외규정)	신분의 개별성을 규정한 형법 제33조 단서가 원칙, 당연규정(제33조 본문은 예외규정)
자살관여죄 (형법 제252조 제2항)	자살이 범죄가 아님에도 그에 대한 교사·방조를 처벌하는 동 규정은 특별규정	당연규정이자 공범독립성설의 근거규정

10 죄수 판단의 기준

CHAPTER 07 죄수론 p.192, 1번

학설	내용
행위 표준설	• 자연적 의미의 행위의 수에 따라 범죄의 수를 결정하는 견해 • 객관주의 범죄이론에서 주장 • 연속범은 수죄이나, 상상적 경합은 일죄임 • 판례는 강간죄·공갈죄의 경우에 이 견해를 취함
법익 표준설	• 범죄행위로 인하여 침해되는 보호법익의 수 또는 결과의 수를 기준으로 죄수를 결정하는 견해 • 생명·신체·자유·명예 등의 전속적 법익은 법익주체마다 1개의 죄가 성립하지만, 공공의 안전·재산권 등의 비전속적 법익은 포괄적으로 결정함 • 상상적 경합은 실질상 수죄이지만 처벌상 일죄임 • 판례는 연속범의 경우 이외에는 원칙적으로 이 견해를 취함
의사 표준설	• 범죄의사의 수를 기준으로 죄수를 결정하는 견해 • 주관주의 범죄이론에서 주장 • 상상적 경합은 물론 연속범도 의사의 단일성이 인정되면 일죄가 됨 • 판례는 연속범의 경우에 이 견해를 취함
구성요건 표준설	• 구성요건에 해당하는 횟수를 표준으로 죄수를 결정하는 견해(다수설) • 상상적 경합은 원래 수죄이지만 과형상 일죄로 취급됨 • 판례는 조세포탈의 죄수는 위반사실의 구성요건충족 횟수를 기준으로 성립한다고 봄

PART 03 형벌론

1 보호관찰·사회봉사·수강명령

CHAPTER 01 형벌론 p.215, 13번

구분		집행유예		선고유예	가석방
보안처분	내용	보호관찰 (임의적)	사회봉사, 수강명령 (임의적)	보호관찰 (임의적)	보호관찰(필요적). 단, 필요 없다고 인정한 때에는 부과 X
	기간	집행유예기간·단, 감축 가능	집행유예기간 내	1년	가석방기간

형법각론

PART 01 개인적 법익에 대한 죄

1 골프장의 경기보조원(caddie) 관련 판례

CHAPTER 01 생명과 신체에 대한 죄 p.231, 16번

- 골프장의 경기보조원인 피고인이 골프 카트에 피해자 등 승객들을 태우고 진행하기 전에 안전 손잡이를 잡도록 고지하지도 않고, 또한 승객들이 안전 손잡이를 잡았는지 확인하지도 않은 상태에서 만연히 출발하였으며, 각도 70°가 넘는 우로 굽은 길을 속도를 충분히 줄이지 않고 급하게 우회전한 업무상과실로, 피해자를 골프 카트에서 떨어지게 하여 두개골골절, 지주막하출혈 등의 상해를 입게 한 경우 업무상과실치상죄가 성립한다(대법원 2010.7.22. 2010도1911).
- 피고인은 골프장에서 경기보조원(caddie)으로 근무하던 자인바, 강제 해고된 이후 근무 당시 선임조장이었던 피해자로부터 부당한 대우를 받았다는 이유로 앙심을 품고 있던 중, 골프클럽 경기보조원들의 구직편의를 위해 제작된 인터넷 사이트 내 회원 게시판에 특정 골프클럽의 운영상 불합리성을 비난하는 글을 게시하면서 위 클럽담당자에 대하여 한심하고 불쌍한 인간이라는 등 경멸적 표현을 한 경우 게시의 동기와 경위, 모욕적 표현의 정도와 비중 등에 비추어 사회상규에 위배되지 않아 모욕죄의 성립이 부정된다(대법원 2008.7.10. 2008도1433).
- 골프장 여종업원들이 거부의사를 밝혔음에도, 골프장 사장과의 친분관계를 내세워 함께 술을 마시지 않을 경우 신분상의 불이익을 가할 것처럼 협박하여 이른바 러브샷의 방법으로 술을 마시게 한 사안에서 강제추행죄를 인정할 수 있다(대법원 2008.3.13. 2007도10050).
- 골프경기를 하던 중 골프공을 쳐서 아무도 예상하지 못한 자신의 등 뒤편으로 보내어 등 뒤에 있던 경기보조원(캐디)에게 상해를 입힌 경우에는 주의의무를 현저히 위반하여 사회적 상당성의 범위를 벗어난 행위로서 과실치상죄가 성립한다(대법원 2008.10.23. 2008도6940).

2 형법상 '중'의 의미

CHAPTER 01 생명과 신체에 대한 죄 p.234, 22번

구분	구성요건	죄
중	생명에 대한 위험발생	• 중유기죄(제271조 제3항·제4항) • 중권리행사방해죄(제326조)
	• 생명에 대한 위험발생 • 불구 • 불치나 난치의 질병	중상해죄(제258조 제1항·제2항)
	사람의 생명·신체에 대한 위험발생	중손괴죄(제368조)
	가혹한 행위	중체포·감금죄(제277조 제1항)

3 현금대출(신용대출)에 대한 죄

CHAPTER 01 생명과 신체에 대한 죄 p.320, 58번

- 타인의 명의를 모용하여 발급받은 신용카드를 이용하여 현금자동지급기에서 현금대출을 받는 경우의 죄책: 절도죄
- 타인의 명의를 모용하여 발급받은 신용카드를 이용하여 ARS 전화서비스나 인터넷 등을 통하여 신용대출을 받는 경우의 죄책: 컴퓨터 등 사용사기죄

4 회사직원이 영업비밀 등을 반출한 경우의 비교판례

CHAPTER 05 재산에 대한 죄 p.350, 103번

회사직원이 영업비밀 또는 영업상 주요한 자산을 경쟁업체에 유출하거나 스스로의 이익을 위하여 이용할 목적으로 무단으로 반출한 경우, 업무상배임죄의 기수시기: 유출 또는 반출 시

회사직원이 재직 중에 영업비밀 또는 영업상 주요한 자산을 경쟁업체에 유출하거나 스스로의 이익을 위하여 이용할 목적으로 무단으로 반출하였다면 타인의 사무를 처리하는 자로서 업무상의 임무에 위배하여 유출 또는 반출한 것이어서 유출 또는 반출 시에 업무상배임죄의 기수가 된다(대법원 2017.6.29. 2017도3808).

PART 02 사회적 법익에 대한 죄

1 허위공문서작성죄와 공문서위조죄 구별

CHAPTER 02 공공의 신용에 대한 죄 p.386, 14번

- 보조 직무에 종사하는 공무원이 허위공문서를 기안하여 허위임을 모르는 작성권자의 결재를 받아 공문서를 완성한 경우: 허위공문서작성죄의 간접정범 성립
- 공무원의 문서작성을 보조하는 직무에 종사하는 공무원(보조 직무에 종사하는 공무원)이 허위공문서를 기안하여 결재를 거치지 않고 임의로 작성권자의 직인 등을 부정 사용함으로써 공문서를 완성한 경우: 공문서위조죄 성립
- 공문서의 작성권한 없는 사람이 허위공문서를 기안하여 작성권자의 결재를 받지 않고 공문서를 완성한 경우: 공문서위조죄 성립
- 공문서의 작성권한 없는 공무원 등이 작성권자의 결재를 받지 않고 직인 등을 보관하는 담당자를 기망하여 작성권자의 직인을 날인하도록 하여 공문서를 완성한 경우: 공문서위조죄 성립

형사소송법

PART 02 수사(搜査)

1 통신비밀보호법 제12조의2(범죄수사를 위하여 인터넷 회선에 대한 통신제한조치로 취득한 자료의 관리)

CHAPTER 02 임의수사 p.480, 09번

① 검사는 인터넷 회선을 통하여 송신·수신하는 전기통신을 대상으로 제6조 또는 제8조(제5조 제1항의 요건에 해당하는 사람에 대한 긴급통신제한조치에 한정한다)에 따른 통신제한조치를 집행한 경우 그 전기통신을 제12조 제1호에 따라 사용하거나 사용을 위하여 보관(이하 이 조에서 '보관등'이라 한다)하고자 하는 때에는 집행종료일부터 14일 이내에 보관등이 필요한 전기통신을 선별하여 통신제한조치를 허가한 법원에 보관등의 승인을 청구하여야 한다.

② 사법경찰관은 인터넷 회선을 통하여 송신·수신하는 전기통신을 대상으로 제6조 또는 제8조(제5조 제1항의 요건에 해당하는 사람에 대한 긴급통신제한조치에 한정한다)에 따른 통신제한조치를 집행한 경우 그 전기통신의 보관등을 하고자 하는 때에는 집행종료일부터 14일 이내에 보관등이 필요한 전기통신을 선별하여 검사에게 보관등의 승인을 신청하고, 검사는 신청일부터 7일 이내에 통신제한조치를 허가한 법원에 그 승인을 청구할 수 있다.

③ 제1항 및 제2항에 따른 승인청구는 통신제한조치의 집행 경위, 취득한 결과의 요지, 보관등이 필요한 이유를 기재한 서면으로 하여야 하며, 다음 각 호의 서류를 첨부하여야 한다.

1. 청구이유에 대한 소명자료
2. 보관등이 필요한 전기통신의 목록
3. 보관등이 필요한 전기통신. 다만, 일정 용량의 파일 단위로 분할하는 등 적절한 방법으로 정보저장매체에 저장·봉인하여 제출하여야 한다.

④ 법원은 청구가 이유 있다고 인정하는 경우에는 보관등을 승인하고 이를 증명하는 서류(이하 이 조에서 '승인서'라 한다)를 발부하며, 청구가 이유 없다고 인정하는 경우에는 청구를 기각하고 이를 청구인에게 통지한다.

⑤ 검사 또는 사법경찰관은 제1항에 따른 청구나 제2항에 따른 신청을 하지 아니하는 경우에는 집행종료일부터 14일(검사가 사법경찰관의 신청을 기각한 경우에는 그 날부터 7일) 이내에 통신제한조치로 취득한 전기통신을 폐기하여야 하고, 법원에 승인청구를 한 경우(취득한 전기통신의 일부에 대해서만 청구한 경우를 포함한다)에는 제4항에 따라 법원으로부터 승인서를 발부받거나 청구기각의 통지를 받은 날부터 7일 이내에 승인을 받지 못한 전기통신을 폐기하여야 한다.

⑥ 검사 또는 사법경찰관은 제5항에 따라 통신제한조치로 취득한 전기통신을 폐기한 때에는 폐기의 이유와 범위 및 일시 등을 기재한 폐기결과보고서를 작성하여 피의자의 수사기록 또는 피내사자의 내사사건기록에 첨부하고, 폐기일부터 7일 이내에 통신제한조치를 허가한 법원에 송부하여야 한다.

2 피의자신문절차에서 수갑해제요청을 한 변호인을 퇴실시킨 사안

CHAPTER 02 임의수사 p.485, 17번

[1] **검사 또는 사법경찰관이 구금된 피의자에 대한 신문절차에서 인정신문 시작 전 피의자 또는 변호인으로부터 보호장비를 해제해 달라는 요구를 받고도 교도관에게 수갑을 해제하여 달라고 요청하지 않은 조치가 형사소송법 제417조에 규정된 '구금에 관한 처분'에 해당하여 준항고의 대상이 되는지 여부: 인정**
형사소송법 제417조는 검사 또는 사법경찰관의 '구금에 관한 처분'에 불복이 있으면 법원에 그 처분의 취소 또는 변경을 청구할 수 있다고 규정하고 있다. 검사 또는 사법경찰관이 보호장비 사용을 정당화할 위와 같은 예외적 사정이 존재하지 않음에도 구금된 피의자에 대한 교도관의 보호장비 사용을 용인한 채 그 해제를 요청하지 않는 경우에, 검사 및 사법경찰관의 이러한 조치를 형사소송법 제417조에서 정한 '구금에 관한 처분'으로 보지 않는다면 구금된 피의자로서는 이에 대하여 불복하여 침해된 권리를 구제받을 방법이 없게 된다. 따라서 검사 또는 사법경찰관이 구금된 피의자를 신문할 때 피의자 또는 변호인으로부터 보호장비를 해제해 달라는 요구를 받고도 거부한 조치는 형사소송법 제417조 제1항에서 정한 '구금에 관한 처분'에 해당한다고 보아야 한다.

[2] **변호인이 피의자신문 중 부당한 신문방법에 대한 이의를 제기하였다는 이유만으로 변호인을 조사실에서 퇴거시킨 검사 또는 사법경찰관의 조치는 변호인의 피의자신문 참여권을 제한하는 것으로서 허용될 수 없는지 여부: 인정**
형사소송법 제243조의2 제1항은 검사 또는 사법경찰관은 피의자 또는 변호인 등이 신청할 경우 정당한 사유가 없는 한 변호인을 피의자신문에 참여하게 하여야 한다고 규정하고 있다. 여기에서 '정당한 사유'란 변호인이 피의자신문을 방해하거나 수사기밀을 누설할 염려가 있음이 객관적으로 명백한 경우 등을 말한다. 형사소송법 제243조의2 제3항 단서는 피의자신문에 참여한 변호인은 신문 중이라도 부당한 신문방법에 대하여 이의를 제기할 수 있다고 규정하고 있으므로, 검사 또는 사법경찰관의 부당한 신문방법에 대한 이의제기는 고성, 폭언 등 그 방식이 부적절하거나 또는 합리적 근거 없이 반복적으로 이루어지는 등의 특별한 사정이 없는 한, 원칙적으로 변호인에게 인정된 권리의 행사에 해당하며, 신문을 방해하는 행위로는 볼 수 없다. 따라서 검사 또는 사법경찰관이 그러한 특별한 사정 없이, 단지 변호인이 피의자신문 중에 부당한 신문방법에 대한 이의제기를 하였다는 이유만으로 변호인을 조사실에서 퇴거시키는 조치는 정당한 사유 없이 변호인의 피의자신문 참여권을 제한하는 것으로서 허용될 수 없다(대법원 2020.3.17. 2015모2357 결정).

3 재체포·재구속금지사유

CHAPTER 04 강제수사 p.501, 23번

구분	재체포·재구속금지사유
긴급체포되었다가 석방된 자 (형사소송법 제200조의4 제3항)	긴급체포 후 석방된 피의자는 영장 없이는 동일한 범죄사실에 관하여 재체포하지 못함 → 영장을 발부받아서 체포·구속 가능
수사기관에 의해 구속되었다가 석방된 자 (형사소송법 제208조 제1항)	검사 또는 사법경찰관에 의하여 구속되었다가 석방된 자에 대해 다른 중요한 증거를 발견한 경우를 제외하고는 동일한 범죄사실에 관하여 재구속이 금지됨 [주의] • 재구속제한금지 규정은 피고인에 대한 법원의 구속에는 적용되지 않는다(판례). • 제208조의 구속된 자에는 긴급체포된 자는 포함되지 아니한다(판례). • 재구속금지규정을 위반하였다 하더라도 공소제기가 무효로 되는 것은 아니다.
체포·구속적부심으로 석방된 자 (형사소송법 제214조의3 제1항)	석방된 피의자가 도망하거나 범죄의 증거를 인멸하는 경우를 제외하고는 재체포·구속이 금지됨
보증금납입조건부 피의자석방 제외사유 (형사소송법 제214조의2 제5항)	• 범죄의 증거를 인멸한 염려가 있다고 믿을 만한 충분한 이유가 있는 때 • 피해자, 당해 사건의 재판에 필요한 사실을 알고 있다고 인정되는 사람 또는 그 친족의 생명·신체나 재산에 해를 가하거나 가할 염려가 있다고 믿을 만한 충분한 이유가 있는 때
보증금납입조건으로 석방된 피의자 (형사소송법 제214조의3 제2항)	• 도망한 때 • 도망하거나 범죄의 증거를 인멸할 염려가 있다고 믿을 만한 충분한 이유가 있는 때 • 출석요구를 받고 정당한 이유 없이 출석하지 아니한 때(불출석) • 주거의 제한이나 그 밖에 법원이 정한 조건을 위반한 때
구속 집행 정지의 취소사유 (형사소송법 제102조 제2항)	• 도망한 때 • 도망하거나 죄증을 인멸할 염려가 있다고 믿을 만한 충분한 이유가 있는 때 • 소환을 받고 정당한 사유 없이 출석하지 아니한 때(불출석) • 피해자, 당해 사건의 재판에 필요한 사실을 알고 있다고 인정되는 자 또는 그 친족의 생명·신체·재산에 해를 가하거나 가할 염려가 있다고 믿을 만한 충분한 이유가 있는 때 • 법원이 정한 조건을 위반한 때

4 대물적 강제수사에 있어 영장주의의 예외

CHAPTER 05 압수·수색·검증 등 p.522, 22번

구분	내용	요급처분
체포·구속현장에서 피의자수색 (형사소송법 제216조 제1항 제1호)	긴급한 경우로 한정, 사후영장 필요 없음	요급처분 (형사소송법 제220조) ↓ • 주거주·간수자의 참여배제 가능 • 야간집행 가능
	수색의 주체는 검사·사법경찰관으로 제한, 사인은 피의자수색불가	
체포·구속현장에서 압수·수색·검증 (형사소송법 제216조 제1항 제2호)	압수계속 필요시 지체 없이 체포시부터 48시간 이내에 압수·수색영장 청구해야 함	
	• 체포장소로 제한. 최소한 체포는 착수해야 함(체포착수설) • 경찰서로 연행한 이후 연행된 장소에서도 압수·수색가능 • 사후에 압수·수색영장 청구 없는 경우나 영장을 발부받지 못했음에도 계속보관하였다면 위법수집증거임(판례) → 증거동의도 불가	
피고인에 대한 구속영장집행시 압수·수색·검증 (형사소송법 제216조 제2항)	사후영장 필요 없음	
	• 공소제기 후 허용되는 강제수사 중의 하나 • 법원의 집행기관으로서의 처분이나, 압수는 수사처분으로서 수사기관은 압수한 물건을 법원에 제출할 필요는 없음	
범죄장소에서의 압수·수색·검증 (형사소송법 제216조 제3항)	'항상' 지체 없이 사후영장 발부받아야 함	
	• 범행의 실행 중, 실행 직후의 범죄장소이면 족하고, 체포현장이라거나 피의자가 현장에 있을 필요는 없음 • 반드시 사후에 영장을 발부받아야 하고, 사후영장 없으면 위법수집증거로서 증거능력 없음	
긴급체포된 자가 소유·소지·보관하는 물건에 대한 압수·수색·검증 (형사소송법 제217조 제1항)	• 긴급체포시부터 24시간 이내에 한하여 압수·수색·검증 가능 • 압수계속 필요시 지체 없이 체포시부터 48시간 이내에 압수·수색영장 청구해야 함	요급처분 불허
	• 체포장소나 범죄장소에 제한되지 않음. 제3의 장소도 가능 • 압수대상물은 긴급체포로 된 사유와 관련된 필요최소한에 한정 • 사후에 압수·수색영장 청구 없는 경우나 영장을 발부받지 못했음에도 계속보관하였다면 위법수집증거임(판례) → 증거동의도 불가	
유류물과 임의제출물의 압수 (형사소송법 제218조)	사후영장 필요 없음. 강제수사	
	• 소지자나 보관자 등의 제출인은 정당한 권리자일 필요 없음 • 제출자는 최소한 소유자·소지자·보관자에는 해당해야 하고, 제출의 임의성이 합리적 의심 없는 정도로 증명되어야 함	

5 증거보전과 증인신문의 비교

CHAPTER 05 압수·수색·검증 등 p.523, 23번

구분	증거보전 (형사소송법 제184조) → 주로 피의자 위한 제도	증인신문 (형사소송법 제221조의2) → 검사 위한 제도
청구권자	검사, 피고인, 피의자, 변호인(성폭력범죄의 처벌 등에 관한 특례법이나 아동·청소년의 성보호에 관한 법률 위반죄에 있어서는 피해자나 법정대리인, 사법경찰관이 검사에게 증거보전 청구해 줄 것 신청가능)	검사
청구사유	미리 증거를 보전하지 아니하면 그 증거를 사용하기 곤란한 사정이 있는 때	범죄수사에 없어서는 아니 될 사실을 안다고 명백히 인정되는 참고인이 출석 또는 진술을 거부한 경우 [주의] 진술번복의 염려만으로 증인신문 청구불가(판례)
가능시점	수사개시 이후 제1회 공판기일 전까지 [주의] 내사단계의 피내사자는 청구불가, 재심, 상소절차 등에서도 청구불가	수사개시 이후 제1회 공판기일 전까지 [주의] 내사단계의 피내사자는 청구불가, 재심, 상소절차 등에서도 청구불가
방식	서면으로 사유소명	서면으로 사유소명
관할	(관할지방법원) 판사	(관할지방법원) 판사
판사권한	법원 또는 재판장과 동일한 권한	법원 또는 재판장과 동일한 권한
증거능력	무조건 증거능력(형사소송법 제311조)	무조건 증거능력(형사소송법 제311조)
내용	압수·수색·검증, 감정, 증인신문 [주의] 피의자신문은 불가, 그러나 공동피의자나 공범은 증인으로 취급	증인신문 [주의] 피의자신문은 불가, 그러나 공동피의자나 공범은 증인으로 취급
불복	3일 이내에 항고가능	판사의 결정(명령)이므로 불복할 수 없음
보전된 증거의 처리	판사소속 법원에 보관, 피고인측과 검사 모두 판사의 허가를 얻어 보전된 증거 열람·등사 가능	지체없이 검사에게 송부, 공소제기전에는 피고인측의 열람·등사 불허
당사자의 참여권과 통지	당사자참여권 보장되고 사전통지도 필요(공판정에서의 규정이 적용됨)	• 당사자참여권 보장되고 사전통지도 필요(공판정에서의 규정이 적용됨) • 당사자가 참여를 위해 법원이 통지하도록 직접 규정
	당사자참여권 보장되지 않은 증인신문조서는 위법수집증거임(판례) → 증거동의(○)	당사자참여권 보장되지 않은 증인신문조서는 반대신문권을 침해한 위법수집증거임(판례)
보전된 증거의 처리	• 판사 소속 법원에 보관 • 피고인 측과 검사 모두 판사의 허가를 얻어 보전된 증거의 열람·등사 가능	• 지체 없이 검사에게 송부 • 공소제기 전에는 피고인 측의 열람·등사 불허

6 수사종결처분의 통지제도

CHAPTER 06 수사의 종결 p.524, 2번

사법경찰관의 고소인 등에 대한 송부통지	사법경찰관은 범죄를 수사하여 범죄혐의가 있다고 인정되지 않는 경우(형사소송법 제245조의5 제2호의 경우)에는 그 송부한 날부터 7일 이내에 서면으로 고소인·고발인·피해자 또는 그 법정대리인(피해자가 사망한 경우에는 그 배우자·직계친족·형제자매를 포함)에게 사건을 검사에게 송치하지 아니하는 취지와 그 이유를 통지하여야 한다(형사소송법 제245조의6).
검사의 고소·고발인에 대한 기소/불기소 등 처분통지	검사는 고소 또는 고발 있는 사건에 관하여 공소를 제기하거나 제기하지 아니하는 처분, 공소의 취소 또는 타관송치를 한 때에는 그 처분한 날로부터 7일 이내에 서면으로 고소인 또는 고발인에게 그 취지를 통지하여야 한다(형사소송법 제258조 제1항).
검사의 (고소·고발하지 않은) 피해자에 대한 통지제도	검사는 범죄로 인한 피해자 또는 그 법정대리인(피해자가 사망시 배우자·직계친족·형제자매 포함)의 신청이 있는 때에는 당해 사건의 공소제기 여부, 공판의 일시·장소, 재판결과, 피의자·피고인의 구속·석방 등 구금에 관한 사실 등을 신속하게 통지하여야 한다(형사소송법 제259조의2).
검사의 피의자에 대한 불기소처분 등의 통지제도	검사는 불기소 또는 타관송치의 처분을 한 때에는 피의자에게 즉시 그 취지를 통지하여야 한다(형사소송법 제258조 제2항).
검사의 고소·고발인에 대한 불기소처분 이유설명제도	검사는 고소·고발 있는 사건에 관하여 공소를 제기하지 아니하는 처분을 한 경우에 고소인 또는 고발인의 청구가 있는 때에는 7일 이내에 고소인 또는 고발인에게 그 이유를 서면으로 설명하여야 한다(형사소송법 제259조).

PART 03 증거

1 독수의 과실이론의 채택과 그 적용의 전제요건

CHAPTER 02 증거능력 p.544, 37번

- 절차에 따르지 아니한 증거수집과 2차적 증거수집 사이 인과관계의 희석 또는 단절 여부를 중심으로 2차적 증거수집과 관련된 모든 사정을 전체적·종합적으로 고려하여 예외적인 경우에는 유죄 인정의 증거로 사용할 수 있다(대법원 2007.11.15. 2007도3061 전원합의체).
- 범행현장에서 지문채취 대상물에 대한 지문채취가 먼저 이루어진 이상, 수사기관이 그 이후에 지문채취 대상물을 적법한 절차에 의하지 아니한 채 압수하였다고 하더라도, 위와 같이 채취된 지문은 위법하게 압수한 지문채취 대상물로부터 획득한 2차적 증거에 해당하지 아니함이 분명하므로 이를 가리켜 위법수집증거라고 할 수 없다(대법원 2008.10.23. 2008도7471).
- 압수된 망치(증8호) 국방색 작업복과 야전잠바(증9, 10호) 등은 위 1항에서 설시한 대로 피고인 1의 증거능력 없는 자백에 의하여 획득된 것이므로 따라서 증거능력이 없다 할 것이고 증거능력이 설사 있다 하더라도 위 압수물들과 국립과학수사연구소의 감정서의 기재 및 증인 A에 대한 심문조서 등은 다음과 같은 그 증명력을 감쇄하는 사유로 인하여 이들 피고인 등에 대한 유죄의 증거로 할 수 없을 것임에도 불구하고 원심은 이를 유죄의 증거로 적시한 1심 판결을 그대로 유지한 위법사유가 있다(대법원 1977.4.26. 77도210).

2 양벌규정의 종업원과 사업주를 형사소송법상 공범 내지 이에 준하는 관계에 있다고 본 사례

CHAPTER 02 증거능력 p.565, 37번

형사소송법 제312조 제3항은 검사 이외의 수사기관이 작성한 해당 피고인에 대한 피의자신문조서를 유죄의 증거로 하는 경우뿐만 아니라 검사 이외의 수사기관이 작성한 해당 피고인과 공범관계에 있는 다른 피고인이나 피의자에 대한 피의자신문조서를 해당 피고인에 대한 유죄의 증거로 채택할 경우에도 적용된다. 따라서 해당 피고인과 공범관계가 있는 다른 피의자에 대하여 검사 이외의 수사기관이 작성한 피의자신문조서는 그 피의자의 법정진술에 의하여 그 성립의 진정이 인정되는 등 형사소송법 제312조 제4항의 요건을 갖춘 경우라고 하더라도 해당 피고인이 공판기일에서 그 조서의 내용을 부인한 이상 이를 유죄 인정의 증거로 사용할 수 없고, 그 당연한 결과로 위 피의자신문조서에 대하여는 사망 등 사유로 인하여 법정에서 진술할 수 없는 때에 예외적으로 증거능력을 인정하는 규정인 형사소송법 제314조가 적용되지 아니한다. 그리고 이러한 법리는 공동정범이나 교사범, 방조범 등 공범관계에 있는 자들 사이에서뿐만 아니라, 법인의 대표자나 법인 또는 개인의 대리인, 사용인, 그 밖의 종업원 등 행위자의 위반행위에 대하여 행위자가 아닌 법인 또는 개인이 양벌규정에 따라 기소된 경우, 이러한 법인 또는 개인과 행위자 사이의 관계에서도 마찬가지로 적용된다고 보아야 한다(대법원 2020.6.11. 2016도9367).

→ 피고인이 운영하는 병원의 사무국장으로 근무하던 공소외인이 저지른 행위에 대하여 피고인이 양벌규정인 의료법 제91조를 적용법조로 기소된 사안에서, 검사가 증거로 제출한 사법경찰관 작성의 공소외인에 대한 피의자신문조서에 관해서는 피고인이 증거동의를 한 바가 없고 오히려 그 내용을 부인하였음에도 불구하고, 원심은 위 피의자신문조서에 대하여는 형사소송법 제312조 제3항이 아니라 형사소송법 제312조 제4항 및 제314조가 적용된다고 보아 그 증거능력을 인정하여 피고인에게 유죄를 인정한 것을 파기한 사례이다.

3 필요성의 충족 여부

CHAPTER 02 증거능력 p.573, 48번

1. 필요성을 충족한 사례
- 피해자(사건 당시 4세 6월, 증언 당시 6세 11월)가 공판정에서 진술을 한 경우라도 증인신문 당시 일정한 사항에 관하여 기억이 나지 않는다는 취지로 진술하여 그 진술의 일부가 재현불가능하게 된 경우(현주건조물방화치사 사건, 99도3786)
- 노인성치매로 인한 기억력 장애 등으로 증언을 거절한 때(91도2281)
- 무단전출 또는 주민등록 미등재로 인한 피해자의 소환불능의 경우(83도931)
- 소환불응 및 그에 대한 구인집행도 안 되는 경우(89도351)
- 진술을 요할 자가 주소지를 떠나 그 주소를 알 수 없어 공판정에 출석하지 않은 경우(83도931)
- 피해자가 피고인의 보복이 두렵다는 이유로 주거를 옮기고 또 소환에도 응하지 아니하여 결국 구인장을 발부하였지만 그 집행이 되지 않은 경우(95도933)
- 진술을 요할 자가 중풍·언어장애 등 장애등급 3급 5호의 장애로 인하여 법정에 출석할 수 없었고, 그 후 신병을 치료하기 위하여 속초로 간 후에는 그에 대한 소재탐지가 불가능하게 된 경우(99도202)
- 일본에 거주하는 사람을 증인으로 채택하여 환문코자 하였으나 외교통상부로부터 현재 일본 측에서 형사사건에 대하여는 양국 형법 체계상의 상이함을 이유로 송달에 응하지 않고 있어 그 송달이 불가능하다는 취지의 회신을 받은 경우(87도1446)

2. 필요성을 충족하지 못한 사례
- 소환을 받고도 2회나 출석하지 아니한 자에 대하여 구인신청도 하지 아니한 채 도리어 검사가 소환신청을 철회한 경우(69도364)
- 1심에서 송달불능이 된 증인을 항소심에서 다시 증인으로 채택하여 소환함에 있어, 1심에서 송달불능된 주소로만 소환하고 기록상 용이하게 알 수 있는 다른 주소로 소환하지 아니한 경우(73도2124)
- 소환장이 주소불명 등으로 송달불능되었거나 소재탐지촉탁을 하였으나 아직 그 회보가 오지 않은 상태인 경우(96도575)
- 증인의 주소지가 아닌 곳으로 소환장을 보내 송달불능이 되자 그곳을 중심으로 한 소재탐지 끝에 소재불능회보를 받은 경우(2006도7479)
- 원진술자가 공판기일에 증인으로 소환받고도 출산을 앞두고 있다는 이유로 출석하지 아니한 경우(99도915)
- 원진술자가 만 5세 무렵에 당한 성추행으로 인하여 외상후 스트레스 증후군을 앓고 있다는 등의 이유로 공판정에 출석하지 아니한 경우(2004도3619)
- 정당하게 증언거부권을 행사하여 증언을 거절한 경우(2009도6788)
- 정당한 증언거부사유가 없음에도 증언거부권을 행사하여 증언을 거절한 경우(2018도13945)
- 피고인이 증거서류의 진정성립을 묻는 검사의 질문에 대하여 진술거부권을 행사하여 진술을 거부한 경우(2012도16001)

4 형사소송법 제315조의 서류에 대한 판례의 동향

CHAPTER 02 증거능력 p.578, 56번

구분	당연히 증거능력(○)	당연히 증거능력(X)
공무상 직무문서 (제315조 제1호)	• 등기부등초본·인감증명·전과조회회보·신원증명서 • 군의관이 작성한 진단서 • 국립과학수사연구소장 작성의 감정의뢰회보서 • 외국공무원의 직무문서 • 보건복지부장관의 시가보고서 • 세무공무원의 시가감정서 • 일본하관 통괄심리관 작성의 범칙물건감정서등본과 분석의뢰서 및 분석회답서 등본	• 외국의 수사기관이 작성한 조서·서류·수사보고서 • 우리 수사기관의 조서·수사보고서 • 주중국 영사가 상급자의 지시로 작성한 사실확인서 중 공인부분을 제외한 부분 • 육군과학수사연구소 실험분석관이 작성한 감정서(대판 1976.10.12. 76도2960)
업무상 통상문서 (제315조 제2호)	• 상업장부·항해일지·금전출납부·전표 • 의사가 작성한 진료기록부 • 그때그때 기계적으로 작성한 비밀장부 • 성매매업소에서 영업에 참고하기 위하여 성매매 상대방에 관한 정보를 입력·작성한 메모리카드 • 이면에 필적을 연습한 업무일지(대판 2008.6.26. 2008도1584)	• 사인인 의사의 진단서(제313조 제1항) • 외부에 보이기 위한 표면장부
특신문서 (제315조 제3호)	• 공공기록·역서·정기간행물의 시장가격표·스포츠기록·공무소작성 통계와 연감 • 구속 전 피의자심문조서, 체포·구속적부심문조서 • 다른 사건의 공판조서 • 교도소장이 교도소에 보관 중인 군법회의 판결사본 • 사법경찰관 작성의 수사보고서 중 국가보안법상의 새세대 16호라는 이적표현물의 복사물(대판 1992.8.14. 92도1211)	• 주민들의 진정서사본 • 공소장 • 외국수사기관이 수사결과 얻은 정보를 회신하여 온 문서 • 체포·구속인 접견부 • 국정원 심리전단 직원의 노트북컴퓨터에서 발견된 전자정보(이메일 계정에서 발견)인 425지논 파일 및 시큐리티 파일

2회독 후

기출지문 OX

✎ GUIDE
☑ 2회독 문제풀이 후 심화학습
☑ 어려운 개념과 유형의 문제만을 모아 고난도 시험에 대비
☑ OX 문제를 통해 지문별 상세분석 가능

형법총론

PART 01 서론

01

| 기출 | 2008 경찰 2차
| 해설 | CHAPTER 02 형법의 적용범위 p.37, 1번

1 재산명시신청절차에서 정당한 사유 없이 명시기일에 출석하지 아니한 자에 대하여 형벌 대신 감치에 처하도록 법령이 개정된 경우, 형법 제1조 제2항이 적용된다. (O / X)

2 누설한 군사기밀이 누설행위 이후에 평문으로 저하되거나 군사기밀에서 해제된 경우, 형법 제1조 제2항이 적용된다. (O / X)

3 부정한 방법으로 수입승인을 얻어 내어 수입면허를 받은 물품에 대하여 사후에 그 수입승인조건에 변경이 있는 경우, 형법 제1조 제2항이 적용된다. (O / X)

4 건축법 시행령의 개정으로 소규모 종교집회장에 대하여 용도변경의 허가를 받지 않아도 되는 것으로 변경된 경우 (O / X)

5 유해화학물질관리법 제6조 제1항의 신고대상에서 제외되는 화학물질에 관한 환경처 고시가 위반행위 이후에 변경되어 신고대상에서 제외되게 된 경우, 형법 제1조 제2항이 적용된다. (O / X)

6 자동차관리법 시행규칙의 개정으로 폐차업자는 폐차시 원동기를 압축·파쇄 또는 절단하지 않고 원동기 등 기능성 장치를 재사용할 수 있도록 변경된 경우, 형법 제1조 제2항이 적용된다. (O / X)

01 ○ X X ○ X ○

PART 02 범죄론

01

| 기출 | 2020 경찰 승진
| 해설 | CHAPTER 02 구성요건론 p.90, 60번

1 甲이 형 A를 살해하기 위하여 집에 들어가 칼로 찔렀는데, 아버지 B를 A로 오인하고 살해한 경우 판례에 따르면 A에 대한 살인미수죄와 B에 대한 존속살해죄의 상상적 경합이 된다. (O / X)

2 甲이 A를 살해하기 위하여 A의 집 안에 독극물이 든 음료수를 두었는데, 예상과 달리 놀러 온 친구 B가 이를 마시고 사망한 경우 판례에 따르면 B에 대한 살인죄가 성립한다. (O / X)

3 甲이 상해의 고의로 A를 향해 돌을 던졌으나 빗나가는 바람에 옆에 있던 B가 맞아 상해를 입은 경우 구체적 부합설에 따르면 A에 대한 상해미수죄와 B에 대한 과실치상죄의 상상적 경합이 된다. (O / X)

4 甲은 자신을 괴롭히는 직장동료 A를 상해하기 위하여 늦은 밤 퇴근하는 A의 무릎을 몽둥이로 강타하였는데, 알고 보니 외모가 비슷한 B가 맞아 상해를 입은 경우 법정적 부합설에 따르면 B에 대한 상해죄가 성립한다 (O / X)

02

| 기출 | 2022 경찰 간부
| 해설 | CHAPTER 03 위법성론 p.109, 18번

1 형법은 살인, 상해, 강간의 경우에 피해자의 승낙이 있더라도 처벌하는 특별한 규정을 두고 있다. (O / X)

2 승낙의 주체는 승낙의 의미와 내용을 이해할 수 있는 능력을 가진 자를 의미하므로 승낙권자는 민법상 행위능력자여야 한다. (O / X)

3 승낙은 원칙적으로 자유롭게 철회할 수 있으므로, 철회 전에 이루어진 행위는 정당화되지 않는다. (O / X)

4 승낙이 있는 것으로 오인한 자의 행위는 객관적 정당화 상황에 관한 착오에 해당하고, 승낙이 없는 것으로 오인한 자의 행위는 주관적 정당화 요소를 결한 경우의 문제가 된다. (O / X)

03

| 기출 | 2020 경찰 1차
| 해설 | CHAPTER 04 책임론 p.121, 10번

1 원인에 있어서 자유로운 행위의 가벌성의 근거에 관한 학설 중 원인행위를 실행행위로 보는 견해에 따르면 행위와 책임의 동시 존재의 원칙에 부합하고, 책임무능력상태에서의 실행행위는 책임이 없거나 행위라고 할 수도 없기 때문에 원인행위 자체를 실행행위로 보지 않으면 원인에 있어서 자유로운 행위를 처벌할 수 없게 된다. (O / X)

2 원인에 있어서 자유로운 행위의 가벌성의 근거에 관한 학설 중 원인행위와 실행행위의 불가분적 연관에서 책임의 근거를 인정하는 견해에 따르면 원인설정행위는 실행행위 또는 그 착수행위가 될 수 없지만 책임능력 없는 상태에서의 실행행위와 불가분의 연관을 갖는 것이므로 원인설정행위에 책임비난의 근거가 있다. (O / X)

3 원인에 있어서 자유로운 행위의 가벌성의 근거에 관한 학설 중 원인행위를 실행행위로 보는 견해에 따르면 원인설정행위를 실행행위로 파악하기 때문에 구성요건적 행위정형성을 중시하여 죄형법정주의의 보장적 기능에 부합한다. (O / X)

4 원인에 있어서 자유로운 행위의 가벌성의 근거에 관한 학설 중 책임능력 결함상태에서의 실행행위를 책임의 근거로 인정하는 견해에 따르면 반무의식상태에서 실행행위가 이루어지는 한 그 주관적 요소를 인정할 수 있지만, 대부분의 경우에 책임능력이 인정되어 법적 안정성을 해하는 결과를 초래한다. (O / X)

01 X○○○ 02 XXX○ 03 ○○X○

04

| 기출 | 2020 경찰 승진

| 해설 | CHAPTER 05 미수론 p.154, 31번

1 불능미수는 실행의 수단이나 대상의 착오로 처음부터 구성요건이 충족될 가능성이 없는 경우로, 결과적으로 구성요건의 충족은 불가능하지만 그 행위의 위험성이 있으면 불능미수로 처벌한다. (O / X)

2 불능미수는 행위자가 실제로 존재하지 않는 사실을 존재한다고 오인하였다는 측면에서 존재하는 사실을 인식하지 못한 사실의 착오와 다르다. (O / X)

3 '결과발생의 불가능'은 실행의 수단 또는 대상의 원시적 불가능성으로 인하여 범죄가 기수에 이를 수 없는 것을 의미한다고 보아야 한다. (O / X)

4 불능범과 구별되는 불능미수의 성립요건인 '위험성'은 행위 당시에 행위자가 인식한 사정과 일반인이 인식할 수 있는 사정을 기초로 일반적 경험법칙에 따라 판단해야 한다. (O / X)

05

| 기출 | 2021 경찰 2차

| 해설 | CHAPTER 06 정범 및 공범론 p.162, 3번

1 '구성요건상의 실행행위의 전부 또는 일부를 스스로 하는 자'를 정범, '구성요건적 행위 이외의 행위로써 구성요건실현에 기여하는 자'를 공범으로 보는 형식적 객관설에 따르면, 간접정범을 정범으로 인정하기 어렵다. (O / X)

2 '스스로 구성요건상의 정형적 행위를 한 자'만을 정범으로 이해하는 제한적 정범개념에 따르면, 형법 제31조, 제32조는 형벌확장사유로서 정범 이외에 특별히 공범의 처벌을 인정하는 규정이다. (O / X)

3 '정범자의 의사로 행위한 자'는 정범, '공범자의 의사로 행위한 자'는 공범이라는 의사설에 따르면, 청부살인업자는 구성요건적 행위를 스스로 모두 수행하기에 항상 정범이 된다. (O / X)

4 '자기 자신의 이익을 위한 목적으로 행위한 자'는 정범, '타인의 이익을 위한 목적으로 행위한 자'는 공범이라는 이익설에 따르면, 제3자를 위하여 강도행위를 한 자는 공범이 된다. (O / X)

5 행위지배설에 따르면, 이용자가 자신의 우월한 지위에 의하여 피이용자를 수중에 두고 도구처럼 그의 의사를 조종(지배)하여 그로 하여금 범죄를 행하게 하면 행위지배가 인정되어 정범이 된다. (O / X)

04 ○○○X 05 ○○X○○

06

| 기출 | 2021 경찰 1차
| 해설 | CHAPTER 06
정범 및 공범론
p.164, 6번

1 제한적 종속형식의 입장을 취하게 되면, 정범의 책임이 조각되는 경우 공범이 성립할 수 없다는 결론에 이른다. (O / X)

2 교사자가 피교사자에 대하여 상해 또는 중상해를 교사하였는데 피교사자가 이를 넘어 살인을 한 경우, 교사자에게 피해자의 사망이라는 결과에 대하여 고의가 없더라도 살인죄의 교사범이 된다. (O / X)

3 공범관계에 있어 공모는 공범자 상호간에 직접 또는 간접으로 범죄의 공동실행에 관한 암묵적인 의사의 연락이 있으면 족하고, 비록 전체의 모의과정이 없었다고 하더라도 수인 사이에 의사의 연락이 있으면 공동정범이 성립될 수 있다. (O / X)

4 실행의 착수 전에 장래의 실행행위를 예상하고 이를 용이하게 하는 행위를 하여 방조한 경우, 정범이 그 실행행위에 나아갔다면 종범이 성립할 수 있다. (O / X)

5 목적범에 있어서 목적 없는 고의 있는 도구를 이용한 경우, 피이용자에 대한 의사지배가 인정되지 않으므로 간접정범이 성립할 수 없다. (O / X)

07

| 기출 | 2020 경찰 1차
| 해설 | CHAPTER 07
죄수론
p.192, 1번

1 행위표준설은 죄수의 판단을 위한 기본요소를 행위자의 행위에서 구하여 행위가 하나일 때 하나의 죄를, 행위가 다수일 때 수개의 죄를 인정하는 견해로 판례는 연속범의 경우 이 견해를 취하고 있다. (O / X)

2 법익표준설은 한 사람의 행위자가 실현시킨 범죄실현의 과정에서 몇 개의 보호법익이 침해 또는 위태롭게 되었는가를 기준으로 죄의 개수를 인정하는 견해로 판례는 강간, 공갈죄의 경우 이 견해를 취하고 있다. (O / X)

3 의사표준설은 행위자가 실현하려는 범죄의사의 개수에 따라서 죄의 개수를 결정하려는 견해로 행위자에게 1개의 범죄의사가 있으면 1죄를, 수개의 범죄의사가 있으면 수개의 죄를 각각 인정하게 되며, 판례는 연속범의 경우를 제외하고는 원칙적으로 이 견해를 취하고 있다. (O / X)

4 구성요건표준설은 구성요건에 해당하는 회수를 기준으로 죄수를 결정하는 견해로 죄수의 결정은 법률적인 구성요건충족의 문제로 해석하여 구성요건을 1회 충족하면 일죄이고, 수개의 구성요건에 해당하면 수죄를 인정하게 되며, 판례는 조세포탈범의 죄수는 위반사실의 구성요건 충족 회수를 기준으로 1죄가 성립하는 것이 원칙이라고 하여 이 견해를 따르는 경우도 있다. (O / X)

06 X X ○ ○ X 07 X X X ○

PART 01 | 개인적 법익에 대한 죄

01

| 기출 | 2021 경찰 2차
| 해설 | CHAPTER 02 자유에 대한 죄 p.248, 23번

1 성인 甲은 스마트폰 채팅을 통하여 알게 된 A(14세)에게 자신을 '고등학생 乙'이라고 속여 채팅을 통해 교제하던 중 스토킹하는 여성 때문에 힘들다며 그 여성을 떼어내려면 자신의 선배와 성관계를 하여야 한다는 취지로 A에게 이야기하고, 甲과 헤어지는 것이 두려워 이를 승낙한 A를 마치 자신이 乙의 선배인 것처럼 행세하여 간음한 경우, A가 간음 행위와 불가분적 관련성이 인정되지 않는 다른 조건에 관하여 甲에게 속았던 것이기에 甲은 아동·청소년의성보호에관한법률위반죄(위계등간음)로 처벌되지 아니한다. (O / X)

2 피해자가 깊은 잠에 빠져 있거나 술·약물 등에 의해 일시적으로 의식을 잃은 상태 또는 완전히 의식을 잃지는 않았더라도 그와 같은 사유로 정상적인 판단능력과 대응·조절 능력을 행사할 수 없는 상태에 있었다면 이는 준강간죄 또는 준강제추행죄에서의 심신상실 또는 항거불능 상태에 해당한다. (O / X)

3 성폭력범죄의 처벌 등에 관한 특례법 제10조 제1항에서 정한 '업무, 고용이나 그 밖의 관계로 인하여 자기의 보호, 감독을 받는 사람'에는 직장 안에서 보호 또는 감독을 받거나 사실상 보호 또는 감독을 받는 상황에 있는 사람뿐만 아니라 채용 절차에서 영향력의 범위 안에 있는 사람도 포함된다. (O / X)

4 형법 제302조의 미성년자는 '13세 이상 19세 미만의 사람'을 의미하고, 심신미약자는 '정신기능의 장애로 인하여 사물을 변별하거나 의사를 결정할 능력이 미약한 사람'을 의미한다. (O / X)

5 甲이 A를 강간할 목적으로 자고 있는 A의 가슴과 엉덩이를 만지다가 A가 깨어 소리치자 도망간 경우에는 강간의 실행의 착수가 인정되지 않아 甲의 행위는 현행 형법상 범죄로 처벌할 수 없다. (O / X)

01 X O O O X

02

| 기출 | 2021 경찰 1차

| 해설 | CHAPTER 02 자유에 대한 죄 p.249, 24번

1 강간과 추행의 죄에서 말하는 '성적 자유'는 적극적으로 성행위를 할 수 있는 자유가 아니라 소극적으로 원치 않는 성행위를 하지 않을 자유를 말하고, '성적 자기결정권'은 성행위를 할 것인가 여부, 성행위를 할 때 그 상대방을 누구로 할 것인가 여부, 성행위의 방법 등을 스스로 결정할 수 있는 권리를 의미한다. (O / X)

2 강제추행죄는 자수범이라고 볼 수 없으므로 처벌되지 아니하는 타인을 도구로 삼아 피해자를 강제로 추행하는 간접정범의 형태로도 범할 수 있으나, 여기에서의 강제추행에 관한 간접정범의 의사를 실현하는 도구로서의 타인에는 피해자가 포함되지 않는다. (O / X)

3 위계에 의한 간음죄에서 행위자의 위계적 언동이 존재하였다는 사정만으로 위계에 의한 간음죄가 성립하는 것은 아니고, 위계적 언동의 내용 중에 피해자가 성행위를 결심하게 된 중요한 동기를 이룰 만한 사정이 포함되어 있어 피해자의 자발적인 성적 자기결정권의 행사가 없었다고 평가할 수 있어야 한다. (O / X)

4 '미성년자 또는 심신미약자에 대하여 위계 또는 위력으로써 간음 또는 추행'한 자를 처벌하는 형법 제302조는, 미성년자나 심신미약자와 같이 판단능력이나 대처능력이 일반인에 비하여 낮은 사람은 낮은 정도의 유·무형력의 행사에 의해서도 저항을 제대로 하지 못하고 피해를 입을 가능성이 있기 때문에 그 범죄의 성립요건을 강간죄나 강제추행죄보다 완화된 형태로 규정한 것이다. (O / X)

03

| 기출 | 2021 경찰 2차

| 해설 | CHAPTER 03 명예와 신용에 대한 죄 p.254, 1번

1 甲이 명예훼손 사실을 발설한 것이 정말이냐는 A의 질문에 대답하는 과정에서 타인의 명예를 훼손하는 사실을 발설하게 된 경우, 명예훼손의 고의가 인정되지 아니한다. (O / X)

2 甲이 집 뒷길에서 자신의 남편과 A의 친척이 듣는 가운데 다른 사람들이 들을 수 있을 정도의 큰 소리로 A에게 "저것이 징역 살다온 전과자다."고 말한 경우, 자신의 남편과 A의 친척에게 말한 것이라 할지라도 명예훼손죄의 구성요건요소인 '공연성'이 인정된다. (O / X)

3 사이버대학교 학생 甲이 학과 학생들만 가입할 수 있는 네이버밴드 게시판에 A의 "총학생회장 출마자격에 관하여 조언을 구한다."는 글에 대한 댓글로 직전 회장 선거에 입후보하였다가 중도 사퇴한 친구 B의 실명을 거론하며, 객관적 사실에 부합하는 "B학우가 학생회비도 내지 않고 총학생회장 선거에 출마하려 했다가 상대방 후보를 비방하고 이래저래 학과를 분열시키고 개인적인 감정을 표한 사례가 있다."고 언급한 다음 "그러한 부분은 지양했으면 한다."는 의견을 덧붙인 경우, 甲의 주요한 동기와 목적은 공공의 이익을 위한 것으로서 甲에게 B를 비방할 목적이 있다고 보기 어렵다. (O / X)

4 제품의 안정성에 논란이 많은 가운데 인터넷 신문사 소속기자 A가 인터넷 포탈 사이트의 '핫이슈'난에 제품을 옹호하는 기사를 게재하자 그 기사를 읽은 상당수의 독자들이 '네티즌 댓글'난에 A를 비판하는 댓글을 달고 있는 상황에서 甲이 "이런 걸 기레기라고 하죠?"라는 댓글을 게시한 경우, 이는 모욕적 표현에 해당하나 사회상규에 위배되지 않는 행위로서 형법 제20조에 의하여 위법성이 조각된다. (O / X)

02 ○×○○ 03 ○○○○

04

| 기출 | 2021 경찰 1차
| 해설 | PART 01 CHAPTER 03 명예와 신용에 대한 죄 p.255, 2번

1 국가나 지방자치단체는 명예훼손죄나 모욕죄의 피해자가 될 수 없다. (O / X)

2 적시된 사실이 허위의 사실이라 하더라도 행위자에게 허위성에 대한 인식이 없는 경우에는 형법 제307조 제2항의 명예훼손죄가 아닌 형법 제307조 제1항의 명예훼손죄가 성립될 수 있다. (O / X)

3 평균적인 독자의 관점에서 문제된 부분이 실제로는 비평자의 주관적 의견에 해당하고, 다만 비평자가 자신의 의견을 강조하기 위한 수단으로 겉으로 보기에 증거에 의해 입증 가능한 구체적인 사실관계를 서술하는 형태의 표현을 사용한 것이라고 이해된다면 명예훼손죄에서 말하는 사실의 적시에 해당한다고 볼 수 있다. (O / X)

4 공연히 사실을 적시하여 사람의 명예를 훼손한 경우, 그것이 진실한 사실이고 행위자의 주요한 동기 내지 목적이 공공의 이익을 위한 것이라면 부수적으로 다른 사익적 목적이나 동기가 내포되어 있더라도 형법 제310조의 적용을 배제할 수 없다. (O / X)

05

| 기출 | 2021 경찰 1차
| 해설 | CHAPTER 05 재산에 대한 죄 p.306, 39번

1 민법 제746조의 불법원인급여에 해당하여 급여자가 수익자에 대한 반환청구권을 행사할 수 없다면, 설령 수익자가 기망을 통하여 급여자로 하여금 불법원인급여에 해당하는 재물을 제공하도록 하였더라도 사기죄는 성립하지 않는다. (O / X)

2 담당 공무원을 기망하여 납부의무가 있는 농지보전부담금을 면제받아 재산상 이익을 취득하였다면, 부과권자의 직접적인 권력작용을 사기죄의 보호법익인 재산권과 동일하게 평가할 수 있어 사기죄가 성립한다. (O / X)

3 의료인으로서 자격과 면허를 보유한 사람이 의료법 제4조 제2항을 위반하여 다른 의료인의 명의로 의료기관을 개설·운영함으로써 요양급여비용을 지급받은 경우, 국민건강보험법상 요양급여비용을 적법하게 지급받을 수 있는 자격 내지 요건이 흠결되지 않더라도 국민건강보험공단을 피해자로 하는 사기죄를 구성한다. (O / X)

4 피해자 법인이나 단체의 대표자 또는 실질적으로 의사결정을 하는 최종결재권자 등 기망의 상대방이 기망행위자와 동일인이거나 기망행위자와 공모하는 등 기망행위를 알고 있었던 경우에는 기망의 상대방에게 기망행위로 인한 착오가 있다고 볼 수 없고, 기망의 상대방이 재물을 교부하는 등의 처분을 했더라도 기망행위와 인과관계가 있다고 보기 어렵다. (O / X)

04 ○○X○ 05 XXX○

06

| 기출 | 2020 경찰 2차
| 해설 | CHAPTER 05 재산에 대한 죄 p.307, 40번

1 피해자가 법인이나 단체의 대표자 또는 실질적으로 의사결정을 하는 최종결재권자 등 기망의 상대방이 기망행위자와 동일인이거나 기망행위자와 공모하는 등 기망행위를 알고 있었다면 사기죄가 성립되지 않는다. (O / X)

2 금융기관 직원이 범죄의 목적으로 전산단말기를 이용하여 다른 공범들이 지정한 특정계좌에 무자원 송금의 방식으로 거액을 입금한 행위는 컴퓨터등사용사기죄에 해당한다. (O / X)

3 기망행위를 수단으로 한 권리행사의 경우 권리행사에 속하는 행위와 수단에 속하는 기망행위를 전체적으로 관찰하여 그 기망행위가 사회통념상 권리행사의 수단으로서 용인할 수 없는 정도라면 권리행사에 속하는 행위는 사기죄를 구성한다. (O / X)

4 피고인이 수개의 선거비용 항목을 허위기재한 하나의 선거비용 보전청구서를 제출하여 정부로부터 선거비용을 과다 보전받아 이를 편취하였다면 이는 수죄로 평가되어야 하고, 각 선거비용 항목에 따라 별개의 사기죄가 성립한다. (O / X)

07

| 기출 | 2020 경찰 2차
| 해설 | CHAPTER 05 재산에 대한 죄 p.332, 75번

1 A종친회 회장인 甲이 위조한 종친회 규약 등을 공탁관에게 제출하는 방법으로 A종친회를 피공탁자로 하여 공탁된 수용보상금을 출급받아 편취하고, 이를 종친회를 위하여 업무상 보관하던 중 반환을 거부하였다면, 甲이 공탁관을 기망하여 공탁금을 출급받음으로써 A종친회를 피해자로 한 사기죄가 성립하고, 그 후 A종친회에 대하여 공탁금 반환을 거부한 행위에 대해 별도의 횡령죄는 성립하지 않는다. (O / X)

2 병원에서 의약품 선정·구매 업무를 담당하는 약국장이 병원을 대신하여 제약회사로부터 의약품 제공의 대가로 기부금 명목의 돈을 받아 보관 중 임의로 소비하였다면 이는 병원이 약국장에게 불법원인급여를 한 것에 해당하지 않아 업무상횡령죄가 성립한다. (O / X)

3 부동산에 관하여 신탁자가 수탁자와 명의신탁약정을 맺고 신탁자가 매매계약의 당사자가 되어 매도인과 매매계약을 체결하되 다만 등기를 매도인으로부터 수탁자 앞으로 직접 이전하는 방법으로 명의신탁을 한 경우, 명의수탁자가 그 부동산을 임의로 처분하고, 처분하지 않은 나머지 부동산 반환을 거부한 것은 이미 성립된 횡령죄에 대한 불가벌적 사후행위로 별도의 횡령죄를 구성하지 않는다. (O / X)

4 다른 사람의 재물을 보관하는 사람이 그 사람의 동의 없이 함부로 이를 담보로 제공하는 행위는 불법영득의 의사를 표현하는 행위로서 사법상 그 담보제공행위가 무효이거나 그 재물에 대한 소유권이 침해되는 결과가 발생하는지 여부에 관계없이 횡령죄를 구성한다. (O / X)

06 ○○○X 07 ○○X○

08

| 기출 | 2020 경찰 간부
| 해설 | CHAPTER 05 재산에 대한 죄 p.342, 90번

1 횡령죄에 있어서 불법영득의 의사라 함은 자기 또는 제3자의 이익을 꾀할 목적으로 보관하는 타인의 재물을 자기의 소유인 경우와 같이 처분하는 의사를 말하고 사후에 이를 반환하거나 변상·보전하는 의사가 있다 하더라도 불법영득의 의사를 인정할 수 있다. (O / X)

2 채권자가 채무자로부터 채권확보를 위해 담보물을 제공받을 때 그 물건이 채무자가 보관 중인 다른 사람의 물건임을 알았다면 채권자는 채무자의 횡령행위에 공모가담한 것이라 할 수 있다. (O / X)

3 타인의 부동산을 보관 중인 자가 불법영득의사를 가지고 그 부동산에 근저당권설정등기를 경료함으로써 일단 횡령행위가 기수에 이르렀다 하더라도 이후 해당 부동산을 매각함으로써 기존의 근저당권과 관계없이 법익침해의 결과를 발생시켰다면 별도로 횡령죄를 구성한다. (O / X)

4 위탁관계에 따라 타인의 재물을 보관하는 사람이 그 재물을 영득함에 있어 기망행위를 했을지라도 사기죄는 성립하지 아니하고 횡령죄만 성립한다. (O / X)

09

| 기출 | 2021 경찰 1차
| 해설 | CHAPTER 05 재산에 대한 죄 p.344, 93번

1 채무자가 본인 소유의 동산을 채권자에게 동산·채권 등의 담보에 관한 법률에 따른 동산담보로 제공한 경우, 채무자가 담보물을 제3자에게 처분하는 등으로 담보가치를 감소 또는 상실시켜 채권자의 담보권 실행이나 이를 통한 채권실현에 위험을 초래하더라도 배임죄는 성립하지 않는다. (O / X)

2 채무자가 금전채무를 담보하기 위한 저당권설정계약에 따라 채권자에게 본인 소유의 부동산에 관하여 저당권을 설정할 의무를 부담하게 된 경우, 이는 통상의 계약에서 이루어지는 이익대립관계를 넘어서 채권자와의 신임관계에 기초하여 채권자의 사무를 맡아 처리하는 것으로 보아야 하므로 배임죄에서의 '타인의 사무를 처리하는 자'라고 할 수 있다. (O / X)

3 서면으로 부동산 증여의 의사를 표시한 증여자가 수증자에게 증여계약에 따라 부동산의 소유권을 이전하지 아니하고 부동산을 제3자에게 처분하여 등기를 하는 행위는 수증자와의 신임관계를 저버리는 행위로서 배임죄가 성립한다. (O / X)

4 주식회사의 대표이사가 대표권을 남용하는 등 그 임무에 위배하여 약속어음을 발행하였는데 그 약속어음의 발행이 무효일 뿐만 아니라 유통되지도 않은 경우, 회사는 어음발행의 상대방에게 어음채무를 부담하지 않기 때문에 특별한 사정이 없는 한 배임죄의 기수범이 아니라 배임미수죄로 처벌하여야 한다. (O / X)

08 ○×○○ 09 ○×○○

10

| 기출 | 2020 경찰 간부
| 해설 | CHAPTER 05
재산에 대한 죄
p. 351, 104번

1 사기죄에서 외관상 재물의 교부에 해당하는 행위가 있었으나, 재물이 범인의 사실상의 지배 아래에 들어가 그의 자유로운 처분이 가능한 상태에 놓이지 않고 여전히 피해자의 지배 아래에 있는 것으로 평가되는 경우라면 그 재물에 대한 처분행위가 있었다고 볼 수 없다. (O / X)

2 재정악화로 어려움을 겪는 회사라 할지라도 합법적인 방법으로 피해자 회사들과 갈등을 해결하려 하지 않고 유예기간 안에 돈을 지급하지 않으면 자동차 부품 생산라인을 중단하여 큰 손실을 입게 만들겠다는 태도를 보였다면 공갈죄가 성립한다. (O / X)

3 甲이 보이스피싱 조직원 乙에게 자기 명의 계좌의 통장을 양도한 후 乙의 보이스피싱 범행으로 그 계좌에 송금된 사기피해금을 임의로 인출한 경우 乙에 대하여 횡령죄를 구성한다. (O / X)

4 공무원이 그 임무에 위배되는 행위로써 제3자로 하여금 재산상의 이익을 취득하게 하여 국가에 손해를 가한 경우에도 업무상배임죄는 성립한다. (O / X)

11

| 기출 | 2021 경찰 2차
| 해설 | CHAPTER 05
재산에 대한 죄
p.362, 123번

1 무효인 경매절차에서 경매목적물을 경락받아 이를 점유하고 있는 낙찰자의 점유는 적법한 점유로서 그 점유자는 권리행사방해죄에 있어서 타인의 물건을 점유하고 있는 자라고 보아야 한다. (O / X)

2 주식회사의 대표이사가 그의 지위에 기하여 그 직무집행 행위로서 타인이 점유하는 회사의 물건을 취거한 경우에 그 행위는 회사의 대표기관으로서의 행위라고 평가되므로, 그 회사의 물건은 권리행사방해죄에 있어서의 '자기의 물건'이라고 보아야 한다. (O / X)

3 개설자격이 없는 자가 의료기관을 개설하여 의료법을 위반한 병원의 요양급여비용채권은 해당 의료기관의 채권자가 이를 대상으로 하여 강제집행 또는 보전처분의 방법으로 채권의 만족을 얻을 수 있으므로, 강제집행면탈죄의 객체가 된다. (O / X)

4 명의신탁자와 명의수탁자가 계약명의신탁약정을 맺고 명의수탁자가 당사자가 되어 소유자와 부동산에 관한 매매계약을 체결한 후 그 매매계약에 따라 당해 부동산의 소유권이전등기를 명의수탁자 명의로 마친 경우, 명의신탁자는 그 매매계약에 의해서 당해 부동산의 소유권을 취득하지 못하게 되어, 결국 그 부동산은 명의신탁자에 대한 강제집행이나 보전처분의 대상이 될 수 없다. (O / X)

10 ○○X○ 11 ○○X○

12

| 기출 | 2019 경찰 간부

| 해설 | CHAPTER 05 재산에 대한 죄 p.365, 129번

1 주식회사의 대표이사가 대표이사의 지위에 기하여 그 직무집행행위로서 타인이 점유하는 위 회사의 물건을 취거하였다고 하더라도 권리행사방해죄가 성립하지 아니한다. (O / X)

2 본권을 갖지 아니하는 절도범인의 점유는 권리행사방해죄에 있어서 타인의 점유에 해당하지 않는다. (O / X)

3 국세징수법에 의한 체납처분은 강제집행면탈죄의 강제집행에 포함되지 않는다. (O / X)

4 형법 제327조의 강제집행면탈죄는 채권자가 본안 또는 보전소송을 제기하거나 제기할 태세를 보이고 있는 상태에서 주관적으로 강제집행을 면탈하려는 목적으로 재산을 은닉, 손괴, 허위양도하거나 허위의 채무를 부담하여 채권자를 해할 위험이 있으면 성립하는 것이고, 반드시 채권자를 해하는 결과가 야기되거나 행위자가 어떤 이득을 취하여야 범죄가 성립하는 것은 아니다. (O / X)

12 X O O O

형사소송법

PART 01 형사소송법의 기초

01

| 기출 | 2016 경찰 1차
| 해설 | CHAPTER 01 형사소송법의 의의 p.445, 7번

1 미합중국 국적을 가진 미합중국 군대의 군속인 피고인이 범행 당시 10년 넘게 대한민국에 머물면서 한국인 아내와 결혼하여 가정을 마련하고 직장 생활을 하는 등 생활근거지를 대한민국에 두고 있었던 경우에도 미합중국 군대의 군속에 관한 형사재판권 관련 조항이 적용될 수 있다. (O / X)

2 캐나다 시민권자인 피고인이 캐나다에서 위조사문서를 행사하였다는 내용으로 기소된 사안에서, 피고인의 행위에 대하여는 우리나라에 재판권이 없다. (O / X)

3 국회의원의 면책특권 대상이 되는 행위는 국회의 직무수행에 필수적인 국회의원의 국회 내에서의 직무상 발언과 표결이라는 의사표현행위 자체에만 국한되지 아니하고 이에 통상적으로 부수하여 행하여지는 행위까지 포함하며, 그와 같은 부수행위인지 여부는 구체적인 행위의 목적·장소·태양 등을 종합하여 개별적으로 판단하여야 한다. (O / X)

4 항소심이 신법 시행을 이유로 구법이 정한 바에 따라 적법하게 진행된 제1심의 증거조사절차 등을 위법하다고 보아 그 효력을 부정하고 다시 절차를 진행하는 것은 허용되지 아니하며, 다만, 이미 적법하게 이루어진 소송행위의 효력을 부정하지 않는 범위 내에서 신법의 취지에 따라 절차를 진행하는 것은 허용된다. (O / X)

01 X O O O

PART 02	수사(捜査)

01

| 기출 | 2021 경찰 2차
| 해설 | CHAPTER 01 수사총론 p.457, 3번

1 검사는 사법경찰관과 동일한 범죄사실을 수사하게 된 때에는 사법경찰관에게 사건을 송치할 것을 요구할 수 있고 그 요구를 받은 사법경찰관은 지체없이 검사에게 사건을 송치하여야 하나, 검사가 영장을 청구하기 전에 범죄사실에 관하여 사법경찰관이 영장을 신청한 경우에는 해당 영장에 기재된 범죄사실을 계속 수사할 수 있다. (O / X)

2 사법경찰관이 범죄를 수사하여 범죄의 혐의가 있다고 인정되는 경우에는 지체 없이 검사에게 사건을 송치하고 관계서류와 증거물을 검사에게 송부하여야 하고, <u>그 밖의 경우에는 그 이유를 명시한 서면과 함께 관계 서류와 증거물을 지체 없이 검사에게 송부하여야 한다.</u> 후자의 경우 검사는 관계서류와 증거물을 사법경찰관에게 반환할 필요가 없다. (O / X)

3 위 **2**의 밑줄 친 경우 사법경찰관이 사건을 검사에게 송치하지 아니한 것이 위법 또는 부당한 때에는 검사는 그 이유를 문서로 명시하여 사법경찰관에게 재수사를 요청할 수 있고, 검사가 재수사를 요청한 경우 사법경찰관은 사건을 재수사하여야 한다. (O / X)

4 검사는 사법경찰관리의 수사과정에서 법령위반, 인권침해 또는 현저한 수사권 남용이 의심되는 사실의 신고가 있거나 그러한 사실을 인식하게 된 경우에는 즉시 사법경찰관에게 사건의 송치를 요구할 수 있고, 검사의 송치요구를 받은 사법경찰관은 검사에게 사건을 송치하여야 한다. (O / X)

02

| 기출 | 2021 경찰 승진
| 해설 | CHAPTER 02 수사의 단서 p.463, 4번

1 불심검문 대상자에게 형사소송법상 체포나 구속에 이를 정도의 혐의가 없을지라도, 경찰관은 당시의 구체적 상황과 사전에 얻은 정보나 전문적 지식 등에 기초하여 객관적·합리적인 기준에 따라 불심검문 대상 여부를 판단한다. (O / X)

2 불심검문에 따른 동행요구는 형사소송법상 임의수사로서 임의동행의 한 종류로 취급하여야 한다. (O / X)

3 검문하는 사람이 경찰관이고 검문하는 이유가 범죄행위에 관한 것임을 검문받는 사람이 충분히 알고 있었다고 보이는 경우에는 경찰관이 신분증을 제시하지 않았다고 하여 그 불심검문이 위법한 공무집행이라고 할 수 없다. (O / X)

4 검문 중이던 경찰관들이, 자전거를 이용한 날치기 사건 범인과 흡사한 인상착의의 사람이 자전거를 타고 다가오는 것을 발견하고 정지를 요구하였으나 멈추지 않아, 앞을 가로막고 소속과 성명을 고지한 후 검문에 협조해 달라고 하였음에도 불응하고 그대로 전진하자, 따라가서 재차 앞을 막고 검문에 응하라고 요구한 경우, 이는 적법한 불심검문에 해당한다. (O / X)

5 경찰관은 임의동행에 앞서 당해인에 대해 진술거부권과 변호인의 조력을 받을 권리를 고지해야 한다. (O / X)

01 ○X○X 02 ○X○○X

03

| 기출 | 2021 경찰 2차

| 해설 | CHAPTER 03 임의수사 p.481 10번

1 일정한 요건이 구비된 경우에는 검사에 대하여 각 피의자별 또는 각 피내사자별로 통신제한조치에 대한 허가를 신청하고, 검사는 법원에 대하여 그 허가를 청구할 수 있다. (O / X)

2 통신제한조치의 기간은 3개월을 초과하지 못하나 허가요건이 존속하는 경우에는 3개월의 범위에서 통신제한조치기간의 연장을 청구할 수 있다. 다만, 통신제한조치의 연장을 청구하는 경우에 통신제한조치의 총 연장기간은 1년(일정한 범죄의 경우는 3년)을 초과할 수 없다. (O / X)

3 통신제한조치를 집행한 사건에 관하여 검사로부터 공소를 제기하거나 제기하지 아니하는 처분(기소중지 또는 참고인중지결정은 제외한다)의 통보를 받거나 검찰송치를 하지 아니하는 처분(수사중지 결정은 제외한다) 또는 내사사건에 관하여 입건하지 아니하는 처분을 한 때에는 그 날부터 30일 이내에 감청의 대상이 된 전기통신의 가입자에게 통신제한조치를 집행한 사실과 집행기관 및 그 기간 등을 서면으로 통지하여야 한다. (O / X)

4 인터넷 회선을 통하여 송신·수신하는 전기통신을 대상으로 통신제한조치를 집행한 경우 그 전기통신의 보관 등을 하고자 하는 때에는 집행종료일부터 10일 이내에 보관 등이 필요한 전기통신을 선별하여 검사에게 보관 등의 승인을 신청하고, 검사는 신청일부터 10일 이내에 통신제한조치를 허가한 법원에 그 승인을 청구할 수 있다. (O / X)

04

| 기출 | 2020 경찰 1차

| 해설 | CHAPTER 03 임의수사 p.483 13번

1 변호인의 수사방해나 수사기밀의 유출에 대한 우려가 없고 조사실의 장소적 제약 등과 같은 특별한 사정이 없는 상황에서 수사관 A가 피의자신문에 참여한 변호인 B에게 피의자 후방에 앉으라고 요구하는 행위는 목적의 정당성과 수단의 적절성뿐만 아니라 침해의 최소성과 법익 균형성도 충족하지 못하므로 B의 변호권을 침해한다. (O / X)

2 피의자신문에 참여한 변호인은 원칙적으로 신문 후 의견을 진술할 수 있다. 다만, 신문 중이더라도 부당한 신문방법에 대하여 이의를 제기할 수 있고, 검사 또는 사법경찰관의 승인을 얻어 의견을 진술할 수 있다. (O / X)

3 검사 또는 사법경찰관은 피의자가 신체적 또는 정신적 장애로 사물을 변별하거나 의사를 결정·전달할 능력이 미약한 때와 피의자의 연령·성별·국적 등의 사정을 고려하여 그 심리적 안정의 도모와 원활한 의사소통을 위하여 필요한 경우 직권 또는 피의자, 법정대리인의 신청에 따라 피의자와 신뢰관계인을 동석시킬 수 있다. 이 경우 동석한 신뢰관계인이 피의자를 대신하여 진술할 수 있으며 진술한 부분이 조서에 기재되어 있다면 이를 유죄 인정의 증거로 사용할 수 있다. (O / X)

4 인지절차를 밟기 전에 수사를 하였다고 하더라도 그 수사가 장차 인지의 가능성이 전혀 없는 상태하에서 행해졌다는 등의 특별한 사정이 없는 한 인지절차가 이루어지기 전에 수사를 하였다는 이유만으로 그 수사가 위법하다고 볼 수는 없고, 따라서 그 수사과정에서 작성된 피의자신문조서나 진술조서 등의 증거능력도 이를 부인할 수 없다. (O / X)

03 ○X○X 04 ○○X○

05

| 기출 | 2020 경찰 2차

| 해설 | CHAPTER 04 강제수사 p.491, 5번

1 긴급체포된 피의자에 대하여 구속영장이 발부된 경우 그 구속기간은 피의자를 체포한 날부터 기산한다. (O / X)

2 긴급체포 요건을 갖추었는지 여부는 체포 당시 상황과 사후에 밝혀진 사정을 종합적으로 판단함으로써 검사나 사법경찰관 등 수사주체의 판단에는 상당한 재량의 여지가 있다. (O / X)

3 형사소송법 제208조(재구속의 제한)에서 말하는 '구속되었다가 석방된 자'의 범위에는 긴급체포나 현행범으로 체포되었다가 사후영장발부 전에 석방된 경우도 포함된다. (O / X)

4 긴급체포된 자로부터 압수한 물건에 대해서는 24시간 이내에 한하여 영장 없이 압수·수색할 수 있고, 압수된 물건을 계속 압수할 필요가 있는 경우에는 압수한 때로부터 48시간 이내에 압수·수색영장을 청구하여야 한다. (O / X)

5 긴급체포 후 구속영장을 발부받지 못하여 석방한 경우 동일한 범죄사실로 다시 긴급체포할 수 없다. 그러나 체포영장을 다시 발부받은 경우 체포가 가능하다. (O / X)

06

| 기출 | 2020 경찰 승진

| 해설 | CHAPTER 04 강제수사 p.504, 27번

1 법원 또는 합의부원, 검사, 변호인, 청구인이 구속된 피의자를 심문하고 그에 대한 피의자의 진술 등을 기재한 구속적부심문조서는 특히 신용할 만한 정황에 의하여 작성된 문서라고 할 것이므로 특별한 사정이 없는 한, 피고인이 증거로 함에 부동의하더라도 형사소송법 제315조 제3호에 의하여 당연히 그 증거능력이 인정된다. (O / X)

2 체포의 적부심사는 구속의 적부심사와 달리 국선변호인에 관한 규정이 준용되지 않으므로 체포된 피의자가 심신장애의 의심이 있는 경우에도 법원은 원칙적으로 국선변호인을 선정하지 않고 심사를 진행할 수 있다. (O / X)

3 형사소송법 제214조의2 제4항의 규정에 의한 체포·구속적부심사결정에 의하여 석방된 피의자는 법원의 출석요구를 받고 정당한 이유 없이 출석하지 아니하거나 주거의 제한 기타 법원이 정한 조건을 위반한 경우를 제외하고는 동일한 범죄사실에 관하여 재차 체포 또는 구속하지 못한다. (O / X)

4 법원은 체포된 피의자에 대하여 피의자의 출석을 보증할 만한 보증금의 납입을 조건으로 하여 결정으로 석방을 명할 수 있다. (O / X)

05 O X X X O 06 O X X X

07

| 기출 | 2020 경찰 1차

| 해설 | CHAPTER 05 압수·수색·검증 등 p.509, 2번

1 전자정보에 대한 압수·수색영장을 집행할 때에는 원칙적으로 영장 발부의 사유인 혐의사실과 관련된 부분만을 문서 출력물로 수집하거나 수사기관이 휴대한 저장매체에 해당 파일을 복사하는 방식으로 이루어져야 하고, 집행현장 사정상 위와 같은 방식에 의한 집행이 불가능하거나 현저히 곤란한 부득이한 사정이 존재하더라도 저장매체 자체를 직접 혹은 하드카피나 이미징 등 형태로 수사기관 사무실 등 외부로 반출하여 해당 파일을 압수·수색할 수 있도록 영장에 기재되어 있고 실제 그와 같은 사정이 발생한 때에 한하여 위 방법이 예외적으로 허용될 수 있을 뿐이다. (O / X)

2 수사기관 사무실 등으로 반출된 저장매체 또는 복제본에서 혐의사실 관련성에 대한 구분 없이 임의로 저장된 전자정보를 문서로 출력하거나 파일로 복제하는 행위는 원칙적으로 영장주의 원칙에 반하는 위법한 압수가 된다. (O / X)

3 수사기관이 피의자 甲의 공직선거법 위반 범행을 영장 범죄사실로 하여 발부받은 압수·수색영장의 집행 과정에서 乙·丙 사이의 대화가 녹음된 녹음파일을 압수하여 乙·丙의 공직선거법 위반 혐의사실을 발견한 사안에서, 별도의 압수·수색영장을 발부받지 않고 압수한 위 녹음파일은 위법수집증거로서 증거능력이 없다. (O / X)

4 수사기관이 정보저장매체에 기억된 정보 중에서 키워드 또는 확장자 검색 등을 통해 범죄 혐의사실과 관련 있는 정보를 선별한 다음 정보저장매체와 동일하게 비트열 방식으로 복제하여 생성한 파일('이미지 파일')을 제출받아 압수하였다면 이로써 압수의 목적물에 대한 압수·수색 절차는 종료된 것이므로, 수사기관이 수사기관 사무실에서 위와 같이 압수된 이미지 파일을 탐색·복제·출력하는 과정에서도 피의자 등에게 참여의 기회를 보장하여야 하는 것은 아니다. (O / X)

08

| 기출 | 2019 경찰 승진

| 해설 | CHAPTER 05 압수·수색·검증 등 p.522, 22번

1 주취운전이라는 범죄행위로 당해 음주운전자를 구속·체포하지 아니한 경우에도 필요하다면 주취운전 중 또는 주취운전 직후의 현장에 있던 차량열쇠는 형사소송법 제216조 제3항에 의하여 영장 없이 이를 압수할 수 있다. (O / X)

2 사법경찰관이 형사소송법 제215조 제2항의 규정에 위반하여 영장 없이 물건을 압수한 경우에 추후 피의자로부터 그 압수물에 대한 임의제출동의서를 받았더라도 그 압수는 위법하다. (O / X)

3 음란물 유포의 범죄혐의를 이유로 압수·수색영장을 발부받은 사법경찰관이 피의자의 주거지를 수색하다가 대마를 발견하자 피의자를 마약류 관리에 관한 법률 위반죄의 현행범으로 체포하면서 대마를 압수하였다면, 다음 날 피의자 석방 후에 사후 압수·수색영장을 발부받지 않았더라도 압수는 위법하지 않다. (O / X)

4 긴급체포된 자가 소유하고 있는 물건에 대하여 긴급히 압수할 필요가 있는 경우에는 체포한 때부터 24시간 이내에 한하여 영장 없이 압수·수색 또는 검증을 할 수 있다. (O / X)

07 ○○○○ 08 ○○X○

09

| 기출 | 2021 경찰 1차
| 해설 | CHAPTER 06 수사의 종결 p.524, 2번

1 사법경찰관이 검찰송치 결정을 한 경우에는 그 내용을 고소인·고발인·피해자 또는 그 법정대리인(피해자가 사망한 경우에는 그 배우자·직계친족·형제자매를 포함한다)과 피의자에게 통지해야 한다. (O / X)

2 사법경찰관이 범죄를 수사한 후 범죄의 혐의가 있다고 인정되는 경우에는 지체 없이 검사에게 사건을 송치하고, 검사는 송치사건의 공소제기 여부 결정 또는 공소의 유지에 관하여 필요한 경우 사법경찰관에게 보완수사를 요구할 수 있으며, 특별히 직접 보완수사를 할 필요성이 인정되는 경우에는 예외적으로 직접 보완수사를 할 수 있다. (O / X)

3 사법경찰관리의 수사과정에서 현저한 수사권 남용이 의심되는 사실에 대하여, 형사소송법 제197조의3의 절차에 따라 사법경찰관으로부터 사건기록 등본을 송부받은 검사는 필요하다고 인정되는 경우 사법경찰관에게 시정조치를 요구할 수 있고, 그 이행 결과를 통보받은 후 시정조치 요구가 정당한 이유 없이 이행되지 않았다고 인정되는 경우에는 사법경찰관에게 사건을 송치할 것을 요구할 수 있다. (O / X)

4 사법경찰관이 범죄를 수사한 후 범죄의 혐의가 인정되지 않아 불송치 결정을 하는 경우, 사법경찰관은 그 이유를 명시한 서면과 함께 관계 서류와 증거물을 지체 없이 검사에게 송부해야 하며, 검사는 송부받은 날로부터 60일 이내에 사법경찰관에게 그 서류 등을 반환하여야 한다. (O / X)

10

| 기출 | 2021 경찰 2차
| 해설 | CHAPTER 06 수사의 종결 p.528, 9번

1 검사가 공소제기 후 형사소송법 제215조에 따라 수소법원 이외의 지방법원 판사에게 청구하여 발부받은 영장에 의하여 압수·수색을 하였다면, 이는 적법한 절차에 따르지 않은 것으로서 원칙적으로 유죄의 증거로 삼을 수 없다. (O / X)

2 검사 작성의 피고인에 대한 진술조서가 공소제기 후에 작성된 것이라는 이유만으로는 곧 그 증거능력이 없다고 할 수 없다. (O / X)

3 검사 또는 사법경찰관이 피고인에 대한 구속영장을 집행하는 경우에 필요한 때에는 그 집행현장에서 영장 없이 압수, 수색, 검증을 할 수 있다. (O / X)

4 제1심에서 피고인에 대하여 무죄판결이 선고되어 검사가 항소한 후 수사기관이 항소심 공판기일에 증인으로 신청하여 신문할 수 있는 사람을 특별한 사정 없이 미리 수사기관에 소환하여 작성한 진술조서는 피고인이 증거로 할 수 있음에 동의하지 않는 한 증거능력이 없다. 그러나 그 참고인이 나중에 법정에 증인으로 출석하여 진술조서의 성립의 진정을 인정하고 피고인 측에 반대신문의 기회가 부여되면 그 진술조서를 증거로 할 수 있다. (O / X)

09 ○○○X 10 ○○○X

01

| 기출 | 2020 경찰 2차
| 해설 | CHAPTER 01
증거법의 기본이론
p.542, 8번

1 형사소송법 제312조 제4항에서 '특히 신빙할 수 있는 상태'는 증거능력의 요건에 해당하므로 검사가 그 존재에 대하여 구체적으로 주장·증명하여야 하고, 엄격한 증명을 요한다. (○ / X)

2 강간죄에서 공소사실을 인정할 증거로 사실상 피해자의 진술이 유일하고 피고인의 진술은 경험칙상 합리성이 없고 그 자체로 모순되어 믿을 수 없는 경우, 이러한 사정은 법관의 자유판단의 대상이 되지 않는다. (○ / X)

3 충분한 증명력이 있는 증거를 합리적인 근거 없이 배척하거나 반대로 객관적인 사실에 명백히 반하는 증거를 아무런 합리적인 근거 없이 채택·사용하는 등으로 논리와 경험의 법칙에 어긋나는 것이 아닌 이상, 법관은 자유심증으로 증거를 채택하여 사실을 인정할 수 있다. (○ / X)

4 몰수는 부가형이자 형벌이므로 몰수의 대상 여부는 엄격한 증명의 대상이나, 추징은 형벌이 아니므로 추징의 대상, 추징액의 인정은 자유로운 증명의 대상이다. (○ / X)

02

| 기출 | 2020 경찰 2차
| 해설 | CHAPTER 02
증거능력
p.548, 8번

1 수사기관이 영장 없이 범죄 수사를 목적으로 금융회사로부터 획득한 금융실명거래 및 비밀보장에 관한 법률 제4조 제1항의 '거래정보 등'은 원칙적으로 형사소송법 제308조의2에서 정하는 '적법한 절차에 따르지 아니하고 수집한 증거'에 해당하여 유죄의 증거로 삼을 수 없다. (○ / X)

2 영장 발부의 사유로 된 범죄사실과 별개의 증거를 압수하였을 경우 이는 원칙적으로 유죄 인정의 증거로 사용할 수 없으나, 예외적으로 그 범죄사실과 객관적·인적 관련성이 있는 때에는 사용할 수 있다. 이때 객관적 관련성은 압수·수색영장에 기재된 혐의사실의 내용과 수사의 대상, 수사 경위 등을 종합하여 혐의사실과 구체적·개별적 연관관계가 있는 경우뿐만 아니라 단순히 동종 또는 유사 범행인 경우도 인정된다. (○ / X)

3 형사소송법은 전문진술에 대하여 제316조에서 실질상 단순한 전문의 형태를 취하는 경우에 한하여 예외적으로 그 증거능력을 인정하는 규정을 두고 있을 뿐, 재전문진술이나 재전문진술을 기재한 조서에 대하여는 달리 그 증거능력을 인정하는 규정을 두고 있지 아니하고 있으므로, 피고인이 증거로 하는 데 동의하지 아니하는 한 형사소송법 제310조의2의 규정에 의하여 이를 증거로 할 수 없다. (○ / X)

4 형사소송법 제218조를 위반하여 소유자, 소지자 또는 보관자가 아닌 자로부터 제출받은 물건을 영장 없이 압수한 경우 그 '압수물' 및 '압수물을 찍은 사진'은 피고인이나 변호인이 이를 증거로 함에 동의하였다고 하더라도 유죄 인정의 증거로 사용할 수 없다. (○ / X)

01 X X ○ X 02 ○ X ○ ○

03

| 기출 | 2022 경찰 간부
| 해설 | CHAPTER 02 증거능력 p.565, 37번

1 수사기관이 작성한 조서의 내용이 원진술자가 진술한 대로 기재된 것이라 함은 조서 작성 당시 원진술자의 진술대로 기재되었는지의 여부만을 의미하는 것으로, 그와 같이 진술하게 된 연유나 그 진술의 신빙성 여부를 고려할 것은 아니다. (○ / X)

2 행위자가 아닌 법인 또는 개인이 양벌규정에 따라 기소된 경우 검사 이외의 수사기관이 행위자에 대하여 작성한 피의자신문조서는 행위자가 그 내용을 인정한 경우에라도 당해 피고인인 법인 또는 개인이 그 내용을 부인하는 경우에는 형사소송법 제312조 제3항이 적용되어 증거능력이 없고, 형사소송법 제314조를 적용하여 증거능력을 인정할 수도 없다. (○ / X)

3 검사가 작성한 피의자나 피의자 아닌 자의 진술을 기재한 조서(단, 형식적 진정성립과 특신상태는 인정됨) 중 일부에 관하여만 원진술자가 공판준비 또는 공판기일에서 실질적 진정성립을 인정하는 경우, 진술한 대로 기재되어 있다고 하는 부분에 한하여서만 증거능력이 인정된다. (○ / X)

4 피고인이 자신에 대한 검사 작성의 피의자신문조서의 성립이 진정함을 인정하는 진술을 하고, 그 피의자신문조서에 대하여 증거조사가 완료되었다면, 증거조사 완료 뒤의 위 진정성립인정진술의 취소는 절차적 안정성을 위해 어떠한 경우에도 허용될 수 없다. (○ / X)

04

| 기출 | 2019 경찰 승진(변형)
| 해설 | CHAPTER 02 증거능력 p.576, 53번

1 디지털 녹음기에 녹음된 내용을 전자적 방법으로 테이프에 전사한 사본인 녹음테이프를 대상으로 법원이 검증절차를 진행하여, 녹음된 내용이 녹취록의 기재와 일치하고 그 음성이 진술자의 음성임을 확인하였다면 그것만으로 녹음테이프의 증거능력을 인정할 수 있다. (○ / X)

2 법정에 출석한 증인이 형사소송법 제148조, 제149조 등에서 정한 바에 따라 정당하게 증언거부권을 행사하여 증언을 거부한 경우는 형사소송법 제314조의 '그 밖에 이에 준하는 사유로 인하여 진술할 수 없는 때'에 해당하지 아니한다. (○ / X)

3 수사기관이 피의자를 신문함에 있어서 피의자에게 미리 진술거부권을 고지하지 않은 때에는 그 피의자의 진술은 위법하게 수집된 증거이나, 진술의 임의성이 인정되는 경우에는 증거능력이 인정된다. (○ / X)

4 검사와 피의자가 그 사건에 관하여 대화하는 내용과 장면을 녹화한 비디오테이프에 대한 법원의 검증조서는 이러한 비디오테이프의 녹화내용이 피의자의 진술을 기재한 피의자신문조서와 실질적으로 같다고 볼 것이므로 피의자신문조서에 준하여 그 증거능력을 가려야 한다. (○ / X)

03 ○○○X 04 X○X○

05

| 기출 | 2020 국가직 9급
| 해설 | CHAPTER 02 증거능력 p.580, 59번

1 보험사기 사건에서 건강보험심사평가원이 수사기관의 의뢰에 따라 그 수사기관이 보내온 자료를 토대로 작성한 입원진료의 적정성에 대한 의견을 제시하는 내용의 '입원진료 적정성 여부 등 검토의뢰에 대한 회신'은 형사소송법 제315조에 규정된 당연히 증거능력 있는 서류에 해당한다. (O / X)

2 대한민국 주중국 대사관 영사가 공무수행과정에서 작성하였지만 공적인 증명보다는 상급자에 대한 보고를 목적으로 작성한 사실확인서[공인(公印) 부분은 제외]는 형사소송법 제315조에 규정된 당연히 증거능력 있는 서류에 해당한다. (O / X)

3 검찰에서 피고인이 소지·탐독을 인정한 유인물에 대하여, 사법경찰관이 그 내용을 분석하고 이를 기계적으로 복사하여 그 말미에 그대로 첨부하여 작성한 수사보고서는 형사소송법 제315조에 규정된 당연히 증거능력 있는 서류에 해당한다. (O / X)

4 성매매업소에서 성매매 여성들이 영업에 참고하기 위하여 성매매 상대방의 아이디, 전화번호 등에 관한 정보를 입력하여 작성한 메모리카드의 내용은 형사소송법 제315조에 규정된 당연히 증거능력 있는 서류에 해당한다. (O / X)

06

| 기출 | 2018 경찰 2차
| 해설 | CHAPTER 03 증명력 p.602, 3번

1 운전자가 음주측정 요구를 받을 당시에 술에 취한 상태에 있었다고 인정할 만한 상당한 이유가 있음에도 정당한 이유 없이 이에 불응하여 음주측정불응죄가 인정되었다면, 운전자가 다시 스스로 경찰공무원에게 혈액채취의 방법에 의한 음주측정을 요구하여 그 결과 음주운전으로 처벌할 수 없는 혈중알코올농도 수치가 나왔더라도 음주측정거부죄가 성립한다. (O / X)

2 호흡측정기에 의한 음주측정치와 혈액검사에 의한 음주측정치가 다른 경우에, 혈액의 채취 또는 검사과정에서 혈액채취에 의한 검사결과를 믿지 못할 특별한 사정이 없는 한, 혈액검사에 의한 음주측정치가 호흡측정기에 의한 음주측정치보다 측정 당시의 혈중알코올농도에 더 근접한 음주측정치라고 보는 것이 경험칙에 부합한다. (O / X)

3 주취운전의 혐의자에게 호흡측정기에 의한 주취 여부의 측정에 응할 것을 요구하고 이에 불응할 경우에는 음주측정거부죄로 처벌하는 것은, 자기부죄금지의 원칙을 규정한 헌법 제12조 제2항에 위반된다고 할 수 없다. (O / X)

4 운전자가 술에 취한 상태에서 자동차를 운전하였다고 인정할 만한 상당한 이유가 있어서, 경찰관이 음주감지기에 의한 시험을 요구한 경우, 그 시험결과에 따라 음주측정기에 의한 측정이 예정되어 있고 운전자가 그러한 사정을 인식하였음에도 음주감지기에 의한 시험에 명시적으로 불응함으로써 음주측정을 거부하겠다는 의사를 표명하였더라도, 음주감지기에 의한 시험을 거부한 행위만으로는 음주측정거부죄에 해당할 수 없다. (O / X)

05 X X O O 06 O O O X

3회독 후

마무리 모의고사

✎ GUIDE
☑ 3회독 문제풀이 후 최종 실력 점검
☑ 실제 시험 유형을 구현한 모의고사를 통해 실전감각 향상
☑ 모바일 성적분석 서비스를 통한 객관적 실력 확인

제1회 | 모의고사

2022년도 개편 시험의 예상 출제경향에 맞추어 새롭게 출제한 모의고사입니다.

풀이시간 & 정답과 해설

적정 풀이시간	38분
정답과 해설	p. 76

1초 합격예측! 모바일 성적분석표

- 문제풀이 시간 측정 가능
- 모바일 OMR을 이용한 자동채점
- http://eduwill.kr/Rp5F

01 0881

형법의 적용범위에 대한 설명으로 가장 적절하지 않은 것은? (다툼이 있는 경우 판례에 의함)

① 형사사건으로 외국 법원에 기소되었다가 무죄판결을 받은 사람은, 설령 그가 무죄판결을 받기까지 상당 기간 미결구금되었더라도 이를 유죄판결에 의하여 형이 실제로 집행된 것으로 볼 수는 없으므로, '외국에서 형의 전부 또는 일부가 집행된 사람'에 해당한다고 볼 수 없고, 그 미결구금 기간은 형법 제7조에 의한 산입의 대상이 될 수 없다.
② 내국 법인의 대표자인 외국인이 내국 법인이 외국에 설립한 특수목적법인에 위탁해 둔 자금을 정해진 목적과 용도 외에 임의로 사용하여 횡령한 경우, 그 행위가 외국에서 이루어진 경우에는 우리 법원에 재판권이 없다.
③ 형법은 세계주의에 관한 규정을 총칙에 두고 있지 않다.
④ 특수폭행치상죄의 경우 형법 제258조의2의 특수상해죄의 신설에도 불구하고 종전과 같이 형법 제257조 제1항의 상해죄의 예에 의하여 처벌하는 것으로 해석하여야 한다.

02 0882

법인의 범죄능력과 양벌규정에 대한 설명으로 가장 적절하지 않은 것은? (다툼이 있는 경우 판례에 의함)

① 양벌규정에 의해 자연인과 법인을 함께 처벌하는 경우 행위자에 대하여 부과하는 형량을 작량감경하더라도 법인을 처벌함에 있어서는 작량감경을 하지 않아도 된다.
② 형사범에 대해서는 법인의 범죄능력을 부정하고, 행정범에 대해서는 법인의 범죄능력을 긍정하는 견해는 법인의 범죄능력에 관한 부분적 긍정설(절충설)의 입장이다.
③ 지방자치단체가 그 고유의 자치사무를 처리하는 경우 지방자치단체는 국가기관의 일부가 아니라 국가기관과는 별도의 독립한 공법인으로서 양벌규정에 의한 처벌대상이 되는 법인에 해당한다.
④ 법인이 설립되기 이전에 자연인이 한 행위에 대하여 양벌규정을 적용하여 법인을 처벌할 수 있다.

03 0883

부작위범에 관한 설명 중 가장 적절하지 않은 것은? (다툼이 있는 경우 판례에 의함)

① 업무방해죄와 같이 작위를 내용으로 하는 범죄를 부작위에 의하여 범하는 부진정 부작위범이 성립하기 위해서는 부작위를 실행행위로서의 작위와 동일시할 수 있어야 한다.
② 부작위에 의한 방조범이 보증인 지위에 있는 자로 한정되는 반면, 부작위범에 대한 교사범은 보증인 지위에 있는 자로 한정되지 않는다.
③ 피고인이 甲과 토지 지상에 창고를 신축하는 데 필요한 형틀공사 계약을 체결한 후 그 공사를 완료하였는데, 甲이 공사대금을 주지 않는다는 이유로 위 토지에 쌓아 둔 건축자재를 치우지 않고 공사현장을 막는 방법으로 위력으로써 甲의 창고 신축 공사 업무를 방해하였다는 내용으로 기소된 사안에서, 피고인이 공사대금을 받을 목적으로 건축자재를 치우지 않은 행위는 위력으로써 甲의 추가 공사 업무를 방해하는 업무방해죄의 실행행위로서 甲의 업무에 대하여 하는 적극적인 방해행위와 동등한 형법적 가치를 가진다고 볼 수 있어 부작위에 의한 업무방해죄가 성립한다.
④ 하나의 행위가 작위범과 부작위범의 구성요건을 동시에 충족하는 경우도 있다.

04 0884

다음 설명 중 가장 적절하지 않은 것은? (다툼이 있는 경우 판례에 의함)

① 무면허 운전으로 사고를 낸 사람이 동생을 경찰서에 대신 출두시켜 피의자로 조사받도록 한 행위는 범인도피교사죄를 구성한다.
② 참고인이 타인의 형사사건 등에 관하여 제3자와 대화를 하면서 허위로 진술하고 그 진술이 담긴 대화 내용을 녹음한 녹음파일 또는 이를 녹취한 녹취록을 만들어 수사기관 등에 제출하는 행위가 증거위조죄를 구성한다.
③ 피고인은 평소 집에서 심한 고성과 욕설, 시끄러운 음악 소리 등으로 이웃 주민들로부터 수회에 걸쳐 112신고가 있어 왔던 사람인데, 피고인의 집이 소란스럽다는 112신고를 받고 출동한 경찰관 甲, 乙이 인터폰으로 문을 열어달라고 하였으나 욕설을 하였고, 경찰관들이 피고인을 만나기 위해 전기차단기를 내리자 화가 나 식칼을 들고 나와 욕설을 하면서 경찰관들을 향해 찌를 듯이 협박한 경우 전기를 일시적으로 차단한 것은 적법한 직무집행으로 볼 수 없으므로 특수공무집행방해죄가 성립하지 않는다.
④ 피고인이 甲과 주차문제로 언쟁을 벌이던 중, 112 신고를 받고 출동한 경찰관 乙이 甲을 때리려는 피고인을 제지하자 자신만 제지를 당한 데 화가 나서 손으로 乙의 가슴을 밀치고, 피고인을 현행범으로 체포하며 순찰차 뒷좌석에 태우려고 하는 乙의 정강이 부분을 양발로 걷어차는 등 폭행한 경우 경찰관의 112 신고처리에 관한 직무집행을 방해하였으므로 공무집행방해죄가 성립한다.

05 0885

인과관계에 대한 설명 중 옳은 것을 모두 고른 것은? (다툼이 있는 경우 판례에 의함)

> ㉠ 폭행 또는 협박으로 타인의 재물을 강취하려는 행위와 이에 극도의 흥분을 느끼고 공포심에 사로잡혀 이를 피하려다 상해에 이르게 된 사실 사이에는 상당인과관계가 인정된다.
> ㉡ 피해자의 머리를 한번 받고 경찰봉으로 구타하자 피해자는 출항시부터 머리가 아프다고 배에 누워있다 입항할 즈음 외상성 뇌경막하 출혈로 사망하였다는 것이니, 범행시간과 피해자의 사망시간 간에 20여 시간 경과하였다 하더라도 그 사이에 사망의 중간원인을 발견할 자료가 없는 이상 위 시간적 간격이 있었던 사실만으로 피고인의 구타와 피해자의 사망사이에 인과관계가 없다고 할 수 없다.
> ㉢ 강간죄에서의 폭행·협박과 간음 사이에는 인과관계가 있어야 하고, 폭행·협박은 반드시 간음행위보다 선행되어야 한다.
> ㉣ 의사가 설명의무를 위반한 채 의료행위를 하였다가 환자에게 상해 또는 사망의 결과가 발생한 경우 의사에게 업무상과실로 인한 형사책임을 지우기 위해서는 의사의 설명의무 위반과 환자의 상해 또는 사망 사이에 상당인과관계가 존재하여야 한다.
> ㉤ 살인의 실행행위가 피해자의 사망이라는 결과를 발생하게 한 유일한 원인이어야 하는 것은 아니나 직접적인 원인일 것을 요한다.

① ㉠, ㉡, ㉢　　② ㉠, ㉡, ㉣
③ ㉠, ㉢, ㉤　　④ ㉡, ㉣, ㉤

06 0886

다음 중 법률의 착오에 '정당한 이유'가 있어 처벌할 수 없는 경우는? (다툼이 있는 경우 판례에 의함)

① 변호사 자격을 가진 국회의원이 낙천대상자로 선정된 사유에 대한 해명을 넘어 다른 동료의원들이나 네티즌의 낙천대상자 선정이 부당하다는 취지의 반론을 담은 의정보고서를 발간하는 과정에서 보좌관을 통하여 선거관리위원회 직원에게 문의하여 답변 받은 결과 선거법규에 저촉되지 않는다고 인식한 경우

② 사격연맹 사무국장이 선수로서 활동할 능력이나 의사조차 없는 일반인들이 단지 공기권총을 구입·소지할 목적으로 사격선수 등록신청을 하는 정을 알면서도 이들의 선수등록을 제한 없이 받아들이고 선수등록확인증을 발급함으로써 이들로 하여금 공기권총 소지허가를 받을 수 있도록 한 경우

③ 행정청의 허가를 받아야 하는데도 허가 담당 공무원이 허가를 요하지 않는다고 잘못 알려 주어 이를 믿었기 때문에 허가를 받지 않은 경우

④ 23여 년간 사법경찰관으로 근무한 자가 검사의 수사지휘를 받았으니 허위로 수사기록을 작성해도 된다고 생각하고 수사기록에 허위의 내용을 수록한 경우

07 0887

문서에 대한 죄에 관한 설명 중 옳지 <u>않은</u> 것은? (다툼이 있는 경우 판례에 의함)

① 주식회사의 지배인이 자신을 그 회사의 대표이사로 표시하여 연대보증채무를 부담하는 취지의 회사 명의의 차용증을 작성·교부한 경우, 사문서위조 및 위조사문서행사에 해당하지 않는다.

② 주식회사의 지배인이 회사 내부규정 등에 의하여 제한된 권한 범위를 벗어나 회사 명의의 문서를 작성한 경우, 사문서위조죄가 성립한다.

③ 휴대전화 신규 가입신청서를 위조한 후 이를 스캔한 이미지 파일을 제3자에게 이메일로 전송한 사안에서, 이미지 파일 자체는 문서에 관한 죄의 '문서'에 해당하지 않으나, 이를 전송하여 컴퓨터 화면상으로 보게 한 행위는 이미 위조한 가입신청서를 행사한 것에 해당하므로 위조사문서행사죄가 성립한다.

④ 간접정범을 통한 위조문서행사 범행에서 도구로 이용된 자에게 행사한 경우 위조문서행사죄가 성립하지 않는다.

08 0888

정당방위에 대한 설명으로 가장 적절하지 <u>않은</u> 것은? (다툼이 있는 경우 판례에 의함)

① 경찰관들이 체포영장을 소지하고 메트암페타민(일명 필로폰) 투약 등 혐의로 피고인을 체포하려고 하자, 피고인이 이에 거세게 저항하는 과정에서 경찰관들에게 상해를 가한 경우라도, 피고인이 경찰관들과 마주하자마자 도망가려는 태도를 보이거나 먼저 폭력을 행사하며 대항한 바 없는 등 경찰관들이 체포를 위한 실력행사에 나아가기 전에 체포영장을 제시하고 미란다 원칙을 고지할 여유가 있었음에도 애초부터 미란다 원칙을 체포 후에 고지할 생각으로 먼저 체포행위에 나선 행위는 적법한 공무집행이라고 보기 어려우므로 피고인의 상해행위는 정당방위에 해당한다.

② 위법하지 않은 정당한 침해에 대한 정당방위는 인정되지 않는다.

③ 국유토지가 공개 입찰에 의해 매매되고 그 인도집행이 완료되었다고 하더라도 그 토지의 종전 경작자인 피고인이 파종한 보리가 30cm 이상 성장하였다면 그 보리는 피고인의 소유로서 그가 수확할 권한이 있다 할 것이어서 토지매수자가 토지를 경작하기 위해 소를 이용하여 쟁기질을 하고 성장한 보리를 갈아엎는 행위는 피고인의 재산에 대한 현재의 부당한 침해라 할 것이므로 이를 막기 위해 그 경작을 못하도록 소 앞을 가로막고 쟁기를 잡아당기는 등의 피고인의 행위는 정당방위에 해당한다.

④ 긴급피난의 본질을 위법성조각사유라고 볼 경우, 긴급피난 행위에 대해서 정당방위는 인정된다.

09 0889

다음은 공무원의 직무에 관한 죄에 대한 설명이다. 적절한 것을 모두 고른 것은? (다툼이 있는 경우 판례에 의함)

㉠ 현행범인 체포의 요건을 갖추었는지에 관한 검사나 사법경찰관 등의 판단에는 상당한 재량의 여지가 있으나, 체포 당시 상황으로 보아도 요건 충족 여부에 관한 검사나 사법경찰관 등의 판단이 경험칙에 비추어 현저히 합리성을 잃은 경우 그 체포는 위법하다.

㉡ 피고인이 인신구속에 관한 직무를 집행하는 사법경찰관으로서 체포 당시 상황을 고려하여 경험칙에 비추어 현저하게 합리성을 잃지 않은 채 판단하면 체포 요건이 충족되지 아니함을 충분히 알 수 있었는데도, 자신의 재량 범위를 벗어난다는 사실을 인식하고 그와 같은 결과를 용인한 채 사람을 체포하여 권리행사를 방해하였다면, 직권남용체포죄와 직권남용권리행사방해죄가 성립한다.

㉢ 직권남용죄는 공무원이 그 일반적 직무권한에 속하는 사항에 관하여 직권의 행사에 가탁하여 실질적, 구체적으로 위법·부당한 행위를 한 경우에 성립하고, 그 일반적 직무권한은 반드시 법률상의 강제력을 수반하는 것임을 요하지 아니하며, 그것이 남용될 경우 직권행사의 상대방으로 하여금 법률상 의무 없는 일을 하게 하거나 정당한 권리행사를 방해하기에 충분한 것이면 된다.

㉣ 공무원이 직무관련자에게 제3자와 계약을 체결하도록 요구하여 그 계약 체결을 하게 한 행위가 제3자뇌물수수죄의 구성요건과 직권남용권리행사방해죄의 구성요건에 모두 해당하는 경우에는, 제3자뇌물수수죄와 직권남용권리행사방해죄가 각각 성립하고 실체적 경합관계에 있게 된다.

① ㉠, ㉡ ② ㉠, ㉡, ㉢
③ ㉠, ㉡, ㉢, ㉣ ④ ㉡, ㉢, ㉣

10 0890

책임에 대한 설명으로 가장 적절하지 않은 것은? (다툼이 있는 경우 판례에 의함)

① 심신장애로 인하여 사물을 변별할 능력이나 의사를 결정할 능력이 미약한 자의 행위는 형을 감경할 수 있다.

② 자신의 강도상해 범행을 일관되게 부인하였으나 유죄판결이 확정된 甲이 별건으로 기소된 공범 乙의 형사사건에서 증인으로 출석하여 자신의 범행사실을 부인하는 증언을 한 경우, 자신에 대한 형사사건에서 시종일관 그 범행을 부인하였다고 하여 甲에 대하여 사실대로 증언할 기대가능성이 없다고 볼 수 없다.

③ 형법 제16조(법률의 착오)에서 정당한 이유가 있는지 여부는 행위자가 위법한 행위를 하지 않으려는 진지한 노력을 했음에도 위법성을 인식하지 못한 것인지 여부를 기준으로 판단해야 하며, 위법성 인식에 필요한 노력의 정도는 행위자 개인의 인식능력 및 행위자가 속한 사회집단에 따라 달리 평가되어서는 안 된다.

④ 소아기호증은 성적인 측면에서의 성격적 결함으로 인하여 나타나는 것으로서, 소아기호증과 같은 질환이 있다는 사정은 그 자체만으로는 형의 감면사유인 심신장애에 해당하지 않고, 다만 그 증상이 매우 심각하여 원래의 의미의 정신병이 있는 사람과 동등하다고 평가할 수 있거나, 다른 심신장애사유와 경합된 경우 등에는 심신장애를 인정할 여지가 있다.

11 0891

다음은 위법성조각사유에 대한 설명이다. 가장 적절하지 않은 것은? (다툼이 있는 경우 판례에 의함)

① 사채업자인 피고인이 甲에게 채무를 변제하지 않으면 피해자가 숨기고 싶어하는 과거의 행적과 사채를 쓴 사실 등을 남편과 시댁에 알리겠다는 등의 문자메세지를 발송한 경우 위법성이 조각되지 않는다.

② 형법 제24조(피해자의 승낙)는 '처분할 수 있는 자의 승낙에 의하여 그 법익을 훼손한 행위는 법률에 특별한 규정이 없는 한 벌하지 아니한다'고 규정하고 있다.

③ 방위행위, 피난행위 그리고 자구행위가 그 정도를 초과한 때에는 정황에 의하여 그 형을 감경 또는 면제한다.

④ 현직 군수로서 전국동시지방선거 지방자치단체장 선거에 특정 정당 후보로 출마가 확실시되는 피고인이 같은 정당 지역 청년위원장 등 선거구민 20명에게 약 36만원 상당의 식사를 제공하여 기부행위를 한 경우 위법성이 인정된다.

12 0892

예비·음모에 대한 설명으로 가장 적절하지 않은 것은? (다툼이 있는 경우 판례에 의함)

① 형법상 음모죄가 성립하는 경우의 음모란 2인 이상의 자 사이에 성립한 범죄실행의 합의를 말하는 것으로, 범죄실행의 합의가 있다고 하기 위하여는 단순히 범죄결심을 외부에 표시·전달하는 것만으로는 부족하고, 객관적으로 보아 특정한 범죄의 실행을 위한 준비행위라는 것이 명백히 인식되고, 그 합의에 실질적인 위험성이 인정될 때에 비로소 음모죄가 성립한다.

② 내란이나 내란목적살인을 예비, 음모, 선동, 선전한 자가 내란이나 내란목적살인에 이르기 전에 자수한 때에는 그 형을 감경 또는 면제한다.

③ 甲이 乙을 살해하기 위하여 丙, 丁 등을 고용하면서 그들에게 대가의 지급을 약속한 경우, 甲에게는 살인예비죄가 성립한다.

④ 판례는 예비죄의 공동정범의 성립은 인정하나, 예비죄의 종범의 성립은 부정한다.

13 0893

공공의 신용에 대한 죄에 관한 설명 중 옳은 것을 모두 고른 것은? (다툼이 있는 경우에는 판례에 의함)

> ㉠ 위조된 외국의 화폐, 지폐 또는 은행권이 외국에서 강제통용력이 없고 국내에서 사실상 거래 대가의 지급수단이 되지 않는 경우, 그 화폐 등을 행사한 행위가 위조통화행사죄를 구성하지 않고 이 경우 위조사문서행사죄 또는 위조사도화행사죄로 의율할 수 있다.
>
> ㉡ 위조통화임을 알고 있는 자에게 그 위조통화를 교부한 경우에 피교부자가 이를 유통시키리라는 것을 예상 내지 인식하면서 교부하였다면, 그 교부행위 자체가 통화에 대한 공공의 신용 또는 거래의 안전을 해할 위험이 있으므로 위조통화행사죄가 성립한다.
>
> ㉢ 절취한 후불식 전화카드를 사용하여 공중전화를 건 행위는 사문서부정행사죄에 해당한다.
>
> ㉣ 이미 타인에 의하여 위조된 약속어음의 기재사항을 권한 없이 변경하였다고 하더라도 유가증권변조죄는 성립하지 아니한다.

① ㉠ ② ㉠, ㉡, ㉢

③ ㉡, ㉢, ㉣ ④ ㉠, ㉡, ㉢ ,㉣

14 0894

다음 설명 중 옳은 것은? (다툼이 있는 경우 판례에 의함)

① 소의 제기 없는 가압류의 신청은 소송사기에서 실행의 착수로 인정된다.

② 상대방에게 유리한 증거를 제출하지 않거나 상대방에게 유리한 사실을 진술하지 않는 행위만으로도 소송사기에 있어 기망이 된다.

③ 소송비용을 편취할 의사로 소송비용의 지급을 구하는 손해배상 청구의 소를 제기하였다면 이는 위험성이 인정되는 사기죄의 불능미수로 처벌되어야 한다.

④ 방어적인 위치에 있는 피고라 하더라도 적극적인 방법으로 법원을 기망할 의사를 가지고 허위내용의 서류를 증거로 제출하거나 그에 따른 주장을 담은 답변서나 준비서면을 제출한 경우에 사기죄의 실행의 착수가 인정된다.

15 0895

공동정범에 대한 설명이다. 아래 ㉠부터 ㉣까지의 설명 중 옳고 그름의 표시(O, X)가 바르게 된 것은? (다툼이 있는 경우 판례에 의함)

> ㉠ 자기 자신을 무고하기로 제3자와 공모하고 이에 따라 무고행위에 가담한 경우 무고죄의 공동정범으로 처벌할 수 있다.
> ㉡ 신고 범위를 현저히 벗어나거나 집회 및 시위에 관한 법률 제12조에 따른 조건을 중대하게 위반함으로써 교통방해를 유발한 집회에 참가한 경우, 참가 당시 이미 다른 참가자들에 의해 교통의 흐름이 차단된 상태였더라도 교통방해를 유발한 다른 참가자들과 암묵적·순차적으로 공모하여 교통방해의 위법상태를 지속시켰다고 평가할 수 있다면 일반교통방해죄가 성립하지만, 피고인이 다른 집회참가자들과 도로점거를 사전에 공모하였다는 증거가 없는 경우에는 공모공동정범의 죄책을 물을 수도 없다.
> ㉢ 공동피고인이 위조된 부동산임대차계약서를 담보로 제공하고 피해자로부터 돈을 빌려 편취할 것을 계획하면서 피고인에게 미리 전화를 하여 임대인 행세를 하여달라고 부탁하였고, 피고인은 임대인인 것처럼 행세하여 전세금액 등을 확인한 경우, 피고인의 행위는 위조사문서행사에 있어서 기능적 행위지배의 공동정범 요건을 갖추었다고 할 수 없다.
> ㉣ 공범자의 범인도피 행위의 도중에 그 범행을 인식하면서 그와 공동의 범의를 가지고 기왕의 범인도피상태를 이용하여 스스로 범인도피행위를 계속한 경우에는 범인도피죄의 공동정범이 성립한다.

① ㉠ (X), ㉡ (O), ㉢ (X), ㉣ (O)
② ㉠ (O), ㉡ (X), ㉢ (O), ㉣ (X)
③ ㉠ (X), ㉡ (O), ㉢ (O), ㉣ (X)
④ ㉠ (O), ㉡ (X), ㉢ (X), ㉣ (O)

16 0896

다음 중 甲의 행위가 부작위에 의한 방조범으로 평가될 수 없는 것은 몇 개인가? (다툼이 있는 경우 판례에 의함)

> ㉠ 법원의 입찰사건에 관한 제반 업무를 주된 업무로 하는 공무원 甲이 자신이 맡고 있는 입찰사건의 입찰보증금이 계속적으로 횡령되고 있는 사실을 알면서도 묵인하였다.
> ㉡ 은행지점장인 甲은 자신의 부하직원인 乙이 모 회사에 어음부정지급보증 등의 방법으로 배임행위를 하는 것을 알고도 이를 막지 않고 내버려두었다.
> ㉢ 인터넷 포털 사이트 내 오락채널 총괄팀장인 甲과 위 오락채널 내 만화사업의 운영 직원인 피고인들이 콘텐츠제공업체들이 게재하는 음란만화의 삭제를 요구하지 않고 내버려 두었다.
> ㉣ 甲은 매장관리 등을 맡고 있는 백화점 직원으로서, 자신이 관리하는 매장주인이 법적으로 금지된 가짜 상표가 새겨진 핸드백을 판매하는 것을 발견하고는 그대로 방치하였다.
> ㉤ 아파트 지하실의 소유자 甲은 임차인의 지하실에 대한 용도변경행위(건축법 위반행위)를 알면서도 이를 방치하였다.
> ㉥ 甲은 중환자 乙의 주치의로서 환자 부인의 끈질긴 퇴원요구를 수차례 설득으로 막으려 했지만 지속되는 환자 부인의 요구에 결국은 응하여, 환자에게 부착한 인공호흡기를 제거하고 퇴원시킴으로써 치료행위를 더 이상 하지 않았고, 이로 인해 환자는 호흡곤란으로 사망하였다.

① 1개
② 2개
③ 3개
④ 4개

17 0897

다음 설명 중 옳지 않은 것은? (다툼이 있는 경우 판례에 의함)

① 장애미수 또는 중지미수는 범죄의 실행에 착수할 당시 실행행위를 놓고 판단하였을 때 행위자가 의도한 범죄의 기수가 성립할 가능성이 있었으므로 처음부터 기수가 될 가능성이 객관적으로 배제되는 불능미수와 구별된다.
② 불능범과 구별되는 불능미수의 성립요건인 '위험성'은 피고인이 행위 당시에 인식한 사정을 놓고 일반인이 객관적으로 판단하여 결과 발생의 가능성이 있는지 여부를 따져야 한다.
③ 행위자가 범죄사실이 발생할 가능성을 용인하고 있었는지 여부는 행위자의 진술에 의존하지 않고 외부에 나타난 행위의 형태와 행위의 상황 등 구체적인 사정을 기초로 일반인이라면 해당 범죄사실이 발생할 가능성을 어떻게 평가할 것인지를 고려하면서 행위자의 입장에서 그 심리상태를 추인하여야 한다.
④ 사실의 착오는 행위자가 실제로 존재하지 않는 사실을 존재한다고 오인하였다는 측면에서 존재하는 사실을 인식하지 못한 불능미수와 다르다.

18 0898

다음 중 〈보기1〉에 대한 설명에 해당하는 것과 〈보기2〉의 O, X에 대한 판단으로 바르게 묶인 것은? (다툼이 있는 경우 판례에 의함)

보기 1

법조경합의 한 형태인 흡수관계에 속하는 것으로서, 행위자가 특정한 죄를 범하면 비록 논리 필연적인 것은 아니지만 일반적·전형적으로 다른 구성요건을 충족하고 이때 그 구성요건의 불법이나 책임 내용이 주된 범죄에 비하여 경미하기 때문에 처벌이 별도로 고려되지 않는 경우를 말한다.

보기 2

피고인이 피해자의 택시 운행업무를 방해하기 위하여 이루어진 폭행행위가 피해자에 대한 업무방해죄의 수단이 된 경우, 폭행행위는 업무방해죄에 대하여 흡수관계에 있다고 볼 수 있어 〈보기1〉에 해당한다.

① 불가벌적 사후행위, ○　② 불가벌적 사후행위, X
③ 불가벌적 수반행위, ○　④ 불가벌적 수반행위, X

19 0899

다음 중 배임죄가 성립하는 것은? (다툼이 있는 경우 판례에 의함)

㉠ 매도인이 매수인으로부터 중도금을 수령한 이후에 매매목적물인 '동산'(인쇄기)을 제3자에게 양도한 경우
㉡ 부동산 매매계약에서 중도금을 지급 받은 매도인이 매수인에게 계약 내용에 따라 부동산의 소유권을 이전해 주기 전에 그 부동산을 제3자에게 처분하고 제3자 앞으로 그 처분에 따른 등기를 마쳐 준 경우
㉢ 채권 담보 목적으로 부동산에 관한 대물변제예약을 체결한 채무자가 대물로 변제하기로 한 부동산을 제3자에게 처분한 경우
㉣ 채무자가 동산을 채권자에게 동산·채권 등의 담보에 관한 법률에 따른 동산담보로 제공한 후 담보물을 제3자에게 처분한 경우

① 1개　② 2개
③ 3개　④ 없다

20 0900

형벌에 대한 설명으로 가장 적절하지 않은 것은? (다툼이 있는 경우 판례에 의함)

① 집행유예를 함에 있어 그 집행유예 기간의 시기는 집행유예를 선고한 판결 확정일로 하여야 하고, 재심판결에서 피고인에게 또다시 집행유예를 선고할 경우 그 집행유예 기간의 시기는 재심대상판결의 확정일이 아니라 재심판결의 확정일로 보아야 한다.
② 집행유예의 선고를 받은 자가 유예기간 중 고의로 범한 죄로 금고 이상의 실형을 선고받아 그 판결이 확정된 때에는 집행유예의 선고는 효력을 잃는다.
③ 하나의 자유형 중 일부에 대해서는 실형을, 나머지에 대해서는 집행유예를 선고하는 것은 허용되지 않는다.
④ 법정형에 하한이 설정된 형법 제37조 후단 경합범에 대하여 형법 제39조 제1항 후문에 따라 형을 감경할 때에는 형법 제55조 제1항이 적용되지 아니하여 유기징역의 경우 그 형기의 2분의 1 미만으로도 감경할 수 있다.

21 0901

다음 중 甲에게 존속살해죄가 성립하는 것은 몇 개인가? (판례에 의함)

㉠ 제 분에 이기지 못하여 식도를 휘두르는 피고인(甲)을 말리거나 그 식도를 뺏으려고 한 그 밖의 피해자들을 닥치는 대로 찌르는 무차별 횡포를 부리던 중에 그의 부까지 찌르게 된 결과를 빚은 경우(피고인이 칼에 찔려 쓰러진 부를 부축해 데리고 나가지 못하도록 한 일이 있다.)
㉡ 피살자(여)가 그의 문전에 버려진 영아인 피고인(甲)을 주워다 기르고 그 부와의 친생자인 것처럼 출생신고를 하였으나 입양요건을 갖추지 아니하였는바 피고인이 동녀를 살해하였다.
㉢ 甲은 호적부상 부를 살해하였다. 甲은 호적부상 피해자(부)와 모 사이에 태어난 친생자로 등재되어 있으나 피해자가 집을 떠난 사이 모가 타인과 정교관계를 맺어 피고인을 출산한 경우이다.
㉣ 타인의 양자로 입양된 甲이 실부모를 살해한 경우
㉤ 혼인외의 출생자인 甲이 생모를 살해한 경우

① 1개 ② 2개
③ 3개 ④ 4개

22 0902

다음 판례 사안 중 폭행치사(상)죄가 성립하는 몇 개인가? (다툼이 있는 경우 판례에 의함)

㉠ 어린애를 업은 사람을 밀어 넘어뜨려 그 결과 어린애가 사망하게 한 경우
㉡ 고등학교 교사가 두께 0.5미리밖에 안 되는 비정상적인 얇은 두개골이었고 또 뇌수종을 가진 심신허약자인 제자의 잘못을 징계코자 왼쪽뺨을 때려 뒤로 넘어지면서 사망에 이르게 한 경우
㉢ 피고인은 자전거를 타고 가다가 피해자가 길가에 쌓아둔 모래더미에 걸려 넘어지자 화가 난 나머지 피해자에게 교통을 방해한다고 소리를 질러 상호 욕설을 하며 시비를 하던 끝에 법으로 해결하자고 하면서 피해자의 왼쪽 어깨쭉지를 잡고 약 7미터 정도 걸어가다가 피해자를 놓아주는 등 폭행을 하자 피해자가 그곳에 있는 평상에 앉아 있다가 쓰러져 약 2주일 간의 안정가료를 요하는 뇌실질내 혈종의 상해를 입었다(피해자는 60세의 노인으로서 외견상 건강해 보이지만 평소 고혈압증세가 있었다).
㉣ 피고인이 술이 취해서 시비하려는 피해자를 피해서 문밖으로 나오려는 순간 피해자가 뒤따라 나오며 피고인의 오른팔을 잡자 피고인이 잡힌 팔을 빼기 위하여 뿌리친 행위로 인하여 피해자가 사망하였다.
㉤ 피고인이 회사 동료들과 함께 술을 마시다가 먼저 귀가하려고 밖으로 나와 걸어가던 중 같이 술을 마시던 피해자가 뒤따라 나와 피고인에게 먼저 간다는 이유로 욕설을 하면서 앞가슴을 잡고 귀가하지 못하도록 제지하자 피고인의 왼손으로 피고인을 잡고 있던 피해자의 오른손을 확 뿌리치면서 피해자의 얼굴을 1회 구타하는 바람에 피해자가 중심을 잃고 넘어지면서 그곳 도로 연석선에 머리가 부딪혀 중능뇌좌상, 뇌경막하출혈 등으로 사망하게 하였다.

① 1개 ② 2개
③ 3개 ④ 없다

23 0903

다음 중 甲에게 주거침입죄(퇴거불응죄)가 성립하는 것으로 바르게 묶인 것은 어느 것인가? (다툼이 있는 경우 판례에 의함)

가. 甲이 乙의 동리부녀자에 대한 욕설을 따지기 위하여 동리부녀자 10여 명과 작당하여 야간(밤 9시경)에 乙의 집에 몰려 들어간 경우
나. 피고인과 甲, 乙 세 사람이 함께 술을 마시고 그들이 사는 동리의 甲 집 앞길에 이르렀을 때 甲이 사소한 일로 피고인에게 폭행을 가함으로써 상호 시비 중 甲이 그의 집으로 들어가기에 피고인도 술에 취하여 동인에게 얻어맞아 가면서 동인의 집까지 따라 들어가서 때리는 이유를 따지었던 경우
A. 甲이 00:10경 피해자 乙의 집에서 그녀를 강간하기 위하여 그 집 담벽에 발을 딛고 창문을 열고 안으로 얼굴을 들이미는 등의 행위를 한 경우
B. 정당한 퇴거요구를 받고 건물에서 나가면서 가재도구 등을 남겨둔 경우
a. 적법하게 직장점거를 개시한 근로자 甲 등이 적법히 직장폐쇄를 단행한 사용자로부터 퇴거요구를 받고도 불응한 채 직장점거를 계속한 경우
b. 사용자의 직장폐쇄가 정당한 쟁의행위로 인정되지 아니하는 때 근로자 甲이 평소 출입이 허용되는 사업장 안에 들어간 경우

① 가, A, a ② 나, B, b
③ 나, A, a ④ 가, B, a

24 0904

협박의 죄에 대한 설명으로 가장 적절하지 <u>않은</u> 것은?(다툼이 있는 경우 판례에 의함)

① 피고인이 혼자 술을 마시던 중 甲 정당이 국회에서 예산안을 강행처리하였다는 것에 화가 나서 공중전화를 이용하여 경찰서에 여러 차례 전화를 걸어 전화를 받은 각 경찰관에게 경찰서 관할구역 내에 있는 甲 정당의 당사를 폭파하겠다는 말을 한 경우 협박죄를 인정할 수 없다.
② 피해자 본인이나 그 친족뿐만 아니라 그 밖의 제3자에 대한 법익 침해를 내용으로 하는 해악을 고지하는 것이라고 하더라도 피해자 본인과 제3자가 밀접한 관계에 있어 그 해악의 내용이 피해자 본인에게 공포심을 일으킬 만한 정도의 것이라면 협박죄가 성립할 수 있다. 이때 제3자에는 자연인뿐만 아니라 법인도 포함된다.
③ 채권추심 회사의 지사장이 회사로부터 자신의 횡령행위에 대한 민·형사상 책임을 추궁당할 지경에 이르자 이를 모면하기 위하여 회사 본사에 '회사의 내부비리 등을 금융감독원 등 관계 기관에 고발하겠다'는 취지의 서면을 보내는 한편, 위 회사 경영 지원본부장이자 상무이사에게 전화를 걸어 자신의 횡령행위를 문제삼지 말라고 요구하면서 위 서면의 내용과 같은 취지로 발언한 사안에서, 위 상무이사와 채권추심 회사에 대한 협박죄를 인정할 수 있다.
④ 피고인이 피해자의 장모가 있는 자리에서 서류를 보이면서 "피고인의 요구를 들어주지 않으면 서류를 세무서로 보내 세무조사를 받게 하여 피해자를 망하게 하겠다"라고 말하여 피해자의 장모로 하여금 피해자에게 위와 같은 사실을 전하게 하고, 그 다음날 피해자의 처에게 전화를 하여 "며칠 있으면 국세청에서 조사가 나올 것이니 그렇게 아시오"라고 말한 경우, 위 각 행위는 협박죄에 있어서 해악의 고지에 해당한다.

25 0905

강간과 추행의 죄에 대한 설명으로 가장 적절하지 않은 것은? (다툼이 있는 경우 판례에 의함)

① 준강간의 고의는 피해자가 심신상실 또는 항거불능의 상태에 있다는 것과 그러한 상태를 이용하여 간음한다는 구성요건적 결과 발생의 가능성을 인식하고 그러한 위험을 용인하는 내심의 의사를 말한다.

② 피고인이 피해자가 심신상실 또는 항거불능의 상태에 있다고 인식하고 그러한 상태를 이용하여 간음할 의사로 피해자를 간음하였으나 피해자가 실제로는 심신상실 또는 항거불능의 상태에 있지 않은 경우, 준강간죄가 성립한다.

③ 강제추행죄는 사람의 성적 자유 내지 성적 자기결정의 자유를 보호하기 위한 죄로서 정범 자신이 직접 범죄를 실행하여야 성립하는 자수범이라고 볼 수 없으므로, 처벌되지 아니하는 타인을 도구로 삼아 피해자를 강제로 추행하는 간접정범의 형태로도 범할 수 있다. 여기서 강제추행에 관한 간접정범의 의사를 실현하는 도구로서의 타인에는 피해자도 포함될 수 있으므로, 피해자를 도구로 삼아 피해자의 신체를 이용하여 추행행위를 한 경우에도 강제추행죄의 간접정범에 해당할 수 있다.

④ 피고인이 밤에 술을 마시고 배회하던 중 버스에서 내려 혼자 걸어가는 피해자 甲(여, 17세)을 발견하고 마스크를 착용한 채 뒤따라가다가 인적이 없고 외진 곳에서 가까이 접근하여 껴안으려 하였으나, 甲이 뒤돌아보면서 소리치자 그 상태로 몇 초 동안 쳐다보다가 다시 오던 길로 되돌아간 경우, 이른바 '기습추행' 행위로 볼 수 있으므로, 피고인의 팔이 甲의 몸에 닿지 않았더라도 양팔을 높이 들어 갑자기 뒤에서 껴안으려는 행위는 甲의 의사에 반하는 유형력의 행사로서 폭행행위에 해당하며, 그때 '기습추행'에 관한 실행의 착수가 있는데, 마침 甲이 뒤돌아보면서 소리치는 바람에 몸을 껴안는 추행의 결과에 이르지 못하고 미수에 그쳤으므로, 피고인의 행위는 아동·청소년에 대한 강제추행미수죄에 해당한다.

26 0906

명예훼손죄에 대한 설명으로 가장 적절하지 않은 것은? (다툼이 있는 경우 판례에 의함)

① 타인의 발언을 비판할 의도로 출판물에 그 타인의 발언을 그대로 소개한 후 그 중 일부분을 부각, 적시하면서 이에 대한 다소 과장되거나 편파적인 내용의 비판을 덧붙인 경우라 해도 위 소개된 타인의 발언과의 전체적, 객관적 해석에도 불구하고 위 비판적 내용의 사실적시가 허위라고 읽혀지지 않는 한 위 일부 사실적시 부분만을 따로 떼어 허위사실이라고 단정하여서는 안 된다.

② 형법 제309조 제1항 소정의 출판물에 의한 명예훼손죄는 타인을 비방할 목적으로 신문, 잡지 또는 라디오 기타 출판물에 의하여 사실을 적시하여 타인의 명예를 훼손할 경우에 성립되는 범죄로서, 여기서 '비방할 목적'이란 가해의 의사 내지 목적을 요하는 것으로서 공공의 이익을 위한 것과는 행위자의 주관적 의도의 방향에 있어 서로 상반되는 관계에 있다고 할 것이므로, 적시한 사실이 공공의 이익에 관한 것인 경우에는 특별한 사정이 없는 한 비방할 목적은 부인된다고 봄이 상당하다.

③ 명예훼손죄가 성립하기 위하여는 사실의 적시가 있어야 하는데, 여기에서 적시의 대상이 되는 사실이란 현실적으로 발생하고 증명할 수 있는 과거 또는 현재의 사실을 말하며, 장래의 일을 적시하는 경우에는 그것이 과거 또는 현재의 사실을 기초로 하거나 이에 대한 주장을 포함하는 경우라도 명예훼손죄가 성립한다고 할 수는 없다.

④ 명예훼손죄는 어떤 특정한 사람 또는 인격을 보유하는 단체에 대하여 그 명예를 훼손함으로써 성립하는 것이므로 그 피해자는 특정한 것임을 요하고, 다만 서울시민 또는 경기도민이라 함과 같은 막연한 표시에 의해서는 명예훼손죄를 구성하지 아니한다 할 것이지만, 집합적 명사를 쓴 경우에도 그것에 의하여 그 범위에 속하는 특정인을 가리키는 것이 명백하면, 이를 각자의 명예를 훼손하는 행위라고 볼 수 있다.

27 0907

인터넷카페의 운영진인 甲이 카페 회원들과 공모하여, 특정 신문들에 광고를 게재하는 광고주들에게 불매운동의 일환으로 지속적·집단적으로 항의전화를 하거나 항의글을 게시하는 등의 방법으로 광고중단을 압박한 경우 甲의 죄책은? (다툼이 있는 경우 판례에 의함)

① 무죄

② 광고주들 및 신문사들 모두에 대한 업무방해죄

③ 광고주들에 대한 업무방해죄 인정, 신문사들에 대한 업무방해죄 부정

④ 광고주들에 대한 업무방해죄 부정, 신문사들에 대한 업무방해죄 인정

28 0908

다음은 강간과 추행에 대한 판례이다. 적절하지 않은 것은 모두 몇 개인가? (다툼이 있는 경우 판례에 의함)

> ㉠ 엘리베이터 안에서 피해자를 칼로 위협하는 등의 방법으로 꼼짝하지 못하도록 하여 자신의 실력적인 지배하에 둔 다음 자위행위 모습을 보여준 행위가 강제추행죄의 추행에 해당한다.
> ㉡ 강간할 목적으로 피해자를 따라 피해자가 거주하는 아파트 내부의 엘리베이터에 탄 다음 그 안에서 폭행을 가하여 반항을 억압한 후 계단으로 끌고 가 피해자를 강간하고 상해를 입힌 경우 주거침입을 전제로 한 성폭력범죄의 처벌 및 피해자보호 등에 관한 법률 위반(제5조 제1항의 강간등상해)죄가 성립한다.
> ㉢ 피고인(A)이 아파트 엘리베이터 내에 13세 미만인 甲(여, 11세)과 단둘이 탄 다음 甲을 향하여 성기를 꺼내어 잡고 여러 방향으로 움직이다가 이를 보고 놀란 甲 쪽으로 가까이 다가간 경우, 피고인(A)의 행위는 위력에 의한 추행(성폭력범죄의 처벌 등에 관한 특례법 위반)에 해당하지 않는다.
> ㉣ 피고인이 사람 및 차량의 왕래가 빈번한 도로에서 피해자 甲(여, 48세)에게 욕설을 하면서 자신의 바지를 벗어 성기를 보여준 경우 강제추행죄가 성립한다.
> ㉤ '추행'이란 일반인에게 성적 수치심이나 혐오감을 일으키고 선량한 성적 도덕관념에 반하는 행위인 것만으로는 부족하다.

① 없음 ② 1개
③ 2개 ④ 3개

29 0909

형사절차와 관련하여 헌법에서 명시적으로 규정한 항목을 모두 고른 것은?

> ㉠ 진술거부권 ㉡ 일사부재리의 원칙
> ㉢ 구속 전 피의자심문 ㉣ 간이공판절차
> ㉤ 위법수집증거배제법칙 ㉥ 무죄추정의 원칙

① ㉠, ㉡, ㉢ ② ㉠, ㉡, ㉥
③ ㉠, ㉤, ㉥ ④ ㉡, ㉣, ㉤

30 0910

형사소송의 이념에 대한 설명 중 옳지 않은 것은 모두 몇 개인가? (다툼이 있는 경우 판례에 의함)

> ㉠ 형사소송의 목적은 적정절차에 의한 신속한 실체진실의 발견이다.
> ㉡ 실체진실주의란 소송의 실체에 관하여 객관적 진실을 발견하여 사안의 진상을 명백히 하자는 원칙으로 적극적 실체진실주의와 소극적 실체진실주의로 구별할 수 있다.
> ㉢ 헌법 제12조 제1항 후문이 규정하고 있는 적법절차란 법률이 정한 실체적 내용이 아니라 절차가 적정하여야 함을 말하는 것으로서 적정하다고 함은 공정하고 합리적이며 상당성이 있어 정의관념에 합치되는 것을 뜻한다.
> ㉣ 기소편의주의와 자백보강법칙은 실체적 진실주의의 제도적 표현이다.

① 1개 ② 2개
③ 3개 ④ 4개

31 0911

다음은 전문수사자문위원에 대한 설명이다. 적절하지 않은 것은 모두 몇 개인가?

> ㉠ 검사는 공소제기 여부와 관련된 사실관계를 분명하게 하기 위하여 필요한 경우에는 직권이나 피의자 또는 변호인의 신청에 의하여 전문수사자문위원을 지정하여 수사절차에 참여하게 하고 자문을 들을 수 있다.
> ㉡ 전문수사자문위원은 전문적인 지식에 의한 설명 또는 의견을 기재한 서면을 제출하거나 전문적인 지식에 의하여 설명이나 의견을 진술할 수 있다. 이에 대해서 검사는 피의자 또는 변호인에게 구술 또는 서면에 의한 의견진술의 기회를 줄 수 있다.
> ㉢ 검사는 상당하다고 인정하는 때에는 전문수사자문위원의 지정을 취소할 수 있다.
> ㉣ 피의자 또는 변호인은 검사의 전문수사자문위원 지정에 대하여 관할 고등검찰청검사장에게 이의를 제기할 수 있다.

① 1개 ② 2개
③ 3개 ④ 4개

32 0912

경찰관직무집행법상 불심검문에 대한 설명 중 적절하지 않은 것은 모두 몇 개인가? (다툼이 있는 경우 판례에 의함)

㉠ 경찰관은 경찰관직무집행법 제3조 제2항에 의하여 거동불심자를 임의동행한 이후 당해인을 6시간 동안 구금할 수 있다.
㉡ 검문 중이던 경찰관들이, 자전거를 이용한 날치기 사건 범인과 흡사한 인상착의의 피고인이 자전거를 타고 다가오는 것을 발견하고 정지를 요구하였으나 멈추지 않아, 앞을 가로막고 검문에 협조해 달라고 하였음에도 불응하고 그대로 전진하자, 따라가서 재차 앞을 막고 검문에 응하라고 요구하였다면 경찰관들의 행위는 적법한 불심검문에 해당한다.
㉢ 경찰관직무집행법에 근거하여 자동차검문이 행하여지기도 하나, 이미 객관적으로 술에 취한 것으로 보이는 자에 대해서는 경찰관직무집행법이나 도로교통법상의 일시정지권을 통한 불심검문은 허용될 수 없다.
㉣ 경찰관이 경찰관직무집행법 제3조 제1항에 규정된 대상자 해당 여부를 판단할 때에는 불심검문 당시의 구체적 상황은 물론 사전에 얻은 정보나 전문적 지식 등에 기초하여 불심검문 대상자인지를 객관적·합리적인 기준에 따라 판단하여야 하나, 반드시 불심검문 대상자에게 형사소송법상 체포나 구속에 이를 정도의 혐의가 있을 것을 요한다고 할 수는 없다.

① 1개　　② 2개
③ 3개　　④ 4개

33 0913

피의자신문에 대한 설명 중 가장 적절하지 않은 것은? (다툼이 있는 경우 판례에 의함)

① 사법경찰관은 피의자를 신문하기 전에 수사과정에서 법령위반, 인권침해 또는 수사권 남용이 있는 경우 검사에게 구제를 신청할 수 있음을 피의자에게 알려주어야 한다.
② 피의자와 신뢰관계에 있는 자의 동석을 허락하는 경우에도 동석한 사람으로 하여금 피의자를 대신하여 진술하도록 하여서는 안 되며, 동석한 사람이 피의자를 대신하여 진술한 부분이 조서에 기재되어 있다면 그 부분은 피의자의 진술을 기재한 것이 아니라 동석한 사람의 진술을 기재한 조서에 해당하므로, 그 사람에 대한 진술조서로서의 증거능력을 취득하기 위한 요건을 충족하지 못하는 한 이를 유죄 인정의 증거로 사용할 수 없다.
③ 수사기관이 피의자를 신문함에 있어서 피의자에게 미리 진술거부권을 고지하지 않은 때에는 그 피의자의 진술은 위법하게 수집된 증거로서 진술의 임의성이 인정되는 경우라도 증거능력이 부인되어야 한다.
④ 피의자의 진술을 영상녹화하는 경우 피의자 또는 변호인의 동의를 받아야 영상녹화할 수 있고, 피의자가 아닌 자의 진술을 영상녹화하고자 할 때에는 미리 피의자가 아닌 자에게 영상녹화사실을 알려주어야 영상녹화할 수 있다.

34 0914

체포영장에 의한 체포에 관한 설명으로 틀린 것은?

① 체포영장을 발부받아 피의자를 체포하기 위하여는 피의자가 수사기관의 출석요구에 응하지 아니하거나 응하지 아니할 우려가 있어야 한다.
② 검사가 동일한 범죄사실에 관하여 그 피의자에 대하여 전에 체포영장을 청구하였거나 발부 받은 사실이 있는 때에는 다시 체포영장을 청구하는 취지 및 이유를 기재하여야 한다.
③ 다액 50만원 이하의 벌금, 구류 또는 과료에 해당하는 사건에 관하여는 범인의 주거가 분명하지 아니한 때에 한하여 체포할 수 있다.
④ 체포한 피의자를 구속하고자 할 때에는 체포한 때부터 48시간 이내에 구속영장을 청구하여야 한다.

35 0915

압수·수색영장의 집행에 관한 설명 중 가장 적절하지 않은 것은? (다툼이 있는 경우 판례에 의함)

① 현장에서 압수·수색처분을 받는 사람이 여러 명일 경우에는 개별적으로 모두에게 영장을 제시해야 하는 것이 원칙이다.
② 압수·수색영장을 집행하는 수사기관은 피압수자로 하여금 법관이 발부한 영장에 의한 압수·수색이라는 사실을 확인함과 동시에 형사소송법이 압수·수색영장에 필요적으로 기재하도록 정한 사항이나 그와 일체를 이루는 사항을 충분히 알 수 있도록 압수·수색영장을 제시하여야 한다.
③ 압수한 경우에는 목록을 작성하여 소유자, 소지자, 보관자 기타 이에 준할 자에게 교부하여야 한다.
④ 전자정보에 대한 압수·수색영장의 집행에 있어서는 원칙적으로 그 저장매체 자체를 직접 또는 하드카피나 이미징 등 형태로 수사기관 사무실 등 외부로 반출하는 것은 허용된다.

36 0916

수사의 종결처분에 대한 설명 중 가장 적절하지 않은 것은? (다툼이 있는 경우 판례에 의함)

① 사법경찰관은 제245조의5 제2호(불송치결정)의 경우에는 그 송부한 날부터 7일 이내에 서면으로 고소인·고발인·피해자 또는 그 법정대리인(피해자가 사망한 경우에는 그 배우자·직계친족·형제자매를 포함한다)에게 사건을 검사에게 송치하지 아니하는 취지와 그 이유를 통지하여야 한다.
② 제245조의6의 통지(고소인 등에 대한 송부통지)를 받은 사람은 해당 사법경찰관의 소속관서의 장에게 이의를 신청할 수 있다.
③ 검사는 제245조의5 제2호(불송치결정)의 경우에 사법경찰관이 사건을 송치하지 아니한 것이 위법 또는 부당한 때에는 그 이유를 문서로 명시하여 사법경찰관에게 재수사를 요청할 수 있다.
④ 검사의 불기소처분이 있는 경우 일사부재리원칙이 적용되므로 다시 수사를 재개할 수 없다.

37 0917

공소제기 후 수사에 대한 설명 중 가장 적절하지 않은 것은? (다툼이 있는 경우 판례에 의함)

① 공소제기 후 법원이 피고인에 대하여 구속영장을 발부하는 경우에는 검사의 신청을 요하지 않는다.
② 제1심에서 피고인에 대하여 무죄판결이 선고되어 검사가 항소한 후, 수사기관이 항소심 공판기일에 증인으로 신청하여 신문할 수 있는 사람을 특별한 사정 없이 미리 수사기관에 소환하여 작성한 진술조서는 피고인이 증거로 할 수 있음에 동의하지 않는 한 증거능력이 없다.
③ 검사가 피의자를 구속기소한 후 다시 그를 소환하여 공범들과의 활동 등에 관한 신문을 하면서 피의자신문조서가 아닌 일반적인 진술조서의 형식으로 조서를 작성한 경우, 조서의 내용이 피의자신문조서와 실질적으로 같고, 그 진술의 임의성이 인정되는 경우라도 미리 피의자에게 진술거부권을 고지하지 않았다면 그 조서는 유죄의 증거로 할 수 없다.
④ 공판준비 또는 공판기일에서 이미 증언을 마친 증인을 검사가 소환한 후 그 증언 내용을 추궁하여 이를 일방적으로 번복시키는 방식으로 진술조서를 작성한 경우, 그 후 원진술자인 종전 증인이 다시 법정에 출석하여 증언을 하면서 그 진술조서의 성립의 진정함을 인정하고 피고인측에 반대신문의 기회가 부여되었다면 그 진술조서는 증거능력이 있다.

38 0918

자유로운 증명의 대상이 되는 것만을 모두 고른 것은? (다툼이 있는 경우 판례에 의함)

㉠ 업무상횡령죄에서 불법영득의사를 실현하는 행위로서의 횡령행위가 있다는 점 ㉡ 형사소송법 제312조 제4항에서 정한 '특히 신빙할 수 있는 상태'의 존재 ㉢ 형법 제6조 단서에서 정한 '외국법규의 존재'와 관련하여 행위지의 법률에 의하여 범죄를 구성하는지 여부 ㉣ 몰수·추징의 대상이 되는지 여부나 추징액의 인정 ㉤ 목적과 용도를 정하여 위탁한 금전을 수탁자가 임의로 소비하여 횡령죄가 성립하는 경우 피해자 등이 목적과 용도를 정하여 금전을 위탁한 사실 및 그 목적과 용도 ㉥ 구 도로법 제54조 제2항에 의한 '적재량 측정 요구'

① ㉠, ㉡, ㉥　② ㉡, ㉣
③ ㉠, ㉢, ㉤　④ ㉡, ㉣, ㉥

39 0919

형사소송법상 자백배제법칙에 관한 설명 중 옳지 않은 것을 모두 고른 것은? (다툼이 있는 경우 판례에 의함)

> ㉠ 임의성이 인정되지 아니하여 증거능력이 없는 진술증거라도 피고인이 증거로 함에 동의하면 증거로 쓸 수 있다.
> ㉡ 피고인의 자백이 고문, 폭행, 협박, 신체구속의 부당한 장기화 또는 기망 기타의 방법으로 임의로 진술한 것이 아니라고 의심할 만한 이유가 있는 때에는 이를 유죄의 증거로 하지 못한다.
> ㉢ 피고인의 자백이, 신문에 참여한 검찰수사관이 절도 피의사실을 모두 자백하면 피의사실 부분은 가볍게 처리하고 특정범죄 가중 처벌 등에 관한 법률 위반(절도)죄 대신 형법상 절도죄를 적용하겠다는 각서를 작성하여 주면서 자백을 유도한 것에 기인한 것이라 하여 위 자백이 기망에 의하여 임의로 진술한 것이 아니라고 의심할 만한 이유가 있는 때에 해당한다고 볼 수 없다.
> ㉣ 기록상 진술증거의 임의성에 관하여 의심할 만한 사정이 나타나 있는 경우에는 법원은 직권으로 그 임의성 여부에 관하여 조사를 하여야 하고, 임의성이 인정되지 아니하여 증거능력이 없는 진술증거는 피고인이 증거에 함에 동의하더라도 증거로 삼을 수 없다.
> ㉤ 피고인의 자백이 임의성이 없다고 의심할 만한 사유가 있는 때에 해당한다 할지라도 그 임의성이 없다고 의심하게 된 사유들과 피고인의 자백과의 사이에 인과관계가 존재하지 않은 것이 명백한 때에는 그 자백은 임의성이 있는 것으로 인정된다.

① ㉠, ㉢ ② ㉠, ㉣
③ ㉡, ㉣ ④ ㉡, ㉤

40 0920

탄핵증거에 관한 설명 중 가장 적절하지 않은 것은? (다툼이 있는 경우 판례에 의함)

① 피고인이 내용을 부인하여 증거능력이 없는 사법경찰리 작성의 피의자신문조서가 당초 증거제출 당시 탄핵증거라는 입증취지를 명시하지 아니하였다면 탄핵증거로서의 증거조사절차가 대부분 이루어졌더라도 피의자신문조서를 피고인의 법정 진술에 대한 탄핵증거로 사용할 수 없다.
② 피고인이나 변호인이 무죄에 관한 자료로 제출한 서증 가운데 도리어 유죄임을 뒷받침하는 내용이 있다 하여도 법원은 상대방의 원용이 없는 한 그 서류의 진정성립 여부 등을 조사하고 아울러 그 서류에 대한 피고인이나 변호인의 의견과 변명의 기회를 준 다음이 아니면 그 서증을 유죄인정의 증거로 쓸 수 없다고 보아야 한다.
③ 검사가 유죄의 자료로 제출한 증거들이 그 진정성립이 인정되지 아니하고 이를 증거로 함에 상대방의 동의가 없더라도, 이는 유죄사실을 인정하는 증거로 사용하는 것이 아닌 이상 공소사실과 양립할 수 없는 사실을 인정하는 자료로 쓸 수 있다고 보아야 한다.
④ 탄핵증거는 범죄사실을 인정하는 증거가 아니므로 엄격한 증거조사를 거쳐야 할 필요가 없음은 형사소송법 제318조의 2의 규정에 따라 명백하나 법정에서 이에 대한 탄핵증거로서의 증거조사를 필요한 것이다.

제2회 | 모의고사

2022년도 개편 시험의 예상 출제경향에 맞추어 새롭게 출제한 모의고사입니다.

풀이시간 & 정답과 해설

적정 풀이시간	40분
정답과 해설	p. 85

1초 합격예측! 모바일 성적분석표

- 문제풀이 시간 측정 가능
- 모바일 OMR을 이용한 자동채점
- http://eduwill.kr/tp5F

01 0921

소급금지원칙의 적용에 관한 설명 중 옳은 것을 모두 고른 것은? (다툼이 있는 경우에는 판례에 의함)

가. 가정폭력범죄의 처벌 등에 관한 특례법이 정한 사회봉사명령은 형벌 그 자체가 아니라 보안처분의 성격을 가지고 있으므로 이에 대하여는 형벌불소급의 원칙이 적용되지 아니한다.
나. 대법원 양형위원회가 설정한 '양형기준'이 발효하기 전에 공소가 제기된 범죄에 대하여 위 '양형기준'을 참고하여 형을 양정하더라도 피고인에게 불리한 법률을 소급하여 적용한 것으로 볼 수 없다.
다. 부(父)가 혼인 외의 출생자를 인지하는 경우에 그 인지의 소급효는 형법상 친족상도례에 관한 규정의 적용에는 미치지 아니한다.
라. 과거에 이미 행한 범죄에 대하여 공소시효를 정지시키는 법률이라고 하더라도 그 사유만으로 형벌불소급의 원칙에 언제나 위배되는 것은 아니다.
마. 행위 당시의 판례에 의하면 처벌대상이 되지 아니하는 것으로 해석되었던 행위를 판례의 변경에 따라 확인된 내용의 형법 조항에 근거하여 처벌하는 것은 형벌불소급의 원칙에 반하지 않는다.

① 가, 나, 다 ② 가, 라, 마
③ 나, 다, 라 ④ 나, 라, 마

02 0922

죄형법정주의에 대한 설명으로 옳지 <u>않은</u> 것은? (다툼이 있는 경우 판례에 의함)

① 위법성조각사유나 책임조각사유에 관하여 그 범위를 제한적으로 유추적용하는 것은 유추해석금지의 원칙에 위반되어 허용할 수 없다.
② 행위당시의 판례에 의하면 처벌대상이 되지 아니하는 것으로 해석되었던 행위를 판례의 변경에 따라 확인된 내용의 형법 조항에 근거하여 처벌하는 것은 국민의 신뢰와 법적 안정성을 해치는 것이므로 소급효금지의 원칙에 반한다.
③ 형의 장·단기가 전혀 정해지지 않는 절대적 부정기형은 명확성의 원칙에 반하여 허용되지 않지만, 장·단기 또는 장기가 규정되는 상대적 부정기형은 현행 법률에서 허용되고 있다.
④ 처벌법규가 다소 광범위하여 법관의 보충적 해석을 필요로 하는 개념을 사용하였다고 하더라도 통상의 해석방법에 의하여 건전한 상식과 통상적인 법감정을 가진 사람이라면 당해 처벌법규의 보호법익과 금지된 행위 및 처벌의 종류와 정도를 알 수 있도록 규정하였다면 명확성 원칙에 반하는 것은 아니다.

03 0923

형법 제12조의 강요된 행위와 관련하여 옳은 것을 모두 고른 것은? (다툼이 있는 경우 판례에 의함)

㉠ 저항할 수 없는 폭력은 심리적 의미에 있어서 육체적으로 어떤 행위를 절대적으로 하지 아니할 수 없게 하는 경우와 윤리적 의미에 있어서 강압된 경우를 말한다.
㉡ 저항할 수 없는 폭력이나 자기 또는 친족의 생명, 신체, 재산에 대한 위해를 방어할 방법이 없는 협박에 의하여 강요된 행위는 벌하지 아니한다.
㉢ 성장교육과정을 통하여 형성된 내재적인 관념 내지 확신으로 인하여 행위자 스스로의 의사결정이 사실상 강제되는 경우는 강요된 행위가 될 수 없다.
㉣ 피고인이 그전에 선원으로 월선조업을 하다가 납북되었다가 돌아온 경험이 있는 자로서 월선하자고 상의하여 월선조업을 하다가 납치되어 북괴의 물음에 답하여 제공한 사실을 강요된 행위라 할 수 있다.

① ㉠, ㉢ ② ㉠, ㉣
③ ㉡, ㉢ ④ ㉡, ㉣

04 0924

몰수·추징에 관한 설명 중 옳지 않은 것을 모두 고른 것은? (다툼이 있는 경우에는 판례에 의함)

ㄱ. 피해자로 하여금 사기도박에 참여하도록 유인하기 위하여 고액의 수표를 제시해 보이기만 한 경우 그 수표가 직접적으로 도박자금으로 사용되지 아니한 이상 몰수할 수 없다.
ㄴ. 특정경제범죄 가중처벌 등에 관한 법률에 의한 몰수·추징은 범죄로 인한 이득의 박탈을 목적으로 한 형법상의 몰수·추징과는 달리 재산국외도피사범에 대한 소위 징벌적 성격의 처분이라고 보는 것이 상당하므로 그 도피재산이 회사의 소유라거나 피고인들이 그로 인하여 이득을 취한 바가 없다고 하더라도 피고인들 모두에 대하여 그 도피재산의 가액 전부의 추징을 명하여야 한다.
ㄷ. 장물을 처분하여 그 대가로 취득한 현금은 몰수의 선고를 할 것이 아니라 피해자에게 교부하는 선고를 하여야 한다.
ㄹ. 금품선거사건을 수사 중인 수사기관이 피고인의 주거에 대한 압수·수색을 실시하고 그 집행을 종료함으로써 압수·수색영장이 효력을 상실하였음에도 며칠 후 그 영장에 기하여 다시 같은 장소에 대한 압수·수색을 실시하면서 선거인들에게 제공하고 남은 돈을 발견하고 압수하였다면, 그 압수가 위법하여 그 돈은 증거로 사용될 수 없으므로 이를 몰수할 수 없다.
ㅁ. 공무원이 자신의 권한에 의하여 허위로 작성한 공문서가 압수된 경우 이를 몰수할 수 있다.

① ㄱ, ㄴ, ㄷ　② ㄱ, ㄷ, ㅁ
③ ㄱ, ㄹ, ㅁ　④ ㄴ, ㄷ, ㄹ

05 0925

다음 중 예비·음모를 처벌하는 것은 모두 몇 개인가?

㉠ 위계·위력에 의한 살인죄　㉡ 내란목적 살인죄
㉢ 통화유사물 제조죄　㉣ 일반교통방해죄
㉤ 특수도주죄　㉥ 수도불통죄
㉦ 간첩죄
㉧ 약취·유인·매매·이송목적 모집·운송·전달죄

① 1개　② 2개
③ 3개　④ 4개

06 0926

다음 설명 중 옳지 않은 것은? (다툼이 있는 경우 판례에 의함)

① 형법은 폭행 또는 협박의 방법이 아닌 심신상실 또는 항거불능의 상태를 이용하여 간음한 행위를 강간죄에 준하여 처벌하고 있으므로, 준강간의 고의는 피해자가 심신상실 또는 항거불능의 상태에 있다는 것과 그러한 상태를 이용하여 간음한다는 구성요건적 결과 발생의 가능성을 인식하고 그러한 위험을 용인하는 내심의 의사를 말한다.
② 피고인이 행위 당시에 인식한 사정을 놓고 일반인이 객관적으로 판단하여 보았을 때 준강간의 결과가 발생할 위험성이 있었으면 준강간죄의 불능미수가 성립한다.
③ 불능미수는 행위자가 실제로 존재하지 않는 사실을 존재한다고 오인하였다는 측면에서 존재하는 사실을 인식하지 못한 사실의 착오와 다르다.
④ 행위자가 범죄사실이 발생할 가능성을 용인하고 있었는지 여부는 행위자의 진술에 의존하지 않고 외부에 나타난 행위의 형태와 행위의 상황 등 구체적인 사정을 기초로 일반인이라면 해당 범죄사실이 발생할 가능성을 어떻게 평가할 것인지를 고려하면서 일반인의 입장에서 그 심리상태를 추인하여야 한다.

07 0927

형벌의 종류와 내용에 대한 설명으로 옳지 않은 것은? (다툼이 있는 경우 판례에 의함)

① 헌법재판소의 다수견해에 의하면 생명권 역시 대한민국헌법 제37조 제2항에 의한 일반적 법률유보의 대상이므로, 사형제도는 예외적인 경우에만 적용되는 한 기본권의 본질적 내용 침해금지를 규정한 대한민국헌법 제37조 제2항 단서에 위반되지 아니한다.
② 유기징역이나 유기금고를 선고하는 때에 판결선고 전의 구금일수가 있는 경우 그 전부를 형기에 산입하여야 한다.
③ 벌금을 선고할 때에는 납입하지 아니하는 경우의 유치기간을 정하여 동시에 선고하여야 하고, 동시에 그 금액을 완납할 때까지 노역장에 유치할 것을 명할 수도 있다.
④ 유기징역 또는 유기금고에 자격정지를 병과한 경우에는 형을 선고한 날로부터 그 정지기간을 기산한다.

08 0928

죄수에 관한 설명으로 옳지 않은 것은? (다툼이 있는 경우에는 판례에 의함)

① 폭행으로 부녀를 강간한 경우에는 강간죄만 성립하고 이와 별도로 폭행죄는 성립하지 않으며, 양자는 법조경합의 관계에 있다.
② 법조경합의 한 형태인 특별관계란 어느 구성요건이 다른 구성요건의 모든 요소를 포함하는 외에 다른 요소를 구비하여야 성립하는 경우로서 특별관계에 있어서는 특별법의 구성요건을 충족하는 행위는 일반법의 구성요건을 충족한다.
③ 법조경합은 1개의 행위가 외관상 수개의 죄의 구성요건에 해당하는 것처럼 보이나 실질적으로 1죄만을 구성하는 경우인데 반해 상상적 경합은 1개의 행위가 실질적으로 수개의 구성요건을 충족하는 경우로서, 실질적으로 1죄인가 또는 수죄인가는 구성요건적 평가와 보호법익의 측면에서 고찰하여 판단하여야 한다.
④ 피해 신고를 받고 출동한 두 명의 경찰관에게 욕설을 하면서 순차로 폭행을 하여 경찰관의 정당한 직무집행을 방해한 경우, 포괄하여 하나의 공무집행방해죄가 성립한다.

09 0929

甲에게 과실범이 성립하는 경우는 몇 개인가? (다툼이 있는 경우 판례에 의함)

> ㉠ 소아외과 의사 甲은 5세의 급성 림프구성 백혈병 환자의 항암 치료를 위하여 쇄골하정맥에 중심정맥도관을 삽입하는 수술을 하는 과정에서 환자의 우측 쇄골하부위를 주사바늘로 10여 차례 찔러 환자가 우측 쇄골하혈관 및 흉막 관통상에 기인한 외상성 혈흉으로 인한 순환혈액량 감소성 쇼크로 사망하였다.
> ㉡ 지하철 공사구간 현장안전업무 담당자인 甲이 공사현장에 인접한 기존의 횡단보도 표시선 안쪽으로 돌출된 강철빔 주위에 라바콘 3개를 설치하고 신호수 1명을 배치하였는데, 피해자가 위 횡단보도를 건너면서 강철빔에 부딪혀 상해를 입었다.
> ㉢ 병원 인턴인 甲이 응급실로 이송되어 온 익수(溺水)환자 A를 담당의사의 지시에 따라 구급차에 태워 다른 병원으로 이송하던 중 산소통의 산소잔량을 체크하지 않은 과실로 인하여 산소 공급이 중단된 결과 A를 폐부종 등으로 사망에 이르게 하였다.
> ㉣ 산부인과 의사 甲은 30대 중반의 초산모 乙에 대해서 제왕절개 수술을 하였는데, 乙은 수술 후 호흡곤란이나 현기증 등의 증세를 나타내다가 폐색전증으로 사망하였지만, 甲은 폐색전증을 예견하지 못하고 그에 대한 조치를 취하지 않았다. 호흡곤란이나 현기증 등은 폐색전증의 증상과 징후의 하나이기는 하지만 이러한 호흡곤란이나 현기증 등은 수술 후 나타날 수 있는 흔한 증상 중의 하나였다.

① 없음　② 1개
③ 2개　④ 3개

10 0930

다음 중 목적범이 아닌 것을 모두 고른 것은?

㉠ 무고죄	㉡ 음행매개죄
㉢ 명예훼손죄	㉣ 강제집행면탈죄
㉤ 도박장소 등 개설죄	㉥ 허위진단서작성죄

① ㉠ ② ㉡, ㉤
③ ㉢, ㉥ ④ ㉡, ㉣, ㉥

11 0931

죄수에 대한 설명으로 옳은 것은? (다툼이 있는 경우 판례에 의함)

① 공동상속인 중 1인이 상속재산인 임야를 보관 중 다른 상속인들로부터 매도 후 분배 또는 소유권이전등기를 요구받고도 그 반환을 거부한 경우 횡령죄가 성립하고, 그 후 그 임야에 관하여 다시 제3자 앞으로 근저당권설정등기를 경료해 준 행위는 별도의 횡령죄를 구성한다.
② 1인 회사의 주주 겸 대표이사가 회사의 상가분양 사업을 수행하면서 분양받은 자들을 기망하여 편취한 분양대금을 횡령하더라도 사기 범행이외에 별도의 횡령죄가 성립되지는 않는다.
③ 실체적 경합관계에 있는 공도화변조죄와 동행사죄가 수뢰후부정처사죄와 각각 상상적 경합관계에 있다면 종국적으로 3개의 범죄 중에서 가장 중한 죄에 정한 형으로 처단하면 족하다.
④ 음주로 인한 특정범죄 가중처벌 등에 관한 법률 위반(위험운전치사상)죄가 성립하는 때에는 차의 운전자가 형법 제268조의 죄를 범한 것을 내용으로 하는 교통사고처리 특례법 위반죄는 상상적 경합의 관계에 있다.

12 0932

다음 형법상의 범죄 중 미수범을 벌하는 규정을 둔 것은 모두 몇 개인가?

㉠ 제136조(공무집행방해)	㉡ 제146조(특수도주)
㉢ 제225조(공문서위조)	㉣ 제251조(영아살해)
㉤ 제283조(협박)	㉥ 제366조(재물손괴)

① 2개 ② 3개
③ 4개 ④ 5개

13 0933

다음 중 적절하지 않은 것은 모두 몇 개인가? (다툼이 있는 경우 판례에 의함)

㉠ 자동차 명의신탁관계에서 제3자가 명의수탁자로부터 승용차를 가져가 매도할 것을 허락받고 인감증명 등을 교부받아 위 승용차를 명의신탁자 몰래 가져간 경우, 위 제3자와 명의수탁자의 공모·가공에 의한 절도죄의 공모공동정범이 성립한다.
㉡ 피고인이 자신의 모(母) 甲 명의로 구입·등록하여 甲에게 명의신탁한 자동차를 乙에게 담보로 제공한 후 乙 몰래 乙이 점유하고 있는 자동차를 임의로 가져간 이상 절도죄가 성립한다.
㉢ 명의대여자가 명의대여 약정에 따라 발급된 영업허가증과 사업자등록증을 가지고 간 행위가 절도죄에 해당한다.

① 1개 ② 2개
③ 3개 ④ 없다

14 0934

사기죄에 대한 설명으로 가장 적절하지 않은 것은? (다툼이 있는 경우 판례에 의함)

① 피해자에 대한 사기범행을 실현하는 수단으로서 타인을 기망하여 그를 피해자로부터 편취한 재물이나 재산상 이익을 전달하는 도구로서만 이용한 경우, 피해자에 대한 사기죄가 성립할 뿐 도구로 이용된 타인에 대한 사기죄가 별도로 성립한다고 할 수 없다.

② 피해자 법인이나 단체의 대표자 또는 실질적으로 의사결정을 하는 최종결재권자 등이 기망행위자와 동일인이거나 기망행위자와 공모하는 등 기망행위임을 알고 있었던 경우에는 기망행위로 인한 착오가 있다고 볼 수 없고, 재물 교부 등의 처분행위가 있었다고 하더라도 기망행위와 인과관계가 있다고 보기 어렵다. 이러한 경우에는 사안에 따라 업무상횡령죄 또는 업무상배임죄 등이 성립하는 것은 별론으로 하고 사기죄가 성립한다고 볼 수 없다.

③ 피기망자가 처분결과, 즉 문서의 구체적 내용과 법적 효과를 미처 인식하지 못하였으나 처분문서에 서명 또는 날인하는 행위에 관한 인식이 있었던 경우, 피기망자의 처분의사가 인정되지 아니한다.

④ 피고인이 피해자에게 불행을 고지하거나 길흉화복에 관한 어떠한 결과를 약속하고 기도비 등의 명목으로 대가를 교부받은 경우에 전통적인 관습 또는 종교행위로서 허용될 수 있는 한계를 벗어났다면 사기죄에 해당한다.

15 0935

배임의 죄에 대한 설명 중 옳고 그름의 표시(O, X)가 바르게된 것은? (다툼이 있는 경우 판례에 의함)

㉠ 자기소유의 동산에 대해 매수인과 매매계약을 체결한 매도인이 중도금까지 지급받은 상태에서 그 목적물을 제3자에 대한 자기의 채무변제에 갈음하여 그 제3자에게 양도해 버린 경우에는 기존 매수인에 대한 배임죄가 성립한다.

㉡ 부동산 매매계약에서 중도금이 지급되는 등 계약이 본격적으로 이행되는 단계에 이른 경우, 그때부터 매도인은 배임죄에서 말하는 '타인의 사무를 처리하는 자'에 해당하고, 매도인이 매수인에게 계약 내용에 따라 부동산의 소유권을 이전해 주기 전에 그 부동산을 제3자에게 처분하고 제3자 앞으로 그 처분에 따른 등기를 마쳐 준 경우, 배임죄가 성립한다는 것이 최근 전원합의체 다수의견이다.

㉢ 주식회사의 대표이사가 대표권남용에 의한 약속어음을 발행된 경우 유통되지도 않았다면 배임죄의 기수범이 아니라 배임미수죄로 처벌하여야 한다.

㉣ 배임죄에 있어서 재산상 실해 발생의 위험이란 본인에게 손해가 발생할 막연한 위험이 있는 것만으로는 부족하고 경제적인 관점에서 보아 본인에게 손해가 발생한 것과 같은 정도로 구체적인 위험이 있는 경우를 의미한다.

① ㉠ (X), ㉡ (O), ㉢ (O), ㉣ (X)
② ㉠ (X), ㉡ (O), ㉢ (O), ㉣ (O)
③ ㉠ (O), ㉡ (O), ㉢ (X), ㉣ (X)
④ ㉠ (O), ㉡ (O), ㉢ (O), ㉣ (O)

16 0936

장물에 관한 죄에 대한 설명으로 옳은 것은 모두 몇 개인가? (다툼이 있는 경우 판례에 의함)

㉠ 권한 없이 인터넷뱅킹으로 타인의 예금계좌에서 자신의 예금계좌로 돈을 이체하여 컴퓨터등사용사기죄의 범행을 저지른 다음 자신의 현금카드를 사용하여 그중 일부를 인출한 경우 인출한 현금은 장물이다.
㉡ 장물인 자기앞수표와 현금을 예금계좌에 예치하였다가 현금으로 인출하여도 인출된 현금이 장물로서의 성질을 상실하였다고 볼 수 없다.
㉢ 채권의 담보로서 수표를 교부받았다가 장물인 정을 알게 되었음에도 이를 보관한 행위는 장물보관죄에 해당하지 아니한다.
㉣ 절도 범인으로부터 장물보관 의뢰를 받은 자가 그 정을 알면서 이를 인도받아 보관하고 있다가 임의처분하였다 하여도 장물보관죄가 성립하는 때에는 별도로 횡령죄가 성립하지 않는다.
㉤ 본범 이외의 자가 본범이 절취한 차량이라는 정을 알면서 본범의 강도행위를 위해 그 차량을 운전해 준 경우 장물운반죄가 성립한다.

① 1개 ② 2개
③ 3개 ④ 4개

17 0937

다음 설명 중 가장 적절하지 않은 것은? (다툼이 있는 경우 판례에 의함)

① 소송비용을 편취할 의사로 소송비용의 지급을 구하는 손해배상청구의 소를 제기한 경우, 사기죄의 불능범에 해당한다.
② 임차인이 임차건물에 거주하기는 하였으나 그의 처만이 전입신고를 마친 후에 경매절차에서 배당을 받기 위하여 임대차계약서상의 임차인 명의를 처로 변경하여 경매법원에 배당요구를 한 경우, 임차인 명의를 처의 명의로 변경하지 아니하였다 하더라도 소액임대차보증금에 대한 우선변제권 행사로서 배당금을 수령할 권리가 있다 할 것이어서, 재물의 편취라는 결과의 발생은 불가능하다 할 것이고, 이러한 임차인의 행위를 객관적으로 결과발생의 가능성이 있는 행위라고 볼 수도 없다.
③ 타인의 재물을 공유하는 자가 공유자의 승낙을 받지 않고 공유대지를 담보로 가등기를 경료하고 그 후 가등기를 말소하였다면 중지미수에 해당한다.
④ 소매치기가 피해자의 주머니에 손을 넣어 금품을 절취하려 한 경우 비록 그 주머니속에 금품이 들어있지 않았었다 하더라도 위 소위는 절도라는 결과 발생의 위험성을 충분히 내포하고 있으므로 이는 절도미수에 해당한다.

18 0938

방화죄에 관한 설명 중 가장 적절하지 않은 것은 몇 개인가? (다툼이 있는 경우 판례에 의함)

㉠ 甲이 방화의 의사로 뿌린 휘발유가 인화성이 강한 상태로 주택 주변과 피해자 乙의 몸에 적지 않게 살포되어 있는 사정을 알면서도 라이터를 켜 불꽃을 일으킴으로써 피해자 乙의 몸에 불이 붙은 경우 과실치상죄가 성립함은 별론으로 하고 방화 목적물인 주택 자체에 옮겨붙지는 아니하였기 때문에 현주건조물방화죄의 실행의 착수를 인정할 수 없다.
㉡ 甲이 동거인과 가정불화로 홧김에 죽은 동생의 유품으로 보관 중이던 서적 등을 뒷마당에 내어놓고 불태우는 과정에서 건물에 불이 번진 때에는 현주건조물에 대한 방화의 범의를 인정하기 곤란하다.
㉢ 甲이 원한관계에 있는 乙을 살해할 목적으로 현주건조물에 방화하여 사망에 이르게 한 경우에는 현주건조물방화치사죄와 살인죄의 상상적 경합이 된다.
㉣ 자기의 처와 같이 살고 있는 집에 방화한 때에는 현주건조물방화죄가 성립하지만, 범인 혼자 살고 있는 집에 방화한 때에는 현주건조물방화죄가 성립하지 않는다.
㉤ 甲은 자신의 창고가 국세징수법에 의한 체납처분에 의해 압류되자 홧김에 불을 놓아 소훼하였지만 공공의 위험을 발생케 하지 못한 경우 타인소유일반건조물방화죄가 성립한다.
㉥ 甲이 乙의 창고에 불을 지르자 강풍에 의해 불길이 번져 인접하고 있는 丙의 창고를 연소한 경우에는 타인소유일반건조물방화죄와 연소죄의 상상적 경합이 된다.

① 1개 ② 2개
③ 3개 ④ 4개

19 0939

교통방해의 죄에 대한 설명으로 가장 적절하지 않은 것은? (다툼이 있는 경우 판례에 의함)

① 피고인 등 약 600명의 노동조합원들이 보도가 따로 마련되어 있지 아니한 도로 우측의 편도 2차선의 대부분을 차지하면서 행진하는 방법으로 시위를 함으로써 나머지 편도 2차선으로 상, 하행차량이 통행하느라 차량의 소통이 방해되었다 하더라도 그 시위행위에 대하여 일반교통방해죄를 적용할 수 없다.

② 주민들에 의하여 공로로 통하는 유일한 통행로로 오랫동안 이용되어 온 폭 2m의 골목길을 자신의 소유라는 이유로 폭 50 내지 75cm 가량만 남겨두고 담장을 설치하여 주민들의 통행을 현저히 곤란하게 하였다면 일반교통방해죄를 구성한다.

③ 불특정 다수인의 통행로로 이용되어 오던 도로의 토지 일부의 소유자가 그 도로의 중간에 바위를 놓아두거나 이를 파헤침으로써 차량의 통행을 못하게 한 행위는 일반교통방해죄에 해당하지 아니한다.

④ 법률에 따라 옥외집회신고를 마쳤어도, 신고의 범위와 법률상의 제한을 현저히 일탈하여 주요도로 전차선을 점거하여 행진 등을 함으로써 교통소통에 현저한 장해를 일으켰다면, 일반교통방해죄를 구성한다.

20 0940

통화에 관한 죄에 대한 설명으로 가장 적절하지 않은 것은? (다툼이 있는 경우 판례에 의함)

① 형법 제207조 제3항은 “행사할 목적으로 외국에서 통용하는 외국의 화폐, 지폐 또는 은행권을 위조 또는 변조한 자는 10년 이하의 징역에 처한다.”고 규정하고 있는바, 여기에서 외국에서 통용한다고 함은 그 외국에서 강제통용력을 가지는 것을 의미하는 것이므로 외국에서 통용하지 아니하는, 즉 강제통용력을 가지지 아니하는 지폐는 그것이 비록 일반인의 관점에서 통용할 것이라고 오인할 가능성이 있다고 하더라도 위 형법 제207조 제3항에서 정한 외국에서 통용하는 외국의 지폐에 해당한다고 할 수 없다.

② 스위스 화폐로서 1998년까지 통용되었으나 현재는 통용되지 않고, 다만 스위스 은행에서 신권과의 교환이 가능한 진폐(眞幣)는 형법 제207조 제2항 소정의 내국에서 ‘유통하는’ 외국의 화폐에 해당하지 아니한다.

③ 위조통화임을 알고 있는 자에게 그 위조통화를 교부한 경우에 피교부자가 이를 유통시키리라는 것을 예상 내지 인식하면서 교부하였다 하더라도 위조통화행사죄가 성립하지 아니한다.

④ 위조통화행사죄의 객체인 위조통화는 객관적으로 보아 일반인으로 하여금 진정통화로 오신케 할 정도에 이른 것이면 족하고, 그 위조의 정도가 반드시 진정한 통화에 흡사하여야 한다거나 누구든지 쉽게 그 진부를 식별하기가 불가능한 정도의 것일 필요는 없다.

21 0941

사회적 법익에 대한 죄에 대한 설명으로 가장 적절하지 않은 것은? (다툼이 있으면 판례에 의함)

① 폭발물사용죄에서 말하는 폭발물이란 폭발작용의 위력이나 파편의 비산 등으로 사람의 생명, 신체, 재산 및 공공의 안전이나 평온에 직접적이고 구체적인 위험을 초래할 수 있는 정도의 강한 파괴력을 가지는 물건을 의미한다.

② 교회의 교인이었던 사람이 교인들의 총유인 교회 현판, 나무 십자가 등을 떼어 내고 예배당 건물에 들어가 출입문 자물쇠를 교체하여 7개월 동안 교인들의 출입을 막은 경우 예배방해죄가 성립한다.

③ 장례식방해죄는 방해 행위의 수단과 방법에도 아무런 제한이 없으며 일시적인 행위라 하더라도 무방하나, 적어도 객관적으로 보아 장례식의 평온한 수행에 지장을 줄 만한 행위를 함으로써 장례식의 절차와 평온을 저해할 위험이 초래될 수 있는 정도는 되어야 장례식방해죄가 성립한다고 할 것이다.

④ 말다툼을 한 후 항의의 표시로 엉덩이를 노출시킨 행위는 음란한 행위에 해당하지 않는다.

22 0942

공무집행방해죄에 대한 설명이다. 옳은 것(O)과 옳지 않은 것(X)을 올바르게 조합한 것은? (다툼이 있는 경우 판례에 의함)

> ㉠ 전투경찰대원들이 위 조합원들을 체포하는 과정에서 체포의 이유 등을 제대로 고지하지 않다가 30~40분이 지난 후 피고인 등의 항의를 받고 나서야 비로소 체포의 이유 등을 고지한 것은 형사소송법상 현행범인 체포의 적법한 절차를 준수한 것이 아니므로 적법한 공무집행이라고 볼 수 없다.
> ㉡ 피고인이 위법한 공무집행에 항의하면서 전투경찰대원들의 방패를 손으로 잡아당기거나 전투경찰대원들을 발로 차고 몸으로 밀었다고 하더라도 공무집행방해죄가 성립할 수 없다.
> ㉢ 피고인은 조합원들이 불법적으로 체포되는 것을 목격하고 이에 항의하면서 전투경찰대원들의 불법 체포 행위를 제지하였으며, 전투경찰대원들은 방패로 피고인을 강하게 밀어내었다. 피고인은 전투경찰대원들의 위와 같은 유형력 행사에 저항하여 전투경찰대원이 들고 있던 방패를 당기고 밀어 전투경찰대원에게 상해를 입혔다. 상해의 정도가 가볍지는 않은 경우에는 피고인이 전투경찰대원에게 행사한 유형력은 전투경찰대원들의 불법 체포 행위로 위 조합원들의 신체의 자유가 침해되는 것을 방위하기 위한 수단으로 그 정도가 전투경찰대원들의 피고인에 대한 유형력의 정도에 비해 크다고 보이지 않는 경우에도 피고인의 행위는 정당방위에 해당할 수 없다.
> ㉣ 형법 제136조가 규정하는 공무집행방해죄는 공무원의 직무집행이 적법한 경우에 한하여 성립하는 것이고, 여기서 적법한 공무집행이라 함은 그 행위가 공무원의 추상적 권한에 속할 뿐 아니라 구체적 직무집행에 관한 법률상 요건과 방식을 갖춘 경우를 가리키는 것이다.

① ㉠ (X), ㉡ (X), ㉢ (X), ㉣ (X)
② ㉠ (O), ㉡ (X), ㉢ (X), ㉣ (O)
③ ㉠ (X), ㉡ (O), ㉢ (O), ㉣ (X)
④ ㉠ (O), ㉡ (O), ㉢ (X), ㉣ (O)

23 0943

죄수에 관한 설명으로 옳지 않은 것은 몇 개인가? (다툼이 있는 경우에는 판례에 의함)

> ㉠ 상상적 경합에 관하여 형법 제40조가 규정하는 '가장 무거운 죄에 대하여 정한 형으로 처벌한다'의 의미는 가장 무거운 형을 규정한 법조에 의하여 처단한다는 취지와 함께 다른 법조의 최하한의 형보다 가볍게 처단할 수는 없다는 취지 즉, 각 법조의 상한과 하한을 모두 무거운 형의 범위 내에서 처단한다는 것을 포함하는 것으로 새겨야 한다.
> ㉡ 형법 제131조 제1항의 수뢰후부정처사죄에 있어서 공무원이 수뢰 후 행한 부정행위가 공도화변조 및 동행사죄와 같이 보호법익을 달리하는 별개 범죄의 구성요건을 충족하는 경우에는 수뢰후부정처사죄 외에 별도로 공도화변조 및 동행사죄가 성립하고 이들 죄와 수뢰후부정처사죄는 각각 상상적 경합 관계에 있다.
> ㉢ 장물죄는 타인(본범)이 불법하게 영득한 재물의 처분에 관여하는 범죄이므로 자기의 범죄에 의하여 영득한 물건에 대하여는 성립하지 아니하고 이는 불가벌적 사후행위에 해당한다.
> ㉣ 유죄의 확정판결을 받은 사람이 그 후 별개의 후행범죄를 저질렀는데 유죄의 확정판결에 대하여 재심이 개시된 경우, 후행범죄가 재심대상판결에 대한 재심판결 확정 전에 범하여졌다 하더라도 아직 판결을 받지 아니한 후행범죄와 재심판결이 확정된 선행범죄 사이에는 형법 제37조 후단에서 정한 경합범 관계가 성립하지 않는다.

① 없음 ② 1개
③ 2개 ④ 3개

24 0944

위증죄와 무고죄에 대한 설명으로 다음 중 가장 적절하지 않은 것은? (다툼이 있는 경우 판례에 의함)

① 위증죄와 무고죄에는 자수, 자백의 특례는 없으나 친족간 특례는 인정된다.
② 위증죄와 무고죄의 허위의 개념은 다르다.
③ 위증죄와 무고죄는 모두 미수 처벌 규정이 없다.
④ 자기의 형사사건에 관하여 타인을 교사한 경우 위증죄의 교사범이, 제3자를 교사·방조한 피무고자도 무고죄의 교사·방조범으로서 죄책을 부담한다.

25 0945

다음 설명 중 옳지 않은 설명을 모두 고른 것은? (다툼이 있는 경우 판례에 의함)

㉠ 동업관계에 있는 甲과 乙 사이에 손익분배의 정산이 되지 아니한 상태에서 甲이 동업재산인 교회건물의 매각대금을 매수인으로부터 받아 보관 중 임의로 소비하였다면 甲에게 횡령죄가 성립한다.

㉡ 횡령죄가 성립하기 위하여는 그 재물의 보관자가 재물의 소유자(또는 기타의 본권자)와 사이에 법률상 또는 사실상의 위탁신임관계가 존재하여야 하고, 또한 부동산의 경우 보관자의 지위는 점유를 기준으로 할 것이 아니라 그 부동산을 제3자에게 유효하게 처분할 수 있는 권능의 유무를 기준으로 결정하여야 하므로, 원인무효인 소유권이전등기의 명의자는 횡령죄의 주체인 타인의 재물을 보관하는 자에 해당한다고 할 수 없다.

㉢ 조합장이 조합으로부터 공무원에게 뇌물로 전달하여달라고 금원을 교부받은 것은 불법원인으로 인하여 지급받은 것으로서 이를 뇌물로 전달하지 않고 타에 소비하였다고 해서 타인의 물건을 보관 중 횡령하였다고 볼 수 없다.

㉣ 명의신탁자가 매수한 부동산에 관하여 부동산 실권리자명의 등기에 관한 법률을 위반하여 명의수탁자와 맺은 명의신탁약정에 따라 매도인에게서 바로 명의수탁자 명의로 소유권이전등기를 마친 이른바 중간생략등기형 명의신탁을 한 경우, 명의수탁자가 신탁받은 부동산을 임의로 처분하면 명의신탁자에 대한 관계에서 횡령죄가 성립한다.

㉤ 부동산실권리자명의등기에관한법률 제2조 제1호 및 제4조의 규정에 의하면, 신탁자와 수탁자가 명의신탁 약정을 맺고, 이에 따라 수탁자가 당사자가 되어 명의신탁 약정이 있다는 사실을 알지 못하는 소유자와 사이에서 부동산에 관한 매매계약을 체결한 후 그 매매계약에 기하여 당해 부동산의 소유권이전등기를 수탁자 명의로 경료한 경우에는, 그 소유권이전등기에 의한 당해 부동산에 관한 물권변동은 유효하고, 한편 신탁자와 수탁자 사이의 명의신탁 약정은 무효이므로, 결국 수탁자는 전소유자인 매도인뿐만 아니라 신탁자에 대한 관계에서도 유효하게 당해 부동산의 소유권을 취득한 것으로 보아야 할 것이고, 따라서 그 수탁자는 타인의 재물을 보관하는 자라고 볼 수 없다.

① ㉢, ㉤　② ㉣
③ ㉣, ㉤　④ ㉡, ㉣

26 0946

위증죄에 관한 기술로서 틀린 것을 모두 모은 것은? (다툼이 있는 경우 판례에 의함)

㉠ 소송비용확정사건이 변론절차에 의하여 진행될 때에는 제3자를 증인으로 선서하게 하고 증언을 하게 할 수 있으나 심문절차에 의할 경우에는 법률상 명문의 규정도 없고 또 민사소송법의 증인신문에 관한 규정이 준용되지도 아니하여 선서를 하게 하고 증언을 시킬 수 없으므로, 제3자가 심문절차로 진행되는 소송비용확정신청사건에서 증인으로 출석하여 선서를 하고 진술함에 있어서 허위의 공술을 하였다고 하더라도 그 선서는 법률상 근거가 없어 무효라고 할 것이고 이에 따라 위증죄는 성립하지 않는다.

㉡ 증인의 증언은 그 전부를 일체로 관찰 판단하는 것이므로 선서한 증인이 일단 기억에 반하는 허위의 진술을 하였더라도 그 신문이 끝나기 전에 그 진술을 철회 시정한 경우에는 위증이 되지 않는다.

㉢ 민사소송의 당사자는 증인능력이 없으므로 증인으로 선서하고 증언하였다고 하더라도 위증죄의 주체가 될 수 없고, 이러한 법리는 민사소송에서의 당사자인 법인의 대표자의 경우에도 마찬가지로 적용된다.

㉣ 증인의 진술이 경험한 사실에 대한 법률적 평가이거나 단순한 의견에 지나지 아니하는 경우에는 위증죄에서 말하는 허위의 공술이라고 할 수 없다.

㉤ 누구든지 자기의 유죄판결을 받을 사실이 발로될 염려 있는 증언을 거부할 수 있으나, 증인으로 선서한 이상 진실대로 진술한다고 하면 자신의 범죄를 시인하는 진술을 하는 것이 되고 그렇다고 하여 증언을 거부하는 것은 자기의 범죄를 암시하는 것이 되므로, 이와 같은 처지에 놓인 사람이 부득이 증언거부권을 포기하고 선서한 다음 허위의 진술을 하더라도 위증죄로 처벌할 수는 없다.

① ㉠, ㉤　② ㉡, ㉤
③ ㉢, ㉣　④ ㉤

27 0947

위험범에 관한 설명 중 옳은 것을 모두 고른 것은?

ㄱ. 구체적 위험범에서의 위험은 구성요건표지이며 객관적 구성요건은 그 위험이 발생하였을 때 비로소 충족된다.
ㄴ. 구체적 위험범에서의 위험은 고의의 인식대상이다.
ㄷ. 중상해죄, 중유기죄, 중손괴죄, 중감금죄는 구성요건의 충족을 위해 구체적 위험의 발생을 요구하는 범죄이다.
ㄹ. 형법상 구체적 위험범은 고의범뿐만 아니라 과실범의 형태로도 존재한다.

① ㄱ, ㄴ ② ㄱ, ㄹ
③ ㄴ, ㄷ ④ ㄱ, ㄴ, ㄹ

28 0948

다음은 주거침입죄 및 퇴거불응죄에 대한 설명이다. 옳지 <u>않은</u> 것은 모두 몇 개인가? (다툼이 있는 경우 판례에 의함)

㉠ 형법 제319조 제1항(주거침입죄)은 사람의 주거, 관리하는 건조물, 선박이나 자동차 또는 점유하는 방실에 침입한 자는 3년 이하의 징역 또는 500만원 이하의 벌금에 처한다고 규정하고 있다.
㉡ 다른 사람의 주택에 무단 침입한 범죄사실로 이미 유죄판결을 받은 사람이 그 판결이 확정된 후에도 퇴거하지 않은 채 계속하여 당해 주택에 거주한 경우 위 판결 확정 이후의 행위는 별도의 퇴거불응죄를 구성한다.
㉢ 다가구용 단독주택이나 다세대주택·연립주택·아파트 등 공동주택의 내부에서 공용으로 사용하는 엘리베이터, 공용 계단과 복도는 특별한 사정이 없는 한 주거침입죄의 객체인 '사람의 주거'에 해당하고, 위 장소에 거주자의 명시적, 묵시적 의사에 반하여 침입하는 행위는 주거침입죄를 구성한다.
㉣ 사용자의 직장폐쇄가 정당한 쟁의행위로 인정되지 아니하는 때에는 적법한 쟁의행위로서 사업장을 점거 중인 근로자들이 직장폐쇄를 단행한 사용자로부터 퇴거요구를 받고 이에 불응한 채 직장점거를 계속하더라도 퇴거불응죄가 성립하지 아니한다.

① 1개 ② 2개
③ 3개 ④ 4개

29 0949

형사소송법의 적용범위에 대한 설명 중 가장 적절하지 <u>않은</u> 것은? (다툼이 있는 경우 판례에 의함)

① 국회의원인 피고인이, 구 국가안전기획부의 불법 녹음 내용과 '검사들이 대기업으로부터 떡값 명목의 금품을 수수하였다'는 내용이 게재된 보도자료를 국회 법제사법위원회 개의 당일 국회 의원회관에서 기자들에게 배포한 행위는 면책특권의 대상이 되기 때문에 공소기각판결을 선고하여야 한다.
② 중국 북경시에 소재한 대한민국 영사관 내부에서 중국인이 사문서를 위조한 경우 우리나라 법원은 그 중국인에 대하여 재판권이 없다.
③ 내국 법인의 대표자인 외국인이 외국에서 그 법인에 대한 횡령죄를 범한 경우 행위지의 법률에 따르면 범죄를 구성하지 아니하거나 소추 또는 형의 집행을 면제할 경우가 아니라면 그 외국인에 대하여 우리나라 법원에 재판권이 있다.
④ 대한민국 내에 있는 미국문화원은 치외법권지역에 해당하므로, 그곳에서 죄를 범한 대한민국 국민에 대하여는 우리나라의 재판권이 미친다고 할 수 없다.

30 0950

형사소송의 이념에 대한 설명 중 가장 적절하지 <u>않은</u> 것은? (다툼이 있는 경우 판례에 의함)

① 경찰청장이 주민등록증발급신청서에 날인되어 있는 지문정보를 보관·전산화하고 이를 범죄수사목적에 이용하는 행위는 무죄추정의 원칙과 영장주의 내지 강제수사법정주의에 위배되지 아니한다.
② 적법절차란 법률이 정한 절차 및 그 실체적 내용이 모두 적정하여야 함을 말하는 것으로서 적정하다는 것은 공정하고 합리적이며 상당성이 있어 정의관념에 합치됨을 뜻한다.
③ 형사소송에 있어서 경찰공무원은 당해 피고인에 대한 수사를 담당하였는지의 여부에 관계없이 그 피고인의 공판과정에서는 제3자라고 할 수 있으므로 수사담당 경찰공무원의 증인적격을 인정하더라도 적법절차의 원칙에 반한다고 할 수 없다.
④ 신속한 재판의 원칙은 피고인의 이익을 보호하기 위하여 인정된 원칙이므로 실체적 진실발견, 소송경제, 재판에 대한 국민의 신뢰를 위하여 작동하여서는 안 된다.

31 0951

수사절차에 대한 설명으로 가장 적절하지 않은 것은?

① 검사 또는 사법경찰관은 특별한 사정이 없으면 총조사시간 중 식사시간, 휴식시간 및 조서의 열람시간 등을 제외한 실제 조사시간이 12시간을 초과하지 않도록 해야 한다.
② 검사 또는 사법경찰관은 조사에 상당한 시간이 소요되는 경우에는 특별한 사정이 없으면 피의자 또는 사건관계인에게 조사 도중에 최소한 2시간마다 10분 이상의 휴식시간을 주어야 한다.
③ 사법경찰관리의 수사과정에서 현저한 수사권 남용이 의심되는 사실에 대하여, 형사소송법 제197조의3의 절차에 따라 사법경찰관으로부터 사건기록 등본을 송부받은 검사는 필요하다고 인정되는 경우 사법경찰관에게 시정조치를 요구할 수 있고, 그 이행 결과를 통보받은 후 시정조치 요구가 정당한 이유 없이 이행되지 않았다고 인정되는 경우에는 사법경찰관에게 사건을 송치할 것을 요구할 수 있다.
④ 사법경찰관이 범죄를 수사한 후 범죄의 혐의가 인정되지 않아 불송치 결정을 하는 경우, 사법경찰관은 그 이유를 명시한 서면과 함께 관계 서류와 증거물을 지체 없이 검사에게 송부해야 하며, 검사는 송부받은 날로부터 90일 이내에 사법경찰관에게 그 서류 등을 반환하여야 한다.

32 0952

고발에 관한 다음 설명 중 가장 적절하지 않은 것은? (다툼이 있는 경우 판례에 의함)

① 특별위원회의 존속기간이 종료된 후에 그 위원이던 18명 중 13명이 연서에 의하여 피고인을 국회증언감정법 제14조 제1항 본문에서 정한 위증죄의 공소사실로 고발하여 그에 따라 이 사건 공소가 제기된 경우, 고발이 특별위원회가 존속하지 않게 된 이후에 이루어져 부적법하므로 공소제기의 절차가 법률의 규정을 위반하여 무효인 때에 해당한다.
② 조세범처벌법에 의한 고발에 있어서는 고소·고발 불가분 원칙이 적용되지 아니하므로, 고발의 구비 여부는 양벌규정에 의하여 처벌받는 자연인인 행위자와 법인에 대하여 개별적으로 논하여야 한다.
③ 지방국세청장 또는 세무서장이 조세범칙행위에 대하여 고발을 한 후에 동일한 조세범칙행위에 대하여 통고처분을 하였다 하더라도, 이는 법적 권한 소멸 후에 이루어진 것으로서 특별한 사정이 없는 한 그 효력이 없고, 설령 조세범칙행위자가 이러한 통고처분을 이행하였다 하더라도 조세범 처벌절차법 제15조 제3항에서 정한 일사부재리의 원칙이 적용될 수 없다.
④ 조세범칙사건은 세무공무원의 적법한 고발이 있어야 논할 수 있는 즉시고발사건인바, 법원으로서는 조세범칙사건에 대하여 관계 세무공무원의 즉시고발이 있으면 단지 고발이 있다는 사유만을 들어 소송요건이 충족되었다고 섣불리 판단하여서는 아니되고 본안의 심판에 앞서 즉시고발 사유에 대하여 심사하여야 한다.

33 0953

통신비밀보호법상 감청에 대한 설명 중 가장 적절한 것은? (다툼이 있는 경우 판례에 의함)

① 수사기관이 구속수감되어 있던 甲으로부터 피고인의 마약류관리에관한법률위반(향정) 범행에 대한 진술을 듣고 추가적인 증거를 확보할 목적으로, 甲에게 그의 압수된 휴대전화를 제공하여 피고인과 통화하고 위 범행에 관한 통화 내용을 녹음하게 한 경우, 甲이 통화당사자가 되므로 그 녹음을 증거로 사용할 수 있다.
② 무전기와 같은 무선전화기를 이용한 통화는 통신비밀보호법상 '전기통신'에 해당하고 '타인간의 대화'에 포함되지 않는다.
③ 제3자의 경우는 설령 전화통화 당사자 일방의 동의를 받고 그 통화내용을 녹음하였더라도 그 상대방의 동의가 없었던 이상, 이는 통신비밀보호법에 의하여 증거능력이 없으나, 피고인이나 변호인이 이를 증거로 함에 동의한 때에는 예외적으로 증거능력이 인정된다.
④ 검사 또는 사법경찰관이 통신제한조치의 연장을 청구하는 경우에 통신제한조치의 총 연장기간은 2년을 초과할 수 없다.

34 0954

구속제도에 대한 설명 중 가장 적절하지 않은 것은? (다툼이 있는 경우 판례에 의함)

① 재구속 제한사유에 위배된 재구속이라 하더라도 공소제기가 무효로 되는 것은 아니다.
② 구속 전 피의자심문시 피의자에게 변호인이 없는 때에는 지방법원판사는 직권으로 변호인을 선정해야 한다. 이 경우 변호인의 선정은 피의자에 대한 구속영장 청구가 기각되어 효력이 소멸한 경우를 제외하고는 제1심까지 효력이 있다.
③ 법원은 변호인의 사정이나 그 밖의 사유로 변호인 선정결정이 취소되어 변호인이 없게 된 때에는 직권으로 변호인을 다시 선정할 수 있다.
④ 피의자심문을 하는 경우 법원이 구속영장청구서, 수사 관계 서류 및 증거물을 접수한 날부터 구속영장을 발부하여 검찰청에 반환한 날까지의 기간은 검사와 사법경찰관의 구속기간에 산입한다.

35 0955

압수·수색에 대한 설명으로 가장 적절하지 않은 것은? (다툼이 있는 경우 판례에 의함)

① 압수·수색영장에 기재한 혐의사실과 범죄와의 객관적 관련성은 압수·수색영장에 기재된 혐의사실의 내용과 수사의 대상, 수사 경위 등을 종합하여 구체적·개별적 연관관계가 있는 경우에는 인정되지만, 혐의사실과 단순히 동종 또는 유사 범행이라는 사유만으로 관련성이 있다고 할 것은 아니다.
② 수사기관이 피의자 등을 참여시킨 상태에서 정보저장매체에 기억된 정보 중에서 키워드 또는 확장자 검색 등을 통해 범죄 혐의사실과 관련 있는 정보를 선별한 다음 정보저장매체와 동일하게 비트열 방식으로 복제하여 생성한 이미지 파일을 제출받아 적법하게 압수하였다면, 이로써 압수의 목적물에 대한 압수·수색 절차는 종료된 것이므로, 수사기관이 수사기관 사무실에서 이와 같이 압수된 이미지 파일을 탐색·복제·출력하는 과정에서는 피의자 등에게 참여의 기회를 보장하여야 하는 것은 아니다.
③ 영장 발부의 사유로 된 범죄 혐의사실과 무관한 별개의 증거를 압수하였을 경우 이는 원칙적으로 유죄 인정의 증거로 사용할 수 없다.
④ 지방법원 판사가 한 압수·수색·검증영장 발부 여부에 관한 재판에 대하여는 형사소송법 제416조에서 규정한 준항고의 방법으로 불복할 수 있다.

36 0956

재정신청에 관한 설명 중 적절한 것을 모두 고른 것은? (다툼이 있는 경우 판례에 의함)

> ㉠ 법원은 재정신청 기각결정 또는 재정신청 취소가 있는 경우에는 결정으로 재정신청인에게 신청절차에 의하여 생긴 비용의 전부 또는 일부를 부담하게 하여야 한다.
> ㉡ 재정신청이 있는 경우에 법원은 검사의 무혐의 불기소처분이 위법하다 하더라도 기록에 나타난 여러 가지 사정을 고려하여 기소유예의 불기소처분을 할 만한 사건이라고 인정되는 경우에는 재정신청을 기각할 수 있다.
> ㉢ 재정신청의 관할법원은 불기소처분을 한 검사 소속의 지방검찰청 소재지를 관할하는 지방법원 합의부이다.
> ㉣ 법원이 재정신청서에 재정신청을 이유 있게 하는 사유가 기재되어 있지 않음에도 이를 간과한 채 형사소송법 제262조 제2항 제2호 소정의 공소제기결정을 한 관계로 그에 따른 공소가 제기되어 본안사건의 절차가 개시된 후에는 다른 특별한 사정이 없는 한 이제 그 본안사건에서 위와 같은 잘못을 다툴 수 없다.

① ㉠, ㉡ ② ㉠, ㉢
③ ㉠, ㉣ ④ ㉡, ㉣

37 0957

공소시효에 관한 다음 설명 중 적절하지 않은 것은? (다툼이 있는 경우 판례에 의함)

① 공소시효기간의 기준이 되는 형은 처단형이 아니라 법정형이다. 형법에 의하여 형을 가중·감경해야 할 경우에 가중·감경하지 아니한 형이 시효기간의 기준이 된다.
② 예비적 공소사실을 추가하는 공소장변경이 된 경우 예비적 공소사실에 대한 공소시효의 완성 여부는 공소장을 변경한 때를 기준으로 삼아야 한다.
③ 공익근무요원의 복무이탈죄는 정당한 사유 없이 계속적 혹은 간헐적으로 행해진 통산 8일 이상의 복무이탈행위 전체가 하나의 범죄를 구성하는 것이고, 그 공소시효는 위 전체의 복무이탈행위 중 최종의 복무이탈행위가 마쳐진 때부터 진행한다.
④ 농지전용행위가 농지에 대하여 외부적 형상의 변경을 수반하지 않거나 외부적 형상의 변경을 수반하더라도 사회통념상 원상회복이 어려운 정도에 이르지 않은 상태에서 그 농지를 다른 목적에 사용하는 경우에는 그 토지를 다른 용도로 사용하는 한 공소시효가 진행되지 않는다.

38 0958

간접증거에 대한 설명으로 옳지 않은 것은? (다툼이 있는 경우 판례에 의함)

① 유죄의 심증은 반드시 직접증거에 의하여 형성되어야만 하는 것은 아니며 경험칙과 논리법칙에 위반되지 아니하는 한 간접증거에 의하여 형성되어도 된다.

② 살인죄와 같이 법정형이 무거운 범죄의 경우에도 직접증거 없이 간접증거만으로도 유죄를 인정할 수 있다.

③ 상해사건발생 직후 피해자를 진찰한 바 있는 의사의 진술 및 상해진단서를 발행한 의사의 진술이나 진단서는 가해자의 상해 사실 자체에 대한 직접적인 증거가 되는 것은 아니고, 다른 증거에 의하여 상해의 가해행위가 인정되는 경우에 그에 대한 상해의 부위나 정도의 점에 대한 증거가 된다.

④ 간접증거에 의하여 주요사실의 전제가 되는 수개의 간접사실을 인정할 때에는 하나하나의 간접사실 사이에 모순, 저촉이 없어야 할 정도까지는 요구되지 않으며 전체적으로 고찰하여 유죄의 심증을 형성할 수 있으면 충분하다.

39 0959

검사 이외의 수사기관이 작성한 피의자신문조서의 증거능력 관한 설명 중 가장 적절하지 않은 것은? (다툼이 있는 경우 판례에 의함)

① 피의자의 진술을 녹취한 서류가 수사기관에서의 조사과정에서 작성된 것이고 그것이 진술서라는 형식을 취하였더라도 수사기관이 작성한 피의자신문조서로 볼 수 없다.

② 외국의 권한 있는 수사기관이 작성한 수사보고서 및 피고인이 그 과정에서 작성하여 제출한 진술서는 피고인이 그 내용을 부인하면 증거로 사용할 수 없다.

③ 피고인이 제1심 제4회 공판기일부터 공소사실을 일관되게 부인하여 경찰 작성 피의자신문조서의 진술 내용을 인정하지 않는 경우, 제1심 제4회 공판기일에 피고인이 그 서증의 내용을 인정한 것으로 공판조서에 기재된 것은 착오 기재 등으로 보아 피의자신문조서의 증거능력을 부정하여야 한다.

④ 형사소송법 제312조 제3항은 검사 이외의 수사기관이 작성한 당해 피고인에 대한 피의자신문조서를 유죄의 증거로 하는 경우뿐만 아니라 검사 이외의 수사기관이 작성한 당해 피고인과 공범관계에 있는 다른 피고인이나 피의자에 대한 피의자신문조서를 당해 피고인에 대한 유죄의 증거로 채택할 경우에도 적용된다.

40 0960

자백과 보강증거에 관한 설명 중 가장 적절한 것은? (다툼이 있는 경우 판례에 의함)

① 국가보안법상 회합죄를 피고인이 자백하는 경우, 회합 당시 상대방으로부터 받았다는 명함의 현존은 보강증거로 될 수 없다.

② 전과에 관한 사실은 누범가중의 사유가 되는 경우에도 피고인의 자백만으로 인정할 수 있다.

③ 약 3개월에 걸쳐 8회의 도박을 하였다는 혐의로 검사가 피고인에 대해 상습도박죄로 기소한 경우, 총 8회의 도박 중 3회의 도박사실에 대해서는 피고인의 자백 외에 보강증거가 없는 경우에도 법원은 소위 진실성담보설에 입각하여 8회의 도박행위 전부에 대하여 유죄판결을 할 수 있다.

④ 피고인 甲이 乙로부터 필로폰을 매수하면서 그 대금을 乙이 지정하는 은행계좌로 송금한 사실에 대한 압수·수색·검증영장 집행보고는 피고인 甲의 필로폰 매수행위와 실체적 경합범 관계에 있는 필로폰 투약행위에 대한 보강증거가 될 수 있다.

제3회 | 모의고사

2022년도 개편 시험의 예상 출제경향에 맞추어 새롭게 출제한 모의고사입니다.

풀이시간 & 정답과 해설

적정 풀이시간	38분
정답과 해설	p. 95

1초 합격예측! 모바일 성적분석표

- 문제풀이 시간 측정 가능
- 모바일 OMR을 이용한 자동채점
- http://eduwill.kr/F95F

01 0961

죄형법정주의에 대한 설명으로 가장 적절하지 않은 것은? (다툼이 있는 경우 판례에 의함)

① 도로가 아닌 곳에서 운전면허 없이 운전한 경우에는 무면허운전에 해당하지 않는다. 도로에서 운전하지 않았는데도 무면허운전으로 처벌하는 것은 유추해석이나 확장해석에 해당하여 죄형법정주의에 비추어 허용되지 않는다.

② 의료법 제41조가 "환자의 진료 등에 필요한 당직의료인을 두어야 한다."라고 규정하고 있을 뿐인데도 의료법 시행령 제18조 제1항이 당직의료인의 수와 자격 등 배치기준을 규정하고 이를 위반하면 의료법 제90조에 의한 처벌의 대상이 되도록 함으로써 형사처벌의 대상을 신설 또는 확장한 경우, 본 시행령 조항은 위임입법의 한계를 벗어나 무효이다.

③ 식품위생법 제11조 제2항이 과대광고 등의 범위 및 기타 필요한 사항을 보건복지부령에 위임하고 있는 것은 위임입법의 한계를 벗어나 죄형법정주의에 위반된 것이라고 볼 수 있다.

④ 통신매체를 이용하지 아니한 채 '직접' 상대방에게 말, 글, 물건 등을 도달하게 하는 행위까지 포함하여 성폭력범죄의 처벌 등에 관한 특례법 위반(통신매체이용음란)으로 처벌할 수 있다고 보는 것은 법문의 가능한 의미의 범위를 벗어난 해석으로서 실정법 이상으로 처벌 범위를 확대하는 것이다.

02 0962

결과적가중범에 대한 설명으로 옳지 않은 것은? (다툼이 있는 경우 판례에 의함)

① 상해치사죄의 공동정범은 상해행위를 공동으로 할 의사가 있으면 되고 사망의 결과를 공동으로 할 의사는 필요 없으며, 여러 사람이 상해의 고의로 공동하여 범행을 하던 중 한 사람이 중상을 입혀 피해자가 사망에 이른 경우 나머지 사람은 사망의 결과를 예견할 수 있는 한 상해치사죄의 죄책을 진다.

② 현주건조물방화치사죄는 부진정 결과적가중범이므로 현주건조물에 방화하여 그 건조물에서 탈출하려는 사람을 막아 소사하게 한 경우 현주건조물방화치사죄만 성립하고 별도로 살인죄는 성립하지 않는다.

③ 부진정 결과적가중범에서 고의로 중한 결과를 발생하게 한 행위가 별도의 구성요건에 해당하고 그 고의범에 대하여 결과적가중범에 정한 형보다 더 무겁게 처벌하는 규정이 있는 경우 그 고의범과 결과적가중범의 상상적 경합범이 성립한다.

④ 부진정 결과적가중범에서 중한 결과의 고의범에 대하여 더 무겁게 처벌하는 규정이 없는 경우에는 결과적가중범이 고의범에 대하여 특별관계에 있으므로 결과적가중범만 성립하고 고의범에 대하여는 별도의 죄가 성립하지 않는다.

03 0963

정당방위와 긴급피난에 대한 설명으로 옳지 않은 것은? (다툼이 있는 경우 판례에 의함)

① 정당방위는 부당한 침해에 대한 방어행위인데 반해 긴급피난은 부당한 침해가 아닌 위난에 대해서도 가능하다.

② 피고인이 스스로 야기한 강간범행의 와중에서 피해자가 피고인의 손가락을 깨물며 반항하자 물린 손가락을 비틀어 잡아 뽑다가 피해자에게 치아결손의 상해를 입힌 행위는 긴급피난에 해당하지 않는다.

③ 피고인이 경찰관의 불심검문을 받아 운전면허증을 교부한 후 경찰관에게 큰 소리로 욕설을 하였는데, 경찰관이 피고인을 모욕죄의 현행범으로 체포하려고 하자 피고인이 반항하면서 경찰관에게 상해를 가한 경우 피고인의 행위는 정당방위에 해당한다.

④ 정당방위와 달리 긴급피난에 있어 피난행위는 위난에 처한 법익을 보호하기 위한 유일한 수단일 필요는 없다.

04 0964

책임능력에 관한 다음 설명 중 옳은 것은 모두 몇 개인가? (다툼이 있는 경우 판례에 의함)

㉠ 도의적 책임론은 책임능력을 형벌능력으로 파악하나, 사회적 책임론은 책임능력을 범죄능력이라고 한다.
㉡ 법원이 심신장애여부를 판단함에 있어서는 반드시 전문가의 감정을 거쳐야 한다.
㉢ 심신장애로 인하여 사물을 변별할 능력이나 의사를 결정할 능력이 미약한 자의 행위는 형을 감면한다.
㉣ 책임무능력자로 하기 위해서는 심신상실로 인하여 사물을 변별할 능력이 없으며 의사를 결정할 능력이 없어야 한다.

① 없음 ② 1개
③ 2개 ④ 3개

05 0965

실행의 착수시기 또는 기수시기에 관한 설명 중 가장 적절하지 않은 것은? (다툼이 있는 경우 판례에 의함)

① 사기도박에서 사기적인 방법으로 도금을 편취하려고 하는 자가 상대방에게 도박에 참가할 것을 권유하는 등 기망행위를 개시한 때에 실행의 착수가 있는 것으로 보아야 한다.
② 소송사기의 고의로 소를 제기한 경우 아직 그 소장이 피고에게 송달되지 않아도 사기죄의 실행의 착수가 인정된다.
③ 금융기관 직원이 전산단말기를 이용하여 다른 공범들이 지정한 특정 계좌에 돈이 입금된 것처럼 허위의 정보를 입력하는 방법으로 위 계좌로 돈이 입금되도록 하였으나 그 후 그러한 입금이 취소되어 현실적으로 인출되지 못하였다면 컴퓨터 등 사용사기죄의 미수에 해당한다.
④ 피고인이 지하철 환승 에스컬레이터 내에서 카메라폰으로 성적 수치심을 느낄 수 있는 치마 속 신체부위를 피해자 의사에 반하여 동영상 촬영 중 경찰관에게 발각되어 저장버튼을 누르지 않고 촬영을 종료하였더라도 구 성폭력범죄의 처벌 및 피해자보호 등에 관한 법률에서 정한 '카메라등이용촬영죄'의 기수에 해당한다.

06 0966

공범에 관한 설명 중 틀린 것은 모두 몇 개인가? (다툼이 있는 경우 판례에 의함)

㉠ 형법 제30조의 공동정범은 2인 이상이 공동하여 죄를 범하는 것으로서, 공동정범이 성립하기 위하여는 주관적 요건으로서 공동가공의 의사와 객관적 요건으로서 공동의사에 기한 기능적 행위지배를 통한 범죄의 실행사실이 필요하고, 공동가공의 의사는 타인의 범행을 인식하면서도 이를 제지하지 아니하고 용인하는 것만으로는 부족하고 공동의 의사로 특정한 범죄행위를 하기 위하여 일체가 되어 서로 다른 사람의 행위를 이용하여 자기의 의사를 실행에 옮기는 것을 내용으로 하는 것이어야 한다.
㉡ 공모자중의 어떤 사람이 다른 공모자가 실행행위에 이르기 전에 그 공모관계에서 이탈한 때에는 그 이후의 다른 공모자의 행위에 관하여 공동정범으로서의 책임은 지지 않는다고 할 것이고 그 이탈의 표시는 명시적이어야 한다.
㉢ 공모관계에서의 이탈은 공모자가 공모에 의하여 담당한 기능적 행위지배를 해소하는 것이 필요하므로 공모자가 공모에 주도적으로 참여하여 다른 공모자의 실행에 영향을 미친 때에는 범행을 저지하기 위하여 적극적으로 노력하는 등 실행에 미친 영향력을 제거하지 아니하는 한 공모관계에서 이탈되었다고 할 수 없다.
㉣ 교사범이 그 공범관계로부터 이탈하기 위해서는 피교사자가 범죄의 실행행위에 나아가기 전에 교사범에 의하여 형성된 피교사자의 범죄 실행의 결의를 해소하는 것이 필요하다.

① 1개 ② 2개
③ 3개 ④ 없음

07 0967

다음 교사범에 관한 설명 중 틀린 것은? (다툼이 있는 경우에는 판례에 의함)

① 교사자의 교사행위에도 불구하고 피교사자가 범행을 승낙하지 아니하거나 피교사자의 범행결의가 교사자의 교사행위에 의하여 생긴 것으로 보기 어려운 경우에는 이른바 실패한 교사로서 형법 제31조 제3항에 의하여 교사자를 음모 또는 예비에 준하여 처벌할 수 있을 뿐이다.

② 피교사자가 범죄의 실행에 착수한 경우 피교사자가 교사자의 교사행위 당시에는 일응 범행을 승낙하지 아니한 것으로 보여진다 하더라도 이후 그 교사행위에 의하여 범행을 결의한 것으로 인정되는 이상 교사범의 성립에는 영향이 없다.

③ 甲은 결혼을 전제로 교제하던 乙의 임신 사실을 알고 수회에 걸쳐 낙태를 권유하였다가 거절당하였음에도 계속 乙에게 "출산 여부는 알아서 하되 아이에 대한 친권을 행사할 의사가 없다."라고 하면서 낙태할 병원을 물색해 주기도 하였다. 그 후 乙은 甲에게 알리지 않고 자신이 알아본 병원에서 낙태시술을 받았다면 甲의 낙태교사행위와 乙의 낙태행위 사이에는 인과관계가 인정되지 않는다.

④ 甲은 乙로 하여금 공갈 범죄의 실행을 결의하게 하였고, 피고인의 교사에 의하여 범죄 실행을 결의하게 된 乙이 그 실행행위에 나아가기 전에 피고인으로부터 범행을 만류하는 전화를 받기는 하였으나 이를 명시적으로 거절함으로써 여전히 피고인의 교사 내용과 같은 범죄 실행의 결의를 그대로 유지하였으며, 그 결의에 따라 실제로 피해자를 공갈한 경우 甲이 공범관계에서 이탈한 것으로 볼 수도 없으므로 甲에게 공갈죄의 교사범이 인정된다.

08 0968

다음은 사기죄와 다른 죄와의 관계이다. 상상적 경합관계인 것은 모두 몇 개인가? (다툼이 있는 경우 판례에 의함)

> ㉠ 공무원이 취급하는 사건에 관하여 청탁 또는 알선을 할 의사와 능력이 없음에도 청탁 또는 알선을 한다고 기망하고 금품을 교부받은 경우 사기죄와 변호사법 위반죄의 관계
> ㉡ 형법 제347조 제1항의 사기죄와 방문판매등에관한법률 제28조 제1항 및 같은 법률 제45조 제2항 제1호의 각 위반죄와의 관계
> ㉢ 유사수신행위의 금지에 관한 유사수신행위의 규제에 관한 법률 제3조 위반죄와 특정경제범죄 가중처벌 등에 관한 법률 제3조 제1항 위반(사기)죄의 관계
> ㉣ 피고인 등이 피해자들을 유인하여 사기도박으로 도금을 편취한 경우 피해자들에 대한 각 사기죄의 관계
> ㉤ 국회의원 선거에서 정당의 공천을 받게 하여 줄 의사나 능력이 없음에도 이를 해 줄 수 있는 것처럼 기망하여 공천과 관련하여 금품을 받은 경우, 공직선거법상 공천관련금품수수죄와 사기죄의 관계

① 1개　② 2개　③ 3개　④ 4개

09 0969

다음 벌금형에 대한 설명 중 옳지 않은 것은 몇 개인가?

> ㉠ 벌금과 과료는 판결확정일로부터 30일내에 납입하여야 한다. 단, 벌금을 선고할 때에는 동시에 그 금액을 완납할 때까지 노역장에 유치할 것을 명할 수 있다.
> ㉡ 벌금 또는 과료를 선고할 때에는 납입하지 아니하는 경우의 유치기간을 정하여 동시에 선고하여야 한다.
> ㉢ 벌금을 납입하지 아니한 자는 1일 이상 3년 이하, 과료를 납입하지 아니한 자는 1일 이상 30일 미만의 기간 노역장에 유치하여 작업에 복무하게 한다.
> ㉣ 선고하는 벌금이 1억원 이상 5억원 미만인 경우에는 100일 이상, 5억원 이상 50억원 미만인 경우에는 500일 이상, 50억원 이상인 경우에는 1,000일 이상의 유치기간을 정하여야 한다.

① 없음　② 1개　③ 2개　④ 3개

10 0970

재산에 대한 죄에 관한 다음 설명 중 옳은 것은? (다툼이 있는 경우 판례에 의함)

① 피고인(A)이 드라이버(일반적인 드라이버와 동일한 것으로 특별히 개조된 바는 없는 것)를 이용하여 택시 운전석 창문을 파손하고 금품을 절취한 경우 A는 특수절도죄(흉기휴대절도)가 성립한다.

② 형법 제332조에 규정된 상습절도죄를 범한 범인이 범행의 수단으로 주간에 주거침입을 한 경우 주간 주거침입행위는 상습절도죄와 별개로 주거침입죄를 구성한다. 또 형법 제332조에 규정된 상습절도죄를 범한 범인이 그 범행 외에 상습적인 절도의 목적으로 주간에 주거침입을 하였다가 절도에 이르지 아니하고 주거침입에 그친 경우에도 주간 주거침입행위는 상습절도죄와 별개로 주거침입죄를 구성한다.

③ 피고인(A)이 그 보험계약의 체결 과정에서 피보험자인 甲을 가장하는 등으로 乙을 도운 행위는 그 후 乙이 보험회사에 보험금을 청구하여 이를 지급받은 경우 사기죄의 공동정범으로 처벌할 수 있다.

④ 채무자가 투자금반환채무의 변제를 위하여 담보로 제공한 임차권 등의 권리를 그대로 유지할 계약상 의무가 배임죄에서 말하는 '타인의 사무'에 해당한다.

11 0971

다음 설명 중 타당하지 않은 것은 모두 몇 개인가?(다툼이 있으면 판례에 의함)

> ㉠ 횡령죄에서 부동산에 대한 보관자의 지위는 점유를 기준으로 결정한다.
> ㉡ 장물인 현금을 예금했다가 다시 찾은 동일한 액수의 현금은 장물이다.
> ㉢ 재산범죄를 저지른 이후에 별도의 재산범죄의 구성요건에 해당하는 사후행위가 있었다면 비록 그 행위가 불가벌적 사후행위라 할지라도 그로 인하여 취득한 물건은 재산범죄로 인하여 취득한 물건으로서 장물이 될 수 있다.
> ㉣ 수인의 피해자에 대하여 각별로 기망행위를 하여 각각 재물을 편취한 경우, 범의가 단일하고 범행방법이 동일하다면 이를 포괄일죄로 보아야 한다.

① 1개 ② 2개
③ 3개 ④ 4개

12 0972

다음 중 타당하지 않은 것은? (다툼이 있는 경우 판례에 의함)

① 전체적인 형식·내용에 비추어 일반인이 진정한 것으로 오신할 정도의 약속어음 요건을 갖추고 있다 하더라도 증권이 문방구 약속어음 용지를 이용하여 작성되었다면 유통성이 없으므로 형법상 유가증권에 해당하지 않는다.

② 신용카드업자가 발행한 신용카드는 그 자체에 경제적 가치가 화체되어 있거나 특정의 재산권을 표창하는 유가증권이라고 볼 수 없다.

③ 이미 타인에 의하여 위조된 약속어음의 기재사항을 권한 없이 변경하였다고 하더라도 유가증권변조죄는 성립하지 아니한다.

④ 유가증권의 허위작성행위 자체에는 직접 관여한 바 없다 하더라도 타인에게 그 작성을 부탁하여 의사연락이 되고 그 타인으로 하여금 범행을 하게 하였다면 공모공동정범에 의한 허위유가증권작성죄가 성립한다.

13 0973

다음 중 무죄 판결을 하여야 하는 경우는 모두 몇 개인가?

> ㉠ 형벌에 관한 법령이 헌법재판소의 위헌결정으로 인하여 소급하여 그 효력을 상실하였거나 법원에서 위헌·무효로 선언된 경우
> ㉡ 헌법재판소가 형벌에 관한 법률조항에 대해 헌법불합치 결정을 선고하면서 개정시한을 정하여 입법개선을 촉구하였는데 위 시한까지 법률 개정이 이루어지지 않은 경우
> ㉢ 재심이 개시된 사건에서 형벌에 관한 법령이 재심판결 당시 폐지되었다 하더라도 그 폐지가 당초부터 헌법에 위배되어 효력이 없는 법령인 경우

① 없음 ② 1개
③ 2개 ④ 3개

14 0974

다음 설명 중 옳지 않은 것은 모두 몇 개인가? (다툼이 있는 경우 판례에 의함)

> ㉠ 사람이 의무를 이행함으로써 결과발생을 쉽게 방지할 수 있었음을 예견하고도 결과발생을 용인하고 이를 방관한 채 의무를 이행하지 아니한다는 인식을 하면 족하며, 이러한 작위의무자의 예견 또는 인식 등은 확정적인 경우는 물론 불확정적인 경우이더라도 미필적 고의로 인정될 수 있다.
> ㉡ 선장은 승객 등 선박공동체가 위험에 직면할 경우 선박공동체 전원의 안전이 종국적으로 확보될 때까지 적극적·지속적으로 구조조치를 취할 법률상 의무가 있고 선장이나 승무원은 선박 위험 시 조난된 승객이나 다른 승무원을 적극적으로 구조할 의무가 있다.
> ㉢ 선박침몰 등과 같은 조난사고로 승객이나 다른 승무원들이 스스로 생명에 대한 위협에 대처할 수 없는 급박한 상황이 발생한 경우에는 선박의 운항을 지배하고 있는 선장이나 갑판 또는 선내에서 구체적인 구조행위를 지배하고 있는 선원들은 적극적인 구호활동을 통해 보호능력이 없는 승객이나 다른 승무원의 사망 결과를 방지하여야 할 작위의무가 있으므로, 법익침해의 태양과 정도 등에 따라 요구되는 개별적·구체적인 구호의무를 이행함으로써 사망의 결과를 쉽게 방지할 수 있음에도 그에 이르는 사태의 핵심적 경과를 그대로 방관하여 사망의 결과를 초래하였다면, 부작위는 작위에 의한 살인행위와 동등한 형법적 가치를 가지고, 작위의무를 이행하였다면 결과가 발생하지 않았을 것이라는 관계가 인정될 경우에는 작위를 하지 않은 부작위와 사망의 결과 사이에 인과관계가 있다.
> ㉣ 이른바 '세월호 사건'에서, 항해 중이던 선박의 선장 피고인 甲, 1등 항해사 피고인 乙, 2등 항해사 피고인 丙에게 부작위에 의한 살인의 고의를 인정할 수 있다.

① 0개 ② 1개
③ 2개 ④ 3개

15 0975

다음 설명 중 옳지 않은 것은 몇 개인가? (대법원 2015.1.22. 선고 2014도10978 전원합의체 판결에 의함)

㉠ 내란음모가 성립하였다고 하기 위해서는 개별 범죄행위에 관한 세부적인 합의가 있을 필요는 없으나, 공격의 대상과 목표가 설정되어 있고, 그 밖의 실행계획에 있어서 주요 사항의 윤곽을 공통적으로 인식할 정도의 합의가 있어야 한다.
㉡ 합의는 실행행위로 나아간다는 확정적인 의미를 가진 것이어야 하고, 단순히 내란에 관한 생각이나 이론을 논의한 것으로는 부족하다.
㉢ 내란음모죄에 해당하는 합의가 있다고 하기 위해서는 단순히 내란에 관한 범죄결심을 외부에 표시·전달하는 것만으로는 부족하고 객관적으로 내란범죄의 실행을 위한 합의라는 것이 명백히 인정되고, 그러한 합의에 실질적인 위험성이 인정되어야 한다.
㉣ 내란음모죄의 성립에는 반드시 구체적인 공격의 대상과 목표, 방법 등이 설정되어 있어야 할 필요는 없다.

① 1개　② 2개
③ 3개　④ 4개

16 0976

다음 고의에 관한 판례 중 옳지 않은 것은 몇 개인가?

㉠ 운전면허증 앞면에 적성검사기간이 기재되어 있고, 뒷면 하단에 경고 문구가 있다는 점만으로 피고인이 정기적성검사 미필로 면허가 취소된 사실을 미필적으로나마 인식하였다고 추단하기 어려워 무면허운전의 고의를 인정할 수 없다.
㉡ 면허증에 그 유효기간과 적성검사를 받지 아니하면 면허가 취소된다는 사실이 기재되어 있고, 이미 적성검사 미필로 면허가 취소된 전력이 있는데도 면허증에 기재된 유효기간이 5년 이상 지나도록 적성검사를 받지 아니한 채 자동차를 운전하였다면 비록 적성검사 미필로 인한 운전면허 취소사실이 통지되지 아니하고 공고되었다 하더라도 면허취소사실을 알고 있었다고 보아야 하므로 무면허운전죄가 성립한다.
㉢ 제1종 운전면허 소지자인 피고인이 정기적성검사기간 내에 적성검사를 받지 아니하여 도로교통법 위반이 문제되는 경우 피고인이 적성검사기간 도래 여부에 관한 확인을 게을리하여 기간이 도래하였음을 알지 못하였더라도 적성검사기간 내에 적성검사를 받지 않는 데 대한 미필적 고의는 있었다고 봄이 타당하다.

① 없음　② 1개
③ 2개　④ 3개

17 0977

다음 중 배임죄가 성립하는 것은 모두 몇 개인가? (다툼이 있는 경우 판례에 의함)

㉠ 채권 담보 목적으로 부동산에 관한 대물변제예약을 체결한 채무자가 대물로 변제하기로 한 부동산을 제3자에게 처분한 경우
㉡ 매도인이 매수인으로부터 중도금을 수령한 이후에 매매목적물인 '동산'을 제3자에게 양도한 경우
㉢ 채무자가 투자금반환채무의 변제를 위하여 담보로 제공한 임차권 등의 권리를 제3자에게 양도한 경우

① 없음　② 1개
③ 2개　④ 3개

18 0978

다음은 단전과 관련된 판례들이다. 업무방해죄를 인정한 것은 모두 몇 개인가?

> ㉠ 피해자가 시장번영회를 상대로 잦은 진정을 하고 협조를 하지 않는다는 이유로 시장번영회 총회결의에 의하여 피해자 소유점포에 대하여 정당한 권한 없이 단전조치를 한 경우
> ㉡ 시장번영회 회장이 이사회의 결의와 시장번영회의 관리규정에 따라서 관리비 체납자의 점포에 대하여 단전조치를 한 경우
> ㉢ 시장번영회의 회장으로서 시장번영회에서 제정하여 시행중인 관리규정을 위반하여 칸막이를 천장에까지 설치한 일부 점포주들에 대하여 단전조치를 한 경우
> ㉣ 호텔 내 주점의 임대인이 임차인의 차임 연체를 이유로 계약서상 규정에 따라 위 주점에 대하여 단전·단수조치를 취하였는바, 약정 기간이 만료되지 않았고 임대차보증금도 상당한 액수가 남아있는 상태에서 계약해지의 의사표시와 경고만을 한 후 단전·단수조치를 한 경우
> ㉤ 호텔 내 주점의 임대인이 임차인의 차임 연체를 이유로 계약서상 규정에 따라 위 주점에 대하여 단전·단수조치를 취하였는 바, 약정 기간이 만료되었고 임대차보증금도 차임 연체 등으로 공제되어 이미 남아있지 않은 상태에서 미리 예고한 후 단전·단수조치를 한 경우
> ㉥ 임대인이 차임이나 관리비를 단 1회도 연체한 적이 없는 임차인이 임대차계약의 종료 후 임대료와 관리비를 인상하는 내용의 갱신계약 여부에 관한 의사표시나 명도의무를 지체하자, 그 종료일로부터 16일 만에 임차인의 사무실에 대하여 단전조치를 취한 경우
> ㉦ 백화점 대표이사인 피고인이 백화점 입주상인들이 영업을 하지 않고 매장 내에서 점거 농성만을 하면서 매장 내의 기존의 전기시설에 임의로 전선을 연결하여 각종 전열기구를 사용함으로써 화재 위험이 높아 부득이 단전조치를 한 경우

① 1개 ② 2개
③ 3개 ④ 4개

19 0979

다음 사안과 관련하여 옳지 <u>않은</u> 설명은? (다툼이 있는 경우 판례에 의함)

> 甲은 2013.8.3. 낮 12시 30분경 피해자 乙(여, 47세) 운영의 술집에 들어가 시가 26만원 상당의 술과 안주를 마셨다. 오후 3시 40분경 甲이 피해자 乙에게 양주 1병을 더 주문하자 乙은 '먼저 계산하고 주문하라'고 요구하였다. 이에 甲은 乙을 유인·폭행하여 술값의 지급을 면하기로 마음먹었다. 甲은 집에 가서 술값을 주겠다고 乙을 속여 부근에 있는 아파트로 데리고 가 그곳 주변을 배회하다가 아파트 뒤편 막다른 골목에 이르러 양손으로 乙의 어깨부위를 붙잡아 밀치고 발로 다리를 걸어 바닥에 넘어뜨린 다음 乙의 몸 위에 올라타 양손으로 乙의 목을 조르고 '살려달라'고 소리치는 乙의 입을 손으로 막고 주먹으로 얼굴을 때리려고 하는 등으로 반항을 하지 못하게 한 다음 그대로 도주하였다.

① 甲은 피해자 乙에게 지급해야 할 술값 26만원의 지급을 면하여 같은 금액 상당의 재산상 이익을 취득하였다.
② '절도'가 재물의 탈환을 항거하거나 체포를 면탈하거나 범죄의 흔적을 인멸한 목적으로 폭행 또는 협박한 때에 준강도가 성립한다.
③ 준강도죄의 주체는 절도범인이고 절도죄의 객체는 재물이다.
④ 甲은 준강도죄가 성립한다.

20 0980

다음 설명 중 옳지 않은 것을 모두 고른 것은? (다툼이 있는 경우 판례에 의함)

ㄱ. 예금주인 현금카드 소유자를 협박하여 그 카드를 갈취한 다음 피해자의 승낙에 의하여 현금카드를 사용할 권한을 부여받아 이를 이용하여 현금자동지급기에서 현금을 인출한 경우 공갈죄와 별도로 절도죄는 성립하지 않는다.
ㄴ. 절취한 타인의 신용카드를 이용하여 현금자동지급기에서 자신의 예금계좌로 돈을 이체한 후 그 계좌에서 현금을 인출한 경우 현금인출행위는 절도죄를 구성하지 않는다.
ㄷ. 신용카드를 절취한 사람이 대금을 결제하기 위하여 신용카드를 제시하고 카드회사의 승인까지 받았다고 하더라도 매출전표에 서명한 사실이 없고 도난카드임이 밝혀져 최종적으로 매출취소로 거래가 종결되었다면, 여신전문금융업법상의 신용카드 부정사용 미수행위로 처벌된다.
ㄹ. 타인의 명의를 모용하여 발급받은 신용카드의 번호와 그 비밀번호를 이용하여 ARS 전화서비스나 인터넷 등을 통하여 신용대출을 받은 경우 컴퓨터등사용사기죄가 성립한다.
ㅁ. 강취한 신용카드를 가지고 자신이 그 신용카드의 정당한 소지인인 것처럼 가게 종업원을 속이고 물품을 구입한 경우 여신전문금융업법상 신용카드부정사용죄와 별도로 사기죄는 성립하지 않는다.

① ㄱ, ㄴ ② ㄴ, ㄷ
③ ㄷ, ㄹ ④ ㄷ, ㅁ

21 0981

다음 중 고의의 인식 대상이 된 것은?

① 폭행치사죄에 있어서 '사람의 사망'
② 친족상도례에서 '친족'
③ 목적범에서 '목적'
④ 형의 가중적·감경적 구성요건요소

22 0982

자유에 관한 죄에 대한 설명 중 옳은 것을 모두 고른 것은? (다툼이 있는 경우에는 판례에 의함)

ㄱ. 골프시설의 운영자가 골프회원에게 불리하게 내용이 변경된 회칙에 대하여 동의한다는 내용의 등록신청서를 제출하지 않으면 회원으로 대우하지 않겠다고 통지하는 것은 강요죄의 협박에 해당한다.
ㄴ. 미성년자가 혼자 머무는 주거에 침입하여 그를 감금한 후 협박에 의하여 부모의 출입을 봉쇄한 경우 미성년자의 장소적 이전이 없었으므로 미성년자약취죄가 성립하지 않는다.
ㄷ. 재물을 강취하기 위하여 피해자를 강제로 승용차에 태우고 가다가 주먹으로 때려 반항을 억압한 다음 현금 35만원 등이 들어 있는 가방을 빼앗은 후 약 15km를 계속하여 진행하여 가다가 교통사고를 일으켜 발각된 경우 감금죄와 강도죄는 실체적 경합 관계이다.
ㄹ. A 주식회사 대표이사에게 자신의 횡령행위를 문제 삼으면 A 주식회사의 내부비리 등을 금융감독원 등 관계기관에 고발하겠다고 발언하는 경우 대표이사뿐만 아니라 법인에 대하여도 협박죄가 성립한다.
ㅁ. 미성년자의 어머니가 교통사고로 사망하여 아버지가 미성년자의 양육을 외조부에게 맡겼으나 교통사고 배상금 등으로 분쟁이 발생하자, 학교에서 귀가하는 미성년자를 아버지가 본인의 의사에 반하여 강제로 차에 태우고 데려간 경우 미성년자약취죄가 성립한다.

① ㄴ, ㄹ ② ㄱ, ㄷ, ㅁ
③ ㄴ, ㄷ, ㄹ ④ ㄱ, ㄴ, ㄷ, ㅁ

23 0983

공공의 신용에 대한 죄에 관한 설명 중 옳은 것을 모두 고른 것은? (다툼이 있는 경우에는 판례에 의함)

> ㉠ 위조된 외국의 화폐, 지폐 또는 은행권이 외국에서 강제통용력이 없고 국내에서 사실상 거래 대가의 지급수단이 되지 않는 경우, 그 화폐 등을 행사한 행위가 위조통화행사죄를 구성하지 않고 이러한 경우 위조사문서행사죄 또는 위조사도화행사죄로 의율할 수 있다.
> ㉡ 형법 제232조의2 사전자기록위작·변작죄에서 정한 '위작'의 개념에 권한 있는 사람이 그 권한을 남용하여 허위의 정보를 입력함으로써 시스템 설치·운영 주체의 의사에 반하는 전자기록을 생성하는 행위를 포함하더라도 처벌의 범위가 지나치게 넓어져 죄형법정주의의 원칙에 반하는 것으로 볼 수 없다.
> ㉢ 피고인이 인터넷을 통하여 열람·출력한 등기사항전부증명서 하단의 열람 일시 부분을 수정 테이프로 지우고 복사해 두었다가 이를 타인에게 교부한 경우, 피고인이 등기사항전부증명서의 열람 일시를 삭제하여 복사한 행위는 등기사항전부증명서가 나타내는 권리·사실관계와 다른 새로운 증명력을 가진 문서를 만든 것에 해당하고 그로 인하여 공공적 신용을 해할 위험성도 발생하였으므로 공문서변조 및 변조공문서행사죄가 성립한다.

① ㉠ ② ㉠, ㉡
③ ㉠, ㉡, ㉢ ④ ㉡, ㉢

24 0984

다음 뇌물죄에 대한 설명 중 옳지 않은 것은? (다툼이 있는 경우 판례에 의함)

① '성적 욕구의 충족'은 뇌물의 내용인 이익에 포함된다.
② 공무원이 직무에 관하여 금전을 무이자로 차용한 경우에는 차용 당시에 금융이익 상당의 뇌물을 수수한 것으로 보아야 하므로, 공소시효는 금전을 무이자로 차용한 때로부터 기산한다
③ 공무원이 금품을 무상 차용 당시 이자와 변제기를 따로 정한 바 없는 경우 그 금융이익의 수액을 특정할 수 없어 형법 제134조에 의한 추징도 불가능하다.
④ 형법 제129조의 구성요건인 뇌물의 '약속'은 양 당사자의 뇌물수수의 합의를 말하고, 여기에서 '합의'란 그 방법에 아무런 제한이 없고 명시적일 필요도 없지만, 장래 공무원의 직무와 관련하여 뇌물을 주고받겠다는 양 당사자의 의사표시가 확정적으로 합치하여야 한다.

25 0985

강간과 추행의 죄에 대한 설명 중 옳은 것은? (다툼이 있는 경우 판례에 의함)

> ㉠ 13세 이상 16세 미만의 사람에 대하여 간음을 한 19세 이상의 자는 제305조 미성년자의제강간죄가 성립한다.
> ㉡ 제297조(강간), 제297조의2(유사강간), 제299조(준강간죄에 한정한다), 제301조(강간 등 상해죄에 한정한다) 및 제305조(미성년자에 대한 간음, 추행)의 죄를 범할 목적으로 예비 또는 음모한 사람은 3년 이하의 징역에 처한다.
> ㉢ 위계에 의한 간음죄에서 '위계'란 행위자의 행위목적을 달성하기 위하여 피해자에게 오인, 착각, 부지를 일으키게 하여 이를 이용하는 것을 말한다. 행위자가 간음의 목적으로 피해자에게 오인, 착각, 부지를 일으키고 피해자의 그러한 심적 상태를 이용하여 간음의 목적을 달성하였다면 위계와 간음행위 사이의 인과관계를 인정할 수 있고, 따라서 위계에 의한 간음죄가 성립한다. 피해자가 오인, 착각, 부지에 빠지게 되는 대상은 간음행위 자체일 수도 있고, 간음행위에 이르게 된 동기이거나 간음행위와 결부된 금전적·비금전적 대가와 같은 요소일 수도 있다.
> ㉣ 피고인이 스마트폰 채팅 애플리케이션을 통하여 알게 된 14세의 피해자에게 자신을 '고등학교 2학년인 甲'이라고 거짓으로 소개하고 채팅을 통해 교제하던 중 자신을 스토킹하는 여성 때문에 힘들다며 그 여성을 떼어내려면 자신의 선배와 성관계를 하여야 한다는 취지로 피해자에게 이야기하고, 피고인과 헤어지는 것이 두려워 피고인의 제안을 승낙한 피해자를 마치 자신이 甲의 선배인 것처럼 행세하여 간음한 경우, 피고인은 간음의 목적으로 피해자에게 오인, 착각, 부지를 일으키고 피해자의 그러한 심적 상태를 이용하여 피해자를 간음한 것이므로 피고인의 간음행위는 위계에 의한 것이라고 평가할 수 있다.
> ㉤ 피고인이 피해자가 심신상실 또는 항거불능의 상태에 있다고 인식하고 그러한 상태를 이용하여 간음할 의사로 피해자를 간음하였으나 피해자가 실제로는 심신상실 또는 항거불능의 상태에 있지 않은 경우, 준강간죄의 장애미수가 성립한다.

① 1개 ② 2개
③ 3개 ④ 4개

26 0986

부동산의 명의신탁과 관련한 다음 설명 중 옳은 것은 모두 몇 개인가? (다툼이 있는 경우 판례에 의함)

㉠ 부동산 실권리자명의 등기에 관한 법률을 위반하여 명의신탁자가 그 소유인 부동산의 등기명의를 명의수탁자에게 이전하는 이른바 양자간 명의신탁의 경우, 명의수탁자가 명의신탁자에 대한 관계에서 '타인의 재물을 보관하는 자'의 지위에 있지 않고, 이때 명의수탁자가 신탁 받은 부동산을 임의로 처분하면 명의신탁자에 대한 관계에서 횡령죄가 성립하지 않는다. 이러한 법리는, 부동산 명의신탁이 같은 법 시행 전에 이루어졌고 같은 법에서 정한 유예기간 내에 실명등기를 하지 아니함으로써 그 명의신탁약정 및 이에 따라 행하여진 등기에 의한 물권변동이 무효로 된 후에 처분행위가 이루어진 경우에도 마찬가지로 적용된다.

㉡ 명의신탁자가 매수한 부동산에 관하여 부동산 실권리자명의 등기에 관한 법률을 위반하여 명의수탁자와 맺은 명의신탁약정에 따라 매도인에게서 바로 명의수탁자 명의로 소유권이전등기를 마친 이른바 중간생략등기형 명의신탁을 한 경우, 명의수탁자가 명의신탁자의 재물을 보관하는 자에 해당하지 않고, 명의수탁자가 신탁받은 부동산을 임의로 처분하여도 명의신탁자에 대한 관계에서 횡령죄가 성립하지 않는다.

㉢ 명의신탁자와 명의수탁자가 이른바 계약명의신탁 약정을 맺고 명의수탁자가 당사자가 되어 명의신탁 약정이 있다는 사실을 알고 있는 소유자와 부동산에 관한 매매계약을 체결한 후 그 매매계약에 따라 당해 부동산의 소유권이전등기를 명의수탁자 명의로 마친 경우에는 부동산 실권리자명의 등기에 관한 법률 제4조 제2항 본문에 의하여 수탁자 명의의 소유권이전등기는 무효이고 당해 부동산의 소유권은 매도인이 그대로 보유하게 되므로, 명의수탁자는 부동산 취득을 위한 계약의 당사자도 아닌 명의신탁자에 대한 관계에서 횡령죄에서의 '타인의 재물을 보관하는 자'의 지위에 있다고 볼 수 없고, 또한 명의수탁자가 명의신탁자에 대하여 매매대금 등을 부당이득으로서 반환할 의무를 부담한다고 하더라도 이를 두고 배임죄에서의 '타인의 사무를 처리하는 자'의 지위에 있다고 보기도 어렵다.

① 1개 ② 2개
③ 3개 ④ 없다

27 0987

위법성조각사유에 대한 설명이다. 아래 ㉠부터 ㉣까지의 설명 중 옳고 그름의 표시(O, X)가 바르게 된 것은? (다툼이 있는 경우 판례에 의함)

㉠ 공직선거법 제112조 제1항에 해당하는 금품 등 제공행위가 같은 법 제112조 제2항 등에 규정된 의례적 행위나 직무상 행위에 해당하지 않더라도, 그것이 지극히 정상적인 생활형태의 하나로서 역사적으로 생성된 사회질서의 범위 안에 있는 것이라면 의례적 행위나 직무상의 행위로서 사회상규에 위배되지 아니하여 위법성이 조각된다.

㉡ 甲이 乙의 개가 자신의 애완견을 물어뜯는 공격을 하자 가지고 있던 기계톱을 작동시켜 乙의 개를 절단시켜 죽인 경우는 긴급피난으로 위법성이 조각된다.

㉢ 어떠한 행위가 위법성조각사유로서 정당행위나 정당방위가 되는지 여부는 구체적인 경우에 따라 합목적적·합리적으로 가려야 하고, 또 행위의 적법 여부는 국가질서를 벗어나서 이를 가릴 수 없는 것이다.

㉣ 甲이 자신의 아버지 A에게서 A 소유 부동산의 매매에 관한 권한 일체를 위임받아 이를 매도하였는데, 그 후 A가 갑자기 사망하자 부동산 소유권 이전에 사용할 목적으로 A가 甲에게 인감증명서 발급을 위임한다는 취지의 인감증명 위임장을 작성한 후 주민센터 담당직원에게 제출한 경우 사망한 명의자 A의 승낙이 추정되므로 위법성이 조각된다.

① ㉠ (O), ㉡ (O), ㉢ (X), ㉣ (X)
② ㉠ (O), ㉡ (X), ㉢ (O), ㉣ (X)
③ ㉠ (O), ㉡ (X), ㉢ (X), ㉣ (O)
④ ㉠ (X), ㉡ (X), ㉢ (O), ㉣ (O)

28 0988

명예훼손죄에 대한 설명으로 가장 적절하지 않은 것은?(다툼이 있는 경우 판례에 의함)

① 피고인이 甲의 집 뒷길에서 피고인의 남편 乙 및 甲의 친척인 丙이 듣는 가운데 甲에게 '저것이 징역 살다온 전과자다' 등으로 큰 소리로 말한 경우 乙과 甲의 처인 丁은 피고인과 甲이 큰 소리로 다투는 소리를 듣고 각자의 집에서 나오게 되었는데, 甲과 丁은 '피고인이 전과자라고 크게 소리쳤고, 이를 丙 외에도 마을 사람들이 들었다'는 취지로 일관되게 진술하고, 甲이 사는 곳은 甲, 丙과 같은 성씨를 가진 집성촌으로 甲에게 전과가 있음에도 丙은 '피고인으로부터 甲이 전과자라는 사실을 처음 들었다'고 진술하여 甲과 가까운 사이가 아니었던 것으로 보이는 점을 종합하면, 불특정 또는 다수인이 인식할 수 있는 상태였다고 봄이 타당하므로 피고인의 위 발언은 공연성이 인정된다.

② 추상적 위험범으로서 명예훼손죄는 개인의 명예에 대한 사회적 평가를 진위에 관계없이 보호함을 목적으로 하고, 적시된 사실이 특정인의 사회적 평가를 침해할 가능성이 있을 정도로 구체성을 띠어야 하나, 위와 같이 침해할 위험이 발생한 것으로 족하고 침해의 결과를 요구하지 않으므로, 다수의 사람에게 사실을 적시한 경우뿐만 아니라 소수의 사람에게 발언하였다고 하더라도 그로 인해 불특정 또는 다수인이 인식할 수 있는 상태를 초래한 경우에도 공연히 발언한 것으로 해석할 수 있다.

③ 전파가능성 법리는 정보통신망 등 다양한 유형의 명예훼손 처벌규정에서의 공연성 개념에 부합한다고 볼 수 없다.

④ 공연성은 명예훼손죄의 구성요건으로서, 특정 소수에 대한 사실적시의 경우 공연성이 부정되는 유력한 사정이 될 수 있으므로, 전파될 가능성에 관하여는 검사의 엄격한 증명이 필요하다.

29 0989

형사소송법의 적용범위에 관한 설명 중 가장 적절하지 않은 것은? (다툼이 있는 경우 판례에 의함)

① 미합중국 국적을 가진 미합중국 군대의 군속인 피고인이 범행 당시 10년 넘게 대한민국에 머물면서 한국인 아내와 결혼하여 가정을 마련하고 직장 생활을 하는 등 생활근거지를 대한민국에 두고 있었던 경우에도 미합중국 군대의 군속에 관한 형사재판권 관련 조항이 적용될 수 있다.

② 캐나다 시민권자인 피고인이 캐나다에서 위조사문서를 행사하였다는 내용으로 기소된 사안에서, 피고인의 행위에 대하여는 우리나라에 재판권이 없다.

③ 국회의원은 현행범인인 경우를 제외하고는 회기 중 국회의 동의없이 체포 또는 구금되지 아니한다.

④ 항소심이 신법 시행을 이유로 구법이 정한 바에 따라 적법하게 진행된 제1심의 증거조사절차 등을 위법하다고 보아 그 효력을 부정하고 다시 절차를 진행하는 것은 허용되지 아니하며, 다만 이미 적법하게 이루어진 소송행위의 효력을 부정하지 않는 범위 내에서 신법의 취지에 따라 절차를 진행하는 것은 허용된다.

30 0990

적정절차의 원칙에 관한 설명 중 가장 적절하지 않은 것은? (다툼이 있는 경우 판례에 의함)

① 범죄의 피의자로 입건된 사람들로 하여금 경찰공무원이나 검사의 신문을 받으면서 자신의 신원을 밝히지 않고 지문채취에 불응하는 경우 벌금, 과료, 구류의 형사처벌을 받도록 하고 있는 구 경범죄처벌법 조항은 적법절차의 원칙에 위배되지 않는다.

② 검사가 법원의 증인으로 채택된 수감자를 그 증언에 이르기까지 거의 매일 검사실로 하루 종일 소환하여 피고인측 변호인이 접근하는 것을 차단하고, 검찰에서의 진술을 번복하는 증언을 하지 않도록 회유·압박하고, 때로는 검사실에서 편의를 제공한 행위는 피고인의 공정한 재판을 받을 권리를 침해한다.

③ 경찰관에게 등을 보인 채 상의를 속옷과 함께 겨드랑이까지 올리고 하의를 속옷과 함께 무릎까지 내린 상태에서 3회에 걸쳐 앉았다 일어서게 하는 방법으로 실시한 정밀신체수색은 위법하다.

④ 마약류 관련 수형자의 마약류 반응검사를 위한 소변강제채취는 법관의 영장을 필요로 하는 강제처분이므로 구치소 등 교정시설 내에서의 소변채취가 법관의 영장없이 실시되었다면 헌법 제12조 제3항의 영장주의에 위배된다.

31 0991

수사에 대한 설명으로 가장 적절하지 않은 것은? (다툼이 있는 경우 판례에 의함)

① 검사는 사법경찰관리의 수사과정에서 법령위반, 인권침해 또는 현저한 수사권 남용이 의심되는 사실의 신고가 있거나 그러한 사실을 인식하게 된 경우에는 사법경찰관에게 사건기록 등본의 송부를 요구할 수 있다.
② 형사소송법은 범죄의 혐의가 있다고 사료하는 때에는 수사를 개시하여 사실을 밝혀야 할 수사기관의 직무상 의무를 규정하고 있다.
③ 변호인과의 접견교통권은 피의자에게 인정되는 권리이므로, 임의동행 형식으로 연행된 피내사자에게는 그 지위가 피의자로 전환된 이후부터 변호인과의 접견교통권이 인정된다.
④ 수사절차는 수사기관의 주관적 혐의가 객관화·구체화되어 나가는 과정이라고 할 수 있다.

32 0992

고소와 관련한 다음 설명 중 가장 적절하지 않은 것은? (다툼이 있는 경우 판례에 의함)

① 친고죄에서 고소는 서면뿐만 아니라 구술로도 할 수 있고, 다만 구술에 의한 고소를 받은 검사 또는 사법경찰관은 조서를 작성하여야 하지만 그 조서가 독립된 조서일 필요는 없다.
② 수사기관이 고소권자를 증인 또는 피해자로서 신문한 경우에 그 진술에 범인의 처벌을 요구하는 의사표시가 포함되어 있고 그 의사표시가 조서에 기재되면 이를 적법한 고소로 볼 수 있다.
③ 고소권자가 비친고죄로 고소한 사건을 검사가 친고죄로 구성하여 공소를 제기하였다면 공소장 변경절차를 거쳐 공소사실이 비친고죄로 변경되지 아니하는 한, 법원으로서는 친고죄에서 소송조건이 되는 고소가 유효하게 존재하는지를 직권으로 조사·심리하여야 하고, 만일 그 공소사실에 대하여 피고인과 공범관계에 있는 자에 대한 적법한 고소취소가 있다면 그 고소취소의 효력은 피고인에 대하여도 미친다.
④ 형사소송법 제230조 제1항 규정에서 범인을 알게 된다 함은 통상인의 입장에서 보아 고소권자가 고소를 할 수 있을 정도로 범죄사실과 범인을 아는 것을 의미하고, 여기서 범죄사실을 안다는 것은 고소권자가 친고죄에 해당하는 범죄의 피해가 있었다는 사실관계에 관하여 미필적 인식이 있음을 말한다.

33 0993

변호인의 피의자신문참여권에 대한 설명 중 적절하지 않은 것은? (다툼이 있는 경우 판례에 의함)

① 수사기관이 피의자신문을 하면서 정당한 사유가 없는데도 변호인에 대하여 피의자로부터 떨어진 곳으로 옮겨 앉으라고 지시를 한 다음 이러한 지시에 따르지 않았음을 이유로 변호인의 피의자신문 참여권을 제한하는 것은 허용될 수 없다.
② 피의자가 변호인을 자신의 범죄행위에 공범으로 가담시키려고 하였다는 등의 사정만으로도 그 변호인의 피의자신문참여권을 제한할 수 있다.
③ 수사기관 등이 부당하게 법무법인 소속 변호사의 피의자에 대한 접견이나 피의자신문 참여를 제한 내지 거부하는 처분을 하였다면, 그러한 처분의 직접 상대방은 당해 법무법인이라고 할 것이고, 따라서 형사소송법 제417조에 의하여 그 처분의 취소 또는 변경을 청구할 수 있는 자는 당해 법무법인이라고 할 것이므로, 법무법인 소속 담당변호사 개인에게는 그 처분의 취소 또는 변경을 청구할 수 있는 준항고인 적격이 있다고 할 수 없다.
④ 구금된 피의자는 원칙적으로 보호장비 착용을 강제당하지 않을 권리를 가진다. 검사는 조사실에서 피의자를 신문할 때 해당 피의자에게 특별한 사정이 없는 이상 교도관에게 보호장비의 해제를 요청할 의무가 있다.

34 0994

체포 구속적부심사에 관한 설명 중 가장 적절한 것은? (다툼이 있는 경우 판례에 의함)

① 법원 또는 합의부원, 검사, 변호인, 청구인이 구속된 피의자를 심문하고 그에 대한 피의자의 진술 등을 기재한 구속적부심문조서는 특히 신용할 만한 정황에 의하여 작성된 문서라고 할 것이므로 특별한 사정이 없는 한, 피고인이 증거로 함에 부동의 하더라도 형사소송법 제315조 제3호에 의하여 당연히 그 증거능력이 인정된다.
② 체포의 적부심사는 구속의 적부심사와 달리 국선변호인에 관한 규정이 준용되지 않으므로 체포된 피의자가 심신장애의 의심이 있는 경우에도 법원은 원칙적으로 국선변호인을 선정하지 않고 심사를 진행할 수 있다.
③ 형사소송법 제214조의2 제4항의 규정에 의한 체포 구속적부 심사결정에 의하여 석방된 피의자는 법원의 출석요구를 받고 정당한 이유 없이 출석하지 아니하거나 주거의 제한 기타 법원이 정한 조건을 위반한 경우를 제외하고는 동일한 범죄사실에 관하여 재차 체포 또는 구속하지 못한다.
④ 공범 또는 공동피의자의 구속적부심사 순차청구가 수사방해의 목적임이 명백하더라도 법원은 피의자에 대한 심문 없이 그 청구를 기각해서는 아니된다.

35 0995

압수·수색에 대한 설명으로 가장 적절한 것은? (다툼이 있는 경우 판례에 의함)

① 법관의 서명날인란에 서명만 있고 날인이 없는 압수수색영장이라 하더라도 야간집행을 허가하는 판사의 수기와 날인, 영장 앞면과 별지 사이에 판사의 간인이 있어 법관의 진정한 의사에 따라 발부되었다는 점이 외관상 분명한 경우라면 그 영장은 적법하게 발부된 것으로 볼 수 있다.

② 범행 중 또는 범행 직후의 범죄 장소에서 영장 없이 압수·수색 또는 검증을 할 수 있도록 규정한 형사소송법 제216조 제3항의 요건 중 어느 하나라도 갖추지 못한 경우, 그 압수·수색 또는 검증은 위법하나 사후에 법원으로부터 영장을 발부받았다면 그 위법성이 치유된다.

③ 검사가 압수·수색영장의 효력이 상실되었음에도 다시 그 영장에 기하여 피의자의 주거에 대한 압수·수색을 실시하여 증거물 또는 몰수할 것으로 사료되는 물건을 압수한 경우 압수 자체가 위법하게 됨은 별론으로 하더라도 몰수의 효력에는 영향을 미치지 않는다.

④ 압수자 등 환부를 받을 자가 압수 후 수사기관에 대하여 형사소송법상의 환부청구권을 포기한다는 의사표시를 하면 수사기관의 필요적 환부의무가 면제된다.

36 0996

재정신청에 대한 설명 중 적절하지 않은 것은? (다툼이 있는 경우 판례에 의함)

① 공동신청권자 중 1인의 신청은 그 전원을 위하여 효력을 발생하나, 그 취소의 경우에는 다른 공동신청권자에게 효력을 미치지 아니한다.

② 법원의 공소제기 결정에 따라 검사가 공소를 제기한 경우에도 검사는 공소를 취소할 수 있다.

③ 재정신청은 법원의 결정이 있을 때까지 취소할 수 있으나 취소한 자는 다시 재정신청을 할 수 없다.

④ 대통령에게 제출한 청원서를 대통령비서실로부터 이관받은 검사가 진정사건으로 내사 후 내사종결 처리한 경우 위 내사종결 처리는 고소 또는 고발사건에 대한 불기소처분이라고 볼 수 없어 재정 신청의 대상이 되지 아니한다.

37 0997

공소권남용에 대한 설명 중 가장 적절하지 않은 것은? (다툼이 있는 경우 판례에 의함)

① 자의적인 공소권 행사라 함은 직무상의 중과실에 의한 것으로 족하고 미필적으로나마 어떤 의도가 있음을 요하는 것은 아니다.

② 선거가 임박한 시점에 단체의 활동이 공직선거법에 저촉될 수 있다는 중앙선거관리위원회의 유권해석을 존중하여 각 행위에 관하여 공소를 제기한 경우, 이른바 '선거쟁점'에 해당하는 사항에 대하여는 과거부터 논란이 있었고 이와 관련한 단체의 활동이 계속되어 왔다는 것만으로는 자의적으로 공소권을 행사하려는 어떠한 의도가 있다고 단정적으로 해석할 수는 없다.

③ 검사가 관련사건을 함께 기소하는 것을 간과하였다고 하여 검사가 자의적으로 공소권을 행사하였다고 단정할 수는 없다.

④ 동일한 구성요건에 해당한 행위를 한 공동피의자 중 일부만을 기소하고 다른 일부에 대하여는 불기소처분을 하였다면 평등권을 침해한 차별적 공소제기로서 공소권남용에 해당하지 않는다.

38 0998

증명의 기본원칙에 대한 설명으로 가장 적절하지 않은 것은? (다툼이 있는 경우 판례에 의함)

① 공모공동정범에 있어서 공모는 엄격한 증명을 요한다.

② 범죄구성요건에 해당하는 사실을 증명하기 위한 근거가 되는 과학적 연구결과는 적법한 증거조사를 거친 증거능력이 있는 증거에 의하여 엄격한 증명으로 증명되어야 한다.

③ 도로교통법위반(음주운전)죄에서 혈중 알코올농도의 추정방식으로 위드마크 공식을 이용한 경우에 그 적용을 위한 자료인 섭취한 알코올의 양, 음주시각, 체중 등의 사실은 자유로운 증명으로 족하다.

④ 범죄단체의 구성, 가입행위 자체는 엄격한 증명을 요하는 범죄의 구성요건에 해당한다.

39 0999

조서의 증거능력과 관련한 설명으로 적절한 것은? (다툼이 있으면 판례에 의함)

① 피고인 아닌 자에 대한 진술조서가 가명으로 성명을 기재해 작성한 조서라면, 그 조서는 '적법한 절차와 방식'에 따라 작성되지 않은 조서인바, 그 진술인들이 공판기일에 증인으로 출석해 성립 및 내용의 진정을 인정했다거나, 피고인이나 변호인이 그 기재 내용에 관해 반대신문을 할 수 있었다는 사정과 관계없이 그 증거능력이 없다.

② 미국 범죄수사대(CID), 연방수사국(FBI)의 수사관들이 작성한 수사보고서 및 피고인이 위 수사관들에 의한 조사를 받는 과정에서 작성하여 제출한 진술서는 피고인이 그 내용을 부인하더라도 증거로 쓸 수 있다.

③ 검찰관이 피고인을 뇌물수수 혐의로 기소한 후, 형사사법공조절차를 거치지 아니한 채 과테말라공화국에 현지출장하여 그곳 호텔에서 뇌물공여자 甲을 상대로 참고인 진술조서를 작성하였다면, 甲이 자유스러운 분위기에서 임의수사 형태로 조사에 응하였고 조서에 직접 서명·무인하였다는 사정만으로 특신상태를 인정하기에 부족하므로 이를 유죄인정의 증거로 사용할 수 없다.

④ 피고인 아닌 자가 수사과정에서 진술서를 작성하여 제출하였지만 수사기관이 그에 대한 조사과정을 기록하지 않은 경우라도 실질적 진정성립 및 특신상태가 증명되고 피고인이나 그 변호인에게 작성자(피고인 아닌 자)에 대한 반대신문의 기회를 보장한 경우라면 증거로 할 수 있다.

40 1000

자유심증주의에 관한 다음 설명 중 옳지 않은 것은 모두 몇 개인가? (다툼이 있는 경우 판례에 의함)

㉠ 용의자의 인상착의 등에 의한 범인식별 절차에서 용의자 한 사람을 단독으로 목격자와 대질시키거나 용의자의 사진 한 장만을 목격자에게 제시하여 범인여부를 확인하게 하는 것은 부가적인 사정이 없는 한 그 신빙성이 낮다.

㉡ 피해자가 경찰관과 함께 범행 현장에서 범인을 추적하다 골목길에서 범인을 놓친 직후 골목길에 면한 집을 탐문하여 용의자를 확정한 경우, 그 현장에서 용의자와 피해자의 일대일 대면이 허용된다고 보기 어렵다.

㉢ 처분문서의 경우 이를 배척하는 경우 합리적 이유를 설시하여야 한다.

㉣ 동일한 사실관계에 관하여 이미 확정된 형사판결이 인정한 사실은 유력한 증거자료가 되므로, 그 형사재판의 사실판단을 채용하기 어렵다고 인정되는 특별한 사정이 없는 한 이와 배치되는 사실은 인정할 수 없다.

㉤ 피고인이 평소 투약량의 20배에 달하는 1g의 메스암페타민을 한꺼번에 물에 타서 마시는 방법으로 투약하였다는 것은 쉽게 믿기 어렵고 또 만약 그렇게 투약하였다면 피고인의 생명이나 건강에 위험이 발생하였을 가능성이 없지 않았을 것으로 보여져 피고인의 자백을 신빙하기 어렵다.

① 1개 ② 2개
③ 3개 ④ 4개

하루하루가 힘들다면
지금 높은 곳을 오르고 있기 때문입니다.

– 조정민, 『인생은 선물이다』, 두란노

제1회 | 정답과 해설

난이도	상 중 하
맞힌 문항 수 & 예상 합격선	/ 40개(35개 이상)
제1회 모의고사 문제	p. 34

01	②	02	④	03	③	04	③	05	②
06	③	07	④	08	④	09	②	10	③
11	③	12	②	13	④	14	④	15	①
16	①	17	④	18	④	19	①	20	④
21	②	22	①	23	①	24	③	25	②
26	③	27	③	28	③	29	②	30	②
31	①	32	①	33	④	34	③	35	④
36	④	37	④	38	②	39	①	40	①

01 ②

유형 틀린 지문 고르기

형법총론 > 서론 > 형법의 적용범위 > 적용범위 난이도 하

② (X) 내국 법인의 대표자인 외국인이 내국 법인이 외국에 설립한 특수목적법인에 위탁해 둔 자금을 정해진 목적과 용도 외에 임의로 사용한 데 따른 횡령죄의 피해자는 당해 금전을 위탁한 내국 법인이다. 따라서 그 행위가 외국에서 이루어진 경우에도 행위지의 법률에 의하여 범죄를 구성하지 아니하거나 소추 또는 형의 집행을 면제할 경우가 아니라면 그 외국인에 대해서도 우리 형법이 적용되어(형법 제6조), 우리 법원에 재판권이 있다(대법원 2017.3.22. 2016도17465).

① (O) 대법원 2017.8.24. 2017도5977 전원합의체

③ (O) 형법은 각칙 즉 약취, 유인 및 인신매매의 죄에 세계주의를 규정하고 있다(형법 제296조의2 참조).

> **형법 제296조의2(세계주의)** 제287조부터 제292조까지 및 제294조는 대한민국 영역 밖에서 죄를 범한 외국인에게도 적용한다.

④ (O) 대법원 2018.7.24. 선고 2018도3443
→ 특수상해죄가 신설되었지만, 특수폭행치상의 경우 특수상해죄가 아니라 상해죄의 예에 의하여 처벌해야 한다는 판결이다.

02 ④

유형 틀린 지문 고르기

형법총론 > 범죄론 > 범죄론의 기초 > 범죄능력과 양벌규정 난이도 하

④ (X) 법인이 설립되기 이전의 행위에 대하여는 법인에게 어떠한 선임감독상의 과실이 있다고 할 수 없으므로, 특별한 근거규정이 없는 한 법인이 설립되기 이전에 자연인이 한 행위에 대하여 양벌규정을 적용하여 법인을 처벌할 수는 없다고 봄이 타당하다(대법원 2018.8.1. 2015도10388).

① (O) 대법원 1995.12.12. 95도1893

② (O) 부분적 긍정설 중 형사범·행정범 구별설의 내용으로 타당하다.

③ (O) 대법원 2005.11.10. 2004도2657

03 ③

유형 틀린 지문 고르기

형법총론 > 범죄론 > 구성요건론 > 부작위범 난이도 중

③ (X) 피고인이 甲과 토지 지상에 창고를 신축하는 데 필요한 형틀공사 계약을 체결한 후 그 공사를 완료하였는데, 甲이 공사대금을 주지 않는다는 이유로 위 토지에 쌓아 둔 건축자재를 치우지 않고 공사현장을 막는 방법으로 위력으로써 甲의 창고 신축 공사 업무를 방해하였다는 내용으로 기소된 사안에서, 피고인이 일부러 건축자재를 甲의 토지 위에 쌓아 두어 공사현장을 막은 것이 아니라 당초 자신의 공사를 위해 쌓아 두었던 건축자재를 공사 완료 후 치우지 않은 것에 불과하므로, 비록 공사대금을 받을 목적으로 건축자재를 치우지 않았더라도, 피고인이 자신의 공사를 위하여 쌓아 두었던 건축자재를 공사 완료 후에 단순히 치우지 않은 행위가 위력으로써 甲의 추가 공사 업무를 방해하는 업무방해죄의 실행행위로서 甲의 업무에 대하여 하는 적극적인 방해행위와 동등한 형법적 가치를 가진다고 볼 수 없는데도, 이와 달리 보아 공소사실을 유죄로 인정한 원심판결에 부작위에 의한 업무방해죄의 성립에 관한 법리오해의 잘못이 있다(대법원 2017.12.22. 2017도13211).

① (O) 대법원 2017.12.22. 2017도13211

② (O) 부작위에 의한 방조범이 보증인 지위에 있는 자로 한정되는 반면, 부작위범에 대한 교자범은 보증인 지위에 있는 자로 한정되지 않는다.

④ (O) 하나의 행위가 부작위범인 직무유기죄와 작위범인 범인도피죄의 구성요건을 동시에 충족하는 경우 공소제기권자는 재량에 의하여 작위범인 범인도피죄로 공소를 제기하지 않고 부작위범인 직무유기죄로만 공소를 제기할 수도 있다(대법원 1999.11.26. 99도1904).

04 ③

유형 틀린 지문 고르기

형법각론 > 국가적 법익에 대한 죄 > 국가의 기능에 대한 죄 > 공무방해 난이도 중

③ (X) 위와 같은 상황에서 甲과 乙이 피고인의 집으로 통하는 전기를 일시적으로 차단한 것은 피고인을 집 밖으로 나오도록 유도한 것으로서, 피고인의 범죄행위를 진압·예방하고 수사하기 위해 필요하고도 적절한 조치로 보이고, 경찰관 직무집행법 제1조의 목적에 맞게 제2조의 직무범위 내에서 제6조에서 정한 즉시강제의 요건을 충족한 적법한 직무집행으로 볼 여지가 있다는 이유로, 이와 달리 보아 공소사실을 무죄로 판단한 원심판결에 필요한 심리를 다하지 않은 채 논리와 경험의 법칙에 반하여 자유심증주의의 한계를 벗어나거나 경찰관 직무집행법의 해석과 적용, 공무집행의 적법성 등에 관한 법리를 오해한 잘못이 있다(대법원 2018.12.13. 2016도19417).

① (O) 범인이 자신을 위하여 타인으로 하여금 허위의 자백을 하게 하여 범인도피죄를 범하게 하는 행위는 방어권의 남용으로 범인도피교사죄에 해당하는바, 이 경우 그 타인이 형법 제151조 제2항에 의하여 처벌을 받지 아니하는 친족, 호주 또는 동거 가족에 해당한다 하여 달리 볼 것은 아니다. 그러므로 무면허 운전으로 사고를 낸 사람이 동생을 경찰서에 대신 출두시켜 피의자로 조사받도록 한 행위는 범인도피교사죄를 구성한다(대법원 2006.12.7. 2005도3707).

② (O) 참고인이 타인의 형사사건 등에 관하여 제3자와 대화를 하면서 허위로 진술하고 위와 같은 허위 진술이 담긴 대화 내용을 녹음한 녹음파일 또는 이를 녹취한 녹취록을 만들어 수사기관 등에 제출하는 것은 참고인이 타인의 형사사건 등에 관하여 수사기관에 허위의 진술을 하거나 이와 다를 바 없는 것으로서 허위의 사실확인서나 진술서를 작성하여 수사기관 등에 제출하는 것과는 달리, 증거위조죄를 구성한다(대법원 2013.12.26. 2013도8085,2013전도165).

④ (O) 피고인이 甲과 주차문제로 언쟁을 벌이던 중, 112 신고를 받고 출

동한 경찰관 乙이 甲을 때리려는 피고인을 제지하자 자신만 제지를 당한 데 화가 나서 손으로 乙의 가슴을 1회 밀치고, 계속하여 욕설을 하면서 피고인을 현행범으로 체포하며 순찰차 뒷좌석에 태우려고 하는 乙의 정강이 부분을 양발로 2회 걷어차는 등 폭행함으로써 경찰관의 112 신고처리에 관한 직무집행을 방해하였다는 내용으로 기소된 사안에서, 제반 사정을 종합하면 피고인이 손으로 乙의 가슴을 밀칠 당시 乙은 112 신고처리에 관한 직무 내지 순찰근무를 수행하고 있었고, 이와 같이 공무를 집행하고 있는 乙의 가슴을 밀치는 행위는 공무원에 대한 유형력의 행사로서 공무집행방해죄에서 정한 폭행에 해당하며, 피고인이 체포될 당시 도망 또는 증거인멸의 염려가 없었다고 할 수 없어 체포의 필요성이 인정되고, 공소사실에 관한 증인들의 법정진술의 신빙성을 인정한 제1심의 판단을 뒤집을 만한 특별한 사정이 없다는 등의 이유로, 이와 달리 보아 공소사실을 무죄라고 판단한 원심판결에 공무집행방해죄의 폭행이나 직무집행, 현행범 체포의 요건 등에 관한 법리오해 또는 제1심 증인이 한 진술의 신빙성을 판단할 때 공판중심주의와 직접심리주의 원칙을 위반한 잘못이 있다(대법원 2018.3.29. 2017도21537).

05 ②

유형 조합하기

형법총론 > 범죄론 > 구성요건론 > 인과관계 난이도 상

㉠ (O) 대법원 1996.7.12. 96도1142
㉡ (O) 대법원 1984.12.11. 84도2347
㉣ (O) 대법원 2015.6.24. 2014도11315
㉢ (X) 강간죄에서의 폭행·협박과 간음 사이에는 인과관계가 있어야 하나, 폭행·협박이 반드시 간음행위보다 선행되어야 하는 것은 아니다(대법원 2017.10.12. 2016도16948, 2016전도156).
㉤ (X) 살인의 실행행위가 피해자의 사망이라는 결과를 발생하게 한 유일한 원인이거나 직접적인 원인이어야만 되는 것은 아니므로, 살인의 실행행위와 피해자의 사망과의 사이에 다른 사실이 개재되어 그 사실이 치사의 직접적인 원인이 되었다고 하더라도 그와 같은 사실이 통상 예견할 수 있는 것에 지나지 않는다면 살인의 실행행위와 피해자의 사망과의 사이에 인과관계가 있는 것으로 보아야 한다(대법원 1994.3.22. 93도3612).

06 ③

유형 옳은 지문 고르기

형법총론 > 범죄론 > 책임론 > 위법성의 인식과 금지의 착오 난이도 중

③ (O) 행정청의 허가가 있어야 함에도 불구하고 허가를 받지 아니하여 처벌대상의 행위를 한 경우라도 허가를 담당하는 공무원이 허가를 요하지 않는 것으로 잘못 알려주어 이를 믿었기 때문에 허가를 받지 아니한 것이라면 허가를 받지 않더라도 죄가 되지 않는 것으로 착오를 일으킨 데 대하여 정당한 이유가 있는 경우에 해당하여 처벌할 수 없다(대법원 1993.9.14. 92도1560).
① (X) 국회의원이 의정보고서를 발간하는 과정에서 선거법규에 저촉되지 않는다고 오인한 것에 형법 제16조의 정당한 이유가 없다고 한 사례(대법원 2006.03.24. 2005도3717)
② (X) 법률의 착오에 해당한다고 볼 수 없다고 한 사례(대법원 2003.7.25. 2002도6006)
④ (X) 대법원 1995.11.10. 95도2088

07 ④

유형 틀린 지문 고르기

형법각론 > 사회적 법익에 대한 죄 > 공공의 신용에 대한 죄 > 문서에 관한 죄 난이도 중

④ (X) 간접정범을 통한 위조문서행사 범행에서 도구로 이용된 자에게 행사한 경우 위조문서행사죄가 성립하는지 여부: 인정
[1] 간접정범을 통한 위조문서행사범행에 있어 도구로 이용된 자라고 하더라도 문서가 위조된 것임을 알지 못하는 자에게 행사한 경우에는 위조문서행사죄가 성립한다.
[2] 피고인이 위조·변조한 공문서의 이미지 파일을 갑 등에게 이메일로 송부하여 프린터로 출력하게 함으로써 '행사'하였다는 내용으로 기소되었는데, 갑 등은 출력 당시 위 파일이 위조된 것임을 알지 못한 사안에서, 피고인의 행위가 위조·변조공문서행사죄를 구성한다고 보아야 하는데도, 이와 달리 보아 무죄를 선고한 원심판결에 법리오해의 위법이 있다(대법원 2012.2.23. 2011도14441).
① (O) 원래 주식회사의 지배인은 회사의 영업에 관하여 재판상 또는 재판 외의 모든 행위를 할 권한이 있으므로, 지배인이 직접 주식회사 명의 문서를 작성하는 행위는 위조나 자격모용사문서작성에 해당하지 않는 것이 원칙이고, 이는 그 문서의 내용이 진실에 반하는 허위이거나 권한을 남용하여 자기 또는 제3자의 이익을 도모할 목적으로 작성된 경우에도 마찬가지이다(대법원 2010.5.13. 2010도1040).
② (O) 회사의 내부규정 등에 의하여 각 지배인이 회사를 대리할 수 있는 행위의 종류, 내용, 상대방 등을 한정하여 그 권한을 제한한 경우에 그 제한된 권한 범위를 벗어나서 회사 명의의 문서를 작성하였다면, 이는 자기 권한 범위 내에서 권한 행사의 절차와 방식 등을 어긴 경우와 달리 문서위조죄에 해당한다고 할 것이다(대법원 2012.9.27. 2012도7467).
③ (O) 휴대전화 신규 가입신청서를 위조한 후 이를 스캔한 이미지 파일을 제3자에게 이메일로 전송한 사안에서, 이미지 파일 자체는 문서에 관한 죄의 '문서'에 해당하지 않으나, 이를 전송하여 컴퓨터 화면상으로 보게 한 행위는 이미 위조한 가입신청서를 행사한 것에 해당하므로 위조사문서행사죄가 성립한다고 한 사례(대법원 2008.10.23. 2008도5200)

08 ④

유형 틀린 지문 고르기

형법총론 > 범죄론 > 위법성론 > 정당방위 난이도 중

④ (X) 긴급피난의 본질을 위법성조각사유라고 보는 다수설인 위법성조각설에 의하면 긴급피난은 위법성이 조각되어 적법한 행위가 되므로, 긴급피난에 대해서는 ㉠ 위법한 침해(부당한 침해)에 대하여서만 가능한 정당방위는 인정되지 않고, ㉡ 적법한 행위에 대해서도 인정되는 긴급피난은 인정된다.
① (O) 대법원 2017.9.21. 2017도10866
② (O) 어떠한 행위가 정당방위로 인정되려면 그 행위가 자기 또는 타인의 법익에 대한 현재의 부당한 침해를 방어하기 위한 것으로서 상당성이 있어야 하므로, 위법하지 않은 정당한 침해에 대한 정당방위는 인정되지 않는다. 또한 자기의 법익뿐 아니라 타인의 법익에 대한 현재의 부당한 침해를 방위하기 위한 행위도 상당한 이유가 있으면 형법 제21조의 정당방위에 해당하여 위법성이 조각된다(대법원 2017.3.15. 2013도2168).
③ (O) 대법원 1977.5.24. 76도3460

09 ②

유형 조합하기

형법총론 > 국가적법익에 대한 죄 > 국가의 기능에 대한 죄 > 공무원의 직무에 관한 죄 난이도 상

㉠ (O) 대법원 2017.3.9. 2013도16162
㉡ (O) 대법원 2017.3.9. 2013도16162
㉢ (O) 대법원 2015.3.26. 2013도2444
㉣ (X) 공무원이 직무관련자에게 제3자와 계약을 체결하도록 요구하여 그 계약 체결을 하게 한 행위가 제3자뇌물수수죄의 구성요건과 직권남용권리행사방해죄의 구성요건에 모두 해당하는 경우에는, 제3자뇌물수수죄와 직권남용권리행사방해죄가 각각 성립하되, 이는 사회 관념상 하나의 행위가 수 개의 죄에 해당하는 경우이므로 두 죄는 형법 제40조의 상상적 경합관계에 있게 된다(대법원 2017.3.15. 2016도19659).

10 ③

유형 틀린 지문 고르기

형법총론 > 범죄론 > 책임론 > 책임 이론 난이도 중

③ (X) 정당한 이유는 행위자에게 자기 행위의 위법 가능성에 대해 심사숙고하거나 조회할 수 있는 계기가 있어 자신의 지적 능력을 다하여 이를 회피하기 위한 진지한 노력을 다하였더라면 스스로의 행위에 대하여 위법성을 인식할 수 있는 가능성이 있었는데도 이를 다하지 못한 결과 자기 행위의 위법성을 인식하지 못한 것인지에 따라 판단하여야 한다. 이러한 위법성의 인식에 필요한 노력의 정도는 구체적인 행위정황과 행위자 개인의 인식능력 그리고 행위자가 속한 사회집단에 따라 달리 평가되어야 한다(대법원 2017.3.15. 2014도12773).

① (O) 형법 제10조 제2항
→ 심신미약자 규정이 필요적 감경에서 임의적 감경으로 개정되었다(2018.12.18.).

② (O) 대법원 2008.10.23. 2005도10101

④ (O) 대법원 2007.2.8. 2006도7900

11 ③

유형 틀린 지문 고르기

형법총론 > 범죄론 > 위법성론 > 위법성조각사유 난이도 중

③ (X) 그 형을 감경 또는 면제할 수 있다(임의적 감면). 형법 제21조 제2항, 형법 제22조 제3항, 형법 제23조 제2항 참조

① (O) 사채업자인 피고인이 채무자 甲에게, 채무를 변제하지 않으면 甲이 숨기고 싶어하는 과거 행적과 사채를 쓴 사실 등을 남편과 시댁에 알리겠다는 등의 문자메시지를 발송한 사안에서, 피고인에게 협박죄를 인정하는 한편 위와 같은 행위가 정당행위에 해당한다는 주장을 배척한 원심판단을 수긍한 사례(대법원 2011.5.26. 2011도2412).

② (O) 형법 제24조

④ (O) 현직 군수로서 전국동시지방선거(제5회) 지방자치단체장 선거에 특정 정당 후보로 출마가 확실시되는 피고인이 같은 정당 지역청년위원장 등 선거구민 20명에게 약 36만 원 상당의 식사를 제공하여 기부행위를 하였다는 내용의 공직선거법 위반의 공소사실에 대하여, 위 음식물 제공행위가 선거에 관련한 기부행위가 아니라거나 사회상규에 위배되지 아니하는 정당행위로서 위법성이 조각된다는 취지의 피고인의 주장을 배척한 원심판단을 수긍한 사례(대법원 2011.2.24. 2010도14720)

12 ②

유형 틀린 지문 고르기

형법총론 > 범죄론 > 미수론 > 예비 · 음모 난이도 하

② (X) 내란죄나 내란목적살인죄는 예비, 음모, 선동, 선전을 벌하나, 실행에 이르기 전에 자수한 때에는 그 형을 감경 또는 면제하는 것은 예비, 음모에 한한다.

> **형법 제90조(예비, 음모, 선동, 선전)** ① 제87조(내란) 또는 제88조(내란목적살인)의 죄를 범할 목적으로 예비 또는 음모한 자는 3년 이상의 유기징역이나 유기금고에 처한다. 단, 그 목적한 죄의 실행에 이르기 전에 자수한 때에는 그 형을 감경 또는 면제한다.
> ② 제87조 또는 제88조의 죄를 범할 것을 선동 또는 선전한 자도 전항의 형과 같다.

① (O) 대법원 1999.11.12. 99도3801

③ (O) 대법원 2009.10.29. 2009도7150

④ (O) 정범이 실행의 착수에 이르지 아니한 예비의 단계에 그친 경우에는 이에 가공하는 행위가 예비의 공동정범이 되는 경우를 제외하고는 종범의 성립을 부정하고 있다고 보는 것이 타당하다(대법원 1976.5.25. 75도1549).

13 ④

유형 조합하기

형법각론 > 사회적 법익에 대한 죄 > 공공의 신용에 대한 죄 > 통화에 관한 죄 난이도 상

㉠ (O) [1] 형법상 통화에 관한 죄는 문서에 관한 죄에 대하여 특별관계에 있으므로 통화에 관한 죄가 성립하는 때에는 문서에 관한 죄는 별도로 성립하지 않는다.
[2] 위조된 외국의 화폐, 지폐 또는 은행권이 강제통용력을 가지지 않는 경우에는 형법 제207조 제3항에서 정한 '외국에서 통용하는 외국의 화폐 등'에 해당하지 않고, 나아가 그 화폐 등이 국내에서 사실상 거래 대가의 지급수단이 되고 있지 않는 경우에는 형법 제207조 제2항에서 정한 '내국에서 유통하는 외국의 화폐 등'에도 해당하지 않으므로, 그 화폐 등을 행사하더라도 형법 제207조 제4항에서 정한 위조통화행사죄를 구성하지 않는다고 할 것이고, 따라서 이러한 경우에는 형법 제234조에서 정한 위조사문서행사죄 또는 위조사도화행사죄로 의율할 수 있다고 보아야 한다(대법원 2013.12.12. 2012도2249).

㉡ (O) 대법원 2003.1.10. 2002도3340

㉢ (O) 사용자에 관한 각종 정보가 전자기록되어 있는 자기띠가 카드번호와 카드발행자 등이 문자로 인쇄된 플라스틱 카드에 부착되어 있는(후불식) 전화카드의 경우 그 자기띠 부분은 카드의 나머지 부분과 불가분적으로 결합되어 전체가 하나의 문서를 구성하므로, 전화카드를 공중전화기에 넣어 사용하는 경우 비록 전화기가 전화카드로부터 판독할 수 있는 부분은 자기띠 부분에 수록된 전자기록에 한정된다고 할지라도 전화카드 전체가 하나의 문서로서 사용된 것으로 보아야 하고, 그 자기띠 부분만 사용된 것으로 볼 수는 없으므로 절취한 전화카드를 공중전화기에 넣어 사용한 것은 권리의무에 관한 타인의 사문서를 부정행사한 경우에 해당한다(대법원 2002.6.25. 2002도461).

㉣ (O) 유가증권변조죄에 있어서 변조라 함은 진정으로 성립된 유가증권의 내용에 권한 없는 자가 그 유가증권의 동일성을 해하지 않는 한도에서 변경을 가하는 것을 말하므로, 이미 타인에 의하여 위조된 약속어음의 기재사항을 권한 없이 변경하였다고 하더라도 유가증권변조죄는 성립하지 아니한다(대법원 2006.1.26. 2005도4764).

14 ④

유형 옳은 지문 고르기

형법각론 > 개인적 법익에 대한 죄 > 재산에 대한 죄 > 사기죄 난이도 중

④ (O) [1] 적극적 소송당사자인 원고뿐만 아니라 방어적인 위치에 있는 피고라 하더라도 허위내용의 서류를 작성하여 이를 증거로 제출하거나 위증을 시키는 등의 적극적인 방법으로 법원을 기망하여 착오에 빠지게 한 결과 승소확정판결을 받음으로써 자기의 재산상의 의무이행을 면하게 된 경우에는 그 재산가액 상당에 대하여 사기죄가 성립한다.
[2] 소송사기는 법원을 기망하여 자기에게 유리한 판결을 얻음으로써 상대방의 재물 또는 재산상 이익을 취득하는 것을 내용으로 하는 범죄로서, ㉠ 원고측에 의한 소송사기가 성립하기 위하여는 제소 당시에 그 주장과 같은 채권이 존재하지 아니하다는 것만으로는 부족하고 그 주장의 채권이 존재하지 아니한 사실을 잘 알고 있으면서도 허위의 주장과 입증으로써 법원을 기망한다는 인식을 하고 있어야만 하는 것이고, ㉡ 피고측에 의한 소송사기가 성립하기 위하여는 원고 주장과 같은 채무가 존재한다는 것만으로는 부족하고 그 주장의 채무가 존재한다는 사실을 잘 알고 있으면서도 허위의 주장과 입증으로써 법원을 기망한다는 인식을 하고 있어야만 한다(대법원 2004.3.12. 2003도333).

① (X) 가압류는 강제집행의 보전방법에 불과하고 그 기초가 되는 허위의 채권에 의하여 실제로 청구의 의사표시를 한 것이라고 할 수 없으므로 소의 제기 없이 가압류신청을 한 것만으로는 사기죄의 실행에 착수한 것이라고 할 수 없다(대법원 1982.10.26. 82도1529).

② (X) 당사자주의 소송구조하에서는 자기에게 유리한 주장이나 증거는 각자가 자신의 책임하에 변론에 현출하여야 하는 것이고, 비록 자기가 상대방에게 유리한 증거를 가지고 있다거나 상대방에게 유리한 사실을 알고 있다고 하더라도 상대방을 위하여 이를 현출하여야 할 의무가 있다고 보기는 어려울 것이므로 상대방에게 유리한 증거를 제출하지 않거나 상대방에게 유리한 사실을 진술하지 않는 행위만으로는 소송사기에 있어 기망이 된다고 할 수 없다(대법원 2002.6.28. 2001도1610).

③ (X) 민사소송법상 소송비용의 청구는 소송비용액 확정절차에 의하도록 규정하고 있으므로, 위 절차에 의하지 아니하고 손해배상금 청구의 소 등으로 소송비용의 지급을 구하는 것은 소의 이익이 없는 부적법한 소로서 허용될 수 없다고 할 것이다. 따라서 소송비용을 편취할 의사로 소송비용의 지급을 구하는 손해배상청구의 소를 제기하였다고 하더라도 이는 객관적으로 소송비용의 청구방법에 관한 법률적 지식을 가진 일반인의 판단으로 보아 결과 발생의 가능성이 없어 위험성이 인정되지 않는다고 할 것이다(대법원 2005.12.8. 2005도8105).
→ 사기죄의 불능범이라고 본 판례이다.

15 ①

유형 옳고 그름의 표시(O, X)하기

형법총론 > 범죄론 > 정범 및 공범론 > 공동정범 난이도 상

㉠ (X) 형법 제156조에서 정한 무고죄는 타인으로 하여금 형사처분 또는 징계처분을 받게 할 목적으로 허위의 사실을 신고하는 것을 구성요건으로 하는 범죄이다. 자기 자신으로 하여금 형사처분 또는 징계처분을 받게 할 목적으로 허위의 사실을 신고하는 행위, 즉 자기 자신을 무고하는 행위는 무고죄의 구성요건에 해당하지 않아 무고죄가 성립하지 않는다. 따라서 자기 자신을 무고하기로 제3자와 공모하고 이에 따라 무고행위에 가담하였더라도 이는 자기 자신에게는 무고죄의 구성요건에 해당하지 않아 범죄가 성립할 수 없는 행위를 실현하고자 한 것에 지나지 않아 무고죄의 공동정범으로 처벌할 수 없다(대법원 2017.4.26. 2013도12592).

㉡ (O) 대법원 2018.5.11. 2017도9146

㉢ (X) 공동피고인이 위조된 부동산임대차계약서를 담보로 제공하고 피해자로부터 돈을 빌려 편취할 것을 계획하면서 피고인에게 미리 전화를 하여 임대인 행세를 하여달라고 부탁하였고, 피고인은 임대인인 것처럼 행세하여 전세금액 등을 확인한 사안에서, 피고인의 행위는 위조사문서 행사에 있어서 기능적 행위지배의 공동정범 요건을 갖추었다(대법원 2010.1.28. 2009도10139).

㉣ (O) 대법원 2017.4.26. 2013도12592

16 ①

유형 개수 찾기

형법총론 > 범죄론 > 정범 및 공범론 > 방조범 난이도 상

㉥ (X) 보호자가 의학적 권고에도 불구하고 치료를 요하는 환자의 퇴원을 간청하여 담당 전문의와 주치의가 치료중단 및 퇴원을 허용하는 조치를 취함으로써 환자를 사망에 이르게 한 행위에 대하여 보호자, 담당 전문의 및 주치의가 부작위에 의한 살인죄의 공동정범으로 기소된 사안에서, 담당 전문의와 주치의에게 환자의 사망이라는 결과 발생에 대한 정범의 고의는 인정되나 환자의 사망이라는 결과나 그에 이르는 사태의 핵심적 경과를 계획적으로 조종하거나 저지·촉진하는 등으로 지배하고 있었다고 보기는 어려워 공동정범의 객관적 요건인 이른바 기능적 행위지배가 흠결되어 있다는 이유로 작위에 의한 살인방조죄만 성립한다고 한 사례(대법원 2004.6.24. 2002도995)

㉠ (O) [1] 종범은 ㉠ 정범의 실행행위 중에 이를 방조하는 경우뿐만 아니라, ㉡ 실행 착수 전에 장래의 실행행위를 예상하고 이를 용이하게 하는 행위를 하여 방조한 경우에도 정범이 실행행위를 한 경우에 성립한다.
[2] 형법상 방조는 ㉠ 작위에 의하여 정범의 실행을 용이하게 하는 경우는 물론, ㉡ 직무상의 의무가 있는 자가 정범의 범죄행위를 인식하면서도 그것을 방지하여야 할 제반 조치를 취하지 아니하는 부작위로 인하여 정범의 실행행위를 용이하게 하는 경우에도 성립된다.
[3] 법원의 입찰사건에 관한 제반 업무를 주된 업무로 하는 공무원이 자신이 맡고 있는 입찰사건의 입찰보증금이 계속적으로 횡령되고 있는 사실을 알았다면, 담당 공무원으로서는 이를 제지하고 즉시 상관에게 보고하는 등의 방법으로 그러한 사무원의 횡령행위를 방지해야 할 법적인 작위의무를 지는 것이 당연하고, 비록 그의 묵인 행위가 배당불능이라는 최악의 사태를 막기 위한 동기에서 비롯된 것이라고 하더라도 자신의 작위의무를 이행함으로써 결과 발생을 쉽게 방지할 수 있는 공무원이 그 사무원의 새로운 횡령범행을 방조 용인한 것을 작위에 의한 법익 침해와 동등한 형법적 가치가 있는 것이 아니라고 볼 수는 없다는 이유로, 그 담당 공무원을 업무상횡령의 종범으로 처벌한 사례(대법원 1996.9.6. 95도2551)

㉡ (O) 형법상 방조는 작위에 의하여 정범의 실행행위를 용이하게 하는 경우는 물론, 직무상의 의무가 있는 자가 정범의 범죄행위를 인식하면서도 그것을 방지하여야 할 제반조치를 취하지 아니하는 부작위로 인하여 정범의 실행행위를 용이하게 하는 경우에도 성립된다 할 것이므로 은행지점장이 정범인 부하직원들의 범행을 인식하면서도 그들의 은행에 대한 배임행위를 방치하였다면 배임죄의 방조범이 성립된다(대법원 1984.11.27. 84도1906).

㉢ (O) 인터넷 포털 사이트 내 오락채널 총괄팀장과 위 오락채널 내 만화사업의 운영 직원인 피고인들에게, 콘텐츠제공업체들이 게재하는 음란만화의 삭제를 요구할 조리상의 의무가 있다고 하여, 구 전기통신기본법(2001.1.16. 법률 제6360호로 개정되기 전의 것) 제48조의2 위반 방조죄의 성립을 긍정한 사례(대법원 2006.4.28. 2003도4128)

㉣ (O) 백화점에서 바이어를 보조하여 특정매장에 관한 상품관리 및 고객들의 불만사항 확인 등의 업무를 담당하는 직원은 자신이 관리하는 특정매장의 점포에 가짜 상표가 새겨진 상품이 진열·판매되고 있는 사실을 발견하였다면 고객들이 이를 구매하도록 방치하여서는 아니되고 점주나 그 종업원에게 즉시 그 시정을 요구하고 바이어 등 상급자에게 보고하여 이를 시정하도록 할 근로계약상·조리상의 의무가 있다고 할 것임에도 불구하고 이러한 사실을 알고서도 점주 등에게 시정조치를 요구하거나 상급자에게 이를 보고하지 아니함으로써 점주로 하여금 가짜 상표가 새겨진 상품들을 고객들에게 계속 판매하도록 방치한 것은 작위에 의하여 점주의 상표법위반 및 부정경쟁방지법위반 행위의 실행을 용이하게 하는 경우와 동등한 형법적 가치가 있는 것으로 볼 수 있으므로, 백화점 직원인 피고인은 부작위에 의하여 공동피고인인 점주의 상표법위반 및 부정경쟁방지법위반 행위를 방조하였다고 인정할 수 있다(대법원 1997.3.14. 96도1639).

㉤ (O) 종범의 방조행위는 작위에 의한 경우 뿐만 아니라 부작위에 의한 경우도 포함하는 것으로서 법률상 정범의 범행을 방지할 의무있는 자가 그 범행을 알면서도 방지하지 아니하여 범행을 용이하게 한 때에는 부작위에 의한 종범이 성립한다(대법원 1985.11.26. 85도1906)

17 ④

유형 틀린 지문 고르기

형법총론 > 범죄론 > 미수론 > 미수 난이도 중

④ (X) 형법 제27조에서 규정하고 있는 불능미수는 행위자에게 범죄의사가 있고 실행의 착수라고 볼 수 있는 행위가 있지만 실행의 수단이나 대상의 착오로 처음부터 구성요건이 충족될 가능성이 없는 경우이다. 다만 결과적으로 구성요건의 충족은 불가능하지만, 그 행위의 위험성이 있으면 불능미수로 처벌한다. 불능미수는 행위자가 실제로 존재하지 않는 사실을 존재한다고 오인하였다는 측면에서 존재하는 사실을 인식하지 못한 사실의 착오와 다르다(대법원 2019.3.28. 2018도16002 전원합의체).

① (O) 형법은 제25조 제1항에서 "범죄의 실행에 착수하여 행위를 종료하지 못하였거나 결과가 발생하지 아니한 때에는 미수범으로 처벌한다."

라고 하여 장애미수를 규정하고, 제26조에서 "범인이 실행에 착수한 행위를 자의로 중지하거나 그 행위로 인한 결과의 발생을 방지한 경우에는 형을 감경하거나 면제한다."라고 하여 중지미수를 규정하고 있다. 장애미수 또는 중지미수는 범죄의 실행에 착수할 당시 실행행위를 놓고 판단하였을 때 행위자가 의도한 범죄의 기수가 성립할 가능성이 있었으므로 처음부터 기수가 될 가능성이 객관적으로 배제되는 불능미수와 구별된다(대법원 2019.3.28. 2018도16002 전원합의체).

② (O) 형법 제27조에서 정한 '실행의 수단 또는 대상의 착오'는 행위자가 시도한 행위방법 또는 행위객체로는 결과의 발생이 처음부터 불가능하다는 것을 의미한다. 그리고 '결과 발생의 불가능'은 실행의 수단 또는 대상의 원시적 불가능성으로 인하여 범죄가 기수에 이를 수 없는 것을 의미한다고 보아야 한다.
한편 불능범과 구별되는 불능미수의 성립요건인 '위험성'은 피고인이 행위 당시에 인식한 사정을 놓고 일반인이 객관적으로 판단하여 결과 발생의 가능성이 있는지 여부를 따져야 한다(대법원 2019.3.28. 2018도16002 전원합의체).

③ (O) 고의의 일종인 미필적 고의는 범죄사실의 발생 가능성에 대한 인식이 있고 나아가 범죄사실이 발생할 위험을 용인하는 내심의 의사가 있어야 한다. 행위자가 범죄사실이 발생할 가능성을 용인하고 있었는지 여부는 행위자의 진술에 의존하지 않고 외부에 나타난 행위의 형태와 행위의 상황 등 구체적인 사정을 기초로 일반인이라면 해당 범죄사실이 발생할 가능성을 어떻게 평가할 것인지를 고려하면서 행위자의 입장에서 그 심리상태를 추인하여야 한다(대법원 2017.1.12. 2016도15470).

18 ④

유형 조합하기

형법총론 > 범죄론 > 죄수론 > 불가벌적 사후행위 난이도 중

④ (O) **불가벌적 수반행위, 폭행행위는 업무방해죄에 대하여 흡수관계 ×**
[1] 이른바 '불가벌적 수반행위'란 법조경합의 한 형태인 흡수관계에 속하는 것으로서, 행위자가 특정한 죄를 범하면 비록 논리 필연적인 것은 아니지만 일반적·전형적으로 다른 구성요건을 충족하고 이때 그 구성요건의 불법이나 책임 내용이 주된 범죄에 비하여 경미하기 때문에 처벌이 별도로 고려되지 않는 경우를 말한다.
[2] 업무방해죄와 폭행죄는 구성요건과 보호법익을 달리하고 있고, 업무방해죄의 성립에 일반적·전형적으로 사람에 대한 폭행행위를 수반하는 것은 아니며, 폭행행위가 업무방해죄에 비하여 별도로 고려되지 않을 만큼 경미한 것이라고 할 수도 없으므로, 설령 피해자에 대한 폭행행위가 동일한 피해자에 대한 업무방해죄의 수단이 되었다고 하더라도 그러한 폭행행위가 이른바 '불가벌적 수반행위'에 해당하여 업무방해죄에 대하여 흡수관계에 있다고 볼 수는 없다(대법원 2012.10.11. 2012도1895).

19 ①

유형 개수 찾기

형법각론 > 개인적 법익에 대한 죄 > 재산에 대한 죄 > 배임죄 난이도 중

Ⓛ (O) 부동산 매매계약에서 계약금만 지급된 단계에서는 어느 당사자나 계약금을 포기하거나 그 배액을 상환함으로써 자유롭게 계약의 구속력에서 벗어날 수 있다. 그러나 중도금이 지급되는 등 계약이 본격적으로 이행되는 단계에 이른 때에는 계약이 취소되거나 해제되지 않는 한 매도인은 매수인에게 부동산의 소유권을 이전해 줄 의무에서 벗어날 수 없다. 따라서 이러한 단계에 이른 때에 매도인은 매수인에 대하여 매수인의 재산보전에 협력하여 재산적 이익을 보호·관리할 신임관계에 있게 된다. 그때부터 매도인은 배임죄에서 말하는 '타인의 사무를 처리하는 자'에 해당한다고 보아야 한다. 그러한 지위에 있는 매도인이 매수인에게 계약 내용에 따라 부동산의 소유권을 이전해 주기 전에 그 부동산을 제3자에게 처분하고 제3자 앞으로 그 처분에 따른 등기를 마쳐 준 행위는 매수인의 부동산 취득 또는 보전에 지장을 초래하는 행위이다. 이는 매수인과의 신임관계를 저버리는 행위로서 배임죄가 성립한다(대법원 2018.5.17. 2017도4027 전원합의체).

㉠ (X) 대법원 2011.1.20. 2008도10479 전원합의체
㉢ (X) 대법원 2014.8.21. 2014도3363 전원합의체
㉣ (X) 대법원 2020.8.27 2019도14770 전원합의체

20 ④

유형 틀린 지문 고르기

형법총론 > 형벌론 > 형벌론 > 집행유예 난이도 하

④ (X) **사후적 경합범 감경시 제55조 제1항 제3호 적용 배제 여부: 부정**
형법 제37조 후단 경합범에 대하여 형법 제39조 제1항에 의하여 형을 감경할 때에도 법률상 감경에 관한 형법 제55조 제1항이 적용되어 유기징역을 감경할 때에는 그 형기의 2분의 1 미만으로는 감경할 수 없다(대법원 2019.4.18. 2017도14609 전원합의체).

① (O) 대법원 2019.2.28. 2018도13382
② (O) 형법 제63조
③ (O) 대법원 2007.2.22. 2006도8555

21 ②

유형 개수 찾기

형법각론 > 개인적 법익에 대한 죄 > 생명과 신체에 대한 죄 > 존속살해죄 난이도 중

㉣ (O) 대법원 1967.1.31. 66도1483
㉤ (O) 혼인 외의 출생자와 생모간에는 생모의 인지나 출생신고를 기다리지 않고 자의 출생으로 당연히 법률상의 친족관계가 생기는 것이다(대법원 1980.9.9. 80도1731).
㉠ (X) 제분에 이기지 못하여 식도를 휘두르는 피고인을 말리거나 그 식도를 뺏으려고 한 그 밖의 피해자들을 닥치는 대로 찌르는 무차별 횡포를 부리던 중에 그의 부(父)까지 찌르게 된 결과를 빚은 경우 피고인이 칼에 찔려 쓰러진 부를 부축해 데리고 나가지 못하도록 한 일이 있다고 하여 그의 부를 살해할 의사로 식도로 찔러 살해하였다는 사실을 인정하기는 어렵다고 봄이 상당하다(대법원 1977.1.11. 76도3871).
Ⓛ (X) 피살자(여)가 그의 문전에 버려진 영아인 피고인을 주워다 기르고 그 부와의 친생자인 것처럼 출생신고를 하였으나 입양요건을 갖추지 아니하였다면 피고인과의 사이에 모자관계가 성립될 리 없으므로, 피고인이 동녀를 살해하였다고 하여도 존속살인죄로 처벌할 수 없다(대법원 1981.10.13. 81도2466).
㉢ (X) 친자관계라는 사실은 호적상의 기재여하에 의하여 좌우되는 것은 아니며 호적상 친권자라고 등재되어 있다 하더라도 사실에 있어서 그렇지 않은 경우에는 법률상 친자관계가 생길 수 없다 할 것인바, 피고인은 호적부상 피해자와 모 사이에 태어난 친생자로 등재되어 있으나 피해자가 집을 떠난 사이 모가 타인과 정교관계를 맺어 피고인을 출산하였다면 피고인과 피해자 사이에는 친자관계가 없으므로 존속상해죄는 성립될 수 없다(대법원 1983.6.28. 83도996).

22 ①

유형 개수 찾기

형법각론 > 개인적 법익에 대한 죄 > 생명과 신체에 대한 죄 > 폭행치사 난이도 중

㉠ (O) 피고인은 빚독촉을 하다가 시비중 멱살을 잡고 대드는 공소외 1의 손을 뿌리치고 그를 뒤로 밀어 넘어트려 아래로 뒹굴게하여 그 순간 그 등에 업힌 그딸 공소외 2(생후 7개월)에게 두개골절 등 상해를 입혀 그로 말미암아 그를 사망케한 사실을 인정함에 충분하다. 그러면 피고인은 빚이 있을망정 채권자인 공소외 1로부터 멱살을 잡히고 폭행을 감수할

이유는 없는 것이므로 피고인이 그 멱살을 잡은 공소외 1의 손을 뿌리친것은 그 정도로서 혹 정당행위로 볼수 있을는지는 몰라도 피고인이 이에 그치지 않고 다시 그를 뒤로 밀어 넘어트린 것은 그 도를 넘은 것으로 그 위법성을 부정할 수는 없을것이고, 또 피고인이 폭행을 가한 대상자와 그 폭행의 결과 사망한 대상자는 서로 다른 인격자라 할지라도 위와 같이 어린애를 업은 사람을 밀어 넘어트리면 그 어린애도 따라서 필연적으로 넘어질 것임은 피고인도 예견하였을 것이므로 어린애를 업은 사람을 넘어트린 행위는 그 어린애에 대해서도 역시 폭행이 된다 할 것이고, 따라서 원심이 피고인을 폭행치사죄로 인정한 조처에는 인과 관계를 오인한 위법이 없다(대법원 1972.11.28. 72도2201).

㉡ (X) 고등학교 교사가 제자의 잘못을 징계코자 왼쪽 뺨을 때려 뒤로 넘어지면서 사망에 이르게 한 경우 위 피해자는 두께 0.5미리밖에 안되는 비정상적인 얇은 두개골이었고 또 뇌수종을 가진 심신허약자로서 좌측 뺨을 때리자 급성뇌성압상승으로 넘어지게 된 것이라면 위 소위와 피해자의 사망간에는 이른바 인과관계가 없는 경우에 해당한다(대법원 1978.11.28. 78도1961).

㉢ (X) 피고인은 자전거를 타고 가다가 피해자가 길가에 쌓아둔 모래더미에 걸려 넘어지자 화가 난 나머지 피해자에게 교통을 방해한다고 소리를 질러 상호 욕설을 하며 시비를 하던 끝에 법으로 해결하자고 하면서 피해자의 왼쪽 어깨쭉지를 잡고 약 7미터 정도 걸어가다가 피해자를 놓아주는 등 폭행을 하자 피해자가 그곳에 있는 평상에 앉아 있다가 쓰러져 약 2주일간의 안정가료를 요하는 뇌실질내 혈종의 상해를 입었는데 피해자는 60세의 노인으로서 외견상 건강해 보이지만 평소 고혈압 증세가 있어 약 5년 전부터 술도 조심하여 마시는 등 외부로부터의 정신적, 물리적 충격에 쉽게 흥분되어 급성 뇌출혈에 이르기 쉬운 체질이었다는 것이다. 그렇다면 가사 피해자가 위에서 본 바와 같은 피고인의 욕설과 폭행으로 충격을 받은 나머지 위와 같은 상해를 입게 된 것이라 하더라도 일반 경험칙상 위와 같이 욕설을 하고 피해자의 어깨쭉지를 잡고 조금 걸어가다가 놓아준 데 불과한 정도의 폭행으로 인하여 피해자가 위와 같은 상해를 입을 것이라고 예견할 수는 없다고 할 것이고, 또 기록을 살펴보아도 피해자가 평소 위와 같이 고혈압증세로 뇌출혈에 이르기 쉬운 체질이어서 위에서 본 바와 같은 정도의 욕설과 폭행으로 그와 같은 상해의 결과가 발생한 것임을 피고인이 이 사건 당시 실제로 예견하였거나 또는 예견할 수 있었다고 볼 만한 자료는 없으니 피고인에게 상해의 결과에 대한 책임을 물어 폭행치상죄로 처벌할 수는 없다고 할 것이다(대법원 1982.1.12. 81도1811).

㉣ (X) 피고인이 술이 취해서 시비하려는 피해자를 피해서 문밖으로 나오려는 순간 피해자가 뒤따라 나오며 피고인의 오른팔을 잡자 피고인이 잡힌 팔을 빼기 위하여 뿌리친 행위는 불법적으로 붙잡힌 팔을 빼기 위한 본능적 방어행위로서 사회상규에 어긋나는 행위가 아니므로 이로 인하여 피해자가 사망하였다고 하더라도 피고인에게 폭행치사죄의 책임을 지울 수 없다(대법원 1980.9.24. 80도1898).

㉤ (X) 피고인이 자기의 앞가슴을 잡고 있는 피해자의 손을 떼어 내기 위하여 피해자의 손을 뿌리친 것에 불과하다면 그와 같은 행위는 피해자의 불법적인 공격으로부터 벗어나기 위한 본능적인 소극적 방어행위에 지나지 아니하여 사회통념상 허용될 상당성이 있는 위법성이 결여된 행위라고 볼 여지가 있다 할 것이고 위 행위가 사회상규에 위배되지 않는 행위로서 위법성이 결여된 행위로 인정된다면 그 행위의 결과로 피해자가 사망하게 되었다 하더라도 폭행치사죄로 처벌할 수는 없다(대법원 1987.10.26. 87도464).

23 ①

유형 조합하기

형법각론 > 개인적 법익에 대한 죄 > 사생활의 평온에 대한 죄 > 주거침입죄

난이도 중

가. (O) 피고인이 소외인의 동리부녀자에 대한 욕설을 따지기 위하여 동리부녀자 10여명과 작당하여 야간(밤 9시경)에 소외인의 집에 몰려들어갔다면, 이는 주거자의 의사에 반한다는 인식 아래 한 것으로 위법하다(대법원 1983.10.11. 83도2230).

A. (O) [1] 주거침입죄는 사실상의 주거의 평온을 보호법익으로 하는 것이므로, 반드시 행위자의 신체의 전부가 범행의 목적인 타인의 주거 안으로 들어가야만 성립하는 것이 아니라 신체의 일부만 타인의 주거 안으로 들어갔다고 하더라도 거주자가 누리는 사실상의 주거의 평온을 해할 수 있는 정도에 이르렀다면 범죄구성요건을 충족하는 것이라고 보아야 하고, 따라서 주거침입죄의 범의는 반드시 신체의 전부가 타인의 주거 안으로 들어간다는 인식이 있어야만 하는 것이 아니라 신체의 일부라도 타인의 주거 안으로 들어간다는 인식이 있으면 족하다.

[2] 주거침입의 범의로써 예컨대 주거로 들어가는 문의 시정장치를 부수거나 문을 여는 등 침입을 위한 구체적 행위를 시작하였다면 주거침입죄의 실행의 착수는 있었다고 보아야 하고, 신체의 극히 일부분이 주거 안으로 들어갔지만 사실상 주거의 평온을 해하는 정도에 이르지 아니하였다면 주거침입죄의 미수에 그친다.

[3] 야간에 타인의 집의 창문을 열고 집 안으로 얼굴을 들이미는 등의 행위를 하였다면 피고인이 자신의 신체의 일부가 집 안으로 들어간다는 인식하에 하였더라도 주거침입죄의 범의는 인정되고, 또한 비록 신체의 일부만이 집 안으로 들어갔다고 하더라도 사실상 주거의 평온을 해하였다면 주거침입죄는 기수에 이르렀다(대법원 1995.9.15. 94도2561).

a. (O) 근로자들의 직장점거가 개시 당시 적법한 것이었다 하더라도 사용자가 이에 대응하여 적법하게 직장폐쇄를 하게 되면, 사용자의 사업장에 대한 물권적 지배권이 전면적으로 회복되는 결과 사용자는 점거중인 근로자들에 대하여 정당하게 사업장으로부터의 퇴거를 요구할 수 있고 퇴거를 요구받은 이후의 직장점거는 위법하게 되므로, 적법히 직장폐쇄를 단행한 사용자로부터 퇴거요구를 받고도 불응한 채 직장점거를 계속한 행위는 퇴거불응죄를 구성한다(대법원 1991. 8.13. 91도1324).

나. (X) 피고인과 "甲" "乙"의 세 사람이 함께 술을 마시고 그들이 사는 동리의 "甲" 집 앞길에 이르렀을 때 "甲"이 사소한 일로 피고인에게 폭행을 가함으로써 상호 시비중 "甲"이 그의 집으로 들어가기에 피고인도 술에 취하여 동인에게 얻어 맞아 가면서 동인의 집까지 따라 들어가서 때리는 이유를 따지었던 경우에 피고인이 "甲"의 집에 따라 들어간 소위를 위법성 있는 주거침입이라고 논단하기 어렵다고 할 것이다(대법원 1967.9.26. 67도1089).

B. (X) 주거침입죄와 퇴거불응죄는 모두 사실상의 주거의 평온을 그 보호법익으로 하고, 주거침입죄에서의 침입이 신체적 침해로서 행위자의 신체가 주거에 들어가야 함을 의미하는 것과 마찬가지로 퇴거불응죄의 퇴거 역시 행위자의 신체가 주거에서 나감을 의미하므로, 정당한 퇴거요구를 받고 건물에서 나가면서 가재도구 등을 남겨둔 경우 퇴거불응죄를 구성하지 않는다고 한 사례(대법원 2007.11. 15. 2007도6990).

b. (X) 사용자의 직장폐쇄가 정당한 쟁의행위로 인정되지 아니하는 때에는 다른 특별한 사정이 없는 한 근로자가 평소 출입이 허용되는 사업장 안에 들어가는 행위가 주거침입죄를 구성하지 아니한다(대법원 2002.9.24. 2002도2243).

24 ③

유형 틀린 지문 고르기

형법각론 > 개인적 법익에 대한 죄 > 자유에 대한 죄 > 협박의 죄

난이도 중

③ (X) 협박죄는 사람의 의사결정의 자유를 보호법익으로 하는 범죄로서 형법규정의 체계상 개인적 법익, 특히 사람의 자유에 대한 죄 중 하나로 구성되어 있는바, 위와 같은 협박죄의 보호법익, 형법규정상 체계, 협박의 행위 개념 등에 비추어 볼 때, 협박죄는 자연인만을 그 대상으로 예정하고 있을 뿐 법인은 협박죄의 객체가 될 수 없다(대법원 2010.7.15. 2010도1017).

① (O) 대법원 2012.8.17. 2011도10451

② (O) 대법원 2010.7.15. 2010도1017

④ (O) 협박죄에 있어서의 협박이라 함은 사람으로 하여금 공포심을 일으

킬 수 있을 정도의 해악을 고지하는 것을 의미하고, 행위자가 직접 해악을 가하겠다고 고지하는 것은 물론 제3자로 하여금 해악을 가하도록 하겠다는 방식으로도 해악의 고지는 가능한바, 고지자가 제3자의 행위를 사실상 지배하거나 제3자에게 영향을 미칠 수 있는 지위에 있는 것으로 믿게 하는 명시적·묵시적 언동을 하였거나 제3자의 행위가 고지자의 의사에 의하여 좌우될 수 있는 것으로 상대방이 인식한 경우에는 고지자가 직접 해악을 가하겠다고 고지한 것과 마찬가지의 행위로 평가할 수 있다(대법원 2007.6.1. 2006도1125).

25 ②

유형 틀린 지문 고르기

형법각론 > 개인적 법익에 대한 죄 > 자유에 대한 죄 > 강간과 추행의 죄 난이도 하

② (X) 피고인이 피해자가 심신상실 또는 항거불능의 상태에 있다고 인식하고 그러한 상태를 이용하여 간음할 의사로 피해자를 간음하였으나 피해자가 실제로는 심신상실 또는 항거불능의 상태에 있지 않은 경우, 준강간죄의 불능미수가 성립한다(대법원 2019.3.28. 2018도16002 전원합의체).

① (O) 대법원 2019.3.28. 2018도16002 전원합의체

③ (O) 대법원 2018.2.8. 2016도17733

④ (O) 대법원 2015.9.10. 2015도6980, 2015모2524(병합)

26 ③

유형 틀린 지문 고르기

형법각론 > 개인적 법익에 대한 죄 > 명예와 신용에 대한 죄 > 명예훼손죄 난이도 

③ (X) 명예훼손죄가 성립하기 위하여는 사실의 적시가 있어야 하는데, 여기에서 적시의 대상이 되는 사실이란 현실적으로 발생하고 증명할 수 있는 ㉠ 과거 또는 현재의 사실을 말하며, ㉡ 장래의 일을 적시하더라도 그것이 과거 또는 현재의 사실을 기초로 하거나 이에 대한 주장을 포함하는 경우에는 명예훼손죄가 성립한다고 할 것이고, 장래의 일을 적시하는 것이 과거 또는 현재의 사실을 기초로 하거나 이에 대한 주장을 포함하는지 여부는 그 적시된 표현 자체는 물론 전체적인 취지나 내용, 적시에 이르게 된 경위 및 전후 상황, 기타 제반 사정을 종합적으로 참작하여 판단하여야 한다(대법원 2003.5.13. 2002도7420).

① (O) 허위사실 적시로 인한 출판물에 의한 명예훼손과 관련하여, 타인의 발언을 비판할 의도로 출판물에 그 타인의 발언을 그대로 소개한 후 그 중 일부분을 부각, 적시하면서 이에 대한 다소 과장되거나 편파적인 내용의 비판을 덧붙인 경우라 해도 위 소개된 타인의 발언과의 전체적, 객관적 해석에도 불구하고 위 비판적 내용의 사실적시가 허위라고 읽혀지지 않는 한 위 일부 사실적시 부분만을 따로 떼어 허위사실이라고 단정하여서는 안 된다(대법원 2007.1.26. 2004도1632).

② (O) 형법 제309조 소정의 '사람을 비방할 목적'이란 가해의 의사 내지 목적을 요하는 것으로서 공공의 이익을 위한 것과는 행위자의 주관적 의도의 방향에 있어 서로 상반되는 관계에 있다고 할 것이므로, 적시한 사실이 공공의 이익에 관한 것인 때에는 특별한 사정이 없는 한 비방의 목적은 부인된다(대법원 2000.2.25. 98도2188).

④ (O) 명예훼손죄는 어떤 특정한 사람 또는 인격을 보유하는 단체에 대하여 그 명예를 훼손함으로써 성립하는 것이므로 그 피해자는 특정한 것임을 요하고, 다만 서울시민 또는 경기도민이라 함과 같은 막연한 표시에 의해서는 명예훼손죄를 구성하지 아니한다 할 것이지만, 집합적 명사를 쓴 경우에도 그것에 의하여 그 범위에 속하는 특정인을 가리키는 것이 명백하면, 이를 각자의 명예를 훼손하는 행위라고 볼 수 있다(대법원 2000.10.10. 99도5407).

→ 3·9 동지회 소속 교사들 모두에 대한 명예훼손을 인정한 판례이다.

27 ③

유형 사례 풀기

형법각론 > 개인적 법익에 대한 죄 > 명예와 신용에 대한 죄 > 업무방해죄 난이도 중

③ (O) **위력에 의한 업무방해(조, 중, 동 광고 중단 압박 사건)**

[1] 광고주들에 대한 업무방해 인정: 피고인들이 공모하여 광고주들에게 지속적·집단적으로 항의전화를 하거나 항의글을 게시하고 그 밖의 다양한 방법으로 광고중단을 압박한 행위는 피해자인 광고주들의 자유의사를 제압할 만한 세력으로서 위력에 해당한다고 판단하였는데, 이러한 원심의 판단은 앞서 본 법리에 비추어 정당하다.

[2] 신문사들에 대한 업무방해 부정: 업무방해죄의 위력은 원칙적으로 피해자에게 행사되어야 하고 제3자를 향한 위력의 행사는 이를 피해자에 대한 직접적인 위력의 행사와 동일시할 수 있는 예외적 사정이 인정되는 경우에만 업무방해죄의 구성요건인 위력의 행사로 볼 수 있음에도, 원심은 위와 달리 단순히 제3자에 대한 위력의 행사와 피해자의 업무에 대한 방해의 결과나 위험 사이에 인과관계가 인정되기만 하면 곧바로 피해자에 대한 위력의 행사가 있는 것으로 볼 수 있다는 전제에서 유죄로 인정하였으니, 이러한 원심의 판단에는 업무방해죄의 구성요건인 위력의 대상 등에 관한 법리를 오해하여 필요한 심리를 다하지 아니함으로써 판결에 영향을 미친 잘못이 있고, 이를 지적하는 피고인들의 상고이유 주장에는 정당한 이유가 있다(대법원 2013.3.14. 2010도410).

→ 인터넷카페의 운영진인 피고인들이 카페 회원들과 공모하여, 특정 신문들에 광고를 게재하는 광고주들에게 불매운동의 일환으로 지속적·집단적으로 항의전화를 하거나 광고주들의 홈페이지에 항의글을 게시하는 등의 방법으로 광고중단을 압박한 경우 ㉠ 광고주들의 자유의사를 제압할 만한 세력으로서 위력에 해당하나, ㉡ 신문사들에 대한 직접적인 위력의 행사가 있었다고 보아 유죄를 인정한 원심판결에 업무방해죄의 구성요건인 위력의 대상 등에 관한 법리를 오해하여 심리를 다하지 아니한 잘못이 있다고 한 판결이다.

→ ㉠ 광고주에 대한 업무방해는 인정, ㉡ 언론사에 대한 업무방해는 부정

28 ③

유형 개수 찾기

형법각론 > 개인적 법익에 대한 죄 > 자유에 대한 죄 > 강간과 추행의 죄 난이도 중

㉢ (X) 피고인이 아파트 엘리베이터 내에 13세 미만인 甲(여, 11세)과 단둘이 탄 다음 甲을 향하여 성기를 꺼내어 잡고 여러 방향으로 움직이다가 이를 보고 놀란 甲 쪽으로 가까이 다가감으로써 위력으로 甲을 추행하였다고 하여 성폭력범죄의 처벌 등에 관한 특례법 위반으로 기소된 사안에서, 피고인은 나이 어린 甲을 범행 대상으로 삼아, 의도적으로 협소하고 폐쇄적인 엘리베이터 내 공간을 이용하여 甲이 도움을 청할 수 없고 즉시 도피할 수도 없는 상황을 만들어 범행을 한 점 등 제반 사정에 비추어 볼 때, 비록 피고인이 甲의 신체에 직접적인 접촉을 하지 아니하였고 엘리베이터가 멈춘 후 甲이 위 상황에서 바로 벗어날 수 있었다고 하더라도, 피고인의 행위는 甲의 성적 자유의사를 제압하기에 충분한 세력에 의하여 추행행위에 나아간 것으로서 위력에 의한 추행에 해당한다고 보아야 하는데도, 이와 달리 본 원심판결에 위력에 의한 추행에 관한 법리오해의 위법이 있다(대법원 2013.1.16. 2011도7164).

㉣ (X) 피고인이 피해자 甲(여, 48세)에게 욕설을 하면서 자신의 바지를 벗어 성기를 보여주는 방법으로 강제추행하였다는 내용으로 기소된 사안에서, 甲의 성별·연령, 행위에 이르게 된 경위, 甲에 대하여 어떠한 신체 접촉도 없었던 점, 행위 장소가 사람 및 차량의 왕래가 빈번한 도로로서 공중에게 공개된 곳인 점, 피고인이 한 욕설은 성적인 성질을 가지지 아니하는 것으로서 '추행'과 관련이 없는 점, 甲이 자신의 성적 결정의 자유를 침해당하였다고 볼 만한 사정이 없는 점 등 제반 사정을 고려할 때, 단순히 피고인이 바지를 벗어 자신의 성기를 보여준 것만으로는 폭

행 또는 협박으로 '추행'을 하였다고 볼 수 없는데도, 이와 달리 보아 유죄를 인정한 원심판결에 강제추행죄의 추행에 관한 법리오해의 위법이 있다고 한 사례(대법원 2012.7.26. 2011도8805)

㉠ (O) 대법원 2010.2.25. 2009도13716

㉡ (O) 대법원 2009.9.10. 2009도4335

㉤ (O) '추행'이란 일반인에게 성적 수치심이나 혐오감을 일으키고 선량한 성적 도덕관념에 반하는 행위인 것만으로는 부족하고 그 행위의 상대방인 피해자의 성적 자기결정의 자유를 침해하는 것이어야 한다(대법원 2012.7.26. 2011도8805).

29 ②

유형 조합하기

형사소송법 > 형사소송법의 기초 > 형사소송법의 의의 > 형사절차 난이도 하

㉠ (O) 헌법 제12조 제2항

㉡ (O) 헌법 제13조 제1항

㉥ (O) 헌법 제27조 제4항

㉢ (X) 형사소송법 제201조의2 제1항

㉣ (X) 형사소송법 제286조의2

㉤ (X) 형사소송법 제308조의2

30 ②

유형 개수 찾기

형사소송법 > 형사소송법의 기초 > 형사소송법의 이념 > 형사소송법의 이념 난이도 하

㉠ (O) 형사소송법은 실체진실주의, 적정절차, 신속한 재판의 원칙을 형사소송절차가 추구하는 기본이념으로 삼는다.

㉡ (O) 실체진실주의는 적극적 실체진실주의와 소극적 실체진실주의로 구별할 수 있는데, 적극적 실체진실주의란 범죄사실을 명백히 하여 죄 있는 자를 빠짐없이 벌해야 한다는 이론으로서, 열 사람의 범죄인이 있으면 열 사람 모두 유죄로 하지 않으면 안 된다는 점을 강조한다. 이에 대해 소극적 실체진실주의는 죄 없는 자를 유죄로 인정하여서는 안 된다는 원리로서 열 사람의 범인을 놓치는 한이 있더라도 한 사람의 죄 없는 사람을 벌하여서는 안 된다는 무죄추정의 원리를 강조한다.

㉢ (X) 헌법 제12조 제3항 본문은 동조 제1항과 함께 적법절차원리의 일반조항에 해당하는 것으로서, 형사절차상의 영역에 한정되지 않고 입법, 행정 등 국가의 모든 공권력의 작용에는 절차상의 적법성뿐만 아니라 법률의 구체적 내용도 합리성과 정당성을 갖춘 실체적인 적법성이 있어야 하는 적법절차의 원칙을 헌법의 기본원리로 명시하고 있는 것이다(헌법재판소 1992.12.24. 92헌가8 결정).

㉣ (X) 자백보강법칙은 실체적 진실주의의 제도적 표현이지만, 기소편의주의는 공소제기 절차에서 신속한 재판을 위한 제도로 볼 수 있다.

31 ①

유형 개수 찾기

형사소송법 > 수사 > 수사의 의의와 수사기관 > 전문수사자문위원 난이도 중

㉡ (X) 전문수사자문위원은 전문적인 지식에 의한 설명 또는 의견을 기재한 서면을 제출하거나 전문적인 지식에 의하여 설명이나 의견을 진술할 수 있다(형사소송법 제245조의2 제2항). 검사는 제2항에 따라 전문수사자문위원이 제출한 서면이나 전문수사자문위원의 설명 또는 의견의 진술에 관하여 피의자 또는 변호인에게 구술 또는 서면에 의한 의견진술의 기회를 주어야 한다(형사소송법 제245조의2 제3항).

㉠ (O) 형사소송법 제245조의2 제1항

㉢ (O) 형사소송법 제245조의3 제2항

㉣ (O) 형사소송법 제245조의3 제3항

32 ①

유형 개수 찾기

형사소송법 > 수사 > 수사의 단서 > 불심검문 난이도 중

㉠ (X) 임의동행은 상대방의 동의 또는 승낙을 그 요건으로 하는 것이므로 경찰관으로부터 임의동행요구를 받은 경우 상대방은 이를 거절할 수 있을 뿐만 아니라 임의동행 후 언제든지 경찰관서에서 퇴거할 자유가 있다 할 것이고, 경찰관직무집행법 제3조 제6항이 임의동행한 경우 당해인을 6시간을 초과하여 경찰관서에 머물게 할 수 없다고 규정하고 있다고 하여 그 규정이 임의동행한 자를 6시간 동안 경찰관서에 구금하는 것을 허용하는 것은 아니다(대법원 1997.8.22. 97도1240).

㉡ (O) 경찰관직무집행법(이하 '법'이라 한다)의 목적, 법 제1조 제1항, 제2항, 제3조 제1항, 제2항, 제3항, 제7항의 규정 내용 및 체계 등을 종합하면, 경찰관은 법 제3조 제1항에 규정된 대상자에게 질문을 하기 위하여 범행의 경중, 범행과의 관련성, 상황의 긴박성, 혐의의 정도, 질문의 필요성 등에 비추어 목적 달성에 필요한 최소한의 범위 내에서 사회통념상 용인될 수 있는 상당한 방법으로 대상자를 정지시킬 수 있고 질문에 수반하여 흉기의 소지 여부도 조사할 수 있다(대법원 2012.9.13. 2010도6203).

→ 검문 중이던 경찰관들이, 자전거를 이용한 날치기 사건 범인과 흡사한 인상착의의 피고인이 자전거를 타고 다가오는 것을 발견하고 정지를 요구하였으나 멈추지 않아, 앞을 가로막고 검문에 협조해 달라고 하였음에도 불응하고 그대로 전진하자, 따라가서 재차 앞을 막고 검문에 응하라고 요구하였는데, 이에 피고인이 경찰관들의 멱살을 잡아 밀치는 등 항의하여 공무집행방해 등으로 기소된 사안에서, 경찰관들의 행위는 적법한 불심검문에 해당한다고 보아야 하는데도, 이와 달리 보아 피고인에게 무죄를 선고한 원심판결에 법리오해의 위법이 있다고 한 사례

㉢ (O) 교통검문은 보안경찰작용으로서, 주취운전을 하였다고 인정할 만한 상당한 이유가 있는 자에 대해서는 교통검문을 실시할 수 없다. 이미 범죄혐의가 인정되는 자에 대해서는 수사를 개시하여야 하기 때문이다(형사소송법 제196조, 제19조 제1항). 판례도 같은 취지이다(대법원 2006.11.9. 2004도8404).

㉣ (O) 대법원 2014.2.27. 2011도13999

33 ④

유형 틀린 지문 고르기

형사소송법 > 수사 > 임의수사 > 피의자신문 난이도 하

④ (X) 피의자의 진술을 영상녹화하는 경우 피의자에게 미리 알려주면 족하고 피의자나 변호인의 동의를 받을 필요는 없다(형사소송법 제244조의2 제1항). 하지만 피의자가 아닌 자의 경우에는 동의를 받아 영상녹화할 수 있다(형사소송법 제221조 제1항).

① (O) 형사소송법 제197조의3 제8항

② (O) 대법원 2009.6.23. 2009도1322

③ (O) 대법원 1992.6.23. 92도682

34 ③

유형 틀린 지문 고르기

형사소송법 > 수사 > 강제수사 > 체포 난이도 

③ (X) 범인의 주거가 분명하지 않거나, 정당한 이유 없이 출석을 불응한 경우에 한하여 체포할 수 있다(형사소송법 제200조의2 제1항 단서).

① (O) 형사소송법 제200조의2 제1항

② (O) 형사소송법 제200조의2 제4항

④ (O) 형사소송법 제200조의2 제5항

35 ④
유형 틀린 지문 고르기

형사소송법 > 수사 > 압수 · 수색 · 검증 등 > 압수 · 수색영장 난이도 하

④ (X) 전자정보에 대한 압수·수색영장의 집행에 있어서는 원칙적으로 영장 발부의 사유로 된 혐의사실과 관련된 부분만을 문서 출력물로 수집하거나 수사기관이 휴대한 저장매체에 해당 파일을 복사하는 방식으로 이루어져야 하고, 집행현장의 사정상 위와 같은 방식에 의한 집행이 불가능하거나 현저히 곤란한 부득이한 사정이 있더라도 그 같은 경우에 그 저장매체 자체를 직접 또는 하드카피나 이미징 등 형태로 수사기관 사무실 등 외부로 반출하여 해당 파일을 압수·수색할 수 있도록 영장에 기재되어 있고 실제 그와 같은 사정이 발생한 때에 한하여 예외적으로 허용될 수 있을 뿐이다(대법원 2012.3.29. 2011도10508).
① (O) 대법원 2009.3.12. 2008도763
② (O) 대법원 2017.9.21. 2015도12400
③ (O) 형사소송법 제219조, 제129조

36 ④
유형 틀린 지문 고르기

형사소송법 > 수사 > 수사의 종결 > 수사의 종결 난이도 하

④ (X) 검사가 기소유예처분을 한 것을 다시 공소제기하여도 기소의 효력에는 영향이 없고 법원이 유죄판결을 하였다 하여도 일사부재리의 원칙에 반하지 않는다(대법원 1966.11.29. 66도1416).
① (O) 형사소송법 제245조의6
② (O) 형사소송법 제245조의7 제1항
③ (O) 형사소송법 제245조의8 제1항

37 ④
유형 틀린 지문 고르기

형사소송법 > 수사 > 공소제기 > 공소제기 후 수사 난이도 중

④ (X) 공판준비 또는 공판기일에서 이미 증언을 마친 증인을 검사가 소환한 후 피고인에게 유리한 그 증언 내용을 추궁하여 이를 일방적으로 번복시키는 방식으로 작성한 진술조서를 유죄의 증거로 삼는 것은 당사자주의·공판중심주의·직접주의를 지향하는 현행 형사소송법의 소송구조에 어긋나는 것일 뿐만 아니라, 헌법 제27조가 보장하는 기본권, 즉 법관의 면전에서 모든 증거자료가 조사·진술되고 이에 대하여 피고인이 공격·방어할 수 있는 기회가 실질적으로 부여되는 재판을 받을 권리를 침해하는 것이므로, 이러한 진술조서는 피고인이 증거로 할 수 있음에 동의하지 아니하는 한 그 증거능력이 없다고 하여야 할 것이고, 그 후 원진술자인 종전 증인이 다시 법정에 출석하여 증언을 하면서 그 진술조서의 성립의 진정함을 인정하고 피고인측에 반대신문의 기회가 부여되었다고 하더라도 그 증언 자체를 유죄의 증거로 할 수 있음은 별론으로 하고 위와 같은 진술조서의 증거능력이 없다는 결론은 달리할 것이 아니다(대법원 2000.6.15. 99도1108 전원합의체).
① (O) 헌법재판소 1997.3.27. 96헌바28·31·32 전원재판부
② (O) 대법원 2019.11.28. 2013도6825
③ (O) 대법원 2009.8.20. 2008도8213

38 ②
유형 조합하기

형사소송법 > 증거 > 증거법의 기본이론 > 자유로운 증명 난이도 중

ⓛ (O) 대법원 2012.7.26. 2012도2937 → 자유로운 증명
ⓔ (O) 대법원 2015.4.23. 2015도1233 → 자유로운 증명
ⓐ (X) 대법원 2013.12.26. 2013도7360 → 엄격한 증명
ⓒ (X) 대법원 2011.8.25. 2011도6507 → 엄격한 증명
ⓜ (X) 대법원 2013.11.14. 2013도8121 → 엄격한 증명
ⓑ (X) (엄격한 증명) 대법원 2005.6.24. 2004도7212

39 ①
유형 조합하기

형사소송법 > 증거 > 증거능력 > 자백배제법칙 난이도 중

ⓐ (X) 피고인이 진술의 임의성을 다투는 경우 법원은 적당하다고 인정하는 방법에 의하여 조사한 결과 그 임의성에 관하여 심증을 얻게 되면 이를 증거로 할 수 있는 것이고 반드시 검사로 하여금 그 임의성에 관한 입증을 하게 하여야 하는 것은 아니다(대법원 1999.9.3. 99도2317).
ⓒ (X) 피고인이 처음 검찰조사시에 범행을 부인하다가 뒤에 자백을 하는 과정에서 금 200만원을 뇌물로 받은 것으로 하면 특정범죄 가중처벌 등에 관한 법률 위반으로 중형을 받게 되니 금 200만원 중 금 30만원을 술값을 갚은 것으로 조서를 허위작성한 것이라면 이는 단순 수뢰죄의 가벼운 형으로 처벌되도록 하겠다고 약속하고 자백을 유도한 것으로 위와 같은 상황하에서 한 자백은 그 임의성에 의심이 가고 따라서 진실성이 없다는 취지에서 이를 배척하였다 하여 자유심증주의의 한계를 벗어난 위법이 있다고는 할 수 없다(대법원 1984.5.9. 83도2782).
ⓛ (O) 형사소송법 제309조
ⓔ (O) 대법원 2006.11.23. 2004도7900
ⓜ (O) 대법원 1984.11.27. 84도2252

40 ①
유형 틀린 지문 고르기

형사소송법 > 증거 > 증명력 > 탄핵증거 난이도 중

① (X) 피고인이 내용을 부인하여 증거능력이 없는 사법경찰리 작성의 피의자신문조서에 대하여 비록 당초 증거제출 당시 탄핵증거라는 입증취지를 명시하지 아니하였지만 피고인의 법정 진술에 대한 탄핵증거로서의 증거조사절차가 대부분 이루어졌다고 볼 수 있는 점 등의 사정에 비추어 위 피의자신문조서를 피고인의 법정 진술에 대한 탄핵증거로 사용할 수 있다(대법원 2005.8.19. 2005도2617).
② (O) 대법원 1989.10.10. 87도966
③ (O) 대법원 1994.11.11. 94도1159
④ (O) 대법원 2005.8.19. 2005도2617

제2회 | 정답과 해설

난이도	상 중 하
맞힌 문항 수 & 예상 합격선	/ 40개(35개 이상)
제1회 모의고사 문제	p. 48

01	④	02	②	03	①	04	③	05	④
06	④	07	④	08	④	09	①	10	③
11	③	12	④	13	④	14	③	15	②
16	④	17	③	18	③	19	③	20	③
21	②	22	④	23	①	24	①	25	②
26	④	27	④	28	②	29	④	30	④
31	①	32	④	33	②	34	④	35	④
36	④	37	②	38	④	39	①	40	②

01 ④

유형 조합하기

형법총론 > 서론 > 형법의 기본원리 > 소급금지원칙의 적용 난이도 중

나. (○) [1] 법원조직법 제81조의2 이하의 규정에 의하여 마련된 대법원 양형위원회의 양형기준은 법관이 합리적인 양형을 정하는 데 참고할 수 있는 구체적이고 객관적인 기준으로 마련된 것이다(같은 법 제81조의6 제1항 참조). 위 양형기준은 법적 구속력을 가지지 아니하고 단지 위와 같은 취지로 마련되어 그 내용의 타당성에 의하여 일반적인 설득력을 가지는 것으로 예정되어 있으므로 법관의 양형에 있어서 그 존중이 요구되는 것일 뿐이다.

[2] 대법원 양형위원회가 설정한 '양형기준'이 발효하기 전에 공소가 제기된 범죄에 대하여 위 '양형기준'을 참고하여 형을 양정한 경우, 피고인에게 불리한 법률을 소급하여 적용한 위법이 있다고 할 수 없다(대법원 2009.12.10. 2009도11448).

라. (○) 형벌불소급의 원칙은 '행위의 가벌성', 즉 형사소추가 '언제부터 어떠한 조건하에서' 가능한가의 문제에 관한 것이고, '얼마 동안' 가능한가의 문제에 관한 것은 아니므로, 과거에 이미 행한 범죄에 대하여 공소시효를 정지시키는 법률이라 하더라도 그 사유만으로 헌법 제12조 제1항 및 제13조 제1항에 규정한 죄형법정주의의 파생원칙인 형벌불소급의 원칙에 언제나 위배되는 것으로 단정할 수는 없다(헌법재판소 1996.2.16. 96헌가2 전원재판부).

→ 5·18민주화운동등에관한특별법 제2조 합헌 사건

마. (○) 형사처벌의 근거가 되는 것은 법률이지 판례가 아니고, 형법 조항에 관한 판례의 변경은 그 법률조항의 내용을 확인하는 것에 지나지 아니하여 이로써 그 법률조항 자체가 변경된 것이라고 볼 수는 없으므로, 행위 당시의 판례에 의하면 처벌대상이 되지 아니하는 것으로 해석되었던 행위를 판례의 변경에 따라 확인된 내용의 형법 조항에 근거하여 처벌한다고 하여 그것이 헌법상 평등의 원칙과 형벌불소급의 원칙에 반한다고 할 수는 없다(대법원 1999.9.17. 97도3349).

→ 변호인은 변조 및 행사된 수입면장이 원본이 아닌 사본에 의한 것이고 당시까지의 대법원 판례는 사본에 의한 것일 경우 처벌하지 않는다는 견해를 취하고 있었으므로 형벌불소급의 원칙에 따라 처벌할 수 없다는 취지의 주장을 하나 이는 받아들일 수 없다는 판례이다.

가. (X) [1] 가정폭력범죄의 처벌 등에 관한 특례법이 정한 보호처분 중의 하나인 사회봉사명령은 가정폭력범죄를 범한 자에 대하여 환경의 조정과 성행의 교정을 목적으로 하는 것으로서 형벌 그 자체가 아니라 보안처분의 성격을 가지는 것이 사실이다. 그러나 한편으로 이는 가정폭력범죄행위에 대하여 형사처벌 대신 부과되는 것으로서, 가정폭력범죄를 범한 자에게 의무적 노동을 부과하고 여가시간을 박탈하여 실질적으로는 신체적 자유를 제한하게 되므로, 이에 대하여는 원칙적으로 형벌불소급의 원칙에 따라 행위시법을 적용함이 상당하다.

[2] 가정폭력범죄의 처벌 등에 관한 특례법상 사회봉사명령을 부과하면서, 행위시법상 사회봉사명령 부과시간의 상한인 100시간을 초과하여 상한을 200시간으로 올린 신법을 적용한 것은 위법하다(대법원 2008.07.24. 2008어4 결정).

다. (X) 형법 제344조, 제328조 제1항 소정의 친족 간의 범행에 관한 규정이 적용되기 위한 친족관계는 원칙적으로 범행 당시에 존재하여야 하는 것이지만, 부가 혼인 외의 출생자를 인지하는 경우에 있어서는 민법 제860조에 의하여 그 자의 출생시에 소급하여 인지의 효력이 생기는 것이며, 이와 같은 인지의 소급효는 친족상도례에 관한 규정의 적용에도 미친다고 보아야 할 것이므로, 인지가 범행 후에 이루어진 경우라고 하더라도 그 소급효에 따라 형성되는 친족관계를 기초로 하여 친족상도례의 규정이 적용된다(대법원 1997.1.24. 96도1731).

02 ②

유형 틀린 지문 고르기

형법총론 > 서론 > 형법의 기본원리 > 죄형법정주의 난이도 하

② (X) 형사처벌의 근거가 되는 것은 법률이지 판례가 아니고, 형법 조항에 관한 판례의 변경은 그 법률조항의 내용을 확인하는 것에 지나지 아니하여 이로써 그 법률조항 자체가 변경된 것이라고 볼 수는 없으므로, 행위 당시의 판례에 의하면 처벌대상이 되지 아니하는 것으로 해석되었던 행위를 판례의 변경에 따라 확인된 내용의 형법 조항에 근거하여 처벌한다고 하여 그것이 헌법상 평등의 원칙과 형벌불소급의 원칙에 반한다고 할 수는 없다(대법원 1999.9.17. 97도3349).

① (○) 대법원 2010.9.30. 2008도4762

③ (○) 헌법재판소 2005.2.3. 2003헌바1 전원재판부

④ (○) 헌법재판소 2011.6.30. 2009헌바199 전원재판부

03 ①

유형 개수 찾기

형법총론 > 범죄론 > 책임론 > 강요된 행위 난이도 중

㉠ (○) 대법원 2007.6.29. 2007도3306

㉢ (○) 대법원 1990.3.27. 89도1670

㉡ (X) 저항할 수 없는 폭력이나 자기 또는 친족의 생명, 신체에 대한 위해를 방어할 방법이 없는 협박에 의하여 강요된 행위는 벌하지 아니한다(형법 제12조)

→ 형법 제12조(강요된 행위)에서는 '생명, 신체'에 대한 협박으로 한정하고 있다.

㉣ (X) 어로저지선을 넘어 어로의 작업을 하면 북괴구성원에게 납치될 염려가 있으며 만약 납치된다면 대한민국의 각종 정보를 북괴에게 제공하게 된다 함은 일반적으로 예견된다 하리니 피고인이 그전에 선원으로 월선조업을 하다가 납북되었다가 돌아온 경험이 있는 자로서 월선하자고 상의하여 월선조업을 하다가 납치되어 북괴의 물음에 답하여 제공한 사실을 강요된 행위라 할 수 없다(대법원 1971.2.23. 70도2629).

04 ③

유형 조합하기

형법총론 > 형벌론 > 형벌론 > 몰수 · 추징 난이도 상

ㄱ. (X) 피해자로 하여금 사기도박에 참여하도록 유인하기 위하여 고액의 수표를 제시해 보인 경우, 형법 제48조 소정의 몰수가 임의적 몰수에 불과하여 법관의 자유재량에 맡겨져 있고, 위 수표가 직접적으로 도박자금으로 사용되지 아니하였다 할지라도, 위 수표가 피해자로 하여금 사기도박에 참여하도록 만들기 위한 수단으로 사용된 이상, 이를 몰수할 수 있고, 그렇다고 하여 피고인에게 극히 가혹한 결과가 된다고 볼 수는 없다(대법원 2002.9.24. 2002도3589).

→ 이 사건 수표는 형법 제48조 제1항 제1호 소정의 '범행(상습사기)에 제공된 물건'으로 몰수할 수 있다.

ㄹ. (X) [1] 범죄행위에 제공하려고 한 물건은 범인 이외의 자의 소유에 속하지 아니하거나 범죄 후 범인 이외의 자가 정을 알면서 취득한 경우 이를 몰수할 수 있고, 한편 법원이나 수사기관은 필요한 때에는 증거물 또는 몰수할 것으로 사료하는 물건을 압수할 수 있으나, 몰수는 반드시 압수되어 있는 물건에 대하여서만 하는 것이 아니므로, ⓐ 몰수대상물건이 압수되어 있는가 하는 점 및 ⓑ 적법한 절차에 의하여 압수되었는가 하는 점은 몰수의 요건이 아니다.

[2] 이미 그 집행을 종료함으로써 효력을 상실한 압수·수색영장에 기하여 다시 압수·수색을 실시하면서 몰수대상물건을 압수한 경우, 압수자체가 위법하게 됨은 별론으로 하더라도 그것이 위 물건의 몰수의 효력에는 영향을 미칠 수 없다(대법원 2003.5.30. 2003도705).

ㅁ. (X) [1] 공무원이 그 권한에 의하여 작성한 문서는 그 내용의 일부에 허위기재된 부분이 있다 하더라도 그 문서자체는 공무소의 소유에 속하는 것이라고 해석함이 상당할 것이다.

[2] 군 피.엑스(P.X)에서 공무원인 군인이 그 권한에 의하여 작성한 월간 판매실적보고서의 내용에 일부 허위기재된 부분이 있더라도 이는 소관육군부대의 소유에 속한다 할 것인즉 원심이 이 사건 월간 판매실적보고서를 범인 이외의 자의 소유에 속하지 아니한 것으로 보아 몰수하였음은 형법 제48조 제1항 제1호를 잘못 적용한 것이라 할 것이다(대법원 1983.6.14. 83도808).

ㄴ. (O) 대법원 2005.4.29. 2002도7262

→ 특정경제범죄 가중처벌 등에 관한 법률 제10조 제1항, 제3항에 의한 몰수·추징(재산국외도피 사범에 대한 몰수·추징)은 이득의 박탈을 목적으로 한 형법상의 몰수·추징과 달리 징벌적 성격의 처분이다.

ㄷ. (O) 압수된 현금 1,700원(증 제2, 3호)은 장물의 일부를 처분하여 그 대가로 취득하였다가 압수된 것임이 분명하여 이는 몰수할 것이 아니라 형사소송법 제333조 제2항의 규정에 의하여 피해자에게 교부하여야 할 것이다(대법원 1969.1.21. 68도1672).

05 ④

유형 개수 찾기

형법총론 > 범죄론 > 미수론 > 예비 · 음모 난이도 중

㉠ (O) 형법 제255조 참조
㉡ (O) 형법 제90조 참조
㉥ (O) 형법 제197조 참조
㉦ (O) 형법 제101조 참조
㉢ (X) 형법 제213조 참조
㉣ (X) 형법 제191조 참조
㉤ (X) 형법 제150조 참조
㉧ (X) 기수만 처벌한다(형법 제296조 참조).

06 ④

유형 틀린 지문 고르기

형법총론 > 범죄론 > 미수론 > 불능미수 난이도 중

④ (X) 행위자가 범죄사실이 발생할 가능성을 용인하고 있었는지 여부는 행위자의 진술에 의존하지 않고 외부에 나타난 행위의 형태와 행위의 상황 등 구체적인 사정을 기초로 일반인이라면 해당 범죄사실이 발생할 가능성을 어떻게 평가할 것인지를 고려하면서 행위자의 입장에서 그 심리상태를 추인하여야 한다(대법원 2019.3.28. 2018도16002 전원합의체).

①, ②, ③ (O) 대법원 2019.3.28. 2018도16002 전원합의체

07 ④

유형 틀린 지문 고르기

형법총론 > 형벌론 > 형벌론 > 형벌의 종류 난이도 하

④ (X) 유기징역 또는 유기금고에 자격정지를 병과한 때에는 징역 또는 금고의 집행을 종료하거나 면제된 날로부터 정지기간을 기산한다(형법 제44조 제2항)

① (O) 헌법재판소 2010.2.25. 2008헌가23 전원재판부
② (O) 헌법재판소 2009.6.25. 2007헌바25 전원재판부
③ (O) 형법 제69조, 제70조

08 ④

유형 틀린 지문 고르기

형법총론 > 범죄론 > 죄수론 > 법조경합 난이도 중

④ (X) [1] 동일한 공무를 집행하는 여럿의 공무원에 대하여 폭행·협박 행위를 한 경우에는 공무를 집행하는 공무원의 수에 따라 여럿의 공무집행방해죄가 성립하고, 위와 같은 폭행·협박 행위가 동일한 장소에서 동일한 기회에 이루어진 것으로서 사회관념상 1개의 행위로 평가되는 경우에는 여럿의 공무집행방해죄는 상상적 경합의 관계에 있다.

[2] 범죄피해신고를 받고 출동한 두 명의 경찰관에게 욕설을 하면서 차례로 폭행을 하여 신고처리 및 수사업무에 관한 정당한 직무집행을 방해한 경우 동일한 장소에서 동일한 기회에 이루어진 폭행행위는 사회관념상 1개의 행위로 평가하는 것이 상당하다는 이유로, 위 공무집행방해죄는 형법 제40조에 정한 상상적 경합의 관계에 있다(대법원 2009.6.25. 2009도3505).

① (O) 폭행 또는 협박으로 부녀를 강간한 경우에는 강간죄만 성립하고, 그것과 별도로 강간의 수단으로 사용된 폭행·협박이 형법상의 폭행죄나 협박죄 또는 폭력행위 등 처벌에 관한 법률 위반의 죄를 구성한다고는 볼 수 없으며, 강간죄와 이들 각 죄는 이른바 법조경합의 관계일 뿐이다(대법원 2002.5.16. 2002도51 전원합의체).

② (O) 법조경합의 한 형태인 특별관계란 어느 구성요건이 다른 구성요건의 모든 요소를 포함하는 이외에 다른 요소를 구비하여야 성립하는 경우로서 특별관계에 있어서는 ㉠ 특별법의 구성요건을 충족하는 행위는 일반법의 구성요건을 충족하지만 반대로 ㉡ 일반법의 구성요건을 충족하는 행위는 특별법의 구성요건을 충족하지 못한다(대법원 2005.2.17. 2004도6940).

③ (O) 상상적 경합은 1개의 행위가 실질적으로 수개의 구성요건을 충족하는 경우를 말하고, 법조경합은 1개의 행위가 외관상 수개의 죄의 구성요건에 해당하는 것처럼 보이나 실질적으로 1죄만을 구성하는 경우를 말하며, 실질적으로 1죄인가 또는 수죄인가는 구성요건적 평가와 보호법익의 측면에서 고찰하여 판단하여야 한다(대법원 2003.4.8. 2002도6033).

09 ①

유형 개수 찾기

형법총론 > 범죄론 > 구성요건론 > 과실범 난이도 상

㉠ (X) 소아외과 의사가 5세의 급성 림프구성 백혈병 환자의 항암치료를 위하여 쇄골하 정맥에 중심정맥도관을 삽입하는 수술을 하는 과정에서 환자의 우측 쇄골하 부위를 주사바늘로 10여 차례 찔러 환자가 우측 쇄골하 혈관 및 흉막 관통상에 기인한 외상성 혈흉으로 인한 순환혈액량 감소성 쇼크로 사망한 경우, 담당 소아외과 의사에게 형법 제268조의 업무상 과실이 없다(대법원 2008.8.11. 2008도3090).

㉡ (X) 지하철 공사구간 현장안전업무 담당자인 피고인이 공사현장에 인접한 기존의 횡단보도 표시선 안쪽으로 돌출된 강철빔 주위에 라바콘 3개를 설치하고 신호수 1명을 배치하였는데, 피해자가 위 횡단보도를 건너면서 강철빔에 부딪혀 상해를 입은 사안에서, 제반 사정에 비추어 피고인이 안전조치를 취하여야 할 업무상 주의의무를 위반하였다고 보기 어려운데도, 이와 달리 보아 업무상과실치상죄를 인정한 원심판결에 법리오해 등의 잘못이 있다(대법원 2014.4.10. 2012도11361).

㉢ (X) 병원 인턴인 피고인에게 일반적으로 구급차 탑승 전 또는 이송 도중 구급차에 비치되어 있는 산소통의 산소잔량을 확인할 주의의무가 있다고 보기는 어렵다(대법원 2011.9.8. 2009도13959).

㉣ (X) 30대 중반의 산모가 제왕절개 수술 후 폐색전증으로 사망한 사안에서, 담당 산부인과 의사에게 형법 제268조의 업무상 과실이 없다고 본 사례(대법원 2006.10.26. 2004도486)

10 ③

유형 조합하기

형법총론 > 범죄론 > 범죄론의 기초 > 목적범 난이도 중

㉢ (X) **명예훼손죄**

> **형법 제307조(명예훼손)** ① 공연히 사실을 적시하여 사람의 명예를 훼손한 자는 2년 이하의 징역이나 금고 또는 500만원 이하의 벌금에 처한다.
> ② 공연히 허위의 사실을 적시하여 사람의 명예를 훼손한 자는 5년 이하의 징역, 10년 이하의 자격정지 또는 1천만원 이하의 벌금에 처한다.

㉥ (X) **허위진단서작성죄**

> **형법 제233조(허위진단서등의 작성)** 의사, 한의사, 치과의사 또는 조산사가 진단서, 검안서 또는 생사에 관한 증명서를 허위로 작성한 때에는 3년 이하의 징역이나 금고, 7년 이하의 자격정지 또는 3천만원 이하의 벌금에 처한다.

㉠, ㉡, ㉣, ㉤ (O) 무고죄(형법 제156조), 음행매개죄(형법 제242조), 강제집행면탈죄(형법 제327조), 도박장소 등 개설죄(형법 제247조)는 목적범에 해당한다.

11 ③

유형 옳은 지문 고르기

형법총론 > 범죄론 > 죄수론 > 법조경합 난이도 상

③ (O) 형법 제131조 제1항의 수뢰후부정처사죄에 있어서 공무원이 수뢰 후 행한 부정행위가 공도화변조 및 동행사죄와 같이 보호법익을 달리하는 별개 범죄의 구성요건을 충족하는 경우에는 수뢰후부정처사죄 외에 별도로 공도화변조 및 동행사죄가 성립하고 이들 죄와 수뢰후부정처사죄는 각각 상상적 경합 관계에 있다고 할 것인바, 이와 같이 공도화변조죄와 동행사죄가 수뢰후부정처사죄와 각각 상상적 경합범 관계에 있을 때에는 공도화변조죄와 동행사죄 상호간은 실체적 경합범 관계에 있다고 할지라도 상상적 경합범 관계에 있는 수뢰후부정처사죄와 대비하여 가장 중한 죄에 정한 형으로 처단하면 족한 것이고 따로이 경합범 가중을 할 필요가 없다(대법원 2001.2.9. 2000도1216).

① (X) 공동상속인 중 1인이 상속재산인 임야를 보관 중 다른 상속인들로부터 매도후 분배 또는 소유권이전등기를 요구받고도 그 반환을 거부한 경우 이때 이미 횡령죄가 성립하고, 그 후 그 임야에 관하여 다시 제3자 앞으로 근저당권설정등기를 경료해 준 행위는 불가벌적 사후행위로서 별도의 횡령죄를 구성하지 않는다(대법원 2010.2.25. 2010도93).

② (X) 대표이사가 회사의 상가분양 사업을 수행하면서 수분양자들을 기망하여 편취한 분양대금은 회사의 소유로 귀속되는 것이므로, 대표이사가 그 분양대금을 횡령하는 것은 사기 범행이 침해한 것과는 다른 법익을 침해하는 것이어서 회사를 피해자로 하는 별도의 횡령죄가 성립된다(대법원 2005.4.29. 2005도741).

④ (X) [1] 음주로 인한 특정범죄 가중처벌 등에 관한 법률 위반(위험운전치사상)죄는 그 입법 취지와 문언에 비추어 볼 때, 주취상태의 자동차 운전으로 인한 교통사고가 빈발하고 그로 인한 피해자의 생명·신체에 대한 피해가 중대할 뿐만 아니라, 사고발생 전 상태로의 회복이 불가능하거나 쉽지 않은 점 등의 사정을 고려하여, 형법 제268조에서 규정하고 있는 업무상과실치사상죄의 특례를 규정하여 가중처벌함으로써 피해자의 생명·신체의 안전이라는 개인적 법익을 보호하기 위한 것이다.

[2] 위험운전치사상죄가 성립하는 때에는 차의 운전자가 형법 제268조의 죄를 범한 것을 내용으로 하는 교통사고처리특례법 위반죄는 그 죄에 흡수되어 별죄를 구성하지 아니한다(대법원 2008.12.11. 2008도9182).

→ 위험운전치사상죄와 교통사고처리특례법 위반죄와의 관계(=흡수관계)

12 ④

유형 개수 찾기

형법총론 > 범죄론 > 미수론 > 미수범 난이도 하

㉡, ㉢, ㉣, ㉤, ㉥ (O) 형법 제146조(특수도주), 형법 제255조(공문서위조), 형법 제251조(영아살해), 형법 제283조(협박), 형법 제366조(재물손괴) 모두 미수범을 벌하는 규정을 두고 있다.

㉠ (X) 형법 제136조(공무집행방해)만 미수범을 벌하는 규정이 없다.

13 ④

유형 개수 찾기

형법각론 > 개인적 법익에 대한 죄 > 재산에 대한 죄 > 절도죄 난이도 중

㉠ (O) [1] 자동차나 중기(또는 건설기계)의 소유권의 득실변경은 등록을 함으로써 그 효력이 생기고 그와 같은 등록이 없는 한 대외적 관계에서는 물론 당사자의 대내적 관계에 있어서도 그 소유권을 취득할 수 없는 것이 원칙이지만, 당사자 사이에 그 소유권을 그 등록 명의자 아닌 자가 보유하기로 약정하였다는 등의 특별한 사정이 있는 경우에는 그 내부관계에 있어서는 그 등록 명의자 아닌 자가 소유권을 보유하게 된다.

[2] 자동차 명의신탁관계에서 제3자가 명의수탁자로부터 승용차를 가져가 매도할 것을 허락받고 인감증명 등을 교부받아 위 승용차를 명의신탁자 몰래 가져간 경우, 위 제3자와 명의수탁자의 공모·가공에 의한 절도죄의 공모공동정범이 성립한다고 한 사례.

[3] 부동산의 명의수탁자가 부동산을 제3자에게 매도하고 매매를 원인으로 한 소유권이전등기까지 마쳐 준 경우, 명의신탁의 법리상 대외적으로 수탁자에게 그 부동산의 처분권한이 있는 것임이 분명하고, 제3자로서도 자기 명의의 소유권이전등기가 마쳐진 이상 무슨 실질적인 재산상의 손해가 있을 리 없으므로 그 명의신탁 사실과 관련하여 신의칙상 고지의무가 있다거나 기망행위가 있었다고 볼 수도 없어서 그 제3자에 대한 사기죄가 성립될 여지가 없고, 나아가 그 처분 시 매도인(명의수탁자)의 소유라는 말을 하였다고 하더라도 역시 사

기죄가 성립하지 않으며, 이는 자동차의 명의수탁자가 처분한 경우에도 마찬가지이다(대법원 2007.1.11. 2006도4498).

㉡ (O) [1] 당사자 사이에 자동차의 소유권을 등록명의자 아닌 자가 보유하기로 약정한 경우, 약정 당사자 사이의 내부관계에서는 등록명의자 아닌 자가 소유권을 보유하게 된다고 하더라도 제3자에 대한 관계에서는 어디까지나 등록명의자가 자동차의 소유자라고 할 것이다.

[2] 피고인이 자신의 모(母) 甲 명의로 구입·등록하여 甲에게 명의신탁한 자동차를 乙에게 담보로 제공한 후 乙 몰래 가져가 절취하였다는 내용으로 기소된 사안에서, 乙에 대한 관계에서 자동차의 소유자는 甲이고 피고인은 소유자가 아니므로 乙이 점유하고 있는 자동차를 임의로 가져간 이상 절도죄가 성립한다고 본 원심판단을 정당하다고 한 사례(대법원 2012.4.26. 2010도11771)

㉢ (O) [1] 식품접객업 영업허가가 행정관청의 허가이고 그 영업 자체가 국민의 보건과 관계가 있으며, 나아가 부가가치세법에 의한 사업자등록이 납세의무와 관련되어 있다 하더라도, 당사자 사이에서 그 허가명의 및 등록명의를 대여하는 것이 허용되지 않는다고 볼 것은 아니다.

[2] 명의대여 약정에 따른 신청에 의하여 발급된 영업허가증과 사업자등록증은 피해자가 인도받음으로써 피해자의 소유가 되었다고 할 것이므로, 이를 명의대여자가 가지고 간 행위가 절도죄에 해당한다고 한 사례(대법원 2004.3.12. 2002도5090)

14 ③

유형 틀린 지문 고르기

형법각론 > 개인적 법익에 대한 죄 > 재산에 대한 죄 > 사기의 죄 난이도 상

③ (X) **서명사취 사건**

[1] 서명사취 사안에서 피기망자가 행위자의 기망행위로 인하여 착오에 빠진 결과 내심의 의사와 다른 효과를 발생시키는 내용의 처분문서에 서명 또는 날인함으로써 처분문서의 내용에 따른 재산상 손해가 초래되었다면 그와 같은 처분문서에 서명 또는 날인을 한 피기망자의 행위는 사기죄에서 말하는 처분행위에 해당한다. 아울러 비록 피기망자가 처분결과, 즉 문서의 구체적 내용과 그 법적 효과를 미처 인식하지 못하였다고 하더라도, 어떤 문서에 스스로 서명 또는 날인함으로써 그 처분문서에 서명 또는 날인하는 행위에 관한 인식이 있었던 이상 피기망자의 처분의사 역시 인정된다.

[2] 피고인 등이 토지의 소유자이자 매도인인 피해자 甲 등에게 토지거래허가 등에 필요한 서류라고 속여 근저당권설정계약서 등에 서명·날인하게 하고 인감증명서를 교부받은 다음, 이를 이용하여 甲 등의 소유 토지에 피고인을 채무자로 한 근저당권을 乙 등에게 설정하여 주고 돈을 차용하는 방법으로 재산상 이익을 취득한 경우, 甲 등의 행위는 사기죄에서 말하는 처분행위에 해당하고 甲 등의 처분의사가 인정된다(대법원 2017.2.16. 2016도13362 전원합의체).

① (O) 대법원 2017.5.31. 2017도3894

② (O) 대법원 2017.9.26. 2017도8449

④ (O) 대법원 2017.11.9. 2016도12460

15 ②

유형 옳고 그름의 표시(O, X)하기

형법각론 > 개인적 법익에 대한 죄 > 재산에 대한 죄 > 배임의 죄 난이도 상

㉠ (X) **동산의 이중매매**

[1] 매도인이 매수인으로부터 중도금을 수령한 이후에 매매목적물인 '동산'을 제3자에게 양도하는 행위가 배임죄에 해당하지 않는다.

[2] 피고인이 '인쇄기'를 甲에게 양도하기로 하고 계약금 및 중도금을 수령하였음에도 이를 자신의 채권자 乙에게 기존 채무 변제에 갈음하여 양도함으로써 재산상 이익을 취득하고 甲에게 동액 상당의 손해를 입혔다는 배임의 공소사실에 대하여, 이를 무죄로 선고한 원심판단을 수긍하였다(대법원 2011.1.20. 2008도10479 전원합의체).

→ 동산매매계약에서의 매도인은 매수인에 대하여 그의 사무를 처리하는 지위에 있지 아니하므로, 매도인이 목적물을 매수인에게 인도하지 아니하고 이를 타에 처분하였다 하더라도 형법상 배임죄가 성립하는 것은 아니라는 것이 대법관 다수의견이다.

㉡ (O) 대법원 2018.5.17. 2017도4027 전원합의체

㉢ (O) **배임죄의 기수시기**

[1] 주식회사의 대표이사가 대표권을 남용하는 등 그 임무에 위배하여 약속어음 발행을 한 행위는 어음발행이 무효라 하더라도 그 어음이 실제로 제3자에게 유통되었다면 회사로서는 어음채무를 부담할 위험이 구체적·현실적으로 발생하였다고 보아야 하고, 따라서 그 어음채무가 실제로 이행되기 전이라도 배임죄의 기수범이 된다.

[2] 대표권남용에 의한 약속어음이 유통되지도 않았다면 회사는 어음발행의 상대방에게 어음채무를 부담하지 않기 때문에 특별한 사정이 없는 한 회사에 현실적으로 손해가 발생하였다거나 실해 발생의 위험이 발생하였다고도 볼 수 없으므로, 이때에는 배임죄의 기수범이 아니라 배임미수죄로 처벌하여야 한다(대법원 2017.7.20. 2014도1104 전원합의체).

㉣ (O) 대법원 2017.10.12. 2017도6151

16 ④

유형 개수 찾기

형법각론 > 개인적 법익에 대한 죄 > 재산에 대한 죄 > 장물의 죄 난이도 중

㉡ (O) 장물이라 함은 재산범죄로 인하여 취득한 물건 그 자체를 말하고, 그 장물의 처분 대가는 장물성을 상실하는 것이지만, 금전은 고도의 대체성을 가지고 있어 다른 종류의 통화와 쉽게 교환할 수 있고, 그 금전 자체는 별다른 의미가 없고 금액에 의하여 표시되는 금전적 가치가 거래상 의미를 가지고 유통되고 있는 점에 비추어 볼 때, 장물인 현금을 금융기관에 예금의 형태로 보관하였다가 이를 반환받기 위하여 동일한 액수의 현금을 인출한 경우에 예금계약의 성질상 인출된 현금은 당초의 현금과 물리적인 동일성은 상실되었지만 액수에 의하여 표시되는 금전적 가치에는 아무런 변동이 없으므로 장물로서의 성질은 그대로 유지된다고 봄이 상당하고, 자기앞수표도 그 액면금을 즉시 지급받을 수 있는 등 현금에 대신하는 기능을 가지고 거래상 현금과 동일하게 취급되고 있는 점에서 금전의 경우와 동일하게 보아야 한다(대법원 2004.3.12. 2004도134).

㉢ (O) 장물인 정을 모르고 장물을 보관하였다가 그 후에 장물인 정을 알게 된 경우 그 정을 알고서도 이를 계속하여 보관하는 행위는 장물죄를 구성하는 것이나 이 경우에도 점유할 권한이 있는 때에는 이를 계속하여 보관하더라도 장물보관죄가 성립하지 않는다(대법원 1986.1.21. 85도2472).

㉣ (O) 절도범인으로부터 장물보관 의뢰를 받은 자가 그 정을 알면서 이를 인도받아 보관하고 있다가 임의처분하였다 하여도 장물보관죄가 성립되는 때에는 이미 그 소유자의 소유물추구권을 침해하였으므로 그 후의 횡령행위는 불가벌적 사후행위에 불과하여 별도로 횡령죄가 성립하지 않는다(대법원 1976.11.23. 76도3067).

㉤ (O) 본범자와 공동하여 장물을 운반한 경우에 본범자는 장물죄에 해당하지 않으나 그 외의 자의 행위는 장물운반죄를 구성하므로, 피고인이 본범이 절취한 차량이라는 정을 알면서도 본범 등으로부터 그들이 위 차량을 이용하여 강도를 하려 함에 있어 차량을 운전해 달라는 부탁을 받고 위 차량을 운전해 준 경우, 피고인은 강도예비와 아울러 장물운반의 고의를 가지고 위와 같은 행위를 하였다고 봄이 상당하다(대법원 1999.3.26. 98도3030).

→ 장물운반죄와 강도예비죄의 상상적 경합이다.

㉠ (X) [1] 형법 제41장의 장물에 관한 죄에 있어서의 '장물'이라 함은 재산범죄로 인하여 취득한 물건 그 자체를 말하므로, 재산범죄를 저지른 이후에 별도의 재산범죄의 구성요건에 해당하는 사후행위가 있었다면 비

록 그 행위가 불가벌적 사후행위로서 처벌의 대상이 되지 않는다 할지라도 그 사후행위로 인하여 취득한 물건은 재산범죄로 인하여 취득한 물건으로서 장물이 될 수 있다.

[2] 컴퓨터등사용사기죄의 범행으로 예금채권을 취득한 다음 자기의 현금카드를 사용하여 현금자동지급기에서 현금을 인출한 경우, 현금카드 사용권한 있는 자의 정당한 사용에 의한 것으로서 현금자동지급기 관리자의 의사에 반하거나 기망행위 및 그에 따른 처분행위도 없었으므로, 별도로 절도죄나 사기죄의 구성요건에 해당하지 않는다 할 것이고, 그 결과 그 인출된 현금은 재산범죄에 의하여 취득한 재물이 아니므로 장물이 될 수 없다.

[3] 장물인 현금 또는 수표를 금융기관에 예금의 형태로 보관하였다가 이를 반환받기 위하여 동일한 액수의 현금 또는 수표를 인출한 경우에 예금계약의 성질상 그 인출된 현금 또는 수표는 당초의 현금 또는 수표와 물리적인 동일성은 상실되었지만 액수에 의하여 표시되는 금전적 가치에는 아무런 변동이 없으므로, 장물로서의 성질은 그대로 유지된다.

[4] 甲이 권한 없이 인터넷뱅킹으로 타인의 예금계좌에서 자신의 예금계좌로 돈을 이체한 후 그중 일부를 인출하여 그 정을 아는 乙에게 교부한 경우, 甲이 컴퓨터 등 사용사기죄에 의하여 취득한 예금채권은 재물이 아니라 재산상 이익이므로, 그가 자신의 예금계좌에서 돈을 인출하였더라도 장물을 금융기관에 예치하였다가 인출한 것으로 볼 수 없다는 이유로 乙의 장물취득죄의 성립을 부정한 사례(대법원 2004.4.16. 2004도353)

17 ③

유형 틀린 지문 고르기

형법각론 > 개인적 법익에 대한 죄 > 재산에 대한 죄 > 사기의 죄 난이도 중

③ (X) 타인의 재물을 공유하는 자가 공유자의 승낙을 받지 않고 공유대지를 담보에 제공하고 가등기를 경료한 경우 횡령행위는 기수에 이르고 그 후 가등기를 말소했다고 하여 중지미수에 해당하는 것이 아니다(대법원 1978.11.28. 78도2175).

① (O) 불능범의 판단 기준으로서 위험성 판단은 피고인이 행위 당시에 인식한 사정을 놓고 이것이 객관적으로 일반인의 판단으로 보아 결과 발생의 가능성이 있느냐를 따져야 하고, 한편 민사소송법상 소송비용의 청구는 소송비용액 확정절차에 의하도록 규정하고 있으므로, 위 절차에 의하지 아니하고 손해배상금 청구의 소 등으로 소송비용의 지급을 구하는 것은 소의 이익이 없는 부적법한 소로서 허용될 수 없다고 할 것이다. 따라서 소송비용을 편취할 의사로 소송비용의 지급을 구하는 손해배상청구의 소를 제기하였다고 하더라도 이는 객관적으로 소송비용의 청구방법에 관한 법률적 지식을 가진 일반인의 판단으로 보아 결과 발생의 가능성이 없어 위험성이 인정되지 않는다고 할 것이다(대법원 2005.12.8. 2005도8105).

② (O) 임대인과 임대차계약을 체결한 임차인이 임차건물에 거주하기는 하였으나 그의 처만이 전입신고를 마친 후에 경매절차에서 배당을 받기 위하여 임대차계약서상의 임차인 명의를 처로 변경하여 경매법원에 배당요구를 한 경우, 실제의 임차인이 전세계약서상의 임차인 명의를 처의 명의로 변경하지 아니하였다 하더라도 소액임대차보증금에 대한 우선변제권 행사로서 배당금을 수령할 권리가 있다 할 것이어서, 경매법원이 실제의 임차인을 처로 오인하여 배당결정을 하였더라도 이로써 재물의 편취라는 결과의 발생은 불가능하다 할 것이고, 이러한 임차인의 행위를 객관적으로 결과발생의 가능성이 있는 행위라고 볼 수도 없으므로 형사소송법 제325조에 의하여 무죄를 선고하여야 한다(대법원 2002.2.8. 2001도6669).

④ (O) 대법원 1986.11.25. 86도2090, 86감도231

18 ③

유형 개수 찾기

형법각론 > 사회적 법익에 대한 죄 > 공공의 안전과 평온에 대한 죄 > 방화 난이도 중

㉠ (X) [1] 매개물을 통한 점화에 의하여 건조물을 소훼함을 내용으로 하는 형태의 방화죄의 경우에, 범인이 그 매개물에 불을 켜서 붙였거나 또는 범인의 행위로 인하여 매개물에 불이 붙게 됨으로써 연소작용이 계속될 수 있는 상태에 이르렀다면, 그것이 곧바로 진화되는 등의 사정으로 인하여 목적물인 건조물 자체에는 불이 옮겨 붙지 못하였다고 하더라도, 방화죄의 실행의 착수가 있었다고 보아야 할 것이고, 구체적인 사건에 있어서 이러한 실행의 착수가 있었는지 여부는 범행 당시 피고인의 의사 내지 인식, 범행의 방법과 태양, 범행 현장 및 주변의 상황, 매개물의 종류와 성질 등의 제반 사정을 종합적으로 고려하여 판단하여야 한다.

[2] 피고인이 방화의 의사로 뿌린 휘발유가 인화성이 강한 상태로 주택주변과 피해자의 몸에 적지 않게 살포되어 있는 사정을 알면서도 라이터를 켜 불꽃을 일으킴으로써 피해자의 몸에 불이 붙은 경우, 비록 외부적 사정에 의하여 불이 방화 목적물인 주택 자체에 옮겨 붙지는 아니하였다 하더라도 현존건조물방화죄의 실행의 착수가 있었다고 봄이 상당하다고 한 사례(대법원 2002.3.26. 2001도6641)

㉢ (X) 형법 제164조 후단이 규정하는 현주건조물방화치사상죄는 그 전단이 규정하는 죄에 대한 일종의 가중처벌 규정으로서 과실이 있는 경우뿐만 아니라, 고의가 있는 경우에도 포함된다고 볼 것이므로 사람을 살해할 목적으로 현주건조물에 방화하여 사망에 이르게 한 경우에는 현주건조물방화치사죄로 의율하여야 하고 이와 더불어 살인죄와의 상상적 경합범으로 의율할 것은 아니며, 다만 존속살인죄와 현주건조물방화치사죄는 상상적경합범 관계에 있으므로, 법정형이 중한 존속살인죄로 의율함이 타당하다(대법원 1996.4.26. 96도485).

㉥ (X) 형법 제168조 참조

→ 연소죄는 자기소유물(일반건조물 등 또는 물건)에 대한 기수를 전제로 하므로 연소죄는 성립하지 않는다.

㉡ (O) 피고인이 동거하던 공소외인과 가정불화가 악화되어 헤어지기로 작정하고 홧김에 죽은 동생의 유품으로 보관하던 서적 등을 뒷마당에 내어 놓고 불태워 버리려 했던 점이 인정될 뿐 피고인이 위 공소외인 소유의 가옥을 불태워 버리겠다고 결의하여 불을 놓았다고 볼 수 없다면 피고인의 위 소위를 가리켜 방화의 범의가 있었다고 할 수 없다(대법원 1984.7.24. 84도1245).

㉣ (O) 대법원 1948.3.19. 4281형상5

㉤ (O) 형법 제176조 참조

19 ③

유형 틀린 지문 고르기

형법각론 > 사회적 법익에 대한 죄 > 공공의 안전과 평온에 대한 죄 > 교통방해의 죄 난이도 상

③ (X) [1] 형법 제185조의 일반교통방해죄는 일반공중의 교통의 안전을 보호법익으로 하는 범죄로서 여기서의 '육로'라 함은 사실상 일반공중의 왕래에 공용되는 육상의 통로를 널리 일컫는 것으로서 그 부지의 소유관계나 통행권리관계 또는 통행인의 많고 적음 등을 가리지 않는다.

[2] 불특정 다수인의 통행로로 이용되어 오던 도로의 토지 일부의 소유자라 하더라도 그 도로의 중간에 바위를 놓아두거나 이를 파헤침으로써 차량의 통행을 못하게 한 행위는 일반교통방해죄 및 업무방해죄에 해당한다고 한 사례(대법원 2002.4.26. 2001도6903)

① (O) 피고인 등 약 600명의 노동조합원들이 차도만 설치되어 있을 뿐 보도는 따로 마련되어 있지 아니한 도로 우측의 편도 2차선의 대부분을 차지하면서 대오를 이루어 행진하는 방법으로 시위를 하고 이로 인하여 나머지 편도 2차선으로 상, 하행차량이 통행하느라 차량의 소통이 방해되었다 하더라도 피고인 등의 시위행위에 대하여 일반교통방해죄를 적용할 수 없다고 한 사례(대법원 1992.8.18. 91도2771)

② (O) [1] 형법 제185조 소정의 육로라 함은 사실상 일반공중의 왕래에 공

용되는 육상의 통로를 널리 일컫는 것으로서 그 부지의 소유관계나 통행권리관계 또는 통행인의 많고 적음 등은 가리지 않는 것이다.

[2] 주민들에 의하여 공로로 통하는 유일한 통행로로 오랫동안 이용되어 온 폭 2m의 골목길을 자신의 소유라는 이유로 폭 50 내지 75cm 가량만 남겨두고 담장을 설치하여 주민들의 통행을 현저히 곤란하게 하였다면 일반교통방해죄를 구성한다고 한 사례(대법원 1994.11.4. 94도2112)

④ (O) [1] 구 집회 및 시위에 관한 법률(2007.5.11. 법률 제8424호로 전문 개정되기 전의 것) 제6조 제1항 및 입법 취지에 비추어, 적법한 신고를 마치고 도로에서 집회나 시위를 하는 경우 도로의 교통이 어느 정도 제한될 수밖에 없으므로, 그 집회 또는 시위가 신고된 범위 내에서 행해졌거나 신고된 내용과 다소 다르게 행해졌어도 신고된 범위를 현저히 일탈하지 않는 경우에는, 그로 인하여 도로의 교통이 방해를 받았다고 하더라도 특별한 사정이 없는 한 형법 제185조의 일반교통방해죄가 성립한다고 볼 수 없다. 그러나 그 집회 또는 시위가 당초 신고된 범위를 현저히 일탈하거나 구 집회 및 시위에 관한 법률(2007.5.11. 법률 제8424호로 전문 개정되기 전의 것) 제12조에 의한 조건을 중대하게 위반하여 도로 교통을 방해함으로써 통행을 불가능하게 하거나 현저하게 곤란하게 하는 경우에는 일반교통방해죄가 성립한다.

[2] 전국민주노동조합총연맹 준비위원회가 주관한 도로행진시위가 사전에 구 집회 및 시위에 관한 법률(2007.5.11. 법률 제8424호로 전문 개정되기 전의 것)에 따라 옥외집회신고를 마쳤어도, 신고의 범위와 위 법률 제12조에 따른 제한을 현저히 일탈하여 주요도로 전차선을 점거하여 행진 등을 함으로써 교통소통에 현저한 장해를 일으켰다면, 일반교통방해죄를 구성한다고 한 사례(대법원 2008.11.13. 2006도755)

20 ③

유형 틀린 지문 고르기

형법각론 > 사회적 법익에 대한 죄 > 공공의 신용에 대한 죄 > 통화에 관한 죄 난이도 상

③ (X) [1] 형법 제207조 제2항 소정의 내국에서 '유통하는'이란, 같은 조 제1항, 제3항 소정의 '통용하는'과 달리, 강제통용력이 없이 사실상 거래 대가의 지급수단이 되고 있는 상태를 가리킨다.

[2] 스위스 화폐로서 1998년까지 통용되었으나 현재는 통용되지 않고 다만 스위스 은행에서 신권과의 교환이 가능한 진폐가 형법 제207조 제2항 소정의 내국에서 '유통하는' 외국의 화폐에 해당하지 아니한다고 한 사례

[3] 위조통화임을 알고 있는 자에게 그 위조통화를 교부한 경우에 피교부자가 이를 유통시키리라는 것을 예상 내지 인식하면서 교부하였다면, 그 교부행위 자체가 통화에 대한 공공의 신용 또는 거래의 안전을 해할 위험이 있으므로 위조통화행사죄가 성립한다(대법원 2003.1.10. 2002도3340)

① (O) 대법원 2004.5.14. 2003도3487
→ 형법 제207조 제2항 소정의 내국에서 '유통하는'이란 같은 조 제1항·제3항 소정의 '통용하는'과 달리, 강제통용력이 없이 사실상 거래 대가의 지급수단이 되는 상태를 가리킨다.

② (O) 대법원 2003.1.10. 2002도3340

④ (O) 위조통화행사죄의 객체인 위조통화는 객관적으로 보아 일반인으로 하여금 진정통화로 오신케 할 정도에 이른 것이면 족하고 그 위조의 정도가 반드시 진물에 흡사하여야 한다거나 누구든지 쉽게 그 진부를 식별하기가 불가능한 정도의 것일 필요는 없으나, 이 사건 위조지폐인 한국은행 10,000원권과 같이 전자복사기로 복사하여 그 크기와 모양 및 앞뒤로 복사되어 있는 점은 진정한 통화와 유사하나 그 복사된 정도가 조잡하여 정밀하지 못하고 진정한 통화의 색채를 갖추지 못하고 흑백으로만 되어 있어 객관적으로 이를 진정한 것으로 오인할 염려가 전혀 없는 정도의 것인 경우에는 위조통화행사죄의 객체가 될 수 없다(대법원 1985.4.23. 85도570).

21 ②

유형 틀린 지문 고르기

형법각론 > 사회적 법익에 대한 죄 > 사회의 도덕에 대한 죄 > 사회적 법익 난이도 중

② (X) 교회의 교인이었던 사람이 교인들의 총유인 교회 현판, 나무십자가 등을 떼어 내고 예배당 건물에 들어가 출입문 자물쇠를 교체하여 7개월 동안 교인들의 출입을 막은 사안에서, 장기간 예배당 건물의 출입을 통제한 위 행위는 교인들의 예배 내지 그와 밀접불가분의 관계에 있는 준비단계를 계속하여 방해한 것으로 볼 수 없어 예배방해죄가 성립하지 않는다(대법원 2008.2.1. 2007도5296).

① (O) 대법원 2012.4.26. 2011도17254

③ (O) 대법원 2013.2.14. 2010도13450

④ (O) 대법원 2004.3.12. 2003도6514

22 ④

유형 옳고 그름의 표시(O, X)하기

형법각론 > 국가적 법익에 대한 죄 > 국가의 기능에 대한 죄 > 공무집행방해 난이도 중

㉠, ㉡ (O) 대법원 2017.3.15. 2013도2168

㉢ (X) 피고인은 2009.6.26. 이 사건 현장을 방문하여 위 조합원들이 불법적으로 체포되는 것을 목격하고 이에 항의하면서 전투경찰대원들의 불법 체포 행위를 제지하였으며, 전투경찰대원들은 방패로 피고인을 강하게 밀어내었다. 피고인은 전투경찰대원들의 위와 같은 유형력 행사에 저항하여 전투경찰대원이 들고 있던 방패를 당기고 밀어 전투경찰대원에게 상해를 입혔다. 비록 상해의 정도가 가볍지는 않지만, 피고인이 전투경찰대원에게 행사한 유형력은 전투경찰대원들의 불법 체포 행위로 위 조합원들의 신체의 자유가 침해되는 것을 방위하기 위한 수단으로 그 정도가 전투경찰대원들의 피고인에 대한 유형력의 정도에 비해 크다고 보이지 않는 사정에 비추어 피고인의 행위가 정당방위에 해당한다(대법원 2017.3.15. 2013도2168).

㉣ (O) 형법 제136조가 규정하는 공무집행방해죄는 공무원의 직무집행이 적법한 경우에 한하여 성립하는 것이고, 여기서 적법한 공무집행이라 함은 그 행위가 공무원의 추상적 권한에 속할 뿐 아니라 구체적 직무집행에 관한 법률상 요건과 방식을 갖춘 경우를 가리키는 것이므로, 경찰관이 적법절차를 준수하지 아니한 채 실력으로 현행범인을 연행하려고 하였다면 적법한 공무집행이라고 할 수 없고, 현행범인이 그 경찰관에 대하여 이를 거부하는 방법으로써 폭행을 하였다고 하여 공무집행방해죄가 성립하는 것은 아니다(대법원 2000.7.4. 99도4341).

23 ①

유형 개수 찾기

형법총론 > 범죄론 > 정범 및 공범론 > 공동정범 난이도 상

㉠ (O) 형법 제40조가 규정하는 한 개의 행위가 여러 개의 죄에 해당하는 경우에는 '가장 무거운 죄에 대하여 정한 형으로 처벌한다.' 함은 그 수개의 죄명 중 가장 무거운 형을 규정한 법조에 의하여 처단한다는 취지와 함께 다른 법조의 최하한의 형보다 가볍게 처단할 수는 없다는 취지 즉, 각 법조의 상한과 하한을 모두 무거운 형의 범위 내에서 처단한다는 것을 포함하는 것으로 새겨야 한다(대법원 2006.1.27. 2005도8704).
→ 이를 전체적 대조주의라 한다. 반대는 중점적 대조주의가 있다.

㉡ (O) 형법 제131조 제1항의 수뢰후부정처사죄에 있어서 공무원이 수뢰 후 행한 부정행위가 공도화변조 및 동행사죄와 같이 보호법익을 달리하는 별개 범죄의 구성요건을 충족하는 경우에는 수뢰후부정처사죄 외에 별도로 공도화변조 및 동행사죄가 성립하고 이들 죄와 수뢰후부정처사죄는 각각 상상적 경합 관계에 있다고 할 것인바, 이와 같이 공도화변조죄와 동행사죄가 수뢰후부정처사죄와 각각 상상적 경합범 관계에 있을 때에는 공도화변조죄와 동행사죄 상호 간은 실체적 경합범 관계에 있다고 할지라도 상상적 경합범 관계에 있는 수뢰후부정처사죄와 대비하여

가장 중한 죄에 정한 형으로 처단하면 족한 것이고 따로이 경합범 가중을 할 필요가 없다(대법원 2001.2. 9. 2000도1216).
→ 뇌물을 수수한 다음 이 사건 도시계획도를 변조하여 이를 행사함으로써 부정한 행위를 하였다.

ⓒ (O) 장물죄는 타인(본범)이 불법하게 영득한 재물의 처분에 관여하는 범죄이므로 자기의 범죄에 의하여 영득한 물건에 대하여는 성립하지 아니하고 이는 불가벌적 사후행위에 해당하나 여기에서 자기의 범죄라 함은 정범자(공동정범과 합동범을 포함한다)에 한정되는 것이므로 평소 본범과 공동하여 수차 상습으로 절도등 범행을 자행함으로써 실질적인 범죄집단을 이루고 있었다 하더라도, 당해 범죄행위의 정범자(공동정범이나 합동범)로 되지 아니한 이상 이를 자기의 범죄라고 할 수 없고 따라서 그 장물의 취득을 불가벌적 사후행위라고 할 수 없다(대법원 1986.9.9. 86도1273).

ⓔ (O) ⓐ 상습범으로 유죄의 확정판결을 받은 사람이 그 후 동일한 습벽에 의해 후행범죄를 저질렀는데 유죄의 확정판결에 대하여 재심이 개시된 경우, 동일한 습벽에 의한 후행범죄가 재심대상판결에 대한 재심판결 선고 전에 범하여졌다면 재심판결의 기판력이 후행범죄에 미치는지 여부: 부정

ⓑ 유죄의 확정판결을 받은 사람이 그 후 별개의 후행범죄를 저질렀는데 유죄의 확정판결에 대하여 재심이 개시된 경우, 후행범죄가 재심대상판결에 대한 재심판결 확정 전에 범하여졌다면 아직 판결을 받지 아니한 후행범죄와 재심판결이 확정된 선행범죄 사이에 형법 제37조 후단에서 정한 경합범 관계가 성립하는지 여부: 부정(대법원 2019.6.20. 2018도20698 전원합의체)

→ 이와 달리 재심대상판결을 받은 사람이 그 후 별개의 후행범죄를 저질렀는데 재심대상판결에 대한 재심판결이 후행범죄 판결보다 먼저 확정되는 경우에, 후행범죄와 재심판결이 확정된 재심사건 범죄 사이에 후단 경합범이 성립한다는 취지로 판시한 종전의 대법원 2013.9.12. 2012도12190과 대법원 2016.2.18. 2015도17440 등은 폐기되었다.

24 ①

유형 틀린 지문 고르기

형법각론 > 국가적 법익에 대한 죄 > 국가의 기능에 대한 죄 > 위증죄와 무고죄 난이도 

① (X) 위증과 무고죄는 자수·자백 특례 규정이 있고, 친족간 특례 규정이 없다(형법 제153조, 형법 제157조 참조).

② (O) 위증죄는 주관적 허위이고 무고죄는 객관적 허위이다.

③ (O) 위증죄와 무고죄는 모두 미수 처벌 규정이 없다.

④ (O) [1] 피고인이 자기의 형사사건에 관하여 허위의 진술을 하는 행위는 피고인의 형사소송에 있어서의 방어권을 인정하는 취지에서 처벌의 대상이 되지 않으나, 법률에 의하여 선서한 증인이 타인의 형사사건에 관하여 위증을 하면 형법 제152조 제1항의 위증죄가 성립되므로 자기의 형사사건에 관하여 타인을 교사하여 위증죄를 범하게 하는 것은 이러한 방어권을 남용하는 것이라고 할 것이어서 교사범의 죄책을 부담케 함이 상당하다(대법원 2004.1.27. 2003도5114).

[2] 형법 제156조의 무고죄는 국가의 형사사법권 또는 징계권의 적정한 행사를 주된 보호법익으로 하는 죄이나, 스스로 본인을 무고하는 자기무고는 무고죄의 구성요건에 해당하지 아니하여 무고죄를 구성하지 않는다. 그러나 피무고자의 교사·방조 하에 제3자가 피무고자에 대한 허위의 사실을 신고한 경우에는 제3자의 행위는 무고죄의 구성요건에 해당하여 무고죄를 구성하므로, 제3자를 교사·방조한 피무고자도 교사·방조범으로서의 죄책을 부담한다(대법원 2008.10.23. 2008도4852).

25 ②

유형 조합하기

형법각론 > 개인적 법익에 대한 죄 > 재산에 대한 죄 > 횡령죄 난이도 중

ⓔ (X) 명의신탁자가 매수한 부동산에 관하여 부동산 실권리자명의 등기에 관한 법률을 위반하여 명의수탁자와 맺은 명의신탁약정에 따라 매도인에게서 바로 명의수탁자 명의로 소유권이전등기를 마친 이른바 중간생략등기형 명의신탁을 한 경우, ⓐ 명의수탁자가 명의신탁자의 재물을 보관하는 자인지 여부: 부정 ⓑ 명의수탁자가 신탁받은 부동산을 임의로 처분하면 명의신탁자에 대한 관계에서 횡령죄가 성립하는지 여부: 부정(대법원 2016.5.19. 2014도6992 전원합의체).

ⓐ (O) 피고인이 동업재산인 교회건물의 매각대금을 매수인으로부터 받아 보관 중 임의로 소비하였다면 지분 비율에 관계없이 임의로 소비한 금액 전부에 대해 횡령죄의 죄책을 부담한다(대법원 1996.3.22. 95도2824).

ⓛ (O) [1] 부동산의 경우 보관자의 지위는 점유를 기준으로 할 것이 아니라 그 부동산을 제3자에게 유효하게 처분할 수 있는 권능의 유무를 기준으로 결정하여야 하므로, 원인무효인 소유권이전등기의 명의자는 횡령죄의 주체인 타인의 재물을 보관하는 자에 해당한다고 할 수 없다.

[2] 임야의 진정한 소유자와는 전혀 무관한 신탁자로부터 임야의 지분을 명의신탁받은 사람이 신탁받은 지분을 처분한 행위가 신탁자에 대해서나 소유자에 대하여 위 임야 지분을 횡령한 것으로 볼 수 없다(대법원 2007.5.31. 2007도1082).

ⓒ (O) 조합장이 조합으로부터 공무원에게 뇌물로 전달하여 달라고 금원을 교부받은 것은 불법원인으로 인하여 지급받은 것으로서 이를 뇌물로 전달하지 않고 타에 소비하였다고 해서 타인의 물을 보관중 횡령하였다고 볼 수는 없다(대법원 1988.9.20. 86도628).
→ 불법원인급여에 대하여 횡령죄를 부정한 판례이다.

ⓜ (O) 사안은 계약위임형 명의신탁의 경우로 소유자(매도인)가 선의시 수탁자는 타인의 재물을 보관하는 자라고 볼 수 없으므로 횡령죄가 성립하지 않는다(대법원 2000.3.24. 98도4347).

26 ④

유형 조합하기

형법각론 > 국가적 법익에 대한 죄 > 국가적 기능에 대한 죄 > 위증죄 난이도 

ⓜ (X) 증인으로 선서한 이상 진실대로 진술한다고 하면 자신의 범죄를 시인하는 진술을 하는 것이 되고 증언을 거부하는 것은 자기의 범죄를 암시하는 것이 되어 증인에게 사실대로의 진술을 기대할 수 없다고 하더라도 형사소송법상 이러한 처지의 증인에게는 증언을 거부할 수 있는 권리를 인정하여 위증죄로부터의 탈출구를 마련하고 있는 만큼 적법행위의 기대 가능성이 없다고 할 수 없으므로 선서한 증인이 증언거부권을 포기하고 허위의 진술을 하였다면 위증죄의 처벌을 면할 수 없다(대법원 1987.7.7. 86도1724 전원합의체).

ⓐ (O) 심문절차로 진행되는 소송비용확정신청사건에서 증인으로 출석하여 선서를 하고 진술함에 있어서 허위의 공술을 하였다고 하더라도 그 선서는 법률상 근거가 없어 무효라고 할 것이므로 위증죄는 성립하지 않는다(대법원 1995.4.11. 95도186).

ⓛ (O) 증인의 증언은 그 전부를 일체로 관찰·판단하는 것이므로 선서한 증인이 일단 기억에 반하는 허위의 진술을 하였더라도 그 신문이 끝나기 전에 그 진술을 철회·시정한 경우 위증이 되지 아니한다(대법원 2010.9.30. 2010도7525).

ⓒ (O) 민사소송의 당사자는 증인능력이 없으므로 증인으로 선서하고 증언하였다고 하더라도 위증죄의 주체가 될 수 없고, 이러한 법리는 민사소송에서의 당사자인 법인의 대표자의 경우에도 마찬가지로 적용된다(대법원 1998.3.10. 97도1168).

ⓔ (O) 증인의 진술이 경험한 사실에 대한 법률적 평가이거나 단순한 의견에 지나지 아니하는 경우에는 위증죄에서 말하는 허위의 공술이라고 할 수 없다(대법원 1996.2.9. 95도1797).

27 ④

유형 조합하기

형법총론 > 범죄론 > 범죄론의 기초 > 위험범 난이도 하

ㄱ. (O) 구체적 위험범은 법익침해의 현실적인 위험의 발생을 구성요건에 명시하고 있는 위험범으로 '위험'은 구성요건요소(구성요건표지)이고 법익침해에 대한 구체적·현실적 위험이 발생해야 구성요건충족, 즉 기수가 된다.

ㄴ. (O) 구체적 위험범에서 '위험'은 구성요건요소이므로 고의의 인식대상이다.

ㄹ. (O)

구체적 위험범	고의범	과실범
예시	자기소유일반건조물방화죄 타인소유일반물건방화죄 자기소유일반물건방화죄	자기소유일반건조물실화죄 타인소유일반물건실화죄 자기소유일반물건실화죄

ㄷ. (X) 원칙적으로 '중~죄'는 ⓐ 구체적 위험범 ⓑ 부진정결과적 가중범이다. 단, 중체포·감금죄는 ⓐ 구체적 위험범도 ⓑ 부진정결과적 가중범도 아니다.

28 ②

유형 개수 찾기

형법각론 > 개인적 법익에 대한 죄 > 사생활의 평온에 대한 죄 > 주거침입죄 및 퇴거불응죄 난이도 중

㉠ (X) 형법 제319조 제1항(주거침입죄)은 '사람의 주거, 관리하는 건조물, 선박이나 항공기 또는 점유하는 방실에 침입한 자는 3년 이하의 징역 또는 500만원 이하의 벌금에 처한다'고 규정하고 있다.

㉡ (X) 다른 사람의 주택에 무단 침입한 범죄사실로 이미 유죄판결을 받은 사람이 그 판결이 확정된 후에도 퇴거하지 않은 채 계속하여 당해 주택에 거주한 사안에서, 위 판결 확정 이후의 행위는 별도의 주거침입죄를 구성한다고 한 사례(대법원 2008.5.8. 2007도11322)

㉢ (O) [1] 주거침입죄에서 주거란 단순히 가옥 자체만을 말하는 것이 아니라 그 정원 등 위요지를 포함한다. 따라서 다가구용 단독주택이나 다세대주택·연립주택·아파트 등 공동주택 안에서 공용으로 사용하는 계단과 복도는, 주거로 사용하는 각 가구 또는 세대의 전용 부분에 필수적으로 부속하는 부분으로서 그 거주자들에 의하여 일상생활에서 감시·관리가 예정되어 있고 사실상의 주거의 평온을 보호할 필요성이 있는 부분이므로, 특별한 사정이 없는 한 주거침입죄의 객체인 '사람의 주거'에 해당한다.

[2] 다가구용 단독주택인 빌라의 잠기지 않은 대문을 열고 들어가 공용 계단으로 빌라 3층까지 올라갔다가 1층으로 내려온 사안에서, 주거인 공용 계단에 들어간 행위가 거주자의 의사에 반한 것이라면 주거에 침입한 것이라고 보아야 한다는 이유로, 주거침입죄를 구성하지 않는다고 본 원심판결을 파기한 사례(대법원 2009.8.20. 2009도3452)

㉣ (O) '사용자의 직장폐쇄가 정당한 쟁의행위로 인정되지 아니하는 때'에는 적법한 쟁의행위로서 사업장을 점거 중인 근로자들이 직장폐쇄를 단행한 사용자로부터 퇴거 요구를 받고 이에 불응한 채 직장점거를 계속하더라도 퇴거불응죄가 성립하지 아니한다(대법원 2007.3.29. 2006도9307).

29 ④

유형 틀린 지문 고르기

형사소송법 > 형사소송법의 기초 > 형사소송법의 의의 > 적용범위 난이도 중

④ (X) 대한민국 내에 있는 미국문화원이 비록 치외법권지역이기는 하나, 그곳에서 죄를 범한 대한민국 국민에 대하여 속인주의에 입각해서 우리나라의 재판권도 당연히 미친다(대법원 1986.6.24. 86도403).

① (O) 대법원 2011.5.13. 2009도14442

② (O) 대법원 2006.9.22. 2006도5010

③ (O) 대법원 2017.3.22. 2016도17465

30 ④

유형 틀린 지문 고르기

형사소송법 > 형사소송법의 기초 > 형사소송법의 이념 > 형사소송법의 이념 난이도 하

④ (X) 신속한 재판의 원칙은 주로 피고인의 이익을 보호하기 위한 것이지만 동시에 실체진실의 발견, 소송경제, 재판에 대한 국민의 신뢰와 형벌 목적의 달성과 같은 공공의 이익에도 그 근거를 두고 있다(헌법재판소 1995.11.30. 92헌마44 전원재판부).

① (O) 헌법재판소 2005.5.26. 2004헌마190, 2004헌마190(병합) 전원재판부

② (O) 헌법 제12조 제3항 본문은 동조 제1항과 함께 적법절차원리의 일반조항에 해당하는 것으로서, 형사절차상의 영역에 한정되지 않고 입법, 행정 등 국가의 모든 공권력의 작용에는 절차상의 적법성뿐만 아니라 법률의 구체적 내용도 합리성과 정당성을 갖춘 실체적인 적법성이 있어야 하는 적법절차의 원칙을 헌법의 기본원리로 명시하고 있는 것이다(헌법재판소 1992.12.24. 92헌가8 전원재판부).

③ (O) 수사기관으로서의 검사와 소추기관으로서의 검사는 그 법률상의 지위가 다르므로 공판에 관여하는 소송당사자로서의 검사와 사법경찰관리를 지휘, 감독하는 수사 주재자로서의 검사를 동일하게 볼 수 없고, 실체판단의 자료가 되는 경찰공무원의 증언내용은 공소사실과 관련된 주관적 '의견'이 아닌 경험에 의한 객관적 '사실'에 그치는 것이며, 또한 형사소송구조상 경찰공무원은 당사자가 아닌 제3자의 지위에 있을 뿐만 아니라, 나아가 경찰공무원의 증언에 대하여 피고인 또는 변호인은 반대신문권을 보장받고 있다는 점에서, 이 사건 법률조항에 의하여 경찰공무원의 증인적격을 인정한다 하더라도 적법절차의 원칙에 반한다거나 그 근거조항인 위 법 조항이 합리적이고 정당한 법률이 아니라고 말할 수는 없다(헌법재판소 2001.11.29. 2001헌바41 전원재판부).

31 ①

유형 틀린 지문 고르기

형사소송법 > 수사 > 수사의 의의와 수사기관 > 수사절차 난이도 중

① (X) 검사 또는 사법경찰관은 특별한 사정이 없으면 총조사시간 중 식사시간, 휴식시간 및 조서의 열람시간 등을 제외한 실제 조사시간이 8시간을 초과하지 않도록 해야 한다(수사준칙 제22조 제2항).

② (O) 수사준칙 제23조 제1항

③ (O) 형사소송법 제197조의3 제3항, 제5항

④ (O) 형사소송법 제245조의5 제2호

32 ④

유형 틀린 지문 고르기

형사소송법 > 수사 > 수사의 단서 > 고발 난이도 상

④ (X) 조세범 처벌절차법에 즉시고발을 할 때 고발사유를 고발서에 명기하도록 하는 규정이 없을 뿐만 아니라, 원래 즉시고발권을 세무공무원에게 부여한 것은 세무공무원으로 하여금 때에 따라 적절한 처분을 하도록 할 목적으로 특별사유의 유무에 대한 인정권까지 세무공무원에게 일임한 취지라고 볼 것이므로, 조세범칙사건에 대하여 관계 세무공무원의 즉시고발이 있으면 그로써 소추의 요건은 충족되는 것이고, 법원은 본안에 대하여 심판하면 되는 것이지 즉시고발 사유에 대하여 심사할 수 없다(대법원 2014.10.15. 2013도5650).

① (O) 국회증언감정법의 목적과 위증죄 관련 규정들의 내용에 비추어 보

면, 국회증언감정법은 국정감사나 국정조사에 관한 국회 내부의 절차를 규정한 것으로서 국회에서의 위증죄에 관한 고발 여부를 국회의 자율권에 맡기고 있고, 위증을 자백한 경우에는 고발하지 않을 수 있게 하여 자백을 권장하고 있으므로 국회증언감정법 제14조 제1항 본문에서 정한 위증죄는 같은 법 제15조의 고발을 소추요건으로 한다고 봄이 타당하다. 국회증언감정법 제15조 제1항 본문에 따른 고발은 위원회가 존속하고 있을 것을 전제로 한다. 국회증언감정법 제15조 제1항 단서에 의한 고발도 위원회가 존속하는 동안에 이루어져야 한다고 해석하는 것이 타당하다. 특별위원회가 소멸하였음에도 과거 특별위원회가 존속할 당시 재적위원이었던 사람이 연서로 고발할 수 있다고 해석하는 것은 소추요건인 고발의 주체와 시기에 관하여 그 범위를 행위자에게 불리하게 확대하는 것이다. 이는 가능한 문언의 의미를 벗어나므로 유추해석금지의 원칙에 반한다(대법원 2018.5.17. 2017도14749 전원합의체).

→ 특별위원회의 존속기간이 종료된 후에 그 위원이던 18명 중 13명이 연서에 의하여 피고인을 국회증언감정법 제14조 제1항 본문에서 정한 위증죄의 공소사실로 고발하여 그에 따라 이 사건 공소가 제기된 사안에서, 고발이 특별위원회가 존속하지 않게 된 이후에 이루어져 부적법하므로 공소제기의 절차가 법률의 규정을 위반하여 무효인 때에 해당한다는 이유로 공소기각판결을 한 원심에 대한 특별검사의 상고를 기각한 사례

② (○) 조세범처벌법 제6조는 조세에 관한 범칙행위에 대하여는 원칙적으로 국세청장 등의 고발을 기다려 논하도록 규정하고 있는바, 같은 법에 의하여 하는 고발에 있어서는 이른바 고소·고발 불가분의 원칙이 적용되지 아니하므로, 고발의 구비 여부는 양벌규정에 의하여 처벌받는 자연인인 행위자와 법인에 대하여 개별적으로 논하여야 한다(대법원 2004.9.24. 2004도4066).

③ (○) 조세범 처벌절차법 제15조 제1항에 따른 지방국세청장 또는 세무서장의 조세범칙사건에 대한 통고처분은 법원에 의하여 자유형 또는 재산형에 처하는 형사절차에 갈음하여 과세관청이 조세범칙자에 대하여 금전적 제재를 통고하고 이를 이행한 조세범칙자에 대하여는 고발하지 아니하고 조세범칙사건을 신속·간이하게 처리하는 절차로서, 형사절차의 사전절차로서의 성격을 가진다. 그리고 조세범 처벌절차법에 따른 조세범칙사건에 대한 지방국세청장 또는 세무서장의 고발은 수사 및 공소제기의 권한을 가진 수사기관에 대하여 조세범칙사실을 신고함으로써 형사사건으로 처리할 것을 요구하는 의사표시로서, 조세범칙사건에 대하여 고발한 경우에는 지방국세청장 또는 세무서장에 의한 조세범칙사건의 조사 및 처분 절차는 원칙적으로 모두 종료된다. 위와 같은 통고처분과 고발의 법적 성질 및 효과 등을 조세범칙사건의 처리 절차에 관한 조세범 처벌절차법 관련 규정들의 내용과 취지에 비추어 보면, 지방국세청장 또는 세무서장이 조세범 처벌절차법 제17조 제1항에 따라 통고처분을 거치지 아니하고 즉시 고발하였다면 이로써 조세범칙사건에 대한 조사 및 처분 절차는 종료되고 형사사건 절차로 이행되어 지방국세청장 또는 세무서장으로서는 동일한 조세범칙행위에 대하여 더 이상 통고처분을 할 권한이 없다고 보아야 한다. 따라서 지방국세청장 또는 세무서장이 조세범칙행위에 대하여 고발을 한 후에 동일한 조세범칙행위에 대하여 통고처분을 하였다 하더라도, 이는 법적 권한 소멸 후에 이루어진 것으로서 특별한 사정이 없는 한 그 효력이 없고, 설령 조세범칙행위자가 이러한 통고처분을 이행하였다 하더라도 조세범 처벌절차법 제15조 제3항에서 정한 일사부재리의 원칙이 적용될 수 없다(대법원 2016.9.28. 2014도10748).

33 ②

유형 옳은 지문 고르기

형사소송법 > 수사 > 임의수사 > 감청 난이도 중

② (○) 대법원 2003.11.13. 2001도6213

① (X) 수사기관이 甲으로부터 피고인의 마약류관리에 관한 법률 위반(향정) 범행에 대한 진술을 듣고 추가적인 증거를 확보할 목적으로, 구속수감되어 있던 甲에게 그의 압수된 휴대전화를 제공하여 피고인과 통화하고 위 범행에 관한 통화 내용을 녹음하게 한 행위는 불법감청에 해당하므로, 그 녹음 자체는 물론 이를 근거로 작성된 녹취록 첨부 수사보고는 피고인의 증거동의에 상관없이 그 증거능력이 없다(대법원 2010.10.14. 2010도9016).

③ (X) 전기통신의 감청은 제3자가 전기통신의 당사자인 송신인과 수신인의 동의를 받지 아니하고 전기통신 내용을 녹음하는 등의 행위를 하는 것만을 말한다고 해석함이 타당하므로, 전기통신에 해당하는 전화통화 당사자의 일방이 상대방 모르게 통화 내용을 녹음하는 것은 여기의 감청에 해당하지 않는다. 그러나 제3자의 경우는 설령 전화통화 당사자 일방의 동의를 받고 그 통화 내용을 녹음하였다 하더라도 그 상대방의 동의가 없었던 이상, 이는 여기의 감청에 해당하여 통신비밀보호법 제3조 제1항 위반이 되고, 이와 같이 제3조 제1항을 위반한 불법감청에 의하여 녹음된 전화통화의 내용은 제4조에 의하여 증거능력이 없다. 그리고 사생활 및 통신의 불가침을 국민의 기본권의 하나로 선언하고 있는 헌법규정과 통신비밀의 보호와 통신의 자유 신장을 목적으로 제정된 통신비밀보호법의 취지에 비추어 볼 때 피고인이나 변호인이 이를 증거로 함에 동의하였다고 하더라도 달리 볼 것은 아니다(대법원 2019.3.14. 2015도1900).

④ (X) 검사 또는 사법경찰관이 제7항 단서에 따라 통신제한조치의 연장을 청구하는 경우에 통신제한조치의 총 연장기간은 1년을 초과할 수 없다. 다만, 다음 각 호의 어느 하나에 해당하는 범죄의 경우에는 통신제한조치의 총 연장기간이 3년을 초과할 수 없다(통신비밀보호법 제6조 제8항).

34 ④

유형 틀린 지문 고르기

형사소송법 > 수사 > 강제수사 > 구속 난이도 하

④ (X) 피의자심문을 하는 경우 법원이 구속영장청구서, 수사 관계 서류 및 증거물을 접수한 날부터 구속영장을 발부하여 검찰청에 반환한 날까지의 기간은 검사와 사법경찰관의 구속기간에 산입하지 아니한다(형사소송법 제201조의2 제7항).

① (○) 대법원 1966.11.22. 66도1288

② (○) 형사소송법 제201조의2 제8항

③ (○) 형사소송법 제201조의2 제9항

35 ④

유형 틀린 지문 고르기

형사소송법 > 수사 > 압수·수색·검증 등 > 압수·수색 난이도 중

④ (X) 형사소송법 제416조는 재판장 또는 수명법관이 한 재판에 대한 준항고에 관하여 규정하고 있는바, 여기에서 말하는 '재판장 또는 수명법관'이라 함은 수소법원의 구성원으로서의 재판장 또는 수명법관만을 가리키는 것이어서, 수사기관의 청구에 의하여 압수영장 등을 발부하는 독립된 재판기관인 지방법원 판사가 이에 해당된다고 볼 수 없으므로, 지방법원 판사가 한 압수영장발부의 재판에 대하여는 위 조항에서 정한 준항고로 불복할 수 없고, 나아가 같은 법 제402조, 제403조에서 규정하는 항고는 법원이 한 결정을 그 대상으로 하는 것이므로 법원의 결정이 아닌 지방법원 판사가 한 압수영장발부의 재판에 대하여 그와 같은 항고의 방법으로도 불복할 수 없다(대법원 1997.9.29. 97모66 결정).

① (○) 압수·수색영장의 범죄 혐의사실과 관계있는 범죄라는 것은 압수·수색영장에 기재한 혐의사실과 객관적 관련성이 있고 압수·수색영장 대상자와 피의자 사이에 인적 관련성이 있는 범죄를 의미한다. 그중 혐의사실과의 객관적 관련성은 압수·수색영장에 기재된 혐의사실 자체 또는 그와 기본적 사실관계가 동일한 범행과 직접 관련되어 있는 경우는 물론 범행 동기와 경위, 범행 수단과 방법, 범행 시간과 장소 등을 증명하기 위한 간접증거나 정황증거 등으로 사용될 수 있는 경우에도 인정될 수 있다. 그 관련성은 압수·수색영장에 기재된 혐의사실의 내용과

수사의 대상, 수사 경위 등을 종합하여 구체적·개별적 연관관계가 있는 경우에만 인정되고, 혐의사실과 단순히 동종 또는 유사 범행이라는 사유만으로 관련성이 있다고 할 것은 아니다(대법원 2017.12.5. 2017도13458).
② (O) 대법원 2018.2.8. 2017도13263
③ (O) 대법원 2016.3.10. 2013도11233

36 ④

유형 조합하기

형사소송법 > 수사 > 수사의 종결 > 재정신청 난이도 중

㉡ (O) 대법원 1997.4.22. 97모30 결정
㉣ (O) 대법원 2010.11.11. 2009도224
㉠ (X) 법원은 제262조 제2항 제1호의 결정(재정신청 기각결정) 또는 제264조 제2항의 취소(재정신청 취소)가 있는 경우에는 결정으로 재정신청인에게 신청절차에 의하여 생긴 비용의 전부 또는 일부를 부담하게 할 수 있다(형사소송법 제262조의3 제1항).
㉢ (X) 재정신청사건은 불기소처분을 한 검사 소속의 지방검찰청 소재지를 관할하는 고등법원의 관할에 속한다(형사소송법 제260조 제1항).

37 ②

유형 틀린 지문 고르기

형사소송법 > 수사 > 공소제기 > 공소시효 난이도 중

② (X) 공소장 변경이 있는 경우에 공소시효의 완성 여부는 당초의 공소제기가 있었던 시점을 기준으로 판단할 것이고 공소장 변경시를 기준으로 삼을 것은 아니다(대법원 2001.8.24. 2001도2902).
① (O) 공소시효의 기준은 법정형을 기준으로 한다는 것이 판례의 태도이다(대법원 2008.12.11. 2008도4376). 형법상 형을 가중·감경하는 경우에 있어서는 가중·감경하지 않은 법정형이 공소시효기간의 기준이 된다(형사소송법 제251조). 반면 특별법에 따라 가중·감경된 경우에는 특별법이 정한 법정형이 공소시효기간의 기준이 된다.
③ (O) 대법원 2007.3.29. 2005도7032
④ (O) 구 농지법 제2조 제9호에서 말하는 '농지의 전용'이 이루어지는 태양은, 첫째로 농지에 대하여 절토, 성토 또는 정지를 하거나 농지로서의 사용에 장해가 되는 유형물을 설치하는 등으로 농지의 형질을 외형상으로뿐만 아니라 사실상 변경시켜 원상회복이 어려운 상태로 만드는 경우가 있고, 둘째로 농지에 대하여 외부적 형상의 변경을 수반하지 않거나 외부적 형상의 변경을 수반하더라도 사회통념상 원상회복이 어려운 정도에 이르지 않은 상태에서 그 농지를 다른 목적에 사용하는 경우 등이 있을 수 있다. 전자의 경우와 같이 농지전용행위 자체에 의하여 당해 토지가 농지로서의 기능을 상실하여 그 이후 그 토지를 농업생산 등 외의 목적으로 사용하는 행위가 더 이상 '농지의 전용'에 해당하지 않는다고 할 때에는, 허가 없이 그와 같이 농지를 전용한 죄는 그와 같은 행위가 종료됨으로써 즉시 성립하고 그와 동시에 완성되는 즉시범이라고 보아야 한다. 그러나 후자의 경우와 같이 당해 토지를 농업생산 등 외의 다른 목적으로 사용하는 행위를 여전히 농지전용으로 볼 수 있는 때에는 허가 없이 그와 같이 농지를 전용하는 죄는 계속범으로서 그 토지를 다른 용도로 사용하는 한 가벌적인 위법행위가 계속 반복되고 있는 계속범이라고 보아야 한다(대법원 2009.4.16. 2007도6703 전원합의체).
→ 농지법상 농지전용죄의 성격 및 공소시효의 기산점
㉠ 농지로서의 기능 상실한 경우: 즉시범으로 전용시점이 기산점
㉡ 복원 가능한 경우: 계속범으로 위법행위 계속되는 한 공소시효는 진행되지 않음

38 ④

유형 틀린 지문 고르기

형사소송법 > 증거 > 증거법의 기본이론 > 간접증거 난이도 중

④ (X) 살인죄 등과 같이 법정형이 무거운 범죄의 경우에도 직접증거 없이 간접증거만으로 유죄를 인정할 수 있으나, 그러한 유죄 인정에는 공소사실에 대한 관련성이 깊은 간접증거들에 의하여 신중한 판단이 요구되므로, 간접증거에 의하여 주요사실의 전제가 되는 간접사실을 인정할 때에는 증명이 합리적인 의심을 허용하지 않을 정도에 이르러야 하고, 하나하나의 간접사실 사이에 모순, 저촉이 없어야 하는 것은 물론 간접사실이 논리와 경험칙, 과학법칙에 의하여 뒷받침되어야 한다(대법원 2011.5.26. 2011도1902).
① (O) 대법원 1998.11.13. 96도1783
② (O) 대법원 2011.5.26. 2011도1902
③ (O) 대법원 1995.9.29. 95도852

39 ①

유형 틀린 지문 고르기

형사소송법 > 증거 > 증거능력 > 피의자신문조서 난이도 중

① (X) 피의자의 진술을 녹취 내지 기재한 서류 또는 문서가 수사기관에서의 조사과정에서 작성된 것이라면, 그것이 '진술조서, 진술서, 자술서'라는 형식을 취하였다고 하더라도 피의자신문조서와 달리 볼 수 없다(대법원 2011.11.10. 2010도8294).
② (O) 대법원 2006.1.13. 2003도6548
③ (O) 대법원 2010.6.24. 2010도5040
④ (O) 대법원 2009.7.9. 2009도2865

40 ②

유형 옳은 지문 고르기

형사소송법 > 증거 > 증명력 > 자백과 보강증거 난이도 상

② (O) 누범가중의 원인사실, 전과 및 정상 등에 관한 사실은 엄격한 범죄사실과 구별되기 때문에 보강증거 없이 피고인의 자백만으로 이를 인정할 수 있다(대법원 1979.8.21. 79도1528).
① (X) 국가보안법상 회합죄를 피고인이 자백하는 경우 회합당시 상대방으로부터 받았다는 명함의 현존은 보강증거가 될 수 있다(대법원 1990.6.22. 90도741).
③ (X) 판례는 포괄일죄인 상습범과 관련하여서는 개별행위별로 보강증거가 있어야 한다고 보고 있다(대법원 1996.2.23. 95도1794). 따라서 8회의 도박 중 3회의 도박사실에 대해서는 자백 이외에 보강증거가 없는 경우 그 부분에 대해서는 유죄판결을 선고할 수 없다.
④ (X) 실체적 경합범은 실질적으로 수죄이므로 각 범죄사실에 관하여 자백에 대한 보강증거가 있어야 한다. 필로폰 매수 대금을 송금한 사실에 대한 증거가 필로폰 매수죄와 실체적 경합범 관계에 있는 필로폰 투약행위에 대한 보강증거가 될 수 없다(대법원 2008.2.14. 2007도10937).

제3회 | 정답과 해설

난이도	상 중 하
맞힌 문항 수 & 예상 합격선	/ 40개(35개 이상)
제1회 모의고사 문제	p. 61

01	③	02	②	03	④	04	①	05	③
06	①	07	③	08	③	09	②	10	②
11	②	12	①	13	④	14	②	15	①
16	①	17	①	18	③	19	④	20	④
21	④	22	②	23	③	24	③	25	④
26	③	27	②	28	③	29	①	30	④
31	③	32	④	33	②	34	①	35	③
36	②	37	①	38	③	39	③	40	②

01 ③

유형 틀린 지문 고르기

형법총론 > 서론 > 형법의 기본원리 > 죄형법정주의 난이도 중

③ (X) 식품위생법 제11조 제2항이 과대광고 등의 범위 및 기타 필요한 사항을 보건복지부령에 위임하고 있는 것은 과대광고 등으로 인한 형사처벌에 관련된 법규의 내용을 빠짐없이 형식적 의미의 법률에 의하여 규정한다는 것은 사실상 불가능하다는 고려에서 비롯된 것이고, 또한 위 시행규칙 제6조 제1항은 처벌대상인 행위가 어떠한 것인지 예측할 수 있도록 구체적으로 규정되어 있다고 할 것이므로 식품위생법 제11조 및 같은 법 시행규칙 제6조 제1항의 규정이 위임입법의 한계나 죄형법정주의에 위반된 것이라고 볼 수는 없다(대법원 2002.11.26. 2002도2998).

① (O) 대법원 2017.12.28. 2017도17762

② (O) 대법원 2017.2.16. 2015도16014 전원합의체

④ (O) 대법원 2016.3.10. 2015도17847

02 ②

유형 틀린 지문 고르기

형법총론 > 범죄론 > 죄수론 > 결과적가중범 난이도 중

② (X) 현주건조물에 방화하여 동 건조물에서 탈출하려는 사람을 막아 소사케 한 경우 현주건조물방화죄와 살인죄는 실체적 경합관계에 있다(대법원 1983.1.18. 82도2341).

① (O) 결과적 가중범인 상해치사죄의 공동정범은 폭행 기타의 신체침해 행위를 공동으로 할 의사가 있으면 성립되고 결과를 공동으로 할 의사는 필요 없으며, 여러 사람이 상해의 범의로 범행 중 한 사람이 중한 상해를 가하여 피해자가 사망에 이르게 된 경우 나머지 사람들은 사망의 결과를 예견할 수 없는 때가 아닌 한 상해치사의 죄책을 면할 수 없다(대법원 2000.5.12. 2000도745).

③, ④ (O) 기본범죄를 통하여 고의로 중한 결과를 발생하게 한 경우에 가중 처벌하는 부진정결과적가중범에서, ㉠ 고의로 중한 결과를 발생하게 한 행위가 별도의 구성요건에 해당하고 그 고의범에 대하여 결과적가중범에 정한 형보다 더 무겁게 처벌하는 규정이 있는 경우에는 그 고의범과 결과적가중범이 상상적 경합관계에 있지만, 위와 같이 ㉡ 고의범에 대하여 더 무겁게 처벌하는 규정이 없는 경우에는 결과적가중범이 고의범에 대하여 특별관계에 있으므로 결과적 가중범만 성립하고 이와 법조경합의 관계에 있는 고의범에 대하여는 별도로 죄를 구성하지 않는다(대법원 2008.11.27. 2008도7311).

03 ④

유형 틀린 지문 고르기

형법총론 > 범죄론 > 위법성론 > 정당방위 난이도 하

④ (X) 정당방위와 달리 긴급피난은 보충성의 원칙이 적용된다.

① (O) 정당방위는 부당한 침해에 대해서만 인정되나, 긴급피난은 부당한 위난은 물론 부당하지 않은 위난에 대해서도 인정된다.

② (O) 긴급피난 부정, 강간치상죄 인정(대법원 1995.1.12. 94도2781).

③ (O) 경찰관이 현행범인 체포 요건을 갖추지 못하였는데도 실력으로 현행범인을 체포하려고 하였다면 적법한 공무집행이라고 할 수 없고, 현행범인 체포행위가 적법한 공무집행을 벗어나 불법인 것으로 볼 수밖에 없다면, 현행범이 체포를 면하려고 반항하는 과정에서 경찰관에게 상해를 가한 것은 불법체포로 인한 신체에 대한 현재의 부당한 침해에서 벗어나기 위한 행위로서 정당방위에 해당하여 위법성이 조각된다(대법원 2011.5.26. 2011도3682).

04 ①

유형 개수 찾기

형법총론 > 범죄론 > 책임론 > 책임능력 난이도 중

㉠ (X) 도의적 책임론은 책임능력을 범죄능력으로 파악하나, 사회적 책임론은 책임능력을 형벌(수형)능력으로 파악한다.

㉡ (X) 심신장애의 여부는 기록에 나타난 제반자료와 공판정에서의 피고인의 태도 등을 종합하여 판단하여도 무방하다(대법원 1984.5.22. 84도545).

→ 법원이 심신장애여부를 판단함에 있어서 반드시 전문가의 감정을 거쳐야 하는 것은 아니다.

㉢ (X) 심신장애로 인하여 사물을 변별할 능력이나 의사를 결정할 능력이 미약한 자의 행위는 형을 감경할 수 있다(형법 제10조 제2항).

㉣ (X) 사물을 변별할 능력, 의사를 결정할 능력 중에서 둘 중 하나만 없어도 책임무능력자이다(형법 제10조).

05 ③

유형 틀린 지문 고르기

형법총론 > 범죄론 > 미수론 > 실행의 착수시기 난이도 중

③ (X) 금융기관 직원이 전산단말기를 이용하여 다른 공범들이 지정한 특정계좌에 돈이 입금된 것처럼 허위의 정부를 입력하는 방법으로 위 계좌로 입금되도록 한 경우, 이러한 입금절차를 완료함으로써 장차 그 계좌에서 이를 인출하여 갈 수 있는 재산상 이익을 취득하였으므로 형법 제347조의2에서 정하는 컴퓨터 등 사용사기죄는 기수에 이르렀고, 그 후 그러한 입금이 취소되어 현실적으로 인출되지 못하였다고 하더라도 이미 성립한 컴퓨터 등 사용사기죄에 어떤 영향이 있다고 할 수는 없다(대법원 2006.9.14. 2006도4127).

① (O) 대법원 2011.1.13. 2010도9330

→ 사기도박에서 실행의 착수시기(=사기도박을 위한 기망행위를 개시한 때)

② (O) 소송에서 주장하는 권리가 존재하지 않는 사실을 알고 있으면서도 법원을 기망한다는 인식을 가지고 소를 제기하면 이로써 실행의 착수가 있고 소장의 유효한 송달을 요하지 아니한다고 할 것인바, 이러한 법리는 제소자가 상대방의 주소를 허위로 기재함으로써 그 허위주소로 소송

서류가 송달되어 그로 인하여 상대방 아닌 다른 사람이 그 서류를 받아 소송이 진행된 경우에도 마찬가지로 적용된다(대법원 2006.11.10. 2006도5811).

④ (O) 촬영 후 일정한 시간이 경과하여 그 영상정보가 그 기계장치 내의 주기억장치 등에 입력됨으로써 이미 기수에 이르는 것이지, 그 촬영된 영상정보가 전자파일 등의 형태로 영구 저장되지 않은 채 사용자에 의해 강제 종료 되었다는 이유만으로 미수에 그쳤다고 볼 수는 없다(대법원 2011.6.9. 2010도10677).

06 ①

유형 개수 찾기

형법총론 > 범죄론 > 정범 및 공범론 > 공범 난이도 상

㉡ (X) 공모자중의 어떤 사람이 다른 공모자가 실행행위에 이르기전에 그 공모관계에서 이탈한 때에는 그 이후의 다른 공모자의 행위에 관하여 공동정범으로서의 책임은 지지 않는다고 할 것이고 그 이탈의 표시는 반드시 명시적임을 요하지 않는다고 할 것이다(대법원 1986.1.21. 85도2371).

㉠ (O) 형법 제30조의 공동정범은 2인 이상이 공동하여 죄를 범하는 것으로서, 공동정범이 성립하기 위하여는 주관적 요건으로서 공동가공의 의사와 객관적 요건으로서 공동의사에 기한 기능적 행위지배를 통한 범죄의 실행사실이 필요하고, 공동가공의 의사는 타인의 범행을 인식하면서도 이를 제지하지 아니하고 용인하는 것만으로는 부족하고 공동의 의사로 특정한 범죄행위를 하기 위하여 일체가 되어 서로 다른 사람의 행위를 이용하여 자기의 의사를 실행에 옮기는 것을 내용으로 하는 것이어야 한다(대법원 2003.3.28. 2002도7477).

㉢ (O) 대법원 2008.4.10. 2008도1274

㉣ (O) 대법원 2012.11.15. 2012도7407

07 ③

유형 틀린 지문 고르기

형법총론 > 범죄론 > 정범 및 공범론 > 교사범 난이도 상

③ (X) [1] 교사자의 교사행위에도 불구하고 ㉠ 피교사자가 범행을 승낙하지 아니하거나 ㉡ 피교사자의 범행결의가 교사자의 교사행위에 의하여 생긴 것으로 보기 어려운 경우에는 이른바 실패한 교사로서 형법 제31조 제3항에 의하여 교사자를 음모 또는 예비에 준하여 처벌할 수 있을 뿐이다.

[2] 피교사자가 범죄의 실행에 착수한 경우 피교사자가 교사자의 교사행위 당시에는 일응 범행을 승낙하지 아니한 것으로 보여진다 하더라도 이후 그 교사행위에 의하여 범행을 결의한 것으로 인정되는 이상 교사범의 성립에는 영향이 없다.

[3] 피고인이 결혼을 전제로 교제하던 여성 甲의 임신 사실을 알고 수회에 걸쳐 낙태를 권유하였다가 거부당하자, 甲에게 출산 여부는 알아서 하되 더 이상 결혼을 진행하지 않겠다고 통보하고, 이후에도 아이에 대한 친권을 행사할 의사가 없다고 하면서 낙태할 병원을 물색해 주기도 하였는데, 그 후 甲이 피고인에게 알리지 아니한 채 자신이 알아본 병원에서 낙태시술을 받은 사안에서, 피고인은 甲에게 직접 낙태를 권유할 당시뿐만 아니라 출산 여부는 알아서 하라고 통보한 이후에도 계속 낙태를 교사하였고, 甲은 이로 인하여 낙태를 결의·실행하게 되었다고 보는 것이 타당하며, 甲이 당초 아이를 낳을 것처럼 말한 사실이 있다는 사정만으로 피고인의 낙태교사행위와 甲의 낙태결의 사이에 인과관계가 단절되는 것은 아니라는 이유로, 피고인에게 낙태교사죄를 인정한 원심판단을 정당하다고 한 사례(대법원 2013.9.12. 2012도2744)

①, ② (O) 대법원 2013.9.12. 2012도2744

④ 대법원 2012.11.15. 2012도7407
→ 교사자의 공범 관계 이탈 부정

08 ③

유형 개수 찾기

형법총론 > 범죄론 > 죄수론 > 상상적 경합 난이도 상

㉠ (O) 공무원이 취급하는 사건에 관하여 청탁 또는 알선을 할 의사와 능력이 없음에도 청탁 또는 알선을 한다고 기망하고 금품을 교부받은 경우의 죄책 및 그 죄수관계(=사기죄와 변호사법 위반죄의 상상적 경합)(대법원 2007.5.10. 2007도2372)

㉣ (O) ⓐ 피고인 등이 사기도박에 필요한 준비를 갖추고 그 실행에 착수한 후에 사기도박을 숨기기 위하여 얼마간 정상적인 도박을 하였더라도 이는 사기죄의 실행행위에 포함되는 것이어서, 피고인에 대하여는 피해자들에 대한 사기죄만이 성립하고 도박죄는 따로 성립하지 아니한다.
ⓑ 피고인 등이 피해자들을 유인하여 사기도박으로 도금을 편취한 행위는 사회관념상 1개의 행위로 평가함이 상당하므로, 피해자들에 대한 각 사기죄는 상상적 경합의 관계에 있다고 한 사례(대법원 2011.1.13. 2010도9330)

㉤ (O) 국회의원 선거에서 정당의 공천을 받게 하여 줄 의사나 능력이 없음에도 이를해 줄 수 있는 것처럼 기망하여 공천과 관련하여 금품을 받은 경우, 공직선거법상 공천관련금품수수죄와 사기죄가 모두 성립하고 양자는 상상적 경합의 관계에 있다(대법원 2009.4.23. 2009도834).

㉡ (X) 형법 제347조 제1항의 사기죄와 방문판매 등에 관한 법률 제28조 제1항 및 같은 법률 제45조 제2항 제1호의 각 위반죄와의 관계(=실체적 경합범)(대법원 2001.3.27. 2000도5318)

㉢ (X) 유사수신행위의 금지에 관한 유사수신행위의 규제에 관한 법률 제3조 위반죄와 특정경제범죄 가중처벌 등에 관한 법률 제3조 제1항 위반(사기)죄의 관계(=실체적 경합범)(대법원 2008.2.29. 2007도10414)

09 ②

유형 개수 찾기

형법총론 > 형벌론 > 형벌론 > 벌금형 난이도 하

㉣ (X) 선고하는 벌금이 1억원 이상 5억원 미만인 경우에는 300일 이상, 5억원 이상 50억원 미만인 경우에는 500일 이상, 50억원 이상인 경우에는 1천일 이상의 유치기간을 정하여야 한다(형법 제70조 제2항).

㉠, ㉡, ㉢ (O)

> **형법 제69조(벌금과 과료)** ① 벌금과 과료는 판결확정일로부터 30일내에 납입하여야 한다. 단, 벌금을 선고할 때에는 동시에 그 금액을 완납할 때까지 노역장에 유치할 것을 명할 수 있다.
> ② 벌금을 납입하지 아니한 자는 1일 이상 3년 이하, 과료를 납입하지 아니한 자는 1일 이상 30일 미만의 기간 노역장에 유치하여 작업에 복무하게 한다.
> **형법 제70조(노역장 유치)** ① 벌금 또는 과료를 선고할 때에는 납입하지 아니하는 경우의 유치기간을 정하여 동시에 선고하여야 한다.
> ② 선고하는 벌금이 1억원 이상 5억원 미만인 경우에는 300일 이상, 5억원 이상 50억원 미만인 경우에는 500일 이상, 50억원 이상인 경우에는 1천일 이상의 유치기간을 정하여야 한다.

10 ②

유형 옳은 지문 고르기

형법각론 > 개인적 법익에 대한 죄 > 재산에 대한 죄 > 절도죄 난이도 상

② (O) 형법 제332조에 규정된 상습절도죄를 범한 범인이 범행의 수단으로 주간에 주거침입을 한 경우 주간 주거침입행위는 상습절도죄와 별개로 주거침입죄를 구성한다. 또 형법 제332조에 규정된 상습절도죄를 범한 범인이 그 범행 외에 상습적인 절도의 목적으로 주간에 주거침입을 하였다가 절도에 이르지 아니하고 주거침입에 그친 경우에도 주간 주거침입행위는 상습절도죄와 별개로 주거침입죄를 구성한다(대법원

2015.10.15. 2015도8169).

① (X) 흉기는 본래 살상용 · 파괴용으로 만들어진 것이거나 이에 준할 정도의 위험성을 가진 것이어야 한다(대법원 2012.6.14. 2012도4175).
→ 형법 제331조 제2항(흉기를 휴대하여 타인의 재물을 절취한 자)이 규정한 특수절도죄에 해당한다고 본 원심 판결에 대해 흉기에 해당하지 않으므로 위법하다는 판결이다(단순 절도죄 성립). 대상 판결은 흉기와 위험한 물건을 구별하고 흉기를 위험한 물건보다 좁게 보았다는 점에 의미가 있다.

③ [1] 종범은 정범이 실행행위에 착수하여 범행을 하는 과정에서 이를 방조한 경우뿐 아니라, 정범의 실행의 착수 이전에 장래의 실행행위를 미필적으로나마 예상하고 이를 용이하게 하기 위하여 방조한 경우에도 그 후 정범이 실행행위에 나아갔다면 성립할 수 있다.
[2] 피고인(A)이 그 보험계약의 체결 과정에서 피보험자인 甲을 가장하는 등으로 乙을 도운 행위는 그 후 乙이 보험회사에 보험금을 청구하여 이를 지급받음으로써 정범으로서의 실행행위에 나아감에 따라 그에 대한 방조행위가 될 수는 있겠지만, 피고인을 사기죄의 공동정범으로 처벌할 수는 없다(대법원 2013.11.14. 2013도7494).

④ 채무자가 투자금반환채무의 변제를 위하여 담보로 제공한 임차권 등의 권리를 그대로 유지할 계약상 의무가 있다고 하더라도, 이는 기본적으로 투자금반환채무의 변제의 방법에 관한 것이고, 배임죄에서 말하는 신임관계에 기초하여 채권자의 재산을 보호 또는 관리하여야 하는 '타인의 사무'에 해당한다고 볼 수 없다(대법원 2015.3.26. 2015도1301).

11 ②

유형 개수 찾기

형법각론 > 개인적 법익에 대한 죄 > 재산에 대한 죄 > 횡령죄 난이도 상

㉠ (X) 횡령죄의 주체는 타인의 재물을 보관하는 자이어야 하고, 여기서 보관이라 함은 위탁관계에 의하여 재물을 점유하는 것을 의미하므로, 결국 횡령죄가 성립하기 위하여는 그 재물의 보관자가 재물의 소유자(또는 기타의 본권자)와 사이에 법률상 또는 사실상의 위탁신임관계가 존재하여야 하고, 또한 부동산의 경우 보관자의 지위는 점유를 기준으로 할 것이 아니라 그 부동산을 제3자에게 유효하게 처분할 수 있는 권능의 유무를 기준으로 결정하여야 하므로, 원인무효인 소유권이전등기의 명의자는 횡령죄의 주체인 타인의 재물을 보관하는 자에 해당한다고 할 수 없다(대법원 2007.5.31. 2007도1082).

㉣ (X) 단일한 범의를 가지고 상대방을 기망하여 착오에 빠뜨리고 그로부터 동일한 방법에 의하여 여러 차례에 걸쳐 재물을 편취하면 그 전체가 포괄하여 일죄로 되지만, 여러 사람의 피해자에 대하여 따로 기망행위를 하여 각각 재물을 편취한 경우에는 비록 범의가 단일하고 범행방법이 동일하더라도 각 피해자의 피해법익은 독립한 것이므로 그 전체가 포괄일죄로 되지 아니하고 피해자별로 독립한 여러 개의 사기죄가 성립된다(대법원 1989.6.13. 89도582, 2001.12.28. 2001도6130 등 참조).

㉡ (O) 장물이라 함은 재산범죄로 인하여 취득한 물건 그 자체를 말하고, 그 장물의 처분 대가는 장물성을 상실하는 것이지만, 금전은 고도의 대체성을 가지고 있어 다른 종류의 통화와 쉽게 교환할 수 있고, 그 금전 자체는 별다른 의미가 없고 금액에 의하여 표시되는 금전적 가치가 거래상 의미를 가지고 유통되고 있는 점에 비추어 볼 때, 장물인 현금을 금융기관에 예금의 형태로 보관하였다가 이를 반환받기 위하여 동일한 액수의 현금을 인출한 경우에 예금계약의 성질상 인출된 현금은 당초의 현금과 물리적인 동일성은 상실되었지만 액수에 의하여 표시되는 금전적 가치에는 아무런 변동이 없으므로 장물로서의 성질은 그대로 유지된다고 봄이 상당하고, 자기앞수표도 그 액면금을 즉시 지급받을 수 있는 등 현금에 대신하는 기능을 가지고 거래상 현금과 동일하게 취급되고 있는 점에서 금전의 경우와 동일하게 보아야 한다(대법원 2004.3.12. 2004도134).

㉢ (O) 형법 제41장의 장물에 관한 죄에 있어서의 '장물'이라 함은 재산범죄로 인하여 취득한 물건 그 자체를 말하므로, 재산범죄를 저지른 이후에 별도의 재산범죄의 구성요건에 해당하는 사후행위가 있었다면 비록 그 행위가 불가벌적 사후행위로서 처벌의 대상이 되지 않는다 할지라도 그 사후행위로 인하여 취득한 물건은 재산범죄로 인하여 취득한 물건으로서 장물이 될 수 있다(대법원 2004.4.16. 2004도353).

12 ①

유형 틀린 지문 고르기

형법각론 > 사회적 법익에 대한 죄 > 공공의 신용에 대한 죄 > 유가증권에 관한 죄 난이도 중

① (X) 형법 제214조의 유가증권이란 증권상에 표시된 재산상의 권리의 행사와 처분에 그 증권의 점유를 필요로 하는 것을 총칭하는 것으로서 ㉠ 재산권이 증권에 화체된다는 것과 ㉡ 그 권리의 행사와 처분에 증권의 점유를 필요로 한다는 두 가지 요소를 갖추면 족하지 반드시 유통성을 가질 필요는 없고, 또한 위 유가증권은 일반인이 진정한 것으로 오신할 정도의 형식과 외관을 갖추고 있으면 되므로 증권이 비록 "문방구 약속어음 용지"를 이용하여 작성되었다고 하더라도 그 전체적인 형식·내용에 비추어 일반인이 진정한 것으로 오신할 정도의 약속어음 요건을 갖추고 있으면 당연히 형법상 유가증권에 해당한다(대법원 2001.8.24. 2001도2832).

② (O) 신용카드업자가 발행한 신용카드는 이를 소지함으로써 신용구매가 가능하고 금융의 편의를 받을 수 있다는 점에서 경제적 가치가 있다 하더라도, 그 자체에 경제적 가치가 화체되어 있거나 특정의 재산권을 표창하는 유가증권이라고 볼 수 없고, 단지 신용카드회원이 그 제시를 통하여 신용카드회원이라는 사실을 증명하거나 현금자동지급기 등에 주입하는 등의 방법으로 신용카드업자로부터 서비스를 받을 수 있는 증표로서의 가치를 갖는 것에 불과하다(대법원 1999.7.9. 99도857).

③ (O) 유가증권변조죄에 있어서 '변조'라 함은 ㉠ 진정으로 성립된 유가증권의 내용에 ㉡ 권한 없는 자가 ㉢ 그 유가증권의 동일성을 해하지 않는 한도에서 변경을 가하는 것을 말하므로, 이미 타인에 의하여 위조된 약속어음의 기재사항을 권한 없이 변경하였다고 하더라도 유가증권변조죄는 성립하지 아니한다. 그리고 위조된 약속어음의 액면금액을 권한 없이 변경하는 것이 당초의 위조와는 별개의 새로운 유가증권위조로 된다고 할 수도 없다(대법원 2008.12.24. 2008도9494).

④ (O) [1] 유가증권의 허위작성행위 자체에는 직접관여한 바 없다 하더라도 타인에게 그 작성을 부탁하여 의사연락이 되고 그 타인으로 하여금 범행을 하게 하였다면 공모공동정범에 의한 허위작성죄가 성립한다.
[2] 허위의 선하증권을 발행하여 타인에게 교부하여 줌으로써 그 타인으로 하여금 이를 행사하여 그 선하증권상의 물품대금을 지급받게 한 소위는 허위 유가증권행사죄와 사기죄의 공동정범을 인정하기에 충분하다(대법원 1985.8.20. 83도2575).

13 ④

유형 개수 찾기

형법총론 > 서론 > 형법의 적용범위 > 시간적 적용범위 난이도 하

㉠ (O) 법원은, 형벌에 관한 법령이 헌법재판소의 위헌결정으로 인하여 소급하여 그 효력을 상실하였거나 법원에서 위헌·무효로 선언된 경우, 당해 법령을 적용하여 공소가 제기된 피고사건에 대하여 형사소송법 제325조에 따라 무죄를 선고하여야 한다(대법원 1992.5.8. 91도2825).

㉡ (O) 피고인이 야간옥외집회를 주최하였다는 취지의 공소사실에 대하여 원심이 집회 및 시위에 관한 법률 제23조 제1호, 제10조 본문을 적용하여 유죄를 인정하였는데, 원심판결 선고 후 헌법재판소가 위 법률조항에 대해 헌법불합치결정을 선고하면서 개정시한을 정하여 입법개선을 촉구하였는데도 위 시한까지 법률 개정이 이루어지지 않은 사안에서, 위 법률조항은 소급하여 효력을 상실하므로 이를 적용하여 공소가 제기된 위 피고사건에 대하여 무죄를 선고하여야 한다(대법원 2011.6.23. 2008도7562 전원합의체).
→ 야간옥외집회 사건

㉢ (O) 재심이 개시된 사건에서 형벌에 관한 법령이 재심판결 당시 폐지되

었다 하더라도 그 폐지가 당초부터 헌법에 위배되어 효력이 없는 법령에 대한 것이었다면 형사소송법 제325조 전단이 규정하는 '범죄로 되지 아니한 때'의 무죄사유에 해당하는 것이지, 형사소송법 제326조 제4호에서 정한 면소사유에 해당한다고 할 수 없다(대법원 2013.5.16. 2011도2631 전원합의체).
→ 긴급조치위반 사건

14 ②

유형 개수 찾기

형법총론 > 범죄론 > 구성요건론 > 작위의무 난이도 중

㉣ (X) 세월호 선장에 대하여는 대법관 전원 일치로 미필적 고의에 의한 살인죄를 인정하였으나 항해사 및 기관장의 경우에는 선박의 총책임자인 선장과는 달리 사태를 지배하는 지위에 있었다고 보기 어려워 그들의 부작위를 작위에 의한 살인의 실행행위와 동일하게 평가하기 어려울 뿐만 아니라 유기의 고의를 넘어 살인의 미필적 고의로 선장의 부작위에 의한 살인행위에 공모 가담하였다고 단정하기 어렵다는 이유로 다수의견이 살인죄 대신 유기치사죄를 인정하였다(대법원 2015.11.12. 2015도6809 전원합의체).

㉠, ㉡, ㉢ (O) 올바른 설명이다.

15 ①

유형 개수 찾기

형법각론 > 국가적 법익에 대한 죄 > 국가의 존립과 권위에 대한 죄 > 내란음모죄 난이도 하

㉣ (X) 소수의견으로, 옳지 않다.

㉠, ㉡, ㉢ (O) **내란음모죄의 성립 요건**

[다수의견]

[1] 음모는 실행의 착수 이전에 2인 이상의 자 사이에 성립한 범죄 실행의 합의로서, 합의 자체는 행위로 표출되지 않은 합의 당사자들 사이의 의사표시에 불과한 만큼 실행행위로서의 정형이 없고, 따라서 합의의 모습 및 구체성의 정도도 매우 다양하게 나타날 수밖에 없다. 그런데 어떤 범죄를 실행하기로 막연하게 합의한 경우나 특정한 범죄와 관련하여 단순히 의견을 교환한 경우까지 모두 범죄 실행의 합의가 있는 것으로 보아 음모죄가 성립한다고 한다면 음모죄의 성립범위가 과도하게 확대되어 국민의 기본권인 사상과 표현의 자유가 위축되거나 그 본질이 침해되는 등 죄형법정주의 원칙이 형해화될 우려가 있으므로, 음모죄의 성립범위도 이러한 확대해석의 위험성을 고려하여 엄격하게 제한하여야 한다.

[2] 한편 내란죄의 주체는 국토를 참절하거나 국헌을 문란할 목적을 이룰 수 있을 정도로 조직화된 집단으로서 다수의 자이어야 하고, 그 역할도 수괴, 중요한 임무에 종사한 자, 부화수행한 자 등으로 나뉜다(형법 제87조 각 호 참조). 또한, 실행행위인 폭동행위는 살상, 파괴, 약탈, 단순 폭동 등 여러 가지 폭력행위가 혼합되어 있고, 그 정도가 한 지방의 평온을 해할 정도의 위력이 있음을 요한다.

[3] 2인 이상의 자 사이에 어떠한 폭동행위에 대한 합의가 있는 경우에도 공격의 대상과 목표가 설정되어 있지 않고, 시기와 실행방법이 어떠한지를 알 수 없으면 그것이 '내란'에 관한 음모인지를 알 수 없다. 따라서 내란음모가 성립하였다고 하기 위해서는 개별 범죄행위에 관한 세부적인 합의가 있을 필요는 없으나, 공격의 대상과 목표가 설정되어 있고, 그 밖의 실행계획에 있어서 주요 사항의 윤곽을 공통적으로 인식할 정도의 합의가 있어야 한다.

나아가 합의는 실행행위로 나아간다는 확정적인 의미를 가진 것이어야 하고, 단순히 내란에 관한 생각이나 이론을 논의한 것으로는 부족하다. 또한, 내란음모가 단순히 내란에 관한 생각이나 이론을 논의 내지 표현한 것인지 실행행위로 나아간다는 확정적인 의미를 가진 합의인지를 구분하기가 쉽지 않다는 점을 고려하면, 내란음모죄에 해당하는 합의가 있다고 하기 위해서는 단순히 내란에 관한 범죄결심을 외부에 표시·전달하는 것만으로는 부족하고 객관적으로 내란범죄의 실행을 위한 합의라는 것이 명백히 인정되고, 그러한 합의에 실질적인 위험성이 인정되어야 한다(대법원 2015.1.22. 2014도10978 전원합의체).

16 ①

유형 개수 찾기

형법총론 > 범죄론 > 구성요건론 > 미필적 고의 난이도 중

㉠ (O) **무면허 운전의 고의 부정**

[1] 무면허운전에 의한 도로교통법위반죄가 고의범인지 여부(인정) 및 그 범의의 인정기준

도로교통법 제109조 제1호, 제40조 제1항 위반의 죄는 유효한 운전면허가 없음을 알면서도 자동차를 운전하는 경우에만 성립하는, 이른바 고의범이므로, 기존의 운전면허가 취소된 상태에서 자동차를 운전하였더라도 운전자가 면허취소사실을 인식하지 못한 이상 도로교통법위반(무면허운전)죄에 해당한다고 볼 수 없고, 관할 경찰당국이 운전면허취소처분의 통지에 갈음하는 적법한 공고를 거쳤다 하더라도, 그것만으로 운전자가 면허가 취소된 사실을 알게 되었다고 단정할 수는 없다.

[2] 운전면허증 앞면에 적성검사기간이 기재되어 있고, 뒷면 하단에 경고 문구가 있다는 점만으로 피고인이 정기적성검사 미필로 면허가 취소된 사실을 미필적으로나마 인식하였다고 추단하기 어렵다고 한 사례(대법원 2004.12.10. 2004도6480)

㉡ (O) **무면허 운전의 고의 인정**

→ 대법원 2002.10.22. 2002도4203

㉢ (O) **정기적성검사 미필에 대한 고의 인정**

[1] 제1종 운전면허 소지자인 피고인이 정기적성검사기간 내에 적성검사를 받지 아니하였다고 하여 구 도로교통법 위반으로 기소된 사안에서, 피고인이 적성검사기간 도래 여부에 관한 확인을 게을리하여 기간이 도래하였음을 알지 못하였더라도 적성검사기간 내에 적성검사를 받지 않는 데 대한 미필적 고의는 있었다고 봄이 타당한데도, 이와 달리 보아 무죄를 선고한 원심판결에 법리오해 등의 잘못이 있다고 한 사례

[2] 운전면허증 소지자가 운전면허증만 꺼내 보아도 쉽게 알 수 있는 정도의 노력조차 기울이지 않는 것은 적성검사기간 내에 적성검사를 받지 못하게 되는 결과에 대한 방임이나 용인의 의사가 존재한다고 봄이 타당하다(대법원 2014.4.10 2012도8374).

17 ①

유형 개수 찾기

형법각론 > 개인적 법익에 대한 죄 > 재산에 대한 죄 > 배임죄 난이도 중

㉠ (X) [1] 채권 담보 목적으로 부동산에 관한 대물변제예약을 체결한 채무자가 대물로 변제하기로 한 부동산을 제3자에게 처분한 경우, 배임죄가 성립하지 않는다.

[2] 채무자인 피고인이 채권자 甲에게 차용금을 변제하지 못할 경우 자신의 어머니 소유 부동산에 대한 유증상속분을 대물변제하기로 약정한 후 유증을 원인으로 위 부동산에 관한 소유권이전등기를 마쳤음에도 이를 제3자에게 매도함으로써 甲에게 손해를 입혔다고 하여 배임으로 기소된 사안에서, 피고인이 '타인의 사무를 처리하는 자'의 지위에 있다고 볼 수 없는데도, 이와 다른 전제에서 유죄를 인정한 원심판결에 법리오해의 위법이 있다고 한 사례(대법원 2014.8.21. 2014도3363 전원합의체).

㉡ (X) [1] 매도인이 매수인으로부터 중도금을 수령한 이후에 매매목적물인 '동산'을 제3자에게 양도하는 행위는 배임죄에 해당하지 않는다.

[2] 피고인이 '인쇄기'를 甲에게 양도하기로 하고 계약금 및 중도금을 수령하였음에도 이를 자신의 채권자 乙에게 기존 채무 변제에 갈음하

여 양도함으로써 재산상 이익을 취득하고 甲에게 동액 상당의 손해를 입혔다는 배임의 공소사실에 대하여, 이를 무죄로 선고한 원심판단을 수긍한 사례(대법원 2011.1.20. 2008도10479 전원합의체)

ⓒ (X) [1] 채무자가 투자금반환채무의 변제를 위하여 담보로 제공한 임차권 등의 권리를 그대로 유지할 계약상 의무가 있다고 하더라도, 이는 기본적으로 투자금반환채무의 변제의 방법에 관한 것이고, 그 성실한 이행에 의하여 채권자가 계약상 권리의 만족이라는 이익을 얻는다고 하여도 이를 가지고 통상의 계약에서의 이익대립관계를 넘어서 배임죄에서 말하는 신임관계에 기초하여 채권자의 재산을 보호 또는 관리하여야 하는 '타인의 사무'에 해당한다고 볼 수 없다.

[2] 피고인이 아울렛 의류매장의 운영과 관련하여 공소외인으로부터 투자를 받으면서 투자금반환채무의 변제를 위하여 의류매장에 관한 임차인 명의와 판매대금의 입금계좌 명의를 공소외인 앞으로 변경해주었음에도 제3자에게 의류매장에 관한 임차인의 지위 등 권리 일체를 양도한 행위가 배임죄에 해당하는지가 쟁점인 이 사건에서, 증거에 의하여 판시와 같은 사실을 인정한 다음, 피고인이 의류매장에 관한 임차인 명의와 판매대금의 입금계좌 명의를 공소외인 앞으로 그대로 유지하여야 할 의무는 단순한 민사상의 채무로서 자기의 사무에 불과하여 타인의 사무에 해당하지 않는다고 보아 배임죄에 관한 공소사실을 무죄로 판단하였다.

원심의 판단은 배임죄에서 '타인의 사무를 처리하는 자'의 의미에 관한 법리를 오해하거나 채증법칙을 위배하여 사실을 오인한 잘못이 없다(대법원 2015.3.26. 2015도1301).

18 ③

유형 개수 찾기

형법총론 > 범죄론 > 위법성론 > 위법성조각사유 난이도 상

㉠ (O) **잦은 진정을 한다는 이유로 단전한 사건**
피해자가 시장번영회를 상대로 잦은 진정을 하고 협조를 하지 않는다는 이유로 시장번영회 총회결의에 의하여 피해자 소유점포에 대하여 정당한 권한 없이 단전조치를 한 경우 이 경우에는 그 결의에 참가한 회원의 위력에 의한 업무방해 행위가 성립하고 피해자에게 사전 통고를 한 여부나 피고인이 회장의 자격으로 단전조치를 한 여부는 위 죄의 성립에 영향이 없다(대법원 1983.11.8. 83도1798).

㉣ (O) **약정 기간이 만료되지 않은 상태에서 단전한 사건**
호텔 내 주점의 임대인이 임차인의 차임 연체를 이유로 계약서상 규정에 따라 위 주점에 대하여 단전·단수조치를 취한 경우, 약정 기간이 만료되지 않았고 임대차보증금도 상당한 액수가 남아있는 상태에서 계약해지의 의사표시와 경고만을 한 후 단전·단수조치를 하였다면 정당행위로 볼 수 없다(대법원 2007.9.20. 2006도9157).

㉥ (O) **갱신계약 여부에 관한 의사표시를 하지 않는다는 이유로 단전조치한 사건**
임대인이 차임이나 관리비를 단 1회도 연체한 적이 없는 임차인이 임대차계약의 종료 후 임대료와 관리비를 인상하는 내용의 갱신계약 여부에 관한 의사표시나 명도의무를 지체하자, 그 종료일로부터 16일 만에 임차인의 사무실에 대하여 단전조치를 취한 경우, 즉 사무실 임차인이 임대차계약 종료 후 갱신계약 여부에 관한 의사표시나 명도의무를 지체하고 있다는 이유만으로 임대인이 단전조치를 취하여 업무방해죄로 기소된 사안에서, 피해자의 승낙, 정당행위, 법률의 착오 주장을 모두 배척하였다(대법원 2006.4.27. 2005도8074).

㉡ (X) 시장번영회 회장이 이사회의 결의와 시장번영회의 관리규정에 따라서 관리비 체납자의 점포에 대하여 실시한 단전조치는 정당행위로서 업무방해죄를 구성하지 아니한다(대법원 2004.8.20. 2003도4732).
→ 정당행위(관리비체납하자 단전한 사건)

ⓒ (X) 시장번영회의 회장으로서 시장번영회에서 제정하여 시행중인 관리규정을 위반하여 칸막이를 천장에까지 설치한 일부 점포주들에 대하여 단전조치를 한 경우 시장관리규정에 따른 단전조치는 법익균형성, 긴급성, 보충성을 갖춘 행위로서 사회통념상 허용될 만한 정도의 상당성이 있는 것이므로 피고인의 각 행위는 형법 제20조 소정의 정당행위에 해당한다(대법원 1994.4.15. 93도2899).
→ 정당행위(칸막이를 천장까지 설치하자 단전한 사건)

㉤ (X) 호텔 내 주점의 임대인이 임차인의 차임 연체를 이유로 계약서상 규정에 따라 위 주점에 대하여 단전·단수조치를 취한 경우, 약정 기간이 만료되었고 임대차보증금도 차임연체 등으로 공제되어 이미 남아있지 않은 상태에서 미리 예고한 후 단전·단수조치를 하였다면 형법 제20조의 정당행위에 해당한다(대법원 2007.9.20. 2006도9157).
→ 정당행위(약정 기간이 만료된 상태에서 미리 예고한 단전 사건)

㉦ (X) 백화점 대표이사인 피고인이 백화점 입주상인들이 영업을 하지 않고 매장 내에서 점거 농성만을 하면서 매장 내의 기존의 전기시설에 임의로 전선을 연결하여 각종 전열기구를 사용함으로써 화재 위험이 높아 부득이 단전조치를 한 경우 그 단전조치 당시 보호받을 업무가 존재하지 않았을 뿐만 아니라 화재 예방 등 건물의 안 전한 유지 관리를 위한 정당한 권한 행사의 범위 내의 행위에 해당하므로 피고인의 단전조치가 업무방해죄를 구성한다고 볼 수 없다(대법원 1995.6.30. 94도3136)
→ 정당행위(백화점대표이사 화재예방 단전조치 사건)

19 ④

유형 사례 풀기

형법각론 > 개인적 법익에 대한 죄 > 생명과 신체에 대한 죄 > 강도죄 난이도 상

④ (X) 절도의 실행에 착수가 없으므로 준강도죄가 인정될 수 없다(대법원 2014.5.16. 2014도2521).

①, ②, ③ (O) [1] 형법 제335조는 '절도'가 재물의 탈환을 항거하거나 체포를 면탈하거나 죄적을 인멸한 목적으로 폭행 또는 협박을 가한 때에 준강도가 성립한다고 규정하고 있으므로 준강도죄의 주체는 절도범인이고 절도죄의 객체는 재물이다.

[2] 원심이 인정한 범죄사실은 피고인이 피해자에게 지급해야 할 술값의 지급을 면하여 재산상 이익을 취득하고 피해자를 폭행하였다는 것인데, 그 자체로 절도의 실행에 착수하였다는 내용이 포함되어 있지 않고, 기록을 살펴보아도 이를 인정할 만한 사정이 없다. 그럼에도 원심은 위 공소사실에 관하여 준강도죄를 적용하여 유죄로 인정하였는바, 이는 준강도죄의 주체에 관한 법리를 오해하여 판단을 그르친 것이다(대법원 2014.5.16. 2014도2521).

20 ④

유형 조합하기

형법각론 > 개인적 법익에 관한 죄 > 명예와 신용에 관한 죄 > 신용카드부정사용죄 난이도 중

ㄷ. (X) 신용카드를 절취한 사람이 대금을 결제하기 위하여 신용카드를 제시하고 카드회사의 승인까지 받았다고 하더라도 매출전표에 서명한 사실이 없고 도난카드임이 밝혀져 최종적으로 매출취소로 거래가 종결되었다면, 신용카드 부정사용의 미수행위에 불과하다(대법원 2008.2.14. 2007도8767).
→ 여신전문금융업법은 절취한 신용카드 부정사용의 미수를 처벌하는 규정을 두고 있지 아니하므로 무죄를 선고한 판결이다.

ㅁ. (X) 강취한 신용카드를 가지고 자신이 그 신용카드의 정당한 소지인인 양 가맹점의 점주를 속이고 그에 속은 점주로부터 주류 등을 제공받아 이를 취득한 것이라면 신용카드부정사용죄와 별도로 사기죄가 성립한다(대법원 1997.1.21. 96도2715).
→ 신용카드부정사용죄와 사기죄는 그 보호법익이나 행위의 태양이 전혀 달라 실체적 경합관계에 있다(대법원 1996.7.12. 96도1181).

ㄱ. (O) 예금주인 현금카드 소유자를 협박하여 그 카드를 갈취하였고, 하자 있는 의사표시이기는 하지만 피해자의 승낙에 의하여 현금카드를 사용할 권한을 부여받아 이를 이용하여 현금을 인출한 이상, 피고인이 피해자로부터 현금카드를 사용한 예금인출의 승낙을 받고 현금카드를 교부

받은 행위와 이를 사용하여 현금자동지급기에서 예금을 여러 번 인출한 행위들은 모두 피해자의 예금을 갈취하고자 하는 피고인의 단일하고 계속된 범의 아래에서 이루어진 일련의 행위로서 포괄하여 하나의 공갈죄를 구성한다고 볼 것이지, 현금지급기에서 피해자의 예금을 취득한 행위를 현금지급기 관리자의 의사에 반하여 그가 점유하고 있는 현금을 절취한 것이라 하여 이를 현금카드갈취행위와 분리하여 따로 절도죄로 처단할 수는 없다(대법원 1996.9.20. 95도1728).

ㄴ. (○) 절취한 타인의 신용카드를 이용하여 현금지급기에서 자신의 예금계좌로 돈을 이체시킨 후 현금을 인출한 행위는 절도죄를 구성하지 않는다(대법원 2008.6.12. 2008도2440).
→ 컴퓨터등사용사기죄만 성립한다.

ㄹ. (○) 대법원 2006.7.27. 2006도3126

21 ④

유형 옳은 지문 고르기

형법총론 > 범죄론 > 구성요건론 > 고의의 인식 대상 — 난이도 하

④ (○) 고의의 인식 대상은 모든 객관적 구성요건요소이다.

①, ②, ③, (X) ㉠ 주관적 구성요건요소 (고의, 목적범의 목적), ㉡ 결과적 가중범의 중한 결과, ㉢ 추상적 위험범에 있어서 위험, ㉣ 상습도박죄의 상습성, ㉤ 형벌법규 자체, ㉥ 부작위범의 일반적 행위가능성, ㉦ 부진정 부작위범의 보증의무, ㉧ 책임요소(책임능력, 기대가능성), ㉨ 처벌조건(객관적 처벌조건, 인적 처벌조각사유), ㉩ 소추조건(친고죄의 고소, 반의사불벌죄의 피해자 의사)은 고의의 인식대상이 아니다.

22 ②

유형 조합하기

형법각론 > 개인적 법익에 대한 죄 > 자유에 대한 죄 > 협박죄 — 난이도 상

ㄱ. (○) 골프시설의 운영자가 골프회원에게 불리하게 변경된 내용의 회칙에 대하여 동의한다는 내용의 등록신청서를 제출하지 아니하면 회원으로 대우하지 아니하겠다고 통지한 것이 강요죄에 해당한다(대법원 2003.9.26. 2003도763).

ㄷ. (○) 감금행위가 단순히 강도상해 범행의 수단이 되는 데 그치지 아니하고 강도상해의 범행이 끝난 뒤에도 계속된 경우에는 1개의 행위가 감금죄와 강도상해죄에 해당하는 경우라고 볼 수 없고, 이 경우 감금죄와 강도상해죄는 형법 제37조의 경합범 관계에 있다(대법원 2003.1.10. 2002도4380).

ㅁ. (○) 미성년자를 보호감독하는 자라 하더라도 다른 보호감독자의 감호권을 침해하거나 자신의 감호권을 남용하여 미성년자 본인의 이익을 침해하는 경우에는 미성년자약취·유인죄의 주체가 될 수 있다(대법원 2008.1.31. 2007도8011).
→ 외조부가 맡아서 양육해 오던 미성년인 子를 子의 의사에 반하여 사실상 자신의 지배하에 옮긴 친권자에 대하여 미성년자약취·유인죄를 인정

ㄴ. (X) [1] ⓐ 미성년자가 혼자 머무는 주거에 침입하여 그를 감금한 뒤 폭행 또는 협박에 의하여 부모의 출입을 봉쇄하거나, ⓑ 미성년자와 부모가 거주하는 주거에 침입하여 부모만을 강제로 퇴거시키고 독자적인 생활관계를 형성하기에 이르렀다면 비록 장소적 이전이 없었다 할지라도 형법 제287조의 미성년자약취죄에 해당한다.
[2] 미성년자 혼자 머무는 주거에 침입하여 강도 범행을 하는 과정에서 미성년자와 그 부모에게 폭행·협박을 가하여 일시적으로 부모와의 보호관계가 사실상 침해·배제되었더라도, 미성년자가 기존의 생활관계로부터 완전히 이탈되었다거나 새로운 생활관계가 형성되었다고 볼 수 없고 범인의 의도도 위와 같은 생활관계의 이탈이 아니라 단지 금품 강취를 위한 반항 억압에 있었으므로, 형법 제287조의 미성년자약취죄가 성립하지 않는다(대법원 2008.1.17. 2007도8485).

ㄹ. (X) [1] 협박죄는 사람의 의사결정의 자유를 보호법익으로 하는 범죄로서 형법규정의 체계상 개인적 법익, 특히 사람의 자유에 대한 죄 중 하나로 구성되어 있는바, 협박죄는 자연인만을 그 대상으로 예정하고 있을 뿐 법인은 협박죄의 객체가 될 수 없다.
[2] '제3자'에 대한 법익 침해를 내용으로 하는 해악을 고지하는 것이라고 하더라도 피해자 본인과 제3자가 밀접한 관계에 있어 그 해악의 내용이 피해자 본인에게 공포심을 일으킬 만한 정도의 것이라면 협박죄가 성립할 수 있다. 이때 '제3자'에는 자연인뿐만 아니라 법인도 포함된다(대법원 2010.7.15. 2010도1017).

23 ③

유형 조합하기

형법각론 > 사회적 법익에 대한 죄 > 공공의 신용에 대한 죄 > 위조 — 난이도 중

㉠ (○) [1] 형법상 통화에 관한 죄는 문서에 관한 죄에 대하여 특별관계에 있으므로 통화에 관한 죄가 성립하는 때에는 문서에 관한 죄는 별도로 성립하지 않는다.
[2] 위조된 외국의 화폐, 지폐 또는 은행권이 강제통용력을 가지지 않는 경우에는 형법 제207조 제3항에서 정한 '외국에서 통용하는 외국의 화폐 등'에 해당하지 않고, 나아가 그 화폐 등이 국내에서 사실상 거래 대가의 지급수단이 되고 있지 않는 경우에는 형법 제207조 제2항에서 정한 '내국에서 유통하는 외국의 화폐 등'에도 해당하지 않으므로, 그 화폐 등을 행사하더라도 형법 제207조 제4항에서 정한 위조통화행사죄를 구성하지 않는다고 할 것이고, 따라서 이러한 경우에는 형법 제234조에서 정한 위조사문서행사죄 또는 위조사도화행사죄로 의율할 수 있다고 보아야 한다(대법원 2013.12.12. 2012도2249).

㉡ (○) 대법원 2020.8.27. 2019도11294 전원합의체

㉢ (○) 대법원 2021.2.25. 2018도19043

24 ③

유형 틀린 지문 고르기

형법각론 > 국가적 법익에 관한 죄 > 국가의 기능에 관한 죄 > 뇌물죄 — 난이도 중

③ (X) 약정된 변제기가 없는 경우에는, 판결 선고일 전에 실제로 차용금을 변제하였다거나 대여자의 변제 요구에 의하여 변제기가 도래하였다는 등의 특별한 사정이 없는 한, 금품수수일로부터 판결 선고시까지 금품을 무이자로 차용하여 얻은 금융이익의 수액을 산정한 뒤 이를 추징하여야 할 것이다(대법원 2014.5.16. 2014도1547).

① (○) 뇌물죄에서 뇌물의 내용인 이익이라 함은 금전, 물품 기타의 재산적 이익뿐만 아니라 사람의 수요·욕망을 충족시키기에 족한 일체의 유형·무형의 이익을 포함하며, 제공된 것이 성적 욕구의 충족이라고 하여 달리 볼 것이 아니다(대법원 2014.1.29. 2013도13937).
→ 2012년 11월 절도 혐의로 조사하던 여성 피의자와 검사실에서 유사성행위를 하고 모텔에서 성관계한 성추문검사에 대하여 뇌물수수죄를 인정한 판결이다. 단, 여성 피의자에게 OO역으로 나오도록 한 부분에 대해서는 직권남용권리행사방해죄를 인정하지 않았다.

② (○) 대법원 2012.2.23. 2011도7282

④ (○) 대법원 2012.11.15. 2012도9417

25 ④

유형 개수 찾기

형법각론 > 개인적 법익에 대한 죄 > 자유에 대한 죄 > 강간과 추행의 죄 — 난이도 중

㉠ (○) 형법 제305조 제2항

㉡ (○) 형법 제305조의3

㉢ (○) 대법원 2020.8.27. 2015도9436 전원합의체

㉣ (O) 대법원 2020.8.27. 2015도9436 전원합의체
㉤ (X) 피고인이 피해자가 심신상실 또는 항거불능의 상태에 있다고 인식하고 그러한 상태를 이용하여 간음할 의사로 피해자를 간음하였으나 피해자가 실제로는 심신상실 또는 항거불능의 상태에 있지 않은 경우, 준강간죄의 불능미수가 성립한다(대법원 2019.3.28. 2018도16002 전원합의체).

26 ③

유형 개수 찾기

형법각론 > 개인적 법익에 대한 죄 > 명예와 신용에 대한 죄 > 명의신탁 　난이도 상

㉠ (O) 대법원 2021.2.18. 2016도18761 전원합의체
㉡ (O) 대법원 2016.5.19. 2014도6992 전원합의체
㉢ (O) 대법원 2012.11.29. 2011도7361

27 ②

유형 옳고 그름의 표시(O, X)하기

형법총론 > 범죄론 > 위법성론 > 위법성조각사유 　난이도 상

㉠ (O) 대법원 2017.4.28. 2015도6008
㉡ (X) 피해견을 기계톱으로 내리쳐 등 부분을 절개한 것은 피난행위의 상당성을 넘은 행위로서 형법 제22조 제1항에서 정한 긴급피난의 요건을 갖춘 행위로 보기 어려울 뿐 아니라, 그 당시 피해견이 피고인을 공격하지도 않았고 피해견이 평소 공격적인 성향을 가지고 있었다고 볼 자료도 없는 이상 형법 제22조 제3항에서 정한 책임조각적 과잉피난에도 해당하지 아니한다(대법원 2016.1.28. 2014도2477).
→ 동물보호법 위반('잔인한 방법으로 죽이는 행위')과 재물손괴의 상상적 경합을 인정한 판결이다.
㉢ (O) 대법원 2018.12.27. 2017도15226
㉣ (X) 사망한 사람 명의의 사문서에 대하여도 문서에 대한 공공의 신용을 보호할 필요가 있다는 점을 고려하면, 문서명의인이 이미 사망하였는데도 문서명의인이 생존하고 있다는 점이 문서의 중요한 내용을 이루거나 그 점을 전제로 문서가 작성되었다면 이미 문서에 관한 공공의 신용을 해할 위험이 발생하였다 할 것이므로, 그러한 내용의 문서에 관하여 사망한 명의자의 승낙이 추정된다는 이유로 사문서위조죄의 성립을 부정할 수는 없다(대법원 2011.9.29. 2011도6223).

28 ③

유형 틀린 지문 고르기

형법각론 > 개인적 법익에 대한 죄 > 명예와 신용에 대한 죄 > 명예훼손죄 　난이도 중

③ (X) 전파가능성 법리는 정보통신망 등 다양한 유형의 명예훼손 처벌규정에서의 공연성 개념에 부합한다고 볼 수 있다. 인터넷, 스마트폰과 같은 모바일 기술 등의 발달과 보편화로 SNS, 이메일, 포털사이트 등 정보통신망을 통해 대부분의 의사표현이나 의사전달이 이루어지고 있고, 그에 따라 정보통신망을 이용한 명예훼손도 급격히 증가해 가고 있다. 이러한 정보통신망과 정보유통과정은 비대면성, 접근성, 익명성 및 연결성 등을 그 본질적 속성으로 하고 있어서, 정보의 무한 저장, 재생산 및 전달이 용이하여 정보통신망을 이용한 명예훼손은 '행위 상대방' 범위와 경계가 불분명해지고, 명예훼손 내용을 소수에게만 보냈음에도 행위 자체로 불특정 또는 다수인이 인식할 수 있는 상태를 형성하는 경우가 다수 발생하게 된다. 특히 정보통신망에 의한 명예훼손의 경우 행위자가 적시한 정보에 대한 통제가능성을 쉽게 상실하게 되고, 빠른 전파성으로 인하여 피해자의 명예훼손의 침해 정도와 범위가 광범위하게 되어 표현에 대한 반론과 토론을 통한 자정작용이 사실상 무의미한 경우도 적지 아니하다(대법원 2020.11.19. 2020도5813 전원합의체).
① (O) 대법원 2020.11.19. 2020도5813 전원합의체
② (O) 대법원 2020.11.19. 2020도5813 전원합의체
④ (O) 대법원 2020.11.19. 2020도5813 전원합의체

29 ①

유형 틀린 지문 고르기

형사소송법 > 형사소송법의 기초 > 형사소송법의 의의 > 적용범위 　난이도 하

① (X) 미합중국 국적을 가진 미합중국 군대의 군속인 피고인이 범행 당시 10년 넘게 대한민국에 머물면서 한국인 아내와 결혼하여 가정을 마련하고 직장 생활을 하는 등 생활근거지를 대한민국에 두고 있었던 경우, 피고인은 대한민국과 아메리카합중국 간의 상호방위조약 제4조에 의한 시설과 구역 및 대한민국에서의 합중국 군대의 지위에 관한 협정(1967.2.9. 조약 제232호로 발효되고, 2001.3.29. 조약 제553호로 최종 개정된 것)에서 말하는 '통상적으로 대한민국에 거주하는 자'에 해당하므로, 피고인에게는 위 협정에서 정한 미합중국 군대의 군속에 관한 형사재판권 관련 조항이 적용될 수 없다(대법원 2006.5.11. 2005도798).
② (O) 대법원 2011.8.25. 2011도6507
③ (O) 헌법 제44조 제1항
④ (O) 대법원 2008.10.23. 2008도2826

30 ④

유형 틀린 지문 고르기

형사소송법 > 형사소송법의 기초 > 형사소송법의 이념 > 적정절차 　난이도 

④ (X) 헌법 제12조 제3항의 영장주의는 법관이 발부한 영장에 의하지 아니하고는 수사에 필요한 강제처분을 하지 못한다는 원칙으로 소변을 받아 제출하도록 한 것은 교도소의 안전과 질서유지를 위한 것으로 수사에 필요한 처분이 아닐 뿐만 아니라 검사대상자들의 협력이 필수적이어서 강제처분이라고 할 수도 없어 영장주의의 원칙이 적용되지 않는다(헌법재판소 2006.7.27. 2005헌마277 전원재판부).
① (O) 헌법재판소 2004.9.23. 2002헌가17·18 전원재판부
② (O) 대법원 2002.10.08. 2001도3931
③ (O) 헌법재판소 2002.7.18. 2000헌마327 전원재판부

31 ③

유형 틀린 지문 고르기

형사소송법 > 수사 > 수사의 의의와 수사기관 > 수사의 의의 　난이도 하

③ (X) 변호인의 조력을 받을 권리를 실질적으로 보장하기 위하여는 변호인과의 접견교통권의 인정이 당연한 전제가 되므로, 임의동행의 형식으로 수사기관에 연행된 피의자에게도 변호인 또는 변호인이 되려는 자와의 접견교통권은 당연히 인정된다고 보아야 하고, 임의동행의 형식으로 연행된 피내사자의 경우에도 이는 마찬가지이다(대법원 1996.6.3. 96모18 결정).
① (O) 형사소송법 제197조의3 제1항
② (O) 형사소송법 제196조, 제197조 제1항
④ (O) 수사과정에 대한 설명으로 타당한 내용이다.

32 ④

유형 틀린 지문 고르기

형사소송법 > 수사 > 수사의 단서 > 고소 　난이도 중

④ (X) 형사소송법 제230조 제1항 본문은 "친고죄에 대하여는 범인을 알게 된 날로부터 6월을 경과하면 고소하지 못한다."고 규정하고 있는바, 여기서 범인을 알게 된다 함은 통상인의 입장에서 보아 고소권자가 고소를

할 수 있을 정도로 범죄사실과 범인을 아는 것을 의미하고, 범죄사실을 안다는 것은 고소권자가 친고죄에 해당하는 범죄의 피해가 있었다는 사실관계에 관하여 확정적인 인식이 있음을 말한다(대법원 2001.10.09. 2001도3106).

① (○) 대법원 1985.3.12. 85도190

② (○) 대법원 2011.6.24. 2011도4451

③ (○) 대법원 2015.11.17. 2013도7987

33 ②

유형 틀린 지문 고르기

형사소송법 > 수사 > 임의수사 > 피의자신문 난이도 중

② (X) 신체구속을 당한 피의자 또는 피고인이 범한 것으로 의심받고 있는 범죄행위에 해당 변호인이 관련되어 있다는 등의 사유에 기하여 그 변호인의 변호활동을 광범위하게 규제하는 변호인의 제척과 같은 제도를 두고 있지 아니한 우리 법제 아래에서는, 변호인의 접견교통의 상대방인 신체구속을 당한 사람이 그 변호인을 자신의 범죄행위에 공범으로 가담시키려고 하였다는 등의 사정만으로 그 변호인의 신체구속을 당한 사람과의 접견교통을 금지하는 것이 정당화될 수는 없다(대법원 2007.1.31. 2006모657 결정).

① (○) 변호인의 피의자신문 참여권을 규정한 형사소송법 제243조의2 제1항에서 '정당한 사유'란 변호인이 피의자신문을 방해하거나 수사기밀을 누설할 염려가 있음이 객관적으로 명백한 경우 등을 말하는 것이므로, 수사기관이 피의자신문을 하면서 위와 같은 정당한 사유가 없는데도 변호인에 대하여 피의자로부터 떨어진 곳으로 옮겨 앉으라고 지시를 한 다음 이러한 지시에 따르지 않았음을 이유로 변호인의 피의자신문 참여권을 제한하는 것은 허용될 수 없다(대법원 2008.9.12. 2008모793 결정).

③ (○) 법무법인 소속 변호사가 담당변호사로 지정되어 법무법인의 업무를 수행하는 경우에 있어서는 당해 법무법인이 형사소송법 제34조, 제243조의2 제1항 소정의 변호인으로서 피의자에 대한 접견교통권 또는 피의자신문참여권을 가진다고 보아야 하므로, 수사기관 등이 부당하게 법무법인 소속 변호사의 피의자에 대한 접견이나 피의자신문 참여를 제한하거나 거부하는 처분을 하였다면, 그러한 처분의 직접 상대방은 당해 법무법인이라고 할 것이고, 따라서 형사소송법 제417조에 의하여 그 처분의 취소 또는 변경을 청구할 수 있는 자는 당해 법무법인이라고 할 것이므로, 법무법인 소속 담당변호사 개인에게는 그 처분의 취소 또는 변경을 청구할 수 있는 준항고인 적격이 있다고 할 수 없다(대법원 2010.1.7. 2009모796 결정).

④ (○) 대법원 2020.3.17. 2015모2357 결정

34 ①

유형 옳은 지문 고르기

형사소송법 > 수사 > 강제수사 > 체포 난이도 중

① (○) 대법원 2004.1.16. 2003도5693

② (X) 체포되거나 구속된 피의자에게 변호인이 없는 때에는 제33조(국선변호인)를 준용한다(형사소송법 제214조의2 제10항). 따라서 체포된 피의자가 심신장애의 의심이 있는 경우에는 법원은 국선변호인을 선정하여야 한다.

③ (X) 제214조의2 제4항에 따른 체포 또는 구속적부심사결정에 의하여 석방된 피의자가 도망하거나 범죄의 증거를 인멸하는 경우를 제외하고는 동일한 범죄사실로 재차 체포하거나 구속할 수 없다(형사소송법 제214조의3 제1항).

④ (X) 공범이나 공동피의자의 순차청구가 수사 방해를 목적으로 하고 있음이 명백한 때에는 법원이 심문없이 청구를 기각할 수 있다(형사소송법 제214조의2 제3항 제2호, 간이기각결정).

35 ③

유형 옳은 지문 고르기

형사소송법 > 수사 > 압수 · 수색 · 검증 등 > 압수 · 수색 난이도 중

③ (○) 범죄행위에 제공하려고 한 물건은 범인 이외의 자의 소유에 속하지 아니하거나 범죄 후 범인 이외의 자가 정을 알면서 취득한 경우 이를 몰수할 수 있고, 한편 법원이나 수사기관은 필요한 때에는 증거물 또는 몰수할 것으로 사료하는 물건을 압수할 수 있으나, 몰수는 반드시 압수되어 있는 물건에 대하여서만 하는 것이 아니므로, 몰수대상물건이 압수되어 있는가 하는 점 및 적법한 절차에 의하여 압수되었는가 하는 점은 몰수의 요건이 아니다.

→ 이미 그 집행을 종료함으로써 효력을 상실한 압수·수색영장에 기하여 다시 압수·수색을 실시하면서 몰수대상물건을 압수한 경우, 압수 자체가 위법하게 됨은 별론으로 하더라도 그것이 위 물건의 몰수의 효력에는 영향을 미칠 수 없다고 한 사례(대법원 2003.5.30. 2003도705)

① (X) 압수·수색영장에는 피의자의 성명, 죄명, 압수할 물건, 수색할 장소, 신체, 물건, 발부 연월일, 유효기간과 그 기간을 경과하면 집행에 착수하지 못하며 영장을 반환하여야 한다는 취지, 그 밖에 대법원규칙으로 정한 사항을 기재하고 영장을 발부하는 법관이 서명날인하여야 한다(제219조, 제114조 제1항 본문). 이 사건 영장은 법관의 서명날인란에 서명만 있고 날인이 없으므로, 형사소송법이 정한 요건을 갖추지 못하여 적법하게 발부되었다고 볼 수 없다. 그런데도 원심이 이와 달리 이 사건 영장이 법관의 진정한 의사에 따라 발부되었다는 등의 이유만으로 이 사건 영장이 유효라고 판단한 것은 잘못이다(대법원 2019.7.11. 2018도20504).

② (X) 범행 중 또는 범행 직후의 범죄 장소에서 긴급을 요하여 법원 판사의 영장을 받을 수 없는 때에는 영장 없이 압수·수색 또는 검증을 할 수 있으나, 사후에 지체없이 영장을 받아야 한다(형사소송법 제216조 제3항). 형사소송법 제216조 제3항의 요건 중 어느 하나라도 갖추지 못한 경우에 그러한 압수·수색 또는 검증은 위법하며, 이에 대하여 사후에 법원으로부터 영장을 발부받았다고 하여 그 위법성이 치유되지 아니한다(대법원 2017.11.29. 2014도16080).

④ (X) 압수자 등 압수물을 환부받을 자가 수사기관에 대하여 형사소송법상의 환부청구권을 포기한다는 의사표시를 한 경우에 있어서도, 그 효력이 없어 그에 의하여 수사기관의 필요적 환부의무가 면제된다고 볼 수는 없으므로, 그 환부의무에 대응하는 압수물의 환부를 청구할 수 있는 절차법상의 권리가 소멸하는 것은 아니다(대법원 1996.8.16. 94모51 전원합의체 결정).

36 ②

유형 틀린 지문 고르기

형사소송법 > 수사 > 수사의 종결 > 재정신청 난이도 중

② (X) 검사는 제262조 제2항 제2호의 결정(공소제기결정)에 따라 공소를 제기한 때에는 이를 취소할 수 없다(형사소송법 제264조의2).

① (○) 형사소송법 제264조 제1항, 제3항

③ (○) 형사소송법 제264조 제2항

④ (○) 대법원 1991.11.05. 90모34 결정

37 ①

유형 틀린 지문 고르기

형사소송법 > 수사 > 공소제기 > 공소권남용 난이도 상

① (X) 검사가 자의적으로 공소권을 행사하여 피고인에게 실질적인 불이익을 줌으로써 소추재량권을 현저히 일탈하였다고 보여지는 경우에 이를 공소권의 남용으로 보아 공소제기의 효력을 부인할 수 있는 것이고, 여기서 자의적인 공소권의 행사라 함은 단순히 직무상의 과실에 의한 것만으로는 부족하고 적어도 미필적이나마 어떤 의도가 있어야 한다(대법

원 1999.12.10. 99도577).
② (○) 대법원 2011.10.27. 2011도9243
③ (○) 검사가 관련사건을 수사할 당시 이 사건 범죄사실이 확인된 경우 이를 입건하여 관련사건과 함께 기소하는 것이 상당하기는 하나 이를 간과하였다고 하여 검사가 자의적으로 공소권을 행사하여 소추재량권을 현저히 일탈한 위법이 있다고 보여지지 아니할 뿐 아니라, 검사가 위 항소심판결 선고 이후에 이 사건 공소를 제기한 것이 검사의 태만 내지 위법한 부작위에 의한 것으로 인정되지 아니한다고 본 사례(대법원 1996.2.13. 94도2658)
④ (○) 자신이 행위가 범죄구성요건에 해당한다는 이유로 공소가 제기된 사람은 단순히 자신과 동일한 범죄구성요건에 해당하는 행위를 하였음에도 불구하고 불기소된 사람이 있다는 사유만으로는 평등권이 침해 되었다고 주장할 수는 없는 것일 뿐만 아니라 검사가 공소권을 남용하여 공소를 제기한 것이 아니라고 본 원심의 판단은 정당하다(대법원 1990.6.8. 90도646).
→ 문익환목사 방북사건

38 ③

유형 틀린 지문 고르기

형사소송법 > 증거 > 증거법의 기본이론 > 증명의 기본원칙 난이도 상

③ (X) 범행 직후에 행위자의 혈액이나 호흡으로 혈중 알코올농도를 측정할 수 있는 경우가 아니라면 위드마크 공식을 사용하여 그 계산결과로 특정 시점의 혈중 알코올농도를 추정할 수도 있으나, 범죄구성요건사실의 존부를 알아내기 위해 과학공식 등의 경험칙을 이용하는 경우에는 그 법칙 적용의 전제가 되는 개별적이고 구체적인 사실에 대하여는 엄격한 증명을 요한다 할 것이고, 위드마크 공식의 경우 그 적용을 위한 자료로는 음주량, 음주시각, 체중, 평소의 음주정도 등이 필요하므로 그런 전제사실을 인정하기 위해서는 엄격한 증명이 필요하다(대법원 2000.6.27. 99도128).
① (○) 대법원 1988.9.13. 88도1114
② (○) 대법원 2010.2.11. 2009도2338
④ (○) 대법원 2000.12.27. 2000도4370

39 ③

유형 옳은 지문 고르기

형사소송법 > 증거 > 증명력 > 조서의 증거능력 난이도 중

③ (○) 검찰관이 피고인을 뇌물수수 혐의로 기소한 후, 형사사법공조절차를 거치지 아니한 채 과테말라공화국에 현지출장하여 그곳 호텔에서 뇌물공여자 甲을 상대로 참고인 진술조서를 작성한 사안에서, 甲이 자유스러운 분위기에서 임의수사 형태로 조사에 응하였고 조서에 직접 서명·무인하였다는 사정만으로 특신상태를 인정하기에 부족할 뿐만 아니라, 검찰관이 군사법원의 증거조사절차 외에서, 그것도 형사사법공조절차나 과테말라공화국 주재 우리나라 영사를 통한 조사 등의 방법을 택하지 않고 직접 현지에 가서 조사를 실시한 것은 수사의 정형적 형태를 벗어난 것이라고 볼 수 있는 점 등 제반 사정에 비추어 볼 때, 진술이 특별히 신빙할 수 있는 상태에서 이루어졌다는 점에 관한 증명이 있다고 보기 어려워 甲의 진술조서는 증거능력이 인정되지 아니하므로, 이를 유죄의 증거로 삼을 수 없다(대법원 2011.7.14. 2011도3809).
① (X) 형사소송법 제312조 제4항은 검사 또는 사법경찰관이 피고인이 아닌 자의 진술을 기재한 조서의 증거능력이 인정되려면 '적법한 절차와 방식에 따라 작성된 것'이어야 한다고 규정하고 있다. 여기서 적법한 절차와 방식이라 함은 피의자 또는 제3자에 대한 조서 작성 과정에서 지켜야 할 진술거부권의 고지 등 형사소송법이 정한 제반 절차를 준수하고 조서의 작성방식에도 어긋남이 없어야 한다는 것을 의미한다. 그런데 형사소송법은 조서에 진술자의 실명 등 인적 사항을 확인하여 이를 그대로 밝혀 기재할 것을 요구하는 규정을 따로 두고 있지는 아니하다. 따라서 특정범죄신고자 등 보호법 등에서처럼 명시적으로 진술자의 인적 사항의 전부 또는 일부의 기재를 생략할 수 있도록 한 경우가 아니라 하더라도, 진술자와 피고인의 관계, 범죄의 종류, 진술자 보호의 필요성 등 여러 사정으로 볼 때 상당한 이유가 있는 경우에는 수사기관이 진술자의 성명을 가명으로 기재하여 조서를 작성하였다고 해서 그 이유만으로 그 조서가 '적법한 절차와 방식'에 따라 작성되지 않았다고 할 것은 아니다. 그러한 조서라도 공판기일 등에 원진술자가 출석하여 자신의 진술을 기재한 조서임을 확인함과 아울러 그 조서의 실질적 진정성립을 인정하고 나아가 그에 대한 반대신문이 이루어지는 등 형사소송법 제312조 제4항에서 규정한 조서의 증거능력 인정에 관한 다른 요건이 모두 갖추어진 이상 그 증거능력을 부정할 것은 아니라고 할 것이다(대법원 2012.5.24. 2011도7757).
② (X) 미국 범죄수사대(CID), 연방수사국(FBI)의 수사관들이 작성한 수사보고서 및 피고인이 위 수사관들에 의한 조사를 받는 과정에서 작성하여 제출한 진술서는 피고인이 그 내용을 부인하는 이상 증거로 쓸 수 없다(대법원 2006.1.13. 2003도6548).
④ (X) 형사소송법 제221조 제1항, 제244조의4 제1항, 제3항, 제312조 제4항, 제5항 및 그 입법 목적 등을 종합하여 보면, 피고인이 아닌 자가 수사과정에서 진술서를 작성하였지만 수사기관이 그에 대한 조사과정을 기록하지 아니하여 형사소송법 제244조의4 제3항, 제1항에서 정한 절차를 위반한 경우에는, 특별한 사정이 없는 한 '적법한 절차와 방식'에 따라 수사과정에서 진술서가 작성되었다 할 수 없으므로 증거능력을 인정할 수 없다(대법원 2015.4.23. 2013도3790).

40 ②

유형 개수 찾기

형사소송법 > 증거 > 증명력 > 자유심증주의 난이도 중

㉡ (X) 피해자가 경찰관과 함께 범행 현장에서 범인을 추적하다 골목길에서 범인을 놓친 직후 골목길에 면한 집을 탐문하여 용의자를 확정한 경우, 그 현장에서 용의자와 피해자의 일대일 대면이 허용된다고 한 사례(대법원 2009.6.11. 2008도12111)
㉢ (X) 형사재판에 있어서는 처분문서라 하여도 이를 배척하는 이유설시를 하여야 한다는 법칙이 없으며, 경험법칙 내지는 논리칙에 위배되지 아니하는 한 그 증거취사는 사실심의 전권에 속한다(대법원 1983.3.8. 81도3148).
㉠ (○) 일반적으로 용의자의 인상착의 등에 의한 범인식별 절차에서 용의자 한 사람을 단독으로 목격자와 대질시키거나 용의자의 사진 한 장만을 목격자에게 제시하여 범인 여부를 확인하게 하는 것은, 사람의 기억력의 한계 및 부정확성과 구체적인 상황하에서 용의자나 그 사진상의 인물이 범인으로 의심받고 있다는 무의식적 암시를 목격자에게 줄 수 있는 가능성으로 인하여, 그러한 방식에 의한 범인식별 절차에서의 목격자의 진술은, 그 용의자가 종전에 피해자와 안면이 있는 사람이라든가 피해자의 진술 외에도 그 용의자를 범인으로 의심할 만한 다른 정황이 존재한다든가 하는 등의 부가적인 사정이 없는 한 그 신빙성이 낮다고 보아야 한다. 따라서 범인식별 절차에서 목격자의 진술의 신빙성을 높게 평가할 수 있게 하려면, 범인의 인상착의 등에 관한 목격자의 진술 내지 묘사를 사전에 상세히 기록화한 다음, 용의자를 포함하여 그와 인상착의가 비슷한 여러 사람을 동시에 목격자와 대면시켜 범인을 지목하도록 하여야 하고, 용의자와 목격자 및 비교대상자들이 상호 사전에 접촉하지 못하도록 하여야 하며, 사후에 증거가치를 평가할 수 있도록 대질 과정과 결과를 문자와 사진 등으로 서면화하는 등의 조치를 취하여야 한다. 그러나 범죄 발생 직후 목격자의 기억이 생생하게 살아있는 상황에서 현장이나 그 부근에서 범인식별 절차를 실시하는 경우에는, 목격자에 의한 생생하고 정확한 식별의 가능성이 열려 있고 범죄의 신속한 해결을 위한 즉각적인 대면의 필요성도 인정할 수 있으므로, 용의자와 목격자의 일대일 대면도 허용된다(대법원 2009.6.11. 2008도12111).
㉣ (○) 동일한 사실관계에 관하여 이미 확정된 형사판결이 인정한 사실은 유력한 증거자료가 되므로, 그 형사재판의 사실판단을 채용하기 어렵다

고 인정되는 특별한 사정이 없는 한 이와 배치되는 사실은 인정할 수 없다. 그리고 형사재판에서 공소가 제기된 범죄사실에 대한 입증책임은 검사에게 있고, 유죄의 인정은 법관으로 하여금 합리적인 의심을 할 여지가 없을 정도로 공소사실이 진실한 것이라는 확신을 가지게 하는 증명력을 가진 증거에 의하여야 하므로, 그와 같은 증거가 없다면 설령 피고인에게 유죄의 의심이 간다고 하더라도 피고인의 이익으로 판단할 수밖에 없다(대법원 2009.6.25. 2008도10096).

ⓜ (○) 피고인이 평소 투약량의 20배에 달하는 1g의 메스암페타민을 한꺼번에 물에 타서 마시는 방법으로 투약하였다는 것은 쉽게 믿기 어렵고, 또 만약 그렇게 투약하였다면 피고인의 생명이나 건강에 위험이 발생하였을 가능성이 없지 않았을 것으로 보여져, 피고인의 자백을 신빙하기 어렵다(대법원 2003.2.11. 2002도6766).

2022 경찰공무원 단원별 기출문제집

문번	PART ____ CHAPTER ____	문번	PART ____ CHAPTER ____	문번	PART ____ CHAPTER ____	문번	PART ____ CHAPTER ____	문번	PART ____ CHAPTER ____
	① ② ③ ④		① ② ③ ④		① ② ③ ④		① ② ③ ④		① ② ③ ④
	① ② ③ ④		① ② ③ ④		① ② ③ ④		① ② ③ ④		① ② ③ ④
	① ② ③ ④		① ② ③ ④		① ② ③ ④		① ② ③ ④		① ② ③ ④
	① ② ③ ④		① ② ③ ④		① ② ③ ④		① ② ③ ④		① ② ③ ④
	① ② ③ ④		① ② ③ ④		① ② ③ ④		① ② ③ ④		① ② ③ ④
	① ② ③ ④		① ② ③ ④		① ② ③ ④		① ② ③ ④		① ② ③ ④
	① ② ③ ④		① ② ③ ④		① ② ③ ④		① ② ③ ④		① ② ③ ④
	① ② ③ ④		① ② ③ ④		① ② ③ ④		① ② ③ ④		① ② ③ ④
	① ② ③ ④		① ② ③ ④		① ② ③ ④		① ② ③ ④		① ② ③ ④
	① ② ③ ④		① ② ③ ④		① ② ③ ④		① ② ③ ④		① ② ③ ④
	① ② ③ ④		① ② ③ ④		① ② ③ ④		① ② ③ ④		① ② ③ ④
	① ② ③ ④		① ② ③ ④		① ② ③ ④		① ② ③ ④		① ② ③ ④
	① ② ③ ④		① ② ③ ④		① ② ③ ④		① ② ③ ④		① ② ③ ④
	① ② ③ ④		① ② ③ ④		① ② ③ ④		① ② ③ ④		① ② ③ ④
	① ② ③ ④		① ② ③ ④		① ② ③ ④		① ② ③ ④		① ② ③ ④
	① ② ③ ④		① ② ③ ④		① ② ③ ④		① ② ③ ④		① ② ③ ④
	① ② ③ ④		① ② ③ ④		① ② ③ ④		① ② ③ ④		① ② ③ ④
	① ② ③ ④		① ② ③ ④		① ② ③ ④		① ② ③ ④		① ② ③ ④
	① ② ③ ④		① ② ③ ④		① ② ③ ④		① ② ③ ④		① ② ③ ④
	① ② ③ ④		① ② ③ ④		① ② ③ ④		① ② ③ ④		① ② ③ ④

2022 경찰공무원 단원별 기출문제집

문번	PART ____ CHAPTER ____	문번	PART ____ CHAPTER ____	문번	PART ____ CHAPTER ____	문번	PART ____ CHAPTER ____	문번	PART ____ CHAPTER ____
	① ② ③ ④		① ② ③ ④		① ② ③ ④		① ② ③ ④		① ② ③ ④
	① ② ③ ④		① ② ③ ④		① ② ③ ④		① ② ③ ④		① ② ③ ④
	① ② ③ ④		① ② ③ ④		① ② ③ ④		① ② ③ ④		① ② ③ ④
	① ② ③ ④		① ② ③ ④		① ② ③ ④		① ② ③ ④		① ② ③ ④
	① ② ③ ④		① ② ③ ④		① ② ③ ④		① ② ③ ④		① ② ③ ④
	① ② ③ ④		① ② ③ ④		① ② ③ ④		① ② ③ ④		① ② ③ ④
	① ② ③ ④		① ② ③ ④		① ② ③ ④		① ② ③ ④		① ② ③ ④
	① ② ③ ④		① ② ③ ④		① ② ③ ④		① ② ③ ④		① ② ③ ④
	① ② ③ ④		① ② ③ ④		① ② ③ ④		① ② ③ ④		① ② ③ ④
	① ② ③ ④		① ② ③ ④		① ② ③ ④		① ② ③ ④		① ② ③ ④
	① ② ③ ④		① ② ③ ④		① ② ③ ④		① ② ③ ④		① ② ③ ④
	① ② ③ ④		① ② ③ ④		① ② ③ ④		① ② ③ ④		① ② ③ ④
	① ② ③ ④		① ② ③ ④		① ② ③ ④		① ② ③ ④		① ② ③ ④
	① ② ③ ④		① ② ③ ④		① ② ③ ④		① ② ③ ④		① ② ③ ④
	① ② ③ ④		① ② ③ ④		① ② ③ ④		① ② ③ ④		① ② ③ ④
	① ② ③ ④		① ② ③ ④		① ② ③ ④		① ② ③ ④		① ② ③ ④
	① ② ③ ④		① ② ③ ④		① ② ③ ④		① ② ③ ④		① ② ③ ④
	① ② ③ ④		① ② ③ ④		① ② ③ ④		① ② ③ ④		① ② ③ ④
	① ② ③ ④		① ② ③ ④		① ② ③ ④		① ② ③ ④		① ② ③ ④
	① ② ③ ④		① ② ③ ④		① ② ③ ④		① ② ③ ④		① ② ③ ④

※ 잘라서 앞뒤로 활용 가능 ※ 에듀윌 [도서몰(book.eduwill.net) ▶ 도서자료실]에서 추가 다운로드 가능

2022 경찰공무원 단원별 기출문제집

문번	PART ____ CHAPTER ____	문번	PART ____ CHAPTER ____	문번	PART ____ CHAPTER ____	문번	PART ____ CHAPTER ____	문번	PART ____ CHAPTER ____
	① ② ③ ④		① ② ③ ④		① ② ③ ④		① ② ③ ④		① ② ③ ④
	① ② ③ ④		① ② ③ ④		① ② ③ ④		① ② ③ ④		① ② ③ ④
	① ② ③ ④		① ② ③ ④		① ② ③ ④		① ② ③ ④		① ② ③ ④
	① ② ③ ④		① ② ③ ④		① ② ③ ④		① ② ③ ④		① ② ③ ④
	① ② ③ ④		① ② ③ ④		① ② ③ ④		① ② ③ ④		① ② ③ ④
	① ② ③ ④		① ② ③ ④		① ② ③ ④		① ② ③ ④		① ② ③ ④
	① ② ③ ④		① ② ③ ④		① ② ③ ④		① ② ③ ④		① ② ③ ④
	① ② ③ ④		① ② ③ ④		① ② ③ ④		① ② ③ ④		① ② ③ ④
	① ② ③ ④		① ② ③ ④		① ② ③ ④		① ② ③ ④		① ② ③ ④
	① ② ③ ④		① ② ③ ④		① ② ③ ④		① ② ③ ④		① ② ③ ④
	① ② ③ ④		① ② ③ ④		① ② ③ ④		① ② ③ ④		① ② ③ ④
	① ② ③ ④		① ② ③ ④		① ② ③ ④		① ② ③ ④		① ② ③ ④
	① ② ③ ④		① ② ③ ④		① ② ③ ④		① ② ③ ④		① ② ③ ④
	① ② ③ ④		① ② ③ ④		① ② ③ ④		① ② ③ ④		① ② ③ ④
	① ② ③ ④		① ② ③ ④		① ② ③ ④		① ② ③ ④		① ② ③ ④
	① ② ③ ④		① ② ③ ④		① ② ③ ④		① ② ③ ④		① ② ③ ④
	① ② ③ ④		① ② ③ ④		① ② ③ ④		① ② ③ ④		① ② ③ ④
	① ② ③ ④		① ② ③ ④		① ② ③ ④		① ② ③ ④		① ② ③ ④
	① ② ③ ④		① ② ③ ④		① ② ③ ④		① ② ③ ④		① ② ③ ④
	① ② ③ ④		① ② ③ ④		① ② ③ ④		① ② ③ ④		① ② ③ ④

2022 경찰공무원 단원별 기출문제집

문번	PART ____ CHAPTER ____	문번	PART ____ CHAPTER ____	문번	PART ____ CHAPTER ____	문번	PART ____ CHAPTER ____	문번	PART ____ CHAPTER ____
	① ② ③ ④		① ② ③ ④		① ② ③ ④		① ② ③ ④		① ② ③ ④
	① ② ③ ④		① ② ③ ④		① ② ③ ④		① ② ③ ④		① ② ③ ④
	① ② ③ ④		① ② ③ ④		① ② ③ ④		① ② ③ ④		① ② ③ ④
	① ② ③ ④		① ② ③ ④		① ② ③ ④		① ② ③ ④		① ② ③ ④
	① ② ③ ④		① ② ③ ④		① ② ③ ④		① ② ③ ④		① ② ③ ④
	① ② ③ ④		① ② ③ ④		① ② ③ ④		① ② ③ ④		① ② ③ ④
	① ② ③ ④		① ② ③ ④		① ② ③ ④		① ② ③ ④		① ② ③ ④
	① ② ③ ④		① ② ③ ④		① ② ③ ④		① ② ③ ④		① ② ③ ④
	① ② ③ ④		① ② ③ ④		① ② ③ ④		① ② ③ ④		① ② ③ ④
	① ② ③ ④		① ② ③ ④		① ② ③ ④		① ② ③ ④		① ② ③ ④
	① ② ③ ④		① ② ③ ④		① ② ③ ④		① ② ③ ④		① ② ③ ④
	① ② ③ ④		① ② ③ ④		① ② ③ ④		① ② ③ ④		① ② ③ ④
	① ② ③ ④		① ② ③ ④		① ② ③ ④		① ② ③ ④		① ② ③ ④
	① ② ③ ④		① ② ③ ④		① ② ③ ④		① ② ③ ④		① ② ③ ④
	① ② ③ ④		① ② ③ ④		① ② ③ ④		① ② ③ ④		① ② ③ ④
	① ② ③ ④		① ② ③ ④		① ② ③ ④		① ② ③ ④		① ② ③ ④
	① ② ③ ④		① ② ③ ④		① ② ③ ④		① ② ③ ④		① ② ③ ④
	① ② ③ ④		① ② ③ ④		① ② ③ ④		① ② ③ ④		① ② ③ ④
	① ② ③ ④		① ② ③ ④		① ② ③ ④		① ② ③ ④		① ② ③ ④
	① ② ③ ④		① ② ③ ④		① ② ③ ④		① ② ③ ④		① ② ③ ④

※ 잘라서 앞뒤로 활용 가능 ※ 에듀윌 [도서몰(book.eduwill.net) ▶ 도서자료실]에서 추가 다운로드 가능

2022 경찰공무원 단원별 기출문제집

문번	PART ____ CHAPTER ____	문번	PART ____ CHAPTER ____	문번	PART ____ CHAPTER ____	문번	PART ____ CHAPTER ____	문번	PART ____ CHAPTER ____
	① ② ③ ④		① ② ③ ④		① ② ③ ④		① ② ③ ④		① ② ③ ④
	① ② ③ ④		① ② ③ ④		① ② ③ ④		① ② ③ ④		① ② ③ ④
	① ② ③ ④		① ② ③ ④		① ② ③ ④		① ② ③ ④		① ② ③ ④
	① ② ③ ④		① ② ③ ④		① ② ③ ④		① ② ③ ④		① ② ③ ④
	① ② ③ ④		① ② ③ ④		① ② ③ ④		① ② ③ ④		① ② ③ ④
	① ② ③ ④		① ② ③ ④		① ② ③ ④		① ② ③ ④		① ② ③ ④
	① ② ③ ④		① ② ③ ④		① ② ③ ④		① ② ③ ④		① ② ③ ④
	① ② ③ ④		① ② ③ ④		① ② ③ ④		① ② ③ ④		① ② ③ ④
	① ② ③ ④		① ② ③ ④		① ② ③ ④		① ② ③ ④		① ② ③ ④
	① ② ③ ④		① ② ③ ④		① ② ③ ④		① ② ③ ④		① ② ③ ④
	① ② ③ ④		① ② ③ ④		① ② ③ ④		① ② ③ ④		① ② ③ ④
	① ② ③ ④		① ② ③ ④		① ② ③ ④		① ② ③ ④		① ② ③ ④
	① ② ③ ④		① ② ③ ④		① ② ③ ④		① ② ③ ④		① ② ③ ④
	① ② ③ ④		① ② ③ ④		① ② ③ ④		① ② ③ ④		① ② ③ ④
	① ② ③ ④		① ② ③ ④		① ② ③ ④		① ② ③ ④		① ② ③ ④
	① ② ③ ④		① ② ③ ④		① ② ③ ④		① ② ③ ④		① ② ③ ④
	① ② ③ ④		① ② ③ ④		① ② ③ ④		① ② ③ ④		① ② ③ ④
	① ② ③ ④		① ② ③ ④		① ② ③ ④		① ② ③ ④		① ② ③ ④
	① ② ③ ④		① ② ③ ④		① ② ③ ④		① ② ③ ④		① ② ③ ④
	① ② ③ ④		① ② ③ ④		① ② ③ ④		① ② ③ ④		① ② ③ ④

2022 경찰공무원 단원별 기출문제집

문번	PART ____ CHAPTER ____	문번	PART ____ CHAPTER ____	문번	PART ____ CHAPTER ____	문번	PART ____ CHAPTER ____	문번	PART ____ CHAPTER ____
	① ② ③ ④		① ② ③ ④		① ② ③ ④		① ② ③ ④		① ② ③ ④
	① ② ③ ④		① ② ③ ④		① ② ③ ④		① ② ③ ④		① ② ③ ④
	① ② ③ ④		① ② ③ ④		① ② ③ ④		① ② ③ ④		① ② ③ ④
	① ② ③ ④		① ② ③ ④		① ② ③ ④		① ② ③ ④		① ② ③ ④
	① ② ③ ④		① ② ③ ④		① ② ③ ④		① ② ③ ④		① ② ③ ④
	① ② ③ ④		① ② ③ ④		① ② ③ ④		① ② ③ ④		① ② ③ ④
	① ② ③ ④		① ② ③ ④		① ② ③ ④		① ② ③ ④		① ② ③ ④
	① ② ③ ④		① ② ③ ④		① ② ③ ④		① ② ③ ④		① ② ③ ④
	① ② ③ ④		① ② ③ ④		① ② ③ ④		① ② ③ ④		① ② ③ ④
	① ② ③ ④		① ② ③ ④		① ② ③ ④		① ② ③ ④		① ② ③ ④
	① ② ③ ④		① ② ③ ④		① ② ③ ④		① ② ③ ④		① ② ③ ④
	① ② ③ ④		① ② ③ ④		① ② ③ ④		① ② ③ ④		① ② ③ ④
	① ② ③ ④		① ② ③ ④		① ② ③ ④		① ② ③ ④		① ② ③ ④
	① ② ③ ④		① ② ③ ④		① ② ③ ④		① ② ③ ④		① ② ③ ④
	① ② ③ ④		① ② ③ ④		① ② ③ ④		① ② ③ ④		① ② ③ ④
	① ② ③ ④		① ② ③ ④		① ② ③ ④		① ② ③ ④		① ② ③ ④
	① ② ③ ④		① ② ③ ④		① ② ③ ④		① ② ③ ④		① ② ③ ④
	① ② ③ ④		① ② ③ ④		① ② ③ ④		① ② ③ ④		① ② ③ ④
	① ② ③ ④		① ② ③ ④		① ② ③ ④		① ② ③ ④		① ② ③ ④
	① ② ③ ④		① ② ③ ④		① ② ③ ④		① ② ③ ④		① ② ③ ④

※ 잘라서 앞뒤로 활용 가능 ※ 에듀윌 [도서몰(book.eduwill.net) ▶ 도서자료실]에서 추가 다운로드 가능

2022 경찰공무원 단원별 기출문제집

문번	PART ___ CHAPTER ___	문번	PART ___ CHAPTER ___	문번	PART ___ CHAPTER ___	문번	PART ___ CHAPTER ___	문번	PART ___ CHAPTER ___
	① ② ③ ④		① ② ③ ④		① ② ③ ④		① ② ③ ④		① ② ③ ④
	① ② ③ ④		① ② ③ ④		① ② ③ ④		① ② ③ ④		① ② ③ ④
	① ② ③ ④		① ② ③ ④		① ② ③ ④		① ② ③ ④		① ② ③ ④
	① ② ③ ④		① ② ③ ④		① ② ③ ④		① ② ③ ④		① ② ③ ④
	① ② ③ ④		① ② ③ ④		① ② ③ ④		① ② ③ ④		① ② ③ ④
	① ② ③ ④		① ② ③ ④		① ② ③ ④		① ② ③ ④		① ② ③ ④
	① ② ③ ④		① ② ③ ④		① ② ③ ④		① ② ③ ④		① ② ③ ④
	① ② ③ ④		① ② ③ ④		① ② ③ ④		① ② ③ ④		① ② ③ ④
	① ② ③ ④		① ② ③ ④		① ② ③ ④		① ② ③ ④		① ② ③ ④
	① ② ③ ④		① ② ③ ④		① ② ③ ④		① ② ③ ④		① ② ③ ④
	① ② ③ ④		① ② ③ ④		① ② ③ ④		① ② ③ ④		① ② ③ ④
	① ② ③ ④		① ② ③ ④		① ② ③ ④		① ② ③ ④		① ② ③ ④
	① ② ③ ④		① ② ③ ④		① ② ③ ④		① ② ③ ④		① ② ③ ④
	① ② ③ ④		① ② ③ ④		① ② ③ ④		① ② ③ ④		① ② ③ ④
	① ② ③ ④		① ② ③ ④		① ② ③ ④		① ② ③ ④		① ② ③ ④
	① ② ③ ④		① ② ③ ④		① ② ③ ④		① ② ③ ④		① ② ③ ④
	① ② ③ ④		① ② ③ ④		① ② ③ ④		① ② ③ ④		① ② ③ ④
	① ② ③ ④		① ② ③ ④		① ② ③ ④		① ② ③ ④		① ② ③ ④
	① ② ③ ④		① ② ③ ④		① ② ③ ④		① ② ③ ④		① ② ③ ④
	① ② ③ ④		① ② ③ ④		① ② ③ ④		① ② ③ ④		① ② ③ ④

2022 경찰공무원 단원별 기출문제집

문번	PART ___ CHAPTER ___	문번	PART ___ CHAPTER ___	문번	PART ___ CHAPTER ___	문번	PART ___ CHAPTER ___	문번	PART ___ CHAPTER ___
	① ② ③ ④		① ② ③ ④		① ② ③ ④		① ② ③ ④		① ② ③ ④
	① ② ③ ④		① ② ③ ④		① ② ③ ④		① ② ③ ④		① ② ③ ④
	① ② ③ ④		① ② ③ ④		① ② ③ ④		① ② ③ ④		① ② ③ ④
	① ② ③ ④		① ② ③ ④		① ② ③ ④		① ② ③ ④		① ② ③ ④
	① ② ③ ④		① ② ③ ④		① ② ③ ④		① ② ③ ④		① ② ③ ④
	① ② ③ ④		① ② ③ ④		① ② ③ ④		① ② ③ ④		① ② ③ ④
	① ② ③ ④		① ② ③ ④		① ② ③ ④		① ② ③ ④		① ② ③ ④
	① ② ③ ④		① ② ③ ④		① ② ③ ④		① ② ③ ④		① ② ③ ④
	① ② ③ ④		① ② ③ ④		① ② ③ ④		① ② ③ ④		① ② ③ ④
	① ② ③ ④		① ② ③ ④		① ② ③ ④		① ② ③ ④		① ② ③ ④
	① ② ③ ④		① ② ③ ④		① ② ③ ④		① ② ③ ④		① ② ③ ④
	① ② ③ ④		① ② ③ ④		① ② ③ ④		① ② ③ ④		① ② ③ ④
	① ② ③ ④		① ② ③ ④		① ② ③ ④		① ② ③ ④		① ② ③ ④
	① ② ③ ④		① ② ③ ④		① ② ③ ④		① ② ③ ④		① ② ③ ④
	① ② ③ ④		① ② ③ ④		① ② ③ ④		① ② ③ ④		① ② ③ ④
	① ② ③ ④		① ② ③ ④		① ② ③ ④		① ② ③ ④		① ② ③ ④
	① ② ③ ④		① ② ③ ④		① ② ③ ④		① ② ③ ④		① ② ③ ④
	① ② ③ ④		① ② ③ ④		① ② ③ ④		① ② ③ ④		① ② ③ ④
	① ② ③ ④		① ② ③ ④		① ② ③ ④		① ② ③ ④		① ② ③ ④
	① ② ③ ④		① ② ③ ④		① ② ③ ④		① ② ③ ④		① ② ③ ④

※ 잘라서 앞뒤로 활용 가능 ※ 에듀윌 [도서몰(book.eduwill.net) ▶ 도서자료실]에서 추가 다운로드 가능

2022 경찰공무원 단원별 기출문제집

문번	PART ____ CHAPTER ____	문번	PART ____ CHAPTER ____	문번	PART ____ CHAPTER ____	문번	PART ____ CHAPTER ____	문번	PART ____ CHAPTER ____
	① ② ③ ④		① ② ③ ④		① ② ③ ④		① ② ③ ④		① ② ③ ④
	① ② ③ ④		① ② ③ ④		① ② ③ ④		① ② ③ ④		① ② ③ ④
	① ② ③ ④		① ② ③ ④		① ② ③ ④		① ② ③ ④		① ② ③ ④
	① ② ③ ④		① ② ③ ④		① ② ③ ④		① ② ③ ④		① ② ③ ④
	① ② ③ ④		① ② ③ ④		① ② ③ ④		① ② ③ ④		① ② ③ ④
	① ② ③ ④		① ② ③ ④		① ② ③ ④		① ② ③ ④		① ② ③ ④
	① ② ③ ④		① ② ③ ④		① ② ③ ④		① ② ③ ④		① ② ③ ④
	① ② ③ ④		① ② ③ ④		① ② ③ ④		① ② ③ ④		① ② ③ ④
	① ② ③ ④		① ② ③ ④		① ② ③ ④		① ② ③ ④		① ② ③ ④
	① ② ③ ④		① ② ③ ④		① ② ③ ④		① ② ③ ④		① ② ③ ④
	① ② ③ ④		① ② ③ ④		① ② ③ ④		① ② ③ ④		① ② ③ ④
	① ② ③ ④		① ② ③ ④		① ② ③ ④		① ② ③ ④		① ② ③ ④
	① ② ③ ④		① ② ③ ④		① ② ③ ④		① ② ③ ④		① ② ③ ④
	① ② ③ ④		① ② ③ ④		① ② ③ ④		① ② ③ ④		① ② ③ ④
	① ② ③ ④		① ② ③ ④		① ② ③ ④		① ② ③ ④		① ② ③ ④
	① ② ③ ④		① ② ③ ④		① ② ③ ④		① ② ③ ④		① ② ③ ④
	① ② ③ ④		① ② ③ ④		① ② ③ ④		① ② ③ ④		① ② ③ ④
	① ② ③ ④		① ② ③ ④		① ② ③ ④		① ② ③ ④		① ② ③ ④
	① ② ③ ④		① ② ③ ④		① ② ③ ④		① ② ③ ④		① ② ③ ④
	① ② ③ ④		① ② ③ ④		① ② ③ ④		① ② ③ ④		① ② ③ ④

2022 경찰공무원 단원별 기출문제집

문번	PART ____ CHAPTER ____	문번	PART ____ CHAPTER ____	문번	PART ____ CHAPTER ____	문번	PART ____ CHAPTER ____	문번	PART ____ CHAPTER ____
	① ② ③ ④		① ② ③ ④		① ② ③ ④		① ② ③ ④		① ② ③ ④
	① ② ③ ④		① ② ③ ④		① ② ③ ④		① ② ③ ④		① ② ③ ④
	① ② ③ ④		① ② ③ ④		① ② ③ ④		① ② ③ ④		① ② ③ ④
	① ② ③ ④		① ② ③ ④		① ② ③ ④		① ② ③ ④		① ② ③ ④
	① ② ③ ④		① ② ③ ④		① ② ③ ④		① ② ③ ④		① ② ③ ④
	① ② ③ ④		① ② ③ ④		① ② ③ ④		① ② ③ ④		① ② ③ ④
	① ② ③ ④		① ② ③ ④		① ② ③ ④		① ② ③ ④		① ② ③ ④
	① ② ③ ④		① ② ③ ④		① ② ③ ④		① ② ③ ④		① ② ③ ④
	① ② ③ ④		① ② ③ ④		① ② ③ ④		① ② ③ ④		① ② ③ ④
	① ② ③ ④		① ② ③ ④		① ② ③ ④		① ② ③ ④		① ② ③ ④
	① ② ③ ④		① ② ③ ④		① ② ③ ④		① ② ③ ④		① ② ③ ④
	① ② ③ ④		① ② ③ ④		① ② ③ ④		① ② ③ ④		① ② ③ ④
	① ② ③ ④		① ② ③ ④		① ② ③ ④		① ② ③ ④		① ② ③ ④
	① ② ③ ④		① ② ③ ④		① ② ③ ④		① ② ③ ④		① ② ③ ④
	① ② ③ ④		① ② ③ ④		① ② ③ ④		① ② ③ ④		① ② ③ ④
	① ② ③ ④		① ② ③ ④		① ② ③ ④		① ② ③ ④		① ② ③ ④
	① ② ③ ④		① ② ③ ④		① ② ③ ④		① ② ③ ④		① ② ③ ④
	① ② ③ ④		① ② ③ ④		① ② ③ ④		① ② ③ ④		① ② ③ ④
	① ② ③ ④		① ② ③ ④		① ② ③ ④		① ② ③ ④		① ② ③ ④
	① ② ③ ④		① ② ③ ④		① ② ③ ④		① ② ③ ④		① ② ③ ④

※ 잘라서 앞뒤로 활용 가능 ※ 에듀윌 [도서몰(book.eduwill.net) ▶ 도서자료실]에서 추가 다운로드 가능

2022 경찰공무원 단원별 기출문제집

문번	PART ___ CHAPTER ___
	① ② ③ ④
	① ② ③ ④
	① ② ③ ④
	① ② ③ ④
	① ② ③ ④
	① ② ③ ④
	① ② ③ ④
	① ② ③ ④
	① ② ③ ④
	① ② ③ ④
	① ② ③ ④
	① ② ③ ④
	① ② ③ ④
	① ② ③ ④
	① ② ③ ④
	① ② ③ ④
	① ② ③ ④
	① ② ③ ④
	① ② ③ ④
	① ② ③ ④

문번	PART ___ CHAPTER ___
	① ② ③ ④
	① ② ③ ④
	① ② ③ ④
	① ② ③ ④
	① ② ③ ④
	① ② ③ ④
	① ② ③ ④
	① ② ③ ④
	① ② ③ ④
	① ② ③ ④
	① ② ③ ④
	① ② ③ ④
	① ② ③ ④
	① ② ③ ④
	① ② ③ ④
	① ② ③ ④
	① ② ③ ④
	① ② ③ ④
	① ② ③ ④
	① ② ③ ④

문번	PART ___ CHAPTER ___
	① ② ③ ④
	① ② ③ ④
	① ② ③ ④
	① ② ③ ④
	① ② ③ ④
	① ② ③ ④
	① ② ③ ④
	① ② ③ ④
	① ② ③ ④
	① ② ③ ④
	① ② ③ ④
	① ② ③ ④
	① ② ③ ④
	① ② ③ ④
	① ② ③ ④
	① ② ③ ④
	① ② ③ ④
	① ② ③ ④
	① ② ③ ④
	① ② ③ ④

문번	PART ___ CHAPTER ___
	① ② ③ ④
	① ② ③ ④
	① ② ③ ④
	① ② ③ ④
	① ② ③ ④
	① ② ③ ④
	① ② ③ ④
	① ② ③ ④
	① ② ③ ④
	① ② ③ ④
	① ② ③ ④
	① ② ③ ④
	① ② ③ ④
	① ② ③ ④
	① ② ③ ④
	① ② ③ ④
	① ② ③ ④
	① ② ③ ④
	① ② ③ ④
	① ② ③ ④

문번	PART ___ CHAPTER ___
	① ② ③ ④
	① ② ③ ④
	① ② ③ ④
	① ② ③ ④
	① ② ③ ④
	① ② ③ ④
	① ② ③ ④
	① ② ③ ④
	① ② ③ ④
	① ② ③ ④
	① ② ③ ④
	① ② ③ ④
	① ② ③ ④
	① ② ③ ④
	① ② ③ ④
	① ② ③ ④
	① ② ③ ④
	① ② ③ ④
	① ② ③ ④
	① ② ③ ④

2022 경찰공무원 단원별 기출문제집

문번	PART ___ CHAPTER ___
	① ② ③ ④
	① ② ③ ④
	① ② ③ ④
	① ② ③ ④
	① ② ③ ④
	① ② ③ ④
	① ② ③ ④
	① ② ③ ④
	① ② ③ ④
	① ② ③ ④
	① ② ③ ④
	① ② ③ ④
	① ② ③ ④
	① ② ③ ④
	① ② ③ ④
	① ② ③ ④
	① ② ③ ④
	① ② ③ ④
	① ② ③ ④
	① ② ③ ④

문번	PART ___ CHAPTER ___
	① ② ③ ④
	① ② ③ ④
	① ② ③ ④
	① ② ③ ④
	① ② ③ ④
	① ② ③ ④
	① ② ③ ④
	① ② ③ ④
	① ② ③ ④
	① ② ③ ④
	① ② ③ ④
	① ② ③ ④
	① ② ③ ④
	① ② ③ ④
	① ② ③ ④
	① ② ③ ④
	① ② ③ ④
	① ② ③ ④
	① ② ③ ④
	① ② ③ ④

문번	PART ___ CHAPTER ___
	① ② ③ ④
	① ② ③ ④
	① ② ③ ④
	① ② ③ ④
	① ② ③ ④
	① ② ③ ④
	① ② ③ ④
	① ② ③ ④
	① ② ③ ④
	① ② ③ ④
	① ② ③ ④
	① ② ③ ④
	① ② ③ ④
	① ② ③ ④
	① ② ③ ④
	① ② ③ ④
	① ② ③ ④
	① ② ③ ④
	① ② ③ ④
	① ② ③ ④

문번	PART ___ CHAPTER ___
	① ② ③ ④
	① ② ③ ④
	① ② ③ ④
	① ② ③ ④
	① ② ③ ④
	① ② ③ ④
	① ② ③ ④
	① ② ③ ④
	① ② ③ ④
	① ② ③ ④
	① ② ③ ④
	① ② ③ ④
	① ② ③ ④
	① ② ③ ④
	① ② ③ ④
	① ② ③ ④
	① ② ③ ④
	① ② ③ ④
	① ② ③ ④
	① ② ③ ④

문번	PART ___ CHAPTER ___
	① ② ③ ④
	① ② ③ ④
	① ② ③ ④
	① ② ③ ④
	① ② ③ ④
	① ② ③ ④
	① ② ③ ④
	① ② ③ ④
	① ② ③ ④
	① ② ③ ④
	① ② ③ ④
	① ② ③ ④
	① ② ③ ④
	① ② ③ ④
	① ② ③ ④
	① ② ③ ④
	① ② ③ ④
	① ② ③ ④
	① ② ③ ④
	① ② ③ ④

※ 잘라서 앞뒤로 활용 가능 ※ 에듀윌 [도서몰(book.eduwill.net) ▶ 도서자료실]에서 추가 다운로드 가능

2022 경찰공무원 단원별 기출문제집

문번	PART ____ CHAPTER ____
	① ② ③ ④
	① ② ③ ④
	① ② ③ ④
	① ② ③ ④
	① ② ③ ④
	① ② ③ ④
	① ② ③ ④
	① ② ③ ④
	① ② ③ ④
	① ② ③ ④
	① ② ③ ④
	① ② ③ ④
	① ② ③ ④
	① ② ③ ④
	① ② ③ ④
	① ② ③ ④
	① ② ③ ④
	① ② ③ ④
	① ② ③ ④
	① ② ③ ④

문번	PART ____ CHAPTER ____
	① ② ③ ④
	① ② ③ ④
	① ② ③ ④
	① ② ③ ④
	① ② ③ ④
	① ② ③ ④
	① ② ③ ④
	① ② ③ ④
	① ② ③ ④
	① ② ③ ④
	① ② ③ ④
	① ② ③ ④
	① ② ③ ④
	① ② ③ ④
	① ② ③ ④
	① ② ③ ④
	① ② ③ ④
	① ② ③ ④
	① ② ③ ④
	① ② ③ ④

문번	PART ____ CHAPTER ____
	① ② ③ ④
	① ② ③ ④
	① ② ③ ④
	① ② ③ ④
	① ② ③ ④
	① ② ③ ④
	① ② ③ ④
	① ② ③ ④
	① ② ③ ④
	① ② ③ ④
	① ② ③ ④
	① ② ③ ④
	① ② ③ ④
	① ② ③ ④
	① ② ③ ④
	① ② ③ ④
	① ② ③ ④
	① ② ③ ④
	① ② ③ ④
	① ② ③ ④

문번	PART ____ CHAPTER ____
	① ② ③ ④
	① ② ③ ④
	① ② ③ ④
	① ② ③ ④
	① ② ③ ④
	① ② ③ ④
	① ② ③ ④
	① ② ③ ④
	① ② ③ ④
	① ② ③ ④
	① ② ③ ④
	① ② ③ ④
	① ② ③ ④
	① ② ③ ④
	① ② ③ ④
	① ② ③ ④
	① ② ③ ④
	① ② ③ ④
	① ② ③ ④
	① ② ③ ④

문번	PART ____ CHAPTER ____
	① ② ③ ④
	① ② ③ ④
	① ② ③ ④
	① ② ③ ④
	① ② ③ ④
	① ② ③ ④
	① ② ③ ④
	① ② ③ ④
	① ② ③ ④
	① ② ③ ④
	① ② ③ ④
	① ② ③ ④
	① ② ③ ④
	① ② ③ ④
	① ② ③ ④
	① ② ③ ④
	① ② ③ ④
	① ② ③ ④
	① ② ③ ④
	① ② ③ ④

2022 경찰공무원 단원별 기출문제집

문번	PART ____ CHAPTER ____
	① ② ③ ④
	① ② ③ ④
	① ② ③ ④
	① ② ③ ④
	① ② ③ ④
	① ② ③ ④
	① ② ③ ④
	① ② ③ ④
	① ② ③ ④
	① ② ③ ④
	① ② ③ ④
	① ② ③ ④
	① ② ③ ④
	① ② ③ ④
	① ② ③ ④
	① ② ③ ④
	① ② ③ ④
	① ② ③ ④
	① ② ③ ④
	① ② ③ ④

문번	PART ____ CHAPTER ____
	① ② ③ ④
	① ② ③ ④
	① ② ③ ④
	① ② ③ ④
	① ② ③ ④
	① ② ③ ④
	① ② ③ ④
	① ② ③ ④
	① ② ③ ④
	① ② ③ ④
	① ② ③ ④
	① ② ③ ④
	① ② ③ ④
	① ② ③ ④
	① ② ③ ④
	① ② ③ ④
	① ② ③ ④
	① ② ③ ④
	① ② ③ ④
	① ② ③ ④

문번	PART ____ CHAPTER ____
	① ② ③ ④
	① ② ③ ④
	① ② ③ ④
	① ② ③ ④
	① ② ③ ④
	① ② ③ ④
	① ② ③ ④
	① ② ③ ④
	① ② ③ ④
	① ② ③ ④
	① ② ③ ④
	① ② ③ ④
	① ② ③ ④
	① ② ③ ④
	① ② ③ ④
	① ② ③ ④
	① ② ③ ④
	① ② ③ ④
	① ② ③ ④
	① ② ③ ④

문번	PART ____ CHAPTER ____
	① ② ③ ④
	① ② ③ ④
	① ② ③ ④
	① ② ③ ④
	① ② ③ ④
	① ② ③ ④
	① ② ③ ④
	① ② ③ ④
	① ② ③ ④
	① ② ③ ④
	① ② ③ ④
	① ② ③ ④
	① ② ③ ④
	① ② ③ ④
	① ② ③ ④
	① ② ③ ④
	① ② ③ ④
	① ② ③ ④
	① ② ③ ④
	① ② ③ ④

문번	PART ____ CHAPTER ____
	① ② ③ ④
	① ② ③ ④
	① ② ③ ④
	① ② ③ ④
	① ② ③ ④
	① ② ③ ④
	① ② ③ ④
	① ② ③ ④
	① ② ③ ④
	① ② ③ ④
	① ② ③ ④
	① ② ③ ④
	① ② ③ ④
	① ② ③ ④
	① ② ③ ④
	① ② ③ ④
	① ② ③ ④
	① ② ③ ④
	① ② ③ ④
	① ② ③ ④

※ 잘라서 앞뒤로 활용 가능 ※ 에듀윌 [도서몰(book.eduwill.net) ▶ 도서자료실]에서 추가 다운로드 가능

2022 경찰공무원 단원별 기출문제집

문번	PART ____ CHAPTER ____	문번	PART ____ CHAPTER ____	문번	PART ____ CHAPTER ____	문번	PART ____ CHAPTER ____	문번	PART ____ CHAPTER ____
	① ② ③ ④		① ② ③ ④		① ② ③ ④		① ② ③ ④		① ② ③ ④
	① ② ③ ④		① ② ③ ④		① ② ③ ④		① ② ③ ④		① ② ③ ④
	① ② ③ ④		① ② ③ ④		① ② ③ ④		① ② ③ ④		① ② ③ ④
	① ② ③ ④		① ② ③ ④		① ② ③ ④		① ② ③ ④		① ② ③ ④
	① ② ③ ④		① ② ③ ④		① ② ③ ④		① ② ③ ④		① ② ③ ④
	① ② ③ ④		① ② ③ ④		① ② ③ ④		① ② ③ ④		① ② ③ ④
	① ② ③ ④		① ② ③ ④		① ② ③ ④		① ② ③ ④		① ② ③ ④
	① ② ③ ④		① ② ③ ④		① ② ③ ④		① ② ③ ④		① ② ③ ④
	① ② ③ ④		① ② ③ ④		① ② ③ ④		① ② ③ ④		① ② ③ ④
	① ② ③ ④		① ② ③ ④		① ② ③ ④		① ② ③ ④		① ② ③ ④
	① ② ③ ④		① ② ③ ④		① ② ③ ④		① ② ③ ④		① ② ③ ④
	① ② ③ ④		① ② ③ ④		① ② ③ ④		① ② ③ ④		① ② ③ ④
	① ② ③ ④		① ② ③ ④		① ② ③ ④		① ② ③ ④		① ② ③ ④
	① ② ③ ④		① ② ③ ④		① ② ③ ④		① ② ③ ④		① ② ③ ④
	① ② ③ ④		① ② ③ ④		① ② ③ ④		① ② ③ ④		① ② ③ ④
	① ② ③ ④		① ② ③ ④		① ② ③ ④		① ② ③ ④		① ② ③ ④
	① ② ③ ④		① ② ③ ④		① ② ③ ④		① ② ③ ④		① ② ③ ④
	① ② ③ ④		① ② ③ ④		① ② ③ ④		① ② ③ ④		① ② ③ ④
	① ② ③ ④		① ② ③ ④		① ② ③ ④		① ② ③ ④		① ② ③ ④
	① ② ③ ④		① ② ③ ④		① ② ③ ④		① ② ③ ④		① ② ③ ④

2022 경찰공무원 단원별 기출문제집

문번	PART ____ CHAPTER ____	문번	PART ____ CHAPTER ____	문번	PART ____ CHAPTER ____	문번	PART ____ CHAPTER ____	문번	PART ____ CHAPTER ____
	① ② ③ ④		① ② ③ ④		① ② ③ ④		① ② ③ ④		① ② ③ ④
	① ② ③ ④		① ② ③ ④		① ② ③ ④		① ② ③ ④		① ② ③ ④
	① ② ③ ④		① ② ③ ④		① ② ③ ④		① ② ③ ④		① ② ③ ④
	① ② ③ ④		① ② ③ ④		① ② ③ ④		① ② ③ ④		① ② ③ ④
	① ② ③ ④		① ② ③ ④		① ② ③ ④		① ② ③ ④		① ② ③ ④
	① ② ③ ④		① ② ③ ④		① ② ③ ④		① ② ③ ④		① ② ③ ④
	① ② ③ ④		① ② ③ ④		① ② ③ ④		① ② ③ ④		① ② ③ ④
	① ② ③ ④		① ② ③ ④		① ② ③ ④		① ② ③ ④		① ② ③ ④
	① ② ③ ④		① ② ③ ④		① ② ③ ④		① ② ③ ④		① ② ③ ④
	① ② ③ ④		① ② ③ ④		① ② ③ ④		① ② ③ ④		① ② ③ ④
	① ② ③ ④		① ② ③ ④		① ② ③ ④		① ② ③ ④		① ② ③ ④
	① ② ③ ④		① ② ③ ④		① ② ③ ④		① ② ③ ④		① ② ③ ④
	① ② ③ ④		① ② ③ ④		① ② ③ ④		① ② ③ ④		① ② ③ ④
	① ② ③ ④		① ② ③ ④		① ② ③ ④		① ② ③ ④		① ② ③ ④
	① ② ③ ④		① ② ③ ④		① ② ③ ④		① ② ③ ④		① ② ③ ④
	① ② ③ ④		① ② ③ ④		① ② ③ ④		① ② ③ ④		① ② ③ ④
	① ② ③ ④		① ② ③ ④		① ② ③ ④		① ② ③ ④		① ② ③ ④
	① ② ③ ④		① ② ③ ④		① ② ③ ④		① ② ③ ④		① ② ③ ④
	① ② ③ ④		① ② ③ ④		① ② ③ ④		① ② ③ ④		① ② ③ ④
	① ② ③ ④		① ② ③ ④		① ② ③ ④		① ② ③ ④		① ② ③ ④

※잘라서 앞뒤로 활용 가능 ※에듀윌 [도서몰(book.eduwill.net) ▶ 도서자료실]에서 추가 다운로드 가능

2022 경찰공무원 단원별 기출문제집

문번	PART ____ CHAPTER ____
	① ② ③ ④
	① ② ③ ④
	① ② ③ ④
	① ② ③ ④
	① ② ③ ④
	① ② ③ ④
	① ② ③ ④
	① ② ③ ④
	① ② ③ ④
	① ② ③ ④
	① ② ③ ④
	① ② ③ ④
	① ② ③ ④
	① ② ③ ④
	① ② ③ ④
	① ② ③ ④
	① ② ③ ④
	① ② ③ ④
	① ② ③ ④
	① ② ③ ④

문번	PART ____ CHAPTER ____
	① ② ③ ④
	① ② ③ ④
	① ② ③ ④
	① ② ③ ④
	① ② ③ ④
	① ② ③ ④
	① ② ③ ④
	① ② ③ ④
	① ② ③ ④
	① ② ③ ④
	① ② ③ ④
	① ② ③ ④
	① ② ③ ④
	① ② ③ ④
	① ② ③ ④
	① ② ③ ④
	① ② ③ ④
	① ② ③ ④
	① ② ③ ④
	① ② ③ ④

문번	PART ____ CHAPTER ____
	① ② ③ ④
	① ② ③ ④
	① ② ③ ④
	① ② ③ ④
	① ② ③ ④
	① ② ③ ④
	① ② ③ ④
	① ② ③ ④
	① ② ③ ④
	① ② ③ ④
	① ② ③ ④
	① ② ③ ④
	① ② ③ ④
	① ② ③ ④
	① ② ③ ④
	① ② ③ ④
	① ② ③ ④
	① ② ③ ④
	① ② ③ ④
	① ② ③ ④

문번	PART ____ CHAPTER ____
	① ② ③ ④
	① ② ③ ④
	① ② ③ ④
	① ② ③ ④
	① ② ③ ④
	① ② ③ ④
	① ② ③ ④
	① ② ③ ④
	① ② ③ ④
	① ② ③ ④
	① ② ③ ④
	① ② ③ ④
	① ② ③ ④
	① ② ③ ④
	① ② ③ ④
	① ② ③ ④
	① ② ③ ④
	① ② ③ ④
	① ② ③ ④
	① ② ③ ④

문번	PART ____ CHAPTER ____
	① ② ③ ④
	① ② ③ ④
	① ② ③ ④
	① ② ③ ④
	① ② ③ ④
	① ② ③ ④
	① ② ③ ④
	① ② ③ ④
	① ② ③ ④
	① ② ③ ④
	① ② ③ ④
	① ② ③ ④
	① ② ③ ④
	① ② ③ ④
	① ② ③ ④
	① ② ③ ④
	① ② ③ ④
	① ② ③ ④
	① ② ③ ④
	① ② ③ ④

2022 경찰공무원 단원별 기출문제집

문번	PART ____ CHAPTER ____
	① ② ③ ④
	① ② ③ ④
	① ② ③ ④
	① ② ③ ④
	① ② ③ ④
	① ② ③ ④
	① ② ③ ④
	① ② ③ ④
	① ② ③ ④
	① ② ③ ④
	① ② ③ ④
	① ② ③ ④
	① ② ③ ④
	① ② ③ ④
	① ② ③ ④
	① ② ③ ④
	① ② ③ ④
	① ② ③ ④
	① ② ③ ④
	① ② ③ ④

문번	PART ____ CHAPTER ____
	① ② ③ ④
	① ② ③ ④
	① ② ③ ④
	① ② ③ ④
	① ② ③ ④
	① ② ③ ④
	① ② ③ ④
	① ② ③ ④
	① ② ③ ④
	① ② ③ ④
	① ② ③ ④
	① ② ③ ④
	① ② ③ ④
	① ② ③ ④
	① ② ③ ④
	① ② ③ ④
	① ② ③ ④
	① ② ③ ④
	① ② ③ ④
	① ② ③ ④

문번	PART ____ CHAPTER ____
	① ② ③ ④
	① ② ③ ④
	① ② ③ ④
	① ② ③ ④
	① ② ③ ④
	① ② ③ ④
	① ② ③ ④
	① ② ③ ④
	① ② ③ ④
	① ② ③ ④
	① ② ③ ④
	① ② ③ ④
	① ② ③ ④
	① ② ③ ④
	① ② ③ ④
	① ② ③ ④
	① ② ③ ④
	① ② ③ ④
	① ② ③ ④
	① ② ③ ④

문번	PART ____ CHAPTER ____
	① ② ③ ④
	① ② ③ ④
	① ② ③ ④
	① ② ③ ④
	① ② ③ ④
	① ② ③ ④
	① ② ③ ④
	① ② ③ ④
	① ② ③ ④
	① ② ③ ④
	① ② ③ ④
	① ② ③ ④
	① ② ③ ④
	① ② ③ ④
	① ② ③ ④
	① ② ③ ④
	① ② ③ ④
	① ② ③ ④
	① ② ③ ④
	① ② ③ ④

문번	PART ____ CHAPTER ____
	① ② ③ ④
	① ② ③ ④
	① ② ③ ④
	① ② ③ ④
	① ② ③ ④
	① ② ③ ④
	① ② ③ ④
	① ② ③ ④
	① ② ③ ④
	① ② ③ ④
	① ② ③ ④
	① ② ③ ④
	① ② ③ ④
	① ② ③ ④
	① ② ③ ④
	① ② ③ ④
	① ② ③ ④
	① ② ③ ④
	① ② ③ ④
	① ② ③ ④

※ 잘라서 앞뒤로 활용 가능 ※ 에듀윌 [도서몰(book.eduwill.net) ▶ 도서자료실]에서 추가 다운로드 가능

2022 경찰공무원 단원별 기출문제집

문번	PART ____ CHAPTER ____
	① ② ③ ④
	① ② ③ ④
	① ② ③ ④
	① ② ③ ④
	① ② ③ ④
	① ② ③ ④
	① ② ③ ④
	① ② ③ ④
	① ② ③ ④
	① ② ③ ④
	① ② ③ ④
	① ② ③ ④
	① ② ③ ④
	① ② ③ ④
	① ② ③ ④
	① ② ③ ④
	① ② ③ ④
	① ② ③ ④
	① ② ③ ④
	① ② ③ ④

문번	PART ____ CHAPTER ____
	① ② ③ ④
	① ② ③ ④
	① ② ③ ④
	① ② ③ ④
	① ② ③ ④
	① ② ③ ④
	① ② ③ ④
	① ② ③ ④
	① ② ③ ④
	① ② ③ ④
	① ② ③ ④
	① ② ③ ④
	① ② ③ ④
	① ② ③ ④
	① ② ③ ④
	① ② ③ ④
	① ② ③ ④
	① ② ③ ④
	① ② ③ ④
	① ② ③ ④

문번	PART ____ CHAPTER ____
	① ② ③ ④
	① ② ③ ④
	① ② ③ ④
	① ② ③ ④
	① ② ③ ④
	① ② ③ ④
	① ② ③ ④
	① ② ③ ④
	① ② ③ ④
	① ② ③ ④
	① ② ③ ④
	① ② ③ ④
	① ② ③ ④
	① ② ③ ④
	① ② ③ ④
	① ② ③ ④
	① ② ③ ④
	① ② ③ ④
	① ② ③ ④
	① ② ③ ④

문번	PART ____ CHAPTER ____
	① ② ③ ④
	① ② ③ ④
	① ② ③ ④
	① ② ③ ④
	① ② ③ ④
	① ② ③ ④
	① ② ③ ④
	① ② ③ ④
	① ② ③ ④
	① ② ③ ④
	① ② ③ ④
	① ② ③ ④
	① ② ③ ④
	① ② ③ ④
	① ② ③ ④
	① ② ③ ④
	① ② ③ ④
	① ② ③ ④
	① ② ③ ④
	① ② ③ ④

문번	PART ____ CHAPTER ____
	① ② ③ ④
	① ② ③ ④
	① ② ③ ④
	① ② ③ ④
	① ② ③ ④
	① ② ③ ④
	① ② ③ ④
	① ② ③ ④
	① ② ③ ④
	① ② ③ ④
	① ② ③ ④
	① ② ③ ④
	① ② ③ ④
	① ② ③ ④
	① ② ③ ④
	① ② ③ ④
	① ② ③ ④
	① ② ③ ④
	① ② ③ ④
	① ② ③ ④

2022 경찰공무원 단원별 기출문제집

문번	PART ____ CHAPTER ____
	① ② ③ ④
	① ② ③ ④
	① ② ③ ④
	① ② ③ ④
	① ② ③ ④
	① ② ③ ④
	① ② ③ ④
	① ② ③ ④
	① ② ③ ④
	① ② ③ ④
	① ② ③ ④
	① ② ③ ④
	① ② ③ ④
	① ② ③ ④
	① ② ③ ④
	① ② ③ ④
	① ② ③ ④
	① ② ③ ④
	① ② ③ ④
	① ② ③ ④

문번	PART ____ CHAPTER ____
	① ② ③ ④
	① ② ③ ④
	① ② ③ ④
	① ② ③ ④
	① ② ③ ④
	① ② ③ ④
	① ② ③ ④
	① ② ③ ④
	① ② ③ ④
	① ② ③ ④
	① ② ③ ④
	① ② ③ ④
	① ② ③ ④
	① ② ③ ④
	① ② ③ ④
	① ② ③ ④
	① ② ③ ④
	① ② ③ ④
	① ② ③ ④
	① ② ③ ④

문번	PART ____ CHAPTER ____
	① ② ③ ④
	① ② ③ ④
	① ② ③ ④
	① ② ③ ④
	① ② ③ ④
	① ② ③ ④
	① ② ③ ④
	① ② ③ ④
	① ② ③ ④
	① ② ③ ④
	① ② ③ ④
	① ② ③ ④
	① ② ③ ④
	① ② ③ ④
	① ② ③ ④
	① ② ③ ④
	① ② ③ ④
	① ② ③ ④
	① ② ③ ④
	① ② ③ ④

문번	PART ____ CHAPTER ____
	① ② ③ ④
	① ② ③ ④
	① ② ③ ④
	① ② ③ ④
	① ② ③ ④
	① ② ③ ④
	① ② ③ ④
	① ② ③ ④
	① ② ③ ④
	① ② ③ ④
	① ② ③ ④
	① ② ③ ④
	① ② ③ ④
	① ② ③ ④
	① ② ③ ④
	① ② ③ ④
	① ② ③ ④
	① ② ③ ④
	① ② ③ ④
	① ② ③ ④

문번	PART ____ CHAPTER ____
	① ② ③ ④
	① ② ③ ④
	① ② ③ ④
	① ② ③ ④
	① ② ③ ④
	① ② ③ ④
	① ② ③ ④
	① ② ③ ④
	① ② ③ ④
	① ② ③ ④
	① ② ③ ④
	① ② ③ ④
	① ② ③ ④
	① ② ③ ④
	① ② ③ ④
	① ② ③ ④
	① ② ③ ④
	① ② ③ ④
	① ② ③ ④
	① ② ③ ④

※ 잘라서 앞뒤로 활용 가능　※ 에듀윌 [도서몰(book.eduwill.net) ▶ 도서자료실]에서 추가 다운로드 가능

2022 경찰공무원 단원별 기출문제집 형사법 1000제

발 행 일 2021년 11월 19일 초판

저 자 강기주, 이태우

펴 낸 이 박명규

펴 낸 곳 (주)에듀윌

등록번호 제25100-2002-000052호

주 소 08378 서울특별시 구로구 디지털로34길 55
코오롱싸이언스밸리 2차 3층

ISBN 979-11-360-1278-4 (13350)

www.eduwill.net

대표전화 1600-6700

여러분의 작은 소리
에듀윌은 크게 듣겠습니다.

본 교재에 대한 여러분의 목소리를 들려주세요.
공부하시면서 어려웠던 점, 궁금한 점,
칭찬하고 싶은 점, 개선할 점, 어떤 것이라도 좋습니다.

에듀윌은 여러분께서 나누어 주신 의견을
통해 끊임없이 발전하고 있습니다.

에듀윌 도서몰 book.eduwill.net

- 부가학습자료 및 정오표: 에듀윌 도서몰 → 도서자료실
- 교재 문의: 에듀윌 도서몰 → 문의하기 → 교재(내용, 출간) / 주문 및 배송

에듀윌 경찰공무원

단원별 기출문제집

3회독 워크북

형사법 1000제

3회독 워크북

형사법 1000제

고객의 꿈, 직원의 꿈, 지역사회의 꿈을 실현한다

펴낸곳 (주)에듀윌 **펴낸이** 박명규 **출판총괄** 김형석
개발책임 진현주 **개발** 고원, 이세원, 이혜린
주소 서울시 구로구 디지털로34길 55 코오롱싸이언스밸리 2차 3층
대표번호 1600-6700 **등록번호** 제25100-2002-000052호

에듀윌 도서몰 book.eduwill.net
• 부가학습자료 및 정오표: 에듀윌 도서몰 → 도서자료실
• 교재 문의: 에듀윌 도서몰 → 문의하기 → 교재(내용, 출간) / 주문 및 배송

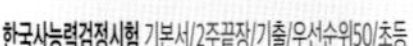

조리기능사 필기/실기

제과제빵기능사 필기/실기

SMAT 모듈A/B/C

ERP정보관리사 회계/인사/물류/생산(1, 2급)

전산세무회계 기초서/기본서/기출문제집

어문회 한자 2급 | 상공회의소한자 3급

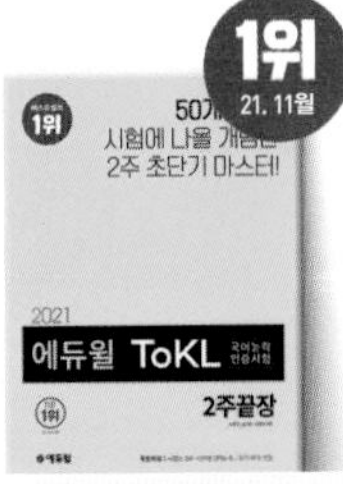

ToKL 한권끝장/2주끝장

KBS한국어능력시험 한권끝장/2주끝장/문제집/기출문제집

한국실용글쓰기

매경TEST 기본서/문제집/2주끝장

TESAT 기본서/문제집/기출문제집

스포츠지도사 필기/실기구술 한권끝장

산업안전기사 | 산업안전산업기사

위험물산업기사 | 위험물기능사

무역영어 1급 | 국제무역사 1급

운전면허 1종·2종

컴퓨터활용능력 | 워드프로세서

월간시사상식 | 일반상식

월간 NCS | 매1N

NCS 통합 | 모듈형 | 피듈형

PSAT형 NCS 자료해석 380제

PSAT 기출완성 | 6대 출제사 기출PACK

한국철도공사 | 서울교통공사 | 부산교통공사

국민건강보험공단 | 한국전력공사

한수원 | 수자원 | 토지주택공사

행과연 | 기업은행 | 인천국제공항공사

대기업 인적성 통합 | GSAT

LG | SKCT | CJ | L-TAB

ROTC·학사장교 | 부사관

※ YES24 수험서 자격증 주택관리사 베스트셀러 1위 (2010년 12월, 2011년 3월, 9월, 12월, 2012년 1월, 3월~12월, 2013년 1월~5월, 8월~11월, 2014년 2월~8월, 10월~12월, 2015년 1월~5월, 7월~12월, 2016년 1월~12월, 2017년 1월~12월, 2018년 1월~12월, 2019년 1월~12월, 2020년 1월~7월, 9월~12월, 2021년 1월~11월 월별 베스트, 매월 1위 교재는 다름)

※ YES24 국내도서 해당분야 월별, 주별 베스트 기준

eduwill